Verein deutsche

Allgemeine Militaer

Ostindien-Richmond (7. Band)

Verein deutscher Offiziere

Allgemeine Militaer-Enzyklopaedie

Ostindien-Richmond (7. Band)

Inktank publishing, 2018

www.inktank-publishing.com

ISBN/EAN: 9783747786505

All rights reserved

Mauritz Küster

Allgemeine

Militair-Encyclopädie.

Herausgegeben und bearbeitet

von

einem Verein deutscher Offiziere

und Anderen.

Zweite völlig umgearbeitete und verbesserte Auflage.

Siebenter Band.

Ostindien — Richmond.

Leipzig,

Verlag von J. H. Webel.

1872.

Ostindien, 1) im weitereren Sinne die gemeinsame Benennung für die beiden südasiatischen Halbinseln Vorder- und Hinter-Indien und den Indischen Archipel (f. Archipel a); 2) im engeren Sinne nur Vorder-Indien, auch Indien diesseit des Ganges genannt, weil das Delta des Ganges und Brahmaputra es im Osten von Hinter-Indien oder Indien jenseit des Ganges trennt; doch rechnet man seit neuster Zeit, in politischer Hinsicht wenigstens, auch das auf der Westküste von Hinter-Indien gelegene Britisch-Birmanien (f. d.) hinzu, weil zu Britisch-Indien gehörig. Die vorderindische Halbinsel bildet ein unregelmäßiges Viereck, dessen Ecken nach den vier Himmelsgegenden gerichtet sind, während die Seiten desselben im Nordwesten vom Indus und dem Hochland von Iran, im Nordosten vom Himalaya begrenzt, im Südosten vom Bengalischen Meerbusen, im Westsüdwesten vom Persischen Meerbusen bespült werden. Dieses Viereck nimmt einen Gesammtflächenraum von ungef. 65,000 D. M. ein, und zerfällt in zwei ziemlich gleich große Hälften; die nördliche, Hindostan, umfaßt 35,000 D. M., wird vom Indus, Ganges und Brahmaputra bewässert und ist größtentheils eben, die südliche, Dekan, umfaßt 30,000 D. M., wird von der Nerbudda, Mahanadi, Godaveri, Kistna und zahlreichen Küstenflüssen bewässert und ist namentlich im Innern gebirgig. Hinsichtlich des Klimas, wie der Flora und Fauna, zeigt sich ein durchgehender Unterschied zwischen Hochland und Tiefland. Der Productenreichthum ist in allen drei Naturreichen ein außerordentlicher. Die Gesammtbevölkerung Vorderindiens wird auf 190 Millionen Menschen geschätzt, welche ethnographisch wie sprachlich mehren ganz verschiedenen Stämmen angehören. Den Hauptstamm von Hindostan bilden die Hindu, den von Dekan die Dravidischen Völker; die Zahl der Europäer (meist Engländer, Portugiesen und Franzosen) mag sich in ganz O. auf ungefähr 1 Million belaufen. Der Religion nach bekennt sich der größte Theil der Bevölkerung zum Brahmaismus, ungefähr 25 Millionen zum Islam, und nur wenig über eine 1 Million zum Christenthum (außer den Europäern nur armenische und abyssinische Kaufleute). Die Bildung, der gesellschaftliche und der sittliche Zustand, wie die bedeutende Literatur und die bildende Kunst der Hindu sind mit ihrer Religion aufs engste verwachsen. Ackerbau und Industrie sind zu hoher Vollkommenheit entwickelt. Von großer Bedeutung ist der Handel. Der Bau von Eisenbahnen schritt besonders seit der Unterdrückung der Seapoy-Revolution von 1857 rasch vorwärts; die Hauptlinie (Westbahn) Calcutta-Bombay wurde im Frühjahr 1870 vollständig eröffnet, die Südbahn (Calcutta-Madras) schon vor mehren Jahren dem Verkehre übergeben. Telegraphenverbindungen sind zwischen allen Hauptstädten vorhanden. In politischer Beziehung zerfällt O. in das Indobritische Reich (Britisch-Indien) und die unabhängigen Staaten; außerdem haben die Portugiesen und Franzosen noch unbedeutende Besitzungen, und zwar Erstere: Goa, Salsete, Bardez, Damao und Diu (zusammen 73,₁ Q. M. mit 527,000 Einw.), Letztere: Pondichery, Chandernagor, Karikal, Mahé und Yannon (zusammen 9,₁ Q. M. mit 227,000 Einw.). Das Indobritische Reich, zu welchem jedoch, wie schon oben erwähnt, das an der Westküste von Hinter-Indien gelegene Britisch-Birmanien gehört, besteht nach dem Parlamentsausweis für 1863 aus dem „unmittelbaren Reichsgebiet" (47,252,₁₁ Q. M. mit 143,271,210 Einw. oder einschließlich der unter einem eigenen Gouverneur stehenden 1161,₁₁ Q. M. mit 2,342,098 Einw. umfassende Insel Ceylon zusammen 48,414,₁₁ Q. M. mit 145,613,308 Einwohner) und dem „mittelbaren Reichsgebiet" oder den einheimischen Subsidien-Allianz- und Schutz-Staaten (insgesammt 28,270,₁ Q. M. mit 47,849,199 Einw.), so daß also das ganze Indobritische Reich 1863 einen Umfang von 75,522,₁₁ Q. M. mit 191,120,409 Einwohner oder einschließlich der Insel Ceylon einen Gesammtumfang von 76,684,₄₄ Q. M. mit einer Gesammtbevölkerung von 193,462,407 Einw. hat. Das unmittelbare Reichsgebiet zerfällt in die drei Präsidentschaften Bengalen (jetzt getheilt in die 4 Gouvernements oder Provinzen Bengalen Pendschab, Nordwest-Provinzen mit Oude und Britisch-Birmanien oder Rangun), Madras und Bombay (s. deren eigene Artikel). An der Spitze der Gesammtregierung steht der Vicekönig oder General-Gouverneur von Britisch-Indien, unter welchem auch direct die vier Provinzen der Präsidentschaft Bengalen, welche von Lieutenant-Gouverneurs verwaltet werden, stehen; die beiden Präsidentschaften Madras und Bombay werden von Gouverneurs verwaltet, welche in mehrfacher Hinsicht von dem General-Gouverneur abhängig sind. Reichshauptstadt ist Calcutta. Die Verwaltung des ganzen Gebietes steht seit 1858 direct unter die Krone England, resp. unter einem besondern Staatssecretär (Minister) für Indien, welcher stets Mitglied des Staatsministeriums, des Cabinets und des Geheimen Raths ist (s. u. Großbritannien Bd. IV. S. 274 f.). Die innerhalb der Präsidentschaften zerstreut liegenden Staaten des mittelbaren Reichsgebietes sind dem Namen nach Subsidien-Allianz-Staaten (Subsidiary Allies) oder Schutz-Staaten (Protected-States), deren Fürsten factisch jetzt nicht mehr Bundesgenossen, sondern Lehnsträger der britischen Krone, zum Theil mit ungeheuren Einkünften und glänzenden Hofhaltungen sind. In den Subsidien-Allianz-Staaten unterhält die britische Regierung eine reguläre Armee und bezieht dafür jährlich eine bestimmte Summe, die in gewissen Fällen durch Gebietsabtretungen gedeckt werden kann. Die wichtigsten dieser Subsidien-Allianz Staaten sind: der Staat des Nizam von Hyderabad, Mysore, Travancore, Kotschin, Gwalior oder der Staat der Dynastie Scindia, Indore oder der Staat der Dynastie Holkar, Baroda oder der Staat der Dynastie Guicowar und Katsch (Cutch). In den Schutz-Staaten unterhält dagegen die Britische Regierung kein stehendes Heer, übernimmt aber im Kriegsfalle ihre Vertheidigung und bezieht dafür jährlichen Tribut; solcher Schutzstaaten giebt es ungefähr 300. Einige Fürsten sowohl der Subsidien- wie der Schutz-Staaten haben auch das Recht, eigene Haustruppen zu halten, welche meist von britischen Offizieren commandirt werden und im Kriegsfalle als Hilfstruppen oder Contingente zur Verfügung der britischen Regierung gestellt werden müssen. Die Truppen in Indien werden gebildet durch die drei Armeen von Bengalen, Madras und Bombay und bestehen 1) aus den königlichen (europäischen) nach Ostindien abcommandirten Truppen, 2) aus den regulären Native- (Eingebornen-) Truppen (Seapoys s. d.), 3) aus den irregulären Truppen und Contingenten der Subsidien- und Schutz-Staaten (das Nähere s. u. Großbritannien Bd. IV. S. 280).

Die früheste Geschichte O.'s ist in Dunkel gehüllt und durchaus sagenhaft, da die Indische Literatur eine eigentliche Geschichtschreibung nicht kennt und die noch erhaltenen chronikartigen Schriften des Sanskrit einen mythologischen Charakter haben und mehr der Dichtkunst als der Geschichte angehören.

Unsere ganze Kenntniß der altindischen Geschichte beruht daher auf Rückschlüssen und Combinationen. Die Ureinwohner O.s waren eine dunkelfarbige, kaum civilisirte Race, von welcher sich eine Verwandtschaft mit anderen Racen nicht nachweisen läßt und von welcher sich noch jetzt Ueberreste unter der übrigen Bevölkerung O.s erhalten haben. Ein zweiter, begabterer Volksstamm, welcher der Wahrscheinlichkeit nach von Norden her einzog und sich bis nach Ceylon vorschob, sind die Dravidischen Völker, welche noch jetzt den größten Theil der Bevölkerung des Dekan bilden (s. oben). Ungefähr 2000. v. Chr. zogen aus den nordwestlichen Gebirgslandschaften Schaaren kaukasischen (arischen) Stammes als Eroberer ein, unterwarfen sich die Thäler des Pendschab und des Ganges und bildeten durch ihre Vermischung mit den Eingeborenen das heutige Volk der Hindu, welche noch jetzt den Hauptstamm in Hindostan bilden. Als großer Eroberer erscheint besonders in dem Epos „Ramayana" der gefeierte Held Rama, welcher bis nach Lanka (Ceylon) vordrang. Im 6. Jahrh. v. Chr. wurde durch die Entstehung und Verbreitung des Buddhismus eine große Bewegung hervorgerufen. Mit dem Feldzuge Alexanders d. Gr. (s. d.), welcher 326 v. Chr. bis in das heutige Pendschab vordrang, tritt O. in die wirkliche Geschichte ein. Nach Alexanders Tode erhob sich Tschandragupta (von den Griechen Sandrokottos genannt) und begründete seit 312 v. Chr. im Osten des Indus ein mächtiges Reich, welches sich bis ins Dekan hereinerstreckte. Gegen Tschandragupta zog Seleukus Nikator, drang bis Palimbothra (jetzt Patna) am Ganges vor, machte aber gegen ein Geschenk von 500 Elephanten Frieden. Um 230 v. Chr. stifteten Griechen unter Theodotos das Indobaktrische Reich, zu welchem König Eukratides einen Theil des nördlichen O.s eroberte. Nach dem Verfall dieses Reiches entstand etwa um 120 v. Chr. das Reich der Indoskythen oder Saken. Während der römischen Kaiserzeit standen die Römer mit O. in vielfacher Verbindung; indische Fürsten unterhielten Gesandtschaften in Rom bis ins 8. Jahrhundert n. Chr. Mit der Ausbreitung des Islam in Asien, namentlich seit der Zerstörung des Neupersischen Reiches durch die Araber (712), hörte die unmittelbare Verbindung Europas mit O. auf. Die Araber unternahmen dann auch Eroberungszüge nach O. und die erste mohammedanische Dynastie dort war die der Ghasnaviden (900—1182). Andere mohammedanische Reiche wurden durch die Ghuriden, Dschingis Khan, Tamerlan (Timur) u. A. gestiftet, bis 1526 Babur das Reich des Großmogul zu Delhi gründete, welches zur Zeit seiner Blüthe unter Akbar (1556—1605) und Aureng-Zeyb (1659—1707) ganz Hindostan und den größten Theil von Dekan umfaßte. Die Entdeckung des Seeweges nach O. durch die Portugiesen (1498) hatte mittlerweile das reiche Land mehr in Verbindung mit Europa gebracht. Zunächst erwarben die Portugiesen zu Anfang des 16. Jahrh. bedeutende Besitzungen (Goa) und mit ihnen ausschließlich den wichtigen ostindischen Handel. Als gegen Ende des 16. Jahrh. Portugal unter spanische Herrschaft kam, traten die Holländer in O. auf und bemächtigten sich des dortigen Handels, erhielten aber sehr bald an den Engländern mächtige Rivalen, welche 1660 die Englisch-Ostindische Compagnie gründeten. Die Franzosen gründeten 1665 die Französisch-Ostindische Compagnie und kamen darüber mit den Engländern in Kampf, mußten aber im Pariser Frieden von 1763 alles, was sie in O. erworben hatten, den Engländern preisgeben. Lord Clive (s. d.) begründete durch seine Siege über den Nabob die eigentliche Macht der Engländer in O. und wurde 1764 General-Gouverneur. Unter Warren Hastings (s. d.), welcher 1773 General-Gouverneur wurde, befestigte sich die Macht der Engländer noch mehr, besonders nach den glücklichen Kämpfen gegen Tippo-Saib, welcher, von Frankreich beeinflußt, gegen die Engländer auftrat und endlich bei dem Sturme von Seringapatam (1799) durch Marquis Wellesley Thron und Leben verlor. Die siegreichen Feldzüge

1*

gegen die Mahratten (1803), Nepal (1814), den Holkar (1817) und den Rad-
scha von Nagpoor, welche 1818 mit dem völligen Ruin dieser Fürsten endigte,
brachten der Englisch-Ostindischen Compagnie weite Ländergebiete ein, so daß
die Engländer seitdem ihre Herrschaft über O. fest begründet sahen. Durch den
ersten Birmanischen Krieg (1824—26) erwarben die Engländer die hinterindischen
Gebiete Arracan und Tenasserim (s. u. Birma). Ein Krieg gegen die Afghanen,
welcher im Winter 1838/39 ausbrach, war Anfangs unglücklich für die
Engländer; diese wurden im Winter 1841/42 zu einem höchst verderblichen
Rückzuge gezwungen, nahmen aber im Herbst 1842 den Kampf wieder auf, welcher nun mehre Jahre mit wechselndem Glücke geführt wurde und 1855 endlich
zu einem Schutz- und Trutzbündnisse zwischen Dost Mohammed und der eng-
lischen Regierung führte (s. u. Afghanistan). Während der ersten Jahre dieses
Krieges waren auch die Mahratten (s. d.) von Scindia, die Beludschen und die
Emire von Sindh gegen die Engländer aufgestanden. Die Mahratten wurden
am 28. und 29. Dec. 1843 von den Engländern unter Gough und Grey bei
Maharabschpoor und Puniar gänzlich geschlagen und darauf das Reich der
Scindia als Subsidienstaat dem Indobritischen Reiche einverleibt. Nachdem
Sir Charles Napier die Beludschen gezähmt und die Armee der Emire von
Sindh bei Miani am 17. Februar und 24. März 1843 vollständig vernichtet
und Hyderabad eingenommen hatte, wurde der ganze Staat des Nizam von
Hyderabad dem Indobritischen Reiche ebenfalls als Subsidienstaat einverleibt.
Im Winter 1844/45 brach der große Krieg gegen die Sikhs aus, in welchem die eng-
lischen Waffen Anfangs unglücklich kämpften, nach den unentschiedenen Schlachten von
Mudki und Firuschah (18. und 21. Dec. 1845) aber die entscheidenden Siege
bei Aliwal und Sobraon (28. Januar und 10. Febr. 1846) und in einem zweiten
Feldzuge bei Gujerate (21. Febr. 1849) unter Gough erfochten, worauf am
29. März 1841 das Pendschab und das Reich der Sikhs als Provinz mit dem
Indobritischen Reiche vereinigt wurde. Ein zweiter Krieg gegen die Birmanen,
welcher 1852 ausbrach, hatte die Annectirung der Provinz Pegu zur Folge (s.
u. Birmanien). 1854 wurde der Vasallenstaat Nagpoor und 1856 das Königreich
Audh (s. d.) incorporirt. Im Mai 1857 brach der zunächst von den Eingeborenen (Seapoys s. d.) der Armee von Bengalen ausgehende große Militär-Auf-
stand aus, welcher mit Meutereien in verschiedenen Garnisonen begann und durch
mehre einheimische Fürsten (bes. Nena Sahib s. d.) unterstützt wurde. Obgleich die
europäischen Truppen unter Campbell, Havelock, Neill, Nicholson, Outram und Rose
(s. deren eigene Artikel) nur sehr allmählich verstärkt werden konnten, erfochten
die Engländer doch einen blutigen Sieg nach dem andern, nahmen am 17. Juli
1857 Cawnpore, am 14. Sept. Delhi, am 19. März 1858 Lucknow (s. diese
eigenen Artikel) und schlugen die Seapoys nach und nach an allen Punkten, so
daß endlich am 1. Februar 1859 der Kampf für vollständig beendigt erklärt werden
konnte. Eine wichtige Folge dieses Kampfes war, daß nach Annahme der neuen
„India-Bill" von Seiten beider Häuser des englischen Parlaments (2. August
1858) durch Proclamation der Königin Victoria am 1. Nov. 1858 die Herrschaft der Englisch-Ostindischen Compagnie aufgehoben wurde und das Indobritische Reich direct unter die Krone Englands kam. Vgl. Bell, „The Empire
in India", London 1864; Sullivan, „The conquerors, warriors and sta-
tesmen of India", London 1867; Malcolm, „Political history of India from
1784 to 1823", London 1826, 2 Bde.; Neumann, „Geschichte des Englischen
Reichs in Asien", Leipzig 1857, 2 Bde.; Ders. „Ostasiatische Geschichte", ebd.
1861; Ders. „Die Empörung im Anglo-Indischen Reiche und deren Folgen"
in Brockhaus „Unsere Zeit" Bd. 5, Leipzig 1861); Will, „History of British
India", 5. Aufl. London 1858; Ludlow, „British India, its races and its
tory, considered with references to the mutinies of 1857", London

1858; Duff. „The Indian rebellion; its causes and results", London 1858; E. v. Orlich, „Indien und seine Regierung", Leipzig 1859; „The mutiny and the people, by a Hindu", Calcutta 1859; W. Russell (Special-Correspondent der Times) „My diary in India in the year 1858—59", London 1860, 2 Bde.; Thomas Lowe, „Central India, during the rebellion of 1857 and 1858", London 1860; Trotter, „The History of British Empire in India 1844 to 1862", London 1865; Kaye, „History of the Seapoy war in India", London 4. Aufl. 1868, 3 Bde.

Ostpreußen, der östlich gelegene Haupttheil der preußischen Provinz Preußen (s. d.), zugleich der östlichste Theil der Preußischen Monarchie und des Deutschen Reiches, grenzt im Nordwesten und Norden an die Ostsee, im Nordosten an Rußland, im Osten und Süden an Russisch-Polen und umfaßt die beiden Regierungsbezirke Königsberg und Gumbinnen mit 711,₁₁ Q. M. und (1867 1,808,118 Einwohnern (der Nationalität nach ungef. 69 Proc. Deutsche, 18 Proc. Polen, 13 Proc. Lithauer; der Religion nach ungef. 84 Proc. Evangelische, 13 Proc. Katholiken, 3 Proc. christliche Secten und Juden). In O., welches den Ersatzbezirk des größten Theils des 1. Armeecorps bildet, steht die 1. Division und ein kleiner Theil der 2. Division. Hauptstadt (wie überhaupt der ganzen Provinz Preußen) ist Königsberg, zugleich Sitz des General-Commandos des 1. Armeecorps und des Commandos der 1. Division.

Ostrog, Konstantin Wasil Fürst von, polnischer Feldherr, Großhetmann von Lithauen, Besieger der Russen bei Orsza 1514, starb 1532 als Wojewode von Wilna.

Ostrolenka, Stadt mit 3000 Einwohnern im russisch-polnischen Gouvernement Plock an der Narew. Hier 16. Februar 1807 Gefecht zwischen Russen und Franzosen; 26. Mai 1831 Schlacht zwischen Russen unter Diebitsch und Polen unter Skrzynecki, welche Letztere hier mit großen Verlusten den Uebergang erzwangen, aber wegen der schlechten Stellung auf einem Bruchdamme ihre Position nicht behaupten konnten und gänzlich geschlagen wurden.

Oströmisches Reich, s. Byzantinisches Reich.

Ostrowski, Cristinus, berühmter polnischer General unter Wladislaw Jagiello, focht 1410 bei Tannenberg.

Ostsee (Baltisches Meer), das große Wasserbecken, welches zwischen den Küsten von Schweden, Rußland, Preußen, Mecklenburg, dem Lübeck'schen und Oldenburgischen Gebiet, Schleswig-Holstein und Dänemark gelegen und durch die drei Meerengen Sund, Großer und Kleiner Belt mit dem Kattegat und dadurch mit der Nordsee verbunden ist. Die O. erstreckt sich von Südsüdwest nach Nordnordost in einer Länge von nahe an 200 Meilen, hat eine Breite von 24—48 Meilen und einschließlich des Bottnischen und des Finnischen Meerbusens einen Flächenraum von ungef. 7500 Q. M. Der Bottnische Meerbusen ist der Theil nördlich der Alands-Inseln, der Finnische Meerbusen der östliche Theil, welcher in den russischen Continent einschneidet und Finnland von Esthland trennt; andere große Meerbusen sind der Rigaische und die der O. eigenthümlichen Bildungen des Kurischen, Frischen und Stettiner Haffs. Unter den zahlreichen Inseln sind die bedeutendsten: Seeland, Fünen, Bornholm, Samsör, Möen, Langeland und Laaland (zu Dänemark gehörig), Gothland und Oeland (zu Schweden gehörig), die Alands-Inseln, Dagö und Oesel (zu Rußland gehörig), Rügen, Fehmern und Alsen (zu Preußen gehörig). Die O. empfängt unter allen Meeren Europa's verhältnißmäßig den stärksten Zufluß an süßem Wasser (ungefähr 250 Flüsse), woraus sich ihr geringer Salzgehalt erklärt; sie nimmt die Gewässer von Nord-, Mittel- und eines Theils von Südschweden auf (Tornea, Lulea, Pitea, Umea, Angerman, Indal, Dalelf und den Abfluß des Mälarsees), aus dem nordwestlichen Rußland: Kemi, Ulea, Ijo, die Abflüsse der Finnländischen Seen, sowie die Newa, Narew und Düna, ferner die Gewässer von Ostpreußen, Westpreußen, Polen, Schlesien, Pommern und Mecklenburg (Memel [Niemen], Pregel, Weichsel, Persante, Oder, Recknitz, Warnow, Trave u. a.). Das Gesammtgebiet der der O. zuströmenden Flüsse wird auf 42,000 Q. M. geschätzt; nur ungefähr ein Viertel von dessen Grenzen ist gebirgig. Der Charakter der O. ist in mehrfacher Beziehung der eines Binnenmeeres; die durchschnittliche Tiefe beträgt 20 Faden (an vielen Stellen kaum halb so viel), im Allgemeinen selten bis zu 40 Faden und nirgends über 167 Faden; Ebbe und Fluth sind wenig bemerkbar, auch nicht völlig regelmäßig, da die Winde häufig Schwankungen im Verlaufe derselben erzeugen; das Wasser ist kälter und klarer als das des Oceans; der Salzgehalt kaum ein Drittel so stark als dort. Ein äußerst merkwürdiges Phänomen ist die Hebung der baltischen Küsten; dieselbe war namentlich in der Mitte des 18. Jahrhunderts ein Gegenstand vieler Erörterungen der Physiker. Bei heftigen Stürmen findet man an der preußischen und kurländischen Küste Bernstein, welcher von den Wellen an das Ufer gespült wird. Die flachen preußischen und die meist felsigen schwedischen Küsten, namentlich aber der häufig eintretende, von heftigen Stürmen begleitete Wechsel der Winde machen die Schifffahrt auf der O. ziemlich gefährlich, obschon ihre Wellen an sich weniger furchtbar sind als die der Nordsee; die Schifffahrt ist jährlich im Durchschnitt drei bis vier, in harten Wintern sogar bis zu fünf Monaten durch Eis behindert. Demungeachtet ist die Schifffahrt auf der O. sehr lebhaft und auch Dampfschiffe durchschneiden in verschiedenen Linien dieselbe nach allen Richtungen. Ueber die Verbindung der O. mit der Nordsee durch einen Kanal s. u. Nordsee. An der Ostsee liegen auf deutschem Gebiete die Festungen Pillau, Danzig mit Weichselmünde, Colberg, Swinemünde, Stralsund, die Hafenbefestigung von Kiel, die fortificatorischen Anlagen von Sonderburg, Düppel und einige Batterien an der Mecklenburgischen Küste, in Danzig befindet sich ein Königl. Werft; in Kiel und Stralsund sind Marinedepots, in Kiel ist auch ein Artilleriedepot für die Hafenbesichtung.

Ostsee-Provinzen, im weitern Sinne die vier russischen Gouvernements Petersburg, Kurland, Livland und Esthland mit einem Gesammtflächenraum von 2550,₀₃ Q. M. und einer Gesammtbevölkerung (1864) von 2,986,423 Einw., im engern Sinne dagegen nur die drei letzteren Gouvernements (1736,₀₄ Q. M. mit 1,812,249 meist evangelischen und deutsch sprechenden Einw.), welche zusammen den III. Militärbezirk (Riga) bilden, und eigenthümliche Verfassungsverhältnisse haben. Vgl. „Die O. und Rußland“ in Brockhaus „Unsere Zeit“, Neue Folge, Bd. 2, Theil I., Leipzig 1866.

Oswiecim (Auschwitz), Stadt im galizischen Kreise Wadowice, an der Mündung der Sola in die Weichsel und an der Eisenbahn von Wien nach Krakau, welche bei O. über Mysslowitz nach Warschau abzweigt, liegt dicht an der preußischen (schlesischen) Grenze, war früher Hauptstadt des gleichnamigen Fürstenthums, hat ein Schloß und 2500 Einw. Am 27. Juni 1866 wurde hier ein ziemlich lebhaftes Gefecht zwischen Theilen des preußischen Stolberg'schen Detachements und Theilen der zur Deckung Krakaus bestimmten österreichischen Truppen-Division geführt. Als im Jahre 1866 fast die ganze preußische Armee gegen Böhmen in Bewegung gesetzt wurde, blickte man mit Besorgniß auf Oberschlesien, welches leicht der Schauplatz täglicher Streifereien der in Krakau stehenden österreichischen Truppen werden konnte. Theils um Oberschlesien vor derartigen Streifzügen sicher zu stellen, theils zur Beruhigung der Bewohner, wurden zwei Detachements zu beiden Seiten der Oder zur Deckung Oberschlesiens bestimmt. Das Detachement auf dem linken Ufer unter Generalmajor von Knobelsdorff bestand aus dem 62. Infanterie-Regiment, dem 2.

Ulanen-Regiment und der 1. 6pfündigen Batterie des schlesischen Feld-Artillerie-Regiments Nr. 6; das auf dem rechten Ufer unter Generalmajor Graf zu Stolberg bestand aus 6 Bataillonen Landwehr zweiten Aufgebots, einer Reserve-Jäger-Compagnie, dem 6. Landwehr-Husaren, und dem 2. Landwehr-Ulanen-Regiment. Vor allem wurden durch diese beiden Detachements gleich bei Beginn der Feindseligkeiten die Eisenbahnbrücken bei Oderberg, Neu-Berun, Myslowitz, Zawada, Schönbrunn und der Blabutt bei Brutna zerstört. Bis zum 27. Juni beschränkte sich die Thätigkeit des Detachements Stolberg auf die Beobachtung der Grenze von Myslowitz bis Oderberg, wobei einige kleine Rencontres mit dem Feinde vorfielen. — Von der Besatzung Krakaus, welches seiner Ausdehnung halber nur wenig Truppen entbehren konnte, wurden die vier 4. Bataillone der Infanterie-Regimenter Alexander, Roßbach, Mecklenburg-Schwerin und Sachsen-Weimar, 4 Eskadrons Grünne-Ulanen und die 4pfündige Batterie 6/IV zur Bewachung der Grenze detachirt. Diese Grenzbewachung unter Generalmajor von Trentinaglia erstreckte sich von Myslowitz bis Janicowice. Die Truppen wurden durch die Weichsel in zwei Halbbrigaden getheilt und stand die linke unter Befehl des Obrist Ziegler. Bei O. selbst standen das 4. Bataillon Mecklenburg-Schwerin, mit je einer Compagnie an der Beruner-Brücke und vorwärts Brzezinka auf Vorposten, die halbe Batterie und 2 Eskadrons Ulanen. Von jeder Eskadron ein Zug auf Vorposten. Generalmajor Graf Stolberg suchte, theils aus eigenem Antriebe, theils durch ein Schreiben des Ober-Commandos der II. Armee dazu bewogen, die Deckung Oberschlesiens in einer Offensivbewegung auf österreichisches Gebiet, welcher am 27 Juni bis O. Ausdruck zu geben, beschlossen wurde. Tags vorher tauschte jedoch Graf Stolberg gegen 3 Schwadronen Landwehr-Husaren, 2 Füsilier-Compagnien und 2 Geschütze des Detachements Knobelsdorff ein. Die ungenügende Bewaffnung der Landwehr-Bataillone, die das glatte Perkussionsgewehr führten — die Jäger-Compagnien führten Thouvenin-Büchsen — war der Beweggrund. Nach der Disposition des Grafen Stolberg hatte am 27. das Bataillon von Caillat bei Myslowitz zu demonstriren und das Bataillon von Kehler mit einer Eskadron Husaren von Neu-Berun gegen Zabrzeg vorzurücken. Der Rest des Detachements, 4½ Bataillon, 1 Jäger-Compagnie, 4 Eskadrons und zwei Geschütze wurden am Abend des 26. im Jedliner Walde vereinigt. Den 27. früh 4 Uhr ging die Avantgarde, gefolgt von dem Ulanen-Regiment, bei Plawy, das Gros bei Jedlina über die Weichsel. — Die Infanterie der Reserve blieb zur Aufnahme an der Weichsel. Sobald dem Obrist Ziegler der Anmarsch des Feindes gemeldet worden war, ließ er durch drei Compagnien den Bahnhof von O. besetzen. Die Compagnien an der Weichselbrücke bei Zabrzeg wurden an das Zollamtsgebäude gezogen. Ebendaselbst fuhren zwei Geschütze auf; die anderen beiden Geschütze standen südlich des Bahnhofes. Je ein Zug Ulanen waren Geschützbedeckung. Der Rest des Ulanenregiments, 1½ Eskadron, standen zuerst am Eisenbahndamm südlich des Bahnhofes, bald aber von der feindlichen Avantgarde beschossen, zogen sie sich gegen die Sola zurück. Die an der Weichsel auf Vorposten gestandene Compagnie zog sich fechtend auf Brzezinka zurück. In Brzezinka traf eine zur Ablösung der Vorposten vorgegangene Compagnie auf die zurückgehende Truppe, mit der nun Brzezinka hartnäckig vertheidigt wurde. In diesem Kampf griffen die Geschütze ein, so daß es dem preußischen Gros erst nach längerer Zeit gelang, das Dorf in Besitz zu nehmen. Die beiden preußischen Geschütze hatten sich ebenfalls an diesem Gefecht betheiligen wollen, waren aber nach dem ersten Schüssen kampfunfähig geworden. Nachdem Brzezinka von den preußischen Truppen genommen worden war, griffen dieselben den Bahnhof an, im Verein mit der Infanterie der Avantgarde, welche von Plawy hier dorthin marschirt war, nachdem sie wie vorerwähnt die österreichische Cavalerie vom Bahndamm vertrieben hatte. Die südlich des Bahnhofes gestandenen beiden österreichischen Geschütze fuhren wegen des allzunahen Infanteriefeuers ab und nahmen neben den beiden anderen Geschützen am Zollamtsgebäude Stellung. Das preußische Ulanen-Regiment hatte den Bahndamm südlich des Bahnhofes überschritten und trabte gegen O. vor. Die hierin liegende Gefahr richtig erkennend, warfen sich die 1½ Schwadronen österreichischer Ulanen auf das preußische Regiment, von welchem sie nach hartnäckigem Kampfe vollständig zurückgeschlagen wurden. Gleichzeitig hatte aber auch Oberst Ziegler zwei Geschütze auf den Schloßberg zurückgeschickt, die das preußische Ulanen-Regiment nach beendeter Attaque derart unter das Feuer nahmen, daß sich dasselbe wieder hinter den Bahndamm zurückzog. Inzwischen waren die Angriffe der preußischen Infanterie auf den Bahnhof gerichtet. Wenngleich einige Nebengebäude genommen worden waren, versuchte man vergeblich in das Hauptgebäude einzudringen. Um 8½ Uhr gab Graf Stolberg Befehl zum Rückzuge, der gedeckt von dem Ulanen-Regiment und den beiden Füsilier-Compagnien nach Uslanowitz angetreten wurde. Die Oesterreicher gaben dann am andern Tage den Posten von O. auf und gingen auf das linke Weichselufer. Das Detachement Stolberg verlor in diesem Gefecht 6 Offiziere, 166 Mann, 26 Pferde. Die österreichischen Truppen verloren 7 Offiziere, 71 Mann, 30 Pferde. — Vgl. „Oesterreichs Kämpfe im Jahre 1866", v. österr. Generalstab, Wien 1869. „Der Feldzug 1866 in Deutschland" v. preuß. Generalstab, Berlin 1868. Beiheft zum Militär-Wochenblatt, Berlin 1867, 3. Heft.

Otranto, 1) Terra d'O. früher Provinz des Königreichs Neapel, der jetzigen Provinz Lecce des Königreichs Italien entsprechend. 2) (im Alterthum **Hydrantum**) Stadt in der italienischen Provinz Lecce, Sitz eines Erzbischofs, hat ein kleines Castell auf einem in das Adriatische Meer vorspringenden Felsen, einen kleinen Hafen und 3000 Einwohner. O. galt früher als Festung, wurde aber 1865 als solche aufgehoben. Hier 871 Seesieg der Venetianer über die Saracenen; um 1480 wurde die Stadt von Mohammed II. erobert und geplündert.

Otto, 1) O. I., genannt der Große, römisch-deutscher Kaiser, Sohn des Kaisers Heinrich I., geb. 912, wurde von seinem Vater frühzeitig zum deutschen König bestimmt und nach dessen Tode 936 auch zum deutschen Kaiser gewählt und zu Aachen gekrönt, zwang durch einen 14 Jahre langen Krieg den König Boleslaw von Polen zur Anerkennung der deutschen Oberherrlichkeit (950), demüthigte die rebellischen Vasallen, Herzog von Baiern, Eberhard von Franken, seinen Stiefbruder Thankmar und selbst dessen Bundesgenossen, König von Frankreich, er unterwarf die slavischen Völker, an der Oder und Spree, schlug den Dänenkönig Harald, nöthigte Hugo von Paris zu einem nachtheiligen Frieden, schlug Berengar II. (951) und setzte sich die lombardische Krone auf. Nach einem blutigen inneren Kriege erfocht O. 955 auf dem Lechfelde bei Augsburg den glorreichen Sieg über die Ungarn, der ihren Raubzügen auf immer ein Ende machte. Die Streitigkeiten mit dem päpstlichen Stuhle führten ihn 966 zur Eroberung Unteritaliens. Er starb 963 im Kloster Memleben in Thüringen. Vgl. Behse, „Kaiser O. der Große", 3. Band der Geschichtsbibliothek „Aus alter und neuer Zeit" bildend), Leipzig 1867. 2) O. II. Sohn des Vorigen, römisch-deutscher Kaiser, geb. 955, 961 zum deutschen Kaiser, kämpfte zuerst gegen den rebellischen Herzog Heinrich von Baiern und dessen Verbündete, die Fürsten Polens, Böhmens und Dänemarks, blieb nach langem Kampfe 977 Sieger, wendete sich 978 gegen den König Lothar von Frankreich, schlug diesen und zerstörte einen Theil von Paris, unterwarf das empörte Italien, verlor aber 982 die Schlacht von Basentello, rettete sich in der abenteuerlichsten Weise, beschloß einen neuen Feldzug, starb aber vor Beginn desselben 983. 3) O. III., Sohn des Vorigen, römisch-deutscher Kaiser, geb. 980, unter seiner Regierung wurden 980—991 die slavischen Völker geschlagen, er selbst schlug in drei Römerzügen die Italiener 996, 998 und 1001, starb aber schon 1002 in seinem 22. Lebensjahre. 4) Otto IV., römisch-deutscher Gegenkaiser, geb. 1174, Sohn Heinrichs des Löwen, bewies seine große Tapferkeit in den Kriegen Englands gegen Frankreich und in den Kämpfen der politischen Verwirrung im Innern des Reichs, erlitt dennoch wiederholt Unglück und starb 1218.

Ottokar, II. (Przemysl III.), König von Böhmen von 1253—1278, erkämpfte sich gegen Baiern und Ungarn das Herzogthum Oesterreich, unternahm 1254 einen siegreichen Kriegszug gegen die Preußen, war der Gründer von Königsberg am Pregel, schlug die Ungarn 1260 entscheidend, wiederum 1273 um sich die Erbschaft von Kärnthen und Krain zu erzwingen, lehnte die Kaiserkrone zwei Mal ab, erkannte aber auch die Wahl Rudolphs von Habsburg nicht an und gab dadurch dem Kaiser Gelegenheit, sich hier eine Hausmacht zu gründen. Kaiser Rudolph besetzte Oesterreich als eröffnetes Reichslehen, ebenso Steiermark, Kärnthen und Krain und König O., von seinen Vasallen verrathen, konnte dem Kaiser nicht widerstehen und mußte hier im Frieden jene Länder abtreten und über Böhmen und Mähren des Kaisers Lehensoberherrlichkeit anerkennen. Darüber entbrannte aber 1278 ein neuer Krieg, den die Schlacht auf dem Marchfelde, in welcher O. fiel, zu Rudolphs Gunsten entschied. Vgl. Lorenz, „Geschichte König O.'s II." Wien 1866.

Oude, s. Aubh.

Oudenaarde (franz. Audenarde), befestigte Stadt in der belgischen Provinz Ostflandern, an der Schelde und einer der Zweigbahnen zwischen Gent und Tournay, hat 6200 Einw. und ist in der Kriegsgeschichte namhaft durch den Sieg, welchen hier im Spanischen Erbfolgekriege am 11. Juli 1708 die Alliirten unter dem Herzog von Marlborough und dem Prinzen Eugen über die Franzosen unter dem Herzog von Burgund und dem Marschall Vendôme erfochten. Hier auch am 5. März 1814 Gefecht zwischen den Alliirten und den Franzosen.

Oudinot, 1) Charles Nicolas, Herzog von Reggio, Marschall und Pair von Frankreich, geb. 1767 zu Bar-le-Duc, als der Sohn eines Kaufmanns, trat 1783 in die Armee, schwang sich in der Revolution rasch empor, wurde 1791 Commandeur eines Freiwilligen-Bataillons an der Maas, vertheidigte 1792 das Schloß Blitsch mit großer Bravour gegen die Preußen, wurde dafür 1793 zum Oberst ernannt, zeichnete sich 1794 bei Kaiserslautern aus, wurde bald darauf Brigadegeneral und 1799 Divisionsgeneral. Als solcher wurde er Chef des Generalstabes bei Massena und zeichnete sich 1800 am Mincio und bei der Vertheidigung von Genua aus. Im Feldzuge von 1805 commandirte er ein Grenadiercorps von 10,000 Mann, focht mit diesem bei Wertingen, Armstetten und Nunkersdorf, nahm die Taborbrücke bei Wien und den feindlichen Artilleriepark bei Spitzen und wurde am 16. November bei Hollabrunn verwundet. Nachdem er im Febr. 1806 im Auftrage Napoleons von Neuchatel Besitz ergriffen hatte, commandirte er im Feldzug gegen Preußen wieder ein Grenadiercorps, siegte im Februar von 1807 bei Ostrolenka, stieß dann zum Belagerungscorps von Danzig, zeichnete sich 14. Juni 1807 bei Friedland aus, wurde nach dem Tilsiter Frieden von Napoleon I. in den Grafenstand erhoben, eröffnete als Commandeur des Avantgarde-Corps im Feldzug von 1809, schlug 19. April die Oesterreicher bei Pfaffenhofen, trug 3. Mai wesentlich zum Siege von Ebersberg bei, zog 13. Mai in Wien ein, übernahm nach dem Tode Lannes' (bei Aspern) den Oberbefehl über das 2. Armeecorps, an dessen Spitze er bei Wagram mit großer Auszeichnung focht u. wurde nun von Napoleon zum Marschall und Herzog von Reggio ernann

Im Jahre 1810 occupirte er Holland, führte dort bis Anfang 1812 den Ober-befehl, war dann kurze Zeit Gouverneur von Berlin, commandirte im Russischen Feldzuge das 2. Armeecorps, wurde aber schon 17. August bei Polock schwer verwundet, gab deshalb das Commando an Gouvion St.-Cyr ab, übernahm es aber nach dessen Verwundung Anfang November wieder und deckte den Uebergang über die Beresina. Im Feldzuge von 1813 commandirte er das 12. Armeecorps, trug mit diesem bei Bautzen auf dem rechten Flügel fechtend, viel zum Siege bei, wurde aber am 4. Juni bei Luckau und, nach dem Waffenstill-stand an die Spitze von drei Armeecorps gestellt, um gegen Berlin zu operiren, 24. August bei Großbeeren von Bülow geschlagen, befehligte bei Leipzig zwei Divisionen der jungen Garde, die am 16. Oct. bei Wachau und am 18. Oct. an den Pleißedörfern kämpften, erhielt beim Rückzuge das Commando über die Arrieregarde, erkrankte jedoch gefährlich und wurde nach Bar-le-Duc gebracht. Nach seiner Genesung abermals an die Spitze eines Armeecorps gestellt, focht er im Feldzug von 1814 noch bei Champaubert, Brienne, Bar-sur-Aube und Arcis-sur-Aube, wo er zum 23. Male verwundet wurde, schickte nach der Ca-pitulation von Paris seine Unterwerfung ein, wurde von Ludwig XVIII. zum Pair, Colonel-General der Grenadiere und Jäger, Commandeur der 23. Militär-division und Gouverneur von Metz ernannt. Bei der Rückkehr Napoleons von Elba versuchte er seine Truppen vergebens der königlichen Sache zu erhalten und zog sich dann nach Montmorency zurück, ohne von Napoleon ein Commando anzunehmen. Ludwig XVIII. ernannte ihn dafür nach der zweiten Restauration zum Major-General der königlichen Garden und Commandanten der Nationalgarde von Paris, die aber 1827 aufgelöst wurde. Im Spanischen Invasionskampfe von 1823 com-mandirte O. das 1. Armeecorps, mit dem er in Madrid einzog, wo er eine Zeitlang Gouverneur wurde. Nach der Julirevolution schloß er sich allmählig der neuen Dynastie an, wurde von Louis Philipp 1839 zum Großkanzler der Ehrenlegion und 1852 nach Moncey's Tode zum Gouverneur des Invaliden-hauses ernannt, als welcher er den 13. Sept. 1847 in Paris starb. 2) Nicolaus Charles Victor, Herzog von Reggio, ältester Sohn des Vor., geb. 1791 in Bar-le-Duc, nahm seit 1809 an den Napoleonischen Feldzügen Theil, er-hielt von Napoleon nach bei seiner Resignation in Fontainebleau 1814 das Oberstenpatent, welches ihm, weil er sich während der Hundert Tage von den Ereignissen fern hielt, nach der zweiten Restauration Ludwig XVIII bestätigt wurde, erhielt dann ein Husaren-Regiment, gründete später die Cavalerieschule zu Saumur, avancirte 1824 zum Maréchal-de-Camp (Brigade-General), ging 1833 mit nach Algerien, focht 1835 mit Auszeichnung in der Schlacht an der Makta, operirte bann gegen Mascara, wurde hier schwer verwundet, kehrte nach Frankreich zurück und wurde zum Divisions-General ernannt. 1848 wurde er vom Departement Maine-Loire in die Nationalversammlung gewählt. Im Frühjahr 1849 erhielt er das Commando über das Expeditionscorps im Kirchen-staate, landete am 25 April in Civita-Vechia, leitete dann die Belagerung des von Garibaldi (s. d.) vertheidigten Roms und nahm die Stadt nach hartem Kampfe Anfang Juli ein. Im August nach Frankreich zurückgekehrt, trat er wieder in die Nationalversammlung ein, gehörte hier bis 1851 der Bonapar-tistenpartei an, schloß sich aber später den Orleanisten an, wurde nach dem Staatsstreich vom 2. Dec. 1851 vom Rumpfparlament zum Obercommandanten der Truppen und der Nationalgarde ernannt, deshalb auf Befehl des Prinz-Präsidenten Louis Napoleon verhaftet, am 8. Dec. wieder frei gelassen, lebte dann in Zurückgezogenheit und starb 7. Juli 1863. Er schrieb: „Sur la dig-nité de maréchal de France", Paris 1833; „De l'Italie et de ses forces militaires", ebb. 1835; „Considérations sur l'emploi des troupes aux grands travaux d'utilité publique", ebb. 1839; „Des remontes de l'armée, de leurs raports avec l'administration des haras", ebb. 1840. 3) der jüngste Bruder des Vor. fiel 1835 als Oberst des 2. Reitenden Jäger-Regimentes in der Schlacht an der Matta in Algerien.

Ouessant, Insel im Atlantischen Ocean, an der Nordwestküste von Frankreich, zum Departement Finistère gehörig. Auf der Höhe von O. 27. Juli 1779 Sieg der französischen Flotte unter Admiral d'Orvilliers über die englische unter Admiral Keppel.

Outram, Sir James, englischer General geb. 1803 zu Butterley-Hall in der englischen Grafschaft Derbyshire, studirte auf der Universität Aberdeen, ging 1819 nach Ostindien, trat dort als Lieutenant in das 23. Seapoy Regiment, zeichnete sich 1839 beim Feldzuge in Afghanistan als Adjutant des commandirenden Generals Sir John Keane aus, trug wesentlich zur Eroberung der Beludschenfestung Kelat bei, wurde dann zum politischen Agenten in Sindh ernannt, 1845 Oberst und Resident in Sattara, 1847 in letzterer Eigenschaft nach Baroda versetzt und 1854 nach Lucknow, wo er die Maßregeln zur Annexion von Audh einleitete. Im Januar 1857 übernahm er als Generallieutenant den Oberbefehl über die Expedition gegen Persien, schlug die Perser 5. Febr. bei Baroschun, 8. Feb. bei Kuschab und nahm 26. März Mohammerah, als der Friede seinem weiteren Vordringen ein Ziel setzte. Beim Ausbruch der Seapoy-Revolution zum Oberbefehlshaber der nordwestlichen Provinzen ernannt, vereinigte er sich 16. September 1857 zu Cawnpore mit dem General Havelock, hielt sich mit ihm in der Residentschaft bis am 17. Nov. die Hauptarmee unter Campbell zum Entsatz kam, nahm dann mit 4000 Mann bei Alambagh eine feste Stellung ein, vertheidigte dieselbe bis zum März 1858 [mit großen Verlusten gegen alle Angriffe der Rebellen, wurde nach der Unterwerfung von Audh zum Civilcommissar des Landes ernannt, kehrte aber wegen gänzlich zerrütteter Gesundheit nach England zurück, erhielt das Großkreuz des Bath-Ordens und einen goldenen Degen, ging dann zur Herstellung seiner Gesundheit nach dem südlichen Frankreich und starb 11. März 1863 zu Pau.

Oversee (Oeversee), Dorf in der preußischen Provinz Schleswig-Holstein, südlich von Flensburg. Hier 24. April 1848 unentschiedenes Treffen zwischen den Dänen und Schleswig-Holsteinern; 6. Februar 1864 siegreiches Gefecht der Oesterreicher unter Feldmarschalllieutenant von Gablenz gegen die sich aus dem Danewerk zurückziehenden Dänen unter Generallieutenant de Meza.

Oxenstierna, Axel Graf O., Kanzler von Schweden, geb. 1583 zu Fanö in Upland, studirte in Rostock, Wittenberg und Jena Theologie, widmete sich aber später den Staatswissenschaften, trat 1602 unter Karl IX. in schwedische Staatsdienste, wurde 1606 Gesandter in Mecklenburg, 1608 Mitglied des Senats, 1609 als Reichsrath an die Spitze der Regentschaft gestellt und 1611 bei der Thronbesteigung Gustav Adolf's zum Kanzler ernannt, in welcher Stellung er auf den jungen König einen großen Einfluß ausübte. Nachdem er 1629 einen sechsjährigen Waffenstillstand mit Polen geschlossen hatte, begleitete er 1630 den König nach Deutschland auf den Schauplatz des Dreißigjährigen Krieges. Als Gustav Adolf nach Mitteldeutschland vordrang, wurde O., mit unbeschränkter Vollmacht in allen Staats- und Militärangelegenheiten versehen, an den Rhein versetzt, wo er sein Hauptquartier in Mainz nahm. Von hier aus führte er im Sommer 1632 dem König 36,000 Mann nach Nürnberg zu, war im Herbst 1632 mit aufgebrochen um zu Gustav Adolf zu stoßen und stand eben in Oberdeutschland, als der König bei Lützen fiel. O. sammelte nun sofort zahlreichere Heere, eilte nach Dresden und Berlin, um die dortigen Höfe zur Fortsetzung des Krieges zu ermuthigen, erhielt vom schwedischen Reichsrath unbedingte Vollmacht, versammelte die protestantischen Fürsten zu einem Congreß in Heilbronn, übernahm das Oberconmando und das Directorium des Evangelischen Bundes und wurde nun auf protestantischer Seite die Seele der Kriegsführung, bis er 1636 vom Kriegsschanplatze nach Schweden zurückkehrte. Hier nahm er als Reichskanzler seinen Sitz im Senat ein, führte bis zur Volljährigkeit der jungen Königin Christine als Mitvormund die Regentschaft, wurde 1645 in den Grafenstand erhoben, zog sich aber, als es ihm nicht gelang die Königin von der Niederlegung der Krone abzuhalten, von den Staatsgeschäften zurück und starb 28. August 1654. Von ihm ist der 2. Theil von Chemnitz, „Historia belli sueco-germanici" bearbeitet. Vgl. Lundblad, „Svensk Plutarch" Bd. 2., Stockholm 1824 (deutsch Stuttgart 1826 f.)

P.

Pacificiren, vermitteln, versöhnen, den Frieden wiederherstellen; daher **Pacification,** die Zurückführung eines im Kriege oder in Insurrection befindlichen Landes in den Friedenszustand, sei es durch Waffengewalt, Ausgleich, Vergleich oder andere friedliche Mittel.

Pacific-Ocean, s. v. w. Stille Ocean (s. d.); daher **Pacific-Eisenbahn** (Pacific-Railroad), der Name der verschiedenen Eisenbahnlinien in den Vereinigten Staaten von Nordamerika, welche die Verbindung des Atlantischen und Stillen Oceans herstellen.

Padischah (türkische Beschützer der Fürsten), orientalischer Herrschertitel, dem deutschen Titel „Kaiser" entsprechend, ist der Titel des türkischen Sultans (s. u. Osmanisches Reich) und wird von Seiten des Divans im diplomatischen Verkehr auch den Souveränen der europäischen Großmächte (ursprünglich nur dem Könige, resp. Kaiser von Frankreich) beigelegt.

Padua (ital. **Padova**), Hauptstadt der gleichnamigen italienischen, bis 1866 zu Oesterreich-Venetien gehörigen Provinz (37, □□ Qu.-M. mit 304,762 Einw.), am Bacchiglione und an der Eisenbahn von Verona nach Venedig, die hier, südlich nach Rovigo, Ferrara u. s. w. abzweigt, ist von hohen Wällen umgeben Sitz des Präfecten und des Commando's einer der 22 Territorial-Militär-Divisionen, sowie des Commandos einer der 10 activen Divisionen, hat eine Universität, starke Garnison, ein Militär-Lazareth, ein Invalidenhaus, eine bronzene Reiterstatue des venetianischen Generals Gatta-Melatta und (1862) 51,737 Einw. P. ist das alte Patavium, wurde 455 von Attila zerstört, von Narses wieder aufgebaut, dann von den Longobarden erobert, diesen 774 durch Karl den Großen entrissen, kam später an Venedig, durch den Frieden von Campo-Formio 1797 an Oesterreich, durch den Preßburger Frieden 1805 an das Königreich Italien, 1814 wieder an Oesterreich und 1866 an das Königreich Italien. Im Februar und März 1848 hier Aufstände gegen die österreichischen Regierungsbehörden.

Padua, Herzog von, s. Arrighi.

Paez, José Antonio, Präsident und Dictator von Venezuela, geb. 1780, diente als Viehhirt, ergriff mit Feuer die Revolution von Caracas 1810, schwang sich rasch zum Volksführer und Reitergeneral auf, befreite Varinas, constituirte nach vielen Großthaten die Republik Columbia, deren Präsident er wurde. Später wurde er zwei Mal Präsident der Republik Venezuela, und im Kriege 1846 Dictator, mußte aber dem Strudel der Parteien weichen, wurde 1849 verbannt, 1858 zurückberufen, war 1860—1861 Gesandter in Washington, Ende August 1861 abermals Dictator, 1863 nach Annahme der neuen Verfassung noch eine kurze Zeit provisorischer Präsident.

Paixhans, Henri Joseph, französischer General, geb. 1783 zu Metz, wurde auf der Polytechnischen Schule zu Paris ausgebildet, trat dann in die Marine-Artillerie, wurde 1830 Oberst, 1840 Brigadegeneral, 1845 Divisionsgeneral und starb 1854 auf seiner Besitzung Jouy-aux-Arches bei Metz. Er schrieb: „Considérations sur l'artillerie &c.", Paris 1815; „Nouvelle force maritime", ebendaselbst 1821; „Force et faiblesse de la France" ebendaselbst 1830 (deutsch von Kausler.) In seinem Hauptwerke „Nouvelle force maritime" schlug er eine allgemeine Annahme und Anwendung des directen Granatfeuers auch für Kanonen und die Construction möglichst großer Rohrgeschütze vor, welche später überall, theils als Canons à la Paixhans, theils als Bombenkanonen (s. d.) eingeführt wurden. Vgl. Geschütze Bd. IV. S. 194 u. 197.

Palafox y Melzi, Don José de, Herzog von Saragossa, spanischer General, geb. 1780, begleitete im Frühjahre 1808 Ferdinand VII. nach Bayonne, wo dieser durch Vertrag mit Napoleon I. auf die spanische Krone verzichtete, flüchtete dann nach Saragossa, wo er den Aufstand gegen die Franzosen organisirte und sich durch die Vertheidigung dieser Stadt gegen die Franzosen einen hohen Ruhm erwarb (s. u. Saragossa) und vom Volk zum Generalcapitän ernannt wurde. Bei der Capitulation wurde er, schwer erkrankt, gefangen genommen und nach Frankreich gebracht, wo er bis zum Abschluß des Vertrags von Valençay (11. Dec. 1813) blieb. Nach seiner Rückkehr wurde er von Ferdinand VII. 1814 zum Generalcapitän von Aragonien ernannt, verlor durch die Revolution von 1820 seine Stellung, schloß sich nach dem Tode Ferdinand's VII. den Christinos an, wurde 1836 zum Herzog von Saragossa erhoben, 1837 Generalcapitän der Garden und starb 1847 in Paris.

Palermo, Hauptstadt der Insel Sicilien und der italienischen Provinz P. (92,₁₁ Qu. M. mit 585,163 Einw.), auf der westlichen Nordküste der Insel an der Südwestseite des gleichnamigen Meerbusens des Mittelmeeres gelegen, Sitz des Präfecten, eines Erzbischofs, eines Cassationshofs, eines Appellationshofes und Commando's einer Territorial-Militär-Division, hat eine schöne Kathedrale, ein königliches Schloß, zwei Castelle, eine Universität, eine nautische Schule, zahlreiche andere Unterrichtsanstalten, starke Garnison, Lazareth, einen guten Hafen (Kriegs- und Handelshafen), lebhaften Handel und Industrie und 167,625 Einwohner. P. ist durch Eisenbahn über Bagheria mit Termini ꝛc. sowie durch regelmäßige Dampfschifffahrt mit Neapel, Messina, Malta und Marseille verbunden. P. ist das Panormus der Alten, wurde von den Phöniciern angelegt, gehörte dann den Carthagern und war im ersten Punischen Kriege Hauptstation der Flotte und Winterlager der Armee der Carthager. Im J. 254 v. Chr. von den Römern erobert, wurde es unter Augustus unter dem Namen Colonia Augusta Panormitanorum zur römischen Colonie gemacht, kam bei der Theilung des Römischen Reiches an das Oströmische Reich, wurde 516 von den Ostgothen genommen, 529 von Belisar wieder erobert, 831 von den Sarazenen erstürmt, demnächst Sitz des arabischen Statthalters von Sicilien, 1072 von den Normannen unter Robert Guiscard nach elfjähriger Belagerung erobert und demnächst lange Zeit der Krönungsort und die Residenz der Könige von Sicilien. Am 30. März 1282 brach hier die Sicilianische Vesper (s. d.) aus. Nachdem Ferdinand IV. 1799 vor den Franzosen aus Neapel hatte flüchten müssen, residirte er mit kurzen Unterbrechungen bis 1815 in P. Im J. 1820 brach in P. ein Aufstand aus, welcher bezweckte, Sicilien eine eigne Constitution zu geben; derselbe wurde 1821 von den Neapolitanern mit Waffengewalt unterdrückt und darauf P. von den Oesterreichern besetzt. Im September 1847 begannen die Unruhen aufs Neue, im 12. Januar 1848 kam es zum offnen Aufstand und am 13. Januar begannen die königlichen Truppen von den Castells aus die Stadt zu bombardiren, mußten dieselben aber im Februar räumen. Am 15. Mai 1849 kehrten die königlichen Truppen zurück. In Folge einer Untersuchung des Klosters La Gancia nach verdächtigen Mönchen brach am 4. April 1860 abermals ein Aufstand in P. aus; ein großer Theil der Bevölkerung flüchtete aus der Stadt und es folgte nun seit dem 5. April eine Reihe von Gefechten in der Umgegend, bis Garibaldi (s. d.), welcher am 11. Mai bei Marsala gelandet war und am 15. Mai die königlichen Truppen bei Calatafimi geschlagen hatte, am 27. Mai in P. einzog, worauf die Stadt von den königlichen Truppen mehrere Tage lang vom Hafencastell bombardirt wurde. Am 31. Mai schloß General Lanza mit Garibaldi einen dreitägigen Waffenstillstand ab; am 6. Juni capitulirte Lanza und am 19. Juni zogen die letzten Truppen aus dem Castell ab.

Palestro, Dorf in der italienischen Provinz Novara, an der Eisenbahn von Mortara nach Vercelli, unweit der Sesia. Hier 31. Mai 1859 Gefecht: zwischen den verbündeten Franzosen und Piemontesen unter Cialdini und den Oesterreichern unter Zobel; die Letzteren wurden nach mehrstündigem Kampfe zurückgeworfen; die Piemontesen machten sich zu Herrn der Stellung und beherrschten somit den Uebergang über die Sesia, über welche die Franzosen bereits eine Schiffbrücke geschlagen hatten. Dies Gefecht war das Vorspiel zur Umgehung des rechten Flügels der Oesterreicher und zur Ueberschreitung des Ticino bei Turbigo und Buffalora, worauf am 4. Juni die Schlacht von Magenta (s. d.) folgte.

Palffy von Erdöd, 1) Johann Graf von, aus ungarischer Familie, in der viele Glieder die höchsten militärischen Würden errangen, geb. 1659, nahm zuerst am Kurpfälzischen Kriege und dann an den Feldzügen gegen Ludwig XIV. Theil, zeichnete sich vorzüglich im Anfange des Spanischen Erbfolgekrieges aus, wurde 1704 Ban von Kroatien, unterdrückte mit Waffengewalt die ungarische Insurrection 1709—1711 und nahm aufs Neue als Feldmarschall, jedoch unter Oberbefehl des Prinzen Eugen, am Kriege gegen die Türkei Theil. Maria Theresia verdankte im Anfange ihrer Regierung hauptsächlich ihm den Beistand der Ungarn. Er starb 1751. 2) Paul Karl Graf von, Sohn des Vorigen, österreichischer Generalfeldmarschall, starb 1774.

Palikao (chines. Pale-tsche-au), Stadt in der chinesischen Provinz Peking, an einem von Peking nach Tung-tschau führenden Kanale, über welchen hier eine steinerne Brücke geht. Hier 21. Sept. 1860 Sieg der verbündeten Franzosen und Engländer unter General Montauban und Lord Elgin über die Chinesen. Montauban wurde dafür von Napoleon III. zum Grafen von Palikao ernannt.

Palikaren, albanesische Feldtruppen zur Zeit der türkischen Herrschaft, gleichbedeutend mit Armatolen (s. d.); jetzt alle freiwillige Krieger in Griechenland.

Palissaden, (Tambours, Sturmpfähle) sind oben zugespitzte 12—16 Fuß lange, bis zu 12 Zoll starke Balken von hartem Holz, werden einander berührend senkrecht oder vorgeneigt zum Schutz des Terrains fortificatorischer Werke in die Erde mindestens 4 Fuß tief eingegraben, auch wohl durch Querbalken mit einander verankert und bilden im Uebrigen emporragend eine hölzerne Mauer, die aber gedeckt aufgestellt wird, damit sie vom Feinde nicht niedergeschossen werde. Man stellt sie so, daß sie vor ihrer Fronte bestrichen werden kann, damit der Feind nicht unmittelbar gegen sie operiren oder gar an ihr Schutz finden könne. Die an der Berme horizontal in den Wall gemauerten P. heißen Sturmpfähle. Wird durch solche P. ein Terrain abgesperrt, so heißen sie Tambours. Bei den neuen Festungsbauten vermindert man sie wegen ihrer Kostspieligkeit, und setzt die Palissaden erst zur Zeit der Gefahr, da ihre Dauer durch Luft und Regen sehr beschränkt wird. Bei Lagern, welche befestigt werden sollen, sind sie ein gutes und schnelles Hilfsmittel.

Pallamcottah, Stadt im Distrikt Tinnevelly der indobritischen Präsidentschaft Madras, am Chindinthoora, ist britische Truppenstation, hat ein Fort und 16,000 Einwohner.

Pallas (P. Athene), s. Athene.

Pallasch oder Haudegen der schweren Cavallerie, in Preußen auch Kürassierdegen — charakterisirt sich durch eine grade Klinge von verhältnißmäßig bedeutender Länge, welche gewöhnlich mit mehreren Hohlkehlen versehen und einschneidig ist, doch ist der Rücken auf eine kurze Entfernung von der Spitze hin ebenfalls zugeschliffen. Der Griff hat gewöhnlich einen Metallkorb zum Schutze der Hand. Die Waffe eignet sich nicht allein zum Hieb, sondern ganz besonders auch zum Stich. Mit Ausnahme von Oesterreich führen die Kürassiere aller Staaten den Pallasch, während sie dort den mehrgekrümmten Cavalleriesäbel haben; zu Frankreich findet man den P. auch bei den Carabiniers, in Preußen bei den Garde-du-Corps. Man unterscheidet hier zwei Modelle, das französische, bei welcher die Spitze in der Verlängerung des Rückens, und das russische, bei welchem sie in der Mittellinie der Klinge liegt.

Palma nuova, befestigte Stadt in der italienischen Provinz Udine (Friaul), unweit der österreichischen Grenze (gefürstete Grafschaft Görz und Gradista am Kanal La Roja, durch Zweigbahn nach Udine mit der Eisenbahn Venedig-Triest verbunden, hat eine starke Kaserne, große Kasematten, Arsenal, Lazareth, einige Werkstätten und 4300 Einwohner. Die Werke sind sehr regelmäßig nach Vauban's System erbaut und bestehen aus neun Bastions mit doppelten Graben und Cavalieren. Die Festung wurde 1593 von der Republik Venedig gegen die Türken und den Kaiser gebaut, 1797 von den Oesterreichern freiwillig an die Franzosen übergeben, auch 1805 von ihnen ohne Vertheidigung gelassen. Im März 1848 erklärte sich P. n. für die italienische Revolution, wird 18. April die Aufforderung Nugent's zur Capitulation zurück, wurde dann von General Schwarzenberg blokirt und capitulirte 25. Juni 1848 an die Oesterreicher. Belagert ist P. n. noch nicht worden.

Pamplona (Pampelona, Pampluna), befestigte Hauptstadt des spanischen Königreichs Navarra (auch Provinz P. genannt, 190,₁ Qu. M. mit 310,944 Einwohner), am Arga, einem Nebenflusse des Ebro, an der Eisenbahn von Saragossa nach Tolosa und am Fuße der Westpyrenäen gelegen, wichtiger Straßenknotenpunkt, Sitz des Generalcapitäns von Navarra, hat unregelmäßige Befestigungen (Graben, Wall und Mauer), aber auf einer Anhöhe an der Südseite der Stadt eine unter Philipp II. erbaute Citadelle, welche als Schlüssel von Navarra und Beherrscherin des dortigen wichtigen Straßenknotens von großer strategischer Bedeutung ist und P. zu einer starken Festung macht; außerdem hat die Stadt noch ein Schloß, eine Kathedrale, mehrere Kasernen, eine Kugelgießerei, Magazine, Lazareth; verschiedene Werkstätten, zahlreiche wissenschaftliche Anstalten und 22,896 Einwohner. P. hieß im Alterthum Pompelon, war schon im Lande der Basconen, hatte schon im Mittelalter starke Werke, wurde 755 von den Mauren belagert, 778 denselben von Karl dem Großen entrissen, 907 von den Mauren von Saragossa belagert, 1808 auf Befehl Karl's IV. an die Franzosen übergeben, welche nun zur Sicherung der Pyrenäenstrecke und Navarra's die Werke nicht nur modernisirten und verstärkten, sondern auch durch Außenwerke vermehrten und den Platz erst am 31. Oct. 1813 nach vierzehnmonatlicher Blokade an die Spanier zurückgaben. Während der französischen Invasion von 1823 wurde P. von den Franzosen unter Marschall Lauriston vierzehn Tage belagert und nach lebhafter Beschießung am 18. Septbr. durch Capitulation genommen. Im Carlistenkriege von 1833—40 blieb P. in den Händen der Christinos. Ende Sept. 1841 suchte sich O'Donnel der Festung vergebens zu bemächtigen, um für die Königin

Chriſtine gegen Eſpartero zu wirken, doch trat ſie 1843, wie die übrigen ſpaniſchen Feſtungen, auf die Seite Chriſtinens, erklärte ſich dagegen im Juli 1854 für den Aufſtand O'Donnels.

Panama 1) (Iſthmus von Darien oder von P.), die Landenge, welche Südamerika mit Nord- reſp. Mittelamerika verbindet; ſie erſtreckt ſich von Oſt-ſüdoſt nach Weſtnordweſt, wird im Norden vom Golf von Darien des Caraibiſchen Meeres (Atlantiſchen Oceans) und im Süden vom Golf von P. des Stillen Oceans beſpült und iſt an ihrer ſchmalſten Stelle nur ſechs Meilen breit. Die Landenge von P. iſt von beſonderer Wichtigkeit, weil ſich hier am leichteſten eine Verbindung des Atlantiſchen mit dem Stillen Ocean herſtellen läßt. Eine Eiſenbahnlinie (Panamabahn) von Aspinwall am Caraibiſchen Meere nach der Hauptſtadt P. am Stillen Meere iſt bereits 1853 eröffnet; für einen Kanal (Panamakanal) ſind mehrere Projekte aufgeſtellt worden. 2) (Iſthmo) einer der neun Staaten der ſüdamerikaniſchen Föderativ-Republik Columbia (ſ. d. 2), umfaßt die gleichnamige Landenge, grenzt im Weſten an den centralamerikaniſchen Staat Coſta-Rica, im Oſten an den Columbia-Staat Antioquia, iſt durch die Cordilleren gebirgig und hat einen Flächenraum von 1267,₀ Qu. M. mit (1861) 173,729 Einwohnern (größtentheils Miſchlinge, ungefähr 16000 Weiße.) P. bildete früher einen Theil der Republik Neugranada, ſchied 1855 aus, conſtituirte ſich als eigner Staat, trat aber 1863 wieder zu der neu conſtituirten Föderativ-Republik Columbia (dem früheren Neugranada) zurück. 3) Hauptſtadt des Staates P. auf einer Landzunge am Golf von P. des Stillen Oceans, mit Aspinwall am Caraibiſchen Meer durch die Panamabahn verbunden, Sitz der Oberbehörden und eines katholiſchen Biſchofs, iſt mit ſtarken Wällen umgeben, hat eine etwas entfernt gelegene Rhede mit ſicherm Ankergrund, lebhaftem Großhandel, regelmäßige Dampfſchiffverbindung mit den Häfen von Peru und Chile und zählt 13,000 Einwohner.

Pancſowa, Stadt und Militäreommunität im Serbiſch-Banatiſchen Gouvernement der Militärgrenze, an der Temes, unweit ihrer Mündung in die Donau, iſt Stabsort des Deutſch-Banater Regiments und Dampfſchifffahrts-ſtation, hat ein Contumazamt und zählt 12,500 Einw. Hier wurden 30. Juli 1739 die Türken von den Oeſterreichern unter Feldmarſchall Graf Wallis geſchlagen; 1788 wurde die Stadt von den Oeſterreichern auf dem Rückzuge theilweis verbrannt; 1. Januar 1849 hier Sieg der Oeſterreicher unter Mayerhofer über die Ungarn unter Kiß.

Panduren, leichte und irreguläre ſlawiſche Infanterie im öſterreichiſchen Heere der letzten 2 Jahrhunderte, führte den kleinen Krieg, machte ſich ebenſo oft läſtig als nützlich, konnte aber ebenſowenig bei entſcheidenden Unternehmungen mit Verlaß verwendet werden wie die Koſaken und wurde ſpäter in die Regimenter der Grenzer eingereiht.

Paulkration, eine Art Ring- und Fauſtkampf der alten Griechen.

Panier, ſ. Banner.

Pannonia hieß als römiſche Provinz das Land, welches das heutige Ungarn rechts der Donau, Slawonien, einen Streifen von Bosnien, das nordöſtliche Kroatien und die öſtlichſten Theile von Krain, Steiermark und Niederöſterreich umfaßte. Seinen Namen hatte daſſelbe von den Pannoniern, einem illyriſchen Volksſtamme, welcher nebſt ſeinen weſtlichen Nachbarn, den Japyden, von Auguſtus 35 v. Chr. nach der Eroberung von Segeſtica (das heutige Siszek) bezwungen wurde.

Panoplia (Panoplie, v. griech.), 1) bei den alten Griechen die volle Rüſtung der ſchwer bewaffneten Krieger: Helm, Panzer, Beinſchienen, Schild, Schwert und Speer; daher Panopliten, Statuen in voller Rüſtung. 2) Waffenſammlung.

Panzer, Panzerung: Das Bekleiden von Schiffen oder Fortifikationsobjecten mit schmiedeeisernen Platten zum Schutz gegen die Wirkungen des Artilleriefeuers. — Der Krimkrieg, bei welchem die beiden größten Flotten der Erde, die englische und die französische nur so äußerst geringe Dienste gegen die Befestigungen am Lande auszurichten vermochten, ließ die Franzosen zuerst den Gedanken praktisch ausführen, eisengepanzerte schwimmende Batterien dem Geschützfeuer der Forts entgegen zu stellen. Die günstigen bei der Attaque von Kinburn 1855 erzielten Resultate mit diesen Batterien, veranlaßten in Frankreich unter eigener Initiative des Kaiser Napoleon III. bald den Bau solcher eisengepanzerter Schiffe, welche die See zu halten vermöchten. Während die Meinungen über den Werth der Panzerschiffe noch sehr getheilt waren und man eifrigst darüber hin und her debattirte, die Vortheile und Nachtheile derselben den Holzschiffen gegenüber nach allen Seiten hin abwog, trat ein Ereigniß ein, welches den Werth der Panzerschiffe und die Ueberlegenheit derselben plötzlich und überzeugend aller Welt vor Augen führte. Es waren dies die Gefechte auf der Rhede von Hampton am 8. und 9. März 1862 während des amerikanischen Krieges (Vgl. Monitor.) Mit derjenigen Schnelligkeit der Entscheidung, welche die Amerikaner so charakterisirt, votirte der Congreß den Bau von kleinen Panzerschiffen zum Schutz der Küsten; am 16. September wurde die Offerte des berühmten Ingenieurs Ericson angenommen, worin dieser sich verpflichtete, binnen 100 Tagen ein solches Fahrzeug herzustellen, 1200 Tonnen groß, mit 10 Fuß Tiefgang und einer Schnelligkeit von 9 Knoten per Stunde und am 9. März 1862 donnerten die Kanonen dieses Fahrzeugs bereits gegen die Merrimac. Bereits am Tage vorher hatte dieses letztere Fahrzeug, die Holzfregatte Cumberland, von den Südstaatlichen mit ebenso schnellem Entschluß aus einer Holzfregatte in ein eisengepanzertes Rammschiff eiligst umgewandelt, durch Anrennen in den Grund gebohrt, so daß sie innerhalb 10 Minuten mit fast der ganzen Besatzung versank, hatte ferner die Holzfregatte Congreß, um dem gleichen Schicksal zu entgehen, zur Uebergabe gezwungen, und hatte seine Unverwundbarkeit den damaligen Schiffsgeschützen gegenüber sowohl, wie die Gefährlichkeit seines Stoßes überzeugend dargethan. Das vorher erwähnte von Ericson erbaute Fahrzeug der Nordstaatlichen, welches am nächsten Tage drei Stunden lang mit Erfolg gegen die Merrimac kämpfte und ihn zum Rückzug zwang, hieß Monitor und nach ihm hat die ganze Gattung von Panzerschiffen ähnlicher Construction den Gattungsnamen der Monitors erhalten. Nach diesen Erfolgen begann eine Thätigkeit im Schiffbau, wie solche bis dahin noch nie dagewesen. England, das bis dahin gegen Frankreich im Bau von Panzerschiffen zurückgeblieben war, war geneigt, den Werth seiner gesammten Holzflotte ebenso zu unterschätzen, als es bis dahin ihrer Uebermacht vertraut hatte. Es begann damit, alle bisher gebräuchlichen Längendimensionen weit hinter sich lassend, Panzerschiffe von kolossalen Dimensionen zu bauen, als deren erster Typus die Schwesterschiffe Warrior und Black-Prince zu nennen sind; 380 Fuß lang und über 6000 Tonnen groß. Sie sind mit 4½ zölligen „gehämmerten" Platten gepanzert. Der Minotaur, 400 Fuß lang, erhielt bereits 5½ zöllige „gewalzte" Platten und um mit einem Blick die bisherigen Fortschritte zu zeigen, sei vorweg erwähnt, daß die neuesten noch zur Zeit im Bau begriffenen englischen Panzerschiffe Devastation und Thunderer mit 12 zölligen gewalzten Platten gepanzert sind, wobei zu bemerken ist, daß der Widerstand der Panzer nahezu wie das Quadrat der Dicke wächst, so daß unter Hinzurechnung der größeren Stärke der Spanten und der inneren Haut diese Schiffe ungefähr siebenmal so stark sein werden als Warrior und Minotaur. Dieser ungeheure Eifer, welcher in der Construction und im Bau der verschiedensten Arten von Panzerschiffen sich kund gab, zumal in England, wo fast alle auswärtigen Seemächte ihren

22

so nothwendig gewordenen Bedarf an Panzerschiffen in Bestellung zu geben gezwungen waren, und wo die Privatwerften rastlos wetteiferten mit den Regierungs-Werften, wurde hauptsächlich dadurch hervorgerufen, daß die gezogene Kanone aufgetreten war, welche den Widerstand des Panzers durch das Langgeschoß und die Schwere desselben besiegte, so oft auch die Stärke der Panzerungen vergrößert wurde. Die Eisenindustrie Englands machte gewaltige Anstrengungen, der gezogenen Kanone den Sieg wieder zu entreißen; von 4 Zoll Stärke stieg die Dicke der Platten bis auf 14 Zoll, immer größer wurde die relative Widerstandsfähigkeit der Platten, aber die Fortschritte in der Eisenindustrie kamen zu gleicher Zeit der Geschützfabrikation zu gute; jeder Verdickung der Panzerplatten antwortete die Artillerie mit einer Vergrößerung des Calibers, so daß Geschütze, welche drei ja sechs Centner schwere Geschosse schleudern, schließlich in Gebrauch kamen (vergleiche Geschütze). Ein unbedingter Sieg ist bisher weder dem Panzer noch der Kanone zuzuschreiben, wiewohl letztere denselben immer in bedingter Weise davon tragen wird, doch ist eine schließliche Grenze diesem Wettkampf gesteckt. Diese beruht darin, daß die Dimensionen der Schiffe nicht über ein gewisses Maß hinaus vergrößert werden können; einmal des Tiefgangs halber, der sich den lokalen Verhältnissen anpassen muß, andererseits der Manövrirfähigkeit halber, zumal da große Beweglichkeit, schnelles Drehungsvermögen durch Einführung der Rammschiffe zur größten Hauptsache geworden ist; ferner wird durch die Schwere des Panzers und der Geschütze die Zahl der Geschütze bedingt und diese so reduzirt, daß diese Minderzahl der Geschütze bei der langsameren Bedienung der so großen Kaliber und bei der Schnelligkeit, mit welcher die Entfernungen der schnellen Dampfschiffe wechseln, ein belangreiches Resultat in Frage stellt, zumal wenn der Gegner sich dem Angriffe entziehen will. Indem wir den Schiffbau in Kürze folgen werden in seiner wunderbar raschen Entwickelung bezüglich des Baues der Panzerschiffe, wollen wir der Uebersichtlichkeit halber vorweg erwähnen, daß dieselben abgesehen von ihrer Größe und dem Zweck ihrer Verwendung nach vier Richtungen hin sich von einander unterscheiden, nämlich dieselben sind: 1) hölzerne Schiffe, d. h. auf den hölzernen Körper sind die Panzerplatten angebracht. 2) eiserne Schiffe, d. h. der eiserne Schiffskörper trägt die Platten nur auf einer Unterlage von Holz. 3) Batterieschiffe: Die Geschütze derselben sind an den Seiten aufgestellt, mit beschränktem Schußfeld. 4) Thurmschiffe, deren Geschütze in festen oder beweglichen Thürmen aufgestellt sind, um nach allen Richtungen hin schießen zu können. Die ersten Panzerschiffe, welche in die Aktion traten, der Merrimac und das Monitor repräsentirten ersterer das System der Breitseiten, letzterer das der Thürme und wie damals bereits das letztere System den Sieg davon trug, so haben die neusten Erfahrungen den Thurmschiffen die Ueberlegenheit über die Breitseitschiffe zuerkannt. Der Monitor und die nach ihm benannte Gattung von Panzerschiffen zeigt folgende Eigenthümlichkeiten. Dieses Fahrzeug ist sehr niedrig, an den Seiten stark, auf Deck nur schwach gegen die seitlichen Abweichungen der Sprengstücke gepanzert, weil das Deck nur dann durchschossen werden kann, wenn ein hohes Schiff, dicht neben demselbem befindlich, auf das Deck herabschießt, eine Situation, in welche ein derartiges Schiff voraussichtlich nur in den allerseltensten Fällen kommen wird. Das Deck ist so niedrig, daß es sich nur wenige Fuß über Wasser erhebt, so daß es bei bewegter See frei von dem Wasser überspült wird. Das Deck wird überragt von einem oder zwei runden Thürmen, welche noch stärker, als die Schiffseiten gepanzert sind und welche, ähnlich wie die Drehscheiben, auf denen die Eisenbahn-Locomotiven gewendet werden, um ihre Axe mitsammt den im Innerm befindlichen Geschützen gedreht werden können. In dem Thurm sind eins, höchstens zwei Geschütze, letztere neben einander, aufgestellt. Die

Maschine liegt unter Wasser, nur der Schornstein derselben ragt über Deck hervor. Um bei schlechtem Wetter den Verkehr auf Deck zu ermöglichen, ist oberhalb der Thürme ein sogenanntes Sturmdeck befindlich, eine Art Brücke, welche auf eisernen Stützen ruht. Masten und Segel führen diese für den Küstendienst bestimmten Schiffe gewöhnlich nicht, da letztere schwierig zu bedienen sein würden, und das Schußfeld behindern. Für Ventilation wird im Innern durch die Dampfmaschine besondere Fürsorge getroffen, welche zugleich die Thürme dreht. Es sei indessen erwähnt, daß das neuste, größte und besteingerichtete Schiff dieser Art der zur englischen Flotte gehörige Captain im Herbst 1870 während einer Bö verloren gegangen ist, indem das Schiff lenterte, d. h. sich überschlug. Dieses entsetzliche Ereigniß, bei dem auch der berühmte Erfinder dieses Systems Cowper Coles seinen Tod fand, wird nicht ohne Einfluß sein in Bezug auf das Urtheil über die Brauchbarkeit solcher Schiffe auf hoher See. Der Merrimac war außerdem ein Rammschiff, d. h. er führte vorn einen eisernen zum Anrennen bestimmten Sporn. Zur Einführung dieses Sporns kam es sehr bald nachdem durch den Panzer eine Art Unverwundbarkeit den Holzschiffen gegenüber hervorgebracht war und nach dem Erfolg des Merrimac wurde die Einführung der Ramme oder des Sporns bei den Panzerschiffen allgemein. Indessen zweifelte man doch vielfach, ob der Sporn eine so gefährliche Angriffswaffe werden könne, wenn der Gegner darauf Bedacht nähme, dem Stoße auszuweichen, da meist nur eine kleine Drehung mit dem Ruder genügt, um dem Stoße auszuweichen, weil nur der ganz normale oder nur wenig von der senkrechten Richtung abweichende Stoß ein Schiff zum Sinken zu bringen vermag. Die Erfahrung hat indessen gezeigt, daß die Ramme des Panzerschiffes sehr wichtig und eine große Rolle zu spielen berufen ist. Als eclatantes Beispiel der enormen Wirkung des Stoßes dient der Untergang des Re d' Italia in der Seeschlacht bei Lissa (Vergleiche Lissa) und der Untergang der russischen Schraubenfregatte Oleg. Bei Ausführung eines Manövers im Geschwader erfolgte ein Zusammenstoß der Fregatte Oleg (57 Kanonen) mit der Panzerbatterie Kreml (20 Kanonen), wobei die letztere mit dem Sporn in den unter Wasser befindlichen Theil der Fregatte stieß. Die Fregatte begann sofort zu sinken und war nach 15 Minuten bereits versunken, bei ruhigem heiteren Wetter. Es zeigt dies, daß es nicht immer ganz leicht ist, einem Stoße auszuweichen. Die Erfolge, welche die gepanzerten, schwimmenden Batterien, Monitors und Mörserboote der Amerikaner im Verlauf des Krieges davon trugen, indem sie die stärksten Befestigungen, Mauer- und Erdwerke zerstörten und Forts, die für uneinnehmbar bis dahin gehalten waren, zur Uebergabe brachten, ließen in dem von der Stärke seiner Flotte so abhängigen England schnell den Gedanken reifen, eisengepanzerte Forts in Anwendung zu bringen und für die Vertheidigung seiner Küsten und Häfen eine speciell für diesen Zweck bestimmte eisengepanzerte Küstenwache zu erbauen, bestehend aus Schiffen ähnlicher Art wie die Monitors. Das erste Exemplar dieser Art war der Royal-Sovereign. Um die bisherigen Holzschiffe noch theilweise wenigstens zu nützen, wurden dieselben in Panzerschiffen umgewandelt. Ein so kostbares Fortschaffungsmittel wie der Dampf ließ natürlich bald allen Erfindungsgeist der Ingenieure darauf gerichtet sein, die Panzerschiffe zu guten und brauchbaren Seeschiffen herzurichten und sie mit der Fähigkeit zu versehen, unter Segel ohne Dampf angemessen zu manövriren. Um dies zu erreichen, mußte viel experimentirt werden, und ist das Ziel auch noch nicht vollständig erreicht, so ist doch die Aussicht dazu vorhanden, daß dies geschehen werde. Während die Küstenwächter der ersten Art in England Holzschiffe waren, welche vollständig mit einem Eisenpanzer umgeben waren, so beobachtete man bei den längeren Schlachtschiffen schon den Grundsatz, das Vordertheil und Hintertheil zu erleichtern, indem

2*

man diese Theile nur in der Wasserlinie panzerte und die Artillerie nach der Mitte verlegte. Dieser mittlere Theil wurde da, wo die Geschütze aufgestellt sind, voll gepanzert und damit dieser Raum nicht von vorn oder von hinten enfilirt werden konnte, war derselbe durch eiserne Querschotten mit Thüren von diesen Seiten geschützt. Diese Art der Panzerung wurde die gebräuchlichste und nur in Bezug auf die Anordnung der Artillerie stellen sich bei diesen großen Schlachtschiffen Verschiedenheiten heraus. Sie enthalten entweder nur Breitseitgeschütze, oder eine Art Casematte, welche für einige dieser Geschütze ein Schießen nach hinten und vorn gestattet, parallel mit der Kiellinie oder sie führen über der Breitseit-Batterie in ausgebauten festen Thürmen noch Geschütze, welche entweder über Bant feuern oder durch Schießscharten. Da die Versuche auf den Schießplätzen gezeigt haben, daß die Geschosse, welche den Panzer durchschlagen, in den Holzunterlagen der Panzerplatten sehr arge Verwüstungen anrichten, derartig, daß in einem Umkreise von 20—30 und 40 Meter die Holztrümmer umhergeschleudert wurden, und daß somit die ganze Batterie durch ein einziges derartiges Geschoß desorganisirt werden kann, so wird hinter der Holzunterlage, auf welcher jederzeit die Panzerplatten befestigt werden, noch eine Wand von starkem Eisenblech etwa ¾ bis 1 Zoll stark angebracht, welche verhindert, daß Holzsplitter umhergeschleudert werden. Sollte das Geschoß auch diese Wand durchbohren, so macht es nur ein rundes Loch in derselben. Die Bestimmung der Panzerschiffe, anfänglich nur gegen die Wirkungen des Geschützfeuers gerichtet, ist durch Einführung der Ramme und Brandgeschosse dahin ausgedehnt worden, auch gegen Wasser- und Feuergefahr den nöthigen Schutz zu gewähren. Man fing demnach an, die Schiffe aus Eisen zu construiren, namentlich ging England hiermit rasch vor, und augenblicklich ist man dahin gekommen, den eisernen Panzerschiffen den unbedingten Vorzug vor den hölzernen zuzuerkennen. Ein großer Vorzug derselben besteht in der Dauerhaftigkeit derselben. Ein weiterer Vortheil der eisernen Schiffe beruht darin, daß sie mit einem doppelten Boden gebaut werden, wodurch eine Beschädigung durch Aufgrundkommen nicht das Wasser in das Innere des Schiffes bringen läßt. Gegen Feuergefahr ist der Vortheil derselben selbstverständlich. Eine fernere Einrichtung wird aber bei diesen ermöglicht, welche eine fast unbedingte Nothwendigkeit geworden ist, nämlich die Herstellung wasserdichter Abtheilungen. Das ganze Schiff wird in etwa 8 bis 12 gesonderte Abtheilungen mittelst eiserner Querwände getheilt, so daß bei einer Beschädigung des Schiffs im Gefecht z. B. durch die Ramme, das in ein oder die andere dieser Abtheilungen eindringende Wasser nicht das Sinken des ganzen Schiffs zur Folge haben kann. Der Untergang des Re d' Italia und der preußischen Corvette Amazone beweisen die ganze Wichtigkeit dieser neuen Einrichtung. Hätte letztere, die am Bug durch Zusammenstoß auf See verletzt wurde, nur ein einziges Querschott daselbst gehabt, so hätte sie nicht sinken können. Einen großen Uebelstand führen indessen die eisernen Schiffe mit sich. Es kann denselben nämlich keine Kupferhaut für den unter Wasser befindlichen Theil gegeben werden, weil dadurch ein galvanischer Strom erzeugt werden würde, der in kurzer Zeit das Eisen zerstören würde. Diese Kupferhaut verhindert durch die Oxydation dieses Metalls das Ansetzen von Muscheln und Seegewächsen, welche letztere hingegen an eisernen Schiffsböden sich sehr reichlich ansetzen, so daß die Geschwindigkeit der Fahrt beträchtlich dadurch gemindert wird. Alle bisher angewandten chemischen Compositionen von Anstrichen, um diesem Ansetzen der Seemuscheln und Pflanzen entgegen zu wirken, haben entweder gar keinen oder nur einen sehr geringen Erfolg gehabt, und es ist deshalb erforderlich, daß diese eisernen Schiffe alljährlich zum Behuf der Reinigung ihres Bodens gedockt werden. Während vor Einführung der Dampfschiffe und der Panzerschiffe es in der Seeschlacht darauf ankam: eine möglichst große

Maſſe Eiſen in der möglichſt kurzen Zeit wohlgezielt auf den Feind zu ſchleudern, weshalb man die Geſchütze eng an einander placirte, die Decke niedrig machte, um mehrere derſelben übereinander zu legen, zumal das geringe Rollen der Schiffe in der Schlacht unter bloßen Marsſegeln den Gebrauch der ſehr niedrig über Waſſer liegenden unterſten Batterie für gewöhnlich geſtattete, ſo haben ſich jetzt dieſe Verhältniſſe total geändert. Es handelt ſich heutigen Tages nicht darum, den Gegner zu vernichten durch einen Hagel von kleinen Geſchoſſen, ſondern durch einige wenige wohltreffende mit ſicherer Hand abgefeuerte Geſchoſſe rieſenhafter Größe oder durch einen entſcheidenden Anlauf mittelſt der Ramme. Bei einer Geſchwindigkeit der Fahrt unter Dampf von 10—12 Knoten, wobei das Rollen des Schiffs nicht mehr durch Segel gemindert wird, da man im Gegentheil darauf Bedacht nimmt die ganze Takelage, ſoweit Vorrichtungen dazu getroffen ſind, zu entfernen, iſt die Höhe der Aufſtellung der Geſchütze über Waſſer eine große Hauptſache geworden. Dieſer Anforderung ſtellt ſich indeß entgegen, daß durch die größere Höhe der Batterie das Deplacement des Schiffes bedeutend gemehrt wird, in Folge deſſen wird der Tiefgang ein größerer, die ganzen Dimenſionen des Schiffs werden vergrößert und die Koſten vermehrt. Deshalb iſt man mit allem Eifer darauf Bedacht geweſen, die Schwierigkeiten möglichſt zu beſeitigen, welche einer erhöhten Geſchützaufſtellung ſich entgegenſtellen, durch die Art der Anlage der letzteren und durch Verminderung des Panzergewichts an den ungefährlicheren Stellen des Schiffskörpers, während die Artillerie darauf Bedacht nimmt, das Gewicht der Bewaffnung dadurch zu mindern, daß die größere Anzahl der Geſchütze aufgewogen wird durch das größere Caliber einer geringeren Zahl von Geſchützen und das ausgedehntere Schußfeld. Die Aufſtellung ſelbſt mußte derartig ſein, daß zugleich ein wirkungsvoller Angriff in der Verfolgung und eine entſprechende Vertheidigung im Rückzuge ermöglicht wurde, mit andern Worten, daß ein oder mehrere Geſchütze längs der Kielebene des Schiffs nach vorn und hinten zu feuern vermöchten. Die Aufſtellung dieſer Geſchütze vorn und hinten im Schiff, wie dies früher der Fall war, wurde durch die Schwere der Geſchütze und die einer entſprechenden Caſemattirung unzweckmäſſig, ſowohl in baulicher Beziehung wie in Bezug auf die nautiſchen Eigenſchaften des Schiffs, während einer Aufſtellung derſelben in der Mitte des Schiffs die auf Deck befindlichen Gegenſtände: Maſten, Schornſtein, Lucken ꝛc. Schwierigkeiten entgegenſtellten. In Folge deſſen hat der erſte Ingenieur der engliſchen Flotte, Mr. Reed, ein Syſtem angegeben und ausgeführt, darin beſtehend, daß das caſemattirte Reduit, worin die Geſchütze aufgeſtellt ſind, an ſeinen vier Ecken abgerundet und derartig ausgebaut iſt, daß darin, wie z. B. beim Hercules, vier Geſchütze placirt werden können, welche 23° von der Kiellinie ab feuern können. Vollkommener wird das Feuern längs der Kiellinie durch die Thürme erreicht. Nur wenige der bisher gebauten Batterieſchiffe ſind gute Seeſchiffe in Bezug auf ihre Manövrirfähigkeit unter Segel, da die Schwerpunkte durch die Panzerung vorn und hinten gegen die früheren Holzſchiffe bedeutend verlegt ſind. Namentlich drehten ſie ſchwer und erforderten viele Kräfte am Ruder. Man führte deshalb andere Ruder-Conſtructionen ein, die ſogenannten Compenſations- oder Balance-Ruder, welche dieſem Uebelſtande wirkſam entgegen abhalfen. Die preußiſche Panzerfregatte „König Wilhelm“, ein Schiff erſten Ranges von der Größe etwa des Hercules", dreht z. B. mit Hülfe ſolches Ruders derartig ſchnell, daß es ſtaunenerregend iſt. Das Wenden vor dem Wind und durch bloß mittelſt Segelkraft, das ſogenannte „Stagen“ und „Halſen“ wird von den meiſten hochbordigen Panzerſchiffen ſo übel ausgeführt, daß dieſe Manöver bei vielen derſelben faſt unausführbar ſind. Trotz aller Kunſtfertigkeit in dem Zuſammenfügen der Panzerplatten lecken übrigens alle derartigen Panzerſchiffe bedeutend mehr als Holzschiffe, weshalb gute Pumpvorrichtungen mehr als früher noch zu einer besonderen Nothwendigkeit geworden sind. Wiewohl die Thurmschiffe als Küstenwächter, also die Monitors, sich so gut bewährt hatten, entschloß man sich doch schwer, das System der Thürme für hochbordige Schlachtschiffe in Anwendung zu bringen, wahrscheinlich weil die Zahl der in dieser zu führenden Geschütze gegen die Schiffe mit bedeckter Batterie zurückblieb. Betrachtet man die Thürme von der defensiven Seite, so gewähren sie den Vortheil, daß sie dem Geschoß keine ebene Fläche zum Eindringen bieten und somit den senkrechten Stoß in einen schiefen häufig umwandeln, wodurch das Geschoß zum Ricochettiren gebracht wird. Offensiv betrachtet bietet das große Schußfeld der Thürme eine besondere Ueberlegenheit, und 4 Geschütze, in Thürmen aufgestellt, welche nach allen Seiten hin feuern können, werden mindestens, wenn nicht mehr, in den meisten Fällen der doppelten Anzahl Geschütze auf den beiden Seiten des Schiffs gleichzuachten sein. Nur wenn ein Schiff auf beiden Seiten zugleich im Gefecht engagirt sein sollte, ein höchst seltener Fall, würde dies nicht zutreffend sein, während dagegen, wenn man sich in einem spitzen Winkel zum Gegner schlägt, dieser Winkel für das Batterieschiff ein todter ist, in welchem seine Geschütze unwirksam sind, der dem Thurmschiff, das in seinem Schußfeld nicht hierdurch gehindert wird, die breitesten Flächen zum Bestreichen des Gegners bietet. Das Thurmschiff gewährt außerdem für die Geschütze und die Bedienungsmannschaften eine größere Unverwundbarkeit und ferner kann die Geschützaufstellung auf eine größere Höhe gebracht werden, als dies bei den Batterieschiffen der Fall ist, so daß ein Feuern aus den Thürmen selbst dann noch ohne Schwierigkeit vor sich gehen kann, wenn bei bewegter See das Batterieschiff alle seine Pforten geschlossen halten muß. Das erste hochbordige Thurmschiff der Engländer mit geschlossenen Thürmen ist der Monarch. (5102 Tonnen groß, 1100 Pferdekraft, 650 Mann Besatzung). Er hat zwei Thürme und in jedem zwei 12 zöllige 25 Tons schwere Geschütze. Vorn und hinten führt er noch im Ganzen drei 7 zöllige Geschütze in besonders casemattirten Räumen; außerdem ist er als Rammschiff eingerichtet. Bei einer zehntägigen Kreuzungsfahrt, welche das vereinigte englische Canal- und Mittelmeer-Geschwader im Herbst 1869 im Atlantischen Ocean ausführte, wurde am 10. Sept. bei gutem Wetter und einer langen gemäßigten westlichen Dünung nach der Scheibe geschossen, wobei es sich zeigte, daß die Breitseitgeschütze jedesmal ganz harmlos waren, sobald die Dünung die betreffenden Schiffe von der Seite traf. Das Urtheil der Lords der Admiralität, welche diese Manöver leiteten, ging dahin, daß der Monarch, wäre er als Feind von seiner Position in Luv an der Flotte entlang gefahren, die Hülse der Schiffe hätte in Grund schießen können, bevor er selbst zum Schweigen gebracht worden wäre, weil das Feuern aus seinen Thürmen durch das Schlingern des Schiffs in Folge der Dünung nicht gehemmt wurde. Der neuste Fortschritt in der Technik bezüglich der Panzerschiffe sind die von dem vorher genannten Mr. Reed construirten Brustwehr-Monitors. Die defensive Kraft dieser Schiffe ist durch die Dicke des Panzers noch erhöht worden. Es kam zunächst darauf an, die Nachtheile der amerikanischen Monitors zu beseitigen. Dieselben sind nicht seetüchtig genug; der Thurm ruht nicht auf Deck, sondern auf einer Centralachse, auf welcher er rotirt; seine Höhe über Deck wird dadurch beschränkt und durch den Zwischenraum zwischen dem Deck und der rotirenden Plattform dringt Wasser unter Deck. Anderntheils sollen die Vortheile der Monitors, seine niedrige Höhe über Wasser, seine geringe Zielfläche für den Angreifer, beibehalten werden. Mr. Reed hat diese Aufgabe durch die Einführung einer Brustwehr gelöst, welche den Rauchfang und die Thürme umschließt. Hierdurch kann der Thurm zu einer passenden Höhe gebracht werden, denn die Rollen, auf welchen er nach Coles'schen

System läuft, befinden sich auf dem Oberdeck innerhalb der Brustwehr und die Plattform passirt nicht durch das Oberdeck, wie bei den bisher genannten Thurmschiffen. Andererseits wird durch die Brustwehr dem untern Theil des Rauchfanges, den Lucken und andern Oeffnungen im Deck Schutz gewährt. Die Seetüchtigkeit derartiger Monitors wird dadurch erreicht — abgesehen von großen Verbesserungen in dem inneren Constructionssysteme, — daß denselben vorn am Bug ein Vorderkastell gegeben wird, wodurch sie befähigt werden, gegen die See zu dampfen. Für längere Seereisen bestimmt sind die Brustwehr-Monitors Devastation und Thunderer. Da diese Schwesterschiffe so einzig in ihrer Art sind, und augenblicklich gewissermaßen als Vorbild für alle zu erbauenden Panzerschiffe dienen, so geben wir schließlich von ihnen einige hervorragende Details. Länge 285', Breite 62', mittlerer Tiefgang 26', Tonnengehalt 4106. Der Panzer ist 12" dick, 3 Zoll dicker als der des Hercules, der seiner Zeit schon als undurchdringlich für die schwersten Geschosse angenommen wurde. Das Oberdeck erhebt sich 4' 6" über Wasser, das Vorderkastell am Bug ist 9' hoch. Die Thurmgeschütze befinden sich 13' über Wasser, die Höhe der Brustwehr über dem Wasser beträgt 12', ihr Panzer ist 12" dick, der der Thürme 14" und 12", die Geschütze sind 30 Tonnen schwer, das Geschoß wiegt 600 Pfund — Masten und Segel führen diese Schiffe nicht, sie werden nur durch Dampf mittelst Zwillingsschrauben bewegt, doch sind sie mit solchen bedeutenden Räumlichkeiten zur Aufnahme von Kohlen versehen, daß sie deren 1600 Tons aufnehmen können. Hierdurch werden sie befähigt, überseeische Reisen zu machen, ohne ihren Kohlenvorrath zu erschöpfen. Die Besatzung ist verhältnißmäßig sehr gering, normirt auf 250 Personen, doch genügt diese Zahl vollständig, da die geringere Zahl der Geschütze auch verhältnißmäßig die Bedienungsmannschaften reducirt. Daß der Panzerbau der Schiffe große Veränderungen bedingt, gegen die diesen zugänglichen Landbefestigungen, ist selbstverständlich. Mauerwerk namentlich ist den schweren Schiffsgeschützen gegenüber gänzlich unbrauchbar geworden; Erdwälle bieten ein viel vortheilhafteres Material und wo dieses nicht ausreicht, wird eine Eisenpanzerung der Defensions-Objecte zu erstreben sein. Zur Vertheidigung der Einfahrten gegen Panzerschiffe würden indessen auch diese nicht ausreichen, da die Schiffe nebeneinander aufgestellt in schneller Fahrt aus dem Bereich des feindlichen Feuers kommen würden, wenn auch die zunächst befindlichen Schiffe zerstört werden sollten. Es sind deshalb in neuester Zeit die Torpedos als eine höchst wirksame Vertheidigungswaffe aufgetreten, welche die schwere Verwundbarkeit der Panzerschiffe wieder aufheben und es hat den Anschein als ob diese im Verein mit gepanzerten schwimmenden oder festen Forts eine fast unüberwindliche Vertheidigung erzielen lassen werden. Vergleiche Torpedo.

Panzerhemd, eine Schutzwaffe, die hauptsächlich im Mittelalter getragen wurde, die aber in mannigfacher Form und Benennung auch schon in früherer Zeit im Gebrauche war. Diese Schutzwaffe ist nicht mit dem Harnisch (s. d.) zu verwechseln und bildet eine Vorgängerin des Letzteren. Fast während der ganzen Dauer des Mittelalters, während eines mehr als tausendjährigen Zeitraumes schirmten nur P. den Leib der Recken. Die zahllosen Schaaren der Kreuzfahrer, die schönste Epoche des Ritterthums, das Zeitalter der Minnesänger, so wie die Blüthezeit der glänzendsten Turniere kannten nur das Schuppen- und Ringwamms. Erst die zweite Hälfte des 14. Jahrhunderts erblickte den vollendeten Plattenharnisch und Harnisch in getriebener Arbeit kamen erst im 16. Jahrhundert in Gebrauch. Wenn man daher auf manchen Werken der Malerei und Bildhauerkunst Kreuzfahrer mit funkelnden Plattenharnischen und wallenden Federn auf den Helmen oder Knappen und Ritter aus der ersten Hälfte des 14. Jahrhunderts mit Harnischen von getriebener Arbeit einherstolziren steht, so widerstreitet dies einfach den Thatsachen. Das P. selbst trat in verschiedenen Formen auf. Vom 8. bis einschließlich zum 11. Jahrhundert wurde das einfache Ringhemd, bestehend aus einem Leder- oder Zwillich-wamms mit neben einander aufgenäheten Ringen getragen; vom 10. bis einschließlich 12. Jahrhundert nebenbei das Schuppenhemd mit schuedel-, fisch-schuppen- oder rautenförmigen Eisenblättchen benähet, ja noch im 13. Jahrhundert hüllten sich die Ritter vom Hals bis zur Sohle hiemit ein, wie die Grabsteine der englischen Tempelritter aus jener Zeit darthun. Vom 11. bis 13. Jahrhundert einschließlich findet man in Frankreich und England das Scheibenhemd, seltener in Deutschland; bei diesem waren Metallscheiben oder Metallbuckeln mit Ochsensehnen auf das Lederwamms genähet. Vom 13. Jahrhundert an erscheint der Korazin oder Jazerin, eine hembartige Bekleidung aus buntem Stoffe, inwendig mit Metallschuppen belegt, deren vergoldete Niete außen auf dem Stoffe sichtbar waren. Vom 9. bis in die Mitte des 13. Jahrhunderts war aber auch das geschobene Ringhemd üblich, auf welchem wage-rechte Reihen von Eisenringen herumliefen, deren jeder folgende halb auf den früheren genähet war, derartig, daß abwechselnd die eine Reihe gegen rechts emporstand und die folgende gegen links, wobei jeder Ring oben und unten angeheftet war. Diese Nähte suchte man in der Folgezeit durch darüber genähete Lederstreifen zu decken, so daß der lederstreifige Ringharnisch entstand, der vom 13. bis Anfang des 14. Jahrhunderts als unschöne und unbequeme Ritterhülle vorherrschte. Daneben wurden zu allen Zeiten, wenn auch in geringer Zahl, Drahthemden getragen. Die fein gearbeiteten Panzer-Draht-hemden, welche man in Sammlungen und Zeughäusern findet, entstammen indeß einer späteren Zeit, denn die Bearbeitung des Drahtes geschah bis zu Anfang des 14. Jahrhunderts mit dem Hammer, woher die betreffenden Arbeiter auch als Drahtschmiede bezeichnet wurden. Die Kunst des Drahtziehens wurde erst 1306 durch den Schmied Rudolf zu Nürnberg erfunden, von ihm und seinem Sohne aber als Geheimniß bewahrt; später wurde dieselbe verbreitet und dadurch der erste Schritt zur billigen Herstellung des Drahthembes gethan, das darauf die allgemeine Tracht der Krieger wurde und sich lange Zeit erhielt, denn noch im ersten Schlesischen Kriege trug ein Theil der oesterreichischen Cavalerie dergleichen Panzerhemden.

Panzerschiff, s. u. Panzer.

Paoli, Pascal, geb. 1726 auf Corsica, das sich unter genuesischer Herrschaft befand. Er unternahm 1755 als Generalcapitän und Führer der democratischen Partei einen energischen Kampf gegen die Genuesen und überwältigte diese dergestalt, daß sie Frankreich um Hilfe angingen und 1768 das Land an Frankreich getreulich abtraten. Nach einem fast ein Jahr währenden Kampfe war Frankreich Herr der Insel und P. mußte flüchten (1769). 1789 kehrte er zurück; 1793 suchte er Corsica frei zu machen und stellte sich als Generalissimus an die Spitze der Gewalt. Selbst zu schwach, nahm er englische Hilfstruppen auf und vertrieb die Franzosen. Da die Engländer sich aber die Gewalt anmaßten, zog er sich ins Privatleben zurück und starb 1807 bei London.

Papirius, Lucius Cursor, im 3. Jahrhundert v. Chr. ein Mal römischer Consul, einer der größten Feldherrn seiner Zeit, wiederholt Besieger der Samniter, Triumphator. Sein Sohn Lucius P. Cursor war ebenfalls Consul, Feldherr und Triumphator.

Pappenheim, ein uraltes ritterbürtiges schwäbisches Geschlecht, welches zuerst in Urkunden von 914 und im 12. Jahrhunderte mit der Benennung Marschälle von P. vorkommt, 1628 mit Gottfried Heinrich und Philipp von P. in den Reichsgrafenstand erhoben wurde und sich in vier Linien theilte: die Gräfenthal'sche, Treutlinger, Altheim'sche und Algöv'sche. Die

Gräfenthal'sche und Treutlinger Linie sind sehr früh, die Altheimische 1808 erloschen, so daß gegenwärtig nur noch die Algöische (evangelisch) fortblüht. In der Kriegsgeschichte sind namentlich berühmt geworden: 1) **Gottfried Heinrich**, Graf zu P., kaiserlicher Feldmarschall im Dreißigjährigen Kriege, war Chef der Treutlinger Linie und ursprünglich Protestant, geb. 1594, erhielt auf den Hochschulen zu Altdorf und Tübingen eine gelehrte Bildung, trat 1614 zum Katholicismus über, focht unter König Sigismund in Polen, trat dann in die Dienste der Ligue und des Kurfürsten Maximilian I. von Baiern, trug 1620 als Reiteroberst in der Schlacht am Weißen Berge bei Prag wesentlich zum Siege bei, wurde hier schwer verwundet und blieb mehrere Stunden lang für todt gehalten unter seinem Pferde liegen, bis ihn die Seinigen bei der Plünderung des Schlachtfeldes fanden. 1623 wurde er vom Kaiser auf dem Regensburger Reichstage zum Ritter geschlagen und zum Chef eines Küraffier-Regiments (der berühmten Pappenheimer) ernannt, commandirte dann bis 1625 die spanische Cavalerie in der Lombardei, unterdrückte 1626 den Bauernaufstand in Oberösterreich, durchzog dann das nördliche Deutschland, schlug mit Tilly die Dänen, entschied namentlich am 27. August 1626 mit seiner Cavalerie bei Lutter am Barenberge den Sieg, wurde 1628 in den Reichsgrafenstand erhoben, hatte im Mai 1631 wesentlichen Antheil an der Erstürmung von Magdeburg, wo seine Truppen mit schonungsloser Grausamkeit wütheten, verschuldete am 7. Sept. 1631 durch sein vorzeitiges Ungestüm großentheils den Verlust der Schlacht von Breitenfeld (s. d.), deckte aber dann noch den Rückzug, wurde hier abermals schwer verwundet, focht später am Niederrhein mit Glück, vereinigte sich nach Tilly's Tode (April 1632) mit Wallenstein, ging mit diesem nach Sachsen, wurde Anfang November mit einem großen Theile des Heeres nach dem Rheine beordert, um der von den Holländern bedrohten Stadt Köln zur Hilfe zu eilen, und war eben in Halle angelangt, als er von Wallenstein auf das Schlachtfeld von Lützen (s. d.) gerufen wurde. Hier erschien er am Nachmittag des 6. Nov. 1632, der Infanterie vorauseilend, mit vier Cavalerie-Regimentern, als Gustav Adolf zwar bereits gefallen, aber der Sieg fast schon zu Gunsten der Schweden entschieden war. Er stellte die Schlacht sofort wieder her, stürzte sich in das dichteste Kampfgewühl, erhielt aber bald zwei Musketenkugeln in die Brust, so daß er vom Schlachtfeld getragen werden mußte. Er wurde nach Leipzig gebracht und starb hier am 7. Nov. 1632 im Schlosse Pleißenburg. Vgl. Heß, „Gottfried Heinrich, Graf zu P." Leipzig 1855. 2) **Friedrich August Graf zu P.**, aus der Altheimischen Linie, österreichischer General, geb. 1703, trug im Siebenjährigen Kriege 1757 durch einen Angriff mit sächsischer Reiterei wesentlich zum Siege von Kollin bei, und fiel daselbst. 3) **Karl Theodor Friedrich Graf zu P.**, aus der Algöischen Linie, baierischer Generalfeldzeugmeister, geb. 1771 zu Pappenheim an der Altmühl in Baiern, trat 1796 in österreichische Dienste, war im Türkenkriege Wurmser's und Bellegarde's Adjutant, nahm an den Feldzügen der ersten Coalition gegen Frankreich Theil, focht 1793 bei Château Cambresis, 1794 bei Charleroi, Fleurus und Landrecy, wurde bei Landrecy schwer verwundet, nahm seinen Abschied, trat 1809 wieder in baierische Dienste, wurde General-Adjutant des Kronprinzen, commandirte 1813 eine Infanteriebrigade, vertheidigte 30. Oct. 1813 bei Hanau die Kinzigbrücke, nahm 1814 unter Wrede an der Belagerung von Hüningen und der Blokade von Schlettstadt Theil, war nach 1815 bei der Reorganisation der baierischen thätig, wurde später mehrfach zu diplomatischen Sendungen verwendet, erhielt 1835 das Commando über die erste Armeedivision, wurde 1840 Generalfeldzeugmeister und starb 1853.

Parabel, 1) (Apollonische oder gewöhnliche P.), ein Kegelschnitt, welcher erhalten wird, wenn man einen Kegel mit einer Ebene durchschneidet, welche der gegenüberliegenden Seitenlinie des Kegels parallel ist; sie ist eine, aus zwei ins Unendliche sich erstreckenden, gegen eine mittlere Gerade symmetrischen Aesten bestehende krumme Linie und hat die Eigenschaft, daß jeder ihrer Punkte von einem festen Punkte (dem Brennpunkte) und einer festen Geraden (der Directrix, Leit- oder Richtlinie) gleichen Abstand hat. Eine durch den Brennpunkt gehende, auf der Directrix senkrecht stehende Gerade heißt die Achse; diese theilt die P. in die beiden symmetrischen Aeste, welche sich allmählig einer mit der Achse parallelen Richtung nähern. Derjenige Punkt, in welchem die P. von der Achse geschnitten wird, heißt der Scheitel; derselbe liegt in der Mitte zwischen dem Brennpunkte und der Directrix. Die P. ist namentlich deshalb wichtig, weil sie die Wurflinie oder Flugbahn (s. d.) bildet, d. h. diejenige Curve, welche ein in schräger Richtung geworfener oder geschossener Körper beschreiben würde, wenn er nicht den Luftwiderstand zu überwinden hätte; in diesem Falle würde der von dem geworfenen oder geschossenen Körper erreichte höchste Punkt des Scheitels der P. sein. 2) Parabeln höherer Ordnung sind Curven, deren Gleichung ist:

$$y^{m+n} = p\,x$$

Parade heißt: 1) eine Schaustellung von Truppen, abgehalten zu Ehren fürstlicher Personen oder hochgestellter Offiziere, oder auch als Act der Besichtigung durch höhere Vorgesetzte. Bei Gelegenheit militärischen Gottesdienstes finden Kirchenparaden statt. Vor dem Aufziehen der Wachen wird häufig eine P. der Wachmannschaften abgehalten, Wachtparaden im Gegensatz zu den großen P.n einer Garnison ꝛc. Paradeplatz ist der Ort, wo P.n regelmäßig stattfinden. — Zur P. rücken die Truppen gewöhnlich in ihrem besten Anzuge, mit Waffen und Sack und Pack und, Cavalerie und Artillerie beritten, resp. bespannt, mitunter Beide auch zu Fuß als Infanterie formirt; Fußparade. Zur Kirchenparade gehen die Truppen ohne Gepäck. Es wird zuerst eine P.-Aufstellung bezogen, je nach der Zahl der Truppen und der Räumlichkeit in Linie, im Viereck oder in Colonne. Der Officier, welcher die P. abnimmt, reitet unter Präsentiren und Spiel der Musikbanden die Front herunter, nächstdem erfolgt der Vorbeimarsch oder Parademarsch, in Zügen, Compagnie-, Eskadrons- oder Batterie-Front, oder in aufgeschlossener Colonne. Beim Parademarsch wird der Vorgesetzte frei angesehen; man legt Werth darauf, daß die Truppe gut gerichtet vorbeikommt, und erlaubt sich aus dem Parademarsch einen Schluß auf die Ausbildung und Haltung derselben zu ziehen. Dieses hat eine Berechtigung, sobald der Parademarsch mit mühsam eingedrillt ist, was leider noch häufig genug geschieht. Cavalerie und Feld-Artillerie marschiren auch im Trabe resp. Galopp vorbei, Fuß-Batterien dabei mit aufgesessenen Bedienungsmannschaften, während beim Parademarsch im Schritt letztere sich hinter den Geschützen befinden. 2) In der Fechtkunst ist P. das Abwehren eines Hiebs oder Stichs, die Thätigkeit selbst heißt Pariren, daher auch der Name Parirstange bei Hiebwaffen. 3) In der Reitkunst heißt „eine ganze P. geben", das Pferd aus einer Gangart zum Halten bringen, „halbe Parade," wenn man aus der stärkeren Gangart in die schwächere fällt. Auch die hiezu nothwendige Hülfe des Annehmens der Zügel ꝛc. wird Parade genannt.

Paraguay, 1) Rio-P.) einer der Hauptquellenströme des La-Plata, entspringt in der brasilianischen Provinz Matto-Grosso, strömt südlich, trennt die Republik P. (östlich) von Bolivia und der Argentinischen Conföderation (westlich) und vereinigt sich nach einem Stromlauf von ungefähr 370 Meilen an der Südwestgrenze der Republik P., oberhalb Corrientes, mit dem Parana. 2) Republik im südöstlichen Innern von Südamerika, grenzt im Norden an Brasilien, im Osten an Brasilien (durch den Parana getrennt), im Südosten und Süden an die Argentinische Conföderation (durch den Parana getrennt), im Westen an die Argentinische Conföderation und Bolivia (von beiden durch den Rio P. getrennt), umfaßt nach officiellen Angaben von 1857 einen Flächenraum von 16,576 Q.-M. (da noch große Länderstriche jenseits des Parana und des Paraguay hinzugerechnet sind), während das factisch im Besitz der Republik befindliche Territorium nur 3256 Q.-M. enthält und bat nach officiellen Angaben des Census von 1857 eine Bevölkerung von 1,337,439 Seelen (ungef. 5 Procent Weiße, 16 Procent Mestizen, die Uebrigen Indianer namentlich vom Stamme der Guarani). Das Land ist eine nach Süden und Westen abhängige Ebene, der östliche Theil fast noch ganz unbekannt. Das Klima ist halb tropisch, sehr gesund und der Vegetation höchst günstig, der Boden ungemein fruchtbar aber nur erst zu einem ganz geringen Theile angebaut, der Produktenreichthum ein sehr großer; Haupterwerbsquelle ist Ackerbau, der Handel längs der großen Ströme ziemlich lebhaft, die Industrie ohne wesentliche Bedeutung. Staatsreligion ist der Katholicismus, Sprache der Gebildeten das Spanische. Das Land wird in 25 Departements eingetheilt, Hauptstadt ist Assuncion. Die staatlichen Verhältnisse sind seit dem letzten Kriege noch nicht vollständig wieder geordnet. Nach der Verfassung steht an der Spitze der Executivgewalt ein Präsident mit dem Titel eines Marschalls, welcher zugleich Oberbefehlshaber der Armee und Flotte ist; die Legislativgewalt liegt formell in der Hand eines Congresses, factisch aber in der des Präsidenten. Nach officiellen Angaben bestand im Juni 1865 das Heer aus folgenden Truppen: 40 Bataillone Infanterie zu 700 Mann = 28,000 Mann; 32 Regimenter Cavalerie zu 500 Mann = 16,000 Mann; Artillerie mit 120 Feldgeschützen und 3000 Mann, insgesammt also 47,000 Mann; die Flotte aus 3 Briggs, 21 (meist wohl ursprünglich zu Handelszwecken gebauten) Dampfern, 15 kleinen, zum Theil gepanzerten Kanonenbooten, jeder mit einem 80pfündigen Geschütze. Im Juli 1866 wurde die Effectivstärke des Heeres trotz der in zwei Kriegsjahren erlittenen Verluste auf 60,000 Mann gebracht, und soll später sogar bis auf 100,000 Mann verstärkt worden sein. Das Land besaß an Humaita (s. b.) eine starke Festung. Nationalfarben und Flaggen sind roth, weiß, blau. — P. wurde zuerst 1516 von den Spaniern unter Diaz de Solis, welcher 1515 den La-Plata entdeckte, besucht; sie versuchten seit 1526 Ansiedelungen am Rio-P. zu gründen, mußten dieselben aber verlassen, bis es ihnen 1533 gelang, festen Fuß zu fassen und Assuncion anzulegen. Später rissen die 1608 eingewanderten Jesuiten die Gewalt völlig an sich und begründeten einen mächtigen, wohlgeordneten theokratischen Staat, welcher mit größter Umsicht und außerordentlichem Erfolg regiert wurde, aber seit Anfang des 18. Jahrhunderts die Eifersucht der spanischen Regierung erregte und nach einem vierjährigen Kampfe 1758 den vereinigten Waffen der Spanier und Brasilianer erlag; 1768 wurden sämmtliche Jesuiten verwiesen, ihre Missionen den Civilbehörden übergeben und 1778 das Land zur spanischen Provinz La Plata geschlagen. Die allgemeine gegen die Spanier in Südamerika ausgebrochene Revolution erstreckte sich 1811 auch über P., worauf sich Jose Gaspar Rodriguez Francia an die Spitze stellte, 1812 auf fünf Jahre und 1817 auf Lebenszeit zum Dictator gewählt wurde. Derselbe regierte mit eiserner Strenge, schloß das Land gegen jeden Verkehr mit Außen ab, beförderte aber den Ackerbau. Nach seinem Tode (1840) setzte Gouverneur Vidal das Absperrungssystem, wenn auch etwas milde, fort, bis der Nationalcongreß 1844 einen Neffen Francia's, Don Carlos Antonio Lopez auf zehn Jahre zum Präsidenten ernannte, welcher im Mai 1845 das Staatsgebiet dem auswärtigen Verkehr wieder eröffnete, unter der Bedingung, daß die Fahrzeuge die argentinische Flagge führten. Als bald darauf Rosas, der Gouverneur der Argentinischen Republik, Maßregeln ergriff, welche die Selbstständigkeit P.'s bedrohten, schloß Lopez mit der Regierung des Staates Corrientes ein Schutz- und Trutzbündniß ab und erklärte, am 4. Dec. 1845 an Rosas den Krieg. Nachdem sich 1851 auch Brasilien, Uruguay und Entre-Rios dem Bündniß angeschlossen hatten, wurde Rosas im Februar 1852 gestürzt, worauf die Argentinische Conföderation im Jahre 1852 die Unabhängigkeit P.'s anerkannte. Antonio Lopez beherrschte nun das Land gleich einem Souverän, regelte die Verwaltung, gründete Schulen und öffnete das Land für alle Flaggen der befreundeten Nationen. Als derselbe im Sept. 1862 starb, übernahm sein Sohn Francisco Solano Lopez*) laut testamentarischer Verfügung des Vaters die Präsidentschaft. Er war bemüht, auf der von seinem Vater betretenen Bahn der Reformen weiter vorzuschreiten, sah sich aber bald in Conflicte mit den Nachbarstaaten verwickelt und wandte deshalb seine Aufmerksamkeit vorzugsweise der Verstärkung des Heeres zu, welches er nach und nach auf bis 60,000 Mann brachte. Die nächste Veranlassung zu einem Conflicte war der in der Republik Uruguay ausgebrochene Bürgerkrieg, in welchem die Brasilianer für den Expräsident General Flores Partei nehmend, im Oct. 1864 in Uruguay einrückten. Lopez, welcher im Voraus gegen jede Einmischung Brasiliens protestirt hatte, begann nun seinerseits die Feindseligkeiten gegen Brasilien zu eröffnen und fiel im Dec. 1864 in die brasilianischen Provinz Matto Grosso ein, nahm nach zweitägigem Bombardement das Fort Coimbra, besetzte 29. Dec. Miranda und Durados, Anfang Januar 1865 Albaquerque und Corumba und rückte dann gegen Cuyaba, die Hauptstadt von Matto-Grosso, vor. In Folge davon schloß die brasilianische Regierung 22. Februar 1865 mit dem zum interimistischen Präsidenten von Uruguay ernannten General Flores ein Schutz- und Trutzbündniß gegen P. ab. Mittlerweile war es aber auch zu einem Conflicte zwischen P. und der Argentinischen Conföderation gekommen und die Paraguiten bemächtigten sich ohne Kriegserklärung am 13. April zweier argentinischer Kriegsdampfer im Hafen von Corrientes und dann auch dieser Stadt selbst, worauf am 4. Mai die Argentinische Conföderation dem Brasilianisch-Uruguay'schen Bündnisse beitrat. Am 9. Juni 1865 überschritt Lopez mit einem starken paraguitischen Heere die Grenze der brasilianischen Provinz Rio-Grande-do-Sul, nahm am 16. Juni San-Francisco-de-Borga und drang dann auf beiden Ufern der Uruguay gegen die Grenzen der Republik Uruguay vor. Am 30. Juli besetzte ein paraguitisches Corps unter Estigarriba die brasilianische Stadt Uruguayana am linken Ufer des Uruguay (noch 8 Meilen von der Grenze entfernt), wurde aber in derselben, nachdem ein anderes, von General Duarte commandirtes Corps am 17. August von den Verbündeten unter General Flores geschlagen worden war, eingeschlossen und am 18. Sept. zur Capitulation gezwungen. Die Alliirten überschritten nun hier den Uruguay, rückten gegen Corrientes, welches am 22. Oct. von den Paraguiten geräumt wurde, und besetzten dasselbe am 23. Oct. ohne Schwertstreich. Nachdem hier am 26. Oct. zur weitern Unterstützung der Operationen noch ein brasilianisches Geschwader erschienen war, traten die Paraguiten Anfang November den Rückzug über den Parana auf ihr eigenes Gebiet an. Im

---

*) Anmerkung: Der in den letzten Jahren vielgenannte Dictator Francisco Solano Lopez (dessen Biographie an der betreffenden Alphabetstelle als eigener Artikel zu geben, versäumt worden ist), war geb. 1831 in Assuncion, commandirte im Kriege 1849 als General ein Heer von 10,000 Mann, mit welchem er die Missionen in Corrientes verwüstete, bereiste seit 1852 im diplomatischen Auftrage seines Vaters Frankreich, England, Deutschland und Spanien und kehrte 1854, begleitet von Ingenieuren und Handwerkern aller Art, nach Paraguay zurück, übernahm 1862 nach dem Tode seines Vaters die Regierung, wurde bald in Krieg mit den Nachbarstaaten verwickelt und fiel am 1. März 1870 in einem Gefecht am Aquidaban.

März 1866 eröffnete das brasilianische Geschwader auf dem Parana die Feindseligkeiten mit einem Angriff auf das Fort Itapiru, während am 16. April ein brasilianisches Corps unter General Osorio oberhalb der Mündung des Rio-Paraguay in den Parana auf das paraguitische Ufer überging und am 17. April einen Angriff der Paraguiten unter Lopez abschlug, worauf Letzterer am 23. April den Rückzug nordwärts nach dem stark befestigten Humaita (s. d.), antrat. Nachdem die Alliirten am 2. Mai bei Estero-Bellaco einen Sieg über die Paraguiten erfochten und am 24. Mai ebendaselbst ein zweites, aber unentschiedenes blutiges Treffen (auch Schlacht bei Tuyuty genannt) geschlagen hatten, wurde am 14. Juni das Lager der Alliirten am Parana von den Paraguiten bombardirt. Am 16. und 18. Juli griffen die Alliirten die Stellung der Paraguiten am Parana vor Tuyuty an, wurden aber mit großem Verluste zurückgeschlagen. Am 3. Sept. eroberte eine Abtheilung des Landheeres der Alliirten unter dem brasilianischen General Porto-Alegro, unterstützt von dem brasilianischen Geschwader unter Admiral Tamandaré, die 2½ Kilometer von Humaita gelegene starke Stellung der Paraguiten in dem Erdfort Curuzu, wobei die Brasilianer das Panzerschiff „Rio-de-Janeiro" verloren. Nach mehrfachen unentschiedenen Kämpfen vom 17.—19. Sept. griffen die Alliirten unter Mitre, (Präsident der Argentinischen Conföderation), Porto-Alegro und Flores am 22. Sept. die paraguitischen Befestigungen von Curupaiti am Rio-Paraguay an, erstürmten die erste Linie, wurden aber dann zurückgeschlagen und zum Rückzug in ihre Stellung bei Tuyutu gezwungen. Am 30. Oct. griffen die Paraguiten diese Stellung an, wurden aber zurückgeschlagen. Nach unbedeutenden Zwischenfällen eroberten die Brasilianer die Festung Coimbra in Matto-Grosso, welche schon im Dec. 1864 von den Paraguiten genommen worden war, am 13. Juni 1867 zurück. Im Sept. besetzten die Alliirten Villa-del-Pilao, schnitten dadurch der Festung Humaita alle Verbindung mit dem Innern ab, nahmen am 19. Febr. 1868 das zu Humaita gehörige Fort Establecimiento, erzwangen dadurch die Vorbeifahrt eines brasilianischen Panzergeschwaders auf dem Rio-Paraguay, unternahmen am 16. Juli einen Sturm auf Humaita, der zwar von Lopez siegreich abgeschlagen wurde, aber doch die Paraguiten nöthigte, die fast gänzlich zerschossene und nicht länger mehr haltbare Festung am 25. Juli zu räumen und sich nach dem Chaco (s. d.) zurückzuziehen, wo sie am 5. August von den Alliirten in einer blutigen Schlacht gänzlich geschlagen wurden. Am 11. Dec. wurde Lopez bei Villete aufs Neue von den Alliirten geschlagen. Das brasilianische Geschwader ging nun noch weiter stromaufwärts, um Assuncion zu besetzen. Nach mehrfachen Gefechten wurden die Verschanzungen auf den Höhen von Lomas Valentinas, am 30. Dec. Angostura und Anfang Januar 1869 auch Assuncion von den Brasilianern genommen. Der Kampf dauerte nun während des Frühjahrs und Sommers 1869 in kleinen Gefechten ununterbrochen fort, ohne zu einer Entscheidung zu kommen; dagegen nahmen am 12. August die Brasilianer unter Graf d'Eu (einem Sohne des Herzogs von Nemours und Schwiegersohne des Kaisers von Brasilien) die von Lopez eingenommene Position bei Piribebuy und schlugen denselben auch am 15. August bei Caraguatay gänzlich. Durch die nun noch folgenden Kämpfe wurde das paraguitische Heer fast gänzlich aufgerieben und Lopez mit nur wenigen hundert Mann immer weiter nach den unzugänglichen Schluchten des paraguitischen Hinterlandes zurück gedrängt, bis er endlich am 1. März 1870 in einem Gefecht am Aquidaban gegen den brasilianischen General Camara nach verzweifeltem Widerstande fiel. Mit dem Tode des Dictators war der Krieg factisch beendigt. Vgl. Demersay, „Histoire physique, économique et statistique de P.", Paris 1860—1865, 2 Bde.; „Les dissensions des républiques de la Plata et des machinations du Brésil", Paris 1865; „War in the river Plate in 1865", London 1865.

Parallelen heißen die mit dem Umriß der Angriffsfront einer belagerten Festung im Allgemeinen parallel erbauten Laufgräben des Belagerers, in denen die tägliche Wache aufgestellt wird, welche den Ausfällen des Vertheidigers Widerstand zu leisten bestimmt ist. Marschall Vauban hat sich ihrer zuerst vor Maastricht 1673 bedient, da bis zu dieser Belagerung die Laufgräben gegen jedes angegriffene Bastion ohne gegenseitige Verbindung, abgesondert vorgetrieben und durch neben und zwischen ihnen liegende Redouten gegen die Ausfälle des Belagerten geschützt wurden. Die drei regelmäßigen Parallelen, die bei der Belagerung von Ath 1697 erbaut wurden, gaben Veranlassung zur allgemeinen Einführung derselben. Die Entfernung der ersten Parallele von dem Glacis der Festung wurde von Vauban auf 800 Schritt normirt, damit man bei Eröffnung derselben gegen das Gewehr- und Geschützfeuer der Festung möglichst gesichert sei und ist diese Entfernung bis in die neuere Zeit hinein als Norm betrachtet worden. Nach Einführung der gezogenen Gewehre und Geschütze erhob sich die Controverse, ob man an dieser Distance noch festhalten könne, oder ob man sie vergrößern müsse. Die Frage wurde verschieden beantwortet. Von vielen Seiten wehrte man sich auf das Entschiedenste, von den bewährten Grundsätzen Vauban's abzuweichen und hielt daran fest, daß wenigstens die erste Parallele nicht weiter als 800 Schritt von dem Festungsglacis abliegen dürfe, wenn auch die ersten Batterien hinter derselben, bis auf 1200 Schritt entfernt, erbaut werden könnten. Bei der Belagerung von Sebastopol, also vor der Zeit der gezogenen Geschütze, war es den Franzosen und Engländern nicht gelungen, ihre erste Parallele näher als auf 1600—1800 Schritt von den vorgeschobenen Werken anzulegen, dagegen gelang es in der Nacht vom 29. zum 30. August 1870, die erste Parallele etwa 800 Schritt vor den Werken der nordwestlichen Front von Straßburg zu eröffnen. Die zweite Parallele wird der Regel nach auf der halben Entfernung der ersten angelegt, damit die Laufgrabenwache zur Unterstützung der vorgetriebenen Tranchéen nicht einen weiteren Weg zurückzulegen hat, als die Ausfalltruppen des Vertheidigers bis zu deren Spitzen. Die dritte Parallele kommt gewöhnlich an den Fuß des Glacis zu liegen, zuweilen wird zwischen ihr und der zweiten eine halbe Parallele angelegt, um die Spitzen der Sappen gegen kleine Ausfälle besser unterstützen und in ihr Batterien erbauen zu können. Dieselbe ist keine zusammenhängende Linie, sondern wird nur durch mehr oder minderlange seitliche Verzweigungen der zwischen beiden Parallelen geführten Zickzacks gebildet. Nur bei weiter Entfernung der ersten Parallele und bei besonderen Verhältnissen wird eine vierte Parallele erforderlich, ehe man in den bedeckten Weg selbst einzudringen vermag. Die erste Parallele hat die größte Längenentwickelung und bevordirt die vorliegenden, so daß deren Flügel durch die Erstere geschützt werden, der wesentlichste Zweck aller Parallelen aber ist Schutz und Aufnahme der Laufgrabenwache, doch ist dadurch nicht ausgeschlossen, daß sie auch vortreffliche Emplacements für die Belagerungsbatterien darbieten und in diesem Sinne benützt werden. (Vgl. Festungskrieg, Laufgraben.)

Pardon, im Allgemeinen mit Verzeihung gleichbedeutend, in der Kriegssprache aber für Gnade, Erbarmen gebraucht. Der Sieger gewährt Pardon, wenn er das Leben des Feindes schont, der sich ihm auf Gnade und Ungnade ergeben; der Besiegte bittet um Pardon, wenn er den Sieger um Schonung seines Lebens anfleht. Die Humanität verbietet es, den Feind, der sich wehrlos ergibt, zu tödten; unvereinbar mit der militärischen Ehre wird es aber andererseits erachtet, um Pardon zu bitten, so lange noch eine Möglichkeit zum Widerstande vorhanden ist. In Folge letzteren Umstandes haben es sich in fast allen längeren Kriegen einzelne Truppentheile zum Gesetz gemacht, niemals Pardon zu nehmen. Bei den Pappenheimern im Dreißigjährigen Kriege wäre es eine Schmach gewesen, hätte einer derselben Pardon genommen; preußische Husaren erhielten im Siebenjährigen Kriege an der Kopfbedeckung einen Todtenkopf als Sinnbild, das andeuten soll, von ihnen werde weder Pardon genommen, noch ertheilt. — Von älteren Schriftstellern wird gleichbedeutend mit Pardon der Ausdruck „Quartier" gebraucht und ist bei ihnen demzufolge von Quartier gewähren und erbitten die Rede. — Nur bei einzelnen Mannschaften findet ein Pardonnehmen oder Pardongeben statt, bei größeren Truppenkörpern tritt dafür das Gewehrstrecken und eine Capitulation ein.

Pardubitz, Stadt im böhmischen Kreise Chrudim, an der Mündung der Chrudimka in die Elbe und an der Eisenbahn von Wien nach Prag, welche hier nördlich über Königgrätz nach Reichenberg und nach Breslau abzweigt, hat ein Schloß und 6800 Einw. und war im Preußisch-Oesterreichischen Kriege von 1866 als Eisenbahnknotenpunkt für beide Parteien von Wichtigkeit. Am 6. Juli 1866 (drei Tage nach der Schlacht von Königgrätz) wurde das Hauptquartier des Königs Wilhelm von Preußen hierher verlegt und blieb daselbst bis zum 9. Juli.

Pardunen, Bezeichnung für diejenigen starken Taue, welche die Stengen, d. i. die ersten Verlängerungen der Masten nach den Seiten hin abstützen und welche bis auf Deck reichen, wo sie in den „Rüsten" hinter den „Unterwanten" befestigt werden. Die ebenfalls zur seitlichen Stütze der Stengen dienenden Stengenwanten sind auf der zum Spreizen dieser Wanten dienenden Platsform, welche von Laien „Mastkorb" genannt wird, dem sogenannten „Mars" befestigt. Man unterscheidet Stengepardunen, welche die Stengen stützen, Brampardunen und Oberbrampardunen, je nachdem sie die Bramstengen oder Oberbramstengen stützen.

Parga, befestigte Stadt an der Küste des türkischen Ejalets Janina, südöstlich von der Südspitze der Jonischen Insel Korfu, liegt auf einem an drei Seiten vom Jonischen Meere umgebenen Felsen, in dessen Rücken auf einer steilen Klippe eine sehr feste Citadelle steht, hat einen doppelten Hafen und 5000 Einwohner. P. wurde zur Zeit des Verfalls des römischen Reiches gegründet, stand von 1401—1797 unter der Schutzherrlichkeit der Republik Venedig, die darüber mit der Türkei fortwährend Streit hatte, behauptete dann seine Unabhängigkeit gegen den Pascha von Janina, kam aber 1800 in Folge eines Vertrags zwischen Rußland und der Pforte an Letztere und wurde 1807 unter französischen Schutz gestellt. In Folge davon jagten die Engländer die Festung dem Pascha von Janina zu; allein die Pargioten schlugen alle Angriffe desselben siegreich ab, bis sie sich 1815 genöthigt sahen, englischen Schutz und die Einverleibung in die Republik der Jonischen Inseln nachzusuchen. Die Engländer besetzten nun P., ohne die wirkliche Einverleibung zu vollziehen, und traten die Stadt und Festung 1819 an die Pforte ab, worauf der größte Theil der Einwohner nach den Jonischen Inseln auswanderte. Vgl. Mustoxidis, „Précis des événements qui ont précédé et suivi la cession de P." Paris 1820.

Paris (Alexandros), mythische Heros, Sohn des trojanischen Königs Priamus und der Hecuba, wurde als Jüngling in dem durch die Göttin Eris zwischen Here, Athene und Aphrodite entstandenen Streite um den Preis der Schönheit (einen goldenen Apfel) zum Schiedsrichter gewählt; Here versprach ihm für die Zuerkennung des Preises die Herrschaft über Asien und Reichthum; Athene dagegen Weisheit und Kriegsruhm; Aphrodite aber das schönste Weib Griechenlands, Helena, die Gattin des Königs Menelaos von Lakedämon, zur Ehe. P., obgleich schon mit Onone, der Tochter des Flußgottes Kebren, vermählt, entschied zu Gunsten der Aphrodite, entführte die Helena und einen großen Theil der Schätze ihres Hauses und vermählte sich mit ihr auf der Insel Kranae. Die Folge davon war der Trojanische Krieg (s. d.), da sich fast ganz Griechenland für die Rechte des Menelaos erhob. Im Verlaufe dieses Krieges tödtete P., der ein trefflicher Bogenschütze war, den Achilles durch einen Pfeilschuß, erfuhr aber bald danach durch Philoktetes dasselbe Schicksal.

Paris, befestigte Hauptstadt von Frankreich und des Departements Seine, (bis 1870 Residenz des Kaisers, Sitz des Ministeriums und der Centralbehörden*), eines Erzbischofs, sowie des Obercommando's des ersten Armeekorps und der 1. Militär-Division, ist der Centralpunkt des französischen Eisenbahnsystems (s. u. Frankreich S. 86) und liegt zu beiden Seiten der hier von Ost nach Westen in einem großen nach Nord gewandten Bogen fließenden Seine in einer weiten Ebene, die nördlich durch den Montmartre, nordöstlich durch die Höhen von Belleville und Menilmontant, welche sich bis zum Friedhofe Père-La-Chaise und gegen Vincennes auf dem rechten Seineufer hinziehen, und südwestlich etwas entfernter durch die Höhen, welche bei Meudon, Sèvres, St. Cloud und Marly das linke Seineufer bilden, begrenzt wird. Die Seine theilt die Stadt in zwei Hälften; die nördliche, auf dem rechten Ufer gelegene, ist etwas größer und wird vorzugsweise als la Ville, die südliche dagegen als L'Université (mit Faubourg St. Germain und Quartier latin) bezeichnet; auf der größern Seineinsel, Isle du palais, liegt die Cité mit dem Justizpalast und der Kathedrale Notre-Dame; auch die Seineinsel Isle Louis, östlich von jener ist bebaut. Der administrativen Eintheilung nach zerfällt P. in 20 Municipal-Arrondissements. Die ganze Stadt wird von einer befestigten Ringmauer umschlossen (s. weiter unten), durch welche 66 Thore zu eben so vielen Eingängen in die Stadt führen. Ihr Umfang beträgt 36 Kilometer (4. Meilen); der größte Durchmesser der Stadt erstreckt sich von Ostsüdost nach Westnordwest (von der Porte de Vincennes nach der Porte de Maillot) und beträgt 9 Kilometer (1. Meile), der kleinere von Nord nach Süd (von Clignancourt nach Montrouge) nur 6. Kilometer (0.s Meile). Der Flächenraum von P. ist in Folge der Erweiterung bis zu der Ringmauer (1. Januar 1860) von 3400 Hektaren (0.s Q.-M.) auf 7800 Hektaren (1. Qu.-M.) angewachsen, die Bevölkerung seit 1851 bis 1866 von 1,053,262 auf 1,825,274 Seelen und die Häuserzahl in dieser Zeit von 25,000 auf 80,000 gestiegen. Die Stadt hat seit der Regierung Napoleon's III. und namentlich im letzten Jahrzehnt unter der Leitung des Seine-Präfecten Haußmann ein fast vollständig anderes Aussehen erhalten; zahlreiche enge und krumme Straßen, sogar einzelne derartige ganze Stadtviertel, sind, sowohl aus Sanitäts-, wie aus militärischen Gründen niedergerissen und dafür mit enormen Kosten nach einem bestimmten Plane neu aufgebaut worden, so daß jetzt ganz P. nach allen Seiten hin von geraden und breiten Straßen durchschnitten wird, welche dem Verkehre, wie militärischen Operationen (unterstützt durch zahlreiche an passenden Orten erbaute feste Kasernen) volle Freiheit gestatten; zugleich wurden gewaltige Schleußen und Wasserbauten ausgeführt. Die ältere, innere Stadt wird von Boulevards umgeben, von denen die des nördlichen Halbkreises von der Madelainekirche bis zum Bastilleplatz die schönsten und besuchtesten sind; die schönsten neueren Straßen sind: die Rue Rivoli und die Boulevards de Strasbourg, de Sébastopol, Magenta, du Prince Eugène, Malesherbes, Haußmann und St. Michel. Beide Ufer der Seine werden von prächtigen Quais begleitet. An Brücken zählt die Stadt jetzt 25, von denen der Pont Neuf mit der Reiterstatue Heinrich's IV. die

*) Anmerkung. Wir geben hier die Beschreibung der Stadt P., wie die Verhältnisse kurz vor Ausbruch des Krieges von 1870 waren.

längste und bekannteste ist. Von vielen öffentlichen Plätzen sind hervorzuheben: die Place de la Concorde mit dem Obelisk von Luksor, die Place-Vendôme mit der Vendômesäule,*) die Place de la Bastille mit der Julisäule, die Place-des-Victoires mit der Reiterstatue Ludwig's XIV., die Place-du-Carrousel (zwischen den Tuilerien und dem Louvre) mit einem Triumphbogen, die Place-de-l'Etoile mit dem berühmten zum Andenken an die Siege des ersten Kaiserreichs errichteten Arc de Triomphe de l'Etoile und der Champs-de-Mars (Marsfeld f. d.) Unter den Beerdigungsplätzen nimmt der berühmte Cimetière du Père-la-Chaise in pittoreser, wie in historischer Beziehung den ersten Rang ein: ein Friedhof und zugleich ein Prachtpark. Hier schlummert das heilige Bataillon von Frankreichs modernen Größen: die Waffen, die Politik, die Literatur, die Künste und Wissenschaften, die Industrie, haben hier ihre hervorragendsten Repräsentanten und Trophäen. Von den öffentlichen Spaziergängen und Gärten sind die bedeutendsten: die Champs-Elysées, der Tuilerien-Garten, der Luxembourg-Garten, das Jardin des Plantes, der Park von Monceaux und die berühmten Bois-de-Boulogne und de-Vincennes. Unter den Kirchen sind hervorzuheben: die gothische Kathedrale Notre-Dame, der Invalidendom mit dem prachtvollen Grabmal Napoleons I., die Kirche St. Geneviève (früher „Pantheon" genannt), die im griechischen Styl erbaute Madeleinekirche, die St.-Sulpice und die in italienischem Stil aufgeführte St.-Vincent-de-Paul. Die hervorragendsten öffentlichen Gebäude sind: die Tuilerien, durch Napoleon III. mit dem Louvre zu einem Riesenpalast vereinigt, das Palais-Royal, das Palais-du-Luxembourg (Sitzungspalast des Senats), das Palais-Bourbon (Sitzungspalast des Gesetzgebenden Körpers), das Hôtel-de-Ville (Stadthaus), das Invalidenhôtel, das Palais-Elysée-Bourbon, das Palais-du-Quai d'Orsay, die Militärschule, (jetzt Kaserne) die Münze, die Bank, die Börse, mehrere Theater und mehrere palastartige Kasernen. Unter den zahlreichen Unterrichtsanstalten sind hervorzuheben: die Universität (Académie de P.) nebst den mit ihr verbundenen Anstalten, das Collége de France, die Polytechnische Schule, die Generalstabsschule (Ecole Impériale d'état major) die Bergbauschule, die Schule der Brücken- und Wegebaukunst, die Gewerbschule, die École des beaux-arts, das Conservatorium und andere Fachschulen und Specialanstalten. Die berühmteste gelehrte Gesellschaft ist das Institut Impérial de France; mit der Sternwarte ist das Längenbureau (Bureau des longitudes, ein astronomischer Verein) verbunden. Unter den Bibliotheken ist die wichtigste die Kaiserliche Bibliothek, die größte Bibliothek Frankreichs und eine der größten Bibliotheken der Welt überhaupt, mit ungefähr 2 Millionen Bänden und 100,000 Manuscripten. Die vornehmsten Kunst- und wissenschaftlichen Sammlungen sind: das kaiserliche Museum des Louvre (Gemälde, römische und gelehrte Alterthümer) mit dem damit verbunden Musée de la marine (Schiffsmodelle, Waffen rc.), die Galerie Luxembourg (Bilder und Sculpturen von lebenden französischen Künstlern), die mit der Kaiserlichen Bibliothek verbundenen Kabinete der Kupferstiche, Münzen, Medaillen, Antiquitäten rc.; das Museum des Hôtel-Cluny (Kunstwerke und Geräthschaften aller Art aus den frühsten Zeiten des Mittelalters bis zum 17. Jahrh.) das Musée d'artillerie (Sammlung alter und neuer Waffen, kriegswissenschaftlicher Instrumente, Rüstungen, Geschütz- und Bespannungsmodelle, Schießgewehrproben der Infanterien aller europäischen Staaten rc.), das Naturhistorische Museum im Jardin des Plantes und die Modell- und Maschinensammlung in Conservatoire des arts et métiers. Von den mehr als dreißig Theatern sind die bedeutendsten: die Große Oper (Académie Im-

---

*) Anmerkung. Die Vendômesäule wurde am 16. Mai 1871 auf Befehl der revolutionären Commune niedergerissen und demolirt. In den Kämpfen am 23. und 24. Mai wurden dann auch noch zahlreiche Paläste (darunter besonders die Tuilerien) durch Feuer zerstört (s. weiter unten S. 78. f.)

deriale de musique), das Théâtre-Français, das Théâtre des Italiens, das Théâtre de l'opéra comique und das Théâtre de l'Odéon (Second Théâtre-Français); hierbei find noch der Hippodrome und der Cirque de l'Impératrice (sonst Cirque Franconi) zu erwähnen. Unter den Wohlthätigkeitsanstalten steht obenan: das Invalidenhaus (Hôtel des Invalides) mit Raum für 7000 Invaliden, von den Hospitälern ist das Hôtel-Dieu das berühmteste. Die Industrie ist von außerordentlicher Bedeutung und Vielseitigkeit; doch strebt sie weniger danach, Massen zu erzeugen, als vielmehr das Ausgezeichnetste, Geschmackvollste und Modernste herzustellen; für einzelne Zweige nimmt die Pariser Industrie entschieden die erste Stelle in Europa ein. Der starken Produktion und Consumtion entsprechend ist der Handel sehr lebhaft. Im Waarenhandel stehen die Luxus- und Modewaaren obenan; höchst bedeutend ist auch der Handel mit Staatspapieren und wird nur von dem in London übertroffen. Hülfsinstitute für den Handel find die Bank, die Börse, die Handelskammer und zahlreiche Assekuranzgesellschaften. Für die Sicherheit der Stadt sorgt eine trefflich organisirte Polizei unter einem eignen Polizeipräfekten. Das Budget der Stadt P. hatte in der letzten Zeit die enorme Höhe von jährlich fast 250 Millionen Francs in Einnahme und Ausgabe erreicht. Das Wappen von P. ist ein Schild, dessen oberer, den dritten Theil einnehmender Raum ein leeres blaues Feld bildet, während das untere (rothe) Feld ein Schiff auf Wellen trägt; auf dem Schilde ruht eine Mauerkrone. Die Bevölkerung von P. belief sich 1851 auf 1,053,262; 1856 auf 1,174,346; 1861 (nachdem am 1. Januar 1860 sämmtliche innerhalb der bastionirten Umwallung gelegenen Vorstadtdörfer einverleibt worden waren), auf 1,696,141 und 1866 auf 1,825,274 Einwohner (incl. der ungef. 30,000 M. starken Garnison). Was die Garnison von P. anbelangt, so hatte während des zweiten Kaiserreichs das in P. stehende Gardecorps schon im Frieden eine höhere tactische Gliederung und bildete mit einem Theil der gerade im Bezirk des 1. Armeecorps stehenden Provinzialtruppen die Armee von Paris; die Garde-Infanterie war in 2 Divisionen à 2 Brigaden formirt; die ganze Armee von P. mit einem erhöhten Friedensstand (pied de rassemblement) zählte 3 Infanterie-Divisionen, 1 Cavalerie-Division und eine größere Anzahl Artillerie.

Seit 1841 ist P. zur Festung ersten Ranges umgeschaffen worden, um zugleich den Hauptwaffenplatz für Frankreich, ein Replis für ein geschlagenes Heer und den Mittelpunkt des Kriegs zu bilden. Die Befestigung besteht zunächst aus einer bastionirten Umwallung (Enceinte bastionnée); welche 600—2500 Schritt jenseit der Ringmauer angelegt ist. Dieselbe ist in bastionirter Trace geführt und enthält 85 sehr stumpfe Bastions mit kurzen Flanken und mehrere unregelmäßige Vorsprünge. Die Escarpe des Walls ist gemauert; der zum Theil durch Kanäle und die Seine unter Wasser zu setzende Graben ist ungefähr 72 Fuß breit und auf die Contreescarpe stufenförmig abgestochen, um Ausfälle zu erleichtern; ein Glacis deckt die Mauer der Escarpe gegen Schüsse von außen. An der inneren Böschung des Walls läuft ein gepflasterter Communicationsweg; nahe und oft parallel desselben läuft die Ligne de Ceinture (Gürtelbahn), welche alle in Paris einmündenden Eisenbahnen und deren acht Bahnhöfe unter einander verbindet. Für 66 theils größere, theils kleinere Straßen sind Oeffnungen in der Mauer gelassen, welche eben so viele Thore bilden. Den Raum zwischen dem Umfassungswall und der (früheren) Octroimauer füllen die Dörfer vor den (früheren) Barrièren aus, welche nach und nach zu äußern Vorstädten anwuchsen (auch der Montmartre liegt in diesem Raume) und am 1. Januar 1860 der Stadt einverleibt wurden. Außerhalb der Festungsmauer und bis zu einer Entfernung von einer halben Meile liegen 15 detachirte Forts exclusive Vincennes, die theilweise durch Verschanzungen und Redouten mit einander verbunden sind, und es ist der besseren Uebersicht wegen nöthig, dieselben in drei Abtheilungen vorzuführen.*) 1. Nordöstliche Linie. Unbedingt der Hauptpunkt der ganzen äußeren Befestigung ist das nördlich vom Montmartre liegende St. Denis. Diese Stadt allein ist von drei großen Forts umgeben. Links, dicht an der nach Enghien und Montmorency führenden Eisenbahn und hinter der Stelle, wo der Canal von St. Denis in die Seine geht, liegt das Fort de la Briche, nördlich und jenseits des Flüßchens Rouillon die Double Couronne du Nord und südöstlich das Fort de l'Est. Diese drei Werke unterhalten durch einen Wall nebst Graben Verbindung und das Ganze wird durch eine leicht zu bewerkstelligende, von der Redoute de Stains gedeckte Inundation noch besonders stark, so daß St. Denis ohne Weiteres als eine selbstständige Festung betrachtet werden kann. 4,400 Schritt südöstlich vom Fort de l'Est und daher näher an Paris liegt gleichfalls in der Ebene das Fort d'Aubervilliers. Zwischen beiden geht die nach Soissons führende Eisenbahn hindurch, und dahinter läuft der Canal von St. Denis. Die aus diesem ausgehobene Erde bildet vor dem Canal eine Art Brustwehr, welche durch drei Redouten verstärkt ist. In der weiteren Entfernung von 4200 Schritt jenseits des Canals von Ourcq und der nach Straßburg führenden Eisenbahn, oder oben auf der Fortsetzung der Höhe von Belleville über Pantin liegt das Fort de Romainville. Es ist von dem Haupt-Festungswalle nur 1800 Schritte entfernt. Von ihm läuft bergab nach dem Canal von Ourcq eine Reihe von Verschanzungen, während auf der anderen Seite desselben noch zwei Redouten die Uebergänge vertheidigen. Weiter östlich und südlich, immer auf der nach auswärts gerichteten Seite desselben Höhenzuges und fast parallel über der nach Mühlhausen gehenden Eisenbahn folgen sich nunmehr die durch eine gepflasterte Straße (Route stratégique) verbundenen Werke Fort de Noisy (3500 Schritt), Fort de Rosny (3200 Schritt) und Fort de Nogent (3800 Schritt). Hier endigt der bei Belleville beginnende Höhenzug, der ziemlich steil nach der darunter fließenden Marne abfällt. Zwischen den genannten Forts liegen in kleineren Intervallen nach derselben Reihenfolge noch die Redouten von Noisy, Montreuil, Boissière und Fontenay und auf einer östlich von den Forts Noisy und Rosny gelegenen Höhe (Mont Avron) einige erst während der Belagerung von 1870 angelegte Befestigungen. Es bildet nun die fast 100 Schritt breite Marne einen weiteren natürlichen Defensiv-Abschnitt, der indessen am Isthmus von St. Maur, da wo der Fluß überbrückt ist, durch eine 2800 Schritt lange Verschanzung, aus Brustwehr und Graben bestehend, und an beiden Enden durch die Redouten Faisanderie und Gravelle flankirt, noch besonders befestigt ist. Hier geht auch die von Vincennes nach La Varenne führende Eisenbahn vorüber. Alle die eben genannten Festungswerke schließen fast halbkreisförmig das befestigte Schloß von Vincennes ein, in welchem das Haupt-Arsenal von Paris befindet und dessen großer Artillerie-Schieß- und Manöverplatz südlich bis an die Marne reicht. Jenseits dieses Flusses, in dem Winkel, der durch die Vereinigung der Seine und Marne gebildet wird, bei Alfort, rechts der nach Lyon führenden Eisenbahn, liegt das Fort de Charenton, und mit demselben schließt nun die erste Vertheidigungslinie. Dieselbe ist noch dadurch besonders stark, daß der umschlossene Raum sich zu einem verschanzten Lager eignet, in welchem mit Leichtigkeit 200,000 Mann campiren können. 2. Südliche Linie. Gegenüber dem Fort de Charenton in 4000 Schritt Entfernung, auf der linken Seite der Seine beginnt die südliche Befestigungs-

---

*) Anmerkung. Die uns folgende Beschreibung der Fortificationen von P. ist einem längeren Aufsatze des rühmlichst bekannten Topographen Karl Vogel in Gotha entnommen.

3*

Linie mit dem etwas erhöht liegenden Fort d'Ivry. In fast gerader Linie von Osten nach Westen folgen sich in fast gleichen Abständen von durchschnittlich 3000 Schritt die Forts de Bicètre, de Montrouge, de Vanvres und d'Issy. Das letztere liegt etwa 50 Fuß über der hier wieder aus dem Stadtgebiete tretenden Seine. Zwischen denselben gehen die Eisenbahnen nach Limours, respective Sceaux, und die nach Versailles (Route Gauche) hindurch. Die drei letztgenannten Werke werden nach Einführung der gezogenen Geschütze, an welche man bei der Anlage derselben noch nicht gedacht, durch die dahinterliegenden Höhen von Bagneux und Meudon beherrscht. 3. Westliche Linie. Diese Linie ist von Natur besonders stark, indem die Seine bei Meudon und Sèvres in nördlicher und nordöstlicher Richtung bei St. Cloud, Boulogne, Suresnes, Puteaux, Courbevoie (Caserne), Neuilly, Asnières, Clichy und St. Ouen vorbei, welche Orte rechts und links derselben liegen, sich nach St. Denis wendet. Zwischen dem Strome und der Stadt liegt das berühmte Bois-de-Boulogne. Fünf Brücken führen auf der angegebenen Strecke über die Seine, und bei dem Bahnhofe Asnières, auf dem linken Ufer, vereinigen sich die von Dieppe, aus der Normandie, von St. Germain und von Versailles (Route Droite) kommenden Eisenbahnen, um gemeinschaftlich in einem breiten Strange den Strom zu übersetzen. Nur ein einziges Fort, aber das größte und stärkste von allen, die Forteresse du Mont-Valérien, welche hoch oben, 415 Fuß über der Seine liegt, und von welcher eine prachtvolle Aussicht auf Paris hat, beherrscht die ganze Gegend. Eine gepflasterte Straße verbindet den Mont-Valérien vermittelst der Brücke von Suresnes mit dem Bois-de-Boulogne. Seine Entfernung von dem nächstliegenden Fort bei St. Denis beträgt in gerader Linie 16,500 Schritt, also beinahe 1¼ Meilen, und vom Fort d'Issy 10,000 Schritt oder eine Meile, und es ist ersichtlich, daß das Befestigungssystem hier eine große Lücke zeigt. Hiermit ist die Reihe der Befestigungen geschlossen. Was schließlich die Dimensionen derselben anbelangt, so ist die größte Entfernung zwischen dem Mont-Valérien und Fort de Nogent vorhanden. Sie fällt so ziemlich mit dem Parallel zusammen und beträgt 27,000 Schritt = 2¼ Meilen, während in der Richtung des Meridians die größte Entfernung zwischen St. Denis und Fort de Bicètre = 20,000 Schritt oder 2 Meilen besteht. Die Umfassungslinie, welche entstehen würde, wenn man alle Außenforts mit einander verbunden denkt, beträgt 7,4 Meilen = 12½ Wegstunden. Es bleibt nur noch zu bemerken, daß sämmtliche Außenforts bastionirt sind. Außerdem haben diejenigen von Noisy, Rosny und Nogent Hornwerke vor sich. Die Escarpen und Contre-Escarpen sind so hoch wie bei der Umwallung der Stadt. Bedeckte Wege mit gemauerten Laufgräben und bombenfeste Pulvermagazine sind überall vorhanden. Sämmtliche Forts sind unter sich und mit Paris durch den Telegraphen verbunden. Während der Belagerung von 1870—1871 wurden die Fortificationen noch durch mehrere kleinere Werke (Redouten, Schanzen ec.) verstärkt.

Der Ursprung von P. ist eine Stadt auf der Seineinsel, welche von der heutigen Cité eingenommen wird und schon vor der Römerzeit von einem celtischen Volksstamme Parisii oder Lutuhezi bewohnt wurde. Die Römer latinisirten den Namen des Ortes und nannten ihn Lutetia Parisiorum, woraus der heutige Name entstanden ist. Cäsar hielt hier einen gallischen Reichstag, erkannte mit militärischem Scharfblick die strategische Wichtigkeit des Punktes, von welchem aus man östlich nach dem Rheine, nördlich nach Britannien gelangen konnte, ließ daher den Ort befestigen und baute daselbst seine britische Flotte. Constantius Chlorus erbaute während seines Aufenthalts in Gallien (292—306) auf dem linken Seine-Ufer einen weitläufigen Palast. Julian bewohnte diesen Palast mehrere Jahre und wurde von seinen Soldaten, welche an der Stelle des heutigen Palais-du-Luxembourg ein verschanztes Lager hatten, hier 361 zum Kaiser ausgerufen. Bei der Eroberung Galliens durch die Franken war die feste Stellung von P. ebenfalls ein wichtiger Punkt und wurde deshalb 486 von ihnen genommen. Chlodwig erklärte 508 P. zur Hauptstadt des Fränkischen Reiches. Seine Nachfolger zogen nach der Cité; der heutige Justizpalast wurde deren Residenz. Die Normannen belagerten 845 P., brannten 856 und 872 die Vorstädte nieder und belagerten es 885—887 aufs Neue vergeblich. Der deutsche Kaiser Otto II. griff auf seinem Feldzuge gegen König Lothar 978 P. an und zerstörte einen Theil der Vorstädte. Unter Karl V. und VI. wurde P. gegen Ende des 14. Jahrhunderts mit neueren weiteren Wällen und Mauern umgeben und auch die Bastille (s. d.) erbaut. Unter Karl VI. bemächtigten sich 1420 die Engländer der Stadt; worauf 29. August 1429 Jeanne d'Arc (s. d.) vergeblich einen Sturm versuchte; 1436 eroberte Dunois die Stadt für Karl VII. zurück. Unter Karl IX. war P. im August 1572 der Schauplatz der sogenannten Pariser Bluthochzeit (s. Bartholomäusnacht). 1590 belagerte Heinrich IV. die Liguisten in P., mußte aber die Belagerung bald aufgeben, und erhielt es erst nach seiner Thronbesteigung 1594 durch Capitulation. Während der Minderjährigkeit Ludwig's XIV. fanden in P. mehrfache Unruhen der Fronde statt und namentlich der Barrikadentag (26. August 1648) störte den Frieden der Stadt. Im Laufe seiner spätern Regierung ließ Ludwig XIV. die Wälle in Promenaden verwandeln, da er die Stadt durch seine zahlreichen neuen Grenzfestungen für hinreichend geschützt hielt, gründete aber dafür in P. viele militärische Anstalten, namentlich das 1670—75 erbaute Hôtel der Invaliden. In den Jahren 1789—93 war P. der Hauptschauplatz der Französischen Revolution. Nachdem P. seit den Kriegen mit England im 15. Jahrh. keinen äußern Feind mehr vor seinen Thoren gesehen hatte, wurde der zweimalige Sturz Napoleon's I. die Veranlassung zu zwei blutigen Schlachten bei P.

Die erste Schlacht bei Paris fand am 30. März 1814 statt. Napoleon hatte sich durch die am 20. und 21. März 1814 verlorne Schlacht bei Arcis-sur-Aube (s. d.) bestimmen lassen, den unmittelbaren Schutz von P. aufzugeben, um die Alliirten durch Operationen in deren Rücken von der Hauptstadt abzulenken, während diese jedoch, seine Absicht durchschauend, in rascher Benutzung der nun offenen Straße, die Entscheidung vor die Thore von P. trugen, und am 29. März 1814 ungefähr 100,000 Mann stark hier erschienen, nachdem kurz zuvor Marmont auf Umwegen über Sezanne die Hauptstadt erreicht hatte. Zur Vertheidigung von P. war wenig geschehen. Der Montmartre (nördlich von P.) war einigermaßen verschanzt und mit ungefähr 30 Geschützen besetzt; die Höhen von Belleville (nordöstlich von P.) und der Montmartre bildeten gewissermaßen zwei Bastionen, die Vorstädte La Chapelle und La Villette lagen in der Umschließung und der Ourcq-Canal bildete einen nassen Graben davor. In dieser Stellung hatten Marmont und Mortier, verstärkt durch die Depots von 70 Bataillonen unter Compans, im Ganzen ungefähr 30—35,000 Mann versammelt, zu welchen noch gegen 20,000 Mann Nationalgarden stoßen konnten. Die Gesammtzahl der Geschütze belief sich, einschließlich der 30 auf dem Montmartre, nicht über 150. Joseph Bonaparte übernahm in seiner Eigenschaft als Lieutenant-General des Kaisers, aber dieser Stellung keineswegs gewachsen, den Oberbefehl und die Leitung der Vertheidigung, welcher trotz der bedeutenden Uebermacht der Alliirten die Beschaffenheit des Terrains große Vortheile bot. Marmont besetzte die nordöstliche, Mortier die nördliche Linie. Von Seiten der Alliirten nahm das Schlesische Heer unter Blücher, bestehend aus den preußischen Corps York und Kleist, dem russischen Corps Langeron und der Infanterie Winzingerode's unter Woronzow Stellung im Norden von P. zwischen der Straße von Soissons und dem Ourcq-Canal, während die Hauptarmee unter Schwarzenberg, bestehend aus dem russisch-preußischen Garde- und Grenadiercorps unter Barclay de Tolly, dem russischen Corps Wittgenstein, dem österreichischen Corps Gyulai und dem württembergischen Corps unter dem Kronprinzen von Württemberg auf der nordöstlichen Seite von P. den linken Flügel des alliirten Heeres bildete. Das Schlesische Heer sollte die nördliche Linie (den Montmartre), die Hauptarmee der nordöstlichen Linie (die Höhen von Belleville und Romainville) stürmen. Hinter dem linken Flügel der Alliirten wurden die Corps Gyulai und Kronprinz von Württemberg aufgestellt, um in Verbindung mit den in Meaux zurückgelassenen Corps Sacken und Wrede, einem von Seiten Napoleon's zu erwartenden Entsatze zu begegnen. Barclay de Tolly eröffnete am Morgen des 30. März gegen 6 Uhr die Schlacht mit einem Angriff von Pantin und Romainville aus, wurde aber von den Franzosen bis hinter Pantin zurückgetrieben, worauf letztere Pantin und den Wald bei Romainville besetzten und hartnäckig vertheidigten. Gegen 10 Uhr gelang es jedoch Wittgenstein, das auf dem rechten Flügel Marmont's gelegene Montreuil zu nehmen, worauf Barclay de Tolly Pantin wieder eroberte und, die preußischen Garden an der Spitze, unter heftigem Kampfe bis an die Barrière de Pantin von P. vorzudringen. Blücher, welcher die Disposition zu spät erhalten hatte, erschien erst um 10 Uhr Vormittags, als Pantin bereits fast erobert war und ließ, nachdem die preußische Avantgarde eine von den Franzosen am Ourcq-Canal errichtete Batterie angegriffen hatte, seine Streitkräfte dem Montmartre gegenüber entwickeln. Hier entspann sich nun eine heftige Kanonade, bei welcher viele Geschütze der Schlesischen Armee demontirt wurden. Während der Kampf auf allen Punkten noch wogte, verließ Joseph, an der Rettung der Hauptstadt verzweifelnd, nach einem Kriegsrathe den Montmartre, ließ den beiden Marschällen die Ermächtigung zur Capitulation von P. und eilte der Kaiserin Marie Louise und dem von Napoleon eingesetzten Regentschaftsrathe nach Tours nach. Um 3 Uhr Nachmittags sah sich Marmont auf die Höhen von Belleville beschränkt und ließ bei den Alliirten auf einen Waffenstillstand antragen. Auf der Nordseite hatten die Preußen mittlerweile die von den Franzosen tapfer vertheidigten Vorstädte La Chapelle und La Villette genommen und die Russen unter Langeron, zehn Infanterie-Regimenter stark, die Nordseite des Montmartre umgangen, und waren eben im Begriff diese Höhe von der Westseite her zu stürmen, als die Nachricht von der Bewilligung eines zweistündigen Waffenstillstandes eintraf; Langeron ignorirte diese Nachricht, ließ den Montmartre vollends stürmen und eroberte dort 29 Geschütze. Gegen 6 Uhr Abends begaben sich Nesselrode, Orlow und Paar nach P. und unterhandelten hier mit den beiden Marschällen über die Capitulation, welche am 31. März früh 2 Uhr abgeschlossen wurde. Die dem Kaiser noch anhängenden Truppen erhielten zu Folge derselben bis 7 Uhr Morgens freien Abzug aus P. und nahmen ungefähr 16,000 Mann stark und fast ohne Geschütz ihren Weg auf der Straße von Essonne, dem Kaiser entgegen. Der Verlust der Franzosen in dieser Schlacht betrug 4000 Todte und 110 Geschütze, der der Alliirten dagegen ungefähr 10,000 Todte. Am 31. März Vormittags gegen 11 Uhr hielten der Kaiser von Rußland und der König von Preußen an der Spitze von 36,000 Mann ihren Einzug in P. Napoleon, welcher am 27. März unweit St. Dizier den General Winzingerode geschlagen, dort die Nachricht von dem Marsch der Alliirten auf P. erfahren, und sein Heer schnell über Troyes nach Fontainebleau dirigirt hatte, war demselben vorausgeeilt und am 30. März in Essonne angekommen. Hier erhielt er die Nachricht der Einnahme von P. und begegnete am Morgen des 31. März den Trümmern der Pariser Armee, weshalb er nach Fontaine-

bleau zurückkehrte, um seine noch immer 60,000 Mann starke Hauptarmee abzuwarten und mit dieser einen letzten Kampf zu wagen. Am 2. und 3. April
traf dieselbe ein, aber der Kampfesmuth war mit der Einnahme der Hauptstadt gesunken und Napoleon sah sich genöthigt, am 11'13. April in Fontainebleau (s. d.) dem Throne zu entsagen. Die Provisorische Regierung schloß nun
am 23. April mit den verbündeten Monarchen einen Präliminarvertrag ab,
welchem am 30. Mai 1814 die Unterzeichnung des Ersten Pariser Friedens
(s. weiter unten) folgte. Darauf verließen die Truppen der Alliirten bereits
am 1. Juni die Hauptstadt.

Die zweite Schlacht bei Paris wurde am 2. und 3. Juli 1815 geschlagen. Nach dem am 18. Juni bei Waterloo (s. d.) erfochtenen Siege be-
folgten die Engländer unter Wellington und die Preußen unter Blücher den
strategischen Plan von 1814 und rückten sofort unaufhaltsam gegen P. vor,
wo jetzt im Norden und Nordosten mächtige Vertheidigungsanstalten getroffen
und nicht nur der Montmartre und die Höhen von Belleville, sondern auch die
in die Ebene vorgeschobenen Dörfer mit Schanzen und starken Batterien umgeben waren. Trotz der am 22. Juni von Napoleon I. zu P. unterzeichneten
zweiten Thronentsagung (allerdings nur zu Gunsten seines Sohnes als Napoleon II.) erhielt Davoust von der Provisorischen Regierung den Befehl, an
der Spitze der durch Grouchy's Ankunft in P. auf mehr als 60,000 Mann
angewachsenen Armee die Hauptstadt zu vertheidigen. Davoust theilte dies
Heer in 2 Corps, besetzte mit dem einen die genannten Befestigungen, während
er dem General Vandamme mit dem andern Corps in Südwesten von P. bei
Montrouge Stellung nehmen ließ. Am 30. Juni traf die englisch-preußische
Armee vor den nördlichen Linien von P. ein. Der Plan der beiden Feldherrn
war, daß die Engländer vor diesen Linien stehen bleiben und hier die Franzosen
beschäftigen, die Preußen dagegen P. im Norden umgehen, bei St. Germain
unterhalb P. die Seine überschreiten und von der Westseite her gegen die Stadt
operiren sollten, um sie an ihrem schwächsten Punkte anzugreifen und zugleich
von der Zufuhr abzuschneiden. Blücher ging daher in der Nacht vom 30. Juni
zum 1. Juli bei St. Germain auf das linke Seineufer, concentrirte am 1. Juli
sein Corps bei Versailles, griff von hier aus am 2. Juli die Höhen von Meudon und Sèvres an und nahm Issy. Obgleich die französischen Generale und
Oberofficiere in einem Kriegsrathe jetzt mit 48 gegen 2 Stimmen erklärten, daß
P. nicht mehr zu halten sei, machte Vandamme am 3. Juli doch noch einen letzten
Versuch, griff die Preußen mit 10,000 Mann bei Issy an, wurde aber nach einem
mörderischen Kampfe zurückgeworfen. Noch an demselben Abende kam zwischen
Davoust (resp. General Guilleminot) einer- und Wellington und Blücher andrerseits zu St. Cloud eine die Capitulation von P. enthaltende Militärconvention
zu Stande, nach welcher die französische Armee binnen drei Tagen sich hinter
die Loire zurückziehen mußte. Am 5. Juli erfolgte die Uebergabe des Montmartre, am 6. Juli die sämmtlicher Barrièren und am 7. Juli hielt ein Theil
der englischen Armee durch die Barrière von St. Denis und das 1. preußische
Corps durch die Barrière der Militärschule den Einzug in P. Am 8. Juli
kehrte Ludwig XVIII. nach P. zurück, am 10. Juli trafen der Kaiser von
Rußland und der König von Preußen dort ein und am 20. Nov. 1815 wurde
nach langen Verhandlungen der Zweite Pariser Friede (s. weiter unten)
unterzeichnet. P. blieb nun noch längere Zeit von Truppen der Alliirten besetzt.

Bei der Juli-Revolution von 1830 fanden in P. vom 27.—29. Juli
blutige Straßenkämpfe statt, während welcher zahlreiche Truppen zum Volke
übergingen, so daß am 29. Juli die dem Könige Karl X. noch treu gebliebenen
Truppen (unter diesen besonders die Schweizer) sich zur Capitulation gezwungen
sahen. Die Folge davon war die Vertreibung Karl's X. und die Erhebung

des Herzogs von Orléans als König Louis Philipp auf den französischen Thron. Unter der Regierung desselben wurde P., dessen sämmtliche Fortificationen nach dem Zweiten Pariser Frieden verschwunden waren, seit 1841 zur wirklichen Festung umgeschaffen (s. oben S. 31ff.), nachdem das Ministerium, und besonders der kriegerisch gesinnte Thiers, die Befestigungsfrage nach langen, heftigen Kammerdebatten durchgesetzt hatte. Während der Februar Revolution von 1848 kam es in P. zu keinem ernstlichen Kampfe, da der Marschall Bugeaud (s. d.) durch die Unentschlossenheit Louis Philipp's verhindert wurde, den von ihm entworfenen Operationsplan auszuführen; wohl aber fand vom 23.—26. Juni hier ein blutiger Kampf statt, in welchem Cavaignac (s. d.) mit großer Umsicht und Energie einen furchtbaren Arbeiteraufstand niederwarf. Unter der Regierung Napoleons III., welcher der Stadt ein fast vollständig anderes Aussehen gab (s. oben) und derselben 1860 sämmtliche Ortschaften bis zur Umfassungsmauer einverleibte, fanden mit Ausnahme des Straßenkampfes nach dem Staatsstreiche vom 2. Dec. 1851 nur unbedeutende Tumulte statt, welche blos in einigen wenigen Fällen das Einschreiten der bewaffneten Macht nöthig machten. Das wichtigste Ereigniß der Pariser Kriegsgeschichte ist jedoch

Die Belagerung von 1870—71:

Unmittelbar nachdem der Kaiser Napoleon III. gefangen worden und die Armee des verwundeten Marschall Mac Mahon unter General v. Wimpffen bei Sedan capitulirt hatte, setzten sich die III. Armee unter dem Kronprinzen von Preußen, bestehend aus dem 1. und 2. bayerischen Corps, der Württembergischen Division und dem 5., 6. und 11. preußischen Corps, so wie die IV. (Maas-) Armee unter dem Kronprinzen von Sachsen, bestehend aus dem preußischen Garde, und 4. und dem sächsischen 12. Corps, gegen Paris in Bewegung, um den weiteren Widerstand Frankreichs zu brechen. Die Märsche der einzelnen Corps waren unter Oberleitung des Königs von Preußen dergestalt combinirt, daß sie sämmtlich am 19. September 1870 die vollständige Cernirung von Paris ausführen konnten. Die Umgegend von Paris zeigte sich hierbei in einem Umkreise von mehreren Meilen von den Bewohnern größtentheils verlassen und waren nicht nur die bedeutendsten Brücken, sondern auch mehrere Eisenbahntunnels gesprengt. Einzelne Wegstrecken hatte man durch Verhaue und Abgrabungen unpassirbar zu machen versucht, in den meisten Fällen aber ohne die Truppen aufzuhalten, da sie an diesen Stellen entweder über das daneben liegende freie Feld oder aber auf nicht weit davon entfernten Nebenwegen marschiren konnten. Durch die an der Spitze der Truppencolonnen befindlichen Pontonniere wurden an den zerstörten Flußübergängen schnell und ohne alle Schwierigkeiten Pontonbrücken geschlagen, so daß im Ganzen die Truppenmärsche keine erheblichen Verzögerungen erlitten. Die Position von Pierrefitte nördlich St. Denis wurde beim Erscheinen der Deutschen von den französischen Truppen verlassen; dagegen kamen auf der Südseite von Paris bei den Märschen zur Cernirung einzelne Gefechte vor. So warfen am 17. September Theile des 17. Brigade (5. preuß. Corps) feindliche Bataillone nördlich des Waldes von Brévannes über den Haufen, am 18. September fand ein kleines Gefecht bei Bicêtre statt und am 19. September wurden die französischen Truppen aus ihren verschanzten Stellen durch das 5. preußische und 2. bayerische Corps hinter die Forts zurückgeworfen.

Das 5. preußische Corps hatte am 17. September Nachmittags 3½ Uhr oberhalb Villeneuve-St. Georges eine Pontonbrücke über die Seine geschlagen, auf welcher sogleich die 2. Cavalerie-Division des Generallieutenant Graf zu Stolberg-Wernigerode übergegangen war. Zum Schutz des Brückenbaues hatte das Corps die Höhen von Limeil in der Richtung auf Boissy-St. Leger durch

die 17. Infanterie-Brigade, 2 Escadrons und 2 Batterien besetzen lassen, welche
um 2 Uhr im Walde von Chateau-Brévannes durch 6 Bataillon — reguläre
Infanterie und Turkos — mit zwei Batterien angegriffen wurden. Diesen
Angriff schlugen die 5 Compagnien, welche die Waldspitze besetzt hatten, unterstützt durch die Artillerie mit anscheinend großen Verlusten des Feindes gänzlich
ab. Am 18. September hatte das 5. Corps, in der rechten Flanke durch eine
Escadron der 2. Cavalerie-Division coupirt, den Marsch fortgesetzt und mit
der 9. Division Bicêtre, mit der 10. Division Palaiseau erreicht. Nördlich
Bicêtre, in der Gegend von Petit-Bicêtre, wurden Theile der 9. Division mit
dem hier postirten Feinde in ein Gefecht verwickelt. Zum Schutz der linken
Flanke war Unteroff. Maclean der 1. Esc. des Leibhusaren-Regiments gegen Versailles entsendet, hatte dort in geschickter Weise mit dem Maire verhandelt und
von demselben die beruhigendsten Versicherungen über die Aufnahme der preußischen Truppen, so wie über das Verhalten der im Orte befindlichen Nationalgarden erhalten. — Am 19. September brach das 5. Corps mit Tagesanbruch
aus seinen Quartieren auf, nachdem schon vorher die 9. Infanterie Division
von Petit-Bicêtre stark angegriffen worden war. Auf den südlich von Chatillon
und Clamart aufsteigenden Höhen, zwischen Plessis-Piquet und Chatillon bei
der sich 162 Fuß über das waldige Plateau erhebenden Windmühle „Moulin
de la Tour" hatte das Pariser Vertheidigungs-Comite die Anlage einer Schanze
angeordnet, auf die die Franzosen großes Gewicht legten, die aber noch unvollendet und im Bau begriffen war. Die Ausdehnung der Schanze betrug
auf der nach Süden gerichteten Frontseite 140, in der Flanke 110 Schritt, der
Graben war 20 Fuß breit und 12 Fuß tief. Die Entfernung der Schanze
von den Forts Bauvres und Montrouge beträgt im Mittel 3000 Schritt. Bei
dieser Schanze hatte General Ducrot eine verdeckte Aufstellung genommen,
Plessis-Piquet und auf seinem linken Flügel Sceaux besetzt und seinen rechten Flügel
an den Wald von Meudon angelehnt. Von hier aus machte er am Morgen
des 19. September seinen Vorstoß gegen die Vorposten des 5. Corps. Die
Avantgarde desselben (das Königs Grenadier- und das 47. Infanterie Regiment)
stand am nördlichsten Rande des Bois-de-Verrières bei Petit-Bicêtre, 3000
Schritt südwestlich von Plessis-Piquet und mußte sich hier einer mindestens
sechsfachen Ueberlegenheit gegenüber von 6 bis 7½ Uhr im heftigsten Granatfeuer halten. Die 9. Division hatte den ersten Angriff abgeschlagen und war
im Begriff, nach Versailles abzumarschiren, als der Feind seine Angriffe mit
solcher Heftigkeit und so überlegenen Kräften wiederholte, daß zunächst die Bayerische Brigade unter Oberst Dietl, aus dem Vorrücken auf der Höhe war,
sich energisch in des Feindes linke Flanke warf. Später wurde auch die 10.
Division, welche mit ihrer Tête bei Jouy angekommen war, auf Villacoublay
dirigirt und die Corpsartillerie vorgezogen. Um 11½ Uhr, nachdem der Feind
von Petit Bicêtre in der Richtung auf Chatillon zurückgegangen war, marschirte
General v. Kirchbach mit dem 5. Corps, dem ihm ertheilten Auftrage gemäß,
nach Versailles ab, um daselbst die Einschließung von Paris auszuführen. Die
vom 5. Corps am 19. September auf Versailles vorgeschickte Cavalerie hatte
die Bereitwilligkeit dieser Stadt zur Unterwerfung bestätigt und eine Capitu-
lations-Verhandlung vorgelegt, wurde jedoch verworfen. Von den im Orte
befindlichen 2000 Mobilgarden waren nur 300 mit Gewehren bewaffnet. —
Vom 2. Bayerischen Corps unter General v. Hartmann, welches am 19. September von Longjumeau nach Chatenay marschirte, fand die 3. Division des
Generallieut. v. Walther um 10 Uhr Vormittags das 5. Corps im heftigen
Kampf bei Petit-Bicêtre, wohin sie sofort eine Brigade zur Unterstützung dirigirte, während die andere auf Sceaux vorging. Die 4. Division, Generallieutenant Graf v. Bothmer, verblieb mit der 8. Brigade, Generalmajor Mail-

länger, bei Crotz-de-Bernis und sendete die 7. Brigade, Generalmajor v. Ribeaupierre, gegen Bourg, um von hier aus die feindliche Stellung zu bedrohen. Der von Petit-Bicêtre zurückgegangene Feind stand um diese Zeit in sehr starken vorgeschobenen Befestigungen bei Moulins und längs des Plateaurandes bis über den Thaleinschnitt bei Plessis-Piquet westlich hinaus. Der steile Abhang war mit Schützen-Emplacements etagenförmig versehen. Es waren 6 französische Batterien im Feuer. Nach Aussagen von Gefangenen hatte das 14. französische Armeecorps die Verschanzungen besetzt. Um 11¾ Uhr bemerkte man Bewegungen der feindlichen Infanterie am Plateaurande sowohl gegen Plessis, so wie gegen Fontenay zu, welche die Absicht eines Offensivstoßes vermuthen ließen. Auf dem feindlichen linken Flügel schien derselbe gegen die über Bourg vorgehende Bayerische Infanterie gerichtet zu sein, weshalb General v. Hartmann befahl, daß die 7. Brigade sich bis auf Weiteres auf die Behauptung von Bourg beschränken sollte. Um 12 Uhr wurde die 8. Brigade in eine Reservestellung östlich Chatenay gezogen, um sie zur Unterstützung beider Flügel des Corps verwenden zu können. Nachdem um 12½ Uhr eine Pause im Geschützkampf eingetreten war, wurde derselbe um 1½ Uhr mit verstärkter Kraft wieder aufgenommen. Bald nach dieser Zeit wurden anscheinend einige Geschütze aus den Emplacements zurückgezogen und um 2½ Uhr räumte der Feind seine Position. Die vordersten Truppen der 3. Bayerischen Division, 3. Jäger-Bataillon, Theile des 14. Infanterie Regiments, 2 Batterien und ein Chevauxlegers-Regiment folgten sogleich und nahmen gegen 3 Uhr die verlassenen Verschanzungen mit 7 12pfdgen Feldgeschützen, die stehen gelassen worden waren, in Besitz. Der Feind zog sich durch die Forts auf Paris zurück. Da die Höhe von Moulin de la Tour sich vortrefflich zum Ueberblick über ganz Paris und seine nächste Umgebung eignet, so wurde bald darauf in der Schanze ein Observatorium eingerichtet und dieselbe als ein Hauptstützpunkt der Cernirungslinie ausgebaut und an der Nordseite, gegen die Forts hin geschlossen. — Das 6. preußische Corps war mit der Avantgarde auf der Pontonbrücke des 5. Corps, mit dem Rest des Corps auf der inzwischen fertig gewordenen eigenen Pontonbrücke bei Villeneuve über die Seine gegangen und über Villeneuve-le-Roi und Orly gegen die Befestigungen der feindlichen Hauptstadt vormarschirt. Das Feuer aus einer sehr starken Verschanzung, welche der Feind südlich seiner Forts auf der Höhe von Villejuif aufgeworfen hatte, hinderte das 6. Corps am weiteren Vordringen. Nach einem leichten Infanteriekampf begnügte sich das Corps, seine Vorposten auf der Linie Chevilly bis Choisy aufzusetzen. Mehrere Offensivstöße des Feindes, welche derselbe aus seiner vorgeschobenen Verschanzung gegen Chevilly unternahm wurden siegreich abgeschlagen. Der Kronprinz von Preußen hatte sich in Folge des starken Kanonenfeuers nach Villeneuve le Roi begeben und war dort um 11 Uhr eingetroffen. Nachdem das Gefecht beim 6. Corps beendet war, begab sich der Kronprinz auf die Höhen südlich Sceaux und langte daselbst noch rechtzeitig an, um dem Kampfe um die feindlichen Verschanzungen beiwohnen zu können. — Nach französischen Nachrichten war General Ducrot mit 4 Divisionen am 19. September bei dem vorstehend geschilderten Kämpfen engagirt. Der Rückzug seines rechten Flügels wurde, wie es in einem Berichte heißt, mit „bedauerlicher Ueberstürzung" ausgeführt. Ein Tagesbefehl des General Trochu belobte zwar die Artillerie, tadelte aber gleichzeitig das Zuaven-Regiment, das in Folge einer „unglaublichen Panique" in Unordnung zurückgegangen und ordnete gegen diese „nicht disciplinirten und demoralisirten" Soldaten energische und strenge Maßregeln an. Pariser Journale gestanden zu, daß die flüchtenden Mannschaften die Panique bis ins Innere der Stadt hineingetragen und erhoben gleichzeitig die Mobilgarden, die am 19. September nicht gekämpft, auf Kosten der Linie, die sie mit Schmähungen überhäuften. — Am Abend des 19. September hatte die Armee des Kronprinzen von Preußen die Linie Bonneuil—Choisy-le-Roi—Thiais—Chevilly—l'Hay—Bourg,—Meudon—Sèvres und Bougival im Besitz, während zu gleicher Zeit die Armee des Kronprinzen von Sachsen die Linie Les-Gabillons—Carrières St. Denis—Houilles-le-Marais—Ormesson—Pierre-fitte—Stains—Dugny—Groslay—Montfermeil—Gournay—Chenne-vières besetzt hatte. Die durch obige Punkte bezeichnete Linie bildete während der ganzen Dauer der Belagerung die Cernirungslinie, welche eine Entwickelung von fast 12 Meilen Länge darbot, während die Entfernung von Bougival im Westen bis zu Gournay im Osten in grader Linie 4½ Meile und von Pierrefitte im Norden bis zu Choisy-le-Roi im Süden 3 Meilen betrug. Das Hauptquartier des Kronprinzen von Preußen wurde in Versailles, das des Kronprinzen von Sachsen in Grand-Tremblay, 2 Meilen nordöstlich von Paris, aufgeschlagen, während das große Hauptquartier des Königs von Preußen sich zunächst in Ferrières, südlich von Lagny, befand. Die Einschließung der Südseite von Paris war somit der Armee des Kronprinzen von Preußen übertragen, bei welcher das 5. preußische Corps den linken Flügel, das 11. und 6. preußische Corps auf beiden Ufern der Seine die Mitte und die beiden bayerischen Corps und die württembergische Division den rechten Flügel der Cernirung bildeten. Die Einschließung der Nord- und Ostseite von Paris wurde durch die Armee des Kronprinzen von Sachsen bewirkt, bei welcher das 4. preußische Corps den rechten Flügel, das preußische Garde-Corps das Centrum und das 12. sächsische Corps den linken Flügel bildete. Bei Gournay, südlich von Chelles, war zur Verbindung beider Armeen eine Kriegspontonbrücke über die Marne geschlagen. Während auf diese Weise 6 norddeutsche, 2 bayerische Armeecorps und die württembergische Division, im Ganzen etwa 250,000 Mann stark, einen dichtgewebten Gürtel um Paris und seine Befestigungen bildeten, ordnete in Paris General Trochu die Vertheidigungskräfte. Sein Stab bestand aus General Schmitz als Generalstabschef, General Foy als Souschef, Gen. Guiod als Commandeur der Artillerie, Gen. Chaboud-Latour als Commandeur des Genie und Gen. Wolff als General-Intendant. Anfänglich bildeten das 13. und das 14. Corps den Hauptkern der Vertheidigung. Das 13. Corps unter General Vinoy zählte die Divisionen Maudhuy, Blanchard und d'Exea, das 14. unter General Renault die Divisionen Maussion, d'Hughes und de Causslade, später wurden die gesammten Streitkräfte in 3 Armeen getheilt, von denen die I. Armee aus 266 Bataillonen Nationalgarden unter General Tamisier bestehend, eine Cavalerie-Legion unter Oberst Quielet und Artillerie-Abtheilungen unter Oberst Scholcher zur Disposition hatte. Gen. Tamisier wurde, da er sich bei der Emeute am 31. October schwach gezeigt hatte, seiner Stelle als Obercommandant der Nationalgarde enthoben und durch General Thomas ersetzt. — Die II. Armee war zu Ausfällen bestimmt und wurde von General Ducrot befehligt. Sein Generalstab bestand aus General Appert und Oberstlieutenant Warnet, seine Artillerie commandirte General Frébault, sein Geniecorps General Tripler. Die 11. Armee bestand aus 3 Armeecorps mit folgenden Commandobehörden: I. Armeecorps. General Vinoy, Generalstab Gen. de Valdan, Artillerie Gen. d'Ubexi, Genie Gen. de Pouet. 1. Division: Gen. Matroy. 1. Brigade Gen. Martenot. 2. Brigade Gen. Paturel. 2. Division: Gen. de Maudhuy. 1. Brigade Oberst Valentin (Mobilgarden aus den Provinzen). 2. Brigade Gen. Blaise. 3. Division: Gen. Blanchard 1. Brigade Obst. Comte (Mobilgarden aus den Provinzen) 2. Brigade Gen. de Mariouse. II. Armeecorps. Gen. Renauld. Generalstab Gen. Ferri-Pisani, Artillerie General Boissonnet, Genie Oberst Corbin. 1. Division: Gen. Susbielle. 1. Brigade Obst. Bonnet, 2. Brigade Gen. Lecomte. 2. Division:

Gen. Berthaut. 1. Brigade Gen. Bocher, 2. Brigade Oberst Boutier. 3.
Division: Gen. de Maussion. 1. Brigade Gen. Courty, 2. Brigade Gen. Avril
de Vanelos. III. Armeecorps. Gen. d'Exea. Generalstab Oberst de Belgarie,
Artillerie Gen. Princeteau, Genie Oberst Ragon. 1. Division: Gen. de
Bellemare 1. Brigade Oberst Fournès, 2. Brigade Oberst Colomieu. 2. Division: Gen. Mattat, 1. Brigade Gen. Faron, (Mobilgarden aus Provinzen),
2. Brigade Gen. Daudel. Cavalerie-Division: Gen. de Chaperon. 1. Brigade,
Gen. de Gerbrois, 2. Brigade Gen. Cousin, Gendarmerie-Regiment zu Pferd
Oberst Allaveine. III. Armee zu specieller Verfügung des General Trochu.
1. Division: Gen. Soumaine. Genstab. Obstl. Pothin. 1. Brigade Gen. Dar-
gentolle, 2. Brigade Gen. de Chaissière. 2. Division: Viceadmiral de la Roncière.
1. Brigade Obst. Lacolgnet, 2. Brigade Gen. Haurion, 3. Brigade Freg.-Cap.
Lamotte-Tenet. 3. Division: Gen. de Linters. Genstab Maj. Morlaincourt,
1. Brigade Gen. Filhol de Camas, 2. Brigade Obst. de Chamberet. 4. Division: Gen. de Beaufort. Genstab Major Lecoq. 1. Brigade Gen. Dumonlin,
2. Brigade Freg.-Capt. d'Aubré. 5. Division: General Corréard. Genstab: Major
Bial. 1. Brigade Obstl. Champion, 2. Brigade Obst. Porion. 6. Division:
Gen. d'Hugues. Genstab: Major d'Elloy. 1. Brigade Freg.-Capt. de Bray,
2. Brigade Oberst Bro. 7. Division: Contre-Admiral Pothuau. 1. Brigade
Obstl. le Mans. 2. Brigade Schiffs.-Capt. Salmon. Cavalerie: 1. Brigade
General de Bernis. 2. Brigade Oberstl. Blondel. — Später erhielt General
Vinoy das Commando der III. Armee, welches sich zuerst General Trochu
selbst vorbehalten hatte. In Vinoy's Stelle übernahm Gen. Blanchard das
Commando des I. Armeecorps der II. Armee. Außerdem schied die 2. Division der III. Armee aus dem Verbande derselben aus und erhielt unter Befehl
des Viceadmirals de la Roncière eine selbstständige Stellung. Sie bildete die
Besatzung von St. Denis und wurde auch zu Ausfällen benutzt, wie namentlich
am 21. December zu dem Ausfalle gegen le Bourget. — Ueber die Stärke
der einzelnen Armeen differirten die Angaben nicht unbedeutend. Am meisten Zu-
trauen dürfte die nachfolgende Angabe verdienen. Die I. Armee unter General
Thomas, aus den Nationalgarden und den Gardes sédentaires bestehend, zählte 300,000 M. Ein Theil der Ersteren, in neuformirten Regimentern zusammengestellt, war auch für den Gebrauch im Felde bestimmt, hatte
aber nur 5 Batterien und keine Cavalerie. Die Garde sédentaire besetzte die
Posten in der Stadt und die Wälle der Stadt-Enceinte; die städtische Garde
versah den Polizeidienst. Die Bekleidung war dem Belieben überlassen, als
Uniformsabzeichen wurden jedoch ein Käppi mit rother Cocarde und blaue Pan-
talons mit rothen Streifen vorgeschrieben. Die II. Armee unter General Ducrot zählte 150,000 Mann reguläre Truppen und Mobilgarden mit 80 Feld-
und Mitrailleusen-Batterien, so wie mit 2 Cavalerie-Brigaden. Sie bestand, wie
aus obiger Ordre de bataille ersichtlich, aus 3 Armeecorps, von denen die beiden
ersten je 3, das letztere 2 Divisionen zählten, campirte außerhalb der Stadt
und wurde im Laufe der Belagerung durch aus der I. Armee ausgesonderte
Kriegsbataillone auf 200,000 Mann gebracht. Die III. Armee unter General
Vinoy, 70,000 Mann stark, war zur Besetzung der Forts bestimmt und aus
den Depotbataillonen der kaiserlichen Garde, welche in die Garde-Marine ein-
gereihet worden und ihre früheren Galons verloren hatten, einigen Linien-Ba-
taillonen, den früheren Stadtsergeanten, Gendarmen u. s. w. zusammengesetzt.
Sie zählte, wie die Ordre de bataille ergiebt, einschließlich der Division des
Viceadmiral de la Roncière, 7 Divisionen. Ueber die artilleristische Ausrüstung
von Paris hat General Susane, unter dem kaiserlichen Regierung Artillerie-
Director im Kriegsministerium, in der Revue de deux mondes die nachfolgenden
Mittheilungen veröffentlicht. Es befanden sich am Tage der Einschließung in

Paris 2,627 Positions- und Festungsgeschütze, mithin eine größere Anzahl, als im Jahre 1869 durch eine besondere Commission für die Armirung der Forts und der Enceinte als erforderlich erachtet worden war. Diese unter dem Präsidium des General Benkmann stehende Commission hatte nicht nur für jedes einzelne Bastion die Zahl und die Art der daselbst zu placirenden Geschütze bestimmt, sondern auch die Aufgabe detaillirt, welche jedes Bastion speciel zu lösen hat, mit genauer Angabe der Schußdistancen und der hiezu erforderlichen Elevationen der Geschütze, welche Angaben den Artilleristen bei Eröffnung des Feuers aus den verschiedenen Forts unzweifelhaft sehr zu Statten gekommen sind. Mit Ausnahme einiger Hundert zur Reserve bestimmter Geschütze wurden sämmtliche Festungsgeschütze nach Maßgabe der Beendigung der hierzu erforderlichen Vorarbeiten auf den Wällen placirt. Für die mobile Vertheidigung waren 92 Ausfall- und 4 Gebirgs-Batterien mit 576 Geschützen vorhanden, so daß im Ganzen sich in Paris 3,203 Geschütze, ein jedes mit 400 Schuß ausgerüstet, befanden. Eine Reserve von 2,600,000 Kilogramm Pulver war außerdem noch disponibel. Während der Belagerung ließ die französische Artillerie in Paris eine große Anzahl glatter 8-, 12- und 24-Pfünder ziehen, während gleichzeitig die Anfertigung von 422 Laffeten, 152 verschiedenen Fahrzeugen, 205,000 Geschossen, 368,000 Zündern und 97,000 Mitrailleusenhülsen stattfand. Daneben wurden Seitens der Civil-Industrie zur Vertheidigung von Paris 50 Mörser von 15 Cent. Caliber, 1010 gezogene 7-Pfünder, 200 Protzen und 25,000 Granaten geliefert. — Die deutschen Truppen richteten sich nach dem 19. September in ihren Cantonnements- und Vorpostenstellungen ein und beschäftigten sich eifrig damit, ihre Positionen durch Befestigung der in Kanonenschußweite von den Forts gelegenen Dörfer, Schlösser und Parks in einen Gürtel passagerer Bauten umzuwandeln, um sich nicht allein gegen etwaige Ausfälle der Pariser Truppen zu sichern, sondern auch die Verbindung der Hauptstadt mit den Provinzen vollständig zu stören. Zu letzterem Zwecke wurden die oberirdischen Telegraphenleitungen zerstört und Nachforschungen nach unterirdischen Leitungen angestellt. So fand man am 28. September vier telegraphische Leitungen von Paris nach Rouen und dem Süden im Seinebett und unter der Erde, die sofort zerstört wurden. Ueberhaupt wurden alle Verhältnisse möglichst geordnet. In Versailles rettete die Stadt ein großes Fouragemagazin, das verbrannt werden sollte, dadurch, daß sie es für 500,000 Francs ankaufte und der deutschen Besatzung überlieferte. Die Vorposten des preußischen 5. Corps wurden bis St. Cloud vorgeschoben. Beim ersten Erscheinen preußischer Truppen räumten die Franzosen die Stadt und zogen sich auf das rechte Seineufer zurück. In Folge davon besetzten preußische Truppen das Schloß, von welchem aus Napoleon III. die Kriegserklärung an Preußen ergehen ließ. Auf den grünen Tischen des Salle de conseil lagen noch die Kriegskarten, die der Kaiser benutzt hatte und die colorirten Abbildungen der verschiedenen Truppentheile der preußischen Armee. Am 21. September rückten die Vorposten durch den Park von St. Cloud bis an die Seine. An vielen Stellen der Cernirungslinie fanden wiederholt Neckereien der Vorposten ohne ernsteres Gepräge statt, auch wurden mehrfach Recognoscirungen der deutschen Truppen vorpoussirt, so z. B. Seitens des 6. preußischen Corps gegen die 1500 bis 1600 Schritt südlich von Fort Bicêtre, also im Kanonenbereich dieses Forts, angelegte Verschanzung von Villejuif. Die Franzosen behaupteten diese Verschanzung und hatten das Dorf zur Vertheidigung eingerichtet. Bei einer in der Nacht zum 23. September vorgenommenen Recognoscirung wurde bemerkt, daß die Franzosen des Nachts ihre Truppen aus der Schanze herausgezogen hatten; die Schanze wurde daher momentan vom 6. Corps besetzt, mußte aber am Tage selbstverständlich unter dem Feuer der Forts und bei dem

Wiedervorgehen der Franzosen geräumt werden. Das sich hiebei entspinnende unbedeutende Gefecht wurde französischer Seits als ein großer siegreicher Erfolg ausposaunt. Neben Villejuif hielten die Franzosen auch das Dorf Vitry, östlich desselben und südlich vom Fort Ivry und hatten von beiden Dörfern gedeckte Communicationen nach den Forts und zwischen beiden Dörfern angelegt. — Am 28. September recognoscirte König Wilhelm die feindlichen Verschanzungen von St. Denis bis Fort Romainville und begab sich darauf wieder nach Ferrières zurück. Am 30. September brachen zwei Divisionen unter persönlicher Führung des General Vinoy gegen die Cernirungslinie vor. Mit 2 Bataillonen wurden die Vortruppen des 5. preußischen Corps von Fort Issy aus angegriffen, gleichzeitig wurde auf dem französischen linken Flügel gegen das 11. preußische Corps mit schwachen Kräften demonstrirt, während der Hauptstoß von Fort Montrouge und Bicêtre aus gegen das 6. preußische Corps und hauptsächlich gegen die 12. Division desselben stattfand. Mit großer Bravour schlug das 6. Corps, ohne daß die Reserven einzugreifen brauchten, den Ausfall zurück, wobei es über 300 unverwundete Gefangene machte. Das Gefecht begann mit Tagesanbruch und endete mit der Zurückwerfung der Franzosen um 11 Uhr Vormittags. Es wurde bei Villejuif, Chevilly, Thiais und Choisy-le-Roi gekämpft und zog sich das Gefecht mithin in südlicher Richtung bis gegen die Seine. Die Franzosen hatten einen Verlust von 1200 M. todt und verwundet, die Belagerer 80 M. todt, darunter 8 Officiere, und 120 M. verwundet. Am 5. October besichtigte der König von Preußen die Aufstellung des 6. Corps und verlegte darauf sein Hauptquartier nach Versailles. — Den vier zur Belagerungs-Armee gehörigen Cavalerie-Divisionen waren Rayons auf dem linken Seine-Ufer angewiesen, innerhalb deren sie Fouragirungen für die in Corbeil angelegten Magazine auszuführen hatten. Da die Cavalerie häufig durch Franctireurs und Mobilgarden beunruhigt und im coupirten Terrain im Vorschreiten behindert wurde, so theilte das 1. Bayerische Corps jeder Division ein Infanterie-Detachement von 1 bis 2 Bataillonen zu. In Folge hievon konnte sich die Cavalerie freier bewegen und weiter ausbreiten, doch fanden vielfach Zusammenstöße mit feindlichen Abtheilungen, die erst durch Infanterie- und Artilleriefeuer aus ihren starken Positionen vertrieben werden konnten, statt. Die 4. Cavalerie-Division des Prinzen Albrecht von Preußen (Vater), der nach dem Uebergange über die Seine von Hause aus eine südliche Richtung auf Orleans angewiesen worden war, stand am 1. October bei Toury und wurde hier durch feindliche Abtheilungen aller Waffen, welche den Wald von Orleans besetzt hatten, an weiterem Vorschreiten gehindert. Am 5. October rückte ein feindliches Detachement in der Stärke von 12 Bataillonen, 3 Cavalerie-Regimentern und 3 Batterien in nördlicher Richtung über Toury vor und zwang die 4. Cavalerie-Division sich über Angerville nach Etampes und Authon zurückzuziehen. In Folge hievon befahl der Kronprinz von Preußen am 6. October, daß General v. d. Tann mit seinem, dem 1. Bayerischen Corps, der 22. Infanterie-Division des 11. preußischen Corps und der 2. Cavalerie-Division des Grafen Stolberg nach Arpajon marschire, um dort die 4. Cavalerie-Division aufzunehmen und einem weiteren Vordringen des Feindes entgegenzutreten. Da dieser Vormarsch von feindlicher Seite nicht erfolgte, erhielt General v. d. Tann den Befehl, selbst die Offensive zu ergreifen. Hierdurch wurde am 10. October das Gefecht bei Artenay herbeigeführt, in welchem eine feindliche Division geschlagen und ihr 3 Geschütze und 2000 Gefangene genommen wurden. Am folgenden Tage (11. October) wurde darauf die Loire-Armee nach neunstündigem Kampfe auf Orleans und über die Loire zurückgeworfen, ihr mehrere Tausend Gefangene abgenommen und Abends die Stadt Orleans besetzt. Die weiteren Kämpfe gegen die Loire-Armee bei Châteaudun am 18. October, bei Chartres

am 21. October u. s. w. können hier nicht verfolgt werden, wenn sie auch in
naher Beziehung zur Belagerung von Paris stehen; sie müssen anderen Artikeln
in der Militair-Encyclopädie und deren Supplementen vorbehalten bleiben, um
den gegenwärtigen Artikel nicht zu einer Geschichte des Feldzugs im Westen
Frankreichs anwachsen zu lassen. Erwähnt mußte das Gefecht von Artenay
und die Besetzung von Orleans werden, da sie im engsten Zusammenhange mit
der Entsendung des 1. bayerischen Corps und der 22. preußischen Division
stehen, die für längere Zeit aus der Cernirungslinie schieden. Um in derselben
die entstandenen Lücken auszufüllen, fanden Dislocationen des 2. bayerischen,
des 6. preußischen Corps und der 21. preußischen Division statt. — Während
die Pariser Forts seit dem Beginne der Blokade gegen die vorgeschobenen Punkte
der Cernirungslinie ihr Feuer richteten und dasselbe zuweilen gegen einen dieser
Punkte concentrirten, so daß es momentan einen sehr heftigen Charakter annahm, hatten die deutschen Vorposten doch dadurch keinen nennenswerthen Verlust zu beklagen, Dank den angelegten Verschanzungen. Dagegen schossen die
Franzosen am 13. October das Schloß von St. Cloud, das deutscher Seits
verschont worden war, ohne ersichtliche Veranlassung in Brand. An demselben
Tage machten 10 Bataillone einen Ausfall, der vom 2. bayerischen Corps mit
Leichtigkeit abgewiesen wurde, wenn er auch einen Verlust von 10 Officieren,
371 M. veranlaßte, nämlich 3 Officiere, 57 M. todt, 7 Officiere, 255 M.
verwundet und 59 M. vermißt. Ueber diesen Ausfall enthielt das „Journal
officiel" eine pomphafte Beschreibung, mit welcher im Wesentlichen der officielle
Bericht des Chef des Generalstabes, General Schmitz, übereinstimmt. Letzterer
sagt: „Da während der letzten Tage bedeutende Bewegungen feindlicher Truppen
gemeldet worden waren, so hatte der Gouverneur, General Trochu, beschlossen,
am 13. October Morgens eine Recognoscirung durch die Division Blanchard
ausführen zu lassen, die sich rechts bis zur Position von Issy, links bis zu
der von Cachan erstrecken sollte. General Blanchard theilte seine Truppen in
drei Colonnen; die erste (13. Marschbataillon) sollte in der Richtung auf Clamart, die des Centrums (General Susbielle) auf Chatillon, die linke (Mobilgarden der Côte d'Or und der Aube, Oberst Graucey) auf Bagneux vorgehen.
Diese Bewegungen, unterstützt durch das Feuer der Forts von Montrouge,
Bauvres und Issy, wurden in großer Ordnung und Entschiedenheit ausgeführt.
Der Gouverneur hatte den General Schmitz nach dem rechten Flügel der Stellungen gesandt, um die Bewegung im Ganzen zu leiten. General Vinoy hatte
seine Reserven hinter das Fort Montrouge disponirt. Bagneux wurde durch
die Mobilgarden der Côte d'Or genommen, deren Benehmen, wie sie es bereits
zweimal bewiesen, glänzend war. Das 1. Bataillon der Aube, welches zum
ersten Male im Feuer stand, bewahrte ebenfalls eine vorzügliche Haltung; der
Commandant desselben, v. Dampierre, fiel glorreich an der Spitze seiner Truppe.
Die Seeleute des Fort Montrouge unter Befehl des Fregatten-Capitains d'Audré
haben an der Operation sich betheiligt und beim Rückzuge unserer linken Colonne die Arrieregarde mit bemerkenswerther Festigkeit gebildet. Im Centrum
nahmen unsere Truppen, die sich in die Häuser von Chatillon warfen, fast
ohne Verlust zwei Barricaden fort und drangen bis zur Kirche und bis zu
dem Wege vor, welcher Chatillon mit Clamart verbindet. Zwischen diesen
beiden Punkten entwickelten sich 2 Bataillone in größter Ordnung und gingen
im feindlichen Feuer bis in die Weinberge vor, welche die Abhänge des Stein-
bruchs von Calvents einfassen. Von hier aus schossen sie sich mit den feindlichen Tirailleurs herum, die hinter einem Erdaufwurf auf dem Kamme des
Plateaus von Chatillon aufgestellt waren. Zwei deutsche Batterien wurden
plötzlich demaskirt, die eine bei Tour-à-l'Anglais, die andere gegen Chatillon
hin; ihr Feuer wurde aber allmählich durch die Kanonen von Bauvres und

Ifh zum Schweigen gebracht. In diesem Augenblicke erschienen die deutschen Massen auf dem Kamme des Plateaus, sich dem Feuer der Artillerie und der Forts aussetzend. Der Zweck der Recognoscirung war mithin erreicht und der Rückzug wurde angeordnet; er wurde in bester Ordnung unter General Blanchard ausgeführt, dessen vortrefflichen Anordnungen das Gelingen dieser Recognoscirung zu danken ist. Nach Clamart hin hatten wir das Werk von Moulin-de-Pierre besetzt; es entspann sich hier ein Feuergefecht, doch gelang es dem Feinde nicht, uns aus unserer Position zu vertreiben. Unsere Verluste sind gering, die des Feindes, welcher beständig unserem Feuer ausgesetzt war, obgleich in diesem Augenblick noch nicht abzuschätzen, sind ziemlich ernster Natur. Allein in Bagneux hat er mehr als 800 Todte verloren. Ebenso waren seine Verluste in Chatillon und auf den Höhen sehr beträchtlich. Die bis jetzt bekannte Zahl der Gefangenen beträgt über Hundert. Der Gouverneur hat sowohl die Truppen, welche an der Recognoscirung Theil genommen haben, als diejenigen der Forts Hinsichts des Eifers und der Kaltblütigkeit beglückwünscht, die sie an diesem Tage gezeigt haben." — So weit der officielle Bericht des General Schmitz, der nach den vorstehenden Angaben den deutschen Verlust bedeutend übertreibt und bezüglich dessen zu bemerken ist, daß die Dörfer Clamart, Chatillon und Bagneux am Fuße der Höhen von Clamart, 2000 bis 2500 Schritt von den Forts Isy, Vanvres und Montrouge, mithin im wirksamen Schußbereich derselben liegen und von den Deutschen nur mit Vorposten besetzt waren. Malerischer, wenn auch nicht wahrer, schilderte das „Journal officiel" den Kampf. Nach ihm gab um 9 Uhr Morgens ein Kanonenschuß aus Fort Montrouge das Zeichen zum Beginne einer Kanonade. „Das heftige Feuer der Forts wurde vom Feinde nur schwach erwidert. Nach einstündiger Kanonade rückten die französischen Truppen im Laufschritt vor, die Mobilgarden der Côte d'Or an der Spitze. Die Soldaten nahmen die feindlichen Stellungen mit dem Bajonnet; nichts widersteht dieser furchtbaren Lawine. Vergebens dreht ein unerwartet überfallenes deutsches Bataillon die Gewehre um, mit den Kolben nach oben; zu oft war diese List vom Feinde gebraucht worden, der uns, auf diese Weise sicher gemacht, herangehen ließ und dann aus nächster Nähe auf uns feuerte. Das Bataillon wurde ohne Weiteres angegriffen und zersprengt. Die Mobilen drangen in Bagneux ein, stießen aber bei der Kirche auf ernsten Widerstand und erhielten heftiges Gewehrfeuer aus den Kellern, Fenstern und Dachluken. Jedes Haus ist eine Festung, die um jeden Preis genommen werden muß. Man bringt Schritt vor Schritt vor. Das 35. und 70. Linien-Regiment, sowie das 12., 13. und 15. Marsch-Regiment eilen zur Unterstützung in Bagneux ein. Der erbitterte Kampf von Haus nach Haus, Straße nach Straße wird fortgesetzt. Endlich um 3 Uhr sind die letzten Hindernisse nicht ohne Verlust überwunden. Graf Dampierre fiel hier. Unglücklicher Weise erhält der Feind von allen Seiten Verstärkungen; wie die Ameisen eilen sie von allen Seiten herbei. Der Kampf läßt sich nicht fortsetzen gegen diese ohne Unterlaß erneuerten Massen; der Rückzug beginnt; er wird in guter Ordnung inmitten des Kugelregens ausgeführt unter dem Schutz des Feuers der Forts. Trotz des heftigen Feuers drängen die Deutschen bis 1500 Schritt von den Forts nach. Um 4 Uhr war Alles vorbei". Auch aus den vorstehenden Phrasen des „Journal officiel" tönt klar heraus, daß die Recognoscirung ein ziemlich klägliches Ende genommen. Schon vor diesem Ausfalle, nämlich am 7. October Nachmittags marschirten mehrere Bataillone, 1 Cavalerie-Regiment und etwa 12 Geschütze unter lebhaftem Feuer des Fort Mont Valérien bis Rueil vor und kehrten, nachdem sie die östliche Mauerumfassung von Malmaison durch Sprengung mittelst Pulversäcken umgelegt hatten, nach dem Fort Mont Valérien zurück. — Am 14. October fand darauf wieder ein

Ausfall mehrerer französischer Bataillone statt, der durch die Feldwachen und einige Geschütze des sächsischen 12. Corps zurückgewiesen wurde. Am 15. October arbeitete der Feind an den Verschanzungen von Villejuif, wurde aber durch die Feldartillerie des preußischen 6. Corps nach kurzer Zeit vertrieben. — Am 17. October gewann es den Anschein, als werde französischer Seits zum folgenden Tage ein größerer Ausfall auf der Südseite beabsichtigt, denn in Versailles ging Nachmittags die Meldung ein, daß sich auf der ganzen Linie hinter den südlichen Forts bedeutende Streitkräfte sammelten. Die Truppen der Armee des Kronprinzen von Preußen erhielten daher den Befehl, alerte zu sein und wurden in der Nacht allarmirt, um dem Feinde überall kräftig entgegentreten zu können. Wider Erwarten verlief jedoch der 18. October vollkommen ruhig. Die französischen Truppen verließen wieder ihre Stellungen hinter den Forts, so daß der Geburtstag des Kronprinzen in Versailles ganz ungestört, wie im tiefsten Frieden, mit Morgenmusik, Gratulationsempfang, Springen sämmtlicher Wasserkünste, Festdiner und Abends großem Zapfenstreich, gefeiert werden konnte. Dagegen fand, nachdem der Feind in der Nacht vom 19. zum 20. October eine heftige Kanonade aus den Forts unterhalten und wiederholte Vorstöße gegen die preußischen Vorposten in der Gegend von Chevilly südlich vom Fort Bicêtre ohne diesseitigen Verlust versucht hatte, am 21. October Mittags ein größerer Ausfall gegen Malmaison vom Mont Valérien aus statt, zu dem nachfolgende Disposition ausgegeben worden war. „Die zum Angriff bestimmten Truppen werden in 3 Abtheilungen formirt. Die 1. Abtheilung unter General Berthaut, 3400 M. Infanterie, 20 Geschütze, 1 Escadron stark, agirt zwischen der Eisenbahn von St. Germain und dem oberen Theil des Dorfes Rueil. Die in der Nähe des Bahnhofes von Rueil und durch die Eisenbahn gut gedeckte Artillerie feuert lebhaft gegen Malmaison und den Eingang von Bougival. Die Tirailleure besetzen Bois-Préau und die ersten Häuser von Malmaison und des Rond point des guides mit Reserven auf dem Platze an der Kirche und auf dem mit Linden bepflanzten Platze der Wiese der Garden. Rechts nisten sich zahlreiche Tirailleure längs der Eisenbahn mit starker Reserve am Bahnhof ein. Das Gros der Truppen placirt sich hinter der Caserne. Die 2. Abtheilung unter General Noël, 1350 M. Infanterie, 10 Geschütze stark, umgeht den Mont Valérien südlich und beschießt die Abhänge, welche sich gegen das Schloß von Buzanval erstrecken. Die 3. Abtheilung unter Oberstlieutenant Cholleton, 1000 M. Infanterie und 18 Geschütze stark, etablirt sich an der alten Mühle oberhalb Rueil und beschießt Malmaison und La Motte-la-Jonchère. Zwei Reserven, die eine unter General Martenot, 2600 M. und 18 Geschütze, placirt sich unweit La Foulkreuse und beschießt Malmaison und den Abhang von La Jonchère, die andere unter General Paturel, 2000 M. und 28 Geschütze, postirt sich hinter der Mühle zwischen dem Mont Valérien und Nanterre. Der Mont Valérien, die Batterien des Bois-de-Boulogne und das bei Surênes stationirte Kanonenboot unterstützen durch ihr Feuer den Angriff. Auf ein verabredetes Signal stellt die Artillerie ihr gegen Malmaison gerichtetes Feuer ein und stürzen sich die vorgeschobenen Truppen vorwärts, indem sie die an der amerikanischen Eisenbahn und im Parke etablirten Batterien und Barrikaden zu umgehen und zu nehmen suchen. Sie logiren sich in dem Ravin, welches von St. Cucusa sich hinter Malmaison hinzieht und dringen, wenn sie nicht auf zu große Hindernisse stoßen, bis zu den beiden Häusern von La Motte-la-Jonchère, welche gewöhnlich vom Feinde besetzt sind und welche vorher von der Artillerie zum Zielpunkte gewählt worden. Wenn sie sich hier gründlich etabliren können, so dringen die ihnen folgenden Truppen in der Richtung auf die Seine vor, um die in der Höhe der Insel de la Chaussée errichtete Barrikade zu umgehen und zu nehmen, welche vorher beschossen worden. Nach dieser Operation ziehen sie sich nach Malmaison zurück und überschreiten unter keinen Umständen die nach der Insel de la Chaussée führende Brücke. Alle Truppen repliiren sich darauf successive auf die Stellungen, von denen sie ausgegangen und werden hierbei durch die Artillerie des Mont Valérien und des Plateaus der alten Mühle geschützt. Der Angriff beginnt um 1 Uhr, das Signal dazu wird durch drei Kanonenschüsse gegeben, welche von dem Südbastion des Valérien mit Pausen von 30 Secunden gefeuert werden. Um 11 Uhr wird eine große rothe und weiße Flamme auf den beiden Terrassen der Kaserne des Mont Valérien entzündet. Um 12³⁄₄ Uhr wird General Berthaut in der Nähe des Bahnhofes von Rueil zwei Kanonenschüsse abfeuern lassen, worauf der Mont Valérien durch drei Kanonenschüsse das Signal zur allgemeinen Eröffnung des Feuers giebt. Nach ³⁄₄ stündigem Feuer wird der befehlende General unweit der alten Mühle eine große Tricolore drei Mal erheben lassen, worauf der Mont Valérien wiederum die Signalflammen entzündet. Alle Geschütze stellen darauf ihr Feuer gegen Malmaison ein, welches durch die Truppen der Generale Berthaut und Noël angegriffen wird. Die gesammte Artillerie richtet dann ihr Feuer gegen die Insel de la Chaussée und die Höhen La Jonchère und Buzanval." — Der eigentliche Zweck des beabsichtigten Ausfalls ist aus dieser Disposition schwer erkennbar. Ueber 11,000 M. einschließlich der Cavalerie und 94 Feldgeschütze, abgesehen von den Kanonen des Mont Valérien, der Batterie des Bois-de-Boulogne und eines Kanonenbootes, werden mit der Absicht aufgeboten, bis an das zweite Haus von La Jonchère vorzudringen, von dort wo möglich eine weiter vorliegende Barricade einen Augenblick zu nehmen und sich dann wieder unter den Schutz des Forts zurückzuziehen. Bei einem solchen von Hause aus erstrebten, genügsamen Zweck ist es nicht zu verwundern, daß der feindliche Ausfall überhaupt Kehrt machte, bevor er sein Ziel erreichte und zufrieden war, mit dem Verlust zweier Geschütze und einer nicht unbeträchtlichen Masse von Menschen glücklich wieder nach Hause zu gelangen. — Nach dem über das Ausfallsgefecht vom General Ducrot an den General Trochu erstatteten Bericht stand um 1 Uhr Alles in Position und wurde das Geschützfeuer auf der ganzen Linie eröffnet, indem die Artillerie einen weiten Halbkreis von der Eisenbahnstation Rueil bis zur Ferme La Fouilleuse einnahm. „Sie concentrirte ihr Feuer auf Buzanval, La Jonchère und Bougival, während ³⁄₄ Stunden. Unterdessen näherten sich die Tirailleure und die Spitzen der Colonnen den Angriffspunkten, nämlich Malmaison für die Colonnen Berthaut und Noël, Buzanval für die Colonne Cholleton. Auf ein verabredetes Zeichen stellte die Artillerie ihr Feuer ein; mit bewunderungswürdiger Schwungkraft stürzten sich die Truppen auf die vorgeschriebenen Angriffspunkte und gelangten bis an das Ravin, welches sich vom Teiche St. Cucufa bis zur amerikanischen Eisenbahn hinzieht. Der linke Flügel des General Noël überschritt das Ravin und erstieg den nach Jonchère zugewandten Hang, sah sich hier aber bald am weiteren Vordringen durch heftiges Infanteriefeuer verhindert, da der Feind sich ungeachtet des französischen Artilleriefeuers in den benachbarten Gebüschen und Häusern eingenistet und behauptet hatte. Zu derselben Zeit waren 4 Zuaven-Compagnien unter dem Commandanten Jacquot in dem Winkel zusammengedrängt, welchen der Park von Malmaison unterhalb La Jonchère bildet; sie hätten, wären sie nicht durch das rechtzeitige und energische Eingreifen des Bataillons Seine-et-Marne begagirt worden, sehr gefährdet werden können. Das Bataillon stürzte sich entschlossen, den rechten Flügel an den Park von Malmaison gelehnt, auf die St. Cucufa dominirenden Hänge und eröffnete ein so heftiges Feuer gegen den Feind, daß dieser zurückweichen mußte und es so den 4 Zuaven-Compagnien möglich war, den Park zu erreichen. Seit Beginn

des Kampfes waren 4 Mitrailleusen unter Capitain Grandchamp, sowie die
4pfdge Batterie des Capitain Nismes, das Ganze unter dem Commandanten
Miribel, mit bemerkenswerther Kühnheit sehr weit vorgerückt, um die Infanterie zu unterstützen. Aus sehr gut gewählten Positionen erzielten sie höchst
zufriedenstellende Resultate. Gleichzeitig hatten sich die Franctireurs der 2. Division (Colonne Cholleton) unter Capitain Faure Biguet auf Buzanval gestürzt, drangen in den Ort ein und von da im Gehölz weiter gegen den Rand
von St. Cucufa vor. Gegen 5 Uhr, als die Dunkelheit hereinbrach und das
Feuer überall aufgehört hatte, wurde den Truppen befohlen, in ihre Cantonnements zurückzukehren. „Im Ganzen," sagt General Ducrot, „ist unser Zweck
erreicht worden, d. h. wir haben die ersten Positionen des Feindes genommen
und diesen gezwungen, in seine Linie beträchtliche Streitkräfte vorrücken zu
lassen, welche, während fast des ganzen Gefechtes dem formidablen Feuer der
französischen Artillerie ausgesetzt, große Verluste haben erleiden müssen." General Ducrot belobt die vortreffliche Haltung der Truppen, nach ihm „haben
sowohl Zuaven, als Mobilgarden und Linien-Infanterie, die Schützen von
Dumas, die Franctireurs von Ternes und der Stadt Paris sämmtlich ihre
Schuldigkeit gethan. Die Batterien des Commandanten Miribel haben ihre
Kühnheit bis zur Verwegenheit gesteigert, was zu einem betrübenden Ereigniß
geführt hat. Die 4pfdge Batterie des Capitain Nismes wurde in der Nähe
von Porte du Longboyau plötzlich durch ein heftiges Gewehrfeuer überrascht,
welches sofort den Capitain, welcher das Soutien commandirte, 10 Kanoniere
und 15 Pferde tödtete; bei der hierdurch einen Augenblick hervorgerufenen Unordnung fielen von den 4 Geschützen 2 in die Hände des Feindes." Hinzugefügt wird vom General Ducrot, daß während der Hauptoperation die Colonne
des General Martenot eine zweckmäßige Diversion auf dem linken Flügel voll-
führte, indem sich ein Bataillon in der Ferme de la Fouilleuse einnistete und
seine Tirailleurs bis auf den Höhenrand vordrangen, dabei sogar momentan
die Schanze von Montretout und die Höhen von Garches besetzten. Auf dem
rechten Flügel ging das durch eine reitende Batterie unterstützte Dragoner-Regiment in der Richtung auf die Seine zwischen Argenteuil und Bezons vor
und beschoß mit der Artillerie einige feindliche Posten. Der rechte Flügel dieser Cavalerie-Colonne setzte sich mit den Truppen des General de Bellemare
in Verbindung, welche hinter Colombes Stellung genommen hatten. Die bei
diesem Ausfallgefecht französischerseits erlittenen Verluste wurden von Jules
Favre amtlich wie folgt angegeben: Officiere 2 todt, 15 verwundet, 11 vermißt,
Mannschaften 32 todt, 230 verwundet, 153 vermißt, in Summa 443 M.
General Trochu erließ in Folge des Ausfallgefechts am 22. October einen
Tagesbefehl nachstehenden Inhalts: „Der Gouverneur von Paris beglückwünscht
das 14. Corps wegen der vortrefflichen Regelmäßigkeit, mit welcher dasselbe
am gestrigen Tage sowohl seine vorbereitenden Märsche ausgeführt, als seine
Gefechtsstellungen eingenommen hat, ingleichen hinsichtlich der Lebhaftigkeit seines
Angriffs und der Ordnung, mit der es sich bei eingebrochener Nacht wieder
in seinen Cantonnements gesammelt hat. Durch solche gut geleitete und gut
ausgeführte Operationen bereiten sich die Truppen am besten zu größeren
Kriegsleistungen vor. Vorzugsweise muß ich die Artillerie beloben, von der
einige Batterien mit viel Kühnheit, in einem Falle mit zu viel Kühnheit, gegen
den Feind vorgegangen sind. Mit dem gestrigen Gefecht hat das 14. Corps
seine Stelle unter den besten Truppen der Armee zur Vertheidigung des Landes errungen." Trochu. — Blicken wir nun auf die Verhältnisse beim Belagerer. Am 21. October, Mittags 1 Uhr, wurde dem Generallieutenant
v. Schmidt, Commandeur der preußischen 10. Infanterie-Division, von den
Vorposten gemeldet, daß starke Colonnen aller Waffen zwischen Nanterre und

4*

dem Fort Valérien sichtbar und gegen die Stellung der Division im Anmarsch seien. Diese erstreckte sich von der Seine über Bougival, Malmaison, La Jonchère bis Garches, etwa 5000 Schritte von dem Mont Valérien entfernt. Die 19. Infanterie-Brigade stand auf Vorposten, das 1. Westpreußische Grenadier-Regiment Nr. 6 auf dem rechten, das 1. Niederschlesische Infanterie-Regiment Nr. 46 auf dem linken Flügel. Die 20. Infanterie-Brigade bildete die Haupt-reserve. General v. Schmidt befand sich beim Eingange der erwähnten Meldung mit den Offizieren seines Stabes bei den Vorposten und überzeugte sich persönlich von der Richtigkeit derselben. Man schätzte den Feind zu 20 Bataillonen, 10 Batterien und 2 Cavalerie-Regimentern, und da aus der Direction des Marsches der Colonnen auf einen Angriff der Division geschlossen werden mußte, so wurden die Truppen sofort allarmirt und in 20 Minuten standen dieselben auf ihren Allarmplätzen gefechtsbereit. Um 1½ Uhr entwickelte der Feind seine Artillerie mit etwa 60 Geschützen gegen die Front der Division, hinter der Artillerie etwa 12 Bataillone; mit 4 Bataillonen, denen eine Brigade als Reserve diente, das Dorf Rueil besetzt haltend. Ein Cavalerie-Regiment war auf dem südlichen Abhange des Mont-Valérien sichtbar. Der Feind eröffnete vom Fort Valérien und aus seinen Feldgeschützen ein heftiges Feuer besonders auf Bougival, Malmaison, La Jonchère und den Kiosk der Kaiserin, um durch dasselbe den Angriff der Infanterie vorzubereiten. Um 3 Uhr gingen 4 Bataillone mit vorgezogenen Geschützen gegen Malmaison vor, das vom 1. und Füsilier-Bataillon 6. Regiments besetzt war. Im Park von Malmaison entspann sich ein hartnäckiges Gefecht; der Feind erreichte den nördlich La Jonchère auf einer Höhe liegenden Pavillon, wurde von hier aber von den Compagnien des 46. Regiments, sowie von 2 Compagnien des 1. Garde-Landwehr-Regiments, welche von St. Germain zur Unterstützung herbeigeeilt kamen, tambour battant wieder vertrieben im Verein mit Mannschaften des 2. und Füsilier-Bataillons 6. Regiments aus dem Park von Malmaison, dessen Mauer er durch Pulversäcke an mehreren Stellen hatte sprengen lassen, hinausgeworfen. Die Mannschaften des 6. und 46. Regiments, sowie die der beiden Garde-Landwehr-Compagnien wetteiferten unter einander, zuerst auf der Höhe zu sein. Bei diesem Wettkampf hörte man die 6er und 46er sagen: „Die Garde will im Kampfe immer voran sein; da hätte sie aber nicht zum 5. Armee-Corps kommen müssen." Gleichzeitig mit dem Angriff auf Malmaison machte der Feind einen Vorstoß auf La Celle St. Cloud. Um diesem zu begegnen und die 19. Infanterie-Brigade durch einen Flankenangriff zu unterstützen, entsandte General v. Schmidt aus der bei dem Kiosk der Kaiserin aufgestellten Reserve (37. und 50. Regim.) das 2. Bataillon 50. Regim. in der Richtung auf Buzanval. Die 5. und 8. Compagnie drangen mit vorgenommenen Schützen durch eine Schlucht, stürmten Buzanval und nahmen im Verein mit Mannschaften des 6. Regim. 2 Geschütze im Feuer. Hier fand Premier-Lieutenant Michler, Führer der 5. Compagnie 50. Regiments, den Heldentod. Er sank beim Sturm auf die Geschütze von zwei Kugeln durch den Kopf getroffen, lautlos nieder. Bei der Eroberung dieser Trophäen zeichneten sich Lieutenant Barbenis vom 50. und Vicefeldwebel Jänisch vom 6. Regiment mit noch 10 Mann der beiden Regimenter aus. Das 1. Bataillon 50. Regiments war zur Unterstützung der 19. Infanterie-Brigade nach Villa Metternich gesendet, während das Füsilier-Bataillon und das gesammte 37. Regi. in Reserve am Kiosk der Kaiserin verblieb. In dem Augenblicke, in welchem die starken feindlichen Infanterie-Colonnen gegen Bougival, La Jonchère und Buzanval vordrangen, ließ die 9. Division dem General v. Schmidt melden, daß ein Infanterie-Regt. zur Unterstützung bereit stehe. Dieselbe wurde jedoch abgelehnt, da noch 4 intacte Bataillone disponibel waren. Um 5 Uhr etwa begann die feindliche Infanterie auf der ganzen Linie zurückzuweichen. Der Rückzug wurde durch ein heftiges Artilleriefeuer von Feld- und Festungsgeschützen gedeckt und erfolgte mit allen Colonnen in der Richtung auf Neuilly. Der Verlust der 10. Division belief sich auf 15 Officiere und 297 Mann. Wenn der Indépendance belge aus Paris berichtet worden, daß die Preußen fünfmal ihre Streitkräfte haben erneuern müssen, daß die französische Artillerie ein wahres Blutbad angerichtet und daß ein preußisches Corps vollständig und rettungslos abgeschnitten worden, so ist dies nach dem Vorstehenden eine colossale Lüge. — Während in dieser Weise die von den Cernirungstruppen vor Paris eingenommenen Stellungen fortdauernd behauptet wurden und die einzelnen versuchten Vorstöße der Franzosen höchstens die avancirten Vortruppen momentan zurückzudrängen im Stande gewesen, war am 19. September auf der Höhe von Clamart von den Baiern genommene Schanze von Moulin de la Tour in ungestörtem Besitze der deutschen Truppen geblieben und an ihrem völligen Ausbau gegen Norden trotz des Feuers des Fort Vanvres unausgesetzt gearbeitet und andere neue größere Schanzen, z. B. bei Sevres und St. Cloud erbaut worden, wurde von den deutschen Armeen nach verschiedenen Richtungen durch detachirte Abtheilungen operirt, einestheils um den Requisitions-Rayon zu Gunsten der Verpflegung immer mehr zu erweitern, andererseits um der Ansammlung von Franctireurs entgegenzutreten. In nördlicher Richtung wurde am 17. October durch Abtheilungen der Armee des Kronprinzen von Sachsen Montdidier (12 Meilen nördlich) und am 21. October auch St. Quentin (18 Meilen nordöstlich Paris) nach kurzer Kanonade besetzt. Früher schon war Breteuil (3 Meilen westlich Montdidier und 4 Meilen südlich Amiens) besetzt worden. In südöstlicher Richtung operirte ein württembergisches Streifcommando, das unter Befehl des Oberstlieutenant Schröder aus 1 Infanterie-Bataillon, 1 Escadron und 2 Geschützen bestand. Dasselbe wurde am 22. Oct. gegen Nangis (8 Ml. südöstlich Paris) entsendet, rückte am 23. October in Montereau an der Seine (2½ Ml. südlich von Nangis) ein, entwaffnete 300 Nationalgarden und nahm ein kleines Geschütz, sowie eine Mitrailleuse. Am 25. October Vormittags bestand das Detachement ein zweistündiges Gefecht bei Nogent sur Seine (6 Meilen östlich von Montereau) gegen 2600 Mobilgarden aus der Bretagne und einige hundert Nationalgarden und Franctireurs. Der Verlust des Feindes betrug etwa 100 Todte und viele Verwundete; unverwundet wurden 5 Officiere und 296 Mann gefangen. Der württembergische Verlust bestand in 1 Jähnrich und 9 M. todt, 2 Officiere und 40 M. verwundet. In Provins (2½ Meilen nordwestlich Nogent) wurden 28,000 Frcs. Contribution erhoben. In den noch nicht vollen 4 Tagen vom 23. bis 25. October früh hatte das Streifcommando mithin eine Strecke von 16½ Meilen zurückgelegt, was bei dem in Montereau veranlaßten Aufenthalt wohl nur dadurch erklärlich wird, daß die Infanterie zum Theil auf Wagen befördert wurde. — Vor Paris ließ der Commandeur zu St. Denis, General Bellemare, am 28. October das nur von einer Compagnie besetzte Dorf Le Bourget angreifen, wie er in seinem Berichte sagte, „um das Corps der Franctireurs der Presse nutzbar zu machen, dessen Dienstleistung zu La Courneuve in Folge des Fortschreitens der Inundation des Crond-Baches unnütz geworden war." Er befahl am 27. Octbr. dem Commandeur der Franctireurs einen nächtlichen Angriff auf das Le Bourget stationirten preußischen Vorposten auszuführen und ließ am 28. Octbr. früh 3 Uhr die vor dem Fort Aubervilliers und La Courneuve stehenden französischen Vorposten unter Waffen treten, um die Bewegung zu unterstützen. Dieselbe wurde nach dem Berichte des General Bellemare mit ebenso viel Tapferkeit als Umsicht durch die Franctireurs unter Commandeur Rolland ausgeführt. „Ohne einen Schuß zu thun, griffen sie die preußischen

Feldwachen an, die in Unordnung flohen und zum größten Theile die Tornister und Helme zurückließen. Sie avancirten weiter im Dorfe, indem sie die Preußen von Haus zu Haus zurückwarfen, bis zur Kirche, wo sich dieselben festgesetzt hatten." Darauf ließ General Bellemare die Franctireurs durch einen Theil des 34. Marschregiments und das 14. Bataillon der Mobilgarde der Seine unterstützen; zugleich schickte er den Oberst Lavoignet, Commandeur der 1. Brigade, dahin zur Uebernahme des Commandos mit dem Befehl, sich des Dorfes zu bemächtigen und sich darin festzusetzen. Er ließ die Infanterie durch zwei 4-Pfünder und eine Mitrailleuse unterstützen und placirte zwei 12-Pfünder vorwärts La Courneuve, um den Feind in die Flanke zu fassen. Um 11 Uhr begab er sich persönlich nach Le Bourget und langte daselbst in dem Momente an, als die Franzosen vollständig Herren desselben waren; er hatte sich eine Reserve folgen lassen, die aus dem 16. Bataillon der Mobilgarde der Seine und einem halben Bataillon des 28. Marschregiments bestand. Gegen Mittag demaskirten die Preußen 2 Batterien am Pont-Jblon und ließen 2 Feldbatterien auf der Straße von Dugny nach Le Bourget vorgehen, die außer kurzen Unterbrechungen bis gegen 5 Uhr nicht aufhörten, auf das Dorf zu schießen, von dem einige Häuser in Brand gesetzt wurden. General Bellemare ließ seine Artillerie zurückgehen, da sie mit der an Zahl zu überlegenen preußischen den Kampf nicht aufnehmen konnte. Die französischen Truppen blieben in ihren Stellungen, obgleich sie zum ersten Male ein solch fürchterliches Feuer erhielten. Während dieser Zeit stellten die Sappeure Verbindungen her, versahen die Häuser mit Schließscharten und stellten die Barrikaden wieder her. Um 6 Uhr Abends wurden durch frische Truppen die seit dem Morgen engagirten abgelöst. Erstere erhielten den Befehl, die ganze Nacht über zu arbeiten, um die Stellung so vertheidigungsfähig als möglich zu machen. General Bellemare schloß seinen Bericht, dem die vorstehenden Einzelnheiten entnommen sind, bei deren Erwägung man im Gedächtnisse behalten muß, daß Le Bourget nur von einer einzigen preußischen Compagnie besetzt war, mit den Worten: „Die Eroberung von Le Bourget, kühn angegriffen und trotz der zahlreichen Artillerie des Feindes tapfer gehalten, ist eine an sich wenig wichtige Unternehmung, aber sie liefert den Beweis, daß selbst ohne Artillerie unsere jungen Truppen unter dem mehr claschuklternden als eigentlich mörderischen Feuer des Feindes ausharren können. Sie erweitert unseren Occupationskreis über die Forts hinaus, giebt unseren Soldaten Vertrauen und vermehrt die Hülfsquellen an Gemüse für die Pariser Bevölkerung." — Weitere Berichte des General Bellemare meldeten, daß am 28. Octbr. 7½ Uhr Abends die Preußen einen Angriff gegen die linke Seite des Dorfes versucht hätten, der von einer Compagnie des 14. Bataillons der Mobilgarde abgeschlagen worden wäre. Am 29. Octbr. ertheilte General Bellemare nachfolgenden Befehl: „Morgen, am 30. Octbr. früh 7 Uhr, soll der die 2. Brigade befehligende Oberst den Oberst Martin im Dorfe Le Bourget ablösen und mit folgenden Truppen dahin abrücken: 1) dem 1., 2. und 5. Halbbataillon des 35. Marschregiments, 2) 1 Halbbataillon des 28. Marschregiments. Diese Truppen führen ihre Kochgeräthschaften mit sich. Ihr Dienst wird 24 Stunden dauern. Die Franctireurs der Presse und das 14. Bataillon Mobilgarde, die sich heute in Le Bourget befinden, bleiben auch morgen daselbst und werden unter Befehl des Oberst Henrion gestellt. Sobald die bezeichneten Truppen Le Bourget besetzt haben, kehrt Oberst Martin mit den 4 Halbbataillonen des 28. Marschregiments, dem 12. Bataillon Mobilgarde, den beiden Artillerie-Abtheilungen, dem 5. und 6. Halbbataillon des 35. Marschregiments (von denen eine in Courneuve sich befindet, aber gleichfalls zurückkehrt) nach St. Denis zurück. Die beiden, in der Batterie von Courneuve aufgestellten 12-Pfünder kehren gleich-

falls nach St. Denis zurück." — Deutscherseits wurde der 2. preuß. Garde-
Infanterie-Division der Befehl ertheilt, am 30. Octbr. das Dorf Le Bourget
wieder zu nehmen. 5 Batterien der Corpsartillerie wurden der Division für
diesen Zweck zur Disposition gestellt, außerdem war Sorge getragen, einige
Bataillone der 1. Garde-Infanterie-Division als Reserve verfügbar zu halten.
Um 7¾ Uhr früh standen 3 Angriffscolonnen in Dugny, bei Pont Jblon
und bei Blanc-Mesnil bereit; 3 reitende Batterien bei Pont-Jblon und
die 4. leichte und 4. schwere Garde-Batterie bei Blanc-Mesnil. Um
8 Uhr eröffneten die 3 reitenden Batterien das Feuer auf Le Bourget, während gleichzeitig die Angriffscolonne aus Blanc-Mesnil — Oberst v. Zeuner
mit 2 Bataillonen Kaiser Alexander-Regiments — antrat, um auf dem Wege
nach Drancy den Moleret-Bach zu überschreiten und längs desselben nach dem
Südende von Le Bourget zu marschiren. Zu derselben Zeit gingen die bei
Blanc-Mesnil stehenden beiden Batterien unter Bedeckung von 3 Compagnien
des Garde-Schützenbataillons gegen Le Bourget vor und eröffneten das Feuer.
Um 8½ Uhr setzte sich die Angriffscolonne von Pont-Jblon — Oberst Graf
Kanitz mit dem 3. Garde-Grenadier-Regiment Königin Elisabeth, 1. Bataillon
Regim. Königin Augusta und der 2. Garde-Pionier-Compagnie — sowie die
aus Dugny — Major v. Derenthal mit 2 Bataillonen Kaiser Franz-Regim.
— zum Angriff auf Le Bourget in Bewegung. Die Vorposten bei Stains,
Dugny, Pont-Jblon und Blanc-Mesnil blieben in ihren Stellungen stehen.
Die Divisions-Artillerie war bei Arnouville zum event. Schutze des rechten
Abschnittes und das 2. Garde-Ulanen-Regiment bei Bonneuil consignirt. Der
Vormarsch der 3 Colonnen — in Summa 8 Bataillone, 3 Compagnien
Schützen, 5 Batterien, 1 Pionier-Compagnie — geschah derartig, daß die 3
Colonnen gleichzeitig mit ihren Töten bei Le Bourget anlangten. Die bei
Pont-Jblon stehenden 3 reitenden Batterien feuerten über die von dort vor-
gehende Colonne hinweg, so daß das Artilleriefeuer von beiden Seiten auf
Le Bourget bis zum Beginn des Infanteriekampfes fortgesetzt werden konnte.
Die vorgehenden Colonnen erhielten lebhaftes Geschützfeuer aus den Forts und von
einer Feldbatterie, sowie starkes Infanteriefeuer aus den Lisièren von Le Bourget. Die Colonne des Oberst v. Zeuner drang zuerst in das Dorf ein und
nahm den Bahnhof etwa um 9 Uhr. Unter heftigem Gewehrfeuer gelang es
auch der Colonne des Oberst Graf Kanitz, bis an die nördliche Lisière des
Dorfes heranzukommen. Der dortige Eingang war durch eine Barrikade versperrt und die Umfassungsmauern der Gehöfte mit Schließscharten versehen.
Dennoch wurden die Enceinte, die die Straße schließende Barrikade, sowie die
ersten Gehöfte im ersten Anlauf von Offizieren und Schützen des 3. Garde-
Grenadier-Regiments Königin Elisabeth genommen. Die Colonne des Major
v. Derenthal erzwang sich gegen 9¼ Uhr den Eingang und mußten die Colonnen fast jedes Gehöft einzeln nehmen, da die Franzosen sich hartnäckig vertheidigten. Der Kampf im Dorfe dauerte bis etwa 12¼ Uhr, zu welcher
Zeit das Gewehrfeuer erstarb. Mit dem weiteren Vorschreiten der preußischen
Truppen verstärkte sich das Granatfeuer aus den Forts von St. Denis,
Aubervilliers, Romainville und Noisy. In Drancy zeigten sich im Laufe des Gefechts sich stärkere französische Abtheilungen aller Waffen, gegen die 2 Compagnien des Kaiser Alexander-Regiments, welche am Eisenbahndamm placirt
waren, ferner die 4. schwere und 4. leichte Garde-Batterie mit gutem Erfolge
wirkten. Vom 12. sächsischen Armeecorps waren auch Aulnay Abtheilungen
ausgerückt, die jedoch nicht unmittelbar in das Gefecht eingriffen. Nachdem
Le Bourget vollständig von den Franzosen gesäubert worden, erfolgte die dauernde
Besetzung mit den dafür bestimmten Truppen und wurden durch die 2. Garde-
Pionier-Compagnie die entsprechenden Vertheidigungsanstalten ausgeführt, während die übrigen Truppen in ihre Cantonnements zurückgezogen wurden. Die

Ausbeute des Gefechts waren 1250 unverwundete Gefangene mit 30 Officieren, darunter 1 Stabsofficier. Die 2. Garde-Infanterie-Division verlor an Todten 14 Mann, 44 Mann, an Verwundeten 21 Officiere, 405 Mann. Am meisten litt das Regiment Elisabeth, das 6 todte, 12 verwundete Officiere zählte, von denen der Commandeur, Oberst v. Zaluskowski, bald nach dem Gefechte seinen Wunden erlag, demnächst das Regiment Königin Augusta, das 5 Officiere todt und 3 verwundet hatte. Unter den ersteren befand sich sein Commandeur Oberst Graf Waldersee, der erst seit einigen Tagen nach kaum erfolgter Genesung von seinen Wunden das Commando wieder übernommen hatte. Die schweren Verluste der Division waren durch die hartnäckige Vertheidigung des Dorfes verursacht, die Gefangenen gehörten fast ausschließlich Garde- und Linien-Regimentern an. Der Divisions-Commandeur, General-lieutenant v. Budritzli, der das Gefecht musterhaft angeordnet, überstieg, die Fahne des 2. Bataillons vom Regim. Elisabeth in der Hand, die Barrikade am Nordeingange von Le Bourget und fand, als er die Dorfstraße erreichte, daselbst im Häuserkampfe begriffen, Abtheilungen des genannten Regiments, so wie den Oberst Graf Kanitz bereits anwesend, die von anderen Seiten in das Dorf eingedrungen waren. — Der commandirende General des preußischen Garde-Corps, Prinz August von Württemberg, erließ aus seinem Hauptquartier Gonesse noch am Tage der Wiederbesetzung von Le Bourget den nachfolgenden Corpsbefehl: „Soldaten des Garde-Corps! Der dem Garde-Corps befohlene Angriff auf Le Bourget ist heute Morgen von der 2. Garde-Infanterie-Division mit den ihr zugetheilten Truppen aller Waffen glorreich durchgeführt worden. Ein mit hohen steinernen Mauern umschlossenes, zur Vertheidigung eingerichtetes und mit den besten Truppen der Pariser Garnison besetztes Dorf ist einem Feinde entrissen worden, der so hartnäckig jedes einzelne Gehöft vertheidigte, daß oft erst der Pionier für den Infanteristen den Weg öffnen mußte. Sind die Verluste, mit welchen der Sieg erkauft ist, verhältnißmäßig auch sehr groß, so hat das Garde-Corps dafür doch einen neuen Ruhmestag in seiner Geschichte gewonnen. Im Namen des Corps spreche ich daher dem helden-müthigen Commandeur der 2. Garde-Infanterie-Division, der mit der Fahne in der Hand die sperrende Barricade zuerst überstieg, sowie den betheiligten Officieren, Unterofficieren und Soldaten der Infanterie, Cavalerie, Artillerie und Pionieren den Dank für die Ehren aus, welche sie heute dem Gardecorps erkämpft haben. Vertrauensvoll kann man solchen Truppen die Lösung der schwierigsten Aufgaben übertragen." — General Bellemare meldete am 30 Oct. Nachmittags 5 Uhr: „Heute Morgen, in früher Stunde, zeigten sich vor Le Bourget Infanteriemassen, die auf mehr als 15,000 Mann geschätzt wurden, von einer zahlreichen Artillerie unterstützt, während andere Colonnen das Dorf von Dugny und Blanc-Mesnil her umgingen. Eine Anzahl Leute, die im nördlichen Theile von Le Bourget waren, sind vom Hauptcorps abgeschnitten und in den Händen der Deutschen geblieben. Das Dorf Drancy, erst seit 24 Stunden besetzt, hatte in seiner linken Flanke keine Anlehnung mehr und da die Zeit gefehlt hatte, es in Vertheidigungszustand zu versetzen, so wurde seine Räumung befohlen, um die darin befindlichen Truppen nicht zu gefährden. Das Dorf Le Bourget gehörte nicht zum französischen allgemeinen Vertheidigungssystem, sein Besitz war von nur sehr untergeordneter Bedeutung." — Die Correspondence Havas meldete, daß die Mobilgarden, in Folge einer Nachlässigkeit, beinahe 48 Stunden ohne Lebensmittel geblieben waren, während die Linientruppen ihre regelmäßige Ration erhalten hatten. Als Commentar zu diesen französischen Darstellungen mag hinzugefügt werden, daß General Belle-'are seines Commandos enthoben und an seiner Stelle General Berthout zum ommandanten von St. Denis ernannt wurde. Inzwischen war am 27. Oct.

im Schlosse Frescaty die Capitulation von Metz und der Armee des Marschall Bazaine zwischen den Generalen Jarras und v. Stiehle abgeschlossen worden. Der König von Preußen ernannte, um den Moment würdig zu bezeichnen, in welchem die zweite kaiserliche Armee, die im August den deutschen Heeren gegenübergetreten war, unschädlich gemacht worden, den Kronprinzen von Preußen und den Prinzen Friedrich Carl von Preußen zu General-Feldmarschällen, während er den General Frhr. v. Moltke in den Grafenstand erhob. Durch die Capitulation von Metz wurde die dortige Cernirungsarmee disponibel und fand demnach sofort die Heranziehung des 2. preußischen Armee-Corps zur Blokade von Paris statt. Eine Division desselben wurde mittelst Eisenbahntransportes von Metz nach Paris gezogen, während die andere dieses Ziel mittelst Fußmarsches erreichte. Das 1. und 8. preußische Corps wurden nach dem Nordwesten Frankreichs dirigirt, um der sich bildenden Nordarmee entgegenzutreten, während das 3., 9. und 10. preußische Corps unter Feldmarschall Prinz Friedrich Carl gegen die Loire marschirten. Bei dem 9. Corps befand sich die großherzoglich hessische 25. Division in Stelle der 17. Division. Somit konnte allen Versuchen zum Entsatze der Hauptstadt gründlich begegnet werden. Vor dieser fanden fortdauernd kleinere Vorpostenplänkereien statt, während die Forts ihr Feuer unausgesetzt verschwendeten, ohne daß nur irgend nennenswerthe Erfolge erzielt wurden. So feuerte namentlich am 31. Octbr. Abends und am 1. Novbr. früh das Fort Valérien sehr lebhaft, ohne daß deutscher Seits irgend welche Verluste eintraten. — Die Verbindung mit dem Lande war für Paris seit der zweiten Hälfte des September vollständig aufgehoben, man griff daher zu verschiedenen Mitteln, um einigermaßen in Relation mit der nach Tours übergesiedelten Delegation der Regierung der nationalen Vertheidigung zu bleiben. Namentlich wurden hierzu Luftballons benutzt; mittelst eines solchen verließ am 6. October Gambetta Paris und gelangte in der Gegend von Rouen zur Erde, um am 9. October in Tours einzutreffen und darauf energische Maßregeln zur Organisirung neuer Streitkräfte zu treffen. Viele dergleichen Luftballons fielen aber deutschen Truppen in die Hände, so wurden z. B. zwei Ballons mit 5 Passagieren von preußischen Husaren abgefangen und am 5. November im Hauptquartier zu Versailles abgeliefert. Da außerdem die Luftballons vielfach zum Zielpunkt von Schüssen der Cernirungstruppen gemacht wurden, sobald sie durch solche zu erreichen waren, so ließ man in Paris die Ballons nur noch während der Dunkelheit aufsteigen — manche haben ihr Ziel erreicht, viele aber sind im Bereiche deutscher Truppen zur Erde gekommen oder auf deutschem, belgischem, selbst norwegischem Gebiete aufgefangen worden. — Während am 8. November Verdun und am 10. Novbr. Neu-Breisach capitulirten, mußte sich General v. d. Tann am 9. Novbr. vor großer Uebermacht aus Orleans zurückziehen, doch gelang sie ihm, im Verein mit der 22. preußischen Infanterie-Division, der 4. Cavalerie-Division und später auch der 17. Infanterie-Division die Loire-Armee von ernstlichen Unternehmungen gegen Paris abzuhalten, bis die Armee des Feldmarschall Prinzen Friedrich Carl in die Operationen eingreifen konnte. Dies geschah zuerst am 28. November durch den siegreichen Erfolg des 10. preußischen Corps bei Beaune-la-Rolande. An demselben Tage wurde im Norden Amiens durch General v. Göben besetzt, nachdem er Tags zuvor die Nordarmee bei Amiens geschlagen hatte. In Verbindung mit dem Vorrücken der Loire- und Nordarmee wurde gegen Ende November die Vertheidigung von Paris wieder etwas activer. In der Nacht vom 26. zum 27., in der vom 28. zum 29. und am Morgen des 29. November fand ein heftiges Feuer aus den Forts von Paris statt. Obgleich in der Nacht vom 28. zum 29. November über 2000 Granaten verfeuert wurden, wiesen die Meldungen der Cernirungstruppen doch nicht eine einzige Verwundung oder

Tödtung nach. Am 28. November erließ General Ducrot den nachfolgenden
Aufruf an die 2. Armee von Paris, der deutlich zeigt, welche stolze Hoffnungen man auf die Ausfälle der nächsten Tage setzte. Gleichzeitig geht aber auch
daraus hervor, daß man in Paris glaubte, die Cernirungsarmee sei durch Detachirungen nach der Loire bedeutend geschwächt und ein Massenausfall sei daher
um so mehr gerathen. Der Tagesbefehl Ducrots lautet: „Soldaten der 2. Armee
von Paris! Der Augenblick ist gekommen, um den eisernen Gürtel zu sprengen,
gen, der uns schon zu lange umschließt und uns in einem langwierigen und
schmerzlichen Todeskampf zu ersticken droht. Euch ist die Ehre zugefallen, dieses große Unternehmen durchzuführen und ich bin davon überzeugt, Ihr werdet
Euch derselben würdig zeigen. Es ist kein Zweifel, daß unser erstes Vorgehen
schwierig sein wird; wir werden ernste Hindernisse zu überwinden haben; man
muß sie mit Ruhe und Entschlossenheit, ohne Uebertreibung und ohne Schwäche
im Voraus scharf ins Auge fassen. Die Wahrheit ist folgende: beim ersten
Vorgehen über unsere Vorposten werden wir auf unvertheilhafte Feinde stoßen,
welche durch zu zahlreiche glückliche Erfolge kühn und selbstvertrauend geworden
sind. Es wird daher tapferer Anstrengungen bedürfen, die jedoch Eure Kräfte
nicht übersteigen. In Folge der Fürsorge unseres Generals en chef sind mehr
als 400 Geschütze, von denen mindestens ¾ das schwerste Kaliber haben, zusammengestellt; kein materielles Hinderniß wird ihnen zu widerstehen vermögen
und um Euch in diese Oeffnung vorstürmen zu lassen, werdet Ihr Eurer mehr
als 150,000 Mann sein, Alle gut bewaffnet und gut ausgerüstet, mit Munition über Bedarf versehen und, wie ich zuversichtlich hoffe, Alle von einem unwider-
stehbaren Feuer beseelt. Siegt Ihr in dieser ersten Periode des Kampfes, so
ist Euch der Erfolg gesichert, denn der Feind hat seine zahlreichsten und besten
Soldaten nach den Ufern der Loire entsendet; die heroischen und erfolgreichen
Anstrengungen unserer dortigen Brüder werden sie daselbst aufhalten. Muth
also und Vertrauen! Bedenkt, daß wir in diesem höchsten Ringen für unsere
Ehre, für die Freiheit, für das Wohl unseres theuren und unglücklichen
Vaterlandes kämpfen, und wenn diese Beweggründe noch nicht ausreichen sollten, Eure Herzen zu entflammen, so denkt an Eure verwüsteten Felder, an
Eure ruinirten Familien, an Eure Schwestern, Eure Frauen, Eure trostlosen
Mütter! Möge dieser Gedanke Euch mit demselben Durst nach Rache, derselben
dumpfen Wuth erfüllen, welche mich beseelen und Euch Verachtung jeder Gefahr einhauchen. Was mich betrifft, so bin ich entschlossen, und ich schwöre
es vor Euch und der ganzen Nation, nur todt oder siegreich nach Paris zurückzukehren. Ihr könnt mich fallen, werdet mich aber nicht zurückweichen sehen.
Im ersteren Falle stutzt nicht, aber rächet mich! Vorwärts also, vorwärts!
Gott sei mit Euch." Der General en chef der 2. Armee von Paris. A. Ducrot. — Nach französischen Berichten begannen die Operationen am Abend des
28. November. Im Osten wurde das Plateau von Avron um 8 Uhr von
Marinetruppen unter Admiral Baisset, unterstützt durch die Division d'Hugues,
besetzt; es wurde auf dieser Höhe eine zahlreiche Artillerie weittragender Geschütze etablirt, welche die deutschen Stellungen, sowie die Verbindungslinien
derselben nach Chagny, Chelles und Gournay weithin bedrohte. Im Westen
hatte man auf der Halbinsel Gennevilliers unter Leitung des Generals de Liniers
mit Terrassirungsarbeiten begonnen; es waren neue Batterien mit Schanzkörben versehen und Schützengräben auf der Insel Morante, der Insel von Bezons und an der Eisenbahn nach Rouen angelegt worden. Am andern Morgen entsandte General de Beaufort eine Recognoscirung gegen Buzanval und
gegen die Höhen von Malmaison, auf seinem rechten Flügel vor Bezons mit
den Truppen des General de Liniers in Verbindung bleibend. Am 29. Novbr.
bei Tagesanbruch machten die Truppen der 3. Armee unter General Vinoy

einen Ausfall gegen Thiais, L'Hay und Choisy-le-Roi und wurde das Feuer aus den Forts auf die verschiedenen Punkte gerichtet, welche als Sammelpunkte der deutschen Truppen bezeichnet waren. Der Ausfall traf auf das 6. preuß. Corps, das mehrere Angriffe siegreich zurückwies und dabei über 300 unverwundete Gefangene machte, bei einem eigenen Verluste von 3 Officieren todt und 1 Officier 70 Mann todt oder verwundet. Die am 28. und 29. Novbr. französischerseits ausgeführten Bewegungen hatten auf den Ebenen von Aubervilliers bedeutende Streitkräfte zusammengeführt, ferner waren am Marne-Ufer die 3 Corps der 2. Armee unter Befehl des General Ducrot versammelt. Am 30. Novbr. Morgens wurden Brücken über die Marne bei Nogent und Joinville geschlagen, deren Bau außerhalb des deutschen Feuers vorbereitet war. Die beiden ersten Corps der 2. Armee unter den Generalen Blanchard und Renault bewerkstelligten mit ihrer gesammten Artillerie schnell den Uebergang. Diese Operation wurde durch ein wohlunterhaltenes Artilleriefeuer gesichert von sämmtlichen Batterien, welche auf dem rechten Marne-Ufer bei Nogent, Perreux, Joinville und auf der Halbinsel St. Maur etablirt waren. Um 9 Uhr griffen diese beiden Corps Champigny und die ersten Stufen des Plateau von Villiers an. Um 11 Uhr waren nach französischen Berichten alle diese Positionen genommen und es sollten die Verschanzungsarbeiten durch Truppen der zweiten Linie beginnen, als die Deutschen einen heftigen Vorstoß unternahmen, der durch neue Batterien unterstützt wurde. Die französischen Verluste in diesem Momente waren fühlbar; vor Champigny hinderten die bei Chennevières aufgefahrenen deutschen Batterien das Vorgehen der Colonnen des 1. Armeecorps, während zahlreiche deutsche Infanterie, welche aus den Verschanzungen bei Villiers vorbrach, die Truppen des General Renault angriff. Nur das energische Feuer der französischen Batterien unter den Generalen Frebault und Boissonnet vermochte sich dem offensiven Vorgehen der Deutschen Halt zu gebieten. In Folge hiervon konnten die Franzosen, durch General Ducrot vorgeführt, sich mit dem Bajonnet definitiv in den Besitz der Höhen setzen. — General Trochu berichtete aus dem Schlosse zwischen Brie an der Marne und Champigny 3 Uhr Nachmittags: „Der rechte Flügel hat die glänzend genommenen Positionen behauptet. Die Mobilgarde, nachdem sie etwas gewankt, hat sich tüchtig gehalten und die Deutschen, deren Verluste beträchtlich sind, wurden gezwungen, sich hinter den Kamm der Anhöhen zurückzuziehen. Die Artillerie unter General Frebault hat sich vortrefflich geschlagen. Wenn man vor einem Monate gesagt hätte, daß sich in Paris eine Armee bilden würde, fähig, einen schwierigen Strom Angesichts des Feindes zu überschreiten und die auf den Höhen verschanzte deutsche Armee vor sich herzutreiben — Niemand würde es geglaubt haben. General Ducrot hat sich bewunderungswürdig benommen, ich kann ihn nicht hoch genug ehren. Die Division Susbielle, welche außerhalb und auf dem rechten Flügel des Gefechtes mit viel Muth die Position von Montmesly genommen hatte, hat sich dort überlegenen Kräften gegenüber nicht halten können und ist nach Creteil zurückgegangen, aber ihre Diversion ist sehr nützlich gewesen." — Später, um 7¾ Uhr Abends, berichtete General Trochu: „Das Ende des Tages ist gut gewesen. Eine Division des General d'Exea hat die Marne passirt und die Offensive wieder ergriffen; wir ruhen in den Stellungen. Der Feind hat uns 2 Kanonen gelassen und seine Verwundeten und Todten nicht mit sich führen können." — Nach 8 Uhr Abends meldete der Oberbefehlshaber zu St. Denis an den General Trochu: „Das Programm, das Sie mir bezeichnet haben, ist in allen Theilen ausgeführt. Heute Morgen ging die Brigade Lavoignet, welcher die Mobilen des Herault und der Saône und Loire beigegeben waren, unterstützt von der Cavalerie-Division Bertin de Vaux in die Ebene von Aubervilliers vor, besetzte Drancy und setzte ihre Bewegung bis Grostay fort. Der Feind concentrirte sich mit zahlreicher Artillerie in seinen Verschanzungen hinter dem Moren-Bache und ging nicht aus seinen Stellungen heraus. Am Nachmittage bemächtigte sich, bei einer lebhaften Kanonade aus den Forts und der schwimmenden Batterie Nr. 4, die Brigade Henrion unter einem wohlgenährten Artilleriefeuer des Dorfes Epinay. Das 135. Regiment, 2 Compagnien Marine-Füsiliere und das 1., 2. und 10. Bataillon der Mobilgarden der Seine haben mit ausgezeichneter Bravour das Dorf genommen. 72 Gefangene, darunter ein Adjutant, Munition und 2 Geschütze sind in unseren Händen geblieben." Soweit die französischen Berichte über die Gefechte am 30. November. — Deutscherseits schlug das 6. preußische Corps die gegen dasselbe gerichteten Angriffe bis 11 Uhr Morgens siegreich zurück und sandte demnächst dem stark angegriffenen linken württembergischen Flügel über Villeneuve St. Georges noch 6 Bataillone, 2½ Escadrons und 2 reitende Batterien zur Unterstützung zu. Nachmittags 3 Uhr wurde die Stellung des 6. Corps von Neuem heftig angegriffen, nach 6 Uhr waren die Franzosen jedoch abermals zurückgewiesen. Dank den Verschanzungen war der Verlust des 6. Corps nur gering. — Die 2. und 3. württembergische Brigade schlugen in fünfstündigem ernstem Gefecht den Ausfall der Division Susbielle gegen Montmesly unter Hülfeleistung der 7. Brigade des 2. preußischen Corps siegreich zurück. Gleichzeitig schlug die 1. württembergische Brigade in ihrer Stellung bei Coeuilly und Villiers, östlich von St. Maur den energischen Angriff einer anderen Division während des ganzen Tages zurück, wobei sie über 300 Gefangene machte. Ebenso bestand die 24. sächsische Division mit Theilen der Corpsartillerie des 12. sächsischen Corps in Gemeinschaft mit der württembergischen 1. Brigade bei Noisy-le-Grand und Villiers ein glänzendes Gefecht und trieb die zwischen Brie und Villiers vorgedrungenen, 50,000 Mann starken, Franzosen bis über das Plateau zurück. Am heftigsten wüthete der Kampf bei Champigny, Brie und Villiers an der Marne. Die beiden erstgenannten Dörfer, die, im Granatfeuer der detachirten Forts gelegen, deutscherseits nicht zu dauernder Behauptung, sondern nur zur Beobachtung bestimmt waren, blieben am 30. November Abends in den Händen der Franzosen. Letztere behielten dieselben am 1. December besetzt, wurden aber am 2. December bei Tagesanbruch angegriffen und aus den beiden Dörfern vertrieben; gegen 10 Uhr Morgens gingen sie auf's Neue mit überlegenen Kräften gegen die deutsche Vertheidigungsstellung zwischen Seine und Marne vor, wurden jedoch abermals in 8stündigem heißen Kampfe durch Truppen des 12. sächsischen, 2. preuß. Corps, sowie durch die württembergische Division zurückgeschlagen, wobei die Dörfer Champigny und Brie in deutschem Besitze blieben. Trotzdem berichtete General Trochu am 2. December, Abends 5½ Uhr, aus dem Fort Nogent nach Paris: "Ich kehre in mein Quartier im Fort zurück, sehr ermüdet und sehr zufrieden. Diese zweite große Schlacht ist viel entscheidender, als die vorhergehende. Der Feind griff uns zur Zeit der Reveille mit Reserven und frischen Truppen an; wir konnten ihm nur die Gegner vom zweiten Tage entgegenstellen, ermüdet, mit unvollständigem Material und erstarrt durch die Winternächte, die sie ohne Decken zugebracht haben, denn um sie zu erleichtern, hatten wir sie in Paris zurücklassen müssen. Aber der staunenswerthe Muth der Truppen hat Alles ersetzt; wir schlugen uns 3 Stunden, um unsere Stellungen zu behaupten und 5 Stunden, um die des Feindes zu nehmen, in denen wir ruhen. Dies ist die Bilanz dieses harten und schönen Tages. Viele werden ihren Heerd nicht wiedersehen; aber diese betrauerten Todten haben der jungen Republik des Jahres 1870 eine ruhmvolle Seite in der militairischen Geschichte des Vaterlandes erworben." — Nichtsdestoweniger ging die Armee des General Ducrot am 3. December über die Marne zurück, um sich im Walde von Vincennes zu concentriren und daselbst zu bivouakiren, um, wie es hieß, ihre Operationen zu verfolgen. Der Rückzug wurde durch einen starken Nebel begünstigt. Der französische Verlust in den Tagen vom 30. November bis 3. December betrug bei der 2. Armee 61 Officiere todt, 310 Officiere verwundet, 711 M. todt, 4098 M. verwundet; 3. Armee 8 Officiere todt, 22 Officiere verwundet, 192 M. todt, 364 M. verwundet; Corps von St. Denis 3 Officiere todt, 19 Officiere verwundet, 33 M. todt, 218 M. verwundet; in Summa 72 Officiere todt, 342 Officiere verwundet, 963 M. todt, 4680 M. verwundet; Totalsumme 6030 Officiere und Mann todt und verwundet. Am 4. December erließ General Ducrot einen Tagesbefehl, der seinem Aufrufe vom 28. November gegenüber ungemein ernüchtert klingt. In demselben heißt es: „Nach zwei Tagen des hartnäckigsten Kampfes habe ich Euch über die Marne zurückgehen lassen, weil ich überzeugt war, daß alle neuen Anstrengungen in der bisherigen Richtung unnütz sein mußten, weil der Feind Zeit gehabt hat, dort seine Streitkräfte zu concentriren. Der Kampf ist jedoch nur augenblicklich unterbrochen; wir werden ihn mit Entschlossenheit wieder aufnehmen." — Anders klingt der Corpsbefehl des commandirenden Generals des 12. sächsischen Corps, Prinz Georg von Sachsen, aus seinem Hauptquartier Champs vom 2. December Abends: „Die sächsische Kriegsgeschichte hat ein neues ruhmvolles Blatt aufzuweisen. Die heute im Gefechte gewesenen Truppen haben mit großer Tapferkeit und seltenem Muthe ihren alten Ruhm bewährt. Speciell spreche ich dem 8. Infanterie-Regiment Nr. 107 wegen des Sturmes auf Brie-sur-Marne und dem Schützen-Regiment Nr. 108 wegen seines glänzenden Gefechtes gegen vielfach überlegene Kräfte meine Bewunderung und volle Anerkennung aus." — Freilich konnten so schwere Kämpfe nur mit bedeutenden Verlusten bestanden werden; die württembergische Division verlor 8 Officiere todt, 32 Officiere verwundet, 400 M. todt und 600 M. verwundet; das 12. sächsische Corps verlor gegen 2000 M. Diesen Verlusten standen aber über 3000 Gefangene gegenüber. — Inzwischen war die Armee des Feldmarschall Prinzen Friedrich Carl von Preußen im Vorrücken gegen die Loire-Armee geblieben und hatte das 9. preußische Corps am 4. December den Bahnhof von Orleans genommen und in der Nacht vom 4. zum 5. December die Stadt Orleans wieder besetzt. Dies theilte General Graf Moltke am 5. December dem General Trochu mit und stellte ihm anheim, sich durch einen Officier über diese Thatsache informiren zu lassen. General Trochu hielt es, nach seinem Schreiben vom 6. December, nicht für nöthig, die Mittheilung auf die vom Grafen Moltke empfohlene Weise verificiren zu lassen. Dagegen suchte man in Paris die Streitkräfte nach Möglichkeit zu organisiren und zu discipliniren. So hatte sich der Mißbrauch eingeschlichen, daß die Commandeure willkürlich Nationalgardisten, welche in die Kriegscompagnien eingestellt worden, in die nur zur inneren Besetzung der Stadt bestimmten anderen Compagnien der Nationalgarde übertreten ließen; einzelne Nationalgardisten waren sogar so weit gegangen, ohne Weiteres Stellvertreter für sich in die Kriegscompagnien einzustellen. Der Generalcommandant der Nationalgarde, General Thomas, rügte diese Eigenmächtigkeiten scharf und streng auf das Nachdrücklichste, indem er in seinem Tagesbefehle einen Fall anführte, in welchem sich ein unverheiratheter Nationalgardist einer Kriegscompagnie durch einen Familienvater von 5 Kindern hatte vertreten lassen. Da die Organisation der Nationalgarde in zahlreiche einzelne Bataillone, ohne Verbindung unter sich und mit dem Oberbefehlshaber, sich schon für den inneren Dienst als fehlerhaft erwiesen und dies in noch höherem Grade für die kriegerischen Operationen sein mußte, an welchen sie Theil nehmen sollte, so beantragte General Thomas am 9. December, zwischen den einzelnen Bataillonen den Zusammenhang und die Einheit der Action herzustellen, die für ihre Wirksamkeit unerläßlich schienen. Da 80 Marschbataillone bereits ausgerüstet und ihre Zahl in stetigem Wachsen begriffen, so erbat er sich von dem Gouvernement die nationalen Vertheidigung die Ermächtigung, die Kriegsbataillone in Regimenter zusammenstellen und zum Commando derselben einige ihrer erwählten Chefs, welche die erforderlichen militairischen Kenntnisse besitzen, mit dem Range eines Obersten oder Oberstlieutenants berufen zu dürfen. — Die französische Nordarmee unter Faidherbe hatte sich unterdeß nach ihrer Niederlage bei Amiens am 27. November wieder organisirt und war im Vormarsche gegen Paris begriffen, wurde aber am 23. December durch die 1. Armee unter General v. Manteuffel an der L'Hallu, 1½ Meilen nordöstlich von Amiens, nach Erstürmung mehrerer Dörfer mit sehr bedeutenden Verlusten über den Abschnitt der L'Hallu zurückgeworfen und gegen Arras zu verfolgt. Im Zusammenhange mit dem Vorrücken der Nordarmee und in der falschen Annahme, daß dieselbe sich bereits Paris genähert habe, wurde, nachdem die Forts in der Nacht vom 20. zum 21. December wiederum ein heftiges Feuer unterhalten hatten, am 21. December ein Ausfall der Pariser Garnison vorzugsweise gegen die Fronten des preußischen Garde-Corps und des 12. sächsischen Corps unternommen, während gleichzeitig vom Mont Valérien aus eine Scheindemonstration gegen Montretout und Buzanval gegen die Stellungen des 5. preußischen Corps und von St. Denis aus eine eben solche gegen Epinai ausgeführt wurde. Der Hauptstoß erfolgte in nördlicher Richtung gegen das preußische Garde-Corps unter dem persönlichen Befehle des General Ducrot und zwar mit der selbstständig gewordenen früheren 2. Division des Corps Vinoh unter Vice-Admiral de la Roncière zunächst gegen Le Bourget, der Vorstoß auf dem rechten Flügel gegen das 12. sächsische Corps unter den Generalen Malroh und Blaise (1. und 2. Division des I. Corps der II. Armee). Im Ganzen wurden zu diesen Ausfällen 100 Bataillone, mithin die gesammte II. Armee, sowie zum ersten Male auch die neu formirten Batterien der Nationalgarde verwendet. Im Einzelnen verliefen die Gefechte in folgender Weise. 1) Der Ausfall gegen das Garde-Corps. Im Norden von Paris bildeten die 2000—3000 Schritt vor den Forts gelegenen Dörfer Courneuve, Bobigny und Bondy die französische Vorpostenlinie. Das 2000 Schritt nördlich von Bobigny gelegene Dorf Drancy wurde von den Franzosen nur des Nachts besetzt, da es zwar noch unter dem Feuer der Forts, aber nur 2000 Schritt von der deutschen Vorpostenlinie entfernt lag, daher sehr exponirt war. Die preußische Vorpostenlinie lief dagegen von Pierrefitte über Stains nach Le Bourget in südöstlicher Richtung, etwa 4000 Schritt von den Forts, mithin noch im Schußbereich derselben. Die Hauptstellungen des preußischen Garde-Corps erstreckten sich dagegen durchschnittlich 3000 Schritt hinter der Vorpostenlinie über Garges über Dugnh, Pont-Jblon, Le Blanc-Mesnil, Aulnay nach Sevran am Ourcq-Kanal und der Eisenbahn von Paris nach Soissons. Hier schlossen sich die Vorpostenlinien des 12. sächsischen Corps in zur Marne unmittelbar an. Auch die Hauptstellungen des Garde-Corps konnten noch durch das Feuer aus den Forts beunruhigt werden, was namentlich mit Dugnh der Fall war, welches nur wenig über 5000 Schritt von den Forts bei St. Denis entfernt liegt. Schon am Nachmittage und Abend des 20. December wurde dem General-Commando des Garde-Corps in Gonesse gemeldet, daß feindliche starke Truppenmassen aus St. Denis ausgerückt und von dort über Courneuve nach Aubervilliers marschirt wären, auch 3 Brigaden und mehrere Batterien von Bobigny her den linken Flügel der preußischen Aufstellung bedrohten. Nach dem Bericht des 12. sächsischen Corps hatten sich am 20. December Nachmittags bei Noish-le-Sec 2 Divisionen und 11 Batterien concentrirt, die in der Nacht mittelst der Eisenbahn auf ein volles Armeecorps verstärkt worden waren. In Folge dieser Meldungen erging an die auf dem linken Flügel stehende 2. Garde-Infanterie-Division des Generallieutenant v. Budrizky die Weisung, sich allarmbereit zu halten und an die rechts davon stehende 1. Garde-Infanterie-Division des General v. Pape der Befehl, alle disponibeln Truppen am 21. December früh zwischen 7 und 8 Uhr östlich von Gonesse auf dem Wege nach Aulnay bis Blanc-Mesnil aufzustellen, um von hier aus einen der bedrohten Punkte unterstützen zu können. Am frühen Morgen des 21. December stand das Garde-Corps in den angewiesenen Stellungen, auf dem rechten Flügel die disponibeln Truppen der 1. Garde-Infanterie-Division, 6 Bataillone, 3 schwere (6pfündige) Batterien unter Oberst v. Neumann an der Straße Gonesse-Aulnay; da Dugny bedroht wurde, rückte jedoch Oberst v. Neumann schon am 8½ Uhr mit 2 Bataillonen und 1 Batterie dahin ab, während der Rest des Detachements in eine Reserve-stellung bei Pont-Iblon an der Straße nach Le Bourget beordert wurde. Die Absichten der Franzosen ließen sich noch nicht erkennen, da dieselben sowohl vor Stains als vor Dugny und Le Bourget starke Colonnen zeigten, während die ganze Linie der Forts, sowie zahlreiche verdeckt aufgestellte Feldbatterien ein sehr heftiges Feuer eröffneten. Da Prinz August von Württemberg vermuthete, der Haupt-Angriff werde gegen Le Bourget gerichtet sein, so begab er sich nach Pont-Iblon, woselbst um 10 Uhr auch der Commandeur der Maas-Armee, Kronprinz von Sachsen, von Le Vert-galant eintraf, um dem Gefecht, im Mittelpunkt der Kampflinie, bis zur Entscheidung beizuwohnen. Le Bourget, von 1 Bataillon des 3. Garde-Grenadier-Regiments und 1 Compagnie Garde-Schützen besetzt, war schon früh 7 Uhr angegriffen worden. Feindliche Colonnen hatten sich von Courneuve in der Richtung auf Dugny vorbewegt, woher in der Erwartung eines Angriffs von Süden und Westen her, 2 Compagnien Garde-Grenadiere und die Garde-Schützen-Compagnie die Süd-Lisière, 1 Compagnie Garde-Grenadiere die Westseite und den dort gelegenen Kirchhof besetzt hatten. Plötzlich aber änderte der Feind seine Marschrichtung und warf sich auf den nordwestlichen Theil von Le Bourget und dessen Nordeingang. Unterstützt von dem Feuer seiner Batterien und aus dem Fort de l'Est, besiegte seine große Ueberlegenheit den tapferen Widerstand der hier stehenden einen Compagnie, der eine andere zu Hülfe geeilt war; es wurde der Nordeingang und der Kirchhof genommen und hiebei 125 Grenadiere, nachdem sie ihre sämmtlichen Führer verloren, gefangen genommen. Dagegen schlugen die 3 Compagnien an der Süd-Lisière alle mit großer Ueberlegenheit gleichzeitig gegen sie ausgeführten Angriffe energisch zurück. Nach dem Bericht des Admirals de la Roncière, der den Angriff auf Le Bourget leitete, war es ein Marine-Bataillon und das 138. Linien-Regiment, welche den nördlichen Eingang nahmen, während General Lavoignet den südlichen Dorftheil vergeblich angriff. Durch die Besetzung des nördlichen Theils von Le Bourget wurde eine schleunige Meldung an den commandirenden General bei Pont-Iblon verhindert. Derselbe erkannte aber die bedrohte Lage der Besatzung von Le Bourget und ließ um 8 Uhr 2 Batterien der Corpsartillerie in die Position von Pont-Iblon, sowie bald darauf 1 Compagnie Alexander-Grenadiere und das 1. Bataillon Kaiser Franz-Grenadiere nach Le Bourget abrücken. Im Laufe des Vormittags wurden außerdem noch 3 Compagnien des 3. Garde-Grenadier-Regiments und 2 Compagnien Garde-Schützen nachgesandt. Diesen Abtheilungen gelang es, in einem mit großer Hartnäckigkeit geführten Häuserkampf den Feind aus den besetzten nördlichen Gehöften wieder hinauszuwerfen, sowie die Hälfte der dort gemachten, noch nicht forttransportirten Gefangenen zu befreien. So vertheilten 3 Garde-Bataillone eine bereits in Le Bourget eingenistete feindliche ganze Brigade, deren Mannschaften sich zwar gut schlugen, nicht aber mit der Todesverachtung kämpften, als dies im Gefecht von Le Bourget am 30. October geschehen. 2000 in Le Bourget in einzelnen Abtheilungen nördlich und südlich vertheilte Preußen besiegten eine compakte Masse von 6000 Franzosen, obschon gleichzeitig die an der Süd-Lisière stehenden Truppen ununterseßt heftige und starke Anfälle abzuwehren hatten, da von Drancy und Courneuve her immer auf's Neue feindliche Truppen vorrückten. Der Kirchhof, von den Franzosen besonders stark beseßt und hartnäckig festgehalten, wurde als leßter Punkt, den dieselben noch inne hatten, gegen 3 Uhr erstürmt. Der Feind floh in gänzlicher Auflösung auf den Straßen nach Paris und Courneuve und ließ 3 Offiziere und 356 M. unverwundete Gefangene in preußischen Händen. Der Bericht des Admirals de la Roncière gesteht die Nothwendigkeit des Rückzuges zu, behauptet aber, derselbe wäre in aller Ordnung vollführt und man hätte 100 preußische Gefangene von Le Bourget mitgeführt. Auf dem rechten preußischen Flügel, bei Stains, hatte gleichzeitig ein sehr heftiger Kampf stattgefunden. Die Besaßung, das 2. Bataillon des 1. Garde-Regiments und 1 Füsilier-Compagnie des 3. Garde-Regiments, wurde nicht nur von den 2000 Schritt entfernten Forts von St. Denis auf das Heftigste beschossen, sondern mußte auch um 8¾ und 10½ Uhr die Angriffe zahlreicher feindlicher Infanterie-massen zurückschlagen. Dem Feinde gelang es troß seiner Ueberlegenheit nicht, auch nur ein einziges Haus von Stains zu nehmen und erlitt derselbe bedeutende Verluste. Beim leßten Angriff ließ die das Schloß beseßt haltende Compagnie den Feind bis auf 200 Schritt herankommen, eröffnete dann ein vernichtendes Schnellfeuer, dessen Wirkungen mit einem kräftigen Hurrah preußischer Seits begrüßt wurden. Der Feind machte sofort Kehrt und floh in Unordnung zurück. Zur Unterstüßung der Besaßung von Stains stand das Füsilier-Bataillon des 1. Garde-Regiments sowie die in Drancy stehende Abtheilung bereit, brauchten aber nicht herangezogen zu werden, da die 5 Garde-Compagnien in Stains allein im Stande waren, alle Angriffe abzuschlagen. Außer den Kämpfen in Le Bourget und bei Stains fand aber noch am 21. December ein sehr bedeutendes Artillerie-Gefecht statt. Die Pariser Forts unterhielten von 7½ Uhr Morgens während des ganzen Tages ununterbrochen ein überaus heftiges Feuer, wobei die schwersten Geschosse bis zu 8000 Schritt geschleudert wurden. Die übergroße Entfernung bewirkte aber, daß das colossale Feuer nur geringfügigen Schaden verursachte. Unter dem Schuß der Festungsgeschüße entwickelte sich außerdem eine zahlreiche Feldartillerie; 2 Batterien nahmen vor Courneuve, 10 Geschüß- und 3 Mitrailleusen-Batterien nördlich und nordöstlich von Drancy bei Groslay-Ferme Stellung und beschossen das gesammte Vorterrain bis Dugny, Pont-Iblon, le Blanc-Mesnil, Aulnay und Sévran. Die Batterien der 2. Garde-Infanterie-Division sowie 4 Batterien der Corps-Artillerie erwiderten dieß Feuer zunächst aus den Positionen zwischen le Blanc-Mesnil und Aulnay, sowie nördlich von Pont-Iblon; um 12 Uhr rückten 2 dieser Batterien über die Brücke von Iblon vor und nahmen 700 Schritt von der Nordostseite von Le Bourget Stellung, Front gegen Südosten und 2000 Schritt von den feindlichen Batterien des rechten Flügels. Anfangs hatten diese Batterien bei der numerischen Ueberlegenheit der feindlichen Artillerie viel zu leiden, hielten aber standhaft aus, bis sie durch 2 reitende Batterien der Corps-Artillerie verstärkt wurden, worauf sich das preußische Geschüßfeuer dem französischen dergestalt überlegen zeigte, daß nach zweistündigem lebhaften Kampfe die feindlichen Batterien des rechten Flügels zum Schweigen gebracht waren, während auch das Feuer der übrigen Batterien allmählich erlahmte. Den leßten erforderlichen Druck gaben 2 schließlich noch vorgezogene Batterien der 2. Garde-Infanterie-Division. Allmählich verstummte das Feuer der französischen Batterien, die Infanterie zog sich zurück und der Ausfall war hier zurückgeschlagen. Bei Sonnenuntergang bezogen die preußischen Gardetruppen

sämmtlich ihre früheren Stellungen. Wenn der französische Bericht behauptet, General Trochu brachte mit den Truppen die Nacht auf dem Schlachtfelde zu, so ist dieß eine sehr zweifelhafte Phrase, da das eigentliche Schlachtfeld von den Franzosen geräumt war und sie ihre bisherigen Vorpostenstellungen in dem nächsten Schußbereich der Forts wieder bezogen hatten. Die preußischen Verluste beliefen sich auf 14 Officiere und 400 M., darunter 1 Officier und 33 M. todt. Die französischen Verluste waren bedeutender. 2 Compagnien Marinefüsiliere, welche in Le Bourget eingedrungen waren, wurden daselbst umringt und sämmtliche Mannschaften gefangen genommen oder getödtet. Im Ganzen mochten die gegen die preußischen Garden entwickelten französischen Infanteriemassen 40,000 M. betragen haben, es kamen aber nur die regulären Truppen bei Le Bourget und Stains zum wirklichen Gefecht, während die übrigen Colonnen der mobilen Nationalgarde sich in so weiter Entfernung hielten, daß das Gardecorps seine Reserven nicht in's Feuer zu ziehen brauchte und den Ausfall in seinen Vorpostenstellungen zurückzuschlagen vermochte. —
2) Ausfall gegen das 12. sächsische Corps. Das 12. Corps schloß sich bei Sevran an den linken Flügel des Gardecorps an und hatte das Terrain bis zur Marne besetzt. Vormittags des 21. December wurde nur eine sächsische Feldwache auf dem äußersten rechten Flügel an der Metzer Straße von einem französischen Bataillon angegriffen, dieser Angriff jedoch abgewiesen. Sonst wurde der sächsische rechte Flügel nur durch Artilleriefeuer beunruhigt, namentlich vom Mont Avron her, woselbst am Morgen neue Batterien demaskirt worden waren. Gegen den linken Flügel ging Mittags eine französische Division von Neuilly vor und drängte die Feldwachen in Maison-blanche und Ville-Evrart vor der Stellung der 24. Division zurück. Die ostwärts von diesen Orten beginnende Ueberschwemmung der Marne verhinderte das weitere Vordringen gegen die starke Stellung der 24. Division bei Chelles, zumal württembergische Batterien am linken Marne-Ufer bei Noisy-le-grand das ganze Terrain flankirten. Zur eventuellen Unterstützung des preußischen Gardecorps waren am Morgen die 3 Bataillone des Grenadier-Regiments Nr. 101 und 9 Batterien bei Livry aufgestellt worden. Als diese nicht zur Verwendung gekommenen Truppen Nachmittags 5 Uhr bei der Division wieder eintrafen, beschloß der Divisions-Commandeur, Generallieutenant v. Nehrhoff, die Wiedereroberung der Vorpostenstellungen bei Maison-blanche und Ville-Evrart. In Folge dessen rückte Oberst v. Lindemann, Commandeur des Infanterie-Regiments Nr. 107, mit dem 2. und 3. Bataillon seines Regiments und dem Jägerbataillon Nr. 13 vor, gefolgt von den 3. Bataillonen der Infanterie-Regimenter Nr. 105 und 106 als Reserve. Um 6½ Uhr war Maison-blanche fast ohne Verlust von Theilen des Infanterie-Regiments Nr. 107 und des Jägerbataillons Nr. 13 mit Hurrah genommen und wurden dabei 1 Major, 5 Officiere und 46 M. gefangen. In Ville-Evrart, einem Complex von vielen einzelnen massiven Häusern, war der Widerstand hartnäckiger. In stockfinsterer Nacht dauerte hier der Kampf, an dem nach und nach 8 Compagnien der Regimenter 106 und 107 und das 13. Jägerbataillon sich betheiligten, bis Mitternacht. General Blaise, Commandeur der 2. Brigade der 2. Division des 1. Armeecorps der 2. Armee von Paris fiel hier. Es wurden gegen 500 Franzosen vom 111. und 112. Linien-Regiment gefangen und der ganze Ort mit Ausnahme der massiven Häuser wieder in Besitz genommen. Bis gegen Morgen blieben Freund und Feind in ihrer Stellung. Inzwischen wuchs die Marne-Ueberschwemmung dergestalt, daß die sächsischen Truppen etwa um 3 Uhr, die Franzosen um 8 Uhr den fast zur Insel gewordenen Ort räumen mußten. Der sächsische Verlust am 21. December belief sich auf 1 Officier und 40 M., meist leicht verwundet. Als eventuelle Reserve der 24. Infanterie-Division war am Vor-

mittag des 21. December auf Befehl des großen Hauptquartiers die 4. Division des 2. preußischen Corps beordert worden. Von dieser rückte die 8. Infanterie-Brigade mit 4 Batterien bis an die Marnebrücke bei Bolres (½ Ml. östlich Chelles) vor. Eine Unterstützung der 24. Division war jedoch nicht erforderlich, so daß die 4. Division Abends 8 Uhr wieder in ihre Quartiere abrücken konnte. — 3) Ausfall gegen das 5. preußische Corps. Vom Mont Valérien wurde unter General Noël eine Scheindemonstration gegen Montretout und Buzanval ausgeführt. Nur bei Buzanval kam es zu einem kleinen Gefecht, in welchem die Vorposten des Jägerbataillons Nr. 5 einen Angriff durch wirksames Feuer abwiesen. Weder die Reserven, noch selbst die Replis der Vorposten brauchten in's Feuer gezogen zu werden. Wie alle andern Fronten wurde auch der Rayon des 5. Corps heftig mit Granaten beschossen, doch wurde durch 350 vom Mont Valérien verfeuerte Granaten im Bereiche des 5. Corps nur ein einziger Mann verwundet. — 4) Demonstration von St. Denis aus gegen Epinal. Nach dem Berichte des Admirals de la Roncière unternahmen das 10., 12., 13. und 14. Bataillon der Mobilgarden der Seine und ein Theil des 62. Bataillons der mobilen Nationalgarde von St. Denis am 21. December eine Demonstration in der Richtung auf Epinal unter Leitung des Commandanten Dauthemont. Der Angriff des 68. Bataillons der mobilen Nationalgarde von St. Denis auf Epinal wurde durch 2 schwimmende Batterien unterstützt. Die erreichten Erfolge waren nur unbedeutend. Dagegen waren die Verluste der Franzosen an Todten, Verwundeten und Gefangenen in den verschiedenen Gefechten des 21. December sehr bedeutend, dazu kam noch, wie das Journal officiel vom 30. December constatirte, daß die Ausfalltruppen sehr stark durch die Kälte litten. In der Nacht zum 22. December campirten nämlich die gegen Le Bourget verwendeten Truppen hinter den verschanzten Stellungen ihrer Vorpostenketten, wobei bereits mehrere Fälle von Erfrierungen vorkamen. Die folgenden Tage und Nächte verblieben diese Truppen ebenfalls im Freien, da man einen Angriff der Deutschen erwartete; die zunehmende Kälte vermehrte die Zahl der Erfrierungen aber dergestalt, daß der Gesundheitszustand ernstlich gefährdet erschien. Da außerdem der gefrorene Boden vom 24. December ab Erdarbeiten ungemein erschwerte, so wurde französischer Seits der Beschluß gefaßt, die Arbeiten und Operationen zu unterbrechen und die Truppen aus ihren Bivouals zurückzuziehen. — Inzwischen waren deutscher Seits die Vorbereitungen so weit gediehen, daß in den nächsten Tagen der artilleristische Angriff zu der bisher ausschließlich in Anwendung gebrachten Blokade hinzutreten konnte. In Folge hiervon wurde am 23. December die Leitung des Ingenieur-Angriffs dem Generallieutenant v. Kameke und die Leitung des artilleristischen Angriffs dem Generalmajor Prinz Hohenlohe-Ingelfingen übertragen. Bei den Debatten, welche der Anlage der Befestigungen von Paris im Jahr 1841 vorausgegangen, hatte man von verschiedenen Seiten accentuirt, daß die Heranschaffung eines Belagerungsparks, wie er zur Bezwingung von Paris erforderlich, eine Unmöglichkeit sei. Die Erbauung von Eisenbahnen und die fortschreitende Entwicklung des Netzes dieses neuen Communicationsmittels hatte die Sachlage aber wesentlich geändert. Einen Belagerungspark zur Bezwingung von Paris aus dem Innern Deutschlands vor die französische Hauptstadt zu führen, wäre bei Benutzung der gewöhnlichen Landstraßen und der Wasserwege unmöglich gewesen, durch Benutzung der Eisenbahnen wurde dies möglich. Dazu gehört aber, daß man eine Eisenbahn beherrscht, welche bis in die nächste Nähe der zu belagernden Festung führt. Nachdem Toul am 23. September deutscher Seits besetzt war, beherrschte man eine nach Paris führende Eisenbahn, aber dieselbe war nur bis Nanteuil, 40 Kilometer von Pantin entfernt, benutzbar, da die Sprengung eines Tunnels die weitere Eisenbahnfahrt verhinderte und die Arbeiten zur Herstellung des Tunnels auf sehr bedeutende Schwierigkeiten stießen. Bei Nanteuil stauete sich daher das Belagerungsmaterial auf, ohne daß es bei den disponiblen Fuhrmitteln gelingen wollte, dasselbe nach dem für den Südangriff von Paris bestimmten Park bei Villacoublay so schleunig als wünschenswerth zu transportiren, da man sehr bedeutende Umwege machen mußte, um nach dem Seine-Uebergang bei Villeneuve und von hier nach Villacoublay zu gelangen. Erst nachdem 500 Rastwagen in Berlin, Magdeburg, Hannover, Cöln, Coblenz u. s. w. freihändig gekauft und per Bahn nach Nanteuil gesendet waren, kamen die Transporte mehr in Fluß. Durch die am 16. October erfolgte Einnahme von Soissons war eine neue Eisenbahnlinie zur Heranführung von Belagerungsmaterial gegen die Ostfront von Paris gewonnen, so daß es möglich wurde, am 27. Dec. mit der Beschießung der Forts auf der Nordostseite zu beginnen. In den kalten Weihnachtsnächten hatten sächsische, preußische und württembergische Truppen im Ganzen 13 Batterien erbaut, die am 27. December Morgens, den Franzosen ganz unerwartet, das Feuer aus 76 Geschützen bei andauerndem Schneegestöber eröffneten und es vorzugsweise gegen den Mont Avron richteten. Die Höhe des Avron, östlich vom Fort Rosny sich isolirt erhebend und nach allen Seiten steil abfallend, bildet ein fast 3000 Schritt weit nach Osten vorspringendes Plateau von 500 Schritt durchschnittlicher Breite, in der Mitte nach Nordosten sich aber auf das Doppelte erweiternd. In dem Einschnitt zwischen der Höhe des Forts Rosny und des Mont Avron liegt das Dorf Rosny. Ursprünglich hatte man bei der Befestigung von Paris die Höhe des Avron nicht mit in die Linie der Befestigungen gezogen. Nachträglich war dies aber während der Belagerung geschehen, indem Batterien und Verschanzungen auf dem Plateau des Mont Avron angelegt waren. Als General Ducrot seine Ausfälle Ende November vorbereitete, gehörte zu den betreffenden Maßregeln auch die Besetzung des Mont Avron am Abend des 28. November durch eine zahlreiche Artillerie schweren Calibers, welche bei den Gefechten an der Marne am 30. November und 2. December vielfach wirksam durch ihr weittragendes Feuer mit eingriff. Es war daher nicht unwichtig, diesen avancirten französischen Posten unschädlich zu machen und die Vertheidiger auf ihre Hauptbefestigungslinie zurückzuweisen. Die zur Beschießung des Mont Avron und der Ostforts bestimmten Batterien erstreckten sich vom nördlichen Rande des Plateaus von Raincy bis zum südöstlichen Abfall der Höhen bei Preßoir und waren durch Schützengräben verbunden. Der eigentliche Batteriebau, ausgeführt von den Pionier-Compagnien des preuß. Garde- und 4. sowie des 12. sächsischen Corps begann am 22. December Abends bei Rainey unter Deckung der von der 23. Infanterie-Division verstärkten und weiter vorgeschobenen Vorposten. Am 23. December Morgens besetzten 3 Bataillone der 23. und 24. Division die Schützengräben als Replis, um etwaigen feindlichen Angriffen sofort entgegentreten zu können. Zur Arbeit bei dem Bau und dem Armiren der Batterien war dauernd ein Bataillon und 1 Escadron der 24. Division commandirt und wurden außerdem noch zahlreiche Commandos nach Bedarf herangezogen. Am 27. December begann die Beschießung; doch konnte wegen des nebligen, schneeigen Wetters der Erfolg der Batterien nicht beobachtet werden. Am 28. December Morgens fielen vom Mont Avron nur etwa 4 Schuß; von 9 Uhr ab schwiegen alle Batterien daselbst. Man war in Ungewißheit, ob der Feind die Position geräumt habe, oder nur eine Pause mache, um neue Munition heranzuziehen. Sächsische Patrouillen stießen Abends beim Vorgehen gegen den Avron am Fuße des Berges auf eine starke feindliche Vorpostenlinie. Erst am 29. December erkannte man, daß der Feind den östlichen Theil der Höhe aufgegeben. Gegen Mittag fanden vorgesandte

5*

sächsische Patrouillen dies bestätigt, die Batterien verlassen, darin zerschossene Laffetten, Leichen und Artilleriemunition. Vom linken Marne-Ufer hatte man am Morgen Feldbatterien und 4 Bataillone über das Dorf Rosny hinter Fort Rosny zurückmarschiren sehen, woraus zu schließen, daß der Feind noch in der Nacht die Position stark besetzt gehalten, um das Geschützmaterial zu retten. An demselben Tage wurde eine stärkere Recognoscirung der Höhe des Avron unternommen, um zugleich die zahlreich liegen gebliebenen Gewehre und Munitionsgegenstände einzusammeln und sich von dem Erfolge der Beschießung der feindlichen Werke zu überzeugen. Von Villemomble, einem Dorfe hart am Nordabhange des Avron, und von Gagny und Maison-blanche, ostwärts von dieser Höhe, gingen 2 Compagnien, jede jede Colonne von 2 Artillerie-Officieren und 60 Artilleristen gefolgt, auf das Plateau des Avron vor. Es zeigte sich, daß auf der Westspitze desselben noch eine Flesche, welche den Zugang zu dem tief gelegenen Dorfe Rosny sperrte, vom Feinde mit 1 Compagnie, das Dorf Rosny aber stark besetzt war. Die Recognoscirung, an der auch Abtheilungen der 24. Infanterie-Division an der Südseite des Plateaus theilnahmen, ergab Folgendes: Es zeigten sich überall Spuren eines übereilten Rückzuges, sowie daß die Franzosen alle fortificatorischen Mittel angewendet hatten, um die Stellung zu einer kräftigen Vertheidigung einzurichten, so daß eine Erstürmung des Berges große Opfer gekostet haben würde. Die zusammenhängenden, von massiven Mauern umgebenen Häusercomplexe von La Pelouse auf der Ostseite und von Avron auf dem nach Norden vorspringenden Plateau waren zur hartnäckigsten Vertheidigung vorgerichtet. Da, wo die Localität die Infanterie-Vertheidigung nicht an sich begünstigte, waren etagenweis über einander liegende Schützengräben mit starken Aufwürfen und Embuscaden ausgehoben worden, welche mit den angelegten Batterien und einer mit einem 24-Pfünder armirten Lünette ein zusammenhängendes Werk bildeten, so daß die Nord- und Ostseite vollkommen sturmfrei war. Die südliche Flanke der Lünette war mit den nebenliegenden Batterien durch eine neue Brustwehr verbunden und neben denselben waren 4 neue Geschützstände eingeschnitten worden. Die Lünette zeigte vielfache Spuren deutscher Granaten, das dahinter erbaut gewesene Barackenlager, für die 1. Brigade der 3. Division des III. Corps bestimmt, war total zerschossen. Die Munitionsmagazine von kleinen Dimensionen hatten sich als durchaus nicht granatsicher erwiesen. Auf dem Plateau fanden sich 3 zerschossene Laffetten vor, ferner 3 gefüllte Protzen, eine Menge Blechkasten mit Pulversäcken und an der Straße nach Rosny ein umgestürzter, glatter, eiserner 24-Pfdr., welcher vernagelt wurde, da er, im Feuerbereich der Flesche liegend, nicht zurückgeschafft werden konnte. Die Munition wurde zerstört, das Munitionsmagazin der westlichen Batterie wurde verrammelt und mit einer Zündschnur von 1 Stunde Brennzeit versehen, welche beim Verlassen des Mont Avron angezündet wurde. Die Verluste bei Besetzung des Berges betrugen nur 1 Verwundeten, dagegen wurden 12 Artilleristen durch unerklärbare Explosion eines Pulverkastens beschädigt. Nach französischen officiellen Nachrichten war der Mont Avron mit 74 Geschützen armirt und wurde zuerst der Verlust auf demselben am 27. December auf nur 8 Todte und 50 Verwundete angegeben, während später der Moniteur universel die Namen von 17 am 27. December getödteten und verwundeten Officieren anführte. Zugestanden wurde, daß die vom Mont Avron geretteten 74 Geschütze unheilbar durch das deutsche Geschützfeuer vollständig vernichtet worden wären, wenn man sie nicht rechtzeitig in der Nacht zum 28. December zurückgezogen und den Mont Avron geräumt hätte. Nach weiteren französischen Berichten war angeblich der ernstliche Angriff des Plateaus von Avron und das Bombardement der Forts Rosny und Noisy vorausgesehen, wenn nicht an einem bestimmten Tage, so doch in einem gewissen Zeitraum. Der Bau der deutschen Batterien auf den Abhängen von Ratsch war bei Zeiten erkannt, ihre Wichtigkeit von den commandirenden französischen Offizieren in Rosny und auf dem Plateau nicht unterschätzt worden. Die Besatzung des Mont Avron bildete am 26. Decbr. Infanterie, Mobilgarden, Jäger, Marine-Infanterie, welche unter Zelten campirten, wegen der rauhen Witterung aber in schnell erbauten Baracken untergebracht werden sollten, als General Vinoy den Entschluß faßte, alle Truppen weiter zurückzunehmen, mit Ausnahme der Bataillone, welche hinter den Brustwehren und gedeckten Wegen genügenden Schutz fanden. „Zwischen 8 und 8½ Uhr am 27. December," so heißt es in dem französischen Berichte, „eröffnete die deutsche Artillerie ihr Feuer. Die Geschosse schlugen theils auf dem Plateau selbst ein, theils erreichten sie, über dieses erste Hinderniß fortgehend, die Linie der Forts. Bei diesem plötzlichen und gleichzeitigen Angriff sprangen die Marine- und Linien-Artilleristen an ihre Geschütze." Das Plateau von Avron war namentlich auf seiner Ostfront mit formidabeln Werken versehen und zeigte dort Batterien, die sich in 3 Etagen über einander reihten; die Geschütze bestanden aus umgeänderten 7-Pfündern, 12-Pfündern, Marinegeschützen und endlich einem Geschütze von enormem Caliber, „welches mindestens der Vater des Riesengeschützes auf dem Mont Valérien sein muß." Nach Verlauf einiger Minuten beantwortete das französische Feuer lebhaft das der Deutschen, jedoch fegten deren Granaten das Plateau in seiner ganzen Ausdehnung so gründlich ab, daß eine gewisse Unordnung in die überraschten und außer Fassung gebrachten Mannschaften einriß; die Vorposten, welche den Abhang von Villemomble, Château-Launay, Gagny und Maison-blanche besetzt hatten, zogen sich Hals über Kopf zurück, indem die Granaten ihnen Schritt für Schritt zu folgen schienen; diese rückwärtige Bewegung erfolgte bei fast allen Truppen, sowohl Mobilen als Marine-Infanterie. Alles stieg ohne Ordnung die Abhänge herunter, gleichzeitig mit den Arbeitercompagnien des Génie von Rosny und Neuilly. „Indeß," so tröstete der französische Bericht die Pariser, „ist es möglich, daß diese Bewegung, wenigstens bei einem Theile der Truppen befohlen war, weil ein weniger von den Granaten bestrichener Raum sich besser dazu eignete, den Widerstand gegen die Eventualität eines etwa beabsichtigten Handstreiches zu organisiren. Weiter rückwärts campirten die Nationalgarden-Bataillone in den Ortschaften Rosny, Fontenay und Montreuil, bis wohin ein wahrer Regen von deutschen Projectilen reichte. So traf in Fontenay den Kirchhof ein Hagel von Granaten, in Rosny wurden mehrere Häuser durch Granaten zerstört, in das Fort Rosny schlug eine große Zahl von Geschossen, welche glücklicher Weise nur 4 Personen traf. Trotz der Ueberraschung eines so plötzlichen und von so fern her begonnenen Angriffs hielten sich die Nationalgarden gut, ohne sich die Gefahr zu übertreiben; letztere war jedoch für sie zu neu, als daß sie sie nicht hätte in eine gewisse Aufregung versetzen sollen. Sie hielten aber insoweit Stand, daß sie einen Cordon gegen diejenigen Mannschaften bildeten, welche ihre Rückzugsbewegung zu weit ausdehnen wollten. Bei dem ersten Kanonenschuß waren die rückwärts der nordöstlichen Forts cantonnirenden Truppen nach dem Mont Avron dirigirt worden. Die deutschen Absichten lagen noch nicht klar zu Tage, denn man konnte in Zweifel sein, ob man sich deutscherseits mit einer lebhaften Kanonade begnügen, oder einen gleichzeitigen Angriff auf die französische Position versuchen würde; für letzteren Fall war ein Vorschieben der Truppen geboten. Die Deutschen schienen diese Bewegung zu bemerken und sie durch ihr Feuer erschweren zu suchen, ohne daß dies gelang, denn nur einige Mann des 112. Regiments wurden getroffen. Um 10¼ Uhr wurde das deutsche Feuer langsamer und entstand eine Pause. Die französische Artillerie hatte gelitten, aber, obgleich die Geschütze demontirt und einige Artilleristen außer Gefecht gesetzt waren, hielten die Batterien ihre Positionen fest und blieb das Plateau intakt. Um 2 Uhr gewann der Angriff wieder an Stärke, ohne indeß die frühere Heftigkeit anzunehmen; es blieb nur ein Artilleriekampf; die deutschen Truppen machten keine Bewegung, so daß die französischen Truppen in ihren gedeckten Reserve-Stellungen gelassen wurden, fortwährend bestrichen von den feindlichen Geschossen, welche theils auf dem Plateau platzten, theils in Neuilly oder Rosny einschlugen." Allmälig beschränkten die Deutschen die Ausdehnung ihres Feuers, welche sich zuerst in einem Halbkreise von Rainey, Gagny und Montfermeil erstreckte; der rechte Flügel stellte zuerst das Feuer ein, nur eine Batterie hinter Villemomble auf der großen Straße nach Rainey, fast am Fuße des Plateaus, schoß ohne Unterbrechung. Da der Nebel aber immer dichter geworden war, schoß man auf's Gerathewohl; diesem Umstande ist es zuzuschreiben, daß die französischen Verluste nicht beträchtlicher waren. Sie genügten aber immerhin, um die Räumung des Mont Avron zu motiviren und die erregte Stimmung in Paris noch mehr zu erregen. An verschiedenen Punkten der Stadt richteten am 28. December Volkshaufen starke Verwüstungen an und begingen sonstige Excesse. Auch versuchten dieselben, die Wersten zu plündern und in die öffentlichen Gärten einzudringen, um die Bäume daselbst zu fällen. Mehrere Personen wurden verhaftet und dem Kriegsgericht überliefert. Der plötzlich hereingebrochene Kanonendonner der deutschen Geschütze gegen die Ostfront scheint im Verein mit dem sich stark fühlbar machenden Hunger und der Kälte diese anarchischen Zustände hervorgerufen zu haben. Die Beschießung der Ostfront wurde am 28. December fortgesetzt und es gelang der Belagerungs-Artillerie, den Bahnhof von Noisy-le-Sec wirksam zu beschießen und die in Bondy canonirende französische Artillerie zu vertreiben. Ueberhaupt wurden Seitens der Vertheidiger alle vorgeschobenen Stellungen der Nordostfront in den nächsten Tagen mehr oder weniger eilig geräumt und verstummte am Neujahrstage das Feuer der Forts Nogent, Rosny und Noisy, um an den späteren Tagen zwar wieder aufgenommen zu werden, doch nur selten sich zu einiger Lebhaftigkeit zu erheben. Neue deutsche Batterien wandten sich darauf gegen die Werke der Nordfront, während am 5. Januar 1871 früh auch die gegen die Südfront errichteten Batterien, deren Armirung von den Franzosen nicht gestört worden war, ihr Feuer gegen die Forts Issy, Banvres und Montrouge, die Verschanzungen von Villejuif, den Point du jour und die Kanonenboote auf der Seine bei windstillem Wetter und —9°R. eröffneten. Doch stieg im Laufe des Tages die Temperatur von —9° bis zu + 1°, während am 6. Januar vollständiges Thauwetter eintrat mit Sonnenschein bei + 7°. Das Fort Issy und die nebenliegenden Batterien, sowie Fort Banvres, schwiegen in den nächsten Tagen zeitweise. Am 8. Januar geriethen durch das deutsche Feuer die Casernen des Forts Montrouge in Brand und brannten bis zum Morgen des 9. Januar. Im Laufe der Nacht vom 8. auf 9. Januar wurde die Stadt Paris von den Batterien auf der Südseite stärker beschossen, während am 9. Januar das Feuer wegen des dichten Nebels nur langsamer unterhalten und von den Franzosen nur von vereinzelten Stellen aus erwidert wurde. Schon am 5. Januar war der Luxembourg-Garten von Granaten getroffen worden und wurden seitdem die südlich der Seine gelegenen Quartiere von der nach dem Invalidenhotel führenden Avenue de Breteuil bis zu den Quais von Orleans und Bethune auf der Insel St. Louis im Osten von deutschen Geschossen erreicht. Die Rue de Babylone, die Rue du Bac, die Rue de Madame, die Rue d'Enfer, die Rue St. Jacques, die Rue de la Harpe, die Kirche von St. Sulpice, die Sorbonne, das Hospital militaire du Val de Grace wurden mehrfach getroffen. General Trochu richtete am 11. Januar eine Erklärung an den General Graf Moltke, welche am 14. Januar bei den deutschen Vorposten abgegeben wurde. Dieselbe lautet: „Seitdem die deutsche Armee das Feuer ihrer Batterien auf der Südseite von Paris eröffnet hat, haben Granaten in größerer Anzahl die seit langen Zeiten der allgemeinen Wohlthätigkeit gewidmeten Hospitale getroffen, wie die Salpetrière, das Val de Grace, das Hospital de la Pitié, das Hospiz von Bicêtre und das Hospital für erkrankte Kinder. Die Präcision der Geschütze und die Hartnäckigkeit, mit welcher die Projectile in ein und derselben Richtung und unter ein und demselben Elevationswinkel verfeuert werden, schließen es aus. daß man dem Zufalle die Schüsse zuschreibt, welche in den Hospitälern die Frauen, die Kinder, die Unheilbaren, die Verwundeten und die Kranken treffen. Der Gouverneur von Paris erklärt daher feierlich dem General Grafen Moltke, daß keines der Hospitäler von Paris seiner bisherigen Bestimmung entzogen worden ist und hält sich daher überzeugt, daß gemäß dem Texte der internationalen Conventionen und den Gesetzen der Moral und der Menschlichkeit durch die preußischen Militairbehörden die Befehle ertheilt werden werden, um diesen Asylen die Achtung zu verschaffen, welche die auf ihren Dächern wehenden Fahnen für sie beanspruchen.“ — General Graf Moltke beantwortete diese Declaration unterm 15. Januar, wie folgt: „Der Chef des Generalstabes der deutschen Armeen protestirt entschieden gegen die Voraussetzung, daß von den diesseitigen Batterien die Hospitäler zum Ziele genommen worden seien. Die Humanität, mit der die deutschen Armeen den Krieg geführt haben, soweit der Charakter, welcher französischerseits demselben seit dem 4. September gegeben worden, es zuließ, sichert hinlänglich gegen jeden derartigen Verdacht. Sobald klare Luft und kürzere Entfernungen gestatten, die Kuppeln und Gebäude, welche durch weiße Fahnen mit dem rothen Kreuze bezeichnet sind, zu erkennen, wird es möglich sein, auch die zufälligen Beschädigungen zu vermelden.“ — Inzwischen wurde die Beschießung der verschiedenen Fronten fortgesetzt, zum Theil wegen des Nebels nur langsam. Am 11. und 12. Januar wurde das Feuer aus der Stadt-Enceinte gegen den Südangriff heftiger. Am 12. Januar trat bei —2°R. Sonnenschein ein, ohne daß man eine Fernsicht hatte. Am 13. Januar konnte wegen anhaltenden Nebels nur ein ruhiges Feuer von den deutschen Batterien unterhalten werden, während der Feind nur matt antwortete. Am 8. Januar wurde aus Paris berichtet, daß unaufhörlich Granaten auf die westlich des Luxembourg-Gartens gelegene Vorstadt St. Germain, dem vornehmen Stadtviertel, gefallen seien; in der Nacht zum 10. Januar fielen gegen 200) Granaten meist in die dem Pantheon zunächst gelegenen Straßen, also östlich vom Luxembourg-Garten, so daß daher der genannte ganze Stadttheil fast in seiner vollen Breite unsicher gemacht wurde. Nach den Mittheilungen des Journal officiel beschädigte die Beschießung von Paris in der Zeit vom 5. bis 13. Januar außer zahlreichen öffentlichen Gebäuden auch 237 Privatgebäude und verursachte dabei viele Brände. Für die erwähnte Zeit wurde die durch das Bombardement hervorgerufene Zahl der Getödteten auf 51, der Verwundeten auf 138 Personen angegeben. — In der Nacht vom 13. zum 14. Januar erfolgten heftige Ausfälle gegen die Positionen der preußischen Garde bei Le Bourget und Drancy, gegen das 11. preußische Corps bei Meudon und gegen das 2. bayerische Corps bei Clamart, welche überall siegreich zurückgeschlagen wurden, wobei der Rückzug der Ausfalltruppen an einzelnen Stellen sich fluchtartig gestaltete. Der über diese Ausfallgefechte erstattete officielle französische Bericht datirt vom 14. Januar und lautet: „Auf Befehl des Gouverneurs bereitete gestern Abend General Vinoy einen Ausfall gegen die Windmühle Tour-en-pierre vor, welchem die Generale Blanchard und Correard beiwohnten. Da die Spitze der Colonne mit einem sehr lebhaften Feuer begrüßt wurde, brang der Ausfall nicht durch und die französischen Truppen rückten wieder in ihre Linien ein. Die Deutschen versuchten ihrerseits einen Ausfall gegen die französischen vorgeschobenen Positionen bei Drancy, es fand ein gegenseitiges Gewehrfeuer statt, welches, in Zwischenpausen aufhörend, erst gegen 1 Uhr Morgens endete. Dieser Angriff hatte keinerlei Folgen und wurde abgewiesen. Contre-Admiral Pothuau führte eine Recognoscirung gegen die deutschen Feldwachen zwischen der Gare-aux-boeufs und der Seine aus. Etwas später ergriffen die Preußen in großer Zahl die Offensive, wurden mit Gewehrschüssen empfangen und zogen sich zurück." — Irgend welche nennenswerthe Resultate hatten die Ausfälle daher auch nach dem vorstehenden französischen Berichte nicht. — Am 14. Januar schwieg das Feuer der Forts Issy, Vanvres und Montrouge fast gänzlich, während deutscherseits die Beschießung der Befestigungen und der Stadt ununterbrochen fortgesetzt wurde, dagegen traten die Vertheidiger am 16. Januar auf der Südfront mit neuen Batterien auf, deren Feuer jedoch erfolgreich bekämpft wurde. — Nachdem am 18. Januar zu Versailles die feierliche Proclamirung des Königs von Preußen zum Deutschen Kaiser stattgefunden, liefen am 19. Januar früh 8 Uhr von den Vorposten der preußischen 9. und 10. Infanterie-Division, sowie von dem Observatorium von La Jonchère in Versailles übereinstimmende Meldungen ein, daß französische Abtheilungen gegen Montretout und den westlich gelegenen Höhenzug vorgingen, während starke Reserven sich zwischen Rueil und dem Mont Valérien sammelten. Das trübe Wetter ließ die feindlichen Bewegungen in der Ferne nur sehr mangelhaft erkennen; die gegen Montretout vorrückenden Truppen wurden zunächst auf 8 Bataillone geschätzt. Die Vortruppen der 9. und 10. Infanterie-Division rückten sofort in ihre Gefechtsstellungen, die Hauptreserven sammelten sich um 9 Uhr auf Befehl des commandirenden Generals des 5. preußischen Corps, General v. Kirchbach, auf ihren Rendezvousplätzen bei Jardy und Beauregard. Beim Ober-Commando der III. Armee trafen außer vom 5. Corps auch von der Garde-Landwehr-Division bis um 10 Uhr Meldungen über das Nachrücken zahlreicher französischer Bataillone und Batterien gegen die Stellung des 5. Corps ein, welche deutlich erkennen ließen, daß es sich um nichts weniger handelte, als um den längst verheißenen Massenausfall der Pariser Garnison. Der Kronprinz von Preußen traf sofort die nöthigen Anordnungen, um die etwa erforderlich werdenden Unterstützungen für das 5. Corps heranzuziehen. Durch den Telegraphen wurde von Versailles aus befohlen: „1) 5 Bataillone der Garde-Landwehr-Division rücken von Saclay und Umgegend sofort nach Versailles, wo sie in der Avenue de Paris weitere Befehle erwarten. 2) 1 Bataillon der Garde-Landwehr-Division aus St. Cyr marschirt sogleich nach Versailles und wird gemeinschaftlich mit dem in Versailles cantonnirenden Garde-Landwehr-Bataillon am Schloß aufgestellt. 3) 1 Brigade des 2. bayerischen Corps macht sich sofort bereit, um auf telegraphischen Befehl möglichst schnell nach Versailles marschiren zu können. 4) Das 6. preußische Corps hat eine Brigade bereit zu halten, um nöthigenfalls das 2. bayerische Corps zu unterstützen." Alle diese Anordnungen kamen sofort zur Ausführung. Um 11 Uhr wurde der marschbereiten Brigade des 2. bayerischen Corps der Befehl zum Aufbruche telegraphisch ertheilt, worauf um 12 Uhr 5 Bataillone, 2 Batterien, 2 Escadrons unter Generalmajor v. Diehl von Bièvre nach Versailles abrückten. Als diese Brigade bald nach 1 Uhr in Versailles eintraf, wurden die beiden am Schlosse aufgestellten Garde-Landwehr-Bataillone nach Marly vorgeschickt und dem General v. Kirchbach zur Disposition gestellt. — Die vorderste Gefechtslinie des 5. Corps, welche während der viermonatlichen Cernirung durch alle Mittel der Feldfortification zu einem hartnäckigen Widerstande gegen überlegene feindliche Kräfte vorbereitet worden war, lief vom Park von St. Cloud zur Straße Baucresson nach St. Cloud, zog sich dann längs dieses Weges bis Villeneuve, von dort, westlich an Garches vorbei, bis zur Parkmauer von Buzanval, dann im eingehenden Bogen nach Malmaison und durch diesen Ort zur Seine gegenüber Croissy. Das Dorf St. Cloud, die Montretout-Schanze, die von der Letzteren nach Westen ziehenden Höhen und der Park von Buzanval lagen somit außerhalb der eigentlichen Vertheidigungslinie. Die Configuration des umliegenden Terrains und namentlich die Wirkung der schweren Geschütze des Fort Valérien und auf der Seine-Halbinsel gestatteten keine nachhaltige Vertheidigung dieser Oertlichkeiten, wohl aber gewährten dieselben einen guten Ueberblick über das Vorterrain und lagen so nahe vor der deutschen Vertheidigungslinie, als daß man eine permanente Festsetzung französischer Abtheilungen daselbst hätte dulden können. In die Montretout-Schanze, auf die Höhen von Garches und in den Park von Buzanval waren daher schwache Abtheilungen vorgeschoben, welche das Vorterrain beobachten, den anrückenden Feind zur Entwickelung seiner Kräfte zwingen, bei einem ernsthaften Angriff aber auf die rückwärts gelegene Hauptstellung zurückgezogen werden sollten. Die Absicht, einem Massenausfall des Vertheidigers auf dieser Linie Widerstand zu leisten, lag niemals vor. Die Vertheidigungslinie vom Park von St. Cloud bis zur Parkmauer von Buzanval hatte die 9. Division mit dem 3. Posenschen Inf.-Regt. Nr. 58 und dem 4. Posenschen Inf.-Rgt. Nr. 59, dem 1. Bataillon des Königs-Gren.-Regt. Nr. 7, 2 Batterien und 2 Escadrons des 1. Schles. Dragoner-Regts. Nr. 4 besetzt. 2 Compagnien des Niederschlesischen Inf.-Regts. Nr. 47 standen im Park von St. Cloud, das Schlesische Jäger-Bataillon Nr. 5 hielt die vorgeschobenen Posten von der Montretout-Schanze bis einschließlich den Park von Buzanval besetzt, der disponible Rest der Division und 1 Fußabtheilung der Corps-Artillerie standen in Reserve auf dem Plateau von Jardy. Den linken Flügel der Stellung von Buzanval über La Jonchère bis zur Seine hatte die 10. Division mit dem 3. Niederschlesischen Infanterie-Regt. Nr. 50 und dem Westfälischen Füsilier-Regt. Nr. 37 unter Zurückhaltung einer Spezialreserve bei La Celle St. Cloud besetzt. 2 Batterien der Division, welche im Laufe des Vormittags durch 2 Batterien der Garde-Landw.-Division aus St. Germain verstärkt wurden, nahmen Position in den vorbereiteten Geschütz-Emplacements bei St. Michel. 2 ebenfalls aus St. Germain zur Unterstützung des 5. Corps vorgeschickte Garde-Landw.-Bataillone deckten diese Geschütze. Der Rest der 10. Division, verstärkt durch 2 reitende Batterien der Corps-Artillerie, stand in Reserve bei Beauregard. — Auf dem französischen rechten Flügel gingen gegen 10¹⁄₂ Uhr 12 Bataillone gleichzeitig gegen die ganze Front der 10. Division von Buzanval bis zur Seine vor. In erster Linie avancirten 6 Bataillone gegen die vorspringende Waldecke beim Jägerhäuschen, 2 Bataillone gegen den Park von Malmaison und 4 Bataillone längs der Seine; starke Reserven folgten diesen Truppen. Der Angriff wurde eingeleitet und kräftig unterstützt durch das Feuer des Festungsgeschütze des Fort Valérien und der Mühlenschanze, durch 6 Feld- und 1 Mitrailleusen-Batterien, welche die Franzosen nach und nach in der Gegend von Rueil und bei der Villa Crochard entwickelten und durch 2 Geschütze in gepanzerten Eisenbahnwaggons. Die 4 preußischen Batterien bei St. Michel nahmen den Artilleriekampf mit gutem Erfolge auf. Die Angriffe der französischen Infanterie gegen das Jägerhäuschen wurden, obgleich dreimal mit frischen Truppen wiederholt, durch das 3. Niederschlesische Infanterie-Regt. Nr. 50, welches durch 4 Compagnien des Westfälischen Füsilier-Regt. Nr. 37 verstärkt worden war, standhaft zurückgewiesen. Es gelang den französischen Officieren nicht, ihre Truppen näher als bis auf 300 Schritt an die preußische Stellung heranzubringen. Das heftige und wohlgezielte Feuer der preußischen Infanterie brachte ben Angreifern namhafte Verluste bei; sie wandten sich zur Flucht und rissen die nachfolgenden Reserven mit sich fort. Auf dem linken Flügel der 10. Division hatte sich der vorgeschobene Posten im Park von Malmaison bis hinter die Parkmauer zurückgezogen, von wo aus er in Gemeinschaft mit den, hinter der Barricade placirten Compagnien des Westfälischen Füsilier-Regts. Nr. 37 den Feind durch Tirailleurfeuer am weiteren Vordringen hinderte. Der 10. Division wurde bei ihren Kämpfen eine sehr wirksame Unterstützung vom rechten Seine-Ufer her durch 4 Batterien des preußischen 4. Corps und eine Batterie der Garde-Landwehr-Division zu Theil. Die Ersteren waren um 11 Uhr von Sannois abgegangen und hatten sich über Huilles gegen die Höhen von Carrières gewandt, woselbst sie gemeinschaftlich mit der aus St. Germain vorgeschickten Batterie der Garde-Landwehr-Division Position nahmen und ein mörderisches Feuer gegen die französische Artillerie und gegen die rechte Flanke der angreifenden Colonnen unterhielten. Die colossalen Verluste, welche durch diese Batterien der französischen Infanterie zugefügt wurden, zwangen die Franzosen am Nachmittage alle weiteren Unternehmungen an dieser Stelle aufzugeben. Der Kampf beschränkte sich von 3 Uhr ab auf ein Tirailleur-gefecht, welches mit dem Dunkelwerden allmählig verstummte. — Gegen die 9. Infanteriedivision wurde ungefähr um 10 Uhr eine Division entwickelt, welche gegen Montretout und den Höhenrücken bis Buzanval anrückte. Die vorgeschobenen Jägercompagnien replicirten sich der allgemeinen Gefechtsdispo-sition entsprechend auf die Hauptstellung; auch die Montretout-Schanze mußte, als sie von allen Seiten, selbst in der Kehle angegriffen wurde, aufgegeben werden. Die Franzosen besetzten diese Schanze, den Höhenrücken westlich der-selben und den Park von Buzanval; französische Batterien fuhren zwischen der Montretout-Schanze und St. Cloud auf, die Infanterie ging zum weiteren Angriff auf Garches vor. Diesem Angriff traten in Front die hier aufgestell-ten Compag. des 3. Posenschen Inf.-Regts. Nr. 58, des 4. Posenschen Inf.-Regts. Nr. 59, so wie 3 Jägercompag. entgegen; 3 preußische Batterien, welche auf den Höhen von Baucresson und Villeneuve in vorbereiteten Emplacements aufgefahren waren, empfingen die französischen Colonnen mit wohlgezieltem Feuer. In der linken Flanke wurden die vorrückenden feindlichen Abtheilungen von der hinter der Parkmauer von St. Cloud postirten Infanterie, so wie von 3 Batterien, welche im nordwestlichen Theil des Parks in vorbereiteten Emplacements Stellung genommen hatten, aufs Wirksamste beschossen. Trotz aller Anstrengungen ge-lang es den Franzosen nicht, vorwärts Terrain zu gewinnen. Das Dorf Garches und die Bergerie blieben im Besitz der 9. Division. Nachdem die wiederholten Angriffe blutig abgewiesen, die auf die Höhen vorgegangene fran-zösische Artillerie sogar zum Abfahren gezwungen worden war, befahl um 3 Uhr der Divisions-Commandeur, Generallieutenant v. Sandraxt, nunmehr zum An-griff überzugehen, um die Franzosen aus den vorliegenden Positionen wieder zu vertreiben. Gegen die Höhen von Garches gingen in der Front 2 Com-pagnien des 4. Posenschen Infanterie-Regts. Nr. 59, 2 Jägercompagnien und das 1. und Füsilier-Bataillon des Königs-Grenadier-Regiments vor; in der Flanke wurde der Angriff durch das Füsilier-Bataillon des 2. Niederschlesischen Infanterie-Regts. Nr. 47 unterstützt, welches von der Bergerie her avancirte. Nach einem hartnäckigen Feuergefecht der Infanterie und der bei Baucresson placirten Batterien wurden die Höhen durch gleichzeitigen Angriff in Front und Flanke genommen. — Gegen den Park von Buzanval waren 2 Compag-nien des 4. Posenschen Infanterie-Regts. Nr. 59 vorgeschickt worden. Die Franzosen hatten die kurze Zeit mit der ihnen eigenen Geschicklichkeit benutzt, die südliche Parkmauer zur Vertheidigung einzurichten. Man fand dieselbe so stark besetzt, daß der Angriff mit den für den Augenblick disponiblen schwachen

Kräften aufgegeben werden mußte. Gegen die Montretout-Schanze war eine Compagnie des 5. Jägerbataillons, eine Compagnie des 3. Posenschen Infanterie-Regts. Nr. 58 und eine Compagnie des 2. Nassauischen Infanterie-Regts. Nr. 88. vorgeschickt worden. Von dem letztgenannten Regiment hatte das 11. Armeecorps bereits um 11 Uhr Vormittags das 2. Bataillon zur Unterstützung des 5. Corps nach Sèvres geschickt; das Bataillon war zur Besetzung des Schlosses und Parks von St. Cloud verwendet worden. Die Anwesenheit starker feindlicher Reserven hinter der Schanze veranlaßten auch diese Abtheilung, die Angriffsbewegung aufzugeben. Die Wegnahme der Schanze wurde für die Nacht vorbehalten. Um 9 Uhr Abends gingen 10 Compagnien des 1. Niederschlesischen Infanterie-Regts. Nr. 46, welche der commandirende General der 9. Infanterie-Division zur Verfügung gestellt hatte, 2 Compagnien des Nassauischen Infanterie-Regts. Nr. 88 und 2 Compagnien des 3. Posenschen Infanterie-Regts. Nr. 58 gegen die Montretout-Schanze vor, während das 1. Bataillon 2. Niederschlesischen Infanterie-Regts. Nr. 47 zur Sicherung der rechten Flanke gegen St. Cloud avancirte. Die Höhe und die Schanzen wurden, ohne einen Schuß, genommen; in St. Cloud kam es zu einem heftigen Häuserkampfe, in welchem das angreifende Bataillon große Verluste erlitt; doch wurde der Ort mit Ausnahme der beiden letzten Häuser erobert und behauptet. Um 9 Uhr Abends endete der Kampf. Mit Ausnahme des Postens im Parc von Buzanval nahmen die Vorposten des 5. Corps ihre ursprünglichen Stellungen wieder ein. Die Hauptreserven rückten in ihre Cantonnements. — Da die Franzosen nicht nach Paris zurückgingen, sondern in starken Massen am Fuße des Mont Valérien Bivouaks bezogen, so mußte man deutscherseits auf eine Erneuerung des Angriffs am 20. Januar gefaßt sein. General v. Kirchbach ordnete daher an, daß die Truppen mit Tagesanbruch die Gefechtsstellungen wieder einnehmen und auch die Hauptreserven bei Jardy und Beauregard concentrirt werden sollten. Auch die vom Obercommando der III. Armee nach Versailles herangezogenen Verstärkungen vom 2. Bayerischen Corps und von der Garde-Landwehr-Division wurden in dieser Stadt zurückgehalten und für die Nacht einquartirt. Die Franzosen erneuerten den Angriff nicht. Die unverhältnißmäßig starken Verluste, so wie die Ueberzeugung, daß der energische Widerstand der preußischen Truppen in ihren wohl vorbereiteten Positionen, selbst mit bedeutend überlegenen Kräften, nicht zu überwältigen sei, ließ die französischen Generale auf alle ferneren Versuche, die Cernirungslinie zu durchbrechen, verzichten. Die Besatzung des Parks von Buzanval war ohne Gefecht zurückgezogen worden; den in St. Cloud noch verbliebenen französischen Abtheilungen wurde der Rückzug verlegt: sie ergaben sich am Nachmittag in der Stärke von 18 Officieren, 329 Mann. — Von französischer Seite waren nach eigenen Angaben 100,000 Mann ins Gefecht geführt worden. Die mit großer Bravour unternommenen Angriffe scheiterten an der Standhaftigkeit des preußischen 5. Corps, welches in der ungefähren Stärke von 20,000 Mann seine vorderste Vertheidigungslinie siegreich behauptete. Der Verlust des Corps betrug 39 Officiere, 616 Mann an Todten, Verwundeten und Vermißten. Den Franzosen wurden 25 Officiere, 450 Mann an Gefangenen abgenommen; sie ließen etwa 1200 Todte auf dem Kampfplatze liegen, so daß ihr Gesammtverlust mindestens 6000 Mann betragen hat. Die beiderseitigen Verluste standen hiernach im Verhältniß von 1:10, ein seltenes Resultat, welches am deutlichsten die Leistung des 5. Corps am 19. Januar charakterisirt. — Der Kronprinz von Preußen hatte sich am Nachmittage, nachdem für die etwa nothwendig werdende Unterstützung des 5. Corps durch andere Truppentheile ausreichend gesorgt und die Stellung dieses Corps als alleiniges Angriffsobject erkannt worden war, in die Batterie

norböstlich Bauereſſon begeben. Die Batterie bereitete den preußiſchen Offen-
ſivſtoß gegen Garches in der wirkſamſten Weiſe vor; ſie erhielt Feuer von
franzöſiſchen Geſchützen bei Montretout und wurde ſelbſt von Chaſſepotkugeln
erreicht, von denen eine während der Anweſenheit des Kronprinzen einen Ar-
tilleriſten in der Batterie verwundete. Nach dem gelungenen Angriffe auf die
Höhen von Garches kehrte der Kronprinz nach Verſailles zurück. Bei ihm beantragte Graf d'Heriſſon im mündlichen Auftrage des General Trochu einen
Waffenſtillſtand von 48 Stunden zum Begraben der Todten, erhielt aber
mündlich zur Antwort, daß die Befehlshaber der Vorpoſten in gleicher Weiſe,
wie bei jedem früheren Gefechte, auf dem Raume zwiſchen beiden Linien ſich
dahin zu verſtändigen hätten, daß jeder Verwundete unter gegenſeitigem Bei-
ſtande in Sicherheit gebracht werde; auf Waffenſtillſtandsanträge, die darüber
hinausgingen, könne deutſcherſeits nur eingegangen werden, wenn ſie ſchrift-
lich vorlägen. — Nach franzöſiſchen Berichten ſollte der Ausfall mit 100,000
Mann, zu denen Linientruppen, Mobilgarden und die Kriegsbataillone der
ſeßhaften Nationalgarde zählten, früh am 19. Januar beginnen, woher die
Truppen zum Theil durch Nachtmärſche ihre Rendezvous-Stellungen erreichen
mußten. Der linke Flügel unter General Vinoh ſollte gegen die Montretout-
Schanze, das Centrum unter General Bellemare gegen die Höhen von Garches
und das Plateau la Bergerie, der rechte Flügel unter General Ducrot gegen
Bougival vorgehen. Gleich Anfangs ſtellten ſich aber Uebelſtände heraus,
welche bei großen Truppenmaſſen leicht eintreten, wenn es Führern und Mannſchaften an der erforderlichen Manövrirfähigkeit gebricht. Der rechte Flügel
traf, dem franzöſiſchen Berichte zufolge, durch eine verirrte, den Weg verſper-
rende Batterie aufgehalten, viel ſpäter in der Schlachtlinie, als beabſichtigt,
ein, nachdem der linke Flügel und das Centrum bereits heftig engagirt waren.
General Trochu ſagte in ſeinem am 19. Januar Abends veröffentlichten Berichte: „Der Tag, welcher für uns glücklich begann, brachte uns jedoch nicht
den Erfolg, welchen wir hoffen zu können glaubten. Der Feind entwickelte
bedeutende Artillerie und ſtarke Infanteriereſerven; um 3 Uhr gerieth unſer
linker Flügel ins Wanken. Der Uebergang zur Offenſive, welchen wir bei
Anbruch der Nacht verſuchten, konnte nicht zur rechten Entwickelung kommen,
da das Feuer des Feindes in heftigſter Weiſe fortdauerte und ſo mußten wir
die von uns beſetzten Höhen räumen. Der Kampf war ſehr blutig." — Die
ſtarke Enttäuſchung tönt aus dieſen Worten Trochu's deutlich heraus; das
Mißlingen des großartigen Ausfalls machte aber zugleich in allen Schichten
der Pariſer Bevölkerung um ſo mehr einen tiefen und erſchütternden Eindruck,
als man ſich kurz vorher in den kühnſten Siegeshoffnungen gewiegt hatte, denn
es war das erſte Mal, daß Linientruppen, Mobilgarden und die Kriegsbataillone der ſedentairen Nationalgarde in rangirtem Gefecht neben einander kämpfen
ſollten, um ſich des Sieges zu vergewiſſern. Das Fehlſchlagen dieſer letzten
gewaltigen Kraftanſtrengung, den Cernirungsgürtel von Paris zu ſprengen,
ſteigerte in Paris die daſelbſt ſchon herrſchende Aufregung und Unzufriedenheit
in einem Grade, daß nach wenigen Tagen die Regierung der Nationalen Vertheidigung keinen anderen Ausweg zur Rettung erblicken konnte, als die Capitulation. General Trochu hatte das Vertrauen, welches ihm von der Armee
und der Pariſer Bevölkerung ſo enthuſiaſtiſch entgegen getragen worden war,
vielleicht auch das Vertrauen zu ſich ſelbſt, die übernommene ſchwierige Aufgabe löſen zu können, gänzlich verloren. Am 20. Januar reichte er ſeine De-
miſſion als Gouverneur von Paris ein und der Kriegsminiſter General Leflô
übernahm „in Abweſenheit des Gouverneurs" den Oberbefehl über ſämmtliche
Truppen, Mobil- und Nationalgarden in und bei Paris. Die bis dahin ver-
heimlichten oder von der Regierung abgeſchwächten Nachrichten über die Nieder-

tigen der Loire-Armee unter Chanzy am 12. Jan. bei Le Mans, der Nordarmee unter Faidherbe am 2. und 3. Jan. bei Bapaume und am 19. Jan. bei St. Quentin und der Armee von Bourbaki am 15., 16. u. 17. Jan. an der Lisaine (bei Montbéliard) stellten nunmehr den Parisern die traurige Gewißheit heraus, daß auf einen Entsatz von Außen nicht gerechnet werden könne. Schon längst hatte man zum Pferdefleisch greifen, das Brot rationiren müssen, schon längst hatte in Folge der mangelhaften Ernährung die Sterblichkeit drohend zugenommen, jetzt stand man vor dem Beginne einer Hungersnoth. Die rothen Republikaner benutzten die niedergedrückte Stimmung, um die Regierung zu stürzen. In der Nacht zum 23. Jan. brach ein Aufstand aus, die politischen Gefangenen, darunter Flourens, wurden aus Mazas befreit und Nationalgarden schossen auf Mobilgarden. Am 23. Januar übernahm General Vinoy das Commando der Truppen und die Regierung erließ eine Proclamation, welche die Gefahr, in der Paris schwebte, klar durchblicken ließ. Jules Favre begab sich nach Versailles und das unvermeidliche Wort „Capitulation" wurde hier sowohl ausgesprochen, als in Paris offen discutirt. Während inzwischen die Belagerungs-Artillerie ihr Feuer fortsetzte und am 21. Januar neue Batterien gegen St. Denis eröffnet und mit denselben gute Resultate erzielt hatte, schwieg in der Nacht vom 26. zum 27. Januar um Mitternacht das beiderseitige Geschütz-feuer, da die Verhandlungen ein günstiges Ergebniß erwarten ließen. Sie führten zu der Convention vom 28. Jan., der zufolge ein 21tägiger Waffenstillstand zu Wasser und zu Lande abgeschlossen wurde, der nur für die Departements des Doubs, des Jura und der Côte d'Or keine Geltung haben sollte. Derselben Convention gemäß mußten die Pariser Forts mit dem gesammten Kriegsmaterial dem deutschen Heere übergeben werden, während zwischen der zu desarmirenden inneren Enceinte und den Forts ein neutrales Gebiet bestimmt wurde. Die Linientruppen, Mobilgarden und Marinesoldaten der Pariser Garnison wurden, mit Ausnahme einer Division von 12,000 Mann zur Aufrechthaltung der Ordnung, kriegsgefangen, mußten ihre Waffen abliefern und blieben in Paris internirt. Die Nationalgarde behielt ihre Waffen, um bei Erhaltung der Ordnung mitwirken zu können, die Corps der Franktireurs wurden aufgelöst. Paris mußte innerhalb 14 Tagen eine Contribution von 200 Millionen Franken zahlen. In Folge dieser Convention wurden sämmtliche Pariser Forts am 29. Januar ohne Zwischenfall von den deutschen Truppen besetzt und damit faktisch die Belagerung beendet, nachdem sie seit dem 19. Sept. 1870 volle 131 Tage gedauert. Nach Abschluß der Friedenspräliminarien vom 26. Febr. 1871, denen eine Verlängerung des Waffenstillstandes vorausgegangen war, marschirten am 1. März 30,000 Mann des preußischen 6. und 11. und des 2. Bayerischen Corps, nachdem der Kaiser Wilhelm auf dem Longchamps über sie Parade abgehalten hatte, in die Stadt Paris ein und bezogen in den Champs-Elysées, dem Trocadero und den angrenzenden Stadttheilen Quartiere, verließen dieselben aber nach zweitägiger Occupation am 3. März Vormittags, da am 2. März der Austausch der von der Nationalversammlung zu Bordeaux mit 546 gegen 107 Stimmen gutgeheißenen Friedenspräliminarien zu Versailles stattgefunden hatte. Die zur Ablösung der ersten 30,000 Mann bestimmten Truppen des preußischen Garde-Corps, der Garde-Landwehr-Division, des Königs-Grenadier-Regiments Nr. 7, der Belagerungs-Artillerie und Pioniere rückten nicht in Paris ein, sondern hatten am 3. März nur Parade vor dem Kaiser Wilhelm auf dem Longchamps, der dann am 7. März auf dem Schlachtfelde von Villiers das 12. sächsische, das 1. bayerische Corps und die Württembergische Felddivision besichtigte und sein Hauptquartier nach Ferrieres verlegte. Bald darauf wurden die südlich der Seine gelegenen Departements und Forts von den deutschen Truppen, den

Friedenspräliminarien entsprechend, vollständig geräumt, während die Besatzung der nördlich der Seine gelegenen Forts noch längere Zeit andauerte. (Die vorstehenden Nachrichten über die Belagerung von Paris bilden eine einfache Zusammenstellung der bisher veröffentlichten authentischen Berichte, wie sie in verschiedenen Zeitschriften, namentlich dem Militair=Wochenblatte [Jahrgang 1870 und 1871] enthalten sind.) Höchst interessante Schilderungen der Belagerung von P. und der in der Stadt herrschenden Zustände vom (allerdings nicht militärischen) Standpunkte der Belagerten aus aufgefaßt enthalten: F. Sarcey, „Le siège de P." Paris 1871 (deutsch „die Belagerung von P." Wien, Karl Gerold's Sohn) und die von dem geistreichen Pariser Correspondenten der „Daily News" an dieses Blatt eingesandten Berichte, welche gesammelt erschienen sind als: Labouchère, „Tagebuch, während der Belagerung von P." (Leipzig 1871, bei F. Löwe, 1 Thlr.) und im Auszug als: Labouchère, „Aus dem Tagebuche eines Belagerten" (Leipzig 1871, bei J. H. Webel, 5 Sgr.) Im Uebrigen verweisen wir auf die Literatur zu dem in unsern Supplementen erscheinenden Artikel „Deutsch-Französischer Krieg."

Nachdem die deutschen Truppen am 3. März P. verlassen hatten, kam es sehr bald zu Unruhen, hervorgerufen durch die Widerspenstigkeit der National-garden, deren deutscherseits vorgeschlagene Entwaffnung von den französischen Friedensunterhändlern unkluger Weise abgelehnt worden war; namentlich befanden sich die Vorstädte Montmartre, Belleville und Villette in vollem Widerstande und hielten sich verbarrikadirt, ohne daß die Regierung gewagt hätte, Gewalt gegen dieselben zu gebrauchen. Am 18. März brach endlich der Aufstand in hellen Flammen aus. Die Regierung versuchte die renitenten Nationalgarden der genannten Vorstädte zu entwaffnen; die Regierungs-Truppen errangen zwar im Anfange Vortheile, wurden aber bald durch die von allen Seiten herzuströmenden Nationalgarden umzingelt. Ein Theil der Truppen ging zu den Insurgenten über, die im Laufe des Tages fast die ganze Stadt (darunter das Stadthaus, das Kriegsministerium rc.) in ihre Gewalt bekamen. Die Regierung flüchtete nach Versailles, wohin sich auch die treu gebliebenen Truppen unter General Vinoh zurückzogen. Die Generale Lecomte und Thomas, welche von den Insurgenten gefangen genommen worden waren, wurden von diesen sofort „standrechtlich" erschossen. Paris pflanzte nun am 19. März die rothe Fahne auf und proclamirte, nachdem am 20. März die aufständischen Nationalgarden die von den deutschen Truppen geräumten südwestlichen Forts (Isy, Vanvres rc.) besetzt hatten, am 28. März die social-demokratische „Commune." Im Laufe der nächsten Wochen kam es zwischen den die Stadt von Südwesten her angreifenden Regierungstruppen und den Insurgenten zu einem erbitterten Kampfe, der lange Zeit mit abwechselndem Glück geführt ward, und während dessen in der Stadt vielfache Gräuel verübt wurden (wie am 16. Mai die Demolirung der Vendômesäule) bis es endlich am 21. Mai den Regierungstruppen gelang, die Ringmauer von Paris der Südweststrecke (an den Thoren von St. Cloud und Auteuil) zu durchbrechen und zunächst in den Stadttheil einzudringen, welcher beim Heraustreten der Seine aus der Stadt (Point du jour) an deren rechten Ufer liegt. In der Nacht zum 22. Mai machten sie von dort weitere Fortschritte, drangen am 22 Mai bis nach dem Triumphbogen, dem Trocadero und dem Boulevard Madeleine, und nahmen am 23. Mai auch den Ausgangspunkt des Aufstandes, den Montmartre. Der Kampf wüthete dann noch mehrere Tage fort und erst am 29. Mai war die Insurrection vollständig niedergeworfen. Während der Kämpfe waren am 24. Mai noch eine Anzahl von Notabilitäten, sogenannte „Geißeln" (darunter der Erzbischof Darboh, der Präsident Bonjean u. A.) von den Insurgenten ermordet und, namentlich am 23. und 24. Mai, zahlreiche öffentliche Gebäude

und Paläfte (meist von den Insurgenten absichtlich durch Petroleum angezündet)
niedergebrannt oder doch mehr oder minder bedeutend beschädigt worden. Namentlich find dies auf dem rechten Seine-Ufer: die Tuilerien (gänzlich), der
nördliche Flügel des Louvre an der Rue Rivoli (mit der Bibliothek), faft fämmt-
liche Gebäude der Rue Royale, die Gebäude der Rue du Temple, des Boulevard du Temple Boulevard Beaumarchais, des Platzes Château d'Eau und
Umgegend, die Kaferne Prinz Eugen, der Baftilleplatz, das Hôtel de Bille (mit
dem Depot der Städtischen Archive), die Kirche St. Euftache; auf der Cité:
der Juftizpalaft und die Präfectur; auf dem linken Ufer: die Kaferne des
Quai d'Orfay, der Staatsrath, der Rechnungshof, das Hôtel der Ehrenlegion
und die Gobelins. Außerdem war der prächtige Kirchhof Père-la-Chaife an
mehren Punkten arg verwüftet und die schöne Waffensammlung von Vincennes
gänzlich geplündert worden; von den 50,000 Stück in diefem Arfenal befindlichen Waffen hatten die Insurgenten nur ungefähr 1000 Cavallerie-Säbel
zurückgelassen. Der Berluft diefer Sammlung ift um fo schmerzlicher, als
diefelbe alle Modelle der in Frankreich in Gebrauch gewefenen Feuerwaffen
enthielt.

Bgl. Corrozet, „Les antiquitez, chroniques et singularitez de P."
Paris 1561 und öfter, Félibien, „Histoire de la ville de P.", vermehrt und
herausgegeben von D. Loblneau, Paris 1725, 5 Bde.; Lebeuf, „Histoire de
la ville et de tout le diocèse de P." Paris 1754—58, 15 Bde. (neu herausgegeben, erläutert und ergänzt von Cocheris, 1863 ff.); Dulaure, „Histoire
physique, civile et morale de P.", Paris 1820—22, 7 Bde., 7. Auflage
(erläutert und ergänzt von Leynardier) ebd. 1858, 8 Bde.; Touchard-Lafosse,
„Histoire de P.", Paris 1834, 5 Bde. Derf. „Histoire des environs de P.",
Paris 1835, 4 Bde.; Roquancourt, „Considérations sur la défense de P.",
Paris 1841; „Das neue P." (in Brockhaus „Unfere Zeit", Bd. 1, Leipzig 1857
und Neue Folge 2. Jahrg., 2. Hälfte, Leipzig 1866), Labédollière, „Le nou-
veau P.", Paris 1860 (mit Karten und Holzschnitten); „Histoire générale
de la ville de P." (von der städtischen Berwaltungsbehörde herausgegeben),
Paris 1866 f., 2 Bde. (mit Plänen und Karten). Von den vielen Fremdenführern, Wegweifern 2c. find die besten die von Gauger (Stuttgart 1841 und
öfter), J. J. Beber (Leipzig 1852 und öfter) und Bädeker (Coblenz 1860 und
öfter); unter den zahlreichen Karten, Plänen 2c. heben wir hervor: die vom
französischen Generalstab herausgegebenen Karten der Umgebung von P. 9 Bl.
1: 40,000. Außerdem find in neuefter Zeit (während der Belagerung) noch
Karten und Pläne (mit mehr oder weniger genauer Angabe der Fortificationen)
in großer Menge erschienen.

Paris, Graf von, Titel des älteften Sohnes des 1842 verftorbenen
Herzogs von Orleans (f. u. Orleans, Haus).

Paris, Schlachten bei, f. u. Paris, Seite 37 ff.

Parifer Bluthochzeit, f. Bartholomäusnacht.

Parifer Frieden. Unter den zahlreichen zu Paris zu Stande gekommenen
Friedensschlüffen erwähnen wir zunächft: 10. Febr. 1763 zwischen Frankreich
und Spanien einer- und Großbritannien andrerseits, bereitete das Ende des
Siebenjährigen Krieges vor; 3. Sept. 1783 zwischen Frankreich, Spanien und
Nordamerika einer- und Großbritannien andrerseits, und 20. Mai 1784 zwischen
Großbritannien und Holland, welche beide Friedensschlüffe den Nordamerikanischen
Freiheitskrieg beendigten; ferner die Friedensschlüffe der Französischen Republik
9. Februar 1795 mit Toscana, 16. Mai 1795 mit Holland, 15. Mai 1796
mit Sardinien, 7. Auguft 1796 mit Württemberg, 22. Auguft 1796 mit
Baden, 10 Oct. 1796 mit Neapel, 5. Nov. 1796 mit Parma. Namentlich
berühmt find aber folgende drei Friedensschlüffe: 1) der fogenannte Erfte Pa-

rifer Friede, abgeschlossen nach dem ersten Sturze Napoleons I., am 30. Mai 1814, zwischen dem restituirten König Ludwig XVIII. von Frankreich einer- und den alliirten Mächten (Oesterreich, Großbritannien, Preußen und Rußland) andrerseits. Nach demselben wurde Frankreich auf die Grenzen von 1792 beschränkt, erhielt aber einen Theil des vormals sardinischen Herzogthums Savoyen, die vormals päpstlichen Besitzungen Avignon und Venaissier und einige vormals zu Deutschland und Belgien gehörige Grenzdistricte und Enclaven (insgesammt 150 Qu.-M. mit 450,000 Einw.); England behielt Malta, Tabago, Sta.-Lucia und Isle-de-France (Mauritius), gab aber alle andern eroberte Colonien an Frankreich, sowie den vormals spanischen Antheil von Haiti (Domingo) an Spanien zurück; ebenso gab Portugal das Französische Guyana (Cayenne) und Schweden die Insel Guadeloupe an Frankreich zurück. Frankreich dagegen mußte alle seit 1792 eroberten Gebiete (mit insgesammt 15,360,000 Einw.) abtreten und die Vertheilung derselben den alliirten Mächten überlassen. Demzufolge sollten die Niederlande (Holland) vergrößert dem Hause Oranien zufallen, Italien mit Ausnahme der unter österreichische Herrschaft zurückkehrenden Länder aus lauter souveränen Staaten bestehen, die Schweiz ihre Unabhängigkeit und Selbstregierung zurückerhalten und die deutschen Staaten durch ein föderatives Band vereinigt werden. Die Schifffahrt auf dem Rheine und auf der Schelde ward bis ins Meer (jusqu'à la mer) für frei erklärt; Antwerpen sollte künftig nur Handelshafen sein. Endlich sollten alle beim Kriege betheiligt gewesenen Mächte binnen zwei Monaten Bevollmächtigte zu einem in Wien zusammentretenden Kongreß senden, um die Dispositionen des Friedensvertrages vollständig zu erledigen. Spanien trat diesem Friedensschlusse erst am 20. Juli 1814 förmlich bei; außerdem wurden auch Portugal und Schweden als Theilnehmer und Unterzeichner des Ersten P. F.s angesehen. 2) Der sogenannte **Zweite Pariser Friede** wurde nach dem zweiten Sturze Napoleons I. zwischen denselben Mächten wie der erste am 20. November 1815 abgeschlossen. Nach demselben wurde Frankreich auf die Grenzen von 1790 beschränkt, mußte also abtreten: die Festungen Philippeville und Marienburg nebst Gebiet, sowie das Herzogthum Bouillon (an die Niederlande, jetzt zu Belgien gehörig), die Festung Saarlouis und die Saarbrücker Landschaft (an Preußen), die Festung Landau und das linke Lauterufer mit Ausnahme der Festung Weißenburg nebst Rayon (an Baiern), einen Theil der Landschaft Gex (an den Schweizer Canton Genf), endlich den Rest von Savoyen und die Oberhoheit über das Fürstenthum Monaco (an Sardinien, seit 1860 aber wieder französisch). Ferner mußte die Festung Hüningen (s. b.) geschleift und außerdem die schweizerische Neutralität über einige an den Genfer See grenzende Distrikte von Savoyen ausgedehnt werden (durch die Abtretung Savoyens an Frankreich seit 1860 hinfällig geworden). Außerdem mußte Frankreich binnen fünf Jahren eine Entschädigung von 700 Millionen Francs an die Alliirten bezahlen und sich einer theilweisen Occupation unterwerfen, indem Truppen der Alliirten fünf Jahre lang in einer Gesammtstärke von höchstens 150,000 M. siebzehn französische Grenzfestungen besetzt halten und dort auf französische Kosten verpflegt werden sollten. Diese Occupation ward aber durch den Aachner Congreß schon am 9. Oct. 1818 aufgehoben. An demselben Tage (20. Nov. 1815) wurde auch zu Paris zwischen Oesterreich, Großbritannien, Preußen und Rußland ein neuer Allianzvertrag abgeschlossen, in welchem diese Mächte sich verpflichteten, den Pariser Frieden und die Ausschließung der Familie Bonaparte auf ewige Zeiten (à perpetuité) vom französischen Throne nöthigenfalls mit aller Macht aufrecht zu erhalten (seit der Thronbesteigung Napoleons III. gleichfalls hinfällig geworden.) In Betreff der hierzu eventuell erforderlichen militärischen Leistungen sollten die Stipulationen des Vertrags von Chaumont (s. b.) gelten.

Vgl. Schaumann, „Die Geschichte des Zweiten Pariser Friedens", Göttingen 1844. 3) Der sogenannte Dritte Pariser Friede, abgeschlossen zwischen Rußland einer- und Frankreich, Großbritanien, Sardinien und der Türkei andrerseits, unter Mitwirkung Oesterreichs und Preußens, am 30. März 1856, welcher den Orientkrieg beendigte. (Das Nähere s. u. Orientkrieg S. 238 f.) Die Bestimmungen desselben erlitten aber durch die zu London abgehaltene Pontus-Conferenzen im März 1871 sehr wesentliche Modificationen, insofern die §§. 11., 13. und 14., welche die russische, sowie die türkische Seemacht im Schwarzen Meere beschränkten, aufgehoben wurden, und der Sultan das Recht erhielt, den Bosporus und die Dardanellen zu jeder Zeit den Schiffen anderer Nationen zu öffnen, im Falle er den Vertrag für gefährdet hielte.

Parisienne (Pariser Hymne), eine von Casimir Delavigne zur Verherrlichung der Julirevolution von 1830 gedichtete Hymne, welche mit den Worten beginnt: „Peuple Français, peuple des braves", sehr bald in ganz Frankreich populär und dann in den Aufständen der folgenden Jahre, gleich der Marseillaise, oft angestimmt wurde.

Park (Artillerie-Park, Genie-Park, Belagerungs-Park), ist bei Belagerungen das Depot, welches alle Gegenstände und Materialien enthält, die der Artillerist und Ingenieur für den Angriff überhaupt und zur Ausführung sämmtlicher Belagerungs-Arbeiten bedarf. Bei der Auswahl der Punkte für die Belagerungs-Parks muß die erste Rücksicht auf die gewählte Angriffsfront genommen werden, weil eine günstige Lage des Geschütz-Parks für den Fortgang der Belagerung von der größten Wichtigkeit ist; nächstdem muß der P. dem feindlichen Feuer, dem Anprall kleiner Ausfälle und womöglich der Einsicht von den Stadtthürmen aus entzogen sein. Der P. darf ferner durch Anstauungen und Ueberschwemmungen nicht gefährdet, und muß mit hinreichendem Wasser versehen sein; seine Lage muß trocken, leicht und sicher mit neu ankommenden Transporten Zwischendepots und Parallelen in Verbindung zu setzen und im Inneren gangbar sein. Für die Sicherheit des Parks pflegte man bisher eine Entfernung desselben von der Festung von 5000 Schritt für ausreichend zu erachten; seit Einführung der gezogenen Geschütze reicht diese Entfernung bei Weitem nicht aus, es müßten denn vorhandene Terrain-Deckungen die Anlegung des Parks in größerer Nähe gestatten. Für die Anlage der Pulvermagazine ist jedenfalls eine noch größere Entfernung nöthig. Der Belagerungs-P. enthält 1) das Bureau des Park-Commandeurs; 2) den Geschütz-P., welcher in der Regel in der ersten Reihe die längsten und schwersten Geschütze und in der letzten Reihe die Transportwagen, als Sattel-Wagen, Schlepp-Wagen, Blockwagen, Maschinen, Protzen, Landwagen und sonstige Bedürfnisse enthält; 3) die Räume zum Unterbringen des Pulvers, der Munition und des Laboratoriums; 4) die Batterie-Bau-Materialien- und Schanzzeug-Depots; (5) die Handwerksstätten und Materialien-Hütten und 6) Hütten für Mannschaften und Ställe für Pferde, sofern dieselben nicht in nahegelegenen Kantonnirungs-Quartieren untergebracht sind. Das Hauptmagazin muß entschieden jeder Möglichkeit, durch feindliches Feuer gefährdet zu werden, entzogen sein; deshalb legt man es ½—1 Meile hinter den Artillerie-P., womöglich unmittelbar an der direkten Verbindungs-Linie mit der Bezugsquelle. Die Park-Magazine, auch Haupt-Depots genannt, sowie das Laboratorium decken den Bedarf für Truppen und Batterien in der Regel auf 8—10 Tage; sie liegen daher in unmittelbarer Nähe des Artillerie-Parks und sind in geeigneten Gebäuden oder in Bretterschuppen untergebracht. Parkiren heißt Geschütze, Fuhrwerke geordnet aufstellen. Wagen-, Fuhren-Park ist die geordnete Aufstellung von Wagen, Fuhrwerken aller Art, welche einem militärischen Zwecke dienen.

Parker, 1) Sir Peter, englischer Admiral, geb. 1716, zeichnete sich im Siebenjährigen und Amerikanischen Kriege aus und starb als Admiral der Flotte mit Feldmarschallsrang 1811. 2) Sir William, englischer Viceadmiral, schlug die französische Flotte 1797 bei St.-Vincent und starb 1802. 3) Sir Hyde, englischer Viceadmiral der Blauen Flagge, schlug 5. August 1781 die holländische Flotte unter Admiral Zoutman bei Doggerbank, wurde 1783 zum Oberbefehlshaber der britischen Flotte in den Ostindischen Gewässern ernannt und kam auf der Reise dorthin bei einem Schiffbruche um. 4) Sir Hyde, Sohn des Vor., geb. 1740, focht gegen die amerikanischen Colonien, später gegen Frankreich und starb 1807 als Admiral der Weißen Flagge. 5) Sir George, Neffe von P. 1) geb. 1766, trat frühzeitig in die englische Marine, commandirte seit 1807 mit Auszeichnung eine Escadre in der Ostsee, womit er 22. März 1808 das dänische Linienschiff Prinz Christian Frederik mit 74 Kanonen eroberte und machte dadurch dem spanischen General La Romana möglich, mit seinem Corps aus Jütland zu entkommen, nahm 1809 an der Expedition von Walcheren Theil, wurde 1814 Vicadmiral, 1825 Vicadmiral und starb 1847 als Admiral der Rothen Flagge. 6) Sir William, geb. 1781, trat ebenfalls sehr jung in die englische Marine, wurde bereits 1801 Capitän, eroberte 1806 die französische Fregatte Belle-Poule, 1809 die Citadelle von Ferrol, commandirte 1832 das englische Geschwader an der portugiesischen Küste, wurde 1835 Lord der Admiralität, übernahm 1841 den Oberbefehl über die gegen China bestimmte Seemacht, eroberte im Verein mit den Landtruppen unter General Gough dann Tschusan, Ningpo und Tschapu, erzwang den Eingang in den Yantsekiang, drang nachher bis Nanking vor und nöthigte dadurch die Chinesen zum Frieden von Nanking (26. Aug. 1842). Im Herbste 1844 erhielt er den Oberbefehl über die englische Flotte im Mittelmeere, griff hier 1847—48 mehrfach in die italienischen Verwicklungen ein, segelte im Herbste 1849 auf Verlangen des englischen Gesandten Sir Stratford Canning durch die Dardanellen, um die in der Flüchtlingsfrage durch Oesterreich und Rußland bedrohte Pforte zu ermuthigen, nöthigte 1850 durch Blokade der griechischen Häfen die griechische Regierung, den Forderungen Englands nachzugeben, kehrte dann nach Malta zurück, wurde 1851 Admiral der Blauen Flagge, gab bald danach das Commando über die Mittelmeerflotte an Dundas ab, kehrte nach England zurück, war dann einige Zeit Hafencommandeur in Devonport, wurde 27. April 1863 zum Admiral der Flotte ernannt und starb 12. Nov. 1866. 7) Sir John Botelor, englischer General, trat 1802 in die Armee, nahm 1809 an der Expedition von Walcheren Theil, focht 1812—14 auf der Pyrenäischen Halbinsel, verlor bei Waterloo ein Bein und starb 1851 als Gouverneur der Militärakademie von Woolwich. 8) Hyde-P. Sohn von P 3), trat sehr jung in die englische Marine, nahm 1803 an der Expedition nach dem Cap der Guten Hoffnung Theil, wurde 1852 Vicadmiral und Lord der Admiralität und starb 25. Mai 1851. 9) Hyde-P. Sohn des Vor., englischer Capitän, fiel als Commandant der Dampffregatte Firebrand am 8. Juli 1854 beim Angriff auf das russische Fort Sulina.

Parlamentär ist ein Abgesandter zum Zwecke des Unterhandelns mit dem Feinde. Es ist gewöhnlich ein Offizier, der sich schon aus der Ferne durch Schwenken eines weißen Tuches oder eines Fähnchens von gleicher Farbe zu erkennen giebt und auch wohl von einem blasenden Trompeter, Hornisten oder trommelnden Tambour begleitet wird, um auf die friedliche Annäherung aufmerksam zu machen. Parlamentäre werden meist mit verbundenen Augen durch die feindliche Vorpostenkette hindurch in das Hauptquartier geführt; sie sind nach dem allgemeinen Kriegsgebrauche unverletzlich und müssen nach vollendeter Unterhandlung — sie falle aus, wie sie wolle — ungefährdet durch die Vorposten hindurch zurück entlassen werden. Veranlassungen zur Absendung von

Parlamentären sind gemeinhin Vorschläge zur stundenweisen Waffenruhe nach eingestelltem Kampfe zum Zwecke briderseitiger Beerdigung der Gefallenen, Vereinbarungen eines längeren Waffenstillstandes, Aufforderungen oder Anerbietungen sich bedingungsweise zu ergeben, endlich Präliminarien zur Abschließung des Friedens. Im Seekriege werden zu dergleichen Zwecken eigne Schiffe abgesendet, welche die Parlamentärflagge führen und dann Parlamentärschiffe heißen.

Parma, 1) früher (bis 1859) ein souveränes Herzogthum in Oberitalien, aus den Herzogthümern P. (östlich) und Piacenza (westlich) bestehend, von Piemont, der Lombardei und Modena begrenzt, im Norden vom Po (Grenzfluß) bewässert und großentheils (namentlich im Süden und Westen) durch die Apenninen gebirgig, einen Flächenraum von 113 Q. M. mit (1856) 495,840 Einwohnern umfassend. Die Staatsform war absolut monarchisch; der Herzog gehörte einem jüngern Zweige der spanischen Linie des Hauses Bourbon an. An Militär hatte P. bis 1859: 2 Bataillone Linieninfanterie (à 1300 Mann), 1 Jägerdivision (432 Mann), 1 Escadron Garde-du-Corps, 1 Compagnie Hellebardiere, 4 Compagnien Gendarmerie (à 104 Mann) insgesamt 4,130 Mann auf dem Friedensfuß, 6,139 auf dem Kriegsfuß. Die Ergänzung geschah durch Conscription. Uniformirung und Reglements waren dem österreichischen ähnlich. Das Besatzungsrecht der Stadt und Citadelle P. stand dem Kaiser von Oesterreich zu. An Orden besaß P. den Constantin-Orden und den Königl. Verdienstorden des Heil. Ludwig. Die Städte P. und Piacenza nahmen im Mittelalter, als zur Lombardei gehörig und deshalb den Deutschen Kaisern unterworfen, an den Kämpfen der Guelfen und Ghibellinen Theil, kamen 1400 an das Haus Este, 1420 an die Herzöge von Mailand, zu Anfang des 16. Jahrhunderts in den Besitz Frankreichs, wurden aber 1545 von dem Pabste Paul III. aus dem Hause Farnese zu einem Herzogthum erhoben und seinem natürlichen Sohne Pietro Luigi Farnese als Lehn ertheilt. Als der Mannesstamm des Hauses Farnese 1731 mit dem Herzoge Antonio erlosch, brachte es Elisabeth Farnese, eine Nichte des Herzogs Antonio und Gemahlin Philipp's V. von Spanien dahin, daß das Herzogthum ihrem Sohne Don Carlos verliehen wurde, welcher es jedoch 1735 an Oesterreich abtrat. Maria Theresia überließ es im Aachener Frieden von 1748 an Don Philipp von Spanien, dem zweiten Sohne Elisabeth's. Als dessen Sohn, Herzog Ferdinand, 1802 starb, nahm Frankreich von dem Herzogthum Besitz; 1805 wurde es als Departement Taro dem französischen Kaiserreiche förmlich einverleibt. Durch den Pariser Frieden von 1814 kam es an die Kaiserin Marie Louise (Gemahlin Napoleons I.) und nach deren Tode 1847 an den bisherigen Herzog Karl II. von Lucca aus der spanischen Linie Bourbon. In Folge der italienischen Revolution von 1848 verließ dieser das Land und P. schloß sich nun dem Kriege gegen Oesterreich an, wurde aber im August 1848 von den Oesterreichern unter d'Aspre occupirt; welche den Herzog wieder einsetzten. Im März 1849 dankte Karl II. ab; sein Sohn und Nachfolger Karl III. wurde 1854 ermordet. Für seinen erst sechsjährigen Sohn Robert I. übernahm dessen Mutter, die Herzogin-Wittwe Louise Maria Theresia, eine Tochter des Herzogs von Berri, die Regentschaft. Bei dem Ausbruche des italienischen Krieges von 1859 erklärte sich dieselbe neutral, wurde aber nach der Schlacht von Magenta genöthigt, mit ihrem Sohne das Land zu verlassen. Dieses wurde nun zunächst der Emilia (s. d.) einverleibt und dann durch Decret vom 18. März 1860 mit den Staaten des Königs Victor Emanuel II. verbunden, aus denen am 17. März 1861 das neue Königreich Italien hervorging. In diesem bildet es jetzt die Provinzen P. und Piacenza, während der südlich gelegene District Pontremoli zur Provinz Massa-Carrara geschlagen worden ist. 2) Provinz im Königreich Italien, die östliche

Hälfte des ehemaligen Herzogthums P. einnehmend und 58,₁₁ O. M. mit (1862) 256,029 Einwohnern umfassend. 3) Hauptstadt der jetzigen italienischen Provinz, wie des ehemaligen Herzogthums P., an dem Flusse P. und der Eisenbahn von Piacenza nach Bologna, ist Sitz des Präfekten, des Commando's einer der 22 Territorial-Militär-Divisionen und des Commandos einer der 10 activen Divisionen, hat eine Citadelle, eine Universität, eine Militärschule, mehrere Kasernen und 47,067 Einwohner.

Parole, ein militärisches Erkennungswort, welches auch im Frieden ausgegeben wird, gewöhnlich ein aus der Kriegsgeschichte bekannter Ortsname, siehe speciell „Feldgeschrei". P.-Ausgabe ist die Austheilung der P., welche um die innewohnende Wichtigkeit zu markiren, auch im Frieden mit gewissen Förmlichkeiten vor sich geht, die Stelle selbst ist durch die P.-Mannschaften, gewöhnlich 1 Unteroffizier, 4 Mann, abgesperrt, damit die P. nicht an Unbefugte gelangt. Die P.-Mannschaften präsentiren bei der Ausgabe, die anwesenden Officiere salutiren. Nach Ausgabe der eigentlichen P. wird gewöhnlich der Tages-Befehl verkündigt, welcher daher auch P.-Befehl heißt. (P.-Buch, in welcher der P.-befehl täglich notirt wird; P.-Kreis, welchen die den Befehl notirenden Adjutanten bilden.)

Parteigänger wurden in früheren Zeiten die Anführer von Truppenkörpern genannt, die sich stets zu derjenigen Partei hielten, welche sie am besten bezahlte, und die daher ohne Scrupel den Dienst wechselten, sobald ihnen vortheilhaftere Anerbietungen gemacht wurden. Dahin gehörten im Mittelalter die italienischen Condottieri (s. b.) Im Dreißigjährigen Kriege belegte man mit dem Namen Parteigänger vorzugsweise die vornehmen Anführer, welche für irgend einen Fürsten unter bestimmten Bedingungen ein Truppencorps warben, also Partei nahmen, wie z. B. Graf Ernst von Mansfeld, Georg Friedrich von Baden-Durlach und Christian von Braunschweig-Wolfenbüttel für den Kurfürsten Friedrich V. von der Pfalz, als dieser in die Reichsacht erklärt worden war. In späterer Zeit verstand man unter Parteigänger die Befehlshaber solcher Corps, welche außerhalb des Rahmens der eigentlichen Armee, doch immerhin im Anschlusse an dieselbe und mit Unterordnung unter den Kriegsfürsten oder die Regierung den kleinen Krieg führen, dem Feinde möglichsten Schaden zufügen und seinen Absichten in jeder möglichen Weise entgegenwirken. Beobachtung der feindlichen Armee, Störung der Verbindungen zweier feindlichen Heere, Sicherstellung der eigenen Communicationen, Wegnahme und Zerstörung feindlicher Transporte aller Art, Aufhebung von Courieren, Feldposten, Kriegskassen, Befreiung von Gefangenen, Unterstützung partieller Aufstände gegen die feindliche Armeen sind Operationen, die Parteigängern zufallen. Vorsicht mit Kühnheit gepaart, scharfe Beobachtungsgabe, gründliche Kenntniß der Kriegsverhältnisse und der feindlichen Mittel, strenge Disciplin, Schnelligkeit und überraschendes Erscheinen und Verschwinden sind Forderungen und Aufgaben, denen Parteigänger genügen müssen. Der Parteigängerkrieg hat sich unter Umständen als ein wesentliches Hülfsmittel des großen Krieges, namentlich bei Vertheidigung des eigenen Landes, bewährt, während er im feindlichen Lande auf ungleich größere Schwierigkeiten stößt. Bedeutendes Talent als Parteigänger haben die spanischen Guerillas zu verschiedenen Zeiten entwickelt, entschieden geringeres die französischen Franctireurs während des Deutsch-Französischen Krieges 1870/71.

Parthenopeische Republik hieß nach Parthenope, dem ältesten Namen von Neapel, der republikanische Staat, in welchem das Königreich Neapel 1799 durch französische Republikaner umgewandelt wurde, aber nur fünf Monate (23. Januar — 20. Juni) Bestand hatte.

Parthien hieß im Alterthum eine Landschaft in Asien, den westlichen Theil

der jetzigen persischen Provinz Khorassan nebst einem Stück von Iran Adschemi
umfassend. Die Parther galten als tapfere Krieger, geschickte Reiter und ge-
übte Bogenschützen; sie waren erst den Persern, Macedoniern und Syriern unterworfen und bildeten seit 256 v. Chr. unter den Arsaciden ein eignes Parthi-
sches Reich, welches alle Länder zwischen dem Euphrat und Indus, dem Kaspischen Meere und Indischen Ocean umfaßte, 227 v. Chr. von dem Sassaniden Ardeschir (Artaxerxes I., auch Artaxerxes IV. genannt, s. d.) gestürzt und
mit Persien vereinigt wurde.

Particular-Bedeckung. Die Gefechtsthätigkeit der Artillerie beschränkt sich
bekanntlich ausschließlich auf das Ferngefecht; das Nahgefecht mangelt ihr ganz.
Sie ist demnach außer Stande, sich directer Angriffe des Feindes eigenmächtig
zu erwehren und bedarf zu diesem Behufe des Beistandes der Infanterie oder
Cavalerie. Jeder Batterie oder größeren Artillerieabtheilung wird deßhalb,
mag sie nun isolirt oder im Verein mit anderen Truppen kämpfen oder in
des Feindes Nähe marschiren, eine Cavalerie- oder Infanterie-Bedeckung beigegeben, deren ausschließliche Bestimmung es ist, die Batterie vor directen Angriffen und Beunruhigungen des Feindes sowohl im Gefechte als auf dem Marsche
zu sichern. Diese Sicherungstruppe wird Particular-Bedeckung genannt
und für reitende Artillerie stets, für Fuß-Artillerie, soweit es die Terrain- und
anderen Verhältnisse gestatten, der Cavalerie entnommen. Ihre Stärke wird
durch die Größe der zu deckenden Artillerie-Abtheilung bedingt; im Allgemeinen
rechnet man auf 4 Geschütze 2 Züge Cavalerie oder 1 Zug Infanterie. Ihrem
Zwecke gemäß wird sie sich auf dem Marsche je nach dessen Richtung zum
Feinde als Avant-, Arrière- oder Seiten-Deckung zu betrachten und demnach ihre Maßregeln zu treffen haben. Im Gefecht deckt sie die Bewegungen
der Artillerie und entzieht sie der Einsicht und Einwirkung des Feindes dadurch, daß sie durch ein wohlgezieltes Tirailleur- resp. Flankenfeuer dessen Aufmerksamkeit auf sich selbst zu lenken sucht. Faßt die Batterie Posto, um das
Feuer gegen den Feind aufzunehmen, so nimmt die Particularbedeckung, sofern
es ihre Stärke erlaubt, auf beiden, sonst auf dem Flügel seitwärts zurückgezogen, gedeckte Aufstellung, der einem feindlichen Angriffe am meisten ausgesetzt ist, dadurch, daß er seine Anlehnung an Truppen oder Terrainhindernisse
besitzt, oder daß er in Folge der Bodengestaltung oder des dahintergebliebenen
Pulverdampfes gedeckte Annäherung begünstigt. Die Aufstellung hinter der Batterie
muß nach Möglichkeit vermieden werden, weil hier die Bedeckungstruppe zu
sehr den feindlichen, auf die Batterie gerichteten Geschossen ausgesetzt ist, auch
von diesem Standpunkte aus die rechtzeitige Vertheidigung der Batterie erschwert
oder ganz unmöglich gemacht wird. Unter keinen Umständen darf die Particularbedeckung der Artillerie, sei es in der Bewegung, sei es im Feuer, hinderlich werden. Greift der Feind an, so tritt die Taktik der Bedeckungswaffe in
den Vordergrund. Mit Aufbietung aller Kräfte und nöthigenfalls selbst mit
Aufopferung der gesammten Bedeckungstruppe muß dann ihr Zweck, die
Sicherung der Batterie, zu erreichen gesucht werden. Ist es gelungen, den
Feind abzuschlagen, so muß von jeder Verfolgung desselben, die eine Isolirung
der Batterie unabweislich nach sich ziehen würde, Abstand genommen und vielmehr
umgehend zu dieser zurückgekehrt werden. Der Führer der Particularbedeckung postirt
sich, wenn möglich, auf einem, das Vorterrain übersehenden Punkt, von wo
aus er das umliegende Gelände übersehen kann, während jene selbst ruhig in
ihrer gedeckten Stellung so lange verharrt, bis ihr Führer für nöthig erachtet,
sie in Wirksamkeit treten zu lassen.

Partisan gleichbedeutend mit Parteigänger (s. d.)

Partisane, eine ehemals gebräuchliche, der Hellebarde ähnliche Stoßwaffe.
Sie bestand aus einem 6—8' langen hölzernen Schaft mit einem Stoßeisen,

welches an beiden Seiten einen beisähnlichen Vorsprung und zuweilen drei Spitzen hatte; die P. erhielt sich noch längere Zeit bei den Schweizergarden, sowie als Espouton in der preußischen Armee bis 1806 bei den Unteroffizieren der Infanterie.

Pascha (persisch, d. i. Fußstütze des Königs), eine aus den persischen Wörtern pa, Fuß, und schah, König, corrumpirte Titulatur der höchsten Würdenträger des Osmanischen Reiches, sowohl im Civildienste (dem Rath erster Classe entsprechend), wie im Militär (dem General entsprechend). Bis zur Regierung des Sultans Mahmud II. wurde dem P. bei feierlichen Gelegenheiten ein, resp. mehrere Roßschweife vorausgetragen, daher die Bezeichnung P. von einem Roßschweif (Mirliva, Generalmajor), P. von zwei Roßschweifen (Feril, Generallieutenant), P. von drei Roßschweifen (Muschir, Commandirender General); im Civil steht dem Feril der Beglerbeg oder Miriman, dem Muschir aber der Vezier an Range gleich. Da die Statthalter stets P. waren, so wurden früher die Provinzen auch Paschallts (jetzt Ejalets, s. d.) genannt.

Paskewitsch, Iwan Fedorowitsch, Graf von Eriwan, Fürst von Warschau, russischer Generalfeldmarschall und Statthalter von Polen, geb. 1782 in Poltawa, war Leibpage bei Kaiser Paul, trat 1800 ins Heer, focht 1806—1812 gegen die Türkei, wurde schon 1810 General, kämpfte gegen Napoleon 1812 bei Smolensk, Borodino, Jaroslawez und Krasnoi, 1813 bei Leipzig und 1814 bei Paris als Generallieutenant, commandirte 1826 das russische Heer gegen Persien, erwarb sich hier die Grafenwürde und den Ehrennamen Eriwanski, focht gleich danach siegreich gegen die Türkei in Asien, wurde 1829 Feldmarschall, kämpfte im Kaukasus, wurde 1831 zur Ablösung Diebitsch's nach Polen geschickt, eroberte in zwei blutigen Tagen Warschau, wurde dafür in den Fürstenstand erhoben, führte 1849 die Interventionsarmee nach Ungarn, und wurde auf den ausdrücklichen Wunsch des Kaisers Nikolaus, trotz seines hohen Alters 1854 zur Armee in die Donaufürstenthümer geschickt. Er erhielt hier jedoch eine Contusion, welche ihn nöthigte, die Armee zu verlassen und starb 1. Februar 1856 in Warschau. Im Juli 1870 wurde ihm zu Warschau ein Denkmal (ehernes Standbild) errichtet. Vgl. Tolstoi, „Essai biographique et historique sur le Feld-maréchal prince de Varsovie", Paris 1835.

Paß, 1) im Allgemeinen s. v. w. Defilé (s. d.); 2) im engern Sinne Gebirgspaß, ein enger, beschwerlicher Weg durch, resp. über ein Gebirge. Der Hauptunterschied zwischen P. in diesem Sinne und Defilé liegt darin, daß beim P. das Nebenterrain völlig unbrauchbar für Marsch und Kampf ist. Der P. gestattet daher nach der Seite keine Vertheidigung, läßt aber auch keinen Angriff vermuthen; beim Defilé ist dagegen eine Seitenvertheidigung, aber auch ein Seitenangriff möglich, der Angriff zwar nicht wahrscheinlich, aber die Vertheidigung auch sehr schwierig.

Passarowitz (serb. Poscharewatz), Stadt in Serbien, 1 Meile östlich der Morawa, 1½ Meilen südöstlich von der Mündung in die Donau, hat ein Schloß und 5,300 E. P. ist muthmaßlich das alte Margum in Obermösien, wo 285 Kaiser Diocletian den Kaiser Carinus schlug. Hier wurde am 21. Juni 1718 zwischen Venedig und Kaiser Karl VI. einerseits und der Pforte andererseits ein Friede oder vielmehr vierundzwanzigjähriger Waffenstillstand abgeschlossen, welcher den Krieg beendigte, den die Pforte 1714 gegen Venedig begonnen hatte, um Morea zu erobern.

Passatwinde (engl. Trade-winds, d. i. Handelswinde; franz. Vents alizés) nennt man die zwischen den Wendekreisen regelmäßig beständig und mit gleicher Stärke wehenden Ostwinde. Die Entstehungsursache derselben, welche Jahrhunderte lang ein bewundertes Räthsel war, bis endlich zu Anfang des 18. Jahrhunderts der Engländer Hadley das Gesetz dafür fand, ist folgende: Innerhalb der Tropengegenden wird die Atmoſphärenſchicht, welche zunächſt über der Erde ſteht, fortwährend ſtark erwärmt, dehnt ſich deßhalb bedeutend aus, wird dadurch leichter und ſteigt in die höhern Regionen, wo ſie ſeitwärts in die kälteren Gegenden nach Nord und Süd abſtrömt. Das Streben der Atmoſphäre nach allſeitigem Gleichgewicht veranlaßt nun einen Erſatz der erwärmten, leichtern und verdünntern Schicht durch einen Zufluß kälterer, ſchwererer und dichterer Luft von den beiden Polen her nach dem Aequator; die Achſendrehung der Erde von Weſt nach Oſt und deren Kugelgeſtalt bewirken jedoch, daß die von Nord und Süd kommenden Luftſtröme, von der Achſendrehung der Erde nicht beeinflußt, allmählig eine Richtung nach Südweſt, reſp. Nordweſt annehmen und um ſo reiner weſtſtrömend werden, je mehr ſie ſich dem Aequator nähern, wo ſie eine größere Rotationsgeſchwindigkeit vorfinden, als die, welche ſie mitbringen und deshalb nur hinter derſelben zurückbleiben. Daher wehen die P. nördlich vom Aequator aus Nordoſt, ſüdlich vom Aequator aus Südoſt, in der Nähe des Aequators faſt rein aus Oſt. Der Nordoſt-P. erſtreckt ſich im Stillen Ocean von 2° bis 25° nördlicher Breite, im Atlantiſchen Ocean von 8° bis 29° nördlicher Breite; der Südoſt-P. im Stillen Ocean von 2° bis 21° ſüdlicher Breite, im Atlantiſchen Ocean von 3° bis 23° ſüdlicher Breite; doch ſchwanken dieſe Grenzen um einige Grade, und zwar hinſichtlich der Zeit je nach dem Stande der Sonne nördlich oder ſüdlich vom Aequator, hinſichtlich des Raumes je nach der Configuration, und dem Temperaturverhältniſſen des betreffenden Continentes. Innerhalb der dem Aequator zunächſt liegenden Breitengrade, wo der Nordoſt- und Südoſt-P. auf einander treffen, liegt die Region der Calmen, in welcher keine regelmäßigen Winde wehen, ſondern Windſtillen unaufhörlich mit Windſtößen, (Böen engl. Squalls) wechſeln. Auf dem gleichen Geſetze wie die P. beruhen die Monſuns (ſ. d.) Die P. ſind für die Schifffahrt inſofern von großer Wichtigkeit, als die Schiffe befähigen, mehrere hundert Meilen weit einen beſtimmten Cours zu ſteuern und dieſelbe Strecke in faſt immer derſelben Zeit zurückzulegen, während die Region der Calmen von Segelſchiffen oft erſt nach vierzehn bis zwanzig Tagen überwunden werden kann und auch von Dampfern wegen der dort ſo häufigen heftigen, mit ſchweren Regengüſſen und orkanähnlichen Stürmen verbundenen Gewitter ſo raſch als möglich durch einen directen Süd- oder Nord-Cours zu durchſchneiden geſucht wird. Eine vollſtändige und klare Ueberſicht über die P. gewähren Maury's (ſ. d.) berühmte „Wind and Current Charts", 1845 ff. Vgl. auch Maury „Physical Geography of the Sea" 11. Aufl. New-York und London 1864 (deutſch von Böttger „Die phyſiſche Geographie des Meeres," Leipzig 1855, 2. Aufl. ebd. 1859).

Paſſau, Stadt im bairiſchen Regierungsbezirk Niederbaiern, unmittelbar an der Grenze gegen Oeſterreich, zu beiden Ufern der Donau, über welche eine ſteinerne Brücke führt und in welche hier (von rechts) der Inn und (von links) die Ilz münden, iſt Anſchlußpunkt der bayeriſchen Oſtbahn (Linie Geiſelhöring-P.) und der öſterreichiſchen Kaiſerin-Eliſabeth-Weſtbahn (Linie Wels-P.), Sitz eines Appellationsgerichts und eines Biſchofs, hat einen ſchönen Dom, ein Denkmal des Königs Max Joſeph I. und (1867) 13,383 Einwohner. Auf dem Georgensberge, der an der Mündungsſpitze zwiſchen Donau und Ilz bis zu 400 Fuß aufſteigt, erhebt ſich die Feſtung Oberhaus, welche durch zwei Schutzmauern mit der am Fuße des Berges liegenden Feſtung Niederhaus verbunden iſt und mit dieſer zur Dentention von Verbrechern aus den höhern Ständen und Militärſträflingen benutzt wird. In der Kriegsgeſchichte iſt P. merkwürdig durch den 31. Juli 1552 zwiſchen dem Kaiſer Karl V. und dem Kurfürſten Moritz von Sachſen abgeſchloſſenen und im Auguſt ratificirten Paſſauer Vertrag (Religionsfriede, ſ. d.) nach welchem beiderſeits die Waffen niedergelegt.

der Landgraf von Heſſen freigelaſſen und bis zum Austrage auf einem Concil Niemand in Religionsſachen vergewaltigt werden ſollte. Im Juli 1742 wurde P. von den Baiern überrumpelt, im Januar 1743 aber durch Accord wieder an die Oeſterreicher zurückgegeben, 1805 und 1809 von den Oeſterreichern beraunt, ſeit 1809 durch anſehnliche Werke verſtärkt.

Paſſauer Kunſt wurde die ſchon ſehr alte, angebliche Kunſt, ſich ſchuß- und hiebfeſt zu machen genannt, ſeit ein Paſſauer Scharfrichter an die Truppen, welche zu Anfange des Dreißigjährigen Krieges in Böhmen einrücken ſollten, die ſogenannten Paſſauer Zettel vertheilte, worin ihnen Feſtigkeit gegen Schuß und Hieb des Feindes angeblich garantirt wurde. Der Glaube an die P. K., an den ſichernden Einfluß von Amuletten, Talismanen ꝛc. iſt, trotz der vorgeſchrittenen allgemeinen Bildung des 19. Jahrhunderts, in gewiſſen Armeen noch heute nicht gänzlich ausgerottet.

Paſſeriano (Paſſerino) ſ. u. Campo-Formio.

Paßkugel (Stückkugel) wurde in früheren Zeiten zuweilen die eiſerne vollgegoſſene Kanonenkugel im Gegenſatze zur Kartätſchkugel genannt. Zum Paßkugelſchuß wird nur eine Vollkugel verwendet, während der Kartätſchkugelſchuß eine gewiſſe kleinerer Vollkugeln (bei Kanonen und Haubitzen mit einer Hülle umgeben) in einem Schuſſe vereinigt.

Paßwan-Oglu, geb. 1758, Sohn eines Baſchi, der ſich 1797 mit Verwegenheit durch furchtbaren Janitſcharenaufſtand die Würde eines Paſcha von Widdin erzwang und 1807 ſtarb.

Patentbouſſole iſt eine mit Diopter verſehene Bouſſole (ſ. b.), welche aus freier Hand gebraucht werden kann. Bouſſole bezeichnet überhaupt jedes Gefäß, in deſſen Mitte ſich eine Magnetnadel auf einem ſenkrecht ſtehenden Stifte frei herumbewegt. Die Magnetnadel hat die Eigenſchaft, daß, wenn ſie aufgehängt, ihre Längenaxe nur in einer horizontalen Ebene um eine vertikale Axe drehen kann, dieſelbe immer eine beſtimmte Stellung einnimmt, indem die magnetiſche Axe, d. i. die Verbindungslinie der beiden Pole, ſtets gegen einen beſtimmten Punkt des Horizontes hinweiſt. Wird die Nadel durch irgend eine ſtörende Kraft aus dieſer Gleichgewichtslage herausgebracht und dann ſich ſelbſt überlaſſen, ſo kehrt ſie nach einer Reihe von Oscillationen immer wieder in dieſe Gleichgewichtslage zurück. Dieſe Eigenſchaft der Magnetnadel beſähigt die Bouſſole zum Orientiren beim Aufnehmen oder zur Beſtimmung der Lage, welche gewiſſe Linien im Horizonte haben oder erhalten ſollen, ſo wie auch zum Meſſen von Winkeln. Dies zu ermöglichen zieht man im Boden des Gefäßes zwei ſich im Stifte rechtwinklig kreuzende Linien, welche den Meridian und Parallelkreis des Stifts vorſtellen ſollen. Der innere Rand des Gefäßes wird mit einem in Grade, Minuten, Secunden ꝛc. eingetheilten Kreisringe verſehen, deſſen Null- oder Anfangspunkt im nördlichen Ende des Meridians liegt. Das Ganze wird mit einer Glasſcheibe verſchloſſen und mittelſt Schrauben auf eine quadratförmige meſſingene Platte ſo befeſtigt, daß der im Boden verzeichnete Meridian mit zweien gegenüberſtehenden Kanten der Platte parallel läuft. An der Seite des Inſtruments befindet ſich der Griff zu einer Feder, um den Stift und mit ihm die Nadel an die innere Fläche der Glasſcheibe anzudrücken, damit die freie Bewegung der Nadel beim Transport gehemmt werde. Zum Winkelmeſſen muß das Inſtrument mit Diopter verſehen ſein, deren Abſehlinie mit dem Meridiane im Boden der Bouſſole in einer Vertikalebene liegt. Beim Gebrauch entferne man alles Eiſen von ſich. Das Herannahen eines Gewitters macht die Nadel unruhig. Die Vertikalebene, welche man ſich durch die magnetiſche Axe der in ihrer Gleichgewichtslage befindlichen horizontalen Magnetnadel gelegt denkt, nennt man den magnetiſchen Meridian. Der magnetiſche Meridian eines Ortes macht nun mit dem aſtronomiſchen einen Winkel, welchen man die

Deklination oder Abweichung nennt. Die Deklination ist östlich oder westlich,
je nachdem die Magnetnadel nach der einen oder der andern Seite des astronomischen Meridians abweicht. Jeder Apparat, welcher dazu dient, die Deklination zu messen, heißt eine Deklinationsboussole. Bringt man das
Diopter (oder Fernrohr), dessen Axe mit derjenigen Linie parallel läuft, welche
man sich vom Nullpunkte des getheilten Kreises über seinen Mittelpunkt zum Theil-
striche 180 Grad gezogen denkt, genau in den astronomischen Meridian, so kann
man auf dem Theilkreise die Deklination ablesen. Die Bestimmung der
magnetischen Deklination mit Hülfe der Boussole wird mit einem constanten
Fehler behaftet sein, wenn die magnetische Axe der Nadel nicht genau mit der
geometrischen (d. i. die Verbindungslinie der beiden Spitzen) zusammenfällt.
Dieser Fehler wird durch die Methode des Umkehrens corrigirt. Zu diesem
Zwecke ist die Nadel nicht auf ihrem Hütchen befestigt, sondern nur aufgelegt,
so daß man sie abnehmen, umkehren und wieder auflegen kann. Führt man
dies aus, so deutet die Spitze der Nadel auf eine Gradzahl, welche um eben
soviel zu groß ist, wie sie vorher zu klein war und deren richtige Grundzahl
in der Mitte liegt. Die Deklinationsboussole, deren sich die Seefahrer bedienen, heißt Compaß. Hängt man eine Magnetnadel in ihrem Schwerpunkte
auf, so bleibt sie nicht mehr wagerecht stehen, sondern macht einen Winkel mit
der Horizontalen, welcher Inklination der Magnetnadel genannt wird. Wird
die Nadel in einem getheilten Vertikalkreise angebracht, dessen Ebene mit der
Umdrehungsebene der Nadel zusammenfällt, so kann man auf diesem Kreise der
Größe der Inklination ablesen, sofern die Ebene des Vertikalkreises genau in
den magnetischen Meridian fällt. Apparate, welche dies bewerkstelligen, heißen
Inklinatorien oder Inklinationsboussolen. Auch hier darf zur Erzielung möglichst genauer Resultate die Methode des Umlegens nicht unterlassen werden.
Die Größe der Inklination nimmt zu, je weiter man nach Norden kommt,
sie wird in der Aequatorzone gleich Null und nimmt wieder zu aber in entgegengesetzter Richtung je weiter man sich nach Süden vom Aequator entfernt.

Patentschwanzschraube ist bei Vorderladungsgewehren dasjenige massive Gewehr-
laufverschlußstück, in dessen Gewindetheil die Ausbohrung zur Aufnahme der Pulverladung ein gefertigt und gleichzeitig so construirt ist, daß durch die Bohrung
des eingeschraubten Zündstiftes (Pistons) die Feuerleitung des explodirenden
Zündhütchens zur Pulverladung vermittelt wird. Bei der in den dreißiger
Jahren dieses Jahrhunderts successive fast bei allen Armeen Europas eingeführten Perkussion mußten die im Gebrauche befindlichen Steinschloßgewehre der
Umänderung unterworfen werden. Die gewöhnlichste Umänderungsweise war
die, daß das Zündloch aufgebohrt, die Pfanne verworfen, in das aufgebohrte
Zündloch ein sogenannter Zündstollen geschraubt und verlöthet wurde, um
demnächst durchstich bearbeitet und zur Aufnahme des Zündstiftes, sowie Herstellung der Feuerleitung gebohrt zu werden. Durch den Umstand, daß die Gewehrläufe gerade an dieser Stelle am meisten auszuhalten hatten, indem die Entzündung der Ladung hier stattfand und die vielfach wiederholte Expansion der
Pulvergase die Textur des Eisens lockert, wurde diese Stelle durch die Auf-
bohrung des Zündlochs und durch die Manipulation des Löthens, zu welchem
Zwecke die Läufe ins Feuer gebracht werden mußten, um so mehr geschwächt
und die Dauer der Gewehre verlor an Garantie. Dies führte die Gewehr-
technik für die Neuanfertigung auf die Einführung der Patentschwanzschraube.
Dieselbe hatte den großen Vorzug, daß sie die Pulverkammer aufnahm, in der
die Entzündung und Verbrennung der Ladung stattfand und ihr eventueller Erfolg ein leichterer und weniger kostspieliger wurde, als der des unbrauchbar
gewordenen Laufs. Behufs der Vereinigung der Patentschwanzschraube mit dem
Lauf, wurde das Muttergewinde in demselben eingeschnitten. Dasselbe mußte

streng concentrisch mit den inneren Rohrwänden und mit seinem Mittel genau in der verlängerten Seelenachse liegen, es mußte voll und glatt geschnitten und ohne Schiefer, Rescher oder Gewinde-Risse sein. Der Durchmesser dieses Gewindetheils richtete sich nach dem Kaliber des Laufs und man hatte darauf zu achten, daß derselbe des guten Verschlusses wegen, um 0,03 bis 0,10" größer als das Kaliber war. Bei den gezogenen Röhren (Büchsen) war das Festhalten der 0,10" stärkeren Schraube als das Kaliber um so dringender nothwendig als auf ein event. mehrmaliges Frischen der Züge oder Felder gerechnet werden mußte. Die Länge oder Tiefe des Muttergewindes mußte genau mit der Länge und Beschaffenheit des Gewindes der Patentschwanzschraube übereinstimmen, damit im eingeschraubten Zustande zwischen beiden ein hermetischer Verschluß stattfand. Ebenso mußte der Ansatz des Patentstückes innig an die Bodenfläche (Hirnseite) des Laufs anschließen. Die Zahl der Gewinde-Gänge hing, dem technischen Ausdrucke nach, davon ab, ob das Gewinde ein grobes, oder feines, was bei den verschiedenen Modellen auch verschieden war. Was die Form der Gewinde-Rippen betrifft, so war die etwas abgestumpfte prismatische, die am meisten vorzuziehende. Die Pulverkammer mußte sich mit dem Kaliber des Laufs genau vergleichen, d. h. in ihrem größten (oberen) Durchmesser mit dem Lauf-Kalibers übereinstimmen, so daß sie gewissermaßen eine konische Verlängerung der Lauf-Seele in die Patentschwanzschraube hinein bildete. Die Tiefe der Kammer war durch das Volumen der Pulverladung bedingt und endete dergestalt, daß der durch das Canal-Loch gebildete, von dem Boden der Kammer ausgehende Winkel mit der Seelenachse des Laufs (ein möglichst stumpfer), nicht unter 135° betrug. Der Boden der Kammer war concav gearbeitet, damit er das Vordringen des Pulvers in das Canal-Loch erleichterte; die Bohrung des Canal-Lochs mußte zu diesem Zwecke sehr glatt gearbeitet sein, genau in die Bodenecke der Pulverkammer treffen und an dieser Stelle etwas aufgetrichtert sein. Die Achse der Bohrung zur Aufnahme des Zündstifts durchschnitt die Achse des Canal-Lochs, das Gewinde selbst durfte das letztere nicht berühren, sondern mußte einen Ansatz haben, auf den sich der Gewindetheil des Zündstiftes aufsetzte. Der Winkel den die Bohrung für den Zündstift mit der Seelenachse bildete, mußte 125° betragen. Der Zündstift selbst von Gußstahl gefertigt, gehärtet, blau angelassen, hatte auf die Länge von 0,03" circa 0,03" weite cylindrische, demnächst bis zum Anschluß an das Canalloch eine bis zu dessen Weite aufgetrichterte Bohrung. Die äußere Form des Zündstiftes war im oberen Theile kegelförmig, demnächst vierkantig zum Zwecke des Einschraubens mittelst eines Pistonschlüssels, und zwischen diesem vierkantigen Theile und dem Gewinde mit einem tellerartigen Ansatz versehen, der sich zur Verhütung des Ueberschraubens, auf die Patentschwanzschraube auflegte. Die Krone des Kegels war seitlich abgerundet und quer über das Canal-Loch mit einem Feileinstrich versehen, damit beim Aufsetzen des Zündhütchens, die darin enthaltene Luft seitwärts entweichen konnte. Die muschelartig ausgearbeitete Patentschwanzschraube um den Zündstift herum diente dazu, das Auge des Schützen gegen den aus dem Zündstift dringenden Feuerstrahl und event. abspringende Kupferpartikelchen des explodirenden Kupferhütchens, zu sichern. Die österreichische Armee nahm im Anfange der Dreißiger Jahre dieses Jahrhunderts das Consol'sche Perkussions-System an welches durch den Generallieutenant Baron von Augustin im Jahre 1842 verbessert wurde und dessen Einführung der Patentschwanzschraube darin bestand, daß in das aufgebohrte Zündloch ein stählerner Zündern eingeschraubt wurde, welcher in die Pfanne hineinreichte, mit einer hier angetrichterten Bohrung versehen und zur Aufnahme des Zünders bestimmt war. Der die Pfanne mit dem Zünder deckende obere Theil des Pfannendeckels hatte eine Durchbohrung, in welcher sich ein vertikal stehender, nach der Pfanne zu geschärfter beweglicher Zahn mit oben abgerundetem Kopfe befand. Der Hammer (Hahn) hatte einen vollen Kopf (ohne Ausfeilung) und traf beim Abfeuern des Gewehrs im Niederschlagen den Kopf des Zahns und dieser den Zünder, welcher explodirte und die Ladung entzündete. Schon der Augenschein lehrt, daß diese Einrichtung zu complicirt und der Patentschwanzschraube durchaus nachstehend war.

Paikul, Johann Reinhold von, geb. 1660 in Livland, diente in Schweden, das er politisch bedroht als Capitain verließ, ging in russische Dienste, wurde Gesandter, rächte sich an Schweden, indem er den Nordischen Krieg erregte, übernahm selbst ein sächsisches Commando, verdächtigte sich aber, wurde verhaftet und dem Könige Karl XII. von Schweden vertragsmäßig ausgeliefert, welcher ihn 1707 aufs Grausamste bei Posen hinrichten ließ.

Patrick, St. (Patricius), der katholische Schutzheilige Irlands, geb. 372 zu Glastonbury in der englischen Grafschaft Somersetshire (nach Andern zu Bonnaven-Taverna in Schottland, nicht aber, wie die Irländer irrthümlich behaupten, in Irland selbst), führte das Christenthum in Irland ein, gründete Kirchen, Klöster und Klosterschulen und starb um 460. Ihm zu Ehren stiftete König Georg III. 1783 den irländischen Patrickorden (s. u. Großbritannien S. 287.)

Patroklus, Held der altgriechischen Sage, Waffengenosse des Achilles bei der Belagerung von Troja, wurde von Euphorbos und Hektor im Kampfe getödtet und später durch den Tod des Letzteren von Achilles gerächt.

Patrone nennt man die zum Laden fertig gemachte Pulverladung in ihrer Verbindung mit dem Geschoß oder auch für sich allein. In Preußen bezieht man diesen Ausdruck nur auf die Munition der Handfeuerwaffen und bedient sich mit Beziehung auf das Geschütz des Ausdrucks „Cartouche“, während in Süddeutschland und Oesterreich für beides der Name Patrone gebraucht wird, (in Frankreich cartouche). Während man bei den ältesten Feuerwaffen die Ladungen erst beim Gebrauch abmaß und mittelst Ladeschaufeln lose in das Rohr einführte, das Geschoß aber für sich einsetzte, bestanden die ersten Fortschritte darin, daß man wenigstens bei den Handfeuerwaffen die abgewiesenen Pulverladungen in Papierhülsen mitführte. Gustav Adolf wandte bei seinen Feldgeschützen die Verbindung von Ladung und Geschoß an, späterhin wurde sie auch bei Handfeuerwaffen üblich (siehe Munition). Mit Ausnahme der Mörser, welche in der Regel mit losem Pulver feuern, wendet man jetzt bei allen Feuerwaffen fertig gemachte Patronen an. Neuerdings enthalten die P. der Handfeuerwaffen häufig noch das Zündmittel und werden alsdann Einheits-P. genannt. Bei den P. spielt das Material, aus welchem die Herstellung der das Pulver einschließenden Hüllen geschieht, eine bedeutende Rolle. Dasselbe muß sowohl bei der Aufbewahrung, als bei dem Transport genügende Dauerhaftigkeit besitzen, darf nicht hygroskopisch sein und im Falle die ganze Patrone in das Rohr eingesetzt wird, keinerlei Gefahr im Gefolge haben; es muß daher entweder sich gänzlich verzehren, oder darf, wenn dies nicht der Fall ist, wenigstens nicht nachschwelen. Um den Nachtheilen, welche übrig bleibende Reste der Patronenhülse der Bedienung bringen, überhaupt aus dem Wege zu gehen, wählt man bei Hinterladern auch ein Material, welches durch die Pulvergase keine Veränderung erfährt und somit gestattet, die ganze Hülse nach dem Schuß zu entfernen. Man ist dadurch im Stande, zugleich einen vollkommen dichten Gasabschluß zu bewirken und die Einrichtung des Verschlusses selbst zu vereinfachen. Was zunächst die Patrone der Handfeuerwaffen betrifft, so war für Vorderlader Papier ein vollständig ausreichendes Material zur Herstellung der Hülsen, insofern ja doch das Pulver lose in den Lauf geschüttet wurde. Während nun bei den Hinterladern die ganze P. in demselben eingesetzt wird, so tritt hier die Frage der Beseitigung der Hülsenreste und nicht minder diejenige des vollkommensten Gasabschlusses hinzu. Bei den meisten Constructionen der neuesten Zeit findet man zur gründlichsten Lösung beider das gasdichte Hülsenmaterial gewählt. Papierpatronen findet man namentlich bei den Zündnadelgewehren, wie bei dem in Preußen, Norddeutschland, Baden und Württemberg eingeführten Dreyse'schen Zündnadelgewehr und dem französischen Chassepotgewehr, ferner bei dem mit Beibehalt der Perkussionszündung transformirten bayerischen Podewils-Gewehr. Beim italienischen Zündnadelgewehr hat die im übrigen aus Papier bestehende Patrone einen Gummiboden, beim System Terrh und bei den sächsischen Reiterkarabinern einen solchen von Filz, welcher nach jedem Schusse durch die nächstfolgende P. vorgestoßen wird. Als gasdichtes Hülsenmaterial finden wir Carton, Rollmessing, getriebenes Messing- und Kupferblech (Metallpatronen). Während Papierpatronen eine cylindrische Form haben, sind die Metallpatronen des leichteren Ausziehens wegen nach vorne konisch sich verjüngend und mit einem vorstehenden Bodenrand versehen. Oft ist der Durchmesser des hintern Theils (in welchem die Patrone liegt), erheblich größer als derjenige des Geschosses, um der Ladung eine zur Verbrennung günstigere Form und der Patrone durch Vermeidung zu großer Längenausdehnung im Verhältniß zum Querdurchmesser größere Haltbarkeit zu geben. Eine Combination von Carton und Rollmessing bildet die Hülse der englischen Bozerpatrone, (vom Oberst Bozer construirt); dieselbe wird auch in Belgien angewandt. Von Nord-Amerika gingen die getriebenen Kupferhülsen aus und fanden auch in Oesterreich, der Schweiz und anderwärts Annahme. Für das neue bayerische Hinterladungsgewehr nach dem System Werder ist eine Patrone mit geprägter Messinghülse bestimmt. Die geprägten Hülsen sind leichter zu fabriziren, als die gerollten, doch besitzen sie wohl nicht die gleiche Haltbarkeit. Häufig ist bei den Einheitspatronen die Zündung mit der Hülse verbunden, so z. B. stets bei den Patronen mit gasdichten Hülsen, und zwar ist sie im Boden des letzteren angebracht. Man unterscheidet P. mit Rand- und solche mit Centralzündung; bei ersteren ist die Zündmasse im hohlen Rande des Bodens eingepreßt, bei letzterem in der Mitte desselben am Zündhütchen angebracht. Die preußischen Zündnadelpatronen haben einen Papierspiegel vorwärts der Pulverladung, welcher einestheils die Zündpille trägt (daher Zündspiegel genannt), anderntheils zur Führung des Geschosses dient. Die Patronen für Infanteriegewehre nennt man schlechtweg auch Gewehr-, resp. Infanteriepatronen, für Pistolen Cavallerie-, für Karabiner auch Karabinerpatronen. P., welche Explosionsgeschosse haben, werden Explosionspatronen genannt. Bei den Patronen der Hinterladungs-Geschütze hat das gasdichte Material bis jetzt nur sehr beschränkten Eingang gefunden, doch giebt es gasdichte Patronenböden, welche hinter die P. für sich eingesetzt werden oder auch mit derselben verbunden sind, wie der Preßspahnboden der preußischen Geschütze mit Kolbenverschluß, die Metallböden schwerer Hinterladungsgeschütze. Die Hülsen der Geschützpatronen bestanden früherhin aus Papier, jetzt wählt man zur Erzielung größerer Haltbarkeit ausschließlich Zeuge. Man giebt der Wolle den Vorzug vor Baumwolle und Leinwand, weil sie nicht nachschwelt, wohingegen letztere billiger sind, der Gefahr halber aber nur bei langsam feuernden Geschützen der Festungs-Artillerie zur Verwendung kommen. Die Wolle hat den Nachtheil, daß sie sich dehnt und dem Mottenfraß ausgesetzt ist. Als bestes Material gilt gegenwärtig die toile amiantine, ein aus den Abfällen der Seidenfabrikation hergestelltes Gewebe, das sich weder dehnt, noch nachschwelt. Von Wollestoffen benutzt man meistens den ungebleichten Etamin. Da, wo die Patrone vom Geschoß getrennt ist, befindet sich die Ladung in einem cylindrischen oder konischen Beutel, der an einem Ende einen eingenähten Boden hat, am andern mit Bindfaden zugeschnürt ist (Kropfcartouche.) Oft dient zum Schluß ein zweiter aufgenähter Boden, oder auch ein cylindrischer Holzspiegel, an den die Patrone festgebunden ist. Soll Geschoß und Ladung verbunden werden, so dient letzterer als Zwischenmittel. Reicht der Beutel bis über die Kugel, so spricht man von Kugelcartouchen. Man unterscheidet bei Geschützen auch wohl Schuß- und Wurfpatrone, von denen letztere für den hohen Bogenschuß oder Wurf bestimmt sind. In Bayern hat man kombinirte Patronen, aus welchen sich Ladungen verschiedener Größe herstellen lassen. — P., welche lediglich zu Manöverzwecken dienen, heißen Manöver-, auch blinde, bei Gewehren Platzpatronen, im Gegensatz dazu heißen die zum Scharfschießen bestimmten scharfe. Die Anfertigung der P. erfordert wegen der damit verbundenen Anhäufung von Pulver eine Reihe von Vorsichtsmaßregeln. Die Patronenhülsen für Handfeuerwaffen werden jetzt meist in besonderen Fabriken erzeugt. Das Zusammensetzen der P. erfolgt häufig durch die Truppen selbst. Ueber P. und alles, was damit zusammen hängt, geben die Waffenlehren, die artilleristischen Lehrbücher und speciell die Kriegsfeuerwerkereien Auskunft. Bezüglich des gegenwärtigen Standes der Patronenfrage vergl. „Die Patronen der Rückladungsgewehre" von A. Mattenheimer, k. bayer. Hauptmann, ferner „Neue Studien über die gezogene Feuerwaffe der Infanterie" und zwar namentlich II. Supplementsband, von W. von Plönnies, sowie „Armes de guerre" par C. J. Tackels.

Patrontasche dient zur Aufnahme eines Theiles der Taschenmunition der Infanterie und Cavalerie und erhält im letzteren Falle den Namen Cartouche. Sie kam selbstverständlich erst mit der Benutzung von Patronen in Gebrauch, da in den ersten Zeiten der Anwendung der Feuergewehre diese mit losem Pulver aus einer Pulverflasche geladen wurden und man dann später abgewogene Ladungen in hölzernen Büchsen an einem Bandeliere trug, während die Kugeln sich in einem besonderen Beutel befanden. Da zu Pferde das Laden in dieser Weise sehr beschwerlich war, so scheinen fertige Papierpatronen von der Cavalerie zuerst adoptirt worden zu sein, woher diese auch zuerst mit Patrontaschen ausgerüstet wurde. Später nahm die Infanterie gleichfalls Patronen und mit ihnen Patrontaschen an, und zwar geschah dies 1620 zuerst bei der schwedischen Infanterie durch Gustav Adolf. Trotzdem durch die damit zusammenhängende Beschleunigung des Feuers eine Ueberlegenheit gewonnen wurde, ging diese Einrichtung nur sehr langsam auf die anderen Armeen über. In Frankreich wurden 1644 Patronen und Patrontaschen eingeführt, aber nur in beschränkter Ausdehnung, da nur die Mannschaften der zu besonderen Unternehmungen ausgesendeten Detachements damit versehen wurden. Allgemein fanden sich Patrontaschen bei der Infanterie erst in der zweiten Hälfte des 17. Jahrhunderts; die brandenburgische Infanterie erhielt sie 1670, die gesammte französische Infanterie 1690. Dieselben wurden aus starkem Leder gefertigt und enthielten bei den Spaniern und Franzosen, die kein großes Gewicht auf das Feuergefecht legten, 10 Patronen, bei den Deutschen aber 30—40 Patronen, während ein weiteres Quantum denselben nachgefahren wurde. In der Mitte des 18. Jahrhunderts wurden in Folge der Entwickelung des Feuergefechts die Patrontaschen vergrößert, dergestalt daß sie bis zu 60 Patronen aufzunehmen vermochten. Dieselben wurden zuerst und lange Zeit an einem Bandelier auf dem Rücken getragen, da aber bei dieser Trageweise das Entnehmen der Patronen mit Unbequemlichkeit verknüpft war und ein Verlieren der Patronen nicht sicher vermieden werden konnte, so wird in neuerer Zeit die Patrontasche fast ausnahmslos an einem Leibgürtel vor dem Leibe getragen; außerdem ist behufs gleichmäßigerer Vertheilung der Belastung die eine große Patrontasche durch zwei auf dem Leibgürtel verschiebbare kleinere Taschen ersetzt.

Pausanias, Feldherr und König von Sparta, Sieger bei Platäa 479 v.

Chr., Eroberer Thebens, erlitt in Folge von Verrätherei 467 den Hungertod in einem Tempel.

Pavia, Hauptstadt der gleichnamigen italienischen Provinz (60,„ O.-M. mit 419,785 Einw.), am Ticino, von welchem hier der Naviglio di Pavia nach Mailand führt, Knotenpunkt der Eisenbahn zwischen Mailand, Alessandria und Cremona, Sitz einer Universität, hat eine Citadelle und 28,760 Einw. Im Jahre 1796 brach hier ein Aufstand aus, in Folge dessen die Stadt von den Franzosen erobert und geplündert wurde. 1848 war P. wiederholt der Schauplatz von Unruhen.

Peabody-Gewehr, ein Hinterladungsgewehr, das bereits 1862 von Peabody im Staate Massachusetts erfunden worden, von der Providence Tool Company in Rhode-Island in verschiedenen Modellen massenhaft producirt wird und nach dem Ausspruche competenter Beurtheiler unter den einfachen Hinterladern eine der ersten Stellen einnimmt. Es ist auf die Kupferpatrone basirt und sind seine Verschlußtheile in eigenthümlicher Art in einem eisernen Kasten angebracht, welcher durch den Schaft hindurchgeht, während das eigentliche Schloß von diesem Raume unabhängig fungirt. Die Trennung der Functionen von Verschluß und Schloß, also die Trennung der Functionen der Absperrung und der Entzündung der Patrone ist beim Peabody-Gewehr der dauerhaften Sicherheit der ganzen Manipulation und Wirkung förderlich geworden, wenngleich der Mechanismus aus einer größeren Anzahl einzelner Theile besteht, als bei manchen anderen Waffen, welche die Functionen des Schlosses und Verschlusses in ein und demselben Mechanismus vereinigen. Die Verschlußtheile befinden sich in einem soliden Gehäuse, in welches vorne das Rohr und hinten mittelst eines durch seine Achse laufenden langen Bolzens der Kolben verschraubt ist. Schloßplatte und Bügelblech verstärken diese Verbindung. Das Gewehr besteht daher aus drei mit einander verbundenen Theilen: dem Laufe mit dem Vorderschaft, dem Verschlußkasten und dem Kolben. Der Verschluß gehört zur Kategorie der Verschlüsse mit fallendem Block oder fallender Kammer, bei welchen ein im Charnier beweglicher Stoßboden sich mit der flachen Stirnseite an den Boden der Patrone legt, stark genug, um den Rückstoß auszuhalten, aber ohne den Zweck und die Einrichtung zum hermetischen Abschluß der Gase, welcher lediglich durch die gasdichte Patronenhülse bewirkt wird. Dieser bewegliche Stoßboden bewegt sich um einen im oberen und hintern Theile des Gehäuses befestigten Pivotstift. Er wird gehoben und gesenkt durch eine kurze Bewegung eines drehbaren Bügels, welcher mit dem abgerundeten Ende seines kürzeren Armes in einen Ausschnitt des Stoßbodens eingreift. Da dieser Angelsspunkt sich in geringer Entfernung vom Pivotstift befindet, so genügt schon eine kurze Bewegung des Bügels, um den Stoßboden so weit zu senken, als zum Einsetzen einer Patrone in den Lauf erforderlich ist. Da hiebei, also bei geöffnetem Verschlusse, die obere muldenförmige Aushöhlung des Stoßbodens genau in der Verlängerung des Laderaums liegt, so kann der Schütze rasch und ohne darauf zu sehen, die Patrone einschieben. Der Extractor, in Form eines Winkelhebels, bewegt sich um einen im unteren und vorderen Theile des Gehäuses verschraubten Pivotstift und greift mit seinem oberen Ende unter den Rand der eingeladenen Patrone. Das Ausziehen der leeren Hülse wird sicher bewirkt, indem der vordere Theil des Stoßbodens auf den unteren Arm des Extractors schlägt. Dieser Schlag, den der Stoßboden auf den Extractor beim Oeffnen des Verschlusses ausübt, erhält die zum völligen Herauswerfen der leeren Hülse erforderliche Kraft durch die Wirkung eines drehbaren Hebels, dessen Pivotstift im unteren vorderen Theile des Stoßbodens befestigt ist und dessen hinteres Ende auf einer Rolle gleitet. Diese Rolle dreht sich auf einem im Gehäuse verschraubten Pivotstift. Der drehbare Hebel ist mit einer Feder verbunden und wird durch

die Letztere nach unten, also gegen den kürzeren Arm des drehbaren Hebels
und die Rolle gedrückt. Bei geschlossener Waffe stemmt sich der drehbare Hebel
mit seinem, hinten passend ausgeschnittenen, Ende gegen die Rolle und drückt
den Stoßboden nach oben, sichert also den Verschluß. Der obere Arm des
Bügels steht hierbei fast senkrecht gegen den Hebel, so daß sein Druck sich nur
gegen das Charnier fortpflanzen, nicht auf Oeffnen des Verschlusses wirken
kann. Wird der Bügel nach unten gezogen, so leistet der Hebel nur im ersten
Momente einen die Kraftanstrengung der Hand steigernden Widerstand, bis die
Friction der Rolle überwunden ist, wirkt dann aber beschleunigend auf die
Drehung des Stoßbodens, indem er einen wachsenden Druck auf Drehung des
Bügels nach unten ausübt. Ein Zündstift geht durch den Stoßboden; sein
hinteres Ende wird durch den hinter dem Gehäuse auf dem Kolben befestigten
Hahn getroffen; sein vorderes Ende wirkt gegen die Zündung der Patrone.
Zum Laden sind nur vier, ohne jede Anstrengung auszuführende Griffe nothwendig und zwar: 1) Zurückdrücken des Bügels, wodurch der Verschluß geöffnet
wird. Der Stoßboden wird hierdurch schlagartig und so nach unten geführt,
daß seine obere in der Mitte muschelartig gearbeitete Fläche eine schiefe Ebene
bildet, auf welcher die Kupferpatrone fast von selbst in das Lager gleitet.
Gleichzeitig wird durch diesen Schlag, welcher den untern Arm des Extractors
trifft, während dessen anderer Arm mit seinem oberen Ende unter den Rand
der geladenen Patrone greift, die Entfernung der leeren Hülse bewirkt, die,
ohne daß es irgend eines anderen Hülfsmittels bedarf, nach rückwärts geschleudert wird. 2) Einlegen der Patrone. 3) Wiedervordrücken des Bügels,
wodurch der Verschluß geschlossen wird. 4) Spannen des Gewehrs durch Aufziehen des Hahnes eines gewöhnlichen Percussionsschlosses. Das Peabody-Gewehr mit einer Feuergeschwindigkeit von 12—13 Schuß in der Minute ist
1867 in der Schweiz in 15,000 Exemplaren zur Bewaffnung der Scharfschützen eingeführt, um diese schneller mit einem guten Hinterlader zu versehen,
als möglich gewesen wäre, wenn man sie von Hause aus mit einem Repetir-
gewehre hätte bewaffnen wollen. Dies Gewehr hat über den Feldern gemessen
10,4 Millimeter Caliber, 3 Züge von 720 Mm. Drall, 6,4 Mm. Breite und
0,229 Mm. Tiefe; es wiegt mit Bajonnet 4,44 Kilogramm, das Geschoß wiegt
20,4 Gramm, die Pulverladung 3,23 Gramme, die fertige Patrone 30,4 Gramme.
— Bei der ersten Modification des Peabody-Systems durch Martini
in Frauenfeld in der Schweiz fällt das Spannen des Hahnes fort, da dasselbe
durch die Bewegung des Bügels veranlaßt wird. Bei der späteren Modification
durch Martini ist der an dem Kolben angebrachte Hahn ganz fortgelassen und
durch einen seine Function übernehmenden Theil im Innern des Verschluß-
mechanismus ersetzt; diese letztere Modification ist in Verbindung mit dem
Henry-Laufe und der Boxer-Patrone im März 1871 definitiv zur Neu-
bewaffnung der englischen Infanterie adoptirt worden. (Vgl. Handfeuerwaffen,
Bd. IV. S. 329 und Henry-Martini-Gewehr).

Pebblepulver, (engl. Pebble-powder, Kieselsteinpulver), eine besondere
Form des Schießpulvers für die Ladungen schwerer Geschützröhre, die neuerdings
in England zum Versuche gezogen, durch das Committee on explosives im
Frühjahr 1870 empfohlen und seitdem probeweise benutzt wird. Dies Pulver
wird durch Zerkleinen des Pulverkuchens von 1,6 Dichtigkeit in Brocken gewonnen und aus unregelmäßigen Körnern gebildet, welche durch Siebe von ⅗
und ⅘ Zoll Maschenweite ausgeschieden werden. Der eigenthümliche Name
ist von der Aehnlichkeit der unregelmäßigen Körner mit Kieselsteinen entnommen.
Diese Körner sind ungleich größer als die des bisher allgemein üblichen Schießpulvers, bezüglich dessen man die Erfahrung gemacht hat, daß die bedeutenden
Ladungen für die panzerbrechenden Geschütze wegen der Kleinheit der Körner zu

momentan verbrennen, daher zu plötzlich eine so enorme Kraft entwickeln, daß ihr
die Wände der Geschützröhre auch des vortrefflichsten Materials nicht hinlänglichen
Widerstand zu leisten vermögen. In Folge dessen sind mehrfache Modificationen
der bisherigen Form des Schießpulvers eingetreten, die sämmtlich darauf ab-
zielen, daß die Verbrennung der Ladungen verlangsamt und die Plötzlichkeit
und Heftigkeit des Stoßes gegen die Geschützwände geschwächt werde. Prismatisches Pulver (s. d.), Pelletpulver (s. d.) sind dergleichen Modificationen. Von dem
Pebblepulver speciell werden folgende Vorzüge gerühmt: 1) Es liefert dieselbe
Anfangsgeschwindigkeit wie das jetzige Pulver, dagegen aber eine entschieden
geringere ursprüngliche Gasspannung, so daß die Dauer der Geschützröhre er-
höhet, die Gefahr des Springens aber vermindert wird. 2) Die verringerte
Heftigkeit der Explosion beschränkt die Möglichkeit des Zerschellens der Geschosse im Innern des Rohres und die Ausbrennungen, welche an den Rohrwänden eintreten. 3) Das härtere und dichtere Pulver ist transportfähiger,
weniger zur Staubbildung geneigt und daher haltbarer und dauerhafter. 4) Bei
Anwendung starker Ladungen kann die lebendige Kraft der Geschosse gesteigert
werden, ohne daß die Sicherheit der Geschützröhre dadurch gefährdet wird.
(Vgl. Schießpulver).

Pegu, 1) Provinz von Britisch-Birmanien, bildete bis 1852 ein ziemlich
unabhängiges Königreich des Birmanischen Reiches, zählt ungefähr 1600 Q.-M.
mit 1 Million Einwohner, wurde 1852 nach dem Krieg mit Birma (s. d.)
dem Indobritischen Reiche einverleibt und 1862 mit Britisch-Birmanien vereinigt. 2) Hauptstadt der gleichnamigen Provinz und des ehemaligen Königs-
reiches, am gleichnamigen Küstenflusse, zählte zur Zeit seiner Blüthe 150,000,
jetzt nur noch gegen 7000 Einwohner, wurde am 21. Nov. 1852 von den Briten
erstürmt (s. u. Birma).

Peiho (Pe-ho), Fluß im nördlichen China, wichtig als Wasserstraße für
die chinesische Hauptstadt Peking, mündet in den Golf von Pe-tschili. Die
Mündung ist durch die Forts von Taku vertheidigt, bei deren Angriff die
vereinigten englischen und französischen Schiffe am 25. Juni 1859 zurückgeschlagen wurden, in Folge dessen es 1860 zu einem Kriege Englands und
Frankreichs gegen China (s. d.) kam. Während dieses Kriegs wurden die Taku-
forts am 21. August 1860 von den Franzosen und Engländern nach tapferem
Widerstande der Chinesen genommen.

Peilen. Seemännischer Ausdruck für messen, z. B. die Pumpen peilen,
d. h. die Höhe des Wasserstandes in den Pumpen messen; — das Land peilen:
die Lage desselben zum Schiff nach dem Kompaß bestimmen.

Peking, Haupt- und Residenzstadt des Chinesischen Reiches, Sitz der
Reichsbehörden und Mittelpunkt des geistigen und materiellen Lebens des gesammten Reiches, liegt in der Provinz Pe-tschili, am Flüßchen Ju-ho, unweit
des Peiho, hat einen Umfang von 6 Meilen und zerfällt in die nördlich liegende
militärische Mandschu- oder Tatarenstadt Nei-tschen und die chinesische oder
Handelsstadt Uei-tschei. Die erstere ist mit einer hohen Mauer umgeben; im
Mittelpunkt derselben liegt der abermals von einer festen Mauer umschlossene
kaiserliche Palast, eine eigene Stadt Huang-tschen bildend. Die Gesammtbevölkerung wird auf 2 Millionen geschätzt. P. wurde am 13. Oct. 1860
von den Engländern und Franzosen genommen, worauf es hier am 24. und
25. Oct. zum Friedensschlusse kam (vgl. China S. 18). Am 7. Nov. 1860
traten die Verbündeten den Rückzug aus P. an und seit 1861 ist die Stadt
der Sitz einer französischen, englischen und amerikanischen Gesandtschaft, wozu
später auch noch die Gesandtschaften Rußlands, Preußens (resp. des Deutschen
Reiches) und Spaniens kamen.

Pelasger, Urbewohner Griechenlands.

Pelet, Jean Jacques Germain Baron von, französischer General, geb. 1779 in Toulouse, Ingenieur, machte als Adjutant Massena's die französischen Feldzüge von 1803—1814 mit, wurde 1813 Generalmajor, unter Ludwig Philipp Generallieutenant und Pair und starb 1858. Er schrieb: „Mémoires sur la guerre de 1809 en Allemagne", Paris 1826, 4 Bde. (deutsch von Theobald) und lieferte eine vortreffliche Militärkarte von Frankreich.

Peleus, Held der altgriechischen Mythe.

Pelias, Held der altgriechischen Mythe.

Pélissier, Jean Jacques Aimable, Herzog von Malakow, französischer Marschall, geb. 6. Nov. 1794 zu Maromme im Departement Nieder-Seine, trat 1814 in die Artillerieschule zu La Flèche, 1815 als Lieutenant in die Armee, nahm 1823 am Spanischen Feldzug und 1828 an der Expedition nach Morea Theil, zeichnete sich 1830 bei der Eroberung von Algier aus, wurde als Bataillonschef in den Generalstab versetzt, war 1832 bei der Belagerung von Antwerpen Adjutant des General Pelet, begleitete dann mehrere Adjutanturen, wurde 1839 Stabschef der Division des General Schramm in Algier, 1840 bei der Division von Oran, 1842 Oberst und zweiter Stabschef der Armee von Algerien, nahm 1844 unter Bugeaud an der Schlacht am Isly Theil, erstickte 1845 beim Angriff auf die Daharagrotten 800—1000 Araber, welche ihre Unterwerfung verweigerten, durch Rauch, wurde 1846 Maréchal-de-camp (Brigadegeneral), 1850 Divisionsgeneral, war 1850, 1851 und 1854 interimistischer Generalgouverneur von Algerien, unterdrückte 1852 durch die Einnahme von Laghuat eine gefährliche Empörung, wurde im Januar 1855 Commandant des ersten Corps der Orientarmee, übernahm im Mai 1855 an der Stelle des zurücktretenden Marschalls Canrobert den Oberbefehl über die Belagerungsarmee vor Sebastopol, stürmte am 8. Sept. unter großen Anstrengungen und schweren Verlusten den Malakow und erreichte dadurch die Eroberung der Südseite von Sebastopol, erhielt dafür am 12. Sept. den Marschallstab, kehrte im Sommer 1856 nach Frankreich zurück, wurde zum Herzog von Malakow erhoben, 1858 Gesandter in London und 1860 Generalgouverneur von Algerien, als welcher er 22. Mai 1864 in Algier starb.

Pelletpulver (Pellet-powder, Klumpen- oder Knollen-Pulver), eine Form des Schießpulvers, welche in England nach dem behufs Bekämpfung der Panzer nothwendig gewordenen Vergrößerung der Geschützealiber zur Anwendung gelangte, um die Verbrennung der ungemein starken Ladungen zu verlangsamen und dadurch der schnellen Zerstörung der Geschützröhre vorzubeugen. Das Pelletpulver verfolgt daher dieselben Zwecke, wie das Pebblepulver (s. d.), unterscheidet sich aber in der Form und Anfertigung wesentlich von demselben. Zu seiner Herstellung wird nämlich mittelst hydraulischer Pressen zu Mehlpulver zerriebenes und etwas angefeuchtetes Geschützpulver zu Cylindern gepreßt. Diese Cylinder haben für verschiedene Sorten des Pelletpulvers verschiedene Dimensionen erhalten, jede einzelne Geschützladung wird selbstverständlich aber aus Cylindern von gleichen Dimensionen gebildet. Vorherrschend werden Pellets von 0,10 Zoll Durchmesser und 0,10 Zoll Höhe gebraucht, welche auf der Basis eine cylindrische Vertiefung von 0,10 Zoll Durchmesser haben, letztere, um die schnellere Entzündung der ganzen Ladung einigermaßen zu begünstigen, da die aus Mehlpulver bei starker Pressung erzeugten Cylinder naturgemäß schwer entzündlich sind und eine geringe Verbrennungsgeschwindigkeit besitzen. Manche Nachtheile, welche das Pelletpulver gezeigt, haben in England zur Herstellung des Pebblepulvers geführt. (Vergl. Pebblepulver und Schießpulver.)

Pelopidas, thebanischer Feldherr, mordete die Tyrannen, vertrieb die Spartaner aus der Stadt, schlug im Verein mit Epaminondas 371 v. Chr. die-

selben bei Leuktra, wo er die „Heilige Schaar" führte, und fiel nach verwickelten Schicksalen 364 v. Chr. in der Schlacht bei Kynoskephalä.

Peloponnes (b. i. Insel des Pelops) hieß im Alterthum die jetzt **Morea**
genannte südliche Halbinsel des griechischen Continents, die mit dem eigentlichen
Hellas nur durch den flachen Rücken des Isthmus von Korinth zusammenhängt,
an sich aber ein völlig abgeschlossenes Gebirgssystem bildet, einen Flächenraum
von ungefähr 400 Q.-Ml. einnimmt und einen Küstensaum von 150 Meilen
Länge hat. Die Landschaften des P. waren nördlich Achaja, westlich Elis,
südlich Messenien und Lakonien mit der mächtigen Hauptstadt Sparta, östlich
Argolis, im Innern Arkadien; am Isthmus lag die reiche Handelsstadt Korinth.
Nach dem Trojanischen Kriege verdrängten dorische Einwanderer aus Thessalien
allmählich die alte Bevölkerung und gründeten mehrere Staaten, unter denen
Sparta der bedeutendste wurde. Die Eifersucht zwischen den Staaten ionischen
und dorischen Stammes und die Machtentfaltung Athens führte zum Peloponnesischen Kriege, in welchem Sparta an der Spitze der anderen peloponnesischen Staaten 431—404 v. Chr. mit Athen um die Hegemonie in
Griechenland kämpfte und es schließlich vollständig demüthigte (vergl. Athen
S. 265). Den Peloponnesischen Krieg hat Thukydides beschrieben. — Im Jahre
146 v. Chr. von den Römern unterworfen, bildete der P. dann mit Mittel-
griechenland die Provinz Achaja, gehörte später zum Byzantinischen Reiche,
war dann als Morea eine venetianische Provinz, wurde nachher von den Türken erobert, befreite sich seit 1821 aus deren Händen, wurde dann dem Königreich Griechenland einverleibt und bildet hier die 5 Nomarchien Argolis und
Korinth, Achaja und Elis, Arkadien, Lakonien, Messenien.

Peloton, im gewöhnlichen Sinne ein Knäuel, ein Haufen; im militärischen
Sinne eine Unterabtheilung des Bataillons von verschiedener Stärke. In
früherer Zeit war der Ausdruck fast in allen Staaten gebräuchlich und zerfiel
ein Bataillon in 16 und mehr Pelotons. Gegenwärtig heißt in Frankreich
die Compagnie im Bataillonsverbande stets peloton, während 2 pelotons unter
dem Befehle des ältesten Chefs eine Division bilden. In den übrigen Staaten
kommt die Benennung nur noch ausnahmsweise vor, wie z. B. in England,
wo das Manual of platoon-exercise die Vorschriften für die Ausbildung des
einzelnen Mannes und kleiner Trupps enthält.

Pelotonfeuer, Gesammtfeuer, Salve, im Gegensatz zum Rottenfeuer (s.
Tactik).

Pendschab (pers., d. i. Fünfstromland, engl. Punjab), der Hauptbestandtheil des früheren Staates der Sikhs (s. d.), seit 1849 Provinz des Indobritischen Reiches, bildet den nordwestlichen Theil von Hindostan, wird im
Norden vom Himalaja und Hindukn, im Westen vom Indus, im Osten vom
Setledsch begrenzt, hat die Gestalt eines Dreiecks, umfaßt einen Flächenraum
von 4722 Q.-M. mit nahe an 15 Millionen Einwohnern, zerfällt in die
5 Bezirke Lahore, Multan, Leja, Dschelam und Peschawer und hat zur Hauptstadt: Lahore.

Peninsula (lat.) die Halbinsel; daher peninsular oder peninsularisch,
zu einer Halbinsel (z. B. Spanien und Portugal) gehörig oder eine solche betreffend; daher Peninsular- oder Halbinselkrieg, der von den Spaniern
und Portugiesen mit Unterstützung von England 1808—1814 gegen die französische Usurpation geführte Krieg.

Pension ist das den Offizieren, Beamten und Mannschaften bei eingetretener Invalidität zuständige Gnadengehalt. Das deutsche Reichs-Gesetz, „betreffend die Pensionirung der Militair-Personen des Reichsheeres und der
Kaiserlichen Marine, sowie die Bewilligungen für die Hinterbliebenen solcher

Personen" vom 27. Juni 1871 stellt folgende Normen auf: Alle Offiziere
und Militairärzte erhalten eine lebenslängliche Pension von $^{20}/_{60}$ des
chargenmäßigen Diensteinkommens, wenn sie ein Gehalt aus dem Militair-Etat
bezogen, bei in Folge des Dienstes nach zehnjähriger Dienstzeit eingetretener
Unfähigkeit zur Fortsetzung des Dienstes und in Folge derselben eingetretener
Verabschiedung. Bei kürzerer Dienstzeit beschränkt sich die Pensionsberech-
tigung auf Zeit, es sei denn die Dienstunfähigkeit Folge von Verwundung
vor dem Feinde oder äußerlicher Beschädigung; doch ist im Bedürftigkeitsfalle
die Gewährung von lebenslänglicher P. statthaft. Nur die Bekleidung einer
etatsmäßigen Stelle giebt auf die P. Anrecht, und man muß dieselbe ein Jahr
innehaben, um auf die entsprechende P. ein Recht zu besitzen. Bei Dienstbeschädigung ist das letztere Erforderniß nicht nöthig. Vorübergehende Verwendung in höher dotirten Stellungen, sowie Beförderungen über den Etat, Charakter-
erhöhungen während der Dienstzeit oder beim Ausscheiden aus dem Dienste begründen keine erhöhten Pensionsansprüche. Den Offizieren und Ärzten des
Beurlaubten-Standes steht ein Pensionsanspruch nur in Folge von Verwundung vor dem Feinde oder erlittener unmittelbarer Dienstbeschädigung zu. Jedes
nach dem 10. Dienstjahre verbrachte fernere Dienstjahr erhöht die P. um $^1/_{60}$;
der höchste Pensionssatz sind $^{45}/_{60}$. Auch geringere Bewilligungen als $^{20}/_{60}$
des Diensteinkommens sind statthaft. Als pensionsfähiges Dienstein-
kommen wird in Anrechnung gebracht: a) das chargenmäßige Gehalt nach den
Sätzen für Infanterie Offiziere, oder, wo das etatsmäßige Gehalt niedriger,
dieses; b) der mittlern Chargen, Stellen, oder Personal-Servis; c) für die Offiziere vom Brigade-Commandeur aufwärts die etatsmäßige Dienstzulage; d) für
die Hauptleute und Lieutenants die Entschädigung für Bedienung; e) für die
Lieutenants die etatsmäßige Berechtigung zur Theilnahme am gemeinschaftlichen
Offizierstische; f) für die Hauptleute 3. Klasse der Werth ihrer Berechtigung
zur Aufnahme in das Lazareth gegen eine billige Durchschnittsvergütung.
Beträgt das Gesammtdiensteinkommen mehr als 4000 Thlr., so wird von dem
überschießenden Betrage nur die Hälfte in Anrechnung gebracht. Bei nach-
weislich in Folge des Krieges eingetretener Dienstunfähigkeit werden die sonst
zuständigen Pensionen bei einem Betrage bis zu einschließlich 550 Thlr. um
250 Thlr. jährlich; zwischen 550 und 600 auf rund 800 Thlr.; zwischen 600
und 800 Thlr. um 200; zwischen 800 und 900 auf 1000 Thlr. und bei
900 und mehr um 100 Thlr. jährlich erhöht. Bei Verstümmelung, Erblindung
oder schwerer und unheilbarer Beschädigung durch den aktiven Militairdienst
im Kriege oder Frieden treten eventuell neben den Kriegspensionserhöhungen
noch fernere Erhöhungen von 200 Thlr. jährlich bei dem Verluste einer Hand,
eines Fußes, eines Auges bei nicht völliger Gebrauchsfähigkeit des andern
Auges (die Erblindung wird dem Verluste gleich geachtet), bei Verlust der
Sprache, Störung der aktiven Gebrauchsfähigkeit einer Hand oder eines Armes
oder eines Fußes, wenn sie dem Verluste gleich zu achten, ein, die auch dann
bewilligt werden können, wenn außergewöhnliche Pflegebedürftigkeit, die in
wichtigen, gleich dem Verluste eines Gliedes sich äußernden Funktionsstörungen
ihren Grund hat, nachgewiesen wird. Diese Erhöhungen kommen auch bereits
ausgeschiedenen Militairs zu, wenn sie den Nachweis einer bleibenden Gesund-
heitsstörung durch Verwundung oder Beschädigung während des Krieges führen.
Die Bewilligung der vorerwähnten Pensionserhöhungen erfolgt auch dann, wenn
der Betrag der Pension einschließlich der Erhöhungen den Betrag des pensions-
fähigen Diensteinkommens übersteigt. Die Bewilligung der Pensionserhöhungen kann nur innerhalb einer Dauer von 5 Jahren nach dem Friedensschlusse, beziehungsweise nach eingetretener Dienstbeschädigung beansprucht werden.

7 *

Als Dienstzeit wird die Zeit vom Eintritt in den Dienst bis zu dem Tage, der die Verabschiedung aussprechenden Ordre gerechnet; Kriegsjahre zählen doppelt; die Zeit, während welcher ein Offizier mit Gehalt zur Disposition gestanden, wird mitgerechnet, wenn sie ein Jahr nicht überschreitet. Die vor dem vollendeten 17. Lebensjahre abgeleistete Dienstzeit kommt nur in dem Falle zur Berechnung, daß sie in die Dauer eines Krieges fällt und bei einem mobilen oder Ersatztruppentheil abgeleistet ist. Als Dienstzeit werden nicht gerechnet Festungsarrest, welcher die Dauer eines Jahres überschreitet oder Kriegsgefangenschaft; doch kann in beiden Fällen mit Genehmigung des Contingentsherrn, respective des Kaisers, eine Anrechnung erfolgen. Bei einem geringern Lebensalter als 60 Jahre ist der Nachweis der Invalidität durch ein ärztliches Attest und die pflichtmäßige Erklärung der Vorgesetzten, daß sie den um Pensionirung Nachsuchenden zur Fortsetzung des Dienstes nicht mehr für fähig halten, erforderlich. Offiziere, die das 60. Lebensjahr überschritten haben, müssen den Nachweis nur dann führen, wenn sie auf die Pensionserhöhungen Anspruch erheben. Die Pension wird monatlich vorausgezahlt und beginnt mit dem Monate, welcher auf denjenigen folgt, in welchem zum letzten Male das etatsmäßige Gehalt gezahlt worden ist. Ist die P. höher als das Gehalt, so wird für den letzten Monat der Ausfall vergütet. Die Pensionen erlöschen durch den Tod, oder durch rechtskräftiges richterliches Erkenntniß; doch können die Pensionserhöhungen durch das letztere nicht entzogen werden. Das Recht auf Bezug von Pensionen und Pensionserhöhungen ruht, wenn der Pensionär das deutsche Indigenat verliert, bis zur Wiedererlangung desselben; bei Wiederanstellung im aktiven Militairdienst, während der Dauer derselben, mit Ausnahme der Anstellung in den nur für garnisondienstfähige, zugängliche Stellungen; bei Versorgung in Invaliden-Instituten und vorübergehender Heranziehung zum aktiven Militairdienst für die Dauer des mobilen Verhältnisses fallen die Pensionserhöhungen weg. Beziehen Militairpensionäre im Reichs-Staats- oder Communaldienst Diensteinkommen, so wird ihnen die P. in dem Maße gekürzt, daß die Pension mit Ausnahme der Erhöhungen den Betrag des ursprünglich bezogenen Diensteinkommens nicht überschreiten darf. Civilpensionen bringen einen Wegfall der entsprechenden reinen Militairpension zu Wege, wenn sie aus Reichs- oder Staatsmitteln gewährt werden, bei Gewährung aus Communalmitteln fällt von der reinen Pension nur so viel weg, daß das Gesammteinkommen, ausschließlich der Erhöhungen, den Betrag des ursprünglichen Diensteinkommens nicht überschreitet. Dauert der Civildienst kürzere Zeit als ein Jahr, so tritt der Vollbezug der Militair-Pension wieder ein. Die Bewilligung von Pensionen bei Stellung zur Disposition ist ebenfalls zulässig. Die Pensionen werden der Wittwe oder den Nachkommen eines Pensionärs in jedem Falle noch für den auf den Sterbemonat folgenden Monat ausgezahlt; die Zahlung an andre Angehörige ist fakultativ. Den Wittwen im Kriege gefallener, an Verwundungen, Beschädigung oder in Folge eines Krieges an von Krankheit während eines Krieges verstorbener Militairs werden besondere Beihülfen, so lange sie im Wittwenstande bleiben, gewährt, und zwar von 500 bei Generalen; 400 Thlr. bei Stabsoffizieren; 200 Thlr. jährlich bei Hauptleuten und Subaltern-Offizieren, ebenso den Wittwen der Militairärzte nach ihrem Militairrange. (Die Motive sagen zu dieser in §. 41. des Gesetzes enthaltenen Bestimmung: „Selbstverständlich sollen durch diese besondern Beihülfen nicht etwa andere Pensionen und Unterstützungen in Wegfall kommen, auf welche die Hinterbliebenen außerdem einen Anspruch besitzen, wie z. B. die bei der Militair-Wittwenkasse versicherte Pension.“) Im Falle der Wiederverheirathung bleibt ihnen noch der einjährige Bezug. Für die Kinder sind Erziehungsbeihülfen bis zum vollendeten 17. Lebensjahre von 50 Thlr. und von 75 Thlr., wenn ſie mutterlos werden, ausgeworfen. Den nach frühern Geſetzen penſio- nirten Offizieren kommen die aus der Wiederheranziehung zum Dienſt er- wachſenden günſtigern Beſtimmungen zu Gute. Bei den Aerzten werden die geringern Gehälter den der reſpectiven gleich ſtehenden Militaircharges gleich erachtet, ebenſo bei den Offizieren einzelner Contingente, falls ſie geringer ſein ſollten. In der Marine rechnet jeder Aufenthalt von 13 Monaten außerhalb der Nord- und Oſtſee als Kriegsjahr; bei kürzerer Fahrt kann er gerechnet werden. Invalidität in Folge des Aufenthalts in den Tropen wird wie Kriegs- invalidität behandelt, im Sterbefalle kommen die Unterſtützungen den Wittwen, Waiſen und andern Verwandten nach den obigen Beſtimmungen zu Gute. Die vor dem Eintritt in die Kaiſerl. Marine auf Handelsſchiffen verbrachte Dienſt- zeit wird zur Hälfte gerechnet; als Beginn der Dienſtzeit rechnet der Tag der erſten Einſchiffung. Den Marine-Ingenieuren wird auch die im Contracts- Verhältniſſe zugebrachte Dienſtzeit gerechnet. Bei den Beamten wird die P. nach den ihnen zunächſt ſtehenden Militairgehältern berechnet, ebenſo die den Wittwen zu gewährende P. beim Todesfalle in Folge des Krieges oder bei See-Expeditionen. Den zu der Klaſſe der Unteroffizier- und Mannſchaften gehörenden Militairperſonen wird eine Invalidenverſor- gung gewährt, wenn ſie durch Dienſtbeſchädigung oder nach einer Dienſtzeit von mindeſtens 8 Jahren halbinvalide werden. Nach einer 18 oder mehr Jahre betragenden Dienſtzeit ſind ſie vom Nachweiſe der Invalidität befreit. Als Dienſtbeſchädigungen werden angeſehen: Verwundung vor dem Feinde, äußere bei Ausübung des Dienſtes erlittene Beſchädigungen, erhebliche dauernde Stö- rungen der Geſundheit, welche durch die beſondern Eigenthümlichkeiten des ac- tiven Militair- reſp. See-Dienſtes veranlaßt werden, wozu epidemiſche und endemiſche Krankheiten rechnen, welche an den den Soldaten zum dienſtlichen Aufenthalt dienenden Orten herrſchen. Die Dienſtzeit wird nach den für Offi- ziere geltenden Normen berechnet. Bei dieſen Invaliden werden Ganz- und Halb-Invalide unterſchieden, und iſt der Nachweis einer erlittenen Dienſtbe- ſchädigung an dienſtliche Erhebungen geknüpft. Invaliden-Verſorgung ſind: Penſion und Penſionszulagen, Civilverſorgungsſcheln, Aufnahme in Invaliden- Inſtitute und Verwendung im Garniſondienſt; letztere für Halb-Invalide. Die Penſionen zerfallen in 5 Klaſſen und betragen monatlich in

1. Klaſſe	2. Kl.	3. Kl.	4. Kl.	5. Kl.	
14 Thlr.	11 Thlr.	9 Thlr.	7 Thlr.	5 Thlr.	für Feldwebel,
12 „	9 „	7 „	5 „	4 „	„ Sergeanten,
11 „	8 „	6 „	4 „	3 „	„ Unteroffiziere,
10 „	7 „	5 „	3 „	2 „	„ Gemeine,

zu deren Erlangung mit Ausnahme des Falles der Dienſtbeſchädigung eine ein- jährige Dienſtzeit in der Charge erforderlich iſt. Die P. erſter Klaſſe wird gewährt A) nach 36jähriger Dienſtzeit ohne weiteres, B) Ganzinvaliden, welche nach 25jähriger Dienſtzeit, oder durch Dienſtbeſchädigung gänzlich erwerbs- unfähig geworden ſind und ohne fremde Wartung und Pflege nicht beſtehen können. Die P. zweiter Klaſſe erhält der Mann nach 30jähriger Dienſtzeit, oder bei Ganz-Invalidität 1) nach 20jährigem Dienſt, 2) bei Dienſtbeſchä- digung im Falle völliger Erwerbunfähigkeit. Die P. 3. Klaſſe erreicht, wer 1) 24 Jahr gedient, 2) nach 15jähriger Dienſtzeit, oder durch Dienſtbeſchä- digung größtentheils erwerbunfähig geworden. Die P. 4. Klaſſe wird 1) nach 18jähriger Dienſtzeit, 2) Ganz-Invaliden nach 12jähriger Dienſtzeit oder durch Dienſtbeſchädigung theilweiſe erwerbunfähig geworden ſind, gegeben. Die In- validenpenſion 5. Klaſſe wird 1) Ganz-Invaliden bei 8jähriger Dienſtzeit oder wenn fie durch Dienftbeschädigung zu allem Militairdienft untauglich geworden find, 2) Halb-Invaliden, welche nach 12jähriger Dienftzeit oder durch Dienft-beschädigung zum Feld- oder Seedienft untauglich geworden find, gezahlt. Für Invalidität in Folge des Krieges erhalten Ganz-Invalide eine Penfions-erhöhung von 2 Thlr. monatlich, ebenso treten bei Verftümmelungen, Erblindung, oder fonftiger schwerer Dienftbeschädigung noch Penfionszulagen von 6 bis 12 Thlr. monatlich hinzu, welche nach denfelben Grundfätzen wie bei Offizieren zugebilligt werden, und dürfen diefelben den Betrag von 12 Thlr., im Falle fie durch Verwundung oder äußere Beschädigung herbeigeführt find, felbft überschreiten. Die für Erblindung eines oder beider Augen zuftehende Erhöhung ift uneingeschränkt. Einfach verftümmelte Invalide werden zur 2., mehrfach verftümmelte zur 1. Penfionsklaffe anerkannt. Bei Ganz-Invalidität wird den Feldwebeln und Unteroffizieren nach 18jähriger Dienftzeit für jedes über 18 Jahre gediente Jahr eine monatliche Penfionserhöhung von ⅓ Thlr. gewährt. Neben der P. erhalten Ganz-Invalide den Civilverforgungsschein, wenn fie fich gut geführt haben, Halb-Invalide können ihn an Stelle der P. jedoch nur nach 12jähriger Dienftzeit erhalten. Epileptische können den Civilverforgungsschein nicht erhalten; ift die Epilepfie Folge von Dienftbeschädigung oder kann der Invalide feine Berechtigung zum Invalidenschein vorausgefetzt feiner Gebrechen wegen von demfelben keinen Gebrauch machen, fo wird, wenn nicht die P. erfter Klaffe schon gewährt worden, die der nächft höhern Klaffe bewilligt. Aufnahme in Invaliden-Inftitute kann Ganz-Invaliden gewährt werden, und follen in die Invaliden-Häufer die befonders Pflegebedürftigen Aufnahme finden. Halb-Invalide können in activen Stellungen verbleiben, in denen nur Garnifonsdienftfähigkeit verlangt wird. Soldaten der 2. Klaffe erhalten Invalidenpenfion nur im Falle der durch Verwundung vor dem Feinde verurfachten Invalidität; den übrigen wird, wenn fie fonft auf die P. 1. bis 3. Klaffe Anfpruch haben würden, eine Unterftützung bis zur Höhe der P. 3. Klaffe im Falle der Bedürftigkeit gewährt. Die Penfionsanfprüche find vor der Entlaffung aus dem Dienft anzumelden, Dienftbeschädigungen müffen vor derfelben feftgeftellt fein. Ohne Rückficht auf die nach der Entlaffung verfloffene Zeit wird P. gewährt bei Invalidität durch Verwundung vor dem Feinde, äußere Dienftbeschädigung oder überftandene contaglöfe Augenentzündung während des activen Dienftes. Innerhalb dreier Jahre nach dem Friedensschluffe, refp. nach der Rückkehr in den heimatlichen Hafen können auf Grund im Kriege erlittener innerer oder auf Seereifen erlittener äußerer oder innerer Beschädigungen Penfionen gewährt werden, und ift bei den erfteren eine Feftftellung vor der Entlaffung nicht erforderlich. Auf Grund im Frieden erlittener Dienftbeschädigungen muß die Invalidität innerhalb 6 Monaten nach Entlaffung nachgewiefen werden. Bei fpäterer Nachfuchung kommen die den fonft zu gewährenden Penfionen zunächft ftehenden niedrigen Sätze zur Zahlung. Da wo ein Urtheil über den dauernden Grad, refp. die Dauer der Invalidität felbft noch nicht feftfteht, wird die P. nur auf Zeit gewährt. Den untern Militair-Beamten werden ebenfalls Penfionen je nach Länge der Dienftzeit bewilligt, zu denen die Steigerungen bei Invalidität in Folge des Krieges oder der Verftümmelung hinzutreten. Die fonftigen Beftimmungen finden auf fie analoge Anwendung, ein gleiches ift bei den untern Marine-Beamten der Fall. Den Wittwen im Kriege Gebliebener fowie an Verwundung oder im Kriege zugezogenen Krankheiten oder durch Schiffbruch verunglückter im Verlauf eines Jahres nach dem Friedensschluffe (der Rückkehr von Seereifen) verftorbener Militair-Perfonen, werden Penfionen von 9, 7 und 5 Thlr. monatlich nach dem Range der Männer, ein gleiches findet bei den Beamten-Wittwen ftatt; verheirathen fie fich wieder, fo bleibt ihnen die P. noch 1 Jahr. Für die Kinder werden bis zum 16.

Lebensjahre Erziehungsbeihülfen, von 3½ Thlr., oder wenn ſie auch mutterlos 5 Thlr. monatlich bewilligt. Den Eltern oder Großeltern werden, wenn der Verſtorbene ihr einziger Ernährer war, Unterſtützungen von 3½ Thlr. monatlich im Falle und für die Dauer der Bedürftigkeit gewährt. Bei Anſtellung im Civildienſt treten hinſichtlich der Kürzung der Penſionen analoge Verhältniſſe ſtatt, ebenſo wird ihnen die P. wieder gewährt, wenn der Civildienſt aufhört. Immer gewährt werden die Penſionserhöhungen und die Verſtümmelungszulagen. Der Anſpruch auf P. kann nach Erſchöpfung des Inſtanzen-Zuges bei den Gerichten erſtritten werden. — Außerdem erhalten in Preußen noch Penſion alle Ritter des Eiſernen Kreuzes, ſowie die Inhaber des Militair-Verdienſtkreuzes und des Militair-Ehrenzeichens 1. Klaſſe. Ebenſo in Baiern die Ritter des Militair-Mar-Joſeph-Ordens, in Italien des Militair-Ordens von Savoyen, in Rußland des St. Georg-Ordens, in Württemberg des Militair-Verdienſt-Ordens, in Oeſterreich des Maria-Thereſien-Ordens u. ſ. w. Oeſterreich, ſowie die Süddeutſchen Staaten haben in den letzten Jahren ihre Penſionsgeſetze bedeutend modificirt, und die letzteren hatten dieſelben mehr oder weniger den norddeutſchen Beſtimmungen aſſimilirt; doch gilt in dieſen jetzt auch das allgemeine Deutſche Reichsgeſetz vom 27. Juni 1871. In Frankreich iſt durch Kaiſerliches Decret vom 1. Februar 1868 den 10 Jahr gedienten Unteroffizieren und Soldaten, neben der zuſtändigen Penſion, die Civilverſorgung ebenfalls eingeführt; außerdem iſt mit dem Beſitz des Ordens der Ehrenlegion oder der Militair-Medaille eine beſondere Penſion verbunden. Alle Soldaten, die noch unter Napoleon I. gedient, erhalten ſeit 1869 eine jährliche Penſion von 250 Francs. Zur weitern Beihülfe beſteht für alle Militairs in Frankreich ein gegenſeitiger Unterſtützungs-Verein unter dem Protectorate des Kaiſers. Aehnliche Stiftungen ſind in Preußen: der Nationaldank für Veteranen, die Kronprinz- und Victoria-National-Invaliden-Stiftung, in Sachſen der Albert-Verein, außerdem ſind in den beiden letztgenannten Staaten Erziehungshäuſer für Soldatenkinder. In der Schweiz ſoll demnächſt zur Erhöhung der bisher gezahlten Penſion an Militair-Perſonen eine gegenſeitige Verſicherungs-Geſellſchaft ins Leben treten. Den höchſten Penſionsſatz zahlt England, wo bei einem für jede Charge beſtimmten Marimalalter der Betreffende auf Halbſold (halfpay) geſetzt wird, allerdings eventl. noch wieder einberufen werden kann. Die in Indien und in den Colonien verbrachten Dienſtjahre werden doppelt gerechnet. Die Mannſchaften erhalten nach 21jähriger Dienſtzeit, unter beſonderen Umſtänden auch ſchon für kürzere Dauer Penſion. Die niedrigſten Penſionen zahlte bisher Rußland, doch ſind auch dort in letzter Zeit die betreffenden Beſtimmungen verändert worden. In den Niederlanden erhalten die bei den Colonialtruppen dienenden Offiziere nach 20jähriger Dienſtzeit ihr volles Gehalt als Penſion, die ſie beliebig im Auslande verzehren können. Wartegeld nennt man eine beſondere Penſion, die nur auf beſtimmte Zeit gezahlt wird, z. B. für die Dauer der Inactivität.

Penthesilea, Königin der Amazonen, ſtand den Trojanern bei, wurde von Achilles getödtet; daher Penthesileen, kriegeriſche, kriegsluſtige Frauen.

Pepe, 1) Floreſtano, geb. 1780 zu Squillace in Calabrien, machte für den König Joſeph den Krieg in Spanien mit (1808—1811), trat dann in das neapolitaniſche Heer unter Murat, wurde General, befand ſich 1812 bei der Arrièregarde in Preußen und Lithauen, kämpfte 1815 für Murat, trat dann unter Ferdinands Fahnen, unterwarf 1820 das aufſtändiſche Sicilien, ſchied aus dem Dienſte, da man die Mäßigung ſeiner politiſchen Grundſätze nicht billigte, lebte dann als Privatmann in Neapel und ſtarb daſelbſt 1851. — 2) Gabriele, Vetter des Vor., geb. 1781 zu Bojano in der neapolitaniſchen

Provinz Molise, trat 1799 in das neapolitanische Heer, diente dem König Joseph Bonaparte, von 1808 Murat und nach dessen Sturze Ferdinand I. als Oberst, litt wegen Betheiligung an der Revolution 1820 eine zweijährige Gefangenschaft in Oesterreich (Olmütz), zog sich dann ins Privatleben zurück, übernahm im Januar 1848 das Commando der Nationalgarde in Neapel, legte es aber bald wieder nieder und starb 1849 in Bojano. — 3) Guglielmo, Bruder von P. 1), geb. 1783 zu Squillace, trat 1799 in das republikanische Heer, war seit 1806 in König Josephs, seit 1809 in Murats Diensten und dessen Ordonnanzofficier, zuletzt unter diesem Generallieutenant, schloß sich Ferdinand I. an, ergriff aber 1820 die Partei der Revolution, führte dieser seine Truppen zu und erzwang die Constitution, konnte aber 1821 den Kampf gegen die Oesterreicher nicht bestehen, und floh ins Ausland. 1848 zurückgekehrt, führte er das neapolitanische Hilfscorps nach Oberitalien, trat aus den Diensten Neapels, da dessen Politik sich änderte, und nahm von der Revolutionspartei die Berufung zum Oberbefehle in Venedig an, vertheidigte dies mit Energie und persönlichem Muth bis 1849, und ging beim Fall der Stadt nach Frankreich, zog sich ganz ins Privatleben zurück, lebte erst in Paris, dann in Nizza, zuletzt in Turin und starb daselbst 9. August 1855. Er schrieb: „Relation des évènements politiques et militaires qui ont lieu à Naples en 1820 et 1821"; „Memoires historiques, politiques et militaires sur la révolution du royaume de Naples" London 1823; „Memorie" Paris 1847, 2 Bde.; „Histoire des révolutions et des guerres d'Italie en 1847, 1848 et 1849", Paris 1850, 4 Bde.

Percussion nennt man die Stoßwirkung eines Geschosses gegen ein Ziel, welcher zufolge das letztere erschüttert wird, das Geschoß gewöhnlich in das Ziel eindringt, dasselbe auch wohl gänzlich durchschlägt. Es beruht hierauf die Zerstörungsfähigkeit der meisten Projektile. Die P. und Perkussionswirkung ist der Ausfluß der Perkussionskraft oder lebendigen Kraft des bewegten Geschosses, welche abhängig ist von der Masse und Geschwindigkeit desselben, mit ersterer in einfachem, mit letzterer in quadratischem Verhältniß wächst. Ist G das Gewicht, v die Geschwindigkeit des Geschosses und ist g gleich der Beschleunigung durch die Schwere in 1 Secunde, so ist die lebendige Kraft gleich $\frac{G v^2}{2 g}$. Für die Tiefe des Eindringens entscheidet noch die Widerstandsfähigkeit des Ziels, die Form der Angriffsfläche des Geschosses, sein Umfang in Bezug auf die Eindringungsfläche, sowie endlich seine eigene Festigkeit und Härte. P. vermag jedes Geschoß auszuüben, sie ist aber die alleinige Wirkung aller Vollgeschosse.

Percy, Pierre François Baron von, geb. 1754, französischer Generalinspector des Militairmedizinalwesens, berühmt als Gründer der chirurgischen Ambulancen, starb 1825.

Perczel, Moritz, ungarischer General, geb. 1814 in Tolna, wurde zum Ingenieur gebildet, errichtete 1848 eine ungarische Freischaar (Zrinyi-Schaar), nahm einen Theil des Jellachich'schen Corps gefangen, avancirte schnell zum General, führte höchst glückliche Waffenthaten bei Letenha, Szolnok, Zombor, Siria, Horgos, Peterwardein, St. Thomas, Tomasovacz und Uzbin aus und brachte trotz einiger Unfälle dadurch die ungarische Revolution auf ihren Höhepunkt, konnte aber, zuletzt unter Dembinski fechtend, ihren Fall nicht aufhalten. Er flüchtete im August 1849 in die Türkei, siedelte später nach England über, kehrte in Folge der Ereignisse von 1866 und der sich daran knüpfenden staatlichen Umgestaltungen in Oesterreich 1867 nach Ungarn zurück und wurde in das Unterhaus gewählt.

Perdikkas, Freund und Feldherr Alexanders d. Gr., erhielt von diesem sterbend seinen Siegelring als Symbol der königlichen Gewalt, übernahm deshalb die Reichsverweserschaft, versuchte die nächsten Thronerben zu verdrängen und selbst den Thron zu erlangen, rief dadurch ein Bündniß von Antigonos, Antipater, Krateros und Ptolomäus hervor, und wurde, als er gegen diese mit Waffengewalt auftrat, auf einem Zuge nach Aegypten 321 v. Chr. von seinen eigenen Truppen ermordet.

Perekop (d. h. Isthmus-Schanze), Hafenstadt im südrussischen Gouvernement Taurien, auf der die Halbinsel Krim mit dem Festlande verbindenden Landenge (Isthmus von P.), hat wichtigen Salzhandel und 4000 Einwohner. P. war früher eine starke Festung, an deren Einnahme sich der Besitz der Krim knüpfte; jetzt sind die Werke im Verfall. P. wurde 1687 und 1688 von den Russen vergeblich angegriffen; 1696 hier Sieg der Russen über die Türken und Einnahme der Stadt durch Erstere; die Russen stürmten 1736 unter Münnich und 1771 unter Dolgoruki die „Linien von P.", die aus einem 7 Fuß tiefen Graben, einer Brustwehr von 70 Fuß Höhe und sechs steinernen Thürmen bestanden.

Perignon, Dominique Catherine Marquis de, französischer Marschall, geb. 1754 zu Grenade bei Toulouse, war bei Ausbruch der Französischen Revolution Oberst, erhielt den Oberbefehl über ein Operationscorps in den Pyrenäen, war 1794 Oberbefehlshaber und Generallieutenant, brachte den Spaniern bei Escola und Figueras schwere Niederlagen bei, focht 1798 und 1799 in Italien, wo er in Gefangenschaft gerieth, wurde 1804 Marschall, 1806 Gouverneur von Parma und Placenza, 1808 commandirender General der neapolitanischen Truppen, kehrte nach Napoleons I. Sturz nach Frankreich zurück, versuchte während der Hundert Tage im südlichen Frankreich eine Insurrection zu Gunsten der Bourbonen, wurde nach der zweiten Restauration Gouverneur der 1. Militairdivision und starb 1818 in Paris.

Perim, kleine Insel in der Straße Bab-el-Mandeb am südlichen Eingange des Rothen Meeres, hat einen großen Hafen, gilt als Schlüssel zum Rothen Meere, wurde deshalb am 14. Februar 1857 gegen den Protest der Pforte von den Engländern in Besitz genommen und seitdem mit einem Leuchtthurme und starken Fortificationen versehen.

Perlöci (Nebenbewohner) s. u. Antipoden.

Peronne, Stadt und Festung 2. Classe im französischen Departement Somme, in sumpfiger Gegend an der Somme, hat ein Schloß, welches eine Bastion der Enceinte bildet und jetzt 4500 Einw., galt früher für sehr fest, wurde 1536 vom Grafen Heinrich von Nassau vergeblich belagert, aber 1815 bei dem ersten Sturmangriffe am 26. Juni von den Engländern unter Wellington genommen. Die Werke wurden dann vernachlässigt und erst in neuester Zeit wieder verstärkt. Während des Deutsch-Französischen Krieges wurde P. seit dem 28. Dec. 1870 von Truppen der I. Deutschen Armee beschossen und, nachdem die Stadt theilweis abgebrannt und vielfach beschädigt worden war, am 9. Januar 1871 durch Capitulation genommen. Der Fall der Festung war besonders deshalb von Wichtigkeit, weil die deutsche Stellung zwischen Bapaume und Cambray nun keinen dem Feinde gehörigen festen Punkt mehr im Rücken hatte.

Perpignan, Hauptstadt des französischen Departements Ostpyrenäen, Festung 1. Classe, einer der wichtigsten Waffenplätze des südlichen Frankreichs, Sitz des Commandos der 11. Militairdivision, am Tet, der sich hier in zwei Arme spaltet, 1½ Meile westlich vom Mittelländischen Meere gelegen, durch Eisenbahn mit Narbonne verbunden, ist von hohen dicken Mauern und Bastionen umgeben, hat eine starke Citadelle (aus einem alten Donjon umgebaut, Enveloppe von 6 Baſtions, neuere von Chevalier de le Ville angelegte Enveloppe, ebenfalls von 6 Baſtions, ein feſtes Schloß (le Caſtillet, Militairgefängniß), große Kaſernen, Arſenal, Werkſtätten, Magazine, lebhafte Induſtrie und Handel und (1866) 25,264 Einwohner. Die Neuſtadt iſt von Bauban befeſtigt. P. wurde 1641 von Ludwig XIV. erobert, 1793 von den Spaniern vergeblich angegriffen.

Perponcher-Sedlnitzky, Georg Heinrich Graf von, niederländiſcher General, geb. 1771 in Haag, trat frühzeitig in die niederländiſche Armee, fochl von 1793 und 1794 gegen Frankreich und machte ſich durch Bravour um die Perſon des Prinzen Friedrich und des Prinzen Karl von Naſſau verdient, trat 1796 in öſterreichiſche Dienſte, focht 1801 mit den Engländern in Aegypten, nahm dann am Halbinſelkriege Theil, unternahm 1813 den Kampf gegen die Franzoſen in Holland und kämpfte 1814 und 1815 gegen dieſelben, wurde Generallieutenant und zum Grafen erhoben, war dann bis 1842 Geſandter in Berlin und ſtarb 1856.

Perſano, Carlo, Graf Pellion di P., italieniſcher Admiral, geb. 11. März 1806 zu Vercelli, trat 1824 als Cadet in die ſardiniſche Marine, wurde 1842 Capitän und Befehlshaber der Brigantine Eridano, mit welcher er nach Montevideo ſegelte und durch ſeinen Muth bei einem Rencontre dem Dictator Roſas von Buenos-Ayres Achtung vor der ſardiniſchen Flagge ab-nöthigte. Beim Beginn des Krieges gegen Oeſterreich 1848 wurde er Fregatten-Capitän und unternahm als ſolcher mit einigen venetianiſchen Schiffen einen mißlungenen Angriff auf das von den Oeſterreichern beſetzte Fort Caorle, ober-halb des Ausfluſſes der Piave. Im Herbſt 1859 wurde er zum Contre-admiral und zum Befehlshaber der ſardiniſchen Seemacht ernannt, kreuzte im Frühjahr 1860 im Mittelmeere, um eine Ueberraſchung der von Genua nach Sicilien überſetzenden Garibaldi'ſchen Freiſchaaren ſeitens der neapolita-niſchen Flotte zu verhindern, wurde im Herbſt 1860 Viceadmiral, operirte im September mit der ſardiniſchen Flotte vor Ancona und im Januar 1861 gegen Gaëta. Von März bis December 1862 war er im Cabinet Ratazzi Marine-miniſter und wurde in dieſer Zeit Admiral. Beim drohenden Ausbruch des Kriegs gegen Oeſterreich wurde P. im Mai 1866 zum Oberbefehlshaber der ſich bei Tarent ſammelnden italieniſchen Flotte ernannt, operirte aber trotz ſeiner Ueberlegenheit gegen die öſterreichiſche Flotte entſchieden unglücklich, bombardirte am 18. und 19. Juli Liſſa erfolglos und verlor am 20. Juli gegen die öſter-reichiſche Escadre unter Contreadmiral von Tegetthof die entſcheidende Seeſchlacht von Liſſa (ſ. d.) und in dieſer das Admiralſchiff „Re b'Italia" (Panzerfregatte) und das Kanonenboot „Paleſtro". Er wurde deshalb von dem Senat in An-klagezuſtand verſetzt und am 15. April 1867 von dieſem wegen Fahrläſſigkeit, Ungeſchicklichkeit und Ungehorſam zur Amtsentſetzung, zum Verluſt des Admirals-ranges und zur Tragung der Prozeßkoſten verurtheilt. Im Jahr 1869 erſchien ſein „Politiſch-militäriſches Tagebuch" über die Seecampagne der Jahre 1860 und 1861", welches höchſt intereſſante Aufſchlüſſe über die Beziehungen der piemonteſiſchen Regierung zu dem Unternehmen Garibaldi's giebt.

Perſerkriege ſ. u. Athen S. 263 ff.

Perſeus, Held der altgriechiſchen Mythe.

Perſien, 1) (Iran) im weitern Sinne das große, ungefähr 46,000 Q.-M. umfaſſende Plateau Vorderaſiens, deſſen weſtlichen Theil das Perſiſche Reich oder Weſt-Iran einnimmt, während der öſtliche Theil aus Afghaniſtan und Be-lubſchiſtan (zuſammen Oſt-Iran genannt) beſteht. 2) Das Perſiſche Reich im engern Sinne begreift den weſtlichen Theil dieſes Plateaus, grenzt im Norden die ruſſiſch-transkaukaſiſchen Provinzen, das Kaspiſche Meer und Khiwa, im

Osten an Afghanistan und Beludschistan, im Süden und Südwesten an den Persischen Golf, im Westen an die türkischen Euphrat- und Tigrisländer und hat einen Flächenraum von (nach Engelhardt) 26,450 Q.-M., (nach Thomsen) 30,480 Q.-M. mit ungefähr 5 Millionen Einwohnern. Die Gebirge sind sämmtlich Rand- und Kettengebirge, über welche meist schwierige Pässe führen. Die bedeutendsten Flüsse sind: der Araxes, Kisil-Osen (Sefidrud), Kera und Karun. Im Allgemeinen gehört P. zu den wasserärmsten Culturländern der Erde; demungeachtet sind die Thäler und Terrassen der Randgebirge von großer Fruchtbarkeit. Die wichtigsten Hausthiere sind Kameel und Pferd. Die Bevölkerung zerfällt hauptsächlich in Tadschik und Ihlate; erstere sind mit fremdem Blute vermischte Nachkommen der alten Perser, bekennen sich zum schiitischen Mohamedanismus und treiben Ackerbau und Gewerbe, letztere sind turkomanische Stämme, bilden das herrschende Volk, leben meist nomadisirend, zeichnen sich durch Selbstständigkeit und Tapferkeit aus und sind entschiedene Sunniten; außerdem giebt es noch Juden, Kurden, Armenier, Zigeuner ꝛc. Die frühere geistige und materielle Blüthe P.'s ist bis auf wenige Spuren verschwunden; der größte Theil des Volkes befindet sich im Zustande geistiger Versunkenheit; Künste, Gewerbe und Ackerbau sind gänzlich herabgekommen; der Handel fast nur auf Karawanenhandel beschränkt. Das Reich zerfällt in 11 Provinzen; die bedeutendsten Städte sind: Teheran (jetzt Residenz des Schah's), Jspahan und Tauris. Die Staatsverfassung beruht auf dem asiatisch-patriarchalischen Despotismus und ist eine reine Willkürherrschaft; die unumschränkte Gewalt ist in den Händen eines Schah's oder Königs von turkomanischem Stamme. Die Verwaltung der Provinzen wird von Statthaltern (Beglerbegs) mit äußerster Willkür geführt. Die persische Armee zählt gegenwärtig 90 reguläre Infanterie-Regimenter zu 800 M.; 3 Schwadronen reguläre Cavalerie, 500 M., die als Garde des Schah's dient; 5000 M. Artillerie und 200 M. leichte Kameel- oder Garde-Artillerie, welche in neuerer Zeit für den Pionierdienst bestimmt ist; außerdem ungefähr 30,000 M. irreguläre Reiterei, welche nach Bedarf zum Dienste einberufen und während der Dauer desselben unterhalten wird. Der persische Soldat ist formell auf Lebenszeit zum Dienste verpflichtet, wird aber meist auf längere Zeit beurlaubt. Die Regimenter entsprechen den einzelnen Tribus oder Ortschaften, aus denen sie recrutirt werden. Eine Seemacht besitzt P., außer einigen kleinen Fahrzeugen, nicht; die Flagge ist roth, in der Mitte mit einem weißen Vertikalstreifen und einer goldenen Sonne. An Orden besitzt P. den Sonnen- und Löwen-Orden (gestiftet 1808 vom Schah Feth-Ali).

Das alte Perserreich entstand aus der Provinz Persis, welche seit ungefähr 600 v. Chr. den Medern unterworfen war, aber 558 von Cyrus (s. d. 1) durch den Sieg bei Pasargadä befreit wurde. Cyrus dehnte dann auch die Herrschaft der Perser über Babylonien und Kleinasien aus. Sein Sohn Kambyses (529—522) bezwang Tyrus, Cypern und Aegypten, Darius (s. d. 1) Hystaspis (522—485) auch Thracien und Macedonien, war aber wie sein Sohn Xerxes (485—465) unglücklich gegen die Griechen (Perserkriege, s. u. Athen S. 263 ff.). Unter den folgenden Herrschern, Artaxerxes I. (s. d. 1) Longimanus (465—425), Darius II. Ochus oder Nothus (424—404), Artaxerxes II. (s. d. 2) Mnemon (404—361) und Artaxerxes III. (s. d. 3) Ochus (361—338) gerieth das Persische Reich immer mehr in Verfall, und kam endlich unter Darius III. (s. d. 2) Kodomannus durch die Siege Alexanders d. Gr. (s. d.) am Granikus (334), bei Jssus (333), bei Arbela und Gaugamela (331) 329 an Macedonien, nach Alexanders Tod aber 323 an die Seleuciden. Auf diese folgten von ungefähr 250 v. Chr. bis 226 n. Chr. die Arsaciden, welche das Parthische Reich gründeten. Mit Ardeschir-Babekan (218—241 n. Chr.)

gelangte die Herrſchaft über Mittelaſien an die Saſſaniden, welche erſt mit den
Römern, dann mit den Hunnen und Türken erbitterte Kriege führten. Nachdem
die Hunnen von Kobad (491—531) überwunden worden waren, dehnte deſſen
Sohn, der tapfere Khosru-Anuſhirwan (531—579) die perſiſche Herrſchaft vom
Mittelmeer bis zum Jnbus, vom Jaxartes bis nach Arabien und Aeghpten
aus. Unter ſeinem Nachfolger Hormuz oder Hormisdas IV. (579—591)
dauerten die Kriege gegen die Jndier, Türken und Araber fort, bis auf Khosru II.
(591—628), unter deſſen Regierung die perſiſche Macht den höchſten Gipfel erreichte, aber auch durch die ſiegreichen Waffen des byzantiniſchen Kaiſers Hera-
llius (627) wieder ſank und ſein Eroberungen verlor. Es folgten nun raſche,
Umwälzungen, bis endlich der Khaliſ Omar 636 den letzten Saſſaniden-
Jezdegerd III. (632—636), enthronte und P. dem Reiche der Araber einverleibte. Mit der Eroberung P.'s durch die Khaliſen beginnt die Geſchichte des
Neuperſiſchen Reiches. Die Herrſchaft der Araber dauert 636—1220,
während welcher Zeit indeß ſehr bald einige Fürſten in verſchiedenen Provinzen
eine größere oder geringere Selbſtſtändigkeit erlangten. Unter den verſchiedenen
Dynaſtien ſind hervorzuheben: die Tahiriden in Khoraſſan (820—872),
welche von den Soffariden (872—902) geſtürzt wurden; die Samaniden
in Mawaralnahr (874—999); die Ghaznaviden, welche ihre Herrſchaft unter
Mahmud bis Indien ausbreiteten, aber 1182 von den Churiden geſtürzt
wurden; die Schahs von Khowaresm (1097—1230), welche die Churiden
bezwangen, erlagen 1220 den Angriffen des Mongolen Dſchingis Khan. Die
Buſiden erlangten durch Tapferkeit die Herrſchaft über den größten Theil
P.'s und 945 ſelbſt über Bagdad, wurden aber 1055 von der türkiſchen Dynaſtie
der Seldſchuken geſtürzt, deren Reich ſich jedoch auflöſte und zum Theil an die
Mongolen fiel, welche nun mit den Tataren durch Dſchingis Khan die Herrſcher
des Landes wurden, bis nach dem Tode Timur's (1405) die Turkomanen davon
Beſitz ergriffen. Jsmael-Saſi, welcher den Turkomanen 1502 Aſerbeidſchan
und einen Theil Armeniens entriß und mehre Nachbarprovinzen eroberte, gründete
die Dynaſtie der Saſis und ein neues Perſiſches Reich, nahm den Namen
Schah an und kämpfte gegen die Osmanen. Unter dem großen Schah Abbas
(1587—1629) gelangte dieſes Reich zu hoher Blüthe, kam unter ſeinen Nachfolgern zwar in Verfall, wurde aber durch Schah Nadir's (ſ. d.) Waffenglück
und weiſe Regierung (1736—1747) zu neuem Anſehen gehoben. Auf ſeinen
Tod folgten Unruhen und im Oſten die Trennung Afghaniſtan's von P.,
während das weſtliche P. in ſeine verſchiedenen Statthaltereien zerfiel, von denen
namentlich Schiras unter Kherim-Khan (1755—1779) zu großer Macht gelangte;
deſſen Sohn Ali-Murad erlag nach langem Kampfe den Turkomanen. Der
Turkomane Aga-Mohamed unterwarf ſich allmählich das ganze weſtliche P.
und hinterließ die Herrſchaft 1796 ſeinem Neſſen Feth-Ali, welcher zwar ſeine
Macht im Innern befeſtigte, jedoch 1791 Derbend, 1802 Georgien und 1813
im Frieden von Guliſtan nach einem zweijährigen unglücklichen Kriege auch die
übrigen Kaukaſusprovinzen an Rußland verlor. 1826 ließ ſich Feth-Ali durch
den Kronprinzen Abbas-Mirza zu einem neuen Kriege gegen Rußland verleiten,
fiel ohne Kriegserklärung in ruſſiſches Gebiet ein, reizte die Mohamedaner zum
Aufſtande und drang bis Eliſabethpol vor, wurde aber von den ruſſiſchen
Generalen Jermolow und Paskewitſch geſchlagen, verlor mehrere feſte Plätze,
darunter Eriwan und Tauris und wurde zum Frieden von Turkmantſcha
(10.22. Febr. 1828) gezwungen, in welchem er die Khanate Eriwan und
Nakiſchewan an Rußland abtreten mußte. 1833 ſtarb der Kronprinz Abbas-
Mirza, 1834 der Schah Feth-Ali, und Schah Mohamed (ein Sohn Abbas-
Mirza's) beſtieg den Thron. Unter ſeiner Regierung ging das Reich immer

mehr dem Verfalle entgegen; die wachsende Eiferfucht Englands und Rußlands im Orient fuchte P. gegenfeitig auszubeuten und demoralifirte dadurch die Regierung vollends. Am 6. Sept. 1848 ftarb Schah Mohamed und ihm folgte fein Sohn Nafir-Eddin (geb. 1830), unter deffen Regierung es 1856 in Folge der Einnahme von Herat durch die Perfer zu einem Kriege mit England kam; diefer endigte mit dem unter franzöfifcher Vermittelung am 4. März zu Paris abgefchloffenen, am 2. Mai zu Bagdad ratificirten Frieden, in welchem P. allen feinen Anfprüchen auf Herat entfagte. 1862 kam es abermals zu einem Krieg mit Herat, welcher am 26. Mai 1863 mit der Einnahme von Herat (f. d.) durch Doft Mohammed endigte. In den letzten Jahren ift P. durch Handels-verträge und geregelten diplomatifchen Verkehr in nähere Beziehungen zu Europa getreten. Vergl. Blau, „Commerzielle Zuftände P.'s", Berlin 1858; Polak, „Perfien", Leipzig 1865, 2 Bde.; Khanikoff, „Ethnographie de la Perse", Paris 1866; Malcolm, „History of Persia", London 1829, 2 Bde., mit Kupfern und Karten (deutfch von Becker, Leipzig 1830, 2 Bde.), Watfon, „A History of Persia from the beginning of the 19. century", Lond. 1866.

Perfonal-Union, f. u. Bundesftaat.

Perfpektiv (Fernrohr) foll folche Gegenftände zeigen, deren Detail wegen zu großer Entfernung dem bloßen Auge verfchwindet, während das Mikroſkop den Zweck hat, Körper zur Anfchauung zu bringen, welche wegen ihrer Klein-heit mit bloßem Auge nicht in ihren Einzelnheiten deutlich genug gefehen werden können. Das Fernrohr ift aus einem Objektiv und einem Ocular zufammen-gefetzt; das Objektiv ift eine Linfe von großer Brennweite; diefelbe muß achro-matifch fein, wenn die Bilder rein und fcharf fein follen. Die verfchiedenen Arten der Fernröhre unterfcheiden fich durch die verfchiedene Einrichtung des Oculars: bei dem holländifchen Fernrohre befteht das Ocular aus einer ein-fachen Zerftreuungslinfe; beim aftronomifchen Fernrohre hat das Ocular eine oder zwei Sammellinfen, das Ocular des Erdfernrohrs endlich hat deren drei oder vier. Bei dem holländifchen oder Galilei'fchen Fernrohre würde ein ver-kehrtes Bild entworfen werden, wenn die Strahlen nicht fchon vorher durch das Hohlglas aufgefangen würden. Das Ocular wird fo geftellt, daß die Ent-fernung des Bildes von demfelben etwas größer ift, als die Zerftreuungsweite des Hohlglafes; folglich werden alle nach einem Punkte des Bildes convergi-renden Strahlen durch das Hohlglas fo gebrochen, daß fie nach ihrem Durch-gange durch daffelbe fo divergiren, als ob fie von einem Punkte vor dem Glafe herkämen. Die Vergrößerung findet man, wenn man die Brennweite des Objektes durch die Zerftreuungsweite des Oculars dividirt; die Vergrößerung ift alfo um fo größer, je größer die Brennweite des Objektivs und je kleiner die Zerftreuungsweite des Oculars ift. Zu diefen Fernröhren zählt man nicht allein die gewöhnlichen Theaterperfpektive, fondern auch die fogenannten Feld-ftecher, welche mit mehreren (gewöhnlich drei) auf einer Drehfcheibe befindlichen, verfchieden ftarken Hohlgläfern verfehen find, welche man nach Belieben wechfeln kann. Wegen des kleinen Gefichtsfeldes vergrößern die Galilei'fchen Fernröhre höchftens 20—30 Mal, die Theaterperfpektive nur 2 bis 3 Mal. Beim aftro-nomifchen Fernrohre wird wie bei dem Mikroſkop nicht eine einfache Conver-linfe, ein Syftem von 2 Linfen als Ocular angewendet. Das ge-bräuchlichfte Ocular ift das Campani'fche. Zum Behuf genauer Meffungen und Beobachtungen ift das Inftrument mit einem Fadenkreuze verfehen. Das aftronomifche Fernrohr zeigt von allen Gegenftänden ein verkehrtes Bild. Diefer Umftand hat bei Beobachtung von Geftirnen keinen Nachtheil, dagegen ift dies bei Beobachtung von irdifchen Gegenftänden höchft ftörend, deshalb bringt man bei Erdfernrohren ein Ocular zur Anwendung, welches das vom

Objectiv entworfene verkehrte Bild wieder umkehrt. Die Ocularröhre des terrestrischen Fernrohrs oder das terrestrische Ocular ist im Wesentlichen nichts Anderes als ein zusammengesetztes Mikroskop, dessen Objectiv jedoch weit schwächer ist, als bei den gewöhnlichen Mikroskopen. Das perspektivische Zeichnen soll die Gegenstände so darstellen, wie sie dem Auge nach Gestalt und Farbe erscheinen, während das geometrische Zeichnen die Gegenstände so darstellt, wie sie wirklich sind. Die Linear-Perspektive zeichnet Linien und Winkel, wie sie dem Auge erscheinen auf die Bildfläche, die Luft-Perspektive dagegen giebt den sichtbaren Flächen die richtigen Farbentöne und das richtige Maß von Helle und Dunkelheit. Da in der Perspektive die Flächen und Linien eines Gegenstandes mannichfach verschoben und verkürzt erscheinen, so ist es oft ganz unmöglich aus einer perspektivischen Zeichnung die Maße der einzelnen Theile richtig abzunehmen. Kavalier-Perspektive stellt eine Seite des abzubildenden Gegenstandes so dar, als ob sie parallel der Bildfläche wäre. Will man auch noch andere Seiten zeigen, so fügt man diese unter beliebigen Winkeln an. Vogel-Perspektive stellt ein Bild so dar, wie es aus bedeutender Höhe dem Beobachter erscheinen wird. Während die Kavalier-Perspektive ihren Namen vielleicht von der cavalièren Behandlung der Zeichnung herleitet, will die Vogel-Perspektive ein Bild entwerfen, welches so aussieht, wie es einem Vogel in der Luft erscheinen würde. Die Vogel-Perspektive wurde in älteren militairischen Werken vielfach angewendet zur Darstellung von Festungen, Städten, verschanzten Lagern, ja selbst von Terrainabschnitten; in heutiger Zeit findet man sie nur noch, wenn der Publicist dem größeren Publikum eine militairische Action anschaulich darstellen will (Sebastopol, Bomarsund u. s. w.) oder als veraltetes Wandgemälde.

Peru, Republik im Westen von Südamerika, grenzt im Norden an Ecuador, im Osten an Brasilien und Bolivia, im Süden an Bolivia, im Westen an den Stillen Ocean und umfaßt einen Flächenraum von 23,893 Q.-M. (nach officiellen Angaben von 30,319 Q.-M.) mit ungefähr 2½ Mill. Einwohnern, worunter ungefähr 400,000 wilde Indianer; von den Uebrigen kommen 57 Proc. auf die civilisirten Indianer, 22 auf die Mestizen, 14 auf die Weißen (Creolen), 7 auf die Neger und deren Mischlinge. Das Land ist durch die Doppelketten der Cordilleren und Anden, welche hier zahlreiche Vulcane haben und in den Schneegipfeln des Tacora (Chipicani) und Chuquibamba eine Höhe von 20,000 Fuß erreichen, sehr gebirgig und gehört mit Ausnahme der kleinen Küstenflüsse, welche westlich in den Stillen Ocean fallen, dem Gebiete des Amazonenstromes an, der hier als Tunguragua seinen Ursprung nimmt. Die klimatischen und Bodenverhältnisse sind je nach der Oberflächenbildung des Landes sehr verschieden. Die Bodencultur steht trotz der großen Fruchtbarkeit der Thäler und Niederungen auf sehr niedriger Stufe; am meisten angebaut werden Zuckerrohr, Mais, Weizen und Kaffee. Von Wichtigkeit ist die Schafzucht. Den Hauptreichthum des Landes bilden seine ergiebigen Gold- und Silberbergwerke. Die eigentliche Industrie des Landes ist ohne wesentliche Bedeutung; der Handel ist meist in den Händen der Engländer; doch ist die industrielle und commercielle Entwickelung durch den Mangel an guten Verkehrsmitteln gehindert, da die Straßen im Innern schlecht sind und sich nur in den Küstengegenden einige kurze Eisenbahnlinien befinden. Der Peruaner steht in intellectueller Hinsicht etwas höher als die Bevölkerungen der angrenzenden, früher gleichfalls spanischen Staaten, in moralischer Hinsicht jedoch tiefer. Die Staatsverfassung, welche auf der neusten Constitution vom 31. Aug. 1867 beruht, ist eine republikanische. An die Spitze der Executivgewalt steht ein auf fünf Jahre vom Volk gewählter Präsident; die Gesetzgebende Gewalt wird vom Congreß ausgeübt, welcher aus einem Senat und einer Repräsentantenkammer besteht. Herrschende Religion ist die römisch-katholische; die öffentliche Ausübung eines jeden andern Cultus ist untersagt. Die bewaffnete Macht besteht aus der Armee, der Nationalgarbe und der Flotte. Die Armee zerfällt in die Linie und die Gendarmerie; die Linie hatte 1861 an Infanterie 12 Bataillone zu 700 M., zusammen 8400 M.; an Cavalerie 4 Regimenter zu 300 M., zusammen 1200 M.; an Artillerie 1 Regiment zu Fuß, 1 Regiment zu Pferde, zusammen 1000 M., insgesammt 10,600 M.; die Gendarmerie hatte 5408 M., worunter 4380 M. zu Fuß und 1028 M. zu Pferde. Die Nationalgarbe soll gesetzlich gegen 100,000 M. stark sein, zählt aber in der That kaum 5000 M. Die Flotte bestand 1866 aus 1 Panzer-Fregatte mit 14 Kanonen, 3 Monitors mit zusammen 8 Kanonen, 1 Thurmschiff mit 4 Kanonen, 1 Fregatte mit 30 Kanonen, 2 Corvetten (je 14 Kanonen) mit 28 Kanonen und 3 Transportdampfern (je 8 Kanonen) mit 24 Kanonen, insgesammt 11 Schiffe mit 108 Kanonen. In administrativer Hinsicht ist der Staat in 13 Departementos getheilt; Hauptstadt ist Lima, Haupthafen Callao (s. d.). Das Wappen von P. ist ein dreigespaltener Schild; im obern rechten Felde ein Lama, im obern linken Felde ein Brotbaum, im untern Felde ein goldenes Füllhorn; darüber eine von Oel- und Lorbeerzweigen umwundene Krone; dahinter auf jeder Seite zwei roth und weiße Fahnen. Nationalfarbe und Flagge sind weiß und roth.

Das jetzige P. bildete vor der spanischen Eroberung durch Pizarro (1531 bis 1534) den Haupttheil des mächtigen Reiches der Inkas. Nach einem blutigen Bürgerkriege, welcher erst 1547 beendigt wurde, lastete auf dem Lande derselbe schwere Druck, den Spanien auf seine übrigen amerikanischen Colonnien ausübte. Nachdem 1810 die Laplata-Staaten gegen Spanien aufgestanden waren, folgten auch bald die an der Westküste gelegenen Gebiete und nach einem langen, wechselvollen Kampfe wurde am 28. Juli 1821 durch General San-Martin zu Lima die Unabhängigkeit P.'s proclamirt. Doch erreichte die spanische Herrschaft erst mit den Siegen des columbischen Generals Sucre bei Junin 5. Aug. 1824 und bei Ayacucho 9. Decbr. 1824 factisch ihr Ende. Seitdem ist der Staat fast fortwährend der Schauplatz von innern Parteikämpfen, Bürgerkriege und Umwälzungen gewesen. Im Frühjahr 1864 gerieth P. auch mit Spanien in Conflict, in Folge dessen der spanische Viceadmiral Pareja am 25. Januar 1865 mit einem spanischen Geschwader vor Callao erschien und ein Ultimatum mit 48stündiger Bedenkzeit übergab. Ein hierauf am 27. Januar durch den Präsidenten Pezet abgeschlossener und am 23. April zu Madrid ratificirter Friedenstractat rief jedoch in P. heftige Unruhen hervor, die Regierung mußte zurücktreten; das neue Ministerium entschied sich in dem spanisch-chilenischen Streite für Chile und sandte seine Kriegsschiffe gegen das spanische Geschwader. Am 26. Nov. proclamirte eine Volksversammlung zu Lima den Obersten Ignacio Prado zum Dictator von P. und unter seiner Dictatur schloß P. am 5. Decbr. zu Lima mit Chile einen Allianzvertrag gegen Spanien ab, dem im Januar auch 1866 Ecuedor und Bolivia beitraten. Am 14. Januar 1866 erfolgte die Kriegserklärung P.'s an Spanien. Nachdem das spanische Geschwader unter Admiral Bunez im Februar vergeblich bemüht gewesen war, die chilenisch-peruanische Flottille in der Ancubdal zu vernichten, am 31. März die offene Stadt Valparaiso (s. d. vgl. Chile S. 15.) bombardirt und am 14. April die Blokade der chilenischen Küste aufgehoben hatte, erschien dasselbe am 25. April vor dem befestigten Callao und beschoß am 2. Mai Stadt und Forts vier Stunden lang heftig, mußte sich aber stark beschädigt zurückziehen und verließ am 10. Mai die peruanischen Gewässer wieder.

Hiermit war der Krieg factiſch beendigt, denn, wenn auch die vier verbündeten Staaten im October unter beſtimmter Zurückweiſung einer engliſch-franzöſiſchen Vermittelung die Fortſetzung der Feindſeligkeiten gegen Spanien beſchloſſen, ſo kam es doch nicht wieder zum Kampfe. Nachdem Prado in Folge einer im Januar 1868 ausgebrochenen Revolution geſtürzt und der Großmarſchall La Fuente zum Chef der Executivgewalt ernannt worden war, beſtätigt dieſe den durch Pezet am 27. Januar 1865 mit Spanien abgeſchloſſenen Tractat und erklärte die Allianz mit Chile, Bolivia und Ecuador für aufgelöſt und alle durch Prado eingegangenen Verbindlichkeiten für aufgehoben. P. wurde häufig durch Erdbeben heimgeſucht, in neueſter Zeit beſonders, gleich Ecuador, im Auguſt 1868. Vgl. Soldan, „Geografia del Perú“, Paris 1862, 2 Bde. (franz. Paris 1863); Prescott, „History of the conquest of P.“, Boſton 1847, 3 Bde. (deutſch Leipzig 1848, 2 Bde.), Odriozola, „Documentos historicos del Perú“, Lima 1863 f. 2 Bde.

Perugia, Hauptſtadt der gleichnamigen, bis 1860 zum Kirchenſtaate gehörigen italieniſchen Provinz (auch Umbrien genannt, 174,949 Meilen mit 513,019 Einwohner), Sitz des Commandos einer der 22 Territorial-Militär-Diviſionen und einer der 10 activen Diviſionen, liegt hoch über dem Tiber, iſt mit Mauern und Wällen umgeben, hat ein feſtes Schloß und 14,885 Einwohner, mit den weitläufigen Vorſtädten des Gemeindebezirks aber 44,130 Einwohner. P. war im 15. Jahrhundert häufig die Reſidenz der Päpſte, wurde 1708 vom Herzog von Savoyen erobert, 1849 von den Oeſterreichern unter Liechtenſtein beſetzt, war im Juni 1859 der Schauplatz eines Aufſtandes zu Gunſten der Piemonteſen, welcher von den päpſtlichen Truppen unter Oberſt Schmidt unterdrückt ward und wurde 1860 mit dem übrigen Umbrien von Sardinien annectirt.

Pescara, Fernando Francesco Avalos Marcheſe de P., ſ. Avalos.

Peſchawer (Peſchauer) 1) eine ſeit 1849 mit dem Pendſchab dem Indobritiſchen Reiche einverleibte Provinz des früheren Staates der Sikhs (ſ. d.), gehörte ehemals zu Afghaniſtan, iſt eine von Bergen umſchloſſene Hochebene, zu beiden Seiten des untern Kabulfluſſes von deſſen Mündung aufwärts und weſtlich bis zu den berühmten Kheiberpäſſen, und umfaßt einen Flächenraum von 109 Qu.-Meilen mit ungefähr ½ Million Einwohnern (größtentheils Mohammedaner). Die Gebirgsbewohner ſind ſehr reizbar, kriegeriſch und plünderungsſüchtig, weshalb die Briten zur Sicherung des wichtigen Landes, welches den äußerſten nordweſtlichen Vorpoſten ihres Indiſchen Reiches bildet, ſie ſtets eine bedeutende Militärmacht halten müſſen. An der Weſtgrenze der Provinz, am Ausgang des Kheiberpaſſes, liegt das ſtarke Fort Jamrud (Dſchamrud). 2) Hauptſtadt der gleichnamigen Provinz, 1¾ Meile ſüdlich von Kabul, 3⅜ Meile öſtlich vom Großen Kheiberpaß, in einer von kleinen Nebenflüſſen des Kabul bewäſſerten Niederung, hat ein von den Sikhs erbeutetes Fort (Citadelle), zahlreiche Moſcheen und gegen 100,000 Einwohner.

Peſchiera, ſtark befeſtigter Flecken in der italieniſchen Provinz Mantua, am Ausfluſſe des Mincio aus der ſüdöſtlichſten Spitze des Gardaſees und an der Eiſenbahn Mailand-Verona-Venedig, bildet als Correſpondenzfeſte von Mantua die nordweſtliche Ecke des berühmten lombardiſch-venetianiſchen Feſtungsvierecks der Mincioliníe (ſ. d.), deckt die Straße von Tirol nach Brescia, Mantua, und Verona, hat die Forts Mantella und Salvi und zählt ungefähr 2000 Einwohner. Auch auf einer Inſel im Gardaſee ſind wichtige Werke. P. gehörte ſeit 1441 den Venetianern, ergab ſich 1509 den Franzoſen, wurde aber von den Venetianern wieder genommen und ſtark befeſtigt. Im Jahre 1796 wurde P. von den Venetianern den Oeſterreichern eingeräumt, was Bonaparte für eine Neutralitätsverletzung erklärte; der öſterreichiſche General Beaulieu übergab nach der Schlacht von Lodi den Platz an Bonaparte, welcher ihn durch General Chaſſeloup noch ſtärker fortificiren ließ und hierdurch dann dem belagerten Mantua die Zufuhr von Tirol und vom Gardaſee her abſchnitt. Als Beaulieu's Nachfolger, Wurmſer, ſpäter wieder zur Offenſive überging, war der Verluſt dieſes Stützpunktes ein weſentliches Hinderniß für ihn, ebenſo, als er ſich dann über den Mincio zurückziehen mußte. Am 10. April 1848 wurde P. von den Sardiniern unter General Manno blokirt, am 13. und 18. April bombardirt und am 31. Mai durch Capitulation genommen, am 14. Auguſt aber den Oeſterreichern wieder übergeben. Im Italieniſchen Feldzuge von 1859 bereiteten ſich die Franco-Sarden nach der Schlacht von Solferino (24. Juni) eben vor, P. zu belagern, als der Präliminarfriede von Villafranca den Feindſeligkeiten ein Ende machte.

Peſt (Peſth), die ſchönſte, größte und volkreichſte Stadt des Königreichs Ungarn, am linken Ufer der Donau, Ofen gegenüber, mit dieſem durch eine großartige Kettenbrücke verbunden und deshalb als eine Stadt aufgefaßt, ungariſch Buda-Peſt genannt, iſt ein wichtiger Punkt des öſterreichiſch ungariſchen Eiſenbahnnetzes (ſ. u. Ofen), Sitz des Ungariſchen Reichstages und mehrer ungariſchen Oberbehörden, hat eine Univerſität, zahlreiche andere wiſſenſchaftliche Anſtalten, Kunſtſammlungen ꝛc., große Kaſernen (beſonders eine großartige Artillerie-Kaſerne mit Hauptgeſchütz- und Munitions-Depot), Militärhoſpital, große Magazine, Werkſtätten, National-Reitſchule, vielſeitige Induſtrie, lebhafter Handel und (1867) 136,000 Einwohner. P. iſt im 10. Jahrhundert entſtanden, wurde, 1241 von den Mongolen eingeäſchert und erlitt in der Folge zugleich mit Ofen (ſ. d.) alle Belagerungen dieſer Feſte, oder litt wenigſtens unter dieſen Belagerungen, je nachdem der Angriff von öſtlicher (türkiſcher) oder weſtlicher (öſterreichiſcher) Seite ausging.

Petarde, ein kleiner Mörſer, welcher, auf ein Brett geſchraubt und an dieſem an Thore, Mauern, Palliſaden u. ſ. w. aufgehängt, die letzteren nach ſtattgefundener Exploſion entweder in Trümmer legen oder eine Oeffnung herſtellen ſoll. Das Zündloch befindet ſich am Boden, damit die Ladung bequemer entzündet werden kann. Die Zündung ſelbſt beſteht aus einer Feuerleitung; die Ladung iſt möglichſt ſtark und mit Vorſchlägen verſehen. Die erſte Verwendung fand die P. zu Ende des 16. Jahrhunderts, nachdem durch die Einführung der niederländiſchen Befeſtigungsmanier der Feſtungskrieg verändert und vervollkommnet war, und dadurch den Angreifer zur Anwendung des förmlichen Angriffs zwang. Ohne den Gebrauch der P. ganz auszuſchließen, bedient man ſich in heutiger Kriegführung zur Erreichung deſſelben Zwecks mit größerem Vortheile der Sturmſäcke (ſ. b.) ſofern die weittragenden gezogenen Geſchütze das Hinderniſmittel nicht ſchon beſeitigt haben. Der Sturm auf Düppel 1864 machte trotz der umfangreichen Verwendung der gezogenen Geſchütze zum Beſeitigen der Palliſaden dennoch die Anwendung der Sturmſäcke nothwendig.

Peter I., Alexejewitſch, genannt P. der Große, Czar von Moskowien, ſpäter „Kaiſer aller Reußen", geb. 1672 zu Moskau, groß als Krieger, größer noch als Staatsmann, entging mit Mühe den mörderiſchen Verſchwörungen ſeiner Halbſchweſter Sophia, ergriff noch als zarter Jüngling die Regierung, errichtete durch Hülfe befreundeter Ausländer ein Heer in europäiſcher Form und Organiſation, ſchlug mit ſehr unvollkommenen maritimen Mitteln die türkiſche Flotte und eroberte Aſow (1696), wodurch er dem Reiche die natürliche Grenze des Schwarzen Meeres zu gewinnen ſuchte. 1697 erlernte er unter dem Namen Peter Michailow in dem holländiſchen Orte Saardam die Schiffszimmerkunſt, vernichtete 1698 das rebelliſche Strelitzencorps, erſetzte es aber durch neue Truppen, begann 1700 den Krieg gegen Schweden, erlitt bei Narwa eine furchtbare Niederlage, mußte sich bemungeachtet eine gute Situation zu verschaffen, gründete 1703 Petersburg als Festung, vernichtete 1709 das schwedische Heer bei Pultawa, wendete sich nun rasch gegen Norden und eroberte Livland und Karelien, mußte sich alsbald aber gegen die Türken wenden, von denen eingeschlossen, er sich nur durch großartige Bestechung und Herausgabe von Asow die Freiheit erkaufen konnte. 1712 und 1713 eroberte er Finnland und führte 1721 den Nordischen Krieg dergestalt zu Ende, daß Schweden ihm Livland, Esthland, Ingermanland, Wiburg und Kexholm überlassen mußte (s. Nordischer Krieg). Hiernach gab er sich den Titel Kaiser aller Reußen. 1722 und 1723 unternahm er einen Krieg gegen Persien, behauptete die sehr ansehnlichen Eroberungen Ghilan, Asterabad und Masanderan und starb 28. Januar (8. Februar) 1725. P. ist der Gründer des Russischen Reichs in sofern er diesem die Küstengrenze im Osten und Süden erwarb, auch der Gründer der gegenwärtigen russischen Armeeverfassung, und namentlich der Flotte, der Erbauer von Petersburg und der Stifter des Alexander-Newski- und des St. Katharinen-Ordens. Ihm wurde ein prachtvolles Denkmal zu Petersburg von Katharina II. errichtet; außerdem sind noch Denkmale in Kronstadt, Pultawa, Woronesch, Ladeinoje-Pole und Lipezt. Vgl. Bergmann, „P. d. Gr. als Mensch und Regent", Riga und Mitau 1823 ff. 6 Bde.; Ségur, „Histoire de Russie et de Pierre-le-Grand", Paris 1829; Pelz, „Geschichte P.'s d. Gr.", Leipzig 1849. Wichtig sind ein „Tagebuch P.'s d. Gr. von 1689 bis zum Nystadter Frieden", Petersb. 1770 ff., 2 Bde. (deutsch, Berlin 1773); das russische Original der von Katharina II. durchgesehenen „Geschichte P.'s d. Gr.", die von Golikow herausgegebene „Dejania Petra Welikawo", Moskau 1788—97, 30 Bde.

Peter, der Grausame, König von Castilien und Leon, geb. 1334, vielmehr ein wollüstiger und blutdürstiger Wütherich als ein Held; fiel in der Schlacht auf der Ebene von Montiel 1369 durch die Hand seines Bruders Heinrich.

Petersburg, neue Residenz- und Hauptstadt von Rußland, voll der großartigsten Militairetablissements, Stiftung Peters des Großen, 1703 ursprünglich als Strandfestung gegen die Schweden angelegt, an der Newa und dem Finnischen Meerbusen, auf mehren Newa-Inseln erbaut, hat einen Hafen, jedoch von geringer Tiefe und Schiffswerfte, ist theilweise von Wall und Graben umgeben und hat eine geräumige Citadelle, die aber geringe kriegerische Bedeutung hat. Die eigentliche Feste von P. ist seewärts Kronstadt (s. d.); landseits hat P. kaum einen Angriff zu fürchten, und besäße in diesem Falle bei seinem ungeheuren Umfange und seiner Anlage keine Widerstandskraft. P. ist der Centralplatz des gesammten russischen Staates und Militairwesens, Sitz des Kriegsministeriums, des Generalgouvernements des I. Militairbezirks und zwei des Generalstabs. Der wundervolle Palast des Generalstabs ist mit einer Triumphpforte (deren Petersburg 2 hat) und einer Siegesgöttin geziert, und umfaßt alle Bureaus der Militairverwaltung. Vor ihm erhebt sich das Alexandermonument 154 Fuß hoch. Die Admiralität befindet sich in einem ebenfalls zu den Wunderwerken gehörenden Prachtpalaste, der große Schiffswerfte umschließt, auf welchen Linienschiffe gebaut werden. In ihm befindet sich das Marine-Museum mit den reichsten und kostbarsten Sammlungen von Maschinen, Modellen, Karten und Büchern. Es befinden sich hier eine Artillerieschule, ein Marine- und zwei Landkadettenkorps, eine Schifffahrtschule, eine Ingenieurschule für Land- und Wassercommunication, ein Militairinstitut der Pagen, eine Schule für Schiffsbau und Handelsmarine, eine Thierarzneischule, eine Centralsternwarte, eine Fähnrichschule, mehrere Militairwaisenhäuser, eine Gesellschaft der Militairwissenschaften, ein Bergwerksinstitut, ein altes und ein neues Arsenal, dessen Bau 2,800,000 Silberrubel gekostet, das Kriegscollegium, eine der schönsten Reitbahnen Europas, eine höchst merkwürdige Sammlung von Waffen und Kriegerkleidungen aller bekannten Völker der Welt und aller Zeiten in einem großfürstlichen Palaste u. a. Die Kasernen gehören zu den prachtvollsten und größten Gebäuden der Stadt und namentlich zeichnen sich die Kasernen der Garderegimenter Ismailowski, Pawlowski, Moskowski und der Gardecavalerie aus. Noch ist der Invalidenanstalt im Tschesmepalaste Erwähnung zu thun. Unter sehr vielen militairischen Ehrendenkmalen zeichnen sich die von Peter dem Großen, Potemkin, Suworow, Kutusow und Barclay de Tolly aus, doch ist die Zahl derartiger Denkmäler in P. sehr groß. In der Citadelle befindet sich die Peter-Paulskirche und in ihr sind die von Trauerpracht strotzenden Kaisergräber. In Petersburg liegt die Garde. P. ist einer der wichtigsten Centralpunkte des russischen Eisenbahn- und Telegraphensystems (Hauptbahnlinien über Dünaburg nach Riga, Königsberg, Warschau etc. und über Twer nach Moskau etc., vgl. Rußland) und zählt (1863) 539,122 Einwohner. Kriegsstürme hat es nie erlebt, doch befreite es vielleicht nur das Verhältniß Frankreichs zu England und dessen Seemacht 1812 von einem Angriffe Napoleons I.

Petersburg, Stadt und Einfuhrhafen in der Grafschaft Dinwiddie im nordamerikanischen Staate Virginia am Appomatox gelegen, ist durch Bahnlinien mit Richmond, City Point, Norfolk, Lynchburg, Danville und Weldon verbunden, zählt ungefähr 16,000 Einwohner, besitzt eine bedeutende Wollen- und Baumwollen-Industrie und bildete im Secessionskriege den rechten Flügel der starken confödderirten Stellung, um die sich nach der Schlacht bei Cold Harbor die gesammten Operationen auf dem Virginischen Kriegsschauplatze drehten. Anfänglich mit nur 2000 Milizen besetzt, wäre es am 9. Juni 1864 den Unirten beinah in die Hände gefallen, wenn der von Bermuda Hundred gegen die Stadt abgesandten und in dieselbe selbst eingedrungenen Cavalerie Infanterie gefolgt wäre. Am 15. Juni nahm das 18. unirte Corps in Verbindung mit der 3000 Mann betragenden Reiterei unter General Kautz vier von den südlich der Stadt gelegenen Forts mit 15 Kanonen, war aber, da das 2. Corps nicht rechtzeitig eintraf, nicht im Stande die Stadt selbst zu erobern. In der Nacht zum 16. Juni traf alsdann der confödderirte General Beauregard mit 30,000 Mann frischen Truppen in der Stadt ein, der sofort eine zweite Vertheidigungslinie näher an die Stadt aufwerfen ließ. Am 16. Morgens erfochten die Unirten, jetzt 2 Corps stark, noch einige kleine Vortheile, am 17. Juni, wo unterdeß das 9., 15. und 6. Corps derselben neu eingetroffen und 2 Divisionen des 18. nach Bermuda Hundred zurückgegangen waren, fanden nur unbedeutende Gefechte statt; am 18. Juni wurde die confödderirte Hauptstellung südlich des Appomatox unter General Grant's persönlicher Leitung in ihrer ganzen Ausdehnung von 4 Uhr Morgens ab angegriffen. Der erste Angriff mißlang zwar, doch gewannen die Unirten im Laufe des Tages etwas Terrain, ohne jedoch ihre Absicht, die gegnerische Stellung auf einem Punkte zu durchbrechen, trotz eines Verlustes von ungefähr 6000 Mann erreichen zu können. Die fruchtlosen Kämpfe veranlaßten Grant auf die nach Weldon, Danville und Lynchburg führenden Bahnen, durch welche die Confödderirten mit ihrem Hinterlande in Verbindung standen, sein Augenmerk zu richten, da er nur nach deren Besitznahme Aussicht auf dauernde Erfolge hatte. Am 19. und 20. Juni fanden vor P. nur leichte Vorpostengefechte statt, in der Nacht vom 20. zum 21. wurde sodann die Armee über den linken Flügel hinaus nach

8*

der Weldon-Bahn in Marsch gesetzt; der Gegner griff jedoch in der dortigen waldigen Gegend das die Vorhut bildende 2. Corps im Marsche mit solcher Heftigkeit an, daß er ihm eine empfindliche Schlappe beibrachte, und das Gefecht erst nach dem Eintreffen bedeutender Verstärkungen zum Stehen kam. Am 23. Juni, wo die Unirten bis an die Weldon-Bahn vordrangen, wurden sie auf ihrer ganzen Linie angegriffen, und dabei auf ihrem linken Flügel zurückgeschlagen während sie sich in den andern Stellungen hielten. Vom 25. bis 27. Juni fiel nichts von Bedeutung vor; doch gelang es, die bei P. über den Appomatox führende Eisenbahnbrücke zu zerstören. Durch die Cavalerie, welche am 21. Juni von Bermuda Hundred abgerückt war, wurde die Weldon- und Danville-Bahn auf weitere Strecken zerstört, doch nachdem die Unirten bei Reams Station zersprengt waren, Dank der vorher getroffenen Vorsichtsmaßregeln Lees, in kurzer Zeit wieder hergestellt. Vom 28. Juni stand die Unirte Armee mit dem rechten Flügel an den Appomatox gelehnt und reichte mit dem linken Flügel bis an die Weldon-Bahn, deren Benutzung sie durch das Feuer ihrer Geschütze erschwerte. Die Stellung selbst war durch eine Anzahl starker Befestigungen gedeckt, und wurde eine bis zum 20. Juli reichende Pause in den Operationen von Seiten der Unirten zur Reorganisation der Armee, sowie zur Anlegung eines Hauptdepots in City Point verwendet, das mit den Hauptquartieren der einzelnen Corps durch neu angelegte Schienenstränge in Verbindung gebracht wurde, während die Conföderirten ebenfalls mit aller Energie an ihren Befestigungen arbeiteten. Die beiderseitigen Befestigungen waren sich oberirdisch ungefähr auf 500 Fuß nahe gerückt und auf Unirter Seite eine große unter das Kirchhofsfort reichende Minengalerie angelegt. Am 21. Juli wurden von den Unirten die Operationen wieder begonnen, indem an diesem Tage das 2. und 10. Corps und die beiden Cavalerie-Divisionen Sheridan und Kautz bei Strawberry-Plains über die dort angelegte und durch einen Brückenkopf geschützte Brücke auf das linke Ufer des James-Flusses übergingen. Durch die dann am 27. und 28. Juli folgenden Kämpfe wurde Lee veranlaßt, die bei den vorher schon nach Richmond geschickten Divisionen das ganze Hill'sche und Anderson'sche Corps nachzusenden, so daß die Petersburger Linien am 29. und 30. Juli nur von wenigen Divisionen besetzt waren. In der Nacht vom 28. zum 29. Juli zog Grant, nachdem er die Bewegungen des Gegners durchschaut hatte, das 2. Corps und in der folgenden Nacht die Division Sheridan wieder über den Fluß, so daß nur das 10. Corps und die Division Kautz auf dem linken Ufer des James verblieben und stellte die Corps derart auf, daß der rechte Flügel (2. Corps) sich an den Appomatox lehnte, ihm das Centrum (9. Corps), hinter dem das 18. Corps in Reserve verblieb, folgte, während das 5. Corps den linken Flügel bildete. Am 30. Juli erfolgte darauf die Sprengung der großen Mine unter dem Fort auf dem Kirchhofshügel und leider nicht rasch genug nach derselben der Sturm, welcher dadurch völlig fehl schlug. Am 6. August sprengten sodann die Conföderirten ein Fort in der Front des 5. Corps, und machten einen erfolglosen mit einer lebhaften Kanonade endenden Ausfall. Erst am 13. August wurden die Operationen mit einem abermaligen Vorrücken des 10. Corps auf dem nördlichen Ufer des James-Flusses eröffnet. In Folge dessen am 14. bei Fort Darling heftige aber ziemlich resultatlose Kämpfe stattfanden; denn auf dem linken Flügel stehenden 5. Corps gelang es, sich der Weldon-Bahn zu bemächtigen und dadurch P. die kürzeste Verbindung mit dem Süden abzuschneiden, und wurde die dortige Stellung auch gegen alle bis zum 25. August dauernden Anstrengungen des Feindes behauptet. Der Verlust in diesen Gefechten war allerdings sehr erheblich, nämlich 12,000 Mann auf Seiten der Unirten, 8000 auf der gegnerischen. Erst gegen Ende September wurde wieder mit einem Vorrücken beider Flügel begonnen und eroberten die Unirten mit dem rechten Flügel bei Climbing Bluff die erste Reihe der dort angelegten Schanzen, während auch der linke Flügel näher an die Danville-Bahn herankam. Am 7. October machten die Conföderirten einen schließlich resultatlosen Angriff auf dem nördlichen Ufer des James, und am 12. Oct. wurde Seitens der Unirten eine forcirte Recognoscirung gegen den linken Flügel des Feindes, bei der man bei Richmond bedeutende Befestigungen entdeckte. Da aber eine bereits begonnene Durchstechung der Landzunge Dutch Gap, durch welche man sich dem Fort Darling zu nähern hoffte, nur geringe Fortschritte machte, wurden die Operationen auf dem nördlichen Ufer des James immer werthloser. Am 28. Oct. fand auf dem linken Flügel der Unirten eine Seitwärtsschiebung bis über den Hatcher's Run statt, bei welcher dieselben 800 Gefangene machten, aber heftig angegriffen nach Verlust von 2000 Mann in ihre alte Stellung zurückgehen mußten. Ein gleichzeitiger Angriff auf den linken Flügel des Feindes war ebenso erfolglos und kostete den Unirten 2000 Mann. Nachdem in der Nacht vom 30. zum 31. Oct. die Unirten einen Angriff zwischen dem 2. und 5. Corps glücklich abgeschlagen, trat während des ganzen November eine völlige Waffenruhe ein. Nachdem eine am 1. December in südlicher Richtung abgesandte Recognoscirung auf überlegene feindliche Kräfte gestoßen, wurden am 6. Dec. das 2. und 5. Corps zu einer Expedition nach Hicksort am Weherril River abgesandt wo sie nicht weiter vordringen konnte, da die Conföderirten dort stark verschanzt waren. Bei dem Vormarsche waren beide Corps in der rechten Flanke vom Hill'schen Corps gefolgt, das jedoch keine Gelegenheit zu einem Angriffe fand. Die von den beiden Corps bis dahin besetzte Stellung vor P. wurde von dem 6. und 9. Corps, die aus dem Shenandoah-Thal neuerdings herangezogen waren, während der bis zum 13. Dec. dauernden Abwesenheit eingenommen. Die beiden bisher unter Buttler nördlich des James-Flusses gestandenen Corps, das 10. und 18., wurden jetzt aufgelöst und aus ihnen zwei neue gebildet, indem die weißen Truppen beider zum 24. und aus den farbigen Truppen derselben, wie des neu angelangten 9. Corps zum 25. formirt wurden. Ersteres erhielt General Ord, letzteres General Weitzel, der Oberbefehlshaber wurde in Folge der in der zweiten Hälfte des December mit Theilen seines Corps unternommenen verunglückten Expedition nach Wilmington seines Postens entsetzt, und trat General Ord an seine Stelle. Bis zum 24. Januar 1865 fiel nichts von Bedeutung vor, als daß an diesem Tage Lee auf dem James eine kleine Flottille vorgehen ließ, um sich womöglich City Points zu bemächtigen, das während der Zeit wegen Abgabe ganzer Divisionen von der nach Wilmington abgesandte 2. Expedition nur schwach besetzt war. Die Schiffe vermochten jedoch nichts auszurichten und erfolgte deßhalb auch kein Angriff zu Lande, sondern nur eine heftige Beschießung der Unirten. Um jedoch einer so schwerwiegenden Eventualität, wie der Verlust von City Point gewesen sein würde, vorzubeugen, wurde ein Theil des Panzergeschwaders herangezogen, das sich dort unter Admiral Farragut vor Anker legte. Am 5. Februar drangen auf Grant's Anordnung das 2. und 5. Corps in der linken Flanke durch die Cavalerie des General Gregg gedeckt, auf der Boydton-Straße nach Westen vor; die beiden letzteren begegneten heftigem Widerstande und wurden geworfen; das 2. Corps überschritt den Hatchers-Run und behauptete sich dort trotz heftiger Angriffe; in der Nacht zum 6. Febr. setzte sich das 5. Corps auf den linken Flügel des 2. Corps und trafen Verstärkungen vom 9. und 6 Corps ein, so daß alle Versuche des Feindes, die Unirten zu beloglren, fruchtlos blieben. Das eintretende Regenwetter machte den Operationen jedoch ein Ende, deren Resultat war, daß Grant in den Besitz

der hinter seiner neuen Front belegenen Wälder gelangte, was für ihn, der anzulegenden Bauten wegen, von größter Wichtigkeit war. Anfang März betrug
die Grant'sche Armee 72,000 M. Infanterie, 12,000 Cavalerie und 6000
Mann Artillerie und Ingenieure, von denen das 24. und 25. Corps als rechter
Flügel unter General Ord auf dem linken Ufer des James-Flusses standen,
während das Centrum und der linke Flügel aus dem 9., 6., 2. und 5. Corps
von General Meade befehligt auf dem rechten Flügel von P. sich befanden.
Das zuletzt genannte Corps deckte die Front nach Westen gerichtet durch eine
Defensiv-Halenstellung die stark exponirte linke Flanke. Lee, der alle disponiblen Streitkräfte aus dem Shenandoah-Thale an sich herangezogen, verfügte
nur über ungefähr 56,000 Mann. Die Schwäche des Gegners im Shenandoah-Thale veranlaßte Grant dem dort stationirten General Sheridan den
Befehl zu senden, dasselbe vollständig zu säubern. Dieser führte den Befehl
aus, und traf gegen Mitte März mit seiner 15,000 Mann starken Cavalerie
bei White-House ein, wo er sich mit Grant in kürzester Zeit vereinigen konnte.
Am 25. März griffen die Conföderirten den rechten Flügel Grant's dicht am
Appomatox an und es gelang ihnen, das Fort Steadman zu überrumpeln, der
Angriff auf das nebenliegende Fort Haskell mißglückte, und nicht gehörig unterstützt mußten die Conföderirten nach heftigem Kampfe zurückgehen, ohne ihren
Zweck, die feindliche Einschließungslinie zu durchbrechen durchsetzen zu können.
Sobald bei den Unirten die Gefahr auf dem rechten Flügel vorbei war, machten
sie mit ihrem linken Flügel einen Gegenstoß, der nach längere Zeit schwankendem
Erfolge ihnen gestattete, ihren linken Flügel abermals um ½ Meile zu verlängern. Am 26. März wurde die Cavalerie unter Sheridan, die inzwischen
in City Point eingetroffen war, auf den linken Flügel beordert und mehre
Divisionen vom 24. und 25. Corps auf das rechte Ufer des James gezogen.
Am 29. März ging die Cavalerie gegen die Lynchburger Bahn vor; ihr folgte
das 2. und 5. Corps, welche den Feind über die Boydton-Straße zurückwarfen
und nachdem sie ihn eine Strecke weit verfolgt, zwischen dem Hatchers und
Gravelly Run ein Bivouac bezogen. Die Unirten bildeten jetzt eine starke
Einschließungslinie, deren rechter Flügel, das 6. und 9. Corps, an den James
lehnte, an die sich dann die vorher erwähnten Divisionen des 24. und 25.
Corps anlehnten und deren linker Flügel an die Boydton-Straße heranreichte.
In der Nacht vom 29. zum 30. März wurde, trotz einer heftigen Kanonade
in der Front des 6. und 9. Corps, der linke Flügel der Unirten noch mehr
vorgenommen und fand, nachdem ein heftiger Regensturm um 4 Uhr Nachmittags gemolgt, die Cavalerie unter empfindlichen Verlusten zurückgeschlagen.
Am 31. März fanden zwischen dem 2. und 5. Corps und den gegenüberstehenden Conföderirten heftige Kämpfe statt, die erst Abends damit endeten,
daß die Unirten nach wiederholten Vorrückungen bis an die Boydton-Straße
zurückgetrieben wurden. Der linke Flügel war wegen mangelnden Ineinandergreifens der einzelnen Corps nicht glücklicher und wurde, um dieses herzustellen,
von Grant der Oberbefehl über denselben nach Abrufung des General Warren
an Sheridan übertragen. Dieser ließ am Morgen des 1. April durch das
2. und 5. Corps angreifen, und trieb die Conföderirten ungefähr 4 Uhr Nachmittags, nachdem auch seine Cavalerie theils zu Fuß, theils zu Pferde erfolgreich eingegriffen, bis in die 2 Meilen nördlich Dinwiddie Court House und
½ Meile südlich der Lynchburger Bahn gelegene Stellung von Five Forks
zurück. Bis gegen 7 Uhr Abend wurden auch die Werke selbst von der Infanterie genommen und gelangten dadurch die Unirten endlich in den Besitz
der lange erstrebten Bahn. In der Nacht vom 1. zum 2. April wurden vom
9., 6. und 24. Corps und den Kanonen-Booten auf dem Appomatox die sämmt

lichen Außenwerke genommen und zwei bisher in der Front des 2. Corps gestandene Divisionen von P. abgedrängt. Am 2. April Morgens versuchten die Conföderirten vergeblich die verlorenen Positionen wieder zu nehmen, konnten aber nicht verhindern, daß, nachdem Sheridan längs der Lynchburger Bahn vorgegangen, die Unionsarmee ein Werk nach dem andern auf der innern Seite der P. Südfront nahm. Nachts 12 Uhr wurde sodann nach einem Vorstoße gegen das 9. Corps P. von den Conföderirten geräumt, das, wie das gleichzeitig geräumte Richmond, am 3. April von den Unirten besetzt wurde. Die Conföderirten zogen in westlicher Richtung längs des Appomatox-Flusses ab und wurden am 9. April bei dem Städtchen Appomatox zur Capitulation gezwungen.

Peterwardein, Stadt, Militaircommunität und Festung ersten Ranges, im Serbisch-Banatischen Gebiete der Oesterreichischen Militairgrenze, am rechten Ufer der Donau, gegenüber Neusatz (mit diesem durch eine Schiffbrücke verbunden); die eigentliche Festung, ein alter riesenhafter Bau auf einem steilen Felsen, hat eine Kaserne, das Zeughaus, einen tiefen Brunnen und wird nur von Militair bewohnt; zu ihr gehört die gut befestigte Stadt am Fuße des Felsen mit 4500 Einw., großem Militairlazareth, vortrefflichen Magazinen, 2000 Mann Besatzung, aber Einrichtungen für 10,000 Mann. Hier 1716 furchtbare Niederlage der Türken durch die um fast 2/3 schwächern Oesterreicher unter Eugen. Im Revolutionskriege von 1848—49 wurde P. von den Ungarn besetzt, seit Februar 1849 von den Oesterreichern blokirt und am 6. Sept. 1849 an letztere durch Capitulation übergeben.

Petiti-Gewehr ist das nach dem Vorschlage des Oberst Petiti, Directors der Waffenfabrik zu Turin, im Jahre 1867 zur Hinterladung umgeänderte frühere italienische Vorderladungs-Gewehr. Der Petiti-Verschluß bildet eine Combination des Verschlusses des preußischen Zündnadel-Gewehrs, des Systems Dörsch und Baumgarten und des Chassepot-Gewehres. Verschlußcylinder, Schlößchen und Zündnadel werden vereinigt in der Hülse des Gewehres gebracht, welche wie bei Chassepot construirt ist. Beim Laden wird das Schlößchen zurückgezogen, bis der Kopf der Sperrfeder in ein Lager des Verschluß-Cylinders eintritt, dann wird der Hebel des Verschluß-Cylinders ergriffen und der Verschluß wie bei Chassepot zurückgeführt; darauf folgt das Einsetzen der Patrone, das Verschieben und Rechtsdrehen des Verschlusses, wobei ein Anpressen auf schräger Fläche wie beim preußischen Zündnadel-Gewehr nicht Statt findet, da der Ausschnitt der Verschlußhülse wie beim Chassepot-Gewehr rechtwinklig gestaltet ist. Demnächst wird das Schlößchen vorgedrückt und mit dem Daumenstollen nach rechts gedreht, wobei sich die Feder spannt und das Schlößchen arretirt wird. Der Stollen der Sperrfeder, welcher beim Rechtsdrehen des Hebels unter den Drückerstollen kommt, wird durch Emporheben des Stollens mittelst des Drückers ausgehoben, die Nadel schnellt vor und in die Patrone, in deren Boden sie eine Kautschukplatte zu durchstechen hat, welche das Gasausströmungen verhindern und den Nadelbolzengang schützen soll. Die Patrone umfaßt in einer Papierhülse das 36 gr. schwere Geschoß von 17,1 mm. Durchmesser, welches eine quadratische Expansionshöhlung hat und wie bei der preußischen Patrone in einen Pappspiegel eingesetzt ist, der auf seiner unteren Fläche die Zündpille enthält. Die 4,5 gr. betragende Pulverladung wird unten durch eine Kautschukscheibe geschlossen, die nach jedem Schusse aus der Kammer entfernt werden muß, zu welchem Zwecke jeder Mann mit einem Ausziehhaken versehen ist. Letztere Operation beeinträchtigt naturgemäß die Feuergeschwindigkeit, die aber dennoch im Mittel zu 8 Schuß in der Minute angegeben wird, während sie durch gewandte Leute bis zu 12 Schuß in der Minute gesteigert werden kann. Das Geschoß des transformirten italienischen Gewehrs erhält eine Anfangsgeschwindigkeit von 295 Meter, hat aber rasantere Bahnen als das des preußischen Zündnadelgewehrs, dessen Anfangsgeschwindigkeit eine geringere ist. Näheres findet sich in „Istruzione sulla carabina a bersaglieri a retrocarica" (Torino 1868), ferner in „Istruzione sulle armi e sul tiro per la fanteria" (Torino 1869) und in „Delle nuove armi portatili adottata in corso di studio presso l'esercito italiano" (Torino 1868), von welcher letzteren Schrift der „Spectatoue militaire" im Mai bis Juli-Heft 1868 eine Uebersetzung brachte. Vgl. Handfeuerwaffen, III. u. 5. Bd. IV. S. 332 u. S. 333, Tabelle.

Petropawlowsta, (Peterpaulshafen), 1) russische Standfestung mit Hafen, Hauptort des gleichnamigen, die Halbinsel Kamschatka umfassenden Bezirks des Ostsibirischen Küstengebiets an der südlichen Ostküste von Kamschatka gelegen, Sitz einer Commandantur, hat 600 Einw. Die Werke enthalten 9 Batterien für 54 Kanonen und sind modern und mit großer Solidität ausgeführt, wozu namentlich der Orientalische Krieg 1854 veranlaßte. Commandant ist ein Capitain, der vom Generalcommando in Nikolajewsk seine Befehle empfängt. Am 31. August und 1. Sept. 1854 wurde P., jedoch ohne erheblichen Erfolg von französischen und englischen Schiffen angegriffen und bei Ankunft der französisch-englischen Flotte im Mai 1855 waren Stadt und Festung von Besatzung und Bewohnerschaft, jedoch mit Wahrung der Armatur, verlassen. Die Werke wurden von den Alliirten gesprengt, von den Russen aber bald nach Abzug der feindlichen Flottille völlig wiederhergestellt. 2) befestigte Stadt im russisch-sibirischen Gouvernement Tobolsk, am Flusse Ischim, ist die Hauptfestung der Ischimschen Linie gegen die Kirgisensteppe und zählt 9000 Einw.

Peucker, Eduard von, preußischer General der Infanterie, geboren am 19. Januar 1791, trat 1809 als Freiwilliger in die schlesische Artillerie-Brigade ein, wurde 1811 Seconde-Lieutenant und bei der Mobilmachung des preußischen Contingents zum Russischen Feldzuge zur halben 12pfündigen Batterie dieses Contingents versetzt, mit welcher er dem ganzen Feldzuge beiwohnte. Im Januar 1813 zum Adjutanten der Artillerie des Yorckschen Corps ernannt, machte er in dieser Eigenschaft den Feldzug von 1813 mit, in welchem er das Eiserne Kreuz 2. Klasse und den russischen Wladimir-Orden 4. Klasse für die Schlacht bei Leipzig erhielt. Im Feldzuge von 1814 in derselben Stellung bleibend, wurde er für die Schlacht von Paris mit dem Eisernen Kreuze 1. Klasse decorirt. Bei der Reorganisation der preußischen Artillerie als Premier-Lieutenant in die Garde-Artillerie-Brigade versetzt, wurde er 1816 in den Adelstand erhoben und zur Dienstleistung ins Kriegsministerium commandirt, im folgenden Jahre zum Assistenten und 1819 zum wirklichen Mitgliede desselben ernannt, 1822 zum Major befördert und 1825 bei Neuformation des Kriegsministeriums zum Vorstand der Artillerie-Abtheilung des Allgemeinen Kriegs-Departements ernannt. 1834 wegen seiner Thätigkeit bei den Arbeiten des von Dreyse vorgeschlagenen Zündnadel-Gewehrs außer der Tour zum Oberstlieutenant avancirt, wurde er 1836 Oberst, 1842 Generalmajor und 1843 unter Entbindung von der Stellung als Vorstand der Artillerie-Abtheilung zum wirklichen Mitgliede des Kriegsministeriums ernannt und dem Kriegsminister für außerordentliche Aufträge zur Disposition gestellt. Im Mai 1843 als Militär-Commissarius bei der Deutschen Bundesversammlung nach Frankfurt a. M. gesendet, wurde er vom Reichsverweser Erzherzog Johann am 15. Juli 1848 zum Reichskriegsminister der Provisorischen Centralgewalt Deutschlands ernannt, trat schon am 5. August von dieser Stellung zurück, übernahm sie aber am 25. August auf Befehl des Königs Friedrich Wilhelm IV. wieder, um am 9. Mai 1849 neuerdings von ihr zurückzutreten.

Zum Generallieutenant befördert wurde er commandirender General des zur Bekämpfung des badischen Aufstandes aus Reichstruppen gebildeten Neckar-Corps. Für seine Thätigkeit in dieser Function wurde er mit zahlreichen Orden, wie dem Badischen Hausorden der Treue, den Großkreuzen des Bayerischen Michaelsordens, des großherzoglich Hessischen Verdienstordens, des Sachsen-Ernestinischen Hausordens u. s. w. decorirt und nach Beendigung des Feldzuges zum Chef des Stabes des Prinzen von Preußen als Militär-Gouverneur der Rheinprovinz und Westfalens ernannt. Im Februar 1850 zum ersten preußischen Mitgliede der nach Rücktritt des Reichsverwesers an Stelle der Provisorischen Centralgewalt aus zwei österreichischen und zwei preußischen Mitgliedern gebildeten Bundes-Central-Commission ernannt, wurde er im November 1850 als außerordentlicher Commissarius Preußens und der mit Preußen verbündeten Staaten nach Kurhessen zur Schlichtung der zwischen dem Lande und dem Kurfürsten ausgebrochenen Verfassungsstreitigkeiten in Verbindung mit dem außerordentlichen Commissarius Oesterreichs und der mit Oesterreich verbündeten Staaten, dem Generallieutenant Graf v. Bkringen, gesendet und im Juni 1851 bei Auflösung der Bundes Central-Commission und Uebergabe ihrer Functionen an den reactivirten Bundestag zur Disposition gestellt. Am 6. April 1854 zum General-Inspecteur des Militär-Erziehungs- und Bildungswesens ernannt, hat er in dieser Stellung eine ungemein segensreiche Wirksamkeit entfaltet, die sich beispielsweise durch die Errichtung und Fortbildung der Kriegsschulen zu Potsdam, Erfurt, Neiße, Engers, Hannover, Cassel und Anclam, so wie durch die Erweiterung des Cadettencorps zu Berlin und die Errichtung von Voranstalten für dasselbe zu Oranienstein und Plön bethätigt hat. Am 22. November 1858 zum General der Infanterie befördert, erhielt er am 30. März 1863 den Schwarzen Adlerorden, wurde am 1. Sept. 1867 bei Gelegenheit des 150jährigen Jubiläums des Cadettencorps zu Berlin demselben à la suite gestellt und feierte am 24. Juni 1869 die seltene militärische Jubelfeier seiner 60jährigen activen Dienstzeit. Neben vielen zu dienstlichen Zwecken verfaßten Vorschriften, welche eine Fülle von Belehrung enthalten und von denen vorzugsweise die „Instruction für den Umfang und die Methode des Lehrgangs auf der Königlichen Kriegs-Akademie (Berlin 1868)" zu nennen, hat v. P. auch „Beiträge zur Beleuchtung einiger Grundlagen für die künftige Wehrverfassung Deutschlands (Frankfurt 1849) geschrieben, sowie „Das deutsche Kriegswesen der Urzeiten" (Berlin 1860 ff.) bearbeitet und dadurch ein Werk geschaffen, in welchem die Schätze eines so reichen und tiefen geschichtlichen Studiums niedergelegt sind, daß dieselben nicht allein in den Kreisen der militärischen Welt und bei Historikern von Fach, sondern bei allen Gebildeten ein hohes und warmes Interesse erregt haben. Der zuletzt erschienene 3. Theil enthält „Wanderungen über die Schlachtfelder der deutschen Heere der Urzeit," die so frisch und freudig das Thema weiter entwickeln, daß man von den vorgerückten Jahren des Verfassers keine Spur zu erkennen vermag.

Pfaffenhofen, Städtchen im baierischen Regierungsbezirk Oberbayern an der Ilm und der Eisenbahn von München nach Ingolstadt; hier wurden 1745 die Baiern und Franzosen von den Oesterreichern und 1809 die Oesterreicher von den Franzosen geschlagen.

Pfalz (Rheinpfalz, Rheinbaiern), der auf dem linken Rheinufer gelegene Theil des Königreichs Baiern, einen eignen Regierungsbezirk bildend, grenzt im Norden an die preuß. Rheinprovinz und das Großherzogthum Hessen, im Osten an Baden (durch den Rhein davon getrennt), im Süden und Südwesten an Elsaß-Lothringen, im Westen und Nordwesten an die preuß. Rheinprovinz und hat 108,₁₂ □.-M. mit (1867) 626,066 Einw. (der Mehr-

zahl nach evangelisch). Das Land ist namentlich im Westen durch den Vogesen-
zweig Haardt gebirgig, im Osten eben und fruchtbar mit trefflichem Weinbau
und wird von zahlreichen Eisenbahnen durchschnitten (f. u. Baiern S. 341).
Hauptstädte sind: Speier (Sitz der Regierung) und Zweibrücken (Sitz des Appel-
lationsgerichtes); Festungen sind: Germersheim und Landau. Beim Beginn des
Deutsch-Französischen Krieges von 1870 sammelten sich die II. und III. Deutsche
Armee, erstere unter dem Prinzen Friedrich Karl, letztere unter dem Kronprinzen
von Preußen in der P. und rückten von da aus, erstere am 6. August und
in den nächstfolgenden Tagen von Homburg und Bliescastel aus westlich, letztere am 3. und 4. August von Landau aus südlich in Frankreich ein.

Pfalzburg (franz. Phalsbourg), Stadt und Festung in Elsaß-Lothringen
(im seitherigen franz. Depart. Meurthe), auf einem flachen Bergrücken am
westlichen Abhange der Vogesen, einen Paß derselben und die Straßen Saverne-
Sarrebourg, Saverne-Fenestrenge und Saverne-Saarunion beherrschend, liegt
unweit nördlich der Paris-Straßburger Eisenbahn, ist von einem gut erhaltenen
Bauban'schen Walle mit sechs regelmäßigen Bastionen, sechs Ravelinen und gedecktem Wegrang umschlossen und hat 3560 Einwohner. P. wurde 1814 von
den Alliirten belagert und durch Capitulation genommen. Im Deutsch-Fran-
zösischem Kriege von 1870 wurde P. nach der Schlacht bei Wörth (6. August)
von Truppen der zur III. Deutschen Armee gehörigen 11. preuß. Division
cernirt und am 14. August zehn Stunden lang mit Granaten beschossen, dann
aber von württembergischen Truppen, später von preußischer Landwehr unter
Major v. Giese weiter fort blotirt, bis es am 12. Dec. auf Gnade und Ungnade capitulirte und 13. Dec. von den Preußen besetzt wurde.

Pfanne, Theil des alten Steinschlosses der Handfeuerwaffen.

Pfeil, aus Stab und schneidender mit Widerhaken versehener Metallspitze
bestehendes Geschoß, welches durch die Schnellkraft einer gespannten Bogensehne
geschleudert wurde. Vor der Einführung der Feuergewehre allgemein gebräuchliche Hauptschußwaffe, jetzt nur noch bei einigen wilden Völkerschaften im Gebrauch. Berühmte Pfeilschützen waren die Hunen.

Pferd gehört zur Gattung der einhufigen Thiere und stammt aus der Wüste
Gobi in Mittelasien, von wo aus es sich über die ganze Erde, zuletzt über Amerika verbreitete. Das P. ist verschieden in der Größe, im Bau, im Haar und
in der Farbe. Die Gestalt und die Verrichtungen des P.s sind verschieden nach
Alter, Abstammung, dem gesunden oder kranken Zustande, den Eigenthümlichkeiten des Temperamentes und Charakters, und nach Art und Grad der erhaltenen
Dressur. In Bezug auf Gliederbau unterscheidet man edle (Racen) Pferde und
gemeine P., beide in eine große Menge Varietäten zerfallend. Mit dem 5. Jahre
ist das P. im Allgemeinen ausgewachsen und von da ab zum Reiten und Fahren
brauchbar. Die Oberfläche der Haut ist mit Haaren bedeckt. Von den Haaren
nennt man die kurzen, welche den ganzen Körper bedecken, Deckhaare. Dieselben
wechseln im Frühjahre, d. h. ein Theil der Haare, mit denen das Thier im
Winter zum Schutze gegen Nässe und Kälte dichter bewachsen war, fällt aus.
Die fingerlangen Haare, welche an der Unter- und Oberlippe, um die Nasen-
löcher vorn an den Augenlidern sich vorfinden und sich borstenartig anfühlen,
heißen Fühlhaare. Lange Haare endlich hat das P. am Schopf, an den
Mähnen, dem Schweife, in den Köthen, im Kehlgange und in den Ohren.
Die Farbe der Pferdehaare ist eine verschiedene. Die Farbe des Pferdes selbst
wird bezeichnet nach der Farbe der Deckhaare und der Farbe von Mähne und
Schweif. Hiernach ist das P. ein Rappe (schwarz), ein Brauner (braun)
ein Fuchs (roth), eine Falbe und Isabelle (gelb), ein Schimmel (weiß), oder
eine Schecke, wenn das P. größere Flächen von verschiedenen Farben an sich

hat. In diesen Farben giebt es verschiedene Abstufungen. Unter den Rappen
unterscheidet man hauptsächlich: 1) den Glanzrappen mit tiefschwarzem, glänzendem Haar, 2) den Kohlrappen mit dunkelschwarzem Haar ohne Glanz, 3) den
Sommerrappen mit schmutzig grundschwarzem Haar. Mähne und Schweif
haben einen fuchsigen Schein und im Sommer ist er dunkler als im Winter
und 4) den Stichelrappen mit einzelnen weißen Haaren auf den Flanken und den
Rippen. Bei den Braunen ist Mähne, Schopf, Schweif stets schwarz und der
untere Theil der Gliedmaßen dunkler, als Nase, Maul und der untere Theil
des Bauches. Man unterscheidet unter den Braunen: 1) den Kastanienbraunen
mit Haaren von der Farbe einer reifen Roßkastanie; 2) den Schwarzbraunen
mit fast schwarzem Haar und hellerer Flanke. Maul und Nase sind rothbraun;
3) den Dunkelbraunen mit wenig hellerem Haare als der vorhergehende; 4) den
Hellbraunen, dessen braunes Haar ins Gelbliche spielt; 5) den Rehbraunen mit
graubraunem Haar; 6) den Rothbraunen, dessen Haar ins röthliche spielt und
7) den Stichelbraunen mit einzelnen weißen Haaren auf braunem Grunde.
Die Füchse sind entweder: 1) Goldfuchs mit hellem, ins Goldgelbe spielenden,
glänzendem Haare; 2) Dunkelfuchs mit dunklem, braunrothem Haare ohne
Glanz; 3) Schweißfuchs, ein Dunkelfuchs mit weißer Mähne und Schweif;
4) Hellfuchs mit hellrothem Haare mit einer Abart, dem Lehmfuchs, welcher schmutzig
graurothes Haar hat; 5) Rothfuchs mit rothfuchsigem Haare ohne Glanz. Ab-
arten hiervon sind der Kupferfuchs und der Brandfuchs, dessen Haare wie verbrannt aussehen; endlich 6) der Stichelfuchs mit einzelnen schmutzig weißen
Haaren auf rothem Grunde. Die gelben Pferde sind entweder Falben, wenn
Schopf, Mähne, Schweif, Unterschenkel und Hufe schwarz sind, oder Isabellen,
wenn dieselben eine rothe oder weißgelbe Farbe haben. Die Isabellen haben
Glasaugen. Die Schimmel sind entweder weiß geboren, stichelhaarig oder weiß
geworden. Die weißgebornen haben gewöhnlich milchweiße Mähnen, fleisch-
farbige Oberhaut und hellgelbe Hufe. Hin und wieder ist die Oberhaut schwarz.
Die stichelhaarigen Schimmel sind mit verschiedenen Farben untermischt. Am
häufigsten kommen vor: der Apfelschimmel mit schwarzgrauen Flecken; der Grau-
schimmel mit untermischten schwarzgrauen Haaren und der Rothschimmel mit
roth untermischten Haaren. Die weißgewordenen Schimmel sind Stichelschimmel,
welche in Folge des Alters und der Anstrengung weiß geworden sind. Abzeichen dienen zur nähern Bezeichnung der Pferde und sind weiße Haare, welche
bei Pferden von dunkler Farbe am Kopfe und an den Füßen vorkommen. Am
Kopfe findet man 1) das Blümchen, ein kleiner weißer Fleck mitten auf der
Stirn; ist der Fleck größer, so nennt man dies Abzeichen Stern, und zwar
gemischten Stern, wenn er mit andren Farben gemischt ist, Ringstern,
wenn in seiner Mitte ein dunkler Fleck sich vorfindet und Schutz- oder Spitz-
stern, wenn er mit einer Spitze nach der Nase hinzeigt. 2) Die Flocke,
wenige weiße Haare auf der Stirne; 3) Bläße, ein langer weißer Streifen
von der Stirn über die Nase hinweg. Nimmt die Bläße den ganzen Vorder-
kopf ein, so heißt sie Laterne. 4) Schnippe, ein weißer Fleck auf der
Oberlippe. An den Füßen nennt man die Abzeichen gestiefelt oder halb
gestiefelt, je nachdem ganze Unterschenkel oder nur der halbe weiß ist, weiß
gefesselt, wenn die Fessel weiß ist, die Krone weiß oder der Ballen weiß,
wenn die bezüglichen Theile weiß sind. Die Größe des Pferdes wird vom
höchsten Punkte des Widerrüstes bis zum Boden gemessen; dieselbe ist sehr verschieden und wird in der Regel nur nach den Zollen bezeichnet, welche über
5 Fuß liegen. Das Temperament der Pferde, d. i. die mindere oder größere
Reizbarkeit ihres thierischen Wesens, ihre Empfänglichkeit für äußere Eindrücke,
Erregsamkeit des Blutumlaufs, und in Folge dessen des geistigen Elements

dienst eingestellte Pferd, welches noch der Dressur bedarf. Krümper ist ein über den Etat gehaltenes Pferd, welches mit durchgefüttert wird.

Fehler des Pferdes: 1) Bei dem Knochengerüste überhaupt. Der Gang des Pferdes wird durch Rücken, Hinterbeine und Vorderbeine bestimmt. Je kürzer die Linie zwischen Hüfte und Widerrist und je mehr sie horizontal ist, desto größer wird die Tragfähigkeit des Knochengerüstes. Ruht das Rückgrad hinten auf höheren Stützen (überbaute Pferde), so wird dieser Fehler nur durch eine vermehrte Freiheit des Ganges bei der Vorhand ausgeglichen. Bei Stuten ist dies in der Regel der Fall. Umgekehrt, ist die Hinterhand der leidende Theil. Ein Rücken, der zwischen gleich hohen Stützpunkten sich von Natur nach oben wölbt (Karpfenrücken), giebt in stärkeren Gangarten dem Gebäude wenig Streckung. Der Karpfenrücken ist nicht mit dem angespannten Rücken zu verwechseln, welchen Pferde von kurzer, gedrungener Statur mit hoher schwellender Stirn zu haben pflegen. Pferde mit Tiefrückigkeit ermangeln der Kraft des Anspannens im Rücken. Ist der Rücken dazu noch lang, so ist dies ein Zeichen der Schwäche, so daß das Pferd für schweres Gewicht vollständig ungeeignet ist. Pferde von sehr schwachem Rücken spannen denselben oft unter dem überlastenden Gewicht an und täuschen dadurch. Für die Bewegungen der Hintergliedmaßen ist zunächst die Länge des Backens, welches die Gruppe bestimmt, maßgebend. Mit der Länge des Backbeins und mit der Entfernung des Hüftgelenks von der Spitze des Sitzbeins und des Hüftbeins wird auch die Wirkung der Vor- und Rückwärtsziehmuskeln kräftiger, da sie weniger steil liegen. Das untere Schenkelbein darf im Verhältniß zum hinteren Schenkelbein nicht zu kurz sein, weil dies die Räumigkeit der Gangart beeinträchtigt. Die Länge der Fessel entscheidet über Schnelligkeit, Weite und Elasticität des Ganges; die lange, schlaffe und durchtretende Fessel erliegt unter der Last und giebt keinen Schwung, die kurze und steife Fessel ruinirt Bänder und Sehnen. Für die Bewegung der Vordergliedmaßen ist der Winkel, unter dem das Schulterbein im Buggelenk an das Armbein angesetzt ist, und das Längenverhältniß der beiden Knochen von Einfluß. Die Zusammenfügung unter einem Winkel von 90 Grad ist als die günstigste zu bezeichnen. Die Schulterfläche giebt auch die Basis ab für den Hals, welcher umsomehr vorhängend erscheint, je steiler die Schultern stehen. Je weiter Kopf und Hals vorhängen, desto weiter muß der Vorderfuß vortreten, um die Last aufzufangen; er kann dies aber bei steiler Schulter um so weniger, obwohl er dessen um so mehr bedarf. Es ist von besonderer Wichtigkeit, in welchem Verhältniß die einzelnen Gliedmaßen zu einander stehen und wie sie richtig zu einander gefügt sind; hiervon hängt nicht allein Räumigkeit und Sicherheit der Bewegung ab, sondern es wird hierdurch hauptsächlich die Erhaltung der Gliedmaßen bedingt. Bei der Hinterhand soll der normalen Stellung der Beine eine Senkrechte vom hintersten Punkte des Sitzbeins dicht hinter der Hacke des Sprunggelenks und der Fessel vorbeigehen. Ist das Hinterbein zu weit unter den Leib gerückt, so kann diese Abweichung nicht allein durch ein falsches Längenmaß der einzelnen Knochen hervorgerufen sein, sondern auch durch die Winkel. Diese letzteren bedingen die Biegsamkeit. Die Ursachen sind: das Backbein steht zu schräge; das Schenkelbein ist im Kniegelenk zu steil angesetzt; das Schienbein ist im Sprunggelenk zu schräg an das Schenkelbein angesetzt (säbelbeinig) und die Fessel ist zu lang und steht zu schräge. In allen Fällen steht das Hinterbein weiter unter der Last, kann also auch die letztere leichter aufnehmen. Versammelte Gänge und Paraden werden ihm leicht. Dagegen fehlen Abschub und Abschwung, ebenso die Räumigkeit der Bewegungen. Das Pferd hat keinen langen Trab und legt als Zugpferd wenig Druck in's Geschirr. Ist das Hinterbein zu weit nach hinten herausgeschoben, so sind die Ursachen zu suchen in: einem zu stellen Backbein; in einer zu schrägen Verbindung zwischen Schenkel und Backbein (spanischer Hase); weil das Schienbein im Sprunggelenke zu steil zum Schenkelbeine steht, was sehr häufig vorkommt, oder weil die Fessel zu steil steht. Der letztere Fall hat blos Nachtheile. In den übrigen Fällen schiebt das Pferd stark ab und legt sich bequem ins Geschirr, doch fehlt die nöthige Stütze bei gesammelten Gängen und Paraden. Am unangenehmsten ist das steile Backbein, weil hierdurch beide Hankengelenke unbiegsam und deshalb die untern leicht verletzlichen Gelenke in erhöhtem Maße angestrengt werden. Der gerade Stand im Sprunggelenke gefährdet die Fesseln. Bei der Vorhand trifft beim normalen Stand eine Senkrechte von der Bugspitze beinahe die Zehe des Hufs. Das Vorderbein steht zu weit unter dem Leibe, also hinter dieser Senkrechten zurück, wenn bei kurzer und steiler Schulter das Armbein zu lang ist; wenn bei langer und steiler Schulter das Armbein zu schräg steht; wenn das Pferd mit den Knien vorgebogen ist (bockbeinig), oder wenn die Fessel zu steil steht. Die Last erscheint hier in allen Fällen überhängend, das Pferd kommt nicht weit genug vorne heraus, um die Last aufzufangen, es wird unsicher. Dagegen leidet Abschub und Abschwung keineswegs, auch können die Pferde geschwind sein. Die angeborene Bockbeinigkeit ist bei leichter und freier Schulter weniger nachtheilig. Das Vorderbein steht zu weit vor, wenn eine kurze und schräge Schulter ein zu steiles Armbein hat; wenn eine lange und schräge Schulter ein zu kurzes Armbein hat; wenn das Fußwurzelgelenk rückbieglich geformt ist oder wenn die Fessel zu schräge steht. Schräge Fesseln deuten auf Schwäche, Rückbieglichkeit auf Schwäche im Kniegelenk; dasselbe gilt auch von den erstgenannten Fehlern. Für Zugpferde fallen die genannten Fehler schwerer ins Gewicht, als für Reitpferde. Bei Vorder- und Hinterhand in ihrem Zusammenhange wird ein Pferd, bei dem Vorder- und Hinterbeine nach rückwärts gestellt sind, sich fortwährend nach vorne außer Gleichgewicht befinden, es hat zu viel Abschub, ist ohne Sicherheit, ruinirt bald seine Vorderbeine und eignet sich daher nur zum Zugpferd. Sind die Gliedmaßen nach vorne gestellt, so kommt das Pferd nach hinten aus dem Gleichgewicht und hat keinen Schub. Ein solches Pferd giebt ein langsames Reitpferd und ein schlechtes Wagenpferd ab. Stehen die Beine unter dem Leibe zusammen, wie dies gewöhnlich bei Karpfenrücken der Fall ist, so ist das Pferd als Reitpferd unsicher und ohne Action, hat als Wagenpferd keinen Schub und klappt in die Eisen. Stehen die Beine umgekehrt, also die Vorderbeine vor und die Hinterbeine zurück, wie in der Regel dies bei senkrückigen Pferden der Fall ist, so ist das Pferd schlaff und ohne Leistungsfähigkeit, für den Reiter bequem aber ungeeignet. Bei Beurtheilung des Pferdes in Bezug auf seinen Bau in die Breite ist es zunächst nothwendig, daß vordere und hintere Breite übereinstimmt. Die Grenzen für die Breite liegen in der wachsenden Schwere des Rumpfes und in den Nachtheilen, welche die größere Breite für den Gang hat. Die Grenzen des Schmalen liegen in der damit im Zusammenhang stehenden Beengung des Brustkorbes und geringer Muskulatur der Hinterhand. Es müssen Vorder- und Hinterhufe in gleicher Entfernung von einander stehen. Die Vorderfüße können an der Brust etwas weiter auseinanderstehen, als an den Hufen. Die Beine müssen im Fortschreiten einander decken, sie müssen sich mit einer mit dem Rückgrate des Pferdes parallel laufenden Linie fortbewegen. Breite Pferde mit breitem Stande geben eine sichere Basis, bringen den Körper schwer aus dem Gleichgewicht und führen die Wendungen sicher aus; dagegen schieben sie die Last hin und her und kommen nicht vorwärts. Schmale Gebäude begünstigen die Räumigkeit in den

Bewegungen, haben geringere Sicherheit bei den Wendungen und balanciren bei Paraden und starken Gaugarten die Last schwerer. Ist das Gebäude des Pferdes hinten breiter als vorn, so wird der Reiter im Trabe von den Vorderbeinen nicht richtig aufgenommen, wodurch diese leiden; auch rutscht der Sattel leicht nach vorne; dagegen hat es den Vortheil, daß im Galopp und bei starken Paraden die Last auf breiter Basis gestützt wird, der Abschub viel kräftiger wird und bei der Carrière die Hinterbeine leicht bei den Vorderbeinen vorbeigreifen können. Ist das Gebäude vorn breiter als hinten, so wird die Last durch die Vorderbeine unrichtig gestützt und das Pferd hat alle Nachtheile einer schmalen Hinterhand, ist also als Reitpferd ungeeignet. Es giebt Pferde, welche unter richtig gebauten Verhältnissen dennoch mit der Hinterhand dem Hufschlage der Vorderhand nicht folgen, sondern nach einer Seite hin abweichen. In der Regel ist dies Schonen krankhaft; häufig deutet dies auf große Schwäche oder Schmerz im Rückgrate, auch kann es eine Angewohnheit sein, die vom Ganaschenzwang herrührt. Bei gleichmäßig gebauten Rumpfe hat man noch folgende Abweichungen in den Gelenken: Die Hinterbeine sind mit den Hacken der Sprunggelenke zusammengebogen und die Beine stehen mit den Hufen nach außen (kuhhessig). Dieser breite Stand der Beine gilt für kräftig, doch empfangen solche Beine den Bruch des Stoßes in allen Theilen des Beines nicht gleichmäßig. Pferde, deren Hinterhufe näher zusammenstehen, als die Sprunggelenke, sind schwach in den Sprunggelenken. Pferde, deren Vorderbeine in den Schultern oder in den Knieen enger zusammenstehen, als in den Hufen, nennt man bodenweit; dieselben gehen vorne weit, haben weder räumige noch sichere Gangart und sind von geringer Dauer. Sind die Vorderbeine unten zu eng gestellt, so laufen die Pferde Gefahr, sich zu streichen. Senkrechte Gliedmaßen können nach innen oder nach außen gedreht sein; sind die Vorderbeine nach außen gedreht (französisch gestellt), so machen bei ihrem Vorschreiten einen Bogen nach innen und streichen sich; sind die Vorderbeine nach innen gedreht (Zehen-Tritter), so wird der Gang ebenfalls erschwert. Alle bisher genannten Fehler des Pferdes, welche man Construktionsfehler nennen mag, sind bei Weitem noch nicht erschöpfend; sie behandeln nur die längeren Linien im Knochenbau und ihre Stellung zu einander und gewähren auch nur einen ungefähren Anhalt bei der Beurtheilung eines sonst gesunden Pferdes. Anders verhält es sich 2) mit den Fehlern, welche die Folge einer Krankheit oder selbst eine Krankheit sind. Während jene leichter in die Augen springen, fordert die Beurtheilung dieser Fehler den geübten Kenner. Wir geben diese Fehler als: A) Fehler und Krankheiten der vorderen Gliedmaßen, B) desgl. der hinteren Gliedmaßen und als C) die wichtigsten inneren Krankheiten. A) Fehler und Krankheiten der vorderen Gliedmaßen. a) Buglähmung hat ihren Sitz weniger im Gelenk als in den das Buggelenk umgebenden Muskeln; sie entsteht durch äußere Verletzung, Verrenkung oder Ausgleiten des Thieres. Ihre Symptome bestehen darin, daß das P. bei der Bewegung mit der ganzen Fläche des Hufes auftritt, großen Schmerz beim Heben des Fußes zigt und dann die Zehe nachschleppt. Im Zustande der Ruhe setzt das P. nur die Zehe zu Boden, um den leidenden Fuß möglichst wenig zu belasten. Das Uebel ist in vielen Fällen unheilbar. Mittel: scharfe Einreibungen, um die Entzündung nach außen abzuleiten. b) Gallen sind geschwulstartige, schmerzlose, elastische Auftreibungen. Schlaffer Faserbau oder übermäßige Anstrengung geben die Veranlassung zur Reizung und Entzündung der Sehnenscheiden und Gelenkkapseln, in Folge dessen eine starke Absonderung der Gelenkschmiere (Synovia) stattfindet und die Ausdehnung dieser Theile bewirkt. Am Vorderknie nennt man diesen Fehler wässerige Reisten um das Knie oder

Gelenk-Gallen', und in der Nähe des Fesselgelenks an den Beugesehnen, Fluß-Gallen. Mittel: Scharfe Salbe auf die Geschwulst aufreiben, später Brennen durch Strichfeuer. c) Sehnenklapp bezeichnet eine Verdickung, Verhärtung, nicht selten auch Verwachsung der Sehnen des Kron- und Hufbeinbeugers, wodurch die freie Bewegung verhindert und Lahmheit erzeugt wird. Uebermäßige Anstrengung und heftige Erschütterung der Sehne, welche sich der Scheide mittheilen und hierdurch Entzündung hervorrufen, sind in den meisten Fällen die Veranlassung. Artet die Entzündung aus, so wird die wadenförmige Geschwulst an der hintern Seite des Schienbeins hart, kalt und kann sich sogar bis zur Verknöcherung steigern. Mittel: Scharfe Salbe, dann Glüheisen. Ein Pferd mit ausgebildetem Sehnenklapp ist unbrauchbar. d) Ueberbeine nennt man eine verhärtete Knochenmasse an der inneren (selten an der äußeren oder vorderen) Seite des Röhrbeins, da, wo dies mit dem Griffelbeine verwachsen ist. Das Ueberbein ist eine Trennung der Knochenhaut vom Knochen, wodurch Knochensubstanz ausgeschwitzt wird, die nach und nach knochenartig verhärtet. Die Veranlassung hierzu ist in der Regel ein Stoß. Mittel: Einreibung oder Brennen. Wenn das Ueberbein nicht mit einer Sehne oder einem Bande in Berührung kommt, schadet es der Brauchbarkeit des Pferdes nicht; im andern Falle tritt ein Hinken ein. e) Ueberköthen nennt man eine Verrenkung des Fesselgelenks bei Vorder- und Hinterfüßen. Das P. knickt mit nach hinten stehendem Gelenke nach vorne über, vermag also mit dem Fesselgelenke nicht durchzutreten. Das Uebel ist selten heilbar, weil es meist bei alten und übermäßig angestrengten Pferden vorkommt. Mittel: Scharfe Salbe oder Brennen; später als Nachkur sind Kräuterbäder zur Stärkung zu empfehlen. f) Maule ist eine rosenartige Entzündung der Haut und des darunter liegenden Zellgewebes an der hintern Seite der Fessel, zuweilen auch der Ballen, der Krone, des vorderen Theiles der Fessel und des Schienbeines. Hierbei sträuben sich die Haare in die Höhe und es sondert sich eine gelbliche, dünne, süßliche und übelriechende Flüssigkeit ab; die Haut wird wund und es bilden sich Geschwürsflächen. Am häufigsten zeigt sich die Krankheit im Frühjahr und Herbst bei Pferden von schlaffem Faserbau und hauptsächlich bei solchen, welche viel in Koth und Schnee stehen müssen. Durch tägliches Waschen mit warmem Wasser und Seife und vorsichtiges Abtrocknen oder Befeuchten mit Kupfervitriolauflösung (1 Loth in ¼ Quart Wasser) wird das Uebel in den meisten Fällen gehoben. Bei veralteter Maule muß nach dem Waschen mit Quecksilbersalbe eingerieben werden. g) Hufkrankheiten: Chronische Hufgelenkslähme entsteht durch Entzündung der Beinhaut, des Strahlbeins und zum Theil auch des Hufbeins. Die sich dadurch bildenden Knochenausschwitzungen verhärten sich, und rufen in der Bewegung durch Druck oder Reibung mit den nahe liegenden Theilen heftigen Schmerz hervor. Drückt man die Hornwände zusammen, so zeigt das P. ebenfalls Schmerz. Je länger das Uebel vorhanden ist, desto mehr schwindet der Huf, wird kleiner und schmaler. Pferde mit diesem Fehler behaftet, sind unbrauchbar. Zwanghuf nennt man einen Huf, bei welchem die Wände unnatürlich zusammengezogen, die Sohle hohl, nicht kreisförmig, sondern oval geformt ist; der Strahl ist zusammengedrückt, rauh, blätterig, häufig faul; die Trachten stehen nahe an einander und die Seitenwände steil. Zwanghuf entsteht nach und nach, wobei sich die Weichtheile allmählig nach der Form des Hufes bilden. Eine Erleichterung gewährt es dem Pferde, wenn die Eckstreben seicht ausgeschnitten und nicht durchschnitten werden. Pferde mit Zwanghuf behaftet, welche nicht lahmen, sind nicht unbrauchbar. Vollhuf hat keine hohle Sohle, sondern dieselbe steht mit den Wänden in gleicher Höhe, wohl gar noch über die letzteren hinaus, so daß die Last nicht von dem Rande der Wand, sondern von der Sohle getragen wird. Das Uebel ist eine Folge des Verschlags, wobei die das Hufbein umgebenden Theile sich entzündet und eine krankhafte Hornabsonderung stattgefunden hat, in deren Folge die Spitze des Hufbeins mehr nach unten gedrückt und dabei die Sohle mit herabgedrückt hat. Zweckmäßiger Beschlag kann dem Pferde das Gehen erleichtern, für gewöhnlich sind solche Pferde unbrauchbar. Ringelhuf ist an den Ringen zu erkennen, welche den Huf umgeben und braucht, wenn derselbe nicht mit andern Fehlern gepaart, oder eine Folge davon (Bockhuf) ist, nur ein Schönheitsfehler zu sein. In der Regel ist ein solcher Huf sehr spröde. Knallhuf hat eine eingedrückte vordere Wand und erhabene Zehe. Von ihm gilt dasselbe, was vom Ringelhuf gesagt ist. Platthuf hat eine schräge Wand, sehr niedrige Trachten und eine flache Sohle. Bock- oder Stelzhuf hat eine steile Wand, sehr hohe Trachten und im Verhältniß kurze Zehe. Pferde mit Bockhuf haben einen unbequemen, stolpernden Gang, doch ist dieser Fehler durch zweckmäßigen Beschlag zu mildern. Hornspalt und Hornkluft. Hornspalt nennt man den Spalt, welcher von unten nach oben an den Seitenwänden hinaufzieht; Ochsenklaue, wenn der Spalt an der Zehe ist, dagegen Hornkluft, wenn der Spalt in die Quere geht. Je nachdem der Spalt groß oder klein, durchgehend oder oberflächlich erscheint, ist er von mehr oder weniger Bedeutung. Zweckmäßiger Beschlag, Verschmieren des Spalts mit Baumwachs, Anbringen von Querschnitten bringen die Hornspalten bald zum Vertheilen. Die Hornkluft, welche häufig eine Folge vernachlässigten Kronentritts ist, heilt mit dem Hufe nach unten aus. Die getrennten Wände entstehen, wenn die Sohle nicht mehr in allen ihren Theilen mit den Wänden zusammenhängt und man zwischen beiden Theilen eine Vertiefung bemerkt. Das Uebel tritt mehr an den Wänden, als an der Zehe auf. Als Hauptursache ist eine Vernachlässigung des Beschlages zu bezeichnen, insonderheit, wenn die Eisen zu lange liegen. Das Eisen giebt nicht nach und stört die Uebereinstimmung im Nachwachsen der Wände und der Sohle, so daß die erstern sich trennen. Ein zweckmäßiger und öfter erneuernder Beschlag kann das Uebel mildern. Steingallen nennt man Blutanhäufungen zwischen der Fleisch- und Hornsohle in der Gegend der Eckstreben, welche durch Zerreißung kleiner Blutgefäße in Folge von Druck oder Quetschung der Fleischsohle entstanden sind. Dieselben sind schmerzhaft und markiren sich an den rothgestreiften Flocken in der Hornsohle. Das P. geht dabei lahm, besonders auf hartem Boden. Geschlossene Eisen oder Eisen mit Beistollen entziehen die krankhaften Stellen dem Drucke auf dem Erdboden. Den faulen Strahl nennt man die krankhafte Absonderung einer weiß-grauen, übelriechenden Flüssigkeit aus der Spalte des Strahls. Hierbei ist der Fleischstrahl entzündet und sondert die Flüssigkeit ab, welche den Hornstrahl angreift und theilweise zerstört. Das Uebel ist entweder vollkommen heilbar oder doch so weit, daß es nicht weiter um sich greift; das Pferd wird mithin durch dieses Uebel nicht unbrauchbar. Strahlkrebs hat seinen Sitz in der Spalte zwischen Eckstreben und Strahl, ist ein dem faulen Strahl ähnliches Uebel und charakterisirt sich durch üppig hervorgewachsene, spitzige, leicht blutende Fleischmassen und durch Absonderung einer schwärzlichen, übelriechenden Jauche. Der Strahlenkrebs entsteht aus inneren Ursachen, ist schwer, oft gar nicht heilbar. Unter Vernagelung versteht man ein Lahmgehen des Pferdes, welches dadurch hervorgerufen ist, daß beim Beschlagen der Hufnagel über die Hornwand hinaus in die Fleischwand, bisweilen sogar bis zur Verletzung des Hufbeins eingetrieben ist. Mittel: Entfernung des Eisens, Kühlen, Schonen und Weichstellen des Beines. Bei Vernachlässigung der Vernagelung können schwere Krankheiten des Hufs und der Krone entstehen.

Milit.-Encyclopädie. VII. 9

B) Fehler und Krankheiten der hinteren Gliedmaßen: a) Einhüftigkeit nennt man das Schwinden des oberen Theils einer Hüfte. Dasselbe ist hervorgerufen durch Stoß oder Schlag, wodurch die Hüfte beschädigt, vielleicht sogar gebrochen ist. Ist der Unterschied der beiden Hüften unbedeutend und der Gang des Thieres regelmäßig, so ist das Pferd noch brauchbar; ist dagegen die Verschiedenheit mit Hinten verbunden, so macht der Fehler das P. unbrauchbar. b) Krankheiten des Sprunggelenks: Ein normales Sprunggelenk muß massiv, fein modellirt, breit und kantig erscheinen. Es ist aus mehreren Schichten Knochen zusammengesetzt, welche, durch Bänder verbunden, ihm diejenige Elasticität geben, der es in so hohem Maaße bedarf. Diese hohen Anforderungen, welche an das Sprunggelenk gestellt werden, sind der Grund, warum dasselbe so vielen Krankheiten ausgesetzt ist. Dieselben sind: Sichtbarer Knochenspath nennt man unregelmäßige Knochenerhöhungen an dem Kopfe des inneren Griffelbeins und dem Keilbeine in dem Sprunggelenk. Die sonst glatte und ebene Fläche dieser Knochen ist in eine rauhe und höckerige verwandelt. Die Nachtheile der zerstörenden Gewalt bei heftigen Paraden ꝛc. äußern sich zuerst auf das Röhrbein und die beiden Griffelbeine, welche das eigentliche Fundament der auf einander gelagerten Knochen abgeben. Das innere Griffelbein hat hier verhältnißmäßig am meisten zu tragen, da es das Keilbein fast ganz allein trägt. Die erste Einwirkung der heftigen Erschütterungen äußert sich auf die Beinhaut; dieselbe wird gespannt, schmerzhaft entzündet, sondert Knochensubstanz ab und verursacht ein Hinken, welches sich mit der Zeit wieder verlieren kann, wenn die Beinhaut dem Auswuchs sich gefügt hat. Wird die Knochensubstanzablagerung durch äußere Einwirkung nicht gehindert, so verbreitet sie sich nach und nach durch das ganze Geleuk, die einzelnen Knochen verwachsen mit einander oder erzeugen Steifheit des Gelenks. Haben die betheiligten Knochen von Natur eine abnorme Stärke erhalten, findet sich bei Vergleichung beider Sprunggelenke eine symmetrische Form, so sagt man von solchen Gelenken, sie sind stark abgesetzt, und setzt diese Form ein Vorhandensein des Knochenfehlers nicht voraus. Zweifellos ist das Vorhandensein des Spaths, wenn an den bezüglichen Stellen die Sprunggelenke nicht gleichmäßig gebaut sind, wenn ein Hinken oder eine steife Bewegung des betheiligten Fußes stattfindet. Das Hauptmittel, welches zur Beseitigung des Spaths angewendet wird, ist das Brennen, demnächst scharfe Salbe; auch zieht man auf die traute Stelle ein Haarseil. Ist der Spath gut und zur rechten Zeit gebrannt, so ist das damit behaftete P. nach Beendigung der Kur in der Regel vollständig brauchbar und die Brandnarben sind nur als ein Schönheitsfehler zu betrachten. Der unsichtbare Spath hat seinen Sitz zwischen den Gelenkflächen der Sprunggelenksknochen und entsteht in Folge einer Entzündung der die Gelenkflächen überziehenden Knorpelhaut. Das P. hinkt und doch ist ihm äußerlich Nichts anzusehen. Die Heilung ist ungleich schwieriger und die Krankheit gefährlicher. Piephacke nennt man eine bewegliche Geschwulst auf der Spitze des Sprungbeins. In der Regel sind die unter der Haut befindlichen Schleimbeutel entzündet und vergrößert, hin und wieder auch die dort befindlichen Sehnen. Mittel: Scharfe Salbe, Brennen. Piephacke ist für gewöhnlich nur ein Schönheitsfehler. Sprunggelenkgallen sind auch hier geschwulstartige, elastische Auftreibungen, die in Folge der Ausdehnung der Sehnenscheiden und Kapselbänder, und dadurch hervorgerufene Anhaufung der Synovia (s. u. A.b) entstehen. Hat eine solche Galle ihren Sitz zwischen Sprung- und Unterschenkelbein und ist auf beiden Seiten sichtbar, so heißt sie durchgehende Galle. Gefährlicher ist die in der Beuge des Sprunggelenks sich zeigende Galle, die, wenn sie die ganze innere Fläche des Gelenks einnimmt, das P. häufig unbrauchbar macht. Mittel: Scharfe Salbe und Brennen durch Strichfeuer. c) Hahnentritt nennt man die hahnenähnliche Bewegung eines oder beider Hinterfüße, welche ihren Ursprung mehr in einer krankhaften Thätigkeit der Beugemuskeln, als in den Knochen des Sprunggelenks zu suchen hat. Die zuckende Bewegung verringert sich, wenn das P. in Bewegung ist. Der Fehler besteht in den meisten Fällen mehr für das Auge, als für die Gebrauchstüchtigkeit. d) Dieselben Krankheiten, welche unterhalb des Knie's an den Vorderbeinen vorkommen, finden sich auch an den hinteren Gliedmaßen. — Außerdem wären hier noch einige Schönheitsfehler einzuschalten, dazu gehören: Schlaffmaul beruht in einer willenlosen Unthätigkeit der Maulmuskeln, so daß die Lippen stets herabhängen, ohne die Zähne zu bedecken. Weite, hängende und Schweinsohren stehen wagerecht ab, Hirschhals ist diejenige Halsform, bei welcher der untere Theil herausgebogen und der obere im Kamme vertieft ist, ähnlich dem Halse eines Hirsches oder Kameels. Schweinekreuz, ähnlich dem Karpfenrücken (siehe unter 1). Abschüssiges Kreuz äußert sich in der starken Senkung der Linie von dem Kreuze nach dem Schwanze und mehrere noch. C) Von den wichtigsten inneren Krankheiten: a) Rotz, eine gefährliche, ansteckende Krankheit, welche ihren Sitz im Lymphgefäßsystem hat, charakterisirt sich bei gewöhnlich guter Freßluft und sonstiger Munterkeit in einem zähen, ins Gräuliche schillernden Ausfluß aus einem, zuweilen auch aus beiden Nasenlöchern, und in Aufschwellung der Drüsen im Kehlgange. Die Nasenschleimhaut ist gewöhnlich blaß und mit tiefgehenden Geschwüren behaftet, die eine übelriechende Jauche absondern. Der Versuch, diese Krankheit zu heilen, ist in den meisten Fällen vergeblich, auch lebensgefährlich. Das Thier muß getödtet und alle mit dem Thiere in Berührung gewesenen Gegenstände, sowie der Stall sorgfältig mit Chlor gereinigt werden. Die Krankheit ist eine Gewährskrankheit, d. h. Verkäufer muß 14 Tage nach Uebergabe des Pferdes für die Verbreitung der Krankheit haften. b) Druse kennzeichnet sich ebenfalls durch Anschwellung der Drüsen und Ausfluß aus der Nase; die Drüsen sind jedoch nicht festsitzend und das umgebende Zellgewebe ist mit angeschwollen. Der Ausfluß aus den Nasenlöchern klebt nicht an den Nasenlöchern. Druse wird erst durch Vernachlässigung gefährlich und kann sogar in Rotz ausarten. c) Wurm (Hautwurm), eine dem Rotze verwandte Krankheit, ansteckend, meist fieberlos, besteht in einer schmerzhaften Entzündung der Lymphgefäße an den Schenkeln, Schultern, Rippen, an dem Halse, aus welchem eine klebrige, eiterähnliche Jauche sickert. Für gewöhnlich werden die damit behafteten Pferde getödtet. Wurm ist eine Gewährskrankheit. d) Dämpfigkeit oder Dampf ist ein fieberloses, beschleunigtes Athmen, was sich bei angestrengtem Gebrauch bis zum Umstürzen der Pferde steigern kann. Der Grund liegt entweder in einer krankhaften Nerventhätigkeit, oder in einem Lungenübel. Für gewöhnlich zeigt sich das Uebel erst in der Bewegung, der Athem wird dann kürzer, beschleunigter, die Bauchmuskeln bewegen sich mit, besonders in der oberen Flankengegend; die Pferde verrathen eine gewisse Angst und schwitzen sehr leicht. Für schweren Dienst sind solche Pferde unbrauchbar. Die Gewährszeit beträgt 28 Tage. e) Hartschnaufigkeit (Kehlkopfspfeifer) nennt man das beschleunigte, schnarchende Athmen als Folge einer Verengung des Kehlkopfes. Keine Gewährszeit. f) Stätigkeit äußert sich in Widersetzlichkeit gegen den Willen des Führers zu gewissen Zeiten. Die Ursachen sind häufig organische Fehler im Gehirn, auch Nervenleiden. Gewährszeit 4 Tage. g) Koller (Dummkoller) ist eine langsam verlaufende, fieberlose Krankheit des Gehirns, bei denen die Empfindungs- und Bewegungsnerven unterdrückt sind. Das Bewußtsein schwindet, die Pferde stehen bei voller Krippe,

9*

und fressen nicht, oder unregelmäßig, sie sind schwer von der Stelle zu bringen; stellt man den einen Vorderfuß über den andern, so ziehen sie denselben nicht zurück. Durch starken Blutandrang nach dem Gehirne oder bei Ansammlung von Serum in den Gehirnhöhlen wird der rasende Koller hervorgerufen, wobei die Pferde meist durchgehen und Alles umreißen, was ihnen in den Weg kommt. Ist der Wuthanfall vorüber, so tritt Stumpfsinnigkeit ein. Gewöhnlich 28 Tage. h) Verschlag befällt vorzugsweise die in den Hufen eingeschlossenen Theile, sowie Sehnen und Muskeln der Extremitäten. Der Huf ist dabei warm, sehr empfindlich und die leidenden Gliedmaßen steif. Die Veranlassung zum Verschlag liegt entweder in einer Erkältung, oder in Unregelmäßigkeiten beim Füttern und mehr noch beim Tränken. i) Kolik tritt ein bei Erkältungen des Bauches, beim Genuß schädlicher Nahrungsmittel, kalten oder verdorbenen Wassers, Verhalten des Harns u. s. w. Der Bauch ist dabei aufgetrieben, das P. hört auf zu fressen, sieht sich nach den Flanken um, zeigt Unruhe durch Scharren mit den Vorderfüßen, legt sich nieder, steht aber bald wieder auf. Häufig endet die Krankheit unter krampfhaften Bewegungen mit dem Tode. Das einfachste Mittel dagegen ist starke Bewegung und demnächst scharfe Einreibungen in den Flanken. k) Blinde Augen, grauer, grüner, schwarzer Staar. Die Pferde zeigen ein lebhaftes Ohrenspiel, weichen beim Drohen nicht aus und heben die Füße beim Gehen so hoch, als wenn sie im Wasser gingen. Beim schwarzen Staar erscheinen die Augen klar. Pferde, bei welchen die Augen sich periodisch entzünden, sind mondblind. Die Augen sind bei mondblinden Pferden in der Regel geschlossen, Thränen fließen heraus, das Auge zeigt beim Heben der Lider einen bläulichen Schiller und darin eine gelbliche Ausschwitzung. Die Krankheit hat fast immer den grauen oder schwarzen Staar zur Folge. — Endlich ist noch eine üble Angewohnheit, das Krippensetzen, zu erwähnen; so nennt man das Aufsetzen der Pferde mit den Schneidezähnen auf den Rand der Krippe, auf die Halfterkette, auch wohl auf die Deichsel und das Verschlucken von Luft dabei. Die Folge davon ist Unverdaulichkeit und Kolik. Junge Pferde lernen dies von den älteren, deshalb darf man junge Pferde nicht neben Krippensetzer stellen.

Beurtheilung des Alters der Pferde: Im 3. Lebensjahre wechseln die Fohlen die Schneidezähne, zuerst fallen die vorderen heraus, an deren Stelle neue treten, die gelblich von Farbe sind und auf der Reibefläche eine Vertiefung (Kunde) haben, welche später schwarz wird. Mit 3½ Jahren wechselt das P. das mittlere Paar der Schneidezähne (Mittelzähne), mit 4½ Jahren das dritte Paar Schneidezähne (Eckzähne). Zu derselben Zeit brechen bei männlichen Thieren die Hakenzähne durch. Mit 5 Jahren tritt der andere Rand der Eckzähne in Reibung; im 6. Jahre ist auch schon die innere Fläche in Reibung. Mit dem 7. Jahre verliert sich die Kunde in den zuerst gewechselten Zangenzähnen. Im 8. Jahre wird auch die Kunde der Mittelzähne abgerieben und im 9. ist das P. kundenlos oder ausgeglichen. Mit dem 9. Jahre zeigen die oberen Zähne den Einbiß. In späteren Jahren giebt Form und Länge der Zähne einen Anhalt. Die ovale Form behalten die Zangen bis zum 13. Jahre, die Mittelzähne bis zum 14. und die Eckzähne bis zum 15. Jahre. In späteren Jahren bekommen die Zähne eine mehr wagerechte Lage, auch werden sie erheblich länger.[*] Vgl. v. Tenneker, „Lehrbuch der Gestütewissenschaft," Prag 1820; Ders. „Lehrbuch

---

[*] Anmerkung. Ueber Gangart der Pferde s. u. Reiterei; über Hufbeschlag geben wir einen besondern Artikel darüber in den Supplementen; über Stall, Futter und Regeln beim Pferdekauf ꝛc. folgt noch ein Nachtrag „Pferd" in den Supplementen.

der Pferdekenntniß", Altenburg 1821; Derf. "Archiv für Pferdekenntniß", Altenburg 1823—28, 6 Bde.; Naumann, "Lehrbuch der Pferdewissenschaft", Leipzig, 1828, 2 Thlr.; v. Hochstetter, "Handbuch der Pferdekenntniß und Pferdewartung", Bern 1829, 3 Thlr.; "Das Pferd", aus dem Englischen von E. Hering, Stuttgart 1837; Frorirp, "Die Pferderacen", Weimar 1852; Tietericho, "Die Fehler und Hauptmängel der Pferde", Leipzig 1853; Krufe, "Die Beurtheilung des Pferdes beim Ankauf", Münster 1851; Günther, "Die Krankheiten des Pferdes", Sondershausen 1854; Derf. "Die Beurtheilungslehre der Pferde", Hannover 1859; Rarey, "Die Kunst des Pferdebändigens and der Pferdedreffur", Leipzig 1858; Rabofn, "Equitationsstudien", Wien 1858; Hertwig, "Mittheilungen aus der thierärztlichen Praxis im Preußischen Staate", Berlin 1851; Derf. "Taschenbuch der gesammten Pferdekunde," Berlin 1851 ff.; Löffler, "Das P., Zucht, Pflege, Veredelung und Geschichte", Berlin 1865.

Pforte. Hohe P., die Regierung des Osmanischen Reiches (s. d.)

Pforzheim, Fabrikstadt im badischen Kreis Karlsruhe, am nördlichen Abhange des Schwarzwaldes, am Zusammenflusse von Nagold und Enz und an der Eisenbahn von Durlach nach Stuttgart, welche bei P. südlich nach Wildbad abzweigt, hat ein altes Schloß mit Kirche (Fürstengruft, Denkmale des Großherzogs Karl Friedrich und der 400 Bürger von P.), ein Denkmal des Markgrafen Ernst und zählt 16,417 Einwohner. P. war von 1527—65 Residenz der Markgrafen von Baden-Durlach; die Bürgerschaft der Stadt machte sich berühmt durch eine Großthat im Dreißigjährigen Kriege: Unter der Anführung ihres Bürgermeisters Delinling folgten 400 Bürger der Stadt P. ihrem tapferen Markgrafen Georg Friedrich als Leibgarde gegen das bairisch gesinnte Heer, schlugen die Schlacht bei Wimpfen (6. Mai 1622) mit und wendeten eine gänzliche Niederlage des markgräflichen Heeres dadurch ab, daß sie in einem Engpasse die Verfolgung aufhielten, bis der Letzte von ihnen gefallen war.

Pfuel, Ernst von, preußischer General der Infanterie und Kriegsminister, geb. 4. Nov. 1780 in Berlin, besuchte seit 1793 die Militairschule daselbst, trat 1797 als Lieutenant in die preuß. Armee, kam 1806 zum Großen Generalstab, nahm an der Schlacht von Auerstädt Theil, wurde durch die Capitulation von Rattlau mit Blücher kriegsgefangen, trat nach dem Frieden von Tilsit aus preußischen in österreichische Dienste und zwar ebenfalls in den Generalstab, wohnte dem Feldzug von 1809 bei, nahm beim Ausbruch des Rufsischen Krieges von 1812 russische Dienste, wurde dort Major und an die Spitze der Verfolgungstruppen im Tschernitschew'schen Kosackencorps gestellt, war 1813 Chef des Generalstabs Tettenborn's, trat dann in preuß. Dienste zurück und zwar abermals in den Generalstab Blücher's, avancirte bald zum Oberst und erhielt das Eiserne Kreuz, wurde nach der zweiten Capitulation von Paris (1815) Commandant von Paris, blieb nach dem Frieden mehre Jahre als Oberst im Generalstabe zu Berlin, gründete hier die große Militair- und Civil-Schwimmanstalt, wurde 1821 Chef des Generalstabs des 8. Armeecorps, 1826 Generalmajor und Commandeur einer Brigade in Magdeburg, 1831 Commandeur der 16. Division, 1832 Generallieutenant und Gouverneur von Neuenburg, 1837 commandirender General des 7. Armeecorps in Münster, 1843 General der Infanterie, erhielt 1847 den Schwarzen Adlerorden und wurde Gouverneur von Berlin, fungirte als solcher während der März-Revolution von 1848, unterdrückte im Mai 1848 den Aufstand in der Provinz Posen, übernahm darauf das Commando der 2. Armeeabtheilung, war vom 27. Sept. bis 31. Oct. 1848 Ministerpräsident und Kriegsminister, zog sich dann aus dem activen Kriegsdienste ins Privatleben zurück und starb

3. Dec. 1866 in Berlin. Er schrieb: „Beiträge zur Geschichte des letzten Französisch Russischen Kriegs", Berlin 1844, neue Ausgabe von Förster unter dem Titel: „Der Rückzug der Franzosen aus Rußland", Berlin 1867.

Phalanx, die Kerntruppe in der Schlachtordnung, bei den alten Griechen von 4000, bei den Macedoniern von 8000 Mann, aus dem schweren Fußvolk gebildet, 12—16 Glieder tief, eng geschlossen, jeder Mann den Spieß auslegend, das vorderste Glied horizontal, die ferneren Glieder mehr und mehr gehoben, jeder Mann sich mit dem Schilde deckend, die Schilder insgesammt aber schuppenartig aufeinanderliegend. So bildete die Phalanx eine metallene, undurchbringliche Mauer, die bei Angriffen gewaltig wirkte, aber wegen ihrer dichten und künstlichen Stellung durch irgendwelche Hindernisse oder Ereignisse leicht in Unordnung gerieth.

Pharnabazos, persischer Satrap von Bithynien, spielte in den spartanisch-athenischen Kriegen im 5. und 4. Jahrhundert v. Chr. eine bedeutende Rolle.

Pharnaces II., König des Bosporanischen Reichs, nahm Partei für die Römer gegen seinen Vater Mithridates d. Gr. belagerte diesen 63 v. Chr. und bedrängte denselben so, daß dieser sich ermordete. Nach der Niederlage des Pompejus bei Pharsalus (48 v. Chr.) erhob er sich selbst gegen die Römer, verrieb dieselben aus Armenien, Kappadozien und dem Pontus, wurde aber bei Zela 47 v. Chr. von Cäsar gänzlich geschlagen und in demselben Jahre ermordet.

Pharsalus (jetzt Ferfalo), Stadt in Thessalien, südlich von Larissa, am westlichen Ufer des Enipeus und am Nordabhange des Narthalios, hatte eine Akropolis. Unweit davon (bei Kynoskephalä) wurden 197 v. Chr. die Macedonier unter Philipp III. (V.) von den Römern geschlagen. Namentlich denkwürdig aber ist P. in der Kriegsgeschichte durch den entscheidenden Sieg, den hier Cäsar im zweiten Bürgerkriege am 9. Aug. 48 v. Chr. über Pompejus erfocht. Cäsar, dessen Heer aus ungefähr 22,000 Legionssoldaten und 1000 gallischen und germanischen Reitern bestand, befehligte den rechten Flügel, welcher die bewährte 10. Legion und die Reiterei enthielt, Marcus Antonius den linken Flügel, Cnejus Domitius Calvinus das Centrum. Pompejus, dessen Heer dagegen 45,000 Legionssoldaten und 7000 Reiter stark war, befehligte den linken Flügel mit der Reiterei, Lucius Lentulus Crus den sich an den Fluß lehnenden rechten Flügel, Quintus Metellus Scipio das Centrum. Die 10. Legion der Cäsarianer eröffnete den Kampf; Anfangs erfochten die pompejanischen Reiter einige Vortheile, doch gelang es endlich Cäsar, den linken Flügel des Pompejus zu werfen. Pompejus floh in's Lager, und, als dieses von den Cäsareuern gestürmt wurde, nach Larissa und später nach Aegypten.

Philipp, 1) P. (Philippos) II., König von Macedonien, ein Sohn des Königs Amyntas, geb. 382 v. Chr., wurde 368 als Geisel mit nach Theben geführt und dort im Hause des Epaminondas erzogen, bemächtigte sich aber 359 v. Chr. des macedonischen Thrones, führte die Phalanx ein, schlug 346 die Phocenser, eroberte die griechische Küste von Thrazien, benutzte die griechischen Parteistreitigkeiten, um 339 Amphisa mit Krieg zu überziehen und zu erobern, schlug 338 die verbündeten Griechen bei Chäronea, nahm Theben und würde Griechenland erobert haben, wäre er nicht 336 ermordet worden. P. war der Vater Alexanders des Großen und an Geist und Bildung seiner Zeit sehr überlegen; mit ihm begann die Glanzperiode Macedoniens. Vgl. Brückner, „König P. und die hellenischen Staaten," Göttingen 1837. 2) P. III. (V.) König von Macedonien suchte seine Oberherrschaft über Griechenland gegen die Römer zu vertheidigen, wurde aber 197 v. Chr. von denselben bei Kynoskephalä (unweit Pharsalus) gänzlich geschlagen, mußte der Hegemonie über Griechenland entsagen und starb 179 v. Chr. 3) II., August, König von Frankreich, geb. 1165, merkwürdig wegen eines Kreuzzuges, den er mit König Richard von England unternahm, half 1191 Ptolemais erobern, kehrte dann aber nach Frankreich zurück, nahm meuchlerisch die englische Normandie an, die er auch eroberte. Er unternahm es 1213 sogar, England zu erobern, doch wurde seine Flotte 1214 vernichtet und die Deutschen drangen unter Kaiser Otto IV. in Frankreich ein. Diese besiegte P. am 21. Juni 1214 bei Bovines; der Krieg aber erschlaffte nun in politischen Machinationen. P. starb 1223. 4) P. VI., König von Frankreich, geb. 1293, in der Kriegsgeschichte hauptsächlich merkwürdig als Anstifter des furchtbaren ein Jahrhundert langen Krieges zwischen Frankreich und England, der 1339 begann und erst in der Mitte des folgenden Jahrhunderts endete. P. erlitt am 23. Juni 1339 vor Sluys eine Niederlage zur See, wüthete mit fürchterlicher Blutsucht gegen alle Gegner, die in seine Gewalt fielen, erfuhr 1346 bei Crecy eine entscheidende Niederlage mit Verlust von 30,000 Mann und starb 1350. 5) P. der Kühne, Herzog von Burgund, geb. 1342, berühmt durch die Bravour, mit welcher er 1356 in der Schlacht bei Poitiers das Leben seines Vaters, des Königs Johann des Guten von Frankreich, zu retten suchte. Später war er viel in die flandrischen und französischen Kriegsmanoeuvres verwickelt, und starb 1404. 6) P. I., der Großmüthige, Landgraf von Hessen, geb. 1504, ergriff die Regierung 1518, half die Bauern-Revolution unterdrücken, Franz von Sickingen unterwerfen, stand mit an der Spitze des Schmalkaldischen Bundes, bekämpfte 1542 Braunschweig mit Erfolg, fiel aber 1547 nach der Schlacht bei Mühlberg in des Kaisers Karl V. Gewalt, aus der ihn erst der Kurfürst Moritz von Sachsen 1552 durch den Passauer Vertrag befreite. Er starb 1567. 7) P. II., König von Spanien, Sohn Kaiser Karl's V., geb. 1527, merkwürdig wegen seines unaufhörlichen Glaubenskampfes gegen seine Niederlande, des Seesiegs bei Lepanto über die Türken (1517) und seiner sogenannten unüberwindlichen Armada (s. b.), die 1588 durch Sturm und den Muth der englischen Admirale vernichtet wurde. P. hat an keinem der Kriege persönlich Theil genommen und seine kriegerische Energie war nur da lebendig, wo sie durch religiösen Fanatismus Trieb erhielt. Er starb, nachdem er das Reich zu Grunde gerichtet, und starb 1598. 8) P. August Friedrich, Landgraf von Hessen-Homburg, geb. 1779, nahm erst holländische, 1795 österreichische Dienste, machte die Feldzüge gegen Frankreich 1799—1801, 1805, 1809 mit, focht in allen Hauptschlachten 1813, drang 1814 in Südfrankreich vor, focht 1815 bei Straßburg, 1821 in Unteritalien, wurde 1832 Feldzeugmeister und schied 1839 aus den österreichischen Diensten, um die Regierung in seinem Lande anzutreten. Doch übernahm er in demselben Jahre das Amt eines Gouverneurs der Bundesfestung Mainz. Er starb 1846. — 9) Die verschiedenen Orleans, welche P. hießen, s. u. Orleans.

Philippeville, 1) Stadt in der belgischen Provinz Namur, durch Zweigbahn über Florennes mit Charleroi und Namur verbunden, 1½ Ml. von der französischen Grenze entfernt, hat ungefähr 1600 Einw., hieß früher Corbigny und war bis vor Kurzem Festung (unregelmäßiges Pentagon mit fünf Bastionen und einem Graben). Die Festung wurde 1555 von dem Kaiser Karl V. angelegt und nach seinem Sohn Philipp benannt, 19. Mai 1578 von Don Juan d'Austria den Holländern entrissen, 1659 im Pyrenäischen Frieden von Spanien an Frankreich abgetreten und von Vauban stärker befestigt, blieb auch 1814 noch in französischem Besitz, fiel aber nach sechswöchentlicher Cernirung am 8. Aug. 1815 durch Capitulation an die Preußen und kam, wie das 1½ Ml. südlicher gelegene Marienburg (s. d. 2) im zweiten Pariser Frieden an die Niederlande. Hierher flüchtete Napoleon I. nach der Niederlage von Waterloo zu-

nächst und ließ die Thore den nachdrängenden Flüchtlingen verschließen. 2) (P.-
Stora, von den Arabern Skikda genannt), befestigte Hauptstadt eines Arrondissements und Militairbezirks im französisch-algerischen Departement Constantine,
½ Meile ostsüdöstlich vom Hafenplatze Stora, an der Mündung des Ueh-
Saffof in das Mittelmeer, hat eine Citadelle, mehre Forts, eine Militairbi-
bliothek, ein Militairhospital, einen guten Hafen, lebhaften Handel und 9400
Einwohner, worunter über 8000 Europäer. Ungefähr 1100 Schritt östlich
davon liegt die Redoute Skikda (arabische Corrumpirung von Uficada). P.
wurde 1838 vom Marschall Vallée auf den Trümmern der phönicischen Colonie
und römischen Nation Uficada (Thuficada) zur Verbindung von Constantine
mit dem Meere gegründet, unter theilweiser Benutzung alter Römerwerke befestigt und nach dem König Louis Philipp benannt.

Philippi, Stadt in dem mit Macedonien verbundenen Thrazien, am Berge
Pangäos und am Flusse Gangas, nordwestlich von Amphipolis gelegen, hieß
früher Krenides und wurde nach dem König Philipp von Macedonien be-
nannt, als er diesen Theil von Macedonien erobert hatte. P. ist in der Kriegsgeschichte namhaft durch zwei Schlachten im Herbste des J. 42 v. Chr. Beide
Schlachten wurden von dem Heere der Triumvirn Antonius und Octavianus
(Augustus) gegen die Republikaner unter Cassius und Brutus geschlagen. Das
Heer der Republikaner war 80,000 M. Fußvolk und 12,000 Reiter stark. In
der ersten Schlacht schlug Brutus mit dem einen Flügel die Truppen des
Octavianus (welcher aber nicht selbst anwesend war) und verfolgte dieselben bis
ins Lager, wogegen Cassius (f. d. 2) auf dem andern Flügel von Antonius ge-
worfen wurde und sich von seinem Waffenträger mit dem Schwerte durchbohren
ließ. Brutus sammelte die zerstreuten Truppen des Cassius und bezog mit
denselben und seinen eignen Truppen das Cassianische Lager. Von den 19
Legionen des republikanischen Heeres war die Hälfte durch diese erste Schlacht
zersprengt und vernichtet worden und Brutus hatte nun einen um so schlimmeren
Stand, als jetzt beide Triumvirn vereint auf ihn eindrangen. Brutus', die
Vortheile des Feindes zu gut erkennend, suchte ein Zusammentreffen zu vermeiden, um erst mehr Kräfte zu sammeln; allein seine Soldaten drohten ihn
zu verlassen und zwangen ihn dadurch zur Schlacht. So wurde zwanzig Tage
nach der ersten die zweite Schlacht bei P. geschlagen. Brutus hatte bereits
die Legionen Octavian's geworfen, als die Reiterei des Antonius auf dem
Wahlplatze erschien, den Kampf wieder herstellte und einen völligen Sieg erfocht.
Brutus ließ sich von seinem Freunde Strato tödten (f. Brutus 4). Dieser
vollständige Sieg der Triumvirn entschied über das Schicksal der römischen Republik. P. ist das heutige Dorf Felibe im türkischen Ejalet Selanik, wo sich
auch noch Ruinen der alten Stadt P. finden. Das Schlachtfeld, jetzt La
Cavalla genannt, liegt zwischen Felibe und dem Marktflecken Pirautschla.

Philippsburg, Stadt im badischen Kreise Karlsruhe, am Einfluß des
Salzbach in den Rhein (rechtes Ufer), 3¼ M. nördlich von Karlsruhe, hat
2400 meist katholische Einwohner, war früher eine berühmte Reichsfestung,
deren Hauptstärke in seiner morastigen Lage bestand und die bis 1803 zum
Hochstifte Speier gehörte. P. hieß ursprünglich Udenheim, war schon 1317
vom Bischof Emico befestigt worden, wurde 1618 vom Bischof Philipp zu
seiner Residenz gewählt, von ihm stärker befestigt und nach ihm benannt. Im
Dreißigjährigen Kriege wurde die Festung 1633 von den Schweden belagert
und genommen, 1634 von diesen an die Franzosen überlassen, 1635 von den
Kaiserlichen überrumpelt, 1644 von den Franzosen wieder besetzt und diesen im
Westfälischen Frieden von 1648 das Besetzungsrecht zugestanden; dieselben verstärkten darauf die Werke bedeutend. In den Kriegen Ludwig's XIV. gegen

Deutschland nahmen die Deutschen unter dem Herzog Karl von Lothringen 1676 P. wieder ein, welches im Nimwegener Frieden von 1679 an das Deutsche Reich zurückfiel; der Kaiser erhielt das Besetzungsrecht. Im J. 1688 nahmen es die Franzosen unter Vauban aufs Neue, gaben es aber im Ryswiler Frieden von 1697 an Deutschland zurück. Darauf kam die Festung etwas in Verfall, wurde 1734 von den Franzosen unter dem Marschall Berwick (welcher hier fiel) abermals genommen und 1737 abermals zurückgegeben. Die Werke verfielen nun wegen Mangels an Geldmitteln gänzlich, obgleich der Kaiser 1750 auf durchgreifende Herstellung derselben drang. In Folge davon wurde 1772 dieser wichtige Platz von den Reichstruppen geräumt und von den Kaiserlichen besetzt, 1777 auch von diesen geräumt und von bischöflich Speierschen Truppen besetzt. Der Bischof beabsichtigte nun die Werke zu schleifen, wurde aber daran verhindert, ohne daß indeß sonst etwas für die Festung geschehen wäre. Erst beim Ausbruch des Französischen Revolutionskrieges entschloß man sich, die Werke nothdürftig wieder herzustellen; P. wurde von Kaiserlichen besetzt und hielt in der That 1796 und 1799 (wo es durch Bombardement sehr litt) mehre Angriffe der Franzosen aus, mußte aber in Folge des Waffenstillstandes von Hohenlinden (20. Sept. 1800) an die Franzosen ausgeliefert werden, welche nun die Werke vollständig schleiften und die Stadt im Luneviller Frieden von 1801 nur unter der Bedingung zurückgaben, daß die Fortificationen nie wiederhergestellt würden. Das war das Ende der letzten Reichsfestung. Im badischen Revolutionskampfe wurden am 20. Juni 1849 die Insurgenten unter dem Polen Mniewski bei P. von den Preußen geschlagen und bis Wiesenthal verfolgt, die Stadt darauf von den Preußen besetzt.

Philoktetes, Bogenschütze, ein Held der altgriechischen Mythe, Ueberwinder des Paris.

Philomelinm, Städtchen in Phrygien, an der Grenze von Lykaonien, jetzt Akschehr im glatisch-türkischen Ejalet Karaman. Hier 14. Mai 1190 entscheidender Sieg des Kaisers Friedrich I. (Barbarossa) über die Sarazenen unter Kilisch Arslan.

Philopömen, der letzte große Feldherr und Staatsmann Griechenlands, geb. 253 v. Chr. zu Megalopolis in Arkadien, verließ seine Vaterstadt nach deren Eroberung durch die Spartaner, diente dann unter dem macedonischen Könige Antigonus, bildete sich zum Feldherrn aus, zeichnete sich 221 v. Chr. in der Schlacht bei Sellasia aus, wurde 207 als Oberfeldherr (Strategos) an die Spitze des Achäischen Bundes gestellt, schlug 206 die Spartaner bei Mantinea, besiegte dann die Messenier, bewegte 192 die Spartaner zum Beitritt zum Achäischen Bunde, wurde 183 von den Messeniern gefangen und von ihnen vergiftet.

Phocion, athenienstscher Feldherr, Schüler des Plato und Xenokrates, trug 377 v. Chr. wesentlich zum Seesiege von Naxos bei, siegte 349 bei Euböa und schlug den König Philipp von Macedonien aus dem Peloponnes. Nach dem Tode Alexanders d. Gr. führte er das Heer im Befreiungskampfe gegen Antipator. Da er mit klugem Verständniß der Verhältnisse und mit Ueberwindung seines eigenen patriotischen Gefühls zum Frieden rieth, nannten ihn seine Feinde einen Verräther und brachten es dahin, daß er 318 v. Chr. den Giftbecher trinken mußte. Sein Leben haben Plutarch und Cornelius Nepos beschrieben.

Phocis (griech. **Phokis**), Landschaft im mittleren Griechenland, ungefähr 36 □.-M., großentheils gebirgig, mit dem Hauptgebirge Parnaß und dem Orakelorte Delphi, vom Kephissus durchflossen. Die Phocenser nahmen an den Persischen Kriegen Theil, fochten im Peloponnesischen Kriege auf Seiten der Spartaner und wurden wegen Benutzung eines zum Tempelgebiete von

Delphi gehörigen Landstriches in den sogenannten Heiligen oder Phocischen Krieg (356—346 v. Chr.) verwickelt, welcher mit der Zerstörung aller phocischen Städte (ausgenommen Delphi und Elatea) endigte. An den letzten Kämpfen der Griechen für ihre Freiheit (Schlacht bei Chäronea 338, Lamischer Krieg 322) nahmen die Phocenser noch rühmlichen Antheil.

Phönicien hieß im weitern Sinne im Alterthum das ganze Küstenland von Syrien und Palästina bis nach Aegypten herab, im engern Sinne aber bei den Griechen und Römern der ungefähr 30 Meilen lange und bis zu 2 Meilen breite Küstenstrich Syriens mit den davor liegenden Inseln vom Flusse Eleutherus an bis in die Nähe des Vorgebirges Karmel. Dieser Landstrich war dicht bevölkert, hatte mehre bedeutende Städte (besonders Sidon und Tyrus) und wurde von den Phöniciern selbst Kanaan genannt. Die Phönicier hatten bereits eine vielseitige Industrie und blühenden Handel, waren treffliche Schiffer und gründeten unter allen Völkern die meisten Colonien und Handelsniederlassungen. Durch die Eroberungszüge der Assyrer, Aegypter, Babylonier, Perser und Alexanders d. Gr. wurde die Macht P.'s sehr geschwächt und nach der Gründung von Alexandria erlag auch sein Handel einem dauerndem Verfalle. Vgl. Movers, „Die Phönizier“, Berlin 1840—56, 2 Bde.; Ders. in Ersch und Gruber's Encyklopädie, Section 3., Bd. 24 der Artikel „Phönizien.“

Piacenza (franz. Plaisance), 1) früher ein mit Parma (s. d.) vereinigtes Herzogthum in Oberitalien von 29,₂₂ □.-Meilen mit (1856) 140,240 Einwohnern, wurde 1860 vom Königreich Sardinien annectirt, somit 1861 dem Königreich Italien einverleibt und bildet hier den Kern der jetzigen Provinz P. von 45,₁₀ □.-Meilen mit (1862) 218,569 Einwohnern. 2- befestigte Hauptstadt des ehemaligen Herzogthums und der jetzigen Provinz P., am Po und an der Eisenbahn von Parma nach Mailand, die hier noch Alessandria und Genua abzweigt, ist Sitz des Commando's eine der 22 Territorial-Militär-Divisionen, hat eine starke Citadelle mit 5 Bastionen (in welcher Oesterreich bis 1859 das Besatzungsrecht hatte), eine schöne Kathedrale, eine colossale Reiterstatue Alexander Farnese's und (1862) 39,318 Einwohner. P. hieß zur Römerzeit Placentia. Während des zweiten Punischen Krieges besiegte Hannibal 218 v. Chr. die Römer unweit P. an der Trebia; 200 v. Chr. wurde die Stadt von den Galliern geplündert und fast gänzlich zerstört, 1488 von Franz Sforza erobert. Hier 16. Juni 1746 Sieg der Oesterreicher unter Liechtenstein über die verbündeten Franzosen und Spanier unter Gages und Maillabois. Im März 1848 wurden die herzoglichen Truppen aus P. vertrieben und eine provisorische Regierung eingesetzt. Am 16. März 1849 hier Gefecht zwischen Oesterreichern und Piemontesen. Im Frühjahr 1859 wurde P. von den Oesterreichern geräumt.

Piast, der Sage nach ein Bauer aus Kruszwice am Goplo-See in Kujavien, welcher um die Mitte des 9. Jahrhundert zum Herzog von Polen erhoben wurde und die Dynastie der Piasten gründete, welche über 5 Jahrhunderte lang in Polen herrschte. Der Mannesstamm starb in Polen 1370 mit Kasimir III. aus, die weibliche Linie 1399 mit Hedwig.

Piccolomini, Octavio, Herzog von Amalfi, geb. 1599, Italiener, trat jung in das spanische Heer, führte das 1632 in der Schlacht bei Lützen ein Reiter-Regiment, trug 1634 wesentlich zum Sturze Wallenstein's bei und erhielt nach dessen Ermordung zur Belohnung einen Theil seiner Güter. Nach der Schlacht bei Nördlingen (1634) drang er durch Würtemberg über den Main vor, focht 1635 als General mit Glück in den Niederlanden gegen Frankreich, eroberte 1640 Höxter, entsetzte 1641 Freiberg in Sachsen, übernahm 1644 den spanischen Oberbefehl in den Niederlanden, wurde 1648 kaiserlicher Feldmarschall, 1649 Reichsfürst und starb 1656. Sein Sohn Max in Schiller's Tragödie „Wallenstein" ist bis in die neueste Zeit für eine poetische Fiction gehalten worden. Derselbe ist jedoch eine historische Persönlichkeit und hieß Joseph Silvio Max P., war zwar nicht der Sohn Octavio P.'s, sondern der Sohn seines ältern Bruders, des kaiserlichen Oberst Aeneas Silvio P., wurde aber nach dem frühzeitigen Tode seines Vaters von seinem Oheim Octavio adoptirt und zum Erben eingesetzt und fiel als Oberst eines kaiserlichen Kürassier-Regiments am 6. März 1645 in der Schlacht bei Jankau (oder Jankowitz im böhmischen Kreise Budweis) gegen die Schweden unter Torstenjon. Vgl. A. Freiherr v. Weyhe-Eimke, „Die historische Persönlichkeit des Max Piccolomini und dessen Ende in der Schlacht bei Jankau, 6. März 1645 Eine geschichtliche Quellenstudie aus dem Schloß-Archive zu Nachod." Pilsen 1870.

Pichegru, Charles, General der französischen Republik, geb. 1761 zu Arbois in der Franche-Comté von armen Eltern, wurde durch Vermittelung auf der Militairschule in Brienne erzogen, erhielt hier eine untergeordnete Lehrerstelle und war in dieser einer der Lehrer Bonaparte's, übernahm 1792 die Führung eines Bataillons und schwang sich 1793 bei der Rheinarmee zum Divisionsgeneral auf, erhielt 1794 den Oberbefehl über die Nordarmee und eroberte ganz Holland durch seine Siege über die Holländer und Engländer. Hierauf knüpfte er eine verrätherische Verbindung mit den Emigranten an, weshalb er 1796 vom Heere entfernt wurde. Später nach Cayenne deportirt, gelang es ihm nach England zu flüchten, wo er sich mit Georges Cadoudal (s. d.) gegen das Leben des Ersten Consuls (Bonaparte) verschwor. Im Januar 1804 in Paris angekommen, wurde er am 28. Februar dort verhaftet. Vor Gericht gestellt, bekannte er seinen Plan, leugnete aber die Mitwissenschaft Moreau's (s. d.) entschieden ab. Noch vor dem Urtheilsspruche fand man ihn am Morgen des 6. April 1804 im Gefängnisse erwürgt. Die Royalisten beschuldigten den Ersten Consul des Mordes; da aber P.'s Leben bereits verwirkt war, so lag höchst wahrscheinlich Selbstmord vor. Vgl. Montgaillard, „Mémoire concernant la trahison de P." Paris 1804.

Pickelhaube, Helm mit Knauf oder Spitze von Metall im Scheitel, metallbeschlagenem Vorder- und nicht metallbeschlagenem Nackenschirm, vorn mit dem Wappenzeichen des Staates versehen ist die für die deutsche Armee eingeführte Kopfbedeckung der Infanterie, Dragoner, Artillerie, Cuirassiere und Pioniere. Nur die bairische Armee und sächsische Reiterei hat Helme mit Kamm. Im Dreißigjährigen Kriege wurde sie von den Pikeniren, früher von den Hellebardieren getragen.

Picten, die celtischen Bewohner von Caledonia (nordöstl. Schottland), welche mit den Scoten häufige Einfälle in das Römische Britannien unternahmen und sich dann im nördlichen schottischen Hochlande niederließen, wo ihr Reich 839 von den Scoten zerstört wurde. Seit dieser Zeit verschwindet ihr Name aus der Geschichte. Der römische Kaiser Hadrian ließ gegen ihre Einfälle den Pictenwall (Pictenmauer), eine Grenzbefestigung im nördlichen England vom Solwaybusen bis zur Tynemündung, anlegen, von welcher noch jetzt Ueberreste vorhanden sind.

Piemont (franz. Piémont, engl. Piedmont, ital. Piemonte), Fürstenthum im nordwestlichen Italien, war bis 1859 der Hauptbestandtheil des Königreichs Sardinien (s. d.), umfaßte mit dem sardinischen Antheile des ehemaligen Herzogthums Mailand und dem Herzogthum Montferrat 551,2 □.M. mit (1856) 2,736,548 Einwohnern und entsprach den heutigen italienischen Provinzen Turin, Alessandria, Cuneo (Coni) und Novara nebst dem westlichen Theile der jetzigen Provinz Pavia. Hauptstadt war Turin. Das Land ist im Norden und Westen von den Alpen umschlossen und großentheils gebirgig; Hauptfluß ist der Po.

Pierce, Franklin, amerikanischer General und 14. Präsident der Vereinigten Staaten, geb. 1804 zu Hillsborough im Staate New-Hampshire, wurde 1827 daselbst Advocat, 1829 Mitglied des Repräsentantenhauses der Staatslegislative von New-Hampshire, 1837 des Senats derselben, 1846 beim Beginn des Mexikanischen Krieges Oberst eines Milizregiments, avancirte bald zum General, zeichnete sich bei Veracruz, Contreras, Molino del Rey und Chapultepec aus, ließ sich nach dem Frieden als Advocat in Concord in New-Hampshire nieder, wurde im Nov. 1852 als Candidat der demokratischen Partei (gegen den Whig-Candidaten General Scott) zum Präsidenten der Vereinigten Staaten erwählt und bestieg 4. März 1853 den Präsidentenstuhl. Er erwies sich als ein willenloses Werkzeug der Südstaaten und Beförderer der Sclavenhalterpolitik; Jefferson Davis (s. d.) war sein Kriegsminister. Auf P. folgte 1857 Buchanan als Präsident.

Pike, ein verkürzter Spieß, 8—10 Fuß lang, Stange vom festesten Holz mit einem Eisenbandbeschlag, oben in einem zweischneidigen Messer, oder 3- oder 4kantiger Eisenspitze (wie bei den Kosaken) endend, vor dem Feuergewehr Hauptwaffe des Fußvolks, welches entweder eine Art Phalanx bildete und mit ausgelegten Piken den Feind erwartete oder ihn, schrittweise vorrückend, so attakirte.

Pikenier, der mit der Pike bewaffnete Soldat bis zur Einführung der Bajonnetgewehre der Hauptbestandtheil der Infanterie, standen im 2. Gliede hinter den Arkebusiren.

Piket im Allgemeinen bezeichnet eine zur sofortigen Verwendung bereit gehaltene Truppe. Im Vorpostendienst versteht man unter Pikets größere Unterabtheilungen, welche zwischen das Gros der Vorposten und die Feldwachen mit der Bestimmung eingeschoben werden, letztere nöthigenfalls zu unterstützen. Diesem Zwecke entsprechend werden sie in nicht zu großer Entfernung so hinter jenen postirt, daß sie nach allen Seiten hin freie Bewegung haben. Ob sie Tag und Nacht stehen, ob sie die Unterstützung der Feldwachen durch event. Vorrücken oder Aufnehmen derselben effektuiren sollen, hängt vom Terrain und den sonst gegebenen Verhältnissen ab. Zur Sicherung gegen feindliche Ueberfälle werden Quartiersements- und Posten vor den Gewehren ausgestellt; die ununterbrochene Communication mit dem Gros einer- und den Feldwachen andererseits wird durch ein wohlgeregeltes Patrouillensystem bewerkstelligt. Die piketirende Truppe befindet sich in steter Gefechtsbereitschaft, behält deshalb Seitengewehre und Patronentaschen um, wohingegen in den meisten Armeen die Gewehre zusammengestellt und das Gepäck abgelegt werden. Der Commandeur dieses Unterstützungstrupps setzt sich mit den Feldwachhabenden seines Rayons in Verbindung und verabredet mit ihnen die für den Fall eines Angriffes zu treffenden Maßregeln. Das sonstige Verhalten des Pikets ist dem einer Feldwache (s. d.) analog. Feuerpiket oder Feuerwache nennt man eine Truppe, welche in der Garnison oder im Cantonnement für einen gewissen Zeitabschnitt verwendet wird, um bei ausbrechendem Feuer je nach der localen Instruction die Absperrung der Brandstätte, die Bewachung etwa geretteten Eigenthums, die Unterstützung der Löschmannschaften u. s. w. zu übernehmen.

Pikrinsäure, eine organische Säure, aus $C_1 H_2 3 (N O_4) O + HO$ bestehend, welche wegen des Explosionsvermögens ihrer Salze, die in neuester Zeit auch militärische Wichtigkeit erlangt hat; dieselbe wurde zuerst 1788 von Hausmann dargestellt, erhielt längere Zeit je nach den Chemikern, welche sie bereiteten oder nach den zu ihrer Herstellung benutzten Materialien oder endlich nach theoretischen Ansichten, die man über ihre chemische Constitution hegte, sehr verschiedene Benennungen. Nach dem Chemiker Welter wurde sie

z. B. Welter'sches Bitter, nach ihren Bestandtheilen Trinitrophenyl-
oder Nitrophenis-Säure, nach ihrem Kohlenstoff- und Stickstoff-Gehalt
der Kohlenstickstoff- oder Carbazot-Säure genannt. Dumas erst
trachtete ihren Geschmack eigenthümlich genug, um sie nach demselben
Pikrinsäure (von dem Griechischen pikros, bitter) zu nennen. Die
P. ist an sich ein gelber Farbestoff, der in der Färberei eine große
Anwendung findet, da er die Eigenschaft besitzt, die thierische Faser, ohne daß
eine Beize erforderlich ist, intensiv gelb zu färben; man braucht Seide oder
Wolle nur kurze Zeit in eine 30 bis 40° C. warme Lösung von P. zu tauchen,
um je nach der Concentration der Lösung die schönsten Nüancen vom halben
Strohgelb bis zum Schwefel- und Maisgelb zu erhalten. Die Pflanzenfaser
nimmt dagegen die Färbung nur an, wenn sie vorher animalisirt, d. h. mit
Cascogummi gebeizt ist. In Folge hiervon kann man in ungefärbten Geweben
mittelst P. Wolle und Baumwolle leicht von einander unterscheiden; erstere
wird gelb, letztere bleibt farblos. Auch wird die P. zur Verfälschung des
Bieres anstatt Hopfen benutzt und ist durch ihre Affinität zur thierischen Faser
hier leicht zu entdecken; ein weißer Wollenfaden 24 Stunden lang in Bier
gelegt, wird, wenn auch nur „..", P. zugesetzt worden, gelb, während er
sonst eine bräunliche Färbung annimmt. Die P. wird aus Indigo durch
Behandlung mit concentrirter Salpetersäure hergestellt. Außer Indigo, der
etwa ¼ seines Gewichtes an P. liefern kann, wird sie auch aus Aloe, Peru-
balsam, Anilin, Cumarin u. s. w. bereitet. Die nach Liebig's Methode bei
Indigo angewandte Procedur ist sehr ergiebig, liefert aber ein theures Fabrikat;
deshalb wird die P. in chemischen Fabriken meist aus Steinkohlentheeröl und
in England aus dem dort billigen Botany-Harz, dem yellow gum), von dem
australischen Grasbaume, das nach Struhouse bis zu 50 Procent liefern soll,
dargestellt. Die Darstellung der P. geschieht nach einem ähnlichen Verfahren,
wie es bei Schießbaumwolle und den anderen neueren Nitraten (Nitroglycerin,
Nitroamylum u. s. w.) gebräuchlich. Indigo an sich, dessen chemische Zusammensetzung C_x H, NO, ist bereits stickstoffhaltig und scheidet bei der Bearbeitung mit Salpetersäure Wasserstoff aus und nimmt dafür Stickstoff und
Sauerstoff auf. Durch das Vorhandensein des Stickstoffs und einer ansehnlichen Menge Sauerstoffs und Kohlenstoffs fallen der P. alle Bedingungen zu,
welche ihre Salze, (besonders das Kalipikrat, s. d.) zu explosibeln Substanzen
stempeln.

Pikrinsaures Kali (Kalipikrat), das bemerkenswertheste Salz der Pikrinsäure (s. d.), bildet pomeranzengelbe, oft zolllange Nadeln und ist im Wasser
schwer löslich. Es hat vermöge seiner chemischen Constitution alle Eigenschaften
der explosibeln Nitrate, denn sein Stickstoff, der die Neigung hat, aus seinen
Verbindungen auszuscheiden, wird dadurch für die übrigen Elemente Veranlassung zur Bildung neuer, zum Theil gasförmiger Verbindungen. Schon eine
geringe Temperatur-Erhöhung reicht hin, diesen Proceß einzuleiten, dessen Resultat die Erzeugung einer großen Gasmenge in kleinem Raume, mithin von
bedeutendem Expansionsvermögen ist, welches durch die entwickelte Temperatur
noch vermehrt wird. In Folge hiervon hat Designolle versucht, das P. K. zur
Pulverbereitung zu benutzen und es ist ihm nach siebenjährigen Bemühungen gelungen, eine Reihe von Pulversorten zu erzeugen, die bezüglich ihrer ballistischen Leistungen in den Grenzen zwischen 1 und 10 liegen. Er stellte nämlich
mit Kalipikrat zwei Pulversorten dar, deren eine die zehnfache Kraft des jetzigen
feinkörnigen Schießpulvers entwickelt, während die andere dem gegenwärtig
gebräuchlichen Pulver in ihrer ballistischen Wirkung gleicht, trotzdem aber eine
bedeutend geringere Wirkung auf die Waffe als dieses äußert. — Zu ausge-

dehnten Proben wurden in der französischen Pulverfabrik von Le Bouchet folgende Pulversorten erzeugt: Gewehrpulver, rasch zusammenbrennendes Geschützpulver, langsam zusammenbrennendes Geschützpulver und Sprengpulver zu
Torpedos und Sprenggeschossen. Die Bestandtheile des Sprengpulvers waren
P. K. und Kalisalpeter, die des Gewehr- und Geschütz-Pulvers P. K., Kalisalpeter und Kohle. Besonders hervorzuheben ist der immense Vortheil, den
der Fortfall des Schwefels bei diesem neuen Pulver bedingt, denn dadurch ent-
fallen die Schwefelkalium- und Schwefelwasserstoff-Dämpfe, die in den Case-
matten und in den Batterien der Kriegsschiffe der Gesundheit der Bedienungsmannschaften der Geschütze so nachtheilig werden. Der belästigende Pulverdampf
ist daher fast vollständig vermieden und der Rauch besteht nur aus Wasser-
dämpfen, die mit kohlensaurem Kali und Kaliumoxyd gemengt sind. Aus
gleichem Grunde greift das Pulver Designolle's auch das Metall der Waffen
nicht an. Die Fabrication dieses neuen Pulvers ist sehr einfach. Die Bestandtheile werden unter Zusatz von 6 bis 14 Procent Wasser in Stampfmühlen
gekleint, dann mittelst hydraulischer Pressen verdichtet und zwar je nach der
zu erzielenden Verbrennungsgeschwindigkeit mit einem Drucke von 30,000 bis
100,000 Kilogramm. Dann folgt das Körnen, Sieben, Poliren und Trocknen
ähnlich wie bei dem gewöhnlichen Pulver. Der ballistische Effect der verschiedenen Pulversorten richtet sich nach der Menge des P. K., von dem nach
einigen Angaben zu Gewehrpulver 20 Procent, zu langsam wirkenden Geschützpulver 8 Procent und zu schnell verbrennendem Geschützpulver 5 Procent genommen werden. Nach einer in der Schweiz ausgeführten Analyse enthielt
Designolle'sches Gewehrpulver 78,1 Theile Salpeter, 11,5 Theile Kohle und
9,1 Theile P. K. — Als Vortheile der Designolle'schen Erfindung werden
folgende angegeben: Vermehrung der ballistischen Kraft ohne Veränderung der
Fabricationsmethode; gleichmäßige Wirkung; Fortfall des Schwefels; geringer
Pulverrauch, der nur aus Wasserdampf besteht, welcher mehr oder weniger mit
kohlensaurem Kali geschwängert ist; Unschädlichkeit für die Metalle der Waffen.
— Bemerkt mag werden, daß die am 16. März 1869 durch eine Explosion
auf der Place de la Sorbonne zu Paris hervorgerufene starke Verwüstung
durch das P. K. welches in der Fabrik von Fontaine zu kriegerischen Zwecken
verarbeitet wurde, veranlaßt war; man erzählte damals, Marschall Niel hätte
das Etablissement erst 25 Minuten vor der Explosion verlassen gehabt.
Authentische Nachrichten über die Benutzung des Pulvers mit P. K. liegen
noch nicht vor, wenn auch vielfach berichtet worden, daß dasselbe sowohl Seitens
der Vertheidiger von Paris gegen die deutschen Cernirungstruppen als auch
von den Truppen der Commune gegen die Truppen der Versailler Regierung
verwendet worden ist. (S. Schießpulver.)

Pillau, Stadt und Festung im preußischen Regierungsbezirke Königsberg,
5½ Meilen westlich von Königsberg und mit diesem durch eine Zweigbahn
verbunden, liegt auf der Südwestspitze einer Landzunge am Frischen Haff und
der Meerenge Gatt (Pillauer Tief), hat ein vom Großen Kurfürsten
Friedrich Wilhelm höchst vortheilhaft angelegtes, vom König Friedrich Wilhelm I. neugebautes und durch äußere Werke sehr verstärktes Fort (regelmäßi-
ges Fünfeck), einen Hafen mit einem 100 Fuß hohen Leuchtthurm und großem
Molo, eine Navigationsschule, Seehandel und 3400 Einwohner. P. deckt Königsberg und sperrt den Eingang zum Frischen Haff; hier werden die für Königsberg, Elbing und Braunsberg bestimmten großen Schiffe geleichtert. P.
wurde im siebenjährigen Kriege 1759 von den Russen genommen, 1807 unter
Oberst Herrmann sehr tapfer gegen die Franzosen unter Soult vertheidigt (26
Juni 1807 Bombardement), 1812 durch einen Vertrag für die Dauer des

Krieges mit Rußland den Franzosen eingeräumt, 6. Februar 1813 von den Russen durch Capitulation genommen und von diesen sofort an die Preußen zurückgegeben.

Pillnitz, königliches Lustschloß und Sommer-Residenz des sächsischen Hofes, im Regierungsbezirk Dresden, am rechten Elbufer und am Ufer des Borsberges, 2½ Stunden oberhalb (südöstlich) Dresden. Hier wurde am 25./27. August 1791 die **Pillnitzer Convention** zwischen Oesterreich und Preußen gegen Frankreich abgeschlossen, welche als der Grund zu den späteren Coalitionen Europas gegen Frankreich zu betrachten ist.

Pillow, ein zwischen Memphis und Fort Randolph im nordamerikanischen Staate Tennessee gelegenes Fort, wurde am 12. April 1864 von den Conföderirten unter General Forrest mit Sturm genommen und der größte Theil seiner Besatzung niedergemetzelt.

Pilot, s. Lootse.

Pilsen, Kreisstadt im westlichen Böhmen, am Zusammenfluß von Radburza, Bradlawka und Miesa, wodurch die Beraunka entsteht, Knotenpunkt der böhmischen Westbahn (Prag-Furth), der Kaiser Franz-Josephsbahn (Pilsen-Budweis-Wien) und der Pilsen-Egerbahn, hat lebhafte Industrie und Handel und 22,000 Einwohner. Hier wurde Kaiser Otto II. 976 vom Herzog Heinrich II. von Baiern geschlagen. P. war früher befestigt, wurde im Hussitenkriege 1433 und 1434 erfolglos belagert, zu Anfang des Dreißigjährigen Krieges 1618 von Mansfeld erstürmt und im Preußisch-Oesterreichischen Kriege 1866 einige Zeit von den Preußen besetzt.

Pinasse, das zweitgrößte Boot auf Kriegsschiffen.

Pionier nennt man diejenige Abtheilung der Genietruppen, welche mit Ausführung der Laufgrabenbauten beim Angriff der Festungen und im Felde mit Schanzen-, Wege- und Brückenbauten (letztere soweit sie nicht durch Pontonniere ausgeführt werden) betraut werden. In den meisten Armeen heißt der P. Sappeur (s. d.).

Pipin, 1) P. von Heristal, erzwang sich 687 durch den Sieg bei Testri die Würde eines Major domus in den drei fränkischen Reichen Austrasien, Neustrien und Burgund, nahm den Titel eines Herzogs der Franken an, machte sich durch wiederholte immer siegreiche Kriege gegen Alemannen, Baiern und Friesen berühmt und starb 714. 2) P. der Kleine, Enkel des Vorigen, zweiter Sohn Karl Martell's, war Major domus des letzten Merovingers Childerich, wurde 741 Herzog von Neustrien und Burgund, schlug 743 mit seinem Bruder Karlmann die Baiern und Alemannen, riß mit Unterstützung des Papstes 752 die fränkische Königskrone an sich, schlug dem Papste zum Dank die Lombarden 754 und 755 und schenkte dem Apostolischen Stuhle das Exarchat, wodurch dieser seine weltliche Macht erhielt, schlug noch die Aquitanier, trieb die Mauren aus Frankreich, bekämpfte auch die Sachsen, wurde der eigentliche Gründer des großen Fränkischen Reiches (s. d.), welches sein Sohn Karl der Große vollendete 768.

Piquet s. u. Pikat.

Pirmasens, Stadt im bairischen Regierungsbezirk Pfalz, 2 Meilen südöstlich von Zweibrücken, hat ein im Französischen Revolutionskriege zerstörtes Schloß und 8000 Einwohner. In der Kriegsgeschichte ist P. namhaft durch einen am 14. Sept. 1793 von den Preußen unter dem Herzog von Braunschweig über die Franzosen unter Moreau erfochtenen Sieg. Die Franzosen wurden bis über die Saar zurückgeworfen; und am 13. Oct. erstürmten dann die vereinten Preußen und Oesterreicher sogar die für unüberwindlich gehaltenen Verschanzungen der Franzosen zwischen Lauterburg und Weißenburg (die sog. Weißenburger Linien, s. d.)

Pirna, Stadt im königlich-sächsischen Regierungsbezirk Dresden, am linken Elbufer, 2¼ Meil. oberhalb (südöstlich) Dresden, an der Sächsisch-Böhmischen

Eisenbahn (Linie Dresden-Bodenbach) hat 8400 Einwohner. Dabei die frühere Bergveste (jetzt Irrenanstalt) Sonnenstein. P. litt im Dreißigjährigen Kriege sehr, namentlich 1639, wo es von den Schweden unter Baner mit Sturm genommen und verwüstet wurde, ebenso im Siebenjährigen Kriege, wo am 14. Oct. 1756 die sächsische Armee unter Rutowski 14,000 M. stark unweit P. von den Preußen gefangen und 1758 der Sonnenstein von den Preußen geschleift wurde. Anfang 1813 wurde P. von den Franzosen besetzt, welche auch den Sonnenstein wieder befestigten, 12. Nov. 1813 aber capitulirten.

Pisa, Hauptstadt der gleichnamigen italienischen (früher toscanischen) Provinz 55,10 □.-M. mit 243,028 Einw. am Arno, ungefähr 1 Meile oberhalb seiner Mündung ins Mittelmeer, mit Livorno, Spezia, Lucca, Florenz und Empoli durch Eisenbahnen verbunden, Sitz des General-Commandos des 1. Armee-Corps (Mittelitalien), eines Erzbischofs und einer Universität, hat einen schönen gothischen Dom mit merkwürdigem Campo santo (s. d.), zahlreiche andere schöne Kirchen und viele andere merkwürdige Gebäude (darunter den berühmten schiefen Thurm) und (1861) 33,676 Einwohner (mit dem Gemeindebezirk 51,057). Die Stadt war ehemals stark befestigt; die Wälle und Mauern sind jetzt in Spaziergänge verwandelt, doch stehen noch drei Schlösser, von denen San Marco das wichtigste ist. P. hieß im Alterthum Pisae, war eine der Zwölfstädte Etruriens, erhob sich schon in den ersten Zeiten des Mittelalters zu einer mächtigen Republik, deren Gebiet die ganze damals angebaute Maremma von Lerici bis Piombino umfaßte, und welche im Kampfe mit den Saracenen die Inseln Sardinien, Corsica und die Balearen eroberte. Die Pisaner geriethen als eifrige Ghibellinen mit den guelfisch gesinnten Städten Florenz, Lucca und Siena fortwährend in blutige Fehden, bis sich endlich nach vielfachen Kämpfen Florenz des Gebietes von P. bemächtigte und 31. Juli 1499 die Stadt P. zu belagern begann, aber erst am 8. Juni 1509 durch Hunger zur Capitulation zwang. Seitdem blieb P. bei Toscana, bis es 1860 mit diesem von Sardinien annectirt und somit 1861 dem neuen Königreich Italien einverleibt wurde.

Pisacane, Carlo, P., Herzog von San Giovanni, geb. 1823, wurde in der Militärschule zu Neapel ausgebildet, trat sehr jung in das Geniecorps, später in die französische Fremdenlegion in Algerien, verließ nach der Februarrevolution den französischen Dienst, ging nach Oberitalien, focht 1848 u. 1849 mit gegen Oesterreich, wurde dann Mitglied der Kriegs-Commission der republicanischen Regierung in Rom, nahm thätigen Antheil an den Vertheidigungsarbeiten, wurde nach dem Einzuge der Franzosen verhaftet, aber bald in Freiheit gesetzt, lebte dann eine Zeitlang in London, ging von da nach Genua, agitirte dort im Interesse der Mazzinischen Pläne, versuchte im Juni 1857 Italien zu revolutioniren, indem er mit einem Schiff in Calabrien landete, kam aber dabei um. Er schrieb: „Geschichte der italienischen Feldzüge 1848 u. 1849", Chur 1852.

Pisander (griech. Peisandros), 1) und 2) zwei Helden der heroischen Mythe, der eine Trojaner, Sohn des Antimachus, wurde von Agamemnon getödtet; der andere war Führer der Myrmidonen vor Troja. 3) ein Spartaner, Schwager des Agesilaos, war Oberbefehlshaber der spartanischen Flotte, erlitt 394 v. Chr. eine Niederlage durch die vereinigte persisch-hellenische Flotte unter Konon und Pharnabazos und fiel dabei.

Pistoja, befestigte Stadt in der italienischen (vormals toscanischen) Provinz Florenz, unweit des Ombrone, an der Eisenbahn von Pisa nach Bologna, welche hier nach Florenz abzweigt, ist mit Mauern umgeben, hat eine Citadelle, Fabrikation von Eisenwaaren (bes. Flintenläufen) und 12,300 Einw.

P. ist das Pistoria der Alten; hier 63 v. Chr. Schlacht, in welcher Catilina fiel.

Pistole nennt man eine kurze Feuerwaffe, welche sich gewöhnlich in den Händen der Berittenen, sowie der Marine-Mannschaften befindet und deren Wirkung nur auf kurze Entfernung sich erstreckt. Sie kann glatt oder gezogen, zur Vorder- oder Hinterladung eingerichtet sein. Geführt wird sie mit einer Hand; doch hat man dieselbe auch, um sie gleichzeitig als Carabiner verwerthen zu können, mit einer abnehmbaren Kolbe versehen. Das Kaliber war früherhin meist geringer, als das des Infanterie-Gewehrs; doch ist jetzt bei der Reduction, welche letzteres erfahren, kein Grund mehr zu einer Differenz vorhanden. Die P. ist nach Erfindung des Radschlosses, etwa um Mitte des 16. Jahrhunderts aufgetaucht. Der Name mag vielleicht mit der Stadt Pistoja, als erster Ort der Erzeugung, oder mit dem Namen des Geldstückes „Pistole", dessen Größe etwa das Kaliber gleichkam, zusammenhängen. In Preußen hat man eine glatte Vorderladungs-Pistole von 15,11 mm. Kaliber; sie wird geführt von der schweren Cavalerie (Kürassieren u. Ulanen), den Unteroffizieren der leichten Cavalerie, den Reitern u. Führern der Artillerie u. des Trains; die Marine hatte früher die Marine-Pistole, jetzt den Revolver. Baiern hat jetzt gezogene Hinterladungs-Pistolen, nach dem System Werder, Oesterreich desgl. nach Werndl; Frankreich hat glatte P-n. Der Lauf einer P. ist gewöhnlich 21—22cm. lang; die ganze Länge 36—38 cm.; Gewicht ungef. 1,2 Kilogr. Häufig ist sie an einem langen Riemen befestigt, an welchem sie beim Nichtgebrauch hängen bleibt, oder man steckt sie zu dem Behuf in die Pistolenholfter. Das Schloß hat deshalb eine besondere Sicherung. Die Schäftung ist meist nur halb. Der Ladestock wird gewöhnlich am Bandelier getragen. Zweck des P. ist, als Signalwaffe, zum Gefecht auf kurze Distanz und im Handgemenge zu dienen.

Pittsburg, Stadt im westlichen Theile des nordamerikanischen Staates Pennsylvanien auf einer Landzunge am Zusammenflusse des Alleghany und Monongahela (wodurch der Ohio entsteht), eine der wichtigsten Handels- und Fabrikstädte im Mississippigebiete und in der Union überhaupt, durch zahlreiche Eisenbahnlinien mit den beiden großen Bahnsystemen der Staaten Pennsylvanien und Ohio verbunden, hat eine Kanonengießerei, unweit östlich von der Stadt, am Alleghany ein großes Arsenal der Union für 80,000 Mann und zählt (1860) 49,217 Einwohner, mit den seit neuerer Zeit dazu gerechneten Nachbarorten (Vorstädten) jetzt gegen 120,000 Einwohner. In der Umgegend befinden sich große Steinkohlen- und Eisenerzlager. An der Stelle des heutigen P. wurde 1754 von den Franzosen das Fort Du Quesne angelegt; im November 1758 wurde dasselbe (von Washington als der Schlüssel des Westens bezeichnet) von den Engländern unter General Forbes angegriffen, worauf die französische Garnison es selbst in Brand steckte und den Ohio hinab flüchtete. Die Engländer bemächtigten sich des Platzes und nannten ihn (zu Ehren von William Pitt) Fort Pitt; seit 1765 entstand daraus die Stadt P., deren Wachsthum Anfangs durch die Kämpfe mit den Indianern und die Unruhen im Westen gestört wurde, sich aber seit 1795 schnell entwickelte.

Pittsburg-Landing, Schlacht bei P.-L. wird von den Unirten bisweilen auch die erste Schlacht bei Korinth (s. d. 2) am 6. und 7. April 1862 genannt.

Pivot bedeutet an sich die „Angel"; man pflegt so den Drehpunkt beim Schwenken der Truppenabtheilungen zu nennen. Gewöhnlich bildet ein Flügel das P., bei den Abschwenkungen, welche jetzt kaum noch vorkommen, die Mitte. Bei der Artillerie spricht man vom P.geschütz. Bei Schwenkungen von der Stelle ist das P. feststehend, bei solchen während der Bewegung beweglich. — Den Hauptstützpunkt in einer Stellung, oder auch bei Operationen, um welchen sich Alles dreht, pflegt man auch als P. zu bezeichnen.

Pizarro, Francisco, der Entdecker und Eroberer Peru's, geb. 1775 (nach Andern 1778) in Truxillo als der natürliche Sohn eines Edelmannes, hütete in seiner Jugend die Schweine, lief davon, wurde Soldat, schiffte sich dann mit nach Amerika ein, machte die Kriege auf Cuba und Hispaniola mit, zeichnete sich vielfach durch Muth und Unternehmungsgeist aus, verband sich 1524 mit Diego d'Almagro und dem Priester Hernando Luque zur Eroberung der muthmaßlich sehr reichen Länder an der Südseeküste, schiffte sich 1525 mit nur 112 Mann in Panama ein, entdeckte die Küsten von Ecuador und Peru, überzeugte sich von dem Goldreichthum dieser Länder, kehrte 1527 nach Spanien zurück und erhielt 1529 von Kaiser Karl V. die Erlaubniß, Peru zu erobern und als spanischer General-Gouverneur zu regieren. Er sammelte nun in Panama 148 Fußsoldaten und 37 Reiter, ging mit diesen auf drei Schiffen, nach Peru unterwarf von 1532 an unter den größten Schwierigkeiten, mit Hülfe der schändlichsten Treulosigkeiten und Grausamkeiten, das Reich der Inkas in Peru und eroberte nach harten Kämpfen 1535 Cuzco, während Almagro sich in Chili festsetzte. Es kam indeß zwischen P. und Almagro bald zu Differenzen, Almagro fiel in Peru ein und im April 1538 kam es bei Salinas, unweit Cuzco, zum Kampfe; Almagro wurde gänzlich geschlagen, gefangen genommen und dann auf P.'s Befehl hingerichtet. Da bei der nun folgenden Ländervertheilung die Anhänger Almagro's unberücksichtigt blieben, verschworen sich dieselben in Lima unter dem Sohne Almagro's und ließen am 26. Juni 1541 P. ermorden. Vergl. Prescott, „History of the conquest of Peru", Boston 1847, 3 Bde. (deutsch Leipzig 1848, 2 Bde.)

Pizzighettone, Stadt und Festung in der italienischen Provinz Cremona, an der Abda (mit Brücke über dieselbe) und an der Straße von Mailand nach Mantua, durch Eisenbahn mit Cremona verbunden, hat eine im 15. Jahrhundert von Philipp Maria Visconti, Herzog von Mailand, erbaute Citadelle und zählt 5200 Einwohner. Hier wurde König Franz I. von Frankreich nach der Schlacht bei Pavia (1525) eine Zeit lang gefangen gehalten. P. wurde 1706 von den Kaiserlichen, 1733 von den Franzosen und Piemontesen, 1746 von den Franzosen und Spaniern, 1796 und 1799 von den Franzosen eingenommen.

Plackern, einzelne unordentliche Schüsse (Placker) thun; daher

Plackerfeuer, das in ein regelloses Feuer ausgeartete Schießen der Infanterie.

Plackwerk (franz. Placage), eine Bekleidungsart der Erdböschungen an Brustwehren und Wällen anstatt ausgestochener Rasen. Man nimmt dazu gute, von Steinen gereinigte und angefeuchtete Erde (Plackwerkerde), stampft dieselbe lagenweise in dicken Schichten an die Böschung fest und legt zugleich die Wurzeln von schnell wachsenden Grasarten (Quecken, Haargras, Riedgras ꝛc.) mit ein, welche in der feucht gehaltenen Erde sehr bald ausschlagen, die Böschung mit einer grünen Matte überziehen und dadurch sowohl, wie durch die unterirdische Verfilzung das Abspülen und Abrollen der Erde verhüten.

Plan, Berechnung und Entwurf einer auszuführenden militairischen Handlung nach Verhältniß der zu Gebote stehenden Mittel und der Umstandsverhältnisse. Der Plan zu einem Manoeuvre oder einer Schlacht ist die in Worten ausgeführte Vorschrift für alle mitwirkende Machtelemente, gestützt auf eine darstellende Situationszeichnung, in welcher sich alle Terrainverhältnisse, aber hauptsächlich auch die Grundstellung der Armee, erkennen lassen. Ein Feldzugsplan ist eine eben solche Vorschrift; die ihm zur Erläuterung dienende bildliche Darstellung muß natürlich weit umfassender sein und den ganzen territorialen Raum begreifen, den der Feldzug einnehmen soll oder möglichen Falls einnehmen kann. Pläne für kriegerische Bauten, selbst für ganze Festungen, sind vielmehr auf die Zeichnung beschränkt, da die in die Fortifications- und Baukunst Eingeweiheten aus der Zeichnung selbst die Bedingungen und Art der Ausführung erkennen. Doch sind hier mehre zum Theil ganz ins Detail und Partielle eingehende Zeichnungen erforderlich, die alle nach einem Maßstabe gearbeitet sein müssen und unter denen die Situationszeichnung als Grundlage zu betrachten ist. Perspectivische Zeichnungen haben dabei aber nur den Zweck, einen endlichen Begriff von dem Totaleindrucke der vollendeten Sache auf die Sinne zu geben, für den Gebrauch zur practischen Ausführung des Werkes sind sie aber nicht zulässig, da bei ihnen der Maßstab keine Anwendung finden kann, der demnach von größter Wichtigkeit für den Baumeister ist. Topographische Militairpläne halten sich streng an dem Grundriß, sind aber mit Erläuterungen in Worten, Zahlen oder gewissen Zeichen versehen, durch welchen alles das nachgewiesen wird, was die Zeichnung nicht zur Darstellung bringen kann. So müssen auch bei geographischen Militairkarten, die auch nicht selten Pläne genannt werden, die Höhenverhältnisse durch Zeichen oder Zahlen angegeben werden. Der Anblick wird in der Zeichnung überall vertikal gedacht und die Gegenstände stellen sich dar, wie sie sich in die Horizontale eindrücken. Die Höhenangaben in geographischen Militairzeichnungen durch die Zeichnung selbst ist eine Aufgabe, die seit lange die denkendsten Ingenieurs beschäftigt hat, und jetzt durch die Darstellung des Terrains in äquidistanten Horizontalen mit Angabe der Höhen in Zahlen gelöst erscheint. Von frühern auch jetzt noch viel gebrauchten Plänen sind die in der Manier des preußischen Feldmarschalls von Müffling und des sächsischen Ingenieur-Majors Lehmann gezeichneten Pläne diesen Anforderungen, einer zu erreichenden Uebersicht der Höhenverhältnisse am nächsten gekommen. Eine Verbindung der Terraindarstellung durch äquidistante Horizontalen und der Strichmanier erscheint nicht unzweckmäßig. Um den Mängeln dieser Darstellung überhaupt aus dem Wege zu gehen, hat man geographische Pläne plastisch ausgeführt, und herrliche Arbeiten dieser Art befinden sich im Generalstabspalais in Petersburg. Im Felde sind aber natürlich derartige Pläne nicht brauchbar und wohl weit unsicherer als die bisherigen Zeichnungen, in denen mit Zeichen und Zahlen die Nachweise mit größter Genauigkeit ausgeführt sind. — Auch sind sie immer unnatürlich, da man die Höhen in viel größerem Maßstabe wiedergeben muß, als die Längen.

Planchenois, Dorf im Arrondissement Nivelles der belgischen Provinz Brabant, 5 Stunden südsüdöstlich von Brüssel gelegen (unweit südöstlich von Belle-Alliance), war ein wichtiger Punkt in der Schlacht von Waterloo. Hier eine vom König Friedrich Wilhelm III. von Preußen errichtete 25 Fuß hohe eiserne Denksäule.

Pläuker, s. n. m. Blänker.

Planta, Friedrich Freiherr von, genannt Kirgener oder Kirchner (Name seiner Mutter), geb. 1761 in Paris, zum Soldaten erzogen und in den Geniewissenschaften aufs Gründlichste ausgebildet, wurde von Napoleon hoch geschätzt und schnell zum Generallieutenant beim Geniewesen erhoben, machte sich 1807 durch Leitung der Belagerungsarbeiten von Danzig berühmt, war fast immer an Napoleons Seite und fiel neben diesem am 22. Mai 1813 unweit Markersdorf zu Ende der Schlacht bei Bautzen zugleich mit dem Marschall Duroc von ein und derselben Kanonenkugel getroffen.

Plantagenet, englische Dynastie, ein Zuname des französischen Hauses Anjou (s. d. Bd. I. S. 141), welches nach dem Aufhören der normannischen Dynastie 1154 mit Heinrich II. den englischen Thron bestieg, diesen im Laufe von 331 Jahren vierzehn Könige gab, aber nach Beendigung des Krieges zwischen der Weißen und Rothen Rose 1485 mit Richard III. dem Hause Tudor weichen mußte. Der letzte P., Eduard Graf von Warwick (Sohn des Herzogs von Clarence), geb. 1475, brachte sein ganzes Leben im Gefängniß zu und wurde 1499 enthauptet.

10 *

Plassenburg, ehemals Bergfestung bei Kulmbach im baierischen Regierungs-bezirt Oberfranken, jetzt Zwangsarbeitshaus mit Teppichfabrik rc. Die P. war eine Hauptfestung der Burggrafen von Nürnberg und längere Zeit Resi-denz der Markgrafen von Baireuth-Kulmbach, wurde 1806 von den Franzosen belagert, 1807 an dieselben durch Capitulation übergeben und dann geschleift.

Plassey, Stadt im District Puddea der Indobritischen Präsidentschaft Ben-galen. Hier 23. Juni 1757 entscheidender Sieg der Briten unter Clive (f. d.) über das Heer des Nabob Surahjah Dawlah von Bengalen; Clive wurde da-für zum Baron von P. erhoben.

Plastron, ein halber Brustharnisch, Bruststück des Fechtmeisters, welches nur die rechte Seite des Mannes deckt; bisweilen aber auch ein völliger Küraß.

Pläswitz, Dorf im Kreise Striegau, des Regierungsbezirks Breslau der preuß. Provinz Schlesien, hat ein Schloß mit Park und zählt 500 Einwohner. Hier wurde am 4. Juni 1813 zwischen den Russen und Preußen einerseits und den Franzosen andererseits ein Waffenstillstand abgeschlossen, welcher an demselben Tage in Poischwitz (f. d.) unterzeichnet ward; daher Waffenstill-stand von P. gleichbedeutend mit Waffenstillstand von Poischwitz.

Plata, Strom in Südamerika, f. La-Plata.

Plataä (Platää), Stadt im westlichen Böotien, am Nordabhange des Kithäron, unweit der Grenze von Attika, nahm mit Athen Theil am Kampfe bei Marathon (490 v. Chr.) gegen die Perser, worauf die Stadt verbrannt, aber bald wieder aufgebaut wurde. Hier erfochten die Griechen unter Pausa-nias und Aristides 479 v. Chr. einen glänzenden Sieg über die Perser unter Mardonios, wodurch Griechenland für immer von der persischen Oberherrschaft befreit wurde. Im Peloponnesischen Kriege litt die Stadt ebenfalls sehr und wurde 427 v. Chr. von den Thebanern und Lacedämoniern abermals zerstört, nach dem Antalkidischen Frieden (f. d.) 387 v. Chr. wieder hergestellt, jedoch schon 373 v. Chr. von den Thebanern aufs Neue zerstört und blieb nun in Trümmern bis zur Zeit Alexanders des Großen, welcher den Nachkommen der alten Bewohner, denen schon Philipp nach der Schlacht bei Chäronea (338 v. Chr.) ihre Heimath zurückgegeben hatte, beim Wiederaufbau der Stadt unter-stützt. Jetzt finden sich noch bedeutende Ruinen derselben beim Dorfe Kokhla, welche den Namen Palão-Castro und Palão-Chorlo führen.

Plata-Staaten, f. Argentinische Conföderation.

Plater, Emilie, Gräfin von, geb. 1806 zu Wilna, wurde 1830 von den polnischen Freiheitsgefühlen so ergriffen, daß sie zugleich mit mehren Verwandten, in Männertracht und als Führerin einer Jäger-Compagnie die Kämpfe in Lithauen gegen die Russen mitmachte. Nach dem Fall der Lithauischen Sache suchte sie sich verkleidet zur polnischen Armee durchzuschleichen, was ihr aber wegen kör-perlicher Ermattung nicht gelang. Sie starb unterwegs am 23. December 1831. Vergl. Straszewicz, „E. Plater, sa vie et sa mort", Paris 1834.

Platow, Matwei Iwanowitsch Graf von, russischer General der Cavalerie und Hetmann des donischen Heeres, geb. 1751 in Südrußland, stammte aus einer adeligen donischen Familie, die ursprünglich aus Griechen-land eingewandert war, begann seine militairische Laufbahn als Kosak im tür-kischen Feldzug 1770, focht dann unter Suworow in den türkischen Feldzügen von 1782, 83, 88, 89 und 90, wurde 1801 Generallieutenant und Hetmann des ganzen donischen Heeres, kämpfte 1805—1807 gegen die Franzosen, nach dem Tilsiter Frieden von 1807 wieder gegen die Türken, ebenso 1809, zeich-nete sich namentlich 1812 gegen die Franzosen aus, commandirte in diesem Feldzuge ein Heer von 20 donischen Kosakenregimentern, 2 Jägerregimentern, und 2 reitenden Batterien, mit welchem er Anfangs die Arrieregarde, seit dem

Rückzuge der Franzosen aber die Avantgarde der russischen Armee bildete und den Franzosen bei der Verfolgung großen Schaden zufügte, und wurde dafür in den Grafenstand erhoben. Im Feldzuge von 1813 nahm er die befestigten Städte Marienwerder, Marienburg, Dirschau und Elbing, schlug am 28. Mai die Franzosen unter Lefebre bei Altenburg, verfolgte nach der Schlacht bei Leipzig die Franzosen bis an den Rhein, nahm im Feldzug von 1814 Nemours, Arcis und Versailles und zog mit den Alliirten in Paris ein. Er starb am 3./15. Januar 1818 in der Clantschitzischen Slobode und wurde in Nowo Tscherkask begraben, wo ihm der Kaiser Nicolaus 1819 ein Denkmal errichten ließ. Sein Leben ist von Smirnoi beschrieben worden (Moskau 1821, 3 Bde.)

Platzcommandant, der Oberbefehlshaber der Besatzung einer Festung oder befestigten Stadt. (s. Commandant.)

Platzmajor ist der Titel desjenigen Officiers, welcher dem Gouverneur oder Commandanten einer Festung, einer Residenz oder eines sonstigen Ortes, in welchem verschiedene Truppenabtheilungen garnisoniren, beigegeben ist. Dieser Officier, früher gewöhnlich im Range eines Majors, hat vorzugsweise den Wachtdienst zu regeln und zu beaufsichtigen und unter der Autorität des Gouverneurs oder Commandanten alle Anordnungen zu treffen, welche sich auf den eigentlichen Garnisondienst beziehen. Täglich läßt er die Wache aufziehen, giebt die Parole und die Befehle seines Vorgesetzten aus und steht zu Letzterem in einzelnen Richtungen in ähnlichem Verhältnisse wie ein Adjutant oder Generalstabsofficier zu einem Truppen-Commandeur.

Platzpatronen s. v. w. Exercierpatronen, s. u. Exerciren.

Pleasant Hill, Städtchen in der Grafschaft Desoto der nordamerikanischen Staates Louisiana, Schlacht daselbst am 9. April 1864. Die Tags zuvor am Kreuzwege von Sabine bei Mansfield geschlagenen Unirten unter Banks wurden in starker Stellung befindlich von den verfolgenden Conföderirten unter Kirby Smith in drei Schlachtlinien angegriffen und ihre Division Emory geworfen, auch eine von Capitän Taylor befehligte Batterie genommen. Durch das Kartätschfeuer des unirten zweiten Treffens gelang es den Angriff der Conföderirten zum Stehen zu bringen, und das 13. Corps, zu dem oben genannte Division gehörte, von neuem zu formiren. Die Conföderirten brachen, da die Unirten ihnen numerisch überlegen, das Gefecht ab, und blieben auf Kanonenschußweite vor der unirten Stellung stehen. General Banks zog sich, da er bedeutende Verluste (3500 Mann) erlitten, am 10. nach Natchitoches zurück.

Plebiscit (vom lat. plebiscitum, Volksbeschluß) hieß bei den alten Römern ein Beschluß des gemeinen Volkes (plebs); in der neueren französischen Geschichte bezeichnet es eine Abstimmung des gesammten Volkes in örtlichen Abtheilungen. In dieser Weise ließ Napoleon I. (s. d. Bd. VI. S. 209—211) den Staatsstreich vom 18. Brumaire des J. VIII. (9. Nov. 1799) die Constitution des J. VIII., 1802 das lebenslängliche Consulat und 1804 das Kaiserreich bestätigen; ebenso Napoleon III. (s. d. S. 229) den Staatsstreich vom 2. Dec. 1851, am 21. und 22. Nov. 1852 das Kaiserreich und am 8. Mai 1870 die anscheinend liberalen Reformen seit 1860. In der That aber sollte diese letztere Abstimmung, bei welcher 7,330,142 Ja und 1,538,825 Nein (Armee in Frankreich 254,749 Ja und 41,782 Nein; Armee von Algerien 30,165 Ja und 6029 Nein; Marine 23,895 Ja und 6009 Nein) abgegeben wurden, — kurz vor dem Ausbruche des längst beabsichtigten Krieges gegen den Norddeutschen Bund — der Prüfstein sein, wie tief die Dynastie Bonaparte im französischen Volke Wurzel geschlagen habe.

Plön, alte Stadt von 3000 Einw. im Herzogthum Holstein, zwischen dem großen und kleinen Plöner-See und an der ostholsteinischen Eisenbahn, war im Mittelalter stark befestigt.

Plonski, Heinrich Ludwig Franz von, preußischer General der Infanterie, am 5. December 1802 geboren, trat im Juli 1820 aus dem Cadettencorps als Seconde-Lieutenant in das preußische 19. Infanterie-Regiment ein, fungirte von 1825 bis 1836 bei demselben als Bataillons-Adjutant, wurde im Juli 1833 Premier-Lieutenant, im März 1837 Adjutant der 10. Infanterie-Brigade und wirkte von 1838—39 als Lehrer bei der Divisionsschule. Im März 1841 zum Hauptmann ernannt, wurde er 1845 in das 30. Infanterie-Regt. und im März 1847 als Major in das 13. Infanterie-Regt. versetzt. Demnächst 1848 als Commandeur des 3. Bataillons (Trier) 30. Landwehr-Regts. fungirend, machte er als Commandeur des 1. Bataillons 26. Infanterie-Regts. den Feldzug von 1849 in der Pfalz und in Baden und in demselben die Gefechte von Karlsdorf, Ubstadt, Durlach und Michelbach mit. Im Januar 1852 zum Commandeur des 7. Jägerbataillons ernannt, wurde er im März 1853 Oberstlieutenant, im October 1854 Inspecteur der Jäger und Schützen, im Juli 1855 Oberst, im Mai 1858 Commandeur der 16. Infanterie-Brigade, aber schon im Juni desselben Jahres zur 4. Garde-Infanterie-Brigade versetzt. Im November 1858 zum Generalmajor befördert, im Januar 1863 zum Commando der 12. Division berufen, avancirte er noch in demselben Monate zum Generallieutenant. Im Mai 1864 als Commandeur zur 2. Garde-Infanterie-Division versetzt, übernahm er im Juni 1864 die Führung der mobilen combinirten Garde-Infanterie-Division und commandirte dieselbe während des Feldzuges in Jütland. Im December 1864 wiederum zur 2. Garde-Infanterie-Division zurückgetreten, machte er den Feldzug gegen Oesterreich 1866 als Commandeur derselben bei der II. preußischen Armee mit und kämpfte bei Soor und Königgrätz. Im October 1866 zum commandirenden General des neuformirten preußischen 11. Armeecorps ernannt und im März 1868 zum General der Infanterie befördert, hat er wegen andauernder Kränklichkeit dem Feldzuge gegen Frankreich 1870—71 nicht activ beigewohnt, sondern während desselben als stellvertretender commandirender General des 11. Armeecorps in Kassel fungirt.

Plovidea nennt man das Vor- oder Hintereinanderschieben der Abtheilungen behufs Uebergangs aus der Linie in die Colonne, wenn dieselbe auf der Stelle ausgeführt wird. Man benutzt als Uebergangsformation die Wendungs-Colonne (Infanterie in Reihen, Cavalerie in Rechts- oder Linksum gesetzt, Artillerie geschlossen abgeschwenkt). Die Infanterie und Artillerie formiren nur aufgeschlossene Colonnen durch P., die Cavalerie hingegen auch die stets geöffnete Colonne in Zügen, die Escadrons-Colonne und die Colonne nach der Mitte, sowie selbstredend die geschlossene Colonne in Escadrons.

Plünderung, die Besitznahme des bürgerlichen Eigenthums von Seiten der Soldaten. Bei uncultivirten Völkern ist die P. ein selbstverständliches Recht, so früher bei den Hunnen, Normannen, Vandalen, Mongolen und noch jetzt bei den Wilden. Mit dem Fortschritt der Bildung und der Entstehung eines geregelten Kriegswesens und bestimmteren Völkerrechts wurde die Plünderung nur noch als Kriegsstrafe beibehalten, so z. B. für Städte, die Verrätherei ausgeübt oder ihren Widerstand bis zur Nothwendigkeit des Sturms fortgesetzt hatten. Im Deutsch-Französischen Kriege von 1870/71 wurden Ortschaften, deren Einwohner sich am Kampfe betheiligt, oder sonstiger verrätherischer Handlungen schuldig gemacht hatten, nicht geplündert, sondern mehr oder minder gründlich zerstört. Die Plünderung ganz auch als Kriegsstrafe abzuschaffen empfiehlt sich deshalb besonders, weil durch das Plündern der moralische Gehalt der Armee bedeutend mehr alterirt wird als durch Zerstörung, namentlich auch die Disciplin in hohem Grade gelockert wird. Das Plündern ohne Erlaubniß auf

Märschen und in Quartieren, ist durch die deutschen Kriegsgesetze mit den schärfsten Freiheits- und Ehren-Strafen unter Umständen selbst mit dem Tode bedroht.

Plymouth, Stadt mit starken Küstenbefestigungen und Kriegshafen in der englischen Grafschaft Devonshire, zwischen dem Einflusse des Plym und des Tamer in den Plymouth-Sound des Kanals (la Manche), durch Eisenbahn über Exeter mit dem Eisenbahnnetz des südwestlichen Englands verbunden, bildet mit Devonport (s. d.) und Stonehouse eine Stadt mit einer Gesammtbevölkerung (1861) von 127,382 Einw., wovon auf das eigentliche P. 62,599 Einw. kommen. P. hat drei verschiedene Häfen, die zusammen einen der schönsten und größten Häfen Europas bilden, der Hafen Homoaze ist der eigentliche Kriegshafen, eine Hauptstation der britischen Flotte. Der Breakwaterdomm, eins der Wunderwerke der Neuzeit, am tiefen Fuße im Meere 300 Fuß, auf dem 60 Fuß über dem Wasserspiegel emporsteigenden Rücken 36 Fuß breit und 4600 Fuß lang, hält die Wogen vom Hafen ab und trägt zwei Leuchtthürme. Ein dritter 80 Fuß hoher Leuchtthurm (Eddhitone-Lighthouse) steht auf einer Klippe im Meere, 3½ ML südlich vor der Bucht. Das eigentliche P. ist durch gewaltige Werke und ein Kastell fortificirt. Mächtige Batterien schützen den Hafen und machen ihn fast unangreifbar. Es befinden sich hier die großartigsten Militairwerkstätten, namentlich für die Marine. Das Arsenal ist ein Riesenbau aus vielen prachtvollen Gebäuden bestehend, die ungeheure Magazine und Werkstätten einschließen. Zwei riesige Kasernen, davon die in Stonehouse 6000 Mann faßt, ein großes Marinehospital, die Docks und bedeckte Werfte, auf denen über 4000 Menschen stets arbeiten, das Süßwasser-Reservoir, jederzeit ausreichend für 75 Linienschiffe, die astronomische Anstalt und die königl. Marineschule sind Gegenstände von höchster militairischer Bedeutung, wie überhaupt P. zu den wichtigsten Küstenplätzen Großbritanniens gehört. P. hieß zur Zeit der Angelsachsen Tamerworth. Nachdem der Ort von Heinrich VI. zum Borough erhoben worden war, wuchs er schnell zu einem bedeutenden Handelsplatze und wurde 1512 stärker befestigt. 1588 war hier die englische Flotte von 120 Segeln unter Drake, Howard und Hawkins zum Angriff auf die spanische Armada versammelt, und 1595 wurden die daselbst gelandeten Spanier von Sir Godolphin zurückgeschlagen; 1596 lief die englische Flotte von hier gegen Cadiz aus; 1643 wurde die Stadt, weil sie sich für das Parlament erklärt hatte, drei Monate lang von den Königlichen belagert; am 26. August 1652 wurde hier die englische Flotte unter Ascour von den holländischen unter Ruhter geschlagen; unter Karl II. wurde 1670 die Citadelle erbaut; Wilhelm III. bestimmte P. zum königlichen Seearsenal; im August 1779 wurde das von Admiral Hardy vertheidigte P. von der französisch-spanischen Flotte unter d'Orvilliers und Cordova erfolglos bedroht; vom 29. Juli bis 10. August 1815 lag auf der Rhede von P. der „Bellerophon" mit Napoleon I. (s. d. Bd. I. S. 225) vor dessen Abfahrt nach St. Helena; 1828 stationirte hier die russische Flotte eine Zeit lang; 24. September 1840 großer Brand im Arsenal von Devonport, wobei auch 3 Linienschiffe und 2 Fregatten zerstört wurden.

Po (bei den Alten Eridanus, auch Padus genannt), der Hauptfluß Italiens, entspringt in den Cottischen Alpen am Col de Porco (zwischen dem Monte Viso und dem Monte Granero) an der italienisch-französischen Grenze, fließt anfangs nordöstlich, von Turin an östlich und fällt nach einem Laufe von 90 Meilen in vier Hauptmündungen in das Adriatische Meer. Seine größeren Nebenflüsse sind von links: Dora Riparia, Dora Baltea, Sesia, Ticino (Tessin), Olona, Lambro, Adda, Oglio und Mincio; von rechts: Tanaro (mit Stura), Scrivia, Trebbia, Taro, Enza, Crostolo, Secchia, Panaro und Reno. Die wichtigsten Städte, welche er berührt sind: Turin, Casale,

Pavia, Piacenza, Cremona, Guastella und Ostiglia. Sein Stromgebiet, welches fast ganz Oberitalien und einen kleinen Theil der südöstlichen Schweiz umfaßt wird auf 1468 □.-M. (nach Andern auf 1872 □.-M.) geschätzt. Der P. ist im Verhältniß zu seinem kurzen Laufe sehr wasserreich, wird bei Turin schiffbar, dient als lebhafte Verkehrsader (durch viele Kanäle verzweigt), hat in seinem Unterlaufe nur wenig Fall (4 Fuß 7 Zoll auf 1 Meile) und richtet hier durch seine Ueberschwemmungen oft großen Schaden an. Er bildete bis 1859 die Grenze zwischen dem Lombardisch-Venetianischen Königreich (links) und Parma, Modena und dem Kirchenstaate (rechts), von 1859—1866 aber die Grenze zwischen Venetien (links) und dem Königreiche Italien (rechts). Seine Ufer sind reiche, fruchtbare Ebenen, welche der Schauplatz zahlreicher Kämpfe waren.

Pobbielski, Theophil von, preuß. Generallieutenant, wurde am 17. Oct. 1814 geboren, trat im Mai 1831 beim preußischen 1. Ulanen-Regt. ein, wurde im Decbr. 1831 Portepeefähnrich und im Febr. 1833 nach einem mit Belobigung bestandenen Examen Seconde-Lieutenant. Bald darauf zum 4. Ulanen-Regt. versetzt, besuchte er von 1837 bis 1839 die Allgemeine Kriegsschule zu Berlin, wurde im Juni 1841 Adjutant der 5. Cavalerie-Brigade, im Februar 1845 Premier-Lieutenant und im Januar 1848 Adjutant der 9. Division. Bei seiner im Juni 1849 erfolgten Beförderung zum Rittmeister wurde er in die Adjutantur versetzt und der 6. Division überwiesen, während er von 1850 ab zugleich die Function als Director der Divisionsschule in Torgau und als Präses der Examinations-Commission für Portepeefähnriche daselbst erfüllte. Im Juni 1853 als Adjutant zum Generalcommando 3. Armeecorps versetzt und in Folge der Umformung der Adjutantur wieder in das 4. Ulanen-Regt. einrangirt, wurde er im April 1855 unter Versetzung in den Generalstab des 3. Armeecorps zum Major befördert, im Januar 1858 zum Commandeur des 12. Husaren-Regts. ernannt, im Mai 1859 zum Oberstlieutenant, im October 1861 zum Oberst befördert und im März 1863 Commandeur der 16. Cavalerie-Brigade. Zum Ober-Quartiermeister bei der zur Ausführung der Bundes-Execution in Holstein bestimmten Armee unterm 19. December 1863 ernannt, wohnte er den Kämpfen von Süderbygard, Fridericia, Düppel und Alsen 1864 bei und wurde mit mehreren Decorationen ausgezeichnet. Im December 1864 von der Stellung als Ober-Quartiermeister entbunden, wurde er zunächst zur Wahrnehmung der Functionen des Chefs des Stabes beim Obercommando in den Elbherzogthümern commandirt und im April 1865 zu dieser Stelle ernannt, wobei er mit der Uniform des 12. Husaren-Regts. zu den Officieren von der Armee versetzt wurde. Im Juni 1865 zum Generalmajor ernannt, wurde er im März 1866 Director des Allgemeinen Kriegsdepartements des Kriegsministeriums, fungirte im Feldzuge gegen Oesterreich 1866 als Generalquartiermeister, erhielt den Orden pour le mérite und trat bei der Demobilmachung der Armee im September 1866 wieder in seine frühere Stellung im Kriegsministerium zurück. Im December 1867 mit dem Character als Generallieutenant begnadigt und mit der Vertretung des beurlaubten Kriegsministers, General v. Roon, beauftragt, erhielt er im März 1868 das Patent als Generallieutenant und fungirte während des Feldzuges gegen Frankreich 1870 bis 71 wiederum als General-Quartiermeister, in welcher Stellung er die in ganz Deutschland verbreiteten Telegraphischen Depeschen über die Operationen der deutschen Heere aus dem Königlichen und dann Kaiserlichen Hauptquartiere versendete.

Podewils-Gewehr, in der Königlich Bairischen Armee in Gebrauch und nach dem Director der Gewehrfabrik zu Amberg, Oberst v. Podewils, benannt, war ursprünglich ein gezogenes Vorderladungsgewehr mit Miniégeschoß, das 1867 in ein Hinterladungsgewehr umgewandelt worden ist. Der Vorderlader wie eine Eigenthümlichkeit, da v. Podewils den Grundsatz aufgestellt hatte, man dürfe bei der Construction von Expansionsgeschossen nicht nur das eine Element, das Geschoß, berücksichtigen, sondern müsse auch die treibende Kraft des Pulvers in Rechnung bringen. Er experimentirte daher ausgedehnt und gründlich und gelangte zu dem Resultate, daß der Zündstrahl in der Richtung der Seelenachse geführt werden müsse, da bei der Entzündung der Ladung ein primitiver Gasstrom im Zündcanal frei wird, durch welchen und zwar in dessen Richtung die Basis des Geschosses den ersten Stoß erhält, ehe die ganze Pulverladung in Gas verwandelt ist. v. Podewils verwarf daher die übliche schräge Stellung des Zündcanals und führte dagegen den Zündcanal in gebrochener Richtung dergestalt, daß seine Oeffnung in der Richtung der Seelenachse mündete, wobei beide Arme des Zündcanals senkrecht zu einander gestellt wurden. Hierdurch suchte er die auf Versuchsergebnisse gestützte Thatsache zu vermeiden, daß der bei der schrägen Führung des Zündcanals entwickelte ursprüngliche Gasstrom das im Pulversack gelagerte Geschoß an der linken Seite der Basis trifft und dadurch eine schiefe Stellung des Geschosses und folglich auch eine nicht centrale Expansion hervorruft. Das Geschoß von 13,9 Mm. = 0,513 Zoll Durchmesser wog 29,44 Gramm oder 1,77 Loth und wurde mit 4 Gramm Ladung verfeuert. Die Expansionshöhlung war nicht bedeutend und hatte das Geschoß an der Außenfläche eine schwache Cannelirung, um das Laden bei verschleimtem Rohre zu erleichtern. Die Podewils-Vorderladungsgewehre waren in 3 Modellen von gleichem Kaliber 19,44 mm. und mit ein und derselben Patrone in der bairischen Armee eingeführt. Die Ansichten über den Einfluß der veränderten Zündungsart waren getheilt, jedoch zeigten sich die Leistungen der Podewilsgewehre in Betreff ihrer Trefffähigkeit und der Flachheit ihrer Flugbahnen als ganz vortrefflich, wie sich diese namentlich bei den in den Jahren 1858 und 1859 in den Niederlanden angestellten vergleichenden Schießversuchen herausgestellt hat. Die Niederländische Prüfungs-Commission sah in der Zündungsmethode die Ursache der bedeutenden Leistungen der Waffe, obgleich sie dieselbe nicht unbedingt als Kriegswaffe empfehlen wollte, da der eigenthümlich geformte Zündcanal durch Verschleimung wiederholt die Veranlassung zu Versagern war und weil seine Form ein Hinderniß für leichte Reinigung der Waffe bildete. v. Podewils hat diese beiden Mängel in Abrede gestellt und erklärt, daß die ausgedehntesten Proben, so wie ein mehrjähriger Dienstgebrauch jede Besorgniß in dieser Richtung als unbegründet erscheinen lassen. — Nach den Erfolgen des preußischen Zündnadelgewehrs im Feldzuge des Jahres 1866 wurde das Podewils-Gewehr zur Rückladung umgeändert, wobei man auf die Einheitspatrone verzichtete und die Zündung mit abgesondertem Zündhütchen beibehielt. Die Grundlage für die Transformation bildet das 2. Lindnersche System. Der Verschluß besteht aus einer kurzen cylindrischen Hülse, welche an das hintere Rohrende angeschraubt und an welcher das Piston angebracht ist. Sie nimmt den eigentlichen Rohrverschluß, einen massiven Cylinder mit conischem Kopf auf und ist zu diesem Zwecke mit einem Muttergewinde versehen, welches auf zwei einander diametral gegenüberliegenden Stellen durchbrochen ist. Vermöge dieser Anordnung ist es möglich, den Cylinder, welcher mit einem Schraubengewinde, das ebenfalls an zwei diametral gegenüber liegenden Stellen unterbrochen ist, in die Hülse vollkommen gerade hinein zu schieben und dann erst durch eine Drehung das Ineinandergreifen der Gewinde zu bewirken. Da, wo die Hülse an das hintere Laufende stößt, ist ein conisch nach vorne sich verengender Ventilring eingesetzt. Das vordere conisch geformte Ende des Verschlußcylinders greift in diesen Ventilring. Beide Theile, der Ventilring und der conische Kopf des Verschlußcylinders, werden beim Schusse durch die

Pulvergase an einander gedrückt, so daß ein hermetischer Abschluß des hinteren Laufendes entsteht. Die Patrone hat eine Papierhülse, $^{1}/_{12}$ Loth baierisch Gewehrpulver Ladung = 4,374 Gramme; das Geschoß von conisch-ogivaler Form mit 3 Cannelirungen besitzt im Innern eine conische Hohlraum. Seine feste Verbindung mit der Hülse geschieht, indem die Hülse in seine Cannelirungen eingedrückt wird. Sein Gewicht beträgt 1,72 Loth, sein Durchmesser 0,533 Zoll bei dem Kaliber des Gewehres von 0,51 Zoll, so daß es also eine Combination von Pressions- und Expansionsgeschoß bildet. Das Zündhütchen ist beim Transport am Boden der Patrone befestigt. Behufs des Ladens wird zuerst der Verschluß durch einen Schlag auf den Hebel des Verschlußcylinders nach links geöffnet und herausgezogen, sodann der Hahn gespannt und die Patrone ergriffen, das Zündhütchen auf das Piston aufgesetzt, die Patrone in das Patronlager geschoben und der Verschluß durch Vorschieben und Seitwärtsdrehen des Verschlußcylinders geschlossen, darauf abgefeuert. Sind die Patronen neben dem Schützen bereit gelegt, so ist eine Maximal-Feuergeschwindigkeit von 8 Schuß in der Minute zu erreichen. Beim regelmäßigen Laden aus der Patrontasche kann ein gewandter Schütze es bis auf 6 Schuß in der Minute bringen, während ein Durchschnitt bei der gesammten Mannschaft unter allen Verhältnissen 5 Schuß in der Minute erwartet werden können. Da eine solche geringe Feuergeschwindigkeit den neueren Gewehren gegenüber nicht genügt, so ist in Baiern das Werder-Gewehr (s. d.) eingeführt worden, doch im Feldzuge von 1870—71 erst bei den Jägerbataillonen in Gebrauch gewesen, während die Infanterie mit den zur Rückladung umgeänderten Podewilsgewehren bewaffnet war. Constructions-Details des Letzteren finden sich in: Halber, „Das königl. bayerische Infanterie- (Podewils-) Gewehr auf Rückladung abgeändert." 12 lithographirte Blätter mit erläuterndem Text. Würzburg, Stahel'sche Buch- und Kunsthandlung. Vgl. Handfeuerwaffen, Bd. IV. S. 327. I. 2.

Podiebrad, Georg Boezko von P. und Kunstat, böhmischer Edelmann, später König von Böhmen, geb. 1420 als der Sohn eines hussitischen Edelmanns, stellte sich 1444 als Regent des unmündigen Königs Ladislaus an die Spitze der Utraquisten, trieb den von der Gegenpartei zum König ausgerufenen Albrecht zurück, bemächtigte sich 1449 Prag's und vertrieb die Katholischen, drang 1450 im Meißnischen bis Dresden vor und operirte hier mit so glänzendem Erfolge, daß selbst die Gegenpartei sich ihm zuneigte und er zum Statthalter ernannt, so 1458 sogar zum König von Böhmen erhoben wurde. Der Papst erregte eine Revolution und einen Kreuzzug der Deutschen gegen ihn, aber P. schlug das Kreuzheer 1466 total, unterdrückte die Revolution, schlug wiederum ein schlesisches und ein neues deutsches Heer, ließ einen Nachzug nach Oesterreich ausführen, zwang ein ungarisches Heer zur Capitulation und Mathias Corvinus von Ungarn zum Frieden, worauf er 1471 starb. Vgl. Jordan, „Das Königthum Georg's v. P." Leipzig 1861.

Podloß, Dorf mit Schloß Kost in Böhmen, an der Straße Podol-Sobotka. Schloß Kost liegt mitten in einem Felsenkessel und bildet die Straße von Kost gegen Podol hin, ein etwa $^{3}/_{4}$ Meilen langes, von Wald- und Felsschluchten eingeengtes Defilee. P. ist namhaft durch das in der Nacht vom 28. zum 29. Juni 1866 zwischen österreichischen und preußischen Truppen geführte Waldgefecht. Am 27. Juni Nachts 11 Uhr traf die österreichische Brigade Ringelsheim bei P. ein. Die Stellung daselbst war so lange zu halten, bis das österreichische 1. Armee-Corps, auf seinem Rückmarsche von Münchengrätz nach Gitschin, Sobotka passirt hatte, (s. Münchengrätz). In der Nacht vom 28. zum 29. Juni hatte die Brigade Ringelsheim folgende Stellung eingenommen: Vorwärts P. gegen Podol hin hatte das 26. Jäger-Bataillon, in der rechten

Flanke das 3. Bataillon Hannover Vorposten ausgestellt. Die 6. Division des Regiments Württemberg hielt Schloß Kost, 4 Compagnien des 3. Bataillons desselben Regiments die Feldschlacht zunächst dem Schlosse besetzt. Der Rest des Regiments Württemberg mit der halben Batterie stand unmittelbar hinter Schloß Kost, das 1. und 2. Bataillon Hannover und die zweite Hälfte der Batterie als Reserve bei Wesetz. — Prinz Friedrich Karl von Preußen hatte nach dem Gefechte bei Münchengrätz den Entschluß gefaßt, am 29. Juni mit der 5. Division und einem Theile des 2. Armee-Corps über Gitschin gegen Aulibitz zu marschiren. Für das Vorrücken der bei Münchengrätz concentrirten Armee standen nur die Straßen über Fürstenbrück und P. zur Verfügung. Letztern wußte man durch den Feind gesperrt, und um dieselbe zu öffnen wurde noch am Abend des 28. Juni ein Detachement der 3. Division, bestehend aus dem 1. und dem Füsilier-Bataillon des 14. Infanterie-Regiments, 2 Compagnien des 2. Jäger-Bataillons, einem Zug des 5. Husaren-Regiments und 100 Mann Pionieren unter Oberst von Stahr auf P. vorgeschoben. 11½ Uhr Nachts stieß die Vorhut, — die beiden Jägercompagnien — auf die Vorposten des österreichischen 26. Jäger-Bataillons, drängte dieselben zurück und nahm eine die Straße sperrende Barrikade, die alsbald von den Pionieren hinweggeräumt wurde. Wegen des zu unübersichtlichen Terrains wurde alsdann von preußischer Seite das Gefecht abgebrochen. Aber schon bei der ersten Morgendämmerung griffen die beiden Jägercompagnien von Neuem an. Die österreichischen Jäger gingen langsam zurück und das Bataillon vereinigte sich in einer Stellung unmittelbar vorwärts Schloß Kost. Oberst von Stahr griff diese Stellung mit den beiden Jägercompagnien in der Front, mit zwei Compagnien des 14. Regiments in der linken Flanke an und bewirkte dadurch den Abzug des Feindes durch Schloß Kost. Der darauf folgende Angriff auf Schloß Kost selbst wurde durch die Besatzung des Schlosses und die halbe Batterie abgewiesen, worauf Oberst von Stahr den Feind durch die beiden Jägercompagnien weiter beobachten ließ und mit dem Rest des Detachements eine gedeckte Stellung nahm. — Während der Nacht hatten die letzten Truppen des österreichischen I. Armee-Corps Sobotka passirt, wovon Generalmajor von Ringelsheim um 6½ Uhr früh Nachricht erhielt. General von Ringelsheim trat daher um 7 Uhr — nachdem der Zweck seiner Detachirung erreicht war — mit seiner Brigade den Rückmarsch nach Gitschin an, welches er 1 Uhr Mittags erreichte. Der Verlust der Brigade Ringelsheim betrug 5 Offiziere 72 Mann. Die Preußen verloren 1 Offizier 18 Mann. — Vgl. „Der Feldzug in Deutschland 1866" v. preuß. Generalstab. „Oesterreichs Kämpfe im Jahre 1866" v. österr. Generalstab.

Pobobna, Dorf im russischen Gouvernement Grodno, zwischen Pruszana und Kobryn; hier am 12. August 1812 siegreiche Schlacht der Sachsen und Franzosen unter Reynier gegen die Russen unter Tormassow.

Pobol, Dorf im böhmischen Kreise Bunzlau, an der Iser und an der Eisenbahn und Chaussee zwischen Münchengrätz und Turnau, hat eine Glashütte, Marmorbrüche, einen Gesundbrunnen (Wenzelsbad) und 200 Einwohner. Hier in der Nacht vom 26. zum 27. Juni 1866 Gefecht zwischen der preußischen 8. Division Horn (zur I. Armee unter dem Prinzen Friedrich Karl gehörig) und Truppen vom österreichischen I. Armeecorps unter Clam-Gallas. — Nach dem Gefecht bei Sichrow (s. Liebenau) standen das sächsische und das österreichische I. Corps um Münchengrätz konzentrirt, als gegen 2 Uhr Nachmittags vom Ober-Commando der Befehl eintraf, Münchengrätz und Turnau um jeden Preis festzuhalten. Da Turnau schon aufgegeben war, beschloß Seine Königliche Hoheit der Kronprinz von Sachsen am 27. sich des Plateau's von Sichrow wieder zu bemächtigen, um durch diesen Offensivstoß

über die Iser, Turnau und Münchengrätz zugleich zu decken. Es wurde daher
für den 26. Juni befohlen, die angefangene Zerstörung der Eisenbahnbrücke bei
P. sofort zu unterbrechen. Generalmajor Baron Edelsheim sollte sich mit
mehreren Escadrons und einigen Bataillonen der Brigade Abele durch einen
nächtlichen Ueberfall in den Besitz von Turnau setzen. Die Brigade Poschacher
erhielt um 7½ Uhr Abends Befehl, möglichst bald auf den Höhen des rechten
Iser-Ufers Stellung zu nehmen, um dadurch das Debouchiren der übrigen
Brigaden für den nächsten Tag sicher zu stellen. Die Brigade Poschacher lagerte
mit dem Gros bei Brezina. Es standen vor ihr die 18. Compagnie Mar-
tini-Infanterie in Schloß Swijan, die 17. Compagnie auf Vorposten gegen
Sichrow, die 13. Compagnie an der Podol-Brücke. Die 1., 2. und 3. Compagnie bei Lautow. Die Brigade Poschacher brach gegen 8½ Uhr Abends in zwei
Colonnen auf. Die eine, aus dem 1. und 2. Bataillon des Infanterie-Regiments König von Preußen und der Brigade-Batterie bestehend, hatte über
Lautow, die andere Colonne, unter Oberst Bergou, gebildet aus dem Rest des
Infanterie-Regiments Martini, 4 Compagnien König von Preußen und 3 Com-
pagnien des 18. Jäger-Bataillons über P. auf Swijan zu rücken. Bei letzterer Colonne hörte man schon auf halbem Wege heftiges Gewehrfeuer in
der Gegend von P. — In der Absicht des Ober-Commando's der preußischen
I. Armee lag es nicht, am 26. Juni weiter vorzugehen, um das Anrücken der
Elb-Armee abzuwarten, doch schon während des Gesechts bei Liebenau hatte
Prinz Friedrich Karl an alle Divisionen Befehl zum Aufbruch ertheilt, um
sich noch heute der Iser-Defileen zu bemächtigen. Die 7. Division erhielt Befehl, Turnau in Besitz zu nehmen, die 8. Division nach Preper vorzugehen
und Vorposten nach P. vorzuschieben. Von der 8. Division gingen gegen
½8 Uhr Abends die 4. und 2. Compagnie des 4. Jäger-Bataillons gegen P.
vor. Die 4. Compagnie trieb, mehrere Barrikaden nehmend, die 13. Compagnie Martini hinter die Brücken zurück, unterstützt von der 2. Compagnie,
die über Swijan gegangen war und von Westen her in P. eindrang. Ein
Versuch der Jäger, über die Brücken vorzugehen, wurde abgewiesen. Die
13. Compagnie Martini war durch die 18. Compagnie verstärkt worden, die
sich von Swijan herangezogen hatte. Die auf Vorposten gegen Sichrow gestandene 17. Compagnie ging nach Lautow zurück. Gegen 8½ Uhr langten
die 10. und 11. Compagnie des preußischen 72. Infanterie-Regiments bei P.
an, und nahmen die Brücken sowie das an der Chaussee gelegene Wirthshaus.
Daselbst hielten sich die beiden Compagnien bis 9½ Uhr, zu welcher Zeit noch
die 9. und 12. Compagnie desselben Regiments anlangten. Auf österreichischer
Seite traf 9½ Uhr die Colonne des Obersten Bergou ein, griff sofort mit
3½ Compagnien des 18. Jäger-Bataillons, 3 Compagnien des 2. Bataillons
Martini und 4 Compagnien des 3. Bataillons König von Preußen an und
säuberte ganz P. von den preußischen Truppen. In Preper hatte man das
immer heftiger werdende Gewehrfeuer bei P. gehört, in Folge dessen Generalmajor von Bose, Kommandeur der 15. Infanterie-Brigade mit dem zweiten
Bataillone der Regimenter Nr. 31 und 71 — etwa 1300 Mann — vorrückte. Das 2. Bataillon 71. Regiments ging rechts, das 2. Bataillon 31.
Regiments auf der Chaussee vor. Das letzte Bataillon kam gerade vor P.
an, als die Oesterreicher sich dieses Dorfes bemächtigt hatten und gegen Prisso-
witz vorzugehen versuchten. Zwei Angriffe der Oesterreicher wurden durch
Salven abgewiesen. Alsdann griffen die beiden preußischen Bataillone P. an
und nahmen einen Theil desselben. General der Cavalerie, Graf Clam, der
um 10 Uhr bei P. eingetroffen war, befahl die Brigaden Abele und Piret zur
Unterstützung der Brigade Poschacher. Vorläufig waren aber nur 2 Compag-

zien des 3. Bataillons Ramming disponibel, die an die Brücken geworfen wurden. Kaum dort angelangt, griffen die Preußen, durch die Füsilier-Bataillone der Regimenter Nr. 31 und 71 verstärkt, das Dorf und die Brücken mit solcher Heftigkeit an, daß es an den Brücken zum Handgemenge kam. General Graf Clam befahl nach 11 Uhr den Rückzug, doch erstarb das Gefecht nur allmälig, bis es gegen 1 Uhr Nachts endete. Die vom Kronprinzen von Sachsen für den anderen Tag befohlene Offensive mußte nun von selbst unterbleiben. Die preußischen Truppen gingen nicht über die Brücken vor. Die Verluste betrugen auf preußischer Seite 12 Offiziere nebst 118 Mann, auf österreichischer Seite 33 Offiziere nebst 1015 Mann, von letzteren, wie größtentheils bei Dorfgefechten, über die Hälfte Gefangene. Vergl. „Der Feldzug von 1866 in Deutschland" vom preuß. Generalstabe; „Oesterreichs Kämpfe im Jahre 1866" vom österr. Generalstabe.

Point de Galle, befestigte Seestadt an der Südwestküste der indobritischen Insel Ceylon, hat einen Hafen, eine große Rhede, ein Citadelle, ist Stationsplatz und Knotenpunkt der englisch-ostindischen Dampferlinien und zählt 5000 Einwohner. P. war die erste Niederlassung der Portugiesen auf Ceylon, wurde 1642 von den Holländern erobert und kam mit Ceylon (s. d.) in den Besitz der Engländer.

Poischwitz, Dorf im Kreise Jauer des Regierungsbezirks Liegnitz der preußischen Provinz Schlesien. Hier wurden am 4. Juni 1813 der zu Pläswitz (s. d.) an demselben Tage zwischen den Russen und Preußen einer-, und den Franzosen andererseits abgeschlossene Waffenstillstand unterzeichnet; daher Waffenstillstand von P. gleichbedeutend mit Waffenstillstand von Pläswitz.

Poitiers, Hauptstadt des französischen Departements Vienne (einst Hauptstadt der Landschaft Poitou) am Zusammenfluß von Clain und Boivre und an der Eisenbahn von Tours nach Bordeaux, Sitz des Präfecten und eines Bischofs, ist von alten, mit Thürmen flankierten Ringmauern umgeben, hat eine schöne gothische Kathedrale, eine Universitäts-Akademie und zählt (1866) 31,034 Einwohner. P. ist in der Kriegsgeschichte namhaft durch zwei große Schlachten. In der ersten schlug Karl Martell am 18. October 732 die aus Spanien hervorgedrungenen Mauren unter Abd-ur-Rahman und rettete dadurch das westliche Europa vor der Gefahr, dem Islam zu verfallen; in dieser Schlacht sollen angeblich 375,000 Mauren geblieben sein. Die zweite Schlacht fand am 19. September 1356 bei dem jetzigen Dorfe Mignaloux-Beauvoir 1½ Meile südöstlich von P. auf dem Felde von Maupertuis statt (daher auch Schlacht von Maupertuis genannt). In derselben schlug das 12,000 Mann starke englische Heer unter Prinz Eduard (s. d. 1) von Wales (dem sogenannten Schwarzen Prinzen) das 60,000 Mann starke französische Heer unter König Johann, welcher gefangen genommen wurde. Ungefähr 3½ Meilen südlich von P. liegt das Dorf Bouton (Vogladum), wo 507 der westgothische König Alarich II. vom Frankenkönig Chlodwig geschlagen wurde und fiel.

Pola, Stadt mit Kriegshafen in der österreichischen Markgrafschaft Istrien, am Adriatischen Meere im Westen der Südspitze der Halbinsel, 15 Meilen südlich von Triest gelegen, Sitz eines Hafenadmiralats, eines Hafencommandos und eines Arsenalcommandos, sowie Stationsplatz der 2. österreichischen Marinedivision, hat eine Citadelle, ein Arsenal, eine Kathedrale und (ohne Militär) 3600 Einwohner. Der Hafen Porto della Rose, einer der schönsten Häfen Europas, welcher durch großartige Befestigungen (zwei Montalembertsche Thürme, Strandbatterien 2c.) beschützt wird, und mit Werften, Magazinen 2c. trefflich versehen ist, wurde 1850 zum Kriegshafen erklärt. — P. war schon zur Römerzeit von Bedeutung, erhielt unter Augustus den Namen Julia Pietas und unter Severus (damals 50,000 Einwohner zählend) den Titel Res publica Pulensis; der Hafen (Sinus Polaticus) nahm damals die ganze römische Flotte auf. Im Jahre 1148 wurde P. von den Venetianern erobert; 1379 bei P. Seesieg der Genuesen über die Venetianer; am 11. Sept. 1813 wurde es von den Oesterreichern erobert.

Polarströmungen, die Meeresströmungen von den Polen nach dem Aequator, s. u. Meeresströmungen Bd. VI. S. 58.

Polemo .... (v. griech. πόλεμος, der Krieg) Kriegs ....; daher Polemographie, Kriegsbeschreibung; Polemographie, Kriegsbeschreibungskunst; polemographisch, kriegsbeschreibend, zur Kriegsbeschreibung gehörig, dieselbe betreffend.

Polen, ein ehemals selbstständiges Königreich im östlichen Europa, welches jetzt als ein „Czarthum" einen integrirenden Theil des Russischen Reiches bildet. Es grenzt im Norden an die preuß. Provinz Preußen, im Westen an die preuß. Provinzen Posen und Schlesien, im Süden an Galizien, im Osten an Rußland und enthält in seinem jetzigen Umfange einen Flächenraum von 2315, □.-M. mit (1865) 5,319,363 Einwohnern (wovon ungefähr 4 Millionen Römische Katholiken). Das Land ist meist eben und fruchtbar, nur im Süden durch Zweige der Karpaten gebirgig (bis zu 2000 Fuß Höhe), trefflich bewässert, und hat zahlreiche Waldungen, Seen und Moräste. Der Hauptstrom ist die das Land erst in nördlicher, dann in nordwestlicher Richtung durchströmende Weichsel mit zahlreichen Nebenflüssen. Die wichtigsten Producte sind Wild, Getreide, Holz, Eisen, Blei, Zink und Steinkohlen. Haupterwerbsquelle ist Ackerbau. Die Industrie hat sich seit neuerer Zeit etwas gehoben und beschäftiget sich namentlich mit Wolle, Baumwolle und Leinwand. Der Handel ist in neuerer Zeit ebenfalls von größerer Bedeutung geworden und wird durch die schiffbare Weichsel und die Eisenbahnen von Warschau nach Wilna (resp. Petersburg), Terespol (resp. Kiew), Krakau (resp. Wien und Breslau) und Thorn (resp. Berlin, Stettin und Danzig) gefördert. Die Bevölkerung (1865: 5,319,363 Seelen) zerfällt der Nationalität nach in 77 Procent Slawen (66 Proc. Polen, 11 Proc. Russen), 12 Proc. Juden, 5 Proc. Lithauer, 5 Proc. Deutsche, 1 Proc. Franzosen, Griechen, Zigeuner, Tataren ꝛc.; der Religion nach aber in 88 Proc. Christen (77 Proc. Römische Katholiken, 6 Proc. Protestanten, 5 Proc. Griechische Katholiken) und 12 Proc. Nichtchristen (Juden und wenige Muhamedaner). Das Unterrichtswesen liegt gegenwärtig in P. sehr darnieder, da die russische Regierung seit den Unterricht von 1846 den Unterricht noch mehr als früher beschränkt hat. Eine Universität besaß P. bis 1865 nicht; erst durch kaiserliches Rescript vom 11. Sept. 1864 wurde die Gründung einer Universität zu Warschau anbefohlen. Wer eine Staatsanstellung suchte, mußte seine akademische Bildung auf einer russischen Universität erwerben. Der Besuch der Gymnasien ist nur den Söhnen der höhern Stände erlaubt. Die Verbreitung der Volksschulbildung ist äußerst gering. Nach den Berichten von 1861 gab es nur 3 Proc., die einen höhern oder mittlern Unterricht genossen hatten; 17 Proc., die lesen und schreiben konnten und 80 Proc., die keins von beiden konnten. Was die staatlichen Verhältnisse anbelangt, so besaß P. unter dem Namen eines Königreichs seit 1815 eine constitutionelle Verfassung und eignes Militär. Diese Verfassung wurde jedoch in Folge der Revolution von 1830—31 durch kais. Ukas vom 14. 26. Februar 1832 aufgehoben und P. (jedoch noch unter dem Namen eines Königreichs) als Provinz zu einem integrirenden Theil des Russischen Reichs erklärt, behielt indeß noch gesonderte Gesetzgebung und Verwaltung unter einem eignen Statthalter (Namiestnik).

Die Revolution von 1864 hatte jedoch zur Folge, daß der Name Königreich P. durch kaiſ. Ukas vom $\frac{29. Febr.}{12. März}$ 1868 erloſch und P. in adminiſtrativer Hinſicht vollſtändig mit dem Ruſſiſchen Reiche verſchmolzen wurde. An der Spitze der Verwaltung ſteht jedoch noch ein eigner Statthalter. In adminiſtrativer Hinſicht zerfiel P. bis 1867 in die 5 Gouvernements: Warſchau, Lublin, Radom, Auguſtowo und Plock (Plotzk), ſeitdem aber durch Edict vom 19./31. December 1866 in die 10 Gouvernements: Warſchau, Kaliſch, Piotrolow (Petrikow), Radom, Kjelcy (Kielce), Lublin, Sjedlez (Siedlce), Plock (Plotzk), Lomza und Suwalki (Auguſtowo). Hauptſtadt und Sitz des Statthalters iſt Warſchau. In militäriſcher Hinſicht bildet P. den V. Militär-Bezirk (Warſchau). Feſtungen ſind: Warſchau, Demblin, Modlin (Nowogeorgiewſt) und Zamoſt; früher auch noch Czenſtochau. Das polniſche Wappen iſt ein weißer, gekrönter Adler in rothem Felde, jetzt mit dem ruſſiſchen Adler auf der Bruſt. Die polniſchen Nationalfarben waren weiß und roth; jetzt gelten die ruſſiſchen (ſchwarz, orange und weiß). Polniſche Orden waren der Weiße Adler-Orden, der Staniſlausorden und der Militärverdienſtorden; die beiden erſtern gelten jetzt als ruſſiſche Orden; der letztere wurde vom Kaiſer Nicolaus aufgehoben (darf zwar noch getragen werden, wird aber nicht mehr verliehen).

Geſchichtliches: P., welches als ſelbſtſtändiges Königreich bis zu ſeiner erſten Theilung (1773) einen Flächenraum von mehr als 13,000 □.-M. mit über 12 Millionen Einwohnern umfaßte, hieß im Alterthum Sarmatien. Die früheſte Geſchichte des Landes iſt dunkel und mythiſch. Im 6. Jahrhundert wurde das Gebiet der Weichſel von dem ſlawiſchen Volksſtamme der Lechen (Lachen, Lechiten) bewohnt, welcher ſich in mehre Unterſtämme theilte, von denen die Polanen (d. i. Bewohner der Ebene) die mächtigſten waren. Ihr erſter Fürſt ſoll Lech (ſ. u. Czech) geweſen ſein und um 550 Gneſen auf der Stelle, wo er angeblich das Neſt eines weißen Adlers fand (daher das polniſche Wappen) gegründet haben. Seine Nachkommen regierten bis um 700, worauf die unruhigen Zeiten der zwölf Wojewoden folgten, deren letzter Krak hieß und Krakau gegründet haben ſoll. Die Dynaſtien der Letzkt und der Popiel regierten bis 842, wo mit der Wahl Piaſt's die Dynaſtie der Piaſten auf den polniſchen Thron gelangte, unter denen P. mit der Bekehrung Mieczyſlaw's I. zum Chriſtenthum um 970 als Staat in die Geſchichte eintritt. Sein Sohn Boleslaw I. (ſ. d. 1.) eroberte Schleſien, Mähren, die Lauſitz, Preußen und Kiew und erweiterte P. zu einem Reiche von 28 Millionen Einwohnern, deſſen Macht jedoch Boleslaw III. bei ſeinem Tode (1139) durch die Theilung unter ſeine vier Söhne ſchwächte. Das Reich gerieth nun durch langwierige innere Kämpfe in Auflöſung, die eroberten Länder trennten ſich ab; dazu kamen Kriege mit den Ruſſen, Lithauern, Deutſchen und Preußen und endlich rief der Herzog Konrad von Maſovien den Deutſchen Ritterorden zu Hülfe, welcher ſeit 1230 das Baltiſche Küſtenland von der Oder bis zum Finniſchen Meerbuſen unterwarf, wodurch P. ſeine nördliche Vertheidigungslinie und ſeinen Seehandel verlor. Erſt Wladislaw I. Lokietek (1305—1333) vereinigte Großpolen (an der Wartha) und Kleinpolen (an der obern Weichſel) wieder. Mit dem Tode Kaſimir's III. erloſch 1370 der Mannesſtamm der Piaſten und P. ward durch König Ludwig den Großen (einen Schweſterſohn Kaſimir's III.), König von Ungarn aus dem Hauſe Anjou (ſ. d. 1382 mit Ungarn vereinigt. Seine Tochter Hedwig vermählte ſich 1386 mit dem heidniſchen Großfürſten Jagello von Lithauen, der ſich taufen ließ, den Namen Wladislaw II. annahm, Lithauen mit P. vereinigte und der Gründer der Dynaſtie der Jagellonen wurde. Dieſe gab dem polniſchen Throne mehre treffliche Könige und dem Reiche neue Macht und Ausdehnung, namentlich mußte der Deutsche Ritterorden 1466 Westpreußen und Ermeland an P. abtreten und die Schutzhoheit der Republik (welchen Namen P. trotz seines Königsthrones führte) über das Ordensland Ostpreußen anerkennen; ferner wurde nach der Auflösung des Schwert-Ritter-Ordens 1561 Livland an Lithauen abgetreten und Kurland zum polnischen Lehen gemacht, so daß P. der mächtigste Staat im östlichen Europa war. Indeß erlangte der Adel unter den Jagellonen große Vorrechte, machte der Dynastie die Thronfolge mehrfach streitig und legte durch seine Intriguen bereits den Keim zu der spätern Auflösung des Reiches. Als mit dem Tode Sigismund's II. 1572 die Dynastie der Jagellonen erlosch, wurde P. ein förmliches Wahlreich und blieb dies bis zur Constitution vom 3. Mai 1791. Zunächst wurde 1573 Heinrich von Anjou (später als Heinrich III. König von Frankreich) gewählt, welcher jedoch schon nach wenigen Monaten dem polnischen Throne wieder entfloh; ihm folgte 1575 Stephan Bathori (s. d. 3) und auf diesen 1580 der schwedische Prinz Sigismund III., dessen Wahl später einen langwierigen Krieg mit Schweden und Brandenburg veranlaßte, welcher erst 1660 durch den Frieden von Oliva (s. d.) beendigt wurde. Auf Sigismund, welcher 1632 starb, folgten seine Söhne Wladislaw IV. (1632—48) und Johann II. Kasimir (1648—68). Unter des Letztern Regierung traten 1654 die Kosaken (s. d.), von dem polnischen Adel bedrückt, unter russischen Schutz und Smolensk, Kiew und die Ukräne östlich vom Dnjepr mußte 1667 an Rußland abgetreten werden. Johann Kasimir wurde 1668 zur Abdankung gezwungen und der niedere Adel setzte die Wahl Michael Wisniowiecki's zum König durch, welcher 1669—74 regierte, sich aber seiner Aufgabe keineswegs gewachsen zeigte. Sein Nachfolger, der tapfere Johann Sobieski (s. Johann 6), konnte den Verfall P.'s nicht aufhalten, bestätigte die Abtretungen Kasimir's an Rußland und starb 1696. Die polnische Krone, welche nun förmlich an den Meistbietenden verhandelt wurde, fiel nun 1697 dem Kurfürsten August II. (s. d. 1) von Sachsen zu, der sich an Peter d. Gr. von Rußland anschloß und dadurch P. in den Nordischen Krieg (s. d.) verwickelte, in welchem das siegreiche Schweden 1704 seine Absetzung und die Wahl Stanislaw Lesczynski's dictirte; doch mußte Letzterer den Thron schon 1709 nach der Schlacht bei Pultawa an August zurückgeben, welcher ihn nun bis 1733 inne hatte. Nach seinem Tode versuchte Stanislaw, von Frankreich unterstützt, wieder zum Throne zu gelangen, mußte aber gegen den Kurfürsten August III. (s. d. 2) von Sachsen, den Sohn August's II., zurücktreten, welcher mit russischer und österreichischer Hilfe (Polnischer Thronfolgekrieg, s. d.) die polnische Krone erhielt. Als dieser 1763 starb, gelang es den Bemühungen Rußlands und Preußens, die Wahl des Grafen Stanislaw August Poniatowski durchzusetzen. Der Einfluß, welchen Rußland auf den neu gewählten König ausübte, hatte die Consöderation von Bar (s. d., Bd. I. S. 376) zur Folge; es brachen Unruhen aus, russische Truppen rückten ein, im Verlaufe des Bürgerkrieges nahm Oesterreich das 1402 an P. verpfändete Zipser-Comitat in Besitz, regte dadurch eine Theilung P.'s an und am 5. August 1772 schlossen Rußland, Oesterreich und Preußen einen Theilungsvertrag ab, welcher am 18. September 1773 von der Republik genehmigt wurde. In dieser ersten Theilung P.'s verlor P gegen 4000 Q.-M. mit ungefähr 5 Millionen Einwohnern, und zwar erhielt Rußland: das polnische Livland, die Hälfte der Wojwodschaft Polozk, die Wojwodschaften Witepsk und Micislaw und einen Theil von Minsk, zusammen gegen 2000 Q.-Meilen mit ungefähr 1,800,000 Einwohnern; Oesterreich: das eigentliche Rothrußland (Rothreußen), die Hälfte der Wojwodschaft Krakau, einen Theil der Wojwodschaft Sandomir und Theile von Belz und Podolien, zusammen gegen 1300 Q.-M. mit ungefähr 2,700,000 Einwohnern; Preußen: ganz Polnisch- oder West-Preußen (ausgenommen Danzig und Thorn) nnd Pomerellen, zusammen über 600 Q.-M. mit über 400,000 Einwohnern. Diese Abtretungen, nach welchen P. immerhin noch ein (freilich unter Rußland's Einflusse stehendes) Reich von mehr als 9530 Q.-M. mit über 7 Millionen Einwohnern blieb, brachte endlich die Polen zur Besinnung und sie entschlossen sich nach vielfachen Wirren zur Constitution vom 3. Mai 1791, welche auf eine gemäßigte Erbmonarchie mit erweiterter Volksvertretung berechnet war. Allein Rußland verwarf dieselbe und fand Verbündete an einem Theile des polnischen Adels, welcher zu Targowicz (s. d.) eine Conföderation gegen die bereits vom Reichstage angenommene Constitution geschlossen hatte. Da auch Preußen den Schutz der Republik aufgab, so kam es am 4. Januar 1793 zu einer zweiten Theilung P.'s, bei welcher Rußland die Reste der Wojwodschaften Polozk und Wilna, die Hälfte der Wojwodschaften Nowgorodek und Brzesc, die Ukräne, Podollen und die östliche Hälfte von Volhynien (zusammen 4553 Q.-M. mit 3,011,700 Einwohnern); Preußen dagegen die Wojwodschaften Posen, Gnesen, Kalisch, Sieradz, Lencziz nnd halb Rawa, nebst Danzig nnd Thorn, die Hälfte der Wojwodschaft Brzesc, das Ländchen Dobrzyn und die Festung Czenstochau (zusammen 1061 Q.-M. mit 1,011,700 Einwohnern) erhielt, so daß bei P. nur noch 3916 Q.-M. mit 3,154,000 Einwohnern verblieben. Da erhob sich Kosciuszko (s. d.) für die Constitution vom 3. Mai 1791, erschien am 23. März 1794 in Krakau und wurde am 27. März zum Dictator ausgerufen. Allein es war trotz des allgemeinen Aufstandes nnd trotz einiger anfänglich erfochtenen Siege zu spät: ohne Festungen, ohne Taktik, ja sogar ohne Waffen, mußte P. den drei benachbarten Großmächten erliegen und wurde nach der verlornen Schlacht von Macieowice (10. October 1794) und der Erstürmung von Praga (4. Novbr. 1794) zu vollständiger Unterwerfung gezwungen. In Folge davon wurde durch Vertrag vom 24. October 1795 die dritte Theilung P.'s beschlossen. In dieser erhielt Rußland 2085 Q.-M. mit 1,176,000 Einwohnern; Oesterreich 834 Q.-M. mit 1,038,000 Einwohnern; Preußen aber Masovien mit Warschau 997 Q.-M. mit 940,000 Einwohnern. Bei diesen drei Theilungen P.'s hatte mithin Rußland genommen die Wojwodschaften längs des Dniepr, Lievland, Kurland, den größten Theil von Großpolen und Lithanen, ferner die Ukräne, den größten Theil von Samogitien und ganz Volhynien (zusammen mit über 8600 Q.-M. und nahe an 6 Millionen Einwohnern), woraus es mehre Gouvernements bildete; Oesterreich dagegen Rothrußland, Theile von Podlachien und Kleinpolen nebst Krakau, Lublin und Chelm (zusammen über 3100 Q.-M. und nahe an 3,800,000 Einwohnern) und daraus die Königreiche Galizien und Ludomerien gebildet; Preußen endlich Westpreußen, Theile von Großpolen, Pomerellen, Ermeland, Samogitien nnd Lithaurn, sowie Masovien mit der Hauptstadt Warschau (zusammen über 2650 Q.-M. mit ungefähr 2,351,000 Einwohnern) und daraus die Provinzen Westpreußen und Südpreußen gebildet. P. war nun vollständig aus der Reihe der europäischen Staaten gestrichen; König Stanislaw August erhielt ein Gnadengehalt von 200,000 Ducaten jährlich ausgesetzt und mußte seinen Aufenthalt in Petersburg nehmen, wo er 12. Febr. 1798 starb. — Die Napoleonischen siegreichen Feldzüge von 1806 und 1807 in Deutschland erweckten in den Polen die Hoffnung auf eine Wiederherstellung ihres Reiches, welche Hoffnung auch Napoleon zu nähren nicht unterließ, um die Polen an sein Interesse zu fesseln. Im Frieden von Tilsit wurde jedoch das polnische Reich nicht wieder hergestellt, sondern aus Abtretungen preußisch-polnischer Gebietstheile ein Herzogthum Warschau errichtet (zu dessen erblichem Oberhaupte der König von Sachsen ernannt ward), nach französisch-rheinbündl-

schen Grundsätzen organisirt, Danzig dagegen nominell zur Republik erklärt
und unter preußisch-sächsischen Schutz gestellt, jedoch von Franzosen besetzt. Im
Wiener Frieden von 1809 wurde das Herzogthum durch einige von Oesterreich
abgetretene westgalizische Provinzen vergrößert, ging aber durch die Niederlagen
der Franzosen in Rußland 1812 zu Grunde und wurde im Wiener Congreß
1815 nach wenigen Zurückerstattungen an Preußen und Oesterreich dem Kaiser
von Rußland als Königreich P. zuerkannt, während Krakau als Republik
fortbestehen sollte. Der Kaiser Alexander I. verlieh dem Lande am 27. Novbr.
1815 eine constitutionelle Verfassung, welche jedoch schon während seines Lebens
wesentlich beschränkt und nach seinem Tode unter der Regierung des Kaisers
Nicolaus I. durch den Statthalter Großfürst Constantin in wenig förderlicher
Weise gehandhabt wurde. Es bildeten sich zahlreiche Geheimbünde und Verschwörungen, die unter dem Einflusse der französischen Julirevolution und der
belgischen Revolution am 29. Novbr. 1830 in Warschau zum offenen Ausbruche kamen. Die Russen wurden aus Warschau vertrieben, die vom Großfürsten Constantin trefflich organisirte polnische Armee, welche sich großentheils
für die nationale Sache entschied, bot den Kern einer Volksbewaffnung und
bis Mitte December waren die Russen gezwungen worden, das ganze Königreich zu räumen. Indeß auch jetzt spalteten sich die Polen sehr bald wieder
in verschiedene Parteien und trotz der Tapferkeit der Armee unter Chlopicki,
Skrzynecki und Dwernicki gegen die Russen unter Diebitsch bei Stoczeck
(14. Febr. 1831), Dobre (17. Febr.), Olunkew (18. u. 19. Febr.), Bialolenta
(24. Febr.), Grochow (Hauptschlacht, 25. Febr.), Dembe-Wielkie (31. März)
und Ostrolenka (zweite Hauptschlacht, 26. Mai) unterlagen sie bei der Uneinigkeit im Innern endlich der russischen Uebermacht. Im Juni zum
Oberbefehlshaber ernannte General Paskewitsch ging Ende Juli bei Wraclawek
unweit der preußischen Grenze über die Weichsel und rückte am linken Ufer
dieses Stromes langsam gegen das auf dieser Seite nur schwach befestigte
Warschau vor, welches nach hartem Kampfe und tapferer Vertheidigung am
7. Sept. 1831 capitulirte und am 8. Sept. von den Russen besetzt wurde.
Am 5. Oct. folgte die Capitulation der polnischen Hauptarmee unter Rybinski
24,000 Mann stark mit 95 Geschützen in der Nähe der preußischen Grenze
(unweit Strasburg, preuß. Regierungsbez. Marienwerder), am 9. Oct. die der
Festung Modlin und am 23. Oct. die der Festung Zamosc. Die Reste des
polnischen Heeres waren theils früher, theils später auf preußisches oder österreichisches Gebiet übergetreten, wo sie entwaffnet wurden. Die Constitution
wurde nun aufgehoben und durch das Organische Statut vom 14./26.
Febr. 1832 ersetzt, die polnische Armee als solche aufgelöst, die polnischen
Soldaten in die russische Armee eingereiht, in Warschau eine sehr starke Citadelle erbaut, das Volk entwaffnet, die Universität Warschau aufgehoben, die
obern Klassen der Gymnasien, sowie das Cadettenhauses zu Kalisch aufgelöst,
die Zöglinge derselben in russische Militärschulen versetzt, die Umwandlung
polnischer Verhältnisse ins Russische consequent durchgeführt und eine vollständige Russificirung der polnischen Nationalität angebahnt. Die polnische
Emigration war seitdem für eine Wiederherstellung P.'s unablässig bemüht und
verursachte zu diesem Zwecke mehrfache bewaffnete Aufstände, die jedoch Anfangs nur im Preußischen Polen (1846 und 1848 unter Mieroslawski, s. d.)
in Galizien (1846 und 1848) und in Krakau (1846 unter Tyssowski s. d.) ausbrachen. Im Russischen Polen kam es erst Anfang 1863 unter Langiewicz (s. d.) zu
einem bewaffneten Aufstande, welcher sich theilweise auch bis auf die zunächst
liegenden russischen Gouvernements verbreitete und trotz der größten Strenge
erst nach Jahresfrist unterdrückt werden konnte. Die Russificirung P.'s wurde

seitdem noch energischer durchgeführt; der bis dahin noch bestehende Name eines Königreichs nun auch formell gestrichen, durch Edict vom 19./31. Decbr. 1866 eine neue Eintheilung in 10 Gouvernements (s. oben S. 159) getroffen und durch Ukas vom ²⁹. Febr. ͟/ ͟11. März 1868 die vollständige Verschmelzung P.'s mit dem Russischen Reiche in administrativer Hinsicht verordnet. Vgl. Chodzko, „Tableau de la Pologne ancienne et moderne", Paris 1832, 2 Bde.; Andere, „P. in geographischer, statistischer und culturhistorischer Hinsicht", Leipzig 1831; Friedrich, „Historisch-geographische Darstellung Alt- und Neupolens", Berlin 1829; Vossart, Lukaszewicz and Mulkowski, „Das Königreich P. und der Freistaat Krakau", Stuttgart 1840; „Das Königreich P., topographische und statistische Skizzen", Leipzig 1864. Geschichtswerke: Brohm, „Geschichte von P. und Lithauen", Posen 1810 f. 2 Bde.; Naruszewicz, „Historia narodu polskiego", Warschau 1780, 7 Bde., n. A. Leipzig 1836, 10 Bde.; Roepell und Caro, „Geschichte von P.", Hamburg und Gotha, 2 Bde. 1840—63; Solowjew, „Geschichte des Falles von P." (deutsch v. Spörer, Gotha 1865); Rulhière, „Histoire de l'anarchie de Pologne et de démembrement de cette république", Paris 1807, 4 Bde.; Ferrand, „Les trois démembrements de la Pologne", Paris 1820, 2 Bde., n. A. ebd. 1864, 3 Bde.; Janssen, „Zur Genesis der ersten Theilung P.'s", Freiburg in Br. 1865; Specialwerke über den Polnischen Revolutionskrieg: F. v. Smitt, „Geschichte des polnischen Aufstandes und Krieges 1830—31", Berlin 1833, 2 Bde.; Soltyk, „La Pologne, précis historique, politique et militaire de sa révolution", Paris 1833, 2 Bde. (deutsch Stuttg. 1833, 2 Bde.); Brzozowski, „La guerre de Pologne en 1831", Leipzig 1833; Spazier, „Geschichte des Aufstandes des polnischen Volkes in den Jahren 1830—31", Altenburg 1834, 3 Bde.; Sala, „Geschichte des polnischen Aufstandes vom Jahre 1846", Wien 1867; Edwards, „The private history of a polish insurrection", London 1865; v. Erlach „Kriegführung der Polen 1863", Darmstadt 1864. Karten: Vom Gen. O. M. St. des Königreichs P., „Topogr. Mappa, Krolestwa Polskiego", 57 Bl. 1 : 126,000; Engelhardt, „Polen", 4 Bl. 1 : 775,000; Kiepert and Hammer, „Polen", 1 : 1,000,000.

Polk, Leonidas, einer der hervorragendsten Generale der Conföderirten, war 1827 aus der Militair-Akademie von Westpoint hervorgegangen, wandte sich aber sehr bald von der militairischen Carriere ab und trat in den Dienst der Kirche. Er wurde 1831 ordinirt und bereits 1838 zum Bischoff der Staaten Alabama, Mississippi und Louisiana ernannt. Als später seine Diöcese in drei getheilt wurde, wählte er die von Louisiana, wo er reiche Begüterung besaß. Vollständig in den Anschauungen des Südens befangen, erwachte in ihm beim Ausbruch des Bürgerkrieges die Neigung zu seinem ursprünglichen Stande, und er trat ohne den Bischofssitz vollständig aufzugeben mit dem Range eines Brigade-Generals in die Armee der Südstaaten ein. Wegen seiner großen Tüchtigkeit avancirte er bald zum Generallieutenant. Er befehligte in der Schlacht bei Murfreesborough mit großer Auszeichnung ein Corps und wurde im October 1863 zum Commandirenden des Südwest-Departements ernannt, in welchem jedoch nur wenige, kleine meist zwischen 1000 und 2000 Mann starke Corps standen, mit denen er nicht viel auszurichten vermochte, und blieb in einem der zahlreichen kleineren Gefechte, die Sherman bei seinem Vordringen nach Atlanta lieferte, am 14. Juni 1864.

Polnische Legion. 1) ein 1797 von Jan Henryk Dombrowski (s. d.) ursprünglich für die Cisalpinische Republik errichtetes Corps, welches größtentheils aus in österreichischen Diensten gewesenen Nationalpolen bestand und später bis zu 15,000 Mann (Jäger, Grenadiere und Cavalerie) angewachsen

11*

unter französischer Fahne in Italien focht und nach der Schlacht von Marengo (1800) ganz in französische Dienste trat, worauf ein Theil desselben unter Jablonowski in Westindien (Domingo) gegen die Neger verwendet wurde und dort größentheils dem Klima erlag. Ein anderer Theil kam nach Süditalien und wurde später der Garde des Königs Joseph von Neapel einverleibt, der Rest, besonders Offiziere, ging nach der französischen Occupation der polnisch-preußischen Provinzen, 1807 nach Polen zurück und organisirte die Insurrection von Masovien (Provinz Warschau). Vgl. Dombrowski, „Histoire des légions polonaises en Italie" (herausg. von Chodzko) 2. Aufl. Paris 1829, 2 Bde. 2) ein während des Orientkrieges 1854 von Seiten Englands organisirtes Corps, gebildet aus polnischen in England und Frankreich lebenden Emigranten sowie aus in Bomarsund gefangenen Polen und Finnen, später verstärkt durch polnische Flüchtlinge und Deserteurs, bestand aus 2 Cavalerie-regimentern (auch Kosaken des Sultans genannt) und war unter dem Befehl des Grafen Zamoyski dem Corps des Generals Vivian zugetheilt. 3) ein unbedeutendes sich in Frankreich während des Französisch-Deutschen Krieges von 1870 aus polnischen Emigranten bildendes Corps (ein Bataillon Infanterie von 600 M. und eine Escadron Lanciers von 80 M.) unter Jaroslaw Dombrowski, welches zur sogenannten Vogesen-Armee Garibaldi's gehörte.

Polnischer Thronfolgekrieg (Polnischer Königswahlkrieg), der Krieg, welcher nach dem Tode des Königs August II. von Polen (Kurfürst von Sachsen) 1733 ausbrach, als Stanislaw Leszczynski, von Frankreich unterstützt, sich des polnischen Thrones wieder zu bemächtigen suchte, (s. u. Polen S. 160) während Rußland und Oesterreich sich für die Bewerbung des Kurfürsten August III. von Sachsen erklärten. Der Krieg wurde von Frankreich und Spanien einerseits, von Oesterreich und Rußland andrerseits in Deutschland und Italien geschlagen, dauerte factisch bis zum Wiener Präliminarfrieden vom 3. Oct. 1736, wurde aber formell erst durch den Wiener Definitivfrieden vom 8. Nov. 1738 beendigt, in welchem Stanislaw der polnischen Krone entsagte, jedoch unter Belassung des Titels eines Königs von Polen den lebenslänglichen Genuß von Bar und Lothringen erhielt, welches nach seinem Tode an Frankreich fallen sollte. Für den Verlust Lothringens wurde dem seitherigen Herzog Franz von Lothringen (einem österreichischen Erzherzoge) das italienische Großherzogthum Toscana zugewiesen. Den polnischen Thron erhielt der Kurfürst August III. von Sachsen. So fiel das deutsche Reichsland Lothringen um einer „Polnischen Frage" willen an Frankreich.

Poltawa, s. Pultawa.

Pölten, St. (eigentlich St. Hippolyt), Stadt in Oesterreich unter der Ens, am Traisen und an der Kaiserin Elisabeth-Westbahn (Linie Wien-Linz), ist mit doppelten Mauern umgeben, hat einen Dom, Cadetten-Institut, Militair-Collegium als Vorbereitungsschule für die Militair-Akademie in Neustadt, lebhafte Industrie und 5800 Einwohner.

Polygon (Vieleck), namentlich reguläres, bedeutet in der Fortification die dem Festungs-Tracé zu Grunde liegende Figur, die nicht unter 4 Seiten hat und häufig unregelmäßig ist. Den Seiten des P. (Polygonseiten) folgt die Umwallung selbst nur beim Polygonalsystem, und auch hier nur im Allgemeinen. Beim bastionirten und tenaillirten System sind die gedachten Verbindungslinien der Bastions- resp. Saillant-Spitzen die äußeren Polygonseiten; auf dieselben wird das eigentliche Tracé basirt. Die inneren Polygonseiten folgen beim Bastionärsystem der Richtung der Courtinen. Die Länge der Polygonseiten ist nicht ohne Belang. Sobald man die Forderung aufstellt, daß das Tracé eine Flankirung durch Gewehrfeuer zuläßt, so darf die

Lage der Polygonseiten, wenn jene von den Enden der Linie erfolgt, die wirksame Schußweite des Gewehrs nicht übersteigen. Geht die Flankirung dagegen von
der Mitte der Polygonseiten aus, so kann deren Länge das doppelte betragen.
Man rechnet heutzutage diese Schußweite zu ungef. 300 m., die wirksame Weite
des Kartätschfeuers dagegen bis 450 m. — Uebungs-Polygone nennt man
häufig die Uebungswerke der Festungs-Artillerie und der Pioniere resp. Genietruppen. Sie stellen in der Regel nur einen Saillant vor. Die Artillerie
benützt das P. als Ziel für verschiedene Schußarten (Ricochettiren, Demon-
tiren, Wurffeuer). Die Franzosen nennen den ganzen Schießplatz „polygone".

    Polygonalsystem ist eine Befestigungsweise, welche nur auf ausspringende
Winkel basirt ist, so daß die Flankirung entweder ausgeschlossen, oder auf Bauten
im Graben-Caponnièren angewiesen ist. In der Feldfortifikation kommen
heutzutage nur noch polygonale Grundrisse vor. Um die Enfilade der Linien
zu erschweren, bricht man sie bei permanenten Werken häufig in der Mitte
schwach nach innen oder nach außen. Die Flankirung der Linien muß dann
von der Mitte aus nach beiden Seiten stattfinden. Der Bruch nach außen
erweitert den inneren Raum und giebt der Caponnière mehr Schutz gegen indirecten Breschschuß, ist daher neuerdings vorherrschend. Die Polygonalbefestigung ist der historischen Entwicklung nach die älteste. Der lediglich aus
Mauerwerk bestehenden Enceinte des Alterthums und Mittelalters gab man
die Polygonal-Form und erreichte die Flankirung durch vorspringende Thürme.
Als das Auftreten der Pulvergeschütze dazu geführt hatte, das Mauerwerk
hauptsächlich noch als Mittel zur Erzielung der Sturmfreiheit beizubehalten,
im übrigen dem Erdwall die Herrschaft einzuräumen, war das Polygonalsystem
fast gänzlich aus den Befestigungsmanieren verschwunden. Erst Montalembert
(siehe Bd. VI. S. 155.) brachte die Anwendung desselben wieder in An-
regung, und dies, sowie die Vorschläge Carnots (Bd. II. S. 320) gaben
Anstoß zu der seit Beendigung der Freiheitskriege datirenden neupreußischen
Befestigungsweise — Polygonalsystem mit Caponnièren, auch Capon-
nièrensystem genannt, — mit welcher zugleich die Anwendung detachirter Forts
eine größere Verbreitung gefunden hat. Als Träger der neupreußischen Manier
sind: Aster (s. d. 1., Bd. I. S. 258 f.), Brese und Prittwitz zu nennen. In dieser
Weise sind zuerst Coblenz und Posen befestigt worden; bei den seitdem angelegten Festungen, sowie bei allen Umbauten und Erweiterungen ist man dem
System treu geblieben. Dasselbe hat auch in den ehemaligen deutschen Bundesfestungen, namentlich in Ulm, sowie theilweise in Rastadt (Leopoldsveste, Lud-
wigsveste), und bei Neubauten in Mainz und Luxemburg Anwendung gefunden,
ferner in Baiern (Ingolstadt und Germersheim), Belgien (Antwerpen), in
Oesterreich (Krakau und die Forts von Verona). In anderen Ländern hat man
sich, ohne das Bastionärsystem vollständig zu verlassen, dem polygonalen wenigstens
genähert (England, Italien, Rußland). Die Linien der Enceinte sind beim
Polygonals., wie erwähnt, in der Mitte schwach nach innen oder neuerdings nach
außen gebrochen. Mitunter war früherhin selbst eine gewisse Annäherung an
das bastionäre Tracé zu erkennen. Die Caponnièren liegen bei der Hauptenceinte
meist vor der Mitte der Front, bei detachirten Werken vorherrschend in den
Saillant-Spitzen — Capital-Caponnièren, resp. an den Schulterpunkten, letztere
neuerdings nur mit Feuerwirkung nach rückwärts, so daß kein indirecter Schuß
dagegen möglich — Orillon-Caponnièren. Sie sind meist in mehreren
Etagen gebaut und durch ravellinartige Erdwerke nach außen gedeckt — Ca-
ponnièrenbeckwerke, die selbst wieder entweder vom Hauptwall bestrichen
werden, oder neuerdings Capital- und Orillon-Caponnièren haben. — Freistehende Escarpenmauern mit Rondengang, gemauerte Blockhäuser im gedeckten

Wege, Reduits in allen wichtigeren Theilen und selbstständigen Werken, reiche Anwendung von Mauerhohlbau treten weniger als Kriterien des Polygonalsystems, als vielmehr der neupreußischen Befestigungsweise hinzu. Dieselbe wurde namentlich von Frankreich aus vielfach angefeindet. Die schwache Seite ist unverkennbar die Möglichkeit, im Wege des indirekten Schusses die Flankirungsvorrichtungen schon aus der Ferne unwirksam zu machen. Vergl. insbesondere „Die Polygonalbefestigung, welche seit dem Jahre 1815 in Deutschland zur Anwendung gekommen ist," von Mangin, deutsch von Coster, Leipzig 1855. Das Originalwerk des franz. Capitain Mangin erschien 1851 in Paris: „Mémoire sur la fortification polygonale." So sehr man auch der indirekte Schuß durch die gezogenen Geschütze an Vollkommenheit gewonnen hat, so hat er doch immer viele Bedenken, wozu namentlich die Schwierigkeit der Beobachtung zu zählen ist; andrerseits fehlt es der Befestigungskunst nicht an Mitteln, durch richtige Lage der Caponnièren, Führung des Tracés, Profilverhältnisse, seine Wirkung bedeutend abzuschwächen. Vgl. Brialmont, „Traité de fortification polygonale." Bruxelles, 1869. „Die Grundsätze der neueren Befestigung und Widerlegung Mangins," von Müller II., Berlin 1856. — „Grundriß der Fortification", von R. Wagner, Berlin 1870.

Polygonales Zugprofil, siehe Geschütz, Züge.

Polynesien, 1) im weitern Sinne sonst s. v. w. Australien (s. d.), das Festland nebst sämmtlichen Inseln und Inselgruppen im Stillen Ocean; 2) im engern Sinne jetzt mit Ausschluß des Australcontinentes (sonst Neuholland genannt) sämmtliche Inseln und Inselgruppen im Stillen Ocean von 32° nördl. Br. bis 56° südl. Br. und von 150° bis 269° östl. L. (v. Ferro) mit einem Gesammtflächenraum von ungef. 60,000 □M. Man theilt diese sämmtlichen Inseln je nach ihrer Lage südlich oder nördlich vom Aequator, und westlich oder östlich 180° östl. Länge, in 4 Hauptabtheilungen. A) Die südwestlichen Inseln zerfallen in 9 Inseln und Inselgruppen: Neu-Guinea, die Admiralitäts-Inseln, die Louisiade, Neu-Britannien, die Salomons-Inseln, Santa Cruz, der Heiligen Geist-Archipel (Neu-Hebriden), Neu-Caledonien und Neu-Seeland; B) die südöstlichen Inseln in einen westlichen und östlichen Archipel; der erstere besteht aus den Fidschi- oder Viti-Inseln, Tonga- oder Freundschafts-Inseln und Navigator- oder Schiffer-Inseln (Samoa-Gruppe), der letztere dagegen aus den Societäts- oder Gesellschafts-Inseln, Niedrigen oder Paumotu-Inseln, Mendana- oder Marquesas- und dem Cook-Archipel (Hervey-Gruppe); C) die nordwestlichen Inseln in die drei großen Gruppen Marianen (Ladronen oder Diebs-Inseln), Carolinen und Mulgrave (Marschall und Gilbert); D) die nordöstlichen Inseln umfassen nur die Sandwich-Inseln (Hawai-Gruppe). Die Gesammtbevölkerung wird auf eine Million geschätzt und zerfällt in zwei wesentlich verschiedene Stämme: einen schwarzen von australischem Charakter (Papuas), welcher vorzugsweise die südwestlichen Inseln mit Ausschluß Neu-Seelands bewohnt und einem hellfarbigen, den Malaien des Indischen Ocean verwandten Stamme, welcher letztere die Papuas in physischer wie geistiger Hinsicht weit übertrifft. In Betreff der politischen Verhältnisse und Beziehungen zu Europa ist Neu-Seeland eine englische, die Mendana-Gruppe eine französische, die Marianen-Gruppe eine spanische Colonie; Otaheiti (und die Gesellschafts-Inseln überhaupt) steht unter französischem Protectorat, während auf den Sandwichs-Inseln England, Frankreich und Nordamerika um den Einfluß streiten.

Polysperchon, Aetolier, Feldherr Alexanders d. Gr., verlor im Kampfe mit Kasander um die Reichsverwaltung und Vormundschaft über die Kinder Alexanders sein Leben.

Polytechnische Schulen oder **Institute** sind höhere Lehranstalten, welche sich die Bildung wissenschaftlicher Techniker in jeder Richtung zur Aufgabe machen. Die berühmte P. Sch. zu Paris ist dagegen vorzugsweise militärische Bildungsanstalt, s. u. Frankreich, Bd. IV. S. 96, 2).

Pommern, Provinz der Preußischen Monarchie, grenzt im Norden an die Ostsee, im Osten an Westpreußen, im Süden an Brandenburg und Mecklenburg-Strelitz, im Westen an Mecklenburg-Schwerin, zerfällt geographisch in Vor- und Hinterpommern (ersteres westlich, letzteres östlich der Oder) und umfaßt einen Flächenraum von 574,₁₁ Q.-Ml. mit (1867) 1,445,635 Einwohnern, welche hinsichtlich ihrer Nationalität mit Ausnahme von ungefähr 4000 Slawen (Polen und Kassuben) im Regierungsbezirk Köslin rein deutschen Stammes, hinsichtlich der Religion aber zu 97,₄ Proc. evangelisch, zu 1,₄ Proc. latholisch, zu 0,₈ Proc. israelitisch sind und zu 0,₄ Proc. anderen Confessionen angehören. Das Land ist mit Ausnahme weniger Höhen flach; die Küste Vorpommerns ist sehr zerrissen, im Hinterpommerns hat zahlreiche Sandhügel und Dünen. Von den zu P. gehörigen Inseln sind die größten: Rügen, Usedom und Wollin. Der Hauptfluß ist die Oder; außerdem giebt es viele Küstenflüsse, von denen mehrere schiffbar sind. Haupterwerbsquellen sind Ackerbau, Viehzucht, Schifffahrt und Fischerei. Hauptsitz des Handels ist Stettin; die Industrie ist ohne wesentliche Bedeutung. Knotenpunkte des Eisenbahnsystems der Provinz sind Stettin und Pasewalk. Eine Universität besteht in Greifswald. In administrativer Hinsicht zerfällt P. in die 3 Regierungsbezirke Stettin, Köslin und Stralsund. Sitz des Oberpräsidenten ist Stettin. P. bildet den Ersatz-Bezirk und größtentheils auch die Garnisons-Provinz des 2. Armee-Corps (Commando der 3. Division in Stettin, der 4. Division jedoch in Bromberg und das General-Commando in Berlin). Festungen sind: Stettin, Kolberg und Stralsund; außerdem ist noch Swinemünde befestigt. Statthalter von P. ist der lebensmalige präsumtive Thronfolger von Preußen. — P. bildete in alten Zeiten einen Haupttheil des Wendischen Königreiches, hatte von 1062 an oder eigne Herzöge, als deren Ahnherr Swantibor (gest. 1107) gilt. Nach dem Aussterben der wendischen Herzöge im Mannesstamme (1637 mit Bogislaw XIV.) hatte in Gemäßheit bestehender Erbverbrüderung das Kurhaus Brandenburg Anwartschaft auf das ganze Herzogthum P., mußte sich aber, da das Land während des Dreißigjährigen Krieges von Schweden besetzt war, im Westfälischen Frieden von 1648 mit Hinterpommern begnügen und Vorpommern mit Rügen an Schweden überlassen. Im Stockholmer Frieden von 1720 mußte jedoch Schweden den größten Theil Vorpommerns mit den Inseln Wollin und Usedom an Preußen abtreten und behielt nur das Stück zwischen Mecklenburg, der Ostsee und dem Peeneflusse mit der Insel Rügen (das sogenannte Schwedisch-Pommern), welches jedoch durch Vertrag vom 4. Juni 1815 ebenfalls an Preußen kam. Vgl. Barthold, „Geschichte von Rügen und P." Hamburg 1839—44, 4 Bde; Bohlen, „Die Erwerbung P.'s durch die Hohenzollern", Berlin 1865.

Pompejus, 1) Cnejus, genannt der Große, aus einer bereits zur Berühmtheit gelangten römischen Familie, geb. 106 v. Chr., begann im Bundesgenossenkriege (91—88 v. Chr.) unter seinem Vater Cnejus P. Strabo, der ein Heer führte, seine kriegerische Laufbahn, zeichnete sich 83 v. Chr. gegen die Marianer aus, wurde ein Günstling Sulla's, erhielt das Obercommando in Etrurien und Afrika (82—81), kehrte als Sieger zurück und brachte den bisher von Crassus geführten Sclavenkrieg 71 siegreich zu Ende, führte als Oberbefehlshaber von unbeschränkter Machtvollkommenheit 67 den Krieg gegen die Seeräuber und schlug 66 den König von Pontus, Mithridates den Großen.

60 und 56 v. Chr. war er Mitglied des Cäsarischen Triumvirates, zerfiel aber aus Eifersucht 49 v. Chr. mit Cäsar (s. d. S. 329 f.) und 48 entbrannte zwischen Beiden der Krieg, dessen Schauplatz Griechenland wurde. P. siegte Anfangs bei Dyrrhachium (dem heutigen Durazzo), wurde aber von seinen übermüthigen Soldaten ganz gegen seine Einsicht und seinen Willen bei Pharsalus (s. d.) zur Schlacht gezwungen, verlor dieselbe (9. August 48) und wurde auf der Flucht nach Aegypten meuchlerisch ermordet. 2) Cnejus, Sohn des Vorigen, fiel 45 v. Chr. in der Schlacht bei Munda gegen die Cäsarianer. 3) Sextus, Bruder des Vorigen, führte schon unter seinem Vater, Pompejus dem Großen, ein Commando in Afrika, kämpfte im Interesse seines Vaters mit seinem Bruder in Spanien, eroberte dann Sardinien und Corsica, lieferte dem Octavian mehrere glückliche Schlachten, wurde aber bei Messana von Agrippa geschlagen und in Kleinasien, wohin er flüchtete, 35 v. Chr. treulos hingerichtet.

Pompiers, Feuerwehr, in Paris und den größten Städten Rußlands aus dem Heere rekrutirt, vollkommen militairisch eingerichtet, sogenannte Brigaden bildend, beritten, nach ihren Functionen abgetheilt und in verschiedenen Feuerwachen, die mit Spritzenremisen, Stallungen und hohem Wartthurm versehen sind, concentrirt.

Pondichéry, 1) Gouvernement P., (Etablissement français dans l'Inde), der Rest der früheren französischen Besitzungen in Ostindien, umfaßt die 5 getrennten Gebietstheile P., Chandernagor, Karikal, Mahé und Yanaon mit einem Gesammtflächenraum von 9,₂ Q. M. und einer Gesammtbevölkerung von 227,063 Einwohnern. 2) Französische Colonie in Ostindien, liegt an der Küste von Koromandel am Bengalischen Meerbusen, umschlossen von der Provinz Karnatik der Indobritischen Präsidentschaft Madras, hat 5,₁ Q. M. mit 126,645 Einwohnern. 3) Hauptstadt der gleichnamigen französischen Colonie und der französischen Besitzungen in Ostindien überhaupt, unweit der Mündung der nur für kleine Fahrzeuge schiffbaren Dschindschi (Gingy) in den Bengalischen Meerbusen, ist Sitz des Gouverneurs von Französisch-Indien, zerfällt in die Weiße Stadt der Europäer und die Schwarze Stadt der Eingeborenen, hat eine offene Rhede (keinen Hafen) mit starker Brandung, einen Leuchtthurm und ungef. 50,000 Einwohner. P. wurde 1672 als ein Dorf nebst einem kleinen Gebiete von dem Könige von Bdschapoor an die Französisch-Ostindische Compagnie abgetreten, von dieser befestigt, 1693 von den Holländern erobert, im Frieden von Ryswick 1697 an die Franzosen zurückgegeben, wuchs nun schnell zu einer großen blühenden Stadt heran, wurde 1761 (wo es 70,000 Einwohner zählte) von den Engländern unter Coote erobert und zerstört, 1763 zurückgegeben, 1778 abermals von den Engländern unter Munro und Vernon erobert, im Frieden von Versailles 1783 aufs Neue zurückgegeben, 1793 zum dritten Male von den Engländern genommen und geschleift, im Frieden von Amiens 1802 wiederum zurückgegeben, 1803 zum vierten Male von den Engländern genommen und erst im Pariser Frieden von 1814 definitiv an die Franzosen zurückgegeben, unter der Bedingung keine Fortificationen mehr anzulegen.

Poniatowski, eine polnische, aus Oberitalien stammende, seit dem 18. Jahrh. in den Fürstenstand erhobene Familie, deren Güter in der Wojwodschaft Sieradz liegen. Aus derselben sind namentlich berühmt: 1) Graf Stanislaw, geb. 1677, schloß sich schon in seiner Jugend der schwedischen Partei und während des Nordischen Krieges an Stanislaw Lesczynski und Karl XII. an, begleitete Letztern nach Rußland, trug nach der verlorenen Schlacht von Pultawa (1709) wesentlich zu seiner Lebensrettung bei und ging dann auch mit ihm nach der Türkei, wo er den Sultan zum Krieg gegen Rußland bestimmte. Nach Karl's XII.

Tode schloß er sich an den König August II. an, trat aber nach des Letzteren Tode wieder für Stanislaw Leszczynski auf, wurde jedoch von den Russen gefangen, söhnte sich mit August III. aus, ging 1740 als dessen Gesandte nach Paris, wurde 1752 Castellan von Krakau und starb 1762. 2) **Stanislaw August**, Sohn des Vor., geb. 1732, wurde nach dem Tode August's III. (1763) unter dem Einflusse Rußlands zum König von Polen gewählt und am 3. Nov. 1764 als solcher gekrönt. Unter seiner schwachen Regierung fanden die drei Theilungen statt (s. u. Polen S. 160 f.). Nach der dritten Theilung mußte er seinen Aufenthalt in Petersburg nehmen und starb daselbst 12. Febr. 1798. 3) **Fürst Andrzej (Andreas)**, Bruder des Vor., wurde 1756 deutscher Reichsfürst und starb als österreichischer Feldzeugmeister 1773 zu Wien. 4) **Fürst Jozef**, Sohn des Vor., geb. 7. Mai 1762 zu Warschau, trat schon in früher Jugend in das österreichische Heer, wurde jedoch 1792 von seinem Oheim Stanislaw an die Spitze des polnischen Heeres gestellt, zeichnete sich 1794 unter Kosciuszko aus, focht namentlich mit großer Bravour bei der Vertheidigung von Warschau, schlug nach der dritten Theilung die Anerbietungen Rußlands, als Generallieutenant in das russische Heer einzutreten, aus, lebte dann in Zurückgezogenheit zu Warschau, übernahm nach der Gründung des Herzogthums Warschau (1807) das Kriegsministerium daselbst, focht 1809 als General des polnischen Heeres unter französischem Oberbefehl mit Auszeichnung gegen die Oesterreicher, übernahm dann das Kriegsministerium wieder, verstärkte die polnischen Festungen, errichtete Militärschulen, ging 1811 als außerordentlicher Gesandter nach Paris, erhielt beim Ausbruch des Russischen Krieges von 1812 den Oberbefehl über das aus Polen und Franzosen gebildete 5. Corps, welches zum ersten Flügel gehörte, focht namentlich am 7. Sept. in der Schlacht an der Moskwa mit großer Ausdauer, ebenso im Feldzuge von 1813 bei Dresden und bei Leipzig und wurde hier am 18. Oct. von Napoleon I. zum französischen Marschall ernannt. Bei dem Rückzuge durch Leipzig am Vormittag des 19. Oct. versuchte er nach der vorzeitigen Sprengung der Elsterbrücke im Reichenbach'schen (nachmals Gerhard'schen) Garten durch die Elster zu schwimmen, wurde aber hier von drei Flintenkugeln tödtlich verwundet*) und ertrank im Flusse. Sein Leichnam wurde erst am 24. Octaber aufgefunden und 1816 in der Königsgruft zu Krakau beigesetzt. An der Stelle, wo er ertrank, wurde ihm ein einfacher Denkstein*), im Innern des Reichenbach'schen Gartens aber ein größeres Denkmal errichtet, letzteres jedoch beim Umbau des Gartens (zu Straßen) an eine andre Stelle (neben der nach ihm benannten Poniatowski-Brücke) versetzt.

Poninski, Fürst Adam P., polnischer General unter Kosciuszko, verschuldete insofern den Untergang Polens, als er am 10. Oct. 1794 mit seinen Truppen auf dem Schlachtfelde bei Macieowice nicht dem Befehle gemäß eintraf und dadurch die folgeschwere Niederlage verursachte. Er wurde deshalb vom Reichstage des Landesverrathes angeklagt, konnte auch unter den folgenden Regierungen seine confiscirten Güter nicht wieder erlangen und starb im Elend.

Pönitz, Karl Eduard, geb. 1795 zu Döbeln in Sachsen, wurde Kaufmann, trat 1813 als Freiwilliger in ein sächsisches Husaren-Regiment, nahm an den Feldzügen bis 1815 Theil, blieb dann noch bis 1818 beim Observationscorps in Frankreich, wurde 1822 Lehrer am Cadettenhause zu Dresden, avancirte

---

*) **Anmerkung:** Der Denkstein sagt ausdrücklich: Hic in undis obiit Princeps Josefus Poniatowsky, tribus vulneribus ictus etc., was also der gewöhnlichen Annahme widerspricht, daß P. lediglich ertrunken sei. Unverwundet würde sich der Fürst, der ein gewandter Schwimmer war, trotz der hohen Ufer an jener Stelle, leicht aus dem Flusse gerettet haben.

1842 zum Hauptmann, trat 1846 als Oberpostrath zu Leipzig in den Civil-
staatsdienst über, wurde 1854 in Ruhestand versetzt, lebte dann in und bei
Dresden und starb 27. Sept. 1858 in Hosterwitz unweit Pillnitz. P. gehört
zu den geachtetsten Militärschriftstellern und ist einer der hervorragendsten Vertreter der Clausewitz'schen Schule. Er schrieb (meist unter der Chiffer Pz.):
„Die Fechtkunst auf den Stoß", Dresden 1821; „Taktik der Infanterie
und Cavalerie", Aborf 1838, 2 Bde., 3. Aufl. 1852; „Practische Anleitung
zur Recognoscirung und Beschreibung des Terrains", ebb. 1840, 2. Aufl. 1855;
„Die Eisenbahnen als militärische Operationslinien betrachtet", ebb. 1841,
2. Aufl. 1853; „Militärische Briefe eines Verstorbenen", ebb. 1841—45, 3 Thle.,
2. Aufl. Stuttg. 1854, 3 Bde.; „Der Soldat und seine Pflichten" (eine Art
Militär-Roman) Leipzig 1848, 2. Aufl. 1852; „Kriegerische und friedliche
Träumereien über Vergangenes, Gegenwärtiges und Zukünftiges", ebb. 1857.

　　Ponte-Corvo, Stadt in der italienischen Provinz Caserta (ehem. neapol.
Prov. Terra di Lavoro), am Garigliano und an der Eisenbahn von Rom
nach Neapel, hat 7000 Einwohner und bildete 1860 mit ihrem Gebiete (2 O.
M.) ein dem Papste gehöriges, zur Delegation Frosinone gerechnetes, von nea-
politanischem Gebiete umschlossenes Fürstenthum. Dasselbe wurde 1806 von
Napoleon I. dem Marschall Bernadotte (s. Karl 11) geschenkt, welcher danach
Fürst von P.-C. hieß, es aber bei seiner Erhebung zum Kronprinzen von
Schweden 1810 wieder abtrat.

　　Pont-Noyelles, Dorf 1½ Meilen nordöstlich von Amiens im französischen
Departement Somme. Hier am 23. Dec. 1870 Schlacht, gewöhnlich Schlacht
an der L'Hallu (s. d. in den Supplementen) genannt, in welcher die 60,000
Mann starke französische Nordarmee unter General Faidherbe von der 1. deutschen
Armee unter General von Manteuffel mit bedeutenden Verlusten (mehr als 1000
Gefangene und mehre Geschütze) über den Abschnitt der L'Hallu zurückgeworfen
wurde und sich dann nach Arras zu zurückzog.

　　Pontonnier ist der Name für diejenige Truppe, welche das Brückenschlagen
besorgt. Man wählt dazu vorherrschend Schiffer, Fischer und Zimmerleute,
wohl auch Eisenarbeiter aus. Sie bilden eine technische Truppe, und sind gewöhnlich mit den Pionieren verschmolzen. In Frankreich (nach der bisherigen
Organisation) und Italien bilden die P. ein besonderes Regiment, das in
Frankreich sogar zur Artillerie gehört (6. Artillerie-Regiment zu 14 Compagnien). In Oesterreich bilden die P. das Pionnier-Regiment à 5 Bataillone, das indeß auch noch zur Herstellung von Communicationen überhaupt,
zu Lagerbauten und zur Mitwirkung beim Schanzenbau (letztere ist die ausschließliche Aufgabe der Genie-Regimenter) bestimmt ist. In Rußland gehören die P. zum Sappeur-Corps und bilden 6 Pionier-Halbbataillone. In
Norddeutschland und Baden, künftig auch in Württemberg, sind die
P. mit den Sappeuren und Mineuren in den Pionier-Bataillonen (1 per
Armee-Corps) vereinigt. Die 1. Compagnie des Bataillons ist Pontonnier-
Compagnie; die Sappeure und Mineure sind zu den Hülfsarbeiten des Pon-
tonnirens ausgebildet. Im Kriege besetzt die Pontonnier-Compagnie den leichten,
ein besonderes Detachement den schweren Train, im Frieden ist die Compagnie
ohne Bespannung. In Baiern gehören nach der bisherigen Organisation
die P. zu den Feld-Genie-Divisionen, welche mit den Festungs-Genie-Abthei-
lungen das Genie-Regiment bilden. Der Regimentsverband hat für die Pon-
tonier-Truppen nur insofern Bedeutung, als er die Ausbildung centralisirt,
kann aber im Kriege gar nicht inne gehalten werden, weshalb es wohl am
vortheilhaftesten ist, ihn von vorn herein fallen zu lassen. Die Verbindung
mit der Artillerie, wie in Frankreich, läßt sich allenfalls insofern rechtfertigen,

als beide Truppengattungen vorherrschend bespannte Fahrzeuge haben; im Uebrigen haben sie nichts Verwandtes.

Pontons (siehe auch „Brücke"), heißen die zum Bau von Kriegsbrücken von den Heeren mitgeführten Schiffsgefäße, auf welchen das Balkenwerk der Brücke aufgebaut wird. Sie bilden eine schwimmende Brückenunterlage — Ponton- oder Schiffbrücke. P. sind in Holz oder in Metallblech (in der Regel Eisen- oder Kupferblech) gebaut. Die Anwendung des Eisenblechs ist jetzt vorherrschend. Gegen Witterungseinflüsse giebt man einen Anstrich. Bei metallenen Pontons überhaupt lassen sich Fächer anbringen, die beim Leckwerden verhindern, daß das Ganze vom Wasser erfüllt wird. P. zu Kriegszwecken dürfen nicht größer und schwerer sein, als daß sie sich durch Menschenkraft bequem auf Fahrzeuge verladen lassen, und letztere, (Pontonwagen, auch Hackets genannt), welche auch noch einen entsprechenden Theil des übrigen Brücken-Materials aufzunehmen haben, den Anforderungen des Feldkrieges an Beweglichkeit noch zu entsprechen vermögen. In Norddeutschland: Länge 7 m; mittl. Breite 1,₄ m; Höhe 0,₉ m; Gewicht 9 Ctr.; Tragfähigkeit 81 Ctr. Eine Anzahl Hackets mit der nothwendigen Bespannung (Train) und Bedienung (Pontonniere), bilden einen Pontontrain, in Norddeutschland Pontoncolonne oder schwerer Brückentrain genannt. Pontonbrücken baut man bei tieferen und breiteren Gewässern; den Gegensatz bilden die Bockbrücken, deren Material der Bockbrückentrain, auch Feldbrücken-, Avantgarden- oder leichte Train genannt, mitführt. Der leichte Train enthält außer dem Bockbrücken-Material einige Halb-Pontons d. i. der Zerlegbarkeit und somit größerer Transportfähigkeit wegen aus 2 Stücken zusammengesetzte P. — Ein Brückentrain überhaupt wird auch Brücken-Equipage, resp. Brückenzug genannt. Der norddeutsche Pontontrain führt 32 P. und 4 Biragosche Böcke für die Landstrecken mit. Handelt es sich um den Uebergang von höchstens leichtem Fuhrwerk (Laufbrücken); so reicht das Material für eine Brückenlänge von 210 m, für schwereres Fuhrwerk und geschlossene Truppen (Colonnenbrücken), wobei die Abstände der P. verringert werden, nur für 150 m aus. Man kann die Brücke entweder streckenweise oder gliederweise bauen, resp. beides verbinden. Im ersten Falle wird P. für P., im zweiten werden 4—6 vorher mit einander verbundene P. gleichzeitig eingefahren. Beim streckenweisen Bau rechnet man für die ganze Brückenlänge 2½ Stunden Arbeitszeit, was sich beim gliederweisen auf 1½ Stunde reduciren läßt. Man kann ein oder mehrere mit einander verbundene P. (Maschine) auch zum Uebersetzen benutzen (Alsen 1864). Während jedes norddeutsche Armee-Corps einen leichten Train mitführt, wird der schwere Train desselben jedesmal nur auf besonderen Befehl mobil. Er steht unter dem Commandeur der Ingenieure und Pioniere des Armee-Corps und ist außer der Verwendung der Corps-Artillerie zugetheilt. Das Personal umfaßt das Pionier-Begleitcommando (selbstständiges Pontonnier-Détachement) und die Trainmannschaften. Im Ganzen hat die Pontoncolonne einen Etat v. 5 Off., 26 Unteroff., 54 gemeinen Pionieren, 140 Trainsoldaten, 1 Arzt, 1 Roßarzt, 1 Beamten, 277 Pferden und 41 Fahrzeugen, (davon 32 6spännige Pontonwagen, 2 6spännige Bockenwagen, 3 6spännige Werkzeugwagen, 3 4spännige Leiterwagen, 1 2spänniger Offizier-Equipage-wagen). Von den Offizieren gehören 2, von den Unteroffizieren 7 den Pontonnieren, die übrigen dem Train an.

Pontremoli, befestigte Stadt am Magra in der italienischen Provinz Massa und Carrara, gehörte bis 1860 zur parmesanischen Provinz Lunigiana, hat eine Kathedrale und 3000 Einwohner. Die Fortificationen sind größtentheils

von Castruccio erbaut; das Fort Bonnette beherrscht den (Apenninen-) Paß von
P. auf der Hauptstraße, welche aus dem Parmesanischen in das Toscanische führt.

Pontus (griech. Pontos, das Meer), eine Landschaft im nordöstlichen
Kleinasien, ursprünglich der Name für die ganze Südküste des Pontus Euxinus
(Schwarzes Meer); später ein besonderes Reich (Pontisches Reich) zwischen
Bithynien und Armenien, welches dann unter persische Herrschaft auch einen
Theil von Kappadocien umfaßte. Später entstand ein neues Pontisches Reich,
welches unter Mithridates VI. (s. d.) sich zur höchsten Blüthe entfaltete, um gegen
Rom drei große Kriege (Mithridatische oder Pontische Kriege, 89 — 68
v. Chr.) zu bestehen hatte. Im J.66 wurde jedoch Mithridates von Pompejus geschlagen und der Letztere vereinigte nach des Mithridates Tode den
westlichen Theil des Landes mit dem Römischen Reiche, während er den östlichen
Theil an verschiedene Fürsten Asiens verschenkte. Als 1204 Konstantinopel
von den Lateinern (Kreuzfahrern) erobert worden war (s. u. Byzantinisches Reich),
gründete Komnenus ein neues Pontisches Reich (Kaiserthum Trapezunt), welches Mohammed II. 1461 mit seinen Eroberungen vereinigte. Gegenwärtig
entspricht dem alten P. das asiatische türkische Ejalet Tarabezun (Trapezunt)
mit den angrenzenden Theilen der Ejalets Siwas und Erzerum.

Pontus-Conferenzen, s. u. Pariser Frieden 3), Bd. VII. S. 81.

Porsenna, König von Clusium, bemächtigte sich 507 v. Chr. wahrscheinlich
Roms und zwang es zu einem nachtheiligen Frieden, der indessen später ge-
mildert wurde. Die römische Sage dagegen erzählt, daß Horatius Cocles
(s. d.) durch Heldenmuth ihn abgewehrt, Mucius Scävola (s. d.) durch wun-
derbare Selbstverläugnung ihm so imponirt habe, daß er der beste Freund
Roms geworden sei.

Portépée, Degenquaste, (im Französischen bedeutet P. übrigens Degen-
gehenk, während die Degenquaste „la dragonne" heißt), namentlich die silberne
oder goldene am Seitengewehr der Offiziere. Dieselbe dient gleichzeitig als
Abzeichen für die höchste Classe der Unteroffiziere (Portepee-Unteroffiziere,
als Feldwebel, Wachtmeister, Oberfeuerwerker, Portepee-Fähnrich rc.), welche
in der Regel auch das Offizierseitengewehr tragen. (Portepee-Fähnriche in
Norddeutschland erst nach bestandenem Offizier-Examen.) Im weiteren Sinne
nennt man auch die von den Gemeinen und übrigen Unteroffizieren am Seitengewehr getragenen, in der Regel wollenen Quasten P., während man dieselben
gewöhnlich mit den Namen Säbeltroddel, oder bei Cavalerieseitengewehren als
Faustriemen bezeichnet. Durch Wahl verschiedener Farbenzusammenstellungen
dienen sie für die Gemeinen als Bataillons- und Compagnie-, für die Unteroffiziere als Grababzeichen. Der Faustriemen, der zum Theil aus Leder besteht, ist
das Mittel, den Säbel im Handgelenk zu verhängen, so daß man mit derselben
Hand die Pistole führen kann.

Portépée-Fähnrich (Portépée-Junker), s. Fähnrich.

Port Gibson, Hauptort der Grafschaft Claiborne im nordamerikanischen
Staate Mississippi, ist durch Straßen Raymond, Natchez, Rodney, Grand-
Gulf verbunden und liegt nur wenige Meilen von Bruinsburg am Mississippi
entfernt. Schlacht daselbst am 1. Mai 1863. Am 30. Mai genannten Jahres
hatte Grant bei Bruinsburg den Mississippi überschritten und traf mit dem
die Avantgarde bildenden 13. Corps auf die vorwärts Port Gibson stehenden
ungefähr 800 Mann starken Conföderirten unter General Bowen, die, nachdem
auf Seiten der Unirten noch das ganze 17. Corps nach und nach in's Gefecht
gebracht waren, gegen 10 Uhr Morgens ihre erste Stellung aufgaben und sich
bei Port Gibson selbst wieder setzten. Hier leisteten die Conföderirten einen so
energischen Widerstand, der mit wiederholten Offensiv-Stößen wechselte, daß

Grant sie erst gegen Abend zum Aufgeben ihrer Stellung zu veranlassen vermochte. Ein in der Dunkelheit ausgeführter Bajonnet-Angriff der unirten Division Osterhaus entschied das Schicksal des Tages, der den Conföderirten 1500 Mann und 5 Geschütze kostete; jedoch gelang es ihnen, ihren Rückzug nach Grand-Gulf zu bewerkstelligen, ohne vom Feinde verfolgt zu werden.

Port Hudson, kleine, stark befestigte Stadt in der Grafschaft East Feliciana des nordamerikanischen Staates Louisiana, liegt an der Einmündung des Thompson's Creek in den Mississippi, ist Endpunkt der von Clinton nach dem genannten Flusse führenden Bahn und durch Straßen mit den Städten St. Franciswille, Jackson und Baton-Rouge verbunden. Die in einer Ausdehnung von 3/4 Meilen längs des Mississippi angelegten Befestigungen, welche die Schiffahrt auf dem Strome sperren sollten, erfüllten, weil zu hoch gelegen, diesen Zweck nicht, und wurden am 15. März 1863 von Admiral Farragut mit seinem Flaggenschiff Hartfort und dem von ihm bugsirten Albatroß unter dem heftigen Feuer passirt, während der Richmond von denselben in Brand geschossen wurde und sank, und zwei andre Fahrzeuge, der Genessee und Kineo, zur Umkehr gezwungen wurden. Vom 21. Mai desselben Jahres an wurde die Stadt durch den General Banks mit den Divisionen Weitzel, Emory, Grover und Thomas William Sherman sowie der in Reserve gehaltenen Division Augur, zusammen 25000 Mann, eng eingeschlossen, wobei die Divisionen wie aufgeführt vom rechten Flügel an standen. Am 27. Mai, nachdem schon vorher die regelmäßige Belagerung eingeleitet, wurde ein Sturm versucht, der auf dem rechten glücklich war, im Centrum und auf dem linken Flügel hingegen entschieden fehl schlug und nach einem Verlust von 3000 Mann mit dem Rückzuge endigte. Durch auf beiden Flügeln angelegte starke Werke wurde nun die Festung enfilirt und am 14. Juni abermals ein vergeblicher Sturmversuch gemacht, der den Unirten 1500 Mann kostete. Am 7. Juli erfolgte die Uebergabe, da alle Lebensmittel in der Stadt aufgezehrt waren und man keine Aussicht auf Entsatz mehr hatte.

Portion ist der für einen Mann und gewöhnlich pro Tag abgemessene Theil von Speise und Getränk (auch Mund-Portion), entsprechend dem mehr auf die Fourage bezogenen Ausdruck „Ration", obgleich letzterer auch mit P. synonym angewandt wird. Portions-Gelder sind die an Offiziere im mobilen Verhältniß zu zahlenden Geldbeträge, wenn auf Naturalverpflegung verzichtet ist.

Porto, s. Oporto.

Portsmouth, Hauptstation der englischen Marine, starke Seefestung und Hafenstadt in der englischen Grafschaft Hampshire am britischen Kanal auf der Insel Portsea, mit dem großen Anbau Portsea, zusammen 95,000 Einwohner (wovon auf das eigentliche P. nur 12,000 kommen). Das eigentliche P. ist durch Graben, Wall, Mauern und Forts mächtig fortificirt, der Hafen mit Forts und Batterie besetzt; zu Portsea, welches jetzt zwei Mal größer als P. ist, befindet sich das bewunderte Marine-Arsenal auf einem Flächeninhalte von 100 Acres mit mehren großen Dampfmaschinen und allen Arten von Werkstätten, deren die Marine bedarf. In Frieden arbeiten in dem Arsenal ununterbrochen gegen 4000 Handwerker. Nahe dem Arsenal befindet sich die königl. Seemanns- und Schiffsbauschule und das Marine-Collegium mit einem Marine-Museum, in welchem sich Modelle und Zeichnungen von den Schiffsarten aller Länder und aller Zeiten, namentlich aber auch von allen Maschinen und Hilfsmitteln der Marine befinden. Das Marinehospital in einem prachtvollen riesenhaften Gebäude nimmt 3000 Kranke auf. Portsea ist mit den mächtigsten Festungswerken umgeben, wie überhaupt P. zu den stärksten Festungen der Welt gehört, wozu namentlich die Lage des nahen Gosport auf der jenſeitigen Landzunge mit ſeinen nicht minder gewaltigen Feſtungswerken, ſeinen Docks, Kaſernen, Kugel- und Geſchützgießereien und rieſenhaften Magazinen beiträgt. Gosport iſt als zu P. und Portſea gehörig anzuſehen und bildet militairiſch mit dieſen beiden Städten ein Ganzes. Die Rhede von P. heißt Spithead und befindet ſich zwiſchen P. und der Inſel Whigt. Im Hafen ſtationiren in der Regel 100 Kriegsſchiffe. P. und Gosport ſind durch Zweigbahnen mit dem großen engliſchen Eiſenbahnnetze zwiſchen Southampton, London und Canterbury verbunden. P. erlangte ſchon frühzeitig eine große maritime Bedeutung: bereits unter Alfred d. Gr. wurde im dortigen Hafen eine Flotte gegen die Dänen ausgerüſtet; ebenſo 1066 von hier aus eine ſolche gegen die Normannen ausgeſchickt. Im Jahre 1377 landeten die Franzoſen bei P., zerſtörten die Stadt großentheils, mußten aber endlich mit großem Verluſte wieder abziehen. Die großen Fortificationen wurden von Eduard IV. begonnen und von Richard III. vollendet. Heinrich VIII. erbaute das Marine-Arſenal. Eliſabeth und Karl II. ließen neue Fortificationen anlegen, die ſeit Wilhelm III. bis auf die neueſte Zeit noch fortwährend verſtärkt und vermehrt wurden.

Portugal, Königreich im ſüdweſtlichen Europa, den weſtlichen Theil der Pyrenäiſchen Halbinſel umfaſſend, wird im Norden und Oſten von Spanien begrenzt, im Süden und Weſten vom Atlantiſchen Ocean umfloſſen, erſtreckt ſich von 36° 58′ bis 42° 7′ nördl. Br. und von 8° 9′ bis 11° 4′ öſtl L. (b. Ferro) und hat einen Flächenraum von 1622,₄₄ □.-M. mit den (zwar außereuropäiſchen, aber doch nicht zu den Colonien, ſondern zum Königreich ſelbſt gerechneten) Azoren und Madeira aber einen Geſammt-Flächenraum von 1684,₁₃ □.-M. P. iſt größtentheils Hochland, die Gebirge und Flüſſe meiſt die Fortſetzungen der ſpaniſchen. Die wichtigſten Flüſſe ſind: Tejo, Douro, Minho, Guadiana und die Küſtenflüſſe Lena, Sado ꝛc. Das Klima iſt durch Seewinde gemäßigt, auf den Gebirgen bisweilen rauh und ſtrenge. Der Boden iſt im Allgemeinen höchſt fruchtbar; dagegen enthalten die Hochflächen, welchen die Bewäſſerung fehlt, nur culturloſes Weideland. Die Bevölkerung belief ſich 1864 auf dem Feſtlande auf 3,829,618, einſchließlich des Azoren und Madeira's aber auf 4,180,410 Seelen. Die Portugieſen ſind ein Miſchlingsvolk, entſtanden aus der Verſchmelzung der Ueberreſte der vorherigen celtiſch-ſueviſch-romaniſchen Bevölkerung mit eingewanderten Caſtilianern, Franzoſen, Mauren und Juden. Haupterwerbsquellen ſind Ackerbau (jedoch den Bedarf nicht deckend) und Viehzucht; Bergbau und Forſtcultur liegen darnieder; die Induſtrie iſt noch ohne weſentliche Bedeutung und hat erſt in neueſter Zeit einen Aufſchwung genommen; der Handel iſt meiſt in den Händen der Ausländer, beſonders der Engländer. An Eiſenbahnen beſitzt P. die Linien Liſſabon-Santarem-Oporto (Nordbahn), Liſſabon-Badajoz (Oſtbahn, zum Anſchluß an das ſpaniſche Eiſenbahnnetz) und Liſſabon-Setuval-Evora-Beja (Südbahn). Staatsreligion iſt die römiſch katholiſche; doch iſt nach der Verfaſſung die freie Ausübung anderer Religionen geſtattet. Das Volksſchulweſen war bis auf die neuere Zeit ſehr vernachläſſigt, beginnt ſich aber, ſeitdem der Unterricht dem Clerus entzogen iſt, zu heben; auch beſteht ſeitdem Schulzwang. Zu den höheren Lehranſtalten gehören: die Univerſität zu Coimbra (die einzige des Landes), die Polytechniſchen Schulen zu Liſſabon und zu Oporto, das Cadettenhaus, die Artillerie- und die Marineſchule zu Liſſabon. Der Staatsverfaſſung nach iſt P. eine conſtitutionelle Monarchie; dieſelbe beruht auf der Carta conſtitucional Dom Pedro's IV. vom 29. April 1826 und der Acto addicional der Königin Maria II. vom 5. Juli 1852. Die Geſetzgebende Gewalt ruht in der Hand der Cortes geraes, welche aus einer

Pairs- und einer Deputirtenkammer bestehen; die Bestätigung der Gesetze gebührt dem Könige. Die Minister sind verantwortlich und können von der
Deputirtenkammer in Anklagezustand versetzt und von der Pairskammer verurtheilt werden. Die richterliche Gewalt ist vollständig unabhängig und wird
durch Richter und Geschworene geübt. Das Gerichtsverfahren im Civil- und
Criminalproceß ist öffentlich und mündlich. Der König (seit dem 11. Nov.
1861: Ludwig [Dom Luiz], dem herzoglichen Hause Sachsen-Coburg-Cohary
entsprossen, geb. den 31. Oct. 1838) führt das Prädicat „Allergetreuste Majestät". Die Krone ist in männlicher und weiblicher Linie erblich. Das Ministerium umfaßt folgende 7 Departements: Auswärtiges; Inneres; Justiz und
Cultus; Oeffentliche Bauten, Handel und Industrie; Finanzen; Krieg; Marine
und Colonien. In administrativer Hinsicht zerfällt P. seit 1835 in 17 Districte;
daneben ist jedoch die ältere Eintheilung in Provinzen ebenfalls noch gebräuchlich; dieselben sind: Prov. Minho (mit den Distr. Vianna, Braga, Oporto),
Prov. Tras os Montes (mit den Distr. Braganza, Villa-Real), Prov. Beira
(mit den Distr. Aveiro, Coimbra, Viseu, Guarda, Castello-Branco), Prov.
Estremadura (mit den Distr. Leiria, Santarem, Lissabon), Prov. Alemtejo (mit
den Distr. Portalegre, Evora, Beja), Prov. Algarve (Distr. Faro). Hauptstadt des Reiches, Residenz des Königs, Sitz der Centralbehörden und der
Cortes ist Lissabon. — An Colonien besitzt P. in Afrika: die Cap-Ver-
dischen Inseln, verschiedene Districte in Senegambien, die Inseln St. Thomas
und Princtpe, ferner Angola, Benguela, Mossamedes, Mozambique und Sofala;
in Asien: Goa nebst Zubehör in Ostindien, einen Theil der Insel Timor im
Indischen Archipel und Macao in China, insgesammt 34,820 Q.-M. mit
3,872,959 Einwohnern.

Armee und Flotte: A) Armee: a) Europäische Truppen: Unter dem
Kriegsministerium mit 1 Central-Abtheilung und 2 Directionen stehen die 5
Militair-Divisionen mit den Haupt-Quartieren in Lissabon, Viseu, Porto, Evora
und Angra. Die Generalität besteht aus 2 Marschällen, 8 Divisions- und
22 Brigade-Generalen; der Generalstab aus 4 Obersten, 5 Oberstlieutenants,
5 Majors und 2 Capitains. Jede der 9 Truppen-Brigaden hat: 2 Jäger-
Bataillone à 8 Compagnien = 726 Mann; 1 Infanterie-Regiment à 12
Compagnien = 1,291 M. und 1 Cavalerie-Regiment à 3 Escadrons = 100
Pferde und 142 Mann. Außerdem bestehen noch 3 Jäger-Bataillone für die
Inseln. In Summa 15,246 M. Jäger; 11,619 M. Infanterie; 3834 M., und
2853 Pferde der Cavalerie. — Die Artillerie steht unter einer General-
Direction mit 8 Offizieren und 16 Beamten. Das Feld-Artillerie-Regiment
hat 6 fahrende (im Kriege von diesen 1 reitende) und 2 Gebirgs-Batterien.
Erstere sind mit 4 resp. 6, letztere mit 6 resp. 8 Geschützen ausgerüstet, je
nach dem Friedens- oder Kriegsverhältniß. Im Kriege treten hierzu noch 4
reitende Batterien, von denen 2 wie die Gebirgs-Batterien ausgerüstet sind.
Das Regiment hat im Frieden 42 Offiziere, 840 M.; 119 Pferde und
268 Maulthiere, im Kriege 95 Offiziere, 2129 M.; 246 Reit-, 104 Zugpferde und 988 Maulthiere. — Die Garnison-Artillerie besteht aus 2 Regimentern und 2 Compagnien auf den Azoren. Das 1. Regiment hat 8, das
2. aber 10 Compagnien. Im Kriege werden per Regiment 3 Compagnien in
fahrende Batterien verwandelt. Die Stärke beträgt: im Frieden: 1. Regiment: 31 Offiziere 878 M; 2. Regiment: 378 Offiziere 1,096 M. Die beiden
Compagnien 6 Offiziere, 198 M.; im Krieg: 1. Regiment 55 Offiziere
1,354 M. 97 Pferde, 362 Maulthiere 2. Regiment 65 Offiziere, 1,676 M.
97 Pferde, 362 Maulthiere. Die beiden Compagnien 8 Offiziere, 218 M.
Unter der General-Genie-Direction (11 Offizieren, 3 Unteroffizieren und 5

Beamte) steht der Genie-Stab mit 68 Offizieren, von denen 18 Stabs-Offiziere sind. Eine besondere Branche ist das Archiv, bei den 3 Offiziere, und 3 Beamte beschäftigt sind. Das Genie-Bataillon zählt im Frieden 16 Offiziere, 508 Mann und im Kriege: 250 Offiziere, 953 Mann, 7 Pferde und 36 Maulthiere. — Die Sanitäts-Compagnie ist 3 Offiziere 108 Mann stark, die Brücken-Compagnien 2 Offiziere und 83 Mann. Alle Civil- und Militair-Bauten im ganzen Königreich werden von einem aus Militairs und Civilpersonen bestehenden Ingenieur-Corps geleitet. Es besteht zur Zeit aus 84 Ingenieuren, in 6 Klassen und 80 Bauführern in 3 Klassen eingetheilt. — Das ganze Militair-Verwaltungswesen steht unter einer Direction mit 2 Abtheilungen; außerdem hat dieselbe Delegationen in den 6 Haupt-Quartieren und bei den Regimentern. Zum Rechnungswesen gehören 50 Ober- und 52 Subaltern-Beamte. — Die Ausbildung der Artillerie-Offiziere erfolgt auf der Schule zu Vendas-Novas. Für die andern Waffen besteht ein Militair-Collegium. Dasselbe steht unter einem General als 1. und einem Stabsoffizier als 2. Director. 4 Offiziere fungiren als Lehrer in militairischen Fächern und führen die Aufsicht in der Anstalt. 4 Beamte und außerdem 12 Civil-Lehrer, 16 Unteroffiziere und 10 Diener gehören zum Collegium. Den Unterricht genießen 100 Staatspensionäre, Söhne, deren Väter sich als Offiziere ausgezeichnet haben, und 30 zahlende Schüler, von denen 15 vom Civil sind. Außerdem können noch 20 Individuen der Armee als externe Zöglinge zugelassen werden. Der Cursus ist 5jährig und umfaßt: Portugiesische Sprache und Literatur, Philosophie, Staatsrecht, lateinische, französische und englische Sprache, Geographie, Geschichte, Nationalökonomie, Mathematik, Kosmographie, Schönschreiben, Zeichnen, Physik, Chemie, Naturgeschichte, Exercierreglement der Infanterie und Reiterei, Fechten, Schwimmen, Musik und Tanz. — Das Material für die Armee und Flotte wird in einem Arsenal angefertigt, zu dem 1 Kanonengießerei, 1 Pulverfabrik, 1 Waffenfabrik und 1 Materialien-Depot gehören. Die ganze Armee ist 30,000 M. stark, von denen sich jedoch nur 18,000 M. bei den Fahnen befinden. Das Recruten-Contingent pro 1870 betrug 9,443 Mann. Die Dienstzeit im stehenden Heere beträgt 3 Jahr, außerdem 5 Jahr in der Reserve. Die Remontirung geschieht durch freihändigen Ankauf jährlich einmal auf ausgeschriebenen Märkten von einer Comission aus 2 Offizieren und 1 Roßarzt bestehend. — Die Artillerie hat 8 und 12 Ctm.-Geschütze, gezogene Vorderlader. Die Infanterie erhält Remington-Gewehre, die Jäger führen die Westley-Richards-Büchse, Vorderlader mit Whitworth-Läufen, dieselbe hat 11 mm. Kaliber. — b) Colonial-Truppen: Es stehen auf Cabo Verde und St. Thomé 48 Offiziere, 618 M., darunter 1 Bataillon Artillerie; auf Principe: 22 Offiziere, 162 M., darunter 2 Compagnien Artillerie; auf Angola: 121 Offiziere 2,388 M., darunter 1 Bataillon Artillerie, 2 Bataillonen Jäger und 1 Bataillon und 1 Compagnie Infanterie; auf Mozambique: 78 Offiziere, 1,080 M., darunter 1 Bataillon und 8 einzelne Compagnien Infanterie und 1 Batterie; in Indien: 330 Offiziere, 3,791 Mann, darunter: 1 Artillerie-Regiment, 2 Bataillone Infanterie, 2 Bataillone und 2 Compagnien Jäger; in Macao und Timor: 2 Infanterie-Bataillone mit 72 Offizieren, 685 M., in Summa: Colonial-Truppen 671 Offiziere, 8,794 M. B) Flotte: 1 Linienschiff, 1 Fregatte, 7 Dampf-Corvetten, 3 Segel-Corvetten, 7 kleinere Dampfer, 1 Gabarre, 1 Brigg, 4 Kanonenboote, 2 Goeletten, 2 Jachts, 1 Kutter, 1 Raif, insgesammt 31 Schiffe mit 305 Geschützen. Die Bemannung beträgt 3180 M., die Zahl der inscribirten Matrosen und Schiffsjungen 22,998 M. Das Personal der Offiziere umfaßt: 1 Generalmajor, 1 Vice-Admiral, 5 Contre-Admirale, 10 Linienschiffs-Capitäne, 20

Fregatten-Capitäne, 30 Capitän-Lieutenants, 50 Lieutenants 1 Cl., 100 Lieutenants 2. Cl., insgesammt 217 Offiziere.

Das portugiesische Wappen besteht aus einem großen silbernen Schilde, auf welchem 5 kleine blaue Schilde in Kreuzform gelegt sind, davon jedes 5 in Quincunx gelegte Silberpfennige zeigt. Um das große Schild geht ein breiter rother Rand, enthaltend 7 goldene Castelle mit blauen Thürmen (das Wappen von Algarve). Auf dem Wappen steht ein gekrönter königlicher Helm und auf diesem ein wachsender goldener Drache. Um das Schild hängen die Insignien des Christus- und des Aviz-Ordens. Schildhalter sind 2 Drachen, von denen der rechte eine silberne Fahne mit den fünf blauen Schildern von Portugal, der linke eine rothe Fahne mit den sieben goldenen Castellen von Algarve hält. Als gewöhnliches Wappen dient das Schild von Portugal und Algarve mit der königlichen Krone darüber. Die Flagge ist horizontal in ein blaues und weißes Feld getheilt; die königliche enthält in der Mitte das Wappen. Die Nationalfarben sind blau und weiß. An Ritterorden besitzt P. folgende fünf: 1) Christus-Orden (s. d.), 2) Militair-Verdienst-Orden de Sao Bento (St. Benedict) von Aviz (s. u. Aviz.), 3) Santiago-Orden oder Orden des heil. Jakob vom Schwert (s. Jakobs-Orden), 4) Thurm- und Schwert-Orden (s. d.), 5) Orden der unbefleckten Empfängniß (zugleich Damen-Orden); außerdem noch mehrere Militairverdienstkreuze. Die portugiesischen Orden sind verkäuflich.

Geschichtliches. P. hatte im Alterthum das Schicksal Spaniens getheilt, wurde von den Römern, später von den Gothen und Arabern unterjocht und erhielt den Anfang seiner staatlichen Entwickelung im 11. Jahrhundert, indem es zum Theil von Castilien erobert wurde. 1109 hatte die um Oporto gebildete Grafschaft Portucale ihre Selbständigkeit durch glücklichen Kampf und glückliche politische Gestaltung gewonnen. Bald darauf unternahm P. den Krieg gegen die Mauren und erweiterte sich durch den Sieg bei Ourique, die Eroberung von Coora und anderer. Fast gleichzeitige Kriege mit Castilien endeten zu Gunsten P's. Die glücklichen Kriege gegen Castilien im zwölften und dreizehnten Jahrhundert schufen eigentlich den portugiesischen Staat. Eine Verbindung mit Castilien wurde nach dem Aussterben der männlichen Linie durch Johannes I. Sieg bei Aljubarota 1385 abgewendet. 1415 eroberte P. Ceuta und mit dem schnellen Anwachsen der portugiesischen Marine machte P. um diese Zeit seine ersten, für die Folge so hochwichtigen auswärtigen Eroberungen, die nach Entdeckung des Seeweges nach Ostindien (1497) bald ihre größte Ausdehnung erreichten. Ein Jahrhundert lang verwendete P. seine Kriegsmacht in den überseeischen Besitzungen und führte namentlich in Afrika blutige, aber nicht immer glückliche Kriege. 1580 starb der sogenannte unrechte burgundische Regentenstamm aus und Spanien unter Phillipp bemächtigte sich Portugals. Dieses wurde nun von Spaniens Feinden angegriffen und verlor nun durch die Holländer einen großen Theil seiner überseeischen Besitzungen, die es auch nicht zurückerhielt, nachdem es sich durch eine Revolution des Adels 1640 von Spanien wieder losgerissen hatte. Es entstand nun ein Krieg mit Spanien, der im Frieden von Lissabon günstig für das unabhängige P. endete und ihm den Besitz Brasiliens wieder verschaffte. Unter dem Ministerium Pombal's in der zweiten Hälfte des 18. Jahrhunderts wurde das ganz in Verfall gerathene Heerwesen reorganisirt. Nach Ausbruch der Französischen Revolution war P. mit England im Bunde und litt unter der überwiegenden Gewalt Frankreichs. 1807 begann in P. der Halbinselkrieg und P. half ihn mit großer Aufopferung siegreich beenden helfen. In der Folge wurde das Land blos durch innere Kriege, die zum Theil nur Revolutionen waren, aber

181

doch in kurzen Zeiträumen aufeinanderfolgten, bewegt. Der heftigste dieser Kriege war der zwischen dem Infanten Dom Miguel und dem Kaiser Dom Pedro von Brasilien, welches Land sich 1822 von P. losgerissen hatte, von 1826 bis 1834. Derselbe endete mit Miguel's Unterwerfung nach der Niederlage bei Thomar (15. Mai 1834) durch die Capitulation von Evora (s. d.) am 26. Mai 1834. Die junge Königin Maria II. verlor ihren ersten Gemahl, den Herzog August von Leuchtenberg, schon am 24. Sept. 1834 und vermählte sich zum zweiten Male 1836 mit dem Prinzen Ferdinand von Sachsen-Coburg-Cohary. Nach dem Tode Maria's (15. Nov. 1853) folgte zuerst ihr ältester (noch unmündiger) Sohn aus zweiter Ehe, Pedro V. (bis 1855 unter der Regentschaft seines Vaters), und als Pedro V. am 11. Nov. 1861 starb, sein Bruder Ludwig. Obgleich Maria sowohl, wie ihre beiden Söhne bestrebt waren, durch verfassungsmäßige Zustände dem Lande Ruhe, Wohlfahrt und Gedeihen zu sichern, war dasselbe doch auch seitdem noch häufig der Schauplatz innerer Parteikämpfe. Vgl. Minutoli, „P. und seine Colonien", Stuttgart 1855, 2 Bde.; Schäfer, „Geschichte von P.", Hamburg u. Gotha 1836—64, 5 Bde.; Karten: Folque, „Portugal", 37 Bl. 1:100,000 (vgl. auch die Kartenwerke bei Spanien).

Poscherau (Pöscherau), Mühle bei Piktupönen im Kreise Tilsit des preuß. Regierungsbezirks Gumbinnen. Hier wurde am 30. Dec. 1812 zwischen den Preußen unter York und den Russen unter Diebitsch den gewöhnlich Convention von Tauroggen (s. d.) genannte, Waffenstillstand abgeschlossen.

Posen, 1) Provinz der Preußischen Monarchie, mit dem Titel eines Großherzogthums, grenzt im Norden an die preußische Provinz Preußen, im Westen an Brandenburg, im Süden an Schlesien, im Osten an Rußland (Polen), umfaßt einen Flächenraum von 525,₁₁ □. M. und zählt (1867) 1,537,338 Einwohner, welche hinsichtlich ihrer Nationalität zu 53 Proc. Polen, zu 42,₆ Proc. Deutsche, zu 4,₆ Proc. Israeliten; hinsichtlich der Religion aber zu 62 Proc. römisch-katholisch, zu 33 Proc. evangelisch, zu 4,₆ Proc. israelitisch sind, dem Reste nach andren Confessionen angehören. Das Land ist mit Ausnahme einiger unbedeutenden Höhen flach, mit vielen sandigen, waldigen und sumpfigen Strecken; der Hauptfluß ist die Weichsel (aber nur Grenzfluß im Nordosten), außerdem noch Nebenflüsse der Oder, von denen die Warthe der bedeutendste ist. Haupterwerbsquellen sind Ackerbau und Viehzucht; in den vorherrschend von Polen bewohnten Districten steht jedoch die Landwirthschaft weit hinter der der Deutschen zurück. Der Handel, besonders mit Getreide, Vieh, Wolle ist bedeutend und wird durch die Weichsel, den Bromberger Kanal und die drei von der Hauptstadt P. (s. d. 3) ausgehenden Eisenbahnen befördert. Die Industrie ist von untergeordneter Wichtigkeit, am bedeutendsten noch in den deutschen Districten und größeren Städten in Wolle, Baumwolle und Lein. In den nördlichen und westlichen Districten und in den größeren Städten, so wie im Netzdistricte herrscht die deutsche; im Innern, im Osten und auf dem flachen Lande die polnische Sprache vor. In administrativer Hinsicht zerfällt die Provinz in die 2 Regierungsbezirke: Posen und Bromberg. Sitz des Ober-Präsidenten ist Posen. P. bildet wesentlich den Ersatzbezirk und die Garnisons-Provinz des 5. Armee-Corps (General-Commando und Commando der 10. Division in Posen, der 9. Division aber in Glogau). Festung ist die Hauptstadt Posen (s. d. 3). — Die Provinz P. ist aus demjenigen Theile Großpolens gebildet, welcher bei der ersten und zweiten Theilung Polens (s. d.) 1772 und 1793 an Preußen abgetreten wurde, wozu dann bei der dritten Theilung von 1795 noch der Landstrich an der Weichsel bis Warschau kam, erhielt darauf den Namen Südpreußen (s. d.), kam 1807 zum Herzogthum

Warschau, wurde aber durch den Wiener Congreß 1815 wieder von Polen ge-
trennt und unter dem Namen Großherzogthum P. aufs Neue mit Preußen
vereinigt, welches seitdem außerordentlich viel für die intellectuelle und materielle
Hebung des Landes gethan hat. In den Jahren 1846 und 48 fanden in der
Provinz P. Aufstände der polnischen Bevölkerung statt. Zum ehemaligen
Deutschen Bunde gehörte die Provinz P. nicht mit, wohl aber seit 1867 zum
Norddeutschen Bunde und jetzt dem entsprechend zum Deutschen Reiche. Vgl.
Böck, „Die Provinz P. in geogr., statist. und topogr. Beziehung", Berlin 1847.
2) Regierungsbezirk der Provinz P., den größern, südlichen Theil derselben
umfassend, 317,₄ᵥ Q.-M. mit (1867) 986,443 Einwohnern (worunter der
Nationalität nach 59 Proc. Polen, der Religion nach 66 Proc. Katholiken).
3) (poln. Poznán) Hauptstadt der Provinz und des Regierungsbezirks P.,
preußische Festung ersten Ranges, an den beiden Ufern der Warthe, die hier
die Cybina aufnimmt, Knotenpunkt der Eisenbahnen nach Kreuz (resp. Stettin
und Danzig ꝛc.), nach Frankfurt a. d. O. (resp. Berlin) und nach Lissa (resp.
Glogau ꝛc. und Breslau), Sitz des Oberpräsidenten der Provinz, der Bezirks-
Regierung, des Erzbischofs von Gnesen und P., eines Appellations-Gerichts,
des General-Commando's des 5. Armee-Corps und des Commando's der 10.
Division, hat schöne Kirchen (besonders die Stanislaus-Kirche und den Dom),
ein prächtiges gothisches Rathhaus, die berühmte Raczynski'sche Bibliothek,
mehre treffliche Unterrichts-Anstalten, Militair-Lazareth, Kasernen, Magazine,
Werkstätten und andere Militair-Etablissements, lebhaften Handel und Industrie und zählte 1867 (einschließlich der ungef. 8000 M. starken Garnison)
53,392 Einwohner. Die eigentliche Stadt P. liegt auf dem linken Ufer der
Warthe, an welche nördlich der linke Thalrand des Flusses ziemlich dicht heran-
tritt und einen im Verhältniß zur dortigen flachen Gegend nicht unbedeutenden
Hügel bildet, an dessen Fuße der Winiarybach (welcher zu Inundationen benutzt werden kann) in die Warthe fällt. Auf dem rechten Ufer der Warthe
liegen Vorstädte, innerhalb deren die Cybina, der Winiary-Mündung gegenüber, in die Warthe fällt. Mit Benutzung dieses Terrains wurde die Stadt
P. seit 1827 zu einer Festung ersten Ranges umgeschaffen. Die Tracé um
die eigentliche Stadt besteht aus 6 regelmäßigen Bastionen und 6 Cavalieren.
Das Fort Winiary, welches aus einem Kronwerke (mit Montalembertschen
Thürmen in den Ecken), einer Enceinte von 3 Bastionen, 2 ganzen und 2 halben Ravelins und 4 Redouten in den gebrochenen Anschlußlinien von der
Enceinte nach dem Kronwerke besteht, bildet gewissermaßen die Citadelle.
Das Fort Adalbert, weiter nach der Stadt zu gelegen, in Form einer ab-
gerückten Bastion, in der Kehle durch eine crenellirte Mauer geschlossen, deckt
die Kehle von Fort Winiary und dieses wiederum die große Schleuse, welche
die Warthe erforderlichen Falls zur Inundation anspannen soll; zu gleichen
Zwecke für den Winiarybach dienen zwei Schleusen zwischen den Forts Wi-
niary und Adalbert. Die große Schleuse, welche zugleich eine steinerne
Warthebrücke bildet, wird ferner noch durch ein flechenartiges Werk (als
Brückenkopf) gedeckt. Die Dombefestigung, auf dem rechten Ufer der
Warthe befindlich, bildet eine noch unregelmäßigere Fortification als die des
linken Ufers und benutzt namentlich das sumpfige Terrain; die Enceinte ist
nach dem neuen Polygonaltracé geführt, geht von der mit dem Fort St.
Rochus umschlossenen Vorstadt St. Rochus nach der Gegend des Domes und,
hier die (durch eine Schleuse ebenfalls zur Inundation anzuspannende) Cybina
überschreitend, über das Reformatenfort (ein bastionsähnliches Werk mit
Cavalier) und den Domcavalier weg, die Vorstadt Schrodka umschließend,
hinter der Cybina nach der großen Schleuse. Die Reduits aller dieser Werke

12*

sind casemattirt. P. ist insofern von großer strategischer Wichtigkeit, als es die von Osten nach Berlin und Breslau führenden Straßen deckt, die Herrschaft über die Provinz sichert und ein doppelter Brückenkopf ist. Es fehlt indeß der heutzutage so wichtige Gürtel detachirter Forts. — P. ist eine der ältesten polnischen Städte und war ursprünglich der Sitz einer Wojwodschaft, wurde 1038 von dem Herzog Bezetislaw I. von Böhmen genommen und theilweise verbrannt, ebenso 1655 von den Schweden, 1716 von den consöderirten Polen gestürmt und dann theilweis geschleift und kam 1793 bei der zweiten Theilung Polen's an Preußen. Hier wurde am 11. Dec. 1806 zwischen Napoleon I. und dem Kurfürsten Friedrich August von Sachsen Friede geschlossen, infolge dessen Letzterer den Königstitel annahm. Durch den Tilsiter Frieden von 1807 kam P. an das Herzogthum Warschau, 1815 aber wieder an Preußen. Im J. 1827 wurde der Bau der neuen Fortificationen begonnen, 1834 die Citadelle (Fort Winiary) angelegt. In der Nacht vom 3. zum 4. März 1846 ein vom Militair vereitelter Versuch eines polnischen Insurgentenhaufens in die Stadt einzudringen. Am 29. Sept. 1853 Dombrand. Vgl. Oehlenschläger, „Kurzgefaßte Beschreibung u. Geschichte von P.", Posen 1868.

Position wird häufig in gleichem Sinne mit Aufstellung zum Gefecht gebraucht. Daher auch Positions-Wechsel, der Uebergang aus einer Gefechtsaufstellung in die andere; vorwaltend aber bedeutet P. soviel wie Stellung (s. d.), und setzt dann voraus, daß die Aufstellung in einer die taktische Defensive begünstigenden Oertlichkeit gewählt ist. Man unterscheidet in diesem Sinne natürliche P., deren Vorzüge lediglich im Terrain begründet sind, und auf künstliche Weise verstärkte, oder lediglich durch Kunst hergestellte, wobei also die Fortification in geringerem oder größerem Maße mitgewirkt hat. Die stärksten P-en sind gut angelegte Festungen. Befestigungen, welche eine gewisse Ausdehnung haben und einer in der Defensive befindlichen Armee den Widerstand am Tage der Schlacht erleichtern sollen, heißen auch Positions-Befestigungen. Der Kampf um P-en wird zum Positions-Krieg. Positions-Geschütze nennt man solche, die aus bestimmten, nur selten wechselnden P. das Gefecht zu führen haben, wie vor Allem die Belagerungs-, Festungs-, Küstengeschütze, bei deren Construction es daher weniger auf einen hohen Grad von Schußbereitschaft und Beweglichkeit ankommt. Unter den im Felde auftretenden Geschützen wurden Positions-Geschütze früherhin diejenigen genannt, deren Gewichtsverhältnisse infolge größeren Kalibers eine gewisse Beschränkung in der Beweglichkeit mit sich brachten, welche daher vorherrschend in der Defensive gebraucht wurden, oder aus großen Entfernungen den Angriff vorbereiteten, ohne seinem weiteren Vorgehen folgen zu können. Zu einer kräftigen Fernwirkung wurden sie gerade durch ihr Kaliber befähigt. Im Gegensatz dazu standen Truppen- oder Manövrirgeschütze, welche vermöge ihrer mit dem geringeren Kaliber zusammenhängenden größeren Leichtigkeit den übrigen Truppen in ihren Bewegungen zu folgen und im engsten Anschluß an dieselben zu fechten geeignet waren. Seit Ausgang des vorigen und in diesem Jahrhundert bestrebte man sich, diesen Unterschied immer mehr in den Hintergrund zu drängen, und man gelangte durch richtige Wahl der Kaliber und Fortbildung der mechanischen Einrichtung dahin, der gesammten Feld-Artillerie den Charakter des Manövrirgeschützes zu verleihen. Nur in geringer Zahl hatten bis in die neuere Zeit die Oesterreicher ein größeres Kaliber (18pfd.) als eigentliches Positionsgeschütz für die Feld-Armee beibehalten. In England liegt noch heute die Absicht vor, Positions-Geschütze mit ins Feld zu führen, welche allerdings diejenigen früherer Zeiten übertragen. Im übrigen sind selbst die größeren Kaliber der heutigen Feldgeschütze — 9 cm. (Deutschland), 10—11 cm. (Oesterreich, Rußland, Schweiz), 12 cm. (Frankreich, Italien. — vermöge ihrer Beweglichkeit als Manövrirgeschütze im wahren

Sinne des Worts zu betrachten, während sie als gezogene Geschütze durch ihr weittragendes Feuer die Aufgabe der frühern Positions-Geschütze zu erfüllen in erhöhtem Maße befähigt sind. Die Natur des gezogenen Geschützes weist zugleich auf ein längeres Verweilen in den einzelnen Pcn hin, weshalb im Sinne der Verwendung demselben häufig der Charakter des Positions-Geschützes beigelegt wird. Ueber Positions-Geschütze vgl.: Tauberl. „Der Gebrauch der Artillerie im Feldkriege 2c.“, Berlin 1870. — Positions-Waffe würde man diejenige Waffengattung nennen müssen, welche beim Gefecht in Stellungen am meisten zur Geltung kommt, es kann sich diese Bezeichnung daher nur auf solche beziehen, bei welchen die Schußwaffe vorwaltet oder die einzige ist. Es wird dies unter der Infanterie am meisten die Jäger und Scharfschützen betreffen, deren weittragender sicherer Schuß sie namentlich in taktisch defensiven Verhältnissen, aus welchen der Vortheil der Deckung erwächst, zur Ausübung großer Wirkung befähigt. Vorzugsweise ist in diesem Sinne die Artillerie Positions-Waffe, und ihr kommt hier namentlich auch die Möglichkeit zu statten, sich mit den Entfernungsverhältnissen des zu bestreichenden Terrains im Voraus bekannt zu machen.

Posten heißt militärisch eine von Truppen und zwar gewöhnlich in geringer Anzahl, zum Zweck der Behauptung, Sicherung oder lediglich Beobachtung besetzte Terrainstelle, sodann auch die zur Besetzung selbst verwendete Mannschaft. Soll ein Posten nachdrücklich vertheidigt werden, so wird man sich an der Stelle verschanzen, so im Gebirge, in Defileen 2c. Man nennt ein ganzes System solcher P. auch eine Postirung oder einen Cordon, der Kampf darum heißt Postenkrieg. Am gewöhnlichsten gebraucht man das Wort P. im Garnison- resp. Feld-Wachdienst. Man nennt hier P. die von den Wachen vorgeschobenen, die unmittelbare Beobachtung und nächste Sicherung der zu behauptenden Gegenstände übernehmenden Mannschaften. Im Friedensdienst heißen sie auch Schildwachen. Man unterscheidet einfache und Doppel-Posten, je nachdem 1 oder 2 Mann den Posten bilden. P. unmittelbar zur Sicherung und zum Avertiren der Wache heißen P. vor dem Gewehr. Die P. zur Bewachung von militärischen u. andern Gebäuden und Anlagen, zum Absperren von Communicationen heißen Sicherheitsposten. Lediglich zur Ehrenbezeugung stellt man P. vor die Behausung hochgestellter Personen und vor die Fahne (Ehrenposten). Der Garnisonwachdienst ist eine gute Vorschule für den Wachdienst im Felde. Die Gesetze für erstern sind sehr streng, aber auch die Befugnisse der Schildwachen sehr groß. Da das Postenstehen ermüdet, man aber die höchsten Anforderungen an die Aufmerksamkeit stellt, so muß man die Schildwachen von Zeit zu Zeit ablösen (man löst in der Regel alle 2 Stunden). Den Garnisonwachdienst regeln gewisse, oft örtlich modificirte Vorschriften. In Preußen erschienen 1870 neue Bestimmungen über den Garnison-Wachdienst. Der Wachdienst auf Märschen, sowie im Lager und Bivak ist analog. Eine lagernde Truppe hat vor der Front die Lager- (bei der Cavalerie Standarten-, bei der Artillerie Park-) Wache, hinter dem Lager die Brand- und bisweilen seitlich noch Flanken-Brand-Wachen. Lager- und Brand-W. haben je 2 Posten vor resp. hinter den Flügeln der Lagerfront. Der Feldwach- oder Vorpostendienst bezweckt die Sicherung ruhender Truppen. Die letzteren müssen mit einer Sicherheitsatmosphäre umgeben werden, deren äußerste Peripherie die Posten bilden. In der Regel sind es Doppelposten, bei der Cavalerie Vedetten genannt. Sie stehen in gewissen Entfernungen von einander, die bei der Cavalerie größer als bei der Infanterie, bei Tage größer als bei Nacht sein können. Infanterieposten stehen bei Tage so dicht, daß etwa 3 Doppelposten einen Terrainabschnitt von 1000, bis 1200 Schritt besetzen, 3 Vedetten vermögen schon 2000 Schritt zu überwachen; je nach dem Terrain kann die Zahl der P. noch vermindert werden. Bei Nacht stellt man hauptsächlich Infanterieposten, die nach Umständen vermehrt werden. — Der Complex sämmtlicher P. wird Posten-Kette oder -Chaine genannt. Die P. sollen hauptsächlich beobachten und melden, sowie den Durchgang durch die Chaine verhindern. Sie werden von den Soutiens der Feldwachen gestellt; die Aufgabe dieser ist es außerdem, Patrouillen zu schicken und zu fechten. Ein Soutien hat in der Regel 3 bis 4 P., beides zusammen heißt Feldwache. Die Posten stehen bei Infanterie 2 — 400, bei Cavalerie 1000 — 1200 Schritt vor den Soutiens. Letztere stützen sich taktisch auf Replis, Pikets, Gros der Vorposten. Das Soutien hat einen P. vor dem Gewehr, der ein einfacher und bei der Cavalerie zu Fuß ist (hier Schaarrposten genannt). Wichtige Punkte vor der Postenlinie, welche zu weit liegen, um in die Postirung gezogen zu werden, werden durch detachirte Unterofficier-Posten besetzt (früher auch verlorene P. genannt). Entferntere P. in der eigentlichen Kette erhalten öfter ihre ganze Ablösungs-Mannschaft mit und werden so zum Unterofficier-Posten. In coupirtem Terrain können noch Avertissements- und Verbindungs-Posten nothwendig werden. Vorposten vor Festungen graben sich ein, sowohl die des Angreifers als Vertheidigers. Im Feld-Wachdienst herrscht in mancher Hinsicht eine größere Freiheit als im Garnison-Wachdienst. So fallen z. B. die Honneurs weg. In Belagerungsbatterien und auf den Wällen belagerter Festungen werden Beobachtungs-Posten aufgestellt, um einestheils die Wirkung der eignen Schüsse zu beobachten, anderntheils die einschlagenden feindlichen Geschosse anzuzeigen.

Postwesen, s. Feldpost (im Hauptwerke Bd. IV. S. 6. f. und in den Supplementen).

Potemkin, Gregor Alexandrowitsch. Fürst, russischer Feldmarschall, geb. 1736 (nach Andern 1739) bei Smolensk, war ursprünglich zum Geistlichen bestimmt, studirte in Moskau, trat aber schon frühzeitig in ein Garde-Regiment ein, erwarb sich bald bald Katharina's II. Thronbesteigung (1762) deren Gunst, stieg nun schnell von Stufe zu Stufe, wurde bald der erklärte Günstling der Kaiserin und der Leiter der russischen Politik, erhielt in dem von ihm gegen die Pforte angezettelten Kriege von 1787, obgleich ohne militairische Talente, als Feldmarschall den Oberbefehl über das Heer, während practisch tüchtigere Feldherrn unter ihm die Operationen leiteten, erstürmte 1788 Oczakow und starb 16. Oct. 1791 unweit Kischinew in Bessarabien. Katharina beabsichtigte, ihm ein prachtvolles Mausoleum errichten zu lassen; Paul I. ließ jedoch nach seiner Thronbesteigung (1796) die Leiche des ihm verhaßten Günstlings aus dem Grabe nehmen und in den Festungsgraben werfen. Kaiser Alexander I. ließ dieselbe wieder bestatten. Im J. 1836 wurde in Cherson seine Bildsäule aufgestellt, sowie später durch seine Nichte (Gräfin Branika) ein Obelisk an der Stelle, wo er gestorben. Bekannt ist P. namentlich durch die Triumphreise, welche er die Kaiserin Katharina durch Taurien unternehmen und auf welcher er sie durch Blendwerk und Schein über den Zustand des Landes täuschen ließ. Vgl. Cerrenville, „Vie du prince P.", Paris 1808.

Potence (franz. der Galgen) ist als kriegswissenschaftlicher Terminus technicus die Bezeichnung der Stellung, welche auf einem Punkte der Schlachtordnung sich galgenförmig rückwärts biegt und gleichsam eine Flanke bildet. Sie hat den Nachtheil, dem Feinde Gelegenheit zur Enfilade des rückwärts gebogenen Theiles sowie (durch in deren Verlängerung aufgefahrene Batterien) zu der der Hauptlinie zu geben, und wird deshalb meist nur gezwungen gewählt.

Poterne, ein unterirdischer Durchgang durch einen Erdwall, namentlich den Hauptwall einer Festung, der zur Communication dient. Im permanenten Baustil ist die Poterne eingewölbt. Die Breite richtet sich nach der Bestimmung, ob lediglich für Mannschaft oder auch für Fuhrwerk. In Festungen mit wenig Hohlräumen dienen die P. gleichzeitig als Unterkunftsräume, namentlich beim Bombardement.

Potocki, 1) Stanislaw Felix Graf von, geb. 1745, Chefgeneral der polnischen Artillerie unter Stanislaw August, Stifter der Conföderation von Targowice von 1791, welche den Beistand Rußlands anrief, wurde deshalb 1794 als Vaterlandsverräther verurtheilt und im Bilde erhängt, nach dem Fall der polnischen Sache aber von der Kaiserin Katharina II. 1795 zum Oberfeldherrn ernannt und starb 1803. 2) Claudina Gräfin von Potocka, geb. 1802, beaufsichtigte 1831 während des polnischen Freiheitskampfes mit heldenmüthiger Aufopferung die Ambulancen und Lazarethe, war auf den Schlachtfeldern persönlich thätig, erwarb sich allgemeine Verehrung, trat nach dem Falle von Warschau an die Spitze der Hilfsvereine in Dresden und starb 1836 zu Genf im Exil.

Potomac, wichtiger schiffbarer Fluß in den Vereinigten Staaten von Nordamerika, entsteht aus zwei auf der Ostseite des Alleghany-Gebirges in den Staaten Maryland und Virginia entspringenden Quellflüssen (dem North- und dem South-Branch), welche sich auf der Grenze der beiden Staaten vereinigen, bildet, südöstlich fließend, fortwährend die Grenze derselben, nimmt den Shenandoah auf, strömt an der Bundeshauptstadt Washington vorüber und fällt nach einem Laufe von 80 Meilen in die Chesapeate-Bai des Atlantischen Oceans. Der P. bildete im Amerikanischen Bürgerkriege eine wichtige Gefechtslinie; seine Ufer waren der Schauplatz zahlreicher Kämpfe.

Potsdam, wichtige Militairstadt Preußens, Hauptstadt des gleichnamigen Regierungsbezirks der Provinz Brandenburg, zweite Residenz des Königs, Sitz des Oberpräsidenten der Provinz und der Bezirksregelung, liegt am Einfluß der Nuthe in die Havel und an der Berlin-Magdeburger Eisenbahn, hat starke Garnison (Garde), einen schönen von zahlreichen kriegerischen Denkmälern gezierten Paradeplatz, einen Obelisk mit den Bildern des großen Kurfürsten und den drei ersten Königen, ein großes Reit- und Exercierhaus, Arsenal und bedeutende Magazine, große Kasernen für alle Waffen, namentlich schöne Cavaleriekaserne, Lazareth, königl. Gewehrfabrik und Werkstätten zum Fertigmachen der Feuergewehre, Cadettenhaus, Kriegsschule, Unterofficierschule und großes Militairwaisenhaus, außer vielen Militairdenkmälern einen prächtigen Triumphbogen, mehre königliche Grabstätten, viele königliche und prinzliche Palais, und zählt (1867) 42,863 Einwohner.

Präcisionswaffen nennt man alle diejenigen Schußwaffen, welche ihr Ziel mit größerer Sicherheit und in weiterer Entfernung erreichen, als dies bis auf die neuere Zeit möglich war; dahin gehören namentlich die gezogenen Handfeuerwaffen und Geschütze.

Practicabel, von Straßen ꝛc. gebräuchlich, s. v. w. gangbar, wegsam.

Prag, Hauptstadt und Hauptcentralmilitairplatz Böhmens, zu beiden Seiten der schiffbaren Moldau, Knotenpunkt der Eisenbahnen über Bodenbach nach Dresden, über Pardubitz nach Breslau und Wien, über Pilsen nach Nürnberg, Regensburg und München, ist von einer Mauer, hohen Wällen und einigen Werken (meist früheren Ursprungs) umgeben, die jedoch P. nicht zu einer eigentlichen Festung machen, (indeß besteht seit neuerer Zeit die Absicht, es wieder stärker zu fortificiren). Als Festung, oder vielmehr Citadelle, zu betrachten ist der Wyszograd (Wischerad), welcher auf einem steil abfallenden Felsen, zwar außerhalb der eigentlichen Stadt, aber doch innerhalb deren Mauern und Wällen liegt. In Beziehung zum Wyszograd stehen der Hradschin und der befestigte Laurenzberg. Das große Arsenal befindet sich im Wyszograd. Diese Besestigungen sind Denkmäler des Mittelalters und haben fortificatorisch in späterer Zeit keine erheblichen Veränderungen erlitten. Auf dem Hradschin befindet sich die königliche Burg. Die Stadt zerfällt in fünf sogenannte Viertel; von diesen liegen die Alt-, Neu- und Joseph- oder Judenstadt auf dem rechten, die Kleinseite und der Hradschin aber auf dem linken Moldauufer. Unter den zahlreichen prächtigen Kirchen ist der Dom (St. Veitskirche mit dem Grabmal des St. Nepomuk hervorzuheben; ebenso ist P. reich an prächtigen Palästen, hat eine Universität, viele wissenschaftliche Anstalten, lebhafte Industrie und Handel und zählt 142,588 Einwohner (wovon ungef. 10,000 M. Garnison). Von Militairanstalten sind zu bemerken das Landesmilitaircommando, die Militairoberziehungsanstalt, eine Artillerieschule, das Invalidenhaus, das große Militairhospital, das Artilleriehospital, die Militairverwaltungscommission, die Militairschwimmschule, das Zeughaus, mehre sehr große Kasernen, darunter die Königshofer und die der Artillerie sich auszeichnen. In gewisser Beziehung zum Militairwesen stehen die Thierarzneischule und die Sternwarte. Unter mehren Denkmälern zeichnen sich durch Schönheit die des Kaisers Franz I., des Kaisers Karl IV., des Marschalls Radetzky, des St. Nepomuk und des St. Wenzel aus. P. war oft ein kriegerisches Object. 1420—1438 spielte es in den hussitischen Kriegen eine Hauptrolle, war Hauptwaffenplatz und wiederholt Kampfplatz. Hier 1420 Sieg der Hussiten über die Kaiserlichen, 1424 erlitt es eine Erstürmung. Hier nahm 1618 der Dreißigjährige Krieg seinen Anfang; 1620 Sieg der Kaiserlichen (Schlacht am Weißen Berge); 1631 wurde P. von den Sachsen und danach von den Kaiserlichen, 1742 von den Franzosen genommen. 1757 hier Sieg der Preußen über die Oesterreicher. 1813 vergeblicher Congreß zum Zwecke des Friedens. 1848 war P. besonders der Schauplatz der nationalen Kämpfe zwischen Czechen und Deutschen; namentlich fand am 15. und 16. Juni ein Aufruhr statt, welchen Fürst Windischgrätz mit Waffengewalt unterdrückte. Während des Preußisch-Oesterreichischen Krieges von 1866 wurde P. am 8. Juli von den Preußen besetzt und blieb es bis nach dem Frieden, welcher am 23/30. August hier abgeschlossen wurde (daher Prager Friede genannt). Die wichtigsten Bestimmungen desselben, mit den Präliminarien von Nikolsburg wesentlich übereinstimmend (s. u. Norddeutsche Bund, Bd. VI. S. 292), sind folgende: Art. 1. Der Kaiser von Oesterreich giebt seine Zustimmung zur Vereinigung Venetiens mit dem Königreich Italien. Art. 3. Oesterreich erkennt die Auflösung des Deutschen Bundes an, sowie die neue Gestaltung Deutschlands ohne Oesterreich, ebenso das engere Verhältniß, welches Preußen nördlich von der Linie des Mains begründen wird, und erklärt sich damit einverstanden, daß die südlich von dieser Linie gelegenen deutschen Staaten in einen Verein zusammentreten, dessen nationale Verbindung mit dem Norddeutschen Bund der nähern Verständigung zwischen beiden vorbehalten bleibt und der eine internationale unabhängige Existenz haben wird. Art. 5. Oesterreich überträgt seine im Wiener Frieden von 1864 erworbenen Rechte auf Schleswig und Holstein an Preußen mit der Maßgabe, daß die Bevölkerungen der nördlichen Districte von Schleswig, wenn sie durch freie Abstimmung den Wunsch zu erkennen geben, mit Dänemark vereinigt zu werden, an Dänemark abgetreten werden sollen. Art. 6. betrifft den unveränderten Territorial-Bestand des Königreichs Sachsen. Art. 7. 8. 9. betreffen die Auseinandersetzung über das bisherige Bundeseigenthum, und die von Preußen für

die Bundesmatricularcaffe zu übernehmenden Penſionen. Art. 10. Die von
der öſterreichiſchen Statthalterſchaft in Holſtein zugeſicherten Penſionen zahlt
Preußen; die öſterreichiſche Regierung zahlt die noch in ihrem Beſitze befindlichen,
den holſteiniſchen Finanzen zugehörenden Summen dieſen zurück. · Art. 11.
Oeſterreich zahlt 40 Millionen Thaler Kriegsentſchädigung an Preußen; dafür
übernimmt Preußen die an Oeſterreich noch von Schleswig-Holſtein zu zahlenden
15 Millionen Thaler Kriegskoſten und bringt 5 Millionen Thaler für freie
Verpflegung der preußiſchen Armee bis zum Friedensſchluſſe in den occupirten
öſterreichiſchen Landestheilen in Abzug. Art. 12. 13. 14. betreffen die Räumung
des öſterreichiſchen Territoriums, die Ratification und die Giltigkeit früherer
Verträge. — Vgl. Tomel, „Geſchichte der Stadt P.", Prag 1856.

Praga, Stadt im ruſſiſch-polniſchen Gouvernement Warſchau, mit Warſchau durch eine Brücke verbunden, liegt auf dem niedrigen rechten Ufer der
Weichſel, zählt gegen 15,000 Einwohner, gilt gewöhnlich für eine Vorſtadt
von Warſchau, iſt voll von wüſten Stellen, die nach ihrer furchtbaren Ein-
äſcherung durch Suworow nicht wieder bebaut worden ſind, und war nie befeſtigt, auch 1794 nur von Feldwerken umgeben. Die Polen verſuchten hier
1794 ihren letzten Kampf und vertheidigten P. 30,000 Mann ſtark vergebens
gegen 22,000 Ruſſen, die nach der Erſtürmung die ſcheußlichſten Ausſchwei-
fungen begingen. 15,000 Polen blieben, ebenſoviele wurden gefangen und über
15,000 Bürger niedergemetzelt. P. iſt auch jetzt noch eine völlig offene Stadt,
doch liegt auf ihrem Gebiete, der Alexanderſeſtung von Warſchau gegenüber,
der mächtige Brückenkopf mit ſeinen Nebenwerken. Alles Mauerwerk deſſelben
beſteht aus Backſtein. Die Dächer ſind mit Zink gedeckt, doch das Balkenwerk auf den zur Bombenſeſtigkeit erforderlichen Aufſchutt eingerichtet.

Pragmatiſch, 1) geſchäftskundig; werkthätig (practiſch); anwendbar, ge-
meinnützlich; 2) belehrend, belehrenden Aufſchluß gebend; daher pragmatiſche
Geſchichtſchreibung diejenige, welche die Begebenheiten nach ihrem urſäch-
lichen Zuſammenhange darſtellt, Betrachtungen über die Folgen anſtellt und
Nutzanwendungen daran knüpft (hiſtoriſcher Pragmatismus).

Pragmatiſche Sanction, 1) im Allgemeinen ein Staatsvertrag; beſonders
aber 2) ein über eine wichtige den Staat oder die Kirche betreffende Angelegenheit von dem Landesherrn feſtgeſtelltes Grundgeſetz, welches unverletzlich
ſein und für ewige Zeit in Kraft bleiben ſoll. Die bekannteſten ſind: a) die
P. S. Ludwig's IX. von Frankreich, 1268 gegeben, welche die Grundlage
der Freiheiten der Gallicaniſchen Kirche und die Schutzwehr gegen die über-
greifenden Anſprüche des Papſtes wurde, 1438 von Karl VII. erneuert, 1516
aber von Franz I. aufgehoben wurde. b) die P. S. des Kaiſer's Carl VI.
von 1713 und 1724, welche für den Fall, daß er ohne männliche Nachkommen
bliebe, die Nachfolge unter ſeinen weiblichen Nachkommen regelte, und dadurch
die Veranlaſſung zu dem Oeſterreichiſchen Erbfolgekriege (ſ. d.) wurde.

Prahm, ein Fahrzeug mit flachem Boden, beſtimmt die Ladungen den
größeren Schiffen auf ruhigem Waſſer, alſo meiſt in Flüſſen, zuzuführen, oder
die „gelöſchten" d. h. aus den Schiffen entladenen Güter zum Weitertransport
aufzunehmen.

Präliminarien (Friedens-P.) und **Prälliminarfriede,** ſ. u. Friede 2).

Präſentiren, das höchſte mit der Waffe erwieſene Honneur. Die mit dem
Gewehr ausgerüſteten Truppen bringen daſſelbe, den Lauf nach dem Leibe zugelehrt,
vor die linke Seite der Bruſt entweder von der rechten Seite, oder von der linken
Schulter. Officiere präſentiren, indem ſie den zwiſchen dem Daumen und
Zeigefinger gehaltenen Degen erſt vor die Mitte der Bruſt führen und ſodann
mit der flachen Seite der Klinge nach oben die Spitze des Degens (Säbels)

senken; die Unterofficire präsentiren nicht. Die in fürstlichen Schlössern mit Gewehr bei Fuß stehenden Posten ergreifen das Gewehr mit der Hand an der Mündung und setzen es dann seitwärts mit gestrecktem Arme fort. Bei den nur mit Seitengewehr ausgerüsteten Truppen wird das Präsentiren in der Weise ausgeführt, daß zunächst das Seitengewehr mit der flachen Klinge dem Leibe zugekehrt vor die Mitte der Brust geführt, und dann der rechte Arm gerade weggestreckt wird.

Präsenzzeit nennt man bei einem durch Aushebung aufgebrachten Heere denjenigen Zeitraum, welchen der Soldat wirklich unter den Fahnen zuzubringen hat, im Gegensatz zur Dienstzeit, d. i. der Zeit, welche er überhaupt zum Dienst verpflichtet ist, aber zum Theil in beurlaubtem Verhältniß zubringt. — Präsenter Stand ist die Stärke der bei der Fahne befindlichen Mannschaft. — Der geworbene Soldat ist stets präsent, der Milizsoldat dagegen hat eigentlich kein Präsenz. Bei der Bestimmung der P. ist zunächst in's Auge zu fassen, daß dieselbe nicht allein hinreicht, den Mann im Dienst seiner Waffe auszubilden, sondern ihm auch einen soldatischen Geist einzuflößen, sodaß er sich, wenn er auch längere Zeit dem bürgerlichen Leben zurückgegeben war, bei etwaiger Einberufung leicht wieder in die militairischen Verhältnisse findet. Ferner ist bei Festsetzung der P. darauf zu rücksichtigen, daß die Cadres, welche bei der Fahne bleiben, nicht schwächer werden, als daß noch eine sachgemäße taktische Ausbildung der Truppe möglichst ist, und überhaupt die Schlagfertigkeit einer Armee nicht zusehr in Hintergrund tritt. Auf der andern Seite muß man dahin trachten, die Bevölkerung nicht längere Zeit als dringlich ihren bürgerlichen Erwerbsverhältnissen zu entziehen, und auch den financiellen Verhältnissen des Staates Rechnung tragen, da mit der P. im Allgemeinen das Militairbudget wächst. Je höher der Bildungsgrad einer Nation, um so geringere P. ist wohl zulässig. Sorgt man auf den Schulen für eine körperliche Ausbildung der Jugend, so gestattet dies auch die P. zu reduciren. In den Heeren mit faktischer allgemeiner Wehrpflicht ist die P. für die jungen Leute von höherer Schulbildung eine kürzere. — In Deutschland beträgt die P. 3 Jahre, die gesammte Dienstzeit 12, davon 4 in der Reserve, 5 in der Landwehr (Bayern nur 3 in der Reserve). Wer einen gewissen Bildungsgrad nachweist und sich selbst bekleidet und verpflegt, hat nur 1 Jahr bei der Fahne zu zubringen. Oesterreich hat ebenfalls dreijährige P. Andere Staaten (Italien, Spanien, Belgien) haben eine längere und eine kürzere P., je nach der Loosungs-Nummer, welche der Ausgehobene zieht. Nach dem neuen Wehrgesetz werden die Verhältnisse in Frankreich sich ähnlich wie in Deutschland gestalten. Die längste P. hat Rußland (ca. 8 Jahre), doch wird sie durch temporäre Beurlaubungen in Wirklichkeit sehr reducirt.

Prätorianer (Cohortes praetorianae), im alten Rom die Leibwache des Feldherrn, unter den Kaisern die Garde. Ursprünglich bestand nur 1 Cohorte, seit Tiberius 9, seit Vitellius 16 Cohorten zu je 1000 M. Die P. waren die Elite des Heeres, wurden aber nicht zum Heere selbst gerechnet, genossen erhebliche Vorzüge, spielten unter den Kaisern eine große politische Rolle und wählten in der spätern Zeit häufig den Kaiser, bis Constantin der Große eine völlige Umgestaltung dieser eben so stolzen als übermüthigen Militairclasse bewirkte.

Preien, ein Schiff auf der See in einiger Entfernung mit dem Sprachrohre anrufen, um sich nach dessen Namen, Bestimmungsorte u. dgl. zu erkundigen, oder um ihm wichtige Mittheilungen zu machen. Wenn ein Kriegsschiff ein Kauffahrteischiff preien will, so schießt es gewöhnlich den sogenannten Preischuß ab.

Prellschuß, ein Schuß, welcher nicht in das Ziel eindringt, sondern an demselben abprallt. Dasselbe kommt vor, wenn entweder die Ladung zu schwach,

oder das Mauerwerk zu fest, oder endlich der Winkel, unter welchem das Geschoß das Ziel trifft, ein zu spitzer ist. — Treffer mit Preller nennt man
einen Schuß, welcher nach vorhergegangenem Aufschlage das Ziel trifft.

Prenzlau, Stadt im Regierungsbezirk Potsdam der preußischen Provinz
Brandenburg, ehemals Hauptstadt der Uckermark, an der Ucker und der Nordseite des Unteruckersees, sowie an der Berlin-Stralsunder Eisenbahn, hat
14,931 Einwohner. P. ist in der Kriegsgeschichte namhaft durch die hier nach
der Schlacht von Jena stattgehabte Capitulation eines 16,000 M. starken
preußischen Corps unter Fürst von Hohenlohe (s. d. 3) an die Franzosen unter
Murat, am 28. Oct. 1806.

Prerau (slaw. Przerow), Stadt in Mähren, 3 Meilen südsüdöstlich von
Olmütz, liegt an der Beczwa, ist Station der Kaiser Ferdinands-Nordbahn
(Linie Wien-Lundenburg-Oderberg-Krakau) und Knotenpunkt für die Bahnen
nach Brünn und über Olmütz nach Prag, hat ein festes Bergschloß und zählt
5400 Einwohner. Zwischen P. und Rosetnitz fand am 15. Juli 1866 ein An-
griff des zur zweiten preußischen (kronprinzlichen) Armee gehörigen Cavaleriecorps
Hartmann auf das im Rückzug begriffene 1. österreichische Armeecorps (unter
Graf Gondrecourt) statt. Am 17. Juli wurde dann P. von der kronprinzlichen
Armee besetzt.

Preßburg, (lat. Posonium, ungar. Poson, slav. Pressburek), königliche Frei-
stadt und Hauptstadt des gleichnamigen Comitats, eine der schönsten Städte
Ungarns, am linken Ufer der Donau und an der Südöstlichen Staatsbahn
(Linie Wien-Pest), ist von Gräben mit Schlägen (Linien) umgeben, hat eine
Schiffbrücke, einen Dom (in welchem die Könige von Ungarn gekrönt wurden,
s. weiter unten), ein altes, seit dem Brand von 1811 aber theilweis in
Ruinen liegendes Schloß, lebhaften Handel und Industrie und 43,800 Einwohner. P. war seit der Einnahme Ofens durch die Türken (1529) die Hauptstadt von Ungarn, seit 1563 auch Krönungsstadt und blieb dies bis 1784.
Außerhalb der Stadt, an der Donau, liegt der Krönungshügel, wo auf einer mit
steinernem Geländer umgebenen Rampe die Könige von Ungarn nach vollzogener
Krönung in ungarischer Tracht zu Pferde das Schwert nach den vier Welt-
gegenden schwangen, zum Zeichen, daß sie das Reich gegen die ganze Welt
schützen wollten. Im October 1619 wurde P. von Bethlen Gabor genommen,
1621 aber von den Kaiserlichen zurückerobert, 1648 vom Erzherzog Leopold
Wilhelm befestigt. Am 11. Sept. 1741 fand hier die denkwürdige ungarische
Reichstagssitzung statt, in welcher während des Ersten Schlesischen Krieges die
Ungarn der Kaiserin Maria Theresia ihre Unterstützung zusagten (s. u. Oster-
reichischer Erbfolgekrieg S. 355). Nach der Schlacht und dem Waffenstillstande
von Austerlitz (s. d.) wurde hier am 26. Dec. 1805 zwischen Napoleon I. und
dem Kaiser Franz II. der Preßburger Friede geschlossen, in welchem Oesterreich das Venetianische Gebiet an das Königreich Italien; Tirol, Vorderösterreich
und Passau an Baiern; die Donaustädte, einige Gebiete von Schwäbisch-
Oesterreich und einen Theil des Breisgau's an Württemberg; Konstanz und
den größten Theil des Breisgau's an Baden abtrat (im Ganzen über 1000
Q.-M. mit fast 3 Millionen Einw. verlor), dafür aber das Kurfürstenthum
Salzburg erhielt, und den Kurfürsten von Baiern und Württemberg die königliche Würde und Souveränetät und letztere auch dem Kurfürsten von Baden
zugestand. Am 3. u. 12. Juni 1809 Gefechte um den Brückenkopf von P.;
da die Oesterreicher denselben nicht übergeben wollten, so wurde die Stadt von
26. — 29. Juni von den Franzosen unter Davoust beschossen. Während des
Ungarischen Revolutionskrieges wurde P. im Dec. 1848 von den Oesterreichern
unter Windischgrätz und im Juni 1849 von den Russen unter Panutin besetzt.

(resp. die Memel); von den Kanälen ist der Oberländische Kanal der bedeutendste. Haupterwerbsquellen sind Ackerbau und Viehzucht, namentlich Pferdezucht; die Industrie ist von untergeordneter Bedeutung, von größerer Wichtigkeit Handel und Rhederei; die hauptsächlichsten Handelsplätze sind: Danzig, Elbing, Braunsberg, Königsberg, Pillau und Memel. Die Provinz ist mit Unterrichtsanstalten sehr reich versehen; eine Universität befindet sich zu Königsberg. Die Eisenbahnen der Provinz sind: Schneidemühl-Dirschau, Bromberg-Dirschau-Königsberg (Ostbahn) mit den Zweigbahnen Dirschau-Danzig, Königsberg-Pillau, Königsberg-Insterburg-Tilsit, resp. Gumbinnen Eydtkuhnen (zum Anschluß nach Petersburg) und Königsberg-Lötzen-Lyk. In administrativer Hinsicht zerfällt die Provinz in die vier Regierungsbezirke: Königsberg, Gumbinnen (früher Ostpreußen bildend), Danzig und Marienwerder (früher Westpreußen bildend). Sitz des Oberpräsidenten ist Königsberg. P. bildet wesentlich den Ersatzbezirk und die Garnisons-Provinz des 1. Armeecorps (General-Commando und Commando der 1. Division in Königsberg, Commando der 2. Division in Danzig). Festungen sind: Königsberg, Pillau und Boyen-Lötzen (in Ostpreußen); Danzig (mit Neufahrwasser), Graudenz und Thorn (in Westpreußen). — Das Geschichtliche s. oben (unter P. 1).

Preußen (Preußische Monarchie), Königreich im nördlichen Deutschland, seit 1866 die leitende Großmacht oder Präsidialmacht des Norddeutschen Bundes und des Deutschen Zollvereins, seit 1871 aber die des Deutschen Reichs, erstreckt sich (abgesehen von den durch Württemberg und Baden enclavirten Hohenzollern'schen Landen) von 49° 6' bis 55° 53' nördl. Br. und von 23° 32' bis 40° 32' östl. L. (v. Ferro) und grenzt im Norden an die Niederlande, Oldenburg, Dänemark (Jütland), beide Mecklenburg und die Ostsee; im Osten an Rußland, resp. Russisch-Polen; im Süden an Galizien, Oesterreichisch-Schlesien, Mähren, Böhmen, das Königreich Sachsen, die Thüringischen Herzog- und Fürstenthümer, Baiern, das Großherzogthum Hessen und Rheinbaiern; im Südwesten an das neuerworbene Reichsland Elsaß-Lothringen; im Westen an Luxemburg, Belgien und die Niederlande. Die äußere Grenze dieses Hauptgebietes ist in runder Summe 1000 Meilen lang, davon 220 Meilen auf die Seeküste (55 Meilen auf die Nordsee, 165 Meilen auf die Ostsee) und 780 Meilen auf die Landgrenze und zwar 10 Meilen gegen Dänemark (Jütland), 175 Meilen gegen Rußland und Polen, 104 gegen die Oesterreichisch-Ungarische Monarchie, 390 gegen die verschiedenen Staaten des Deutschen Reiches, 15 gegen Elsaß-Lothringen, 73 gegen Luxemburg und die Niederlande und 13 gegen Belgien. Hierzu kommen noch die innern Landesgrenzen gegen die Enclaven und die äußeren Grenzen der Exclaven, welche beide jedoch, ungeachtet ihrer Länge, von keinem Interesse sind. Die Zahl der Enclaven ist sehr beträchtlich, denn das Hauptgebiet P.'s umschließt 5 deutsche Staaten (Anhalt, Braunschweig, beide Lippe und Waldeck) und 27 Parzellen von andern deutschen Staaten, während andrerseits 25 preußische Exclaven (davon die bedeutendsten: Hohenzollern und die Kreise Schleusingen, Schmalkalden und Ziegenrück und das Jadegebiet) in anderen deutschen Staaten liegen. Bis 1866 zerfiel das Hauptgebiet in zwei getrennte Theile, ist aber seit der Erwerbung von Hannover, Kurhessen und Nassau ein geschlossenes Ganzes. Der Gesammtflächenraum (einschließlich der Hohenzollern'schen Lande) beträgt 6366,24 Q.-M. mit (1867) 23,993,924 Einwohnern (3769 auf 1 Q.-M.), unter Hinzurechnung des zwar keinen integrirenden Theil der Preußischen Monarchie bildenden, aber doch mit P. in Personalunion verbundenen Herzogthums Lauenburg jedoch 6387,42 Q.-M. mit (1867) 24,043,902 Einwohnern (3764 auf 1 Q.-M.). Der größte Theil P.'s gehört dem norddeutschen Tieflande an, insbesondere erstreckt sich vom Unterlaufe der Elbe an bis zur nordöstlichen Spitze von Ostpreußen eine fast ununterbrochene Ebene; in den östlichen Provinzen finden sich wirkliche Gebirge nur im südlichen Schlesien (Sudeten, Riesengebirge und Lausitzer Gebirge), im Westen der Provinz Sachsen den Harz und im Südwesten dieser Provinz der Thüringer Wald; den südlichen Theil von Hannover erfüllt der Harz; weit gebirgiger sind dagegen die westlichen Provinzen Hessen-Nassau, Westfalen und Rheinprovinz durch die Wesergebirge, den Teutoburger Wald, Haarstrang, Sauerländische Gebirge, Rhön, Taunus, Siebengebirge, Eifel, Hundsrück zc. Sämmtliche Gewässer des preußischen Haupttheiles gehören den Gebieten der Ostsee und der Nordsee an; die wichtigsten Ströme des Ostseegebietes sind: die Memel (resp. der Niemen), die Weichsel (mit Nogat, Mottlau zc.) und die Oder (mit Neiße, Warthe zc.); die des Nordseegebietes: die Elbe (mit Mulde, Saale, Havel, Spree zc.), die Eider, die Weser (mit Aller), der Rhein (mit Main, Nahe, Lahn und Mosel); von den Hohenzollern'schen Landen gehört der kleinere Theil durch den Neckar dem Rhein, resp. Nordseegebiete, der größere Theil durch die Donau dem Gebiete des Schwarzen Meeres an. Die wichtigsten Kanäle sind: der Bromberger Kanal (verbindet die Weichsel mit dem Odergebiete), der Friedrich-Wilhelms- oder Müllroser Kanal (die Oder mit der Spree), der Finowkanal (die Oder mit der Havel), der Plauesche Kanal (die Havel mit der Elbe), der Eiderkanal. Projectirt ist noch der Nord-Ost-See Kanal. Die Landseen sind zahlreich, aber meist klein; die bedeutendsten sind in der Prov. Preußen: der Spirding-, Mauer-, Dargeinen-Dobische, Löwentin- und Geserich-See; in Posen: der Goplo-See und die Netze-Seen; in Pommern der Leba-, Gardesche, Mahüe- und der Kummerow-See; in Schlesien: die Militsch-Trachenberger Seengruppe; in Brandenburg: der Ruppiner See und die Havel-Seen; in Sachsen: der Süße und der Salzige Mansfelder See; in Schleswig-Holstein-Lauenburg: der Plöner und Selenter See; in Hannover: das Steinhuder Meer und der Dümmer-See; in der Rheinprovinz der Laacher See. Das Klima ist im Allgemeinen gemäßigt und gesund, in den Ostseeprovinzen jedoch feucht und veränderlich, in den Gebirgsstrichen rauher und kälter. Die jährlichen Mittel der Temperatur bewegen sich zwischen 4,3° R. und 8,3° R. Die Fruchtbarkeit des Bodens ist eine sehr verschiedene; am fruchtbarsten sind die Vorlandschaften der Sudeten, der größere Theil Sachsens, der Süden Hannovers, der Regierungsbezirk Wiesbaden (das ehemalige Herzogthum Nassau) und ein großer Theil der Rheinprovinz. Die wichtigsten Erwerbsquellen sind Ackerbau und Viehzucht; alle Zweige der Landwirthschaft stehen auf einer sehr hohen Stufe. Außer den gewöhnlichen Getreidearten werden noch zahlreiche Fabrik- und Handelspflanzen angebaut, Wein besonders in der Provinz Hessen-Nassau und der Rheinprovinz. Der Reichthum an Waldungen und demzufolge ergiebige Jagd ist hauptsächlich in den Provinzen Preußen, Brandenburg, Posen, Schlesien, Westfalen, Hessen-Nassau und der Rheinprovinz sehr groß. Die Rindviehzucht ist überall von großer Bedeutung; berühmt sind namentlich die holsteinischen und friesischen Ochsen. In der Pferdezucht stehen die Provinzen Preußen und Hannover oben an. Die Schafzucht ist besonders in Schlesien, Brandenburg, Sachsen und Posen einheimisch. Die Fischerei ist für den innern Bedarf von Bedeutung. Von großer Wichtigkeit für die industrielle Thätigkeit ist der Reichthum an Mineralien. Der Bergbau liefert Kupfer und Silber besonders in Sachsen (im Mansfeldischen) und Hannover; Eisen in der Rheinprovinz, Hessen-Nassau Westfalen und Schlesien; Zink besonders in Schlesien (nächstdem auch in der Rheinprovinz); Zinn, Blei, Antimon, Kobalt zc. ebenfalls in den genannten Provinzen; Steinkohlen namentlich in der Rheinprovinz (an der Saar und nördlich von der Eifel); Braunkohlen in Westfalen, Hessen-Nassau, Hannover,

Sachsen und Schlesien; Salz namentlich in Sachsen, Westfalen, Hessen-Nassau und der Rheinprovinz. An Mineralquellen sind namentlich reich die Provinzen Hessen-Nassau, die Rheinprovinz und Schlesien. Bernstein liefert die Ostseeküste. Die Industrie steht mit Ausnahme der Provinzen Preußen, Posen und Pommern überall auf einer sehr hohen Stufe und ist in allen Zweigen glänzend vertreten; die Hauptzweige sind: Wollen-, Baumwollen- und Leinenmanufactur, Seidenzeuge, Eisenwaaren, Maschinenbau (vor allem in Berlin), Chemikalien, Spiritus, Runkelrübenzucker ꝛc. Obgleich P., als solches, nicht zu den Handelsstaaten ersten Ranges gerechnet werden kann, so wird sein Handel doch durch die 220 Meilen lange Seeküste, durch die Ausdehnung seiner Wasserstraßen, treffliche Kunststraßen und ein fast vollständiges Eisenbahnnetz sehr begünstigt. Der Handel ist vorzugsweise Eigenhandel, aber auch die Spedition nach Rußland, Oesterreich und Süddeutschland ist nicht unansehnlich. Die bedeutendsten Handelsstädte sind: Königsberg, Danzig, Breslau, Frankfurt a. d. O., Berlin, Stettin, Magdeburg, Altona, Hannover, Frankfurt a. M., Münster, Düsseldorf und Köln; die wichtigsten Rhederelplätze: Memel, Königsberg, Danzig, Rügenwalde, Swinemünde, Stettin, Uckermünde, Wolgast, Greifswald, Stralsund, Barth und die nahebei liegenden Häfen des Franzburger Kreises, Flensburg, Apenrade, Blankenese, Altona, Geestemünde, Emden und Papenburg. Die wichtigsten Eisenbahnen sind: die Ostbahn (Berlin-Danzig-Königsberg), die Ostpreußische Südbahn (Königsberg-Lyk) die Niederschlesisch-Märkische (Berlin-Breslau), die Oberschlesische, die Niederschlesische, die Breslau-Freiburg-Schweidnitzer, die Linien Stargard-Posen, Stargard-Belgard-Danzig, Frankfurt a. d. O.-Posen, Berlin-Stettin, Berlin-Hamburg, Berlin-Potsdam-Magdeburg, die Berlin-Anhaltische, die Berlin-Görlitzer, die holsteinschen Bahnen, die Magdeburg-Wittenberger, die Magdeburg-Halberstädter, die Magdeburg-Leipziger, die Thüringische (Halle-Gerstungen mit zahlreichen Zweig- und Nebenbahnen), die Hessische (Friedrich-Wilhelms-) Nordbahn, die Linie Bebra-Fulda-Hanau-Frankfurt, die Main-Weserbahn (Kassel-Frankfurt a. M.), die hannoverschen, hessischen und nassauischen Staatsbahnen, die Köln-Mindener, die Westfälische Staatsbahn, die Bergisch-Märkische, die Köln-Gießener, die Düsseldorf-Elberfeld-Dortmunder, die Rheinische (Köln-Aachen-Herbesthal), die Linksrheinische (Köln-Bonn-Koblenz-Bingen), die Aachen-Mastrichter, die Aachen-Düsseldorfer, die Rhein-Nahebahn (Bingen-Saarbrücken), die Saarbrücker Staatsbahn (Saarbrücken-Trier) und die Taunusbahn.

Die Preußische Monarchie wird in folgende 11 Provinzen eingetheilt, deren Flächenraum nach den neusten Messungen und deren Bevölkerung nach der Zählung vom 3. Dec. 1867 angegeben ist. A) Aeltere Landestheile: 1) Preußen 1179,₃₇ O.-M. mit 3,090,960 Einw.; 2) Posen 525,₇₀ O.-M. mit 1,537,338 Einw.; 3) Brandenburg 724,₁₁ O.-M. mit 2,719,815 Einw.; 4) Pommern 574,₇₄ O.-M. mit 1,445,635 Einw.; 5) Schlesien 731,₄₀ O.-M. mit 3,585,752 Einw.; 6) Sachsen 458,₁₀ O.-M. mit 2,067,066 Einw.; 7) Westfalen 366,₈₁ O.-M. mit 1,707,726 Einw.; 8) Rheinprovinz 489,₇₁ O.-M. mit 3,455,358 Einw.; B) Neuere Landestheile: 9) Hannover 698,₆₃ O.-M. mit 1,937,637 Einw.; 10) Schleswig-Holstein 312,₆₀ O.-M. mit 981,718 Einw.; 11) Hessen-Nassau 283,₃₁ O.-M. mit 1,380,311 Einw; außerdem noch die Hohenzollernschen Lande (Regierungsbezirk Sigmaringen) 20,₇₄ O.-M. mit 64,632 Einw.; das Jadegebiet 0,₃₃ O.-M. mit 1748 Einw. Zur Bevölkerung sind noch zu rechnen 18,228 Mann Militär außerhalb Preußens stehend, so daß im Ganzen die Preußische Monarchie einen Flächenraum von 6366,₃₄ O.-M. und eine Bevölkerung von 23,993,924 Seelen (3769 auf 1 O.-M.), einschließlich Lauenburgs aber 6387,₄₇ O.-M. mit 24,043,902 Seelen (3764 auf 1 Q.-M.). Die Provinzen werden in Regierungsbezirke (Hannover in Landdrosteien) und die Regierungsbezirke in Kreise eingetheilt. Die größten Städte sind: Berlin 702,437 Einw.; Breslau 171,926 Einw.; Köln 125,172 Einw.; Königsberg 106,296 Einwohner. Hauptstadt der Monarchie, Residenz des Königs, Sitz der Centralbehörden und des Landtags ist Berlin.

Die Bevölkerung P's ist in der großen Mehrheit rein deutsch; eine gemischte Bevölkerung haben vorzüglich die östlichen Provinzen. Die deutsche Bevölkerung beträgt 88,13 Procent; andere Nationalitäten sind: Polen (in Preußen, Posen, Schlesien und Pommern) 9,8, Proc.; Wenden (in Schlesien) 0,27 Proc.; Tschechen (in Schlesien) 0,10 Proc. (insgesammt Slawen 10,09 Proc.); Litauer (in Preußen) 0,41 Proc.; Dänen (im nördlichen Schleswig) 0,44 Proc.; Wallonen (im Reg.-Bz. Aachen) 0,03, insgesammt nichtdeutscher Nationalität 11,87 Proc. Hinsichtlich der Confessionen bekennt sich im Allgemeinen die Majorität zur Evangelischen Kirche, namentlich in Schleswig-Holstein mit 98,6 Proc., in Pommern mit 97,4 Proc., in Brandenburg mit 95,9 Proc., in Sachsen mit 93,1 Proc., in Hannover mit 87,5 Proc., in Preußen mit 70,8 Proc., in Hessen-Nassau mit 70,8 Proc.; wogegen die Katholiken in Hohenzollern mit 96,4 Proc., in der Rheinprovinz mit 74,5 Proc., in Posen mit 62,3 Proc., in Westfalen mit 54,3 Proc., in Schlesien mit 51 Proc. in der Majorität sind. Das Verhältniß der Confessionen im Allgemeinen ergiebt sich am deutlichsten aus folgender Uebersicht:

Confessionen.	Aeltere Landestheile.	Neuere Landestheile.	Gesammte Monarchie.
Evangelische	60,41 Proc.	84,11 Proc.	65,31 Proc.
Römisch-Katholische	37,48 „	13,41 „	33,04 „
Andere christl. Conf.	0,34 „	0,18 „	0,30 „
Juden	1,27 „	1,21 „	1,45 „
Summa	100,00 Proc.	100,00 Proc.	100,00 Proc.

Hinsichtlich der Verfassungsverhältnisse ist P. nach der Verfassungs-urkunde vom 31. Januar 1850 eine constitutionelle Monarchie. Der König (seit den 2. Januar 1861 Wilhelm, geb. 22. März 1797), welcher zugleich erbliches Oberhaupt des Deutschen Reiches ist und als solches nach (dem 1870 abgeänderten) Artikel 11. der Bundesverfassung den Namen Deutscher Kaiser*) führt, theilt die Gesetzgebende Gewalt mit dem Landtage. Die Krone ist, den Königlichen Hausgesetzen gemäß, nach dem Rechte der Erstgeburt und der agnatischen Linealfolge erblich im Hause Hohenzollern. Das Königliche Haus ist evangelisch, die Seitenlinie Hohenzollern (=Sigmaringen) römisch-katholisch. Der König

*) Anmerkung. Die Titulaturen sind demgemäß folgende: 1) an den König in den Berichten und Schreiben die äußere Adresse: „Seiner Majestät dem Deutschen Kaiser und Könige von Preußen" oder „Seiner Kaiserlichen und Königlichen Majestät"; die Anrede: „Allerdurchlauchtigster, Großmächtigster Kaiser und König, Allergnädigster Kaiser, König und Herr!" im Contexte: „Ew. Kaiserliche und Königliche Majestät." 2) an die Königin: „Ihrer Majestät der Deutschen Kaiserin und Königin von Preußen" u. s. w. also andere ganz dem entsprechend wie an den König. 3) an den Kronprinzen in Berichten und Schreiben: „Seiner Kaiserlichen und Königlichen Hoheit, dem Kronprinzen des Deutschen Reiches und Kronprinzen von Preußen"; die Anrede: „Durchlauchtigster Kronprinz, Gnädigster Kronprinz und Herr!"; im Contexte: „Ew. Kaiserliche und Königliche Hoheit". 4) an die Kronprinzessin: „Ihrer Kaiserlichen und Königlichen Hoheit, der Kronprinzessin des Deutschen Reiches und Kronprinzessin von Preußen, Princeß Royal von Großbritannien und Irland" u. s. w. alles, lautere ganz dem entsprechend wie an den Kronprinzen. Die übrigen Mitglieder des König-lichen Hauses werden von dem Kaisertitel nicht berührt und haben das Prädicat „Königliche Hoheit." Ebenso führen nur die Hofbeamten und die Beamten der wirklichen Reichsbehörden die Bezeichnung „Kaiserlich"; das preußische Officiercorps, das preußische Militär, die preu-ßischen Behörden und Civilbeamten dagegen unverändert die Bezeichnung „Königlich" fort.

leistet nach dem Regierungsantritte in Gegenwart der beiden Häuser des Landtages den Eid auf die Verfassung; ist derselbe minderjährig (bis zum vollendeten 18. Lebensjahre) oder zu regieren dauernd verhindert, so führt der
nächste volljährige Agnat die Regentschaft. Der König, welchem die Vollziehende
Gewalt ausschließlich zusteht, ernennt und entläßt die Minister, beruft die
beiden Häuser des Landtags, schließt deren Sitzungen, kann das Abgeordnetenhaus auflösen, verkündigt die Gesetze, erläßt die zu deren Ausführung nöthigen
Verordnungen, führt den Oberbefehl über das Heer, besetzt alle Stellen im
Civil- und Militärdienste, verleiht Orden und andere mit Vorrechten nicht ver-
bundene Auszeichnungen, hat die Ausübung des Münzrechts, das Recht der
Begnadigung und der Strafmilderung, sowie das Recht Krieg zu führen und
Frieden zu schließen. Alle Regierungsacte des Königs bedürfen zu ihrer Gül-
tigkeit der Gegenzeichnung eines Ministers, der dadurch die Verantwortlichkeit
übernimmt (doch fehlt zur Zeit noch ein Ministerverantwortlichkeits-Gesetz).
An der Spitze der Verwaltung steht das Staatsministerium, welches vom
Minister-Präsidenten und 9 Ressortministern gebildet wird: 1) der Auswärtigen
Angelegenheiten (das Preußische Ministerium der Auswärtigen Angelegenheiten
bildet seit dem 1. Januar 1870 das „Auswärtige Amt des Norddeutschen Bundes"
[seit 1871 des Deutschen Reiches] unter einem „Staatssecretär des Auswärtigen
Amtes"); 2) der Finanzen; 3) der Geistlichen, Unterrichts- und Medicinal-Ange-
legenheiten; 4) für Handel, Gewerbe und öffentliche Angelegenheiten; 5) des Innern;
6) der Justiz; 7) des Kriegs; 8) für Landwirthschaftliche Angelegenheiten; 9) der Marine (zur Zeit noch mit dem Ministerium des Kriegs vereinigt); außerdem noch das
Ministerium des Königlichen Hauses, welches jedoch seit 1848 nicht mehr zum Staatsministerium, sondern wie die Geheimen Cabinette für die Civil-Angelegenheiten und
für die Militär-Angelegenheiten zum Hofstaate des Königs gehören. Als höchste
berathende Behörde fungirt der Staatsrath, in welchem die volljährigen
königlichen Prinzen, die durch das Vertrauen des Königs berufenen Staatsdiener,
die commandirenden Generale und die Oberpräsidenten, wenn sie in Berlin
anwesend sind, Sitz und Stimme haben. Der Landtag besteht aus dem
Herrenhaus und dem Abgeordnetenhaus. Das Herrenhaus wird gebildet:
1) von den großjährigen Prinzen des Königlichen Hauses, den Häuptern der
standesherrlichen sowie der zur Theilnahme an der Herren-Curie des Vereinigten
Landtags von 1847 berechtigt gewesenen Familien; 2) von den Inhabern der
vier großen Landesämter, den Kronsyndicis und andern vom Könige auf
Lebenszeit berufenen Personen; 3) von den aus Präsentation gewisser Korper-
schaften und Verbände (Landesuniversitäten, adelige Familienverbände, größere
Städte 2c.) vom Könige berufenen Personen. Das Abgeordnetenhaus wird
gebildet von 432 Mitgliedern (352 aus den älteren, 80 aus den neuern Provinzen),
welche nach dem auf dem Dreiklassen-System beruhenden Wahlgesetze vom 30.
Mai 1849 vermöge allgemeinen Stimmrechts in indirecter Wahl gewählt
werden. Die Legislaturperiode dauert drei Jahre. Dem Abgeordnetenhause
müssen finanzielle Vorlagen der Staatsregierung zuerst zugehen, und das Herrenhaus darf den Staatshaushalts-Gesetzentwurf, wie er aus den Berathungen des
Abgeordnetenhauses hervorgegangen ist, nur im Ganzen annehmen oder ab-
lehnen. Neben dieser allgemeinen Vertretung besteht noch eine ständische Pro-
vinzial-Vertretung (Provinzial-Landtag) nach dem Gesetze vom 24. Mai
1853. An der Spitze der Provinzial-Verwaltungen steht ein Ober-Präsident,
(zu Königsberg, Potsdam, Stettin, Breslau, Posen, Magdeburg, Münster,
Coblenz, Hannover, Kiel, Kassel); an der der Regierungs-Bezirke eine Bezirks-
Regierung (zu Königsberg, Gumbinnen, Danzig, Marienwerder; Potsdam,
Frankfurt a. d. O.; Stettin, Cöslin, Stralsund; Breslau, Liegnitz; Posen,
Bromberg; Magdeburg, Merseburg, Erfurt; Münster, Minden, Arnsberg;

Militär-Encyclopädie. VII. 13

Köln, Düsseldorf, Coblenz, Aachen, Trier; Sigmaringen; Kiel, Schleswig; Kassel, Wiesbaden und die Landdrosteien zu Hannover, Hildesheim, Lüneburg, Stade, Osnabrück und Aurich) unter einem Regierungs-Präsidenten, resp. Land-drosten; an der der Kreise ein Landrath; in Hannover an der der Aemter ein Amtshauptmann. Hinsichtlich der Rechtspflege besteht ein dreifacher In-stanzenzug. Die dritte und höchste Instanz bilden: für die ältern Landes-theile, Frankfurt a. M., den Amtsbezirk Meisenheim und die Enclave Kauls-dorf das Ober-Tribunal zu Berlin, für die neuern Landestheile das Ober-Appellationsgericht zu Berlin; die zweite Instanz: das Kammergericht zu Berlin, das ostpreußische Tribunal zu Königsberg, der Justiz-Senat zu Frankfurt a. d. Oder; Stettin, Cöslin, Greifswald; Breslau, Glogau, Ratibor; Ehrenbreitstein und die Appellationsgerichte zu Insterburg, Marienwerder; Posen, Bromberg; Magdeburg, Halberstadt, Naumburg; Münster, Paderborn, Hamm, Arnsberg; Köln, Düsseldorf, Celle; Kiel, Kassel, Wiesbaden, Frankfurt a. M. Als Gerichte erster Instanz fungiren die Kreis- resp. Stadtgerichte.

Die Finanzen P.'s zeichnen sich, wie das ganze preußische Verwaltungs-wesen, von ihrem durch eine vorzügliche Ordnung und weise Sparsamkeit aus, und wenn auch die Aufrechterhaltung des großen Heeres sehr beträchtliche Mittel in Anspruch nimmt, so ist der Staat doch zugleich im Stande, für geistige und materielle Zwecke reichliche Aufwendungen zu machen. Nur außerordentliche Veranlassungen, wie Kriegsrüstungen und Eisenbahnbauten, haben zur Auf-nahme von Anleihen genöthigt, welche jedoch durch regelmäßige Tilgungen fort-während zu vermindern gesucht werden. Die verzinsliche Staatsschuld betrug sich 1806 auf 53; 1820 auf 218; 1847 auf 129 und 1870 (einschließlich der Eisenbahnschulden und der mit den neuen Landestheilen übernommenen Schulden) auf 413 Millionen Thaler, die unverzinsliche (Cassenanmeisungen, Noten rc.) 1870 auf 19 Millionen Thlr. Der Staatshaushalts-Etat für 1871 war in Einnahme und Ausgabe übereinstimmend festgesetzt auf 172,918,973 Thaler (und zwar 166,743,895 Thlr. an fortdauernden und 6,175,042 an einmaligen und außerordentlichen Ausgaben). Dieser verhältnißmäßig niedrige Etat erklärt sich dadurch, daß die Militair- und Marineverwaltung nicht auf das preußische Budget, sondern auf das des Deutschen Reiches kommen. In Bezug auf die kirchlichen Angelegenheiten sind alle Religionsgesellschaften unabhängig vom Staate, ebenso aber auch die staatsbürgerlichen Rechte unabhängig vom religiösen Bekenntnisse. Die äußern evangelischen und katholischen Angelegen-heiten leitet das Ministerium der Geistlichen, Unterrichts- und Medicinal-An-gelegenheiten; die rein kirchlichen Angelegenheiten der evangelischen Landeskirche dagegen werden vom Oberkirchenrath zu Berlin, die der katholischen Kirche von den Bischöfen geleitet. (Das numerische Verhältniß der Confessionen s. oben in der Tabelle S. 192.) Was die intellectuelle Cultur anbelangt, so nimmt P. im Allgemeinen eine hervorragende Stellung ein, wenn schon der Grad von Bildung und Unterricht in einzelnen Provinzen verschieden ist. Der Elementar-Unterricht ist obligatorisch für alle gesunden Kinder zwischen 6 und 14 Jahren; daher kommt es, daß von den jährlich in Preußen militairpflichtig werdenden jungen Leuten im Durchschnitt nur gegen 4 Procent des Lesens und Schreibens unkundig sind (während dies beispielsweise in Frankreich bei 34 Procent Recruten der Fall ist). Die Hauptsumme der in das Landheer und die Marine Eingestellten des Ersatzjahres 1867/68 belief sich auf 88,607, von denen 3295 oder 3,72 Proc. des Lesens und Schreibens unkundig waren; die-selben vertheilten sich nach den verschiedenen Provinzen folgendermaßen: Posen mit 868 von 5839, also 14,72 Proc.; Preußen mit 1427 von 11,365, also 12,56 Proc.; Schlesien mit 472 von 13,886, also 3,40 Proc.; Westfalen mit 112 von 5954, also 1,88 Proc.; Lauenburg mit 3 von 214, also 1,40

Proc.; Pommern mit 73 von 6173, also 1,18 Proc.; Schleswig-Holstein mit 39 von 3472, also 1,15 Proc.; Regierungsbezirk Kassel mit 27 von 2836, also 0,95 Proc.; Hannover mit 58 von 6249, also 0,93 Proc.; Brandenburg mit 79 von 9452, also 0,83 Proc.; Rheinprovinz nebst Hohenzollern mit 96 von 12,527, also 0,77 Proc.; Sachsen mit 37 von 8280, also 0,46 Proc.; Regierungsbezirk Wiesbaden nebst Frankfurt mit 4 von 2326, also 0,17 Proc. Der preußische Staat besitzt 145 höhere Bürger- und Realschulen, 59 Progymnasien, 82 Lehrer-Seminare, 185 Gymnasien- und Gelehrtenschulen und 9 Universitäten (Berlin, Königsberg, Breslau, Greifswald, Halle, Kiel, Göttingen, Marburg und Bonn) eine Akademie (katholisch-theologische und philosophische Facultät) zu Münster, sowie an andern höhern Lehranstalten die Landwirthschaftlichen Akademien zu Eldena, Proskau und Poppelsdorf, die Forstakademie zu Neustadt-Eberswalde, die Bergakademie, das Gewerbe-Institut, die Bau-Akademie und die Thier-Arzneischule zu Berlin und die Polytechnischen Schulen zu Hannover und Aachen.

Im frühern Deutschen Bunde war P. stellvertretende Präsidialmacht, hatte die 2. Curie inne, besaß im Plenum 4 Stimmen und stellte die Bundes-Armeecorps IV., V. und VI. in einer Gesammtstärke von 147,170 Mann (113,515 M. Infanterie, 18,638 M. Cavalerie, 13,134 M. Artillerie, 1888 M. Genie) und einen Theil der Besatzung der Bundesfestungen Mainz, Rastatt und Luxemburg (im Frieden allein), sowie eventuell von Frankfurt a. M., als Sitz der Bundesversammlung. Die Provinzen Preußen und Posen gehörten nicht mit zum Deutschen Bunde. In einem eigenthümlichen Verhältnisse steht P. noch zu dem Fürstenthum Waldeck (s. d.), dessen Verwaltung seit dem 1. Januar 1868 an P. übergegangen ist, ebenso zu Elsaß-Lothringen in einer Art von Personal-Union, insofern nach dem Gesetz vom 9. Juni 1871 der König von P. in diesem Reichsgebiete als Deutscher Kaiser die Staatsgewalt ausübt.

Das Wehrsystem P.s beruht, wie das des gesammten Deutschen Reiches, auf den Abschnitten IX. und XI. der Verfassung des Norddeutschen Bundes (s. d., Bd. VI. S. 276 ff.), welche gleichlautend (mutatis mutandis), aber unbeschadet der mit Baiern und Württemberg abgeschlossenen Militärconventionen, in die Verfassung des Deutschen Reiches vom 16. April 1871 übergegangen sind, und auf dem „Gesetz, betreffend die Verpflichtung zum Kriegsdienste vom 9. November 1867" des Norddeutschen Bundes (s. d., Bd. VI. S. 280 ff.), welches unter Nr. 5 des Artikels 80 der Verfassung des Deutschen Bundes vom 31. December 1870 zum Gesetz des Deutschen Bundes erklärt worden ist. Die Verpflichtung zur Dienstpflicht beginnt in Preußen mit dem 20. Lebensjahre und zwar mit dem 1. Januar des Kalenderjahres, in welchem der Wehrpflichtige das 20. Lebensjahr vollendet. Nach Ausscheidung der absolut Befreiten (reichsunmittelbaren Häuser, des Theologen, die ihr Examen vor dem 25. Lebensjahre ablegen), sowie der bedingungsweis Befreiten (Mennoniten, Quäker) und schließlich der moralisch Unwürdigen (Zuchthäusler &c.) und unter Berücksichtigung der Procentsätze an Frauen, Greisen und Kindern ergeben sich zur Ergänzung der Armee auf 100 Einwohner nur 4 Männer im Alter von 20—24 Jahren, noch nicht stets Einer von 20 Jahren; 1866 kamen auf 19½ Million Einwohner 815,000 zwischen 20 und 24 Jahren und 180,000 Zwanzigjährige. Von den Dienstpflichtigen bleiben nach Abzug von 60% gänzlich oder vorläufig unbrauchbaren, von 22% aus sonstigen Gründen in Wegfall kommenden Leuten nur 18% eines Jahrganges wirklich einstellungsfähig. Nach dem Lebensalter ist die Körpergröße zweite Bedingung zur Einstellung; bisher war in Preußen 5 Fuß als Minimalmaß festgestellt. Seit 1871 sind jedoch die Maximal- und Minimalmaße entsprechend der Maß- und Gewichtsordnung vom 17. August 1868

13 *

abgeändert worden. Als größtes vorkommendes Maß gilt 1,78 Meter als Ausnahme, 1,75 M. als Regel; als kleinstes 1,57 M. als Ausnahme, 1,62 M. als Regel. Die Feststellung geringerer Maße als 5 Millimeter unterbleibt, so daß 1 bis einschließlich 4 Millimeter gar nicht in Rechnung zu stellen und 5 bis einschließlich 9 Millimeter nur als 5 Millimeter gerechnet werden. Die allgemeine Wehrpflicht, welche jetzt die Grundlage des ganzen Deutschen Heeres bildet, war in P. zuerst (bis 1867 hier ausschließlich) rein durchgeführt worden und zwar so weit zur Geltung kommend, als sie durchführbar erscheint; die Regierung hat die freieste Disposition über die Masse der Staatsangehörigen; die Dienstzeit ist so normirt, daß eine genügende Ausbildung garantirt ist und sich eine gute Altersclassenvertheilung ergiebt.

Die Preußische Armee wird, wie das gesammte Deutsche Heer überhaupt, eingetheilt: in das Stehende Heer und in die Landwehr (§ 3 des Gesetzes, betr. die Verpflichtung zum Kriegsdienste, s. u. Norddeutscher Bund, S. 280). Die Verpflichtung zum Dienste im Stehenden Heere dauert sieben Jahre (während der ersten drei Jahre ununterbrochen activ, während der übrigen vier Jahre zur Reserve beurlaubt), zum Dienste in der Landwehr fünf Jahre (§. 6 des genannten Gesetzes, s. ebd.). In dem Institut der Landwehr bietet die Preußische Armee eine Reserve-Armee mit fertiger Organisation und eine wesentliche Unterstützung für Neu-Formationen. Die Preußische Armee schloß bereits vor dem Kriege von 1870 71 die Contingente von Oldenburg, die Hansestädte, Lippe, Schaumburg-Lippe, Schwarzburg-Sondershausen, Sachsen-Weimar, Sachsen-Coburg-Gotha, Sachsen-Meiningen, Sachsen-Altenburg, Schwarzburg-Rudolstadt, beider Reuß, Anhalt, Braunschweig, und beider Mecklenburg in sich, welche kraft verschiedener Militärconventionen in der Preußischen Armee aufgegangen (und zwar die von Oldenburg, den Hansestädten, beiden Lippe und Sondershausen innig verschmolzen, die von Braunschweig und Mecklenburg nur in den Verband, resp. eine Verschmelzung des Offizier-Corps eingetreten) sind und zwar: Oldenburg: Infanterie-Regiment Nr. 91, Dragoner-Regiment Nr. 19, eine schwere und eine leichte Fußbatterie (zum X. Armeecorps gehörig); die Hansestädte: Infanterie-Regimenter Nr. 75 und 76 (IX. Armeecorps); Lippe zum 6. Westfälischen Infanterie-Regiment Nr. 55; Schaumburg-Lippe zum Westfälischen Jäger-Bataillon Nr. 7; Sachsen-Weimar: 5. Thüring. Infanterie-Reg. Nr. 94 (XI. Armeecorps); Sachsen-Coburg-Gotha und Sachsen-Meiningen 6. Thüring. Infanterie-Reg. Nr. 95 (XI. Armeecorps); Sachsen-Altenburg, beide Reuß und Rudolstadt: 7. Thüringische Infanterie-Reg. Nr. 96 (IV. Armeecorps); Anhalt: Infanterie-Reg. Nr. 93 (IV. Armeecorps); Braunschweig: Infanterie-Reg. Nr. 92, Husaren-Reg. Nr. 11, eine schwere Fußbatterie (X. Armeecorps); beide Mecklenburg: Grenadier-Reg. Nr. 89, Füsilier-Reg. Nr. 90, Jäger-Bataillon Nr. 14, Dragoner-Regimenter Nr. 17 und 18 und die 3. Fuß-Abtheilung des Feld-Artillerie-Reg. Nr. 9 (IX. Armeecorps). Diese Truppen bildeten mit dem ausschließlich vom Königreich Sachsen gestellten XII. Armeecorps und der hessischen (25.) Division die gesammte Armee des Norddeutschen Bundes. Gegenwärtig sind weitere Conventionen mit Baden und Hessen in Kraft. Die so vergrößerte preußische Armee bildet mit den Contingenten von Sachsen, Württemberg, Bayern diejenige des Deutschen Reiches.

I. Friedensstand (1% der Bevölkerung) vor dem Kriege: 105 Infanterie-Regimenter in 315 Bataillonen, 14 Jäger- und Schützen-Bataillone à 4 Compagnien, 68 Cavalerie-Regimenter in 340 Escadrons, 180 Feldbatterien in 12 Regimentern, 1 Regiment à 3 Fußabtheilungen à 4 Batterien und 1 Reitende Abtheilung à 3 Batterien, Summa 15 Batterien (Batterie à 4 Geschütze), 88 Compagnien Festungs-Artillerie (10½ Regimenter à 8 Compagnien), 12 Pionier-Bataillone à 4 Compagnien, 12 Train-Bataillone à 2 Compagnien.

Die Etats waren:

	Officiere	Unteroffz.	Mann	Pferde
Ein Bataillon der 5 alten Garde-Regimenter	22	70	592	—
Das Regiment incl. Stab	69	210	1776	—
Ein Bataillon jedes andern Regimentes	18	54	460	—
Ein Regiment incl. Stab	57	162	1380	—
Ein Jäger-Bataillon	22	54	480	—
Ein Cavalerie-Regiment	28	81	601	682
Eine Fuß-Batterie	4	18	101	40
Eine reitende Batterie	4	14	76	72
Ein Regiment Feld-Artillerie mit 5 Stäben	84	258	1440	696
Eine Festungs-Compagnie	4	16	84	—
Ein Regiment Festungs-Artillerie	38	132	672	—
Ein Pionier-Bataillon	18	54	449	—
Ein Train-Bataillon	10}	27	200	—
Ein Train-Depot	2}			

Die Preußische Armee im obigen Umfange war vor dem Kriege einge-theilt: in das Garde-Corps (General-Commando: Berlin) und 12 (Provinzial-) Armeecorps: I. Provinz Preußen (General-Commando: Königsberg); II. Pommern (General-Commando jedoch in Berlin); III. Brandenburg (General-Commando: Berlin); IV. Sachsen (General-Commando: Magdeburg); V. Posen (General-Commando: Posen); VI. Schlesien (General-Commando: Breslau); VII. Westfalen (General-Commando: Münster); VIII. Rheinprovinz (General-Commando: Coblenz); IX. Schleswig-Holstein (General-Commando: Schleswig; seit neuester Zeit jedoch in Altona); X. Hannover (General-Commando: Hannover); XI. Hessen-Nassau (General-Commando: Cassel). Hierzu kommt seit 1871 noch ein XIV. und ein XV. Armeecorps und zwar das XIV. wesentlich aus den großherzoglich badischen Truppen (Grenadier-Regimenter Nr. 109 und 110, Infanterie-Regimenter Nr. 111, 112, 113 und 114; den Dragoner-Regimentern Nr. 20, 21 und 22; Feld-Artillerie-Regiment Nr. 14, Festungs-Artillerie-Abtheilung Nr. 14, Pionier-Bataillon Nr. 14, Train-Bataillon Nr. 14 und 10 Landwehr-Bataillonen; General-Commando: Carlsruhe) gebildet, welche nach der mit Preußen abgeschlossenen Militär-Convention vom 25. Nov. 1870 vollständig in den Verband der Preuß. Armee eintreten und das neu-organisirte XV. Armee-Corps (Elsaß-Lothringen, zur Zeit wesentlich aus preußischen Truppen und der bairischen Infanterie-Brigade No. 47, dem königlich sächsischen Infanterie-Regimente Nr. 105, dem 8. württembergischen Infanterie-Regimente, dem braunschweigischen Infanterie-Regimente Nr. 92, dem 5. bairischen Chevauxlegers-Regimente gebildet; General-Commando: Metz). Durch die neue Convention mit Hessen tritt hierzu die 25. Division (zum XI Corps gehörig) mit dem Grenadier-Regiment No. 115, den Infanterie-Regimentern No. 117 und 118 à 3 und 116 à 2 Bataillone, den Dragoner-Regimentern No. 23 und 24 und 3 leichten, 2 schweren Fuß-, sowie 1 reitenden Batterie nebst einer Train-Abtheilung.

Das Garde-Corps wird eingetheilt in: 2 Garde-Infanterie-Divisionen und 1 Garde-Cavalerie-Division oder ferner: 4 Garde-Infanterie-Brigaden und 3 Garde-Cavalerie-Brigaden, die übrigen Armee-Corps in 2 (3) Divisionen. Die Divisionen zerfallen in je 2 Infanterie- und 1 Cavalerie-Brigade, erstere zu 2—3 Linien-Regimentern, 1—2½ Landwehr-Regimentern, letztere zu 2—3 Linien-Regimentern. Zu jedem Armeecorps ferner noch in der Regel 1 (zum Garde- und 9. Corps 2) Jäger-, resp. Schützen-Bataillon, 1 Artillerie-Brigade bei dem Garde-Corps und den älteren Armeecorps aus 1 Feld- und 1 Festungs-Artillerie-Regiment bestehend, bei den neueren nur 1 Feld-Artillerie-Regiment und 1 Festungs-Artillerie-Abtheilung umfassend), 1 Pionier- und 1 Train-Bataillon. Die Regimenter der Infanterie sind: 1., 2., 3., 4. Garde-Regiment zu Fuß, 4 Garde-Grenadier-Regimenter, 16 Grenadier-Regimenter Nr. 1—12, 89, 109, 110, 115, 13 Füsilier-Regimenter: 1 Garde-Füsilier-Regiment, Regimenter Nr. 33—40, 73, 80, 86, 90, 81 Infanterie-Regimenter Nr. 13—32, 41—72, 74—79, 81—85, 87, 88, 91—96, 109—118. Dazu kommen noch: 4 Garde-Landwehr-Regimenter à 3 Bataillone, 85 ältere Landwehr-Regimenter à 2 Bataillone, 11 Reserve-Landwehr-Bataillone, dazu 4 hessische Landwehr-Regimenter mit 6 Bataillonen und 10 badische Landwehr-Bataillone, insgesammt 209 Landwehr-Bataillone. Die nach siebenjähriger Dienstzeit im Stehenden Heere in das Landwehr-Verhältniß übergetretenen Mannschaften der Jäger und Schützen, der Cavalerie, der Artillerie, der Pioniere und des Trains können entweder zur Complettirung der Linie oder zu besonderen Formationen (Ersatz-, Besatzungstruppen, Train) herangezogen werden (vgl. §. 7. des Gesetzes, betr. die Verpflichtung zum Kriegsdienste, Bd. VI. S. 281). Zur Cavalerie gehören 10 Kürassier-Regimenter (2 Garde), 26 Dragoner-Regimenter (2 Garde), 18 Husaren-Regimenter (1 Garde), 19 Ulanen-Regimenter (3 Garde), insgesammt 68 Regimenter. Die Inspection der Jäger und Schützen (Berlin) zu 14 Bataillonen (incl. 2 Garde). General-Inspection der Artillerie zu 4 Artillerie-Inspectionen (I. Posen, II. Berlin, III. Hannover, IV. Coblenz) à 3 und 4 Artillerie-Brigaden. 1 General-Inspection der Ingenieure und Festungen zu 4 Ingenieur-Inspectionen (sämmtlich in Berlin) und 9 Festungs-Inspectionen: 1. Königsberg, 2. Berlin, 3. Breslau, 4. Berlin, 5. Coblenz, 6. Münster, 7. Magdeburg, 8. Schleswig, 9. Metz. 1 Train-Inspection (Berlin).

Als besondere Behörden und Truppentheile fungiren: Königl. Preußisches Kriegsministerium (Berlin). Central-Abtheilung: Allgemeines Kriegsdepartement: 1. Abtheilung für die Armee-Angelegenheiten A, 2. Abtheilung für die Armee-Angelegenheiten B, 3. Abtheilung für die Artillerie-Angelegenheiten, 4. Abtheilung für die Ingenieur-Angelegenheiten, 5. Abtheilung für das Sanitätswesen. Abtheilung für die persönlichen Angelegenheiten: Geheime Kriegs-Kanzlei. Militär-Oeconomie-Departement: 1. Abtheilung für das Etats- und Kassen-Wesen, 2. Abtheilung für die Natural-Verpflegungs-, Reise- und Vorspann-Angelegenheiten, 3. Abtheilung für die Bekleidungs-, Feld-Equipagen und Train-Angelegenheiten, 4. Abtheilung für das Servis- und Lazareth-Wesen. Abtheilung für das Invalidenwesen. Abtheilung für das Remonte-Wesen. Remonte-Ankaufs-Commissionen. General-Militär-Casse. Directorium des Potsdamischen großen Waisenhauses. Ober-Examinations-Commission für Intendantur-Beamte. Es ressortiren vom Kriegs-Ministerium: Großes Militär-Waisenhaus zu Potsdam und Schloß Pretsch, Militär-Knaben-Erziehungs-Institut zu Annaburg, Central-Turn-Anstalt und Militär-Roßarzt-Schule zu Berlin, Militär-Schieß-Schule zu Spandau, Militär-Reit-Schule zu Hannover. Herzoglich Braunschweigisches Kriegs-Departement (Braunschweig). Königl. Preußischer Generalstab (Berlin). Großer Generalstab; Neben-Etat des Großen General-Stabes; Büreau der Landes-Triangulation; Topographische Abtheilung; Plankammer. Lehr-Infanterie-Bataillon: Potsdam. Unteroffizier-Schulen: Potsdam, Weißenfels, Jülich, Biebrich, Ettlingen. Adjutantur des Bundesfeldherrn und der Bundesfürsten, sowie der Prinzen. Reitendes Feld-Jäger-Corps: Berlin. Leib-Gendarmerie: Berlin. Hafen-Gendarmerie: Swinemünde. Schloß-Garde-Compagnie: Berlin, Potsdam, Charlottenburg, Cassel, Wiesbaden, Hannover. Artillerie-Schieß-Schule, General-

Artillerie-Comité, Artillerie-Prüfungs-Commission, Commission zur Prüfung für Artillerie-Premier-Lieutenants, Oberfeuerwerfer-Schule, sämmtlich in Berlin. Inspection der technischen Institute der Artillerie (Berlin). Artillerie-Werkstätten: Spandau, Deutz, Neisse, Danzig, Straßburg. Feuerwerks-Laboratorium: Spandau. Geschütz-Gießerei: Spandau. Pulverfabriken: Spandau, Neisse, Metz. Ingenieur-Comité. Ingenieur-Commission. Prüfungs-Commission für Ingenieure, Hauptleute und Premier-Lieutenants. Inspection der Gewehr-Fabriken: Berlin. Gewehr-Fabriken zu Spandau, Erfurt, Danzig. Gewehr-Revisions-Commissionen: Sömmerda, Suhl. General-Inspection des Militär-Erziehungs- und Bildungs-Wesens: Berlin; Ober-Militär-Studien-Commission: Berlin; Ober-Militär-Examinations-Commission: Berlin; Kriegs-Akademie: Berlin; Kriegs-Schulen: Potsdam, Neisse, Erfurt, Engers, Cassel. Hannover, Anclam, Metz; Vereinigte Artillerie- und Ingenieur-Schule zu Berlin; Cadetten-Corps: Berlin; Cadettenhäuser: Berlin, Potsdam, Culm, Wahlstatt, Plön, Oranienstein. Invaliden-Haus zu Berlin; Invaliden Haus zu Stolp; Garde-Invaliden-Compagnie zu Potsdam; Provinzial-Invaliden-Compagnien: für Ost- und West-Preußen: Drengfurth; für Pommern und Posen: Schneidemühl; für Brandenburg: Prenzlau; für Sachsen: Eisleben; für Schlesien: Löwenberg; für Westfalen und die Rheinprovinz: Siegburg. Veteranen-Compagnie für Lauenburg: Ratzeburg. Straf-Abtheilungen: Coblenz, Cöln, Cüstrin, Danzig, Erfurt, Glatz, Glogau, Graudenz, Magdeburg, Minden, Neisse, Pillau, Posen, Saarlouis, Spandau, Stettin, Stralsund, Thorn, Wesel, Wittenberg. Etappen-Inspection: Gießen. General-Auditoriat: Berlin. Militär-Medicinal-Wesen: Berlin. Medicinisch-chirurgisches Friedrich-Wilhelms-Institut: Berlin. Montirungs-Depots: Berlin, Breslau, Graudenz, Düsseldorf. Proviant- und Fourage-Wesen, Garnison-Verwaltungs-Wesen, Lazarethwesen (in den Garde-Corps- und übrigen Armee-Corps-Bezirken vertheilt). Remonte-Depots: Provinz Preußen: Jurgaitschen, Sperling Neuhof-Ragnit, Kattenau, Brakupönen; Provinz Pommern: Neuhof-Treptow, Ferdinandshof; Provinz Brandenburg: Bärenclau, Behlefanz, Vorwerk Klein-Ziethen; Provinz Posen: Wirsitz; Prov. Hannover: Neuhof und Hunnesrück (vgl. den Art. „Remonte"). Commandanturen resp. Gouvernements (letztere gesperrt gesetzt): A) in offenen Städten: Altona, Berlin, Breslau, Carlsruhe, Cassel, Frankfurt a. M. Hannover, Potsdam; B) in Festungen: Coblenz und Ehrenbreitstein, Cöln, Colberg, Cosel, Cüstrin, Danzig, Weichselmünde und Neufahrwasser, Erfurt, Friedrichsort und Hafenbefestigung von Kiel, Glatz, Glogau, Graudenz, Königsberg, Magdeburg, Minden, Neisse, Pillau, Posen, Rendsburg, Saarlouis, Sonderburg-Düppel, Spandau, Stettin, Stralsund, Swinemünde, Thorn, Torgau, Wesel, Wittenberg, Mainz; Rastadt, Ulm*), Straßburg, Bitsch, Neubreisach, Metz, Thionville (Diedenhofen). Das Nähere über die Festungen selbst s. die Artikel „Norddeutscher Bund" (Bd. VI. S. 285) und „Deutsches Reich" (in den Supplementen). Eine besondere Preußische Marine giebt es nicht; die Marine ist ein Institut des gesammten Deutschen Reiches, wie sie bereits ein solches des Norddeutschen Bundes war (Verfassung des N. B., Abschnitt IX, s. „Norddeutscher Bund", Bd. VI, S. 276 f. und 280 f.; Bestand derselben s. ebd. S. 285; vgl. die Artikel „Deutschlands Streitkräfte", Bd. III. S. 213 und „Deutsches Reich", Bd. III. S. 213).

II. Kriegsstand. A. Feldtruppen. Jedes Armeecorps zerfällt in

---

*) Anmerkung: in Ulm, da nach Art. 64 der Reichsverfassung auch in Württemberg die Festungs-Commandanten vom König von Preußen als Deutschen Kaiser ernannt werden.

2 Infanterie-Divisionen, 1 Cavalerie-Division, die Corps-Artillerie und die Trains (vgl. den Artikel „Ordre de bataille", VI. Band). Das Infanterie- und Jägerbataillon bleibt auf 4 Compagnien, das Pionierbataillon giebt die 4. Compagnie als Stamm für die Besatzungscompagnien ab und löst sich in seine 3 übrigen Compagnien auf. Das Cavalerie-Regiment giebt die 6. Escadron zu den Ersatztruppen ab. Das Feld-Artillerie-Regiment behält die Zahl seiner Batterien und formirt neu 5 Artillerie- und 4 Infanterie-Munitions-Colonnen. Die Batterien werden theils zu den Divisionen abgegeben, theils formiren sie die Corps-Artillerie, zu welcher auch die Colonnen treten. Die Pioniere besetzen Ponton- und Feldbrücken-Train, sowie die Feld-Telegraphen- und Eisenbahn-Abtheilungen. Vom Trainbataillon werden besetzt: 5 Proviant-Colonnen, 3 Sanitäts-Detachements, 1 Pferde-Depot, 1 Feldbäckerei-Colonne, 12 Feldlazarethe, 1 Trainbegleitungs-Escadron und die Fuhrpark-Colonnen. Das Infanterie- und das Jäger-Bataillon kommt auf 22 Offiziere, 1002 Mann, 28 Nichtcombattanten; das Cavalerie-Regiment auf 23 Offiziere, 602 Mann, 57 Nichtcombattanten, 713 Pferde; die Batterie kommt auf 6 bespannte Geschütze, 6 Munitions-, 2 Vorraths-, 1 Packwagen, 1 Feldschmiede. Das gesammte Feld-Artillerie-Regiment zählt 94 Offiziere, 4041 Mann (incl. Nichtcombattanten), 3967 Pferde. Die 3 Compagnien der Pioniere zählen 12 Offiziere, 450 Mann, 51 Nichtcombattanten. Das Train-Bataillon kommt auf 23 Offiziere, 1759 Mann (incl. Nichtcombattanten), 1277 Pferde. Das gesammte Armeecorps ist etwa 40,000 Mann, 11600 Pferde stark mit 90 bespannten Geschützen. Für die gesammte Armee wird noch ein Feld-Munitions-Reserve-Park mit 24 (unbespannten) Colonnen mobil. B) Ersatztruppen. Pro Infanterie-Regiment wird 1 Ersatzbataillon à 1002 Mann, pro Jägerbataillon 1 Compagnie à 250 Mann, pro Pionierbataillon 1 Compagnie à 200 Mann, pro Trainbataillon 1 Ersatzabtheilung à 502 Mann formirt. Die 5. Escadron des Cavalerie-Regiments kommt auf 200 Pferde. Jedes Feld-Artillerie-Regiment formirt eine Abtheilung von 3 Ersatzbatterien à 6 bespannte Geschütze. Jedes Armeecorps hat somit 8—9 Ersatz-Bataillone, 1 Ersatz-Compagnie Jäger, 1 do. Pioniere, 1 Ersatz-Escadron, 3 Ersatz-Batterien und 1 Train-Ersatz-Abtheilung. Die Ersatz-Truppen bilden die nothwendige Ergänzung der Feldtruppen; das Ersatzbedürfniß ist in einem Kriegsjahre bei der Infanterie 40%, bei den andern Waffen 20%, beim Train 12% der Feldstärke. Den Ersatz-Truppen fällt ferner die Bestimmung zu, in Festungen, die noch nicht belagert sind, und in großen Städten den Dienst als Besatzungstruppen zu thun; deshalb müssen sie gleich von Haus aus in voller Stärke aufgestellt werden. Die Infanterie hat im Verhältniß zu der aufzubringenden Zahl nicht so reiches ausgebildetes Material zur Verfügung als die andern Waffen; 1 Infanterie-Regiment entläßt in 12 Jahren zur Reserve und Landwehr 6660 Mann, die sich auf 3400 Mann reduciren; das giebt inclusive Friedensstärke 4000 Mann als verfügbares Material; das Regiment bedarf 4000 Mann zu 1 Feld- und 1 Ersatz-Bataillon; soll es nun noch 2 Besatzungs-Bataillone formiren, so bedarf es noch 1600 Mann oder bei dem Ueberschuß von 900 Mann noch 700 Mann mehr, als es factisch zur Verfügung hat. 1 Cavalerie-Regiment entläßt in 12 Jahren 2300 ausgebildete Leute, die sich durch Tod, Unabkömmlichkeit 2c. auf 1300 Mann reduciren; das Regiment hat alsdann mit dem Friedens-Etat 1980 Mann zur Verfügung, von denen es für das Feld-Regiment und die Ersatz-Escadron nur 800 Mann gebraucht. C. Besatzungstruppen. Infanterie: Jedem Linien-Infanterie-Regiment entsprechend wird 1 Landwehr-Infanterie-Regiment à 2 Bataillone formirt, jedem Füsilier-Regiment entsprechend 1 Reserve-Landwehr-Bataillon. Das Garde-Corps formirt 4 Landwehr-Re-

gimenter à 3 Bataillone. Das Bataillon ist bei der ersten Augmentation 402 Mann, bei der zweiten 602 Mann (Garde 802) start. Pro Jägerbataillon wird 1 Compagnie à 150 resp. 250 Mann gebildet. An Cavalerie werden pro Linien-Armeecorps 1—2 Reserve-Regimenter à 602 Pferde, an Feld-Artillerie 3 Reserve-Fußbatterien à 6 Geschütze, an Pionieren 3 Festungs-Pionier-Compagnien à 100 resp. 200 Mann formirt. Die Zahl der Festungs-Artillerie-Compagnien wird verdoppelt und bei der zweiten Augmentation die Compagnie auf 200 Köpfe gebracht. Die Besatzungstruppen reichen zur Besetzung der Festungen nicht nur aus, sondern es schießt ein bedeutender Theil über, der zur Unterstützung der Feld-Armee verwandt werden kann. 1870/71 wurden daraus Reserve-Divisionen gebildet, die Etappenstraßen damit besetzt und Festungen cernirt resp. belagert.

Uniform: A) Infanterie: Dunkelblauer, roth paßepoilirter Waffenrock, rothe Patten am Kragen und an den Aufschlägen. Graumelirte Beinkleider mit rothen Streifen, Helm mit Adler und der Inschrift „Mit Gott für König und Vaterland". a) die Garde-Infanterie weiße Litzen am Kragen; die vier ersten Garde-Regimenter und das Garde-Füsilier-Regiment auch auf den Aermel-Aufschlägen. Auf dem Helme befindet sich ein fliegender Adler; die 4 Garde-Regimenter zu Fuß und das Garde-Füsilier-Regiment haben den Gardestern. Außerdem führen sämmtliche Garde-Regimenter auf dem Helme Haarbüsche und zwar die Grenadier-Bataillone weiße, die Füsilier-Bataillone, resp. das Füsilier-Regiment schwarze; ebenso verhält es sich mit dem Lederzeug. Ferner ist noch zu bemerken, daß die Offiziere der Grenadier-Bataillone (bei der Garde, wie auch bei der Linie, resp. der Musketier-Bataillone) gerade Degen, die der Füsilier-Bataillone, resp. der Füsilier-Regimenter dagegen Füsilier-Säbel tragen. Die Achselklappen sind bei dem 1. Garde-Regiment z. F. und dem Kaiser Alexander Garde-Grenadier-Regiment Nr. 1 weiß; bei dem 2. Garde-Reg. z. F. und dem Kaiser Franz Garde-Grenadier-Regiment Nr. 2 roth; bei dem 3. Garde-Regiment z. F. und dem Garde-Grenadier-Regiment Königin Elisabeth Nr. 3 gelb; bei dem 4. Garde-Grenadier-Regiment z. F. und dem Garde-Grenadier-Regiment Königin (Augusta) Nr. 4 blau. b) bei der Linien-Infanterie befindet sich auf dem Helme der heraldische Adler, in welchem die Grenadier-Regimenter Nr. 1—12 den Namenszug F. W. R., die übrigen Regimenter aber F. R. haben. Ferner führen die Grenadier-Regimenter Nr. 1—12 einen schwarzen Haarbusch auf dem Helme. Die Farbe der Achselklappen, welche in der Regel die Regiments-Nummer tragen, richtet sich nach dem Armeecorps und zwar bei dem 1., 2., 9. und 10. Armee-Corps weiß; bei dem 3., 4. und 11. Armeecorps roth; bei dem 5. und 6. Armeecorps gelb; bei dem 7. und 8. Armeecorps blau. Bei den ungeradzahligen älteren Armeecorps (1., 3., 5., 7.) ist die Aermelpatte mit einem weißen Paßepoil eingefaßt; bei dem 9. und 11. Armeecorps hat die Aermelpatte einen gelben, bei dem 10. Armeecorps einen blauen Vorstoß. In entsprechender Weise bezeichnen diese Farben an den Säbeltrobbeln auch den Bataillons- und Compagnie-Unterschied und zwar weiß 1., roth 2., gelb 3., blau 4., welche Farbenfolge überhaupt durch die ganze Preußische Armee geht. c) Jäger und Schützen: Sämmtliche Jäger-Bataillone tragen grüne, mit rothem Vorstoß versehene Waffenröcke, mit rothen Kragenpatten, Aufschlägen und Achselklappen; schwarzes Lederzeug; Cgakos mit schwarzen Haarbüschen. Das Garde-Schützen-Bataillon hat grüne Waffenröcke mit schwarzen Kragenpatten, ebensolche Aufschläge mit dunkelgrüner, roth paßepoilirter Patte. B) Cavalerie: a) Kürassiere: Weiße Koller mit gewirkten Borden eingefaßt (in denen die Farbe des Regimentes sich befindet), weiße Achselklappen, gelbe Metallhelme mit welchem Blechbeschlag und einem gelben Adler, gelbe Küraffe und weißes Riemenzeug. Die beiden Garde-

Regimenter haben weiße Litzen auf dem Kragen und den Aermelaufschlägen und den Stern des Schwarzen Adlerordens auf dem Helme. Kragen und Aufschläge sind bei den verschiedenen Regimentern von verschiedener Farbe: Garde du Corps roth; Garde-Kürassiere kornblumenblau; 1. schwarz; 2. carmoisinroth; 3. hellblau; 4. orangenfarbig; 5. rosenroth; 6. dunkelblau; 7. citronengelb; 8. dunkelblau. b) Dragoner: Hellblaue, vorn roth paspoilirte Waffenröcke mit farbigen Kragenpatten, Aufschlägen und Achselpatten, weißes Riemenzeug, Infanteriehelme mit fliegendem Adler und weißem Haarbusch. Das 1. Garde-Dragoner-Regiment hat rothe Kragen (mit gelben Litzen) rothe Aufschläge und Achselklappen; das 2. Garde-Dragoner-Regiment ebenso (aber weiße Litzen im Kragen). Bei den übrigen Dragoner-Regimentern sind Kragen, Aufschläge und Achselklappen: 1. roth; 2. schwarz; 3. rosenroth; 4. gelb; 5. roth; 6. schwarz; 7. rosenroth; 8. gelb; 9. und 10. weiß; 11 und 12. carmoisinroth; 13. ponceauroth; 14. schwarz; 15. rosaroth; 16. citronengelb. Die Regimenter, deren Kragen von gleicher Farbe sind, unterscheiden sich durch weiße und gelbe Knöpfe. c) Husaren: Farbige Attilas und Pelze (mit gelben oder weißen Schnüren und Knöpfen), Pelzmütze mit farbigem Kolpak. Mit Ausnahme des Garde-Husaren-Regimentes haben die Pelze dieselbe Farbe wie die Attilas. Die Farbe der Knöpfe richtet sich nach den Schnüren. Garde-Husaren-Regiment: rothe Attilas, dunkelblaue Pelze, beide mit gelben Schnüren und Knöpfen, ponceaurothem Kolpak; 2. ebenso aber weißen Kolpak; 3. A. roth mit weiß, K. roth; 4. A. braun mit gelb, K. gelb; 5. A. dunkelroth mit weiß, K. dunkelroth; 6. dunkelgrün mit gelb, K. ponceauroth; 7. A. dunkelblau mit gelb, K. ponceauroth; 8. dunkelblau mit weiß, K. hellblau; 9. A. kornblumenblau mit gelb, K. hellblau; 10. A. dunkelgrün mit gelb, K. ponceauroth; 11. A. dunkelgelb mit weiß, K. ponceauroth; 12. und 13. A. kornblumenblau mit weiß, K. ponceauroth; 14. A. dunkelblau mit weiß, K. ponceauroth; 15. A. dunkelblau mit weiß, K. gelb; 16. kornblumenblau mit weiß, K. gelb. d) Ulanen: Czapkas mit weißen Cordons, blaue Ulankas mit farbigen Kragen und Aufschlägen, Epauletten mit farbigen Feldern. 1. Garde-Ulanen-Regiment Kragen, Aufschläge, Paß und Passepoil scharlachroth; weiße Litzen, weiße Epaulettenfelder; 2. Garde-Ulanen-Regiment ebenso, aber gelbe Litzen, gelbe Epaulettenfelder. 3. Garde-Ulanen-Regiment Kragen und Aufschläge gelb, weiße Litzen, gelbe Epaulettenfelder. Die Regimenter Nr. 1—9 haben rothe Kragen, Aufschläge und Rabatten; die Epaulettenfelder sind: 1. weiß; 2. roth; 3. gelb; 4. blau (sämmtlich mit gelben Knöpfen); 5. weiß; 6. roth; 7. gelb; 8. blau (sämmtlich mit weißen Knöpfen); 9. Kragen rc. weiß, Epaulettenfelder gelb; 10. K. carmoisin, E. gelb; 11. K. und E. gelb; 12. K. blau, E. gelb; 13. K. und E. weiß; 14. K. carmoisin, E. weiß; 15. K. gelb, E. weiß; 16. K. blau, E. gelb. C) Artillerie: Blaue, vorn roth passepoilirte Waffenröcke mit schwarzen Kragenpatten und Aufschlägen, rothe Achselklappen und gelbe Knöpfe. Helme mit Kugeln statt der Spitze. Die Garde-Artillerie hat gelbe Litzen am Kragen und auf dem Helme einen weißen Haarbusch (die reitende Artillerie schwarzen Haarbusch). Bei der Linie enthalten die Achselklappen noch die betreffende Brigade- resp. Regiments-Nummer. D) Pioniere: Waffenröcke wie die Artillerie, aber weiße Knöpfe. Helme mit weißem Beschlag. Garde-Pioniere weiße Litzen am Kragen, schwarzen Helmbusch. Bei der Linie auf den Aufschlägen die betreffende Bataillons-Nummer. E) Train: Dunkelblaue Waffenröcke mit hellblauen Kragenpatten und Aermelaufschlägen, gelbe Knöpfe. Garde-Train mit weißen Litzen am Kragen. Bewaffnung: Die Infanterie führt zur Zeit noch das Dreyse'sche Zündnadelgewehr (s. d.), Kaliber des Rohres 15,6 mm., des Geschosses 13,5 mm.; (Gewicht des Geschosses

31 Grammes, der Ladung 4,9 Grammes. Die Infanterie-Regimenter (einschließlich der Grenadier-Regimenter) haben am Gewehr das Bajonnet; Füsiliere,
Jäger und Schützen haben kürzere Gewehre mit Vorrichtung zum Aufpflanzen
des Seitengewehres, die Pioniere das noch kürzere Pioniergewehr mit aufzu-
pflanzendem Faschinenmesser. Außer mit dem Gewehre sind sämmtliche Fußtruppen noch mit dem Seitengewehre bewaffnet. Die Cavalerie führt Korbsäbel,
(Küraffiere Pallasche), die Ulanen außerdem noch Lanzen (mit schwarz-weißen
Fähnchen) und ebenso wie die Küraffiere Pistolen, die übrigen Zündnadelcarabiner.
Die Feld-Artillerie führt gezogene 9- und 8cm. Kanonen (Hinterlader), und
zerfällt darnach in schwere und leichte Batterien (vgl. den Artikel „Artillerie",
Bd. 1. S. 218). Die Bewaffnung geht jetzt einer theilweisen Umänderung entgegen, ebenso wird die Uniformirung einige Veränderungen erfahren. Wir ver-
weisen in dieser Hinsicht auf den Artikel „Deutsches Reich" (in den Supplementen).
Die preußische Heeres-Organisation ist die Grundlage für die jetzige deutsche. Mit
der Gründung des Norddeutschen Bundes ging sie zunächst auf das gesammte norddeutsche Bundesheer über. Die Schutz- und Trutzbündnisse mit den Süddeutschen
Staaten (s. u. Norddeutscher Bund, Bd. VI. S. 287) übertrugen dann für
den Kriegsfall den Oberbefehl über ihre respectiven Truppen dem König von
Preußen. Der Deutsch-Französische Krieg von 1870/71 vereinigte somit die
gesammten Streitkräfte Deutschlands unter dem Oberbefehl des Königs von
Preußen. Aus dem Kriege gingen die Versailler Verträge und aus diesen die
Verfassung des Deutschen Reiches hervor, welche einen noch innigeren Zusammen-
hang zwischen der bisherigen norddeutschen Armee und den Armeen der Südstaaten anbahnte. Neben den in der Reichsverfassung enthaltenen Bestimmungen
schlossen die vier Südstaaten noch specielle Militär-Conventionen ab, und zwar
Baden und Hessen mit Preußen selbst, Baiern und Württemberg mit dem Nord-
deutschen Bunde. Alles dies bedingt den allmähligen Uebergang der preußischen
Heeresorganisation auf ganz Deutschland (das Weitere siehe unter „Deutsches
Reich" in den Supplementen).

Das preußische Wappen ist ein dreifaches. Das große besteht aus vier
Mittelschildern und einem Hauptschilde mit 48 Feldern. Das erste (oberste)
Mittelschild trägt die königliche Krone und hat in silbernem Felde einen gekrönten schwarzen Adler mit goldenen Kleestengeln auf den Flügeln, dem goldenen Namenszuge F. R. auf der Brust, goldenem Schnabel, goldenen Klauen
und rother Zunge, in der rechten Klaue ein goldenes Scepter, auf dessen oberer
Spitze ein schwarzer Adler ist, in der linken Klaue einen blau und goldenen
Reichsapfel (wegen des Königreichs Preußen); das zweite Mittelschild hat in
silbernem Felde einen rothen Adler mit goldenen Kleestengeln auf den Flügeln,
goldenem Schnabel und goldenen Klauen (wegen der Mark Brandenburg); das
dritte Mittelschild hat in goldenem, abwechselnd von rothen und silbernen Vier-
ecken eingefaßtem Schilde einen schwarzen, rothgekrönten Löwen (wegen des
Burggrafenthums Nürnberg); das vierte Mittelschild ist silbern und schwarz
schräg geviertet (wegen Hohenzollern); die 48 Felder des Hauptschildes enthalten die Wappen der einzelnen Gebietstheile. Um das gesammte Wappen-
schild hängt zunächst der Rothe, im weitern Umfange der Schwarze Adler-
orden. Schildhalter sind zwei mit Eichenlaub bekränzte und gegen einander
gekehrte wilde Männer, welche den innern Arm auf den Schild lehnen und
mit der Hand des äußeren Armes eine silberne Fahne mit goldener Einfassung
halten, deren rechte den preußischen schwarzen, deren linke den brandenburgischen
rothen Adler zeigt. Das Ganze steht in einem Wappenzelte, dessen Gipfel mit
einer Königskrone geziert ist und worüber das silberne Reichspanier mit dem
Schwarzen Adlerorden hervorragt. Der Fuß des Wappens ist golden und
blau und trägt den Wahlspruch: „Gott mit uns!" Das mittlere Wappen ent-

hält die vier Mittelschilder des großen Wappens und zehn von den Feldern des
Hauptschildes derselben; über dem Schilde die Königskrone; die beiden wilden
Männer als Schildhalter stützen sich mit der äußeren Hand auf niederwärts
gekehrte Keulen. Das kleine Wappen endlich zeigt nur den preußischen Adler
(wie im obersten Mittelschilde des großen Wappens), über dem Schilde die
Königskrone, entweder ohne Schildhalter oder als solche die wilden Männer
mit den Keulen. Die Landesfarben sind schwarz und weiß, dem entsprechend
auch die Fahnen, Schärpen, Portépées. Eine besondere preußische Flagge besteht nicht mehr, seit am 1. Oct. 1867 die preußische Marine zur Marine
des Norddeutschen Bundes geworden ist. An Orden und Ehrenzeichen besitzt
P. folgende 9 Orden: 1) den Schwarzen Adler-Orden (s. Adler-Orden 3);
2) den Rothen Adler-Orden (s. Adler-Orden 2); 3) den Orden pour le Mérite
(s. u. Mérite); 4) den Kronen-Orden (s. d. b. 3); 5) den Haus-Orden von Hohenzollern, gestiftet vom König Friedrich Wilhelm IV. bei der Huldigung der
Hohenzollernschen Lande 23. August 1851, erweitert vom König Wilhelm I.
18. Oct. 1861, zerfällt in den mit der Devise „Vom Fels zum Meer" versehenen und in 2 Abtheilungen getheilten, vom König zu verleihenden Orden
des Königlichen Hauses, und den aus drei Klassen bestehenden, nach vorher
eingeholter Genehmigung des Königs, von dem jeweiligen Haupte der Fürstlichen Linie Hohenzollern zu verleihenden Orden des Fürstlichen Hauses Hohenzollern; 6) den Orden des Eisernen Kreuzes (s. d.), dessen Wiederaufleben für
den Deutsch-Französischen Krieg von 1870/71 vom König Wilhelm I. am
19. Juli 1870 bestimmt wurde; 7) den Johanniter-Orden (s. d. 2); 8) den
Schwanen-Orden; 9) den Luisen-Orden (die beiden letztern sind Frauen-Orden).
Außerdem bestehen noch: ein Dienstauszeichnungskreuz für Offiziere des stehenden Heeres für fünfundzwanzigjährige Dienste; ein Militair-Verdienstkreuz; ein
Militair-Ehrenzeichen 1. und 2. Klasse (die beiden ersteren sind ein goldenes
resp. silbernes Kreuz, das dritte eine silberne Medaille), ein allgemeines Ehrenzeichen (silberne Medaille, gewissermaßen untere Klassen des Rothen Adler-
Ordens bildend); Dienstauszeichnung für Unteroffiziere und Gemeine, 3 Klassen
(für neun-, fünfzehn- und einundzwanzigjährige Dienste, eine resp. eiserne,
silberne und goldene mit dem Namenszuge des Königs verzierte Platte); eine
Kriegsdenkmünze von Kanonenmetall für die Kriegsjahre 1813—15; die Hohen-
zollern-Medaille für Alle, welche 1848—50 im Dienst bei der Fahne gestanden; das Düppler Sturmkreuz (s. d.) und Alsenkreuz; eine Medaille für
die Theilnahme am Schleswigschen Kriege von 1864; ein bronzenes Erinnerungskreuz für die in Böhmen, Mähren, und am Main 1866 betheiligt Gewesenen; eine (allgemein deutsche) Kriegs-Denkmünze für die Feldzüge 1870/71
(von Combattanten und Militärärzten aus Bronze eroberter französischer Geschütze, weiß schwarzer, weiß geränderter, von einem rothen Streifen durchzogenen Bande getragen; von Nichtcombattanten aus Stahl, an einem weißen,
schwarz geränderten, von einem rothen Streifen durchzogenen Bande getragen);
ein Verdienstkreuz für Frauen und Jungfrauen (für Pflege Verwundeter und
Kranker, gestiftet 22. März 1871) und endlich die silberne Rettungsmedaille,
welche für die mit eigener Lebensgefahr bewirkte Rettung eines Menschenlebens
verliehen wird.

Geschichtliches. Der gegenwärtige Preußische Staat, der mächtige Kern,
um welchen sich die mittleren und kleineren Staaten Deutschlands zum Deutschen Reiche gruppirten, der Staat also, welcher nach Verfassung des deutschen
Reiches (und auch schon seit August 1866 durch besondere Bündniß-Ver-
träge mit den Südstaaten) über die gesammte Militairmacht Deutschlands verfügt, hat sich von geringen Anfängen durch den staatsklugen und unternehmen-
den Geist seiner Fürsten, namentlich der aus der Dynastie der Hohenzollern,

zu seinem heutigen Umfang entwickelt. Den Ausgangspunkt seiner Macht bezeichnet der Typus des preußisch-deutschen National-Characters. Denn wenn auch ein großer Theil der Bevölkerung der altpreußischen östlich der Saale und Elbe gelegenen Provinzen, ebenso unzweifelhaft wie in Oesterreich, slawischen Ursprunges ist, so gelang es doch in P. frühzeitig, die durch deutsche Kraft unterworfenen slawischen Stämme so vollständig zu germanisiren, daß dieselben (abgesehen von den erst Ende des 18. Jahrhunderts der preußischen Monarchie einverleibten Polen und mit Ausnahme geringer, sehr verstreuter noch an der Sprache ihrer Stammväter festhaltenden Reste) jetzt mit den germanischen Stämmen gänzlich verschmolzen und zu Deutschen geworden sind, während dagegen in Oesterreich auch die seit Jahrhunderten unter der Krone der Habsburger mit Deutschen vereinigten slawischen und andern nichtdeutschen Stämme nirgends germanisirt worden sind und unvermittelt mit dem germanischen Element noch als solche ihre volle Nationalität neben den Deutschen gewahrt haben, diesen meist feindlich gegenüber stehen oder sich im günstigsten Falle nur durch ein gemeinsames österreichisches — nie aber deutsches — Nationalitätsbewußtsein mit ihnen zu einem Ganzen vereinigt gefühlt haben oder fühlen. P. ist ein durch und durch germanischer Einheitsstaat — Oesterreich ein germanisch-slawisch-magyarisches Staatenconglomerat, das seinen Schwerpunct bald in die eine bald in die andere dieser drei von einander durchaus verschiedenen Nationalitäten zu legen versuchte. Hierin beruht der wesentliche Unterschied zwischen den beiden mächtigen Großstaaten, die bis zum Jahre 1866 mit zahlreichen machtlosen mittleren und kleineren reindeutschen Staaten zu einem deutschen Staatenbunde vereinigt waren — hierin beruht der Beruf P.'s zur ausschließlichen Hegemonie über Deutschland — hierin beruht der Beruf der glorreichen Dynastie der Hohenzollern, nach völliger Einigung aller deutschen Stämme die **Deutsche Kaiserkrone** zu tragen.

Das Haus Hohenzollern ist eins der ältesten deutschen Dynastengeschlechter, welches sich urkundlich bis zum 8. Jahrhundert verfolgen läßt, wo seine Stammväter reiche Grundbesitzer in Schwaben und Grafen dieses Gau's waren, dessen Burg Hohenzollern (s. d.) ihnen gehörte. Am 18. April 1417 erfolgte die Belehnung mit der Kurwürde von Brandenburg. Mit dem Hause Hohenzollern beginnt die eigentliche staatliche Organisation der vereinigten Marken, des ursprünglichen Kernes der heutigen preußischen Monarchie. Betrachten wir nun zunächst die Entwickelung der Marken von ihren ersten kleinen Anfängen bis zur Entstehung von Kurbrandenburg.

Die Ebenen zwischen der mittleren Elbe und der mittleren Oder, welche den Haupttheil der heutigen Provinz Brandenburg bilden, wurden bis zur Völkerwanderung von dem germanischen Stamme der Sueven bewohnt. Nach der Völkerwanderung traten hier die slawischen Stämme der Heveller, Wilzen, Uker, Retharier und Obotriten auf, welche mit den germanischen Nachbarvölkern, den Sachsen und Franken, in fortwährendem Kampfe lagen, bis sie von Karl dem Großen unterworfen wurden. Nach dem Tode desselben machten sie sich von der fränkischen Herrschaft wieder unabhängig und beunruhigten das deutsche Grenzgebiet aufs Neue durch räuberische Einfälle. Zunächst um diesen Einfällen zu steuern, ging Kaiser Heinrich I. 927 über die Elbe, schlug 928 die Heveller, eroberte ihre Hauptstadt Brennaborch (das heutige Brandenburg), 930 die Festung Lebus, unterwarf den Fürsten Tugumir, sowie die Ruthenier in der Ukermark, zu deren Bezähmung und zur Beschützung der Grenze gegen die weiterhin wohnenden Slawen er 930 die Nordmark (später-hin Altmark genannt) errichtete und Bernhard I. zum Markgrafen von Nord-sachsen ernannte. Die vom Kaiser Otto I. gestifteten Bissthümer Havelberg (946) und Brandenburg (948) arbeiteten dann in noch wirksamerer Weise als

die Waffengewalt an der Civilisirung der rohen Slawenstämme. Die Nordmark, die nach langen Kämpfen mit den slawischen Stämmen und nach mehr-
fachem Wechsel der markgräflichen Würde seit 1056 in dem Hause der Grafen
von Stade erblich verblieben, 1133 aber dem Askanier Albrecht dem Bären,
einem Sohne des Grafen Otto von Ballenstädt, verliehen worden war, stand
bis dahin noch in einem Abhängigkeitsverhältniß zum Herzogthum Sachsen,
welches nun jedoch von Albrecht gelöst wurde. Dieser war nämlich 1138 selbst
mit dem Herzogthum Sachsen belehnt worden, mußte dasselbe aber schon 1142
wieder an den welfischen Herzog Heinrich den Stolzen von Sachsen abtreten
und ward dafür dadurch entschädigt, daß die Nordmark von Sachsen unabhängig
erklärt wurde und er 1143 dazu noch die Ostmark (Niederlausitz) erhielt.
Albrecht der Bär, der sich nun Markgraf von Brandenburg nannte, sowie seine Nachfolger erwarben bereits einen großen Theil des Gebietes, welches später den Kern der brandenburgischen Hausmacht bilden sollte; doch geschah dies damals noch nicht zu bleibendem Besitz, da diese Erwerbungen in einer
nachfolgenden Zeit der Verwirrung und des Verfalls größtentheils wieder verloren gingen und später von den Hohenzollern von neuem erworben werden
mußten. Albrecht selbst eroberte zunächst den größten Theil der Priegnitz, benutzte jede Gelegenheit, um die Wenden und Obotriten gegen die Oder zu
drängen und unterwarf sich endlich auch eine bis dahin von den Slaven inne
gehabte Gebietsmasse, die man damals die Neumark, später die Mittelmark,
nannte. Die so vergrößerte Mark Brandenburg umfaßte nun das Land nördlich bis an den Müritzsee in Mecklenburg, südlich bis an die Oberlausitz, östlich bis an die Oder und westlich bis an die Elbe. Das von den Wenden
verlassene Land war freilich nur eine große, noch fortwährend von Einfällen
der verdrängten slawischen Stämme bedrohte Einöde. Zum Schutz der neuen
Grenzmarken zog nun Albrecht deutsche Adelsgeschlechter, namentlich aus Thüringen herbei, denen er eine Reihe von Burgwarten anvertraute, und führte
zum Anbau des verwüsteten Landes Kolonisten aus Seeland, Friesland,
Holland, Flandern, vom Rhein und aus Niedersachsen herein, die durch kaiserliche Freibriefe von allen Abgaben befreit wurden. Durch diese Kolonisten
wurden nach und nach die Städte Neustadt, Brandenburg, Bernau, Spandau
und Berlin nebst Cöln gegründet. Ferner ließ Albrecht den Dom in Havelberg und mehrere Klöster erbauen und rief bei seiner Wallfahrt nach Jerusalem
den Johanniterorden ins Land, den er mit einer Commende zu Werben be-
schenkte. Unter seinen Nachkommen erwarb sich Albrecht II. 1218 vom
Kaiser Friedrich II. (einem Hohenstaufen) die Anwartschaft auf Vorpommern.
Seine Söhne Johann I. und Otto III., welche die Regierung gemeinsam
führten, erwarben 1235 Stargard, erkauften 1250 die Landschaften Lebus und
Sternberg vom Herzog Boleslaw von Niederschlesien, zwangen den Herzog
Barnim I. von Stettin, ihnen die Uckermark und einen Theil von Camin
abzutreten, entrissen 1251 den Polen die Gebiete an der Netze, Warthe und
Drage und gründeten verschiedene Städte in der späteren Neumark (Landsberg a. W., Berrwalde, Reudamm, Arnswalde und Königsberg i. d. N.).
Die zweite Ehe Johann's I. mit Hedwig von Pommern befestigte den Besitz
der Uckermark und die Verheirathung Otto's III. mit Beatrix von Böhmen
erwarb die Städte Bautzen, Görlitz und Lauban für die Mark. Otto IV.,
ein Sohn Johann's I., nahm den Titel eines Kurfürsten von Brandenburg an, kaufte 1291 die Mark Landsberg in Sachsen von dem Markgrafen
Albrecht dem Unartigen von Meißen, brachte später auch die Städte Delitzsch,
Lauchstädt, Altstädt und Sangerhausen von Meißen käuflich an sich und erwarb
1303 die Niederlausitz sowie 1304 das Gebiet zwischen der Schwarzen Elster
und der Elbe. Waldemar, ein Neffe Otto's IV., eroberte 1309 Pommerellen,

verkaufte es jedoch mit Ausnahme von Rügenwalde, Stolpe und Schlawe, 1310 wieder an den Deutschen Orden, erwarb noch einzelne Striche von Mecklenburg und erhielt 1316 vom Markgrafen Friedrich mit der gebissenen Wange von Meißen auch Dresden abgetreten. Somit war bei seinem 1319 erfolgenden Tode bereits eine ansehnliche Ländermasse um den ursprünglichen Kern vereinigt. Ihm folgte, da er kinderlos war, sein Neffe, Heinrich das Kind, unter Vormundschaft des Herzogs Wratislaw von Pommern, starb aber schon 1320. Mit ihm erlosch das Haus Askanien.

In Folge davon traten nun große Verwirrungen ein, bei denen das meiste Erworbene wieder verloren ging. Es traten zahlreiche Prätendenten auf und da kein allseitig anerkannter mächtiger Vertreter des Gesammtstaates da war, so setzten sich auf allen Seiten die Nachbarn in den vorläufigen Besitz der beanspruchten Gebiete. Wratislaw von Pommern nahm die Gegend von Stolpe, Heinrich von Mecklenburg die Priegnitz und Uckermark, der König von Polen die Neumark, König Johann von Böhmen die Lausitz, der Markgraf von Meißen die Stadt Dresden, Anhalt prätendirte die Mark Landsberg, Herzog Rudolf von Sachsen-Wittenberg mehrere Städte in der Mittelmark und die Kurfürstin Agnes, Woldemar's Wittwe, die sich mittlerweile wieder mit dem Herzog Otto von Braunschweig verheirathet hatte, nahm die Altmark als Wittum in Besitz. Die Kurwürde wurde nun von den wechselnden Kaiserhäusern ihren jüngeren Gliedern verliehen, und zwar zunächst vom Kaiser Ludwig dem Baier aus dem Hause Wittelsbach 1322 seinem Sohne Ludwig dem Brandenburger, einem zwölfjährigen Knaben. Dieser bemächtigte sich auch bald der Marken wieder, erwarb auch mehre der losgerissenen Gebiete zurück, so namentlich die Altmark nach dem Tode der Kurfürstin Agnes (1343); doch nahmen die Wirren immer mehr über Hand, Ludwig trat 1352 die Marken an seine Brüder ab, die theilweis außer Landes lebten, der räuberische Adel zog plündernd durch die Marken und vernichtete den Wohlstand, zu dem die Askanier den Grund gelegt. Da rückte endlich Kaiser Karl IV. aus dem Hause Luxemburg 1373 in die Marken ein und Kurfürst Otto VII., Ludwig's jüngster Bruder, der letzte brandenburgische Wittelsbacher, trat am 15. Aug. 1373 die Marken gegen ein Gnadengehalt an Wenzel, den Sohn Karl's IV. ab, die auf diese Weise in die Hände der Luxemburger kamen. Das nach Außen geschwächte, im Innern zerrüttete Land sank nun unter schwachen Fürsten immer mehr herab. Der stets geldbedürftige Sigismund verkaufte die Neumark 1403 für 63,200 Goldgulden an den Deutschen Orden, ließ sich Theile der Uckermark von Pommern entreißen, verlor die lausitzischen Besitzungen und verpfändete, nachdem er Kaiser geworden war, 1411 die Mark Brandenburg an den Burggrafen Friedrich VI. von Nürnberg, der 1415 als Friedrich I. zum Kurfürsten von Brandenburg ernannt und am 18. August 1417 mit der Kurwürde belehnt wurde.

So kam die Kur Brandenburg an die Hohenzollern. Freilich fiel ihnen hiermit zunächst nicht viel mehr zu als die Altmark nebst der Mittelmark — aber auch die Aufgabe, das verfallene Land wieder emporzuheben und damit auf's Neue den Grundstein zu B.'s nachmaliger Größe zu befestigen. Diese Aufgabe haben die Hohenzollern zum Heile Deutschlands gelöst. Nachdem Friedrich I., ein Fürst von ausgezeichneten Geistesgaben und hervorragender Bildung, durch Züchtigung des räuberischen und rebellischen Adels die innere Ruhe und Ordnung wieder hergestellt und nach dem Siege bei Pritzwalk (1425) Pommern und Mecklenburg gezwungen hatte, die Priegnitz und Uckermark herauszugeben, verglich sich sein Sohn Friedrich II., der ihm 1440 folgte und bis 1469 regierte, im Jahre 1442 mit dem Erzstift Magdeburg über die von diesem prätendirte Lehnshoheit über die Altmark, kaufte 1454 dem Deutschen

Orden die Neumark wieder ab, verlor aber nach einem unglücklichen Kriege mit Böhmen 1462 im Frieden zu Guben die in der Lausitz gemachten Erwer-bungen, von denen er nur einige Städte (Kottbus, Lübben u. a.) als böh-misches Lehen behielt. Unter seinem Bruder Albrecht Achilles (1469—1486) begannen die ersten Erwerbungen in Schlesien, indem die auf das Herzogthum Glogau erhobenen Erbansprüche 1482 dahin verglichen wurden, daß die Städte Krossen, Züllichau, Sommerfeld und Bobersberg nebst Gebiet an Brandenburg fielen. Privaterwerbungen, welche bald darauf von einem brandenburgischen Prinzen, dem Markgrafen Georg, in Schlesien gemacht wurden, erlangten erst in viel späterer Zeit eine Bedeutung für Brandenburg. Unter seinem Enkel Joachim (1499—1535) erwarb Brandenburg 1524 nach dem Aus-sterben der dortigen Grafen die Grafschaft Ruppin, während dessen Sohn, Joachim II. (1535—1571), welcher 1539 zum Protestantismus übertrat, die Bisthümer Lebus, Havelberg und Brandenburg säcularisirte, eine Menge Klöster einzog und deren Güter in kurfürstliche Domänen verwandelte. So rundete sich das Kurfürstenthum Brandenburg immer mehr und mehr ab, ohne indeß noch die übrigen Kurstaaten an Umfang, äußerer Macht oder innerer Entwickelung irgend-wie zu übertreffen. Doch waren schon größere und weitergreifende Erwerbungen wenigstens angebahnt oder sollten es bald werden durch die Erbansprüche auf die Jülich-Kleve=Berg'sche Hinterlassenschaft und durch die Säcularisirung des Herzogthums Preußen zu Gunsten einer brandenburgischen Nebenlinie, welche zu beerben die Kurlinie Aussicht hatte. In der That fiel auch vermöge eines 1611 zwischen dem Kurfürsten Johann Sigismund von Brandenburg und dem Herzog Albrecht Friedrich von Preußen nach dem am 18. August 1618 erfolgten Tode des Letztern das Herzogthum Preußen, der aber um so einst seinen heidnischen Bewohnern slawischen Stammes abgekämpft hatte, frei-lich nur erst als ein polnisches Lehn, an das Haus Brandenburg. Unter Jo-hann Sigismund's Sohn und Nachfolger Georg Wilhelm (1618—40) kam dasselbe durch den Erbvergleich von 1630 in den Besitz des Herzogthums Kleve und der Grafschaften Mark und Ravensberg. Am Dreißigjährigen Kriege nahm Brandenburg anfangs nur einen schwankenden Antheil, der aber um so kräftiger wurde, als Friedrich Wilhelm, der Große Kurfürst, 1640 seinem Vater Georg Wilhelm in der Regierung folgte. Ihm ist es zu danken, daß Brandenburg nicht ohne Vortheil aus dem Kriege hervorging. Zwar vermochte er nicht, seine auf kaiserliche Zusagen und auf Erbverbrüderung begründeten Ansprüche auf Pommern vollständig zu verwirklichen, mußte vielmehr im West-fälischen Frieden 1648 Vorpommern mit Rügen, sowie von Hinterpommern die Städte Stettin, Golnow, Damm, Garz und Wollin und das Oder-Haff mit allen Mündungen den Schweden überlassen und erhielt nur den übrigen Theil von Hinterpommern abgetreten, sowie die Bisthümer Halberstadt, Minden und Kamin, die Grafschaft Hohenstein und das Erzbisthum Magde-burg zugesprochen, welche sämmtlich im Laufe der nächsten Jahrzehnte voll-ständig an Brandenburg fielen. Auch gelang es seiner gewandten Politik, durch den Frieden von Oliva, der am 3. Mai 1660 zwischen Schweden und Polen geschlossen wurde, von letzterem für die gegen ersteres gewährte Unterstützung die Souveränetät über das Herzogthum P. bestätigt zu erhalten, auf Grund deren später sein Sohn die Königswürde annahm. Im Jahre 1666 wurden durch einen neuen Vertrag wegen der Jülich-Kleve'schen Erbschaftsangelegenheit die Herrschaft Ravenstein, sowie durch einen Tauschvertrag Recklingshausen er-worben. Als der Große Kurfürst am 9. Mai 1688 starb, hinterließ er sei-nem Sohn, welcher ihm als Friedrich III. in der Kurwürde folgte, eine feste Stellung unter den Mächten Europa's, ein unabhängiges, aufblühendes Land von bereits 2000 Quadratmeilen, ein wohlgerüstetes Heer von 38,000

Mann und einen gefüllten Staatsschatz. Friedrich III. erkaufte 1697 vom Kurfürst August I. von Sachsen die Erbvogtei über die Stadt und Abtei Quedlinburg nebst den drei Aemtern Lauenburg, Savenberg und Gersdorf für 300,000 Thaler und 1698 das Amt Petersberg. Die Wahl des Kurfürsten von Sachsen zum König von Polen und die Aussicht des Kurfürsten von Hannover den englischen Thron bot ihm bei der durch den Spanischen Erbfolgekrieg bedrohten Stellung des österreichischen Kaiserhauses die Gelegenheit, seinen längst gehegten Plan, die Königswürde anzunehmen, zu verwirklichen. Am 18. Januar 1701 wurde er als Friedrich I. in Königsberg als König von Preußen gekrönt und mit Ausnahme Frankreichs, Spaniens und des Papstes von sämmtlichen Mächten anerkannt. Obgleich sein Verhältniß zu dem Deutschen Reiche hierdurch keine Veränderung erfuhr und er zugleich noch Kurfürst von Brandenburg blieb, so trat er doch nun ebenbürtig in die Reihe der Hauptfürsten Europa's ein und hörte auf, ein bloßer Reichsfürst zu sein; indeß führte er vorläufig nur erst außerhalb Deutschlands den Titel König von Preußen, im Reiche selbst nannte er sich König in Preußen, und nur erst Friedrich der Große nahm auch hier den Titel König von Preußen an. Mit dem Kurfürstentitel verschwand jetzt auch allmälig die Bezeichnung der einzelnen Ländergebiete, als besonderer Herzogs-, Fürsten- und Markgrafenthümer, welche von nun an unter dem Namen Preußen als ein einziges Königreich zusammengefaßt werden. Friedrich I. erwarb im Jahre 1701 die Abtei Dietenborn am Harz und 1707 die Grafschaft Tecklenburg in Westfalen durch Kauf, sowie in Folge des Erlöschens des oranischen Mannesstammes 1707 die Fürstenthümer Neuschâtel und Valengin in der Schweiz, und einen Theil der Grafschaft Lingen in Westfalen und 1712 die Grafschaft Meurs (Mörs) in Westfalen. Er starb am 25. Februar 1713. Sein Sohn Friedrich Wilhelm I. erlangte durch den Frieden von Utrecht (11. April 1713) einen Theil des Herzogthums Geldern für das von Ludwig XIV. eingezogene Fürstenthum Orange, sowie die Anerkennung der preußischen Königskrone durch Frankreich und Spanien. Die Unfälle Schwedens während des Nordischen Krieges machten es ihm möglich, sich in den Besitz von Stettin zu setzen und dieses, sowie die Inseln Usedom und Wollin nebst dem südlichen Theile von Vorpommern zwischen der Oder und Peene auch im Frieden von Stockholm 1720 zu behaupten. Unter der Regierung Friedrich Wilhelm's I. war der preußische Staat bereits zu 2275 Quadratmeilen mit 2⅓ Millionen Einwohnern angewachsen.

Weit bedeutender und wichtiger waren die Erwerbungen unter der glorreichen Regierung seines Sohnes Friedrich II. des Großen, welcher nach dem Tode seines sparsamen Vaters (31. Mai 1740) mit der Krone zugleich einen Staatsschatz von 9 Millionen Thalern und ein schlagfertiges Heer von 50,000 Mann erbte, und dadurch in den Stand gesetzt wurde, P. aus dem Kampfe mit dem halben Europa siegreich und vergrößert hervorzuführen. Die Erwerbungen Friedrich des Großen für P. sind folgende: durch den ersten Schlesischen Krieg im Frieden zu Breslau, am 4. (11.) Juni 1742: Ober- und Niederschlesien bis an die Oppa nebst der Grafschaft Glatz mit der böhmischen Lehnshoheit über Kottbus, Peitz und Zossen von Oesterreich; dann 1744 in Kraft erhaltener Ansprüche das Fürstenthum Ostfriesland bei dem Erlöschen des Regentenstammes mit Karl Eduard; durch den zweiten Schlesischen Krieg im Frieden zu Dresden am 25. Dec. 1745 die Abtretung Fürstenbergs und eine Million Thaler Kriegssteuer von Sachsen und die Anerkennung des Besitzes Schlesiens durch Maria Theresia; durch den dritten Schlesischen (Siebenjährigen) Krieg im Frieden zu Hubertsburg den 15. Februar 1763 die definitive Bestätigung der Verträge von Breslau und Dresden und somit das vollgiltige Recht des Besitzes von Schlesien mit Ausnahme der Herzogthümer Teschen, Troppau und Jägerndorf. Ferner bei der ersten Theilung Polens den 5. August 1772 Westpreußen, mit Ausnahme Danzigs und Thorns, und den Theil von Großpolen bis an die Netze, endlich 1780 nach dem Erlöschen des Hauses Mansfeld den bereits unter Magdeburger Hoheit stehenden, größern Theil der Grafschaft Mansfeld. Friedrich der Große starb am 17. August 1786 in Sanssouci. Er hatte Preußen um 1325 Quadratmeilen und 3,760,000 Einwohner vergrößert — aber er hatte mehr noch gethan — er hatte durch seine große Herrschereigenschaften, sein Feldherrntalent, seine Meisterschaft in der Diplomatie und seine Beförderung des geistigen und materiellen Wohles des preußischen Volkes das Ziel seines Strebens erreicht: Preußen zu einer mit Oesterreich rivalisirenden Macht erhoben — er hatte die Wunden, die seine Kriege dem Lande geschlagen, wieder geheilt, hatte zerstörte Städte und Dörfer wieder aufgebaut, verödete Gegenden bevölkert und in blühende Fluren verwandelt, Sümpfe ausgetrocknet, Kanäle gegraben, den Ackerbau belebt, Fabriken gegründet, den Handel gefördert — er hatte durch seine hohe Achtung vor der Gesetzlichkeit und durch seine strenge Handhabung des Rechts ohne Ansehen der Person die sittliche Kraft, durch seine glänzenden Siege den militairischen und nationalen Geist seines Volkes gehoben, das Vertrauen desselben auf P.'s Macht gestärkt; er hatte dem preußischen Volke das Bewußtsein der nationalen Zusammengehörigkeit gegeben und den Blick auf P.'s deutschen Beruf gelenkt.

Sein Neffe Friedrich Wilhelm II. (1786—1797) erbte von ihm einen Staat von 3600 Quadratmeilen mit 6 Millionen Einwohnern und ein Heer von 224,000 Mann. Unter seiner Regierung wurden am 2. Dec. 1791 in Folge Verzichts des letzten Markgrafen von Brandenburg-Ansbach (Christian Friedrich Karl Alexander von einer Fränkisch-Hohenzollern'schen Nebenlinie) auch die fränkischen Besitzungen des Hauses Hohenzollern, nämlich die beiden seit 1769 vereinigten Markgrafenthümer Brandenburg-Ansbach und Brandenburg-Baireuth-Kulmbach gegen eine Jahresrente für P. erworben. Bei der zweiten Theilung Polens erhielt P. am 25. März 1793 den größten Theil von Großpolen, nämlich die Wojwodschaften Posen, Gnesen, Kalisch, Sieradin, Stadt und Kloster Czenstochau, die Länder Wilun und Dobrzin, die Wojwodschaften Lenczin, Rawa und Plock, Kujavien und die Städte Danzig und Thorn, insgesammt 1061 Quadratmeilen mit 1,011,700 Einwohnern, welche er außer den zur Provinz Westpreußen geschlagenen Theilen zu einer neuen Provinz, Südpreußen, verband, und bei der dritten Theilung Polens am 24. October 1795 Masovien mit der Hauptstadt Warschau, 997 Quadratmeilen mit 940,000 Einwohnern, woraus eine Provinz Neu-Ostpreußen gebildet wurde. (Bei allen drei Theilungen Polens hat P. insgesammt 2700 Quadratmeilen mit 2½ Millionen Einwohnern erhalten, und nahm nach der dritten Theilung Polens einen Flächenraum von ungefähr 5560 Quadratmeilen ein.) Mittlerweile hatten aber die französischen Revolutionskriege begonnen und P. war genöthigt gewesen, im Frieden zu Basel am 5. April 1795 seine jenseit des Rheins gelegenen Länder vorläufig und am 5. August 1796 in einem Vertrage definitiv an Frankreich abzutreten, hatte sich aber dafür Entschädigungen diesseit des Rheines vorbehalten.

Am 16. November 1797 bestieg Friedrich Wilhelm III., der älteste Sohn Friedrich Wilhelm's II., den Thron und schloß am 23. Mai 1802 einen besonderen Entschädigungsvertrag mit Frankreich ab, nach welchem P. die Bisthümer Hildesheim und Paderborn, die Reichsstädte Goslar, Mühlhausen und Nordhausen, Erfurt mit Bezirk, die Grafschaft Untergleichen mit allen kurmainzischen Besitzungen in Thüringen, das Eichsfeld, den kurmainzischen

Antheil an der Bauerbschaft Treffurt und der Voigtei Dorla, die Abteien Herford, Essen, Elten, Quedlinburg und Werden, die Propstei Kappenberg und den südöstlichen Theil des Bisthums Münster nebst der Stadt Münster als Ersatz für das linksrheinische Gebiet erhielt, die denn auch durch den im Mai 1803 zu Regensburg erfolgenden Hauptschluß der am 24. August 1802 zur Vollziehung des Lüneviller Friedens (9. Februar 1801) niedergesetzten Reichsdeputation deutscherseits dem Königreich P. zugesprochen wurden. Hierdurch erhielt dieses nicht nur eine weit überwiegende Ersatzmasse, denn es vergrößerte sich um 180 Quadratmeilen und 400,000 Einwohnern, sondern — was weit mehr werth war — es arrondirte sich auch sehr gut. Sein Flächenraum betrug nun bereits 5640 Quadratmeilen. Dagegen mußten in Folge der am 15. Dec. 1805 zu Wien und am 15. Februar 1806 zu Paris mit Frankreich abgeschlossenen Verträge Cleve, Ansbach und Neuschâtel abgetreten werden, wofür das Kurfürstenthum Hannover als Entschädigung dienen sollte. Noch in demselben Jahre begannen aber die harten Schläge, welche in Folge der unglücklichen Schlachten von Jena (14. Oct. 1806), Eylau (7. u. 8. Febr. 1807) und Friedland (14. Juni 1807) dem Königreich P. in dem am 7. Juli 1807 geschlossenen und am 12. Juli ratificirten Frieden zu Tilsit die Hälfte seines Landes, nämlich alle seine Besitzungen westlich der Elbe, den Kottbusser Kreis und die sämmtlichen in Polen gemachten Erwerbungen (mit Ausnahme des Ermelandes und der Festung Graudenz) sowie Danzig entrissen. Aber P. erstand aus seiner tiefen Erniedrigung nach sechs Jahren um so kräftiger wieder — Dank Männern wie Stein und Hardenberg, Blücher, Scharnhorst, Gneisenau und York — und seine Heere warfen im Jahre 1813 bei Großbeeren (23. Aug.), an der Katzbach (26. Aug.), bei Dennewitz (6. Sept.) und Leipzig (16.—19. October) den Unterdrücker Deutschlands nieder und über den Rhein zurück, um ihn im Jahre 1814 in der Hauptstadt Frankreichs den Frieden zu dictiren. Im ersten Pariser Frieden vom 30. Mai 1814 wurde nun auch Frankreich auf seine Grenzen von 1792 zurückgeführt und es wäre die Aufgabe des Wiener Congresses gewesen, P. für seine früheren Verluste und die großen Opfer, die es für Deutschlands Befreiung von der Fremdherrschaft gebracht, vollständig zu entschädigen und es daher mindestens auf seine frühere Größe zurückzuführen — aber die Eifersucht Oesterreichs trat hindernd dazwischen. Auch wurde diese Aufgabe dadurch erschwert, daß 1814 das linke Rheinufer noch bei Frankreich verbleiben sollte, daß Rußland das ganze im Besitz gewesene ehemalige polnische Gebiet beanspruchte, Hannover seiner früheren Dynastie zurückgegeben wurde und die fränkischen Markgrafschaften bei Baiern bleiben sollten. Nach langen Unterhandlungen entschied man zwar endlich dahin, daß P. die größere Hälfte Sachsens, einen Theil des seitherigen Herzogthums Warschau (die jetzige Provinz Posen) und einen größeren Länderstrich am Rhein und in Westfalen erhalten sollte. Was von seinen verlornen Besitzungen noch in festen Händen war, fiel daher an P. zurück, und zwar meist durch mittlerweile dazugeschlagene mediatisirte Gebiete abgerundet und vergrößert. Es erhielt somit von seinen ehemaligen Besitzungen zurück: Michelau und Culm, Danzig und Thorn, das Großherzogthum Posen, die Altmark und Magdeburg, den Saalkreis, den Kottbusser Kreis, das Eichsfeld, die Fürstenthümer Halberstadt, Minden, Münster, Paderborn, Cleve und Wesel, Neuschâtel mit Valengin, die Grafschaften Mansfeld, Hohnstein, Mark, Ravenstein, Lingen und Tecklenburg, das Stift Quedlinburg und die Städte Erfurt, Mühlhausen und Nordhausen mit ihren Gebieten. Neue Besitzungen, welche Preußen erwarb, waren dagegen: die größere Hälfte des Königreichs Sachsen, nämlich den Wittenberger, Thüringer und Neustädter Kreis und die Niederlausitz ganz, Theile von dem Leipziger und Meißner Kreis, fast die ganzen Stifter Merseburg und Naum-

14*

burg, das Fürstenthum Querfurt, Theile des Voigtländischen Kreises, den sächsischen Antheil von Henneberg (den jetzigen Kreis Schleusingen), einen Theil
der Oberlausitz und die Hoheitsrechte über Stolberg, die schwarzburgischen
Aemter Ebeleben, Kelbra und Heringen und die Solmsischen Herrschaften Ba-
ruth und Sonnenwalde (insgesammt 370 Quadratmeilen mit 864,000 Einwohnern), ferner das Großherzogthum Berg und bedeutende Länderstriche jenseit
des Rheins von dem Rheindepartement bis an die Mosel, Nahe und die alte
holländische Grenze am rechten Maasufer, die Grafschaften Dortmund und
Wetzlar, das Fürstenthum Korvey, einen Theil von Fulda und einen Theil
der Stammbesitzungen des Hauses Nassau-Dietz, wogegen es Ostfriesland und
Hildesheim mit Goslar, sowie einige Bezirke von Münster und dem Eichsfeld
an Hannover abtrat. Ferner erwarb es am 4. Juni 1815 durch einen Vertrag mit Dänemark noch Schwedisch-Pommern mit Rügen gegen Abtretung
des Herzogthums Lauenburg und gegen eine Summe von 2,600,000 Thalern.
Neue Erwerbungen brachte der 1815 nach der Rückkehr Napoleon's von Elba
wieder ausgebrochene Krieg, welchen der entscheidende Sieg der Engländer und
Preußen bei Waterloo oder Belle-Alliance (18. Juni 1815) schnell beendigte
und in Folge dessen Preußen im zweiten Pariser Frieden vom 20. November
1815 von Frankreich, welches auf den Umfang von 1790 reducirt wurde, noch
einen beträchtlichen Theil des Saardepartements erhielt, dagegen aber ein Gebiet mit 60,000 Einwohnern an Koburg, Oldenburg und Hessen-Homburg abzutreten und Entschädigungen an Mecklenburg-Strelitz und Pappenheim zu
zahlen hatte. Das Königreich Preußen hatte nun eine Gesammtflächenraum
von 5085,29 Quadratmeilen, oder ausschließlich Neuschâtels und Valengins von
5072,07 Quadratmeilen mit 10,402,631 Einwohnern, wovon aber nur 3389,38
Quadratmeilen mit 7,948,439 Einwohnern zum Deutschen Bunde gezogen wurden; 1714,21 Quadratmeilen mit 2,454,192 Einwohnern (die Provinzen Ostpreußen, Westpreußen und Posen) jedoch nicht. Es war nun zwar weit besser
arrondirt, als vor 1806, aber immer noch um mehr als 500 Quadratmeilen
kleiner als damals und immer noch in zwei ungleiche, durch hannoversches,
braunschweigisches, kurhessisches, lippesches und waldecksches Gebiet von einander getrennte Hälften getheilt, von denen die größere östliche die Provinzen
Ostpreußen, Westpreußen, Posen, Pommern, Schlesien, Brandenburg und
Sachsen mit 4227,17 Quadratmeilen, die kleinere westliche die Provinz Westfalen
und die Rheinprovinz (damals noch ohne den Kreis St. Wendel) mit 844,80
Quadratmeilen umfaßt.

Die nun folgenden fünfzig Friedensjahre brachten nur unbedeutende Ge-
bietsveränderungen hervor, und unter der Regierung Friedrich Wilhelm's III.
(gestorben 7. Juni 1840) wurde nur noch am 15. August 1831 das kleine
Fürstenthum Lichtenberg am linken Rheinufer (10½ Quadratmeile mit 38,000
Einwohnern) für eine jährliche Rente von 80,000 Thalern von Koburg-Gotha
an Preußen abgetreten und als Kreis St. Wendel zur Rheinprovinz geschlagen.
Während der Regierungszeit seines ältesten Sohnes und Nachfolgers Friedrich
Wilhelm IV. (1840—1861) wurden durch einen am 7. Dec. 1849 abgeschlossenen Vertrag die beiden Fürstenthümer Hohenzollern-Hechingen und Hohenzollern-Sigmaringen gegen eine Jahresrente (von 10,000 Thalern an den Fürsten von Hohenzollern-Hechingen und von 25,000 Thalern an den Fürsten von
Hohenzollern-Sigmaringen) erworben, wodurch der preußische Staat einen Zuwachs von 21,15 Quadratmeilen mit 66,261 Einwohnern erhielt. Durch Verträge mit Oldenburg vom 20. Juli und 1. Dec. 1853 wurde das Jadegebiet
im Umfang von 0,23 Quadratmeilen behufs Anlegung eines Kriegshafens in
der Nordsee erworben. Dagegen gab die preußische Krone am 22. Mai 1857

in einem Vertrag mit der schweizerischen Eidgenossenschaft die Hoheit über Neuschâtel auf.

Am 2. Januar 1861 starb nach einer längeren Krankheit Friedrich Wilhelm IV. und sein ältester Bruder, der während der Krankheit des Königs die Regentschaft geführt, folgte ihm als Wilhelm I. Unter seiner Regierung erfuhr das preußische Heerwesen eine vollständige Reorganisation und gelangte P. zu einer Macht und Größe, wie nie zuvor. Zunächst erhielt es in Folge des im Jahre 1864 mit Oesterreich vereinigt gegen Dänemark (s. d. S. 149 ff.) geführten und durch den Wiener Frieden (1. August und 30. Oct. 1864) geschlossenen Krieges in der Convention von Gastein (s. d.) am 14. August 1865 von Oesterreich das Herzogthum Lauenburg (19 Quadratmeilen mit 49,704 Einwohnern) gegen eine Abfindungssumme von 2½ Millionen dänischen Thalern abgetreten und nahm es am 15. Sept. 1865 in Besitz. Ebenso erlangte der König von P. nach dem kurzen siegreichen Kriege gegen Oesterreich während des Sommers 1866 (s. Preußisch-Oesterreichischer Krieg) im Frieden von Prag (s. b.) vom 23. Aug. 1866 die alleinige Oberhoheit über die Herzogthümer Schleswig und Holstein, indem der Kaiser von Oesterreich seine im Wiener Frieden vom 30. Oct. 1864 erworbenen Rechte auf die Herzogthümer an die preußische Krone übertrug. Die beiden Herzogthümer Schleswig und Holstein (317,722 Quadratmeilen mit 948,392 Einwohnern) wurden durch Gesetz vom 24. Dec. 1866 und Besitzergreifungspatent vom 12. Jan. 1867 dem Preußischen Staate einverleibt. Ferner wurden vom Königreich Baiern im Friedensvertrag vom 22. Aug. 1866 vom Regierungsbezirke Oberfranken die Enclave Caulsdorf und vom Regierungsbezirke Unterfranken das Bezirksamt Gersfeld und der größte Theil des Landgerichts Orb (insgesammt 10,os D.-M. mit 32,976 Einw.), sowie vom Großherzogthum Hessen im Friedensvertrag vom 3. Sept. 1866 die ehemalige Landgrafschaft Hessen-Homburg einschließlich des Oberamtsbezirks Meisenheim und von der Provinz Oberhessen die Kreise Biedenkopf und Vöhl und Theile der Kreise Gießen und Bilbel (insgesammt 19,918 D.-M. mit 75,102 Einw.) an P. abgetreten, wogegen dies wiederum kleine Theile von Kurhessen (Nauheim ꝛc.), Nassau und dem Frankfurter Gebiet an das Großherzogthum Hessen abtrat. Die baierschen und großherzoglich hessischen Abtretungen wurden ebenfalls durch Gesetz vom 24. Dec. 1866 und Besitzergreifungspatent vom 12. Jan. 1867 dem Preußischen Staate einverleibt. Endlich ergriff P. durch Gesetz vom 20. Sept. 1866 und Patent vom 30. Oct. 1866 von dem Königreich Hannover (698,722 D.-M. mit 1,923,492 Einw.), dem Kurfürstenthum Hessen (172,849 D.-M. mit 737,283 Einw.), dem Herzogthum Nassau (85,191 D.-M. mit 465,014 Einw.) und der freien Stadt Frankfurt nebst deren Gebiet (1,688 D.-M. mit 89,837 Einw.) Besitz, aus welchen drei letzteren durch Verordnung vom 22. Febr. 1867 die beiden Regierungsbezirke Kassel und Wiesbaden gebildet wurden. Dagegen trat P. durch Vertrag vom 27. Sept. 1866 das holsteinische Amt Ahrensböt nebst einigen andern angrenzenden Distrikten (2,677 D.-M. mit 12,604 Einw.) an das Großherzogthum Oldenburg ab. Im Ganzen erhielt P. im Jahre 1866 einen Zuwachs von 1306,038 D.-M. mit 4,273,096 Einw., so daß es nun einen Flächenraum von 6392,79 D.-M. einnahm und eine Gesammtbevölkerung von 23,577,939 Einw. hatte. An die großen Erwerbungen des Jahres 1866 schlossen sich nun zunächst das Verfassungswerk des Norddeutschen Bundes (s. b.), die Bündnißverträge mit Württemberg vom 13. Aug. 1866, mit Baden vom 17. Aug. 1866 und mit Baiern vom 22. Aug. 1866 und die Militärconvention mit dem Großherzogthum Hessen vom 7. April 1867 sowie der Bündnißvertrag mit eben diesem, nach welchen allen der Oberbefehl über die Truppen von sämmtlichen deutschen

Staaten dem König v. P. übertragen wurde. So stand nun P. da als eine Weltmacht ersten Ranges; mit Achtung sahen auf den neuen Großstaat seine Gegner, mit Hoffnung alle nationalgesinnten Deutschen. Die sichere und starke Hand des scharfsichtig weitblickenden, genialen Staatsmannes, dem der König Wilhelm I. das Steuer P.'s und des Norddeutschen Bundes anvertraut hat, bürgte dafür, daß P. seine hervorragende Stellung behaupten und befestigen würde — sein schlagfertiges, treffliches Volksheer, geleitet von einem Strategen wie Moltke, geführt von Taktikern wie der Kronprinz, Prinz Friedrich Karl, Herwarth von Bittenfeld, Steinmetz und Vogel von Falkenstein, vereint mit der bewaffneten Macht des gesammten Deutschlands, stand vor dem Throne der Hohenzollern. Bei der wachsenden Eifersucht des kriegerischen westlichen Nachbars, dessen Rheingelüste seit dem Ministerium Thiers von 1840 nie geschwiegen hatten, war P., und mit ihm der Norddeutsche Bund bei aller seiner Friedensliebe doch zu fortwährender Vorsicht und umfassenden Rüstungen gezwungen. Ein Krieg mit Frankreich schien seit der Begründung des Norddeutschen Bundes auf die Dauer kaum zu vermeiden. Da bot die spanische Throncandidatur des Erbprinzen von Hohenzollern im Juli 1870, deren Aufstellung und Beseitigung die verbündeten norddeutschen Regierungen gleich fern standen, dem Gouvernement des Kaisers der Franzosen den Vorwand, in einer dem diplomatischen Verkehre seit langer Zeit unbekannten Weise den Kriegsfall zu stellen. Entgegen der Erwartung der französischen Machthaber, stand das ganze Deutsche Volk unter seinen Fürsten einmüthig zu P., dem das Schwert in die Hand gezwungen war: es vertraute der erfahrenen Führung des greisen Heldenkönigs, des Deutschen Feldherrn, dem die Vorsehung beschieden hatte, den großen Kampf, den der Jüngling vor mehr als einem halben Jahrhundert kämpfte, am Abend seines Lebens zum entscheidenden Ende zu führen. Am 19. Juli 1870 übergab der französische Geschäftsträger Le Sourd dem Grafen Bismarck die officielle Kriegserklärung an P. und dessen Verbündete. Der Krieg brach aus. Nur in den ersten Tagen war ein kleines Stück deutschen Gebietes (bei Saarbrücken) vom Feinde betreten — dann drangen die Deutschen Heere unaufhaltsam in Frankreich vor: jede Schlacht, jedes Gefecht war ein Sieg der Deutschen Waffen. Die ausführliche Schilderung dieses glorreichen Krieges s. u. Deutsch-Französischer Krieg (in den Supplementen). Die Capitulation von Paris (s. d.), welche am 28. Jan. 1871 abgeschlossen wurde, beendigte — abgesehen von den Kämpfen um Belfort — den Krieg factisch. In dem Friedens-Präliminarien von Versailles (26. Febr. 1871), die am 1. März von der Französischen Nationalversammlung zu Bordeaux, am 2. März vom Kaiser Wilhelm zu Versailles ratificirt, und nach längerem zu Brüssel vergeblich gepflogenen Unterhandlungen endlich unter dem persönlichen Einflusse des Fürsten von Bismarck im Definitiv-Frieden von Frankfurt (10. Mai, ratificirt 20. Mai 1871) wesentlich bestätigt wurden; verzichtete Frankreich zu Gunsten des Deutschen Reiches auf den östlichen Theil von Lothringen (mit Metz und Thionville) und auf den Elsaß (mit Ausschluß von Belfort und einem dazu gehörigen Rayon) und versprach im Laufe von 3 Jahren dem Deutschen Kaiser 5 Milliarden Francs zu zahlen. Deutschland trat aus dem Kampfe geeinigt als Deutsches Reich hervor, wie der König von P. auf den Wunsch der deutschen Fürsten und freien Städte als Deutscher Kaiser. Was einst der große Kurfürst angebahnt, Friedrich II. weiter entwickelt, das hatte König Wilhelm I. der Vollendung entgegengeführt.

Zum Schluß fügen wir noch Uebersichts halber eine Zusammenstellung des Wachsthums der Preußischen Monarchie und ihrer Bevölkerung seit dem Jahre 1816 bei.

	Flächenraum in geogr. Quadratmeilen.	Einwohnerzahl.	Auf 1 Quadratmeile
Im J. 1816 (exclus. Neuschatel)	5072,07	10,402,631	2050
„ 1834 (nach der Erwerbung von Lichtenberg)	5082,57	13,509,927	2659
„ 1837	5082,57	14,271,530	2809
„ 1840	5082,57	15,691,760	3088
„ 1849 (ohne Hohenzollern)	5082,57	16,331,187	3213
„ „ (nach der Erwerbung von Hohenzollern)	5103,73	16,397,448	3212
„ 1852	5103,73	16,935,420	3319
„ 1855 (nach der Erwerbung des Jadegebietes)	5103,97	17,202,831	3366
„ 1858	5103,97	17,739,913	3475
„ 1861	5103,97	18,491,220	3623
„ 1864	5067,26 [*])	19,255,139	3801
„ 1865 (nach der Erwerbung von Lauenburg)	5080,73	19,304,843	3795
„ 1866 (nach der Erwerbung von Hannover, Kurhessen, Nassau, Frankfurt und den Abtretungen von Baiern und dem Großherzogthum Hessen)	6396,47	23,580,543	3688
„ 1866 (nach Abtretung des holsteinischen Amtes Ahrensbök an Oldenburg)	6392,79	23,577,939	3688
„ 1867 (Volkszählung vom 3. Dec.	6387,72 [**])	24,043,902	3764

Von den zahlreichen geographischen und statistischen Werken heben wir hervor: Ungewitter, „Die Preuß. Monarchie geographisch, statistisch, topographisch und historisch dargestellt", Berlin 1858 ff.; Brachelli, „Das Königreich P." (in Wappäus „Handbuch der Geographie", 4. Band. 2. Abth.), Leipzig 1861 f.; Neumann, „Geographie des Preuß. Staates", Neustadt-Ebersw. 1866 f.; Die Veröffentlichungen des Königl. Statist. Bureau's, namentlich das „Jahrbuch für amtliche Statistik", die „Preuß. Statistik" und Engel's „Zeitschrift des Königl. Preuß. Statist. Bureau's". Von Geschichtswerken: Klette, „Quellenkunde zur Geschichte des Preuß. Staates", Berlin 1858 ff. 2 Bde.; Voigt, „Codex diplom. Pruss." Königsb. 1836 ff.; Hirsch, Töppen und Strehlke, „Scriptores rerum Prussicarum", Leipzig 1861 ff., 3 Bde.; Leutsch, „Geschichte des Preuß. Reiches von dessen Entstehung bis auf die neueste Zeit", Berlin 1825, 3 Bde.; Lancizolle, „Geschichte der Bildung des Preuß. Staates", Berlin 1828; Manso „Geschichte des Preuß. Staates vom Frieden zu Hubertsburg bis zum zweiten Pariser Frieden", Frankfurt 1835, 3 Bde.; v. Ohnesorge, „Geschichte des Entwickelungsganges der Brandenb.-Preuß. Monarchie", Leipzig 1841; Ranke, „Neun Bücher preuß. Geschichte", Berlin 1847; Droysen, „Geschichte der preuß. Politik" Berlin 1855—67, 4 Bde.; Töppen, „Geschichte der preuß. Historiographie", Berlin 1853; „Chro-

---

*) Die Differenz zwischen den Angaben des Flächengehaltes von 1864 und denen der früheren Jahre beruht darauf, daß für 1864 und später die Resultate der bei der neuen Grundsteuer-Regulirung vorgenommenen Arbeiten zu Grunde liegen, nach welchen das Gesammt-Areal der 8 alten Provinzen nur 5046,33 Q.-M. beträgt, während es bis dahin officiell zu 5082,57 Q.-M. (also um 36,24 Q.-M. zu hoch) angenommen wurde.

**) Die Differenz zwischen den Angaben des Flächengehaltes von 1867 und 1864 beruht auf den durch die Vermessung der neueren Landestheile seit 1866 hervorgetretenen Differenzen.

nologische Ueberficht der Geschichte des Brandenb.-Preuß. Staates unter der Herrschaft der Hohenzollern (1415—1868)", Berlin 1869; C. v. Rosel, „Geschichte des Preuß. Staates und Volkes unter den Hohenzollernschen Fürften", Berlin 1869; Eberty, „Geschichte des Preuß. Staates", Breslau 1869 ff. 6 Bde.; Hoder, „Das Kaiferthum der Hohenzollern", Köln 1871; ferner die Geschichtswerke über Friedrich d. Großen (f. u. Friedrich 11); Helmuth, „Preuß. Kriegs-Chronik 1640—1850", Leipzig 1862. Die Geschichte des preuß. Kriegs- und Heerwesens behandelten: v. Gansauge (Berlin 1839); L'Homme de Courbière (Berlin 1852); Crousaz (Auflam 1865 ff. 2 Bde.); Lange („Geschichte der preuß. Landwehr" Berlin 1856); Alt („Das Königl. Preuß. Stehende Heer", Berlin 1869 ff., 2 Theile). Die periodische Presse in militairischer Hinsicht ist in P. sehr reich vertreten (f. u. d. Artikel Militair-Literatur Bd. VI. S. 113). Von Karten und Kartenwerken find außer den im Artikel „Karten" (Bd. V. S. 149. f.) genannten noch zu erwähnen: Reymann's und Handtke's „Atlas von P." Erfurt und Glogau, 1845, 36 Bl.; „Specialas" Berlin 1841, 14 Bl. R. Böckh's „Sprachkarte vom Preuß. Staate" Berlin 1865, 2 Bl.; und die öfters erneuerte „Posteurs-Karte" in 9 Blättern.

Preußisch-Eylau, f. Eylau.

Preußisch-Oesterreichischer Krieg von 1866. I. Der Feldzug in Böhmen und Mähren. Nachdem die Preußische Regierung in Folge der verhängnißvollen Bundestagsfitzung vom 14. Juni 1866 (f. u. Norddeutscher Bund, S. 291*) den Casus belli für gegeben erachtet hatte, richtete fie ein wesentlich gleichlautendes Ultimatum an Sachsen, Hannover und Kurheffen. Da die Antworten ablehnend ausfielen, so erfolgten sofort förmliche Kriegserklärungen an diese Staaten. Oesterreich hatte bereits mit Eifer gerüstet; Anfang Mai waren die Rüstungen schon beendet, die Urlauber eingestellt, die Bataillone complettirt; am 11. Mai (6 Tage früher als in Preußen) konnten die Truppenconcentrirungen ihren Anfang nehmen; am 20. Mai begann der Maffentransport der noch rückwärts befindlichen Corps nach Mähren. Am 10. Juni war die Aufstellung folgende: I. Armeecorps (Clam Gallas) Prag, II. Armeecorps (Graf Thun) Mähren (Zwittau), III. Armeecorps (Erzherzog Ernst) Mähren (Brünn), IV. Armeecorps (Graf Festetics) Mähren (Zittau), VI. Armeecorps (Ramming) Mähren (Prerau), VIII. Armeecorps (Erzherzog Leopold) Mähren (Auspitz), X. Armeecorps (Gablenz) Mähren (Blansko). Jedes Armeecorps hatte 4 Infanterie-Brigaden zu je 1 Jäger-Bataillon und 2 Infanterie-Regimentern, nur das I. Armeecorps hatte 5 Brigaden (Brigade Kalik aus Holstein); jeder Brigade war eine 4-pfündige Brigade-Batterie zu 8 Geschützen, jedem Corps ein Husaren- oder Ulanen-Regiment und eine Corps-Geschütz-Reserve, meist 6 Batterien stark, zugetheilt. Ferner 5 Cavalerie-Divisionen und die große Armee Geschütz-Reserve, in Summa 53 Infanterie-Regimenter, 28 Jäger-Bataillone, 158 Escadrons, 744 Rohrgeschütze und 6 Raketen-Batterien. Die gefammte Oesterreichische Armee unter dem Namen „Nord-Armee", 240,000 Mann stark, ftand unter Feldzeugmeister von Benedek. Dazu kam die Sächsische Armee unter dem Kronprinzen von Sachsen: 2 Infanterie-Divisionen zu je 2 Infanterie-Brigaden (à 4 Infanterie- und 1 Jäger-Bataillon) 2 Escadrons Div.-Cavalerie, 2 Batterien; 1 Cavalerie-Division zu 2 Brigaden (à 6 Escadrons und 1 Batterie); die Reserve-Artillerie von 5 Batterien; in Summa 16. Infanterie-Bataillone, 4 Jäger-Bataillone, 16 Escadrons, 58 Geschütze oder 24,000 Mann.

Die Preußische Armee bildete 3 Haupt-Gruppen: Die II. Armee (Kron-

---

*) Anmerkung: In dem Artikel „Norddeutscher Bund" (Bd. VI.) findet fich S. 287—292 überhaupt eine ausführlichere Schilderung der Vorgeschichte des Krieges.

prinz an der Schlesischen Grenze hin den linken Flügel, die I. Armee (Prinz Friedrich Carl) in der sächsischen Oberlausitz das Centrum, die Elb-Armee (General Herwarth v. Bittenfeld) unmittelbar daneben bis zur Elbe hin den rechten Flügel. Die Ordre de Bataille sämmtlicher preußischer Armeen am 16. Juni 1866 war: Oberbefehlshaber: Se. Maj. König Wilhelm. Chef des Generalstabes: General der Infanterie Freiherr v. Moltke. I. Armee: Obercommandirender: Se. königl. Hoh. Prinz Friedrich Carl von Preußen. Chef des Generalstabes: General-Lieut. v. Voigts-Rhetz. 8. Infanterie-Division: Gen.-Lieut. v. Horn. 15. Inf.-Brigade: 31. Inf.-Reg., 71. Inf.-Reg.; 16. Inf.-Brigade: 72. Inf.-Reg., 4. Jäger-Bataillon; 6. Ulanen-Reg.; 4 Batterien. 7. Infanterie-Division: Gen.-Lieut. v. Fransechy. 13. Inf.-Brigade: 26. Inf.-Reg., 66. Inf.-Reg.; 14. Inf.-Brig.: 27. Inf.-Reg., 67. Inf.-Reg.; 4. Pionier-Bat.; 10. Husaren-Reg.; 4 Batterien. 6. Infanterie-Division: Gen.-Lieut. v. Manstein. 11. Inf.-Brigade: 35. Inf.-Reg., 60. Inf.-Reg.; 12. Inf.-Brigade: 24. Inf.-Reg., 64. Inf.-Reg.; 3. Jäger-Bat.; 2. Dragoner-Reg.; 4 Batterien. 5. Infanterie-Division: Gen.-Lieut. v. Tümpling. 9. Inf.-Brigade: 8. Inf.-Reg., 48. Inf.-Reg.; 10. Inf.-Brigade: 12. Inf.-Reg., 18. Inf.-Reg.; 3. Pionier-Bat.; 3. Ulanen-Reg.; 4 Batterien. 2. Armeecorps (General-Lieut. v. Schmidt). 3. Infanterie-Division: Gen.-Lieut. v. Werder. 5. Inf.-Brigade: 2. Inf.-Reg., 42. Inf.-Reg.; 6. Inf.-Brigade: 14. Inf.-Reg., 54. Inf.-Reg.; 2. Jäger-Bat.; 2. Kürassier-Bat.; 5. Husaren-Reg.; 4 Batterien. 4. Infanterie-Division: Gen.-Lieut. v. Herwarth. 7. Inf.-Brigade: 9. Inf.-Reg., 49. Inf.-Reg.; 8. Inf.-Brigade: 21. Inf.-Reg., 61. Inf.-Reg.; 4. Ulanen-Reg.; 4 Batterien. Beim 2. Armeecorps: 3. schwere Cavalerie-Brigade; 9. Ulanen-Reg.; 2. Kürassier-Reg.; 1 Batterie. Reserve-Artillerie: 4 Batterien. Cavaleriecorps: Prinz Albrecht von Preußen. 1. Cavalerie-Division: Gen.-Lieut. v. Alvensleben. 1. leichte Cavalerie-Brigade: 1. Garde-Ulanen-Reg., 2. Garde-Ulanen-Reg., 1. Garde-Dragoner-Reg.; 2. schwere Cavalerie-Brigade: 6. Kürassier-Reg., 7. Kürassier-Reg.; 2 Batterien. 2. Cavalerie-Division: Gen.-Lieut. Hann von Weyhern. 2. leichte Cavalerie-Brigade: 11. Ulanen-Reg., 2. Garde-Dragoner-Reg., 3. Husaren-Reg.; 3. leichte Cavalerie-Brigade: 3. Dragoner-Reg., 12. Husaren-Reg.; 2 Batterien; 1 Reserve-Batterie. Armee-Reserve-Artillerie: 16 Batterien = 96 Geschütze. I. Armee in Summa: 69 Bataillone Infanterie, 3 Bataillone Jäger, 74 Escadrons, 300 Geschütze, 23 Bataillone Pioniere. — II. Armee. Obercommandirender: General der Infanterie Se. Kgl. Hoh. der Kronprinz. Chef des Generalstabes: General-Major v. Blumenthal. I. Armeecorps: General der Infanterie v. Bonin. 1. Infanterie-Division: General-Lieut. v. Großmann. 1. Inf.-Brigade: 1. Inf.-Reg., 41. Inf.-Reg.; 2. Inf.-Brigade: 3. Inf.-Reg., 43. Inf.-Reg.; 1 Jäger-Bat.; 1 Dragoner-Reg.; 4 Batterien. 2. Infanterie-Division: Gen.-Lieut. v. Clausewitz. 3. Inf.-Brigade: 4. Inf.-Reg., 44. Inf.-Reg.; 4. Inf.-Brigade: 5. Inf.-Reg., 45. Inf.-Reg.; 1. Pionier-Bat.; 1. Husaren-Reg.; 4 Batterien. Reserve-Cavalerie-Brigade: 3. Kürassier-Reg., 8. Ulanen-Reg., 42. Ulanen-Reg. Reserve-Artillerie: 7 Batterien. Garde-Corps: General der Cavalerie Prinz August von Württemberg. 1. Garde-Inf.-Division: General-Lieut. v. Hiller. 1. Garde-Inf.-Brigade: 1. Garde-Reg. zu Fuß, 3. Garde-Reg. zu Fuß; 2. Garde-Inf.-Brigade: 2. Garde-Reg. zu Fuß, Garde-Füsilier-Reg.; Garde-Jäger-Bat.; Garde-Husaren-Reg.; 4 Batterien. 2. Garde-Inf.-Division: General-Lieut. v. Plonski. 3. Garde-Inf.-Brigade: Kaiser Alexander-Reg., 3. Garde-Grenadier-Reg.; 4. Garde-Inf.-Brigade: Kaiser Franz-Reg., 4. Garde-Grenadier-Reg.; Garde-Schützen-Bat.; Garde-Pionier-Bat.; 3. Garde-Ulanen-Reg.; 4 Batterien. 1. schwere Cavalerie-Brigade: Reg.

Garde du Corps, Garde-Kürassier-Reg., 1 Batterie; Reserve-Artillerie: 5 Batterien. V. Armeecorps: General der Infanterie v. Steinmetz. 9. Infanterie-Division: General-Lieut. v. Löwenfeld. 17. Inf.-Brigade: 37. Inf.-Reg., 58. Inf.-Reg.; 18. Inf.-Brigade: 7. Inf.-Reg.; 5. Jäger-Bat.; 4. Dragoner-Reg.; 4 Batterien. 10. Infanterie-Division: General-Lieutenant v. Kirchbach. 19. Inf.-Brigade: 6. Inf.-Reg., 46. Inf.-Reg.; 20. Inf.-Brigade: 47 .Inf.-Reg., 52. Inf.-Reg.; 5. Pionier-Bat.; 1. Ulanen-Reg.; 4 Batterien. Reserve-Artillerie: 7 Batterien. VI. Armeecorps: General der Cavalerie v. Mutius. 11. Infanterie-Division: General-Lieut. v. Zastrow. 21 Inf.-Brigade: 10. Inf.-Reg., 50. Inf.-Reg.; 22. Inf.-Brigade: 38. Inf.-Reg., 51. Inf.-Reg.; 6. Pionier-Bat.; 8. Dragoner-Reg.; 3 Batterien. 12. Infanterie-Division: General-Lieut. v. Prondzynski. Von der 23. Inf.-Brigade das 22. Inf.-Reg., von der 24. Inf.-Brigade das 23. Inf.-Reg. als combinirte Brigade; 6. Jäger-Bataillon; 6. Husaren-Reg.; 2 Batterien. Reserve-Cavalerie: 4. Husaren-Regiment; Reserve-Artillerie: 5 Batterien. Cavalerie-Division der II. Armee: General-Major v. Hartmann. 1. Treffen: Kürassier-Brigade: 1. Kürassier-Reg., 5. Kürassier-Reg. 2. Treffen: Leichte Brigade: 2. Husaren-Reg., 10. Ulanen-Reg., 1 Batterie; Landwehr-Brigade: 1. Landwehr-Ulanen-Reg., 2. Landwehr-Husaren-Reg., 1 Batterie. Detachement des General-Majors Graf Stolberg: 6. Landwehr-Cavalerie-Brigade: 6. Landwehr-Husaren-Reg., 2. Landwehr-Ulanen-Reg.; Inf. der Landes-Vertheidigung: 6 Inf.-Bataillon, 1 Jäger-Compagnie, 1 Ausfall-Bataillon, 1 Pionier-Detachement. Detachement des General-Majors von Knobelsdorff: 62. Inf.-Reg., 2. Ulanen-Reg., 1 Batterie. II. Armee in Summa: 96 Bataillone Infanterie, 5½ Bataillone Jäger, 94 Escadrons, 352 Geschütze, 2 Bataillone Pioniere. — Elb-Armee: Commandirender General: General der Infanterie Herwarth v. Bittenfeld. Chef des General-stabes: Oberst v. Schlotheim. 14. Infanterie-Division: General-Lieutenant Graf Münster 27. Infanterie-Brigade: 16. Inf.-Reg., 56. Inf.-Reg. 28. Infanterie-Brigade: 17. Inf.-Reg., 57. Inf.-Reg. 7. Jäger-Bat.; 7. Dragoner-Reg.; 4 Batterien. 15. Infanterie-Division: General-Lieutenant v. Canstein. 29. Infanterie-Brigade: 40. Inf.-Reg., 65. Inf.-Reg.; 30. Infanterie-Brigade: 28. Inf.-Reg., 68. Inf.-Reg.; 8. Pionier-Bat.; 7. Husaren-Reg.; 4 Batterien. 16 Infanterie-Division: General-Lieutenant v. Etzel. 31. Inf.-Brigade: 29. Inf.-Reg., 69. Inf.-Reg.; Füsilier-Brigade: 33. Inf.-Reg., 34. Inf.-Reg.; 8. Jäger-Bat.; 2 Batterien. Reserve-Cavalerie-Brigade: 7. Ulanen-Reg., 8. Kürassier-Reg., 1 Batterie. 14. Cavalerie-Brigade: 11. Husaren-Reg., 5. Ulanen-Reg. Reserve-Artillerie: 7. Armeecorps 6 Batterien, 8. Armeecorps 7 Batterien, zusammen 13 Batterien. — 1. Reserve-Armeecorps: General-Lieut. v. d. Mülbe. Garde-Landwehr-Infanterie-Division: General-Major v. Rosenberg. 1. Garde-Landwehr-Reg., 2. Garde-Landwehr-Reg., 1. Garde-Gren.-Landwehr-Reg., 2. Garde-Gren.-Landwehr-Reg. Combinirte Landwehr-Infanterie-Division: General-Major v. Bentheim. 9. Landwehr-Reg., 21. Landw.-Reg., 13. Landw.-Reg., 15. Landw.-Reg. Combinirte Landwehr-Cavalerie-Division: General-Major Graf Dohna. 1. Landwehr-Cavalerie-Brigade: 1. Landw.-Husaren-Reg., 8. Landw.-Ulanen-Reg. 2. Landwehr-Cavalerie-Brigade: 5. Landwehr-Husaren-Reg., 4. Landw.-Ulanen-Reg. 3. Landwehr-Cavalerie-Brigade: 2. Landw.-Dragoner-Reg., 3. Landw.-Ulanen-Reg. Reserve-Feld-Artillerie: 9 Batterien.*) Elb-

*) Der Elb-Armee folgte am 21. Juni nach Böhmen: Die Garde-Landwehr-Infanterie-Division, die 2. Landwehr-Cavalerie-Brigade, die 1. und 3. Reserve-Batterie. Der Rest blieb vorläufig in Sachsen.

Armee und I. Referve-Corps in Summa: 60 Bataillone Infanterie, 2 Bataillone Jäger, 50 Escadrons, 198 Geschütze, 1½ Bataillon Pioniere. Ordre de Bataille der 13. Division (Vogel v. Falckenstein), des Corps v. Manteuffel und der comb. Division v. Beyer (f. weiter unten: II. Main-Feldzug).

Am 16. Juni überschritten die I. und die Elb-Armee die sächsische Grenze. Am 19. Juni stellten sie durch das Detachement des Generalmajors Graf Bismarck die Verbindung zwischen Dresden und Bautzen her und Se. Königl. Hoheit Prinz Friedrich Carl übernahm den Oberbefehl. Die II. Armee mußte möglichst lange bereit sein, die Offensive aus der Grafschaft Glatz zu ergreifen, oder einem feindlichen Einfall an der Neisse zu begegnen, oder sich mit der I. Armee zu vereinigen. Am 19. Juni erging der Befehl zur Concentrirung an der österreichischen Grenze; am 20. erhielten die Obercommandos den Text zur sogenannten Kriegserklärung, am 22. die Ordre, in Böhmen einzurücken und die Vereinigung in der Richtung auf Gitschin aufzusuchen; die Vereinigung für die Haupt-Entscheidung war als erstes Erforderniß hingestellt und dann heißt es wörtlich: „Die I. Armee und die Elb-Armee vereint haben durch rasches Vorgehen die Krisis abzukürzen." Die I. Armee hatte im Vorschreiten in Böhmen die starken Abschnitte der Iser und oberen Elbe vor sich liegen; sie mußte also genügend verstärkt werden; dies geschah durch die Elb-Armee; ohne diese Rücksicht hätte die 1. Armee einige Tage früher in Böhmen einrücken können. Die Elb-Armee hatte wegen des unpassirbaren Schandauer Sandsteingebirges (Sächsische Schweiz) den Umweg über Stolpen-Burkersdorf-Schluckenau-Rumburg nach Gabel zu machen; am 22. überschritt sie die böhmische Grenze und an demselben Tage concentrirte sich die I. Armee mit der 7. und 8. Division bei Zittau, dem 2. Armeecorps bei Herrnhut und Hirschfelde, dem 3. Armeecorps bei Seidenberg und Marklisse. So konnte am 23. der Einmarsch auf getrennten Straßen für jede Division erfolgen. Bei der II. Armee war am 19. Juni, wahrscheinlich in Folge von der Nachricht von dem Beginn der Bewegung der österreichischen Corps aus Mähren nach Böhmen, der Befehl eingetroffen: ein Corps bei Neisse stehen zu lassen, das 1. Corps nach Landshut vorzuschieben und mit den beiden übrigen Corps eine Centralstellung zu nehmen, um den Umständen nach entweder mit dem 1. Corps in Böhmen einrücken oder das bei Neisse zurückgelassene Corps unterstützen zu können. Dies war schon ein ziemlich deutlicher Hinweis, daß die österreichische Armee nach Böhmen eile; dort strebte man ihr zuvorzukommen. Diese Absicht zu verdecken, sollte das 6. Corps auf das rechte Ufer der Neisse gehen und eine Angriffs-Demonstration gegen Oesterreichisch-Schlesien machen; in Ober-Schlesien wurden Quartiere angesagt. Am 21. Juni stießen die Vortruppen des 6. Corps bei Freiwaldau schon auf den Feind; am 22. ging aus Berlin der Befehl ein, mit allen Kräften in Böhmen in der Richtung auf Gitschin einzurücken. Am 28. stand die II. Armee an der böhmischen Grenze und zwar in erster Linie das 1. Corps (v. Bonin) bei Schömberg, das 5. Corps (v. Steinmetz) zwischen Glatz und Reinerz, in Reserve: das Garde-Corps (Prinz v. Württemberg) 1½ Meilen nördlich von Glatz, das 6. Corps (v. Mutius) bei Glatz und an der Neisse, die Cavalerie-Division Hartmann bei Waldenburg.

Auf österreichischer Seite mußte man sich dagegen, nachdem überhaupt mobil gemacht worden war, vor Allem darüber klar werden, wo die Armee aufzustellen sei; ohne Zweifel war Böhmen am besten hierzu geeignet. Hier konnte man die Alliirten aus Sachsen und Süddeutschland am schnellsten an sich ziehen; von Böhmen konnte man bei einer energischen Offensive Berlin in sieben Märschen erreichen und dadurch die preußische Monarchie in zwei Hälften theilen; die in solcher Aufstellung liegende Provocation hatte Oesterreich wohl überschätzt, denn was zwischen Mobilmachung und Kriegserklärung geschieht, ist gleichgültig für die Politik, vom höchsten Einfluß jedoch auf die ersten militärischen Actionen. Die Armee sollte indeß nicht in Böhmen, sondern in Mähren bei Olmütz concentrirt werden; dies konnte ja auch seine Vortheile haben, wenn dieser Plan richtig und consequent durchgeführt wurde; man wartete jedoch bis Preußen, das nach dem 14. Juni nicht länger zögern durfte, seine Operationen mit der Occupation Sachsens zc. eröffnete; darauf gab der k. k. österr. Bevollmächtigte im Auftrage seiner Regierung die Erklärung ab, sein Kaiser werde mit seiner vollen Macht den Maßregeln Preußens entgegen treten und mit Aufbietung aller militärischen Kräfte unverzüglich demgemäß handeln. Das war jedenfalls deutlich gesprochen; aber bei der damaligen Stellung der eigenen und alliirten Streitkräfte entschieden ebenso voreilig, denn Preußen hatte nun allen Grund, die Initiative des Handelns zu ergreifen, den Einmarsch in Böhmen zu beschließen. Die österreichischen Corps in Mähren und Schlesien sollten nach Benedek's Meldung vom 16. Juni am 20. concentrirt sein, dann in 11, resp. 4 Tagen schlachtbereit bei Josephstadt, resp. Olmütz stehen, je nachdem die Preußen bei Görlitz oder in Ober-Schlesien aufträten; damit hatte der Feldzeugmeister seine Entschlüsse von den Operationen des Gegners abhängig gemacht; als nun am 17. die Nachricht kam, daß der Feind nicht, wie erwartet, in Schlesien, sondern an der Elbe stände, beschloß Benedek, nach Böhmen zu gehen, in eine Stellung bei Josephstadt-Königinhof-Miletin. Die Folge des Abhängigmachens war demnach eine Verzögerung von mindestens zwei Tagen, denn noch am 15. war es Zeit zum Abmarsch nach Böhmen. In Böhmen stand bis dahin das I. Armeecorps und die 1. leichte Cavalerie-Division; am 19. Mai war dem General Graf Clam-Gallas eine Art Instruction zugegangen, die eigentlich nur in kleinen Nothen bestand. Ueber die specielle Aufgabe der Truppen in Böhmen, Concentrationspunkt und Intentionen der Hauptarmee, die Direction eines eventuellen Rückzuges des I. Armeecorps war Nichts angegeben; am 8. Juni wurde vom Armee-Oberkommando Jung-Bunzlau als Aufstellung des Clam'schen Corps bezeichnet, hier sollten die Sachsen abgewartet werden. Bei Auswahl dieses Punktes konnte man nur einen preußischen Anmarsch von Zittau vorausgesetzt, aber gar nicht an einen solchen von Glatz-Braunau gedacht haben. Diesem Befehl entsprechend concentrirte Graf Clam auf die Nachricht vom Einmarsch der Preußen in Sachsen sein Corps an der Iser; die 1. leichte Cavalerie-Division stand mit den Vorposten an den Grenzpässen von Gabel bis Trautenau, das Gros bei Turnau und Podol; der Mangel an Infanterie-Soutiens bei Besetzung der Grenzpässe war ein Fehler, der sich stark rächte. Trotzdem, wie schon gesagt, Benedek sich am 17. Juni zum Abmarsch nach Josephstadt entschieden hatte, sowie trotz der täglich zu erwartenden Eröffnung der Feindseligkeiten, wurde diesem Aufmarsch erst am 21. eine bestimmte Form gegeben und gleichzeitig die Vereinigung und das vorläufige Verbleiben des I. Corps und der Sachsen an der Iser angeordnet. Letztere hatten sich am 16. Juni bei Dresden concentrirt und waren statt mit Benutzung der Bahn per Fußmarsch am 20. Juni nach Theresienstadt gelangt; statt die 9 Meilen von Theresienstadt bis Jung-Bunzlau nun auch noch marschiren zu lassen, gab das Armee-Ober-Commando den Befehl, per Bahn nach Bohdanec zu gehen. Doch schon am 21. änderte sich diese Ansicht; es sollte nach Jung-Bunzlau marschirt werden. Der Kronprinz von Sachsen wurde derartig im Unklaren gelassen, daß er zu Fragen genöthigt war über Oberbefehl, über Aufstellung an der Iser oder zwischen Iser und Elbe, über Auffassung seiner Stellung als Avantgarde oder linker Flügel. Auf die Einheit des Oberbefehls schien man wenig Werth zu legen, denn der Kronprinz von Sachsen wie Graf Clam waren Beide in eine solche Lage gebracht, daß ein Jeder von ihnen sich als den obersten Leiter der Operationen ansehen konnte. Graf Clam führte den Befehl „vorläufig an der Iser zu bleiben" buchstäblich aus, ohne entfernt nach den Absichten Benedek's bei Anordnung dieses Haltens zu fragen; sonst ist absolut nicht erklärlich, warum er sich von Anfang an hinter der Iser aufstellte und gar nicht daran dachte, einen preußischen Vormarsch von Sachsen oder der Lausitz aufzuhalten. Am 23. Juni, dem Tage des preußischen Einmarsches der I. und Elb-Armee, stand an der Grenze nur Cavalerie; die Infanterie des I. Corps stand aber abwärts mit Brigade Poschacher bei Brezina, Brigade Piret bei Münchengrätz, Brigade Leiningen bei Weißwasser (also vorwärts der Iser), Brigade Abele auf dem Marsch von Prag, Brigade Ringelsheim auf dem Weg von der Elbe, wohin sie den Sachsen ganz zweckloser Weise entgegen gegangen war; Letztere waren im Anmarsch nach der Iser von Lowositz nach Brelauc her.

Die preußische I. und die Elb-Armee überschritten schon am 23. Juni die Grenze, ohne daß es zu einem ernsten Zusammenstoß kam; die österreichischen Husaren mußten sich überall zurückziehen. Daß Letztere bei dem gänzlichen Mangel an Infanterie nicht empfindliche Verluste erlitten, hat seinen Grund darin, daß die preußischen Colonnen, statt Cavalerie-Brigaden, nur die Divisions-Cavalerie an der Tête hatten; diese war nicht im Stande, den österreichischen Vortruppen die Bewegungen zu erschweren. Am 24. begann die enge Concentrirung der I. Armee bei Reichenberg; dabei kam es Mittags zu einem Zusammenstoß von zwei österreichischen Escadrons Liechtenstein-Husaren mit der preußischen Avantgarde-Escadron der 8. Division (4. Escadron des 6. Ulanen-Regiments: Major v. Gureßky) bei Langenbruck; beide Linien durchbrachen sich, machten Kehrt und es entspann sich das bekannte Pêle-mêle eines Cavalerie-Zusammenstoßes; die sich herumschlagende Gruppe wurde durch das Einschreiten nahender preußischer Infanterie (Füsiliere 7½) getrennt. Am 25. blieb die preußische I. Armee in Cantonnements bei Reichenberg-Gablonz, um der Elb-Armee Zeit zu geben, auf dem rechten Flügel in ungefähr gleiche Höhe zu kommen; die I. Armee war noch 2—3 Meilen, die Elb-Armee (Gabel-Brims) noch 5 Meilen von der Iser entfernt. An demselben Tage führte das österreichische I. Armeecorps seine zwischen Clam und dem Kronprinzen von Sachsen am Tage vorher verabredete Concentrirung in der Art aus, daß Brigade Poschacher bei Brezina (Brücke von Podol und Panlow), Brigade Piret bei Münchengrätz, Brigade Abele rechts von Piret und Brigade Leiningen am rechten Iser-Ufer vor Münchengrätz stand, die Vorposten in der Linie Böhmisch-Aicha—Hünerwasser— Weißwasser. Die Sachsen standen bei Jung-Bunzlau, Bakosen und Unter-Bautzen. Am 26. Juni sollte die preußische Elb-Armee näher an die Iser rücken, während von der I. Armee die 8. Division (v. Horn) eine Recognoscirung über Liebenau vornehmen sollte, da man außer dem I. und sächsischen Corps noch ein anderes österreichisches Corps und bedeutenden Widerstand an der Iser vermuthete. Diese Recognoscirung ging bald in ein Vorrücken der ganzen Armee über und so kam, da auch die Elb-Armee auf die österreichischen Vortruppen stieß, zu den Gefechten von Hünerwasser (s. d.) Böhmisch-Aicha, Sichrow und Podol (s. d.) Die Elb-Armee sollte am 26. auf den beiden Straßen über Hünerwasser und Böhmisch-Aicha gegen Münchengrätz vorgehen; auf ersterer Straße brach 6 Uhr früh die Avantgarde des General-Major v. Schöler auf; vor Hünerwasser stieß sie auf den Feind (Brigade Leiningen); da von dem Besitz des dortigen Waldes die Sicherheit des 8. Armeecorps abhing, so ging um 11 Uhr v. Schöler vor und nahm diesen und den Ort; Abends 6 Uhr wurden die Vorposten vom österreichischen 32. Jäger-Bataillone alarmirt, dessen Recognoscirung keinen Erfolg hatte, aber große Opfer kostete. Der Verlust der Preußen betrug 4 Offiziere, 46 Mann, der der Oesterreicher 13 Offiziere,

264 Mann. Auf der Straße Böhmisch-Aicha stieß die Cavalerie der 14. Division auf eine Division König v. Preußen-Infanterie der Brigade Poschacher;
wenn diese zwei Compagnien sich auch noch um zwei andere verstärkten, so waren
sie doch nicht im Stande, die Tête der I. und Elb-Armee aufzuhalten; sie mußten
sich beeilen, überhaupt noch zurückzukommen. Oesterreichischer Seits glaubte
man, am 26. noch keinen Angriff an der Iser befürchten zu müssen, da sich
nur feindliche Patrouillen bei Turnau und Eisenbrod gezeigt hatten; es blieb
daher die Aufstellung vom 25.; am 27. sollte bis Turnau vorgerückt werden;
bei der Unklarheit in den Commando-Verhältnissen zog es aber Graf Clam
vor, diesen Befehl des Kronprinzen von Sachsen unzweckmäßig zu finden, seine
Kräfte auf dem Musky-Berg vereinigen zu wollen. Gegen die angedeutete Erwartung meldeten am 26. früh Husaren-Vorposten das Vorrücken großer Massen
auf der Reichenberger Chaussee; 6½ Uhr begannen die preußischen Tèten aus
Liebenau zu debouchiren; der preußischen Avantgarde standen 3½ Cavalerie-
Regimenter gegenüber; der Versuch österreichischer Husaren, einen Verhau an
der Chaussee gegen anrückende Infanterie mit dem Carabiner vertheidigen zu
wollen, konnte natürlich nicht lange dauern; ebensowenig Erfolg hatte die zuerst
eingetroffene Cavalerie-Batterie; die Division Horn besetzte zwischen 11 und
12 Uhr das Plateau von Sichrow. Nach dem Resultat der Recognoscirung
beschloß Prinz Friedrich Carl, sich noch am 26. in Besitz des wichtigen Defilees
von Turnau zu setzen; die 7. Division wurde speciell damit beauftragt, während
die 8. Division bis Preper vorgehen und die Vorposten bis an die Iser bei
Podol vorschieben sollte. Die österreichischen Cavalerie-Batterien hatten sich
inzwischen auf drei verstärkt und eine Stellung bei Dauby genommen; nach einer
langen resultatlosen Kanonade mit preußischer Artillerie sah sich General-Major
v. Edelsheim, der absolut keinen Mann Infanterie zur Unterstützung erhielt, genöthigt, den Befehl zum Abbrechen des Gefechts zu geben; er ging bei Podol
über die Iser zurück und bezog ein Bivouac bei Brezina; die preußische Cavalerie
ließ diesen Abzug unbelästigt geschehen, statt Fühlung zu halten. Die Division
Horn hatte bei Sichrow abgekocht; Abends 6 Uhr marschirte sie weiter nach
Preper. Die um Unterstützung angegangene Brigade Poschacher kam mit 3 Bataillonen an der Iser an, als die Cavalerie bereits bei Podol angelangt war;
sie hielt, da die Preußen nicht auf dem Fuße folgten, die Situation für so
sicher, daß nur 1 Bataillon die Brücken von Podol-Swigau und Laulow besetzt
hielt. Indessen war Nachmittags 2 Uhr beim Kronprinz von Sachsen der
telegraphische Befehl eingegangen, Münchengrätz und Turnau um jeden Preis
festzuhalten. Turnau war jedoch schon aufgegeben; die 7. Division (v. Fransecky)
hatte diesen Ort Nachmittags des 26. beim Eintreffen unbesetzt gefunden und die
Brücken über die Iser hergestellt. Der Kronprinz beschloß daher, am 27. offensiv
über die Iser gegen Sichrow vorzugehen und so Münchengrätz und Turnau
zugleich zu decken; die preußischen Colonnen hielt man zudem noch auf Tagemärsche echellonirt. So sollte am 27. das Terrain wieder erkämpft
werden, das man dem Feind ohne Weiteres überlassen hatte; Letzteren
aufzuhalten, wäre am 23. und 24. leicht, am 25. und 26. früh noch möglich
gewesen. Die disponible Brücke für die Offensive war die von Podol und
Laulow, die Bedrohung der linken Flanke durch die Elb-Armee hoffte man durch
2 Brigaden zu paralysiren, Turnau sollte in der Nacht vom 26. bis 27. durch
Cavalerie genommen werden. An den Iserübergängen von Podol, welche die
österreichischen Truppen für den am nächsten Tage auszuführenden Angriff zu
behaupten suchen mußten, welche aber von preußischer Seite die 8. Division
noch am 26. gewinnen wollte, kam es zu dem stürmisch und entscheidenden Nachtgefecht vom 26. bis 27. Juni (s. Podol). Da die Avantgarde
der 8. Division Podol vom Feinde besetzt gefunden, hatte der Führer, General-

Major von Schmidt, befohlen, daß eine Compagnie des 4. Jäger-Bataillons vorgehen sollte, um Podol zu nehmen und die dortigen Uebergänge zu sichern.
In Folge des Gefechtes von Podol war der österreichischer Seits projectirte
Angriff auf Turnau unterblieben, und die Offensive gegen Sichrow für den 27.
kam um so weniger zur Ausführung, als ein Nachts 10 Uhr eingetroffenes
Telegramm des Armee-Ober-Commando's andeutete, daß man keinen Werth mehr
darauf lege. Der 27. Juni wurde von der preußischen I. Armee trotz der am
26. errungenen Vortheile nur dazu benutzt, die noch weiter rückwärts befindlichen Armee-Theile heranzuziehen und die Vorbereitungen zu einem umfassenden
Angriffe für den 28. zu treffen; man nahm an, Clam wolle sich bei Münchengrätz behaupten und Verstärkung abwarten. Bedenkt man, daß die Preußen von
Eisenbrod-Turnau-Podol nach Gitschin nur noch 3—3½ Meilen hatten, während die Oesterreicher noch 4 Meilen entfernt waren, daß ferner Gitschin fast
gar nicht besetzt war, so erscheint die am 27. und noch am 28. fast ohne
Schwertstreich auszuführende Besitzergreifung Gitschins wichtiger als der Angriff
auf Münchengrätz; erstere stellte die Vereinigung Clams mit der Nordarmee in
Frage, letzterem konnte sich Clam entziehen. Nachdem die Oesterreicher die
Offensive für den 27. aufgegeben hatten, war es zwecklos, diesen Tag stehen
zu bleiben und erst am 28. den Abmarsch zur Hauptarmee zu beginnen; jede
verlorene Stunde konnte eine Catastrophe herbeiführen. Das Armee-Ober-Commando wollte nach seinen Angaben am 29. in Miletin, am 30. in Gitschin
sein; dieser Ort erschien schon stark bedroht, der Marsch dahin besonders in der
linken Flanke durch die Nähe des Feindes sehr gefährdet. Deshalb mußte Brigade Ringelsheim noch am 27. Abends nach dem Paß von Kost marschiren,
Brigade Leiningen sollte am 28. den Feind bei Münchengrätz aufhalten, die
anderen Brigaden sollten abmarschiren. Nach der preußischen Disposition für
den 28. sollte von der Elb-Armee das 8. Corps bei Münchengrätz und die 14. Division bei Mohelnitz; von der I. Armee dagegen die 8. Division, gefolgt von der 6.
bei Podol die Iser überschreiten, die 7. Division bei Wschen bereit stehen, die 5. Division gegen Gitschin vorrücken, ein Detachement von 6 Escadrons (Oberst-Lieut.
Heinichen) Gitschin recognosciren, das 2. Armeecorps und Cavalerie-Corps bis Liebenau folgen. Die Ausführung dieser Disposition führte am 28. Morgens 7 Uhr
zunächst zum Gefecht bei Kloster gegen Brigade Leiningen, um 10 Uhr war
letztere über die Iser zurückgedrängt; Münchengrätz war, da die 14. Division
von Mohelnitz die Flanke bedrohte, nicht zu halten; um 11 Uhr zog sich die
Brigade Leiningen nach dem Horka-Berg ab, wo Brigade Abele zur Aufnahme
bereit stand, beide folgten 12 Uhr dem I. Corps nach Fürstenbruck. Der
Widerstand der Oesterreicher war, da es auf Zeitgewinn ankam, nicht hartnäckig genug. Sie zogen vor den Toren der Preußen ab; bereits fielen viele
unverwundete Gefangene in preußische Hände. (Ueber das Gefecht der 7. und
8. Division s. Münchengrätz.)

Die Oesterreicher setzten ihren Rückzug auf Sobotka, die Sachsen nach
Unter-Bautzen ohne Belästigung fort; sie waren einer Niederlage entgangen.
Cavalerie-Verwendung fehlte auf beiden Seiten; preußischer Seits, weil dieselbe
noch hinter der Iser war. Die preußischen Divisionen bezogen Bivouats vor
und bei Münchengrätz. Die 5. Division war auf dem Wege nach Gitschin
bis Rowensko gelangt, Oberst-Lieut. Heinichen bis Gitschin; vor diesem Orte
mußte er beim Mangel an Infanterie-Soutiens vor dem Feuer einer Jäger-
Compagnie Halt machen, sich dann nach einer kleinen Kanonade mit einer Cavalerie-Batterie der anrückenden Division Edelsheim auf sein Corps zurückziehen;
österreichische Cavalerie hielt die Turnauer Straße so lange besetzt, bis Abends
9 Uhr Brigade Poschacher eingetroffen war und Stellung à cheval der Chaussee
genommen hatte. —

Verlassen wir nun die I. und Elb-Armee bei Rowensko-Münchengrätz, das Corps Clam und die Sachsen auf dem Rückzug nach Gitschin bei Sobotla und Unter-Bautzen, um nachzuholen, welche Stellungen die österreichischen Corps der Nord-Armee und die preußische II. Armee (Kronprinz von Preußen) inne haben. Das Ober-Commando der preußischen I. Armee war überzeugt, daß die österreichische Nord-Armee noch nicht in Böhmen sei und beeilte sich deshalb, in dieses Land einzubringen. Unter Sicherung gegen Josephstadt, den wahrscheinlichen Concentrationspunkt der Oesterreicher, sollte der Marsch so ausgeführt werden, daß das 5. Corps (v. Steinmetz) über Nachod-Skalitz auf Königinhof rücken und dabei die Bewegung decken sollte, das 1. Corps und eine Cavalerie-Division von Schömberg über Trautenau nach Königinhof, das Gardecorps von Brannau über Eipel auf Königinhof und zwar bereit, sowohl das 1. wie 5. Corps zu unterstützen; dem 5. Corps folgte das 6., die Detachements Knobelsdorf und Stolberg hatten von Ober-Schlesien in das österreichische Gebiet einzufallen.

Es ist in Betreff der Pläne Benedek's erwähnt worden, daß er am 17. Juni die Concentrirung bei Josephstadt beschlossen hatte; dadurch konnte er mit seinen vereinten Kräften gegen den taktisch (in Gebirgs-Defileen) und strategisch (auf zweite Operationslinien) getrennten Feind operiren. Das II. Corps wurde zur Deckung dieser Bewegung nach Böhmisch-Trübau vorgeschickt; am 25. Juni standen bereit in erster Linie das I. Corps Clam an der Iser, das X. Corps bei Königinhof, das VI. Corps bei Opoczno; in zweiter Linie das IV. und VIII. Corps bei Josephstadt (Hauptquartier); in Reserve das III. Corps bei Pardubitz, das II. Corps auf dem Marsch von Böhmisch-Trübau nach Opoczno. Es erschien demnach für die II. preußische Armee ungemein schwierig, in Böhmen einzurücken, ohne von überlegenen Kräften erdrückt zu werden.

Nachdem die Aufstellung der Kronprinzlichen (II.) Armee am 25. Juni vollendet, wurden die Truppen am 26. unmittelbar an die Grenze gezogen (Gardecorps schon darüber hinaus zwischen Brannau und Politz), um am 27. die drei Thore Böhmens, die Pässe von Trautenau, Brannau-Eipel und Nachod zu passiren. Letzteres Thor gegen einen von Süden zurückebenden Feind zu passiren, war Aufgabe des 5. Corps v. Steinmetz. Schon am 26. Abends setzten sich Theile der Avantgarde (General-Lieut. v. Löwenfeld) in Besitz der Stadt Nachod und wesentlicher Theile des Passes, die nun statt erkämpft nur noch behauptet zu werden brauchten; die Position von Wenzelsberg, Front gegen Neustadt, deckte das Debouchiren auf das rechte Metau-Ufer gegen Süden, von wo man den Feind zu erwarten hatte. Das gegenüberstehende österreichische VI. Corps (v. Ramming) hatte in Folge des Vordringens der Preußen von Osten her am 27. früh 1½ Uhr den Befehl erhalten, nach Skalitz zu marschiren, die dortige Position zu besetzen und die Avantgarde gegen Nachod voranzuschieben, „der Feind solle, wo er sich auch zeige, energisch angegriffen, doch nicht zu weit verfolgt werden (?)". Der Zusammenstoß mußte am 27. bei Wenzelsberg stattfinden, da vom Besitz dieses Punktes das Debouchiren des preußischen 5. Corps abhing; es erfolgte das Gefecht von Nachod (s. d.).

An demselben Tage marschirte die Garde mit der 1. Division bis Eipel, die angebotene Unterstützung für das I. Corps hatte General v. Bonin abgelehnt; die 2. Division rückte bis Kosteltz vor; die Detachements Stolberg und Knobelsdorf hatten durch das Gefecht bei Oswiecezym (s. d.), eine über die Grenze der Landes-Vertheidigung hinausgehende Excursion, die Eisenbahnverbindung mit Krakau unterbrochen. Das 1. Corps (v. Bonin) rückte am 27. auf zwei Straßen gegen Trautenau (1 Meile von der preußischen Grenze) vor; die 1. Division über Liebau und Golden-Oels, die 2. Division über Schömberg und Albendorf; Rendezvous für beide Divisionen war Parschnitz; zur Vertei-

digung des „Thores von Trautenau" war das X. österreichische Corps (v. Gablenz) bestimmt; es hatte am 25. ein Lager zwischen Schurz und Jaromirz bezogen, am 26. die Brigade Mondl auf Trautenau bis Praußnitz-Kaile vorgeschoben, am 27. sollte Trautenau besetzt werden. (Das Nähere über das Treffen
siehe Trautenau.) In der Nacht vom 27. bis 28. meldete ein vom General
v. Bonin zum Hauptquartier der II. Armee gesandter Offizier, daß Ersterer
in einem ziemlich hartnäckigen Gefecht nicht glücklich gewesen wäre; in Folge
dessen wurde am 28. früh gegen 3 Uhr dem ganzen Garde-Corps der Befehl
ertheilt, auf Kaile und Pilnikau, d. h. in Flanke und Rücken der gegen Bonin
operirenden Oesterreicher zu marschiren. In den Dispositionen des österreichischen
X. und des preußischen Garde-Corps für den 28. spricht sich auf beiden Seiten
die Sorge aus, durch Flankenbewegung des Gegners umgangen und eingeschlossen
zu werden. Von den preußischen Garde-Divisionen sollte die 1. Division aus
dem Paß Eipel-Raatsch debouchiren, Staudenz-Burkersdorf nehmen und auf die
Trautenau-Königinhofer Straße stoßen, die 2. über Eipel-Raatsch folgen, dabei
die rechte Flanke der 1. gegen Alt-Rognitz decken. (Das Nähere über das Gefecht s. u. Soor.) An demselben 28. Juni that General v. Steinmetz mit
dem 5. Corps den zweiten Schritt seiner Aufgabe: weiteres Vorrücken nach der
Elbe bis Gradlitz; es standen ihm drei österreichische Corps (IV., VI. und VIII.)
gegenüber; die Hülfe einer Garde-Division wurde nach der durch Trautenau zu
ändernden Disposition aufgesagt. Es folgte das Treffen bei Stalitz (s. d.)
Von den österreichischen Corps marschirte das VIII. noch an demselben Tage
bis Salney, das VI. nach Laurow, die Deckung des Aufmarsches bei Josephstadt war gestört. Noch einmal sollte der preußische Vormarsch der 5. Corps
auf Gradlitz gehindert werden; das IV. österreichische Corps hatte beim Dorf
Schweinschädel hinter Stalitz dicht an der nach Josephstadt führenden großen
Straße Aufstellung genommen. General Steinmetz zog es nach den blutigen
Gefechten vom 27. und 28. vor, unter Umgehung der feindlichen Aufstellung
(nördlich) nach Gradlitz zu gelangen; ein linkes Seiten-Detachement (20. Brigade
und Cavalerie-Brigade Wnuck) sollte den Abmarsch decken. Es folgte das Gefecht von Schweinschädel (s. d.). Am 30. früh 2 Uhr bezog das 5. Corps
Bivouaks bei Gradlitz; es hatte sonach sein Rendez-vous erreicht. Denselben 29.
brach die Avantgarde des Garde-Corps nach Königinhof, dem Vereinigungspunkt der II. Armee, auf. Es folgte das Gefecht von Königinhof (s. d.).
Die ganze II. Armee hatte ihr Rendez-vous erreicht; das 5. Corps (linker
Flügel) bei Gradlitz, dahinter als Soutien das 6. Corps, das Garde-Corps
als Centrum bei Königinhof; das 1. Corps, welches den ganzen 28. bei Schömberg geruht hatte, war am 29. von da zurückgekehrt und bis Pilnikau gelangt,
und wurde am 30. als rechter Flügel nach Arnau dirigirt.

Die I. und Elb-Armee verließen wir in der Nacht vom 28. zum 29. bei
Rowensko-Münchengräz, in derselben Nacht bivouakirte das Garde-Corps bei
Burkersdorf, 6 Meilen entfernt. Das preußische Armee-Ober-Commando wußte
aus den Berichten der II. Armee, daß die österreichische Hauptarmee noch nicht
an der Iser sein konnte; das Ueberschreiten der Elbe durch die II. Armee erschien
aber bei den gegenüberstehenden starken österreichischen Kräften zu gefährlich. Deshalb erging am 29. früh 7 Uhr folgende Depesche von Berlin an Prinz Friedrich
Carl: „Seine Majestät erwarten, daß die I. Armee durch beschleunigtes Vorrücken die II. Armee degagire, welche trotz einer Reihe siegreicher Gefechte dennoch
sich augenblicklich in einer schwierigen Lage befindet." Darauf erging dann um
9 Uhr Vormittags die Disposition, welche zum Gefecht von Gitschin führte.
Bei dem österreichischen I. und sächsischen Armee-Commando war man am Abend
des 28. natürlich noch der festen Meinung, daß österr. Hauptarmee am 29. und
30. in Gitschin eintreffen werde. Clam war fest entschlossen, diesen Ort dem

Feinde eventuell zu entreißen; er wies daher seinen Brigaden Stellungen bei Gitschin an. Die Brigade Ringelsheim hatte als Arrieregarde am 29. früh 6½ Uhr das Gefecht von Podloſt (ſ. d.) mit dem Detachement des Oberſt v. Stahr (3. Diviſion) zu beſtehen; die Behauptung der leicht zu vertheidigenden Defileen rettete die Brigaden Abele und Leiningen vor dem Schickſal, abgeſchnitten zu werden. Am 29. Juni kam es auch zu dem Treffen bei Gitſchin (ſ. d.). Der Plan Benedek's war der geweſen, ſich mit dem Gros ſeiner Armee auf dem rechten Elb-Ufer zu vereinigen, nur einige Corps zum Aufhalten der II. preußiſchen Armee zurückzulaſſen, mit der Maſſe aber auf die I. und Elb-Armee zu fallen; die Durchführbarkeit dieſes an ſich vielleicht richtigen Planes war aber bei der Nähe der feindlichen Armeen in Frage geſtellt; Benedek konnte nicht mehr die eine ſchlagen und verfolgen, ohne die Nähe der andern ſofort zu empfinden. Er wollte die Armee des Kronprinzen von Preußen ignoriren, was doch nicht mehr ging; eine Concentration wäre nur nach rückwärts bei Königgrätz möglich geweſen. Daß er dort zu lange verblieb, führte zu der Umfaſſung und der Schlacht bei Königgrätz. Der Fehler lag eben im Schwanken über den Aufmarſch der Armee: daß man nicht von vornherein Böhmen wählte, ſondern Olmütz; in Böhmen hätte man abwarten und mit vereinten Kräften über einen Theil herfallen können, während der andere noch weit entfernt war. Wie die Verhältniſſe Ende Juni ſtanden, hatte Benedek einen zwar noch entfernt in der Front, einen anderen aber in größter Nähe in der Flanke. Anſtatt erſteren nur aufzuhalten und ſich mit der Hauptmacht auf letzteren zu werfen, kam er auf die umgekehrte Idee, mit den Hauptkräften gegen Gitſchin zu marſchiren; die getroffenen Maßregeln machten die Ausführung auch dieſer Abſicht unmöglich. Noch am 27. hatte Benedek Freiheit der Action; das III. und IV. Corps ſtanden ſchon auf dem rechten Elbufer, das VI. und VIII. Corps konnten trotz der Niederlage bei Nachod am 28. ebenda ſein, das II. Corps und das X. Corps konnten die II. Armee vor den Defileen und der Elbe aufhalten; am 29. Mittags, ſpäteſtens am 30. früh, konnten ſich fünf Corps mit den zwei andern bei Gitſchin vereinigen. Man ſieht alſo, daß immerhin gewiſſe Chancen des Erfolges vorhanden waren; doch das Schwanken, die Unklarheit aller Anordnungen des öſterreichiſchen Armee-Ober-Commandos zerſtörte jede Ausſicht. Trotz Nachod hielt Benedek an dem Plan, nach Gitſchin zu marſchiren, feſt, die Bedrohung Gitſchins beſtärkte in dieſem Entſchluß; ſelbſt Skaliz und Soor änderten nichts daran; aber im Laufe des Vormittags des 29. änderte ſich die Anſchauung. Doch bevor dieſelbe dem I. Armeecorps und den Sachſen mitgetheilt werden konnte, hatten dieſe eine Kataſtrophe (Gitſchin) erlitten, der ſie am 27. und 28. noch entgangen.

Die Kämpfe am 27., 28. und 29. hatten zu einer entſchiedenen Annäherung der preußiſchen Armeen geführt; ſchon am 29. Abends war Fühlung gewonnen; am 30. ſtellten größere Cavalerie-Abtheilungen die Verbindung her (1. Garde-Dragoner-Regiment nach Arnau). Die Aufſtellung am 1. Juli war mit der Elb-Armee auf dem rechten Flügel bei Zeretitz und Gitſchinowes; die I. Armee im Centrum in der Linie Jungerd-Horſitz-Miletin (Avantgarde Milowitz); II. Armee von Arnau über Königinhof bis Gradlitz (Avantgarde Ober-Prausnitz). Am 2. wurde die Avantgarde der Elb-Armee bis Smidar vorgeſchoben; preußiſcher Seits bedurfte man erſtens der Ruhe, zweitens wußte man noch nicht, wo der Feind ſtand, wohin der entſcheidende Stoß zu führen ſei; man vermuthete ihn hinter der Elbe, d.h. am linken Ufer.

Auch die öſterreichiſche Armee hatte ſich, auf dem Plateau von Dubenetz zwiſchen Königinhof und Joſephſtadt, concentrirt, doch in ſehr ungünſtiger Verfaſſung; nur zwei Corps (II. und III.) waren intact, die anderen (I., IV., VI., VIII., X., Sachſen) hatten Niederlagen und große Verluſte erlitten. Am 30. Nachmittags beſchloß Benedek den Rückzug in der Richtung von Königgrätz

anzutreten. Nach theilweis sich kreuzenden Nachtmärschen stand am 1. Juli
Abends etwa: I. Armeecorps bei Kuklena, II. Armeecorps bei Trotina,
III. Corps bei Sadowa, IV. Corps bei Nedelist, VI. Corps bei Wsestar und
Rosnih, VIII. Corps bei Nedelist (neben dem IV.), X. Corps bei Lipa, die
Sachsen bei Lubno, Nieder-Prim, Nechanih, Cavalerie-Divisionen bei Stöhzer,
Trotina, Lochenih, Wsestar, Sadowa; Armee-Geschüh-Reserve bei Nedelist; Hauptquartier Königgräh. Benedek's Kraft war unter den Mißerfolgen der lehten Tage
derart zusammengebrochen, daß er am 1. Juli Vormittags 11 ½ Uhr an seinen Kaiser
telegraphirte, Friede um jeden Preis zu schließen, da die Katastrophe für die Armee
unvermeidlich sei. Auf diesen Rath konnte der Kaiser unmöglich eingehen; man
konnte nicht mit dem Feinde in Unterhandlungen treten, bevor eine Schlacht
geschlagen worden und diese über das Schicksal von Heer und Staat entschieden
hatte. Die Armee sollte nun am 2. in ihrer Aufstellung bleiben, am 3. den
Rückzug auf Pardubih und weiter nach Olmüh fortsehen. Von der preußischen
I. Armee stand das 3. Corps auf dem linken, das 2. Corps auf dem rechten
Flügel, das 4. Corps im Centrum, am weitesten vorgeschoben die Avantgarde
der 7. Division bei Cerekwih; am 2. früh wurde gemeldet, daß feindliche Batterien bei Lipa, Sadowa und Cistowes aufgefahren seien; Recognoscirungsritte
und Aussagen Gefangener bestätigten, daß das III., X. und I. Corps an der
Bistrih ständen. Prinz Friedrich Carl war entschlossen, am 3. früh anzugreifen und gegen die Elbe zu bringen; in einem früh 1 Uhr beim Kronprinzen
von Preußen eingehenden Schreiben wurde dieser um Mitwirkung von Königinhof aus ersucht. Die Genehmigung des Königs, welcher am 2. Juli in Gitschin eingetroffen war und den Oberbefehl der Armeen übernommen hatte, holte
General v. Voigts-Rhez ein. In dem abgehaltenen Kriegsrathe schienen die Meinungen wenig auseinander gegangen zu sein; man stimmte für die Schlacht (Nachts
1 Uhr). So fand am 3. Juli die Schlacht bei Königgräh (s. d.) statt.
     Am 4. Juli folgten der Schlacht alle nothwendig gewordenen Anord-
nungen: Beerdigung, Sorge für Verwundete und Gefangene, Complettirung
der Munition, Heranziehung der Trains und Colonnen ꝛc. — Die Têten der
vorrückenden preußischen Abtheilungen trafen überall auf die Spuren eines übereilten Rückzuges: Versprengte, stehen gebliebenes Kriegsmaterial, selbst Geschühe.
Aufforderungen zur Uebergabe von Königgräh und Josephstadt blieben erfolglos. Die I. Armee concentrirte sich vorwärts in einer Linie Nechanih-
Urbanih-Praskaela, die Elb-Armee in einer solchen bei Blesa-Unterlichlschau
gegen Prelautsch; von der II. Armee erreichten die Spihen der Cavalerie-Divi-
sion Hartmann Bohdanec und Pardubih, das 6. Corps stand nordwestlich von
Königgräh, die andern Corps blieben in ihren Stellungen. Die österreichische
Armee hatte ihren Rückzug in mehren Colonnen ausgeführt; die rechte Flügel-
Colonne (II. Corps) erreichte am 4. Kosteleh, die Haupt-Colonne (I., III., VI.
Corps) war im Marsch auf Hohenmauth, die linke Colonne (VIII., X. Corps,
Sachsen) bei Pardubih. Der F.-Z.-M. Benedek bestimmte Olmüh (s. d.) als
Sammelpunkt; zur Deckung Wien's wurde das X. Corps abgesandt. Am 5 Juli
erreichten die österreichischen Corps Bamberg-Leitomischel-Krouna; die preußische
Division Hartmann folgte durch eine Elbfurth, gefolgt von der Cavalerie-Bri-
gade Wnuck; das 6. Corps besehte Pardubih und stellte zwei Brücken her, das
I. Corps und die Garde folgten. Von der I. Armee erreichte die 5., 6. und
7. Division die Elbe bei Prelautsch, die 8. Division Bohdanec, das 2. Corps
Bela, die Elb-Armee die Elbe westlich von Prelautsch. — Das 6. Corps blieb
auf dem Schlachtfeld zur Deckung der Verbindung mit Schlesien durch Stellung vor Josephstadt und Königgräh. Am 6. Juli erreichten die österreichischen
Corps Wildenschwert-Zwittau-Policka; die Cavalerie-Division Hartmann Bendorf,
die Spihen über Hohenmauth die Gegend von Leitomischel, das 5. Corps Holih,

15*

das 1. Corps Chrudim, die Garde Pardubitz. Die I. Armee hatte einen
Ruhetag unter Vorsendung einer unter Herzog W. v. Mecklenburg formirten
Avantgarde (6 Bataillone, 3 Cavalerie-Regimenter, 3 Batterien) bis Choltitz.
Von der Elb-Armee erreichte die Avantgarde Elbe-Teinitz; die anderen Divisionen die Gegend zwischen Chlumetz und Elbe. Da man preußischer Seits
erkannt hatte, daß die österreichische Hauptmasse nach Olmütz zurückwich, wurde
der Entschluß gefaßt, die II. Armee dahin folgen zu lassen, mit der I. und
Elb-Armee aber auf Wien zu marschiren, die Donau früher zu erreichen als
bedeutende österreichische Streitkräfte, die nach der Schlacht von Custozza (s. d. 2.) aus
Italien dorthin gezogen werden könnten. — Die II. Armee mußte sowohl dem
abziehenden Feinde nach Wien folgen, als einem überlegenen Angriff gegenüber
nach Schlesien ausweichen können. Ihre Direction war Mährisch-Trübau.
Am 7. Juli erreichten die Oesterreicher Landskron und Mährisch-Trübau; das
X. Corps die Wiener Eisenbahn bei Lettowitz. Die preußische II. Armee
marschirte mit dem 5. Corps nach Hohenmauth, der Garde bis Chroustowitz,
dem 1. Corps bis Luscha; die Cavalerie-Division Hartmann stand bei Cerek-
witz und allarmirte spät Abends durch ein Detachement von 700 Pferden das
österreichische Corps bei Zwittau. Die I. Armee erreichte mit der Avantgarde
Bojanow, mit dem Gros die Straße Hermanmestetz-Czaslau; die Elb-Armee
Czaslau, Neuhof, Elbe-Teinitz. Am 8. Juli bog die österreichische mittlere
Colonne nach Süden (Türnau, Gewitsch) aus, während Mährisch-Trübau besetzt
blieb; die preußische II. Armee machte eine Bewegung in nordöstlicher Richtung
auf Böhmisch-Trübau; die Cavalerie-Division Hartmann erreichte unter steter
Fühlung am Feind Triebitz, die Cavalerie-Brigade Wnuck Wildenschwert; das
5. Corps kam im Flankabmarsch nach Slonpnitz, das 1. Corps nach Leitomischel,
das Garde-Corps nach Hohenmauth. Von der I. Armee erreichte die Avantgarde Illinsko; von der Elb-Armee Habern.

Einem an diesem Tage durch F.M.L. Gablenz angebotenen Waffenstillstand konnte bei der Möglichkeit der Heranziehung bedeutender österreichischer
Verstärkungen (nach Abtretung Venetiens) nicht gewillfahrtet werden. Am
9. Juli fand der weitere Rückzug der Oesterreicher auf Olmütz statt; die Cavalerie-Division Hartmann folgte bis Kadelsdorf, das 5. Corps nach Landskron
und Mährisch-Trübau, das Garde-Corps bis Brandeis, das 1. Corps bis Zwittau.
Von der I. Armee erreichte die Avantgarde Nemczly, von der Elb-Armee
Iglau. Am 10. Juli erreichten die ersten österreichischen Corps Olmütz; die
preußische Division Hartmann machte Halt, da sie dringend der Ruhe bedurfte,
das 5. Corps blieb bei Landskron, das Garde-Corps bei Wildenschwert, das
1. Corps dirigirte sich nach Mährisch-Trübau. Von der I. Armee bestand die
Cavalerie-Division Hann ein Gefecht bei Saar (s. d.), worauf sie bis Illinz vorrückte, die Avantgarde Mecklenburg bis Mezirska, die Divisionen bis zur Linie Saar-
Bistrau; die Elb-Armee rückte auf Iglau heran. Am 11. Juli war die österreichische Armee bei Olmütz versammelt, allerdings moralisch erschüttert durch
den Rückzug und in der Verbindung mit Wien bedroht durch die noch einen
Tagemarsch von Brünn entfernte preußische I. Armee. F.3.M. Benedek
beschloß, die Bahn noch so lange als möglich zu benutzen, mit ihrer Hilfe den
Abmarsch nach Wien anzutreten; ein Corps (IV.) sollte im Lager zu Olmütz
bleiben; das I. Corps die Bahn bei Prerau, die Brigade Mondl am X. Corps
bei Lundenburg decken. Die in der Flanke stehende preußische II. Armee
bedrohte durch einen Rechts-Abmarsch die Verbindung mit Wien auf dem
rechten March-Ufer und konnte leicht die Eisenbahn bei Prerau zerstören. Von
der I. Armee besetzte die Avantgarde Mecklenburg nach dem Gefecht von Tisch-
nowitz (s. d.) diesen Ort; die Divisionen folgten nach der Linie Bobrau-Kunstadt.
Die Elb-Armee war im Marsch von Iglau auf Znaym bis Marktwatitz ge-

kommen. Am 12. Juli erreichte von der preußischen II. Armee, die sich nach Süden in Bewegung setzte, das 1. Corps Gewitsch, das 5. Corps Mährisch-Trübau und Abtstadt, das Garde-Corps Sternberg, das 6. Corps Landstron; letzteres in Verbindung mit dem Detachement Knobelsdorff mußte die Eisenbahn nach Parbubitz decken, die von Olmütz bei Hohenstadt zerstören. Die I. Armee rückte mit der Avantgarde in Brünn ein, poussirte die Cavalerie-Corps über Rossitz bis Eibenschütz vor und zog die Divisionen bis in eine Linie Gr.-Bitesch-Gurein-Blansko heran. Die Elb-Armee setzte den Marsch auf Znaym bis Mährisch-Budwitz fort. Oesterreichischer Seits war man mit den Anordnungen zum Abmarsch über Kremsir-Göding nach Preßburg beschäftigt; den Oberbefehl über sämmtliche Armeen erhielt Erzherzog Albrecht, die Süd-Armee entsandte zwei Corps (V. und IX. Corps) nach der Donau, das VII. blieb gegen die italienische Armee am Isonzo. Am 13. Juli setzten die preußischen II. Armee ihren Marsch fort, das 1. Corps nach Stephanau, das 5. auf Gewitsch, die Garde auf Türnau; das 6. Corps blieb in Landstron. Die I. Armee kam mit dem 2. Corps nach Eibenschütz-Rossitz, den anderen Divisionen nach Brünn und Umgegend. Die Elb-Armee erreichte und besetzte mit der Avantgarde nach einem leichten Gefecht Znaym und stellte die Brücke über die Thaja her; die Divisionen marschirten mehr nach Süd-Ost in eine Linie Jaromeritz-Namiescht.

Am 14. Juli erließ das preußische Ober-Commando den Befehl zum weiteren Vormarsch über die Thaja bis an die Donau; die I. Armee sollte auf drei Straßen vorrücken, ein Detachement nach Lundenburg zur Zerstörung der Bahn nach Olmütz vorsenden, die Elb-Armee von Znaym auf zwei Straßen mit Detachirungen nach Krems. Am 17. sollten die Hauptkräfte die Thaja bei Muschau-Znaym überschreiten; die Ponton-Colonne der I. Armee wurde nach Brünn dirigirt, in Dresden waren 50 schwere Geschütze zur Abfahrt bereit. Die österreichischen Truppen-Transporte von Italien nach Olmütz nahmen ihren Fortgang; von letzterem Orte waren das IV. und II. Corps auf dem rechten March-Ufer im Marsch auf Kogetein resp. Tobitschau. Nur eine Offensive, welche die preußische Armee nach Westen drängte, konnte den Marsch der Armee sichern, nicht aber, wie es geschah, die Detachirung einer Brigade. Von der II. Armee war die Division Hartmann im Marsch auf Klopotowitz, als sie den Marsch größerer Truppenkörper gewahrte. Der Commandirende des folgenden 5. Corps (v. Steinmetz) befahl darauf Vorrücken nach Prosnitz, Detachirungen nach Prerau zur Recognoscirung und Zerstörung der Bahn; — sämmtliche eingehenden Meldungen bestätigten den Abmarsch der Oesterreicher von Olmütz nach Wien. Da das 5. Corps noch zu weit entfernt war, um die Cavalerie-Division rechtzeitig unterstützen zu können, erhielt das 1. Corps, das bei Plumenau angelangt war, vom Kronprinzen von Preußen den Befehl, noch am 14. Juli Abends Tobitschau zu besetzen und am 15. ein Vorgehen der Cavalerie-Division nach Prerau zu unterstützen. Da überall nur die preußischen Cavalerie-Spitzen in Rencontres auf die Flankendeckung der Oesterreicher gestoßen waren, da ferner die Aussagen der Einwohner dahin lauteten, daß das Lager von Olmütz schon seit mehren Tagen geräumt werde, bildete sich die Ansicht, daß man es mit den letzten der abziehenden Abtheilungen zu thun habe; deshalb wurde noch am 14. Juli Abends eine Disposition ausgegeben, die darnach strebte, mit dem Haupttheil der II. Armee die direct auf Wien marschirende I. Armee zu erreichen, und Olmütz nur zu recognosciren. Am 17. Juli kam es, da die Oesterreicher den Marsch über Tobitschau-Rogetein auch an diesem Tage noch mit dem VIII. Corps fortsetzten, auf dieser Marschlinie aber dem preußischen 1. Armeecorps auf 2 Meilen nahe gekommen waren, zu dem Gefecht von Tobitschau (s. d.) und Roketnitz. Während dieses Treffens

hatte das 5. Corps Prosnitz erreicht, das Garde- und 6. Corps Boskowitz und
Lettowitz. Der Armee-Leitung mußte daran liegen, dem Marsch der Oesterreicher
nach Wien bei Lundenburg entgegen zu treten; dies sollte zunächst durch die
I. Armee geschehen; die II. Armee hatte mit der I. Armee in Verbindung zu
treten, die Elb-Armee die Flanke dieser Rechtsbewegung gegen Wien zu sichern.
Der Befehl dieses Planes kam dem Prinzen Friedrich Karl erst während des
Marsches über und an die Thaja zu; dieser Marsch konnte nicht mehr inhibirt,
sondern nur dahin geändert werden, daß die 8. Division Befehl erhielt, von
Klobouk aus die Wiener Bahn bei Göding zu zerstören, die 7. Division von
Gr.-Niemtschitz, die 5. von Brünn näher an die 8. Division heranzurücken. Die
der 8. Division befohlene Bahn-Unterbrechung wurde noch am 15. Juli Abends
ausgeführt; die Folge davon war, daß die Brigade Mondl des österreichischen
X. Corps nach Zerstörung der Brücke von Lundenburg nach Marchegg abmarschirte. F.-Z.-M. Benedek, der mit zwei Corps die Gegend von Kremsir
erreichte, mit zwei anderen bei Prerau lagerte, mußte nach der Meldung des
Erscheinens der Preußen bei Göding den Gedanken eines Marsches im March-
thal nach der Donau aufgeben; man konnte Preßburg nur noch auf Umwegen
durch das Gebirge und im Waagthal zu erreichen versuchen.

Schon am 16. Juli erreichten das österreichische IV. Corps Ostra, das
II. Corps Ungarisch-Hradisch, das I. und VIII. Corps Freistabil und Holleschau,
das VI. Corps und die 1. sächsische Division Leipnik und Weißkirchen. Bei
der preußischen II. Armee ging das Garde- und 6. Corps nach Czernahora,
Raitz und Petrowitz; das 5. und 1. Corps sollten gegen Prerau marschiren.
Als die Tèten, in Folge Verspätung des 1. Corps durch Abkochen, dort anlangten, war der Ort vom Feinde geräumt; die 2. Division zerstörte gegen die
Absicht des Armee-Ober-Commandos die Bahn und eine eiserne Brücke, und
damit die Verbindung mit Oberschlesien. Von der I. Armee hatte die 8. Division Nachmittags Göding erreicht und nach leichtem Gefecht genommen, die
7. Division Lundenburg, die Avantgarde Mecklenburg bei Eisgrub. Die
anderen Divisionen (3., 4., 5., 6.) und das Cavalerie-Corps folgten; die
Elb-Armee zog sich der Disposition gemäß im Linksabmarsch nach Laa, die
Avantgarde nach Eichenbrunn. Am 17. Juli setzten die österreichischen Corps
ihren beschwerlichen Marsch fort und erreichten die Höhe von Göding (Wella-
Strany). Gegen Olmütz blieb preußischer Seite das 1. Corps, das 5. Corps
und die Division Hartmann beobachteten die March, das Garde- und 6. Corps
erreichten Brünn. Von der I. Armee ging die 8. Division nach Holitsch, die
5. nach Göding, die 7. blieb in Lundenburg, der Rest schlug die Richtung
auf die Donau ein, um durch Ueberschreitung dieses Flusses bei Wien
oder oberhalb die beiden feindlichen Heere zu trennen. Diese Divisionen (3.,
4., 6.) erreichten mit der Elb-Armee eine Linie Wilfersdorf-Enzersdorf. Die
Disposition für den 18. Juli ordnete das weitere Vorrücken der Elb-Armee
auf der großen Wiener Straße, der I. Armee auf beiden Ufern der March
unter Verhinderung des Rückzuges der Oesterreicher von Olmütz nach Preßburg
oder Wien, und zwar in kurzem Marsche an, damit die II. Armee heran-
gelangen könne; von Malaczta aus müsse man die Division der I. Armee bereit
sein, sich im schleunigen Vormarsch Preßburgs und der Donauübergänge zu
bemächtigen. Westlich der March stand in Folge dessen am 18. Juli Abends
Avantgarde und Cavalerie-Corps, die 6. und 7. Division, 2. Corps bei
Spannberg-Jedenspeigen und dahinter, östlich der March, die 8. Division bei
St. Johann, die 5. Division bei Holitz, die Elb-Armee bei Asparn-Mistelbach-
Wilfersdorf. Die II. Armee erreichte mit der Garde und 6. Corps Kau-
schütz-Möblau; das 5. Corps Kogetein, die Cavalerie-Division Hartmann
Kremsir. Das 1. Corps hatte die Aufgabe der Cernirung von Olmütz. Die

österreichischen IV. und II. Corps erreichten am 18. Juli Miawa und Neustadt a. d. Waag, das I. Corps Stilna, VIII. Corps Boitowitz, VI. Corps Klobaut, die Sachsen Wözeln. Der Commandirende des österreichischen II. Corps, Graf Thun, sollte nach der Disposition Benedek's Preßburg am 24. Juli erreichen; doch am 18. brachte der Flügeladjutant des Kaisers den Befehl, diesen Ort so schnell als möglich zu besetzen, um die von Marchegg auf Blumenau zurückgewichene Brigade Mondl gegen die von Göding vorrückenden bedeutenden feindlichen Kräfte zu unterstützen und Preßburg sowie die nächstliegenden Theile der kleinen Karpathen zu sichern. Am 19. Juli rückte die Avantgarde der I. preußischen Armee am westlichen March-Ufer bis in die Linie Schönkirchen-Zwirndorf vor, die 6. und 7. Division dahinter, das 2. Corps bei Zistersdorf, auf dem östlichen March-Ufer die 8. Division bis Groß-Schützen, die 5. Division bis Kuti, die Elb-Armee blieb am Zaja-Bach; die II. Armee kam mit der Garde und dem 6. Corps bis Auspitz-Muschau; das 5. Corps ging bis Napagedl vor. Das österreichische II. Corps (Graf Thun) kam auf dem Marsch nach Preßburg bis Trebethe, die anderen Corps setzten ihren Abmarsch fort. Die preußischen Dispositionen für den 20. Juli mußten darauf berechnet sein, bei einem Angriff auf die Floridsdorfer Verschanzungen diesen mit möglichst zusammengeholtenem Streitkräften entgegentreten zu können; im Allgemeinen wurde dazu eine Stellung am Rußbach bestimmt, mit der Elb-Armee bei Wolkersdorf, der I. Armee hinter Deutsch-Wagram, der II. Armee bei Schönkirchen. Aus dieser Stellung konnte man auch nach Umständen zum Angriff der Floridsdorfer Verschanzungen vorgehen; Preßburg's sollte sich die I. Armee durch überraschenden Angriff der Truppen auf dem östlichen March-Ufer bemächtigen. Am 20. Juli rückten in Ausführung dieser Disposition die Theile der I. Armee westlich der March dichter auf, östlich gingen die Divisionen bis Malaczka und Groß-Schützen vor, spät Abends die 8. Division noch bis Stampfen; die I. Armee rückte bis Drasenhofen-Lundenburg heran, das 5. Corps bis Ostra-Ungarisch-Hradisch. Das österreichische II. Corps erreichte Tyrnau und ließ noch Abends 8 Uhr durch die auf Wagen vorausgesandte Brigade Henriquez Preßburg und als Reserve die Brigade Mondl das Mühlthal besetzen; die anderen Corps setzten ihren beschwerlichen Marsch fort, waren aber noch Tagemärsche von der Donau entfernt. An letzterer standen vorerst nur das III. und X. Corps, und 8 Bataillone Sachsen, in Summa etwa 50—60,000 Mann; von der Süd-Armee waren vielleicht ebensoviel Mann aus Italien angelangt. Am 21. Juli blieben die Truppen westlich der Thaya in ihren Stellungen, damit die II. Armee Zeit hatte, heranzurücken. Das Garde-Corps kam nach Drünig, das 6. Corps nach Wilfersdorf, das 5. Corps in eine Linie Wesseln-Strajnitz-Stalitz-Holitsch östlich der March, die Vorposten stießen auf Detachements des österreichischen IV. Corps; das preußische 6. Corps sollte sich nunmehr unter Besetzung Gödings an das Garde-Corps heranziehen. Oestlich der Thaya lag die 8. Division bei Stampfen, die 7. Division rückte über Auger nach Stampfen, dagegen die 5. Division über Dürnkruth auf das westliche March-Ufer; beide Divisionen standen unter dem Befehl des General-Lieutenants v. Fransecky; die Cavalerie-Division Hann war ihnen zugetheilt. Da die über Blumenau angestellten Recognoscirungen ergaben, daß nur schwache feindliche Kräfte gegenüberstanden, wurde beschlossen, am andern Morgen gegen Preßburg zu recognosciren, sofern dies vom Ober-Commando genehmigt würde.

Oesterreichischer Seits setzte man alle Kräfte daran, Preßburg hinreichend stark zu besetzen; die von Tyrnau nach ersterem Orte führende Pferdebahn unterstützte dieses Vorhaben. 2 Jäger-Bataillone und 1 Ulanen-Regiment besetzten an derselben die über die Karpathen führenden Wege bei St. Georgen, Pösing und Modern; 1 Regiment Infanterie des II. Corps erreichte per Pferdebahn noch am 22. Juli Morgens Preßburg, während das Gros bei Wartberg bivouaflirte. Auf der Eisenbahn von Wartberg wurden am 21. Juli drei Infanterie-Regimenter und eine Batterie befördert. Die Brigade Mondl des X. Corps stand noch in ihrer Stellung bei Blumenau und Kaltenbrunn; die Corps Nr. I, VIII, VI und die Sachsen kamen in ihrem Marsch am 21. Juli bis Neustadtl-Trentschin. Inzwischen hatten im preußischen Hauptquartier schon seit mehren Tagen Verhandlungen stattgefunden, die jetzt unmittelbar vor einer zu erwartenden neuen Schlacht auf dem Marchfelde zu einer fünftägigen Waffenruhe führten, welche der Diplomatie Zeit geben sollte; vom 21. Juli früh an sollten alle Bewegungen, die zu Zusammenstößen führen könnten, aufhören, Mittags 12 Uhr der fünftägige Waffenstillstand beginnen. Während auf dem westlichen March-Ufer der Befehl rechtzeitig bekannt werden konnte und in Folge dessen nur Dislocationen zum Zwecke der Erweiterung der Cantonnements-Rayons stattfanden, kam es östlich der March zu einem ernsthafteren Kampf, den Gefechten bei Blumenau (s. d.) und Preßburg.

Am 22. Juli Morgens war in Eibesbrunn zwischen General-Major v. Pobbielski und Feldmarschall-Lieut. John die Demarcationslinie festgestellt und zwar bis Krems die Donau abwärts nach Stoderau laufend, dann längs des Gollers-Baches nach Schloß Schönbrunn, von da östlich nach dem Ruß-Bach, diesem entlang nach Leopoldsdorf, über Lasse nach der Eisenbahnbrücke über die March-Bisternitz-Stampfen-Lozor-Szenicz. Als Anerkennung der Erfolge der preußischen Waffen in den Gefechten von Blumenau-Preßburg setzte General-Major von Stülpnagel bei Graf Thun durch, daß die Brigade Bose (Regimenter 31 und 71) bis zum 23. Juli Mittags im Mühlthal vor Preßburg stehen bleiben konnte; diese Brigade marschirte dabei durch die Truppen des österreichischen II. Corps, während die Brigaden Mondl und Waldegg (Cavalerie) an den Preußen vorbei nach Preßburg zurückgingen. Im Laufe des 25. Juli bezogen die Truppen der Elb- und I. Armee Cantonnements-Quartiere; ebenso die Corps der II. Armee mit Ausnahme des 1. Corps, welches unter Zurücklassung einer Division von Olmütz nach Politich zu marschiren hatte; dieser Marsch wurde aber auch bei der friedlichen Gestaltung der politischen Verhältnisse bei Straßnitz inhibirt. Von der österreichischen Nordarmee gingen in den Tagen vom 23. bis 27. Juli die Corps I, IV, VI, VIII und die Sachsen über die Donau bei Preßburg; das zuletzt übergehende II. Corps brach die Schiffbrücken hinter sich ab. Am 26. Juli wurde zu Nikolsburg (s. d.) der Präliminarfriede unterzeichnet; an demselben Tage erfolgte der Abschluß eines Waffenstillstandes von 4 Wochen, vom 2. August an; für die Zwischenzeit vom 27. Juli bis 2. August galt die alte Demarcationslinie, vom 2. August an galt eine andere Linie, in der Front derselben der Thaya-Abschnitt. Damit hatte der Feldzug auf dem östlichen Kriegsschauplatz sein Ende erreicht. —

II. **Main-Feldzug.** Die österreichische Diplomatie nahm bei ihren Handlungen im Juni 1866 durchaus nicht die Rücksicht auf die Rüstungen der eigenen Armeen, ohne welche der Erfolg von Anfang an in Frage gestellt ist; wenn Oesterreich auch sicher in der Erwartung gewesen ist, auf die Mitwirkung von Sachsen, Hannover, Hessen-Kassel, Hessen-Darmstadt, Baiern, Württemberg und mehrerer kleineren Staaten unbedingt rechnen zu können, die Stärke dieser Bundesgenossen auch auf 110,000 Mann veranschlagen konnte, so mußte es denselben aber dennoch Zeit lassen, zu rüsten, die Gelegenheit, Zeit zu gewinnen, war in der Idee des europäischen Congresses der österreichischen Diplomatie geboten. Die Beschleunigung des Conflictes ist bekannt; damit war über Hannover und Kurhessen die Katastrophe heraufbeschworen. Sachsen that in der Wahl zwischen Oesterreich und Süd-West-Deutschland am besten, sich dem stärkeren Oesterreich anzuschließen; die süddeutschen Staaten sollten sich nach Böhmen heranziehen, doch dieser Abzug nach der Elbe hätte die Heimath preisgegeben, bei unglücklichem Verlaufe Alles aufs Spiel gesetzt.

Preußen setzte richtiger Weise Alles an eine Entscheidung über die österreichische Nord-Armee; ein Sieg über diese paralysirte alle etwa im Westen erstttenen Schäden. Mit Hannover und Kurhessen war man sicher, fertig zu werden, sie vor ihrer Concentration auseinander zu sprengen, Baiern, Würtemberg ꝛc. konnten nicht so bald schlagfertig sein; eine Offensive in diese Länder war das beste Mittel, diese Truppen, denen gute Organisation, einheitliche Führung und Vorbereitung zum Kriege fehlte, an Erfolgen zu hindern. Während alle preußischen Corps nach Böhmen gingen, wurde gegen Oesterreichs Bundesgenossen eine Armee formirt, der die 13. Division, welche von Minden nach Hannover, den kürzesten Weg hatte, als Kern gelassen wurde. Diese Armee hatte gegen den dreifach überlegenen Gegner nur Aussicht auf Erfolg durch Energie und Schnelligkeit.

Ordre de bataille der 13. Division, des Truppencorps in den Elbherzogthümern und der combinirten Division v. Beyer. Ober-Commandirender: General der Infanterie Vogel v. Falckenstein, Chef des Generalstabs: Oberst von Kraatz. 13. Infanterie-Division: General-Lieutenant v. Goeben. 25. Infanterie-Brigade: 13. Infanterie-Regiment, 53. Infanterie-Regiment; 26. Infanterie-Brigade: 15. Inf.-Reg., 55. Inf.-Reg.; 2 Compagnien des 7. Pionier-Bataillons; 13. Cavalerie-Brigade: 4. Kürassier-Reg., 8. Husaren-Reg.; 2 reitende, 4 Fuß-Batterien = 36 Geschütze. Truppencorps in den Elbherzogthümern: General-Lieutenant Freiherr v. Manteuffel 1. comb. Infanterie-Brigade: 25. Inf.-Reg., 36. Inf.-Reg.; 2. comb. Infanterie-Brigade: 11. Inf.-Reg., 59. Inf.-Reg.; Comb. Cavalerie-Brigade: 5. Dragoner-Reg., 6. Dragoner-Reg., 4 Batterien = 24 Geschütze. Combinirte Division des General-Majors v. Beyer. 32. Inf.-Reg., 30. Inf.-Reg.; comb. Infanterie-Brigade: 19. Inf.-Reg., 20. Inf.-Reg.; 32. Infanterie-Brigade: 30. Inf.-Reg., 70. Inf.-Reg.; 9. Husaren-Reg.; 3 Batterien = 18 Geschütze. In Summa: 42 Bataillone Infanterie, 22 Escadrons, 78 Geschütze, ½ Bataillon Pioniere. 13. Division = 14,300 M., Manteuffel = 14,100 M., Beyer = 19,600 M., in Summa 48,000 Mann.

Das Corps Manteuffel hatte sich in Folge der am 5. Juni durch Feld-Marschall-Lieutenant v. Gablenz publicirten Ständeeinberufung am 6. Juni gegen Rendsburg concentrirt, am 7. diese Festung nach Abzug der Oesterreicher besetzt, am 8. und 9. Juni Itzehoe, den Versammlungsort der holsteinschen Stände, erreicht; letztere verließen am 11. Juni den Ort. Die österreichische Brigade Kalik hatte sich in der Nacht vom 11. bis 12. Juni auf Befehl des F.-M.-L. Gablenz von Altona nach Harburg übersetzen lassen, um den Anschluß an süddeutsche Truppen noch zu ermöglichen, am 12. Juni früh rückte General v. Manteuffel in Altona ein; der Bundesbeschluß vom 14. Juni involvirte das feindliche Auftreten Hannovers. Demnach war die am 15. und 16. Juni ausgeführte Besetzung des wichtigen Elbübergangs Harburg geboten.

Am 16. Juni begannen auch die Generale v. Falckenstein und v. Beyer ihre Operationen. Die unter des Ersteren Befehl stehende 13. Division war bei Minden und Bielefeld concentrirt worden, um bei den noch schwebenden Verhandlungen mit Hannover und Kurhessen gegen diese Staaten verwendbar zu sein, die Division Beyer zu gleichem Zweck bei Wetzlar; erstere rückte nunmehr gegen Hannover, letztere gegen Cassel vor. In Hannover und Hessen war trotz der feindseligen Haltung Nichts für die Mobilmachung geschehen; beim Anrücken der preußischen Truppen erschien die einzige Möglichkeit zu kämpfen im schnellen Anschluß an die süddeutschen Staaten; ersteres Land concentrirte seine Truppen bei Göttingen, letzteres bei Hünfeld. General v. Manteuffel blieb im schnellen Vormarsch auf Hannover, die Straßen auf Lüneburg und Celle benutzend; ein Handstreich gegen Stade brachte am 18. Juni früh diese Festung und bedeutendes Kriegsmaterial in preußische Hände; in den nächsten Tagen fielen die Küsten-Batterien an der Ems und Weser, sowie Emden. General v. Falckenstein war am 17. Juni Abends in Hannover eingerückt und hatte unter Beschlagnahme reicher Vorräthe die Verwaltung des Landes übernommen. General v. Beyer besetzte am 19. Juni Abends Cassel, nachdem die Fortschaffung der Vorräthe durch Zerstörung der Bebraer Bahn und eine Bedrohung von Frankfurt her durch die Unterbrechung der Bahnstrecke dahin unmöglich gemacht war. In Erfüllung der Aufgabe, die hannoversche Armee bei Göttingen möglichst bald zu entwaffnen, zog General v. Falckenstein das Detachement Korth der Manteuffel'schen Armee von Lüneburg nach Hannover, das Detachement Flies, das auf der Celler Straße marschirte, nach Celle heran, während die Division Goeben am 19. Juni bis Nordstemmen, am 20. Juni bis Alfeld gelangte. Die hannoversche Armee suchte bei Göttingen ihre Mobilisirung zu vollenden, was in Bezug auf Ausrüstung und Bekleidung leidlich gelang, doch im Pferdebestand bei der Batterie nur den Friedensetat erreichte, während Colonnen, Trains ꝛc. sich mit Vorspann behelfen mußten.

Den Oberbefehl über die hannoversche Armee führte General-Lieutenant v. Arentsschild. Die Eintheilung war in 4 Brigaden zu je 4 Infanterie-Bataillonen, 1 Jäger-Bataillon, 1 Cavalerie-Regiment à 4 Escadrons und 1 Batterie à 6 Geschützen, außerdem 2 Batterien Reserve-Artillerie, 2 Kürassier-Regimenter Reserve-Cavalerie mit 1 reitenden Batterie (4 Geschützen); insgesammt 16 Bataillone Infanterie, 4 Bataillone Jäger, 24 Escadrons, 40 Geschütze, oder bei 700 Mann pro Bataillon und 70 Pferde pro Escadron in Summa 15,000 Mann Infanterie, 2000 Pferde. Während man bis zur Vollendung der Organisation Vorbereitung für eine Defensive bei Göttingen getroffen, entschied der König von Hannover den 20. Juni den Abmarsch nach Süden und zwar über Heiligenstadt, das die Armee noch am 21. Juni erreichte. In Voraussicht dieses Abmarsches über das Eichsfeld war von Berlin aus befohlen, 2 Bataillone Landwehr und 1 Ersatz-Escadron am 21. Juni von Magdeburg über Nordhausen nach Bleicherode zu detachiren, das Gotha'sche Infanterie-Regiment, verstärkt durch 3 Landwehr-Bataillone, 1 Besatzungs-Escadron, 1 Ausfall-Batterie von Erfurt, denselben Tag bei Eisenach zusammenzuziehen. General v. Beyer schickte am 21. Juni eine Brigade (Reg. 19 und 20) bis westlich Eschwege, eine andere (Reg. 30 und 70) nach Münden, der Rest blieb in Cassel. General v. Falckenstein hatte am 21. Juni die Division Goeben über Einbeck vorgeschoben, die Besatzung Hannovers bis Nordheim, die von Celle nach Seesen. Am 22. Juni marschirten die Hannoveraner nach Mühlhausen; sie hätten in Folge der Detachirung der preußischen Truppen nach Münden an diesem Tagen die Werra vielleicht leichten Kampfes überschreiten können, doch mußten sie, da Eschwege besetzt getroffen wurde, auch die Werra-Defileen für besetzt halten; — am 22. Juni hatte die hannoversche Armee nur die Truppen bei Eisenach (ungef. 2300 Mann) vor sich. Am 23. Juni marschirten sie nach Gotha zu bis westlich Langensalza, die Vortruppen gegen Gotha und Eisenach, die Arrièregarde nach Mühlhausen. An diesem Tage konnte die hannoversche Armee bei Eisenach fast ohne Kampf den Weg nach Süden öffnen, denn das preußische Detachement war per Bahn von Eisenach nach Gotha gegangen; die Truppen westlich Göttingen hielten Ruhetage, die Truppen des Generals v. Beyer marschirten auf Heiligenstadt bis Gaudern; die preußischen Truppen bei Gotha wurden durch 2 Bataillone des 4. Garde-Regiments von Berlin aus, das Ersatz-

Bataillon 71 und eine Landwehr-Dragoner-Escadron von Erfurt, 2 reitende Batterien von Dresden aus verstärkt. Fast scheint es bei den steten Verzögerungen, bei dem Bestreben, jedes Gefecht zu vermeiden und bei dem Anknüpfen von Verhandlungen, bei denen für die hannöversche Armee durch den Zeitverlust die Aussicht nach Süden zu entkommen in demselben Maße schwand, als preußischer Seits die völlige Einschließung der Hannoveraner zur Ausführung kam, daß der Entschluß, Süddeutschland zu erreichen, ins Schwanken gekommen war. Nur so ist es erklärlich, daß die für den 24. Juni beabsichtigte Bewegung nach Eisenach, das am 23. Juni unbesetzt gefunden war, aufgehoben wurde, weil ein preußischer Parlamentär von Gotha aus am 23. Juni Nachmittags die Waffenstreckung forderte, dies zwar nicht, aber doch Anknüpfung an Verhandlungen erlangte. Trotz des erwähnten Gegenbefehls rückte der hannöversche Oberst v. Bülow am 24. Juni gegen Eisenach vor, zerstörte die Bahn zwischen diesem Orte und Gotha, forderte die Räumung Eisenachs von zwei in der Nacht eingetroffenen preußischen Bataillonen und brachte es durch sein Handeln dahin, daß der König von Hannover die Unterhandlung in Gotha abbrach.

Kaum war dies geschehen, der Abmarsch der hannöverschen Armee nach Eisenach befohlen und bei den Vortruppen ein Schützengefecht entsponnen, als die Feindseligkeiten eingestellt wurden; der günstige Moment, Eisenach zu besetzen, war unwiederbringlich verloren, eine Waffenruhe vom 24. Juni Abends bis 25. Juni früh konnte nur die preußische Stellung bei diesem Orte verstärken; dennoch rückte die hannöversche Armee näher an Eisenach heran, schob eine Brigade bis Gotha und ließ eine Arrièregarde in Langensalza. Für den 25. Juni hatte die hannöversche Armee einen Ruhetag, da der König den preußischen Bevollmächtigten erwartete, der auch Morgens in Person des Generals v. Alvensleben erschien; zur Entscheidung über die von Letzterem gestellten Bedingungen wünschte Georg V. vierundzwanzig Stunden Bedenkzeit, der Waffenstillstand wurde auf Weiteres verlängert. Diese Zeit ließ man preußischer Seits natürlich nicht unbenutzt verstreichen. General v. Falckenstein schickte zufolge von Berlin erhaltenen Befehls 5 Bataillone Infanterie und 1 Batterie unter Befehl des General-Majors v. Flies von Göttingen über Magdeburg-Halle nach Gotha; andere Truppen waren unter Benutzung der wiederhergestellten Bahnstrecke Kassel-Eisenach, Göttingen-Cassel und per Fußmarsch dirigirt, daß am Abend des 25. Juni im Halbkreis um Langensalza standen: General v. Flies mit 13 Bataillonen, 3 Escadrons, 4 Batterien bei Gotha (etwa 8000 Mann), General v. Goeben mit 12,000 Mann bei Eisenach, General v. Glümer (Division Beyer) mit 8000 Mann bei Kreuzberg und Treffurt. Der vom König von Hannover mit der Antwort auf die Berliner Anträge abgesandte Offizier wurde von Eisenach, da General von Falckenstein die Nachricht vom Waffenstillstande noch nicht officiell erfahren, zurückgeschickt; in Folge dessen bereitete sich die hannöversche Armee in der Nacht zum 26. Juni zum Kampf vor, bezog aber Cantonnements um Langensalza, als der genannte General melden ließ, er werde den Waffenstillstand respektiren. General v. Falckenstein hatte erfahren, daß bairische Truppen, mit der Avantgarde bei Meiningen-Mellrichstadt angekommen, die Hannoveraner erwarteten, und deshalb zur Beendigung der Operationen gegen die Letzteren für den 26. Juni beschlossen, anzugreifen, was nun zufolge des vom General v. Alvensleben gewährten Waffenstillstandes hinausgeschoben wurde. Am 26. Juni Nachmittags wurde der Waffenstillstand von Preußen gekündigt, da König Georg das Anerbieten eines Bündnisses entschieden verwarf. Ein Abziehen der hannöverschen Armee nach Süden war jetzt unmöglich. Preußischer Seits befürchtete man aber ein Abziehen nach der Heimath, wodurch die Truppen des Generals v. Falckenstein von Süddeutschland abgelenkt worden wären; in letzterer Befürchtung war schon am 26. Juni früh dem General v. Flies befohlen, den Hannoveranern nach Langensalza zu folgen. Da die Befürchtung nicht eintraf, blieb v. Flies nördlich von Gotha, gegen die Baiern wurde nach Vacha recognoscirt; 2 Brigaden des Generals v. Beyer bezogen Cantonnements bei Gerstungen, eine besetzte die Werra-Defileen; die Truppen in Kassel, wie die 2 Garde-Bataillone in Gotha, wurden dem General v. Manteuffel überwiesen. Am 27. Juni blieben die Brigaden Beyers in ihren Cantonnements; General Flies beschloß, früh 7½ Uhr gegen Langensalza vorzugehen, um seinem Auftrag „dem Feind an der Klinge zu bleiben" nachzukommen. Hier kam es nun am 27. Juni zum

Treffen von Langensalza.

Die Ordre de Bataille des Detachements des General-Majors v. Flies war folgende. Avantgarde: Oberst v. Fabeck 2 Bataillone des Gothaischen Infanterie-Regiments, 1 Escadron des 12. Landwehr-Husaren-Regiments, 8 Geschütze. Gros: Oberst v. Hanstein 2 Bataillone des 25. Regiments, 1 Bataillon des 32. Landwehr-Regts., 3 Bataillone 11. Regts., die Ersatz-Escadron des 10. Husaren-Regiments, 6 Geschütze. Reserve: General-Major v. Seckendorff. I. Treffen: Oberst v. Hellwuith. 2 Landwehr-Bataillone; II. Treffen: Major v. Winzingerode 2 Bataillone Landwehr, 3 Comp. des Ersatz-Bataillons 71, Besatzungs-Escadron Stendal, 8 Geschütze. Summa: 12¾ Bataillone, 3 Escadrons, 22 Geschütze — insgesammt ungefähr 8000 Mann Infanterie, 225 Pferde.

Die Hannoveraner hatten mit etwa 20,000 Mann eine Defensiv-Stellung auf dem linken Ufer der Unstrut genommen und zwar Brigade Bülow mit Reserve-Artillerie bei Thamsbrück, Brigade de Vaux bei Merxleben, Brigade Bothmer bei Nägelstädt, Brigade Knesebeck hinter Brigade de Vaux, die Res.-Cavalerie bei Sundhausen. — Auf dem rechten Ufer vorgeschoben war 1 Bataillon in Langensalza und 3½ Escadrons bei Henningsleben an der Gothaer Straße. Auf letzterer kam die preußische Avantgarde gegen 11 Uhr gegen Langensalza vor, nahm diesen Ort nach kurzem Gefecht, konnte aber nicht debouchiren, da zwischen beiden Orten die Brigade Knesebeck dem Vorrücken aus Langensalza gegenübertrat; die Wiederbesetzung der Stadt Seitens der Hannoveraner unterblieb und die Brigade Knesebeck rückte hinter Merxleben zurück, als Artillerie-Feuer von Siechhof und Infanterie-Abtheilungen auf dem Judenberg die größere Stärke der Preußen erkennen ließen. Letztere hatten mit den zwei Bataillonen Gotha den Judenberg und Langensalza besetzt, das Gros wurde südöstlich des Ortes nach dem Judenberg dirigirt, die Reserve nach dem Siechhof; auf dem Judenberg hatten sich nach und nach die 2 reitenden Batterien von Gros und Reserve, später die 8 Geschütze der Avantgarde postirt; diesen 20 Geschützen gegenüber waren bei Merxleben und westlich Nägelstädt bald 20 Geschütze in Thätigkeit, die Brigaden Bülow und Bothmer und die Cavalerie-Reserve rückte nach Merxleben heran, wo nun die ganze Armee in starker Stellung concentrirt war. — General v. Flies mußte sich entscheiden, ob er diese Stellung mit seinen nicht halb so starken Kräften angreifen oder die Recognoscirung, da die ganze hannöversche Armee noch bei Langensalza war, als erfüllt ansehen könne. Der etwas unverständliche Befehl „dem Feind an der Klinge zu bleiben" veranlaßte ihn wohl zum Angriff; — etwa um 12 Uhr besetzten drei preußische Compagnien Thamsbrück, gegen Merxleben avancirten fünf Compagnien (2. Bataillon des 25. Regts.), deren linker Flügel die Salza überschritt und die feindliche Colonne beschoß, während der rechte Flügel das Bade-Wäldchen besetzt hatte. Als das 1. Bataillon des 25. Regiments folgte, gelang es einzelnen Schützen-Abtheilungen, die Unstrut zu überschreiten, eine feindliche Batterie zum Abfahren zu nöthigen und Offensivstöße der Hannoveraner abzuweisen. —

Das 1. und das Füsilier-Bataillon des 11. Regts., eine Comp. des Ersatz-Bataillons des 71. und das Landwehr-Bataillon Potsdam verstärkten die fechtenden preußischen Truppen zwischen der Salza und dem Bade-Wäldchen, während einem hannoverschen Ueberschreiten der Unstrut durch Brigade Bothmer zwischen Merxleben und Nägelstädt durch Besetzung des Erbsberges entgegengetreten wurde; es standen hier unter General v. Seckendorff die Bataillone Naumburg, Aschersleben, Treuenbrietzen, die 1. und 3. Compagnie des Ersatz-Bataillons 71 und 2 Geschütze unter Lieutenant Hupfeld, die Verbindung zwischen dem Erbsberg und dem Badewäldchen hielt das Bataillon Torgau. General Flies hatte alle Truppen im Gefecht mit Ausnahme von drei Compagnien des 11. Regiments; General v. Arentschild, der an der Höhe bei Merxleben die Stärke, resp. Schwäche seiner Gegner übersehen konnte, auch noch acht intakte Bataillone der Brigaden Knesebeck und Bülow zur Disposition hatte, entschied sich gegen 1 Uhr für eine Offensive über die Unstrut und zwar mit den genannten acht Bataillonen gegen den preußischen linken Flügel, mit der Brigade Bothmer zwischen Merxleben und Nägelstädt gegen den Erbsberg. Der Angriff Bothmer's reüssirte nicht, wohl aber der gegen den preußischen linken Flügel, wo die Preußen über die Salza zurückgedrängt wurden; das Artillerie-Feuer, welches gegen 1 Uhr an Heftigkeit nachgelassen hatte, nahm wieder zu. — Vor Merxleben drang die Brigade de Baur um 2 Uhr mit 1 Infanterie- und 2 Jäger-Bataillonen östlich und an der Brücke über die Unstrut vor, warf die preußischen Abtheilungen zurück bis an das Badewäldchen und die Alle zwischen diesem und der Chaussee. — Die preußische Führung erkannte nun wohl, daß die Kräfte zu einem fernern Kampfe nicht ausreichten und beschloß den Rückzug. — Die drei intakten Compagnien des 11. Regiments sollten den Abzug der Truppen vom Badewäldchen durch eine Aufstellung am Erfurter Thor südöstlich Langensalza ermöglichen; vier Compagnien des Gothaischen Regiments deckten den Abzug der zerstreut fechtenden Abtheilung durch Festhalten des Judenbergs, General v. Seckendorf sollte vom Erbsberg gegen den Siechhof abrücken. — Alle Positionen unweit Langensalza gingen verloren; die Compagnieen am Erfurter Thor und auf dem Judenberg mußten abziehen, da sie von den sich in Langensalza ausbreitenden Hannoveranern Feuer in Flanke und Rücken erhielten; südlich der Stadt sammelte General v. Flies seine Truppen. — General Seckendorff hatte bei seinem Abzug über den Siechhof bei einer Attacke hannöverscher Cavalerie seine 2 Geschütze dadurch verloren, daß sie in einen Hohlweg gestürzt waren, aus dem man sie nicht wieder herausbringen konnte. — Den schwierigsten Abzug hatten die Truppen aus dem Bade-Wäldchen, denn sie waren an drei Seiten von Infanterie angegriffen, von Artillerie-Feuer ununterbrochen überschüttet und endlich dem Angriffe der gesammten hannoverschen Cavalerie ausgesetzt, als sie das freie Feld betraten; diese Truppen, geführt in 2 Colonnen von Oberstlieut. des Barres und Hauptmann v. Rosenberg, erreichten Abends 6½ Uhr bei Henningsleben die übrigen Theile des dahin zurückgegangenen Detachements Flies. — Die nach Thamsbrück geschickten drei Compagnien hatten über Ufhoven — Grumbek ausbiegen müssen und stießen erst am andern Morgen bei Warza zu ihren Bataillonen; die Hannoveraner hatten sich in und bei Langensalza gesammelt und die Vorpostenstellung am Morgen wieder eingenommen. — Der preußische Verlust betrug an Todten und Verwundeten 41 Offiziere, 805 Mann, beinahe ebensoviel Mann fielen in Gefangenschaft, die Hannoveraner verloren 102 Offiziere, 1327 Mann an Todten und Verwundeten. —

General von Falckenstein wäre wohl kaum am 27. Juni in Kassel mit Erledigung von Verwaltungs-Maßregeln beschäftigt gewesen, wenn er in seinem Befehl an General v. Flies, „dem Feind an der Klinge zu bleiben", daran hätte denken können, daß dieser Befehl Veranlassung zu einem blutigen Gefecht würde; in der Nacht vom 27.—28. Juni erhielt er von Berlin aus in Kassel die Nachricht von dem Vorgefallenen mit dem Befehl, die Entwaffnung der hannoverschen Armee mit allen Kräften durchzusetzen. —

Inzwischen hatte General v. Goeben die an der Eisenbahn lagernden Truppen nach Gotha befördert, so daß am 28. Juni früh 7 Bataillone und 2 Batterien zur Verstärkung des Detachements Flies bei Warza eintrafen; bei Eisenach sammelten sich unter den Generalen v. Goeben und v. Beyer am 28. Juni 11 Bat., 6 Escadrons, 4 Batterien, die Nachmittags gegen Langensalza vorgingen und Abends Gr.- und Kl.-Behringen erreichten. — Die bereits erwähnte Befürchtung eines hannoverschen Abzugs nach Norden war von Berlin aus am 28. Juni früh auch an General v. Manteuffel telegraphirt worden; deshalb schickte dieser von Göttingen eine Avantgarde nach Duderstadt vor. Da die Cavalerie-Patrouillen östlich nirgends auf den Feind stießen, wurde für den 27. Juni die Marschrichtung mehr nach Süden genommen; die erwähnte Avantgarde erreichte bis Mittag Worbis, die andern Truppen Dingelstädt und Heiligenstadt. Da General v. Manteuffel am 28. Juni in Folge der Nachricht vom Gefecht von Langensalza nach Mühlhausen rücken wollte, zog er die Truppen von Heiligenstadt nach Dingelstädt heran; die Worbis'sche Abtheilung recognoscirte gegen die Sondershäuser Straße, auf der der Feind abziehen sollte; am 28. Juni traf dieselbe bei Kirchheitingen ein, während General v. Manteuffel von Mühlhausen bis Groß-Gottern vorrückte. — Am Abend des 28. Juni war die hannoversche Armee von 40,000 Mann cernirt, König Georg V. war nun endlich überzeugt, daß weiteres Kämpfen nutzlos sei und schickte einen Parlamentair nach Warza, doch da dieser nicht angenommen wurde, einen zweiten nach Eisenach; die hannoversche Armee zeigte ihre bedingungslose Unterwerfung an, worauf die Generale v. Falckenstein und v. Arentsschildt die Capitulation unterzeichneten. Am Morgen des 29. Juni kam General v. Manteuffel mit viel milderen Bedingungen, deren Inhalt von Berlin an denselben telegraphirt war, nach Langensalza; da die Capitulation mit General v. Falckenstein schon abgeschlossen war, bildeten die milderen Bedingungen Zusätze zu ersterer. — Die hannoversche Armee blieb am 29. bei Langensalza, am 30. Juni und 1. Juli erfolgte der Transport nach den Entlassungsorten Celle und Hildesheim per Bahn über Gotha-Magdeburg. — Die preußischen Truppen bezogen am 29. Juni weitere Cantonnements und hatten am 30. Juni Ruhetag. —

Von den durch die Frankfurter Beschlüsse gegen Preußen mobil zu machenden vier Bundes-Corps (VII.—X.) bestand das VII. aus der Bairischen Armee, das VIII. aus den Truppen Württembergs, Badens und Hessen-Darmstadts; dazu stießen die österreichischen Truppen der Bundesfestungen-Besatzung in Stärke einer Brigade und das Nassauische Contingent; die kurhessischen Truppen blieben in Mainz, nur 2 Escadrons stießen zum VIII. Corps; vom X. Corps besetzten die gegen Preußen stimmenden Staaten die Bundesfestungen. — Oberbefehlshaber des VII. und VIII. Corps als des Bundesheeres war der Feldmarschall Prinz Carl von Baiern, zugleich Befehlshaber des VII. Corps.

Die bataille weist nach: beim VII. Armee-Corps 4 Infanterie-Divisionen von je 10 Bat. Infanterie, 2 Bat. Jäger, 4 Escadrons Cheauxlegers, 16 Geschütze (2 Bat. Inf. pro Division trafen erst in der ersten Hälfte des Juli ein); 1 Res.-Inf.-Brig. von 6 Bat. Inf., 2 Esc. Chevauxlegers, 8 Geschütz (vom 10. Juli ab bei der Armee); Artillerie-Reserve 60 Geschütze; Cavalerie-Res.-Corps von 3 Brigaden (1 schwere zu 3, 2 leichte zu 2 Regimentern) mit 28 Escadrons, 12 Geschütze. — Summa 46 Bat. Inf., 8 Bat. Jäger, 46 Escadrons, 144 Geschütze oder ungefähr 40,000 Mann. VIII. Corps: General der Infanterie Prinz Alexander von Hessen. — 4 Divisionen: I. Division (Württemberg): 12 Bat. Inf., 3 Bat. Jäger,

9 Escadrons, 24 Geschütze. II. Division (Baden): 9 Bat. Inf., 1 Bat. Jäger, 4 Escadrons, 18 Geschütze. III. Division (Großherzogthum Hessen): 8 Bat. Inf., 1½ Bat. Jäger, 4 Escadrons, 12 Geschütze. IV. Division (Oesterreich-Nassau): 10 Bat. Inf., 2 Bat. Jäger, 2 Escadrons, 16 Geschütze. Reserve-Cavalerie: 17 Escadrons, 8 Geschütze; Reserve-Artillerie 56 Geschütze. In Summa das VIII. Corps mit der Reserve-Cavalerie und Reserve-Artillerie 39 Bat. Inf., 7½ Bat. Jäger, 36 Escadrons, 134 Geschütze oder ungefähr 46,000 Mann.

Bei Ausbruch des Krieges waren die Rüstungen bei Weitem noch nicht vollendet. Keiner der Staaten war schlagfertig, dennoch nöthigten jetzt die Ereignisse zum Handeln. — Die erste Gefahr erblickte man in der Nähe der Division Beyer in Wetzlar; zum Schutz Frankfurt's a. M. wurde daselbst am 17. Juni die Hessische Division, verstärkt durch 1 Brigade Württemberger, zusammengezogen. Die Nassauer sammelten sich bei Höchst. — Am 21. kam die österreichische Brigade nach Darmstadt, am 25. Juni eine badische Brigade nach Frankfurt; Besichtigungen und Publicationen füllten die Zeit aus.

Die Baierische Armee stand am 21. Juni am Main von Forchheim-Schweinfurth über Bamberg-Baireuth bis Hof; in Erwartung der hannöverschen Armee, die über Fulda kommen sollte, setzte sich das VII. (bairische) Corps dahin in Bewegung, nahm jedoch auf die Nachricht vom Marsch der Hannoveraner nach Mühlhausen und der Concentration preußischer Truppen bei Eisenach die Richtung mehr nach dem Thüringer Wald. — Daß am 28. Juni bairische Truppen (Div. Hartmann und 1 Cav.-Brigade) die Gegend von Meiningen, Meiningsstadt, Neustadt erreicht hatten, ist schon oben gesagt; die drei andern Divisionen standen bei Königshofen-Münnerstadt-Lauringen, die Reserve bei Schweinfurt; an diesem Tage einigten sich die Corps über den Concentrationspunkt und zwar wählte man dazu Hersfeld; das VII. Corps sollte dahin über Brückenau, Fulda, Hünfeld, das VIII. Corps über Grünberg, Alsfeld, Nieder-Aula marschiren, am 7. Juli Ankunft. Die bairische Res.-Cav. wurde zur Beobachtung der Corps von Schweinfurt direct nach Vacha dirigirt. — Die Marschrichtung der Corps läßt deutlich erkennen, wie jedes derselben, mit Nichtachtung des Gebotes, die Kräfte möglichst bald zu vereinigen, bestrebt war, die resp. Heimathsländer zu decken; so blieben die Baiern am 27. und 28. Juni anstatt etwas zur Unterstützung der Hannoveraner zu thun, in ihren Cantonnements, so detachirte das VIII. Corps eine Division nach Wiesbaden. Da Prinz Carl von Bayern am 28. Juni die Nachricht erhielt, die Hannoveraner ständen bei Langensalza, Hilfe erwartend, beschloß er den Vormarsch über Hildburghausen-Suhl und Meiningen-Schmalkalden auf Gotha, am 30. Juni war er bis Wasungen-Schleusingen vorgerückt; als er in Meiningen an diesem Tage die Nachricht von der Capitulation der Hannoveraner erhielt, war der Marsch nach Gotha unnütz geworden und wurde der Marsch nach Hünfeld-Fulda beschlossen. Dieser Marsch nach der Fuldaer Straße war nur durch schwierige Flankenmärsche auf schlechten Wegen in der Nähe des Feindes ausführbar; weiter rückwärts wäre die einzige Möglichkeit der Vereinigung der Corps gewesen.

In Ausführung seines Transversal-Marsches ging das VII. Corps am 1. und 2. Juli mit einer Division (Zoller) bis Kalten-Nordheim; eine andere deckte durch Stehenbleiben bei Wasungen diesen Marsch. In der Nacht vom 2. zum 3. Juli ging eine Abtheilung (Oberst Aldosser) gegen Eisenach vor, stieß bei Immelborn (f. d.) aber auf die Preußen; die andern Divisionen wurden nach Meiningen herangezogen. Am 3. Juli ging die Division Zoller weiter gegen Dermbach vor, kam aber wegen Besetzung dieses Ortes nur bis Dindorf, 2 Divisionen folgten bis Kalten-Nordheim, die 4. Division marschirte auf Roßdorf; um am andern Tage den Marsch nach Geisa fortsetzen zu können, mußte der Feind aus Dermbach verdrängt werden. — Das VIII. Corps hatte den Marsch nach Hersfeld unter fortwährenden Detachirungen zur Deckung der kleinen Staaten gegen preußische Streistruppen fortgesetzt; am 3. war mit den Spitzen Alsfeld und Lauterbach erreicht.

Gen. v. Falckenstein war von Berlin angewiesen, den Marsch über Fulda auf Schweinfurt zu nehmen; dabei würde er die Baiern treffen, das VIII. Bundes-Corps aber davon abhalten, sich nach Mainz zu werfen. In Ausführung dieses Befehls marschirte die Division Beyer über Berka-Bacha, die Division Goeben über Marksuhl, gefolgt vom Corps Manteuffel. Die zwei Garde-Bataillone, Besatzungs- und Ersatztruppen waren zurückgekehrt, das Gothaische Regiment wurde dem Corps Manteuffel zugetheilt. Die gesammten Streitkräfte erhielten den Namen „Main-Armee." — Am 3. Juli stand Beyer bei Geisa, Goeben bei Lengsfeld, Dermbach besetzt haltend, Manteuffel vorwärts Marksuhl; am 4. Juli sollte der Marsch auf Fulda von Beyer und Manteuffel fortgesetzt werden, während Goeben den Feind, welchen man nur eine Division stark hielt, zurückwerfen, dann aber auf Fulda folgen sollte. — In Ausführung dieses Befehls bestand am 4. Juli die Division Goeben die Gefechte bei Dermbach (Zella und Wiesenthal) mit den baierischen Divisionen Zoller und Hartmann (s. Dermbach, Band III., S. 186 ff.)

Wenn auch in beiden Gefechten die Brigaden Goeben's siegreich vorbrangen, so mußten doch bei dem Fehlen nachhaltiger Unterstützung Nachmittags die Truppen den Abmarsch nach Geisa antreten, welchen Ort die Brigade Wrangel noch am 4. Juli erreichte, während die Brigade Kummer in Dermbach stehen blieb. Auch die baierischen Divisionen hatten sich zurückgezogen; Manteuffel war unter Zurücklassung eines Detachements in Lengsfeld bei Bacha eingetroffen. Beyer war bei Hünfeld (s. d.) auf die baierische Reserve-Cavallerie, welche ohne Infanterie-Unterstützung isolirt marschiren mußte, gestoßen; ein Werfen der Avantgarde derselben genügte, das Gros zum Umkehren über Fulda nach Bischofsheim zu bewegen, welcher Rückzug Abends im Wald von Gersfeld in wilde Flucht ausartete. — Am 5. Juli blieb die baierische Armee bei Kalten-Nordheim, am 6. Juli sollte der Abmarsch nach Neustadt-Bischofsheim bewerkstelligt werden. Dem VIII. Corps wurde aufgegeben, über Brückenau-Kissingen dahin zu gelangen; dasselbe war am 5. Juli, mit Ausnahme der bei Geisa zurückgebliebenen Badenser, bei Lüder, Lauterbach, Schotten angekommen und mußte nun in Flankenmärschen versuchen, sich bei Schlüchtern zu concentriren. Letzterer Ort wäre von beiden Corps behufs einer Concentration noch zu erreichen gewesen; am 6. marschirten beide Corps in der Absicht der Vereinigung gegen Schlüchtern-Neustadt. Da erhielt Prinz Alexander die Nachricht von Königgrätz; die einen Tag lang durchgeführte Bestrebung gemeinsamen Wirkens war wieder zu Ende. Die Deckung der fünf Territorien seiner Truppen erschien den particularistischen Ansichten gemäß wichtiger; der Prinz beschloß den sofortigen Abmarsch nach der Mainlinie Hanau-Aschaffenburg, zu welchem er auch die Baiern aufforderte. Letztere waren am 7. Juli nach Neustadt gelangt; das VIII. Corps sagte sich durch den Abmarsch auf Frankfurt von den nächsten kriegerischen Ereignissen los.

Die preußischen Corps waren am 5. Juli vorerst in einer engeren Aufstellung zwischen Dermbach und Geisa gegen ein baierisches Vorgehen geblieben, marschirten aber sofort nach Fulda weiter, als die Recognoscirungen den Abzug des Feindes ergaben; am 6. Juli erreichten Beyer und Goeben Fulda, Manteuffel Hünfeld; am 7. Juli war Ruhe, am 8. Juli Vorrückten Goeben's gegen Brückenau bis Döllbach, Beyer's bis Schlüchtern, Manteuffels bis Fulda.

Die Baiern waren der Aufforderung des Prinzen von Hessen nicht gefolgt; sie wollten nach Ueberschreiten der Saale, die Defileen derselben besetzt haltend, bei Poppenhausen eine defensive Stellung nehmen; der Abmarsch dahin vollzog sich in sehr kleinen Märschen. Am 9. Juli besetzte die Division Zoller Kissingen und Hammelburg, die andern Divisionen kamen nach Neustadt und Münnerstadt. Diesen Entfernungen gegenüber stand Falckenstein eng concentrirt bei Stadt und Bad Brückenau, die Division Goeben vorwärts bei Geroda, mit den Patrouillen Fühlung am Feind haltend. — Prinz Carl von Baiern befahl für den nächsten Tag Festhalten der Saale-Defileen, da er nicht glaubte, daß schon das ganze preußische Corps den Marsch über das Gebirge zwischen zwei feindlichen Corps ausgeführt haben könnte; diesem Bestreben gegenüber mußte die preußische Disposition: „mit Division Beyer gegen Hammelburg, Division Goeben nach Kissingen, gefolgt vom Corps Manteuffel, zu marschiren," zu Gefechten an der Saale führen (s. u. Fränkische Saale Bd. IV., S. 78 ff.).

Am 10. Juli Abends standen 3½ bairische Divisionen zwischen Münnerstadt und Schweinfurt, eine Brigade und die Reserve-Cavalerie war im Abmarsch von Hammelburg nach Würzburg bis Arnstein gelangt; die Gefechte waren überraschend gekommen, die Truppen successiv eintreffend nacheinander geschlagen, die Saale war verloren, der Rückzug auf Schweinfurt-Hammelburg hin bedroht. Am 11. Juli wurde der Rückzug auf Würzburg-Schweinfurt und Holzheim, also in divergirenden Richtungen fortgesetzt; mit 2 Divisionen wollte Prinz Carl auf den Höhen von Schweinfurt am rechten Main-Ufer Widerstand leisten. — Von Falckenstein's Armee hatte am Abend des 10. Juli die Division Beyer Hammelburg und Umgegend besetzt, die Division Goeben Kissingen, Vorposten bei Winkels, das Corps Manteuffel stand dicht hinter der Division Goeben, Detachirung an der Saalbrücke bei Hausen und Waldaschach. Am 11. Juli wollte Falckenstein gegen Schweinfurt weiter rücken, Manteuffel und Beyer waren auf die Münnerstadt-Schweinfurter Straße dirigirt, Ersterer mit der feindlichen Nachhut schon engagirt, als Mittag 1 Uhr eine Depesche des Königs bei den schon schwebenden Verhandlungen auf die Wichtigkeit der Occupation der Länder nördlich des Main hinwies. Statt Weitermarsch auf Schweinfurt wurde Rechtsabmarsch nach Gemünden angeordnet; Manteuffel kam bis Greßthal, Beyer blieb bei Oerlenbach, Goeben marschirte nach Hammelburg. Am 12. und 13. Juli wurde dieser Marsch fortgesetzt; Goeben sollte als Avantgarde am 12. Juli Lohr, am 13. Juli Laufach erreichen; Manteuffel auf dieser Straße folgen, Beyer durch das Sinnthal marschiren. Die Baiern waren am 12.—13. Juli bei Schweinfurt und Haßfurt über den Main zurückgegangen.

Der Angriff der Main-Armee war von dem VII. Corps abgelenkt und richtete sich jetzt gegen das VIII. Corps. Letzteres haben wir am 8. Juli im Abmarsch auf Frankfurt verlassen; am 9. Juli war die Gegend von Frankfurt erreicht, die hessische und österreich-nassauische Division dicht bei der Stadt, die Württemberger zwischen Hanau und Gelnhausen, die Badenser an der Nidda, die Reserve-Cavalerie bei Asseuheim; nördlich von Frankfurt wurde eine Verschanzung gebaut. Am 11. Juli ward die nassauische Brigade gegen einen von Coblenz ins Nassauische geführten Einfall von 6 Landwehr-Bataillonen (General v. Röder) detachirt; an demselben Tage schickten die Württemberger eine Brigade nach Salmünster, Patrouillen gegen Schlüchtern-Brückenau vor. — Ebenfalls am 11. Juli wurde der Rückzug der Baiern über den Main bekannt; die Besorgniß, isolirt am untern Main von den Preußen angegriffen zu werden, veranlaßte den Prinz von Hessen, wieder eine Vereinigung mit den Baiern bei Würzburg anzustreben. Trotz der Aufforderung der Regierungen zu bleiben, wurde zur Ausführung einer Concentration am 12. Juli die erste, am 13. Juli die zweite hessische Brigade per Bahn nach Aschaffenburg befördert, die Württemberger wieder näher nach Hanau herangezogen; am 13. Juli sollte die hessische Brigade Frey von Aschaffenburg gegen die von Lohr anrückenden Preußen recognosciren. Da an demselben Tage die Division Goeben Laufach erreichen sollte, kam es zum Gefecht bei Laufach (s. d. Bd. V., S. 295 ff.), in dem beide hessische Brigaden zurückgeworfen wurden. Um das wichtige Aschaffenburg nicht zu verlieren, wurde noch am 13. Juli Abends die österreichische Brigade per Bahn dahingebracht, die Württembergische Brigade von Gelnhausen dahin in Marsch gesetzt, die Badische Division nach Frankfurt beordert, um am 14. Juli zu folgen. Am 14. Juli kam es zu dem Ge- fecht bei Aschaffenburg (s. b.); dieser wichtige Punkt fiel in die Hände der Preußen; dem Gegner gelang es nur dadurch, daß General Goeben nicht die Kräfte zur Verfolgung besaß, sich wieder zu sammeln. Die württembergische Brigade war nicht bis Aschaffenburg gekommen, sondern bei der Nachricht der ungünstigen Gefechtslage bei Steinheim über den Main gegangen; die eine ba- dische Brigade nahm die zurückgehenden Truppen am linken Mainufer bei Stock- stadt auf. Am 14. Juli Abends stand die badische Division und eine hessische Brigade bei Babenhausen, dicht dahinter die österreichische Brigade, die Wür- temberger und die zweite hessische Brigade südlich Hanau; Dieburg sollte Con- centrationspunkt werden. Prinz Carl von Bayern hatte auf den Vorschlag der Vereinigung Würzburg als Sammelpunkt verworfen; er schlug dem VIII. Corps den 20 Meilen betragenden Marsch über Miltenberg—Tauber-Bischofsheim nach Uffenheim vor. Das VII. Corps hatte dahin etwas über 7 Meilen; am 20. Juli sollte die Vereinigung bewerkstelligt sein. Auf diesen Vorschlag ging Prinz Alexander ein; am 16. Juli erreichte er Miltenberg-König-Strumbach, am 17. Juli war Ruhe, am 18. und 19. Juli Weitermarsch, am 20. Juli Eintreffen an der Tauber und zwar mit der I. badischen Brigade bei Wert- heim, der württembergischen Division bei Tauber-Bischofsheim, der österreichi- schen Brigade bei Gerlachsheim: dahinter die II. Badische Brigade bei Hund- heim, die Hessen zwischen Miltenberg und Hardheim, die Reserve-Cavalerie und Artillerie bei Walldürn, die Nassauer bei Buchen. Das VII. Corps hatte sich zwischen Würzburg-Kitzingen gesammelt und stand am 20. Juli mit je 1 Divi- sion bei Heidenfeld, Remlingen, Hettstadt, der Rest bei Würzburg. So war am 20. Juli die Verbindung der beiden Corps erreicht, am 21. und 22. Juli wurde das VIII. Corps ganz an den Tauber-Abschnitt herangezogen; nur die Reserve Cavalerie blieb zwischen Hardheim und Hundheim. Ueber eine fernere Operation, die offensiv sein sollte, konnten sich die Corps-Führer nicht einigen; endlich entschlossen sie sich zum Vorgehen auf dem waldigen rechten Mainufer gegen Aschaffenburg.

Vom 15. bis 20. Juli war auf preußischer Seite Folgendes geschehen. Am 15. Juli hatte die Division Goeben Ruhe bei Aschaffenburg; das Corps Man- teuffel und die Division Beyer rückten, während sie am 14. Juli Ruhetag an der Sinn hatten, am 15. Juli resp. bis Lohr und Orb vor. Am 16. Juli be- setzte die Brigade Wrangel unter Falckensteins Führung Frankfurt, Brigade Kummer folgte halbwegs Aschaffenburg-Hanau; Manteuffel kam nach Hanau, Beyer nach Gelnhausen. Vom 17. bis 20. Juli war die Division Goeben in Frankfurt, Beyer in Hanau, Manteuffel in Aschaffenburg angekommen resp. geblieben. Diese Zeit benutzte General v. Falckenstein zur Heranziehung von Verstärkungen: General-Lieut. v. Röder nach Wiesbaden, Oberst-Lieut. v. Fischer nach Homburg (Summa 5000 Mann), Oberst v. Hochfeld von Kassel nach Gelnhausen ꝛc. Am 20. Juli erfolgte die Abberufung des General v. Falckenstein zur Verwaltung Böhmens, General v. Manteuffel übernahm den Oberbefehl der Main-Armee, sein Corps dem General v. Flies übergebend. Unter Zurücklassung eines Corps von 10,000 Mann unter General v. Röder zur Behauptung Nassaus, Ober-

Heffens und Frankfurts brach v. Manteuffel am 21. Juli zur Fortsetzung der Operationen auf; Württemberg, Baden und der größte Theil Baierns war noch zu besetzen. Am 22. stand Goeben bei König, Flies bei Laudenbach, Beyer am Main bei Wallstadt, 1 Bataillon und 1 Escadron am rechten Mainufer nach Heidenfeld detachirend.

Die Badenser erhielten am 22. Juli Abends die Nachricht vom Vorrücken der Preußen und besetzten Freudenberg und Hundheim; am letzteren Ort wurde für den 23. Juli eine Gefechtsstellung genommen. Die Division Flies war beauftragt, ebendenselben Ort am 23. Juli zu besetzen, und es kam zu einem Rencontre vor Hundheim (s. d.); der Ort wurde von den Badensern behauptet. Am Abend stand Division Flies bei Neukirchen, Beyer bei Wittnberg, Goeben bei Amorbach; — in der Nacht besetzten Abtheilungen der Division Flies Wertheim und Hundheim, nachdem die badischen Truppen abgezogen. Während die Truppen des VIII. Corps zurückgedrängt wurden, trat das VII. Corps den beschlossenen Vormarsch an, besetzte (theilweise durch Bahntransporte) Gemünden mit 1 Division, Lohr mit 1 Brigade, detachirte 1 Division gegen Wertheim, so daß die Vereinigung im Augenblicke des feindlichen Angriffs bei der Entfernung von Gemünden bis Gerlachsheim illusorisch war. Am 24. Juli nahmen die Württemberger Stellung bei Bischofsheim, die Badenser bei Werbach, die österreichisch-nassauische Division bei Grünsfeld, die Hessen bei Gr.-Rinderfeld in Reserve, die Reserve-Cavalerie bei Gerchsheim, die Reserve-Artillerie halbwegs Würzburg. Aus dem Widerstand bei Hundheim zu schließen erwarteten die Preußen den Feind diesseit der Tauber und wollten daher am 24. Juli nur bis Hardheim-Hundheim-Nassig vorrücken; als General Goeben im Begriff war, seine Truppen zu dislociren, erhielt er Meldung von der schwachen Besetzung der Tauber-Uebergänge bei Bischofsheim; er beschloß, dieselben sofort zu besetzen. Es folgten nun die Gefechte an der Tauber (s. d.)

Am Abend war der Tauber-Uebergang bei Bischofsheim in den Händen des General Goeben, derjenige bei Werbach von der Avantgarde Beyer's besetzt, das VIII. Corps vom Fluß nach Groß-Rinderfeld zurückgedrängt, von Werbach aus in der rechten Flanke bedroht; das VII. Corps stand auf die Nachricht von der Besetzung Wertheims von dem weitern Vormarsch gegen Aschaffenburg ab. Prinz Carl befahl am 24. eine Concentration bei Roßbrunn; 1 Division vorgeschoben bei Helmstadt und Dertlingen, 1 Division bei Heidenfeld und Lohr zur Deckung gegen Aschaffenburg. Für den 25. ordnete Prinz Carl auf die Nachricht des Gefechts an der Tauber für 3 Divisionen ein Heranziehen gegen Groß-Rinderfeld an, aber 1 Division blieb an der Aschaffenburger Straße. Prinz Carl verlangte vom VIII. Corps Behauptung der Tauber, während es sich als Reserve concentriren würde, Prinz Alexander's Absicht dagegen, die er auch ausführte, war weiterer Rückzug auf Gerchsheim unter einem bayerschen Vorstoß nach Wertheim; beide Corps, rechtzeitig in Stellung, hätten gegen die von der Tauber anrückenden Preußen offensiv verfahren können. Von den Preußen stand am 25. Juli früh die Division Goeben bei Bischofsheim, Beyer bei Werbach, Flies bei Urphar a. M., östlich Wertheim; den Vormarsch sollte die Division Goeben auf der Würzburger Straße und Beyer über Neubrunn so ausführen, daß dem VIII. Corps der Weg nach Würzburg verlegt werde; die Division Flies blieb gegen das VII. Corps concentrirt in der linken Flanke des Vormarsches. Der Vormarsch Beyers stieß zwischen Neubrunn und Helmstadt auf zwei baierische Divisionen, es entspann sich das Gefecht von Helmstadt (s. d. B. IV., S. 372 ff.), welches mit dem Werfen der Divisionen nach Roßbrunn und Waldbrunn endete. Dieses Abbiegen gegen die concentrirt auftretenden Baiern verhinderte ein gemeinsames Handeln mit der Division Goeben, die auf der Würzburger Chaussee vorrückend bei Gerchs-

16*

heim (f. d. B. IV. S. 177 f.) auf das VIII. Corps stieß, nach hartnäckigem
Widerstand in der Front erst durch Eingreifen der Brigade Wrangel in die
feindliche linke Flanke dies Corps zurückdrängte, das nur durch den Gerchs-
helmer Wald, der die Anordnung des Abzuges nach Alist verdeckte, einer Katastrophe entging. Die Division Goeben bivouatirte bei Gerchsheim, Beyer bei
Helmstadt; die Division Flies hatte Oertingen besetzt, baierische Detachements in
der Richtung auf Uettingen zurückgedrängt. — Die Baiern hatten während der
Nacht die Gegend vor Würzburg, Roßbrunn, Waldbrunn, Hettstadt besetzt.
Prinz Carl gedachte am 26. Juli offensiv aufzutreten, als in der Nacht der
Bericht über das VIII. Corps, über den unvermeidlichen weitern Rückzug
desselben dieses Vorhaben unmöglich machte. Das VIII. Corps sollte die
Nicolaushöhe vor Würzburg halten, um das VII. Corps, welches zunächst auf
dem Plateau von Waldbüttelbrunn Widerstand leisten wollte, bei dem Abzug
über den Main aufzunehmen.

　Am 26. Juli galt es für die Preußen bei Anbruch des Tages, die exponirte Stellung bei Uettingen gegen zwei bayerische Divisionen zu halten. Im
Verfolg des Kampfes entspann sich das blutige Gefecht vor Roßbrunn (f. d.)
und Uettingen, in denen die Division Flies und das Detachement des Oberst
von Korth den Kampf in der Front führten, während Gen. Beyer am Schluß
von Helmstadt her in die Flanke eingriff. Die Baiern zogen auf Hettstadt
ab, wohin die Division Flies folgten; Roßbrunn war schon 10 Uhr früh von der
Division Flies besetzt; bei Hettstadt kam es gegen 12 Uhr Mittag zu einem
größern Cavaleriegefecht. Das VIII. Corps war von früh 4 Uhr ab über
Würzburg und Heidingsfeld abgezogen und kam nach Heidingsfeld-Rothendorf
südlich Würzburg; die Division Goeben hatte wegen der bestandenen großen Anstrengungen und aus Mangel an Munition nicht folgen können. Da die Div.
Flies Bivouaks bei Roßbrunn, Beyer bei Mädelhofen bezog, gelang es den
Baiern auf geschlagenen Kriegsbrücken nördlich Würzburg den Main zu überschreiten und hinter demselben in Veitshöchheim, Dürrbach, Versbach, Rottendorf
Cantonnements zu beziehen. Am 27. rückten die Divisionen Flies, Beyer und
Göben über Hettstadt, Waldbüttelbrunn, Höchberg gegen Würzburg vor, die
rechte Flanke gegen Heidingsfeld durch zwei volle Bataillone deckend; der auf dem
linken Mainufer liegenden Veste Marienberg gegenüber kam es um Mittag zu
einer heftigen Canonade (f. Würzburg).

　Während sich so am 27. Juli die Gegner, durch den Main getrennt,
gegenüber standen, war ein neu formirtes preuß. 2. Reserve-Corps im Anmarsch gegen
den Rücken der Stellung der Alliirten: aus dem 4. Garde-Regiment zu Fuß,
10 neuformirten vierten Bataillonen, 2 Bataillonen Anhaltinern war
am 3. Juli eine preuß. Division unter Gen. v. Horn (bisher Führer der 8.
Division formirt, aus 4 Bat. Mecklenburgern, 2 Bat. Braunschweigern, 4
Bat. Altenburgern eine combinirte Division; beide Divisionen standen als Reserve-Corps unter dem Gen. d. Inf. Großherzog von Mecklenburg-Schwerin, waren
ausgerüstet mit zusammen 14 Escadronen, 64 Geschützen, 1 comb. Pionier-
Abtheilung. Vom Formationspunkt Leipzig ward der Vormarsch auf Hof am
20. Juli angetreten, dieser Ort am 23. Juli, Culmbach am 27. Juli von
der Avantgarde besetzt. Für die Bundes-Armee mußte die Stellung bei Würzburg unhaltbar werden; es erfolgte deshalb auch zur Sicherung des nöthig
werdenden Abzuges die Besetzung von Ochsenfurt und Kitzingen. Noch am 27.
Juli Abends überbrachte ein baierischer Parlamentär dem Gen. Manteuffel
die Nachricht, daß analog dem Stande der Dinge mit Oesterreich der Abschluß
eines Waffenstillstandes und bis zum Beginn desselben Waffenruhe auch mit Baiern
bevorstehe; demnach bot Prinz Carl gleichzeitig eine achttägige Waffenruhe an.
Auf letztere erklärte Gen. Manteuffel nur nach Uebergabe Würzburgs eingehen

zu können. Am 28. Juli Morgens wurde im Baierischen Hauptquartier darüber verhandelt, Prinz Carl war schon erbötig Würzburg auszuliefern, als die Nachricht aus München, der Waffenstillstand resp. Waffenruhe sei auch mit Baiern in Nikolsburg abgeschlossen, die Concessionen überflüssig machte; ein Telegramm des Gen. v. Moltke vom 28. Juli früh 5 Uhr sprach nur vom Waffenstillstand vom 2. August ab, nicht von Waffenruhe bis dahin. Bei dem Stande der Dinge einigten sich beide Theile demnach auf Einstellung der Feindseligkeiten mit 24stündiger Kündigung; die Dislocations-Rayons wurden am 29. Juli ausgedehnt von den Preußen bis Zellingen, Helmstadt, Rinderfeld, Winterhausen, von den Baiern bis Karlstadt-Kitzingen und südlich Ochsenfurt am linken Mainufer. Am 30. wurde eine Demarcationslinie festgesetzt und zwar von der Württembergischen Grenze westlich Ochsenfurt nach diesem Ort, dann der Main bis Gemünd, von da Sinnthal preußische Grenze, Saale baierische, zwischen beiden Flüssen neutrales Gebiet.

Da in einer Depesche aus dem preußischen Hauptquartier Werth auf Occupation Württembergischen Gebiets gelegt war, behielt Manteuffel die Straße Würzburg-Mergentheim für sich; alle Verhandlungen waren nur mit Baiern geführt, deshalb mußten zur Vermeidung von Conflicten die Truppen des VIII. Corps überall in zweite Linie zurückgehen. Am 30. Juli schieden die Badenser aus dem Verband des VIII. Corps aus; ihr Abmarsch nach Baden wurde v. Manteuffel unter der Bedingung genehmigt, daß die Truppen südlich Carlsruhe dislocirt wurden. — Noch spät Abends am 30. Juli nach den erwähnten Abmachungen erhielt Manteuffel ein Telegramm „Volle Freiheit des Handelns bis 2. August". Am 31. Juli früh wurde die Waffenruhe zum 1. August früh gekündigt, falls Würzburg nicht ausgeliefert würde. Selbigen Mittags war die preußische Forderung erfüllt; der Marienberg sollte neutral bleiben, Würzburg bis 2. August von den Baiern abgeräumt werden. Zur Erfüllung des Befehls, feindliches Gebiet zu occupiren, mußte die Besatzung Frankfurts am 1. August Darmstadt, Heidelberg, Mannheim besetzen, Goeben auf Mergentheim ins Württembergische rücken; der Großherzog von Mecklenburg hatte inzwischen nach kleinen Gefechten bei und südlich Baireuth — Seubottenreuth (s. d.) am 29. Juli Baireuth besetzt und rückte am 1. Aug. in Nürnberg ein; nach Besetzung dieses Ortes und Erlangen, Fürth und Schwabach trat hier auch Waffenruhe ein. Mit Württemberg und Hessen-Darmstadt war Waffenstillstand abgeschlossen. Die preußische Main-Armee und das 2. Reserve Corps hatten Süddeutschland am 2. August bis zu einer Linie von Böhmen über Amberg — südlich Nürnberg — Hall nach Mannheim besetzt; die Diplomatie war sonach in der Lage, diesem Stand der Dinge entsprechende Friedens-Bedingungen vorzuschreiben.

Auf Grund der Präliminarien von Nikolsburg wurden am 10. August die Friedensunterhandlungen zu Prag eröffnet. Am 23. August wurde daselbst der Friede zwischen Preußen und Oesterreich abgeschlossen und am 30. August ratificirt; die wichtigsten Bestimmungen desselben s. u. Prag (Bd. VII., S. 184 f.) Die Friedensunterhandlungen mit den übrigen Staaten fanden jedoch zu Berlin statt (das Nähere s. u. Norddeutscher Bund, Bd. VI., S. 293). Die nächste und wichtigste Folge des Friedens war die Gründung des Norddeutschen Bundes, welche durch den Ausschluß Oesterreichs aus Deutschland eine seit einem Jahrhunderte über Deutschland schwebende große Streitfrage löste und dem nationalen Element mit der Befreiung Deutschlands von einem unseligen Dualismus die Bahn öffnete, sich nach allen Richtungen in großartiger Weise zu entfalten. Zugleich mit den Friedensschlüssen waren auch (vorläufig noch geheim gehaltene) Schutz- und Trutzbündnisse mit den Südstaaten abgeschlossen worden, auf deren Grund diese Staaten für den Fall des Kriegs den Oberbefehl über ihre respectiven Truppen dem

König von Preußen übertrugen (ſ. u. Norddeutſcher Bund, S. 287). So stand nun Deutſchland dem Auslande gegenüber inniger vereinigt und mächtiger da, als je. Das erſte Wort, welches der königliche Sieger bei der Eröffnung des Landtages am 6. Auguſt in der Thronrede an die Vertreter ſeines Volkes richtete, war das Anſuchen um Indemnität für die Maßregeln zur Reorganiſation der Armee, die ſich in dem glorreichen Kriege ſo glänzend bewährt hatte. Der Landtag nahm das Indemnitätsgeſetz am 3. Septbr. mit großer Majorität an. Am 20. und 21. Sept. fand der feierliche Siegeseinzug der Truppen in Berlin ſtatt; zugleich erfolgte eine königliche Amneſtie und erſchien das Geſetz betreffend die Vereinigung Schleswig-Holſteins, Hannover's, Kurheſſen's, Naſſau's und Frankfurt's a. M. mit der Preußiſchen Monarchie. Im Hinblick auf dieſe großen Reſultate des Kriegs vergaß das preußiſche Volk über den Leiſtungen und Opfern, welche die Geſammtheit gebracht, die Verdienſte derer nicht, denen es beſonders für den glücklichen Ausgang des Krieges verpflichtet war. Bismarck, Roon, Moltke, Herworth v. Bittenfeld, Steinmetz und Vogel v. Falckenſtein erhielten Dotationen; für die einſt um der Reorganiſation willen ſo vielfach bekämpften Miniſter Bismarck und Roon ergriff das Abgeordnetenhaus ſelbſt die Initiative.

Vgl. „Der Feldzug von 1866 in Deutſchland“, herausg. von der kriegsgeſchichtlichen Abtheilung des Preuß. Großen Generalſtabes, Berlin 1867 f. 5 Hefte; ſowie die übrigen Offiziellen Werke (ſ. d. Artikel Militair-Literatur, Bd. VI. S. 105 f.); ferner: Rüſtow, „Der Krieg von 1866 in Deutſchland und Italien“, Zürich 1867; Borbſtädt, „Preußens Feldzug gegen Oeſterreich und deſſen Verbündete im J. 1866“, 5. Aufl. Berlin 1867; Winterfeld, „Geſchichte der Preußiſchen Feldzüge von 1866“, Potsdam 1867; Menzel, „Der Deutſche Krieg im J. 1866“ Stuttgart 1867, 2 Bde.; „Preußens Feldzug von 1866 vom militairiſchen Standpunkte“, Berlin 1867; G. Hiltl, „Der Böhmiſche Krieg“, mit Karten und Plänen, Bielefeld und Leipzig 1867, 3. A. 1870; H. Blanckenburg, „Der Deutſche Krieg von 1866“, Leipzig 1867 (auch in Brockhaus „Unſere Zeit“. Neue Folge, 3. Jahrg., 1. und 2. Hälfte. Leipzig, 1867); W. v. Willſen, „Theorie des großen Krieges“, 4. Bd., Leipzig 1868 (Feldzüge von 1859 und 1866); Fontane, „Der Deutſche Krieg von 1866“, Berlin 1870, 2 Bde.; „Die Theilnahme der zweiten Preußiſchen Armee am Feldzuge von 1866“ (muthmaßlich von Major von Verdy du Vernois), Berlin 1867; Stabsarzt Dr. Schauenburg, „Erinnerungen aus den Kriegslazarethen von 1866,“ Altona 1869; Urſachen und Wirkungen der bairiſchen Kriegführung im J. 1866“, München 1866; „Der Bundesfeldzug in Baiern“, Wenigen-Jena 1867; C. Knorr, „Der Feldzug des Jahres 1866 in Weſt- und Süddeutſchland“, Hamburg 1869, 3 Bde. mit Karten und Beilagen“; „Die Hannoveraner und die Schlacht bei Langenſalza“, Langenſalza 1867.

Preveſa, eine ehemals ſtark befeſtigte Stadt im europäiſch-türkiſchen Ejalet Janina, am Eingange des Meerbuſens von Arta (Joniſches Meer) mit 5000 griechiſchen Einwohnern, war ſeit 1684 bis zur Pacification Griechenlands ein Spielball des Waffenglücks und der Convenienzpolitik, empörte ſich Anfang 1820 gegen die Türken, wurde im Auguſt 1820 von dieſen erobert und dann grauſam bedrückt.

Priamos, König von Troja, während deſſen Regierung die zehnjährige Belagerung Troja's (ſ. d.) durch die Griechen ſtattfand.

Prim, Don Juan P., Graf von Reus und Marquis de los Caſtillejos, ſpaniſcher Marſchall und Kriegsminiſter, geb. 6. Dec. 1611 (nach Andern 1814) zu Reus in Anfangs Jurisprudenz, trat 1833 beim Ausbruche des Bürgerkrieges in das Heer der Königin Chriſtine, ſchwang ſich raſch zum Oberſten empor, begann ſeit 1842 auch eine politiſche

Rolle zu spielen, betheiligte sich an dem zu Barcelona ausbrechenden Aufstande für die Verfassung von 1837, sowie 1843 an dem von den vereinigten Progressisten und Moderados bewirkten Sturze Espartero's, wurde dann von der Königin Christine zum Grafen von Reus, General und Gouverneur von Madrid ernannt, entzweite sich aber Anfang 1844 mit den Machthabern, zog sich vom Dienste zurück, trat zur Opposition gegen das Ministerium Narvaez über, wurde im Oct. 1844 eines Mordversuchs gegen Narvaez angeklagt, trotz mangelhaften Beweises von einem Kriegsgericht zu sechsjährigem Gefängniß verurtheilt, aber schon Anfang 1845 von der Königin vollständig begnadigt und zum Generalstatthalter von Portorico ernannt. Dort blieb er, bis er 1848 seinen Abschied erhielt, wirkte dann in den Cortes als progressistischer Parteiführer, ging Ende 1853 als spanischer Militair-Bevollmächtigter in das Lager Omer Pascha's nach dem Kriegsschauplatze an der Donau, dann in das der Alliirten nach der Krim, wurde im Herbst 1854 nach Madrid zurückberufen, widmete sich wieder der parlamentarischen Thätigkeit, erhielt 1859 beim Ausbruche des Krieges gegen Marokko das Commando einer Reservedivision, an deren Spitze er sich am 1. Jan. 1860 bei Los Castillejos auszeichnete, commandirte bei Tetuan (4. Febr.) und bei Gualdas (23. März) das 2. Armeecorps und wurde dann zum Marquis de Los Castillejos und Grand erster Klasse ernannt. Als 1862 die alliirten Mächte, England, Frankreich und Spanien die Expedition gegen Mexico unternahmen, erhielt P. das Commando über das spanische Corps, landete mit diesem im Jan. 1862 in Veracruz, entzweite sich aber, sobald ihm die französischen Eroberungspläne klar wurden, mit dem französischen Oberbefehlshaber (General Lorencey), beschloß auf seine eigene Verantwortlichkeit Mexico zu verlassen und schiffte sich am 25. April 1862 mit seinen Truppen zu Veracruz wieder ein. Sein Verfahren wurde später von der spanischen Regierung und den Cortes gebilligt; seine Enthüllungen über die mexicanische Politik Napoleon's III. brachte ihm große Popularität ein. Im August 1864 wurde er wegen seiner parlamentarischen Opposition und angeblicher Theilnahme an einem Militaircomplot nach Oviedo verbannt, ging dann ins Ausland, kehrte aber schon im Juni 1865, da das Verbannungsdecret zurückgenommen worden war, nach Madrid zurück. Im Januar 1866 versuchte er zu Aranjuez an der Spitze einiger Cavalerie-Regimenter eine Erhebung gegen O'Donnel, wurde aber geschlagen, flüchtete über die portugiesische Grenze und ging dann, von der portugiesischen Regierung ausgewiesen, nach England. Der große Aufstand, welcher (höchst wahrscheinlich nicht ohne P.'s Mitwirkung) im Sept. 1868 zu Cadiz gegen die Königin Isabella ausbrach und die bourbonische Dynastie stürzte, rief ihn nach Spanien zurück. Er wurde nach dem Siege der Revolution Kriegsminister und General-Capitain der Armee (Marschall), blieb auch nach Annahme der neuen Verfassung, als Serrano Regent ward, Kriegsminister und wurde Minister-Präsident. Als solcher schlug er am 2. Juli 1870 dem spanischen Ministerrathe die verhängnißvolle Throncandidatur des Erbprinzen Leopold von Hohenzollern vor, welche der französischen Regierung den offensibeln Grund zum Kriege gegen den Norddeutschen Bund bot. Am 27. Dec. 1870 wurde er durch ein Attentat zu Madrid schwer verwundet und starb in Folge davon am 30. Januar, wenige Tage vor der am 2. Februar 1871 erfolgenden Ankunft des neuen Königs Amadeus von Spanien.

Princeps (bed. der Erste), Titel der römischen Kaiser.

Principes bildeten in der Manipulasstellung der römischen Legion (s. d.) das 2. Treffen. Sie hatten, wie ihr Name besagt, den Hauptkampf zu führen, waren ursprünglich mit dem längeren Speer (hasta), später mit dem kürzeren (pilum) bewaffnet.

Prise, Prisengericht: Ein im Kriege weggenommenes Handelsschiff mitsammt der Ladung, welches dem Feinde gehörig ist, wird als Prise bezeichnet, und das Gericht, welches darüber urtheilt, ob die Wegnahme nach den bestehenden Gesetzen begründet ist oder nicht, heißt Prisengericht. „Gute Prise" heißt das Schiff, wenn die Wegnahme als gesetzlich erachtet wird. Die Neuzeit strebt rüstig dahin, den mittelalterlichen Brauch der Wegnahme von Privateigenthum auf See, die ja im Landkriege verpönt ist, gänzlich abzuschaffen. — So lange indeß dieser Brauch noch besteht, wenigstens völkerrechtlich noch nicht allgemein abgeschafft ist, wird die Aussicht auf „Prisenantheil" die gesammte Bemannung einer Flotte mächtig anregen. Der Werth der Prise wird nämlich abgeschätzt, und eine gewisse Quote fällt auf jede einzelne Charge am Bord. —

Prismatisches Pulver ist eine Form des Schießpulvers, welche in neuester Zeit für die schwersten Kaliber der Küsten- und Marine-Artillerie Anwendung gefunden hat. Als Vorgänger desselben dient das in den Vereinigten Staaten von Nordamerika seit 1861 gebräuchliche Mammuthpulver, dessen Körner einen Durchmesser von 16 bis 24 mm. besitzen, der später für den Rodman'schen 1000Pfünder sogar bis über 26 mm. gesteigert wurde. Die runde Körnerform wandelte man wegen des leichteren Pressens der Körner in die prismatische um und hat Rußland in der Pulverfabrik zu Ochta zuerst in Europa P. P. fabricirt, das seit 1868 auch von der preußischen Artillerie gefertigt und benutzt wird. Dasselbe besteht aus großen Körnern in der Gestalt von regelmäßigen sechsseitigen Säulen, etwa 26 mm. hoch und 26—34 mm. im Durchmesser über Eck. Diese aus gekörntem Pulver gepreßten Körper sind in der Richtung ihrer Längenachse mit 5 bis 7 Durchbohrungen versehen, deren Weite etwa 4 mm. beträgt. Die Idee, welche bei Benutzung des P. P. zu Grunde liegt ist folgende: Wendet man bei größeren Ladungen ein feinkörniges Pulver an, so ist im ersten Momente der Entzündung vermöge der sehr großen Oberfläche der größte Theil der Ladung verbrannt, daher eine sehr bedeutende Maximalspannung eingetreten und somit ein sehr offensives Verhalten des Pulvers die Folge, während der Rest der entwickelten Kraft im Verhältniß zum ersten Theile nur gering ist. Diesem Processe gegenüber muß ein Pulver Vortheile darbieten, welches im Augenblicke der Entzündung eine kleine Oberfläche besitzt, die sich aber während der Verbrennung stets vergrößert und dadurch eine progressive Steigerung der Gasspannung veranlaßt. Dieser Vorgang soll durch das P. P. erreicht werden, welches von den Durchlöcherungen nach Außen brennend, die Brennflächen zunehmend größer werden läßt. Da hiernach das P. P. beim Beginne der Verbrennung eine geringere Menge Pulvergase als das gewöhnliche Geschützpulver erzeugt, so erhält das Geschoß im Anfange seiner Bewegung eine geringe Geschwindigkeit. Die Folge hiervon ist bei gezogenen Geschützen ein gleichförmiger Eintritt des Geschosses in die Züge, eine regelmäßigere Bewegung desselben und (bei den Geschützen preußischen Systems) eine geringere Deformation des Bleimantels. Der gleichförmigen Bewegung des Geschosses in der Seele der Rohre entspricht gleichförmige Richtung des Fluges und gleichförmige Geschwindigkeit: der Schonung des Bleimantels aber entspricht gleichförmige Bewegung des Geschosses in der Luft. — Die Durchbohrungen der prismatischen Körner spielen nach dem Vorstehenden eine wichtige Rolle; sie sind aber andererseits durchaus erforderlich, da Versuchen zufolge, Körner ohne dieselben schwer in Brand gerathen und zum Theil in unverbranntem Zustande aus der Mündung geschleudert werden. (Vergl. Pulver).

Pritschett-Geschoß, zur Classe der Expansions-Geschosse gehörig, s. Bd. IV. S. 235.

Frittwitz und Gaffron, 1) Carl Ernst von, preußischer General der Infanterie, geboren am 16. October 1790, trat schon 1808 in die preutische Armee und wurde im Feldzuge von 1806 bei Auerstädt verwundet. Nachdem er bei der Reduction der Armee 1807 inactiv geworden, erhielt er erst 1810 wieder eine Anstellung als Lieutenant. 1812 wurde er in den Generalstab versetzt und nahm in dieser Stellung Theil an dem Feldzuge in Rußland. Im folgenden Jahre zeichnete er sich in vielen Schlachten rühmlichst aus und avancirte zum Hauptmann und 1815 zum Major. Später Adjutant des Prinzen Wilhelm, Abtheilungs-Chef im Großen Generalstabe, ernannte ihn der König 1822 zum Flügel-Adjutanten und 1828 zum Commandeur des 1. Garde-Regts. zu Fuß. Seit 1821 Oberstlieutenant, 1822 Oberst, erhielt er 1835 das Commando einer Garde-Infanterie-Brigade und 1843, nachdem er 1836 zum Generalmajor avancirt war, das der gesammten Garde-Infanterie. In dieser Stellung, in welcher er 1844 zum Generallieutenant befördert wurde, blieb er bis zu den Märzereignissen 1848. Am 18. März commandirte er die sämmtlichen im Kampfe begriffenen Truppen in Berlin und 1849 nach General v. Wrangel das Reichsheer in Schleswig. Nach Beendigung dieses Feldzuges wurde er zum commandirenden General des Garde-Corps ernannt, feierte 1853 sein fünfzigjähriges Jubiläum und nahm bald darauf als General der Infanterie seinen Abschied. Er ward Ehrensenior des Eisernen Kreuzes und starb am 9. Juni 1871 nach langen schweren Leiden zu Görlitz, wohin er sich nach seiner Verabschiedung zurückgezogen hatte. P. schrieb: „Beiträge zur Geschichte des Jahres 1813" (Potsdam 1843), welche namentlich über die Organisation der neuen Heereskräfte wichtige Aufschlüsse geben. 2) Moritz Karl Ernst von, preußischer Generallieutenant, geb. 9. Febr. 1795, studirte in Breslau, trat 1813 als Freiwilliger bei den Pionieren ein, wurde bald Offizier bei der Festungscompagnie von Glatz, kam 1815 zum Occupationscorps nach Frankreich, avancirte dort zum Hauptmann, wurde 1818 zum Festungsbau nach Coblenz commandirt, 1824 Adjutant des Generals v. Aster, 1828 Festungsbaudirector in Posen, 1837 zum Major befördert und 1841 nach der Bundesfestung Ulm commandirt, wo er den Bau der Befestigungen leitete und 1849 zum Oberst avancirte. Im J. 1851 wurde er als Inspecteur der ersten Ingenieur-Inspection nach Berlin berufen, hier 1853 zum Generalmajor und 1858 zum Generallieutenant befördert, 1860 zum zweiten General-Inspecteur der preußischen Festungen ernannt und nahm 1863 seinen Abschied. Er gab heraus: „Repertorium für den Festungskrieg", Berlin 1856, „Lehrbuch der Befestigungskunst ꝛc.", 1865, u. a.

Privat (St. P. la Montagne), Dorf in dem deutschen Reichslande Elsaß-Lothringen (bis 1871 zum Arrondissement Metz des französischen Departements Moselle gehörig), liegt 1½ Meilen nordwestlich von Metz, war am 18. August 1870 einer der wichtigsten Puncte in der Schlacht von Gravelotte (s. d. im Supplementen) und wurde gegen Ende der Schlacht von den Truppen des Garde-Corps und des 12. (königl. sächs.) Armee-Corps unter dem Kronprinzen Albert von Sachsen gestürmt.

Probemarsch erfolgt gewöhnlich am Ende der Mobilmachung eines Truppentheils; sein Ausfall giebt einen Maßstab für die Beurtheilung der Kriegstüchtigkeit einer augmentirten oder neuformirten Truppe ab.

Probiren des Pulvers, siehe Pulver, desgl. der Waffen, siehe Untersuchung.

Probirmörser, siehe Pulver.

Problus, Dorf 2 Stunden nordwestlich von Königgrätz in Böhmen. Das Dorf und die dabei gelegenen Höhen bildeten am 3. Juli 1866 in der Schlacht von Königgrätz (s. d.) eine der stärksten Positionen des linken Flügels des österreichisch-sächsischen Heeres und wurden nach tapferer Vertheidigung durch die Sachsen unter dem Kronprinzen Albert in den Nachmittagsstunden von der preußischen Elbarmee (14., 15., 16. Division: Münster, Canstein, Etzel) unter Herwarth von Bittenfeld genommen.

Probus, Marcus Aurelius, Pannonier von Geburt, römischer Kaiser im 3. Jahrhundert v. Chr. (276—282), besiegte die Franken, Burgunder, Alemannen, Vandalen, die Blemmyer, Gothen, Alanen, Isaurier und Perser, und wurde von seinen Soldaten erschlagen, denen seine Zucht zu streng erschien.

Proconsuln, im altrömischen Staate Beamte, die an die Spitze der Verwaltung und Kriegsmacht einer Provinz gestellt wurden. Sie hatten Gewalt über Leben und Tod (daher Beile mit Ruthenbündeln vor ihnen hergetragen wurden), wurden in der Republik auf 2 Jahre gewählt und unter den Kaisern bis auf weitere Verfügung beordert.

Procopius, Name von zwei Böhmen, die sich als große Feldherren im 15. Jahrhundert berühmt gemacht haben und durch die Beinamen „der Große" und „der Kleine" unterschieden wurden. 1) Andreas (P. d. Gr.) war früher Mönch, wurde bei Ziska Hauptmann, machte sich zuerst durch den Sieg bei Kremsier berühmt und übernahm 1424 an Ziska's Stelle den Oberbefehl über die Hussiten (s. d.). Als vorzüglich glänzende Waffenthaten sind ins Besondere zu bezeichnen der Sieg bei Aussig über das meißenische und sächsische Heer 1426, der Sieg über ein dreimal stärkeres deutsches Kreuzheer bei Mieß 1427, die Vernichtung eines ebensolchen deutschen Heeres 1431 bei Tauß und Riesenburg, der Sieg bei Taucha, und endlich war selbst die Niederlage bei Liepau unweit Böhmischbrod durch eine böhmische Gegenpartei 1434 eine glänzende Waffenthat Procop's, ein wahrer Selbstopferungskampf. Hier fiel er mit seinen besten Führern, weil er lieber sterben als der Uebermacht weichen wollte. 2) (P. der Kleine) war Unterfeldherr P.'s d. Gr., führte viele bedeutsame Kriegszüge, Belagerungen und Schlachten selbstständig, noch mehre aber mit jenem P. vereint aus und fiel an dessen Seite 1434 bei Liepau. Mit beider Procope Tod unterlag die Partei der Taboriten und der römische Kaiser Sigismund erlangte nun erst seine Anerkennung als König von Böhmen.

Profil ist die Ansicht eines Vertilaldurchschnitts durch einen Körper. Je nach der Lage spricht man von Längen- und Quer-P. Das schlechtweg so bezeichnete P. der Brustwehr, oder einer Befestigungsanlage überhaupt, ist senkrecht zur Feuerlinie gedacht. Es ist das Mittel zur Erkennung des Reliefs. Bei Brustwehren spricht man von starkem, schwachem Profil, wobei man hauptsächlich an die Brustwehrstärke denkt. Siehe Zeichnen.

Profiliren, s. Feldschanzen.

Profoß, im Mittelalter ein mit Hauptmannsrang bekleideter Offizier, jetzt noch in einigen Heeren derjenige Unteroffizier, welcher in den Arrest-Localen die Aufsicht und das Schließeramt führt. Im Mittelalter hatte er den Scharfrichter, Stockmeister und die Stockknechte unter seiner Oberaufsicht, die jedoch auch speciell noch unter einen Unteroffizier, den Hurenwaibel, gestellt waren. Die Gefängnißwärter auf den Schiffen haben noch heute den Titel Profoß.

Progressivzüge, bei umgeänderten Gewehren vorkommend, mit nach der Mündung hin abnehmender Tiefe, s. Züge.

Projectil, s. v. w. Geschoß (s. d.).

Projection (Projiciren) ist die Uebertragung eines Gegenstandes (Punkt, Linie, Fläche, Körper) auf die Bildebene, stellt somit dar, wie jener auf dieser erscheint. Man geht dabei von den Sehlinien aus, entsprechend den Lichtstrahlen, welche im Auge das Bild eines Gegenstandes hervorrufen. Vereinigen sich die Sehlinien in einem Punkte (dem Augpunkt), so entsteht die perspectivische Projection, auf welcher das perspectivische Zeichnen basirt. Laufen die Sehlinien dagegen einander parallel, so ergiebt sich die geometriſche Projection, die zur orthographiſchen wird, wenn jene zur Bildebene ſenkrecht ſtehen. Vertical-, Horizontal Projection entſteht, je nachdem in dieſem Falle die Bildebene vertical oder horizontal gedacht iſt. Iſometriſche Projection iſt die Anſicht eines Gegenſtandes über Eck. Die bezügliche Wiſſenſchaft heißt Projectionslehre. Siehe weiter Zeichnen.

Proleſch-Oſten, Anton Freiherr von, geb. 1795 in Graz von bürgerlichen Eltern, ſtudirte Anfangs die Rechte, trat 1813 freiwillig in ein bei der Rheinarmee ſtehendes Infanterie-Regiment, wurde bald Offizier, machte die Feldzüge bis 1815 mit, wurde darauf in mehren Generalſtäben und ſpäter in den wichtigſten diplomatiſchen Geſchäften verwendet, wobei er die militairiſche Stufenleiter bis zum Feldzeugmeiſter emporſtieg. Namentlich hat er ſich als Bundespräſidialgeſandter und als öſterreichiſcher Botſchafter in Konſtantinopel, wie als wiſſenſchaftlicher Schriftſteller bedeutſam gemacht.

Prolonge, auch Lang- oder Schlepp-Tau, reſp. Langlette genannt, von Gribeauval (ſ. d.) angegeben, dient zur Verbindung von Laffete und Protze bei Feldgeſchützen, wenn dieſe abgeprotzt bewegt werden ſollen. Die Länge der P. richtet ſich nach dem Abſtand von Laffete und Protze beim Feuern. Die Bewegung mit der P. findet nur auf kurze Diſtanzen und bei ebenem feſtem Boden ſtatt. In Preußen hat man ſeit 1864 die P. beim leichten Feldgeſchütz fallen gelaſſen, während ſie für das ſchwere in Geſtalt einer Kette beibehalten wurde.

Prony, Gaspar Clair François Marie Riche Baron von, geb. 1755 zu Chamelet im franz. Depart. Rhône, einer der berühmteſten franzöſiſchen Ingenieurs und Kriegsbaumeiſter, Profeſſor an der Polytechniſchen Schule, wurde 1828 in den Adelſtand erhoben und ſtarb als Pair 1839. Er hat viele phyſikaliſche, architektoniſche und mathematiſche Werke von großer Bedeutung herausgegeben.

Propellerſchraube, ſ. u. Schraube.

Proteſilaos, altgriechiſcher Held aus einem theſſaliſchen Königsgeſchlechte, der erſte Grieche, der den trojaniſchen Boden betrat und vor Troja fiel.

Protze wird der Vorderwagen eines Geſchützes, reſp. auch anderer Kriegsfahrzeuge, genannt; im letzteren Falle unter der Vorausſetzung, daß wie bei jenem der Vorderwagen eine gewiſſe Unabhängigkeit vom Hinterwagen beſitzt. Durch das Hinzutreten der Protze zur Laffete wird das ganze Geſchütz behufs größerer Beweglichkeit zum vierrädrigen Fahrzeug umgeſtaltet. An der Protze ſind die Vorrichtungen zur Anbringung der Zugkraft; häufig dient ſie auch zum Transport von Munition, Geſchützzubehör, Schanzzeug, Fourage, ſowie von Mannſchaften, ihres Gepäcks und ſelbſt ihrer Handwaffen. Jede Protze hat eine Achſe mit zwei Rädern; iſt erſtere von Metall, ſo kann ſie von einem hölzernen Futter umgeben ſein. Die Räder haben häufig geringere Höhe als diejenigen der Laffete. Auf der Achſe, reſp. dem Achsfutter, ruhen mehrere Arme, gewöhnlich zwei, oft iſt ein dritter kürzerer in der Mitte (die Mittelſteiſe.) Erſtere nehmen im vorderſten Theil die Deichſel auf, am hinteren haben ſie eine Querverbindung durch eiſerne Schienen oder durch Hölzer. Die Verbindung der Protze mit dem Hinterwagen vermittelt der Protznagel, oder der Protzhaken, von welchen erſterer auf der oberen Fläche der Achſe, reſp. des Achsfutters, oder rückwärts derſelben am Ende der Arme oder der Mittelſteiſe angebracht iſt, letzterer in der Regel an der hinteren Fläche der Achſe oder des Achsfutters ſitzt. Zum Anſchirren der Stangenpferde dienen die Hinterbracke oder Waage, ſowie die Steuerketten; die vorderen Pferdepaare ſind entweder an einer Vorderbracke (oder Vorlegewaage), oder direct an den Tauen der Stangenpferde angeſpannt. Die Deichſel kann entweder eine Stangen-, oder eine Gabeldeichſel (Lanze) ſein; letztere iſt auf der rechten Seite des Fahrzeugs angebracht. In der Regel ist noch eine Deichselstütze vorhanden. Hat eine Protze keine weiteren als die genannten Theile, so wird sie Sattel- protze genannt. Hierzu gehören die P. der Belagerungs- und Festungs- geschütze, welche lediglich dem Zwecke des Vorderwagens dienen. Soll aber, wie bei Feldgeschützen, die P. gleichzeitig als Transportmittel für Munition 2c. gebraucht werden, so trägt sie einen Kasten mit verschließbarem Deckel, welcher gleich- zeitig als Sitz dient, und heißt dann Kastenprotze. Das Innere des Protzkastens ist je nach Art und Menge der aufzunehmenden Gegenstände entsprechend einge- richtet. Gewöhnlich nimmt eine Protze 40—50 Schüsse des kleineren, 30 des größeren Kalibers der Feldgeschütze auf. Im Kasten wird ein Theil des Geschützzubehörs, äußerlich an demselben Schanzzeug und Futter untergebracht. Auf dem Deckel finden 2—3 Mann Platz, für welche auf den Armen ein Fußbrett, im übrigen Handbügel, oft auch Rücklehne und Sitzkissen vorhanden sind. Die Protze, als selbstständiges Fahrzeug gedacht, hat vermöge ihrer Con- structionsverhältnisse ein erhebliches Vordergewicht, welches also den Stangen- pferden zur Last fällt, wenn durch die Art der Anbringung des Hinterwagens hier nicht Abhülfe geschieht. Verlegt man aber den Druck des letztern bei aufgeprotztem Fahrzeug hinter die Achsenmittellinie der P., so kann jenes hier- durch zum geringeren, oder selbst größten Theil aufgehoben werden. Im letzteren Falle spricht man von einem Balanciersystem. Lastet der Druck des Hinter- wagens direkt auf der Achse, (was nur bei Sattelprotzen vorkommt), so ver- bindet man die Arme am hinteren Ende gewöhnlich durch ein Lenkscheit, welches sich an das Obergestell des Hinterwagens anlehnt und hierdurch der Deichsel einen Gegenhalt verschafft, sobald das Vordergewicht des Fahrzeuges aufgehoben ist. Ist der Verbindungspunkt an der hinteren Fläche der Achse angebracht, so bleibt ein bedeutendes Vordergewicht, und man ist gezwungen entweder die Gabeldeichsel anzuwenden, in welcher das Stangenhandpferd (Sanenußpferd) diese Last trägt — englische Anspannung, (wobei keine Vorderbracke zulässig), oder man hat am vorderen Deichselende eine besondere Tragevorrichtung für beide Stangenpferde, die Trage- oder Deichselhörner — französische Anspan- nung. Das Balanciersystem kommt in Preußen, Sachsen, Baiern, Rußland, Oesterreich zur Anwendung, die englische Anspannung fand sich bisher u. a. in Württemberg und Baden, die französische ist in Belgien. Mit Ausnahme der Achse und Beschläge wurden die Theile der Protzen bisher meist aus Holz gefertigt, man macht indeß jetzt schon häufiger vom Eisen Gebrauch. In Preußen existirt seit 1849 eine eiserne Festungs- und seit 1865 eine eiserne Belagerungsprotze.

Protzhebel kommen bei Laffeten mit kurzen Wänden von großer äußerer Breite als Mittel zur Verbindung mit der Protze vor. Das Auf- und Ab- protzen wird durch diese Einrichtung erleichtert und die Lenkbarkeit des aufge- protzten Fahrzeuges erhöht. Siehe Laff. Bd. V. S. 270. 271.

Protzstock ist der hintere Theil der Laffete, welcher beim Schießen gewöhn- lich auf dem Boden ruht und die Einrichtung zur Verbindung mit der Protze enthält, also dasselbe wie Schwanz oder Schweif der Laffete; der Name wird auch auf Fahrzeuge übertragen, die eine den Geschützen ähnliche Verbin- dung zwischen Vorder- und Hinterwagen haben.

Provence, früher eine Provinz des südöstlichen Frankreichs, von ungefähr 390 Q.-M., umfaßte die jetzigen französischen Departements Nieder-Alpen, Var und Rhonemündungen, nebst Theilen von Vaucluse und See-Alpen und zerfiel in die Ober-P. (nördlich) und die Nieder-P. (südlich). Die P. hieß bei den Römern Provincia Gallia, oder auch bloß Provincia (Im Gegensatz zu dem Freien Gallien), wurde bereits 122 v. Chr. von ihnen unterworfen und gehörte zum Transalpinischen Gallien. Im 5. Jahrh. n. Chr. wurde sie theils von den Westgothen, theils von den Burgundern erobert, gehörte unter Theodorich zum Ostgothischen Reiche, kam später an die Fränkischen Könige, bei den Theilungen der Söhne Ludwig des Frommen zuerst an Lothar I., dann an Karl den Kahlen, wurde nach dem Tode Ludwig des Stammlers (879) ein Theil des Burgundischen oder Arelatischen Reiches, fiel nach dem Aussterben des Mannesstammes der Grafen von Arles (1100) an den Grafen Raimund Berengar von Barcelona und nach dem Erlöschen von dessen Nachkommen (1254) an Karl von Anjou (einen Bruder des Königs Ludwig IX. des Heiligen von Frankreich), welcher 1264 als Karl I. auch König von Neapel wurde. Im Besitze seines Hauses blieb nun die P. bis auf die Königin Johanna I. von Neapel, welche 1382 den Herzog Ludwig von Anjou (einen Bruder des Königs Karl V. von Frankreich) zum Erben einsetzte, dessen letzter Nachkömmling Karl IV. sie 1481 an den König Ludwig XI. von Frankreich vererbte. Seitdem ist sie bei Frankreich verblieben. Vgl. Merry, „Histoire de P.", Paris 1830.

Proviant (Mundvorrath) bezeichnet die für Truppen an einer Stelle aufgehäuften, oder die denselben nachgeführten Lebensmittel. Im ersteren Falle ist der P. in P.-Häusern oder Magazinen niedergelegt, im letzteren wird er durch Proviant-Colonnen transportirt, welche aus einer Anzahl Proviant-Wagen bestehn. Die Verwaltung des P. fällt den Proviant-Aemtern anheim, welche bei mobilen Truppen Feld-Proviant-A. heißen. Der Vorsteher eines größeren Pr. A. heißt Proviant-Meister. Verproviantiren heißt eine Truppe oder eine Festung für eine gewisse Zeit, letztere für die muthmaßliche Dauer einer Belagerung, mit P. versehen. Siehe im weiteren „Verpflegung".

Provisorische Befestigungen werden häufig nöthig, da die Vorbereitungen des Kriegsschauplatzes in permanentem Sinne nie so weit ausgedehnt werden können, daß dadurch allen Bedürfnissen eines bestimmten Krieges Rechnung getragen würde. Die permanenten Anlagen selbst lassen sich aus technischen, ökonomischen und selbst nationalökonomischen Gründen nicht schon im Frieden zu völliger Kriegsbrauchbarkeit bringen, oder in derselben fortdauernd erhalten. Manche permanente Bauten sind beim Ausbruch eines Krieges noch unvollendet, oft ist man auch durch Mangel an Mitteln, durch politische Gründe, oder gar durch Verträge an der Anlage derselben schon im Frieden gehindert gewesen, oder ihre Nothwendigkeit tritt erst im Kriege gebieterisch hervor. Aus Mangel an Zeit verbietet es sich nun, permanente Mittel, insbesondere Mauerbau, anzuwenden, an deren Stelle tritt Holz und Eisen. Die Ausführung muß sowohl im Grundriß als im Profil oft hinter derjenigen wirklicher permanenter Bauten zurückbleiben. Die ganzen Anlagen tragen den Stempel des Provisoriums, wobei man sich häufig vorbehält, sie später in permanente umzuwandeln. Die eigentliche Enceinte pr. B.en besteht aus selbstständigen Hauptwerken mit Zwischenlinien. Erstere, meist in Form von Lünetten, kommen in den Brustwehrstärken permanenten Bauten gleich, bleiben indeß in den Höhenverhältnissen hinter diesen zurück. Der Graben wird nicht über 4 Meter tief gemacht. Traversen, Verbrauchsmagazine, Geschoßladestellen re. werden nicht fehlen. Der Graben erhält Flankirung durch Caponieren und wird mit Hindernißmitteln auf der Sohle und an der Escarpe versehen. Wo Flankirung fehlen sollte, kommen die Hindernisse an die Contrescarpe. Auch im Vorterrain sind solche anzubringen. Den Kehlschluß bilden Vertheidigungs-Pallisadirungen, oder Erdbrustwehren. Blockhäuser, mit Eisenschienen gedeckt, dienen als Reduits. Die Zwischenlinien sind mehr feldmäßig angelegt. Detachirte Werke, bombensichere Gebäude im Innern der Befestigung sind nothwendige Ergänzungsmittel. — Die p. B. dient einmal zur Vervollständigung vorhandener Festungen bei der Armirung, sodann zur Neubefestigung strategisch wichtiger Orte im In- und Auslande (Dresden 1866). Vorherrschend wird es sich dabei um Ortsbesitz handeln, indeß kann auch der Charakter des verschanzten Lagers vorhanden sein. (Beispiele: die Landseite von Sebastopol 1854—55, Düppel 1864, die beiden Perches bei Belfort 1870.) Vergl. das treffliche Werk, Grundriß der Fortifikation, von R. Wagner. Berlin 1870.

Prüfung, siehe Examen (Bd. III., S. 365).

Prüfungs-Commission, siehe Artillerie-Prüfungs-Commission (Bd. I. S. 242) und Versuchs-Commission, heißt auch soviel wie Examinations-Commission.

Prügelstrafe (s. auch Militärstrafen, Bd. V.) war noch zu Anfang dieses Jahrhunderts in den Heeren sehr üblig, man unterschied das mehr gerichtlich auferlegte Spießruthen- oder Gassenlaufen, (siehe Spießruthenlaufen) welches oft mit Todesstrafe gleich bedeutend war, und die mehr disciplinarisch, oft auch nach bloßer Willkür ertheilten Stockschläge. Mit dem Geist der Humanität, der unser Jahrhundert beseelt, ist dies entwürdigende Straf-Verfahren, welches namentlich mit der allgemeinen Wehrpflicht in direktem Widerspruch steht, nach und nach entweder ganz gefallen, oder, wie nach der Militärverfassung des Deutschen Reichs, auf solche Individuen reducirt worden, welche sich gemeiner Verbrechen schuldig gemacht haben. Hier können die in der 2. Klasse (s. d.) des Soldatenstandes befindlichen Leute in dringenden Fällen disciplinarisch mit Stockschlägen belegt werden. In Preußen proclamirte Gneisenau bei der Reorganisation im Jahre 1807 und 1808 die Freiheit der Rücken, in Rußland dagegen ist die Prügelstrafe erst nach 1860 abgeschafft worden. In der englischen Marine besteht sie noch.

Prath, (im Alterthum Pyretus), linker Nebenfluß der Donau, entspringt im südlichen Galizien auf dem nordöstlichen Abhange der Karpathen, fließt Anfangs nördlich, dann durch die Bukowina östlich, nachher (von Czernowitz an bis zu seiner Mündung die Grenze zwischen Bessarabien und der Moldau [Rumänien] also zwischen dem russischen und dem türkischen Reiche bildend) südsüdöstlich und fällt nach einem Stromlaufe von 125 Meilen bei Reni östlich von Galacz in die Donau. Die letzten 36 Meilen seines Laufes sind schiffbar. Auf einer durch die Windungen des Flusses gebildeten Landzunge bei dem Städtchen Huich südöstlich von Jassy wurde Peter der Gr. von den Türken unter dem Großvezier vollständig eingeschlossen und 23. Juli 1711 zu einem nachtheiligen Frieden gezwungen. Mit dem Uebergange der Russen über den P., am 2. Juli 1853, begann der Orientkrieg.

Ptolemais, der frühere Name von Acre (s. d.)

Ptolemäos, der gemeinschaftliche Name von 16 ägyptischen Königen einer Dynastie (Ptolemäer), die von 311 v. Chr. bis 30 v. Chr. reichte, und von P. I. Lagi oder Soter, einem Feldherrn Alexanders des Großen, gegründet worden war.

Publilius, Quintus Philo, von 339—315 v. Chr. vier Mal römischer Consul, Besieger der Lateiner und Samniter.

Puderdose, eine kleine Blechbüchse mit siebförmigem Deckel, ist ein Stück des Geschützzubehörs und nimmt Mehlpulver auf, mit welchem bei Anwendung von Luntenzündungen diese selbst und die nächste Rohrfläche bestreut werden, um das Feuerfangen zu erleichtern.

Puebla (La P. de los Angeles), befestigte Hauptstadt des mexicanischen Staates P. 560 O.-M. mit 658,609 Einw.), eine der schönsten und volkreichsten Städte Mexico's, in strategisch wichtiger Lage am südwestlichen Abhange der Sierra Malinche, unweit des Flusses Atoyac, der hier den Rio Preto aufnimmt, und an der Hauptstraße von Veracruz nach der Hauptstadt Mexico

(16 Meilen südöstlich von letzterer entfernt), ist Sitz eines Bischofs, höchst regelmäßig gebaut, hat zahlreiche Kirchen (darunter eine prächtige Kathedrale in reinstem dorischen Style), ein Priesterseminar, lebhaften Handel und Industrie und zählt 82,000 Einw. P., welches bereits im Januar 1845 von Santa-Anna vergebens belagert wurde, ist in der neueren Kriegsgeschichte namentlich berühmt geworden durch seine tapfere Vertheidigung während des Mexicanisch-Französischen Krieges. Nachdem die französische Armee unter Lorencey am 6. Mai 1862 einen mißlungenen Sturm auf P. unternommen hatte und von den Mexicanern unter Zaragoza nach Orizaba zurückgeschlagen worden war (vgl. Mexico Bd. VI. S. 77. f.), befestigten die Mexicaner unter Ortega die Stadt stärker, verbarrikadirten die Straßenvierecke, richteten Kirchen und Klöster zur Vertheidigung ein, warfen in der Umgegend Erdarbeiten auf und armirten 14 Forts. Die Franzosen, deren Obercommando am 3. Juli der General Forey (an Stelle von Lorencey) übernommen hatte, ergriffen erst im März 1863 die Offensive wieder von Amazoc aus, schlugen die Mexicaner unter Zaragoza und Ortega in einigen Treffen und begannen am 24. März die Belagerung, indem sie die am wenigsten gedeckte West- und Südwestseite der Stadt zum Angriff wählten. Am 27. März wurde das Fort San-Xavier von Bazaine beschossen und am 29. März gestürmt, in den nächsten Tagen bis zum 5. April ein Theil der Stadt genommen, nachdem Straße für Straße, Kloster für Kloster aufs Tapferste vertheidigt worden war; die Forts Augustino und Carmon wurden am 10. und 12. April vergebens angegriffen, dagegen das Fort Ingenieros am 17. April zur Capitulation gezwungen. Von da an wurde das Bombardement gegen die Stadt immer heftiger; auch schnitten die Franzosen der Stadt das Wasser ab. Nachdem am 8. Mai ein unter General Comonfort zum Entsatz herbeigezogenes mexicanisches Corps auf den Höhen von San-Lorenzo von den Franzosen unter Bazaine geschlagen worden, am 16. Mai das wichtige Fort Totimehuacan von den Franzosen zerstört worden war und der Proviant der Stadt gänzlich zu schwinden begann, bot Ortega die Capitulation des Platzes gegen freien Abzug der Garnison an. Da Forey die Annahme dieser Bedingung verweigerte, vernichtete Ortega alle Waffen und Kriegsvorräthe und übergab am 17. Mai mit 12,000 Mann und 26 Generälen bedingungslos die Stadt, die kaum am 18. Mai von den Franzosen besetzt wurde.

Pugatschew, Jemeljan, geb. 1726, war der Sohn eines gemeinen Kosaken, machte den Siebenjährigen Krieg in preußischen und österreichischen Diensten mit, erwarb sich dabei Kenntnisse der Kriegskunst, kehrte in sein Vaterland an den Don zurück, gab sich für den Czar Peter III. unter dem Vorgeben aus, daß an dessen Stelle ein gemeiner Soldat bestattet worden sei, fand großen Anhang, bildete ein bedeutendes Heer, bemächtigte sich mehrer russischer Festungen und bedeutender Städte, schlug eine russische Armee mehrmals, beabsichtigte schon Moskau zu erobern, wurde aber von Suworow geschlagen und gefangen und 1775 in Moskau hingerichtet. Eine Zeit lang befand sich Rußland durch ihn in ernstlicher Gefahr. Vgl. Puschlin, „Geschichte des Pugatschew'schen Aufstandes", Petersburg 1834, 2 Bde.; deutsch, Stuttg. 1840.

Puisaye, Joseph Graf von geb. 1755 in Mortagne, nannte sich während der französischen Revolution Generallieutenant des Königs, führte eine Zeit lang die royalistische Partei in der Bretagne, leitete die verunglückte Expedition von Quiberon 1795, machte bis 1797 noch mehrfache mißlungene Versuche gegen die Republik, flüchtete nach England und starb 1827.

Pulawy, Stadt im russisch-polnischen Gouvernement Lublin an der Weichsel (mit Schiffbrücke), ehemals Residenz des Fürsten von Czartoryski, hat 2000 Einwohner. Hier Gefechte 1809 zwischen Polen und Oesterreichern,

1831 zwischen Polen und Russen; bei den letztern wurde die Stadt geplündert und theilweis zerstört.

Pultawa (richtiger **Poltawa**), Hauptstadt des gleichnamigen russischen Gouvernements (902,₈₆ □.-M. mit 1,911,442 Einw.), an der Mündung der Poltawka in die Worskla, hat eine Citadelle, eine Kathedrale, eine Cadettenschule, ein Denkmal Peter d. Gr., ein Denkmal an die Schlacht von 1709 und zählt 32,000 Einw. P. wurde im Nordischen Kriege seit Anfang Mai 1709 von den Schweden unter Karl XII. belagert; am 27. Juni (8. Juli) 1709 kam es hier zu einer blutigen Schlacht zwischen den Schweden unter Karl XII. und den Russen unter Peter d. Gr., in welcher Letzterer einen entscheidenden Sieg erfocht, zufolge dessen Karl XII. nach der Türkei flüchtete (vgl. Karl 9.) Von diesem Siege datirt die Machtstellung Rußlands. Ungefähr 1 Stunde von P. entfernt, an der Stelle, wo der Ausgang der Schlacht entschieden wurde, erhebt sich das „Schwedengrab", ein 60 Fuß hoher Hügel, der ein hölzernes Kreuz trägt. P. ist der Geburtsort des Fürsten Paskewitsch.

Pultusk, Stadt im russisch-polnischen Gouvernement Plock, am Narew, mit 5000 Einwohnern. Hier im Nordischen Kriege 1703 Sieg der Schweden unter Karl XII. über ein sächsisch-polnisches Heer unter General Steinau, welches fast gänzlich gefangen genommen wurde. Am 26. Dec. 1806 Gefecht zwischen den Franzosen unter Lannes und den Russen unter Benningsen, welche Letztere zum Rückzuge gezwungen wurden.

Pulver nennt man im Allgemeinen feste Substanzen, welche sich in feiner Vertheilung befinden. Schlechtweg wird der Name P., präciser **Schießpulver**, für das seit Ausgang des Mittelalters zu ausgedehnterer Anwendung gelangte, auch heute noch allgemein verbreitete explosive Treib- und Sprengmittel gebraucht, welches aus Salpeter, Kohle und Schwefel in inniger mechanischer Mengung besteht. Es hat dasselbe sowohl für die civile Technik (Berg-, Straßen-, Eisenbahnbau) und das Jagdwesen, als für Kriegszwecke eine umfassende Bedeutung; hier finden wir es namentlich in den Ladungen der Feuerwaffen und der Hohlgeschosse, als Sprengmittel für Minen u. a., sowie zu den mannichfachsten Zwecken der Feuerwerkerei angewandt.

Historisches. Die ersten Spuren der Verwendung pulverähnlicher Substanzen lassen sich im Orient nachweisen, wo dieselben den Indiern und Chinesen schon in sehr alten Zeiten bekannt waren, wenn auch vielleicht nur zur Darstellung von Feuerwerkskörpern dienten. Von da ist das P. wahrscheinlich zur Kenntniß der Araber und durch diese nach Europa gekommen. Das griechische Feuer, welches im 7. und 8. JahrJahrhundert unserer Zeitrechnung bei der Vertheidigung Constantinopels gegen die Sarazenen zur Anwendung gebracht wurde, ist jedenfalls eine ähnliche Substanz gewesen. Im 12. und 13. Jahrhundert scheint man das P. benutzt zu haben, um Brandgeschosse fortzuschleudern, seit dem 14. aber läßt sich mit Sicherheit seine Verwendung zum Forttreiben zerschmetternder Projektile nachweisen. Es ist ein weit verbreiteter Glaube, daß ein deutscher Franziskanermönch Namens Berthold Schwarz zu dieser Zeit das Pulver erfunden habe. Wenn aber jene Persönlichkeit, welche dann jedenfalls in jener Zeit sehr üblichen Kunst des Goldmachens anhing, überhaupt existirt hat, so ist ihr höchstens das Verdienst zuzuschreiben, zur Benutzung derartiger Mengungen als Treibmittel beigetragen zu haben. Die Grundbestandtheile dieses P.s waren die auch noch heute üblichen; die Verbesserungen, welche dasselbe im Lauf der Jahrhunderte erfahren hat, beziehen sich auf eine bessere äußere Form, das rationellere Verhältniß der Bestandtheile und eine zweckmäßigere Fabrikationsweise. Unkenntniß und häufig auch Aberglaube sind in alten Zeiten Veranlassung gewesen, gewisse der Wirkung fremde Bestandtheile zuzusetzen, (so z. B. Kampher zur Erhöhung der Kraft u. s. w.). Die Bereitung geschah ursprünglich, indem man die drei Bestandtheile mit der Hand kleinte und unter einander mengte; das so gewonnene Mehl wurde in die Waffe geladen. Für die engere Bohrung der Handfeuerwaffen ballte man dasselbe zu Pillen zusammen — Knollenpulver und erhielt zugleich ein wirksameres Präparat, welches erst dann bei Geschützen verwandt werden konnte, als man letzteren größere Solidität zu verleihen gelernt hatte. Es entsprang daraus die spätere Körnerform, welche aber eine stärkere Verdichtung der Pulvermasse voraussetzt. Was das Verhältniß der drei Bestandtheile betrifft, so findet sich in alten Urkunden dasjenige von etwa 4 Theilen Salpeter, 2 Theilen Schwefel, 1 Theil Kohle, woraus das auch heute noch im Allgemeinen gültige von 6 : 1 : 1 entsprungen ist (s. weiter unten). In der Fabrikationsweise machte man insofern weitere Fortschritte, als an Stelle der reinen Handarbeit Hand- und später Stampfmühlen traten, man überhaupt schließlich zur ausgedehntesten Verwendung von Maschinen, welche allein eine Gleichmäßigkeit des Fabrikats garantirt, überging. Seit Ende des vorigen Jahrhunderts sind dem Schießpulver nach und nach eine Reihe anderer explosiver Mittel an die Seite getreten, deren keinem es indeß bis jetzt gelungen ist, das alte P. zu verdrängen (vergl. Spreng-, sowie Treibmittel). Auch hat dasselbe in neuester Zeit selbst noch einige Modificationen erfahren, woraus Baryt-, Mammuth-, Pebble-, Pellet-, Prismatisches P. ec. hervorgegangen sind.

Unser heutiges Schießpulver wird meist in Gestalt von Körnern, welche bald größere, bald geringere Ausdehnung, bald Kugel-, bald eine längliche Form haben, gebraucht. Es heißt in dieser Form Kornpulver, während das in Staubform befindliche P. Mehlpulver genannt wird. Letzteres ist weniger kriegsbrauchbar als ersteres, indem es leicht verstaubt und Feuchtigkeit anzieht, beim Transport sich entmischt und vermöge seiner großen Entzündlichkeit gefahrbringender ist als das Kornpulver. Außerdem hat das Mehlpulver eine geringere Wirkung als jenes, denn wenn es auch leichter Feuer fängt, so fehlen doch in einer Quantität Mehlpulver die die Schnelligkeit der Verbrennung befördernden Canäle, welche eine Ladung Kornpulver stets besitzt. Dies wird um so mehr hervortreten, wenn das P. in Form von Patronen gebracht ist, wobei es sich stets etwas zusammensackt. Das Mehlpulver findet seine Verwendung zur Herstellung von Luntenzündungen (s. Zündungen), sowie auch um fertige Zündungen dieser Art zur Aufnahme des Feuers empfänglicher zu machen (s. Puderdose), sodann in verdichtetem Zustande zur Herstellung andauernder und regulirbarer Brennzeiten (s. Zünder), und als Treibmittel in den Raketen (s. d.). Das Kornpulver ist das Mittel zur momentanen Entwicklung großer Kraft (hauptsächlichstes Treib-, sowie Sprengmittel). Die Dichtigkeit der Körner ist variabel, die Oberfläche besitzt gewöhnlich einen matten Glanz. Die Farbe ist schiefergrau, die einzelnen Körner lassen sich nicht ohne einen gewissen Widerstand zerdrücken. Der Feuchtigkeitsgehalt des P.s ist von vorn herein gering. Das specifische Gewicht beträgt 1,8 bis 1,7, das kubische, d. i. Gewicht einer Raumeinheit, beträgt z. B. in Preußen für das Liter ungef. 914, in Frankreich 820—860 Grammes. Die Entzündungstemperatur ist etwa 300° C. Die Fortpflanzung der Entzündung erfolgt mit sehr großer Geschwindigkeit, welche mit der Festigkeit der Umschließung wächst. Ein einzelnes Korn kann auf die zehnfache Entfernung seines Durchmessers nach Zündkraft. Ueber die Verbrennungstemperatur haben sich keine übereinstimmenden Resultate ergeben; doch dürfte nach den neuesten Ermittelungen zu etwa 3000° C. anzunehmen sein. Bei der Verbrennung bleibt ein nicht unbeträchtlicher Rückstand, von dem sich ein Theil verflüchtigt und den Dampf bildet. Der Knall entsteht durch die bei der plötzlichen bedeutenden Gas-Expansion erfolgende Erschütterung der umgebenden Luftschichten. Bisher nahm man für die Verbrennung des P.s folgenden chemischen Hergang an. Bei rationeller Zusammensetzung kommen im P. auf 1 Atom Salpeter oder salpetersauren Kalis ($KO\ NO_5$), 3 Atome Kohlenstoff (C), 1 Atom Schwefel (S). Die 3 Atome Kohlenstoff verbinden sich mit den 6 Atomen Sauerstoff (O) des Salpeters zu 3 Atomen Kohlensäure (CO_2), einer sehr ausdehnsamen Gasart; daneben wird ebenfalls Stickstoffgas (N) frei, während der Schwefel sich mit dem Kalium (K) des Salpeters zu Schwefelkalium (K S) verbindet, welches den festen Rückstand bildet. Ohne Vorhandensein des Schwefels würde der an das Kalium gebundene Sauerstoff nicht frei und weniger Gas erzeugt werden. Salpeter und Kohle sind mithin gasbildende Bestandtheile, der Salpeter speciell ist Sauerstofflieferer und wird erst durch den Schwefel völlig zersetzt. Nach neueren Untersuchungen von Karolyi gestalten sich die Verbrennungsprodukte anders. Unter dem Rückstand ist Schwefelkalium nur zum geringen Theil vertreten, dagegen schwefel- und kohlensaures Kali in bedeutendem Maße, daneben schwefligsaures Kali und kohlensaures Ammoniak. Unter den Gasen ist allerdings Kohlensäure und Stickstoffgas überwiegend, doch findet man daneben noch Kohlenoxydgas in nicht geringer Quantität. Es ist hiebei zu berücksichtigen, daß die verwendete Kohle nicht chemisch reinen Kohlenstoff vorstellt, sondern noch Sauer- und in geringem Maße Wasserstoff enthält. Unter den Producten repräsentiren die gasförmigen nur 30% des Gewichts. Ungeachtet des bedeutenden Ueberwiegens des an sich werthlosen und noch höchst lästigen Rückstandes ist zu berücksichtigen, daß bei den Feuerwaffen nicht etwa der ganze Betrag desselben im Rohre zurückbleibt, sondern ein Theil als Dampf entweicht, resp. durch die Kraft der Gase herausgeschleudert wird, sobaß nur etwa 10% der Ladung den Rückstand im Rohre bilden (nach Rukyg). Abgesehen von der chemischen Bedeutung der Bestandtheile erhöht die Kohle als solche die Entzündlichkeit des P.s, während der Schwefel den Körnern eine vermehrte Solidität verleiht. Ueber die Spannkraft der Gase existiren sehr differirende Angaben. Nach den Versuchen von Bunsen und Schischkoff beträgt die absolute Kraft des P.s ungef. 4400 Atmosphären. In Bezug auf die Wirkung des Gases (Kraftäußerung des P.s) ist ebensowohl die specielle Beschaffenheit des P.s als die Festigkeit des Widerstandes und das Verhältniß des leeren Raumes zum angefüllten innerhalb der Umschließung von Einfluß. Die Festigkeit der Umschließung kann bis zu einem gewissen Grade die Wirkung erhöhen, während ein leerer Raum innerhalb jener dieselbe stets vermindert. Je nach dem Zweck, welchen das P. zu erfüllen hat, pflegt man die Beschaffenheit der Körner, nicht selten auch die Zusammensetzung, zu modificiren. Je leichter der zu überwindende Widerstand nachgiebt, desto rascher muß die Wirkung erfolgen. Auf die Schnelligkeit der Zersetzung influirt aber wesentlich die Körnergröße. Ein kleines Korn brennt rascher zusammen als ein großes; ähnlich verhält es sich bei einem Conglomerat von kleinen, resp. großen Körnern, sobald die Zwischenräume derselben nicht etwa durch Zusammenpressung zerstört sind. Man wird daher die feinsten Körner da anwenden, wo die Vorlage den geringsten Widerstand leistet d. i. beim Schrotschuß des Jagdgewehrs — Jagdpulver. Die größten Körner sind beim Sprengpulver zulässig. Für Geschütze wird man im Allgemeinen ein gröberes Pulver als für Gewehre gebrauchen, theils um bei ersteren den nachtheiligen Effect des rasch verbrennenden feinkörnigen P.s auf das Rohr zu vermeiden, theils auch weil bei den größeren Ladungen der Geschütze die durch gröbere Körner entstehenden weiteren Zwischenräume für die Fortpflanzung der Entzündung wiederum günstig sind. — Je geringere Dichtigkeit man den Körnern verleiht, desto rascher wird im Allgemeinen ihre Verbrennung sein. Oft verbindet man einen geringen Grad von Dichtigkeit mit bedeutender Körnergröße. Bei Jagd- und Gewehrpulver wird bisweilen ein vermehrter Salpetergehalt gewählt, um den

Effekt zu erhöhen, bei Sprengpulver dagegen ist ein verminderter zulässig, wodurch der die Haltbarkeit der Körner befördernde Schwefelgehalt gesteigert werden kann. — Man unterscheidet somit Spreng-, Geschütz-, Gewehr- und Jagdpulver. Vom Geschützpulver hatte man früherhin häufig zwei Sorten, grobes und feines (Ordinair- und Fein-Pulver); für Jägerbüchsen gab es sogenanntes Pirschpulver. In Preußen wird zu Militärzwecken jetzt nur Geschütz- und Gewehrpulver fabricirt, von welchen ersteres auch zum Sprengen benutzt wird. Andere Staaten, wie Frankreich, Oesterreich fertigen besonderes Minenpulver an. Der Grad des Glanzes (Politur) wird verschieden gehalten; man bezweckt damit eine Sicherung gegen Verstauben und Feuchtigkeit, sowie eine weniger heftige Verbrennung. Die Gestalt der Körner ist meist länglich, indeß ohne Regelmäßigkeit. Man hat auch runde Körner dargestellt, welche recht gleichmäßige Zwischenräume ergeben, aber heftig wirken und nicht leicht zu fabriciren sind.

Bei den gesteigerten Ladungen, welche jetzt für Panzergeschütze angewandt werden, zeigte sich, namentlich in den Hinterladern, wo das Geschoß den Gasen einen bedeutenden Widerstand leistet, das bisherige Geschützpulver als von zu nachtheiligem Einfluß auf das Rohr und dabei von nicht hinreichend ausgiebiger Wirkung. Man hat die Erfahrung gemacht, daß, wenn man die Pulverkörner zu größeren Körpern comprimirt, der Effekt auf das Rohr bedeutend abnimmt, wohingegen die Wirkung auf das Geschoß durch Zulässigkeit vergrößerter Ladungen ganz erheblich zu steigern ist. In Preußen hat man die Form sechsseitiger Prismen von 26 mm. Höhe, 42 mm. Durchmesser über Eck und mit sieben der Länge nach durchlaufenden Kanälen gewählt (s. Prismatisches Pulver S. 248). Aehnlich ist das englische Pellet-Pulver (s. d.); das amerikanische Mammuth-Pulver besteht ebenso wie das Pebble-Pulver (s. d.) aus sehr groben unregelmäßigen Körnern. In Belgien hat man gleiche Zwecke mit dem Baryt-Pulver erstrebt, welches neben salpetersaurem Kali auch salpetersauren Baryt enthält. Dasselbe ist vom Capitän Wynants vorgeschlagen. Der Zusatz an salpetersaurem Baryt beträgt 40 bis 80% des salpetersauren Kalis. Das Baryt-P. brennt langsamer zusammen, läßt größeren Rückstand und äußert in gleichem Quantum geringere Kraft als das gewöhnliche P. Wenn sich hiernach auch eine geringere nachtheilige Wirkung auf das Rohr annehmen läßt, so scheint nach allem, was bekannt geworden ist, das Baryt-P. bis jetzt keinen rechten Anklang gefunden zu haben.

Was die genauen Verhältnißzahlen der drei Bestandtheile betrifft, so finden wir einmal wegen des verschiedenen Kohlenstoffgehaltes der Kohle, sodann wegen des ungleichmäßigen Abgangs bei der Fabrikation in den verschiedenen Staaten nicht unerhebliche Differenzen. In Preußen wird das für Geschütz- und Gewehr-P. gleichmäßige Verhältniß des Salpeters zur Kohle zum Schwefel von 74 : 16 : 10 angewandt, was im fertigen P. das Verhältniß von 73,₄ : 14,₆ : 11,₉ ergiebt. In Baiern hat das Gewehr-P. die Zusammensetzung von 76 : 14 : 10, das Geschütz P. von 75 : 12,₅ : 12,₅. In Sachsen ist das Verhältniß von 75 : 15 : 10; in Frankreich ebenso wie beim bairischen Geschütz-P.; in Oesterreich 75 : 13 : 12; beim englischen Geschütz-P. 75 : 15 : 10, beim Gewehr-P. 76,₄ : 14,₆ : 9 ꝛc.

Die Fabrikation des Schießpulvers. Es kommt zunächst darauf an, die drei Bestandtheile in möglichster Reinheit zu verwenden; dies kann auf die Art und Weise ihrer Gewinnung, sowie auf die Wahl der Bezugsquellen einen gewissen Einfluß üben. Der Salpeter, ein in heißem Wasser leicht lösliches Salz, welches in sechsseitigen Säulen krystallisirt, wurde früherhin vielfach aus Ostindien bezogen, wo es (ebenso wie in Aegypten, Italien, in südlichen Frankreich und in der Theißgegend) in der Natur als Rohsalpeter vorkommt, zum Zwecke der Pulverfabrikation aber noch einer Läuterung bedarf, aus welcher er als feines Mehl hervorgeht. Man hat ihn auch auf Salpeterplantagen künstlich erzeugt; in geringen Quantitäten und mit vieler Verunreinigung bildet er sich in Viehställen aus den Excrementen. Gegenwärtig wird der Salpeter meist aus salpetersaurem Natron (dem Chilisalpeter, welcher in großen Quantitäten in Süd-Amerika vorgefunden wird) durch Behandlung mit Chlorkaliumlange hergestellt. Die Kohle wird aus weichen, nicht harzigen Hölzern entweder in gemauerten Gruben durch theilweise Verbrennung, oder in eisernen Cylindern durch trockene Destillation erzeugt. Die Verkohlung kann zu sehr verschiedenen Graden ausgedehnt werden. Häufig läßt man der Kohle noch einen erheblichen Gehalt an Wasser- und Sauerstoff, sie ist dann sehr leicht entzündlich und liefert ein heftig wirkendes P.; wegen ihrer Farbe wird sie rothbraune Kohle genannt. Bei ihrer Gewinnung erhält man 35 bis 40% des verwendeten Holzes als Kohle. Beträgt die gewonnene Kohle nur noch 25% des letzteren, so ist der höchste Verkohlungsgrad erreicht; sie enthält dann 90% Kohlenstoff. Geht man darüber hinaus, so wird sie schwer entzündlich und hart, somit zur Pulverfabrikation ungeeignet (todtgebrannte Kohle). Die rothbraune Kohle wird namentlich in Belgien verwandt; ihre Darstellung geschieht mittelst überhitzten Wasserdampfes, welcher in eiserne Retorten geleitet wird. Der Schwefel wird in der Natur vorgefunden, aber noch einer Destillation unterworfen, aus welcher er als Stangenschwefel hervorgeht. — Die Grundsätze der Fabrikation des P.s s. unter Pulverfabrikation S. 263. — Die ersten Arbeiten, welche mit den geläuterten Stoffen vorgenommen werden, sind das Kleinen, soweit dies noch erforderlich ist, und das Mengen derselben. Beide Operationen werden entweder getrennt von einander vorgenommen, und man bedient sich alsdann der rotirenden Trommeln (unter Zusatz von Broncekugeln), oder es geht beide mit einander vor sich und zwar in Stampf- oder in Walzmühlen, unter gleichzeitiger Anfeuchtung, wodurch der Gefahr und dem Verstäuben vorgebeugt wird. Das Verfahren mittelst Trommeln stammt aus der Zeit der französischen Revolutionskriege (daher die Bezeichnung Revolutions-Verfahren) und führt am raschesten zum Ziele. In den Stampf- und den Walzmühlen wird gleichzeitig die Verdichtung des Pulversatzes vorgenommen, während im erstern Falle dem Mengen das Anfeuchten des Pulversatzes folgt und demnächst die Verdichtung mittelst einer Walzenpresse geschieht. Der gewonnene Pulverkuchen wird in Stücke zerschlagen und in einem Sieb-Apparate so weit zerkleint, bis er die Form von Körnern in der gewünschten Größe angenommen hat; ein Theil geht dabei selbst in Staub über, welcher sich im Apparat theilweise schon abgesondert hat. Die so gewonnene, aus Körnern verschiedener Größe bestehende staubige Masse ist noch mit einem gewissen Feuchtigkeitsgehalt behaftet. Durch Trocknen bei gewöhnlicher Lufttemperatur wird dieser bis zu einem gewissen Grade beseitigt; die Körner verlieren dabei weniger an Consistenz, als wenn sie sogleich in künstlicher Wärme getrocknet würden. Nachdem noch ein Sortiren der Körner in verschiedene Größenklassen vorangegangen, wobei zugleich der Staub sich absondert, wird das P. in Trommeln polirt, demnächst in erwärmter Luft völlig getrocknet, ausgestaubt und endlich definitiv sortirt. Um eine erhöhte Gleichmäßigkeit zu erzielen, werden häufig Vermengungen der verschiedenen Lieferungen mit einander vorgenommen. (Vgl. auch Pulverfabrik, S. 263.)

Die Untersuchung des Pulvers kann in verschiedenen Richtungen vorgenommen werden, einmal äußerlich, sodann in Bezug auf chemische Zusammensetzung, endlich hinsichtlich der Wirkung. In erster Beziehung giebt es oberflächliche Merkmale, wie Farbe, Festigkeit der Körner, ihre Entzündlichkeit ꝛc., aber auch genauere Methoden der Untersuchung, wie Feststellung des Feuchtigkeitsgehalts, der Körnergröße, des kubischen Gewichts (mittelst des Gravimeters) ꝛc. Feucht gewordenes Pulver erkennt man an der dunkleren Farbe und dem Zusammenkleben der Körner, bei höherem Grade am Auskrystallisiren des Salpeters. Die chemische Analyse umfaßt zunächst die Bestimmung des Feuchtigkeitsgehaltes, sodann die Trennung des Salpeters durch Auflösen in heißem Wasser, die Orydirung des Schwefels zu Schwefelsäure und die Bestimmung desselben durch Niederschlagen mittelst Chlorbariums, endlich die Bestimmung des Kohlengehaltes. In Bezug auf Wirkung hat man die verschiedenen Pulver-Proben. Zunächst kann man mittelst jeder Feuerwaffe die Leistungen des zu prüfenden Pulvers mit denen eines schon bekannten vergleichen und zwar in Bezug auf Schußweite, resp. Hoch- und Tiefschuß. Ein speciell hierzu bestimmtes Geschütz ist der Probir-Mörser (mortier-éprouvette), ein Mörser mittleren Kalibers (in Preußen 19 cm., in Frankreich 19 cm.), der eine Voll-, resp. eine mit Blei ausgegossene Hohlkugel von ungefähr 30 Kilogramm Gewicht mit einem sehr geringen Ladungsverhältniß (¹⁄₃₀₀) unter einem Winkel von 45 Grad wirft. Als Vergleichungsmaßstab dient ein unter besonders günstigen Umständen erzeugtes oder Normal-Pulver. Das Kriterium der Wirkung bilden die erzielten Wurfweiten. Die Probe ist bequem, kann leicht bei der Truppe vorgenommen werden und giebt relativ zuverlässige Resultate. Indeß sind viele auf das Geschoß einwirkende Elemente in Kauf zu nehmen, deren Effect fälschlich dem P. zugeschrieben werden kann. Es wäre auch an der Zeit, einen gezogenen Probirmörser zu construiren.

Weit correcter ist es, auf die Ermittelung der Geschwindigkeit loszuarbeiten, welche das Pulvergas dem Geschoß, oder auch dem Feuerrohr ertheilt. Hierzu sind indeß künstlichere Apparate nothwendig, von welchen lediglich Pulverfabriken und Versuchs-Commissionen Gebrauch machen können. Früherhin bediente man sich der ballistischen Pendel (Geschütz- und Gewehr-Pendel), welche den bewegenden Einfluß des P.s sowohl auf Geschoß als Rohr zur Anschauung bringen. (In ähnlichem Sinne, aber kleinerem Maßstabe sind die jetzt in wenig Ansehen mehr stehenden, weil unzuverlässigen, Feder- und Stangenproben. Besser noch ist die in Oesterreich übliche Wagner'sche Hebelprobe, sowie die in Sachsen gebräuchliche hydrostatische Probe; indeß leiden beide an minutiöser Ladung). Das vorzüglichste Mittel bieten die jetzt zu großer Vollkommenheit gebrachten Chronographen, vermittelst welcher man sehr kleine Zeiträume messen und damit die Anfangsgeschwindigkeit der Geschosse auf das genaueste bestimmen kann. Vgl. den Artikel Zeitmessung.

Bei allen Maßregeln, welche auf die Behandlung des fertigen Schießpulvers sich beziehen, ist stets auf seine Gefährlichkeit Rücksicht zu nehmen, also sowohl bei der Aufbewahrung, als dem Transport und den Pulverarbeiten. Nächstdem ist das P. mit großer Sorgfalt vor den nachtheiligen Einflüssen der Feuchtigkeit zu bewahren, welche seine Güte verringern und es schließlich zu seinem Zweck ganz unbrauchbar machen können. Auch Zerstörung der Körner, Verstäuben und Verunreinigung sind dem P. schädlich. Um die Gefährlichkeit vor dem Gebrauch zu vermindern, hat man vorgeschlagen, das P. mit Kohlenstaub oder mit Glaspulver zu vermengen, wobei es ohne Explosion abbrennt. Indeß steht das später nothwendige Absondern des Zusatzes als sehr hinderlich im Wege.

Einzelnen der in der Neuzeit aufgetauchten Treib- und Sprengmitteln hat man ebenfalls den Namen P. beigelegt. So wurde das im vorigen Jahrhundert bereits von Berthollet (f. d.) dargestellte Gemenge von chlorsaurem Kali mit Kohle und Schwefel "Murlatisches Schießpulver", das Knallquecksilber mit seinen Zusätzen (von Howard im Anfang dieses Jahrhunderts) "Knall-Pulver" genannt. Beide finden wegen ihrer großen Entzündlichkeit (schon durch Stich und Schlag) eine ausgedehnte Anwendung in den fulminanten Zündungen (f. Zündungen). Eine Mengung chlorsauren Kali's mit Zucker und dem Blutlangensalz (von Augendre) führt den Namen "Weißes Schießpul-

In neuester Zeit hat ein von dem früheren preußischen Artillerie-Hauptmann Schultze dargestelltes Treibmittel, mit dem Namen „Neues chemisches", oder auch „Gelbes" Schießpulver großes Aufsehen erregt. Dasselbe wird in nachstehender Weise erzeugt. Holzfaser (der Pappel, Esche oder Eiche) wird entweder zu Sägemehl zerkleinert, oder in die Form kleiner Cylinder gebracht, demnächst durch Sodalauge von löslichen Säften, durch Wasserdampf von eiweißartigen, durch Chlorgas von Farbe-Stoffen befreit. Die so gewonnene ziemlich reine Holzfaser wird durch Behandlung mit Salpeter- und Schwefelsäure zu einem stickstoffhaltigen Körper umgewandelt, demnächst durch Behandlung mit Salpeterlösung explosiv gemacht. Bei der Einfachheit der letzten Manipulation darf es als zulässig erachtet werden, wenn dieselbe erst kurz vor dem Gebrauch vorgenommen wird, so daß das P. bei der Aufbewahrung in nicht explosivem Zustande sich befindet. Es wäre somit die sonst hierbei vorhandene Gefahr vermieden; auch die Fabrikation an sich soll gänzlich gefahrlos sein. Das chemische Schießpulver läßt einen geringen Rückstand, erzeugt wenig Dampf und ist billiger als das gewöhnliche. Doch wirkt man ihm noch einen zu bedeutenden zerstörenden Einfluß auf die Feuerwaffen, sowie Ungleichmäßigkeit der Wirkung vor. Als Sprengmittel hat es Eingang gefunden, auch als Jagdpulver, doch noch nicht als Kriegspulver für Feuerwaffen. Pulver von Désignolle siehe Pikrinsaures Kali (Bd. VII. S. 141). Dittmarsches Pulver, s. Sprengmittel.

Zum Schlusse seien hier noch diejenigen Bedenken aufgeführt, welche gegen das schwarze Schießpulver sprechen und seinen Ersatz durch ein vollkommeneres Präparat erstrebenswerth erscheinen lassen, sowie nicht minder seiner Vorzüge Erwähnung gethan. Zunächst entwickelt sich aus einer gegebenen Gewichtsmenge des P.s eine im Vergleich zu andern explosiven Mitteln geringere Kraft, wogegen ein beträchtlicher und häufig sehr hinderlicher Rückstand bleibt, wozu auch der namentlich in geschlossenen Räumen sehr lästige Dampf zu rechnen ist. In diesen Beziehungen verhält sich z. B. Schießbaumwolle viel günstiger; sie läßt fast keinen Rückstand und erzeugt wenig und einen kaum merklichen Dampf. Das P. ist schon in der Erzeugung gefahrbringend und in der Folge nicht minder, doch hat es hierin vor einigen andern Substanzen noch Vorzüge. Seine Wirkung auf die Wände der Feuerrohre (brisante Wirkung, auch Offensivität genannt,) ist nicht gering; doch läßt sich ihr durch die Form in gewissem Grade begegnen (siehe oben). Ein Vorzug, welcher bis jetzt das Pulver andern Explosivmitteln überlegen erscheinen läßt, ist die allmählige nachhaltige Entwicklung seiner Kraft; sein Volumen ist gegenüber andern Substanzen gering, was für die Construction der Feuerwaffen günstig ist. Als Sprengmittel wirkt es auch ohne Einschließung, also gegen Thore, Ballisaßirungen ꝛc. Zum Sprengen von Gestein dürfte andern Mitteln bereits der Vorzug zu geben sein. Dagegen ist das P. zu Zwecken der Feuerwerkerei mehr als viele der andern Substanzen geeignet. Literatur. Auskunft geben hier die Waffenlehren, sowie die artilleristischen Lehr- und Handbücher. Außerdem ist zu vergleichen: E. Schultze, „Das neue chemische Schießpulver ꝛc." Von dem Erfinder. Berlin 1865. — Rustiß und O. von Grahl, „Das Schießpulver und seine Mängel", Wien 1869, sowie ein Aufsatz im Preußischen Militair-Wochenblatt Nr. 70. 1869: „Ueber Treib- und Sprengmittel der heutigen Zeit". Siehe außerdem den Artikel „Treibmittel".

Pulverarbeiten umfassen 1. die Arbeiten behufs Magazinirung und guter Erhaltung des Pulvers bei der Aufbewahrung, 2. diejenigen Munitions-Arbeiten, bei welchen Pulver, namentlich in größeren Quantitäten, verarbeitet wird. Die nothwendigen Vorsichtsmaßregeln hierbei sind: Instruction, Revision, genaue Beaufsichtigung der Arbeiter, örtliche Trennung der gefahrbringenden Arbeiten von den gefahrloseren, Verhüten von Anhäufung großer Quan-

titäten von Pulver und Munition an den Arbeitsstellen, Vermeiden aller Reibung und Erschütterung des Pulvers, Vornahme von besonders gefahrbringenden Arbeiten im Freien u. a.

Pulverfabrik ist der Name für ein Etablissement zur Erzeugung des
Schießpulvers (im gewöhnlichen Leben oft Pulvermühle genannt). Soweit
das Schießpulver zu Kriegszwecken bestimmt ist, sind die P.en in der Regel in
der Hand der betreffenden Staaten; so hat Preußen gegenwärtig drei und zwar
in Spandau, Neisse und Metz. Derartige P.en stehen unter militärischer Direction, während der eigentliche Betrieb Civil-Technikern und -Arbeitern anheim
fällt. Weder die staatlichen noch die Privat-P.en dürfen der Gefahr halber
in unmittelbarer Nähe von bewohnten Stellen angelegt sein; so liegt u. a. die
Spandauer Fabrik auf einer Insel der Havel. Staatsfabriken legt man gern
innerhalb befestigter Plätze. In Frankreich, wo der Pulver-Verkauf monopoli-
sirt ist, gab es bisher fünf Fabriken für Kriegspulver und zwar in Le Bouchet,
Constantine, Rigault, St. Chamas und Metz. Rußland hat drei P.en und
zwar in Ochta, Schosta und Kasan, deren jede unter einem General steht.
Das englische Kriegspulver wird in Waldham Abtey fabricirt.

Pulverfabrikation oder Erzeugung des Schießpulvers muß nach gewissen
Grundsätzen geschehen, die sich folgendermaßen zusammenfassen lassen. Zuerst
muß die möglichste Gefahrlosigkeit im Auge behalten werden. Als ein
wesentliches Mittel zur Erreichung dieses Zweckes ist die örtliche Trennung der
verschiedenen Fabrikationsstationen zu erachten, und insbesondere sind solche
Arbeitsstellen, an welchen die meiste Gefahr vorhanden ist, abseits anzulegen.
Wo angängig, wird man, statt Dampfes, Wasserkraft anwenden. Strenge
Ueberwachung, richtige Auswahl der Arbeiter, möglichst geringe Zahl der letzteren an den gefährlichsten Stellen sind ferner wichtig. Im Interesse eines
guten Fabrikats liegt es, die einzelnen Operationen so zu sondern, daß
der Einfluß einer jeden auf Beschaffenheit und Wirkung des Pulvers ermittelt
und jede derselben geändert werden kann, ohne in die andere eingreifen zu
müssen. Zur Erzielung möglichster Gleichmäßigkeit ist die ausgedehnteste
Anwendung von Maschinen zu machen. S. weiterhin Pulver S. 259. f.

Pulverhäuser nennt man die Schuppen zur Aufbewahrung des Schießpulvers, wie sie in offenen Städten, namentlich auch für die Vorräthe der
Kaufleute, angewandt werden. Sie liegen abseits vom Orte und werden in
der Regel militärisch bewacht.

Pulverkammer ist ein kleinerer Raum zur Unterbringung von Schießpulver
und Munition, so in Belagerungsbatterien und auf Schiffen. In Bezug auf
erstere vergl. Magazin (Bd. V., S. 379). Auf Schiffen liegt die P. möglichst
vom Feuerungsraum getrennt und unter der Wasserlinie, resp. durch die Schiffs-
Panzerung gedeckt.

Pulverkasten dienen zur Aufbewahrung geringer Quantitäten von Pulver
und Munition. — P. werden auch die zur Aufnahme des Pulvers in Minen
bestimmten Kasten genannt (siehe Mine, Bd. VI., S. 125).

Pulverlust, ein jetzt wenig mehr gebräuchlicher Ausdruck für die flüchtig
werdenden Theile des Schießpulvers, im Gegensatz zum Rückstand.

Pulvermagazin, siehe Magazin, Bd. V., S. 379.

Pulvermaß dient zum Abmessen der Pulverladungen, namentlich für Handfeuerwaffen.

Pulvermühle, siehe Pulverfabrik.

Pulversack wird häufig der Theil des Gewehrlaufs genannt, welcher zur
Aufnahme der Pulverladung dient, also die Kammer des Vorder-, resp. das
Patronenlager des Hinterladers enthält. — Den P. als Sprengmittel für Pal-
lisadirungen ꝛc. f. u. Kriegsfeuer Bd. V. S. 231.

Pulverschleim heißt der in den Waffen bleibende Theil des Pulverrück standes, nachdem er vermöge seiner Hygroskopicität breiartig geworden ist. Durch Verhärten bildet er die Pulverkruste. Der P. kann das Laden sehr behindern, indem er sowohl das Eindringen des Geschosses von vorne erschwert und selbst unmöglich macht, als die Gangbarkeit des Verschlusses und selbst des Schlosses bei Hinterladern alterirt. Auch die Trefffähigkeit leidet durch den P. Das Ansetzen des P.s in einer Waffe heißt Verschleimen oder Crachement (s. d. Bd. III S. 92). Die Farbe des Schleims ist schwärzlich, was von unverbrannter Kohle herrührt; der widerliche Geruch ist Folge von dem sich bildenden Schwefelwasserstoffgas. Vergl. unter Pulver das, was über Rückstand gesagt ist (S. 258 u. 262).

Pulversorten entstehen hauptsächlich durch verschiedene Körnergrößen, oft auch durch kleine Differenzen in der Dosirung (s. u. Pulver, S. 258, 259).

Pulverstaub ist das staubförmige Pulver, welches sich namentlich bei Transporten im Kornpulver bildet, nicht zu verwechseln mit Mehlpulver (s. d. unter Pulver S. 257). P. besitzt mehr Kohlengehalt als letzteres.

Pulvertonne ist ein zur Aufnahme von Pulver bei der Magazinirung und dem Transport bestimmtes Faß. In Preußen faßt ein solches ungefähr 50 Kilogr., in Frankreich giebt es deren für 50 und für 100 Kilogr. Bei Transporten setzt man häufig das gefüllte Faß in ein etwas größeres leeres, oder schüttet das Pulver zunächst in einen Sack, der in die Tonne gesetzt wird. Man wirkt damit dem so gefahrbringenden Streuen des Pulvers entgegen.

Pulverträge ist eine Art Bahre, welche gerade eine Pulvertonne aufnimmt.

Pulvertransport, siehe Transport.

Pulverwagen nennt man die zum Transport von Pulver eingerichteten Fahrzeuge; mitunter begreift man unter dem Namen Munitionswagen überhaupt.

Puna (Poona), Hauptstadt des gleichnamigen Districtes in der indobritischen Präsidentschaft Bombay, am Moota, 18 deutsche Meilen südöstlich von Bombay und mit diesem durch die zum Anschluß an die Madrasbahn nach Scholapur führende Südostzweigbahn der Great-Indian-Peninsularbahn verbunden, ist Sitz des Peischwa und als solcher die Hauptstadt der Mahratten, sowie eines der Hauptquartiere der britischen Bombay-Armee, hatte zur Zeit seiner Blüthe über 100,000, jetzt nur noch gegen 80,000 Einwohner. Ungefähr ½ Stunde westlich der Stadt befinden sich die ausgedehnten englischen Cantonements mit ihren höchst comfortabeln Officierswohnungen; im Norden und Osten liegen zahlreiche Felsenfestungen, von denen viele in der englischen Kriegsgeschichte, besonders durch die Kämpfe 1817 und 1818, berühmt geworden sind.

Puniar, Stadt im indobritischen Subsidien-Allianzstaat Gwalior; hier am 29. Dec. 1843 Sieg der Engländer unter Grey über die Mahratten.

Punische Kriege heißen die drei von den Römern mit den Carthagern (oder, wie die Römer sie gewöhnlich nannten, Puniern, d. h. Phöniziern) geführten Kriege. Der Erste P. K. fand von 264—241 v. Chr. statt. Hauptschauplatz war Sicilien, Ursache die Feindseligkeit der Carthager und des ihm verbündeten Königs Hiero auf Sicilien gegen die Mamertiner. Die Römer setzten als Bundesgenossen der Mamertiner ein Heer nach Sicilien über, gewannen den Hiero, kämpften mit zweifelhaftem Glück zu Lande, schlugen aber die Carthager bei Mylä und Eknomos 260 und 256 zur See, setzten nach Afrika über, wurden aber 255 hier geschlagen, setzten nun den Krieg auf Sicilien fort, siegten 250 bei Panormus, wurden aber wiederholt durch Hamilkar Barkas geschlagen, entschieden gleichwohl zuletzt 241 den Kampf zu ihren Gunsten durch den großen Seesieg vor den Aegatischen Inseln. Hiermit verlor Carthago sein ganzes Gebiet auf Sicilien. Der Zweite P. K. dauerte von 218—201 v. Chr. Die Carthager fielen unter Hannibal in Spanien ein, warfen hier und in Gallien jeden Widerstand nieder, drangen über die Alpen in Italien ein, schlugen die Römer 218 am Ticino, an der Trebia und dem Po, 217 am

Trasimenischen See, 216 bei Cannä (s. d.), bedrohten Rom, versäumten aber die Zeit mit diplomatischen Unterhandlungen und erlitten in Folge davon Nachtheile bei Nola 216 v. Chr., schlugen aber wiederum die Römer mehrfach, behaupteten dadurch 214 Unteritalien, konnten aber, da sie keine Unterstützung erhielten, nicht hindern, daß in ihrem Rücken Sicilien von den Feinden erobert wurde. Da nun auch Hannibal's Bruder Hasdrubal, der ihm ein Hilfsheer aus Spanien zuführte, 207 auf dem Marsche überrascht und geschlagen wurde, so hatte Hannibal keine Aussicht, den Feind zu überwältigen. Doch behauptete er sich noch bis 203, als Carthago selbst angegriffen und Hannibal zum Schutze der Stadt zurückgerufen wurde. Aber bereits waren hier die Carthager mehrmal geschlagen worden und auch Hannibal vermochte es nicht, mit den besorganisirten Truppen bei Zama 202 gegen Scipio den Sieg zu erringen. Hiermit endete der Zweite P. K. Der Friede beschränkte nicht nur das Gebiet, sondern auch die Rechte und Macht Carthago's sehr. Rom, um Carthago gänzlich an sich zu bringen, zog 149 v. Chr. den Dritten P. K. ohne gegründete Veranlassung herbei, forderte, daß Carthago abergeben werden solle und die Einwohner sich im Innern des Landes anbaueten. Zwei Jahre lang widerstanden die Carthager siegreich, 146 aber erstürmte Publius Cornelius Scipio Aemilianus die Stadt nach einer einjährigen Belagerung und hiermit endete das Carthagische Reich und der Dritte P. K.

Punkt, ein aus der Mathematik ähnlich wie Linie in die militärische Sprache herübergenommener Begriff, bezeichnet eine einzelne Stelle in einer Position oder in einer ausgedehnten Befestigung. So spricht man von Schlüssel- und Stütz-Punkt (s. d.), sowie andrerseits vom Angriffs-Punkt. Bei den Exercierübungen bedient man sich der Richtpunkte oder Points (s. Richten). P. ist endlich Bezeichnung für ein sehr geringes Längenmaß (bisher $^1/_{12}$ der Linie, gleich „Strich").

Pydna, Stadt an der Westküste des Thermäischen Meerbusens (jetzt Meerbusen von Salonichi) in der macedonischen Landschaft Pieria. Hier wurde Perseus, der letzte König von Macedonien, 168 v. Chr. durch die Römer unter Aemilius Paulus geschlagen und vernichtet, womit das Macedonische Reich sein Ende nahm.

Pyramiden, 1) die bekannten, von einer quadratischen Grundfläche vierseitig aufgebauten, spitz zulaufenden Grabmonumente der altägyptischen Könige. Die bedeutendste Pyramidengruppe ist die bei Gizeh am linken Ufer des Nil, süd-südwestlich von Kairo gelegen. Dieselbe ist auch in der Kriegsgeschichte berühmt durch die danach benannte Schlacht bei den Pyramiden, in welcher am 21. Juli 1798 die Franzosen unter Bonaparte einen Sieg über die Mameluken unter Murad Bei erfochten. 2) Gewehr-Pyramiden nennt man die während des Ruhens einer Truppe zu 3 oder 4 mit den Mündungen an einander gestellten Gewehre. Die Kolben ruhen dabei auf der Erde, und die Mündungen finden ihren Halt mittelst der Bajonette oder der um ein gewisses Maß herausgezogenen Ladestöcke.

Pyrenäen, das Kettengebirge, welches sich vom Golf von Rosas des Mittelländischen Meeres in westnordwestlicher Richtung, in einer Länge von 58 Meilen (mit den Krümmungen des Hauptkammes von 77 Meilen) und einer Breite von 3 bis zu 15 Meilen bis zur Südostecke des Biscayischen Meerbusens (Atlant. Ocean) hinzieht und in seinem Hauptkamme mit geringen Ausnahmen die politische Grenze zwischen Frankreich und Spanien bildet. Die P. steigen aus der Ebene und dem Hügellande des südwestlichen Frankreichs frei auf, stehen dagegen im Süden unmittelbar durch die Gebirge von Aragonien und Catalonien, sowie im Westen unmittelbar mit den Gebirgen der Pyrenäischen Halbinsel in Verbindung. Sie bestehen aus mehren Parallel-Ketten, von denen die Hoch- oder Mittel-P. (der wildeste und höchste Theil des ganzen Gebirges mit Gipfeln bis über 10,000 Fuß), die Ost-P. (eine mächtige, unburchbrochene Felsenmauer bildend, mit Gipfeln bis über 8000 Fuß) und die West-P. (mit Gipfeln bis über 7000 Fuß) die bedeutendsten sind. Die mittlere Kammhöhe beträgt 6—7000 Fuß; mehr als 100 Pässe (hier theils Col, theils Port oder Puerto genannt) führen über dieselbe; doch sind nur sieben davon für Wagen oder schweres Geschütz fahrbar. Die drei Hauptpässe sind: von St. Jean de Luz über Jrun und die Bidassoa nach Vitoria; von St. Jean Pied de Port nach Pampelona; von Perpignan über Junquera nach Gerona, welche sämmtlich den Römern schon bekannt waren. Die Rolands-pforte (s. d.) von Bielsa nach Barrèges ist sehr beschwerlich. Für Pferde sind 28 Pässe passirbar. Der landschaftliche Charakter ist im Allgemeinen auf der französischen (nördlichen) Seite schöner als auf der spanischen (südlichen), wo der Abhang einförmig und kahl ist. Von den P. haben drei Departements des südwestlichen Frankreichs den Namen: Nieder-P. (Basses Pyrénées) an den Biscayischen Meerbusen grenzend, 138,₄₄ Q.-M. und 435,486 Einw., mit der Hauptstadt Pau; Hoch-P. (Hautes-Pyrénées) 82,₂₂ Q.-M. und 240,252 Einw., mit der Hauptstadt Tarbes; Ost-P. (Pyrénées-Orientales), an das Mittelländische Meer grenzend, 74,₄₄ Q.-M. und 189,490 Einw., mit der Hauptstadt Perpignan. Die Schlacht in den P. nennt man eine Reihe von Gefechten zwischen den Franzosen unter Soult, welcher Pampelona entsetzen wollte, gegen die Briten und Spanier unter Wellington, vom 27.—31. Juli 1813 hauptsächlich bei den Dörfern Sorourem, Villaba, Huerta und Ortiz stattfindend.

Pyrenäischer Friede, zwischen Frankreich und Spanien nach einem vier-undzwanzigjährigen Kriege am 7. Nov. 1659 auf der Fasaneninsel im Bidassoaflusse auf der Grenze beider Reiche in den Pyrenäen abgeschlossen und daher nach diesen genannt. Spanien verlor in demselben an Frankreich sein Gebiet diesseit der Pyrenäen, sowie in den Niederlanden Artois und das Meiste von Flandern, Hennegau und Luxemburg.

Pyrenäische Halbinsel, der geographische Name für die südwestliche Halbinsel Europa's, welche sich an die Pyrenäen anschließt und in politischer Hinsicht die Königreiche Spanien und Portugal umfaßt.

Pyrmont, ein zum deutschen Fürstenthum Waldeck (s. d.) gehöriges kleines Fürstenthum von 1,₁₁ Q.-M. und (1867) 7479 Einwohnern mit der gleichnamigen Hauptstadt, welche Sommerresidenz des Fürsten und berühmter Badeort ist und 1400 Einwohner hat.

Pyrotechnik umfaßt die gesammte Feuerwerkerei, somit auch die Kriegs-feuerwerkerei (s. d.). Die dahin gehörigen Etablissements, Anstalten rc. heißen pyrotechnische.

Pyroxam, nitrisirtes Stärkemehl, siehe Sprengmittel.

Pyroxylin, siehe Schießbaumwolle.

Pyrrhos, 1) (gewöhnlich Neoptolemos genannt), griechischer Held vor Troja, Sohn des Achilles und der Deidamia, tödtete bei der Zerstörung Troja's den König Priamos, kam später nach Epirus, verheirathete sich mit Andromache, der Wittwe Hector's, und wurde der Stammvater der Könige von Epirus. 2) König von Epirus, geb. um 300 v. Chr., wurde von seinem Pflegevater, dem König Glaukos von Jllyrien, schon als Knabe mit Waffengewalt auf den Thron von Epirus gesetzt, eroberte Macedonien für eine kurze Zeit, bekämpfte als Verbündeter der Tarentiner die Römer, schlug sie bei Heraklea (280 v. Chr.) und Askulum (279), besiegte die Carthager auf Sicilien 278, wurde aber von diesen zur See geschlagen, zog wieder nach Italien gegen die Römer, wurde jedoch von diesen 275 bei Benevent so besiegt, daß er in sein Reich zurückkehren mußte. Hier fiel er bei der Belagerung von Argos 272 v. Chr. Von ihm lernten die Römer die griechische Taktik und Heeresorganisation, durch deren Ausbildung später ihre Heere eine so bedeutende Uebersegenheit über die Heere anderer Völker erlangten. Sein Leben hat Plutarch beschrieben.

Pythagoräischer Lehrsatz (Magister matheseos, nach dem griechischen Philosophen Pythagoras aus Samos genannt, welcher in der zweiten Hälfte des 6. Jahrhunderts v. Chr. lebte und bei der Auffindung dieses Lehrsatzes den Göttern eine Hekatombe [100 Stiere] geopfert haben soll), einer der wichtigsten Lehrsätze der Geometrie, nach welchem in jedem rechtwinkligen Dreieck das Quadrat der Hypotenuse gleich ist der Summe der Quadrate der beiden Katheten, im rechtwinkligen Dreiecke A B C also B C² = A B² + A C². Den Beweis dieses Lehrsatzes, welcher namentlich deshalb so wichtig ist, weil er vorzugsweise eine Anwendung der Rechnung auf geometrische Größen gestattet, kann man entweder unmittelbar dadurch führen, daß man wirklich die Flächen der betreffenden Quadrate vergleicht und unter Anwendung gewisser Hilfslinien zunächst die Congruenz einiger dadurch entstehenden Dreieckspaare und somit die behauptete Gleichheit der Flächen nachweist, oder mittelbar indem man mit Hilfe des Satzes, daß das ursprüngliche Dreieck durch das Perpendikel (aus dem rechten Winkel A auf die Hypotenuse B C gefällt) in zwei dem ganzen Dreieck ähnliche Dreiecke getheilt wird, auf die Proportionalität gewisser Linien schließt und daraus durch Rechnung das übrige folgert. Es giebt eine große Menge verschiedener Beweise. Vgl. Müller, „Systematische Zusammenstellung der wichtigsten bisher bekannten Beweise des P. L." Nürnberg 1819; Hoffmann, „Der P. L. mit 32 Beweisen", Mainz 1821.

Pythische Spiele, eines der vier großen nationalen Kampf- und Festspiele der alten Griechen. Die P. S. wurden zu Ehren des Apollo, als Bezwingers des Drachen Python auf den krissäischen Feldern bei Delphi, und zwar früher aller 9 Jahre, seit der Beendigung des ersten heiligen Krieges (586 v. Chr.) aber aller 4 Jahre (im 3. Jahre jeder Olympiade) im delphischen Monat Bukatios (ungefähr Mitte August) gefeiert, bestanden in musikalischen, gymnischen und hippischen Wettkämpfen, nach denen die Sieger mit Lorbeerkränzen belohnt wurden, und erhielten sich bis in das 4. Jahrh. n. Chr. Vgl. Krause, „Die Pythien, Nemeen und Isthmien", Leipzig 1841.

Pz., die Chiffre des Militairschriftstellers Pönitz (s. d.)

Q.

Quadrant. 1) mit Viertelkreis gleichbedeutend. 2) Ein Kreisinstrument zum Bestimmen von Vertikalwinkeln, auf die Gesetze der Statik resp. der Hydrostatik basirt, war früherhin zum Aufnehmen von Höhen in Gebrauch (wie die veraltete Construction des Reiche'schen Bergquadranten), ist jetzt hauptsächlich Zubehörstück des Geschützes zum Nehmen der Höhenrichtung, und zwar die Neigung der Seelenachse zum Horizont in Graden anzeigend. Je nachdem der Qu. auf die Gesetze der Statik oder der Hydrostatik basirt ist, liegt ihm die lothrechte Linie — in Gestalt eines an einem Faden oder an einer Stange hängenden Gewichtes, Loth oder Pendel genannt, — oder die wagerechte Linie — in Gestalt der Libelle (d. i. einer schwach nach oben ausgebauchten, mit Flüssigkeit angefüllten Röhre, in welcher eine Luftblase den jedesmaligen höchsten Punkt anzeigt, sonach, wenn sie in der Mitte einspielt, den horizontalen Stand der Röhrenachse darthut) — zu Grunde. Man unterscheidet danach den Pendel- und den Libellen-Qu. Jener ist gewöhnlich eine quadratische Messingplatte mit einer Viertelkreiseintheilung, um deren Mittelpunkt das messingene Pendel sich bewegt. Dieser hat in der Regel eine Platte in Form eines rechtwinklig gleichschenkligen Dreiecks mit einem

Achtelkreis, um dessen Centrum die Libelle sich dreht, (eine Druckschraube dient zum Festhalten der letzteren). Die Geschützröhre haben zum Aufsetzen des Quadranten die auf der oberen Rohrfläche parallel zur Seelenachse ausgeschnittene Quadrantenfläche, oder man bedient sich dazu der Mündungsfläche. Beim Gebrauch des Quadranten kommt dessen specielle Einrichtung in Betracht. Beim Pendel-Qu. wird das Rohr so lange bewegt, bis das Pendel auf den richtigen Grad einspielt. Der Libellen-Qu. wird mit dem Zeiger der Libelle auf den zu nehmenden Winkel festgestellt und nun dem Rohr die Lage gegeben, bei welcher die Luftblase in die Mitte der Libelle tritt. Hat die Platte eine nur bis 45 Grad gehende Eintheilung, so kann man trotzdem durch Einstellen auf den Complementswinkel und entsprechend modificirtes Aufsetzen des Quadranten die größeren Winkel nehmen. — Die Libellen-Quadranten sind viel genauer als die Pendel-Quadranten und haben letztere beinahe gänzlich verdrängt. Mit jenen läßt sich die Einrichtung des Nonius verbinden, welche gestattet, auch kleinere Bruchtheile eines Grades zu nehmen (beim preußischen Libellen-Qu. bis $^1/_{12}$ Grad). Vergl. Richten und in Bezug auf die preußischen Einrichtungen Ladezeug, Bd. V., S. 261. Zur Classe der Pendel-Quadranten gehört die beim Schanzenbau anzuwendende ziemlich rohe Böschungswaage.

Quadrantenvisir kommt bei Gewehren vor, namentlich in der Schweizer-Armee. Die Visirlinie liegt in einer allmählich aufzurichtenden Klappe, zu deren Einstellung zwei dieselbe einschließende Backen dienen. Letztere, in der Form einem Kreisquadranten ähnlich, enthalten die Entfernungen eingravirt. S. Visireinrichtung.

Quadriga, der Kampf- oder Streitwagen der alten asiatischen und afrikanischen Völker und der späteren Griechen und Römer. Die Q. hatte den Namen davon, daß sie ähnlich der russischen Czwörka von vier neben einander gespannten Pferden gezogen wurde. Sie war zweirädrig, niedrig, vorn mit Brustwehr, die sich nach hinten verjüngte, (so daß der Wagen hinten völlig offen war), und nur für einen Wagenlenker und einen Kämpfer eingerichtet, der vornehmlich vom Wurfspieß Gebrauch machte. Als in späterer Zeit die Schlachten nur noch mit compacten Massen ausgeführt wurden, verlor sich die Q. und behauptete sich nur noch bei den Kampfspielen besonders wegen des schönen Anblicks, den sie gewährte.

Quarantäne-Anstalten, s. v. w. Contumaz-Anstalten, s. u. Contumaz. Der Name stammt von der im 15. Jahrhundert zu Venedig angeordneten vierzigtägigen Ueberwachung (Quarantina) der Ankommenden.

Quarnero, (Golf bei Q.), ein nordöstlicher Meerbusen des Adriatischen Meeres zwischen den österreichischen Kronländern Küstenland und Kroatien, welcher in seinem nördlichen Theile nach dem wichtigsten Hafen Fiume auch Meerbusen von Fiume genannt wird. Die im Q. liegenden Quarnerischen Inseln (Cherso, Veglia, Lussin, Arbe, Pago u. A.) gehören größtentheils zum Küstenlande, resp. zu Istrien, aber nur das, welcher bis 1866 zum Deutschen Bunde gehörte. Während des italienischen Krieges von 1859 wurde am 3. Juli der Hafen von Lussin-Picolo auf der Insel Lussin vom französischen Admiral Romain-Desfosses besetzt; am 4. Juli vereinigten sich dort 68 französische und sardinische Kriegsschiffe und schifften 10,000 M. Franzosen aus; am 6. Juli wurde auch die Stadt Cherso auf der gleichnamigen Insel besetzt.

Quarré (Carré) ist diejenige taktische Formation, in welcher die Infanterie im ebenen Terrain die Angriffe der Cavalerie zu erwarten hat. Das Charakteristische des Qu.'s ist, daß die dasselbe bildende Abtheilung nach allen Seiten Front machend zur Abwehr eines Angriffs vorzüglich befähigt ist. Man unterscheidet zwei Arten Qu.s, deren jede ihre Vortheile und ebenso ihre Nachtheile hat. Die im vorigen Jahrhundert gebräuchlichen, auch jetzt von der englischen Armee noch festgehaltenen hohlen Qu.s, bei denen jede Seite desselben durch eine zwei bis vier Glieder tiefe, fest an einandergeschlossene Linie von ein, resp. zwei Compagnien gebildet wird, gestatten eine vorzügliche Ausnutzung der Feuerwirkung, bieten der Artillerie gegenüber ein dünnes Ziel, haben einen großen inneren Raum, gestatten aber durch ihre dünne Aufstellung einer energisch reitenden Cavalerie das Einbrechen. Die vollen Qu.s, aus geschlossenen Colonnen gebildet, haben geringere Feuerwirkung, leiden mehr durch das Artillerie-Feuer, bieten weniger inneren Raum, sind aber auch durch ihre dichte Aufstellung in höherem Maße widerstandsfähig gegen den unmittelbaren Einbruch der Cavalerie. Das jetzt für die ganze Armee des Deutschen Reiches (excl. Bayern) gültige preußische Exercier-Reglement hat verschiedene Quarréformationen und zwar: 1) für die Compagnie; 2) für das Bataillon; 3) für die Brigade. 1) Das Compagnie-Quarré kann entweder in Zügen oder in Halbzügen gebildet werden. a) In Zügen: der zweite Zug der in Compagnie-Colonne und ausgeschlossen formirten Compagnie rückt auf den vorderen Zug auf Glieder-Distance auf, die Offiziere und Unteroffiziere und die etwa noch nöthigen Mannschaften treten in beide Flanken ein, der hintere Zug macht kehrt. Reichen die Offiziere und Unteroffiziere zur Ausfüllung der Flanken nicht aus, so sind die nöthigen Mannschaften aus dem zweiten Gliede des Töten-Zuges zu entnehmen. b) In Halbzügen: der zweite Halbzug von der Tête rückt an den vordersten, die hinteren Halbzüge an den vierten auf Glieder-Distance an. Der dritte Halbzug von der Tête theilt sich und schwenkt in Sectionsbreite nach der rechten und linken Flanke ab. Offiziere und Spielleute treten in den innern hohlen Raum des Qu.'s ein; die hinteren Halbzüge vom vierten ab machen kehrt. Das Commando zur Annahme bei der Formation lautet: „Formirt das Quarré!“. Auf das demselben gleich folgende „Fertig!“ fällen die vorderen Leute das Gewehr, die zunächst hinter ihnen stehenden machen fertig. 2) Das Bataillons-Quarré. Das Bataillon in Compagnie-Colonnen wird in die Mitte formirt; die Compagnien schließen in sich auf Glieddistancen auf; die Fahne tritt hinter den rechten Flügel der 3. Compagnie. Ihre Stelle, sowie der Raum zwischen dem ersten und vierten Schützenzug resp. zweiten Glied des ersten und achten Zuges wird durch die Zugführer der zunächst stehenden Züge, sowie durch Unteroffiziere ausgefüllt. Zwischen den Compagnien der Tête und Queue entsteht ein Abstand von sieben Schritt. Derselbe wird in den Flanken im ersten Gliede durch zwei Offiziere und fünf Unteroffiziere resp. Mannschaften, im zweiten und dritten Gliede durch sieben Unteroffiziere resp. Mannschaften geschlossen; die übrigen, nicht in der Front resp. den Flanken und der Queue stehenden Offiziere und Unteroffiziere treten hinter ihre Compagnien in das Innere des Qu.'s, die eine Hälfte der Spielleute begiebt sich hinter die dritte, die andere hinter die zweite Compagnie. Die beiden hinteren Compagnien machen kehrt, die je zwei äußeren Flügelrotten der nicht in der Tête oder Queue stehenden Züge nehmen die Front nach der Flanke, die berittenen Offiziere befinden sich in der Mitte des Qu.'s. Diese Formation wird auf das Commando „Formirt das Quarré“ ausgeführt. Auf das Commando „Fertig“ fällen sodann die in den äußersten Gliedern stehenden Mannschaften das Gewehr; das zweite rückt einen Schritt rechts vorwärts über und macht fertig. 3) Das Brigade-Quarré wird auf das Signal „Colonne formirt“ bei einer in zwei Treffen aufgestellten Brigade in der Weise gebildet, daß das vordere Treffen sich in Bataillons-Quarrés formirt, das hintere Treffen in Colonne bleibt. — Ganz besondere Lagen können dazu führen, eine Brigade im Gefecht in der sogenannten Rendezvous-Stellung zu versammeln. In dieser stehen die Bataillone in Angriffscolonne, zu zwei Gliedern und aufgeschlossen, in zwei Treffen mit dreißig Schritt Treffen-Abstand und zwanzig Schritt Bataillons-Zwischenraum, die Bataillone des zweiten Treffens auf die des ersten Treffens gerichtet; diese Formation nennt man die Brigademasse. Das Qu. der russischen Armee wird immer compagnieweise formirt. Die Franzosen haben ein hohles und ein volles Qu. Bei der österreichischen Armee wird das Qu. aus der Divisions-Massen-Stellung gebildet und ist halbvoll. Die Quarré-Formation ist für die Infanterie eine der wichtigsten und wirksamsten zur Vertheidigung gegen Cavalerie; in ihr allein das untrügliche Mittel einer wirksamen Vertheidigung gegen Cavalerie-Angriffe zu sehen, ist jedoch nicht richtig, denn die Kriegsgeschichte lehrt, daß in älterer sowie neuerer Zeit Qu.s gesprengt worden sind. Befindet sich die Infanterie in coupirtem Terrain und wird sie dort von Cavalerie angegriffen, dann findet sie die beste Vertheidigung in der rücksichtslosesten Ausnutzung des Feuergefechts. Muß Infanterie in der Wirkungs-Sphäre der Cavalerie eine rückgängige Bewegung ausführen, dann ist die Quarré Formation unter allen Umständen angebracht.

Quarréfeuer oder Feuer aus dem Quarré (auch Gliederfeuer genannt) wird entweder mit dem ersten oder dem zweiten Gliede, oder mit beiden als Salve abgegeben.

Quarterdeck, der hintere Theil des Oberdecks eines Kriegsschiffs, soweit er hinter dem großen Mast gelegen ist. Dieser Theil des Schiffs ist das Sanktuarium an Bord. Jedermann an Bord, der dasselbe betritt, vom obersten Befehlshaber bis zum letzten Mann herab, ist verpflichtet, dasselbe durch den üblichen militairischen Gruß zu grüßen. Alle feierlichen Handlungen werden dort vorgenommen; es dient lediglich den Offizieren zum Aufenthalt, auch darf auf demselben nicht geraucht oder gespielt werden. —

Quartier (v. a. Einquartierung, B. III. S. 296) wird dem Soldaten in allen Armeen in der Regel in Natura gewährt — Natural-Qu. Der Offizier dagegen hat meistentheils unter gewöhnlichen Verhältnissen keine Berechtigung, N.-Qu. zu verlangen, sondern muß sich, wenn überhaupt die Verpflichtung, sich selbst Qu. zu verschaffen, nicht bereits in seinen Gehaltsverhältnissen Ausdruck gefunden hat, mit Zahlung einer Quartier-Entschädigung, auch Servis (s. d.) genannt, begnügen. Letzteres ist u. a. in Deutschland, Frankreich und Rußland der Fall. Beim Ausrücken mit ihrer Truppe, sowie nach Eintritt der Mobilmachung haben indeß in Deutschland die Offiziere und mit ihnen in gleichem Range stehende Militairbeamten auf N.-Qu. Anspruch. — Der Staat, welcher dem Soldaten gegenüber solidarisch zur Gewährung von Qu. verpflichtet ist, kann dies entweder, selbst dauernd, von den Bürgern direct in Anspruch nehmen, soweit es überhaupt deren Verhältnisse zulassen, oder kann die Qu.e oder ganze Häuser zu dem Zwecke miethen, in welchen beiden Fällen man von Bürger-Quartieren spricht, oder er erbaut Kasernen (s. d.), wodurch der Bürger von der directen Einquartierungslast entbunden worden. Was den Continent betrifft, so ist in Deutschland und Frankreich die Benutzung von Kasernen wohl am meisten ausgebildet, und dienen hier Bürger-Qu.e in den Garnisonen fast nur zur Aushülfe, während in Oesterreich-Ungarn und in Rußland die Truppen noch vielfach auf jene angewiesen sind (namentlich in kleineren Orten, wo in Rußland selbst dauernde Einquartierung mit Verpflegung vorkommt.) Ueber die Ansprüche, welche der Soldat in Bürger-Qu. zu machen hat, giebt es allerwärts genaue Bestimmungen. In Deutschland ist es damit analog dem, was in Kasernen gewährt wird; außerdem muß der Quartierträger dem Soldaten Gelegenheit und Geschirr zum Kochen geben. Das Verhalten des Soldaten im Bürger-Qu. wird durch die Quartier-Ordnung geregelt. In einem geordneten Staatswesen wird für das gewährte Natural-Qu. entweder vom Staate selbst Qu.-Entschädigung gewährt, oder es liegt den Communen oder den Bezirksverbänden ob, die Quartierträger für diese Last, welche den Verhältnissen nach nur einen gewissen Bruchtheil der Bewohner, namentlich die Hausbesitzer und Miether größerer Wohnungen, trifft, pekuniär zu entschädigen, wozu Steuerumlagen die Mittel verschaffen. Das

Deutsche Reich zahlt nach dem Gesetz, betreffend die Quartierleistung für die bewaffnete Macht während des Friedenszustandes (vom 25. Juni 1868) in Friedenszeiten die Qu.-Entschädigung nach einem gewissen Tarif. Es dürfen die benutzbaren Baulichkeiten nur soweit in Anspruch genommen werden, als dadurch der Quartiergeber in der Benutzung der für sein eigenes Wohnungs-, Wirthschafts- und Gewerbebetriebs-Bedürfniß unentbehrlichen Räumlichkeiten nicht behindert wird. Die Ausführung des Gesetzes selbst fällt den Communen ob. Für die Dauer des mobilen Verhältnisses treten die betreffenden Bestimmungen des Gesetzes wegen der Kriegsleistungen und deren Vergütung (vom 11. Mai 1851) in Kraft, vermöge welcher die Gemeinden zur unentgeltlichen Quartierleistung gegenüber dem Staate verpflichtet sind. — Beim Ausrücken der Truppen wird die Benutzung der Bürger-Qu.e Regel, und man unterscheidet Marsch- u. Cantonnements-Qu.e, erstere zwischen rasch auf einanderfolgenden Märschen, letztere (auch Stand-Qu. genannt), bei längerem Verweilen in einer Gegend. In Marsch-Qu.en wird durch die Quartiergeber auch meist die Verpflegung gegeben. Im Kriege werden Cantonnements-Qu.e in seltenern Fällen vorkommen, wie etwa bei der Concentrirung einer Armee zum Kriege, in den längeren Ruhepausen, sowie seitens der Truppen, welche nicht in unmittelbarer Berührung mit dem Feinde sind, oder vermöge ihrer speciellen Aufgabe längere Zeit an einem Orte verweilen (wie bei Belagerungen.) Die in früheren Jahrhunderten üblich gewesenen Winter-Qu.e kommen jetzt, wo Alles auf raschen Verlauf drängt, nicht gut mehr vor. Qu.e können weitläufig sein, wenn mehr die Rücksicht auf Bequemlichkeit als auf Schlagfertigkeit obwalten darf und überhaupt die localen Verhältnisse darnach angethan sind. (Vergl. Dislocation B. III. S. 232). Werden Qu. in der Nähe des Feindes bezogen, so können sie nur sein, und die Mannschaften werden in der Regel abtheilungsweise in großen Quartieren — Alarmhäusern (s. d. I. 59) untergebracht, namentlich während der Nacht. (Vergl. weiter Quartiermacher). Haupt-Qu. siehe im IV. Bd. S. 349 f., unter demselben Artikel auch Stabs-Qu.

Quartier-Arrest wird gegen Unteroffiziere und Gemeine wegen leichter Vergehen disciplinarisch verhängt und entbindet in der Regel nicht vom Dienst.

Quartiermacher, bei der Infanterie auch Fouriere (s. d.) genannt, werden bei Reise- und unter Umständen auch bei Kriegs-Märschen, der marschirenden Truppe vorausgeschickt, um die Unterbringung und Verpflegung derselben im Quartier vorzubereiten. Je nach dem Umfange des betreffenden Truppenkörpers sind die Qu. einem Offizier, oder einem Unteroffizier unterstellt und bestehen aus einer größeren oder geringeren Zahl von Unteroffizieren und Mannschaften. Sie sollen in der Regel 24 Stunden vor dem Truppentheil im Quartier ankommen. Zunächst ist es ihre Sache, sich mit der Ortsbehörde in Verbindung zu setzen, um von dieser die Anweisung zu den Quartieren zu empfangen. Im befreundeten Lande giebt die Behörde Quartierbillete aus, welche, sobald es sich um mehrere Truppentheile handelt, von dem Qu.-Offizier an die Qu.-Unteroffiziere vertheilt werden. Soweit es möglich ist, sind die Quartiere, wenigstens die der Offiziere, und unter allen Umständen die Ställe zu besichtigen, da, wo Ausstellungen sich finden, dieserhalb an die Behörde Rreclamationen zu richten. Alarm-Platz, Wacht- und Arrestlokal, sowie eventuell den Parkplatz für die Fahrzeuge hat der Qu. zweckentsprechend zu bestimmen. Bei der Unterbringung der Leute und Pferde ist darauf zu achten, daß die Unterabtheilungen möglichst nahe zusammenliegen. Dem einrückenden Truppentheil ist außer den bereits geordneten Quartierbillets eine Liste mit Angabe der Quartiere der Offiziere, Unteroffiziere, Handwerker ic. zu übermitteln. Soweit die Verpflegung nicht durch die Quartierwirthe erfolgt, ist dieselbe zeitgerecht zu empfangen und eventuell den Qu.en der einzelnen Truppentheile auszugeben. — Im feindlichen Lande wird, soweit die Ortsbehörden sich willfährig zeigen, ein ähnliches Verfahren gegen dieselben eingeschlagen, wie im befreundeten; sonst tritt ein summarisches Vorgehen ein. Im Kriege wird es oft nicht möglich sein, Qu. längere Zeit vorher wegzuschicken; dennoch wird man, ehe man in einen Ort einrückt, wenigstens eine oberflächliche Quartiervertheilung vornehmen lassen.

Quartiermeister ist der Inhaber einer Stellung, welche aus der Zeit des Aufkommens stehender Heere datirt, und zwar eine mit der Verwaltung und speciell dem Rechnungswesen einer Truppe betraute Person höheren oder niederen Grades, im Offizier- oder im Unteroffizier-Rang stehend. Der Regiments-Qu. im Stabe des Regiments, der Hauptmannsrang, hat sich bei einigen deutschen Contingenten, wie in Württemberg, bis in die neueste Zeit erhalten, während das Bataillon seinen Bataillons-Qu. mit Lieutenants-Rang besitzt. Qu. als Unteroffiziere giebt es in der preußischen Cavalerie und reitenden Artillerie mit den Functionen des Capitain d'armes (f. d.) der Infanterie, zu denen noch der Empfang und die Ausgabe der Fourage tritt. In Großbritannien hat der Oberstab eines Bataillons einen Qu., der Unterstab einen Qu.-Sergeanten. — Generalquartiermeister-Stab bedeutet in Baiern soviel als Generalstab. Der General-Qu. des großen Hauptquartiers, resp. der Ober-Qu., einer Armee in Preußen ist Adlatus des betreffenden Chefs des Generalstabs und hat insbesondere Befehle und Dispositionen des letzteren zu redigiren. Im Blücher'schen Hauptquartier war Müffling, 1866 im preußischen und 1870/71 im deutschen v. Podbielski General-Qu. Aequivalente Bezeichnungen sind Sous-Chef des Generalstabs, oder, wie in Oesterreich, Chef der Operations-Kanzlei. In Bezug auf das Generalquartiermeister-Departement in Großbritannien siehe Bd. IV., S. 283.

Quatre-Bras, ein Weiler von wenigen Häusern zum Dorfe Baisy im Arrondissement Nivelles der belgischen Provinz Brabant gehörig, auf einem Plateau an der Kreuzung der Landstraßen von Brüssel nach Charleroi und von Namur nach Nivelles gelegen (daher der Name), in der Kriegsgeschichte dadurch namhaft, daß, während am 16. Juni 1815 Napoleon die Preußen bei Ligny (f. b.) angriff, der Marschall Ney an der Spitze eines starken Corps die vereinigten Engländer, Braunschweiger und Niederländer unter dem Herzog von Braunschweig aufhalten und die Vereinigung der beiden feindlichen Heere verhindern sollte. Die Absicht Napoleon's wurde jedoch nicht vollständig erreicht; die deshalb später von dem Kaiser gegen den Marschall erhobenen Anschuldigungen sind jedoch ungegründet (f. u. Ney, Bd. VI. S. 255). In dem hier stattfindenden Gefechte fiel der Herzog von Braunschweig (f. b. 4.)

Quebec, 1) eine der vier Provinzen des Britischen Nordamerikas, das frühere Unter-Canada (f. Canada) umfassend. 2) Stark befestigte Hauptstadt der gleichnamigen Provinz, einer der festesten militärischen Plätze Nordamerika's, das Hauptbollwerk der Briten daselbst und nächst Montreal die bedeutendste Stadt des Britischen Nordamerika's, liegt auf dem linken (nördlichen) Ufer des St. Lorenzstromes an der Mündung des St. Charles River, zerfällt in die Ober- und Unterstadt, ist Sitz des Lieutenant-Gouverneurs, eines anglikanischen Bischofs und eines katholischen Erzbischofs, hat eine große Citadelle, eine Kathedrale, eine Universität, große Kasernen für alle Waffengattungen, ein Zeughaus mit Ausrüstung für 20,000 Mann, Freihafen, Werfte, Docks, lebhaften Handel und 52,000 Einwohner, worunter ungefähr 29,000 französischer Abstammung. Q. gegenüber, auf dem rechten Ufer des St. Lorenzstromes, ist eine Hauptstation der Richmond-Quebec-Eisenbahn, wodurch die Stadt mit dem Eisenbahnnetze Unter-Canada's und Neuenglands verbunden ist. Q. wurde 1608 von den Franzosen gegründet, war 1629 Ge-

gestand des Kampfes zwischen den Engländern und Franzosen, wurde 1763 an England abgetreten, 1755 von den Nordamerikanern belagert und heftig bestürmt, aber von den Engländern 1775 entsetzt. Bis 1857 war Q. die Hauptstadt von ganz Canada und Sitz des Generalgouverneurs des gesammten Britischen Nordamerika's; seitdem ist dies jedoch Ottawa.

Quentin, St., f. St. Quentin.

Queretaro, befestigte Hauptstadt des gleichnamigen mexikanischen Staates (97 Q.-M. mit 165,155 Einw.) auf der großen Straße von Mexico nach San-Luis Potosi, sehr regelmäßig gebaut, mit schönen Kirchen und Klöstern, hat 48,000 Einw. (darunter viele Indianer und Mestizen). Am 29. Mai 1848 ratificirte hier der mexikanische Congreß den am 2. Februar mit den Vereinigten Staaten geschlossenen Frieden von Guadalupe-Hidalgo. Nachdem die Franzosen zu Anfang 1867 Mexiko verlassen hatten, zog sich der Kaiser Maximilian I. (f. d. b.) am 19. Febr. nach Q. zurück, vertheidigte die Stadt noch längere Zeit gegen die Republikaner unter General Escobedo, wurde aber bei der am 15. Mai durch Verrath des Obersten Lopez erfolgten Einnahme im Fort Santa Cruz gefangen genommen, vor ein Kriegsgericht gestellt, zum Tode verurtheilt und nach vergeblichen Unterhandlungen mit dem Präsidenten Juarez daselbst am 19. Juni 1867 nebst den Generalen Miramon und Mejia standrechtlich erschossen.

Quesnoy (Le Q.), Stadt und Festung im französischen Departement Nord, auf einer Anhöhe zwischen den kleinen Flüssen Ronelle und Escaillon, 2 Meilen südöstlich von Valenciennes, hat lebhaften Handel und Industrie und 3800 Einwohner. Die Befestigungen bestehen aus acht irregulären Bastions mit Ravelins, Lunetten und einem größtentheils nassen Graben. Q. wurde 1477 von den Franzosen, bald danach von den Oesterreichern, 1654 von den Franzosen unter Turenne, 4. Juli 1712 von den Oesterreichern unter Prinz Eugen, aber schon am 4. Oct. 1712 wieder von den Franzosen unter Marschall Villars genommen, capitulirte 1793 an die Oesterreicher unter Clerfayt, wurde 1794 von den Franzosen unter Scherer genommen und capitulirte 1815 an die Niederländer.

Queue, soviel wie „Schweif", wird das hintere Ende einer marschirenden Colonne im Gegensatz zu Spitze oder Tête genannt. Aus der Qu. wird nach dem preußischen Exercier-Reglement in Reihen gesetzt oder in Sectionen resp. Halbzügen abgebrochen, wenn eine im Rückzug befindliche Angriffscolonne in eine schmalere Front übergehen soll.

Quetschmine (Camouflet) ist eine solche Mine, welche unterirdisch eine zerstörende Wirkung auf feindliche Gallerien und Minen ausüben soll und eine sichtbare Wirkung an der Oberfläche der Erde nicht äußert (f. Mine Bd. VI. S. 131.)

Quiberon, eine Landzunge an der französischen Westküste, zum Departement Morbihan gehörig, hat zwei Häfen, Batterien und das Fort Penthièvre zur Deckung derselben. Ende Juni 1795 landete hier eine kleine royalistische Armee unter dem General Puisaye, nachdem die republikanische Flotte am 23. Juni die Schlacht von Lorient (f. d.) verloren hatte; erstere erlitt aber am 16. Juli bei Qu. eine entscheidende Niederlage durch die Republikaner unter dem General Hoche.

Quinctius, Titus Flaminius, 198 v. Chr. römischer Consul, schlug 197 den König Philipp III. von Macedonien bei Kynoskephalä, 196 den Tyrannen Nabis von Sparta, hielt 195 in Rom einen glänzenden Triumph und stand 183 an der Spitze der Gesandtschaft, welche die Auslieferung Hannibal's vom König von Bithynien fordern sollte.

Quintus Icilius, f. Guischardt.

Quirinus, Name des römischen Kriegsgottes Mars, bedeutet der Speerbegabte.

Quiroga, Antonio, geb. 1784 zu Betanzos in der spanischen Provinz Galizien, trat, nachdem er studirt, zuerst zur Marine, dann in das Landheer, machte in diesem den Halbinselkrieg gegen die Franzosen mit und avancirte in demselben zum Oberstlieutenant, nöthigte als General 1820 den König die Constitution von 1812 anzunehmen, commandirte und vertheidigte 1823 Coruna eine Zeit lang gegen die Franzosen, mußte beim ungünstigen Ausgange des Kriegs Spanien flüchtend verlassen, wurde aber 1830 amnestirt, war 1836 eine Zeit lang Generalcapitain von Granada und starb 1841.

R.

Raa, die an den Masten der Schiffe horizontal aufgehängten runden Stangen („Rundhölzer"), welche dazu dienen, die Segel an ihnen zu befestigen und sie in der Breite an ihnen auszuspreizen („auszuholen"). Dadurch, daß die Raaen an den Masten auf und nieder bewegt werden („gehißt werden") können, werden die Segel ausgespannt („gestreckt"). Die Raaen, welche an den Untermasten aufgehängt werden, heißen Unterraaen; sie können nicht „gehißt" werden; die zugehörigen Segel („Untersegel") werden an ihren unteren Theilen, den „Schrothörnern", auf dem Deck straff geholt. Die Enden der Raaen heißen „Nocken"; an den Nocken der Unterraaen werden die Schrothörner der „Marssegel" ausgeholt, welche als die bedeutungsvollsten Segel der Raaschiffe über den Untersegeln zu stehen kommen. Ueber diesen befinden sich die Bramsegel und schließlich die Oberbramsegel; dem entsprechend heißen die zugehörigen Raaen, an denen diese Segel befestigt werden: Marsraaen, Bramraaen und Oberbramraaen. Die Raaen wurden bisher ausschließlich aus Holz gefertigt, bei größeren Schiffen der Art, daß verschiedene Hölzer zu einem Ganzen zusammengefügt („gelascht") wurden; in neuerer Zeit werden dieselben indeß hohl gefertigt aus Stahlblechen, ebenso wie die Untermasten. Sie sind dadurch nicht schwerer, sogar leichter als volle Hölzer, sind bedeutend dauerhafter, dem Verbrennen nicht ausgesetzt und fällt bei ihnen die Splitterwirkung im Gefecht fort.

Raab (ungar. Gyür oder Nagy-Gyür), königliche Freistadt und Hauptort des gleichnamigen ungarischen Comitats am Einflusse der Raab und Rabnitz in die Kleine (Wieselburger) Donau und an der Eisenbahn von Wien nach Neu-Szöny (Komorn), Stuhlweißenburg und Ofen, ist Sitz eines katholischen Bischofs und Domcapitels, hat ein Schloß, eine Rechtsakademie, ein Zeughaus, Kaserne, lebhaften Handel u. zählt 18,000 Einw. R. wurde 1594 von den Türken genommen, 1598 von den Oesterreichern unter Palssy und Schwarzenberg zurückerobert, von Montecuculi zur Festung ersten Ranges erhoben, hörte jedoch unter Joseph II. auf, Festung zu sein. Beim Beginn des Krieges von 1809 wurde es wieder befestigt; am 14. Juli schlugen die Franzosen unter dem Vicekönig Eugen von Italien hier die ungarischen Insurgenten unter dem Erzherzog Johann, worauf die Festung am 22. Juni an die Franzosen capitulirte und von diesen theilweis geschleift ward; 1820 wurde die Festung gänzlich aufgehoben. Im Ungarischen Revolutionskriege von 1848 u. 49 befestigten die Ungarn die Stadt vorübergehend aufs Neue; R. war dann mehrmals der Schauplatz kriegerischer Ereignisse, wurde am 28. Juni 1849 von den Oesterreichern erstürmt und später wieder gänzlich entfestigt.

Raal (Raaltreil), Tau (Raaltau), auf welches kleine hölzerne Kugeln oder Stängel angereiht sind, und welches da, wo die Raa liegt, um den Mastbaum gewunden ist. Durch dieses Tau werden die Raaen leichter am Mast aufgezogen (angeraalt).

Raalen (auf den Grund raalen) heißt in der Schiffssprache s. v. w. auf den Grund gerathen; abraasen, wieder flott werden; vom Lagerwall rasen, sich von demselben durch Laviren abarbeiten; klar geraast sind die Ankertaue, wenn dieselben einen Kreuz oder einen Schlag vor den Flüsen gehabt haben oder sonst auf irgend eine Art unklar gewesen sind, und durch Umschwenken des Schiffes oder andere Umstände wieder klar werden; triftig raalt ein Schiff, wenn es vor seinem Anker treibt und dabei auf den Grund geräth.

Rabenhorst, Bernhard von, Königl. Sächsischer Generallieutenant, geboren 1801 in Leipzig, trat 1816 in die Militärakademie in Dresden, 1823 als Stückjunker in die Artillerie. Noch in demselben Jahre avancirte er zum Lieutenant, 1832 zum Oberlieutenant und 1840 zum Hauptmann. 1846 wurde er zum Major und Militärbevollmächtigten bei der Bundesversammlung in Frankfurt ernannt und daselbst 1848 dem Reichskriegsministerium zugetheilt. Ende dieses Jahres wurde er Oberstlieutenant, kehrte bald darauf nach Dresden zurück und übernahm im Februar 1849 unter Beförderung zum Obersten das sächsische Kriegsministerium. Ihm als Kriegsminister unter Mitwirkung des Ministers von Beust, gebührt der Hauptantheil an der rechtzeitigen und energischen Bekämpfung des Maiaufstandes in Dresden und der Beruhigung des insurgirten Landes. Noch im Mai 1849 wurde er zum Generalmajor und Jahrs darauf zum Generallieutenant befördert. Die im Jahre 1849 der Armee ertheilte neue zweckmäßige Organisation war R.'s Werk. Im Mai 1856 wurde R. in Anerkennung seiner Verdienste in den Adelstand erhoben. Die schnelle und vollständige Mobilisirung der sächsischen Armee vor Ausbruch des Krieges 1866 geschah unter R.'s Leitung. Ende des Jahres 1866 trat er infolge des Friedensschlusses gleichzeitig mit Beust, dem Hauptvertreter der Politik Sachsens als deutschen Bundesstaates, aus dem Ministerium und zog sich nach Hoflößnitz bei Dresden aus dem activen Dienst zurück. Nächst R's energischem Charakter und organisatorischem Talent ist seine hervorragende Begabung im artilleristisch-technischen Fach bemerkenswerth. Er war unter anderem Schöpfer der sächsischen Granatkanone und veranlaßte die Einführung eiserner Laffeten. Unter zahlreichen hohen Orden besitzt R. die Sächsische Rautenkrone und das Großkreuz des Verdienstordens.

Race eines Pferdes ist, wie bei animalischen Geschöpfen überhaupt, der Inbegriff der Eigenschaften, welche sich durch Paarung auf die Nachkommenschaft sicher übertragen und dabei für künftige Zeiten constant erhalten lassen, selbst den Einflüssen des Klimas, der Nahrung und der Witterung gegenüber. Man unterscheidet im Allgemeinen zwei Haupt-Pferderacen, die orientalische, der gemäßigten Zone von Asien und Afrika, und die occidentalische, mehr Europa angehörige. Charakteristisch für die orientalische R. ist eine mittlere Größe, gut proportionirter Kopf, mäßig langer, gut angesetzter Hals, horizontaler Rücken und Kreuz, gut gestellte kräftige Gliedmaßen, kleine Hufe, dünne Haut mit wenig Fett darunter, feste und schwere Knochen, ruhiges, gutmüthiges Wesen im Stalle, Gelehrigkeit, Lebendigkeit und Ausdauer in den Leistungen. Bei der occidentalischen R. ist mehr Neigung zu bedeutenderer Größe, der Kopf ist größer und schwerer, der Hals dicker, runder, kürzer, der Rücken oft eingesenkt, das Kreuz hinten niedriger gestellt, die Gliedmaßen sind weniger kräftig, die Hufe breiter, die Knochen mehr porös, die Haut dicker und mehr Fett darunter. — Innerhalb der beiden Haupt-R. giebt es wieder viele Neben-Racen.

Den vollkommensten Typus der orient. R. tragen die arabischen und demnächst die persischen Pferde. Die nordafrikanischen Barben oder Berber, mit welchen in Frankreich die Offiziere und die leichte Cavalerie vielfach beritten sind, stammen wahrscheinlich von arabischen Pferden ab. Der Hals ist noch besser als bei diesen aufgesetzt, (daher sie besonders für die Reith'

18*

fich elgarn), bie Größe ift noch geringer. Im Occident kommt bie fpanifche R. hauptfächlich noch in Andalufien vor. In Frankreich, beffen Pferdezucht auf niedriger Stufe fteht, find befonders bie normannifchen Pf. wegen ihrer Größe ausgezeichnet; fie eignen fich vornehmlich zu Zugpferden, während bie in Süd-Frankreich vorkommenden, mit den Berbern verwandten Limoufins gute Reitpferde find. Die englifchen Vollblut-Pferde ftammen aus der Zeit Jakobs I. und find burch fortgefetzte Paarung orientalifcher Pferde und burch große Pflege derfelben, namentlich burch reichliches Körnerfutter, gefchaffen worden. Sie haben einen kleinen, gut geformten Kopf, langen Hals, dünnen Leib und etwas hohe fchlanke Gliedmaßen mit feften Sehnen, befitzen große Stärke und Ausdauer und zeichnen fich burch große Schnelligkeit aus, daher fie namentlich als Renner berühmt find. Durch Kreuzung mit der Landes-race find fowohl Jagd-, als Kutfchpferde gezüchtet worden, bie man als Halb-blutpferde bezeichnet. In Braunfchweig, Hannover und Mecklenburg walter ebenfalls bie englifche R. vor. In Preußen hat man burch Einfüh-rung arabifcher und englifcher Pf. bie Landes-R. fehr veredelt. Im Trakehner Geftüt werden hauptfächlich Wagenpferde gezüchtet, in Neuftadt a. b. Doffe und Grabitz mehr Reitpferde. Die ungarifchen Pferde haben einen unverkennbar orientalifchen Typus und eignen fich befonders für bie leichte Cavalerie; letzteres ift auch mit den Pferden bes öftlichen Rußlands der Fall.[*] — R. wird oft als Bezeichnung für edle Pferde gebraucht. Vgl. Hertwig „Tafchenbuch ber gefammten Pferdekunde", Berlin 1851.

Raclawice (Raslawice), Dorf in ruffifch-polnifchen Gouvernement Kielce; hier 4. April 1794 Sieg der Polen unter Kosciuszko über bie Ruffen unter Denifow und Tormaffow.

Racoczy, f. Rakoczy.

Rad kommt fowohl bei Fahrzeugen, als bei Mafchinen vor; bei jenen ift es bas Mittel, im Verein mit ber Achfe ben Reibungswiderftand zu vermindern, bei diefen bient es einmal als Angriffspunkt ber Kraft, wobei es zugleich ben Hebelarm der letzteren vergrößert (wie bas Rad an ber Welle, bas Kurbelrad ber neueren Richtmafchinen), fodann, (wie als Schwungrad) zur Erhöhung eines ftetigen Gangs, und endlich als gezahntes Rad zur Uebertragung einer Be-wegung. In Bezug auf Verwendung bei Schiffen f. Dampffchiff, Raddampfer. Das Rad der Fahrzeugs ift entweder eine maffive, eine durchbrochene Walze, welche im Centrum eine Durchbohrung für ben Schenkel ber Achfe hat, (wenn es nicht, wie bei Schiebkarren und bei Eifenbahnwagen feft an der letzteren fitzt und biefe fich dreht). Das maffive R. heißt Bloc-, bas durchbrochene dagegen Speichenrad, letzteres aus Nabe, Speichen, Felgen und Befchlägen beftehend (vergl. auch Laffete Bb. V., S. 269). Die Höhe bes Rades, mit welcher im Allgemeinen bie Fahrbarkeit in gradem Verhältniß fteht, ift ftets viel größer als bie Breite. Von einer gewiffen Radhöhe ab zieht man bes geringeren Gewichts halber bie Speichenräder ben Blockrädern vor. Letztere find aus Holz und Gußeifen gefertigt und kommen im Allgemeinen nur bei Laffeten und Protzen vor, welche für Kafematten oder Schiffe conftruirt find. Alle übrigen Laffeten und fonftigen Fahrzeuge haben Speichenräder. Man unterfcheidet von letzteren hölzerne und fchmiede-eiferne. Jene find bie am häufigften vorkommenden und zerfallen wieder in folche mit hölzernen und mit metallenen Naben. Räder mit metallenen (bronzenen oder guß-eifernen) Naben vermeiden für biefen Theil bie Inconvenienzen bes Holzes, find leichter anzufertigen und auszubeffern als folche mit Holznaben. Das neuefte Syftem ber Feldartillerie in Preußen hat bie bronzene Nabe adop-tirt (Thonet-Rad, f. b.), ebenfo bie englifche Feldartillerie in Geftalt

[*] Amerika hat bas Pferd erft aus Europa erhalten. Es giebt bort viele verwilderte Pferde.

des Madras-Rades (aus Bengalen stammend, vergl. Archiv 69. Band.) Die Speichen stehen in der Nabe nach außen gestürzt, wodurch zunächst die Sturzung des Achsschenkels ausgeglichen wird. (Siehe weiter Lasfete). Die Felgen sind aus einzelnen Stücken zusammengesetzt. Die Nabe hat in ihrer Bohrung eine metallene Buchse (aus Bronce oder Schmiedeeisen), welche bei Holzconstruction zur Dauerhaftigkeit, zur Verminderung der Reibung am Achsschenkel und zur Erhaltung der Schmiere beiträgt. Bei Metallconstructionen ist dieselbe nicht unbedingt erforderlich. Hölzerne Naben werden durch Ringe zusammengehalten. Dem ganzen R. verleihen ein Reisen oder Schienen von Eisen Zusammenhalt und Schutz gegen Abnutzung. Stoß- und Röhr-Ringe sichern gegen das Eindringen von Schmutz zwischen Achsschenkel und Buchse. Schmiede-eiserne Speichen-Räder müssen so construirt sein, daß die Last an den Speichen hängt, indem sonst zu leicht ein Verbiegen der letzteren eintritt. Eine derartige Construction nach der Idee des Engländers Jones ist bei den Transport-Rädern der preußischen schmiede-eisernen Festungslaffeten angewandt worden. Die einerseits von schmiede-eisernen Felgen ausgehenden ziemlich dünnen Speichen reichen mit dem andern Ende in eine hohlgegossene Nabe, die eine entsprechende Anzahl Zellen besitzt. In diesen werden die Speichen durch vorgeschraubte Muttern gehalten. Der Druck der Last bewirkt nun, daß die jedesmal zu unterst befindlichen Speichen in ihre Zellen hineintreten, während die Nabe soweit nach unten rutscht, bis sie und damit die Last an den Muttern der oberen Speichen hängt. Sie führen auch den Namen hängende Räder. Die Construction ist eine sehr künstliche und das Gewicht erheblich größer als bei correspondirenden hölzernen Rädern. — Es giebt auch Räder größerer Höhe aus Gußeisen, welche der Erleichterung halber durchbrochen gegossen sind.

Je nachdem ein Rad beim vierrädrigen Fahrzeug am Vorder- u. Hinterwagen läuft, nennt man es Vorder- oder Hinter-Rad. Erstere sind häufig niedriger als letztere, was die Lenkbarkeit erhöht, aber der Einfachheit im System entgegenwirkt. Niedrigere Vorder-Räder findet man in der preußischen, österreichischen, russischen Feldartillerie, sowie gewöhnlich bei den Trainfahrzeugen, während die englische, französische, sächsische Feldartillerie nur 1 Rad hat. Die Höhe der Hinterräder, resp. der Räder überhaupt, übersteigt nicht leicht 1,, Meter, indem sonst das Gewicht zu erheblich wird. Die Breite der Felgen ist so zu bemessen, daß das Einschneiden der Räder in den Erdboden vermieden wird oder möglichst gering ausfällt, ohne andrerseits eine zu bedeutende Gewichts-Vermehrung des ganzen Fahrzeugs herbeizuführen. Vgl. Wagen.

Radbuchse, Radfelge, Radspeiche, s. Rad.

Raddampfer, ein Dampfschiff, welches mit Hülfe von seitlich angebrachten Schaufelrädern fortbewegt wird. Die Schaufelräder werden für Kriegsschiffe durch die Schraube verdrängt, weil dieselben zu leicht verletzbar sind, namentlich im Gefecht. Für Passagierdampfer und Schleppdampfer hat man indessen meistens die Räder beibehalten, weil sie das Schiff leichter stoppen lassen, größere Kraft entwickeln können als die Schraube und R. leichter zu manoeuvriren sind als die Schraubenschiffe. Die Schaufeln sind so eingerichtet, daß sie stets senkrecht in das Wasser tauchen.

Radetzky von Radetz, Johann Joseph Wenzel Anton Franz Karl Graf, k. k. österr. Feldmarschall, geboren am 2. Nov. 1766 auf dem Besitzthum seines Vaters, Schloß Trzebnitz in Böhmen, ist einer alten Adelsfamilie entsprossen, welche bis zum 15. Jahrh. die Burg Hradecz, gegenwärtig Ruine im Bidschower Kreis, inne hatte und im Jahre 1764 in den Grafenstand erhoben worden war. R's Vater hatte als Hauptmann in der Armee gedient, seine Mutter war eine geborene Freiin von Lazan. Nachdem R. im 6. Lebensjahre beide Eltern verloren, kam er in das Theresianum zu Brünn, welches er 1784, infolge der Verlegung dieser Anstalt nach Wien, wieder verließ um seiner früh gefaßten Neigung zum Kriegsstande folgend, am 1. August desselben Jahres als Privatcadet in das, damals in Ungarn garnisonirende, Küraffier-Reg. Karamelli Nr. 2. einzutreten. In demselben rückte er 1786 zum Unterlieutenant und ein Jahr später zum Oberlieutenant auf. Als solcher wurde er Ordonnanzoffizier des Feldmarschall Lazy, an deffen Seite er die Feldzüge gegen die Türken bis zum Frieden von Siftowa 1791 mitmachte. Zurückgekehrt zu seinem Regiment, welches mittlerweile nach Böhmen verlegt worden war, wurde er 1793 als Ordonnanzoffizier in das Hauptquartier des Feldmarschall-Lieutenant Beaulieu befehligt, dem er in die Niederlande folgte. Als hier der Herzog von Koburg den Entsatz von Charleroi beschloffen hatte, erbat sich R., vorher auszukundschaften, ob dieser Platz den Franzosen bereits in die Hände gefallen sei. Er setzte in der Nacht zum 26. Juni 1794 mit sechs Reitern über die Sambre und kehrte mit der Bestätigung seiner Vermuthung zurück. Die Schlacht von Fleurus, welche unterdeß schon entbrannt war, wurde infolge dieser Nachricht abgebrochen und der Rückzug angetreten. R., in der Schlacht selbst verwundet, wurde für sein kühnes Reiterstück zum Rittmeister befördert. Im Jahre 1795 befand sich R. im Generalstabe Clerfayt's, führte am 29. Oft. eine der Sturmcolonnen gegen die Linien von Mainz und erhielt bei dieser Gelegenheit einen Prellschuß am linken Schenkel. Anfang des Jahres 1796 traf R. als Adjutant Beaulieu's auf den italienischen Kriegsschauplatz ein. Hier führte er am 11. April bei Voltri eine Colonne, wurde hierauf zum Major ernannt und mit der Formirung eines Pionier-Bataillons beauftragt. Am 30. Mai fand er Gelegenheit, den in Borghetto krank darniederliegenden Beaulieu vor französischer Gefangenschaft zu retten, gerieth später bei Wurmser's zweitem Entsatz-Versuch von Mantua in die Festung selbst, erhielt aber, nachdem Wurmser 1797 capitulirt hatte, mit seinem Pionier-Bataillon freien Abzug. Nachdem der Erzherzog Karl den Oberbefehl in Italien übernommen hatte, wurde R. abermals mit der Formirung eines Pionier-Bataillons und zwar aus 1000 Mann des Fuhrwesen-Corps beauftragt und befand sich mit demselben faft stets bei der Nachhut der zurückgehenden Armee. Nach dem Frieden von Campo-Formio war R. mit der Leitung von Straßenbauten in Venetien beschäftigt. Am 9. Nov. 1797 vermählte er sich mit der Gräfin Franziska Romana von Strassoldo-Grafenberg. Beim Beginn des Feldzuges 1799 befand sich R. im Stabe des Feldzeugmeisters Kray und wurde, nachdem Melas das Obercommando der Oefterreicher übernommen, zu deffen Generaladjutanten und gleichzeitig zum Oberstlieutenant ernannt. R. kämpfte in dieser Stellung nicht ohne Erfolg gegen die Unfähigkeit und Pedanterie des Generalquartiermeister Zach, welcher auf die Oberleitung der Armee den nachtheiligsten Einfluß übte. In der Schlacht an der Trebbia führte R. zwei Bataillone und ein Reiter-Regiment unter dem Schutz des Usergestrüpps den Franzosen in den Rücken und machte dadurch die hart bedrängte russische Colonne Rosenberg's frei. Bei Novi war R., welcher Melas veranlaßte, nicht die Mitte, sondern den rechten Flügel der Franzosen unterhalb Serravalle anzugreifen, wodurch die Niederlage Joubert's entschieden wurde. R. wurde infolge deffen mit dem Ritterkreuz des Maria-Therefien Ordens geschmückt. Als es sich um Fortsetzung des Feldzuges im Winter handelte, sprach sich R. entschieden dagegen aus und würde mit seiner Absicht durchgedrungen sein, wenn nicht der für den Winterfeldzug eingenommene Generalquartiermeister Zach sich einen geheimen Befehl des Ministers Thugut zu verschaffen gewußt hätte, wonach der Feldzug fortgesetzt werden mußte. Ende des Jahres 1799 avancirte R. zum Obersten. Als man nach der Niederlage bei Montebello die Vorbereitung zur Schlacht bei Marengo traf, wußte Zach eine verwickelte Disposition in Scene zu setzen, welche in jeder Beziehung R.'s Ansichten entgegengesetzt war. Noch in der Nacht versuchte R. das Obercommando dafür zu gewinnen, daß der Hauptangriff gegen den linken Flügel geschehen und der Fontanone überbrückt werden müsse; allein man zögerte, bis der Verlauf des Kampfes selbst zu diesen Maßnahmen nöthigte. Der sicher geglaubte Sieg wurde durch das Erscheinen Desaix's den Oesterreichern wieder entrissen. Nachdem Melas vom Commando abgerufen worden war, welches Bellegarde mit einem neu formirten Stab übernahm, erhielt R. das 3. Küraffier-Reg., wurde der Cavalerie-Reserve des Fürsten Johann Liechtenstein zugetheilt und nahm an der Schlacht bei Hohenlinden blutigen Antheil. Nach dem Frieden von Lüneville mit seinem Regiment nach Oedenburg versetzt, widmete er sich der Ausbildung desselben, besonders der wissenschaftlichen Fortbildung seiner Offiziere mit lebhafter Thätigkeit. Im August 1805 wurde R. von seinem Regimente ab, nach Italien berufen, um das Commando einer leichten Brigade zu führen, unter Verleihung eines drei Jahr zurückdatirten Patentes als Generalmajor. In Italien traf ihn die Aufforderung, eine auf Betrieb seines Freundes, Sir Thomas Graham, des nachmaligen Lord Lynedoch, projektirte Expedition auf Quiberon als Generalstabschef zu begleiten und stand im Begriff sich darauf vorzubereiten, als die Ereignisse von Ulm das Unternehmen zerstörten. R. wurde hierauf von der Armee des Erzherzogs Karl mit seiner Brigade nach Marburg detachirt, um die durch Marmont geführte Verbindung mit dem Erzherzog Johann in Tirol aufzusuchen. R.'s Cavalerie legte bei dieser Gelegenheit vom 11. bis 15. November einen 35 Meilen langen Weg im Gebirge vom Tagliamento über Haidenschaft, Laibach und Cilli bis Marburg zurück. Einen Tag später traf er bereits auf die Truppen Marmont's, mit denen er an der Murbrücke von Ehrenhausen ein glückliches Scharmützel bestand und stieß am 25. zum Erzherzog Johann. Nach dem Presburger Frieden commandirte R. eine Brigade in Wien und wurde vielfach bei Bearbeitung von Reglements zur Mitwirkung gezogen. 1809 führte R. eine leichte Brigade des 5. Armee-Corps unter Erzherzog Ludwig. Beim Rückzug der vom Gros getrennten Corps des linken Flügels unter Feldmarschall-Lieutenant Hiller, denen Napoleons Hauptmacht folgte, commandirte R. die Nachhut und legte hierbei glänzende Beweise einer seltenen Umsicht und Entschlossenheit ab. So blieb er trotz des Befehls, sich schnell hinter die Traun zurückzuziehen, am 2. Mai einem weit überlegenen Feind gegenüber bei Lambach stehen, um die in Gefahr der Gefangenschaft gerathene Brigade Schustel zu retten, eine That für welche er später mit dem Commandeur-Kreuz das Maria-Theresien-Ordens ausgezeichnet wurde. Auch an der Donaubrücke von Mauern hielt er zwei Tage lang den überlegenen Franzosen Widerstand, bis Hiller seinen Uebergang bewerkstelligt hatte. Während der Schlacht bei Aspern und Eßling stand R. mit seiner Brigade zur Beobachtung an der Donau oberhalb Wien, ohne fechtend eingreifen zu können. Am 27. Mai 1809 wurde er zum Feldmarschall-Lieutenant ernannt und erhielt eine Division im 4. Armee-Corps (Rosenberg), welches vor der Schlacht bei Wagram den äußersten linken Flügel der Armee inne hatte. Nachdem Napoleon am 5. Juli über die Donau gesetzt war, sollte ihm am 6. Juli das 4. Corps mit der Division R. an der Spitze entgegengeworfen werden. Allein der Vormarsch hatte kaum begonnen, als der Erzherzog Gegenbefehl erließ und das 4. Corps unter dem Schutze der Division R. hinter den Rußbach auf die Höhen von Markgrafenneusiedel zurücknahm. R. verlor bei dieser Bewegung ¹/₃ seiner Mannschaft und den größten Theil seiner Artillerie. Als gegen Mittag Rosenberg durch die Umgehung Davoust's zum Rückzug auf Bockfließ genöthigt wurde, zog er zunächst R.'s Truppen aus dem Gefecht und ließ dieselben eine Aufnahmestellung beziehen, unter deren Schutz er den Abzug des Corps bewerkstelligte. Bei dem ferneren Rückmarsch auf Brünn bis zum 13. Juli hatte R. abermals die Nachhut, (1 Jäger-Bataillon und 20 Schwadronen,) zu führen. Nachdem infolge des Waffenstillstandes von Znaim der Fürst Johann Lechtenstein das Commando der Armee übernommen hatte, wurde R. zum Chef der Operationscanzlei und nach Abschluß des Friedens von Schönbrunn zum Chef des General-Quartiermeister-Stabes der Armee ernannt. In den folgenden Friedensjahren betrieb R. auf das Eifrigste die Gründung eines Landwehr- und Reserve-Instituts, worüber er am 4. Dec. 1809 ein Memoire veröffentlichte, in welchem er auf Maßregeln drang, welche eine schnelle Versetzung der Armee auf den Kriegsfuß ermöglichen sollten. Zwar erkannte Metternich die Bedeutung dieser Vorschläge, allein an dem Widerstand der Hof- und Kammer-Räthe und dem mächtigen Einfluß des Hofkriegsraths, dem die schweren Erfahrungen der letzten Jahre noch immer nicht die Augen geöffnet hatten, scheiterten fast alle die weitblickenden Pläne des Generalstabs-Chefs, Pläne deren Ausführung die österreichische Nation an der Spitze der späteren Erhebung geführt haben würde. Die kaum zu bewerkstelligende Ausrüstung des Hilfscorps im Jahre 1812 und der Krieg 1813 bewiesen aufs neue, zu welchen Verschleuderungen die Vernachlässigung aller militärischer Anstalten im Frieden aus Ersparungsrücksichten führt. Von dauerbarerem Erfolg war R's Thätigkeit innerhalb des Offiziercorps des Gen.-Quart.-Mstr.-Stabes gekrönt, aus dem eine Reihe tüchtiger Generale hervorgegangen ist. Als die großen Armeen zertrümmert und die Zeit der Vergeltung gekommen war, concentrirte auch Oesterreich ein Observations-Corps im Norden Böhmens, bei welcher R. auf sein Bewerben ein Divisions-Commando erhielt. Nachdem Anfang Mai der Fürst Schwarzenberg das Obercommando der Armee in Böhmen übernommen hatte, wurde R. wieder zum Generalstabs Chef berufen. In dieser Stellung trug er wesentlich zum Abschluß des Waffenstillstandes zu Poischwitz bei, dessen Oesterreich zur Mobilisirung seiner Armee dringend bedurfte und betrieb die Heranziehung der in Schlesien befindlichen russisch-preußischen Truppen nach Böhmen. Der Operationsplan der Alliirten, welcher am 11. Juli zu Trachenberg festgestellt worden war, wird in seinen Hauptzügen der Urheberschaft R's zugeschrieben. In seiner nun folgenden Thätigkeit als Generalstabs-Chef des Höchstcommandirenden der alliirten Armee macht sich nicht allein die beschränkte Wirksamkeit des Obercommando's überhaupt, sondern unleugbar auch sein geringer persönlicher Einfluß bemerkbar. R. arbeitete zwar zahlreiche Operationspläne aus, die ihm Gelegenheit gaben, die Fruchtbarkeit seines Geistes und einen ungewöhnlichen militärischen und politischen Scharfblick an den Tag zu legen; allein sie wurden nur selten und dann entstellt acceptirt, indem sich Schwarzenberg in der Regel von dem ehemals sächsischen General von Langenau bestimmen ließ. Nach der Schlacht bei Leipzig machte sich das gegenseitige Mißtrauen der Verbündeten bereits in einem Stillstand der Operationen geltend. Die Ansicht Blücher's und Gneisenau's, man müsse die Operationen noch im Winter fortsetzen und den Frieden in Paris dictiren, wurde auch von R. in Denkschriften und Conferenzen tapfer vertreten. Den weiteren Operationen lag zwar R.'s Plan zu Grunde, jedoch unter wesentlichen Abweichungen, welche theils durch Willkür, theils durch Nothwendigkeit veranlaßt wurden. Der Verdacht, welcher infolge der ferneren Kriegführung von gewisser Seite gegen das Ober-Commando geschleudert worden ist, als habe es Blücher's Corps absichtlich die gefahrvollste Aufgabe zugewiesen, um die preußischen Truppen zu schwächen und dadurch den Einfluß dieses Staates beim Friedensschluß herabzudrücken, findet die klarste Widerlegung nicht allein in den Schriften R.'s, sondern mehr noch in seinem edlen Charakter, der an einem solchen Spiel nie Antheil haben konnte. Der Marsch auf Paris blieb R.'s leitende Idee, deren Ausführung nur durch die schwankenden Entschließungen Schwarzenbergs und dessen Abhängigkeit von den Monarchen aufgehalten wurde.

In Paris entwarf R. einen Operationsplan gegen den Vicekönig von

Italien, bis dieser dem Frieden beitrat. Nach Wien zurückgekehrt, trat R. wieder in seine Stellung als Chef des Generalstabes der Armee und blieb nicht ohne Einfluß auf den Congreß. Er wendete sich sogleich wieder den inneren Angelegenheiten der Armee zu und gab in dieser Zeit unter anderen die erste Veranlassung zur Einführung der Kriegsraketen, mit deren Vervollkommnung er dem Major Augustin beauftragte. Als Napoleon am 20. März 1815 wieder in Paris eingezogen war, hatte R. abermals den Operationsplan für die verbündeten Heere zu entwerfen, welcher vor allem darauf hinzielte, dem Gegner in der Offensive zuvorzukommen. Während des folgenden Feldzuges fungirte R. wieder als Stabschef beim Schwarzenberg'schen Corps, ohne jedoch auf die Bewegungen der Verbündeten Armeen einen Einfluß zu üben, da ein gemeinsames Obercommando nicht wieder ernannt worden war. In der nun folgenden Friedensperiode trat R. zunächst wieder in seine frühere Stellung in Wien, erhielt 1816 das Commando einer Cavalerie-Division zu Oedenburg und wurde 1818 zum Adlatus des Erzherzogs Ferdinand (damals Höchstcommandirender in Ungarn) berufen, eine bedeutende und höchst schwierige Stellung, welcher R. bis zum Jahr 1829 inne hatte und mit ausgezeichnetem Tact und Scharfblick verwaltete. In dieser Zeit schrieb er „Gedanken über Festungen", 1827; „Militärische Betrachtung der Lage Oesterreichs", 1828 u. dgl. m. In diesen Schriften spricht R. unter anderen seine Besorgniß vor den panslavistischen Tendenzen Rußlands aus, prophezeit den unvermeidlichen Bruch zwischen Preußen und Oesterreich und empfiehlt dem Staate die Einführung eines Landwehrsystems. 1829 wurde R. zum General der Cavalerie und kurze Zeit darauf im 63. Lebensjahre zum Commandanten von Olmütz ernannt, ein Ruheposten, auf welchem er seine Laufbahn beschließen zu können glaubte. Als indessen 1831 der Aufstand in Italien niedergehalten werden mußte, wo anfangs General Frimont commandirte, wurde R. neben diesem zum zweiten Commandanten zur Armee in Italien berufen, deren Oberbefehl er jedoch bald darauf selbstständig übernahm, um ihn noch 26 Jahre zum Ruhme seines Vaterlandes zu führen. Mit seiner jugendlichen Thatkraft und Hingebung verstand es der erfahrene Greis, den Truppen in Italien einen Geist einzuhauchen und eine Manövrirfähigkeit anzueignen, welche die späteren glänzenden Thaten vorbereiteten und bereits zu den größeren Friedensübungen Officiere aller Armeen anlockten. Durch den Chef seines Generalquartiermeisterstabes, den hochbegabten Oberst Heß, ließ er die berühmte Manövrir-Instruction bearbeiten, welcher seine früheren Schriften „Vortrag über den Zweck der Uebungslager im Frieden", Wien, 1816; „Organisatorische Gedanken", Ofen 1827; „Ueber den Werth der österr. Cavalerie und einige Mittel ihn zu heben", Ofen, 1829 u. dergl. m. zu Grunde gelegt wurden. Nächstdem betrieb R. die Befestigung des Landes, vorzüglich Verona's, und verlangte die Herstellung eines befestigten Lagers um Mailand. Bei allen seinen Vorschlägen ging er von der Ansicht aus, daß Italien bei einem Krieg mit Frankreich nur eine secundäre Rolle spielen werde, indem die Entscheidung am Rhein erfolgen müsse. 1836, bei Gelegenheit der Krönung des Kaisers Ferdinand zu Prag, wurde R. zum Feldmarschall ernannt. Die Bedeutung der aufständigen Bewegungen in Italien war von R. früh erkannt worden; allein in Wien wollte man sich von der drohenden Gefahr nicht überzeugen lassen. Als daher im März 1848 der Aufstand ausgebrochen und die Kriegserklärung der Piemontesen erfolgt war, sah sich R. aus Mangel an Streitkräften zur Defensive verurtheilt, zog sich aus dem aufständischen Mailand zurück und concentrirte seine Truppen bei Verona. Während der nun folgenden glänzenden Feldzüge fand R. treue Rathgeber und Stützen an Heß, seinem Stabschef, und Schönhals, dem Verfasser der berühmten Tagesbefehle. Es war eine gefahrvolle Lage, in welcher R. sich zum Beginn des Feldzuges befand. Der Rückzug war bedroht, an Geld und Lebensmitteln herrschte Mangel, ein dreifach überlegner Feind war im Anmarsch begriffen und hatte bereits bei Goito und Rivoli Vortheile errungen; dazu in Wien ein Ministerium, welches im Anblick der Unruhen in der Hauptstadt nicht abgeneigt war, Italien freiwillig aufzugeben. Kaum 16,000 Mann stark nahm R. den Angriff Karl Alberts an der Etich an, schlug ihn bei Santa-Lucia, zog hierauf die Isonzo-Armee 19000 M. unter Graf Thurn an sich und unternahm nun ungesäumt jenen berühmten Flankenmarsch von Verona auf Mantua zur Entsetzung des hartbedrängten Peschiera. Obschon die Capitulation dieses Platzes nicht mehr zu verhindern gewesen war, so mußte diese Unternehmung R.'s doch das Vertrauen der Armee, in sich und in ihren Führer von neuem beleben, während die Rathlosigkeit und Unthätigkeit der Piemontesen von Tag zu Tag zunahm. Als die Nachricht vom Aufstande im Innern der Monarchie anlangte, sah sich R. zur Schonung der Armee doppelt veranlaßt, gab daher die Operationen auf dem rechten Mincio-Ufer auf, überschritt bei Legnano die Etsch, wendete sich zunächst nach Vicenza, bezwang hier 10. Juni den päpstlichen General Durando und brachte hiermit die ganze Provinz Venetien, die Stadt Venedig ausgenommen, zum Gehorsam zurück. Gesäut auch diese Erfolge vermochte R. den von Innsbruck inzwischen eingetroffenen kaiserlichen Befehl, daß ein Waffenstillstand abzuschließen und Friedensunterhandlungen anzuknüpfen seien, welche bedeutende Abtretungen in Aussicht stellten, rückgängig zu machen und auf Fortsetzung der Operationen zu bringen. Während der König Karl Albert sich mit der Belagerung von Mantua aufhielt, brach nun R., verstärkt durch neue Truppen, Ende Juli plötzlich wieder aus Verona hervor, schlug vom 23. bis 26. Juli die Piemontesen bei Sommacampagna, Custozza und Volta vollständig, und rückte am 6 Aug. siegreich in Mailand ein. Die piemontesische Armee war der Auflösung nahe. Karl Albert schloß indeß einen Waffenstillstand, welcher die Verfolgung R.'s über den Ticino hinderte und den Piemontesen Zeit zu neuen Rüstungen verschaffte. Kaum war der Winter vorüber, als Piemont den Waffenstillstand unter dem 20. März 1849 kündigte und R. auch sofort wieder die Offensive ergriff, indem er bei Pavia über den Po ging, um auf Turin zu marschiren. Bereits am 21. März bei Mortara und am 23. in dem blutigen Kampfe bei Novara erfocht R. entscheidende Siege. In Gefahr von Turin abgeschnitten und gegen die Alpen geworfen zu werden, dankte Karl Albert zu Gunsten seines Sohnes Victor Emanuel ab, welcher sogleich Waffenstillstand und bald darauf Frieden schloß. Als nach diesem fünftägigen Feldzug die feindliche Armee aus dem Wege geräumt war, kostete es R. nur geringe Mühe, die widerspenstigen Städte zu bezwingen und die Fürsten in ihre Herzogthümer wieder einzusetzen. Die Feldzüge R.'s 1848 und 49 in Italien werden mit Recht zu den glänzendsten gezählt, welche die Geschichte aufzuweisen hat. Nach dem Frieden blieb R. Commandant der nunmehrigen 2. Armee und General-, Civil- und Militär-Gouverneur des Lombardisch-Venetianischen Königreichs mit dem Hauptquartier Verona. Die Sommermonate pflegte R. auf dem kaiserlichen Lustschloß zu Monza zuzubringen. Im Jahre 1854 wohnte er den Vermählungsfeierlichkeiten des Kaisers Franz Joseph in Wien bei. Am 28. Febr. 1857 trat er nach 72 Dienstjahren im 91. Lebensjahre in den Ruhestand. Er hatte fünf Kaisern gedient und 18 Feldzüge mitgemacht. Am 21. Mai desselben Jahres hatte er das Unglück, in Verona den Oberschenkel zu brechen. Zwar erholte er sich nach mehreren Monaten so weit, daß er im Stande war, im Rollstuhl oder Wagen auszufahren; allein im Dezember 1857 stellte sich eine schnell zunehmende Krankheit ein, welcher er am 5. Januar 1858 zu Monza bei Mailand erlag. Seine Gemahlin und sechs seiner Kinder waren ihm vorangegangen. Der Leichnam des Marschalls wurde in Wetzdorf bei Wien beigesetzt, wo Ritter von Pargfrieder im Jahre 1849 ein Mausoleum österreichischer Helden erbaut hatte. Armee und Flotte erhielten Ordre, zwei Wochen Trauer

anzulegen, der Kaiser selbst commandirte die Trauerparade in Wien. R. war
von kleiner, untersetzter aber nicht starker Gestalt. Die Züge seines Gesichts
besaßen einen ungemein gewinnenden Ausdruck, indem sie unverkennbar das
Gepräge der Gerechtigkeit, Wahrhaftigkeit, Herzensgüte und eines überaus
lebendigen Geistes trugen. Seine Stimme war tief und kräftig. Er hatte eine vielseitige Bildung, einen großen Geist und ein treffliches Gedächtniß. Jeder Fortschritt der Wissenschaft interessirte ihn lebhaft; auch liebte er es, seine eigenen
Gedanken niederzuschreiben. Bei Vernachlässigungen im Dienst konnte er
zornig und heftig werden, ließ sich jedoch leicht wieder versöhnen. Er war
rücksichtslos, wenn der Krieg es gebot, aber nie grausam. In Geschäften war
er kurz und bündig, selbstbewußt und überzeugend, im Umgange mittheilend
und wohlwollend, Freund guten Humors und herzlichen Lachens und in höheren
Kreisen ein vollendeter Weltmann. R. war Geheimrath und Kämmerer, Ritter
des Goldnen Vließes, Großkreuz des Maria-Theresien-Ordens, Inhaber von 43
Orden (darunter die höchsten der meisten Monarchen Europa's) und Chef des
5. österreichischen Husaren-Reg., welches bestimmt ist, auf ewige Zeiten seinen
Namen fortzuführen. In Prag ist ihm auf dem Ring der Kleinseite ein prachtvolles Denkmal gesetzt worden. Vergl. Hackländer, „Bilder aus dem Sol-
datenleben im Kriege", Stuttgart 1849; Schweigers, „Oesterreichs Helden und
Heerführer", Würzen 1855; „Männer der Zeit, Biogr. Lexikon der Gegenwart", Leipzig 1860; Brockhaus, „Unsere Zeit", 4. Band, Leipzig 1860;
Strack, „Graf R. nach Felbacten", Wien 1849; Schneidawind, „Feldmarschall
Graf R.'s Leben und Feldzüge" Augsburg 1851; Carl, „Leben R.'s", Leipzig
1854; Schneidawind, „Aus dem Hauptquartier Vater R.'s", Stuttgart 1856;
„Der k. k. österreich. Feldmarschall Graf R. Eine biographische Skizze nach
eignen Dictaten und der Correspondenz des Feldmarschalls, von einem österreichischen Veteranen", Stuttgart 1858; „Denkschriften militärisch-politischen
Inhalts aus dem handschriftlichen Nachlasse des Feldmarschalls Graf R.", Stuttg.
1858; „Kurzer Lebensabriß R.'s", Wien 1858; Troubetzkoi, „Campagnes du
Feldmaréchal Comte R. dans le nord d'Italie en 1848—49", Leipzig 1860.

Radowitz, Joseph Maria von, preuß. General und Staatsmann, geb.
6. Februar 1797 zu Blankenburg als Sohn eines katholischen Edelmannes
ungarischer Abstammung, wurde zur Zeit Napoleons I. auf der Kriegsschule
in Paris erzogen, diente dann bei der Artillerie des Königs Hieronymus von
Westfalen, machte in dieser die Schlacht bei Leipzig mit, focht nach Aufhebung
des Königreichs Westfalen unter hessischer Fahne gegen Frankreich, wurde nach
der Rückkehr aus Frankreich Lehrer am Cadetteninstitute in Kassel, ging als
Hauptmann 1823 in preußische Dienste, wo er beim Generalstabe beschäftigt
und als ein ausgezeichneter Mathematiker und Artillerist 1830 zum Chef des
Generalstabs der Artillerie ernannt wurde, nachdem er zwei Jahre zuvor bereits
zum Major avancirt war, 1836 wurde er Militärbevollmächtigter für Preußen
beim Bundestage, 1839 Oberstlieutenant, 1840 Oberst, ging 1841 nach Wien
und an die süddeutschen Höfe, um die Unterhandlungen über die Befestigungen
von Ulm und Rastatt zu leiten, wurde 1842 preußischer Gesandte bei den Höfen
von Karlsruhe, Darmstadt und Wiesbaden und avancirte 1845 zum Generalmajor. Da R. der nächste Vertraute und Gesinnungsgenosse König Friedrich Wilhelms IV. war, so wurde seine Thätigkeit jetzt eine fast ausschließlich staatsmännische.
Er wurde 1848 Mitglied der Deutschen Nationalversammlung in Frankfurt am
Main und als solcher Führer der Rechten, war der Stifter des Dreikönigs-
bündnisses, 1850 Mitglied des Provisorischen Fürstencollegiums und durfte überhaupt für den Leiter der preußischen Politik in den unruhigen Jahren 1848
bis 1850 angesehen werden, wie er denn bei wichtigen diplomatischen Erörterungen überall als Vertreter Preußens thätig war. Im September übernahm er das
preußische Ministerium der Auswärtigen Angelegenheiten und legte ein Programm

vor, welches einen offnen Widerstand gegen die Politik Oesterreichs bezweckte, legte aber, da die Majorität des Ministeriums Manteuffel seine Vorschläge am 2. November verwarf, am 3. Nov. sein Portefeuille nieder und zog sich nach Annahme der Punctationen von Olmütz (s. d.) nach Erfurt zurück. Hier lebte er, bis er im August 1852 zum General-Inspecteur des Militair-Erziehungs- und Bildungswesens ernannt, nach Berlin übersiedelte, wo er aber schon am 25. December 1853 starb. Unter seinen zahlreichen Schriften sind hervorzuheben: „Handbuch für Anwendung der reinen Mathematik", Berlin 1827; „Der Kriegsschauplatz in der Türkei", Berlin 1829; „Die Theorie des Ricochets" (im „Archiv für Artillerie und Ingenieure" 1835); „Die spanische Successionsfrage", Frankfurt 1830; „Wer erbt in Schleswig?", Karlsruhe 1846; „Gespräche aus der Gegenwart über Staat und Kirche", Stuttgart 1846; „Deutschland und Friedrich Wilhelm IV.", Hamburg 1848. Seine Gesammelten Schriften erschienen in 5 Bänden, Berlin 1852 f. Auch war R. 1831 Mitbegründer des Berliner Politischen Wochenblattes. Vgl. E. Frensdorff, „Joseph von R. Eine Charakterschilderung.", Leipzig 1850.

Radschloß kam im Anfang des 16. Jahrhunderts, bald nach dem Luntenschloß, auf und erhielt sich bis zur Einführung des Batterieschlosses, hauptsächlich bei den Cavalerie-Schußwaffen. Bei der Infanterie vermochte es das Luntenschloß nicht zu verdrängen. Mit letzterem findet man das R. auch vereinigt, wobei jenes als Reserveschloß dient. Das Technische ist unter Schloß. Vor dem Luntenschloß hatte es den Vortheil der sichereren, von der Witterung unabhängigeren Entzündungsweise, sowie überhaupt des Wegfalls der Lunte mit ihren Inconvenienzen; doch war es complicirt und theuer (Preis bis 55 Thlr.) Das Rad verschlammte leicht, der Rückstand konnte ins Schloß dringen und seinen Gang beeinträchtigen. Einfacher war wiederum das Batterieschloß, wo auch das Aufziehen des Rades wegfiel.

Radschuh, soviel wie Hemmschuh, ist ein Mittel, die wälzende Reibung eines Rades in eine gleitende zu verwandeln, wozu starke Neigungen beim Hinabfahren nöthigen. Der R. gewöhnlich aus Stabeisen, seltener aus Holz gefertigt, besteht aus der Sohle, welche unter das Rad gelegt wird, den Backen, welche die Felgen umfassen, und der Hemmkette, welche den R. mit dem Fahrzeug, gewöhnlich dem Hinterwagen, verbindet. Siehe im weiteren Wagen, sowie Hemmvorrichtungen im Suppl.

Radträger ist eine achsenähnliche Vorrichtung bei den jetzigen preußischen Belagerungslaffeten, zum Zweck der Fortschaffung von Reserverädern.

Radziwill, 1) Michael Geron von, geb. 1778, kämpfte 1794 unter Koscinszko, trat 1807 als Oberst in die Armee des Herzogthums Warschau, machte 1812 den Feldzug nach Rußland mit, avancirte in diesem zum Brigadegeneral, trat nach Ausbruch der Polnischen Revolution 1830 in das polnische Nationalheer, erhielt nach Chlopicki's Weigerung den Oberbefehl, den er aber nur unter der Bedingung annahm, daß dieser als Rathgeber ihm zur Seite bleibe, war auf dem Schlachtfelde von Grochow thätig, wo aber Chlopicki tödtlich verwundet wurde. Dies bewog ihn, sich vom Oberbefehl zurückzuziehen und die Ernennung Skrzynecki's mit Eifer zu betreiben. Nach der Einnahme von Warschau wurde ihm Moskau zum Aufenthalt angewiesen, wo er bis 1836 zurückgehalten wurde. Später lebte er in Dresden und starb dort 1850. 2) Wilhelm Fürst von, geb. 1797, Sohn des Fürsten Anton Heinrich, welcher Statthalter von Posen und Gemahl einer preußischen Prinzessin war, machte in der preußischen Infanterie bereits die Befreiungskriege mit und gelangte in seiner weiteren Carrière zum General der Infanterie und commandirenden General des 4. und danach des 3. Armeecorps. Aus dieser Stellung wurde er nach General v. Brese's Rücktritt 1860 zum ersten General-Inspecteur des Ingenieur-Corps und der Festungen berufen, wobei ihm ein zweiter General-Inspecteur der Festungen (zeitweise in der Person des Generals v. Prittwitz s. d.) zur Seite stand. In dieser Stellung war es sein Bestreben, daß rein militärische Element und die taktische Ausbildung der technischen Truppen zu heben. So führte er für letztere die Anwendung des zerstreuten Gefechts ein. Die bisher in Abtheilungen zu zwei Compagnien formirten Pioniere wurden auf Bataillone zu vier Compagnien gebracht und den Bataillonen Fahnen verliehen. Die einzelnen Zweige des Pionierdienstes (Pontonnier-, Sappeur-, Mineur-Wesen), welche bisher in denselben Compagnien vereinigt gewesen, wurden compagnieweise getrennt (s. technische Truppen). Im Mai 1866 verließ R. in Folge zerrütteter Gesundheit den activen Dienst und starb am 5. August 1870 in Berlin. Er war Chef des 2. Magdeburgischen Infanterie-Regiments Nr. 27. 3) Leo Fürst von, geb. 1808, diente bis 1830 in der polnischen Nationalarmee, blieb beim Ausbruch der Revolution unter der russischen Fahne, avancirte im russischen Dienst zum General, wurde aber fast nur in diplomatischen Geschäften verwendet, commandirte jedoch im Orientkriege eine Cavalerie-Division.

Raglan, Fitzroy James Henry Somerset, Lord R., englischer Feldmarschall, geb. 1788, trat 1804 in ein englisches Dragoner-Regiment, zeichnete sich unter dem Herzog von Wellington im Halbinselkriege, sowie 1815 bei Waterloo aus, wo er einen Arm verlor, begleitete nach dem Frieden Wellington als Gesandtschafts-Secretär nach Paris, Wien, Verona und Petersburg, wurde 1825 Generalmajor, 1838 Generallieutenant und nach Wellington's Tode 1852 Generalfeldzeugmeister (Mastre of the Ordnance) und erhielt mit dem Titel Lord R. die Peerswürde. Im Februar 1854 übernahm er das Commando der für den Orient bestimmten englischen Truppen, landete am 14. Sept. in der Krim, schlug mit dem französischen Marschall St. Arnaud am 20. Sept. die Russen an der Alma, erhielt bald darauf den Feldmarschalls-Titel und starb während der Belagerung von Sebastopol am 29. Juni 1855. Seine Leiche wurde nach England gebracht und im Familiensitze Badminton (in der Grafschaft Glocester) beigesetzt. 1861 wurde ihm am Hauptportale der Westminster-Abtei zu London ein Denkmal errichtet.

Ragusa, (slaw. Dubrovnik, türk. Dapronik), befestigte Hauptstadt des gleichnamigen Kreises im österreichischen Königreich Dalmatien, am Adriatischen Meere und an den felsigen Abhängen des Berges Sergio, hat alte Festungsmauern, die Forts San-Lorenzo, Leverono, Malo, Margheritta, Imperial und Lacroma, einen Hafen (in der 1½ Stunden entfernten Bucht von Gravosa oder Santa Croce), eine Nautische Schule, ein Militair-Hospital, Werfte, lebhaften Handel und 8900 Einwohner. R. war im Mittelalter eine aristokratische Republik nach dem Vorbilde Venedig's, begab sich 1358 unter ungarischen und 1526 unter türkischen Schutz und zahlte einen Tribut an die Pforte, wurde 1806 von den Franzosen unter Lauriston besetzt, verzichtete 1807 auf den Schutz der Pforte, wurde 1811 mit dem französischen General-Gouvernement Illyrien vereinigt und kam 1814 mit diesem an Oesterreich. Im Sept. 1843 und im April 1850 wurde es von heftigen Erdbeben heimgesucht.

Ragusa, Herzog von R., s. Marmont.

Rahden, Wilhelm Baron von, geb. 1793 auf seinem väterlichen Gute bei Breslau, trat 1809 in die preußische Armee, machte von 1812—1815 die Feldzüge gegen Frankreich und die meisten Hauptschlachten mit, wurde nach dem Frieden im Topographischen Bureau beschäftigt, trat 1832 in holländische Dienste, nahm an der Vertheidigung von Antwerpen Theil, ging nach Ausbruch des spanischen Bürgerkriegs nach Spanien, focht unter Don Carlos und avancirte beim Geniecorps rasch zum Obersten und 1839 zum General. 1848 und 1849 machte er in preußischen Diensten die Feldzüge in Schleswig und Baden mit, lebte dann in Gotha u. starb daselbst 1860. Er gab heraus: „Tableau von Antwerpen", London 1839; „Cabrera, Erinnerungen aus dem spanischen Bürgerkriege", Frankfurt 1840; „Wanderungen eines alten Soldaten", Berlin 1846—51, 3 Thle.; Supplemente dazu: „Miguel Gomez", Berlin 1859; „Authentischer Bericht über das Seetreffen bei Eckernförde", Berlin 1849.

Rahmen 1) soviel wie Cadre, s. d. Bd. II. S. 287. 2) beim Minenbau, siehe Mine, Bd. VI. S. 125. 3) Rahmen kommt als Untergestell bei Festungs-, Küsten- und Marinelaffeten vor und ist das Charakteristikum der Rahmlaffeten. Während Bettungen (s. d.) den Rädern und dem Schwanz der Laffete nur ganz im Allgemeinen eine Unterlage geben, erhält dieselbe auf einem R. eine ganz bestimmte Führung für jene Theile, sodaß die einmal gegebene Seitenrichtung bleibt. Um letztere verstellen zu können, dreht sich der Rahmen mit dem vordern Ende um ein Pivot, welches der Drehbolzen bildet; das Herumschwenken des hinteren Theiles wird in der Regel durch Blockräder erleichtert. Der R. erhält seine Unterstützung durch Unterlagen, welche zugleich so eingerichtet sind, daß die Bahn des R. nach rückwärts ansteigt. Dies wirkt ebensowohl dem Rücklauf der Laffete entgegen, als es das Wiedervorbringen nach dem Schuß erleichtert. Aus alledem erhellt, daß Rahmlaffeten, namentlich bei schweren Geschützen, die Bedienung erleichtern und die Möglichkeit geben, die Zahl der Mannschaften zu reduciren. Dagegen wird die Laffetirung complicirter, die Aufstellung des Geschützes zeitraubender; daher sie in der Belagerungs-Artillerie gar nicht und in Festungen nur da angewandt werden, wo kein Stellungswechsel zu erwarten ist. Um letzteren zu erleichtern, hat man in Preußen die Gestelllaffete construirt (s. d. im Supplement und vergl. Laffete Bd. V., S. 273 unten). Der R. an sich giebt der Laffete einen höheren Stand, als sie auf der Bettung hat; derselbe läßt sich durch die Unterlagen noch vergrößern. Die Wahl der letzteren, sowie verschiedener Radhöhen giebt das Mittel, durch die Rahmlaffete eine größere Feuerhöhe als gewöhnlich und variable Feuerhöhen zu erzielen. Der Erfinder der R.-L. ist Gribeauval (s. d.); seine Construction, welche wesentlich auch die der IV. Bd. S. 271 ausgeführten, jetzt ausgeschiedenen preußischen hohen R.-L. ist, führte den Namen G.'sche Walllaffete. Eine Verbesserung derselben ist die jetzige französische Festungslaffete (affût de place à la cauterelle). Nach letterer construirte der spätere bayerische Kriegsminister Ciel seine Universalbelagerungs- und Festungslaffete (siehe Ciel, Supplemente), welche ohne R. als Belagerungslaffete und mit R. sowohl als Kasematten- wie als Walllaffete (letztere mit 3 verschiedenen Feuerhöhen) zu benutzen ist. Außer in Baiern kam dieselbe in den süddeutschen Bundesfestungen zur Einführung. — Aehnliche Zwecke erfüllen die preußischen schmiede-eisernen Festungslaffeten (s. Laffete Bd. V. S. 272), jedoch nur für Festungen. Dieselben werden nicht mehr neu gefertigt. England und Frankreich nahmen gußeiserne R.-L. für Küstenbatterien an. Neuerdings sind für Küsten- und Marinegeschütze in den meisten der betheiligten Staaten sehr vervollkommnete Constructionen von schmiede-eisernen R.-L. entstanden, wie z. B. die englische R.-L. für schwere Geschütze mit selbstthätiger Bremsvorrichtung. Ueber R.-L. für Minimal-Scharten, sowie die Moncrieff-Laffeten siehe Laffete (Bd. V. S. 274 f.)

Rakete. Während das Ausdehnungsbestreben der Gase an sich ein allseitiges ist, machen wir dasselbe, um es dem Zwecke treibender Kraft zu unterwerfen, einseitig nutzbar. Es giebt hierfür einen zweifachen Modus; den einen, und zwar den gewöhnlicheren, repräsentiren die Feuerwaffen, den anderen, von welchem indeß nur ein beschränkter Gebrauch gemacht wird, die Raketen. Bei letzteren befindet sich ein im Gegensatz zur Ladung jener, nur sehr allmählich sich zersetzender, weil stark verdichteter, häufig auch noch schwächer dosirter

Treibsatz in einer cylindrischen Hülse, welche er selbst einseitig schließt, während er vom entgegengesetzten Ende her, das dem Ausströmen der Gase kein Hinderniß bietet, in der Längenrichtung der Hülse abbrennt. Das Ausdehnungsbestreben der Gase kommt also in der Richtung entgegengesetzt der Ausströmeöffnung zur Geltung, während der Druck auf die Wandung der Hülse sich wechselseitig aufhebt. Es geht hieraus eine entsprechende Bewegung der Hülse sammt dem noch nicht verzehrten Satze hervor, sobald die entwickelte Kraft ausreicht, das Beharrungsvermögen dieser Last zu überwinden. Damit letzteres möglichst bald der Fall und seine Kraft unnütz vergeudet wird, giebt man der Brennfläche von vorn herein eine möglichst bedeutende Ausdehnung, indem man den Satz von der Ausströmeöffnung bis zu einer gewissen Entfernung vom entgegengesetzten Ende mit einer konischen oder cylindrischen Aushöhlung, der Seele, versieht. Nunmehr erfolgt die Verbrennung nicht nur nach vorwärts, sondern auch nach den Wänden der Hülse zu. Da der Satz sehr verdichtet ist, so brennt er schichtenweise ab; es wird daher die Geschwindigkeit des einmal in Bewegung gesetzten Körpers allmählich wachsen, und zwar bis zu dem Moment, wo der massive Theil des Satzes, die Zehrung genannt, durchgebrannt ist und somit der einseitige Gasdruck aufhört. Von da ab unterliegt die Bewegung genau denselben Umständen, wie diejenige des aus der Mündung der Feuerwaffen fortgeschleuderten Geschosses, während bis dahin die Beschleunigung der Vorwärtsgeschwindigkeit einen Gegensatz zu dieser bildet. Wir erhalten somit einen Körper, welcher befähigt ist, eine geschoßähnliche Wirkung auszuüben, oder auch als Träger eines Projectils zu dienen, und von welchem man zu gleichem Zwecke wie von den Feuerwaffen, oder zum Signalisiren, resp. auch in der Lustfeuerwerkerei, Gebrauch macht. Man pflegt den zum speciellen Zweck vorgelegten Körper als die Versetzung oder Vorderbeschwerung zu bezeichnen, während der Zusammenstellung der erwähnten Elemente, zu welchen noch ein viertes tritt, R. genannt wird. Schon bei der ersten Entwicklung der Gase nämlich ist die R. beträchtlichen Seitenschwankungen unterworfen, insofern jene nicht ganz regelmäßig erfolgt; außerdem ändert sie während der Bewegung durch Ausbrennen ihre Schwerpunktslage. Man verleiht ihr daher einen Regulator in Gestalt eines nach rückwärts an die Hülse angesetzten längeren hölzernen Stabes (oder der Ruthe), welcher gleichzeitig die Pfeilbewegung der R. begünstigt. Man hat denselben indeß auch durch Gegengewichte, resp. durch Verleihung einer Längenachsenrotation, entbehrlich zu machen gesucht, da er keineswegs eine angenehme Zugabe bildet. Soll nach dem Ausbrennen des Satzes die Vorderbeschwerung sich von der Hülse trennen, so fügt man noch eine kleine Ausstoßladung oder einen Brandsatz hinzu. Zum Abfeuern der R. benutzt man Zündungen verschiedener Art, als Zündlicht, Percussionsschlagröhren, resp. auch, um die absengende Nummer bei etwaigem Explosiuren der R. zu sichern, sogenannte Sicherheitszünder. — Die zu militärischen Zwecken bestimmten R.n sollen entweder zum Signalisiren, oder in Stelle der Feuerwaffen benutzt werden und heißen danach entweder Signal- oder Kriegs-Raketen. Soll der R. eine genaue Abgangsrichtung ertheilt werden, so erreicht die Bedienung ein besonderes Stativ, das Raketengestell. — Historisches. R.n waren schon in sehr früher Zeit bekannt. So erwähnt Marcus Graecus im 9. Jahrhundert unserer Zeitrechnung fliegende Feuer, welche der R. ähnlich waren, Kaiser Leo ließ zur selben Zeit für das oströmische Heer R.n fertigen. Im 13. Jahrhundert vertheidigten sich die Chinesen mit R.n gegen die Tataren; zu dieser Zeit spricht auch Albertus Magnus von denselben. Durch die Einführung der Feuerwaffen wurden die R.n mehr auf das Gebiet der Lustfeuer verdrängt und erfuhren hier im Laufe der Jahrhunderte mancherlei Verbesserungen, doch tauchten sporadische Beweise der Existenz von Kriegsraketen nach immer auf. Zur Construction unserer heutigen Kriegsraketen aber ist der Anstoß aus Ostindien gekommen, wo sie die Engländer und speciell der General Congreve im Jahre 1799 bei der Belagerung von Seringapatam kennen lernten. Sie wurden hier durch Tippo Sahib mit 5000 Brandraketen beschossen. Congreve machte 1804 in Woolwich Versuche mit denselben, welche so günstig ausfielen, daß die Engländer die R.en als Brandgeschosse einführten. Nach mehrfachen Verbesserungen, so namentlich Anfertigung der Hülse aus Eisenblech, statt aus Papier, Verkürzung der Stäbe, kamen sie bereits 1807 bei der Beschießung von Kopenhagen zum Gebrauch und sollen hier eine sehr verheerende Wirkung ausgeübt haben. 1814 benutzte Congreve die R. zuerst als Geschoßträger, welche Idee dem dänischen Hauptmann Schuhmacher zugeschrieben wird. Von da ab kamen sie auch im Felde vor. Seit dem Jahre 1819 befestigte er den Stab in der Verlängerung der Raketenachse, und damit war das englische Raketen-System in seinen Grundzügen fertig, in welchen es heute noch besteht. In der Folge wurde den R.en auch in den meisten andern Ländern Aufmerksamkeit geschenkt. Zunächst wurden sie in Dänemark durch den oben genannten Hauptmann Schuhmacher der aufgefischten englischen Brandrakete nachgebildet, hieraus entwickelte Augustin in Oesterreich das sogenannte österreichische Raketen-System. Dem einen oder andern der beiden Systeme hat man sich in den übrigen Staaten angeschlossen und auf dieser Grundlage weitere Versuche angestellt. Im Jahre 1846 versuchte der Engländer Hale den Stab durch Rotation entbehrlich zu machen, woraus die Hale'schen Rotationsraketen hervorgingen. Es sind diese in Oesterreich weiter ausgebildet worden und haben in neurer Zeit die Augustin'schen verdrängt. Die Versuche, den Stab durch Gegengewichte, Windmühlenflügel 2c. zu ersetzen, sind ohne Erfolg geblieben. Die Kriegsraketen sind seit ihrer Vervollkommnung mehrfach auf Kriegsschauplätzen aufgetreten, doch haben sie neben den Geschützen immer nur eine secundäre Bedeutung zu erlangen vermocht. — Die Signalrakete. Die Hülse besteht aus zusammenrollirtem starkem Papier und ist am Brandloch durch Würgung verengt. Das Kaliber beträgt 26—52^{mm}, der Satz ist eine Composition von Mehlpulver, Salpeterschwefel und Kohle. Die Seele hat die konische Form. Ueber der Zehrung liegt eine in der Mitte ausgebohrte Thonschicht, darauf die Ausstoßladung; an die Hülse ist die Versetzung angeklebt und besteht entweder in einem Kanonenschlag, welcher durch Knall, oder einer mit kleinen Leuchtkörpern (Sternchen) gefüllten Papierhülse, welche durch Licht signalisiren, unter Umständen auch eine gewisse Beleuchtung des Vorterrains erzeugen sollen. Der Stab ist an der Seite angebunden. Man läßt die Signalraketen ziemlich vertical aufsteigen und erreicht damit Höhen von 230—260 met.; die eventuelle Lichtwirkung kann 8—9 Meilen weit sichtbar werden. — Die Kriegsraketen. In Anbetracht des hier erstrebten stärkeren Gasdrucks besteht die Hülse aus Eisenblech, welches gerollt und an der Seite vernietet oder gefalzt ist; sie kann auch aus einem Stück gezogen sein. Die Länge der Hülse ist gleich dem sechs- bis achtfachen inneren Durchmesser. Der Satz hat entweder die Dosirung des Schießpulvers, oder bildet eine Modifikation derselben durch Zusatz von Salpeterschwefel oder Kohle. In Preußen wird Kornpulver zum Satz verwendet. Die Verdichtung geschieht in der Regel durch hydraulischen Druck, und zwar entweder über einen Dorn, oder der Satz wird erst massiv gepreßt und hinterher ausgebohrt (letzteres stets bei cylindrischer Seele). Behufs Festhaltens des Satzes kann die Hülse am Brandloch bloß umgebogen, oder durch eine mit Löchern versehene Bodenglocke verschlossen sein. Mitunter liegt über der Zehrung eine ähnliche Thonschicht, wie bei der Signalrakete. Die Beschwerung ist entweder an die Hülse gebunden oder damit verschraubt. Als solche dienen: a) alle gewöhnlichen Artilleriegeschosse, als Vollgeschosse, Granaten, Kartätschen,

Shrapnels, entweder rund oder in länglicher Form; danach die Benennungen: Kugel-, Granat-, Kartätsch- ꝛc. Raketen. b) Besondere Spreng-, Brand-, Leucht-geschosse, letztere mit und ohne Fallschirm, danach Spreng-, Brand- ꝛc. Raketen. Eine Specialität bilden die Gewehr-Raketen, welche als Brandmittel mittelst schwacher Pulverladungen aus Handfeuerwaffen abgeschossen werden. In Be-zug auf Geschoßconstruction sind die R.n viel unbeschränkter als die Geschütze, da bei jenen die Rücksicht auf Zertrümmerung im Rohr, sowie auf den Durchmesser des letzteren wegfällt; sie erlauben dünnere Wandung der Geschosse, daher be-deutende Brenn- und Leuchtwirkung. Dagegen sind die R.n in den Geschoßge-wichten bedeutend beschränkter. — Der Stab ist entweder an der Achse oder seit-lich angebracht, im ersten Falle ist er in die Bodenglocke oder in eine Stabgabel geschraubt, im letzteren in einer Stabkapsel befestigt. Man unterscheidet sonach Achsen- und Seitenstab-Raketen. Achsenstab-Raketen können auch R.n mit Rotation sein. Die Länge des Stabes ist sehr variabel, man strebt sie möglichst gering zu halten (österr. R.n 3—4 met., engl. 56 Kaliber). Die Benennung des Kalibers erfolgt verschiedenartig, entweder nach dem Gewicht einer eisernen Kugel, deren Durchmesser gleich dem äußerlichen der Hülse (England), oder nach dem lichten Durchmesser der letzteren (bisher in Preußen, sodann in Frankreich) resp. nach dem äußeren, wie künftig in Preußen und zwar hier in Centimetern, sowie endlich nach dem Vollkugelgewicht der Beschwerung (Oesterreich). Das englische System charakterisirt sich durch einen Treibsatz von geringerer Kraft, eine kurze konische Seele, Bodenglocke mit diversen Brandlöchern (wodurch auch die Entzündung erfolgt), Achsenstab, endlich steht das Geschoß nicht über die Hülse über; man ist mithin zum Langgeschoß gezwungen. Das sogenannte österreichische System, welches in diesem Staate indeß durch die Rotations-rakete verdrängt ist, hat einen heftigen Satz (Dosirung des Pulvers), keine Boden-platte, seitwärtiges Zündloch, lange cylindrische Seele, Seitenstab; das Geschoß steht über die Hülse über und ist in der Regel rundlich. Zwischen Zehrung und Verletzung liegt eine Schicht Brandsatz. Bei den Hale'schen R.n strömt das Gas durch einen centralen Längencanal, sowie durch gewundene Seitenkanäle eines eisernen Conductors aus, wodurch fortschreitende und drehende Bewegung entsteht. Der Conductor bildet zugleich das Gegengewicht der Beschwerung. Das Gestell des englischen Systems hat eine auf zwei Böcken ruhende, um eine Querachse drehbare Röhre, zur Controle der Höhenrichtung ist ein Quadrant angebracht. Die Röhre nimmt Beschwerung und Hülse auf; bei größeren Ka-libern liegt sie auf einer Blocklaffete. Das österreichische Gestell ist, ähnlich dem Meßtisch-Stativ, dreibeinig; zur Führung des Stabes dient eine Leitrinne, welche R. und Beschwerung frei läßt. Um eine vorzeitige Bewegung der R. zu verhindern, sind an den Gestellen mitunter Druckfedern angebracht worden, welche jene so lange festhalten, bis die ganze Brennfläche ergriffen ist. Beim Hale'schen Gestell hat die R. ein Gegengewicht zu überwinden, ehe sie eine fort-schreitende Bewegung annehmen kann; so daß die drehende ihr jedenfalls vorher treten muß. Bei den Seitenstab-Raketen liegt der Schwerpunkt außerhalb der Längenachse; sie sind mithin excentrisch, so daß der in jener concentrirte Pulver-stoß drehend auf die R. wirkt und zwar, da der Stab oben liegt, ihr einen Auftrieb ertheilt. Es wirkt dies darauf hin, den ersten Theil der Bahn, so lange bis die Zehrung durchgebrannt ist, convex zu gestalten, umsomehr, je mehr der Schwerpunkt a priori nach rückwärts gelegt ist. Man pflegt letzteren bei flachen Bahnen in den Satz, bei gekrümmteren hinter das Brandloch zu legen; durch das Anbringen des Satzes rückt er indeß auch bei ersterem dem Stabe zu. Der convexe Theil der Bahn des Seitenstabrakete wird der Aufschwung, die weitere concave Bewegung die Elongation genannt. Achsenstab-Raketen haben eine concave Bahn. In dem Moment, wo die R. das Gestell verläßt, pflegt indessen ein starkes Sinken derselben einzutreten, weil die bis dahin noch sehr geringe Geschwindigkeit die Schwerkraft überwiegend zur Geltung kommen läßt. Die österreichischen R.n haben in Folge ihres heftigen Satzes bedeutende Abgangsgeschwindigkeiten, wohingegen dieselben auch sehr bald den höchsten Grad der Beschleunigung erreichen. Die Kraftentwicklung bei den englischen erfolgt allmählicher, ist aber andauernder. Letztere beschreiben gekrümmtere Bahnen, weshalb sie ausschließlich Wurf-Raketen heißen; die österreichischen lassen auch flachere zu und können als Schuß-Raketen gebraucht werden, wobei das Gewicht der Beschwerung geringer ist als wenn sie als Wurfraketen dienen. Mit geringen Elevationen erreichen die englischen viel geringere Schußweiten als die österreichischen, bei größeren ist es umgekehrt. Die Maximalgeschwindigkeiten, welche R.n erlangen, sind 250—300 m., also denen der Haubitzen analog. An Schußweite kommen sie den glatten Geschützen gleich und übertreffen dieselben auch noch; doch haben sie bei größeren Entfernungen viel gekrümmtere Bahnen als die Geschosse jener. Die Trefffähigkeit der R. zeigt sich nicht als eine genügende, da sie sehr vielen Umständen unterliegt (als Verdichtungsgrad des Satzes, Beschaffenheit des letzteren, die sich bei der Aufbewahrung leicht ändert, Einfluß der Luftströmungen 2c.), welche man nicht hinreichend in der Hand hat. Namentlich sind die Seitenabweichungen größer als die der glatten Geschütze. Man nimmt an, daß die Trefffähigkeit derjenigen der Haubitzen gleich, geringer als die der glatten Kanonen ist; hinter derjenigen der gezogenen bleibt sie jedenfalls sehr weit zurück. Die Hale'schen R.n sollen in Treffsähigkeit und Schußweite Fortschritte zeigen. Gegen Ziele großer Widerstandsfähigkeit, als z. B. Mauerwerk, ist die Wirkung der R.n unzureichend; dagegen leisten sie gegen Holz und Erde Bedeutendes, was namentlich im Festungskriege in Betracht kommt, sowie auch hier ihre ausgezeichnete Brand- und Leuchtwirkung und die gekrümmte Form ihrer Flugbahnen ins Gewicht fallen. Im Allgemeinen dürften sie wohl den eigenthümlichen Verhältnissen der Vertheidigung am meisten Rechnung tragen. Gegen Truppen soll ihre moralische Wirkung nicht gering zu veranschlagen sein. Was besonders zu ihren Gunsten spricht, ist die Leichtigkeit, mit welcher sie unter allen Umständen zur Verwendung zu bringen sind. Das Gestell hat ein geringes Gewicht (15 Kilogr.), erfordert wenig Raum und bedarf keiner festen Basis; es läßt sich nicht blos leicht transportiren, sondern überall mit geringer Mühe aufstellen, namentlich aber an vielen Punkten, wo Geschütze nicht zu placiren sind, wie auf Kähnen, schwachen Eisdecken, in Häusern, auf Thürmen, im Gestrüpp; besonders in gebirgigem Terrain haben sie vor jenen viele Vorzüge. Zur Bedienung des Gestelles ist nur eine geringe Zahl von Leuten erforderlich (3—4 Mann). Die R.n selbst sind — bis auf den Stab — ohne Schwierigkeit zu transportiren und lassen sich selbst durch Mannschaften zu Fuß oder zu Pferde in kleinen Quantitäten fortbringen. Man hat den R. wegen ihrer Vorzüge und ungeachtet der Schwierigkeit ihrer Anfertigung, sowie ihrer Kostspieligkeit, bisher überall die eingehendste Beachtung geschenkt und Seitens einiger Mächte sind selbst Raketen-Batterien (s. d.) zum Gebrauch im Felde dauernd oder vorübergehend organisirt worden. — Das sogenannte österreichische System hat in Griechenland, sowie in der Schweiz, das englische namentlich in Frankreich und Rußland Eingang und Fortbildung gefunden. Preußen hat sich dem ersteren angeschlossen, ist indeß später zu den Achsenstabraketen übergegangen (mit und ohne Rotation). Die Oesterreicher hatten nach ihrem früheren System 2zöllige oder 6pfündige und 2½zöllige oder 12pfündige R.n; von ersterer Schuß-, Wurf-, Kartätsch-, Brand- und Leuchtballenraketen, von letzteren nur Wurf- und Brandballenraketen. Die 6pfündigen Schußraketen haben 3¼, die 6- und 12pfündigen Wurfraketen 5pfündige Granaten. Nach Hale'schem, durch Oberst Limpöth ausgebildetem System führen sie 4pfündige Schuß-, 6pfündige Wurfraketen (Benennung nach ihrem wirklichen Granatgewicht), erstere bis 2000, letztere bis 1500 Schritt wirksam; außerdem Büchsenkartätsch- (bis 300) und Feuerballenraketen (bis 1000 Schritt). Die Engländer haben 6-, 12-, und 24pfündige Feld- und 18- bis 74pfündige (8zöllige) Festungsraketen; als Geschosse Granaten, Kartätschen, Brandgeschosse. Die Franzosen haben R-n von 5,ᶜᵐ, 6,ᶜᵐ, 9,, und 11,, ᶜᵐ; als Geschosse außer den oben genannten noch Shrapnels. Preußen hatte anfänglich 2zöllige Spreng- und Leucht-Seitenstabraketen, späterhin 2zöllige Spreng- und Leucht-Rotations- und 3zöllige Leucht-Achsenstabraketen. Die Sprengraketen wurden bis 300 Schritt gegen Erdbrustwehren gebraucht, sind aber kürzlich abgeschafft worden. Die Leuchtraketen werden bis 1200 Schritt gebraucht, und zwar werden nur noch die 3zölligen beibehalten. Die Verwendung der R-n beschränkt sich also hier lediglich auf den Festungskrieg. Die Rotation wird durch schräge Stellung der Zündten der Stabgabel hervorgebracht. Die preußischen Rotationsraketen zeigen größere Treffsicherheit, aber geringere Schußweiten als die gewöhnlichen. (Die Signalraketen scheiben in Preußen ganz aus u. werden durch Leuchtraketen ersetzt.) Es ist noch zu bemerken, daß die meisten Staaten in Bezug auf ihr Raketenwesen ein strenges Geheimniß bewahren, besonders was die entscheidenden Momente, als Dosirung des Treibsatzes, Verdichtungsgrad, Abmessungen ꝛc. betrifft. Die Ausbildung der Kriegsraketen zu einer höhern Stufe der Brauchbarkeit, als sie bisher erzielt worden ist, hat in der Neuzeit wohl durch das Dazwischentreten der gezogenen Geschütze eine Hemmung erlitten. Wenn sie bisher auch nirgends als den Geschützen überhaupt paritätisch betrachtet worden sind, so dürfte dieser Classe derselben gegenüber ihre Rolle in Zukunft noch bedeutende Beschränkungen erleiden und die R-n hauptsächlich auf den Gebirgskrieg und einzelne Zwecke des Festungskrieges beschränkt bleiben. Man hat die R-n in neuerer Zeit auch den Zwecken der Humanität in Gestalt der Rettungsraketen nutzbar gemacht, welche bestimmt sind, scheiternden Schiffen ein Tau zuzuführen. Literatur. Hier sei besonders auf Schmölzl, „Ergänzungswaffenlehre", 2. Aufl., S. 383—434 aufmerksam gemacht; vergl. ferner: „Mémoire sur les fusées de guerre" und „Lectures sur les fusées de guerre", Paris 1858 und 1861, vom russischen Artillerie-General Konstantinoff; außerdem die Waffenlehren von Röchert, Sauer ꝛc., sowie „Populäre Waffenkunde" von C. v. H. und H. W. (Leipzig 1870. Spamer) S. 60 ff.

Raketen-Batterien wurden bei einzelnen Mächten entweder dauernd oder vorübergehend organisirt, um die eigenthümlichen Vorzüge der Kriegsraketen zu Zwecken des Feldkrieges auszunützen und in denselben den Rohrbatterien eine willkommene Unterstützung und Ergänzung zu verleihen. Von größeren Staaten haben indeß nur Oesterreich und England entschiedene Schritte in dieser Hinsicht gethan und die Raketen seiner Zeit vollständig ihren Feldtruppen einverleibt. In Rußland wurden den bei den Kämpfen im Kaukasus engagirten Truppen R-B. zugetheilt. In Griechenland wurden sie zur Bekämpfung des Aufstandes in den Jahren 1836—43 organisirt. Für die Schweiz waren sie nur auf dem Papier vorhanden. Die übrigen Staaten haben wohl der Ausbildung der Raketen für den Feldgebrauch Aufmerksamkeit geschenkt, indeß R-B. nicht wirklich organisirt. — Oesterreich hatte bis zum Jahre 1867 ein Raketen- und Gebirgsartillerie-Regiment von 8 R-B. und 6, im Kriege 14 Gebirgsbatterien, welche theils als Rohr-, theils als R-B. ausgerüstet waren. Die Feld-R-B. wurden den Armee-Corps und zwar gewöhnlich der Geschütz-Reserve, die Gebirgs-R-B. den in Gebirgsgegenden operirenden Detachements zugetheilt. Im Kriege gegen Preußen haben Feld-R-B. mitgewirkt, ohne daß man etwas über Erfolge derselben gehört oder gelesen hätte. Nach der jetzigen Organisation ist von dem dauernden Bestehen von R.-B. Abstand genommen, selbst die Gebirgsbatterien der Festungsartillerie-Bataillone haben nur Rohrgeschütze. Doch las man im Spätherbst 1869 wieder von der Verwendung von Raketengebirgsbatterien gegen die aufständischen Dalmatier. In der Schweiz wurden die R.-B. 1867 definitiv durch Rohrbatterien ersetzt. Man unterscheidet gewöhnlich zwischen Feld- und Gebirgs-R.-B., erstere können wiederum reitende, fahrende oder Fußbatterien sein, letztere sind stets Fußbatterien. Das Berittenmachen der Raketier bezweckt eine leichte und rasche Bewegung der R.-B. auf dem Schlachtfelde und Geeignetheit für jedes Terrain, indem Gestelle und Munition hier zu Pferde transportirt werden. Soweit es jetzt erlaubt, kann man sich auch der Fahrzeuge hierzu bedienen, welche ohnehin für die Reserve-Munition nothwendig sind; an besonders schwierigen Stellen bleibt ja immer der Transport durch Mannschaften als Zuflucht. Reitende R.-B. hatte man in Griechenland, sowie in England. Die reitenden Raketier tragen die Raketen in ledernen Holftern, die Stäbe in einem Schuh am Steigbügel, die Gestelle ähnlich dem Karabiner. Die fahrenden R.-B. benutzen Wagen oder Karren zum Transport der Bedienung sowohl als der Gestelle und Munition und ergänzen sich event. aus Reserve-Raketenwagen, während den reitenden R.-B. hierzu Packthiere folgen. Bei den Gebirgs-R.-B. wird der Transport durch Maulthiere bewirkt, die Bedienung geht zu Fuß. Die Zahl der zu einer R.-B. vereinigten Gestelle schwankte zwischen 4, 6, 8 und 12. Nach der früheren Organisation zählte eine österreichische Feld-R.-B. 8 Gestelle (nebst ebensoviel Reserve-Gestellen); hierzu waren 8 Raketenwagen vorhanden; außerdem hatte die Batterie eine Feldschmiede, 4 Leiter-, 1 Requisitenwagen, alle vierspännig. Jeder Munitionswagen faßte 142 Raketen, darunter ½ Schuß-, ⅓ Wurf-, ¹⁄₆ Kartätschenraketen. Die Gebirgs-R.-B. zählten 4 Gestelle, für jedes derselben 122 Raketen und 69 Tragthiere. Die englischen reitenden R. zählten 3 Mann pro Gestell, deren 1 das Gestell selbst, 2 die Stäbe, jeder derselben 2—4 Raketen trugen. Die fahrenden Batterien hatten 4 Wagen, auf welche 4 bis 5 Mann aufsitzen konnten; der 6pfündige enthält 220, der 12pfündige 120 Raketen. Gegenwärtig hat jede Feldbatterie 1 Raketenwagen. — Die Kriegsgeschichte zeigt eine nicht unansehnliche Zahl von Fällen, wo die R.-B. namhafte Dienste geleistet haben und unter Umständen zur Verwendung gekommen sind, welche diejenige von Rohrbatterien nicht zugelassen hätten. Namentlich sind die Kämpfe der Oesterreicher in Italien und Ungarn 1848 und 49 daran reich. Schon während der Freiheitskriege sind einige Male englische Brandraketen zur Verwendung im Felde gekommen. In den Jahren 1836 bis 1843 haben die R.-B. in Griechenland den vielseitigsten Gebrauch im Gebirgskrieg erfahren. In Italien 1848 und 1849 zeigten sich die R.-B. u. a. auf der Flotille des Garda-Sees von wesentlichem Nutzen; sodann finden wir sie zur Bekämpfung von Volksaufständen thätig. Bei mehreren Gelegenheiten nahmen sie Aufstellung in Gebäuden; auch bei Flußübergängen waren ihre Leistungen hervorragend. In Ungarn haben sie sich namentlich im Gebirgsterrain als von großem Werthe gezeigt, und liefert die Wintercampagne des Schlick'schen Corps in den Karpathen das Beispiel systematischer und umfassender Verwendung von R.-B. Unter solchen Verhältnissen dürfte man auch noch künftighin dem Auftreten derselben sicherlich begegnen.

Rakoczi (Racoczy), eine protestantische, in männlicher Linie erloschene Fürstenfamilie Siebenbürgens, welche eine Zeit lang dieses Land beherrschte. In der Kriegsgeschichte sind besonders namhaft: 1) Georg I., wurde nach dem Tode Gabriel Bathori's und Bethlen Gabor's 1631 zum Fürsten von Siebenbürgen erwählt, unternahm in Folge eines mit dem schwedischen und dem französischen Gesandten abgeschlossenen Bündnisses 1644 einen Einfall in Oesterreich, zog bis nach Mähren, um sich dort mit den Schweden unter Torstenson zu vereinigen, erkämpfte zu Gunsten der Protestanten den Baczer oder Linzer Frieden von 1645, welcher seinem Lande politische und religiöse Freiheit sicherte und starb 1648. 2) Georg II., Sohn des Vor., folgte seinem Vater auf dem Throne, erhielt durch Sultan Muhammed IV. auch die Oberherrlichkeit über die Moldau und Walachei, verlor dieselbe aber wieder, als er gegen den Willen des Sultans den König Karl Gustav von Schweden gegen den König Johann Kasimir von Polen unterstützte, wurde 1657 mit seiner Armee geschlagen (diese gefangen genommen und nach der Krim abgeführt), entwich nach Siebenbürgen, wurde 1660 bei Klausenburg geschlagen und starb bald darauf an seinen Wunden zu Großwardein. 3) Helene, Gattin von Franz R., geb. Zrinyi, nach dessen Tode vermählt mit Emmerich Tököli (s. d.), mit welchem sie drei Jahr lang aufs Tapferste die Festung Munkacs (s. d.) vertheidigte. 4) Franz II., Sohn der Vor., wurde von seinem Stiefvater Tököli erzogen, kam bei der Uebergabe von Munkacs 1688 in die Gewalt Oesterreichs, wurde in das Jesuitenkloster nach Neuhaus gebracht, dort als Katholik erzogen, vermählte sich mit einer Tochter des Landgrafen von Hessen, erhielt auf Verwenden seines Schwiegervaters einen Theil seiner ungarischen Güter wieder und zugleich die Erlaubniß, nach Ungarn zurückzukehren. Wegen seiner Verbindung mit den ungarischen Mißzufriedenen wurde er jedoch im Mai 1701 verhaftet und nach Wien gebracht, von wo er aber flüchtete und nach Polen entkam. Hier lebte er, von Oesterreich geächtet, mehre Jahre im gänzlicher Zurückgezogenheit, bis ihm die insurgirten ungarischen Bauern der nördlichen Comitate den Oberbefehl antrugen, den er auch, von Frankreich aufgemuntert und von der polnischen Aristokratie unterstützt, annahm. Der Aufstand wurde jedoch schon am 7. Juni 1703 von Alexander Karolyi niedergeschlagen, aber Letzterer vom Wiener Hofe verletzt, ging bald selbst zu den Insurgenten über und stellte sich unter den Befehl R.'s. Es folgte nun eine allgemeine Nationalerhebung; 1705 wurde R. zum Oberhaupt der Conföderirten Stände und 1707 auch zum Fürsten von Siebenbürgen ernannt, wo er jedoch wenig Unterstützung fand. Nachdem am 31. Mai 1707 auf der Versammlung zu Onod die Unabhängigkeit Ungarns proclamirt worden war, erlahmte die Energie der Conföderirten; diese knüpften Unterhandlungen mit dem Wiener Hofe an und durch Vermittelung Karolyi's kam es am 1. Mai 1711 zum Frieden von Szathmar, in Folge dessen sich R. unterwerfen mußte. Von der Amnestie ausgeschlossen ging er zunächst nach Polen, 1713 nach Paris, 1717 nach der Türkei und starb am 8. April 1735 auf einem Landhause bei Rotosto in Rumelien. Nach seinem Tode erschienen seine „Mémoires sur les revolutions de Hongrie", Haag 1738, welche vollständige Aufschlüsse über sein Leben und Wirken geben. Vgl. Horn, „Franz R. II., ein historisches Charakterbild.", Leipzig 1854; Fiedler, „Aktenstücke zur Geschichte Franz R.'s", Wien 1855.

Rakoczi-Marsch, ein ungarischer Nationalmarsch von einfacher, aber tiefer, wehmüthig-heroischer und wunderbar ergreifender Melodie, welcher der Lieblingsmarsch Franz Rakoczi's II. gewesen sein soll, wenigstens in seinem Heere oft gespielt wurde, und in der Original-Melodie während des Revolutionskrieges von 1848 und 49 den Ungarn das galt, was den Franzosen seit 1792 die Marseillaise wurde. Nach 1849 war der R.-M. einige Zeit in Oesterreich verboten. Der Componist ist unbekannt; die Sage nennt den Zigeuner Michael Barna. Der Originalsatz wurde von Gabriel Matray (Wien 1825) herausgegeben; doch ist der Marsch, welcher jetzt sowohl in Ungarn wie in Deutschland unter dem Namen R.-M. gespielt wird, nichts als eine schwache Paraphrase des heroischen Originals, welche 1824 von dem Regiments-Kapellmeister Ruzicska eingeführt wurde. Die Motive des Marsches sind von Hector Berlioz zu seiner „Damnation de Faust" benutzt worden. In den Jahren 1848 und 49 sind dem R.'M. von mehren ungarischen Dichtern Texte untergelegt worden.

Raleigh, Sir Walter, geb. 1552, zu Hayes bei Bodley in der englischen Grafschaft Devon, focht 1569 gegen die katholische Partei in Frankreich und 1578 gegen die Spanier in den Niederlanden, 1580 in Irland und erwarb sich durch seine Bravour die Gunst der Königin Elisabeth. Nachdem er an dem Kampfe gegen Spanien sich wiederholt betheiligt, machte er 1596 die Expedition gegen Cadiz mit, eroberte 1597 allein die Insel Fayal, gerieth durch Partei-Intriguen, der Verschwörung gegen das Leben des Königs Jakob's I. bezichtigt und zum Tode verurtheilt, in zwölfjährige Gefangenschaft, wurde als Generallieutenant 1617 an die Spitze einer Entdeckungsexpedition gestellt und kam am Orinoco mit den Spaniern in Streit, weshalb er bei seiner Rückkehr nach England verhaftet und in Folge eines Befehls des Königs Jakob I. auf Grund des früher gefällten Todesurtheils am 29. Oct. 1618 in London hingerichtet wurde.

Ralliiren heißt soviel wie sammeln (s. d.).

Rambeeler Heide, s. u. Gadebusch.

Rameau oder Zweig, eine Gattung der Minengänge, siehe Mine, Bd. VI. S. 126.

Ramming von Riedkirchen, Wilhelm Freiherr von, k. k. österr. Feldzeugmeister, ist als der Sohn eines 1853 verstorbenen österr. Oberstlieutenants zu Nemwoichitz in Böhmen im Jahre 1815 geboren; seine Familie wurde im Jahre 1822 in den Adelstand erhoben. R. verließ 1831 als Offizier die Wiener-Neustädter Militär-Academie, in welcher er erzogen worden, trat in ein Kürassier-Regiment; wurde 1839 zum Oberlieutenant befördert und dem Generalquartiermeister-Stabe zugetheilt; 1848 war er bereits Major und 1849 Oberstlieutenant und Sous-Chef des Generalstabes beim Haynau'schen Corps in Italien. Er begleitete Haynau als Stabschef nach Ungarn und entwickelte hier die leitenden Ideen zu den Operationen des ganzen Feldzuges, welche von Haynau's schnellem Geist erfaßt und durch seine Energie getragen, von den glänzendsten Erfolg gekrönt wurden. Bewunderungswürdig ist die Gewandtheit der Entwürfe zur schnellen Concentrirung bei Ungarisch-Altenburg und zum Angriff auf Raab, ferner die Detailausarbeitung der combinirten strategischen Manöver, mittelst deren die Armee Mitte Juli 1849 von Pesth-Ofen an die Theiß rückte und den wichtigen Punkt Szegedin und die ganze Theißlinie gewann, der geschickt disponirte Uebergang über diesen Strom bei Szöreg 5. Aug., endlich das unaufhaltsame Vordringen zum Entsatz des hartbedrängten Temesvar, unter dessen Mauern am 9. Aug. der entscheidende Schlag erfolgte. Bei Szöreg und bei Temesvar hatte sich R. durch persönliches Eingreifen das Maria-Theresia-Kreuz verdient. Noch im Jahre 1849 wurde R. außer der Tour zum Obersten und bald darauf zum Generalmajor befördert. Die offiziöse Schrift „Der Feldzug in Ungarn und Siebenbürgen im Sommer des Jahres 1849", Pesth 1850 ist R.'s eigenstes Werk, welches bei der strengsten Objectivität ebensoviel Bescheidenheit als kritische Schärfe an den Tag legt. Im Jahre 1852 wurde R. in den Freiherrenstand erhoben, 1857 erhielt er auf sein Ansuchen ein actives Commando und zwar als Brigadier beim 3. Armeecorps unter Feldmarschall-Lieut. Fürst Edmund Schwarzenberg. Im Feldzuge 1859 kam R. nicht als Generalstabsoffizier, als welcher er sich bereits so hervorragend bewährt hatte, zur Verwendung. Als das 3. Corps am 4. Juni Nachmittags auf dem Schlachtfelde von Magenta anlangte, wurde zwar R.'s Infanterie-Brigade sogleich mit zum Angriffe gegen Ponte di Magenta, welches die Franzosen bereits genommen, verwendet; allein der Mangel an Einheit in der österreichischen Heerführung zersplitterte auch hier die an sich mit großer Bravom ausgeführten Sturmangriffe. Die Brigaden wurden einzeln, wie sie eben kamen, dem stärkeren Feind entgegengeworfen, nach einem kurzen Erfolge aber aufgerieben und schließlich abgeschlagen. Nachdem der Kaiser am 14. Juni den Oberbefehl persönlich übernommen hatte und Heß als dessen Stabs-Chef eingetreten war, wurde auch R. in das Hauptquartier berufen, und zwar als Vorstand der Operations-Kanzlei. Als, den Rathschlägen des Stabs-Chefs entgegen, die Armee wieder über den Mincio ging, um die eben aufgegebene Stellung hinter dem Chiese von neuem zu besetzen, geschah dieser Marsch nach R.'s Entwurf. Allein diese wichtige Operation war auf zwei Tage ausgedehnt worden; die österr. Armee war in Folge dessen am 24. Juni noch nicht am Ziel. Die getrennt marschirenden Colonnen wurden überrascht, bei einer Ausdehnung von 5 Stunden in der Mitte durchbrochen und geschlagen. Daß R. hierfür persönlich von Verantwortung betroffen werden sei, ist nicht anzunehmen, da er kurz darauf zum Feldmarschall-Lieut. befördert und in seiner Stellung belassen wurde. Im Feldzuge 1866 führte R. das Commando des 6. Armeecorps. Bei Beginn der Feindseligkeiten stand das Corps bei Opotschna südlich von Nachod. Am 26. Juni marschirte es auf Befehl nach Skalitz und langte daselbst am 27. früh nach einem ermüdenden Nachtmarsche an. R. rückte nun dem bei Nachod bereits debouchirenden 5. preuß. Armeecorps (Steinmetz,) sofort entgegen; s. hierüber Nachod (Bd. VI., S. 195). In Betreff der Theilnahme des R.'schen Corps an der Schlacht von Königgrätz s. Königgrätz (Bd. V., S. 197). Nach dem Feldzuge war R. commandirender General zu Hermannstadt, wurde im Mai 1868 zum Feldzeugmeister ernannt und erhielt im Frühjahr 1869 das General-Commando zu Brünn. R. hat den Ruf, zu den tüchtigsten und talentvollsten Generalen der österr. Armee zu gehören. Er ist Inhaber des Infanterie-Reg. Nr. 72, Geheimrath. 2c. Vergl. „Männer der Zeit. Biogr. Lexikon der Gegenwart". Leipzig 1862.

Rammschiff, soviel wie Panzerschiff mit Sporn, s. Panzer Bd. VII., S. 19.

Rammkopf (Rammsnase), heißt bei Pferden eine mäßige oder starke Wölbung von Stirn und Nase (halber, ganzer R., letzterer allgemein als häßlich geltend).

Rampe oder Auffahrt, vermittelt in Gestalt einer schiefen Ebene von geringer Breite, die Communication zwischen verschieden hoch liegenden Punkten einer Befestigung, namentlich für geschlossene Truppen und Fahrzeuge. Die Steigung der R. muß eine mäßige (nicht unter sechsfacher Anlage), die Breite den Geleisen der Fahrzeuge entsprechend sein. Die Seitenböschungen werden möglichst steil gehalten. Für den Transport der Geschütze nach sonst für diese unzugänglichen Punkten hat man auch bewegliche R.n von Holz.

Ramses, der Name von 14 ägyptischen Königen, unter denen sich Ramses II. und Ramses III. im Alterthum als Helden und Eroberer auszeichneten.

Ramsgate, Stadt auf der zur englischen Grafschaft Kent gehörigen Insel Thanet an der Nordsee, ist mit Canterbury durch eine Eisenbahn verbunden, hat einen durch Batterien vertheidigten Hafen, Seehospital, Schiffsbau, stark besuchte Seebäder, einen Leuchtthurm und 12,000 Einwohner. 1 Stunde nordöstlich davon liegt ebenfalls an der Nordsee der durch zwei Batterien vertheidigte Seebadeort Broadstairs.

Rancheros heißen in Mexiko die aus einem Gemisch von spanischem und indianischem Blute hervorgegangenen Landleute. Sie sind vortreffliche Reiter und Jäger, machen den größten Theil der berittenen irregulären mexikanischen Truppen aus, treiben im Frieden Ackerbau und Viehzucht, bilden eine eigne Volksklasse und leben in Polygamie.

Rand, soviel wie Umfassung eines Waldes, Gehöfts, Dorfes oder einer

Stadt, in welchem Sinne die militärische Sprache mehr das Fremdwort „Lisière" gebraucht. Die Wichtigkeit der Behauptung der Lisière im Wald- und im Dorfgefecht (Bd. III., S. 251), s. unter diesen Specialartikeln. Bei einem Gewässer wird oft Rand mit Ufer (s. d.) verwechselt.

Randon, Jacques Louis Céjar Alexandre, Graf von, französischer Marschall, geb. 1795 in Grenoble, trat sehr jung in die französische Armee, wurde nach der Schlacht an der Moskwa 1812 Officier, focht dann in den Feldzügen in Deutschland und Frankreich von 1813 und 1814 sowie 1815 in der Schlacht von Waterloo, wurde 1838 Oberstlieutenant bei den Afrikanischen Jägern, zeichnete sich in Algerien mehrfach aus, commandirte eine Zeit lang in Constantine, wurde 1841 Brigade-General, lehrte 1847 als Divisions-General nach Frankreich zurück, erhielt im Juni 1848 das Commando der 5. Militair-Division in Metz, im Januar 1851 unter der Präsidentschaft Louis Napoleon's das Kriegsministerium, das er im October an St. Arnaud abtrat, wurde nach dem Staatsstreich noch im December 1851 zum General-Gouverneur von Algerien ernannt, wo er sich um die Colonisation des Landes vielfache Verdienste erwarb, ward im März 1856 Marschall, war im Italienischen Kriege von 1859 Chef des Generalstabs der Armee, übernahm im Mai 1859 abermals das Kriegsministerium, gab dies im Januar 1867 an Niel ab, hatte im Deutsch-Französischen Kriege von 1870 kein Commando, wurde aber im November 1870 vom Gouvernement der Nationalen Vertheidigung zum Präsidenten der Untersuchungs-Commission über die Capitulationen von Sedan und Metz ernannt, starb jedoch schon im Januar 1871 in Genf.

Randzündung bedeutet die Lage der Zündung im Rande des Patronenbodens im Gegensatz zur Central-Zündung (s. Patrone, Bd. VII., S. 91). Sie ist nur bei Metallböden anwendbar und fand sich zuerst bei den amerikanischen Kupferhülsen, auf deren Nachbildungen sie ebenfalls übertragen wurde. Die Patroneneinrichtung ist bei R. insofern einfacher als bei Centralzündung, als letztere mindestens einen besonderen Träger der Zündmasse erheischt, während diese bei R. unmittelbar in dem hohlen Patronenrand liegt. Die Herstellung des letzteren zur Aufnahme der Zündmasse und die Einbringung dieser in denselben ist dagegen mit Schwierigkeiten verknüpft. Das Metall wird an dem Rande leicht angegriffen und dieser alsdann durch die Pulvergase aufgerissen. Die Möglichkeit, die Zündung getrennt von der Patronenhülse aufzubewahren und erst kurz vor dem Fertigmachen der Patronen in jene einzusetzen, ist ausgeschlossen. Die Revision der eingesetzten Zündmasse ist mit Schwierigkeiten verknüpft. Abgeschossene Patronenhülsen mit R. lassen sich nicht ebenso leicht wieder verwerthen, als solche mit Centralzündung, bei welchen mit Leichtigkeit, selbst bei der Truppe, die neue Zündung sich einsetzen läßt. Auch leidet bei R. die Hülse selbst durch den Zündstift. Ein Vortheil der R. ist dagegen die Möglichkeit, an zwei Stellen gleichzeitig die Entzündung hervorzurufen, sowie bei Versagern andere Stellen der Zündmasse durch Drehen der Patrone vor den Zündstift zu bringen. Bei Magazingewehren sind Patronen mit R. weniger der Gefahr ausgesetzt, sich im Magazin gegenseitig zu entzünden, als solche mit Centralzündung. — Die R. findet sich gegenwärtig u. a. bei der Patrone der österreichischen, schweizerischen, und dänischen Armee. Im Allgemeinen scheint die Centralzündung mehr Beifall zu finden. — Die Herstellung der Hülsen mit R. setzt getriebene Hülsen voraus und geschieht auf Maschinen aus freisrunden Blechstücken. Das Metall wird dabei allmählich umbogen, gestreckt und dünner gemacht und zuletzt der hohle Rand ausgepreßt, in welchen die Zündmasse mittelst eines Fraisers eingepreßt wird.

Rang, nicht zu verwechseln mit Grad; letzterer bezeichnet die bestimmte

Stufe, welche eine Person in der militärischen Hierarchie einnimmt (daher auch Gradabzeichen), während R. mehr im Sinne der Gleichberechtigung mit einem Grad oder mit einer Stellung aufgefaßt wird. Die Glieder des Sanitätscorps haben in der deutschen Armee gleichen R. mit bestimmten Offiziersgraden, die oberen Militärbeamten stehen dagegen überhaupt im Offizier-R. (s. Offiziere, Bd. VI., S. 316). Die Artillerie-Inspecteure haben unter Umständen den R. eines Divisions-Commandeurs. Die Offiziergrade rc. der Marine haben gleichen R. mit gewissen Graden im Landheer. — Hin und wieder giebt es besonders bevorzugte Corps, in denen der jedesmalige Grad mit einem an sich höheren in der übrigen Armee gleichen R. hat (wie die russische Garde).

Rangirung ist die innere Ordnung in einem Truppenkörper, namentlich in Bezug auf die Fundamental-Aufstellung. Man reiht die einzelnen Leute, resp. Reiter, nach gewissen Principien an einander, resp. hinter einander. Dadurch entsteht die Aufstellung in mehreren, in sich wieder zweckmäßig arrangirten Gliedern. Bei der Infanterie hat man jetzt zwei oder dreigliedrige R., bei der Cavalerie zwei- und für kleinere Abtheilungen vorübergehend eingliedrige. Jedes Glied ist der Größe der Leute, resp. Pferde, nach in sich rangirt. Im vorderen Gliede stehen gewöhnlich die größten Leute und Pferde und man beginnt die R. vom rechten Flügel; bei dreigliedriger Aufstellung der Infanterie stehen im mittleren Gliede häufig die kleinsten Leute, im hintern die für das zerstreute Gefecht bestimmten. Bei der Feld-Artillerie kann von einer R. in jenem Sinne nicht die Rede sein; man rangirt die Geschütze gewöhnlich so, daß der intelligenteste Geschützführer mit dem flottesten Geschütze die Richtung angiebt. Innerhalb der Batterie rangirt man aus Schönheitsrücksichten die Bespannung der Farbe nach; die R. der Pferde am Geschütz erfolgt nach ihrer Brauchbarkeit. — Die R. innerhalb des Offiziercorps geschieht nach dem Grade und dem Datum des Patents. Vgl. Einrangiren, Bd. III.

Rangliste ist das gedruckte, namentliche Verzeichniß der Offiziere und höheren Militärbeamten einer Armee, eingetheilt nach Dienstzweigen, Regimentern und andern Verbänden, nach der Folge ihrer Grade und ihres Ranges. Gewöhnlich ist in der R. auch das Standquartier der einzelnen Stäbe und Truppentheile angegeben und sie ist dann als Rang- und Quartierliste zu bezeichnen. In der österreichischen Armee hat die R. den Namen Militär-Schematismus.

Rangun (engl. Rangoon), 1) Gouvernement R. s. v. w. Britische Birmanien. 2) Hauptstadt von Britisch-Birmanien und der einzige bedeutende Seeplatz desselben, liegt 6 Meilen vom Meere (Bengalischen Meerbusen) am östlichen Mündungsarme des Irawaddy, der zu jeder Jahreszeit für die größten Seeschiffe zugänglich ist und einen auch für die Kriegsflotte dienlichen Hafen bildet, ist von Pallisaden umgeben, wird durch ein Fort vertheidigt, ist Sitz des Lieutenant-Gouverneurs von Britisch-Birmanien, hat eine große Pagode (Schoe-Dagong), bedeutenden Handel mit Teak Holz und zählt 32,000 Einwohner. R., im Jahre 1755 durch den Despoten Alompra zur Hauptstadt von Pegu erhoben, war seitdem die zweite Stadt des Birmanischen Reiches, wurde am 19. Mai 1824 von den Briten unter Generalmajor Archibald Campbell erobert, am 14. April 1842 abermals von denselben unter General Godwin und Admiral Austin nach tapferer Vertheidigung genommen und blieb seitdem in britischem Besitz (vgl. Birma).

Rantzau, 1) Johann von, geb. 1492, dänischer Feldmarschall, führte die Dänen in mehren Kriegen und commandirte bei dem Kampfe im Innern des Landes, welchen Christian II. veranlaßte, wirkte eifrig für Einführung der Reformation in Dänemark und Schleswig-Holstein und starb 1565. 2) Daniel von, geb. 1529, dänischer Generalissimus, führte schon in den Kämpfen gegen die Dithmarschen eines der obersten Commandos, brachte 1565 den Schweden eine große Niederlage auf Halland bei, schlug sie wiederholt 1567 und 1568, belagerte 1569 Warburg und fiel hier. 3) Josias von, geb. 1609, nahm erst dänische Dienste, trat aber während des Dreißigjährigen Kriegs in französische, machte die französischen Feldzüge dieser Zeit mit solcher Auszeichnung mit, daß er zum Marschall avancirte. Da er aber im Kriege ein Bein und einen Arm verloren und sonst körperliche Beschädigungen erlitten hatte, die ihm das Leben im Felde beschwerlich machten, so wurde er zum Commandanten von Dünkirchen ernannt. Er starb 1650.

Ranzion hieß das im Mittelalter und bis ungefähr in das 17. Jahrhundert gebräuchliche Lösegeld für Befreiung der Kriegsgefangenen aus der Gefangenschaft; jetzt ist an deren Stelle die Auswechslung (s. d.) getreten. Ranzionirte (Selbstranzionirte) nennt man bisweilen Soldaten, welche gefangen wurden und sich selbst befreit haben.

Rapidan, Fluß im nördlichen Theile des nordamerikanischen Staates Virginia, entspringt auf dem Südostabhange der Blue Ridge, vereinigt sich nach einem Laufe von ungefähr 20 Meilen mit dem in der Grafschaft Culpepper entspringenden North River, nimmt nun den Namen Rappahannock an, welcher nach einem Laufe von nahe an 30 Meilen in südöstlicher Richtung zwischen Windmill- und Stingray-Points in die Chesapeake-Bai des Atlantischen Oceans fällt. Während des amerikanischen Bürgerkrieges bildete der R., resp. der Rappahannock, mehrfach die Scheidelinie zwischen den feindlichen Armeen und erlangte eine große strategische Wichtigkeit, namentlich in den Feldzügen von 1862, 1863 und 1864, wo die Unionstruppen den Strom bei Fredericksburg (s. d.) und in dessen Umgebung am 12. Dec. 1862 überschritten und eine empfindliche Niederlage erlitten, was sich in den ersten Tagen des Mai 1863 bei Chancelorsville (s. d.) und am 5. und 6. Mai 1864 bei Wilderneß (s. d.) wiederholte.

Rapp, Jean Graf von, französischer General, geb. 1772 in Kolmar von armen, bürgerlichen Eltern, trat 1788 als Gemeiner in ein Cavalerie-Regiment, wohnte den Feldzügen am Rhein bei, wurde bald Officier, 1794 Adjutant des General Desaix, begleitete als solcher denselben nach Aegypten, avancirte dort bis zum Oberst, wurde in der Schlacht von Marengo (1800) nach Desaix' Tode Adjutant Bonaparte's, nach Gründung des Kaiserreichs Brigadegeneral, zeichnete sich im Oesterreichischen Kriege von 1805 namentlich bei Austerlitz durch einen kühnen Reiterangriff auf die russische Gardecavalerie aus, avancirte dafür zum Divisionsgeneral, commandirte im Preußischen Feldzuge von 1806 nach der Schlacht bei Jena bei der Verfolgung der preußischen Heerestrümmer einen Theil der Avantgarde Murat's, dann in Polen eine die Avantgarde bildende Dragoner-Division, wurde nachher an Lefebre's Stelle Commandant von Danzig, wo er sich durch Milde und Gerechtigkeit die Liebe der Einwohner erwarb, focht im Oesterr. Feldzuge von 1809 bei Aspern mit und verhinderte in Schönbrunn am 13. Oct. das Attentat von Friedrich Staps auf Napoleon. Da er bei der Vermählung Napoleons mit Marie Louise einige Aeußerungen zu Gunsten Josephine's gethan hatte, erhielt er vom Kaiser die Weisung, in sein Gouvernement nach Danzig zurückzukehren, wo er manche empörende Maßregeln bei Ausführung der Continentalsperre (namentlich in Beziehung auf die Verbrennung englischer Waaren) unausgeführt ließ. Bei Eröffnung des Russischen Feldzugs von 1812 machte er vergebens Vorstellungen dagegen, zeichnete sich während des Krieges bei Smolensk und an der Moskwa aus, begleitete den Kaiser auf dem Rückzuge bis Wilna, ging dann nach Danzig voraus, um die Trümmer der französischen Armee zu reorganisiren, ward aber schon im Januar 1813 in Danzig von den Ruſſen und Preußen eingeſchloſſen, vertheidigte den Platz ein Jahr lang mit großer Tapferkeit, bis ihn Hunger und Mangel aller Vertheidigungsmittel im Januar 1814 zur Capitulation zwangen. R. wurde als Kriegsgefangener nach Kiew gebracht, kehrte nach dem Erſten Pariſer Frieden nach Frankreich zurück, unterwarf ſich den Bourbonen, erhielt bei der Landung Napoleons im Frühjahr 1815 von Ludwig XVIII. das Commando über das 1. Armeecorps, trat jedoch in Folge der allgemeinen Stimmung des Heeres zum Kaiser über und erhielt von dieſem den Befehl über die Rheinarmee (5. Corps) zur Beſetzung der Linien an der Lauter und bei Weißenburg, wurde aber von den Oeſterreichern auf Straßburg zurückgedrängt, wo er einen Waffenſtillſtand abſchloß. Nach dem Zweiten Pariſer Frieden behielt er ſein Commando bis zur Auflöſung des Armee, zog ſich dann auf ein ihm gehöriges Gut in die Schweiz zurück, kam 1818 wieder nach Paris, wo ihm Ludwig XVIII. die ihm von Napoleon während der Hundert Tage ertheilte Pairswürde ließ und ihn zum Kammerherrn, Garderobemeiſter und Generallieutenant der Cavalerie ernannte. Er ſtarb, von vielen Wunden geſchwächt, aber ſchon am 8. Nov. 1821 auf ſeinem Landgute Rheinweiler bei Müllheim im badiſchen Oberrheinkreiſe. Im Jahre 1856 wurde ihm in Kolmar ein Denkmal geſetzt. Außer einer Beſchreibung und Belagerung von Danzig hinterließ er intereſſante „Mémoires du Comte R.", Paris 1823 (deutſch „Des Generals R. Denkwürdigkeiten aus ſeinem Tagebuche", Erfurt und Gotha 1824). Eine Biographie R.'s gab Spach (Straßburg 1855) heraus.

Rappahannock, ſ. Rapidan.

Rappert, eine ältere Gattung von Schiffslaffeten für Breitſeitgeſchütze. Man unterſcheidet Rad-Rappert, ſiehe Artillerie (Schiffs-A.) Bd. I., S. 252 f.) und Schlitten-Rappert.

Rappier, eine Hieb-, reſp. Stichwaffe, welche heutzutage als Uebungswaffe auf dem Fechtboden und ſonſt nur noch auf der Menſur vorkommt. Das Stoßrappier oder Fleuret (ſ. d. Bd. IV., S. 55). Das Hau-Rappier, (ähnlich wie der Degen) iſt einſchneidig, länger als jenes, mit Glocke und auch mit Korb verſehen.

Rapport, rapportiren iſt verwandt mit Bericht, berichten und wird in der gewöhnlichen Sprache häufig damit verwechſelt. In der correcten militäriſchen Ausdrucksweiſe iſt Bericht die ausführliche Darſtellung eines Vorfalls, welcher gewöhnlich ſchon eine kürzere in Form einer Meldung (ſ. d.) vorhergegangen iſt, während R. eine nach beſtimmten Schema ausgefertigte, hauptſächlich Zahlengruppen enthaltende Nachweiſung über dienſtliche Gegenſtände darſtellt. Dem R., wie dem Bericht, iſt in der Regel eine beſtimmte Ordre vorhergegangen, und werden namentlich Rapporte periodiſch eingereicht. Gattungen des R. ſind: die Wacht-Rapporte im Garniſon- und Feldwachdienſt, gewöhnlich zu mehreren Tageszeiten einzureichen, Stärke-Rapport, aus welchen die genaue Stärke eines Truppentheils hervorgeht, Front-Rapporte, zu Paraden einzureichen, im Verpflegungsweſen die in der Regel monatlichen Verpflegungs-Rapporte. Letztere ſind ſehr wichtig: ſie enthalten, vom Verpflegungsbeſtande am Ausgang des Vormonats ausgehend, ſämmtliche innerhalb eines Rechnungsmonats vorgekommenen Veränderungen in Bezug auf Offiziere, Mannſchaften, Pferde, Fahrzeuge und die ſich ergebenden Durchſchnitts-Stärken der Truppe rubrikenmäßig dargeſtellt. Auf den Verpflegungs-Rapport gründet ſich die Verpflegungs-Liquidation. — Sowohl in taktiſcher als in adminiſtrativer Hinſicht iſt die größte Gewiſſenhaftigkeit im Rapportweſen nöthig; andererſeits iſt daſſelbe auf ein Minimum zu reduziren und ſind überſichtliche, einhellige Schemata zu Grunde zu legen. — Zum Rapport bestellen ist ein Correctionsmittel für nachlässige, malpropre Soldaten, welches auch der Unteroffizier verhängen darf.

Rasant oder bestreichend heißt die Flugbahn eines Geschosses in denjenigen Theilen, in welchen die Erhebung des letzteren über dem Erdboden nicht größer ist, als die verticale Ausdehnung des Ziels über diesem. Man spricht auch vom rasanten Theil oder dem bestrichenen Raum der Flugbahn (s. d. B. II. S. 112.) Selbitredend kann diese Eigenschaft, die Rasanz der Bahn, nur bei verticalen Zielen in Betracht kommen, und ist namentlich gegenüber lebenden Zielobjecten, welche sich häufig in Bewegung befinden, von Wichtigkeit. Liegt der Scheitel der Bahn nicht über Zielhöhe vom Erdboden entfernt, so ist die ganze Bahn r., andernfalls kommt namentlich der niedersteigende Ast in Betracht. Je geringer an sich die Krümmung der Bahn ist, desto rasanter ist letztere überhaupt. Für die Größe des bestrichenen Raums im gegebenen Falle entscheidet die Zielhöhe, mit welcher jene naturgemäß wächst. Gegen Reiterhöhe (2.₅ Met.) ist z. B. eine gegebene Bahn rasanter als gegen Mannshöhe (1.₈ Met.) Insbesondere findet die Größe des bestrichenen Raumes der Bahn im Einfallwinkel Ausdruck und zwar in umgekehrter Proportion. Da dieser Winkel mit dem Elevationswinkel und letzterer wiederum bei gleichbleibendem Ladungsverhältniß mit der Entfernung wächst, so nimmt die Größe des rasanten Theils der Bahn mit der Schußdistanz ab. Völlig r. kann eine Flugbahn immer nur auf den näheren Schußdistanzen sein; innerhalb der hierdurch gegebenen Grenzen ist man aber durch die Eigenschaft der völligen Rasanz der Bahn von der Kenntniß der jedesmaligen Entfernung unabhängig, was dem raschen Einschießen gegen das Ziel, somit der Trefffähigkeit, zu Gute kommt, sowie bei Zielen, welche sich in der Schußrichtung bewegen, von großer Wichtigkeit für das Treffen ist. Vermöge der obwaltenden Verhältnisse sind die Handfeuerwaffen viel mehr in der Lage, die Distanzen der völligen Rasanz auszunutzen, als die Geschütze, welche vermöge ihrer größeren Treffsähigkeit, der leichteren Beobachtung ihrer Wirkung und der vervielfältigten Geschoßwirkung auch im Allgemeinen nicht so sehr auf die Rasanz angewiesen sind, als jene. In minder großem Maße als innerhalb der Schußweiten der völligen Rasanz wird die Rasanz des niedersteigenden Astes der Bahn dem Treffen zu Gute kommen, ist aber immerhin so wichtig, daß rationeller Weise die Gebrauchsweiten der Handfeuerwaffen nicht über diejenigen Grenzen hin ausgedehnt werden dürfen, denen noch eine gewisse Größe des bestrichenen Raums der Bahn entspricht (etwa eine Größe von 50 Schritt gegenüber Mannshöhe). Der rasante Theil des niedersteigenden Astes der Bahn ist entscheidend für die zulässigen Fehlergrenzen in der Bestimmung der Distanzen; abgesehen von der natürlichen Streuung der Bahnen (s. Treffwahrscheinlichkeit) ist jeder Fehler im Distanze-Schätzen, welche die Ausdehnung jenes Theils übersteigt, Ursache eines Fehlschusses. Die Rasanz der Bahn spielt namentlich im Feldkriege eine große Rolle, da man hier am meisten mit unbekannten Factoren und insbesondere mit beweglichen Zielen zu thun hat. Constructive Mittel zur Steigerung der Rasanz sind: 1) Hinwirken auf eine möglichst große Anfangsgeschwindigkeit, 2) Hinwirken auf Verringerung des Widerstandes der Luft durch die Geschoßconstruction (s. u. Widerstand der Luft) und 3) bei Verwendung sphärischer Hohlgeschosse die excentrische Rotation mit Schwerpunkt oben (s. Rotation und Flugbahn). Der völlig rasante Theil der Bahn ging bei glatten Gewehren bis etwa 100 Meter. Bei gezogenen Gewehren ist die Anfangsgeschwindigkeit zwar eine geringere, indessen wirkt die längliche Gestalt des Geschosses so sehr auf Verminderung des Luftwiderstandes, daß die völlige Rasanz auf eine doppelt so große Schußweite ausgedehnt ist, neuerdings sogar durch Herstellung eines günstigeren Ladungsverhältnisses infolge des kleinen

Kalibers fast das dreifache erreicht hat. — In geschlossener Ordnung wird preußischen Grundsätzen gemäß das Infanterie-Gewehr der Regel nach nicht über die Schußweiten der völligen Rasanz der Bahn hinaus angewandt, danach bemißt sich auch die Höhe des Standvisirs, resp. der damit correspondirende Visirwinkel. Die Ueberlegenheit, welche das französische Zündnadelgewehr im letzten Kriege über das preußische gezeigt hat, bestand vornehmlich in der größeren Rasanz des ersteren, welche seinen Gebrauch schon auf Entfernungen gestattete, wo das preußische Gewehr gar keinen Erfolg erwarten konnte. — Der völlig rasante Schuß bei Geschützen liegt so nahe der Mündung (300 bis 400 Meter), daß derselbe nur beim Kartätschschuß in Betracht kommen kann. Im Allgemeinen haben die glatten Kanonen auf den näheren Distanzen größere Rasanz als die gezogenen, was Folge des größeren Ladungsverhältnisses und somit der größeren Anfangsgeschwindigkeit jener ist. Auf größeren Entfernungen gestaltet sich dies Verhältniß umgekehrt, weil sich hier der geringere Luftwiderstand der Geschosse der gezogenen Geschütze geltend macht. Indessen sind die bestrichenen Räume auf den gewöhnlichen Entfernungen der Feldgeschütze so gering, daß sie kaum in Betracht kommen, (auf 1200 Meter etwa 35 Meter, auf 2000 Meter etwa 15 Meter). Die Rasanz derselben zu vermehren, muß das Bestreben der Construction sein. Das Mittel hierzu kann nur ein gesteigertes Ladungsverhältniß sein, wozu bei Hinterladern die Verwendung prismatischen Pulvers, sowie eines solcheren Führungsmittels, als es der Bleimantel ist, ins Auge zu fassen wäre.

Rasante nennt man im Brustwehrprofil die Verlängerung der Brustwehrkrone. Der Raum unter derselben heißt todter Winkel.

Rasanz, s. rasant.

Rasen, ein hauptsächlich in der Feldfortification mit Vorliebe angewandtes Bekleidungsmittel. Man unterscheidet zweierlei Arten: Kopfrasen und Deckrasen. Kopfrasen sind 15 cm. breit, 30 cm. lang und 10 cm. dick; sie werden zur Bekleidung steilerer Böschungen, namentlich der inneren Brustwehrböschungen verwendet und im Mauerverbande aufgeschichtet und verpflöckt. Deckrasen sind von gleicher Dicke, aber 30 cm. im Quadrat enthaltend; sie werden zur Bekleidung der flacheren Böschungen gebraucht, auf die sie ebenfalls im Verbande gelegt und mit Holznägeln von 30 cm. Länge verpflöckt werden. Eine Bekleidung mit Deckrasen wird fast nur bei provisorischen Werken angewendet, zu deren Herstellung man eine gewisse Zeit hat, sodaß ein Anwurzeln möglich ist.

Rasenheber, Rasenpflug, ersterer einem Spaten, letzterer einer Pflugschaar ähnlich, dienen zum kunstgerechten Stechen des Rasens.

Rasgrad, Stadt im türkischen Vilajet Donau (Tuna, früher Ejalet Silistria; Bulgarien), am Kara Lom, ist ein wichtiger Straßenknotenpunkt und daher etwas befestigt, zählt 16,000 Einwohner. Hier 14. Juni 1810 siegreiches Gefecht der Russen unter Sabanieff gegen die Türken.

Rasiren im fortificatorischen Sinne ist das Freimachen des Vorterrains einer Festung von allen Gegenständen, welche dem Angreifer Deckung gewähren, resp. die Schußwirkung des Vertheidigers behindern könnten, als Baumwuchs, Mauern, Häuser c. Dasselbe erfolgt zum Theil schon bei der Armirung gegen den gewaltsamen Angriff und wird beim nahen Bevorstehen eines förmlichen Angriffs vervollständigt; es bezieht sich nur auf den Rayon der Festung (s. Rayon), in Preußen namentlich auf den ersten und zweiten Rayon. Man beobachtet indeß im Interesse der Bevölkerung möglichst lange Schonung, ehe man zum völligen R. des Vorterrains schreitet. Mangelt es an Arbeitskräften, so kann man Häuser und Mauern auch einschießen. — Das Abtragen von Festungswerken wird auch R., häufiger Schleifen (s. d.) genannt. Rasirender oder rasanter Schuß siehe rasant.

Raſſowa, befeſtigte Stadt in türkiſchen Vilajet Donau (Tuna, früher Ejalet Siliſtria; Bulgarien), an der Donau, hat 8000 Einwohner. Nicht weit davon beginnt der Trajanswall (ſ. b.); R. wurde Anfang April 1854 von den Ruſſen erſtürmt.

Raſt oder Ruh, bei einer Mechanik eine Vertiefnug, in welche eine Erhabenheit oder ein Vorſtand einſchnappt und ſo eine Arretirung bewirkt. Bei Gewehrſchlöſſern (ſ. Schloß) hat man Mittel-, Spann-, Kammer-Raſt. Raſten heißen auch bei Wegen von ungewöhnlich ſtarker Steigung kurze, flach geböſchte Abſätze, zum Ausruhen für die Beſpannung beſtimmt.

Raſtabt (Raſtatt), Stadt und ſtarke Feſtung im großherzoglich badiſchen Kreiſe Baden (früher zum Mittelrheinkreiſe gehörig), an der Murg und der badiſchen Staatsbahn, liegt 1 Meile öſtlich vom Rhein und 3 Meilen ſüdweſtlich von Karlsruhe, deckt die wichtige militäriſche Stellung am Eingang zum Schwarzwalde, hat ein ſchönes Schloß und bedeutendes Waffendepot, große Magazine, mehre Werkſtätten und 10,726 Einwohner. Hier 4. Juli 1796 Arrièregardengefecht zwiſchen den Oeſterreichern und Franzoſen. Im J. 1840 wurde in Folge der franzöſiſchen Kriegsdrohungen vom Deutſchen Bunde die Befeſtigung R.'s als vierte Bundesfeſtung beſchloſſen und unter Leitung öſterreichiſcher Ingenieure in modernem Stile bis 1848 vollendet. Am 11. Mai 1849 brach hier mit einer Emeute der badiſchen Militärs der Aufſtand in Baden (ſ. b. Bb., I. S. 331 f.) aus; am 17. Mai verließ der öſterreichiſche Theil der Garniſon die Feſtung. Am 23. Juni rückte Mieroslawſki mit einem Inſurgentencorps ein. Nach den Gefechten von Biſchweiher und Kuppenhelm wurde R. von den Preußen unter General von der Gröben Anfang Juli eingeſchloſſen, aber, um die mit ſo großem Koſtenaufwande geſchaffenen Fortificationen nicht zu zerſtören, nur am 6. u. 7. Juli ſchwach beſchoſſen; am 23. Juli ergab ſich die Feſtung auf Gnade und Ungnade und wurde von den Preußen beſetzt. Seitdem ſind die Werke noch bedeutend verſtärkt worden. Ende November 1850 räumten die Preußen den Platz und badiſche Truppen nahmen Beſitz davon. Anfang 1851 wurde die Garniſon wieder durch öſterreichiſche Truppen verſtärkt, wozu 1860 auch noch ein preußiſches Infanterie-Regiment kam. Im Jahre 1866 wurde die Feſtung den Badenſern allein überlaſſen. Außerdem iſt R. noch hiſtoriſch namhaft durch zwei Congreſſe und einen Friedensſchluß. Der erſte Congreß begann im November 1713 und beendigte durch den Raſtadter Frieden am 28. Februar (6. März) 1714 den Spaniſchen Erbfolgekrieg; die Unterhandlungen führtef öſterreichiſcher Seits der Prinz Eugen von Savoyen und franzöſiſcher Seits der Marſchall Villars. Der zweite Congreß war in Folge des Friedens von Campo-Formio (ſ. b.) und der geheimen Raſtadter Convention vom 1. Dec. 1797 zum Behufe der Friedensunterhandlungen zwiſchen der Franzöſiſchen Republik und dem Deutſchen Reiche am 9. Dec. 1797 eröffnet. Die franzöſiſche Geſandtſchaft forderte am 19. Januar 1798 als Friedensbaſis die Abtretung des ganzen linken Rheinufers, welche die Reichsdeputation nach längerem Widerſtaube auch am 11. März bewilligte. Da man ſich am 4. April darüber einigte, die hierdurch beeinträchtigten weltlichen Reichsſtände durch Säcularisation geiſtlicher Stifte für ihre Gebietverluſte zu entſchädigen, ſo begannen einzelne Fürſten Special-Unterhandlungen, lähmten dadurch die Thätigkeit der Reichstagsdeputation und verſchuldeten auf dieſe Weiſe, daß die Deputation am 9. Dec. 1798 das franzöſiſche Ultimatum annahm. Mittlerweile hatte ſich jedoch zwiſchen Oeſterreich, England, Rußland, Neapel und der Pforte eine zweite Coalition gegen Frankreich gebildet und der Krieg brach wieder aus. In Folge deſſen zogen die öſterreichiſchen Geſandten ſich am 8. April 1799 vom Congreß zurück und verließen am 13. April die Stadt, worauf auch die Reichsdeputation am 23. April ihre Thätigkeit als ſuspendirt erklärte. Als am Abend des 28. April die franzöſiſchen Geſandten, mit Päſſen des kurmainziſchen Geſandten verſehen, ihre Abreiſe antraten, wurden ſie unweit der Stadt von einem Trupp öſterreichiſcher Szekler-Huſaren (oder wenigſtens von Reitern in der Uniform derſelben) überfallen und zwei derſelben ermordet (Raſtadter Geſandtenmord). Ob man durch dieſen Ueberfall in den Beſitz wichtiger Papiere in Bezug auf die Verhandlungen Preußens mit Frankreich kommen wollte, was übrigens nicht gelang, da die Documente der franzöſiſchen Geſandſchaft bereits auf anderm Wege verſchickt waren), iſt ebenſo ungewiß, wie von wem der Befehl zum Ueberfall gegeben wurde, denn die militäriſche Unterſuchung, welche der Erzherzog Karl ſofort einleitete, ward von Wien aus ſehr bald ſiſtirt. Nicht ohne Wahrſcheinlichkeit iſt indeß auch die Annahme, daß der Ueberfall von franzöſiſchen Emigranten ausgegangen ſei. Vgl. Zwack, „Sammlung der Acten des Congreſſes in R.", Osnabrück 1798; Münch von Bellinghauſen, „Protocoll der Reichsfriedensdeputation zu R.", Raſtadt 1798, 3 Bde.; (v. Schwarzkopf). „Handbuch des Congreſſes zu R.", Raſtadt 1798; (K. L. v. Haller), „Geſchichte der Raſtadter Friedensverhandlungen", Zürich 1799, 6 Thle.; Eggers, „Briefe über die Auflöſung des Raſtadter Congreſſes", Braunſchweig 1809, 2 Bde.; Ritter von Lang, „Memoiren", Braunſchweig 1842, 2 Bde.; K. Mendelsſohn-Bartholdy, „Der Raſtadter Geſandtenmord. Mit Benutzung handſchriftlichen Materials aus dem Archiven von Wien und Karlsruhe," Heidelberg 1869; v. Vivenot, „Zur Geſchichte des Raſtadter Congreſſes," Wien 1870.

Raſzyn, Flecken im ruſſiſch-polniſchen Gouvernement Warſchau, auf der Straße von Warſchau nach Radom. Hier 19. April 1809 unentſchiedenes Gefecht zwiſchen den Oeſterreichern unter Erzherzog Ferdinand und den mit Sachſen vereinigten Polen unter Poniatowſki; letzterer zog ſich am 20. April nach Warſchau zurück.

Rath, in ſeinen Zuſammenſetzungen Titel gewiſſer höherer Militärbeamten, ſ. Verwaltung. Vergl. auch Kriegsrath Bd. V. S. 237, ſowie Ehrenrath Bd. III. S. 288.

Rathenow (Rathenau), Stadt im preußiſchen Regierungsbezirk Potsdam, an der Havel und der Eiſenbahn von Berlin nach Stendal, hat ein ſteinernes Denkmal des Großen Kurfürſten, Ringmauern, eine ſteinerne Havelbrücke und 8241 Einwohner. Hier 14. Auguſt 1627 Niederlage einer däniſchdeutſchen Abtheilung unter dem Markgrafen von Baden-Durlach durch die Kaiſerlichen unter dem Herzog Georg von Lüneburg. Am 6. Septbr. 1636 übergab die ſchwediſche Beſatzung den Platz faſt ohne Gegenwehr an den ſächſiſchen General Klitzing. Im J. 1637 wurde R. wieder von den Schweden beſetzt. Am 14. Juni 1675 ließ der Große Kurfürſt auf ſeinem Zuge vom Rhein nach dem Marken die ſchwediſche Beſatzung von R. durch den General Derfflinger mit Erfolg überfallen, was die Einleitung zu der am 18. Juni ſtattfindenden Schlacht von Fehrbellin bildete. Vgl. Wagner, „Denkwürdigkeiten der Stadt R.", Berlin 1803.

Ratification, die durch die höchſte Staatsbehörde erfolgende Beſtätigung von diplomatiſchen Verhandlungen, Friedensſchlüſſen, Waffenſtillſtänden, Capitulationen ꝛc. (Vgl. Friede 2).

Ration wird in ähnlichem Sinne wie Portion, meiſtens indeß nur bezüglich der Fourage (ſ. d.) gebraucht; ſ. im Uebrigen Portion und Verpflegung.

Ratkow, (Ratlau), Dorf in der preußiſchen Provinz Schleswig-Holſtein, nordweſtlich von Lübeck, am Ratkower See. Hier capitulirte Blücher (ſ. d.) am 7. Nov. 1806.

Rauſe, eine Vorrichtung in Pferde- und Viehſtällen zur Aufnahme des Rauhfutters beim Füttern. Sieh Pferd im Suppl.

Rauhfutter, auch Rauffutter, ſ. Fourage, Bd. IV., S. 72.

Rauhwehr, Bekleidungsart für solche Böschungen, welche dem Wasser ausgesetzt sind, besteht aus Weidenzweigen, welche durch darüber genagelte Faschinen so lange festgehalten werden, bis sie angewurzelt sind.

Raum, 1) bestrichener s. Bestrichener R. und Rasanz; 2) unbestrichener, s. unbestrichener R.; 3) Lagerraum in fortifikatorischem Sinne ist der im Innern von halb oder ganz geschlossenen Schanzen vorhandene Flächenraum in seinem Verhältniß zum Raumbedürfniß der lagernden Besatzung; man nimmt an, daß pro Mann der letzteren in Minimo 2 Quadratmeter Lagerraum erforderlich ist; 4) Geschoßraum, s. Batteriebau Bd. II. S. 25.

Raum, 1) seemännischer Ausdruck für den unter dem Decke (welches von der Mannschaft bewohnt wird) befindlichen Theil des Schiffes, in welchem die Ladung u. die Vorräthe placirt werden; auf Handelsschiffen, welche keine besonderen unteren Decke haben, auch Laderaum genannt. 2) Raum: vom Winde gebraucht, heißt der Wind, welcher einem Segelschiff gestattet, in gerader Richtung, d. h. ohne zu kreuzen, seinem Ziel zuzusteuern, so daß der Wind alle Segel bequem füllt. In diesem Fall muß der Wind, — das Segelschiffe gewöhnlich 6 Strich am Winde liegen — etwas mehr als 6 Striche von dem Cours des Schiffes wehen. Räumen vom Winde gebraucht, bedeutet, daß der Wind seine Richtungslinie zu Gunsten eines gegen ihn kreuzenden Segelschiffs ändert, man sagt in diesem Fall: „Der Wind räumt" oder „räumt an".

Raum-Nadel, eine eiserne oder stählerne Nadel, die bei Geschützen sowohl als bei Gewehren zum Reinigen des Zündcanals dient. Bei ersteren heißt sie auch Cartouche-Nadel (s. d.) und wird zum Durchstechen des Patronenzeugs benutzt, um der Flamme der Zündung einen Weg zur Geschützladung zu bahnen.

Rautenkranz heißt in der Heraldik ein grüner, schrägrechts liegender, etwas gebogener Balken, welcher an der obern Seite mit Kronenblättern geziert ist und sich namentlich im sächsischen und anhaltischen Wappen findet. Das Kaiser Friedrich I. im J. 1181 den auf seinem Haupte getragenen Kranz dem Herzog Bernhard von Sachsen (Aslanien) auf das Schild gehängt habe und der R. so in das sächsische Wappen gekommen sei, ist nur eine poetische Fiction, denn das ballenstädtische Wappen hatte damals bereits den R. und als Bernhard von Aslanien nach der Ächtung Heinrich des Löwen 1181 das Herzogthum Sachsen erhielt, kam das aslanische Wappenzeichen mit in das sächsische Wappen.

Rautenkrone, königlich sächsischer Hausorden, vom König Friedrich August I. am 20. Juli 1807 nach dem Frieden von Tilsit gestiftet, hat nur eine Classe, wird nur an verdiente höhere Staatsbeamte und fremde Regenten verliehen. Die Decoration ist ein achteckiges, hellgrünes Kreuz mit weißer Einfassung, dessen silbernes Mittelschild auf beiden Seiten mit einem grünen sechszehnblätterigen Rautenkranze umgeben ist. Auf dem Avers umschließt dieser den Namen des Stifters: F. A., auf dem Revers die Worte: Providentiae memor. Das Ordensband ist grün und wird von der rechten Schulter zur linken Hüfte getragen. Dazu auf der linken Brust ein silberner Stern, in der Mitte Providentiae memor mit einem Rautenkranze umgeben.

Rautensappe s. Festungskrieg, Bd. IV. S. 35, sowie Sappe.

Ravelin, bei bastionirten Befestigungen ein Werk in Form einer Flèche oder einer Lünette, welches vor der Courtine liegt, siehe Befestigungskunst Bd. II. S. 55.

Ravenna, Hauptstadt der gleichnamigen italienischen Provinz (ehemaligen päpstlichen Legation; 34,1 □.-M. mit 209,518 Einw.) in sumpfiger Gegend am Montone, ½ Meilen von seiner Mündung ins Adriatische Meer (früher dicht am Meere) gelegen, durch den Canal di Molino mit dem Po di Primario und durch eine Zweigbahn nach Imola mit der italienischen Ostbahn

(Linie Bologna-Ancona) verbunden, ist Sitz eines Erzbischofs, besitzt eine Kathedrale und zählt 19,118 Einwohner (mit dem Gemeindebezirk 57,303 Einw.). Der Hafen ist sehr versandet. R. war früher stark befestigt und wurde im April 1512 durch ein französisches Heer unter Gaston de Foix belagert; ein liguistisches (spanisch-päpstliches) Heer, welches unter Raimund Cardona zum Entsatz herbeizog, wurde am 11. April 1512 von den Franzosen gänzlich geschlagen; bei der Verfolgung des Feindes fiel Gaston.

Ravennaschlacht (Schlacht vor Raben), ein zum Kreise der gothischen Ditrichssagen gehöriges altdeutsches Heldengedicht aus dem 13. Jahrhundert; es behandelt die große elftägige siegreiche Schlacht Dietrich's von Bern (Verona) gegen Ermenrich von Ravenna, ist nur noch in einer Umarbeitung aus dem 14. Jahrhundert übrig und wurde herausgegeben von Hagen im „Heldenbuch", Berlin 1855.

Ravin ist an sich gleichbedeutend mit Hohlweg, Schlucht, wird aber im weiteren Sinne für alle Einsenkungen mit verhältnißmäßig steil geböschten Wänden, namentlich die im Flachlande vorkommenden, gebraucht. R.s bilden in gewissem Grade ein Hinderniß, namentlich für geschlossene Truppen, um so mehr, da auf ihrer Sohle häufig ein Wasserlauf sich befindet. — Die Vertheidigung eines quer zur Angriffslinie laufenden R.s ist eine begünstigte, wenn sie vom rückwärtigen Rande her geschieht. Der Vertheidiger hat hier dieselben Vortheile, wie bei Aufstellung auf einer Höhe, nur erhöhen sich jene noch dadurch, daß der Angreifer im feindlichen Feuer in das R. hinabzusteigen und etwaige Hindernisse auf der Sohle desselben zu passiren hat. Die hier befindlichen Uebergänge wird der Vertheidiger jedenfalls mit mäßigen Kräften besetzen, desgleichen den jenseitigen Abhang, wenn er bewaldet, resp. nicht von rückwärts her unter Feuer zu halten ist, wodurch allerdings die Stellung beträchtlich an Stärke verliert. Die vorgeschobenen Truppen werden es indeß auf einen Nahangriff nicht ankommen lassen, sondern sich zeitgerecht und zwar zunächst in seitwärtiger Richtung zurückziehen, sodaß sie die Feuerwirkung des Gros der Vertheidigung nicht behindern. — Der Angriff auf derartige Stellungen ist, wenn er sich durch Umgehung nicht ersparen läßt, durch kräftiges Artilleriefeuer vorzubereiten. An den eigentlichen Uebergangspunkten muß das Auftreten überraschend und mit überlegenen Kräften geschehen. — Ein R. im Rücken giebt Gelegenheit zur verdeckten Aufstellung der Reserven. In der Flanke kann es eine Anlehnung bilden, deren Werth aber häufig zweifelhaft ist. — Vergl. auch Terrain.

Ravitailliren, einen Platz (Festung re.) aufs Neue mit Lebensmitteln und Kriegsbedarf versehen.

Raymond, Stadt in der Grafschaft Jackson im Staate Mississipi. Gefecht daselbst am 14. und 15. Mai 1863. Nach der Schlacht bei Port Gibson beschloß Grant zunächst dem bei Jackson stehenden General Johnston entgegen zu gehen; der rechte Flügel seiner Armee unter Mc. Clernand und der hinter ihm marschirende Theil der Unirten unter Sherman trafen am Vierzehn Meilen Creek auf Widerstand und gelang es Mc. Clernand erst nach heftigen Kämpfen am 14. und 15. die Conföderirten mit einem Verlust von 800 Mann aus R. zu vertreiben und auf Jackson zurückzuwerfen.

Rayon heißt 1) im Allgemeinen soviel wie Bezirk, daher man von Rayon-Verpflegung spricht, wenn die Lieferung der letzteren districtweise einer Gegend, oder einem Lande auferlegt wird. — 2) Das Terrain in Kanonenschußweite um die Werke einer Festung herum ist in Bezug auf Zulässigkeit baulicher Anlagen in mehrere Rayons getheilt (s. Festung, Bd. IV., S. 25). Die bezüglichen Bestimmungen heißen Rayon-Gesetze. In Preußen und Norddeutschland galt bis jetzt das Gesetz von 1828 als Richtschnur, zu welchem

Indeß für einzelne Festungen erläuternde Bestimmungen im Laufe der Zeit gegeben worden waren. Seit Ende 1871 ist ein Gesetz über die Beschränkung des Grundeigenthums in der Umgebung von Festungen für das Deutsche Reich erlassen worden. Danach wird den Grundbesitzern, welche sich durch Erweiterung oder Neubau von Festungen plötzlich in den R. versetzt sehen, eine angemessene Entschädigung aus der Reichskasse dafür gewährt, daß ihr Besitzthum nunmehr eine Entwerthung erleidet. Die Rechte und Pflichten der im R. liegenden Grundbesitzer sind mehr präcisirt und manche Erleichterungen stipulirt worden. Eine ständige Reichs-Rayon-Commission aus militärischen Vertretern der betheiligten Staaten hat in streitigen Fällen zu entscheiden und kann Minderungen der Beschränkungen eintreten lassen.

Razzia, (arab. Ghazidschah), nach maurischem Begriff ein Kriegszug zum Zwecke der Beraubung oder Beschädigung des Feindes an seinem Eigenthume. In Algerien wird die R. als executive Gewaltmaßregel gegen widerspenstige Stämme angewendet. Das Wort ist zuerst in die französische und sodann in die anderen europäischen Sprachen übergegangen.

Ré, französische Insel im Atlantischen Meere, 3 O.-M. mit 19,000 Einw., liegt nahe der Küste vor Larochelle, gehört zum Departement Charente-Inférieure, ist auf den Hauptküstenpunkten sehr stark befestigt, hat 4 bedeutende Forts und 2 Häfen. Hauptstadt ist Martin de Ré mit Citadelle und 3600 Einwohner.

Rear-Admiral, s. Contre-Admiral.

Rebhühnermörser, auch Steinmörser, nennt man Mörser sehr großen Kallbers (etwa von 30 bis 40 Centim.), welche Streugeschosse im hohen Bogen zu werfen bestimmt sind. Rebhühner-, auch Wachtelwurf ist der veraltete Name für die betreffende Wurf-Art. Die Geschosse sind kleine Vollkugeln von etwa 500 Gr. Gewicht, Granaten bis zu 1 Kilogr. und selbst Steine zwischen ½ und 1 Kilogr. Die Zahl der Geschosse richtet sich nach dem Kaliber des Mörsers. Der jetzt abgeschaffte preußische Steinmörser (39 Cent. Kaliber) warf 92—96 Steine, der 28 Cent. Mörser 50—56 Steine oder 80—1pfdige. Kartätschkugeln, resp. 25 Spiegelgranaten. Hinter die Geschosse setzte man, um den Stoß der Geschützladung mehr zu concentriren, einen hölzernen Hebespiegel; Steine und Kartätschen wurden in einem Korb eingesetzt. Man feuerte unter 80—60 Grad Elevation auf Entfernungen bis 150 Meter, in der Absicht, gedeckt stehende Mannschaften des Gegners, welche dem Gewehr- resp. Rohrgeschützfeuer entzogen waren, zu treffen. Die Wurf-Art gehört dem Festungskriege an und kann erst in den letzten Stadien desselben zur Wirksamkeit kommen. Bei Sebastopol wurde häufig davon Gebrauch gemacht. Die Treffähigkeit ist bei der mangelnden Rasanz äußerst gering, und die Wurfart kann heutzutage als bloße Antiquität betrachtet werden. — Die Franzosen sprechen von mitraille claire et noire, je nachdem Sprenggeschosse dabei angewandt werden oder nicht.

Rechnungsführer, ein Offizier oder ein Beamter im Offizierrang, welchem das Rechnungswesen einer Truppe, insbesondere eines Regiments oder Bataillons obliegt. In Preußen heißen sie Zahlmeister (s. d.), in Sachsen Wirthschaftsoffiziere (s. d.), in andern Heeren auch Quartiermeister (s. d.)

Rechnungswesen, s. Verwaltung.

Rechte, staatsbürgerliche R. der Militärpersonen sind im Allgemeinen ebensowie deren Pflichten mit denen aller Staatsbürger übereinstimmend. Indessen findet man auch Beschränkungen, welche durch die besonderen Verhältnisse des Standes herbeigeführt werden, so z. B. in Bezug auf Wählbarkeit und Wahlrecht zu der Landesvertretung, auf Bekleidung von Communal-Aemtern, auf Vormundschaftssachen, Theilnahme an den Schwurgerichten; vergl. Buschbeck's Feldtaschenbuch, bearbeitet von Helldorf. Berlin 1870. II. Theil.

Rechtsmittel gegen Erkenntnisse von Stand- und Kriegsgerichten wider Personen des Soldatenstandes sind nach der deutschen Militärverfassung nicht zulässig. Dagegen kann auf Restitution (s. d.) und auf eine neue Untersuchung und Entscheidung angetragen werden, vergl. Buschbeck's Feldtaschenbuch, II. Theil.

Rechtsverhältnisse der Militärpersonen gegenüber dem bürgerlichen Gerichtsstand, in Bezug auf Rechtsgeschäfte, öffentliche Lasten, gegenüber polizeilichen Anordnungen sind in allen Staatswesen durch Gesetze geregelt. Gleichheit aller vor dem Gesetz muss hier Grundsatz bleiben, und können nur durch ganz besondere Standesverhältnisse Beschränkungen statuirt werden. In Bezug auf das deutsche Reich, s. Buschbeck's Feldtaschenbuch, II. Theil, sowie den Artikel Militärgerichtsstand Bd. VI., S. 91.

Reclamationen kommen in den Staaten der allgemeinen Wehrpflicht, in Bezug auf Ableistung derselben, sehr vielfach vor, und muss denselben gegenüber, um Missbrauche zu verhüten, alle Strenge obwalten. Die Reclamationen beziehen sich theils auf gänzliche Befreiung der noch nicht eingestellten Wehrpflichtigen vom Dienst, theils auf Entlassung von Solchen, welche zur Ableistung ihrer activen Dienstzeit oder bei Mobilmachungen eingezogen sind, resp. auch zur Disposition der Ersatzbehörden stehen. Reclamationen können sich theils auf häusliche Verhältnisse begründen, theils auch von amtlicher Stelle wegen Unabkömmlichkeit ausgehen. Vergl. Buschbeck's Feldtaschenbuch, II. Theil.

Recognoscirung, eine höchst wichtige Vorbereitung der eigentlichen Gefechtsthätigkeit, begreift die möglichst eingehende Erlennung einerseits des Terrains, auf welchem die kriegerischen Handlungen vor sich gehen sollen, andrerseits der Verhältnisse des Gegners, namentlich seiner Stärke, seiner Maßregeln, seiner Aufstellung, in sich. Eine R. lediglich in ersterem Sinne wird auch Terrain- oder topographische R. genannt, während die R. des Gegners, welche in gewissem Grade die des bezüglichen Terrains involviren muss, taltische R. heißt. Mehr strategischer Natur sind die statistischen R.n, welche sich auf Erforschung eines Landstrichs nach seinen Mitteln beziehen. Von der R. ist das Nachrichtenwesen (s. Nachrichten, Bd. VI., S. 198) wohl zu unterscheiden. Recognoscirungs-Bericht ist der mündliche oder schriftliche Bericht über die Resultate einer R., welchem mitunter eine Terrainskizze (Croquis) beigegeben ist. Die ausschließliche R. des Terrains ist Sache von Offizieren, s. u. Terrain. — Taltische R.en sind von großer Bedeutung nicht minder für die eigene Sicherheit, als für die zu treffenden eigenen Maßregeln. Der ganze Recognoscirungs- oder Aufklärungsdienst geht mit dem Sicherheitsdienst vielfach Hand in Hand ist gleichzeitig die Aufgabe der den letzteren vorschenden Abtheilungen — Avantgarden, Spitzen, Schleich-, Streif-, Seitenpatrouillen ec. Dies schließt aber die Nothwendigkeit nicht aus, einzelne Personen oder Abtheilungen ausschließlich zum Aufklärungsdienst zu verwenden. Die geeignetste Waffengattung zur Ausübung dieses Dienstes ist die leichte Cavalerie. In vielen Fällen wird die Aufgabe der R. einzelnen, namentlich gut berittenen Offizieren, nur von einigen Reitern begleitet, anheim fallen. Solche Beobachtungsoffiziere, die auch unter Umständen längere Zeit am Feinde belassen werden können, suchen unbemerkt günstige Beobachtungspunkte zu erreichen und müssen häufig im Fluge die erkennbaren Verhältnisse beim Feinde übersehen. Wichtig ist es, daß sie erschöpfende und zuverlässige Meldungen darüber abstatten. Solche R.en werden oft um die Flanken des Gegners herum und bis in seinen Rücken vor-

20*

genommen. Will man es dabei auf ein Gefecht ankommen laſſen, ſo muß man eine ſtärkere Abtheilung wählen und es entſtehen die ſogenannten Recognoscirungspatrouillen (ſ. d.).

So lange als möglich werden die R.en vom Feinde unbemerkt vorgenommen — heimliche R.; oft aber iſt es unmöglich, ohne Zuſammentreffen mit dem Gegner zum Ziele zu gelangen. Das Hervorrufen eines Gefechtes — die gewaltſame R. bezweckt dann, denſelben zur Entfaltung ſeiner Streitkräfte zu engagiren; während deſſen nehmen Offiziere von günſtig gelegenen Beobachtungspunkten aus Einſicht von den jenſeitigen Verhältniſſen. Man muß ſich zu dem Zweck größerer Abtheilungen bedienen, welche die Vortruppen des Gegners zurückdrängen oder deren Linie zu durchbrechen ſuchen. Sobald der Zweck erreicht iſt, ſucht man das Gefecht wieder abzubrechen. Derartige R.en ſind aber mit Vorſicht vorzunehmen und ſetzen voraus, daß man die gewonnenen Reſultate baldigſt ausnützen will. Häufig ſind ſchon auf dieſe Weiſe ernſtliche Gefechte und ſelbſt Schlachten entſtanden, ohne daß dies im Willen des Recognoscirenden gelegen hätte. Ein Gegner, der auf ſeiner Hut iſt und ſeinen Sicherheitsdienſt zweckmäßig betreibt, wird ſich in eine derartige Falle nicht locken laſſen, wenn es ihm nicht darum zu thun iſt, energiſch nachzuſtoßen, in welchem Falle er zunächſt einen Vortheil in der Hand hat. Oft ſind derartige R.en nur ein Vorwand geweſen, um überhaupt etwas zu unternehmen, oder hinter hinterher den Mangel jeglicher vernünftigen Gefechtsdispoſition verdecken ſollen. — Abgeſehen von der R. durch andere, iſt es für jeden, der einen ſelbſtſtändigen Auftrag auszuführen hat, von großer Wichtigkeit, ſoweit es die Situation erlaubt, ſelbſt zur R. des Terrains wie des Gegners vorzugehen. — Das Beiſpiel eines kühnen Recognoscirungs-Rittes gab Ende Juli 1870 der württembergiſche Generalſtabsoffizier Graf Zeppelin, welcher mit vier badiſchen Dragoneroffizieren und vier berittenen Dragonern in 36ſtündigem Ritte bis in die Gegend von Wörth, 2 Meilen hinter die feindliche Vorpoſtenlinie, gelangte und die wichtige Nachricht überbringen konnte, daß zwiſchen Lauterburg u. Wörth von franzöſiſchen Truppenanſammlungen nichts zu bemerken geweſen wäre.[*]) — Das Vorſchieben der ſelbſtſtändigen Cavalerie-Diviſionen im Kriege 1870/71 deutſcherſeits hat nicht minder zur Verdeckung der eigenen, als zur raſchen Erkennung der feindlichen Maßregeln beigetragen (z. B. in Bezug auf den Marſch Mac Mahons zum Entſatz Bazaines, Ende Aug. 1870). — Statiſtiſche R.en gehören in die Generalſtabswiſſenſchaft und ſollen hauptſächlich Generalſtabs-Offizieren anheim, ſie beziehen ſich namentlich auf Erkennung der Leiſtungsfähigkeit eines Diſtricts in Bezug auf Unterbringung, Ernährung der Truppen ꝛc. — Vergl. „Verordnungen über die Ausbildung der Truppen für den Felddienſt ꝛc.“, Berlin 1870, ſowie die Lehrbücher der Taktik.

Recognoscirungs-Patrouillen heißen größere ſelbſtſtändige Streif-Commandos, in der Regel von einer Truppengattung, welche ſich auf mehrere Meilen vom Truppe entfernen, um Nachrichten über den Feind einzuziehen. Hauptſächlich eignet ſich hierzu die leichte Cavalerie; doch wird man in ganz durchſchnittnem Terrain, bei Nacht, ſowie bei Mangel an ſolcher auch Infanterie benutzen, der man jedenfalls einige Reiter beigiebt. Sind Defileen für den Rückzug frei zu halten, ſo wird der Cavalerie hierfür Infanterie beigegeben werden. Die Stärke der R.-P. muß zur Führung eines Ueberraſchungsgefechtes hinreichen, alſo wird man ein bis zwei Züge und ſelbſt eine Compagnie oder Escadron wählen. Das Commando führt ſtets ein Offizier. Für den Fall, daß die R.-P. zerſprengt wird, muß ein Sammelplatz angegeben

---

[*]) Von der Patrouille kam nur Graf Z. glücklich zurück, die übrigen fielen durch Uebermacht erdrückt in feindliche Hände.

werden. Der Hinmarsch zum Bestimmungsort geschieht mit allen Vorsichtsmaßregeln und möglichst verdeckt. Es kann sich nun darum handeln, einen
gewissen Terrainabschnitt abzusuchen, wozu Theilung in mehrere kleine
Patrouillen nöthig wird, oder einen feindlichen Marsch, resp. eine feindliche Aufstellung, zu recognosciren; in beiden letzteren Fällen wird in der
Regel ein Ueberraschungsgefecht das Mittel zum Zweck sein. Nach Rückkehr
zum Commando ist ein ausführlicher mündlicher oder schriftlicher Bericht ab-
zustatten.

Recrut, s. Rekrut.

Redan gebrauchen die Franzosen als Bezeichnung für ein aus 2 in einem
ausspringenden Winkel zusammenstoßenden Linien gebildetes, in der Kehle offenes
Werk, welches wir Flesche nennen. Linien mit R. nennt man zusammenhängende Vertheidigungslinien, aus welchen von Zeit zu Zeit R.'s vorspringen,
deren Entfernung nach der Gewehrschußweite sich zu richten pflegt. Im Feldkriege kommen sie heutzutage kaum noch vor. Bei der Belagerung von Sebastopol spielten der große und der kleine R. eine bedeutende Rolle. Ersterer war
der Angriffspunkt für die Engländer.

Redif (arab., der Nachschub), die so ziemlich nach dem Vorbild der preußischen Landwehr organisirte Reserve der türkischen Armee, im Gegensatze zu
dem Nizam oder stehenden Heere (Linie), s. u. Osmanisches Reich, Bd. VI.
S. 349.

Reding, Don Theodore de, geb. 1778 (nach Anb. um 1760) im Canton Schwyz, nahm in Spanien Kriegsdienste, wo sein Oheim Nazario de
R. Gouverneur von Palma war, avancirte schnell zum General und focht 1808
und 1809 als Generallieutenant mit großer Bravour gegen die Franzosen,
zeichnete sich namentlich bei Baylen, Cardedon, Llinas und Valls aus und
starb 20. April 1809 an seinen am 25. Februar desselben Jahres bei Alcover
erhaltenen Wunden.

Redoute ist eine lediglich aus Saillants bestehende geschlossene Schanze;
die Seitenzahl ist gewöhnlich zwischen 4 u. 6. Im Feldkriege ist die R. jetzt
die einzig vorkommende Form geschlossener Schanzen, da alle Tracés
mit Rentrants — als Stern-, bastionirte Schanzen — als unzweckmäßig zu
betrachten sind. Die Seite der R. muß mindestens so lang sein, daß für jeden
Mann der Besatzung Lagerraum vorhanden ist. Pro Mann rechnet man 1,₅
bis 2 Quadrat-Meter; daraus ergiebt sich, daß eine R. für mindestens 1 Compagnie Besatzung eingerichtet sein muß. Die Stärke der letzteren soll indeß
der Regel nach 1 Bataillon nicht übersteigen. In den Saillants können auch
Geschütze placirt werden; für dieselben ist entsprechend mehr Lagerraum zu
rechnen. Die R. hat eine starke frontale Feuerwirkung; vor den Saillants
entstehen indeß unbestrichene Räume, die bei der sechsseitigen durch Schräganschlag sich noch bestreichen lassen. Eine Grabenflankirung wird nur bei provisorischen Werken in Form von Caponnieren vorkommen. Bei einem System
von Schanzen liegen die R.n in der hinteren Reihe als Haupttreffen. — Halbredouten oder Frontalwerke entstehen durch Abstumpfung von Fleschen, sie
werden somit durch eine Frontallinie und zwei Flanken gebildet und gehören
zur Classe der offenen Werke.

Redschid, 1) R. Mehmed Pascha, focht 1822 beim Ausbruch des Griechischen Freiheitskampfes als Pascha von Widdin unter Omer Brione und
nahm unter Khosrew Pascha am Sturm auf Ipsara Theil, erhielt 1825 die
Statthalterschaft Rumelien, fiel als Serasfier mit 20,000 M. in Morea ein,
bestürmte 1825 Missolunghi, belagerte dann die Citadelle von Athen, zwang diese
1827 zur Capitulation, wurde im Jahre 1829 Großvezier und traf im Lager
von Schumla energische Vorkehrungen zur Vertheidigung gegen die Russen, bis

der Uebergang diefer Leztern über den Balkan die Befeßung von Adrianopel und den Frieden zur Folge hatte, bezwang 1830 durch Lift den Aufftand des Pafcha von Stutari, wurde 1832 gegen Ibrahim Pafcha von Aegypten gefandt, von diefem am 21. Dec. bei Konieh (f. d.) gefchlagen und gefangen genommen, erhielt nach feiner Freigebung ein Commando in Albanien, wurde 1834 Pafcha von Siwas in Kleinafien, unterdrückte 1835 die räuberifchen Kurden und ftarb 1836. 2) f. Refchid.

Reduction (Zurückführung) fagt man von einer Armee, wenn fie auf einen geringeren Umfang befchränkt, z. B. vom Kriegsfuß auf den Friedensfuß gefetzt wird.

Reductionszirkel ein Zirkel mit vier Schenkeln, welche vermöge der Einrichtung eines verfchiebbaren Kopfes in variablem Verhältniß zu einander ftehen, dabei aber paarweife gleich find. Die mit dem einen Schenkelpaar abgegriffene Entfernung wird durch das andere Paar reduciert wieder gegeben. Ift das Verhältniß conftant wie 1:2, fo fpricht man vom Halbirungszirkel.

Redutt bedeutet in der Fortification ein im Innern einer Umwallung liegendes Werk, welches das Ausbreiten und Feftfeßen des Angreifers im Innern des Plaßes verhindern foll, wenn jener vorliegende Wall genommen ift. Es foll eine gute Feuerwirkung gegen den eingedrungenen Feind und deffen Logement auf dem vorliegenden Walle geftatten, das Zurückwerfen deffelben durch vorgehende Referven begünftigen oder ihn bei förmlichem Angriff der Feftung wenigftens zur Vorbereitung und Durchführung eines erneueten Angriffs gegen das R. zwingen. In der permanenten Fortification (vgl. die Artikel Feftung und Befeftigungskunft) wurde das R. fchon frühzeitig in den Waffenpläßen des gedeckten Wegs und im Ravelin angewandt, doch anfänglich nur als Erdwerk in Form einer offenen Flefche oder Lünette. In diefer Form befchränkte das Redutt den innern Raum des Werks, in dem es lag, außerordentlich; es war oft nicht ganz abgefchloffen und fchlecht gegen Umgehung gefichert, entweder nicht fturmfrei oder mit fchlecht flankirten Gräben verfehen, gegen Wurffeuer gar nicht gefichert und, da es den vorliegenden Wall doch etwas überhöhen mußte, weder gegen Einficht von Außen noch gegen directes Gefchüßfeuer gedeckt. Auch der Hauptforderung an ein R., daß der Rückzug der Vertheidiger des vorliegenden Walles unter keinen Umftänden durch das R. führen und deffen Vertheidigung nicht masfiren darf, genügten diefe R.s oft nicht, wie fie auch ihrer eignen Befaßung meift keinen geficherten Rückzug nach dem Innern der Feftung geftatteten. Während fich in der ältern deutfchen Befeftigung bei Speckle (1507) das R. fchon vorfindet, fehlt es der Befeftigung Vauban's im gedeckten Wege noch ganz und wird ihr erft durch Cormontaigne zugefeßt. Das Ravelin-Redutt ift in Vauban's erfter Manier noch klein in kleinem Ravelin, es wird erft in feiner zweiten vergrößert und ebenfalls durch Cormontaigne und die Schule von Mezières verbeffert. Von Vauban's beiden Zeitgenoffen wandte Coehorn bereits mit Ballendecke verfehene, Rimpler lafemattirte Redutts an. Die lafemattirten Thurm-Redutts und Defenfionskafernen Montalemberts, die R.s der Ravelins und Baftionen Chaffelonp's mit traditorenartiger Wirkung gegen das Couronnement vor den Nebenravelins und Nebenbaftionen fowie des lezteren Fortificators fogenanntes Central-Redutt, ein vor der Mitte der Courtine im Hauptgraben über das Alignement der Contrefcarpe vorgefchobenes lafemattirtes Gebäude, führen dann zu den Conftructionen von R.s, wie wir fie noch heute in Feftungen, auch in der neupreußifchen Befeftigung, wenn auch theilweife verbeffert, vorfinden.

Die Größe und Einrichtung folcher lafemattirter R.s ift fehr verschieden: vom einstöckigen Blockhause nur mit Gewehrscharten (als sturmfreies bombensicheres Wachthaus besonders in den Waffenplätzen des gedeckten Wegs) bis zu den großen mehrstöckigen Thürmen und Defensivkasernen mit gewaltigen Batterien (als R.s in Ravelins und Bastionen oder in detachirten Forts) und den großen Caponnièr-Reduits des Hauptwalls der Polygonalbefestigungen. Ihr Grundriß ist theils kreis- oder hufeisenförmig oder mehr elliptisch, mit gerader, convexer oder concaver Front, theils rechteckig und zur eigenen Flankirung entweder kreuzförmig oder mit besonderen Caponnièren (vergl. b.) versehen, oft in Verbindung mit crenelirten Mauern oder Pallisadirungen zum Abschluß eines Sammelplatzes und zur Sicherung der Communication über den Graben. Die aus dem Anfang unseres Jahrhunderts stammenden größeren R.s sind noch thurmartig hoch, das Erdgeschoß meist nur mit im Niveau des Hofes liegenden Gewehrscharten, im ersten Stockwerk für Geschütze im Niveau des Wallgangs zu dessen Bestreichung und zum indirecten Schuß über ihn weg, während die im zweiten Stock aufzustellenden Geschütze das Vorterrain unter directes Feuer nehmen und die auf der Plateform über eine Brüstungsmauer hinwegfeuernden Kanonen das Vorterrain noch besser beherrschen. Der hintere Theil dieser R.s ragt meist über den Kehlabschluß oder den nebenliegenden Wall hinaus zur Flankirung derselben oder auch der Nebenwerke (Traditorenwirkung). Etwa seit Mitte dieses Jahrhunderts verlangte man das Mauerwerk wenigstens gegen den directen Schuß zu decken, ließ deshalb die obere Etage weg und gab den auf der Plateform stehenden Geschützen eine Erdbrustwehr statt der gemauerten. Den Forderungen, die man gegenwärtig den Leistungen der gezogenen Geschütze gegenüber an Festungswerke stellen muß, genügen auch diese R.s nicht mehr; bei der stattfindenden Correctur der Festungen müssen daher namentlich die hohen gemauerten R.s meist geändert werden. Um bis zum Moment seiner eigentlichen Wirksamkeit, d. h. dann noch intact zu sein, wenn der Belagerer bereits die vorliegende Umwallung genommen hat, muß das R. nicht nur bombensicher eingedeckt und dem directen Geschützfeuer sowie der feindlichen Einsicht entzogen, sondern auch gegen das jetzt viel mehr als früher gefährliche indirecte Feuer aus gezogenen Geschützen möglichst geschützt sein. Eine Deckung des Mauerwerks gegen Schüsse mit Fallwinkeln bis zu 7 Grad wird für R.s meist für genügend erachtet. Bei Neubauten rückt man deshalb das R. jetzt so nahe an den vorliegenden deckenden Wall vor und baut es, mit Hintansetzung der Wirkung ins Vorterrain, gewöhnlich einstöckig mit bloßer Erddecke oder offener Plateform, nur so hoch, daß es gegen den indirecten Schuß, so weit als es die Wirkung auf den vorliegenden Wall gestattet, gedeckt ist. Die Traditorenwirkung wird dabei aufgegeben, die Verbindung des Reduits mit der Kehle dann durch einen Maueranschluß gesichert und dadurch ein Sammelhof gebildet, während die Bestreichung des Kehlgrabens durch besondere Caponnièren bewirkt wird. Bei der Correctur bestehender Festungswerke wird der obere Theil der hohen gemauerten R.s so weit abgetragen, bis jener Anforderung ganz oder wenigstens annähernd genügt wird. Wo die verlangte Deckung der R.s gegen den indirecten Schuß durch ihre Lage und Profilverhältnisse nicht genügend zu erreichen ist, schützt man diejenigen R.s, deren Intacthaltung von besonderer Wichtigkeit ist, namentlich auf den Angriffsfronten, wohl auch durch Eisenpanzer, oder man legt bei sehr geräumigen Höfen zuweilen auch eine zweite Erddeckung, ein inneres Glacis, um das R. und giebt diesem zur directen Wirkung ins Vorterrain zuweilen eine Panzerkuppel. Um auch dem Angriffe durch Minen entgegenwirken zu können, befindet sich im Kellerraum der R.s häufig der Eingang zu einem Contreminensystem. In den großen R.s namentlich detachirter Forts findet man ferner Telegraphenstationen, Provianträume, Verbandzimmer, Küchen, Brunnen u. s. w.

Bei provisorischen Befestigungen benutzt man gern schon vorhandene Gebäude als R.s, wo nöthig mit Abtragung der obern Etage, bombensicherer Eindeckung und äußerer Erdanschüttung bis zur Höhe der Scharten, oder man erbaut Blockhäuser aus Holz (vgl. Blockhaus), die man mit Bombenbalken oder Eisenbahnschienen und 4 Fuß Erddecke eindeckt. — Auch bei Feldbefestigungen versieht man geschlossene Werke zuweilen mit R.s zur Behauptung des Innern, Deckung des Abzugs der Besatzung und leichteren Wiedereroberung; doch kommen sie hier seltener vor, da man sie mit passageren Mitteln schwer gegen Geschützfeuer bis zum Eindringen des Feindes schützen kann. Diese R.s sind entweder leichte aus zweiseitig behauenen Stämmen erbaute Schränkblockhäuser oder man begnügt sich gewöhnlich mit einem aus Vertheidigungspalissadirung hergestellten „Reduit-Tambour." — Bei fortificatorischer Einrichtung von Ortschaften, welche zu hartnäckiger Vertheidigung bestimmt sind, wählt man zu selbstständiger Vertheidigung geeignete, freiliegende massive Hauptgebäude, meistens die Kirche, ein Schloß oder dergl. als R. einzelner Bezirke oder als Haupt-Reduit des ganzen Ortes und befestigt sie diesem Zweck entsprechend. Bei Verschanzung von Schlachtfeldern in großem Maßstabe werden hinter der Front liegende, als Arrieregarde-Posten dienende Dörfer zuweilen auch als R.s für die ganze Vertheidigungs-Stellung bezeichnet.

Die Besatzung eines R.s muß stets von vornherein (bei Festungen aus der sogenannten Bereitschaft) abgetheilt und von den übrigen Truppen ganz getrennt sein; sie darf nicht erst in einem spätern Stadium des Kampfes aus der Reserve bestimmt werden, sie hat sich vielmehr ihre eigene Reserve zu bilden. Werden die Vertheidiger der vorliegenden Umwallung oder der vorderen Stellungen zurückgetrieben, so dürfen sie ebenso wie die Reserven sich niemals in das Reduit ziehen wollen, höchstens in einen dahinter liegenden Sammelhof. Auch dürfen sie das Feuer der Reduit-Besatzung nie maskiren, indem sie sich gegen dasselbe drängen lassen. Sonst kann das Reduit seinen Zweck nicht erfüllen und geht meist zugleich mit der vorliegenden Stellung verloren. Das R. muß unbedingt geschlossen bleiben und sein lebhaftes Feuer gegen den von der Brustwehr vordringenden Feind eröffnen. Soll die Schanze, das Dorf u. s. w. geräumt werden, so ist die Reduit-Besatzung der letzte abziehende Theil, von den äußern Reserven gedeckt. — Vergl. die Lehrbücher von Wagner, Prittwitz, Blumhardt ꝛc. — Ueber das Reduit bei Panzerschiffen s. Panzer, Bd. VII, S. 17 ff.

Redutkale (von den Türken Kemhal genannt), befestigter Flecken mit russisch-transkaukasischem Gouvernement Kutais, an der Ostküste des Schwarzen Meeres, hat einen guten, durch die Mündung des Chopi gebildeten Hafen, wurde im Mai 1854 von dem englischen Admiral Lyons genommen, 1855 von den Türken und im August 1856 wieder von den Russen besetzt.

Reep (niedersächsisch), s. v. w. Tau, besonders ein dünneres Tau; z. B. Boje-Reep, das dünne Tau, durch welche man die Boje mit dem Anker verbindet, um dessen Stelle zu bezeichnen. Reeperbahn, ein langer gerader Gang oder eine Bahn, in welcher die Reepschläger (Seiler) spinnen. Reepschlägereien, die großen, jetzt meist durch Dampfkraft getriebenen Werkstätten, in welchen das für die Seeschifffahrt nöthige Tau verfertigt werden.

Reff, reffen: seemännisch, die Segel verkleinern, damit sie bei zunehmendem Winde dem vermehrten Druck desselben eine kleinere Segelfläche entgegensetzen, weil sonst die Bemastung Gefahr laufen würde, zu brechen. Bei zunehmendem Winde werden zuerst die leichteren Segel, die Oberbramsegel und dann die Bramsegel eingezogen, d. h. festgemacht, diese haben keine Vorrichtungen zum reffen. Die Marssegel haben drei auch vier Reffe, d. h. Vorrichtungen, um den oberen Theil des Segels zu verkleinern, die Untersegel führen ein bis zwei Reffe. Sind alle Reffe „eingesteckt", so nennt man die Segel „dicht gerefft". Die Procedur des Reffens ist eins der wichtigsten Manöver an Bord, das auf Kriegsschiffen bei gutem Wetter reichlich geübt wird, damit die Mannschaft dasselbe bei schlechtem Wetter gut auszuüben verstehe. Die Marsraaen werden heruntergelassen („gefiert"), gegen die Windrichtung geholt („gebrasst"), damit der Wind aus den Segeln komme und seitlich gegen dieselben wehe, die „Refftallen" werden durchgeholt, um den zu verkleinernden Theil des Segels der Einwirkung des Windes zu entziehen; die Mannschaft begiebt sich auf die Raaen. Einer dicht neben dem Andern stehend in den unter den Raaen zu diesem Zweck angebrachten Tauen („Pferde" genannt), holt sie das Segel auf und knüpft oder bindet es ein. Man hat verschiedene Einrichtungen zum reffen; die früher allgemein gebräuchliche Art mittelst der „Reffzeisinge" ist durch eine neuere Methode ziemlich verdrängt mittelst hölzerner Knebel. Besondere patentirte Vorrichtungen, indem die Raaen sich drehten und das Tuch aufrollten, ohne daß die Mannschaft „nach oben" zu gehen brauchte, sind nur auf kleineren Schiffen zur Anwendung gekommen. Um das Reffen zu vermeiden, oder zu ersetzen, da dies Manöver unter den gewöhnlichen Verhältnissen oft zu viel Zeit erfordert, namentlich bei plötzlich einbrechendem Unwetter durch Böen, auch sehr anstrengend für die Mannschaft ist, sind in neuerer Zeit namentlich auf Handelsschiffen die doppelten Marsraaen eingeführt worden, welche sich sehr gut bewähren. Das Marssegel besteht hiernach aus zwei Theilen, jedes an einer besonderen Raa befestigt. Bei plötzlichen Windstößen wird der obere Theil mit der Raa herabgelassen, während der untere Theil mit seiner Raa die Dimensionen eines dicht gerefften Marssegels behält.

Reflector ist ein Spiegelinstrument zum Messen von Winkeln und zum Auftragen derselben in ihrer wirklichen Größe auf das Papier. Man unterscheidet die Constructionen von Douglas und von Horner; die erstere ist die verbreitetere. S. Instrument, Bd. V., S. 60 und Spiegel-Instrument.

Regendeckel sind juchtenlederne Bedeckungen, welche über das Schloß von Jagd- oder Militär-Gewehren geschnallt werden, um diese empfindlichen Theile vor dem Naßwerden zu schützen. Im weiteren Sinne wird darunter auch die messingene Kapsel verstanden, welche über die Mündung der Gewehre geschoben wird, um das Eindringen von Feuchtigkeit zu verhindern.

Regenmäntel, aus Kautschuck oder Leder, wurden bisher in der deutschen Armee vielfach von Offizieren getragen. Im Feldzug 1870/71 hat sich durch Aussagen gefangener Franzosen herausgestellt, daß die R. einen guten Zielpunkt abgeben, indem sie vermöge ihres Glanzes gegen die Bekleidung der Mannschaften abstechen; daher wurde ihr Tragen im Gefecht später untersagt.

Regensburg, Hauptstadt des bairischen Regierungsbezirks Oberpfalz und R. (früher des Regenkreises), am rechten Ufer der Donau, über welche eine 1091 Fuß lange steinerne Brücke führt (auf dem linken Ufer, R. gegenüber, an der Mündung des Regenflusses liegt Stadt am Hof) und an der bairischen Ostbahn (Knotenpunkt der Linien über Schwandorf nach Nürnberg und Prag, andrerseits über Geiselhöring nach München und Passau), ist Sitz der Kreisregierung und eines Bischofes, hat 13 katholische Kirchen (unter denen sich der in gothischem Stile erbaute Dom, ein Meisterwerk deutscher Baukunst, auszeichnet), 3 protestantische Kirchen, ein altes großes Rathhaus (in welchem der deutsche Reichstag seine Sitzungen hielt), einen schönen Palast des Fürsten von Thurn und Taxis, (sonst Stift St. Emmeran), eine königliche Villa, eine Sternwarte, ein Denkmal des Astronomen Kepler, lebhaften Handel und Industrie und

(1867) 30,357 Einwohner (worunter ungefähr 6000 Protestanten.) R. war früher stark befestigt; die Mauern sind noch theilweis erhalten, die übrigen Werke geschleift und in Promenaden umgewandelt. Anderthalb Stunden unterhalb R. erhebt sich am linken Ufer der Donau auf hohem, felsigen Thalrande die Walhalla (s. d.). R. ist eine der ältesten Städte Deutschlands und verdankt seinen Ursprung den Römern, welche hier eine befestigte Niederlassung unter dem Namen Reginum oder Castra regina anlegten. Unter Kaiser Friedrich I. wurde R. 1180 reichsfrei. Hier 1504 Sieg der Baiern über die Pfälzer, wobei der Kaiser Maximilian, auf Seiten der Erstern, in Lebensgefahr gerieth. Im Dreißigjährigen Kriege fand hier 1630 der Fürstentag statt, auf welchem Wallenstein seine Entlassung erhielt; 1632 wurde R vom Kurfürsten Maximilian von Baiern, 1633 von den Schweden unter Bernhard von Weimar, 1634 von den Kaiserlichen eingenommen. Im J. 1663 kam der Reichstag nach R. und blieb mit zweimaliger Unterbrechungen (1713—14 wegen der Pest; 1740—44, während der Kurfürst von Baiern als Karl VII. deutscher Kaiser war) daselbst bis zur Auflösung des deutschen Reichsverbandes 1806. Im J. 1703 wurde R. von den Baiern eingenommen, aber nach der Schlacht bei Höchstädt 1704 wieder von ihnen geräumt. Im J. 1803 wurde die Freie Stadt und das Bisthum R. zu einem Fürstenthum erhoben, welches durch Reichsdeputations-Receß dem Kurfürsten von Mainz, Karl von Dalberg, als Kur-Erzkanzler zugetheilt wurde. In Folge seines Beitritts zum Rheinbunde wurde dieser 1806 souveräner Fürst von R. und erhielt von Napoleon I. den Titel Fürst „Primas"; als derselbe 1810 von Napoleon zum Großherzog von Frankfurt erhoben wurde, kam das Fürstenthum R. an Baiern. Bei den Gefechten, welche vom 19.—24. April 1809 in der Nähe von R., insbesondere bei Thann (19. April), bei Abensberg (20. April), bei Eckmühl (22. April) und bei R. selbst (23. April) zwischen den Franzosen und den Oesterreichern statt fanden, und welche insgemein den Namen Schlacht bei R. führen, litt R. bei der Erstürmung am 23. April außerordentlich; Stadt am Hof brannte ganz, in R. 134 Häuser nieder. Hier wurde Napoleon I. das einzige Mal in seinem Leben verwundet (jedoch nur leicht an der Ferse). Vgl. Gemeiner, „Chronik der Stadt und des Hochstiftes R.", Regensburg 1800—24, 4 Bde.

Regent, 1) im weiterm Sinne das regierende Staatsoberhaupt, wenn ihm die oberste Leitung der Staatsangelegenheiten nicht als Beamten (Präsident, Director ꝛc.), sondern als Monarchen zusteht. 2) im engern Sinne derjenige, welcher in einem monarchischen Staate bei Verhinderung (Minderjährigkeit, Geisteskrankheit ꝛc.) des Monarchen die Regierungsverwesung (Regentschaft) so lange führt, bis jenes Hinderniß aufgehoben ist, so z. B. der Herzog Philipp von Orleans für den minderjährigen Ludwig XV. von Frankreich, Georg IV. für seinen geisteskranken Bruder Georg III. von England, Wilhelm I. während der letzten Krankheit seines Bruders Friedrich Wilhelm IV. von Preußen.

Reggio, 1) ehemaliges Herzogthum in Italien, welches von 1527—1859 zum Herzogthum Modena gehörte und jetzt den wesentlichsten Theil der italienischen Provinz Reggio-Emilia (41,₃₃ □.-M. mit 230,054 Einw.) bildet. 2) R.-Emilia, schwach befestigte Hauptstadt der gleichnamigen italienischen Provinz, am Crostolo, dem Tessonekanal und der Eisenbahn von Parma nach Modena, ist Sitz der Präfecten und eines Bischofs, hat Mauern und Wälle und eine schwache Citadelle, zählt 21,174 Einwohner (mit dem Gemeindebezirk 50,371 Einw.) R. ist der Geburtsort von Ariost und gab dem französischen Marschall Oudinot den Titel Herzog von R. In der Nähe liegen die Trümmer der berüchtigten Schlosses Canossa (s. d.). R. ist das alte Regium Lepidi der Römer. Im J. 1706 wurde das feste Schloß von R. von den Franzosen erstürmt. 3) R. di Calabria, Hauptstadt der gleichnamigen italienischen Provinz (chem. neapolit. Provinz Calabria ulteriore I.), in einer fruchtbaren Ebene an der Meerenge von Messina, wurde 1783 von einem Erdbeben fast ganz zerstört, seitdem aber schöner wieder aufgebaut, ist Sitz des Präfecten und eines Erzbischofs, hat eine Citadelle, einen Hafen und eine Kathedrale und zählt 15,692 Einw. (mit dem Gemeindebezirk 30,577 Einw.) Die Stadt ist durch eine Eisenbahn nach Pazzaro (an der Südspitze der Halbinsel) mit der italienischen Küstenbahn verbunden. R. ist das alte Rhegium, wurde 388 v. Chr. vom Tyrannen Dionysius I. nach elfmonatlicher Belagerung erobert und geplündert, 279 v. Chr. von den Campanern genommen und geplündert, 1543 von Heirabin Barbarossa, sowie 1552 und 1594 von andern türkischen Seeräubern geplündert. Hier 31. August 1847 Aufstand der Calabresen unter Andrea und Domenica Romeo; am 1. Sept. capitulirte die Garnison; am 3. Sept. stellten die königlichen Truppen die Ruhe wieder her. Am 19. August 1860 landeten die Garibaldianer bei Capo dell' Armi unweit von R., schlugen am 21. August unter Bixio die königlichen Truppen bei R. und nahmen am 23. August Stadt und Citadelle durch Capitulation. Auf seinem projectirten Zuge nach Rom im Sommer 1862 landete Garibaldi dagegen bei Melito und wollte nun mit Umgehung von R. nach Palmi vordringen, wurde aber auf dem östlich von R. gelegenen Aspromonte (s. d.) am 29. August vom Oberst Pallavicini gefangen genommen.

Reggio, Herzog von, s. Oudinot.

Regierung bezeichnet 1) den gesammten Inbegriff der Staatsgewalt, also des Staatsoberhaupt nebst den seinen Willen ausführenden Organen, im Gegensatz zu Regierten oder Unterthanen; 2) diese ausführenden Organe selbst mit Ausschluß des monarchischen Staatsoberhauptes oder Souveräns; in constitutionellen Staaten sind dieselben verantwortlich, der Souverän dagegen unverantwortlich; 3) in verschiedenen Staaten, z. B. in Preußen, eine höhere collegialische Verwaltungsbehörde, welche einem Regierungsbezirk vorsteht. Mit Regierungsgewalt bezeichnet man daher 1) die gesammte Staatsgewalt; 2) in constitutionellen Staaten (wo die Gesetzgebung zwischen der Staatsgewalt und der Volksvertretung getheilt ist) die sogenannte ausübende oder vollziehende Gewalt.

Regillus, kleiner See unweit östlich von Rom; an seinen Ufern 496 v. Chr. Sieg der Römer unter dem Dictator Aulus Postumius über die Latiner, welche den vertriebenen König Tarquinius Superbus unterstützten. Es ist unbekannt, welcher jetzige See den Namen R. führte.

Regiment ist ein höherer Truppenverband, aus einer und derselben Waffengattung bestehend, der stets für Administration und Ausbildung von Bedeutung ist, aber nicht immer eine taktische Bedeutung hat. Nur bei der Cavalerie ist heutzutage das R. auch taktische Einheit, und steht als solches zwischen Escadron und Brigade. Die Nothwendigkeit hierfür folgt aus der numerischen Schwäche der Escadron als niedrigster taktischer Einheit. Bei der Infanterie ist die Compagnie nur bedingungsweise taktische Einheit; das demnächst folgende Bataillon hat vermöge seiner numerischen Stärke bereits eine solche Selbständigkeit, daß eine solche Zwischenstufe zur Brigade überflüssig ist, um so mehr, als ein R. sich schon nicht mehr mit der Stimme regieren läßt. Trotzdem finden wir fast durchweg den Regimentsverband aus Gründen der gleichmäßigen Ausbildung, der Disciplin, der Administration und des Corpsgeistes. Taktische Formen für das R. als solches giebt es bei der Infanterie nicht, ein Eingreifen des Commandeurs kann indeß im Brigadeverband vorkommen, wenn, wie es in der Regel der Fall ist, das R. ein Treffen bildet, desgleichen kommt der Regimentsverband im detachirten Verhältniß in Betracht, z. B. wenn das R. die Avantgarde einer Division bildet. Bei der taktischen

Unselbstständigkeit der Feld-Artillerie kann über die Batterie hinaus eigentlich nur die Abtheilung noch eine gewisse taktische Bedeutung haben, dennoch finden wir den Regiments-Verband und zwar gewöhnlich in der einem Armee-corps entsprechenden Stärke. In der Kriegsformation löst sich das Feldartillerie-Regiment auf, indem den einzelnen Schlachtkörpern Abtheilungen und selbst Batterien zugetheilt werden. Vom R. bleibt nur die Corps- oder Reserve-artillerie (in Oesterreich Corpsgeschützreserve) als geschlossener Körper und zwar unter dem Regiments-Commandeur bestehen. Ist reitende und Fuß-Artillerie in getrennte Regimenter getheilt, wie in Frankreich, so wird der Regiments-Ver-band im Kriege noch mehr illusorisch. Das preußische Exercier-Reglement ge-braucht den Ausdruck R. für die Zusammenfassung mehrerer Abtheilungen, was indessen mehr für den Exercierplatz Bedeutung hat. Bei der Belagerungs- und Festungs-Artillerie hat der Regiments-Verband für die Verwendung im Kriege noch viel weniger Beziehungen. Bei den Jägern und den technischen Truppen ist der Regiments-Verband selten und hat dann für letztere eine ähn-liche Bedeutung, wie für die Festungs-Artillerie.

Was die Stärke des Regiments betrifft, so ist dieselbe bei der Infanterie größer als bei der Cavalerie und umfaßt bei jener mindestens 2 Bataillone, ausgenommen Großbritannien, wo einzeln: Regimenter nur 1 Bataillon stark sind (s. Bd. IV S. 277). Das Cavalerie-R. ist in der Regel 4 bis 6 Es-cadrons stark. Im Deutschen Reich hat das Linien-Infanterie-Regiment 3 Bataillone à 1000 Mann (auf Kriegsfuß), ausgenommen das hessische R. Nr. 116, welches nur 2 Bataillone stark ist. Das Landwehr-Infanterie-Regiment zählt nur 2 Bataillone. Das Cavalerie-Regiment hat im Frieden 5, im Kriege 4 Escadrons (à 150 Pferde). Das Feldartillerie-Regiment umfaßt beim Garde- und 1. bis 11. Corps 1 reitende Abtheilung à 3 Batterien und 3 Fuß-Abtheilungen, à 2 leichte und 2 schwere Batterien. Das 13., 14. und 15. Corps haben bis jetzt nur 3 Abtheilungen, dagegen das 12. 1 reitende und 4 Fuß-Abtheilungen mit im Ganzen 16 Batterien. Die hessische Feld-Ar-tillerie umfaßt 4 Abtheilungen à 3 Batterien. Das Festungsartillerie-Regi-ment soll 8 Compagnien haben; doch ist die Formation noch nicht consequent durchgeführt. Baiern hat Feld- und Festungs-Artillerie in demselben R. ver-einigt und zwar umfaßt jedes R. 8 Feld- und 5 Fuß- (Festungs-) Batterien. Das russische Infanterie-Regiment hat mit Ausnahme der kaukasischen und der drei im Kaukasus stehenden Armee-Infanterie-Divisionen drei active Bataillone (bei letzterm haben die Regimenter 4 Bataillone), jedes Bataillon hat 4 Linien- und 1 Schützen-Compagnie. Die Linien-Compagnien haben durch das R. fortlaufende Nummern, die Schützen-Compagnien tragen die des Ba-taillons. Das R. von 3 Bataillonen hat auf Kriegsfuß etwas über 3000 Mann. Die Cavalerie-Regimenter haben 4 Escadrons mit ungefähr 600 Pferden. Die Feldartillerie ist in 56 Brigaden getheilt mit im Ganzen 163 Batterien. Oesterreich-Ungarn hat Infanterie-Regimenter à 5 Feld-, 1 Ergänzungs Bataillon, jene 4, diese 5 Compagnien stark. Das 4. und 5. Bataillon bilden im Kriege das Reserve-Regiment mit 1900 Mann, das 1. bis 3. Bataillon das Linien-Regiment à 2900 Mann. Außerdem hat die Armee 1 Jäger-Regiment und zwar die Tyroler Kaiser-jäger, während im übrigen die Jäger nur den Bataillons-Verband haben; ferner 1 Pionier-Regiment à 5 Bataillone, 2 Genie-Regimenter à 5 Feld-Bataillone. Das Cavalerie-Regiment hat 6 Feld-Escadrons à 150 Pferde, außerdem 1 Reserve- und 1 Ergänzungs-Escadron. Das Feldar-tillerie-Regiment hat 12 Batterien à 8 Geschütze; die Festungsartillerie dagegen ist nur in Bataillone formirt. In Frankreich ist das Infanterie-Regiment 3 Bataillone stark, im Kriege à 6 Compagnien, jedes Bataillon à 800 Mann. Das Cavalerie-Regiment hat 4 Feld-Escadrons mit im Ganzen 600 Pferden. Die Artillerie war vor 1867 in 5 Regimenter Fuß (d. i. Festungs-) Artillerie, 10 Regimenter fahrende, 4 Regimenter reitende Artillerie und 1 Pontonnier-R. formirt. Nach der Organisation des genannten Jahres umfaßte sie 1 fahrendes und 1 reitendes R. der Garde à 5 Batterien, 15 Regimenter à 8 fahrende und 4 Fußbatterien, 4 reitende Regimenter à 8 Batterien, 1 Pontonnier-R. à 14 Compagnien, 2 Regimenter Train à 12 Compagnien. Gegenwärtig soll sie 26 Regimenter stark sein. Die 3 Genie-Regimenter haben jedes 2 Bataillone und 1 Compagnie Train. In Italien stehen nur die Pioniere außer einem Regiments-Verband, welche aber die ein R. bildenden Pontonniere nicht umfassen; jene bilden dagegen ein Corps.

Das Commando eines Regiments ist stets einem Stabsoffizier und zwar in der Regel einem Obersten anvertraut. Der Regiments-Stab umfaßt in der deutschen Armee außerdem einen Adjutanten, bei der Infanterie und Cavalerie einen zweiten Stabsoffizier, sowie überhaupt das nöthige Bureau-Personal. — Die früheren Regiments-Inhaber sind lediglich Ehrenstellen geworden (s. Offiziere Bd. VI. S. 317). Im Deutschen Reiche werden die Infanterie- und Artillerie-Regimenter, sowie die Cavalerie-Regimenter gleicher Gattung, mit Ausnahme der preußischen Garde und bis jetzt des bairischen Heeres, durch die ganze Armee fortlaufend numerirt; außerdem trägt jedes R. eine der Provinz oder der Gegend, wo es recrutirt, entlehnte Bezeichnung (z. B. brandenburgisches, hanseatisches, badisches ꝛc.). Aehnlich ist es in Rußland, während in Oesterreich die Nummer der Name des Inhabers zugefügt wird, was auch in Deutschland zu geschehen pflegt, wenn ein solcher existirt. In Frankreich haben die Regimenter lediglich Nummern. Hier fehlen auch die stehenden Aushebungsbezirke, welche im Deutschen Reiche zu Grunde gelegt sind. Jedes deutsche Infanterie R. hat seinen bestimmten Retrutirungsbezirk, ebenso die Regimenter der leichten Cavalerie und meistentheils der Ulanen, während die übrigen Waffengattungen (incl. der Füsilier-Regimenter) aus dem ganzen Corpsbezirk ausgehoben werden, die Regimenter der preußischen Garde selbst aus der ganzen Monarchie.

Das deutsche Infanterie-Regiment hat nur eine eigenthümliche Formation, d. i. die Regiments-Colonne behufs der Parade. Das Cavalerie-Regiment dagegen kennt folgende taktische Formen: die Colonne in Escadrons geöffnet oder geschlossen, die Colonne nach der Mitte, die Escadrons-Colonne; ferner sind dem R. eigenthümliche Gefechtsformen: die Attake in Echelons, in Colonne und mit Ausfallen einer Escadron. Für das R. bei der Feldartillerie existirt ähnlich wie bei der Abtheilung die Zugcolonne mit vorgezogenen Têten als Rendezvous-Formation.

Historisches. Die Bezeichnung R. kommt zuerst im 15. Jahrhundert, als ziemlich unbestimmter Begriff und mehr im Sinne des gemeinsamen Oberbefehls vor. Der Umfang war ganz beliebig, die Bedeutung mehr eine administrative. Die Gefechtsformation bildete der Schlachthaufen, woraus das spätere Bataillon entstand, das erst nachdem eine feste Unterabtheilung des Regiments wurde. Das R. der deutschen Landsknechte unter Maximilian I. umfaßte 10—16 Fähnlein zu 400 Knechten. Entsprechend war das spanische tercio, welches in bandas und diese wieder in eine variable Zahl von cuadrillas zu 50 Mann zerfielen. Unter Karl V. waren die tercios bis 2000 Mann stark und in 10 bandas getheilt. Im 16. Jahrhundert war das R. schon ein bestimmterer Begriff, im 17. wurde eine feste Zahl Compagnien innegehalten und das R. in zwei Squadronen oder Bataillone getheilt. Offizierscorps hatten sich bereits gebildet (siehe Offizier, Bd. VI. S. 317). Bei der Reiterei kommt die Benennung R. 1602 vor; die Regimenter sind in

Cornetten oder Compagnien zu 100—150 Pferden getheilt. Gustav Adolf bildete aus zwei Infanterie-Regimentern die leicht gegliederte Brigade (s. d.) und gewann dadurch ein Uebergewicht über die französischen Regimentshaufen. Das schwedische R. hatte 8 Compagnien, die seit 1630 144 Mann stark waren, davon ⅓ Pikeniere. Artillerie-Regimenter finden sich zuerst in Frankreich 1693, gebildet aus Kanonieren und ihren Bedeckungstruppen. — Das Brandenburgische Heer unter dem großen Kurfürsten hatte ledialich Bataillone. Friedrich I. bildete Infanterie-Regimenter à 2 Bataillone, jedes à 5 Compagnien zu 145 Mann. Oesterreich hatte 1710 40 Infanterie-Regimenter à 3 Bataillone, jedes à 6 Compagnien zu 140 Mann. Was die Artillerie betrifft, so übernahm sie Friedrich d. Gr. in Bataillone formirt; bis 1786 waren daraus 4 Feld-Artillerie-Regimenter zu 2 Bataillone à 5 Compagnien geworden. Oesterreich hatte 1772 drei Feldartillerie-Regimenter à 4 Bataillone à 4 Compagnien. In Frankreich waren 1775 sämmtliche Infanterie-Regimenter 2 Bataillone zu 6 Compagnien, die Cavalerie-Regimenter 5 Escadrons à 100 Pferde stark. Die Revolution löste den Regiments-Verband bei der Infanterie auf und vereinigte alte und junge Truppen in den Halbbrigaden, die 1 Linien-, 2 National-Bataillone stark waren. Die Artillerie umfaßte 8 Fuß-Regimenter zu 20 und 8 reitende zu 6 Compagnien. Das Consulat führte auch für die Infanterie die Benennung R. wieder ein. — Ueber die preußische Artillerie seit 1815 s. Artillerie, Bd. I., S. 230 f.

Regiments-Artillerie (Regimentsstücke), s. Artillerie, Bd. I., S. 226.

Regiments-Arzt, s. Sanitäts-Corps.

Regimentsgerichte, mit dem Regiments-Commandeur als Gerichtsherrn, haben die niedere Gerichtsbarkeit über die zum Regimente gehörigen Unteroffiziere und Gemeine, s. weiter Militärgerichte Bd. VI., S. 88 f.

Regimentskinder Enfants de troupe) heißen in Frankreich die Knaben, welche von der Armee erhalten und erzogen werden. Dieselben bleiben bis zum 18. Jahre bei Regiment, worauf sie einen Beruf ergreifen müssen, gewöhnlich aber als Freiwillige in die Armee treten. Vom 14. Jahre an werden sie in einer der Regimentswerkstätten oder in den Bureaux beschäftigt, oder sie leisten als Trompeter oder Musiker Dienste; doch finden zuweilen einige den Weg in die Militairschule nach St. Cyr oder in die Polytechnische Schule von Paris.

Regimentsquartiermeister s. Quartiermeister.

Regimentsschule, s. Unterrichtsanstalten.

Regimentstambour, s. Tambour.

Registratur umfaßt die geordneten Acten, Vorschriften, überhaupt Literalien einer Behörde, oder speciell eines Truppentheils. Zum Transport der R. benutzen höhere Stäbe im Kriege die Registratur-Wagen.

Reglement (deutsch Verordnung), bildet die Richtschnur für den Betrieb einer Dienstpraxis, z. B. des Exercirens, der Verwaltung ꝛc. In allen wesentlichen Punkten enthält ein gutes R. klare und bestimmte, zu keiner Vieldeuterei veranlassende Vorschriften, während es das Unwesentliche nach Möglichkeit vermeidet. Wo es sich irgendwie mit der Forderung der militärischen Kürze verträgt, ist die Motivirung der gegebenen Vorschriften am Platze, wenn man dies nicht lieber den sogen. Instructionen, die mit dem R. viel Verwandtes haben, überläßt. Man muß in der Ertheilung reglementarischer Vorschriften sparsam sein und namentlich da nicht durch beengende und weitläufige Bestimmungen die Selbstthätigkeit unterdrücken, wo nur ein gesundes Urtheil das Mittel zur Erreichung des Zweckes bilden kann. Während die taktischen Formen an sich durch R. genau festgestellt und innegehalten werden müssen, kann über die Anwendung derselben im Gefecht kein vollständig erschöpfendes R. gedacht werden, und es ist besser, hierin einen gewissen Spielraum zu lassen. Als einzelne der wichtigeren Reglements im Deutschen Heere seien erwähnt: R. über Geld-verpflegung im Frieden vom 7. April 1843; desgl. im Kriege vom 29. Au-gust 1868; über Naturalverpflegung im Frieden vom 13. Mai 1868, im Kriege vom 4. Juli 1867; über Bekleidung und Ausrüstung im Frieden vom 30. April 1868, im Kriege vom 12. Febr. 1869; über Servis-Competenzen vom 20. Febr. 1868; das Kassen-R., das R. über Beförderung von Truppen 2c. auf Staats-Eisenbahnen vom 3. Juli 1868; das Exercier R. der Infanterie vom Jahre 1847, neu aufgelegt 1870, der Cavalerie von 1855; Entwurf zum Exercier-R. für die Artillerie von 1867; sowie das Pontonier-, Sappeur-, Mineur-R. für die Pioniere. Ein eigentliches vollständiges Dienst-R. existirt nicht, das zuletzt in Preußen erschienene war von 1788 (das erste Dienst R. war von 1726). Eine Er-gänzung bildeten die jetzt theilweise veralteten Gardevorschriften. Reglementa-rische Formen heißen die durch das Exercier Reglement sanctionirten taktischen Formen, im Gegensatz zu solchen, welche sich lediglich durch den Usus heraus-bilden.

Regnault de Saint-Jean d'Angély, Auguste Michel Marie Etienne, Graf, französischer Marschall, geb. 1794 in Paris, trat frühzeitig in die französische Armee, wurde 1812 Lieutenant, 1815 nach der Rückkehr Napo-leons I. dessen Ordonnanz Offizier, auf dem Schlachtfeld von Waterloo von ihm zum Escadron-Chef (Major) ernannt, nach der zweiten Restauration aus der Armeeliste gestrichen, ging während des Griechischen Freiheitskampfes als Philhellene nach Griechenland, organisirte dort mit Fabvier ein kleines Cava-leriecorps nach europäischem Vorbild, kehrte 1828 nach Frankreich zurück, ging dann als Freiwilliger mit der Expedition des Marschalls Maison nach Morea und wurde dem Generalstabe desselben zugetheilt, fand unter der Julidynastie wieder Aufnahme in die Armee, wurde 1832 Oberst und Commandeur des 1. Lancier-Regiments, 1842 Brigadegeneral, nach der Februar-Revolution von 1848 vom Departement Charente in die Constituirende Nationalversammlung gewählt und Mitglied des Kriegsraths, nach den Junitagen von Cavaignac zum Divisionsgeneral befördert, im April 1849 zum Commandeur der Landungs-truppen bei der Expedition Oudinot's nach Rom ernannt, schloß sich nach seiner Rückkehr nach Frankreich mit großem Eifer der bonapartistischen Partei an, war vom 10.—24. Januar 1851 während der Präsidentschaft Louis Napo-leon's) Kriegsminister, wurde nach dem Staatsstreiche vom 2. Dec. 1851 Mit-glied der Consultativen Commission und Senator, im Mai 1852 General-Inspector der Cavalerie, 1854 bei Wiederherstellung der Kaisergarde comman-dirender General derselben, befehligte im Orientkriege das 1855 gebildete Reservecorps, im Italienischen Kriege von 1859 die Kaisergarde, wurde am 5. Juni, am Tage nach der Schlacht von Magenta, zum Marschall ernannt und starb 1870 in Nizza.

Reguläre Truppen kommen heutzutage in civilisirten Staaten fast allein noch vor. Im Gegensatz zu diesen haben irreguläre Truppen weder eine feste Organisation, noch erhalten sie eine Ausbildung; es sind kriegerische Stämme, wie in Rußland die Kosaken, doch paßt auf diese die Benennung irregulär laum noch. In der Türkei rechnen die Baschi-Bozuks (s. d.) zu den irregu-lären Truppen (s. Osmanisches Reich, Bd. VI., S. 349).

Reguliren der Hohlgeschosse heißt bei sphärischen, namentlich excen-trischen Geschossen dieselben so bezeichnen, daß sie eine bestimmte Lage des Schwer-punktes im Rohr bekommen können. Letztere beeinflußt die Rotation (s. d. und Flugbahn) und man gewinnt bei regulirten Hohlgeschossen an Treffähigkeit und erforderlichen Falles an Schußweite. Das R. (auch Polen genannt) ge-schieht, indem man das Geschoß in Quecksilber schwemmt. Dasselbe nimmt dann eine stabile Lage an und zwar so, daß eine vom höchsten oder tiefsten Punkt der Kugeloberfläche ausgehende Lothrechte durch den Schwerpunkt geht. Den höchsten Punkt (leichter Pol, im Gegensatz zum tiefsten, der schwerer Pol heißt) bezeichnet man mit einem eingemeißelten Pfeilstrich, der in eine die Mitte des Mundloches durchschneidende Linie ausgeht; gewöhnlich liegt 90 Grad vom Leichtpol ein Querstrich, der Horizontalstrich genannt wird, während jener Verticalstrich heißt. Beide müssen beim eingesetzten Geschoß mit correspondirenden Strichen an der Mündung des Geschosses übereinstimmen. S. weiter unter Rotation.

Regulus, Marcus Attilius, römischer Consul im Jahre 267 v. Chr., schlug die Salentiner in Unteritalien, 256 mit Lucius Manlius Vulso die Carthager in einer großen Seeschlacht bei Ecnomus, dann in Africa außer an mehren andern Stellen bei Carthago, wurde aber 255 von den vereinten Carthagern und Spartanern unter Xanthippos geschlagen und gefangen, darauf von den Carthagern zu Vermittelung des Friedens nach Rom geschickt und soll nach seiner Rückkehr nach Carthago dort in grausamer Weise hingerichtet worden sein, da er in Rom selbst vom Frieden abgerathen hatte.

Rehabilitiren heißt in der Militär-Verfassung des Deutschen Reiches: Leute, welche sich in der zweiten Klasse des Soldatenstandes befinden, — denen also eine bis auf weiteres fortdauernde Ehrenstrafe, analog der Untersagung der bürgerlichen Ehrenrechte auf Zeit, und bei gemeinen Verbrechen damit zusammenfallend, zuerkannt ist (s. Klasse im Suppl.) — in die erste Klasse zurücksetzen. Die Rehabilitirung begreift insbesondere die Wiederverleihung der Fähigkeit, die erworbenen Ansprüche auf Civilversorgung geltend zu machen, Gefreiter und Unteroffizier zu werden, als Posten vor dem Gewehr ꝛc. Verwendung zu finden in sich. Die Unterstellung unter jeden Soldaten der ersten Klasse hört mit der Rehabilitirung auf. Das Recht, die Nationalcocarde oder das National-Militär-Abzeichen zu tragen, wird dem Rehabilitirten wieder zu Theil. Zur Wiederverleihung aberkannter Ehrenzeichen bedarf es eines besonderen Antrages. Die Rehabilitirung erfolgt: a) wenn die Versetzung in die zweite Klasse eines militärischen Vergehens war, nur mit besonderer Genehmigung des Kaisers; b) wenn dieselbe nur Folge der Untersagung der bürgerlichen Ehrenrechte, so ist die Rehabilitirung nur nothwendig, wenn das Ablauf der bürgerlichen Ehrenstrafe in eine Zeit fällt, wo der Bestrafte sich im activen Dienst befindet. Siehe Buschbeck's Feldtaschenbuch.

Reiber, s. Schlagröhre und Kriegsfeuer, Bd. V., S. 228.

Reibscheit, auch Lentscheit genannt, bei Fahrzeugen mit getragener Deichsel, s. Wagen.

Reibscheitsystem, s. Wagen.

Reibschlagröhre, auch Reibzündröhre, soviel wie Frictionsschlagröhre, s. d. unter Kriegsfeuerwerkerei Bd. V., S. 228, sowie Schlagröhre.

Reibung ist Folge der Berührung zweier Körper, von denen wenigstens einer in Bewegung sich setzt oder darin befindet. Die Reibung verursacht einen gewissen Bewegungswiderstand, (Reibungs-Widerstand), da es unmöglich ist, eine Fläche absolut glatt zu gestalten, sodaß Erhabenheiten und Vertiefungen beider Reibungsflächen fortwährend wechselseitig in einander greifen und wieder aus einander gerissen werden müssen. Die Größe der R. ist proportional dem Druck und unabhängig von der Größe der reibenden Flächen. Sodann hängt sie dem Material der letzteren ab; je dichter dieses, je mehr also eine Glättung desselben möglich, desto geringer wird der R.-Widerstand. Die Anwendung von Schmiermitteln befördert ebenfalls die Bewegung, da die Flächen dadurch glätter werden. Der Reibungs-Coëfficient ist ein echter Bruch, mit welchem das Gewicht des fortzubewegenden Körpers multiplicirt werden muß, um die Kraft zu finden, die erforderlich ist, den Reibungs-Widerstand zu überwinden. Je rauher die R.-Flächen sind, desto größer ist der Reibungs-Coëffizient. So beträgt er, wenn Holz auf Holz fortgleitet, $^1/_2$—$^1/_5$; wendet man weiche Seife dabei als Schmiermittel an, so ist der R.C. $^1/_{10}$. Für harte Metalle ungeschmiert ist der Reibungs-Coëffizient $^1/_5$, mit Schmiere $^1/_{10}$. Im letztern Falle würde also, um eine Last Q. in Bewegung zu erhalten, eine Kraft von $Q._{10}$ erforderlich sein. Man unterscheidet eine gleitende und eine rollende (wälzende) R. Letztere entsteht, wenn ein Körper mit gekrümmter Oberfläche auf einer Fläche (ähnlich einer Walze) eine drehende und zugleich fortschreitende Bewegung annimmt, so daß er in jedem Augenblick seine Berührungspunkte wechselt. Letztere bleiben dagegen bei der gleitenden R. dieselben. Dreht sich ein Umdrehungskörper innerhalb eines correspondirenden Körpers (oder umgekehrt), so entsteht eine gleitende R., die man speciell Zapfen-Reibung nennt. Die Z.-R. läßt sich durch Wahl des Materials und Schmiere bedeutend reduciren. Der Widerstand der rollenden R. ist an sich viel geringer als derjenige der gleitenden und steht in umgekehrtem Verhältniß zur Höhe der Walze. Wo angänglich, giebt man den Fahrzeugen eine solche Construction, daß sie eine rollende R. am Erdboden erleiden, und greift nur da zur gleitenden, wo die Bodenreibung sehr gering ist (Schlitten), oder die R. das Mittel sein soll, der Schwerkraft entgegen zu wirken (Bergabfahren). Das Mittel zur Erzeugung der rollenden R. ist das Rad (s. d.), welches gleichzeitig an der Achse eine Zapfen-Reibung erleidet. Je geringer der Weg des Achsenkreis in der Büchse des Rades im Vergleich zum Fortschreiten des letzteren am Erdboden ist, d. i. je kleiner der Durchmesser des Achsenkreis gegenüber der Höhe des Rades ist, desto weniger wird sich jene Zapfen-Reibung geltend machen, einen desto geringeren Gesammt-Widerstand das Fuhrwerk zu überwinden haben. Die rollende R. des Rades tritt indeß nur ein, wenn die Boden-R. die Achsen-R. übersteigt, andernfalls, wie z. B. auf Eis, schleift das Rad. Für die Theorie der Fuhrwerke ist die Kenntniß der Gesetze der R. von großer Wichtigkeit. Siehe im Weiteren den Artikel Wagen. — Literatur: „Theorie der Fuhrwerke, von Noerdanz, Berlin 1864. — Die Reibung ist bei gewissen (namentlich auf chlorsaurem Kali beruhenden) Feuerwerkssätzen, die man Fulminante nennt, ein Mittel zur Entzündung. Die hierauf basirenden Zündungen heißen auch Reibzündungen (s. Zündungen).

Reichenbach, 1) Kreisstadt im Regierungsbezirk Breslau der preußischen Provinz Schlesien, 2 Meilen südöstlich von Schweidnitz, liegt am Fuße des Eulengebirges, an der Peilau und an der Eisenbahn von Königszelt über Schweidnitz nach Frankenstein, hat noch theilweise alte Befestigungen, ein Schloß (Hummel) und 6590 Einwohner. R. wurde im Dreißigjährigen Kriege im Februar 1633 von den Kaiserlichen gestürmt, geplündert und geschleift. Hier im Siebenjährigen Kriege am 16. August 1762 siegreiches Gefecht der Preußen unter Friedrich d. Gr. gegen die Oesterreicher unter Daun, welcher mit dem Herzog von Braunschweig-Bevern den Entsatz der von Friedrich d. Gr. belagerten Festung Schweidnitz einleiten wollte. Bei der Langheit von Daun's Angriff konnte jedoch der König dem bedrohten Herzog noch rechtzeitig zu Hilfe kommen und zwang die Oesterreicher zum Rückzug und zum Aufgeben des Entsatzes. Im J. 1790 hier Congreß, auf dem am 27. Juni zwischen Oesterreich, Preußen, England, Holland und Polen die sogenannte Reichenbacher Convention abgeschlossen wurde, um das fernere Bestehen des Türkischen Reiches zu sichern. Im Sommer 1813 war hier das Hauptquartier des Kaisers von Rußlands und Königs von Preußen, in welchem während des Poischwitzer Waffenstillstandes (Juni bis August) zwischen den

Staatsministern dieser Monarchen und dem britischen Gesandten Lord Cathcart und Charles Stewart Verhandlungen stattfanden, in Folge deren am 14. und 15. Juni ein doppelter Subsidienvertrag abgeschlossen wurde, welcher die Abbrechung der zu Prag gepflogenen Friedensunterhandlungen mittelbar zur Folge hatte. Auch Oesterreich, welches bisher zwischen Napoleon und den Alliirten zu vermitteln gesucht hatte, schloß nun dort eine eventuelle Allianz mit Rußland und Preußen ab, welche am 27. Juni vom Kaiser Franz zu Prag ratificirt wurde. 2) Stadt im Regierungsbezirk Liegnitz der preußischen Provinz Schlesien, unweit der sächsischen Grenze, an der Sächsisch-Schlesischen Eisenbahn (Linie Löbau-Görlitz, 1400 Einwohner. Beim Rückzug der Alliirten nach der Schlacht von Bautzen fand zwischen R. und Markersdorf am 22. Mai 1813 ein Gefecht statt, in welchem die französischen Generale Duroc und Bruyères fielen.

Reichenberg, Stadt im böhmischen Kreise Leippa, an der (Görlitzer) Neisse, der Süd-Norddeutschen Verbindungsbahn (Zittau nach Parbubitz) und am Fuße des Jeschkenberges, 3 Stunden von der sächsischen und 4 Stunden von der preußischen (schlesischen) Grenze entfernt, eine der wohlhabendsten und industriellsten Städte der Oesterreichisch-Ungarischen Monarchie, hat ein Schloß, mehre höhere Lehranstalten und 25,000 Einwohner. Hier erstürmten im Siebenjährigen Kriege am 21. April 1757 die unter dem Herzog von Braunschweig-Bevern von Zittau aus nach Böhmen vordringenden Preußen das österreichische Lager von 20,000 Mann unter Königseck. Beim Beginn des Preußisch-Oesterreichischen Krieges von 1866 war R. vom 24.—26. Juni das Hauptquartier des Prinzen Friedrich Karl von Preußen und der Ausgangspunkt der Operationen der von ihm befehligten Ersten Preußischen Armee.

Reichsabschied (Reichsreceß) hieß im ehemaligen Deutschen Reiche die Urkunde, in welcher am Schlusse einer jedesmaligen Reichstags-Versammlung die gesammten Beschlüsse nebst den darauf gegebenen kaiserlichen Entschließungen zusammengestellt wurden.

Reichsadel hieß im ehemaligen Deutschen Reiche die reichsunmittelbare deutsche Reichsritterschaft (s. d.) im Gegensatze zum Landesadel.

Reichsapfel, eine Kugel, um deren Mitte ein horizontaler Reif geht und auf welcher ein Kreuz durch einen von oben bis zur Mitte herab senkrecht gehenden Halbreif befestigt ist. Der R. gilt als ein Attribut der Herrschaft (die Kugel soll die Welt bedeuten, das Kreuz ist auch hier das Symbol des Christenthum; über den Ursprung des R.'s s. u. Nike); er gehört zu den Reichskleinodien (s. d.), wurde dem Deutschen Kaiser bei der Krönung und andern feierlichen Gelegenheiten von einem eigenen Beamten (dem Reichs-Truchseß, dem Kurfürsten von Baiern) vorangetragen; auch findet sich derselbe noch heraldisch auf den meisten Kronen und Fürstenhüten, in der linken Klaue des preußischen und des österreichischen Adlers ꝛc.

Reichsarmee, diejenige Armee, welche die Deutschen Reichsstände nach der Wormser Matrikel von 1521 durch ihre Contingente für den Fall eines Reichskriegs dem Kaiser zur Verfügung stellen mußten. Sie betrug zuerst 4000 Mann Cavalerie und 20,000 Mann Infanterie, wurde später aber sehr vergrößert. In den Jahren 1848 und 1849 wurden die auf Befehl der Provisorischen Centralgewalt (Reichsgewalt, Reichsverweser) in Schleswig-Holstein kämpfenden deutschen Contingente auch Reichstruppen genannt. In die neue Deutsche Reichsverfassung vom 16. April 1871 ist die Bezeichnung Reichsarmee nicht mit aufgenommen. Abschnitt XI. (Reichskriegswesen) hat dafür in Artikel 60 ff. die Bezeichnung „Deutsches Heer."

Reichsbanner und Reichsbanneramt, s. u. Banner.

Reichsdeputation hieß im ehemaligen Deutschen Reiche jeder von dem

Kaiser und ben Reichsständen zur Erledigung wichtiger das Reich betreffender Angelegenheiten erwählte reichsständische Ausschuß. Die berühmteste und zugleich letzte war die in Folge des Friedens von Lüneville (f. b.) am 24. August 1802 in Regensburg niedergesetzte R., welche aus Kurmainz, Böhmen, Sachsen, Brandenburg, Pfalzbaiern, Hoch- und Deutschmeister, Württemberg und Hessen-Kassel gebildet, ihr Werk unter russischer und französischer Vermittelung am 25. Februar 1803 mit dem sogenannten Reichsdeputationshauptschluß beendigte. Durch diesen wurde das linke Rheinufer an Frankreich abgetreten, die dort begüterten weltlichen Fürsten durch Säcularisation der geistlichen Fürsten (außer dem Kurfürsten-Erzkanzler von Mainz) entschädigt, die Reichsstädte bis auf sechs mediatisirt, dem Reichsadel die Unterstützung aus den geistlichen Stiftern entzogen ꝛc. Überhaupt faßt die ganze alte Ordnung des Reiches aufgelöst und eine neue territoriale Umgestaltung Deutschlands vorbereitet.

Reichsdörfer hießen im ehemaligen Deutschen Reiche eine Anzahl Dörfer (besonders in Schwaben und Franken) welche reichsfrei, d. h. keiner Landeshoheit unterworfen waren, sondern unmittelbar unter Kaiser und Reich standen. Durch den Reichsdeputationshauptschluß von 1803 wurden sie sämmtlich mediatisirt.

Reichsfarben, die Farben des ehemaligen Deutschen Reiches waren nicht, wie man gewöhnlich annimmt, schwarz-roth-gelb, sondern schwarz-gelb; roth war nur die Sturmfahne des Krieges. In gewisser Hinsicht können indeß weiß-roth als ehemalige Reichsfarben betrachtet werden; dies waren auch die Farben sämmtlicher Reichsstädte und sind noch heute die Farben aller Städte, welche ehemals reichsunmittelbar waren, z. B der drei Hansestädte, Regensburgs, Frankfurts a. M., Straßburgs ꝛc. Durch Bundesbeschluß vom 9. März 1848 wurden jedoch die Farben schwarz-roth-gelb, als die Farben des ehemaligen Deutschen Reichspaniers, zu Farben des Deutschen Bundes erklärt und in Folge davon auch 1848 und 49 von den deutschen Reichstruppen (in Fahnenschleifen und Cocarden) getragen. Vgl. „Zeichen, Fahnen und Farben des Deutschen Reiches historisch erörtert", Frankfurt 1848; Bernd, „Die drei deutschen Farben und ein deutsches Wappen", Bonn 1848. Die Farben des jetzigen Deutschen Reiches sind dagegen nach der Reichsverfassung vom 16. April 1871 schwarz-weiß-roth (eine Vereinigung der Farben des Königreichs Preußen und der früheren Reichsunmittelbarkeit), wie sie bereits die des Norddeutschen Bundes waren.

Reichsfürsten hießen im ehemaligen Deutschen Reiche die Mitglieder des Fürstenstandes oder des zweiten reichsständischen Collegiums mit Sitz und Stimme auf der Reichsfürstenbank (f. u. Reichstag). Dazu gehörten in der frühsten Zeit die Inhaber von Reichsfürstenämtern: Herzöge, Pfalzgrafen, Landgrafen, Markgrafen und Burggrafen. Erst nach Rudolf I. verliehen die Kaiser den Fürstentitel ohne Reichsamt. Nach dem Dreißigjährigen Kriege entstanden die Unterschiede zwischen wirklichen R. mit Sitz und Stimme im Reichstage und den Titular-R., sowie zwischen den altfürstlichen und neufürstlichen Häusern, je nach dem sie die Fürstenwürde bereits vor 1580 besessen oder erst nach dieser Zeit erhalten hatten. Ebenso waren im Laufe der Zeit auch die Erzbischöfe, Bischöfe, gefürsteten Äbte ꝛc. zur Fürstenwürde gelangt, so daß man auch weltliche und geistliche R. unterschied.

Reichsgesetze, 1) im ehemaligen Deutschen Reiche diejenigen Gesetze, welche von der Reichsgewalt (d. i. vom Kaiser unter Concurrenz des Reichstages) erlassen worden waren. Sie mußten von allen drei Reichscollegien (f. u. Reichstag 1)) in einem jeden mit Stimmenmehrheit angenommen worden sein und nachher vom Kaiser bestätigt werden. Sie wurden bis 1663 in einem jedesmaligen Reichsabschiede (f. d.) zusammengefaßt. 2) Im jetzigen Deutschen Reiche

21 *

die von dem Bundesrathe und dem Reichstage in übereinstimmenden Mehrheitsbeschlüssen beider Versammlungen angenommenen und vom Kaiser bestätigten Gesetze. Die R. erhalten laut Artikel 2. der Reichsverfassung vom 16. April 1871 ihre verbindliche Kraft von Reichswegen, was vermittelst eines Reichsgesetzblattes geschieht, und zwar, wenn kein anderer Termin bestimmt ist, am vierzehnten Tage nach der Ausgabe des betreffenden Reichsgesetzblattes. Die meisten bereits vom Norddeutschen Bunde in der Legislaturperiode 1867—70 gegebenen Bundesgesetze sind indeß ebenfalls R. geworden (f. dieselben am Schlusse des Artikels „Norddeutscher Bund", Bd. VI. S. 294.) Unter den R.en aus der Sitzungs-Periode 1871 der 1. Legislatur-Periode des Deutschen Reichstages sind namentlich folgende von militärischem Interesse: das Gesetz, betr. die Kriegsdenkmünze für die bewaffnete Macht des Reichs für die Feldzüge 1870 und 1871 (nebst Statut über die Stiftung derselben); das Gesetz, betr. die Pensionirung und Versorgung der Militärpersonen des Reichsheeres und der kaiserlichen Marine (s. u. Pension S. 98 ff.); das Gesetz, betr. den Ersatz von Kriegsschäden und Kriegsleistungen; das Gesetz, betr. die Verleihung von Dotationen in Anerkennung hervorragender, im letzten Kriege erworbener Verdienste (an Heerführer und Staatsmänner); das Gesetz, betr. die Beihilfe an Reservisten und Landwehrmänner; das Gesetz, betr. die Bildung eines Reichskriegsschatzes; das Gesetz, betr. die Einführung des norddeutschen Bundesgesetzes über die Verpflichtung zum Kriegsdienst vom 9. Nov. 1867 in Baiern; das Gesetz, betr. die Ausprägung von Reichsgoldmünzen; das Gesetz, betr. die Beschränkung des Grundeigenthums in der Umgebung von Festungen; das Gesetz, betr. den Ersatz von den dürftigen Familien einberufener Reserve- und Landwehr-Mannschaften gewährten oder noch zu gewährenden gesetzlichen Unterstützungen und das Gesetz, betr. die Friedenspräsenzstärke des deutschen Heeres und die Ausgaben für die Verwaltung desselben für die Jahre 1872, 73 u. 74. Zur Competenz der Reichsgesetzgebung gehören nach Art. 4. der Reichsverfassung außer den bereits in die Bundesverfassung des Norddeutschen Bundes als 1) bis 15) aufgenommenen Angelegenheiten (s. „Norddeutscher Bund", Bd. VI. S. 274. f.) noch als 16) die Bestimmungen über die Presse und das Vereinswesen.

Reichshofen, Stadt im Kreise Weißenburg des Deutschen Reichslandes Elsaß-Lothringen (bis 1871 zum französischen Departement Niederrhein gehörig) an der Eisenbahn von Hagenau nach Bitsch und Saargemünd, ¾ Meile westlich von Wörth, hat 3000 Einwohner. Ueber R. ging nach der Schlacht von Wörth (6. August 1870) der Rückzug eines großen Theils der Trümmer der geschlagenen französischen Armee Mac Mahon's. Die Schlacht von Wörth wird von den Franzosen bisweilen auch die Schlacht von R. genannt.

Reichsinsignien, s. Reichskleinodien.

Reichskanzler, 1) im ehemaligen Deutschen Reiche der Inhaber des höchsten der Erzämter; dies war stets der Kurfürst (Erzbischof) von Mainz. 2) im jetzigen Deutschen Reiche, welches keine eigentlichen Ministerien, wohl aber ein Reichskanzleramt hat, der höchste vom Kaiser ernannte Verwaltungsbeamte, welchem (nach Art. 15. der Reichsverfassung) der Vorsitz im Bundesrathe und die Leitung der Geschäfte zusteht; auch bedürfen (nach Art. 17. der Reichsverfassung) die im Namen des Reichs vom Kaiser erlassenen Anordnungen und Verfügungen zu ihrer Gültigkeit der Gegenzeichnung des R.s, welcher dadurch die Verantwortlichkeit übernimmt. Im Norddeutschen Bunde führte derselbe den Titel „Bundeskanzler", wozu am 14. Juli 1867 der Graf (seit dem 21. März 1871 Fürst) von Bismarck (s. d.) ernannt wurde, welcher dann auch im gesammten Deutschen Reiche die hohe Würde des R.s bekleidete. 3) in der Oesterreichisch-Ungarischen Monarchie der Vorsitzende des Gemeinsamen

(Reichs-) Ministeriums, wozu am 23. Juni 1867 der Freiherr (jetzt Graf) von Beust (s. d.) ernannt wurde; als derselbe am 8. Nov. 1871 von dieser Stellung zurücktrat, wurde sein Nachfolger als Minister des Aeußeren, Graf Andrassy, zwar gleichzeitig mit dem Vorsitze im Gemeinsamen Ministerrathe betraut, ohne indeß den Titel R. zu erhalten. — Fürst Metternich führte dagegen als österreichischer Premier-Minister den Titel „Staatskanzler", wie seiner Zeit in Preußen der Fürst Hardenberg.

Reichskleinodien (Reichsinsignien) hießen vorzugsweise die im ehemaligen Deutschen Reiche bei der Krönung der Deutschen Kaiser und Könige gebrauchten Kostbarkeiten. Dieselben waren: die goldene Kaiserkrone, das vergoldete Scepter, das Schwert Karl's d. Gr., das Schwert des St. Moritz, die vergoldeten Sporen, die Dalmatica (Purpurgewand) und andere Kleidungsstücke. Seit 1424 wurden die R. in Nürnberg (einige davon jedoch in Aachen) verwahrt, in Folge des Französischen Revolutionskrieges 1797 aber nach Wien gebracht, wo sie sich gegenwärtig (Mai 1871) noch befinden. Aehnliche R. besitzen auch Ungarn, Böhmen und die Lombardei, sowie mehre andere monarchische Staaten. Vgl. Bock, „Die Kleinodien des Heil. Römischen Reichs Deutscher Nation nebst den Kroninsignien Böhmens, Ungarns und der Lombardei", Wien 1864.

Reichsmarschall, s. v. w. Erzmarschall, s. u. Erzmarschallamt.

Reichspanier, s. v. w. Reichsbanner, s. u. Banner.

Reichsrath, 1) im ehemaligen Deutschen Reiche s. v. w. Reichstagscollegium, s. u. Reichstag 1); 2) in Baiern die Mitglieder der ersten Kammer; 3) in der Oesterreichisch-Ungarischen Monarchie die beiden Häuser (Herrenhaus und Haus der Abgeordneten) der vereinigten Volksvertretung der Cisleithanischen (Deutsch-Slawischen) Länder.

Reichsreceß, s. v. w. Reichsabschied, s. d.

Reichsreuenfahne, s. v. w. Reichsbanner, s. u. Banner.

Reichsritterschaft (Reichsritter, Reichsadel) hießen im ehemaligen Deutschen Reiche die Geschlechter des alten Adels, die sich frei von landesfürstlicher Zwischengewalt (also reichsunmittelbar s. d.) zu erhalten gewußt hatten, in ihren Gebieten selbstständig waren, gegen Entrichtung einer nicht unbedeutenden Beisteuer (Charitatosubsidien) den kaiserlichen Schutz und die übrigen Rechte der unmittelbaren Reichsstände genossen, aber nicht an den Reichstagen theilnahmen. Die Reichsritter waren besonders zahlreich in Schwaben, Franken und am Rhein, schieden sich nach diesen Provinzen in einen Schwäbischen, Fränkischen und Rheinischen Ritterkreis und gliederten sich dann weiter in gauartige Unterabtheilungen (Ritterkantone). Durch die Auflösung des Deutschen Reiches, namentlich aber durch die Rheinbundsacte verloren sie ihre Selbständigkeit und wurden unter landesfürstliche Hoheit gestellt. Vgl. Roth von Schreckenstein, „Geschichte der ehemaligen freien Reichsritterschaft" Tübingen 1859.

Reichsstädte hießen im ehemaligen Deutschen Reiche die Städte, welche unmittelbar unter dem Kaiser und dem Reiche standen, in ihrem Gebiete die Landeshoheit, sowie auf dem Reichstage Sitz und Stimme hatten. Noch im 18. Jahrhundert gab es auf der Schwäbischen Bank 37 und auf der Rheinischen Bank 14 R. Durch den Reichsdeputationshauptschluß von 1803 wurden die R. bis auf sechs (Hamburg, Augsburg, Nürnberg, Lübeck, Bremen und Frankfurt a. M.) mediatisirt. Im J. 1806 verloren jedoch Augsburg durch den Pressburger Frieden, so wie Nürnberg und Frankfurt durch die Rheinbundsacte ihre Reichsunmittelbarkeit; ebenso wurden 1810 Hamburg, Lübeck und Bremen durch Napoleon I. ihrer Selbständigkeit beraubt. Nach dem Sturze Napoleons I. wurden Lübeck, Bremen, Hamburg und Frankfurt a. M. als Freie Städte wieder hergestellt und 1815 als solche (die XVII. Curie bildend) in den Deutschen Bund aufgenommen. In Folge des Preußisch-Oesterreichischen Krieges von 1866 wurde Frankfurt der Preußischen Monarchie einverleibt, wogegen Lübeck, Bremen und Hamburg als Freie und Hansestädte dem Norddeutschen Bunde beitraten und als solche auch selbständige Glieder des Deutschen Reiches geblieben sind.

Reichsstände hießen im ehemaligen Deutschen Reiche die unmittelbaren Glieder des Reiches mit Sitz und Stimme auf dem Reichstage. Sie waren theils geistliche (geistliche Kurfürsten, Erzbischöfe, Bischöfe, Prälaten, Aebte, Aebtissinnen, der Hoch- und Deutschmeister und der Johannitermeister), theils weltliche (die weltlichen Kurfürsten, Herzöge, Fürsten, Landgrafen, Markgrafen, Burggrafen, Grafen und Reichsstädte). Nach dem Westfälischen Frieden von 1648 wurden sie auch in katholische (Corpus Catholicorum) und evangelische (Corpus Evangelicorum) eingetheilt. Außerdem theilten sie sich in das Kurfürstliche, Fürstliche und Reichsstädtische Collegium (s. u. Reichstag 1). Zur Reichsstandschaft war der Besitz eines reichsunmittelbaren Fürstenthums, einer reichsunmittelbaren Graf- oder Herrschaft, die Zustimmung des Kaisers und Reichs und die Erlegung eines Reichsanschlages erforderlich. Die unmittelbaren Reichsgüter der R. waren theils allodial, theils Lehen, doch hatten einige wenige Mitglieder der Grafenbänke kein unmittelbares Allodium.

Reichsstadt, Herrschaft im böhmischen Kreise Leippa, wurde 1818 zum Herzogthum erhoben und dem Sohne Napoleon's I. verliehen, welcher davon den Titel Herzog von R. erhielt, s. Napoleon 2).

Reichstag, 1) im ehemaligen Deutschen Reiche die Versammlung des Kaisers und der Reichsstände (in Person oder durch Stellvertretung) zur Berathung gemeinschaftlicher Angelegenheiten. Das Directorium hatte der Kurfürst (Erzbischof) von Mainz als Reichskanzler, welcher zugleich die kaiserlichen Decrete publicirte. Die Berathungen erfolgten in drei Reichstagcollegien: a) das Kurfürstencollegium; b) das Fürstencollegium oder der Reichsfürstenrath, welcher sich in die weltliche und die geistliche Bank theilte, wozu noch die Querbank der protestantischen Bischöfe von Lübeck und Osnabrück kam. In diesem Collegium saßen auch die Reichsgrafen und die Reichsprälaten, hatten aber keine Virilstimmen, sondern die Erstern (in die schwäbische, wetterauische, fränkische und westfälische Bank getheilt) vier, die Letztern (in die schwäbische und rheinische Bank getheilt) zwei Curlatstimmen (vota curiata); c) das Reichsstädtische Collegium, welches sich in die rheinische und schwäbische Bank theilte, und in welchem jede Reichsstadt eine Stimme hatte. Jedes dieser Collegien faßte seine Beschlüsse besonders. Ein übereinstimmender Beschluß der drei Collegien hieß ein Reichsgutachten; wenn er vom Kaiser genehmigt worden war, ein Reichsabschluß (conclusum imperii; die Zusammenstellung der Beschlüsse aber Reichsabschied. Der R. hatte das Recht, Gesetze zu geben, aufzuheben und auszulegen, Krieg und Frieden zu beschließen, Gesandte abzusenden und anzunehmen, Verträge und Bündnisse zu schließen ꝛc. Anfangs trat der R. nur auf besondere Berufung ein und wurde bald da, bald dort abgehalten, seit 1663 wurde derselbe jedoch zu Regensburg permanent. 2) im jetzigen Deutschen Reiche die aus allgemeinen und directen Wahlen mit geheimer Abstimmung auf Grund des Wahlgesetzes vom 31. Mai 1869 (s. u. Norddeutscher Bund, Bd. VI S. 279) hervorgehende Versammlung (Repräsentativversammlung). Auf je 100,000 Seelen durchschnittlich wird Ein Abgeordneter gewählt: die Gesammtzahl derselben im Deutschen Reiche beträgt 382, während sie im Norddeutschen Bunde nur 297 betrug. Von dem R. handelt der Abschnitt V. der Reichsverfassung, wesentlich übereinstimmend mit demselben Abschnitt der Verfassung des Norddeutschen Bundes (s. d. Bd. VI. S. 275 f.).

3) die Ständeversammlung verschiedener anderer Staaten, z. B. Dänemark, Schweden, Ungarn, sonst auch in Polen.

Reichsunmittelbarkeit nannte man im ehemaligen Deutschen Reiche die Eigenschaft derjenigen Personen und Liegenschaften, welche nur der Reichshoheit und nicht zugleich der Landeshoheit unterworfen waren, somit direct unter Kaiser und Reich standen. Außer den eigentlichen Reichsständen (s. d.) gehörten dazu noch die Reichsritterschaft, die Reichsdörfer, eine Menge größerer und kleinerer Herrschaften, Stifter und Klöster, sowie die Reichsbeamten, insbesondere die Mitglieder der höchsten Reichsgerichte. Die R. war weder von den Standesverhältnissen noch von der Reichsstandschaft (s. u. Reichsstände) abhängig, denn es gab sowohl adelige als nichtadelige Reichsunmittelbare, ebenso wie Reichsunmittelbare ohne Reichsstandschaft, z. B. Reichsritter und Reichsdörfer. Die Auflösung des Deutschen Reichs machte auch der R. ein Ende.

Reichsverfassung, die Verfassung irgend eines Reiches, namentlich des Deutschen Reiches, besonders in neuerer Zeit; also 1) die von der Deutschen Constituirenden Nationalversammlung zu Frankfurt am M. in den J. 1848 und 49 berathene und beschlossene und am 28. März 1849 unterzeichnete Verfassung, welche zwar sofort in den meisten deutschen Staaten eingeführt (publicirt) wurde, aber nicht in Kraft trat, da der König Friedrich Wilhelm IV. die ihm nach Wahl der Nationalversammlung angetragene Kaiserkrone ablehnte. 2) die Verfassung des jetzigen Deutschen Reichs, publicirt am 16. April 1871, in Kraft getreten am 4. Mai 1871. Sie ist wesentlich übereinstimmend mit der Verfassung des Norddeutschen Bundes (s. d. Bd. VI. 274 ff.), nur daß dem Bunde jetzt noch Baiern, Württemberg, Baden und Hessen südlich des Mains beigetreten sind und der König von Preußen jetzt als Träger der Präsidialgewalt nach Art. 11 den Namen „Deutscher Kaiser" führt.

Reichsverweser, 1) (Reichsvicar, Vicarius oder Provisor imperii), im ehemaligen Deutschen Reiche der Verweser der kaiserlichen Würde in der Zeit zwischen dem Tode des verstorbenen und der Wahl des neuen Kaisers, oder auch während der Minderjährigkeit oder längeren Abwesenheit des Kaisers. 2) der von der Deutschen Constituirenden Nationalversammlung zu Frankfurt am Main durch Wahl am 29. Juni 1848 an die Spitze der „Provisorischen Centralgewalt" gestellte Träger der Reichsgewalt (der Erzherzog Johann von Oesterreich), welcher am 1. Januar 1850 einer provisorischen Bundes Commission Platz machte.

Reihen-Colonne entsteht durch die halbe Wendung der in Linie formirten Infanterie. Sie hat eine schmale Front und große Tiefe. Der Marsch in der Reihen-Colonne, Reihenmarsch genannt, ist unbequem wegen der geringen Abstände der einzelnen Rotten und wird nur bei engen Passagen oder bei Formationsveränderungen, wie Ployiren und Deployiren, angewandt. Die Doppel-Reihen-Colonne geht aus der Angriffscolonne hervor, s. Taktik ꝛc.

Reihschiene wird bei den österreichischen Feldgeschützen eine bogenförmige mit ihrer concaven Seite dem Protznagel zugekehrte Schiene genannt, auf welcher das äußerste Ende des Protzstocks ruht. Die daselbst entstehende Reibung wirkt dem Steigen der Deichsel entgegen, während dem Sinken derselben der auf dem Protzstock lastende Druck des Protzstocks begegnet. Das Fahrzeug erhält dadurch eine balancirende und dabei stetigere Deichsel, als es beim reinen Balancirsystem der Fall ist. Man nennt diese ganze Anordnung das Reihschienensystem, (s. auch Wagen). — Der Reihbalken, auch Leitbalken, dient zur Führung des Laffetenschwanzes, bei Festungs- und namentlich bei Kasematten-Laffeten, er kommt auch in Verbindung mit einem Rahmen (s. d.) vor. Der Reihbalken ist im vordern Theil um einen Reihbolzen drehbar, mit dem hinteren läuft er auf Rollrädern. Die Räder der Laffete stehen dabei auf einer Unterlageplatte, die auf Angeln läuft und ebenfalls um den Reihbolzen drehbar ist. Der Reißbolze geht durch den im Fußboden versenkten Reißkloß mit Reißloch. — Der vordere Riegel eines Rahmens wird auch Reißriegel genannt, die vordere Unterlage Reißrahme. Vgl. die österreichischen Waffenlehren von Kächert, Wien 1866, und von Reiter, Triest 1869.

Reille, Henri Charles Michel Joseph Graf von R., französischer Marschall, geb. 1775 zu Antibes, trat 1794 in die französische Armee, zeichnete sich in den Niederlanden und Italien aus, wurde 1803 Brigadegeneral, war eine Zeit lang Adjutant Napoleon's I., machte die meisten Schlachten der Kaiserzeit mit, commandirte 1815 bei Quatrebras und Waterloo das 2. Armeecorps, wurde 1819 Pair, 1847 Marschall, 1852 Senator und starb 4. März 1860 als der letzte General des ersten Kaiserreichs.

Reilly-Comblain-Gewehr, s. u. Handfeuerwaffen (Bd. IV. S. 329. II. a) 16).

Reims, s. Rheims.

Reine Taktik (auch formelle), im Gegensatz zur angewandten, siehe Taktik. **Reines Terrain,** reine Ebene im Gegensatz zu durchschnitten, s. Terrain.

Reitanstalt (Militär-R.) in Dresden, für das sächsische Armee-Corps bestimmt, steht unter einem Stabsoffizier als Director. Sie bildet Reitlehrer für Cavalerie und Feldartillerie aus, ertheilt im Winter Unterricht an Lieutenants der Infanterie und an Cadetten, dressirt Pferde und verkauft sie an Stabsoffiziere und Adjutanten der Infanterie zum Einkaufspreis.

Reitbahn (Manège) ist der zum Üben einer Reitclasse und zur Pferdedressur bestimmte Platz. Man hat offene R.en, geschlossene, d. h. ringsum durch Mauern, Holzbarrièren oder Erdaufwürfe begrenzte und bedeckte oder Reithäuser, welche durch ein vollständiges Gebäude gegen Außen abgeschlossen sind. Eine militärische R. hat die Gestalt eines Rechtecks, dessen lange Seiten am besten die doppelte Länge der kurzen haben, so daß man auf zwei gleichen Zirkeln reiten kann. Da der innere Raum völlig frei, ohne Säulen u. s. w. sein muß, so erfordern größere bedeckte R.en einen kunstvollen Bau des Daches mit Hänge- und Sprengwerk. Der untere Theil der Wände, die Bande, bei bedeckten R.en mit Bohlen bekleidet, muß unten auf 1½ bis 2 Meter Höhe schräg gestellt sein, damit der Reiter nicht an die Wand austreischt. In der Regel enthält eine bedeckte R. noch eine Tribüne und einen Vorbau, um beim Wechsel von Pferden diese hier zur Abtheilung u. f. w. geschützt unterstellen zu können; auch sind in Kasernen die R.en mitunter direct mit den Ställen verbunden. Die Anbringung eines großen Spiegels an einer Seite der Bahn ist sehr vortheilhaft, weil sie dem Reiter beim Vorbeireiten stets ein Bild seiner Haltung zu Pferde giebt und ihn veranlaßt, dieselbe zu verbessern. Der Boden der R. muß zur Schonung der Pferde, namentlich auch unbeschlagener Hufe, weich und elastisch erhalten werden und wird deshalb mit Ries und Sand, in bedeckten Bahnen zum Theil auch mit Lohe, gemischt mit Sägespähnen, bedeckt. Bei den stark benutzten militärischen R.en erfordert die sorgfältige Instandhaltung, besonders des von den Pferden am meisten betretenen Theiles an den Wänden entlang, oder des sog. Hufschlags, eine ständige Arbeit mit Eggen, durch Lockerhacken und genaues Einebnen, bei trockenem Wetter und in bedeckten Bahnen durch Gießen gegen das starke Stauben (im Winter am besten mit Salzwasser), bei offenen R.en durch Anlegen und Instandhalten von Abzugsrinnen, durch Schneeschaufeln u. s. w.

Die Benutzung einer R. bietet die Vortheile, das Zusammenreiten junger Reiter, welche ihre Pferde noch nicht führen können, zu erleichtern, sowie widersetzliche oder junge Pferde, welche den Hilfen des Reiters nicht folgen, leichter führen zu können und ihre Aufmerksamkeit nicht durch äußere Erscheinungen abzulenken; bedeckte R.en gewähren überdieß Schutz gegen Witterung und die Möglichkeit, bei künstlicher Beleuchtung Reitübungen halten zu können. Da junge Reiter aber dadurch, daß die Pferde von selbst längs der Bahn bleiben, leicht verwöhnt und nicht genügend genöthigt werden, ihre Pferde selbst zu führen, junge Pferde auch durch ständige Benutzung der Bahn sich nicht genug an äußere Erscheinungen gewöhnen, und reine, frische Gänge sowie die starken Gangarten weit besser auf langen Linien im Freien gelernt werden, so wird von erfahrenen Meistern der Reitkunst vor zu vieler Benutzung der R. für Soldatenreiterei sehr gewarnt.

Reiter, s. Reiterei.

Reitende Artillerie wird derjenige Zweig der Feld-Artillerie genannt, bei welchem die Bedienungsmannschaften behufs ihrer Fortschaffung beritten sind. Ist letzteres nur für einen Theil derselben der Fall, während die übrigen Mannschaften auf den Fahrzeugen transportirt werden, so spricht man von halbberittener oder gemischter Artillerie. Die Schöpfung der R. u. A. als fest organisirter Waffe ist ein Verdienst Friedrichs d. Gr., welcher 1759 eine Brigade, zu sechs sechspfündigen Kanonen, im Lager von Landshut errichtete. Die Veranlassung dazu hat wohl darin gelegen, daß er vordem durch Vergrößerung des Kalibers die Beweglichkeit seiner Artillerie in fühlbarem Maße herabgesetzt hatte und hierfür in dem neuen Zweig, dessen Beweglichkeit aufs höchste gesteigert war, eine Ausgleichung suchte. Welchen Nutzen die neue Waffe gewährte, geht daraus hervor, daß dieselbe, obgleich ihr mehrmals bei Unglücksschlägen der Untergang ward, stets von Neuem organisirt wurde. In dem Gefecht bei Reichenbach 1762 trat die R. A. zum ersten Male im Verein mit größeren Cavalleriemassen auf. Das dem Kriege folgende Sparsystem beraubte selbst die R. A. ihrer Pferde, bis 1773 in Potsdam eine reitende Exerzierbatterie als Stamm für sieben im Kriege zu formirende Brigaden à 8—6 pfündigen Kanonen und 2—7pfündigen Haubitzen zusammentrat. Beim Ausbruch des Bairischen Erbfolgekriegs wurde die erwähnte Zahl auch wirklich aufgestellt. Unter Friedrich Wilhelm III. war die R. A., soweit zum Exerzieren nöthig, auch im Frieden beritten; sie bildete 1806 ein Regiment zu 10 Compagnien. Zu dem Kriege 1806/7 wurden 20 reitende Batterien à 8 Geschütze mobil gemacht. Bei der Reorganisation von 1808 wurden sämmtliche Zweige der Artillerie in denselben Brigaden vereinigt, deren jede drei reitende Compagnien zählte. Die weiteren Wandlungen s. Artillerie Bd. I. S. 230 etc. In den andern Staaten folgte man bald dem Beispiel Preußens, so in Frankreich bereits 1793. Im Jahre 1794 hatte dieses Land schon 8 reitende Regimenter à 6 Compagnien. In Oesterreich schlug man einen andern Weg ein, indem man 1776 die sogenannten Cavalerie-Batterien, eine fahrende Artillerie, formirte, an welchen man bis heute festgehalten hat. Schweden, welches im Jahre 1791 R. A. eingeführt hatte, ging bereits 1797 dazu über, sie in gemischte umzuwandeln. — Die Schaffung einer R. u. A. hat den Anstoß zur Entwicklung einer wirklich beweglichen Feldartillerie und in weiterer Linie zu dem engeren Verband derselben mit den andern Waffen gegeben, wie er sich in den Kriegen der Napoleonischen Zeit herausgebildet hat. In der Verbindung von Cavalerie mit R. u. A. ist ein neues Element geschaffen worden, welches die höchste Offensiv- und Defensiv-Kraft in sich vereinigt. Viele Ansichten in der heutigen Zeit gehen indeß dahin, daß die R. A. nunmehr ihre Mission erfüllt habe und bei der jetzt aufs höchste gesteigerten Beweglichkeit der Feldartillerie überhaupt das Bedürfniß einer R. A. nicht mehr vorliege. Es läßt sich nicht verkennen, daß die R. A. mit vermehrten Schwierigkeiten der Ausbildung zu kämpfen hat, da sie das an sich heterogene cavalleristische und artilleristische Element in sich zu vereinigen hat. Sie ist an sich kostspieliger und im Kriege viel schwerer zu unterhalten, als die übrige Feldartillerie. Im Feuer bietet sie ein größeres Zielobject als leptere, ist großen Pferdeverlusten ausgesetzt, und es kann leichter Unordnung in derselben einreißen, als in jener. Auch ist die Behauptung wohl nicht anzufechten, daß durch die Existenz einer R.n A. der übrigen Feldartillerie die bessern Pferde und namentlich viele derjenigen Offiziere entzogen werden, welche ein besonderes Interesse und Geschick für den auch hier höchst wichtigen Reitdienst haben. Für das Fortbestehen einer Reitenden Artillerie läßt sich dagegen der gewichtige Grund einwerfen, daß selbst die leichte Fuß-artillerie auf die Dauer nicht die Beweglichkeit entwickeln kann, wie die R. A., und leptere nach großen Anstrengungen frischer bleiben muß als jene. Es liegt dies ganz naturgemäß in der geringeren Belastung der Zugpferde der R.n A., und ist auch wiederum durch Erfahrungen des Krieges 1870/71 bewiesen worden. In dem zahlreichen Pferdestand und in der Aus-bildung der gesammten Mannschaften als Reiter liegt für die R. A. eine Re-serve, welche ihr eine längere Dauer der Manövrirfähigkeit garantirt, als sie die Fuß-Artillerie in sich schließt. Die R. A. besitzt in ihren Reitern ein Moment der Vertheidigungsfähigkeit, welches auch da, wo die Geschüpe ver-sagen, die Rettung der Batterie herbeiführen kann. Die Stufe, auf welcher die Reiterei in der Feld-Artillerie überhaupt steht, könnte durch den Wegfall der R.n A. schwerlich gewinnen, eher einbüßen. Die Erfahrung zeigt denn auch, daß keine der größeren Armeen, welche je R. A. besessen, sich derselben gänzlich entledigt hat, wenn auch einzelne dieselbe auf den nothwendigsten Be-darf zur Zutheilung an die selbstständigen Cavaleriekörper reducirt haben, andere zur gemischten Artillerie übergegangen sind. Was den Werth des lepteren betrifft, so bietet sie die Schwierigkeiten der Ausbildung in noch höherem Maße als die R. A., da die Ausbildung aller Mannschaften im Reiten nothwendig, hierzu aber ein viel geringerer Pferdebestand als bei jener zu Gebote steht. Im Uebrigen hält sie zwischen Fuß- und R:r A. die Mitte. — Wirkliche Reitende Artillerie hat das Deutsche Reich, Frankreich, Rußland, Italien, die Niederlande, Belgien, Nordamerika ꝛc. Italien besitzt indeß für seine ganze Armee nur zwei Batterieen. Der Procentsap von R:r A. steht naturgemäß in einem gewissen Zusammenhang mit demjenigen an Cavalerie. Im Deutschen Reich ist ¼, in Frankreich ⅛, in Rußland ⅐, in Italien ¹⁄₁₀ der gesammten Feldartillerie reitende. Gemischte Artillerie haben England, Schweden, bisher auch Württemberg. In England sind pro Geschüp 8 Mann beritten und 4 fahren, in Schweden haben 6 Mann Reitpferde und 3 Mann sipen auf den Handpferden, in Württemberg ritten 4 Mann und 2 Mann fuhren. Bei den österreichischen Cavalerie-Batterieen saßen früherhin 5 Mann rittlings auf der Kaßetenwurst und 1—2 Mann auf den Handpferden; jept liegt der Unterschied mit den leichten Fußbatterieen nur noch darin, daß jene mit 6, diese mit 4 Pferden bespannte Geschüpe haben. — Für die R. A. wird naturgemäß das geringere der vorhandenen Feldkaliber gewählt. Früherhin führte sie gewöhnlich 6Pfünder und 7pfündige Haubipen, nach Ein-führung der Granatkanonen wurden sie vielfach mit diesen bewaffnet. In England und Rußland hatte man früher leichte und schwere R. A. (jene 6Pfdr., diese 9Pfdr. resp. ½ pudige Haubipen). — Gegen die Bewaffnung der R.n A. mit gezogenen Geschüpen hatte sich anfänglich an mancher Stelle eine ungegründete Abneigung documentirt. In Preußen geschah der Uebergang erst nach dem Krieg von 1866, in welchem die R.n A. zufolge ihrer Bewaff-nung mit glatten Geschüpen eine wenig bedeutende Rolle gespielt hatte. Im Vergleich zu den leichten Feld-Fußbatterien (mit aufgesessenen Mannschaften) ist das Verhältniß der Belastung der Zugpferde der R. A. in Preußen der Art, is bei jenen das Pferd 646, bei dieser 626 Pfund zu ziehen hat. Bei der bisherigen

Württembergischen halbberittenen Artillerie entfiel pro Pferd 561 Pfund Last.
In Rußland ist das Verhältniß 863 zu 676 Pfund, in Frankreich 748 zu
636 Pfund (bei 4spännigem Zug). Das Pferd der österreichischen Cavalerie-
batterie hat 500, der leichten Feldbatterie 750 Pfund zu ziehen. In Bezug
auf die Formation in Regimenter vergl. Regiment. — Literatur. Außer den
älteren Werken von Decker und Monhaupt, s. „Grundzüge für den taktischen
Gebrauch der R.n A." v. Taubert, Berlin 1845; „Geschichte der brandenburgisch-preußischen Artillerie" von Malinowski und Bonin, Berlin 1840; „Die
Entwicklung der K. Preußischen Feldartillerie." v. Taubert. Archiv. 63. Bd.
v. Strotha: „Die kgl. preuß. reitende Artillerie von 1759—1816". Berl. 1867.

Reitende Jäger, kommen in Frankreich vor, s. Chasseurs Bd. III. S. 2.

Reitende Pioniere waren dem von Nicolaus I. errichteten russischen Dra-
gonercorps beigegeben.

Reitendes Feldjäger-Corps, ein preußisches Institut, besteht aus Aspiranten des höheren Forstfachs und ist militärisch organisirt. Der Etat ist 4 Offiziere und 77 Feldjäger mit Feldwebelrang. Die Feldjäger werden im Frieden
und im Kriege zu Courierdiensten verwandt; im Uebrigen genießen sie eine Vorbereitung zum Besuch der Forstlehranstalt.

Reiter ist gleichbedeutend mit Cavalerie (s. Cavalerie; ferner werden die
Bedienungs-Mannschaften der reitenden Artillerie so genannt; auch beim Fahren
vom Sattel spricht man von Vorder-, Mittel-, Stangen-Reitern. Im Kgr.
Sachsen heißen die Regimenter der leichten Cavalerie (analog den preußischen
Dragonern) Reiter-Regimenter, welche Bezeichnung bisher auch in Hessen
und Württemberg üblich war. Aus den Reserve und Landwehr übergetretenen Küraffieren werden in Preußen bei der Mobilmachung schwere Reiter-
Regimenter, als Besatzungs-Cavalerie formirt. — Zur Zeit Karls V. gab es
sogenannte Deutsche oder Schwarze Reiter, einer Art schwerer Cavalerie, die
unter den Namen „reitres" nach Frankreich verpflanzt wurde. Spanische R.
(ein Hindernißmittel) s. u. S., Tranchee-Reiter oder -Cavalier, s. u. T.

Reiterei 1) soviel wie Cavalerie s. d. Bd. II. S. 345. 2) Im Sinne
von Reiten, Reitkunst. Die Art und Weise, wie bei einer berittenen Truppe
die R. getrieben wird und schon in Friedenszeiten getrieben ist, also die Dressur
der Pferde und die Ausbildung des Mannes als Reiter, ist nächst einer guten
Remontirung (s. Remonte) von entscheidendem Einfluß auf die Beschaffenheit
der Pferde und damit zum großen Theil auf die Leistungsfähigkeit dieser Truppe.
Durch schlechte R., namentlich durch falsche, und zu gewaltsame Behandlung werden
oft die besten Pferde verdorben, während manches mangelhafte Pferd durch
verständige R. sehr brauchbar und ausdauernd zu machen ist. Daher die
Wichtigkeit für jeden Offizier, welcher Pferde und Reiter auszubilden hat,
richtige Begriffe vom Reiten gewinnen und eine vernünftige, für die speciellen
Umstände passende Ausbildungsmethode zu befolgen. Die Wichtigkeit des Stand-
punktes, auf dem die R., die „edle Reitkunst", in einer Armee steht, kann nicht
leicht überschätzt werden. — Der Gebrauch des Pferdes zum Reiten war schon
den ältesten Völkern bekannt und bei den Griechen schon zur Reitkunst und
mit besonderer Rücksicht auf den Gebrauch im Kriege ausgebildet. (Vorschriften
darüber bei Xenophon u. A.). Bei den Römern stand die R. nicht in solchem
Ansehn und auf so hoher Stufe, wie es der kriegerische Charakter und die
Pflege der Kriegskünste bei diesem Volke erwarten ließe. Dagegen gelangte die
R. im Mittelalter zu hoher Blüthe; ihr Werth wurde durch die Rittertourniere
besonders gesteigert, und sie fand namentlich nach einer gewissen Richtung hin
in der höhern Reitkunst als Schul-Reiterei ihre Fortbildung. Mit dem
Ritterthum verfiel in der Neuzeit auch die R. wieder, wie sehr auch hervor-
ragende Meister die Reitkunst in ihrem Vaterlande theoretisch und practisch

fortzubilden bestrebt waren (italienische, spanische, französische, englische und deutsche Schule). Brachte die schwere Ausrüstung des Ritters und seines Pferdes, sowie der ganze Gebrauch des letzteren es mit sich, daß in damaligen Zeiten auf möglichst erhabene, abgekürzte Gänge, auf Entwickelung der tragenden Kräfte und Muskelthätigkeit in verticaler Richtung gearbeitet wurde, so legt die Neuzeit dagegen noch einen Hauptwerth auf die Entwickelung der fortschiebenden Kräfte des Pferdes, um in geräumigen Gängen in kürzester Zeit die weitesten Räume zurücklegen zu können. In dieser Beziehung das Möglichste zu leisten, sowohl durch Züchtung als durch Behandlung und Reitausbildung, ist das Bestreben der heutigen Rennvereine. Die Schul-R. wird heutzutage nirgends mehr in der Ausdehnung betrieben wie ehedem. Der Werth der R. für die Kriegführung war vor Allem der Grund, der sie durch die großen Reitergenerale Friedrichs des Großen, Seydlitz und Ziethen, zu ihrer neuen Blüthe erstehen ließ und ihr eine neue Fortbildung in der Soldaten- oder Campagne-R. gab. Lag bei der Cavalerie von jeher der Schwerpunkt der Ausbildung in der R., dem Reitdienste, so ist nun seit Entwickelung der Feldartillerie zu einer manövrirfähigen Waffe auch bei dieser Truppe der Betrieb der R. von der größten Bedeutung für ihre Leistungsfähigkeit im Kriege geworden. Die Reitkunst erfordert eine gründliche Kenntniß des Pferdes (s. Pferd Band VII. S. 122 ff. und im Supplement) sowie des Reitzeugs (s. Sattel und Zaumzeug). Die dem Reiter nothwendige Gewandtheit und Herrschaft über seinen Körper erhält derselbe vorbereitend schon durch die gymnastischen Uebungen und speciell durch das Voltigiren (s. d.). Die meisten Voltigirübungen, wie das Auf- und Absitzen und -Springen auf's Pferd und vom Pferde im Stande der Ruhe und in allen Gangarten, stehen in so engem Zusammenhange mit den Reitübungen, daß beide in steter Verbindung miteinander getrieben werden müssen. Die Reitkunst lehrt dann, wie der Reiter seinen Willen dem Pferde durch Zügelführung, Schenkelhilfen und Gewichtseinwirkungen zu verstehn giebt und dasselbe dahin bringt, diesem Willen stets zu folgen, wie er durch jene Mittel die dem Pferdekörper mögliche Biegsamkeit und Kraft in allen Gangarten so weit zur vollen Geltung bringt, als dies dem speciellen Pferde-Individuum möglich und angemessen ist. Das Remonte-Reiten oder Zureiten (Dressur, Abrichtung) bezweckt, den rohen Pferden das Verständniß für die Hilfen beizubringen, die Muskelkraft und Gewandtheit des jungen Thieres rationell allmählig zu entwickeln, nur es geschickt und gewillt zu machen, den Anforderungen des Reiters zu genügen. Eine, dem Anreiten vorausgehende Bearbeitung des rohen Pferdes an der Hand mittelst Longe (Leine oder Bandgurte) kann bei der alljährlichen gleichzeitigen Einstellung zahlreicher Remonten in die Truppe bei dieser im Allgemeinen nicht stattfinden. Die Ausbildung erfolgt vielmehr, nachdem die jungen Pferde an den Sattel, die Bahn u. s. w. gewöhnt sind, alsbald unter den Reitern, und werden die besten Reiter der Escadron oder Batterie zu diesem wichtigen und schwierigen Dienste ausgesucht, und dessen Leitung besonders dazu geeigneten Offizieren übertragen. Da bei der natürlichen Haltung eines Pferdes dessen Vorderbeine weit mehr belastet sind als die überdies stärkeren Hinterbeine, so ist es die erste Aufgabe jeder R., das Pferd in's Gleichgewicht zu setzen. Dies geschieht durch Aufrichten des Halses gegen Schulter und Widerriß, Zurücknehmen des Kopfes vermittels der Genickbiegung, sowie durch Vortreiben und Unterschieben der gebogenen hinteren Gliedmaßen, bis der Schwerpunkt des ganzen Pferdes unter den auf der Mitte von dessen Rücken sitzenden Reiter fällt. Daß bei jedem einzelnen Pferde sein specieller Bau und dessen besondere Stärken und Schwächen sowie sein Temperament richtig berücksichtigt werden, ist hierbei von großer Wichtigkeit. Dem, was der Soldat von seinem Pferde zu verlangen und mit ihm zu reiten hat — Soldaten-

oder Campagne-R. — entspricht die Haltung des Pferdes in diesem „gewöhnlichen" Gleichgewicht, während die höhere Reitkunst — Schul-R. — eine noch weitere Zurückverlegung des Schwerpunkts auf das in allen Gelenken stark zu biegende Hintertheil, das sogenannte künstliche Gleichgewicht, erfordert. Durch das stete Versammeln des Pferdes in die Haltung des Gleichgewichts während des Ganges und die daraus folgende Uebereinstimmung der Bewegungen von Vorder- und Hintertheil in richtiger Anwendung der vereinigten Kräfte des Pferdekörpers entwickelt die Reitkunst aus den natürlichen Gangarten des Pferdes, wie sie dasselbe in rohem oder sich selbst überlassenem Zustande hat, die geregelten Gänge. Halbe und ganze Arrêts (Anhalten), Paraden und Zurücktretenlassen in richtiger Verbindung mit den vortreibenden Schenkelhilfen sind die Mittel des Reiters zu diesem Zwecke.

Je nach dem Zusammenwirken der vier Pferdefüße in bestimmter Reihenfolge und Tempo zur Ausführung der Bewegung unterscheidet man als Grundgangarten: den Schritt, Trab, Galopp, die Carrière und den Sprung. Diese wandelt die Reitkunst aus den natürlichen in geregelte um, während sie sorgt, fehlerhafte Gangarten nicht entstehen zu lassen oder sie dem Pferde abzugewöhnen und es dagegen die Bewegung in künstlichen Gangarten oder Schulgängen lehrt. Beim Schritt, der langsamsten und bequemsten Gangart des Pferdes, bewegen sich seine vier Füße in der Reihenfolge, daß auf einen Vorderfuß (z. B. den rechten) der entgegengesetzte (linke) Hinterfuß, hierauf der zweite (linke) Vorderfuß und schließlich der andere (rechte) Hinterfuß in gleichmäßigen Momenten folgt, sodaß man vier hörbare Auftritte, Tempos oder Hufschläge wahrnimmt. Während das Pferd im natürlichen, gemeinen oder Weibeschritt in unregelmäßigem langsamem Tempo schreitet und wegen des tiefgehaltenen Kopfes und vorgestreckten Halses, also stark belasteten Vordertheils seine Hinterfüße meist über die vordern hinweg setzt, soll das gerittene Pferd im geregelten Feldschritt in gleichmäßigem lebhaftem Tempo mit langen Schritten so treten, daß bei regelmäßigem Bau der Hinterfuß stets auf die Stelle gesetzt wird, welche der entsprechende Vorderfuß eben verlassen hat. — Beim Trab (Trott) werden stets zwei über Kreuz stehende Füße vom Pferde gleichzeitig gehoben und in schnellerer Bewegung als beim Schritt — im Laufen — vorwärts bewegt und gleichzeitig niedergesetzt, während welcher Zeit auch zugleich die beiden anderen Füße ebenso in Bewegung gesetzt worden sind. Man hört also bei jedem einzelnen Trabtritt nur zwei Auftritte oder Tempos. Der Körper wird stoßweise in die Höhe und vorwärts gehoben und schwebt während einer kurzen Zeit über der Erde nach vorne. Je nach der Länge des einzelnen Tritts, der Schnelligkeit der Bewegung und der mehr in die schnellenden oder mehr nach vorwärts greifenden und schiebenden Muskelthätigkeit der Gliedmaßen unterscheidet man kurzen, Mittel- und starken oder gestreckten Trab. Der Trab ist die wichtigste Gangart sowohl für die Ausbildung des Pferdes und Reiters, als für den Gebrauch, weil das Pferd im Trabe bei gleichmäßigem Gebrauche der Schenkel und Muskeln große Strecken andauernd in kurzer Zeit zurücklegen kann. — Der Galopp besteht aus einer Reihenfolge von Sprüngen, welche der Regel nach in drei Tempos erfolgen, so daß man drei einzelne Hufschläge hört und zwar den letzten am stärksten. Die vier Gliedmaßen wirken hierbei ungleich mit, indem die Füße der einen Seite weiter vorgreifen als die der anderen. Man bezeichnet daher den Galopp je nach der vorgreifenden Seite als rechts (auf der rechten Hand) oder links (auf der linken Hand). Beim Rechtsgaloppiren greift der rechte Vorderfuß vor, ihm folgt der linke Vorder- und zugleich der rechte Hinterfuß, und zuletzt erhebt sich der linke Hinterfuß und springt eine kurze Strecke vorwärts. Dieser letzte Fuß wird zuerst wieder niedergesetzt, ihm folgt der linke Vorder- und rechte

Hinterfuß gleichzeitig, und zuletzt wird der zuerst erhobene rechte Vorderfuß zu Boden gesetzt. Die rechten Gliedmaßen sind also hier die vorzugsweise vorwärtsgreifenden, Raum nehmenden, die linken dagegen die unterstützenden, tragenden; das Pferd ist im Genick nach rechts gestellt. Beim Linksgaloppiren erfolgt die Fußsetzung in entgegengesetzter Ordnung, die Kopfstellung ist links. Bewegen sich die Füße nicht in einer der beiden genannten Ordnungen, so nennt man den Galopp falsch, Kreuzgalopp. Je nach der Weite und Schnelligkeit der Sprünge und dem Grade der Biegung des Hintertheils unterscheidet man den kurzen, Schul- oder Paradegalopp oder die Galoppade, wobei das Pferd in hoher Versammlung sein Gewicht auf das stark gebogene Hintertheil nimmt und der zweite und dritte Fuß nicht ganz gleichzeitig zu Boden gesetzt werden, so daß man vier Auftritte hören kann, ferner den Jagd- oder Campagnegalopp, den starken und gestreckten, bis im Renngalopp oder der Carrière die schnellste Fortbewegung des langgestreckten Pferdes erreicht ist, bei welcher beide Vorder- und beide Hinterfüße zugleich angesetzt werden. Galoppwechsel ist der Uebergang vom Rechtsgalopp in den Linksgalopp oder umgekehrt. — Der Sprung besteht in einer Erhebung des Vordertheils, einem Verkürzen oder Zusammenziehn im Rücken und Vorwärtsschnellen des Körpers durch die beiden Hinterbeine; der Körper schwebt dann eine Strecke durch die Luft und kommt meist mit den beiden Vorderbeinen oder auch mit allen vier Füßen zugleich, selten mit den Hinterbeinen zuerst wieder zu Boden. Die Campagne-R. regelt die natürlichen Sprünge nach zwei Richtungen hin in dem Hochsprung (Hecken- oder Barrièrensprung) und im Breiten- oder Grabensprung.

Die fehlerhaften Gangarten sind solche, bei welchen das Gleichgewicht des Pferdekörpers nicht gehörig unterstützt, sondern gestört wird, sodaß ein Schwanken eintritt und der Reiter der Gefahr des Stürzens ausgesetzt ist. Sie entstehen theils aus Schwächen oder Uebereilungen des Pferdes, theils aus falschen Einwirkungen des Reiters. Man zählt zu ihnen: den Paß oder Zeltergang, ein Traben, bei welchem die Füße derselben Seite gleichzeitig in Bewegung gesetzt werden, sodaß ein Schwanken von einer Seite zur andern eintritt. Da diese Bewegung aber für den Reiter ein bequemere ist als beim echten Trabe, so wurden solche Paßgänger oder Zelter als Damenpferde oder für große Reisen besonders geschätzt. — Der Dreischlag, Antritt oder Halbpaß ist eine übereilte, verworrene Gangart, in welcher das Pferd zwischen Trab und Paß wechselt, während der Mittelgalopp oder fliegende Paß eine aus Trab- und Galoppbewegungen zusammengesetzte unregelmäßige Gangart ist, in welcher das Pferd vorn galoppirt und hinten trabt. Die höhere Reitkunst bildet geelgnete Schulpferde in allen, dem Pferdekörper möglichen Bewegungen aus und lehrt den Reiter, diese Bewegungen durch seine Hilfen hervorzurufen und ihnen mit Kraft und Gewandtheit zu folgen und zu widerstehn. Der Schulschritt, Schultrab und Schulgalopp unterscheiden sich von den entsprechenden durch die Campagne-R. geregelten Gängen dadurch, daß in jenen das Pferd in der stolzen Haltung und hohen Versammlung des künstlichen Gleichgewichts in kürzeren, taktmäßig markirten Tritten, die Schulter mehr hebend dahinschreitet. Der stolze Tritt oder das Piaffiren ist eine Bewegung, bei welcher das Pferd die Beine in zwei Tempos wie im Trabe hoch hebt, aber jeden Fuß wieder auf dieselbe Stelle niedersetzt, auf welcher er den Boden verlassen hat. Diese Bewegung kann auch zwischen den Pilaren oder Reitsäulen geübt werden. Im spanischen Tritt oder Passagiren schreitet das Pferd in derselben Trabbewegung mit starker Biegung des Hintertheils, die Vorderbeine in hoher Aktion lang schwebend in der Luft haltend, von einem Hufschlag zum andern vorwärts. — Bei den Schulsprüngen oder Schulen über der Erde verlegt das Pferd mit höchster Biegung der Hankengelenkt seinen Schwerpunkt so weit nach hinten, daß es die Vorhand auf einige Zeit ganz schwebend in der Luft tragen kann. Je nachdem es hierbei das Vordertheil mehr oder weniger hoch erhebt, die Vorderfüße unter den Leib zieht und mit den Hinterfüßen auf den Boden bleibt oder mit untergezogenen oder nach hinten ausgestreckten Hinterbeinen in verschiedenen Sprüngen sich fortschnellt, unterscheidet man die Levade, die Pesade oder das schlechte Bäumen, die Courbette und den Mezair oder die halbe Courbette; die Pirouette oder Drehschwung, die Lançade oder den Bogensprung, die Croupade, Balotade und Capriole (Hirschsprung).

Während die Reitkunst zur Entwickelung vollkommener Gangarten die Gliedmaßen des Pferdes hauptsächlich zu einer erhöhten Biegsamkeit in verticaler Richtung bearbeitet, welche sich in der Ausbildung des Schulpferdes gipfelt, muß sie zugleich den Pferdekörper durch Biegung in seitlicher, horizontaler Richtung zu hoher Gewandtheit bringen, um das Pferd in kurzen Wendungen tummeln zu können. Das Abbiegen oder Abbrechen in den ersten Halswirbeln, um eine seitliche Kopfstellung zu erhalten, die seitliche Biegung des Halses in seinen sämmtlichen Wirbeln und die seitliche Biegung der Rückenwirbel in Verein mit der entsprechenden Rippenbiegung werden theilweise schon im Halten vorgenommen, dann aber besonders durch das Bearbeiten des Pferdes auf dem Zirkel, durch das Reiten von größeren und kleinen Volten und auf Schlangenlinien, sowie durch die Wendungen und das scharfe Ausreiten von Ecken geübt.

Bei sämmtlichen besprochenen Gängen tritt das Pferd, sich vor- oder rückwärts bewegend, in der Art, daß jeder Huf dem anderen Fuße derselben Seite auf ein und derselben Linie nachgeht, die vier Füße also auf zwei dicht nebeneinanderlaufenden Linien oder „auf einfachem Hufschlage" treten. Tritt das Pferd aber seitwärts über, sodaß die vorderen und hintern Füße für sich auf eigenen Linien schreiten, also vier Linien beschreiben, so sagt man, das Pferd gehe auf doppeltem Hufschlage. Bei diesen Seitengängen wird das Pferd in den Hals- und Rückenwirbeln seitwärts gebogen (Kopf-, Hals- und Rippenbiegung), es muß dem vermehrten Druck des einseitigen Schenkels vom Reiter nachgeben (Schenkelweichen) und mit den Vorder- und Hinterbeinen der einen Seite über die der andern wegtreten. Reitet man auf einem Viereck oder auf einem Kreise mit Kopfstellung des Pferdes nach der innern Seite, stellt das Vordertheil um 45 Grad (oder ⅛ einer vollständigen Kreiswendung) herein und läßt das Pferd durch vermehrten Druck des inneren Schenkels, um welchen es sich biegt, in dieser Schrägstellung nach der äußeren Seite hin übertreten, so erhält man die von dem berühmten französischen Reitmeister de la Guérontère erfundene Schule Schulter herein oder Schulter einwärts (l'épaule en dedans). Bei sehr geringem Uebertreten mit erhöhter Kopfstellung nennt man diese Schule auch Kopf herein oder Plisé, bei Schrägstellung von nur ¹⁄₁₆ auch halbes Schulterherein. — Wird dagegen das Pferd mit Kopfstellung nach der inneren Seite durch den äußeren Schenkel mit seinem Hintertheil um 45 Grad in das Innere des Vierecks oder Kreises hereingestellt und durch vermehrten Druck jenes Schenkels zum Uebertreten nach der Seite hin veranlaßt, nach welcher es gestellt ist, so nennt man diesen Seitengang: Travers oder Crengang, bei geringerer Hereinstellung des Hintertheils: Croupe herein, bei einer Hereinstellung des Hintertheils um 90 Grad Schließen und bei einem Seitwärts- und Vorwärtsübertreten in dieser Stellung durch die Diagonale der Bahn zum Handwechsel: Passade. — In der Schule Renvers ist die Vorhand des Pferdes beim Reiten auf dem Viereck oder dem Zirkel in das Innere desselben gestellt, ähnlich dem Schulterherein; das Pferd ist aber nicht nach dem Innern, sondern nach der Seite gestellt, wohin es geht, und die Füße der Seite wohin das Pferd geht, werden von denen der andern Seite überschritten. Stellung und Bewegung des Renvers sind also die des Travers; das Pferd hat nur bei ersterem die Wand der Reitbahn oder die Zirkellinie hinter sich, bei letzterem vor sich, und die Wendungen gestalten sich anders. Beim Reiten im Freien auf einer graden Linie ist also kein Unterschied zwischen beiden Schulen. Der vierte Seitengang endlich, ein Product der Neuzeit und daher z. B. in der preußischen Reitinstruction nicht enthalten, ist das Contraschulterherein. Es verhält sich zum Schulterherein wie Renvers zu Travers d. h. das Pferd geht mit der Hinterhand unter 45 Grad in die Bahn oder das Innere des Zirkels hereingestellt, aber die Füße derjenigen Seite, welche der Bande resp. der Zirkellinie zunächst steht, treten über die der andern hinweg, und das Pferd ist nach der Seite hin gestellt und in den Rippen eingebogen, von welcher es herkommt. Dadurch daß manche Reitlehrer und Schriftsteller daran festhalten die Seite, wohin das Pferd mit Kopf und Croupe gestellt ist, die innere zu nennen, während Andere stets die Seite von Reiter und Pferd die innere nennen, welche dem Innern der Bahn oder der Mitte des Zirkels am nächsten steht, entstehn bei Bezeichnung aller Gänge mit Contrastellung leicht Mißverständnisse in Bezug auf inneren und äußern Schenkel und Zügel.

In der Soldaten-R. werden die Seitengänge nur im Schritt und Trab geritten, die Ausführung im Schulgalopp als Pliée-, Renvers- und Traversgalopp oder Redopp gehört ins Gebiet der Schul-R. Dagegen beschäftigt sich die Campagne-R. nach und nach in der Ausbildung in der Bahn-R. noch besonders mit dem Reiten im Terrain. Durch dasselbe werden Reiter und Pferd im Exerciergalopp, in der Carrière, im Zurücklegen weiter Strecken in andauernden schnellen Gangarten ("in Athem setzen") sowie im Ueberwinden aller Arten von Terrainhindernissen geübt, also im Nehmen von Gräben, Hecken und Dämmen, im Klettern an steilen Böschungen bergauf und bergab, im Schwimmen u. s. w. Das Reiten im Gliede und in geschlossenen Abtheilungen bildet endlich für Cavalerie und die Bedienung der reitenden Artillerie die Vorübung zum Exerciren zu Pferde, das Reiten mit gepaarten Pferden die Vorschule der Fahrer zu den Fahrübungen.

Aus der reichen hippologischen Literatur nennen wir hier: Seidler, "Leitfaden zur systematischen Bearbeitung des Campagne- und Gebrauchs-Pferdes", Berlin 1843. derselbe: "die Dressur des Pferdes" 1. Theil, 3. Aufl. Berlin 1860. 2. Theil, Berlin 1846. — Hünersdorf, "Anleitung zu der natürlichsten und leichtesten Art, Pferde abzurichten", 6. Auflage. Kassel 1849. — von Radosty, "Equitations Studium mit besonderer Bezugnahme auf den Unterricht in der Artillerie Equitationen". Wien 1855. — von Oeynhausen, "Einiges aus dem Gebiete der Reitkunst". Wien 1861; derselbe "Leitfaden zur Abrichtung von Reiter und Pferd". Wien 1852. — Baucher, "Methode der Reitkunst nach neuern Grundsätzen". Aus dem Französischen. Berlin 1852. — Heinze, "Pferd und Reiter. Die Reitkunst in ihrem ganzen Umfange". Leipzig 1868. — von Krane, "Anleitung zum Ertheilen eines systematischen Unterrichts in der Soldatenreiterei". Berlin 1867 und desselben Verfassers vorzügliches neues großes Werk: "Anleitung zur Ausbildung der Cavalerie-Remonten". Berlin 1870. — von Colomb, "Campagne-Reiterei und Remonte-Dressur". Berlin 1870, sowie die beiden seit 1863 erscheinenden Zeitschriften: "Der Sporn". Centralblatt für die Gesammtinteressen des deutschen Sport. Officielles Organ der norddeutschen Rennvereine. Red. J. André, Berlin. "Der Sport", österreichische Blätter über Pferde und Jagd. Officielles Organ der österreichischen Rennvereine. Wien. Endlich: den Rennkalender für Deutschland von J. André.

Reitergewehr ist heutzutage viel kürzer und leichter als das Infanterie-gewehr, in der Regel aber desselben Systems und Kalibers. Die Benennung ist gewöhnlich Carabiner (s. d.).

Reitersäbel, siehe Säbel.

Reitinstitut (Militär-R.) heißt die früher in Schwedt befindlich gewesene, seit 1867 nach Hannover verlegte preußische Militär-Reitschule, welche, ausgenommen Baiern und Sachsen, auch von den übrigen Contingenten des Deutschen Reichs benutzt wird. Zweck des R.s ist die Ausbildung von Offizieren und Unteroffizieren der Cavalerie und reitenden Artillerie zu Reitlehrern. Der Stamm besteht aus einem Generallieutenant als Chef, einem ersten Director (mit Regiments-Commandeur-Rang) für den gesammten Reit-Unterricht beider Abtheilungen, einem zweiten Director (Stabsoffizier) für den übrigen Unterricht und Dienst beider Abtheilungen, zugleich mit dem speciellen Befehl über die Cavalerie-Unteroffizier-Schule beauftragt, sodann aus 2 Adjutanten, 1 Zahlmeister, 1 Assistenzarzt, 8 Offizieren als Reitlehrern, 2 Offizieren als Turn- und Fechtlehrern, 2 Stallmeistern, 1 Pferdezähmer, sowie endlich 12 Unteroffizieren für den innern Dienst, 113 Mann als Pferdepfleger und Offizierburschen, und 333 Stammpferden. Das R. besteht aus 2 Abtheilungen, der Reitschule für Offiziere und der Cavalerie-Unteroffizier-Schule. Zu ersterer commandirt jedes Cavalerie-Regiment und je 2 Feld-Artillerie-Regimenter der Armee 1 Lieutenant auf 11 Monate. Von diesen bleiben 12 noch ein zweites Jahr als Reitlehrer bei der Unteroffizier-Schule. Zu letzterer werden von jedem Cavalerie-Regiment 2 und von jedem Feldartillerie-Regiment 1 Gefreiter, die sich vorher zur Capitulation verpflichtet haben, auf 1 Jahr commandirt. Von denselben bleiben bis zu 20 noch ein zweites Jahr. Die auf dem R. zu ihrer Ausbildung commandirt gewesenen Unteroffiziere und Gefreiten tragen ein besonderes Abzeichen am unteren Ende der Schulterklappe. Ein etatsmäßiger Stabsoffizier der Cavalerie ist stets auf 3 Monate beim R. commandirt.

Reitinstruction, soviel wie Reitunterricht (s. d.) ist zugleich der Titel des Buches, welches in der preußischen Armee als Grundlage für die Ausbildung im Reiten dient. Es ist zunächst für die Cavalerie bestimmt, wird aber ebenso in der Artillerie dem Reitunterricht zu Grunde gelegt und enthält 3 Theile. Der I. Theil dieser „Instruction zum Reitunterricht" enthält die Ausbildung von Rekruten und ist Berlin 1866 in neuer Auflage erschienen und im Buchhandel zu beziehen. (Einige Abänderungen des Kriegsministeriums vom 16. Juli 1857 sind im Militär-Wochenblatt 1857 Nr. 30 mitgetheilt. Der II. Theil, den Unterricht für die 2. Reitklasse, zur Bildung von Remontereitern und Lehrern für den Reit-Unterricht der Rekruten umfassend, sowie der III. Theil den Unterricht für die 3. Reitklasse zur Bildung von Reitlehrern für die 2. Reitklasse und zur Erziehung von selbstständigen Bereitern enthaltend, ist 1825, resp. 1826 erschienen und jetzt nur schwer zu erlangen. Die correcten Commandos der 3 Theilen der ihrer Form nach nur für Cavalerie bestimmten R., für die Artillerie übertragen, sind in einer in Berlin bei Decker 1870 als Manuscript gedruckten „Commando-Tabelle" zusammengetragen, welche zugleich ein Inhaltsverzeichniß der R. ist und in einem Anhange die noch sonst beim Reitunterricht gebräuchlichen Commandos und Bestimmungen, besonders auch die für die preußische Artillerie gegebenen enthält.

Reitkunst s. Reiterei 2).

Reitlehrer bei Ausbildung der Cavalerie und Artillerie sind die Offiziere dieser Truppen, für die Rekrutenabtheilungen auch Unteroffiziere unter Aufsicht von Offizieren. Die Reitstunden für die Lieutenants der Cavalerie und Artillerie werden ebenfalls von Offizieren gegeben und zwar je nach der Garnison vom etatsmäßigen Stabsoffizier der Cavalerie, von einem Rittmeister oder

Hauptmann. Ebenso geschieht die Ausbildung der Remonten bei der Truppe unter Leitung der am besten dazu qualificirten Offiziere. Die Vertheilung der verschiedenen Reitklassen an die einzelnen Offiziere geschieht durch den Escadron- oder Batteriechef, welcher zuweilen selbst noch Abtheilungen reiten läßt. In der Regel wird die I. Reitklasse (vgl. Reitunterricht). — bei der Artillerie die alte Fahrertour — dem jüngsten Offizier, die II. Reitklasse (Unteroffiziertour) dem ältesten, die Rekruten dem zweiten Offizier zur Ausbildung zugewiesen. Soweit sich die Befähigung zum Reitlehrer durch die über den Reitunterricht bestehenden Instructionen, durch das Studium der einschläglichen Literatur und durch eigene fleißige Uebung im Reiten, besonders auch unter der Anleitung in der Offizierreitstunde erwerben läßt, wird also an die Offiziere der Cavalerie und Feld-Artillerie die Anforderung gestellt, daß sie sämmtlich als Reitlehrer fungiren können, und die Ausbildung der berittenen Truppen im Reiten nur deren Offizieren übertragen. Besondere Regiments-Bereiter u. dergl., wie sie in manchen Staaten vorkommen und wie sie beispielsweise die frühere hannoversche Armee besaß, existiren in der deutschen Armee nicht. Die Ausbildung der Unteroffiziere zu Reitlehrern findet speciell in dem Reitunterricht der II. Reitklasse statt. Da die gute Ausbildung der Remonten und der Remontereiter sowie die Correctur difficiler Pferde aber eine ebenso wichtige wie schwierige Sache ist und die Entwickelung besonderer Talente und Naturanlagen sowie größere Erfahrung erfordert, so wird alljährlich eine Anzahl besonders beanlagter Offiziere und Unteroffiziere der Cavalerie und reitenden Artillerie in besonderen Reitschulen (s. d.) zu Reitlehrern ausgebildet, und auf diese Weise zugleich die allgemeinere Verbreitung einer gleichmäßigen Methode systematischen Reitunterrichts angestrebt.

Reitschule, militärisches Centralinstitut, bezweckt die Ausbildung von Offizieren und Unteroffizieren der Cavalerie und Artillerie zur Ertheilung von Reit-Unterricht, sowie in der Kenntniß und Dressur der Pferde und in der Ausübung der höheren Reitkunst. Wenn es in einer Armee auch nicht möglich ist, alle Personen, welche Reitunterricht zu ertheilen haben, zuvor eine R. durchlaufen zu lassen, so wirkt schon die Theilnahme Einzelner an einem Centralreitinstitut fördernd auf Betreibung einer rationellen Methode des Reitens und Reitunterrichts in der ganzen Armee hin. Jedes größere und selbst kleinere Heer haben derartige Anstalten, bei welchen es nicht ausgeschlossen ist, daß sie auch militärwissenschaftliche Zwecke erfüllen. Im Deutschen Reich giebt es das Militär-Reitinstitut (s. Reitinstitut) in Hannover, die Militär-Reitanstalt (s. Reitanstalt) in Dresden und die bairische Equitations-Anstalt in München. Oesterreich-Ungarn hat eine Central-Cavalerie-Schule als höhere militärwissenschaftliche Anstalt für Cavalerie-Offizier und zugleich zum Zweck einer richtigen und gleichmäßigen Auffassung der im Abrichtungs-Reglement vorgeschriebenen Reitmethode in der ganzen Cavalerie. Zur Ausbildung von Subaltern-Offizieren der Cavalerie, speciell zu tüchtigen Reitlehrern, dienen die Brigade-Offizier-Schulen. Italien hat eine Normal-Cavalerie-Schule, mit welcher eine Equitations-Schule verbunden ist, Frankreich die Cavalerieschule in Saumur, (siehe u. Frankreich, Bd. IV., S. 97), Rußland eine Gardereiterschule in St. Petersburg.

Reitunterricht zur Ausbildung der berittenen Truppen im Detailreiten findet bei denselben besonders im Winter, bei unregelmäßiger Rekruten-Einstellung und für Nachzügler u. s. w. aber auch in jeder andern Jahreszeit statt. Die Leitung des R.s ist Sache des Escadrons- oder Batterie-Chefs. Den Regiments- und resp. den Abtheilungs-Commandeuren, welche ja überhaupt für die Gleichmäßigkeit in der Ausbildung der ihrem Commando untergestellten Truppen zu sorgen haben, steht indessen die Beaufsichtigung des R.s zu. und

fie werden namentlich die Eintheilung in Reitclaffen und die Dauer der einzelnen Unterrichts-Perioden nach den hierfür allgemein in der Armee geltenden
Grundsätzen und mit Berücksichtigung der jeweiligen besonderen Verhältniffe
im Großen anordnen.

Als Grundlage für Ertheilung des R.s dient in der preußischen Armee
die Reitinstruction (f. d.), an deren Commandos und Bestimmungen man sich
bei jedem R. streng bindet. Für den R. wird eine preußische Escadron
in verschiedene Reitclaffen und diese wieder in Abtheilungen von 12 bis
15 Pferden getheilt, da die Vereinigung einer größeren Anzahl von Leuten und
Pferden zur Detailausbildung in einer Reitbahn nicht wohl angeht.

1) Die Rekruten, welche alljährlich in der durchschnittlichen Stärke von
etwa 40 Mann in die Escadron eingestellt werden, theilt man zum R. in 3
oder beffer in 4 Abtheilungen. Sie werden mit der entsprechenden Zahl von
Unteroffizieren als Reitlehrern und Gehilfen einem Offizier zur Ausbildung übergeben. Um Luft und Liebe zum Reiten bei ihnen rege zu
halten und das Gefühl für richtigen Sitz und Führung auszubilden, werden
den Rekruten anfangs nur ruhige, dabei aber thätige und regelmäßig gebaute
Pferde zugewiesen. Vor und neben dem eigentlichen R. und in enger Verbindung mit demselben werden die gymnastischen und Voltigirübungen (f. d.)
getrieben zur Förderung der zum Reiten erforderlichen körperlichen Gewandtheit
und Dreistigkeit und zur Hebung des Muthes, zugleich aber als directe Vorbereitung mancher Theile des R.s, namentlich des Auf- und Absitzens und -sprin-
gens, der Erlernung des Sitzes und der Uebung des Waffengebrauchs zu Pferde.
Außer dem Unterricht in Kenntniß und Behandlung des Pferdes und des Reit-
zeuges, in der Zäumung, dem Satteln und Packen geht ferner den practischen
Reitübungen noch der theoretische R. voraus und stets mit jenem Hand in
Hand, denn vor jeder neuen Lection muß das Wissen von dem, was der
Reiter und was das Pferd soll, beim Manne ganz sicher sein, ehe er durch die
Uebung das Können erlernt. Der R. der Rekruten beginnt in der Bahn
mit dem Reiten auf Decke und Trense (etwa 8—10 Wochen lang) zur
Gewinnung des Gleichgewichts auf dem Pferde und zur Erwerbung eines guten
festen Sitzes. Von der richtigen Haltung des Rückgrats ausgehend wird der
Mann gelehrt, durch Einwärtsdrehen und Oeffnen der Oberschenkel Schluß
zu fassen und mit Beibehaltung dieses Schluffes und des Sitzes die alleinige
Bewegung von Unterschenkel und Fußgelenk auszuführen. Nach Bervollkomm-
nung des Sitzes folgen die Anfangsgründe zur Einwirkung des Reiters auf
das Pferd durch Ertheilen von Hilfen mit den Schenkeln, dem Reiterge-
wicht (mittelst entsprechender Verlegung des Schwerpunktes des Reiters) und
endlich mit den Zügeln, sowie die Erweckung des Verständnisses für die nothwendige dreifache Einwirkung dieser Hilfen zum Verfammeln des Pferdes, zu
allen ganzen und halben Paraden, zum Anreiten und zu allen Uebergängen
aus einer Gangart in die andere. Die practischen Uebungen im Schritt und
und Trab und den Abstufungen in verschiedenen Tempos, der Unterricht
in den Volten, Wendungen und im Schließen, im Galopp und Bar-
rièrespringen beenden die erste Unterrichtsperiode, das Reiten auf Decke.
Ihr folgt der Unterricht auf Sattel und Trense (4—6 Wochen lang, bei
welchem das anfängliche Reiten ohne Bügel zwar sehr nützlich ist, aber
namentlich auf ungarischem Bocke wegen der Gefahr des Durchreitens nur mit
großer Vorsicht und in kurzen Reprisen vorzunehmen ist. Als dritte Periode
folgt das Reiten mit Kandare und etwa nach 2 Wochen mit Waffen und
Gepäck, um die Führung des Säbels auf dem Pferde in allen Gangarten
und das Auf- und Absitzen und -springen auf kriegsmäßig gepacktem Pferde
zu lehren. Reitübungen im Terrain und im Gliede beschließen den Detail-

22*

R. des Rekruten, welcher nun zum Einstellen in die Escadron und zum Exerciren zu Pferde ausgebildet ist. Der Zeitraum für den Rekruten-R. bis zu diesem Termin ist bei gewöhnlichen Friedensverhältnissen in der Regel zu ca. 6 Monaten bemessen, meist von Anfang October bis Ende März. Der R. wird anfangs in der Bahn, dann aber, soweit es die Witterung zuläßt, vortheilhafter auf freien Reitplätzen ertheilt.

2) Die I. Reitclasse besteht aus solchen Reitern der älteren Jahrgänge, welche keine besondere Befähigung zu höherer Fortbildung gezeigt haben und welche auf den zu der feineren Reiterei weniger geeigneten Pferden lediglich für den Dienst in Reih und Glied ausgebildet werden. In der 1. Abtheilung (sog. junge Pferde) dieser Classe werden meistens die Pferde des drittletzten und älterer Jahrgänge zusammengestellt, welche noch fortgebildet, gebessert und sicher gemacht werden sollen. In der 2. und 3. Abtheilung werden die andern und älteren Pferde zusammengestellt, soweit sie nicht für die Rekruten und die II. Reitclasse ausgesucht sind. Der R. dieser Classe ist im Ganzen ein Wiederholungs-Cursus des Rekruten-R., ohne daß man sich dabei an die bei diesem zu beobachtende Reihenfolge und Zeiteintheilung binden wird.

3) Die II. Reitclasse zerfällt in 2 Abtheilungen, von welchen sich die erstere hauptsächlich mit der Ausbildung von jungen Pferden beschäftigt, welche in der Dressur so weit gebracht werden sollen, daß sie künftighin zum Unterricht für angehende Remontereiter benutzt werden können, während die 2. Abtheilung dieser Classe — die sogenannte Mustertour — sich mit der höheren Fortbildung der besten Reiter aus den vorjährigen Rekruten zu demnächstigen Remontereitern und zu Lehrern für den R. der Rekruten befaßt und dazu die bestgerittenen Pferde erhält. Der R. in dieser Classe, welcher auch sämmtliche Unteroffiziere angehören werden, wird nur auf Sattel mit Bügel, zunächst auf Doppeltrense, dann auf Kandare ertheilt. In der 1. Abtheilung hat es zum Zweck, die Schenkelhilfen bei den Pferden zur vollen Geltung zu bringen, vollständige Reinheit des Ganges zu erzielen, ferner Regulirung der Hals- und Kopfstellung und der Zusammenstellung des ganzen Pferdes, Entbindung der Schultern zu größerer Freiheit, vollständigeren Hanken- und Rippenbiegung, Befestigung des Gehorsams und der Gewandtheit, Uebung der verschiedenen Galopptempos und, durch das Reiten im Terrain, Einübung des langen Galopps, der Carrière und große Sicherheit im Nehmen von Hindernissen. — Bei der 2. Abtheilung handelt es sich für den R. nicht nur um Vervollständigung der Reitfertigkeit, sondern namentlich auch darum, jenen Reitern theoretisch und, soweit als thunlich auch praktisch diejenigen Kenntnisse beizubringen, deren sie bedürfen, um demnächst mit Verständniß die Dressur roher Pferde beginnen zu können, und ihnen die speciell hierbei nothwendig werdende besondere Haltung des Körpers und deren Einwirkung auf das rohe Pferd zu lehren.

4) Die Remonten werden durch Reiter der II. Reitclasse in 2 Abtheilungen ausgebildet, von welchen eine die jungen Remonten, die andere die vorjährigen umfaßt.

5) In der Offizier-Reitstunde reiten sämmtliche Lieutenants des Regiments ihre beiden Pferde und zwar etwa 5—6 mal wöchentlich während des Winters.

Bei der reitenden Artillerie, welche ihre sämmtlichen Mannschaften im Reiten auszubilden hat, erfolgt der R. in analoger Weise wie bei der Cavalerie.

Bei der Fuß-Artillerie werden in Preußen die Rekruten im ersten Jahre nur zu Fuß als Bedienungsmannschaften ausgebildet und nur ein Theil der Mannschaft im 2. und 3. Dienstjahre, welcher im Fahren ausgebildet werden soll, sowie die Unteroffiziere und Trompeter erhalten R. Eine Fußbatterie bildet zu diesem Zweck folgende Classen:

1) Eine junge Fahrertour. Diese besteht aus den etwa 12—14 zu Fahrern ausgewählten, im zweiten Jahre dienenden Mannschaften. Der R. und die Auswahl der Pferde für diese Classe ist so, wie oben für die Rekruten der Cavalerie angegeben. Die Zeit wird etwas kürzer zugemessen, vom Schlusse der Herbstübungen etwa 4—5 Monate lang, da, sobald es die Witterung gestattet, mit den Fahrübungen begonnen wird.

2) Eine alte Fahrertour, bestehend aus den im 3. Jahre dienenden Leuten, welche im 2. Dienstjahre als junge Fahrer im Reiten ausgebildet sind und auf den für Rekruten weniger geeigneten Pferden einen Wiederholungs-Cursus durchmachen, in welchem zugleich auf eine Befestigung dieser Zugpferde in ihrer Ausbildung zum Reiten Rücksicht zu nehmen ist.

3) Eine Unteroffiziertour, in welcher die sämmtlichen Unteroffiziere der Batterie (Geschützführer und zeitweise Nichtberittene) R. erhalten. Der auch dieser Classe zuweilen beigelegte Namen „Mustertour" kann naturgemäß kein passender sein, wenn diese Classe den bei einer Fußbatterie bestehenden Verhältnissen angemessen zusammengesetzt und ausgebildet wird. — Trompeter, Hilfstrompeter, Einjährig-Freiwillige und Unteroffiziersaspiranten werden zuweilen in besonderen Reitclassen zusammengestellt, zuweilen den genannten zum R. zugetheilt. — Die Remonten der Fußbatterien (etwa 3—4 per Batterie) werden meist abtheilungsweise in eine Classe zusammengestellt. Für die Lieutenants findet ebenfalls bei jeder Fußabtheilung der Feldartillerie etwa vier mal wöchentlich den Winter über R. statt.

R. wird endlich auf allen preußischen Kriegsschulen für die Portepeefähnriche aller Waffengattungen durch hierzu commandirte Cavalerieoffiziere auf abcommandirten Cavaleriepferden ertheilt, sodaß auch alle Infanterieoffiziere eine Ausbildung im Reiten erhalten. — Literatur f. unter Reiterei.

Reitzeug umfaßt die Bekleidung des Pferdes zum Reiten, f. Sattel, Zaumzeug.

Rekognoscirung, f. Recognoscirung.

Rekrut heißt häufig soviel wie „junger Soldat", mindestens bis zur Einstellung in die Compagnie ꝛc., gewöhnlich aber das erste Dienstjahr hindurch. Im Deutschen Reich ist R. die Bezeichnung für den definitiv ausgehobenen Mann — welcher von diesem Termin bis zu seiner Einstellung beurlaubt wird —, also Gegensatz zum freiwillig Eintretenden. Die Einstellung der R.en erfolgt im Deutschen Reich normal am 1. Oct. jeden Jahres, wird aber aus Ersparnißrücksichten je nach der Waffengattung häufig 1—2 Monate hinausgeschoben, während welcher die R.en noch beurlaubt bleiben, so daß ihre active Dienstzeit sich verkürzt. Die Feststellung des jedesmaligen Bedarfs an R.en geschieht durch das Oberhaupt des Reichs. Die Ausbildung der R.en erfolgt entweder bitret bei den Truppentheilen, zu deren Ergänzung sie bestimmt sind, — Ausbildung bei der Truppe, oder sie fällt nur gewissen Truppenkörpern (und zwar als deren Hauptbestimmung) zu, welche die ausgebildeten R.en späterhin an die übrigen Truppen abgeben — Ausbildung in Depots. In Frankreich, wie in Rußland, ist für den Frieden und Krieg der letztere, in Deutschland, Oesterreich-Ungarn, Italien für den Frieden der erstere Modus in Gebrauch, während hier die Ausbildung der R.en im Kriege Sache der Ersatz- oder Ergänzungstruppen ist. Die Ausbildung bei der Truppe gewährt den Vorzug, daß das ausbildende Personal dem Truppentheil angehört, bei welchem der R. muthmaßlich seine ganze active Dienstzeit zubringt, dasselbe also dem R. gleich von vorne herein ein erhöhtes, jedenfalls wenigstens ein höheres Interesse entgegenbringt, als man es bei der Depot-Truppe voraussetzen kann, welche den Mann doch wieder abgiebt. Wenn das Instructions-Perfonal der Depot-Truppe, welches Jahr aus Jahr ein stets diesem einen Zwecke dient, auch eine größere Routine erlangen muß, als das im andern Falle zu Gebote stehende, sowie im Depot eine gleichmäßigere Ausbildung der R.en überhaupt sich erzielen läßt, so ist hier auf der andern Seite auf um so mehr ein maschinen-mäßiges Drillen zu befürchten. Für das Offizier- und Unteroffizier-Personal der übrigen Truppen ist es allerdings eine große Erleichterung, wenn die Ausbildung der R.en im Depot vor sich geht. Dagegen wird bei dem mehr decentralisirenden Modus der Ausbildung bei der Truppe die practische Hand-habung dieses Dienstes in der ganzen Armee verbreitet, ein zahlreiches In-structoren-Perfonal gebildet, und findet jeder Offizier und Unteroffizier Gelegen-heit, durch Theilnahme an diesem Dienstzweig seine eigene dienstliche Quali-fication zu erhöhen. Das Exerciren der R.en giebt zugleich Gelegenheit, aus den älteren Mannschaften zu Unteroffizieren geeignete Individuen herauszuer-lennen und heranzuziehen. Die allgemeine Wehrpflicht mit ihrer kurzen activen Dienstzeit, während welcher es nothwendig ist, dem Manne den militärischen Geist und das Gefühl der Zusammengehörigkeit mit einer größeren Körperschaft für eine lange Periode einzuflößen, weist viel mehr auf die Ausbildung der R.en bei der Truppe, als in Depots hin. Die Dauer der R.en-Ausbildung hängt sowohl von der Waffengattung, als von der Stufe der Intelligenz ab, auf welcher die dem Ersatz zu Grunde liegende Bevölkerung im Allgemeinen steht. Im Deutschen Reich dauert die gesonderte Ausbildung der R.en bei der Infanterie und Fußartillerie 3, bei der Cavalerie und reitenden Artillerie 6 Monate, im Kriege wird sie entsprechend verkürzt. In Rußland dagegen umfaßt dieselbe bei den Fußtruppen 6, bei der Cavalerie 9 Monate (im Kriege 3, resp. 6). Bei allen Waffengattungen beginnt eine rationelle Ausbildung damit, den R. zu derjenigen körperlichen Haltung anzuleiten, welche ihn zur richtigen Ausnutzung seiner Kräfte, sowohl bei der Bewegung, als beim Waffengebrauch veranlaßt. Zu dem Ende wird das eigentliche Exerciren durch gymnastische, namentlich Freiübungen (s. Gymnastik), vorbereitet und geht beides fortdauernd Hand in Hand. Von Anfang an wird mehr auf die Leistungen des einzelnen Mannes, erst späterhin auf das gleichmäßige Zusam-menwirken Werth gelegt. Um letzteres vorzubereiten, üben alle Waffengattungen die Anfangsgründe der geschlossenen Infanterietaktik. Sobald die Haltung sich einigermaßen befestigt hat, wird die Handhabung des Gewehrs, resp. Seiten-gewehrs, mit der weiteren Ausbildung verflochten. Bei der Infanterie treten späterhin die Vorbereitungen zum zerstreuten Gefecht, zum Felddienst und das practische Schießen, bei der Artillerie die Uebungen am Geschütz hinzu. Bei den berittenen Truppen laufen die Uebungen im Reiten (s. Reit-Unterricht) und der Stalldienst parallel mit der übrigen Ausbildung. Die Uebungen in größeren Abtheilungen, wie Compagnien ?c., erfolgen erst nach Einstellung der R.en in letztere. Mit dieser ist überhaupt das Ende der Aus-bildung noch nicht erreicht, sondern nur der Standpunkt erlangt, wo das Zu-sammenwirken mit schon ausgebildeten Mannschaften, ohne Nachtheil für beide Theile, möglich ist. Der theoretische Unterricht der R.en, der in den allgemein dienstlich und speciell sachlichen Theil zerfällt, geht mit der prac-tischen Ausbildung Hand in Hand. — Die Ausbildung von R.en steht unter Leitung von Offizieren, denen Unteroffiziere und geeignete ältere Mannschaften untergestellt sind. Von großer Wichtigkeit ist die Behandlung der R.en in der Ausbildungsperiode. Dieselbe ist von großem Einfluß auf den Erfolg der Unterrichtsmethode und kann durch unrichtige, namentlich inhumane Behandlung des R.en dieselbe für seine ganze spätere Dienstzeit in eine verkehrte Richtung,

namentlich auch der Gemüthsart, gedrängt werden. S. auch Rohr'sche Ausbildungsmethode.

Retruirung heißt die Art der Ergänzung einer Armee mit Menschen-
Maerial; dieselbe kann höchst verschieden sein. Die erste Ergänzungsweise in
den modernen Armeen war durch Werbung (f. d.); in einigen Staaten
schon gleichzeitig mit der Werbung durch Einrollirung von Landeskindern in die
sogenannten Cantonal-Listen. Dies geschah in der Weise, daß in dem betreffenden Ergänzungs-Canton sämmtliche pflichtige Knaben in Jahres-Listen eingetragen und nachher mit ihrem zwanzigsten Jahre in die betreffenden Regimenter eingestellt wurden. Durch die Französische Revolution wurde die Conscription (f. d.) der fast allein gebräuchliche Ergänzungsmodus und blieb es
in fast allen europäischen Staaten bis in die Gegenwart. Preußen allein
führte schon durch das Militärgesetz von 1814 die Ergänzung auf Grund der
allgemeinen Wehrpflicht ein (vermöge deren jeder männliche Unterthan,
der zum Militärdienst tauglich ist, auch als Soldat ausgebildet wird). Gegenwärtig geschieht die R. auf Grund der allgemeinen Wehrpflicht im ganzen
Deutschen Reiche, sowie in Oesterreich-Ungarn, Dänemark, Rumänien; in
Frankreich steht zur Zeit eine Reorganisation der Armee bevor und man scheint
auch dort, trotz vielfacher Hindernisse, die allgemeine Wehrpflicht einführen zu
wollen. Die Ergänzung der russischen Armee erfolgt durch Conscription, ebenso
die der norwegischen, spanischen, portugiesischen und italienischen; England hat
das Werbesystem beibehalten. Auch die Armee der Vereinigten Staaten von
Nordamerika, sowie ein Theil der Armee von Schweden (f. d.), recrutirt sich
durch Werbung. Vgl. Wehrsystem.

Relais legt man häufig im Kriege zur raschen Beförderung von Meldungen, Briefen rc. Alle ½ bis 1½ Meilen wird ein R.-Posten von
1 Unteroffizier oder Gefreiten und 3—9 Cavaleristen errichtet. Ein Drittel
derselben ist stets zum Reiten bereit; die übrigen können theils abladoaren,
theils absatteln. Ein Mann steht gewöhnlich zur Beobachtung; auch ist es
gut, die Stelle zu markiren, wo der R.-Posten liegt. Jeder Postenführer führt
Buch über die durchlaufenden Briefe rc.; jeder Reiter erhält einen Begleitzettel,
auf welchem er sich die richtige Abgabe bescheinigen läßt. Das Tempo des
Reitens wird durch Zeichen auf dem Schriftstück markirt. Vergl. die Verordnungen über die Ausbildung der Truppen für den Felddienst rc.
Berlin 1870.

Relation ist eine Gattung des Berichts und betrifft speciell den Hergang
eines Manövers oder Gefechts. Der Vorfall wird in seiner natürlichen Reihenfolge erzählt; man beginnt mit den ersten Nachrichten vom Feinde, stellt dann
Einleitung des Gefechts, seine Durchführung, die Entscheidung, Verfolgung, resp.
den Rückzug dar. Ist die Disposition nicht besonders beigefügt, so wird sie
ohne scharfe Trennung in die R. aufgenommen. In der Regel wird ein Croquis beigelegt, aus welchem die Terraingestaltung hervorgeht und in welches
die wichtigsten Truppenstellungen eingetragen werden. Die militärischen Aus-
arbeitungen über Felddienstübungen umfassen gewöhnlich Terrainbeschreibung,
Disposition und R., doch können auch alle drei in einander verschmolzen sein.

Reliefzüge haben dreikantiges Querprofil (also ohne Sohle); die Zngkanten
stehen unter verschiedenen Winkeln zum Radius, s. Züge.

Religionsfrieden nennt man eine Reihe von Verträgen, welche im 16. und
17. Jahrh. zur Sicherstellung der Rechte der evangelischen Stände im Deutschen
Reiche abgeschlossen wurden. Die wichtigsten derselben sind: 1) der Nürnberger R., zu welchem der Kaiser Karl V. durch die Bildung des Schmalkaldischen Bundes (f. d.) sowie durch den Einfall der Türken in Ungarn und
den Ausbruch des Krieges mit Frankreich genöthigt wurde. Derselbe wurde

von den evangelischen Ständen am 23. Juli 1532 zu Nürnberg, vom Kaiser
am 2. August zu Regensburg unterzeichnet und bestimmte, daß bis zu einem
allgemeinen Concile keine Processe gegen die evangelischen Stände (aber nur die
der Augsburgischen Confession) eingeleitet und alles im Status quo verblieben
sollte. Der Kaiser hatte indeß den Plan, die Reformation und die religiösen
Wirren in Deutschland gewaltsam zu unterdrücken, keineswegs aufgegeben, sah
sich aber gezwungen, die Ausführung desselben immer weiter hinauszuschieben
und den Nürnberger R. von 1534—1545 sechs Mal aufs Neue zu bestätigen.
Der schnelle Abschluß des Friedens von Crespy (1544) zwischen Karl V. und
Frankreich, sowie die Ausschreibung des Concils von Trient zeigten jedoch den
Evangelischen, daß der Kaiser die Zeit zum Schlage gegen sie gekommen glaubte.
Der Schmalkaldische Krieg (s. d.) begann; die Unentschlossenheit und Uneinigkeit der Evangelischen machte dem Kaiser den Sieg leicht und der Protestantismus wäre in Deutschland verloren gewesen, wenn nicht der Kurfürst Moritz
(s. d. l) von Sachsen dem Kaiser noch zur rechten Zeit entgegen getreten wäre und
ihn gezwungen hätte, 2) den Passauer Vertrag vom 31. Juli (2. August)
1552 abzuschließen, in welchem derselbe uneingeschränkte Religionsfreiheit für
die evangelischen Stände, die Losgebung des gefangenen Landgrafen Ludwig von
Hessen und Regelung der Religions-Angelegenheiten auf einem demnächst einzuberufenden Reichstage bewilligte. Der Tod des Kurfürsten Moritz (11. Juli
1553) verzögerte die Eröffnung des Reichstages, welcher erst am 5. Febr. 1555
zu Augsburg statt fand. Auf diesem Reichstage kam 3) der Augsburger R.
am 26. Sept. 1555 zu Stande. Nach diesem wichtigen und berühmten Reichs-
grundgesetze sollte kein evangelischer Reichsstand wegen der Augsburgischen Confession oder ihrer Lehre, kein katholischer Reichsstand wegen des Katholicismus
und seiner Kirchengebräuche angefochten, Religionsstreitigkeiten auf friedlichem
Wege ausgeglichen, die katholische geistliche (bischöfliche) Gerichtsbarkeit in Bezug auf die Augsburgischen Confessionsverwandten suspendirt und der freie
Abzug der Religion wegen aus einem Lande in das andere gestattet werden.
Dagegen wurde den Katholiken der Vorbehalt (Reservatum ecclesiasticum)
zugestanden, daß jeder katholische Geistliche, der zur evangelischen Lehre überträte,
seines Amtes und Standes ipso jure et facto verlustig würde. Hinsichtlich
der Unterthanen der geistlichen Stände wurde bestimmt, daß diejenigen, welche
schon seit Jahren der Augsburgischen Confession zugethan gewesen wären, deshalb
nicht bedrängt, sondern dabei belassen werden sollten. Doch erst 4) der Westfälische Friede (s. d.) vom 24. October 1648 bildete die eigentliche Grundlage zu einem dauerhaften Frieden, indem er nicht nur den Passauer Vertrag
und den Augsburger R. bestätigte, sondern auch völlige Gewissensfreiheit gab,
zwischen Katholiken und Evangelischen eine der Reichsverfassung entsprechende
Rechtsgleichheit herstellte und den Calvinisten als Reformirten gleiche Rechte
mit den Bekennern der Augsburgischen Confession ertheilte.

Remblai, Aufschüttung, im Gegensatz zu Deblai oder Ausgrabung. R.
und Deblai müssen bei Feldwerken in richtigem Verhältniß stehen, da man
hier die Erde in der Regel an Ort und Stelle gewinnen will.

Remington-Gewehr gehört zu der Gattung der einschüssigen Hinterlader
mit gasdichter Patrone, hat somit eine Einheitspatrone und Selbstzündung;
der Erfinder ist der amerikanische Gewehrfabrikant Remington in Jlion, Staat
New-York. Der Vorderschaft und der Kolben sind durch ein Metallgehäuse
verbunden, welches den ganzen Verschluß- und Schloßmechanismus enthält.
Der Verschluß selbst ist ein nach rückwärts sich aufdrehendes Doppelscharnier,
gebildet durch den Hahn und das eigentliche Verschlußstück mit der Nase.
Die Drehachsen beider Theile liegen unterhalb der Laufachse. Wird, um das
Gewehr zu öffnen, der Hahn zurückgezogen, so drückt er die unter ihm lie-

gende Schlagfeder nieder und spannt sich, wobei der Abzug als Stange fungirt. Gleichzeitig wird das bisher vom Hahn in seiner Stellung festgehaltene Verschlußstück frei. Drückt man nun die Nase des letzteren nach rückwärts, so wird der unter dem Verschlußstück liegende Hebel niedergedrückt und dieses selbst dreht sich um seine Achse nach rückwärts. Eine an demselben befindliche Stange mit Haken dient als Extractor. Nachdem die neue Patrone eingeführt, dreht man das Verschlußstück wieder nach vorn, welches sich mit seiner glatten Schlußfläche flach an den Lauf anlegt. Der oben erwähnte, durch eine Feder angedrückte Hebel, hält es in dieser Stellung fest. Drückt man nun ab, so schlägt die Schlagfläche des Hahns auf den, quer durch das Verschlußstück durchgehenden Zündstift und treibt die Spitze desselben in die Patrone hinein. Gleichzeitig drückt der angeschlagene Hahn das Verschlußstück fest an den Lauf heran. Die Achsen des Hahns, wie des Verschlußstückes sind in die Wände des Metallgehäuses eingefügt. Die Bewegung beider Theile wird dadurch ermöglicht, daß die sich berührenden Theile derselben entsprechend convexe und concave Flächen haben. Auf diese Weise wird auch der Druck der Pulvergase gegen das Verschlußstück auf die Hahnachse übertragen, wodurch ein Oeffnen des ersteren durch den Schuß absolut unmöglich gemacht wird. Die Achse des Hahns ist zu dem Zweck von außerordentlicher Stärke und diejenige des Verschlußstücks der Einfachheit halber von gleichen Dimensionen. — Das R.-G. zeichnet sich durch große Einfachheit und Solidität aus. Der Mechanismus läßt sich sehr leicht zerlegen. Ein genaues Aneinanderpassen der Berührungsflächen von Hahn und Verschlußstück ist unbedingt erforderlich, daher eine sehr sorgfältige Fabrication nothwendig. Die Extraction gehört zu den weniger kräftigen. — Der Remington'sche Mechanismus kam bereits während des Secessionskrieges bei einem Karabiner zur Anwendung. Nach 1866 wurde das R.-G. in Oesterreich umfassenden Versuchen unterworfen, bei welchen es sich, nach einigen Modificationen des Mechanismus, so gut bewährte, daß es versuchsweise an einzelne Bataillone ausgegeben ward. Später mußte es indeß dem vaterländischen System Werndl (s. d.) weichen. Dagegen kam das R.-G., nachdem es auch hier umfassenden Proben unterworfen worden war, in Dänemark, sowie in Schweden und Norwegen, außerdem in Spanien, Griechenland, Egypten und den (s. Z.) Kirchenstaat zur Einführung, sodaß es jetzt zu den verbreitetsten Modellen gehört. Die neu aufgestellten Heere der französischen Republik 1870/71 führten zum Theil in Amerika angekaufte R.-G.e, deren eine Anzahl in deutsche Hände fiel. Das Kaliber des R.-G.s war in Oesterreich 11 mm., ist in Dänemark 11,44 mm. und in Schweden 12 mm. Die Geschoßgewichte betragen 21 gr., 25 gr. u. 24 gr. Vergl. „Das R.-G. Bericht über die von der k. k. Hinterladungsgewehr-Commission in Wien angestellten Versuche." Wien 1868. „Die Umgestaltung der k. k. österreichischen Gewehre in Hinterlader", von Kropatschek, Wien 1867, mit Anhang von 1869. „Das Hinterladungs-Gewehr des k. dänischen Fußvolks", Milit. Wochenbl. 1868 Nr. 70. 71. (nach einer Abhandlung des dänischen Kapitäns Pfaff. „Die deutsche Gewehrfrage ꝛc.", von v. Plönnies und Weygand. Darmstadt 1872.

Remonten oder Remonte-Pferde heißen die zur Ergänzung des regelmäßigen Abgangs in einer Truppe zu bestimmten Terminen einzustellenden jungen Pferde (im Gegensatz zu den Augmentationspferden, welche bei der Mobilmachung zur Erhöhung des Friedensstandes zur Einstellung kommen). Da der Abgang verhältnißmäßig gering (ungef. 10 Procent alljährlich), mithin auch eine entsprechende geringe Zahl R. eingestellt werden, so hat man genügende Zeit, sie zu ihrem speciellen Dienst (Reit-, Zugpferd) auszubilden. Die Dressur der R. ist ein wichtiger Dienstzweig, da von der ersten Schule die spätere Brauchbarkeit wesentlich abhängt. Die Ausbildung der R. muß Officieren, welche das Reiten rationell betreiben, übertragen, und als Remonte-Reiter müssen ruhige, im Reiten gut ausgebildete Leute gewählt werden. Das Einstellen der R. in die Truppe darf nicht zu früh erfolgen (bei der preußischen Cavalerie nach dem 1. Jahre). Im Falle einer Mobilmachung theilt man die noch nicht hinreichend ausgebildeten R. der Cavalerie den Ersatz-Escadrons zu. Die R. werden durch Ankauf entweder im In- oder im Auslande aufgebracht; entweder werden sie durch Officiere direct auf den Pferdemärkten aufgekauft oder von Lieferanten gestellt. Man kann die R. entweder direct nach dem Ankauf den Truppen überweisen oder zunächst in Remonte-Depots unterbringen. Letzteres geschieht z. B. in Preußen und ist vortheilhafter, weil die Pferdezüchter die Thiere oft schon mit 2—3 Jahren einspannen, volljährige ungebrauchte Pferde aber sehr theuer sind. In diesen Depots werden nun die für 150 Thaler durchschnittlich im Lande angekauften dreijährigen Pferde so lange aufbewahrt, bis sie im Herbst als 4½ resp. 5jährige Thiere den Remonte-Commandos der Truppen zur Zuführung an diese übergeben werden können. Der Ankauf geschieht in Preußen in den pferdereichen mittleren und östlichen Provinzen durch vier Remonte-Commissionen, davon eine für Ostpreußen, eine für das Land zwischen Weichsel und Oder, eine für das Land zwischen Oder und Elbe und die vierte für das Land bis zum Rhein. Dieselben kaufen nur Wallachen und Stuten. Die Depots f. u. Preußen, S. 119. Jedes Cavalerie-Regiment mit 672 Pferden erhält jährlich 63 R. (¹⁄₁₁), jedes Feld-Artillerie-Regiment mit 696 Pferden 77½ R. (⅑). Das k. sächs. (12.) Armee-Corps des Deutschen Reiches kauft von Lieferanten. Preußen remontirt nicht bloß vollständig im Inlande, sondern bezieht auch die Augmentations-Pferde aus demselben. Früher wurden die preußischen R. aus den pferdereichen Gegenden von Polen, Ungarn und Rußland aufgekauft, wie auch jetzt noch manche Staaten auf das Ausland angewiesen sind, z. B. Frankreich.

Remorqueur (Schleppschiff), s. v. w. Bugsirdampfer, s. u. Bugsiren.

Renchen, Stadt im badischen Kreise Baden (früher zum Mittelrheinkreise gehörig), an der Rench und an der badischen Staatsbahn (Linie Karlsruhe-Offenburg), 2400 Einw. Dabei der Paß Rencherloch, berühmt durch den Feldzug Turenne's von 1675. Hier 28. Juni 1796 siegreiches Gefecht der Franzosen unter Desaix gegen die Oesterreicher unter Feldmarschalllieutenant Sztarray.

Rencontre gehört zur Classe der Ueberraschungsgefechte. Das Zusammenstoßen ist für beide Theile ein unerwartetes (während dies bei Hinterhalt und Ueberfall nur einseitig ist). Ein R. ist selten von entscheidenden Folgen begleitetes Gefecht. Das entsprechende deutsche Wort „Treffen" hat in der Regel schon eine weitere Bedeutung.

Rendez-vous bedeutet Sammelplatz für Truppen, in der Idee, von dort ausgehend gemeinschaftlich zu marschiren oder zu manövriren. Die Formation, welche eine Truppe im R. anzunehmen pflegt, wird R.-Aufstellung genannt. Sie darf nur wenig Raum einnehmen, muß möglichst compact, doch auch wieder so beschaffen sein, daß die Entwickelung aus derselben zu weiterer Bewegung nicht zu schwierig ist. Für das Infanterie-Bataillon ist die Colonne nach der Mitte, für das Cavalerie-Regiment die aufgeschlossene Colonne in Escadrons, für die Batterie die geschlossene Linie resp. aufgeschlossene Zugcolonne mit geschlossenen Intervalle, für die Infanterie- resp. Cavalerie-Brigade die treffenweise Aufstellung, für eine Artilleriemasse die Zugcolonne mit vorgezogenen Teten (nach der Mitte oder den Flügeln zusammengezogen), die geeignetste R.-Formation. — Auf Märschen werden die zur Erholung bestimmten kürzeren und längeren Halte häufig R., besser Ruhepunkt, genannt.

Rendsburg, Stadt und Festung in der preußischen Provinz Schleswig-Holstein (zu Holstein gehörig), an der schiffbaren Eider und der Eisenbahn von

Renmünster nach Schleswig und Flensburg, hat ein Exercier-, ein Zeug- und ein Provianthaus, Kasernen, ein Realgymnasium, Handel, Schifffahrt und (1867) 11,904 Einwohner (ohne die Garnison). R. war früher Hauptwaffenplatz für Schleswig-Holstein und zerfiel in drei Theile: das Neuwerk mit 6 Bastionen und Ravelins (auf der Südseite des südlichen Eiderarmes, sich bis zu der hier in die Eider mündenden Wehrau ausdehnend), die Altstadt mit 7 Bastionen, 4 Ravelins und 2 unregelmäßigen Außenwerken und das Kronenwerk, die das Neuwerk und die Altstadt beherrschende Hauptfestung mit 3 Bastionen, 2 Ravelins und 1 Redoute (beide auf einer durch den nördlichen und südlichen Eiderarm gebildeten Insel auf der schleswigschen Seite aber nicht auf schleswigschem Boden liegend). Das Kronenwerk wurde, weil gegen einen Angriff von Norden gerichtet, 1852—54 von den Dänen geschleift, bald darauf auch von denselben ein Theil der Wälle der Altstadt abgetragen, um damit das Bett der Eider einzudeichen. Unmittelbar vor den über den nördlichen Eiderarm führenden Schleusenbrücke beginnen die sogenannten Vorwerksläubereien (sechs Dörfer), welche 1854 von den Dänen widerrechtlich zu Schleswig (d. h. zu Dänemark) geschlagen wurden. Einige Meilen östlich von R. verbindet sich der Schleswig-Holsteinsche Kanal mit der Eider. R. hat insofern strategische Bedeutung, als es ein Knotenpunkt der wichtigsten die Cimbrische Halbinsel durchziehenden Straßen ist, die Verbindung der schleswigschen und holsteinschen Bahnen herstellt, somit gewissermaßen die Halbinsel beherrscht, an der unmittelbaren Verbindung der Ostsee mit der Nordsee liegt, und einer nach Norden operirenden Armee vermöge seiner Lage eine vortreffliche Basis gewährt. — R. wurde 1648 von den Schweden unter Oberst Wrangel vergeblich belagert. Am 10. Juli 1675 wurde hier ein Vertrag zwischen dem Herzog Christian Albrecht von Holstein-Gottorp und dem König Christian V. von Dänemark abgeschlossen, nach welchem Letzterer das Oberhoheitsrecht über Holstein erhalten sollte; dieser Vertrag wurde jedoch später annullirt. Am 16. Dec. 1813 wurde hier ein Waffenstillstand zwischen Dänemark und Schweden abgeschlossen. In den Jahren 1837 und 38 wurden die Werke verstärkt. Bei der Erhebung der Herzogthümer im Frühjahr 1848 wurde die von den Dänen besetzte Festung am 24. März von den Schleswig-Holsteinern unter dem Prinzen Friedrich von Augustenburg-Noer durch Ueberrumpelung genommen, worauf die Provisorische Regierung von Schleswig-Holstein hier ihren Sitz nahm; am 5. April 1848 wurde R. von den Preußen besetzt. General von Willisen ließ 1850 im Norden noch eine Reihe von Redouten errichten und somit um die Stadt ein verschanztes Lager aufführen, in welches er sich nach der verlorenen Schlacht von Idstedt (24. und 25. Juli 1850) mit seiner Hauptmacht zurückzog. Am 5. August 1850 fand im R—er Artillerie-Laboratorium eine große Pulver-Explosion statt. Dänemark, welches im Laufe der Ereignisse die Wichtigkeit des Platzes erkannt hatte, versuchte nach dem Ausgange des Krieges, R. für eine schleswigsche (und somit nicht zum Deutschen Bunde gehörige) Stadt zu erklären, fand aber Schwierigkeiten und beschränkte sich dann mit seinem Versuche auf den nördlichen Theil (s. oben). Bei dem Einmarsche der Preußisch-Oesterreichischen Truppen am 8. Febr. 1851 besetzten dieselben nur das Neuwerk und die Altstadt, wogegen die Dänen am 9. Febr. das Kronenwerk in Besitz nahmen. Die Grenzfrage blieb indeß unentschieden, und beim Abzuge der deutschen Truppen am 20. Febr. 1852 wurde Stadt und Festung den Dänen übergeben, welche nun den ganzen Bestand des den Herzogthümern zugehörigen Kriegsmaterials nach Kopenhagen überführten, die Werke am 15. Sept. zu demoliren begannen (s. oben), den Platz aber später bei dem drohenden Ausbruche des Krieges aufs Neue befestigten. Als nach dem Tode des Königs Friedrich VII. von Dänemark (15. Nov. 1863) in Folge des Beschlusses des Deutschen Bundes vom 7. Dec.

1863 (f. u. Dänemark, Bd. III. S. 149) die deutschen „Executionstruppen" (Sachsen u. Hannoveraner) gegen Ende December in Holstein einrückten, wurden die Pallisadenwerke und das Kronwerf, auf widersprechende Befehle aus Kopenhagen, abwechselnd armirt und desarmirt. Die Dänen verließen am 21. Dec. die Stadt (worauf sofort der Einmarsch der Sachsen unter General von Hake erfolgte), behielten jedoch das Kronwerk und die Vorwerköländereien noch besetzt, was zu längeren erfolglosen Verhandlungen mit den Bundescommissarien Veranlassung gab. Erst als Oesterreich und Preußen die „Occupation" des Herzogthums Schleswig in die Hand zu nehmen beschlossen, räumten die Dänen am 29. Januar 1864 auch das Kronwerf theilweise und verließen am 1. Februar beim Anrücken der österreichischen Truppen unter Gablenz nach wenigen Schüssen gänzlich. Die österreichischen Truppen gingen dann sofort über die Eider. Am 2. Februar traf die preußische combinirte Garde-Division in R. ein und ging hier ebenfalls über die Eider. In dem dann folgenden Kriege selbst spielte R. nur eine untergeordnete Rolle. In Folge des Vertrags von Gastein (f. d.) vom 14. August 1865 kam dann R. mit ganz Holstein unter österreichische Oberhoheit. Beim Beginn der Verwickelung zwischen Oesterreich und Preußen im Sommer 1866 wurde jedoch R. am 7. Juni von den Oesterreichern geräumt und dann sofort von den Preußen besetzt. In Folge des Art. 3 der Friedenspräliminarien von Nikolsburg (resp. Art. 5 des Prager Friedens) kam dann R. mit ganz Schleswig-Holstein an die Krone Preußen. Hier gehörte es nun zur 8. Festungs-Inspection (Schleswig) der 4. Ingenieur-Inspection (Berlin). In neuester Zeit ist jedoch R. als Festung aufgegeben worden. Vgl. Warnstedt, „R., Eine Holsteinische Stadt u. Festung", Kiel 1850.

Rentin-Gewehr gehört der Gattung der einschüssigen Hinterlader mit einfacher Pistonzündung an, eignet sich also lediglich zu Transformationen. S. Handfeuerwaffen, Bd. IV., S. 327. Das Rentin-Gewehr ist in keiner Armee zur Einführung gelangt. Vgl. weiter Mattenheimer, „Rückladungs-Gewehre", Tafel V.

Rennes, Hauptstadt des französischen Departements Ille-Vilaine (ehemals Hauptstadt der Bretagne), am Einfluß der Ille in die Vilaine, an dem nach St. Malo führenden Kanal der Ille und Rance, und an der Westbahn (Paris-Brest, die hier südlich nach Nantes, nördlich nach St. Malo abzweigt, ist Sitz des Commando's der 17. Militär-Division, hat einen bischöflichen Palast, ein großes Arsenal, große Kasernen, eine Artillerie-Feuerwerker- und Reitschule, eine Kanonengießerei und 50,000 Einwohner. R. wurde 1357 von den Engländern vergeblich belagert.

Rentrant, soviel wie einspringender oder eingehender Winkel (f. d.) in der Befestigungsweise. Das Eigenthümliche des R.s ist, daß unter der Annahme rechtwinkligen Aufschlags die Schußlinien sich vor der Oeffnung des R.s kreuzen — Kreuzfeuer, somit starkes Feuer in nächster Nähe erzielt wird. Kein R. darf unter 90 Grad betragen, weil sonst die denselben bildenden Linien ihr Feuer gegenseitig auf einander richten würden. Der R. von 90 Grad gewährt eine wechselseitige Bestreichung oder Flankirung des vorliegenden Grabens; je mehr er 90 Grad übersteigt, desto weniger ist dies der Fall. Bezweckt man eine Flankirung durch die Form des Grundrisses, so darf der R. höchstens 120 Grad betragen, da hier noch durch Schräganschlag sich nachhelfen läßt. Größere R.s haben mehr den Zweck, längere Linien zu brechen, sodaß die Enfilade von einem Punkte aus unmöglich gemacht wird (vgl. Polygonalsystem). Mit dem Wachsen des R.s wird das Kreuzfeuer mehr und mehr in die Ferne verlegt. — Befestigungsformen mit R.s kommen heutzutage fast nur noch in der permanenten Fortification vor, s. Bastionär- und Tenaillensystem.

Renvers, f. Reiterei, S. 336.

Renvoi nennt man häufig die Erklärung der Signaturen oder überhaupt gebrauchten Zeichen bei einem Plan.

Reorganisation ist die Umformung einer schon bestehenden Heeresorganisation in zeitgemäßem Sinne. Häufig erfolgen R.en nach großen Katastrophen, welche die Mängel der bisherigen Organisation an den Tag gebracht haben, wie die R. vom Jahre 1808, die österreichische von 1866. Die R. des preußischen Heerwesens von 1860 geschah in Folge der bei mehrfachen Mobilmachungen zur Erkenntniß gelangten Mängel der bisherigen Heeresverfassung und erwies sich bei den bald nachher folgenden Kriegen als eine weise Voraussicht, die dem Staate muthmaßlich eine Reihe herber Erfahrungen erspart hat. Die russische und französische Armee befinden sich jetzt (Ende 1871) im Stadium der R.

Repetirgeschütz ist eine vorkommende Bezeichnung für diejenigen Constructionen von Feuerwaffen, welche sonst mit den Namen: Infanteriekanonen, Kartätschgeschütz, resp. Mitrailleur, oder Mitrailleuse, auch wohl Revolverkanonen, ja sogar mit der selbst in die Militärliteratur eingedrungenen Benennung Engelspritze belegt werden. Vergl. Engelspritze Bd. V., Mitrailleuse Bd. VI. Keiner dieser Namen ist indeß vielleicht so bezeichnend wie Repetirgeschütz, wenn wir nicht direct das französische Canon à balles, d. i. „Gewehrkugel-Geschütz" anwenden wollen, was grade das Charakteristische dieser Waffe — die Wirkung der kleinen verbunden mit dem Exterieur der großen Feuerwaffen — ausdrückt. Der Name „Infanteriekanone" läßt fälschlich vermuthen, daß an eine Zutheilung zur Infanterie gedacht würde, während „Kartätschgeschütz" oder „Mitrailleur" insofern nicht passen, als grade die streuende Wirkung dieser Schußart bis jetzt nicht erreicht ist, und „Revolverkanone" nur auf die Gatling'sche Construction paßt. Gegenwärtig sind es vier dieser Constructionen, welche sich wirklich Eingang verschafft haben, d. i. das Gatlingkanon (s. Bd. V. S. 252) in England, Rußland und der nordamerikanischen Union, der Montignysche Mitrailleur (s. ebenda und Bd. VI. S. 141) in Oesterreich und Belgien, das ähnlich construirte Canon à balles in Frankreich und das Feldsche Kartätschgeschütz in Baiern.

Das französische Canon à balles ist erst durch den Krieg von 1870/71 nach seiner genaueren Einrichtung allgemein bekannt geworden, bei welcher Gelegenheit eine bedeutende Anzahl in deutsche Hände gefallen sind. Bis dahin war in Frankreich, selbst gegenüber dem Personal der Artillerie, welches dasselbe dereinst verwenden sollte, ein officielles Geheimniß bewahrt worden, um auch diesmal wieder wie 1854 und 59 den Gegner mit einer neuen Waffe zu überraschen. Trotzdem war es unvermeidlich gewesen, daß selbst Details der Construction in die Oeffentlichkeit gelangten.

Die Einrichtung ist in kurzem folgende: Auf der gewöhnlichen Feldlaffete ruht ein aus 25 Gewehrläufen zusammengesetztes Rohr; jene, äußerlich vierkantig, sind an einander gelöthet und mit einem äußerlich cylindrischen Mantel von Bronze umgossen. Der Umguß setzt sich nach hinten zur Aufnahme des Verschluß- und Schloß-Apparats in Gestalt zweier Coulissen mit Bodenstück fort. Das Rohr hat nicht nur die bei jedem Geschütz vorkommende Bewegung um eine horizontale Achse, sondern in beschränktem Maße auch um eine verticale, sodaß eine feine Seitenrichtung möglich ist, die Laffete hat dem entsprechend zwei Richtmaschinen, von denen die zum Nehmen der Höhenrichtung bestimmte eine Doppelschraube hat. (S. Richtmaschine.) Die Läufe haben 13 mm. Kaliber und polygonales Zugprofil. Eine mittlere Visirung bis 1300, eine seitliche bis 3000 Meter sind dem Rohr eigen. — Eine Ladeplatte, welche ebensoviele, und zwar correspondirende, Bohrungen

Anstoßen der Ladeplatte an das Rohr gehemmt wird, wird die Schloßplatte durch die Druckschraube nach vorwärts gegen die Spiralfedern gedrückt, die Schlagbolzen, welche mit ihren Reisen die Spannplatte in ihrer jetzigen Stellung nicht zu passiren vermögen, halten die Federn auf und wir kommen zur gespannten Stellung des Apparats. Nun erfolgt die Drehung der Seitenkurbel zum Abfeuern. Da die seitliche Streuung der Geschosse auf nähere Entfernungen geringer, als wünschenswerth ist, so erhält das Rohr alsdann während des Abfeuerns mittelst der zur Seitenrichtung bestimmten Richtmaschine eine seitliche Drehung, wodurch die Streuung erhöht wird. Die aus dem Rohr entfernte Ladeplatte wird durch eine an der Laffete angebrachte Enthülsevorrichtung ihrer leeren Hülsen entledigt und demnächst neu geladen, wozu die Patronen à 25 Stück in entsprechend geformten hölzernen Ladebüchsen sich befinden. — Zu der Laffete gehört eine Protze, welche 81 Ladebüchsen à 25 Patronen aufnimmt. Das Rohr wiegt 315, die Laffete 460, das vollständig ausgerüstete Geschütz 1250 Kilogr. Letzteres ist mit 4 Pferden bespannt; zur Bedienung gehören 6 Mann. Das Bleigeschoß wiegt 49, die aus 6 Pulvercylindern bestehende Ladung 12 Gramm. Die Patronenhülse ist Carton mit messingener Bodenkappe und Centralzündung. Im Schnellfeuer lassen sich 5, im langsamen 3 Salven, also 125, resp. 75 Schuß, in der Minute abgeben. Die Constructionsverhältnisse garantiren eine bedeutende Rasanz und Percussion, sowie eine der gewöhnlichen Handfeuerwaffe überlegene Präcision. Die größte Schußweite geht bis 3000 Meter. Nach französischen Angaben beträgt der Elevationswinkel auf 1500 Meter 4½ Grad, der Einfallwinkel 9 Grad, die Procentzahl der Treffer in einer Scheibe von 1 Meter Höhe und unbegrenzter Breite 12%, bei 1,80 M. Höhe 22%. Auf 2000 Meter sind die entsprechenden Werthe 9, 18½ Grad und 5, resp. 9%. Das Streuungsrechteck hat auf 1500 Meter Entfernung 11 Meter Breite, 143 M. Länge, auf 2000 M. 16, resp. 185 M. Bei einem Vergleichsschießen (1868) gegen eine Scheibe von 1,80 M. Höhe und der Breite eines deployirten Bataillons zwischen dem Canon à balles und dem französischen Infanteriegewehr ergab sich, daß, um ebensoviel Schüsse in einer Minute in die Scheibe zu bringen, als das Canon à balles im Schnellfeuer, auf 600 M. 54, auf 800 M. 78, auf 1000 M. 119, auf 1200 M. 121 Infanteristen nöthig sind. Im Vergleich zur Kartätschwirkung des französischen Feld-Vierpfünders fand man, daß aus einer Batterie von 6 Geschützen auf 300 M. 162, auf 400 M. 140, auf 500 M. 112, auf 600 M. 70 Kartätschkugeln die 1,80 M. hohe Bataillonsscheibe in einer Minute trafen. Das Canon à balles ergab unter gleichen Verhältnissen treffende Geschosse auf 300 M. 450, auf 400 M. 378, auf 500 M. 336, auf 600 M. 261. — Die französischen Kartätsch-Geschütze wurden zu Anfang des Krieges in Batterien zu 6 Geschützen zusammengestellt und jeder Division eine Batterie zugetheilt. Ueber ihre Wirkung im Felde steht fest, daß sie in vielen Fällen eine mörderische gewesen ist, namentlich wenn sie aus gut vorbereiteten, an sich schon festen Stellungen wirkten, in welchen sie mehr oder weniger gedeckt dem deutschen Geschützfeuer gegenüber intact erhalten werden konnten. Wo dies nicht möglich war, wurden sie durch dieses häufig aus der Ferne unschädlich gemacht. Ueber ihre Kriegsbrauchbarkeit sind keine nachtheiligen Erfahrungen bekannt geworden.

Das Feldl'sche Kartätschgeschütz ist gewissermaßen ein vierläufiges Werder-Repetirgewehr (vergl. Werdergewehr). Das Laden geschieht mittelst senkrecht stehender Patronenmagazine, von denen für jeden Lauf zwei mit je 41 Patronen bestimmt sind. Letztere liegen im Magazine wagerecht und fallen durch ihr eigenes Gewicht nach und nach in einen Zubringer, der sie dem Lauf zuführt. Der Mechanismus wird durch

Drehung eines seitlichen Handrades in Bewegung gesetzt und wird immer ein Lauf nach dem andern abgefeuert. Das eigentliche Geschütz wiegt 437 Kilogr., mit Protze, Ausrüstung und 2 Mann aufgesessen 1145 Kilogr. Es hat 8 Mann Bedienung und ist mit 4 Pferden bespannt. Im Laufe des letzten Krieges gelang es noch 2 Batterien à 4 Geschütze auszurüsten und sie je einem Armeecorps zuzutheilen. Eine derselben hatte Gelegenheit, in einem Defensiv-Gefecht (bei Coulmiers) eine wesentliche und erfolgreiche Rolle zu spielen; doch bewährte sich der Mechanismus dabei nur wenig.

Die Leistungsfähigkeit der Repetirgeschütze überhaupt dürfte dahin zu charakterisiren sein, daß sie nur eine Wirkung gegen lebende, ungedeckte Ziele besitzen, ähnlich dem Gewehr- und Kartätschschuß, dagegen diejenige des Shrapnels, welches gegen Truppen hinter Deckungen, und der Granaten, welche gegen widerstandsfähige Ziele und jedenfalls weiter zu wirken vermögen, mit ihren Geschossen nicht zu ersetzen vermögen. Dagegen haben sie die umfangreiche und kostspielige Organisation und Ausrüstung wie die Feldartillerie. Selbst mit derjenigen Anzahl von Infanteristen, welche in gleicher Zeit dieselbe Wirkung hervorbringen können, sind sie nicht absolut gleichwerthig, wenn man die Vielseitigkeit der Verwendung jener in Betracht zieht, die auch das Feuergefecht in der Offensive zu führen vermögen und in der Defensive besser placirt werden können. Ihre Einstellung in die Feldartillerie läßt sich jedenfalls in vielen Beziehungen anfechten; dagegen versprechen sie im Festungskriege, namentlich als Flankengeschütze, außerordentliche Leistungen. Vergl. „Ueber Kartätschgeschütze" von Wille, Berlin 1871; „Die französische Mitrailleuse der Feldartillerie" von Weygand, Darmstadt 1871; „Ueber den Gebrauch von Kartätschgeschützen". Eine taktische Studie, von Bauer von Rapolno, Wien 1871.

Repetir-Gewehre, resp. R.-Pistolen, auch mehrschüssige od. Mehrlader, können alle Waffen genannt werden, welche ohne von Neuem geladen zu werden, eine Anzahl Schüsse hinter einander abzufeuern vermögen. Sie zerfallen in Revolver-Gewehre (s. Revolver) und Magazin-Gewehre (-Pistolen). Bei ersteren befinden sich die Patronen von vorn herein an den Stellen, wo auch die Entzündung der Ladung vor sich gehen soll, bei letzteren dagegen in einem Magazin, aus welchem sie nach und nach in dasselbe Patronenlager geschafft werden; vgl. Handfeuerwaffen, Bd. IV., S. 331, sowie die Specialartikel: Spencer, Vetterli, Winchester. Die Magazingewehre repräsentiren die höchste Potenz der Feuergeschwindigkeit, sobald aus dem Magazin geladen werden, und sind dann dem Einlader gleichen Systems überlegen, da namentlich das Ergreifen der Patronen in der Tasche zeitraubend ist. Dagegen sind sie vermöge ihrer Einrichtung complicirter, schwerer und der Gefahr des Verschießens noch mehr ausgesetzt, als die Einlader, sowie nicht unerheblich theurer. Bis jetzt ist nur die kleine Schweiz mit einem Magazingewehr versehen; kein größerer Staat hat es adoptirt.

Repetiente nennt man diejenigen zu einer Flottenabtheilung gehörigen Schiffe, welche beauftragt sind, die vom Flaggschiff ausgehenden Signale zu wiederholen, um solche dem einzelnen Schiffe, oder allen denen, die das Signal angeht, leichter kenntlich und sichtbarer zu machen. Diese Repetition der Signale ist entweder nothwendig, wenn das signalisirende Schiff zu weit entfernt ist, um mit Deutlichkeit die Signale zu unterscheiden, oder wenn die Luft trübe und „diesig" ist, oder aber in der Schlacht, während des Gefechts. Während im Allgemeinen jedes Schiff einer Flottenabtheilung gehalten ist, die Signale eines anderen Schiffes zu repetiren, falls vorausgesetzt werden kann, daß das Signal von dem Schiff, welches dasselbe Signal angeht, nicht deutlich gesehen werden kann, so sind doch für den Fall einer Schlacht besondere Schiffe ganz speciell damit beauftragt, die Signale des Commandirenden zu wiederholen, da der Pulverdampf leicht dem einen oder dem andern Schiff die Aussicht nach dem Flaggschiff behindern wird. Diese hierzu besonders bestimmten Schiffe, zu denen namentlich die schnellsten Avisos verwendet werden, welche sich in wirksamer Weise gar nicht an dem Gefecht betheiligen können, haben ihre Aufmerksamkeit auch darauf zu richten, dem Feinde nicht zu nahe zu kommen, um unverletzt zu bleiben, damit ihre Thätigkeit als R. der Signale nicht beeinträchtigt werde. Je nachdem ein Schiff das betreffende Signal nicht sehen kann oder im Eifer des Gefechts nicht beachtet, eilt der Repetiteur in seine Nähe mit dem wehenden Signal. Diese selbst bestehen unter gewöhnlichen Umständen aus farbigen Flaggen; sind die Entfernungen zu groß, so werden besondere Fernsignale angewendet, zu denen Ballons, kubische Dreiecke ꝛc. verwendet werden, welche von jeder Seite gesehen gleiche Gestalt zeigen. Nachts werden die Signale durch Laternen gegeben. Da indessen die Permutationen aus der Zahl und Stellung derselben verhältnißmäßig gering sind, so werden nur die wichtigsten etwaigen Vorkommnisse in diesen Signalcodex aufgenommen.

Repli heißen die Unterstützungstrupps der Feldwachen. Nach den neuesten Verordnungen ist die Bezeichnung in der preußischen Armee ganz fallen gelassen und durch Piket ersetzt.

Repnin, 1) Nikolai Wassiljewitsch, Fürst von, russischer Generalfeldmarschall, geb. 1734, avancirte, obschon meist in diplomatischen Geschäften verwendet, rasch zum General, führte im Kriege gegen die Türken 1770 ein Hauptcommando und machte sich durch mehre Siege und Erstürmungen berühmt, hatte in den Kriegen, welche Oesterreich und Rußland 1788 gegen die Türken unternahmen, das Obercommando russischer Seits, und erkämpfte bis 1791 wiederum große Siege, drängte durch seine Anmaßungen als Gesandter in Polen letzteres zu der unglücklichen Revolution, welcher die letzte Theilung folgte, wurde 1796 Feldmarschall und starb 1801 zu Riga als General-Gouverneur der russischen Ostseeprovinzen. 2) Nikolai Fürst von R.-Wolkonski, russischer General der Cavalerie, Enkel des Vorigen, geb. 1778, hatte ebenfalls schnelles Avancement, machte als Oberst den Feldzug von 1805 gegen Frankreich mit, kehrte nach zweijähriger Gefangenschaft nach Rußland zurück, machte die Feldzüge von 1812 und 1813 als Commandeur der Cavalerie unter Wittgenstein mit, wurde nach der Schlacht bei Leipzig Generalgouverneur von Sachsen, kehrte nach dem Frieden nach Rußland zurück, wurde 1828 General der Cavalerie und starb 1845.

Repräsentativ (v. lat.), 1) im Allgemeinen s. v. w. stellvertretend, besonders aber 2) sich auf die Vertretung eines Staates beziehend; daher Repräsentativgewalt, der Inbegriff der äußern Hoheitsrechte oder die Befugniß des Regenten, den Staat im äußern Verkehr mit andern Staaten zu vertreten. Repräsentativsystem (Repräsentativverfassung)· ein constitutionelles System, in welchem nicht gewisse Classen oder Stände (Landstände) sondern das ganze Volk durch eine Versammlung (Repräsentativversammlung) abgeordneter Vertreter (Volksrepräsentanten) an bestimmten wichtigen politischen Angelegenheiten (besonders Gesetzgebung und Besteuerung) Theil nimmt. Das Charakteristische dieses Systems ist der repräsentative Charakter der Abgeordneten, wonach diese nicht wie Mandatare die Aufträge von Vollmachtgebern zu erfüllen, sondern das ganze Volk selbstständig zu vertreten und dasjenige zu beschließen haben, was sie nach ihrer Ueberzeugung für das Beste des Volkes halten. Eine solche Repräsentativversammlung ist nach Art. 29 der Reichsverfassung der Deutsche Reichstag.

Repressalien nennt man alle Gewaltmaßregeln, welche ein Staat dem andern gegenüber zur Erlangung einer Genugthuung für eine im internatio-

nalen Verkehr oder im Kriege erlittene völkerrechtwidrige Unbilde (z. B. will-
kürliche Beschlagnahme diesseitigen Eigenthums, Beschießung offener Städte,
Anwendung von Geschossen, welche durch internationale Conventionen ausgeschlossen sind, überhaupt Nichtbeachtung der Bestimmungen internationaler Conventionen, z. B. der Genfer Convention, Tödtung wehrloser Verwundeter,
Betheiligung bewaffneter Civilisten am Kampfe ꝛc.) anwenden, sobald Versuche
zur Erlangung einer Genugthuung oder zur Abstellung durch diplomatische oder
militärische Unterhändler unmöglich oder erfolglos sind. In solchen Fällen ist
der verletzte Staat auch seinerseits berechtigt, von der durch das Völkerrecht
gebotenen Anerkennung und Schonung abzusehen und die Urheber der völker-
rechtwidrigen Handlung (im äußersten Falle auch andere, an der Handlung
selbst nicht betheiligte Angehörige des jenseitigen Staates) in gleicher oder
ähnlicher Weise zu behandeln. In diesem Sinne waren es nur R.,
wenn im Deutsch-Französischen Kriege von 1870/71 deutscherseits in Frankreich
Gebäude niedergebrannt wurden, aus welchen von Civilisten auf deutsche Truppen
geschossen worden war. Denn gegen den aufgestellten Grundsatz, daß R. (im
engern Sinne des Worts als Wiedervergeltung) ausschließlich auf Verletzung des Gegners in gleicher Weise zu beschränken seien, spricht schon der
Umstand, daß zu der Anwendung gleicher Maßregeln in den meisten Fällen die
Gelegenheit fehlt. Nicht zu verwechseln mit R. sind Repressivmaßregeln,
d. h. Maßregeln, welche eine Regierung unter Anwendung von polizeilichen
Zwangsmitteln gegen einzelne ihr mißliche Vorkommnisse (politische Agitationen,
Demonstrationen, Volksversammlungen, Ausschreitungen der Presse ꝛc.) ergreift,
und welche sich ebensowohl nach Innen wie nach Außen richten können, im
letztern Falle auch nicht selten unter Hintansetzung völkerrechtlicher Grundsätze
versucht worden sind.

Republik (v. lat. Res publica, das Gemeinwesen) oder Freistaat bezeichnet im modernen Sprachgebrauche diejenige Staatsform, nach welcher die
oberste Staatsgewalt nicht durch Erbrecht (wie in der Monarchie), sondern durch
Wahl von Seiten des Volkes oder einer das Volk repräsentirenden Wahlkörper-
schaft übertragen wird. In diesem Sinne wurde selbst das ehemalige Königs-
reich Polen eine R. genannt, weil der Adel den König wählte, ebenso wie in
den Staatsacten des 18. Jahrhunderts auch das Deutsche Reich als eine „R.
von Fürsten“ bezeichnet ward, weil der Deutsche Kaiser die Krone durch die Wahl
der Kurfürsten übertragen erhielt; auch der bisherige Kirchenstaat war in diesem
Sinne eine R. Die R. kann übrigens, je nach den Wahlbestimmungen wie
nach der Herrschaft der verschiedenen Classen, in den verschiedensten Formen und
Abstufungen von der strengsten Aristokratie (s. d.) bis zur äußersten Demo-
kratie (s. d.) vorkommen, und daher ebenso gut eine Oligarchie (s. d.) wie eine
Ochlokratie (s. d.) sein. Gegenwärtig findet sich in Europa die R. nur in Frankreich (seit 4. Sept. 1870, nachdem sie dort bereits zwei Mal gescheitert), in
der Schweiz, in den drei Freien Städten des Deutschen Reiches, in San Marino
und Andorra. Außerhalb Europa's ist sie in Amerika die herrschende Staatsform, wo nach dem Sturz des mexikanischen Kaiserthrones nur Brasilien und
die europäischen Colonien eine Ausnahme bilden.

Republik der Sieben Inseln, sonst die Bezeichnung der Jonischen Inseln (s. d.).

Requa-Batterien sind die Vorläufer der jetzigen Kartätschgeschütze (s. Repetirgeschütz) und wurden im nordamerikanischen Secessionskriege vielfach
angewandt. 25 Gewehrläufe von 60 cm. Länge waren durch einen eisernen
Rahmen zu einem System vereinigt und lagen in einer wagerechten Reihe
80 cm. über dem Erdboden auf einer leichten Feldlaffette. Sie waren zur
Hinterladung eingerichtet; eine besondere Vorrichtung besorgte das gleichzeitige
Einschieben der Patronen. Sämmtliche Läufe wurden gleichzeitig abgefeuert,

wobei man ihnen eine divergirende Richtung zu geben vermochte. Die größte Schußweite war 2000 Meter. Zur Bedienung gehörten 3 Mann; in der Minute ließen sich 7 Lagen abgeben. Vor Charlestown fanden die R.-B. eine ausgedehnte Verwendung gegen feindliche Schützen und Arbeiter, sowie gegen Ausfälle. In den 5 Parallelen waren in Summa 19 Aufstellungen für R.-B.

Requiriren bezieht sich auf Lebensmittel und Alles, was zum Unterhalt einer Armee nöthig ist; R. heißt, diese Gegenstände von den Einwohnern der Landstriche, in welchen man lagert, marschirt oder operirt, auf irgend eine Weise herbeitreiben. Meistentheils wird dies nur im feindlichen Lande angänglich sein, im eigenen höchstens in der mildesten Form, d. h. gegen Bezahlung. Dieser Modus der Verpflegung, das Requisitions-System, begünstigt im hohen Grade die Beweglichkeit der Truppen, macht sie in ihren Operationen unabhängiger, bedingt aber gut angebaute und nicht zu dünn bevölkerte Gegenden und einen häufigen Ortswechsel. Wo viel Ackerbau und Viehzucht getrieben wird, wie z. B. in Böhmen, Mähren und Niederösterreich, sind die Requisitionen meist erfolgreich, in Rußland dagegen würde die dünne Bevölkerung das ausschließliche Requisitions-System unmöglich machen. Der Requirirende lebt aus der Tasche des Feindes, schont die Kräfte des eignen Landes und braucht sich am wenigsten zu belasten; dagegen kann es ihm auch leicht passiren, daß er hungrig zu Bette geht. Im Dreißigjährigen Kriege war das R. im vollen Gange; im 18. Jahrhundert wurde es durch die Magazinverpflegung verdrängt, bis es in den Napoleonischen Kriegen wieder zu Ehren kam und jetzt als Regel gilt, sobald man das feindliche Land betritt. Die preußische Armee machte im Jahre 1866 fast ausschließlich vom Requisitions-System Gebrauch; ohne dasselbe wären die überraschend schnellen Operationen nicht möglich gewesen. Man darf sich indeß für gewöhnlich nicht auf das R. verlassen, sondern muß einen geordneten Nachschub damit verbinden. — Die roheste Art des R.s ist die, daß der Soldat ohne Controle von den Einwohnern nimmt, was er bekommen kann, und unterscheidet sich nur wenig vom Plündern. Sie wäre das sicherste Mittel, die Disciplin zu untergraben und zugleich ökonomisch unvortheilhaft. Man zieht es vor, daß die Truppenbefehlshaber oder von solchen beauftragte Officiere den Ortschaften gewisse Lieferungen auferlegen, deren Herbeitreibung den Behörden überlassen wird, und nur da, wo dieses Mittel versagen sollte, durch die zum R. commandirten Mannschaften die Lebensmittel ꝛc. auftreiben lassen. Werden die Mannschaften einquartirt, so ist es am bequemsten, die Verpflegung den Wirthen zu überlassen, wenn auch hierdurch Mancher zu kurz kommt. Damit die Truppen gegenseitig nicht in Collision kommen, ist es nöthig, die Rayons bestimmt zu vertheilen. Statt durch die Truppen allein kann das R. auch durch die Verwaltung unter Assistenz jener erfolgen, wobei die Gegenstände sich gleichmäßiger vertheilen lassen. Die von den Einwohnern zu tragenden Lasten werden viel besser vertheilt und andrerseits die Kräfte des Landes viel mehr ausgenutzt, wenn man Landlieferungen ausschreibt, wozu die Behörden mitzuwirken haben, doch wird sich dies nur im Rücken operirender Armeen bewerkstelligen lassen. — Bei allen Requisitionen ist es im Interesse der Gerechtigkeit nicht zu verabsäumen, den Einwohnern über das Gelieferte Quittungen auszustellen. Im Feldzug 1870/71 konnten die deutschen Truppen sich nicht lediglich auf das Requisitions-System verlassen, trotzdem Frankreich ein sehr ergiebiges Land ist. So war dies namentlich da unmöglich, wo große Truppenmassen lange Zeit in einer Gegend, wie bei Metz und Paris, concentrirt waren; hier mußte Nachschub in großartigem Maße stattfinden, wozu theils Eisenbahnen, theils Fuhrparks und requirirte Gespanne die Mittel bildeten.

Requisitenwagen dienen zum Transport derjenigen Erfordernisse einer Batterie (wie Reservestücke, Werkzeug und Materialien für die Handwerker), welche

23*

sich nicht direct bei den Geschützen und Munitionswagen fortbringen lassen. Sie werden auch Batterie- oder Vorrathswagen genannt (s. Wagen).

Resaca, Stadt in der Grafschaft Gordon des nordamerikanischen Staates Georgia, liegt auf der Halbinsel, die der Ostanaula an der Stelle bildet, wo er den Coosawattee aufnimmt, und an der Bahn von Chattanooga nach Rome. Schlacht daselbst am 14. und 15. Mai 1864. Nach dem Gefecht bei Buzzard-Roost und der in Folge desselben eingetretenen Umgehung der dortigen Stellung zog sich Johnston auf R. zurück, wo er auf der nordwestlichen Seite der eben erwähnten Halbinsel eine Reihe starker Werke angelegt hatte. Diese wurden am 13. und 14. noch durch allerlei Hindernißmittel und Schützengräben verstärkt und durch die Divisionen Polk, Hood und Hardee besetzt. Am 14. früh begann Sherman seinen Angriff zunächst nur mit Tiroilleurs fühlend; ein Corps war über den Ostanaula gegen Calhoun dirigirt, um Johnston zu umgehen, konnte aber des schwierigen Terrains wegen nicht bis an seinen Bestimmungsort vordringen. Gegen Mittag griff von Unirter Seite Palmer von linken Centrum aus an, wurde aber zurückgeschlagen, und folgte sodann gegen 3 Uhr von Seiten der Conföderirten ein nur durch die Unterstützung des Hooker'schen Corps vereitelter Gegenangriff. Mc. Pherson ging über den Camp-Creek und nahm eine befestigte Anhöhe am linken Flügel der Conföderirten. Am 15. erneuerte sich das Gefecht. Hooker erstürmte eine Lünette mit 4 Geschützen, von der aus auf die beiden über den Ostanaula führenden Brücken gefeuert werden konnte. Die Versuche Hood's, diese Schanze zurückzuerobern, scheiterten; aber auch Hooker gelang es bei dem vernichtenden Feuer aus den Schützengräben nicht, weiter Terrain zu gewinnen. Die unirte Cavalerie war unterdessen bei Lay's Ferry über den Ostanaula gegangen und versuchte die Eisenbahn bei Kingston zu zerstören, und bewog dadurch, obwohl ihr Vorhaben nicht gelang, Johnston zum Aufgeben der Stellung von R., die sodann am folgenden Tage von den Truppen des General Thomas besetzt wurde. Die Verluste während der beiden Schlachttage betrugen bei den Unirten 4—5000 Mann, bei den Conföderirten 4 Geschütze und 2500 Mann, sowie eine große Menge Lebensmittel, die bei dem eiligen Abzuge, bei dem nicht einmal die zweite Brücke über den Ostanaula zerstört worden war, hatten zurückgelassen werden müssen. Vgl. Sander, „Geschichte des vierjährigen Bürgerkrieges in den Vereinigten Staaten von Nordamerika", Frankfurt a. M. 1865; F. v. Meerheimb, „Sherman's Feldzug in Georgien", Berlin 1869.

Reschid, 1) Mustafa R.-Pascha, türkischer Großvezier, geb. 1802 in Constantinopel, trat schon mit 18 Jahren in türkische Staatsdienste, wurde zu mehrern diplomatischen Sendungen verwandt, 1837 Minister der Auswärtigen Angelegenheiten, ging 1841 als außerordentlicher Gesandter nach Paris, wurde 1845 wieder Minister der Auswärtigen Angelegenheiten und Großvezier und blieb dies mit mehrfachen kurzen Unterbrechungen bis an seinen Tod, 7. Januar 1858. Er war das Haupt der Reformpartei des Türkischen Reiches. 2) s. Redschid.

Reserve, an sich soviel wie Vorbehalt, Rückhalt, hat in der militärischen Sprache sowohl für sich allein, als in seinen Zusammensetzungen eine höchst vielseitige Anwendung gefunden. — In taktischem Sinne bedeutet R. die zunächst zurückbehaltenen, zur späteren Unterstützung der zuerst in den Kampf verwickelten Truppen, insbesondere aber für alle unvorhergesehenen Wechselfälle aufgesparten Streitkräfte. In unserer heutigen Taktik, deren Grundgedanke es ist, die Kräfte allmählich zum Kampfe zu führen, spielen die R.n eine viel bedeutendere Rolle als es früherhin der Fall war, wo sie mehr ein hinteres Glied oder Treffen bildeten, und sind ein integrirendes Glied unserer Ordre de bataille (s. d. Bd. VI, S. 334) geworden. Seit den

Napoleanischen Kriegen ist der Sieg meist demjenigen zugefallen, welcher zuletzt
noch frische Truppen zur Hand hatte, wozu die numerische Ueberlegenheit oft
weniger, als die Manövrirfähigkeit und geschickte Verwendung der Kräfte beigetragen hat. Das Prinzip der frischen R.n hat allmählich zu den numerisch
so sehr angeschwollenen Heeren unserer Tage geführt. In taktisch offensivem
Sinne ist es die Aufgabe der R., die Avantgarde und das Gros zu unterstützen und abzulösen und so entweder das siegreiche Gefecht fortzuführen oder
ein nachtheiliges wieder herzustellen, eventuell die geschlagenen Truppen aufzunehmen und ihren Rückzug zu decken. Während des Gefechts deckt die R.
Flanken und Rücken der in vorderer Linie kämpfenden Truppen; nach günstigem
Ausgang kann ihr die Verfolgung zufallen. Beim Angriff auf befestigte Stellungen, Schanzen, Festungswerke ist jede Sturmcolonne von ihrer speciellen
R. gefolgt, während dem ganzen Angriff eine General-R. als Stütze dient.
Cavalerie darf niemals ohne R. attaliren. Bringt die Formation derselben
an sich nicht schon eine R. mit sich (wie bei Aufstellung in zwei Treffen, ferner
bei der Echelon-, Colonnen-, Schwärm-Attake und Attake mit Ausfallen), so
muß eine R. eigens abgesondert werden. Ihre Aufgabe ist es, der attalirenden
Truppe die Flanken zu decken, sie aufzunehmen, resp. die weitere Verfolgung
zu übernehmen. Dies ist um so dringender nöthig, weil bei jeder attalirenden
Truppe die taktische Ordnung sich lockert. Bei Besetzung einer Defensio-
stellung werden diejenigen Truppen, deren Zweck es ist, zur ersten Unterstützung der zur Besetzung der Front verwendeten Kräfte zu dienen, specielle
R.n, bei Wald- und Dorfvertheidigung, sowie bei Besetzung von Feldschanzen
auch innere R.n genannt, während die eigentliche R. General-, resp. äußere
R. heißt. So spricht man auch bei der Besetzung einer Festung von der
speciellen R. eines Werkes und der General-R. eines größeren Abschnittes
oder der ganzen Festung. Die Idee, durch die Formation das stete Vorhandensein einer R. zu sichern, spricht sich in dem preußischen Com-
pagniecolonnensystem aus. Bei der Infanterie-Brigade wird das dritte
Treffen häufig R. genannt. Wichtig ist es, der R. eine solche Aufstellung zu
geben, daß sie auch wirklich für ihren Zweck aufgespart bleibt, daß sie bis zum
Moment ihrer Verwendung intact erhalten und nicht ohne weiteres in die Verluste oder gar die Niederlage der Avantgarde und des Gros verwickelt wird. —
Ueber die Stärkeverhältnisse rc. f. die betreffenden Specialartitel.

Truppen, deren Bestimmung es vorzugsweise ist, als R. verwandt zu
werden, werden häufig danach benannt, wie z. B. in Frankreich die schwere
Cavalerie als Waffengattung R.-Cavalerie heißt. In der Ordre de bataille
von Armee-Corps und Armeen war bisher von R.-Cavalerie und R.-Artillerie
die Rede, doch hat der Verlauf des Krieges von 1866 gezeigt, daß es vorzuziehen ist, die Verwendung beider Schlachtkörper der Zeit nach in eine ganz
entgegengesetzte Periode zu verlegen, als es der Begriff der R. mit sich bringt.
Die Verwendung der R.-Artillerie als Corps-Artillerie, der R.-Cavalerie
als selbstständige Cavalerie-Divisionen, wie sie von deutscher Seite im
Kriege 1870/71 geschah, hat die Richtigkeit dieser Ansicht eclatant bewiesen.
In strategischem Sinne kann R. eine sehr vielseitige Bedeutung haben, und
werden darunter alle Streitmittel und Streitkräfte zu verstehen sein, auf welche
man bei Beginn eines Krieges noch nicht zählen konnte oder wollte, die sich
aber späterhin nutzbar machen lassen. Welche R.n in diesem Sinne ein Wehrsystem, wie das preußische und jetzt deutsche, in sich schließt, hat der Verlauf
der Kriege 1866 und 1870/71 gezeigt. In denjenigen Staaten, wo eine allgemeine, oder auch beschränkte Wehrpflicht der Unterthanen der Heeresorganisation zu Grunde liegt, ist es nicht möglich, die Wehrpflichtigen ebenso lange
Zeit, als man auf sie für den Kriegsfall rechnet, bei der Fahne zu halten,

sondern man ist genöthigt, sie nach genossener militärischer Ausbildung ihrem bürgerlichen Beruf zurückzugeben. Der Complex der so, im Gegensatz zum präsenten Stand, zur Verfügung gehaltenen, nur für den Kriegsfall oder vorübergehend zu Uebungen wieder einzuberufenden Mannschaften wird R. genannt, namentlich so lange, als sie zur Verstärkung des stehenden Heeres ausdrücklich bestimmt sind. Bleiben sie späterhin noch wehrpflichtig, so führen sie häufig den Namen Landwehr, Mobilgarden ꝛc. Eine derartige Wehrverfassung heißt auch R.-System. Die einzelnen Leute der R. werden Reservisten, auch Kriegsreservisten genannt. In ähnlichem Verhältniß stehen die R.-Offiziere (s. d.). Ueber die Verhältnisse der R. im Deutschen Reich s. Norddeutscher Bund, Bd. VI, S. 280 ff.). Die nur für das Friedensverhältniß vom Dienst befreiten Wehrpflichtigen bilden die Ersatz-R., s. Ersatz, Bd. III, S. 330. In Frankreich schuf man nach den Erfahrungen des Orient- und Italienischen Krieges im Jahre 1861 neben der stehenden die R.-Armee. Zu letzterer, welche auf 200,000 Mann (die Hälfte der ersteren) gebracht werden sollte, waren die Rekruten der zweiten Portion bestimmt, welche eine viel kürzere Dienstzeit als die der ersten Portion durchzumachen hatten. Nach der Organisation von 1868 betrug die Dienstzeit für die erste Portion aktiv 5, in der R. 4 Jahre, die Rekruten der zweiten Portion blieben, wurden aber für die active Armee bestimmt. Die Idee, neben den Leuten mit voller Präsenz solche mit einer reducirten als eigentliche R. auszubilden, liegt auch den Heeresorganisationen von Italien, Spanien, Belgien und der Türkei zu Grunde. In Oesterreich wurde 1852 das R.-Statut eingeführt, wonach sich an die achtjährige Dienstzeit im Heere eine zweijährige in der R. reihte. Gegenwärtig ist die Dienstzeit der wirklich in die Armee eingereihten 3 Jahre in der Linie, 7 Jahre in der R. Nach Auswahl des Contingents für das Stehende Heer und die Ersatz-R. (letzter wird nur für den Kriegsfall einberufen), wird der Ueberschuß an Rekruten der Landwehr unmittelbar eingereiht (s. Oesterreichisch-Ungarische Monarchie, Bd. VI, S. 363). In der Schweiz bildet die R. das zweite Aufgebot zum Bundesauszug, hinter jener steht die Landwehr. In Rußland entsprechen die R.-Truppen im Frieden und Krieg dem Begriff von Ersatztruppen (s. Rußland). Neuformationen, welche bei Beginn eines Krieges oder im Verlauf desselben vorgenommen werden, bilden je nach ihrer Stärke R.-Armeen, -Corps, -Divisionen ꝛc., vergl. die preußischen Neuformationen von 1866, unter Preuß.-Oesterr. Krieg, Bd. VII., S. 218. 344. Vergl. auch „Deutsch-Französischer Krieg 1870.71" im Supplement. Nach dem Mobilmachungsplan für das Deutsche Heer werden als Besatzungstruppen im Kriege neuformirt: R.-Cavalerie-Regimenter, R.-Batterien und R.-Jäger-Compagnien, s. Preußen, Bd. VII., S. 200. Im Jahre 1813 formirte Preußen aus den Krümpern (s. d.) R.-Infanterie-Regimenter. Nach 1815 führten die Regimenter No. 33 bis 40, welche zu Festungs-Besatzungen bestimmt waren, den Namen R.-Regimenter (seit 1860 sind sie Füsilier-Regimenter geworden). Pro Armeecorps bestand bis 1860 ein combinirtes R.-Bataillon als Garnison-Infanterie. Die mobile Feldartillerie eines Corps formirte nach der früheren Organisation eine R.-Compagnie, welche (ohne Geschütze) den ersten Stamm zum Ersatz an Mannschaften und Pferden in sich schloß. Zur Besatzung der Bundesfestungen gab es vor 1850 eine Festungs-R.-Artillerie-Abtheilung. — In Oesterreich formiren das 4. und 5. Feld-Bataillon eines Infanterie-Regiments, welche im Frieden ein R.-Commando bilden, bei der Mobilmachung das mit dem Stamm-Regiment gleiche Nummer führende und zu gleichen Zwecken bestimmte R.-Regiment. Die Jäger-Bataillone, resp. das Jäger-Regiment haben im Frieden in Summa 40 R.-Compagnien, welche im Kriege 10 R.-Jäger-Bataillone formiren. Auch die technischen Truppen haben im Frieden schon R.-Compagnien. Die Cavalerie-Regimenter formiren erst im Kriege je 1 R.-Escadron, von welcher zunächst alle Detachirungen abgegeben werden. Bei der Feld-Artillerie ist etwas Aehnliches nicht vorgesehen. Zum Munitions-Ersatz in zweiter Linie dienen in der Deutschen Armee der Feld-Munitions-R.-Park und die R.-Munitionsdepots; ersterer besteht nach neuester Bestimmung (Oct. 1871) aus 8 R.-Munitions-Colonnen à 20 bespannten Fahrzeugen (jede derselben hat den Munitionsbedarf für vier der bisherigen unbespannten Colonnen, theils in Wagen, theils in Transportkasten) und ist für die bisherige norddeutsche Armee und die mit Preußen in engere Verbindung getretenen Contingente bestimmt. R.-Ponton-Trains, welche nach Bedarf mobil gemacht werden, sind in Danzig, Magdeburg und Coblenz stationirt. Für die österreichische Armee wird ein Armee-Munitions-R.-Park zum Munitions-Ersatz in zweiter Linie formirt. Die R.-Landwehr-Bataillons-Bezirke im bisherigen Norddeutschen Bunde werden von Distrikten gebildet, in welchen die meisten Fluctuationen der Bevölkerung vorzukommen pflegen, wie die größeren Städte (als Königsberg, Stettin, Berlin, Magdeburg, Glogau, Breslau, Barmen, Cöln, Hannover, Frankfurt a. M., Altona, Dresden), sodaß die hier sich aufhaltenden Mannschaften doch zu andern Truppentheilen kommen würden, als wo sie gedient haben. Bei der Mobilmachung werden die betreffenden Mannschaften zunächst zur Ergänzung der andern Truppentheile des Armee-Corps verwandt; ob die R.-Landwehr-Bataillone als solche auch formirt werden, hängt von jedesmaliger Verfügung ab. Sie tragen die Nummer des Füsilier-Regimentes vom Corps, doch rekrutirt jenes aus dem ganzen Corpsbezirk. — In dem Heere des früheren Deutschen Bundes bildeten die Contingente der kleinsten Kleinstaaten die Infanterie-R.-Division (vgl. Bundesheer, Bd. II., S. 262).

Reserve-Offiziere des Deutschen Reichs verbleiben in der Reserve eben so lange wie die Unteroffiziere und Mannschaften, auf Wunsch auch länger. Zu R.-O.n können ernannt werden: 1. aus dem activen Stand ausscheidende Offiziere, 2. Mannschaften des beurlaubten Standes, welche sich durch Tapferkeit vor dem Feinde auszeichnen, 3. Portepeefähnriche, ein- und dreijährig Freiwillige, welche sich im activen Dienst die Qualification dazu erworben, sowie 4. Mannschaften des beurlaubten Standes, welche dieselbe ausnahmsweise nach ihrer Entlassung aus dem Dienst erwirken. Die aus den Kategorien 3. und 4. hervorgehenden müssen zum Zweck ihrer Ernennung zum R.-O. 6 bis 8 Wochen Dienst bei demjenigen Truppentheil leisten, zu dessen R.-O. sie vorgeschlagen werden sollen (vergl. Norddeutscher Bund, Bd. VI., S. 281). Demnächst werden sie zu Vice-Feldwebeln, resp. Vice-Wachtmeistern (s. d.) ernannt. Nach Feststellung ihrer dienstlichen und außerdienstlichen Qualification und nach Wahl seitens des Officier-Corps ihres heimathlichen Landwehrbataillons werden sie dem Kaiser (resp. Landesherrn) zur Ernennung zum R.-O. vorgeschlagen. — Außer der Zeit ihres activen Dienstes gehören die R.-O. zum Officier-Corps ihres heimathlichen Landwehrbataillons. Sie avanciren indeß mit dem Hintermann im Linientruppentheil. In Oesterreich existirt das Institut der R.-O. in ähnlicher Weise. In Italien sind dieselben lediglich für die hinter der activen stehende Reserve-Armee bestimmt.

Reserve-Theile, auch Reserve-Stücke sind zum Ersatz bestimmte Theile oder Stücke, z. B. Reserve-Rad, Reserve-Korn. R.-Wagen s. Wagen.

Reservoirs zu Zündungen werden auf den förmlichen Angriffsfronten der Festungen zur Aufnahme der explosiven Zündungen, wie Zündvorrichtungen für gezogene Granaten, Frictionsschlagröhren 2c. angelegt. Sie müssen von den übrigen Munitionsmagazinen separirt liegen.

Restitution kann eine durch Kriegs- oder Standgerichte rechtskräftig verurtheilte oder nur vorläufig freigesprochene Person des Soldatenstandes beantragen, wenn ihr neue Beweismittel für ihre Unschuld zu Gebote stehen, oder die Zeugenaussagen, auf welche hin das Urtheil gefällt ist, sich als gefälscht erweisen. Erkennt das General-Auditorat das Restitutions-Gesuch für begründet an, so erfolgt die Aufhebung des Urtheils und ein neues Erkenntniß.

Retabliren heißt 1) in Bezug auf im Kampfe stark mitgenommene Truppen: sich wieder in kampffähige Verfassung setzen. 2) R., Retablissement wird die Wiederherstellung des Armee-Materials in den kriegsbrauchbaren Zustand nach einem Feldzuge genannt. Das R. erfolgt nach der Demobilmachung; die Kosten dafür werden gewöhnlich zum Kriegsaufwand gerechnet.

Retirade, Retiriren, s. Rückzug.

Retiriren, soviel wie Zurückgehen, s. d. und Rückzug.

Retirirhaken ist ein Beschlag am Laffetenschwanz, der zum Befestigen der Prolonge (s. d.) dient.

Retirirte Werke, s. Festung, Bd. IV., S. 28.

Retraite (in der französischen Sprache soviel wie Rückzug), heißt das Signal, welches am Abend gegeben wird und die Stunde anzeigt, zu der der Soldat in seinem Quartier sein soll, — gleichbedeutend mit Zapfenstreich (s. d.).

Retranchement, im franz. soviel wie Schanze, Verschanzung, wurde in der deutschen Sprache namentlich für zusammenhängende Verschanzungslinien und Lagerverschanzungen gebraucht, gegenwärtig indeß kaum mehr.

Rettungsboot, ein Boot, besonders construirt, gegen die Brandung am Strande sich zu wehren und sie zu durchrudern, um die Besatzung solcher Schiffe aufzunehmen, welche gestrandet sind und mit den eigenen Hilfsmitteln das Land nicht erreichen können. Man hat die Construction derartiger Boote namentlich in neuerer Zeit sehr vervollkommnet, nachdem dem Rettungswesen aus Seegefahr sowohl von den einzelnen Regierungen wie von den Bewohnern der Schifffahrt treibenden Länder eine erhöhte Thätigkeit und Fürsorge zugewendet worden ist. In den letzten Jahren namentlich sind in Deutschland viele Vereine aufgetreten, welche durch Sammlung von Privatbeiträgen Rettungs-Stationen an den besonders gefährlichen Punkten der Küste gegründet haben, nachdem allerdings in anderen Ländern, wie z. B. in England, dieses Rettungswesen seit langer Zeit eine hohe Blüthe erreicht hat. Auf diesen Stationen handelt es sich darum, entweder mittelst der R. die Brandung der Küste zu durchschneiden und die Verunglückten von den Schiffen abzuholen, oder wenn dies nicht möglich, eine andere Communication mit dem Lande herzustellen. Es geschieht dies in der Weise, daß eine Leine vermittelst einer Rakete oder eines Mörsers über das gestrandete Schiff geschossen wird, deren Ende am Lande bleibt. Diese dünne Leine ist von den Gestrandeten einzuholen, wodurch ihnen eine stärkere doppelte Leine zugeführt wird, die an die Wurfleine vorher befestigt wurde. Diese doppelte Leine wird möglichst hoch am Maste oder sonst wie durch einen Block geleitet, der ebenfalls mitgeschickt wurde, und wird die Leine nun am Lande gehörig straff gespannt. Auf ihr wird alsdann ein Rettungskorb nach dem Schiffe gesandt, in dem die Leute einzeln nach dem Lande geschafft werden. Das R. muß bestimmte Bedingungen erfüllen, auf welche bei der Construction und Einrichtung derselben besonders gerücksichtigt werden muß. Es muß dem Kentern, d. dem Umschlagen den äußersten Widerstand entgegen setzen, und wenn dies dennoch unter besonderen Umständen einmal geschehen sollte, sich sofort wieder von selbst aufzurichten, und sich ebenso von dem aufgenommenen Wasser befreien. Zu diesem Zwecke wird das Boot mit luftdicht verschlossenen Metallkasten versehen, welche dasselbe angemessen hoch über dem Wasser halten und es am Sinken hindern, selbst wenn es ganz voll Wasser wäre. Der Boden ist an mehren Stellen durchbrochen und mit Röhren versehen, durch welche das Wasser, welches durch Sturzseen rc. übergenommen wird, von selbst abläuft bis auf die Höhe der Tragfähigkeit der Luftkasten. Das Boot muß ferner leicht genug sein, um bequem am Strande nach dem Ort der Gefahr transportirt werden zu können, es muß von geringem Tiefgang sein, um über die flachen Riffs zu kommen, welche in einiger Entfernung vom Strande sich zu erstrecken pflegen, dabei geräumig genug, um viele Personen zu fassen; es muß leicht zu rudern und sehr fest am Boden und Kiel sein, um nicht beim Abkommen vom Strande oder beim Aufgrundkommen nach der Rückkehr verletzt zu werden. Das Abkommen vom Strande durch die Brandung ist meist sehr schwierig, ebenso schwierig das Anlegen am Schiff, indem das Boot leicht an das Schiff geschleudert wird und zerschellt. Deshalb werden die Seiten mit elastischem Material besonders geschützt und der obere Theil des Bootes wird mit Lagen von Kork versehen. Die Besatzung des Bootes ist mit Schwimmgürteln versehen, welche den geübten Schwimmer im Fall der Noth über Wasser halten. Auf größere Entfernungen hin wird das R. in eigens dazu construirten Fahrvorrichtungen mit Vorspann von Pferden oder Menschen transportirt.

Rettungskorb, -station, -wesen, s. Rettungsboot.

Réunion, Insel, s. v. w. Bourbon, (Isle de).

Réunionskammern hießen die drei unter Ludwig XIV. auf den Vorschlag des Parlamentsraths Ravaulx 1680 in Metz, Breisach und Besançon errichteten Behörden, welche die Ansprüche zu untersuchen hatten, zu denen Frankreich nach den Bestimmungen des Westfälischen und des Nimwegener Friedens auf die Abtretung gewisser Gebietstheile berechtigt war, d. h. welche Dependenzen zu den von Spanien und dem Deutschen Reiche in jenem Frieden abgetretenen Ländern gehören sollten. Diese Behörden beschränkten sich jedoch nicht darauf, zu untersuchen, sondern sie sprachen dem König auch zahlreiche Gebietstheile ohne Weiteres zu. Auf Grund dieser „Untersuchungen" ließ Ludwig XIV. im Laufe des nächsten Jahres an sechshundert zum Deutschen Reiche gehörigen Herrschaften, Städte, Flecken und Dörfer (darunter Zweibrücken, Germersheim, Saarbrücken, Velden, Sponheim, Mömpelgard rc.) wegnehmen („reuniren"); das Gleiche geschah den spanischen Niederlanden gegenüber mit Luxemburg, Courtray, Chimay rc.; ferner bemächtigte sich Ludwig XIV. am 30. Sept. 1681 der Deutschen Reichsstadt Straßburg im Elsaß und der Festung Casale in Piemont. Bei der Schwäche des ehemaligen Deutschen Reichs konnte sich Ludwig auch im Besitze der reunirten Gebiete behaupten, ja er erhielt sie sogar durch einen am 15. August 1684 zu Regensburg abgeschlossenen Vertrag (Waffenstillstande) förmlich zugesprochen. Der 1688 deshalb ausbrechende Krieg gegen Frankreich, welcher 1697 durch den Frieden von Ryswijk (s. d.) beendigt wurde, hieß auch der Réunionskrieg.

Reuß, Graf von, s. Prim.

Reuß, zwei kleine, zum Deutschen Reiche gehörige Fürstenthümer im mittleren Deutschland, zwischen dem Königreich Sachsen, den Sächsischen Herzogthümern, den preußischen Kreisen Zeitz und Ziegenrück, und dem Königreich Bayern liegend, durch den großherzoglich weimarischen Neustädter Kreis in zwei ungleiche Theile getrennt, mit einem Gesammtflächenraum von 21,₄₄ □. M. und 131,986 Einwohnern. Alle männlichen Familienglieder beider Linien führen den Namen Heinrich und unterscheiden sich, jede Linie für sich zählend und ohne Unterschied auf den regierenden Fürsten und die übrigen Glieder, blos nach der Nummer und zwar so, daß die ältere Linie bis hundert (C.) zählt und dann mit I. anfängt, die jüngere aber den Erstgeborenen jedes neuen Jahrhunderts mit I. bezeichnet und dann bis Ende des Jahrhunderts fortzählt. Im frühern Deutschen Bundestage bildeten beide Fürstenthümer mit Liechtenstein, Waldeck, Schaumburg-Lippe, Lippe (-Detmold) und Hessen-Homburg die XVI. Curie; im Plenum besaß jedoch jedes Fürstenthum eine besondere Stimme. Zum ehemaligen Deutschen Bundesheere stellten beide Fürstenthümer ein gemeinschaftliches Contingent zur sogenannten Reserve-Division gehörig und im Kriegsfalle zur Besatzung der Bundesfestung Landau bestimmt, und zwar R. älterer Linie eine Jägerabtheilung zu zwei Compagnien (343 M.), R. jüngerer Linie ein Füsilier-Bataillon zu 4 Compagnien (807 M.), das Ersatz-Contingent betrug 124 M., insgesammt 1274 M. Im Jahre 1867 ist die Militärhoheit durch Convention an Preußen übergegangen und beide Fürstenthümer gemeinschaftlich stellen das 2. Bataillon des zum IV. Armee-Corps (8. Division) gehörigen 7. Thüring'schen Infanterie-Regiments No. 96 (die beiden andern Bataillone werden von Sachsen-Altenburg und dem Fürstenthum Schwarzburg-Rudolstadt gestellt). Das Wappen der Fürstenthümer ist in 4 Felder getheilt, von denen das rechte obere und linke untere Feld einen goldenen stehenden Löwen in Schwarz, das linke obere und rechte untere Feld einen goldenen Kranich in Silber hat. Die Landesfarben sind Schwarz, Roth, Gelb. An Ehrenzeichen besitzen die Fürstenthümer: ein Ehrenkreuz für die Feldzüge von 1814 und 15 (für R. jüngere Linie), ein Ehrenkreuz für die Theilnahme am Gefecht bei Eckernförde (5. April 1849) und eins für 25jährige Dienstzeit am rothen Bande (für Offiziere von Gold, für die Unteroffiziere und Mannschaften von Silber). Die beiden Fürstenthümer sind:

1) R.-Greiz oder R. älterer Linie, den östlichen Theil der südlichen Hälfte der beiden Fürstenthümer umfassend, bildet kein geschlossenes Ganzes, sondern ist aus mehren Herrschaften und Dörfern zusammengesetzt und hat einen Flächenraum von 6,₄₄ Q.-M. mit (1867) 43,889 meistentheils protestantischen Einwohnern. Das Land ist großentheils gebirgig, von der Elster bewässert und hat die Zweigbahn Greiz-Brunn der Sächsischen Westlichen Staatsbahn. Haupterwerbsquellen sind Ackerbau und Viehzucht; die Industrie ist namentlich durch Wollwaaren-Manufactur vertreten. Haupt- und Residenzstadt ist Greiz. Der Regierungsform nach ist das Land eine constitutionelle Monarchie. Der regierende Fürst ist: Heinrich XXII. (geb. 28. März 1846), welcher seinem Vater Heinrich XX. bei dessen Tode 8. Nov. 1859 unter der Vormundschaft seiner Mutter (Fürstin Caroline) folgte und nach erlangter Volljährigkeit am 28. März 1867 die Regierung selbstständig übernahm. Das Fürstenthum stimmte in der verhängnißvollen Bundestagssitzung vom 14. Juni 1866 mit der XVI. Curie für den österreichischen Mobilisirungsantrag gegen Preußen; in Folge davon wurde das Land am 11. August (die Hauptstadt Greiz am 12. August) 1866 von preußischen Truppen besetzt. Nach einem förmlichen Friedensschlusse mit Preußen (26. Sept. 1866), in welchem R. 100,000 Thaler (zur Hälfte die Fürstin-Regentin, zur Hälfte das Land) an den preußischen Invalidenfonds zahlte, trat das Fürstenthum dem Norddeutschen Bunde bei.

2) R.-Gera-Schleiz-Lobenstein-Ebersdorf oder R. jüngerer Linie umfaßt den westlichen Theil der südlichen Hälfte und die ganze nördliche Hälfte der beiden Fürstenthümer und hat einen Flächenraum von 15,₉₄ Q. M. mit (1867) größtentheils protestant. Einwohnern. Das Land ist meist gebirgig, namentlich im südlichen Theile durch den Frankenwald, u. wird im südlichen Theile von der Saale, im nördlichen Theil von der Elster bewässert. Bei der Hauptstadt Gera

vereinigen sich die Zweigbahn Weißenfels-Gera der Thüring'schen und die Zweigbahn Gößnitz-Gera der Sächsischen Westlichen Staatsbahn. Von Gera führt
eine neuerbaute Zweigbahn der Thüringischen Eisenbahn über Saalfeld nach
Eichicht, deren Fortsetzung nach der Werrabahn hin erwartet wird. Haupterwerbsquellen sind Ackerbau und Viehzucht; die Industrie ist namentlich durch
Wollen- und Baumwollen-Manufactur, Färberei und Gerberei vertreten. Hauptort des Handels ist Gera. Haupt- und Residenzstadt ist Gera, zeitweilige
Residenz auch Schleiz. Der Regierungsform nach ist das Land eine constitutionelle Monarchie. Der regierende Fürst ist: Heinrich XIV. (geb. 28. Mai 1832),
welcher seinem Vater Heinrich LXVII. bei dessen Tode 11. Juli 1867 in der
Regierung folgte. In der verhängnißvollen Bundestagssitzung vom 14. Juni
1866 stimmte dasselbe das Fürstenthum gegen den österreichischen Mobilisirungsantrag
(also zu Gunsten Preußens), doch wurde die Stimme der XVI. Curie unrichtig
für den Mobilisirungsantrag abgegeben (s. u. Norddeutscher Bund, Bd. VI.,
S. 291 * Anmerkung). Das Land blieb daher von dem darauf ausbrechenden
Kriege unberührt und trat bereits am 18. Aug. 1866 freiwillig dem Vertrag
zur Bildung eines Norddeutschen Bundes bei.

Von den Gliedern des reußischen Regentenhauses haben sich mehrere
in kaiserlichen und sächsischen Diensten zu bedeutenden Militärwürden erhoben,
besonders hat sich der der ältern Linie angehörige Heinrich VI. namhaft gemacht; derselbe war Feldmarschall des Königs von Polen und Kurfürsten von
Sachsen und starb 1697, nachdem er in der siegreichen Schlacht gegen die Türken
bei Zenta in Ungarn tödtlich verwundet worden war.

Reutlingen, Hauptstadt des württembergischen Schwarzwaldkreises, am
Fuße der Schwäbischen Alp, an der Echaz und an der Eisenbahn von Plochingen
nach Tübingen ꝛc., hat eine schöne gothische Hauptkirche, Leder- und Pulverfabrikation und (1867) 13,781 Einwohner. R. ist der Geburtsort des Natio-
nalökonomen Friedrich List. R. wurde 1420 vom Kaiser Friedrich II. zur
Reichsstadt ernannt, hielt treu zu den schwäbischen Kaisern (Hohenstaufen),
vertheidigte sich glücklich gegen deren Feinde, besonders gegen den Landgrafen
Heinrich Raspe von Thüringen, welcher R. belagerte, hatte 1376 eine Fehde
gegen Ulrich, den Sohn des Grafen Eberhard des Greiners, schlug ihn 1377
im Treffen von Achalm (Berg mit Burg — jetzt Ruine — unweit von R.),
wurde 1519 vom Herzog Ulrich von Württemberg erobert, aber vom Schwäbischen Städtebund befreit und vertrieb dann den Herzog wieder. 1803 kam
R. durch Reichsdeputationshauptschluß an Württemberg. Am 27. Dec. 1852
fand in der Pulvermühle eine große Explosion statt, wodurch viele Häuser zerstört wurden.

Reval (estnisch Tallin, lettisch Dannapils und Rehwele, russisch
Rewel), Hauptstadt des russischen Gouvernements (Ostsee-Provinz) Esthland,
an einer Bucht des Finnischen Meerbusens und an der Eisenbahn von Petersburg nach Baltischport, ist von alten Mauern mit Thürmen umgeben, zerfällt
in den Domberg und die eigentliche oder Unter-Stadt, ist Sitz eines Civil-
gouverneurs, hat ein Schloß, schöne Kirchen (darunter den Dom oder die
Ritterkirche mit dem Grabmal des Admirals Grey, die Nikolaikirche mit dem
des mumisirten Herzogs von Croy, welcher die Schlacht von Narwa verlor),
einen stark befestigten Kriegs- und Handelshafen, ein See- und Landhospital,
Admiralitätsmagazin, Kasernen, Garnisonschule, lebhaften Handel und Industrie
und 29,434 Einwohner. R. war früher Festung, hat dieß jedoch seit Kurzem
zu sein aufgehört (mit Ausnahme des Kriegshafens) und die Werke, Wälle und
Glacis sind theilweis zu Promenaden und Neubauten (Kasernen ꝛc.) verwendet.
Der Kriegs-Hafen ist dagegen durch mehre Forts sehr stark befestigt und
durch diese Befestigungen zugleich der Handelshafen geschützt. Beide Häfen sind

durch einen Molo getrennt. Vor dem Hafen auf einer Insel liegt die Kessel-
batterie, auf den benachbarten Inseln Nargö (mit Leuchtthurm) und Karlös
befinden sich ebenfalls Batterien auf Kreuzfeuer angelegt; am Strande liegen
mehre kasemattirte Werke. R. war ursprünglich dänisch, kam 1347 mit Esthland an den Deutschen Orden, dann an Livland, trat später dem Hansabunde
bei, wurde nachher noch einmal auf kurze Zeit dänisch, 1561 schwedisch, am
28. Sept. 1710 von den Russen durch Capitulation genommen und ist seitdem
russisch geblieben. Während des Orientkrieges wurde R. am 21. Juli 1855
von englischen Kanonenboten erfolglos beschossen.

Reveille, auch Wecken genannt, ist das Signal, welches den Soldaten
früh Morgens vom Lager ruft und so gewissermaßen die dienstliche Thätigkeit
einleitet. Die Stunde ist nach Jahreszeit und andern Umständen verschieden,
in der Regel Tagesanbruch, für Truppen, welche Stalldienst haben, gewöhnlich zeitiger als für andere.

Reventlow, eine der ältesten Familien der schleswig-holsteinischen Ritter-
schaft, welche jetzt in Dänemark und Preußen weit verbreitet und begütert ist.
In der Kriegsgeschichte hat sich besonders namhaft gemacht: Graf Christian
Detlev zu R., geb. 1671, avancirte in dänischen Diensten bis zum General,
commandirte 1702, zu Anfang des Spanischen Erbfolgekrieges, ein dänisches
Hilfscorps in Italien, trat dann als Feldmarschalllieutenant in österreichische
Dienste, commandirte 1705 die Oesterreicher in Italien, wurde bei Cassano
verwundet, mußte sich vor dem Herzog von Vendôme zurückziehen, wurde von
diesem 1706 bei Calcinato geschlagen, nahm 1709 als Generalfeldzeugmeister
den Abschied, kehrte nach Holstein zurück, war von 1714—1732 Oberpräsident
von Altona, wurde aber vom König Christian VI. von Dänemark aller seiner
Aemter enthoben und starb 1738.

Revers, 1) ein Schriftstück, in welchem man sich zu einer Verpflichtung,
oder auch zu einer Verzichtleistung bekennt; 2) im Sinne der Fortification
wird die rückwärtige Böschung eines Walles, oder eines Grabens, der hinter
einer Brustwehr liegt, R. genannt. Revers-Gallerie ist gleichbedeutend mit
Gallerie in der Contrescarpe.

Revers-Caponnièren liegen in der Contrescarpe vor der Spitze eines
Saillants und bestreichen den Graben von außen her. Während der Saillant
an sich jede Flankirung durch das Tracé ausschließt, bildet nämlich die Contrescarpe vor der Spitze desselben einen Rentrant, wenn man sich die Feuer-
richtung nach innen zu denkt. Bei provisorischen Befestigungen sind die
R.-C. in Form einer Gallerie aus Holz, im permanenten Baustil dagegen
aus Mauerwerk. Im letztern Falle entstehen sie schon von selbst durch die
der Minengänge halber anzulegenden häufig defensiblen Contrescarpengallerien.
Einen wesentlichen Nachtheil der R.-C. bildet ihre mangelhafte Verbindung mit
dem Innern des Werks. Sie treten überhaupt erst in Thätigkeit, wenn der
Feind über dieselben bereits hinaus gelangt ist und sind dann von dem Gros
der Vertheidigung abgeschnitten, wenn nicht eine unterirdische Communication
vorhanden ist. In neuerer Zeit haben die R.-C. eine gewisse Bedeutung
erlangt, insofern sie der Wirkung des indirecten Schusses gänzlich entzogen sind.

Revertenten (d. i. Zurückkehrende) nannte man die sächsischen Soldaten,
welche zu Anfang des Siebenjährigen Krieges 1756 im Lager zwischen Pirna
und Königstein von den Preußen gefangen genommen und zwangsweise in die
preußische Armee eingereiht worden waren, dann aber in großer Menge zu
dem Kurfürsten nach Polen flüchteten, um dort wieder in sächsische Dienste zu
treten.

Revetement, soviel wie Bekleidung einer Böschung, namentlich in Mauerwerk, s. a. Futtermauern, Bd. IV., S. 134.

Revision, s. Untersuchung. Cassen-Revisionen finden bei militärischen Kassen durch Intendanturbeamte und in der Regel unvermuthet statt.

Revisionscommissionen überwachen in der deutschen Armee die gute Beschaffenheit der Waffen, ordnen die Reparaturen derselben an und revidiren ihre Ausführung, sowie alle neubeschafften Waffen. Die Fabrikate aller technisch-militärischen Institute, wie der Gewehr-Fabriken, Artillerie-Werkstätten ꝛc. werden durch R.-C., die entsprechend benannt werden (Gewehr-R.-C., Artillerie-R.-C.), abgenommen. Die mit Gewehren bewaffneten Truppen formiren Gewehr-R.-C.

Revolutionskriege sind die Kriege, welche aus der Französischen Revolution von 1789 entstanden und von der Französischen Republik resp. gegen dieselbe geführt wurden. Der erste begann 1792, wurde von Oesterreich, Preußen, den meisten deutschen Staaten, Holland, England, Savoyen und Toscana gegen Frankreich geführt, endete 1795 mit dem Frieden von Basel (s. d.) zu Frankreichs Vortheil und hatte die Verwandlung der Niederlande in die mit Frankreich verbündete Batavische Republik zum Erfolg. Der zweite währte von 1795 bis 1797, wurde hauptsächlich von Oesterreich und den süddeutschen Staaten gegen Frankreich geführt, endete mit dem Frieden von Campo-Formio (s. d.) und hatte die Errichtung mit Frankreich verbündeter Republiken in Italien zum Erfolge. Der dritte, in welchem Oesterreich, Rußland, England und die Türkei, Neapel und Portugal gegen Frankreich kämpften, begann 1798, wurde in den Niederlanden, Italien, Deutschland, zur See und in den Colonien geführt, endete mit den Friedensschlüssen zu Luneville (s. d.) und Amiens (s. d.) (1801) und hatte wesentliche territoriale u. a. Umgestaltungen zur Folge. (Das Nähere s. in dem Artikel Französischer Revolutionskrieg, Bd. IV., S. 107 ff.) Im innigsten Zusammenhange mit diesen Kriegen stehen die des ersten französischen Kaiserreichs, welche, ebenso wie der zweite und dritte R., in dem Artikel Napoleon (Bd. VI. S. 207 bis 224) ausführlicher geschildert sind.

Revolutionsverfahren, s. Pulver, S. 260.

Revolver, eine Bezeichnung, namentlich für kürzere Handfeuerwaffen, wenn dieselben ein drehbares System von mehreren Läufen oder nur Pulverkammern haben. — Schon in den früheren Perioden der Entwicklung der Feuerwaffen stoßen wir auf das Bestreben, die Schußgeschwindigkeit, namentlich der Handfeuerwaffen, zu erhöhen, war es auch nur einen beschränkten Zeitraum hindurch, nach welchem häufig wieder ein zeitraubendes Laden erforderlich wurde. Erscheinungen dieser Art sind u. a. Doppelgewehre und Orgelgeschütze. Ende des 15. Jahrhunderts bereits finden wir diese Idee in den sogenannten Drehlingen zu einer verhältnißmäßig großen Vollkommenheit gebracht. Eine Ladetrommel mit 8 auf einer Kreisperipherie angebrachten Pulversäcken dreht sich dergestalt um ihre Achse, daß jene und nach und nach auf den eigentlichen Lauf sich decken und in dieser Lage (behufs jedesmaliger Abgabe des Schusses) festgestellt werden können. Jeder Pulversack hat seine Zündpfanne; zur Entzündung des Zündkrauts dient ein gemeinschaftlicher Luntenhahn. Die Bewegung der Trommel geschieht mit der Hand, (vergl. Mattenheimer, „Rückladungsgewehre" Darmstadt und Leipzig 1867—69). Eine damals vereinzelt gebliebene Construction hat die neueste Zeit in Gestalt der R. reproducirt. Die Ladetrommel oder Walze, welche gewöhnlich 6 Pulversäcke enthält, wird jetzt nicht mehr für sich, sondern durch das Aufziehen des Hahns oder die Bewegung der Abzugsstange gedreht. Die Zündung beruht auf einem fulminanten Präparat und ist entweder Perkussions- oder Nadelzündung. Man hat Vorder- und Hinterladung; der Lauf ist jetzt stets gezogen und kann dem Charakter der Pistole, des Gewehrs und selbst des Geschützes entsprechen. Ist ein R. geladen, so gestattet er die einzelnen Schüsse sehr rasch hinter einander abzugeben, bei den verbesserten Constructionen selbst ohne aus dem Anschlag herauszugehen. Die älteren Modelle der R. haben statt der rotirenden Trommel ein System von Läufen; bei dem Gewicht, Umfang und der Kostspieligkeit solcher Einrichtung ist es erklärlich, daß man den einfachen Lauf bald den Vorzug gab. Vorherrschend hat die R.-Einrichtung für Pistolen — Drehpistolen Anwendung gefunden. Für Gewehre ist das vergrößerte Gewicht, welches im Gefolge der ganzen Einrichtung liegt, hinderlich; außerdem steht die Ungeeignetheit zu einem andauernden Feuergefecht hier im Wege, da nach dem Ausschießen der Trommel eine längere Feuerpause durch das nun nothwendige Laden entsteht. Im letzten nordamerikanischen Kriege hat man zwar von Revolver-Gewehren Gebrauch gemacht; nachdem man sich aber von ihrer schwierigen Instandhaltung und großen Complicirtheit überzeugt hatte, nicht gezögert, sie mit den Magazingewehren (s. Repetirgewehr) zu vertauschen. Indeß auch Revolver-Pistolen haben bis jetzt hauptsächlich nur in der Marine (in der deutschen für die Unteroffiziere und Geschützcommandeur), sowie als Officierwaffe, in England und Rußland auch bei der Reiterei Eingang gefunden. Sie eignen sich besonders für das Handgemenge und den Kampf Mann gegen Mann. Wenn ihnen bei der Cavalerie noch nicht mehr Verbreitung zu Theil geworden ist, so ist dies ihrer Complicirtheit, Kostspieligkeit, der nicht immer ausreichenden Zuverlässigkeit ihres Mechanismus, sowie der Gefährlichkeit ihres Gebrauchs für den Schützen selber, zuzuschreiben.

Bei dem heutigen R. unterscheidet man vier Theile: Lauf (gezogen), Trommel, Mittelstück oder Gestell mit Schloß, Schaft und Handgriff. Der Lauf ist hinten offen und hat ein Kaliber von nicht über 10 mm. Er bildet mit dem Mittelstück entweder ein Ganzes, oder ist am hinteren Ende mit einem Kniestück zur Verbindung mit jenem versehen. Das Mittelstück besteht im ersten Falle aus vier, einen rechteckigen Ausschnitt einschließender Schienen — dem Kniestück, der Laufschiene, der Bodenplatte mit Seitenplatten und Kolbenblech, sowie dem Abzugsblech. Der Ausschnitt nimmt die Trommel auf, welche sich um eine im Kniestück und in der Bodenplatte lagernde (häufig als Ladestock dienende) Achse dreht. Ist Mittelstück und Lauf getrennt, so hat ersteres die Bodenplatte und das Abzugsblech als Theile. Das Mittelstück nimmt den Schloß- und Bewegungsmechanismus auf; das Schloß selbst ist ein ein- oder zweifedriges Mittelschloß, mit welchem der Hebel zum Drehen der Trommel, sowie eine Arretirvorrichtung zum Festhalten letzterer in Verbindung steht. Die Trommel ist in der Richtung der Achse durchbohrt, hat an der hinteren Fläche einen Zahnkranz zum Angriff des Drehmechanismus und ist im übrigen der Entzündungsweise gemäß eingerichtet. Der Schaft bildet die rückwärtige Verlängerung des Mittelstücks, in Gestalt eines kurzen Handgriffs. Der Ladestock ist, wenn er nicht als Rohrachse dient, in der Regel durch ein Gelenk mit dem Lauf verbunden und fungirt dann auch als Versicherung. Bildet er die Rohrachse, so wird die Trommel zum Laden heraus genommen. Es sind in der Gegenwart hauptsächlich drei Systeme, welche weiteren Eingang gefunden haben, diejenigen von Colt, Adams-Deane und Lefaucheux. Weniger verbreitet sind wohl die eigentlichen Zündnadelrevolver, darunter eine Construction von Dreyse; sie sind wesentlich complicirter als die übrigen Constructionen. Das System Colt, das älteste der drei erst genannten, beruht auf Vorderladung und Perkussion. Die Pulversäcke sind hinten durch die den Zündkanal enthaltenden Pistons verschlossen. Durch Aufziehen des Hahns nach dem Schuß wird die Trommel in Drehung versetzt. Ein Visir fehlt. Adams-Deane's Mechanismus ist eine Verbesserung des Colt'schen; das Spannen des Hahns und das Drehen des Mechanismus geschieht hier durch fortgesetztes Zurückziehen der Abzugsstange nach dem Abbrücken, sodaß der Schütze im Anschlage verbleiben kann, Lauf und Mittelstück bilden ein Ganzes, auf der Laufschiene ist ein Visir. Der R. von Lefauchenx ist, wie dessen Jagdgewehre, zur Hinterladung eingerichtet. Die Pulversäcke sind ganz durchgebohrt und können am hinteren Ende jeder für sich durch eine Bodenplatte verschlossen werden. Die Einheitspatrone hat eine Kupferhülse, das Zündhütchen, in letzterer angebracht, wird durch einen ebenfalls darin sitzenden, Patrone und äußere Fläche der Trommel überragenden Stift, auf welchen der Hahn schlägt, entzündet. Letzterer kann für sich, oder in gleicher Weise wie bei Adams-Deane gespannt und somit die Drehung der Trommel bewirkt werden. Das Visiren geschieht über einen am Hahn angebrachten Einschnitt. Zu Kriegszwecken hat wohl der R. von Adams-Deane gegenwärtig die größte Verbreitung, da er sich am meisten durch Einfachheit und Solidität des Mechanismus auszeichnet. Beim R. von Lefauchenx stehen die Schwierigkeiten der Verpackung seiner Munition im Wege. — Neuerdings sind auch die R. von Colt und Adams zur Hinterladung eingerichtet.

Revolverkanone, s. Kugelspritze 2) (Bd. V. S. 252), sowie Repetiergeschütz.

Revue (Heerschau), die Musterung der Truppen hinsichtlich ihrer taktischen Ausbildung. Die Truppen werden dazu in Parade-Aufstellung formirt, zunächst in dieser besichtigt und marschiren nachher vor dem die Parade Abnehmenden vorbei. Nach dem parademäßigen Vorbeimarsch kann sodann noch die Besichtigung in der Ausführung von größeren Exercitien erfolgen. Eine Besichtigung im Detail wird auch Specialrevue genannt. Die großen Revuen, welche Friedrich d. G. von Preußen nach dem Siebenjährigen Kriege alljährlich über seine Truppen abhielt, waren zu ihrer Zeit die höhere Schule aller europäischen Armeen und es war ein Gegenstand ängstlicher Besorgniß sämmtlicher Offiziere aller Grade, bei ihnen mit Ehren zu bestehen. — Die preußische Artillerie pflegt ihre Schießübungen mit dem Namen R. zu bezeichnen. Die dafür ausgeworfenen Gelder bilden den R.-Fonds.

Reyher, Karl Friedrich Wilhelm von, preußischer General der Cavalerie, geb. 1786 in der Mark von bürgerlichen Eltern, trat 1802 als Gemeiner in die preußische Infanterie, 1806 aber in die Cavalerie, wurde dann im Schillschen Corps Wachtmeister, trat 1810 als Lieutenant im 1. Ulanenregiment ein, nahm 1813 als Brigade-Adjutant des Generals von Katzler an den Schlachten von Lützen, an der Katzbach und bei Leipzig, sowie 1814 bei der Adjutantur der Schlesischen Armee an den Schlachten von Montmirail, Laon und Paris Theil, wurde Anfang 1815 Rittmeister, nach der Schlacht von Waterloo als Major, blieb dann bis 1818 beim preußischen Occupationscorps in Frankreich zurück, wurde nach der Rückkehr zum Generalstab der 12. Division nach Neisse versetzt, kam 1819 zum Generalcommando des 1. Armeecorps nach Königsberg, 1823 in den Großen Generalstab der Armee, wurde 1824 Chef des Generalstabs des 6. Armeecorps, 1828 in den Adelstand erhoben, 1829 zum Oberstlieutenant befördert, 1830 Chef des Generalstabs des 3. Armeecorps, 1832 Oberst, 1839 Generalmajor, erhielt 1840 die Direction des Allgemeinen Kriegsdepartements übertragen, wurde 1846 Generallieutenant, leitete vom 1.—26. April 1848 interimistisch die Verwaltung des Kriegsministeriums, wurde im Mai 1848 interimistisch, im April 1850 aber definitiv Chef des Großen Generalstabs der Armee, 1855 General der Cavalerie und starb 7. Oct. 1857 in Berlin. Vgl. v. Olleck, „General v. Reyher's Leben" (als Beiheft zum „Militär-Wochenblatt" 1861 ausgegeben.)

Reynier, Jean Louis Ebenezer Graf von, bürgerlicher Herkunft, geb. 1771 in Lausanne, wurde zu Paris zum Ingenieur gebildet, trat beim

Ausbruch der Revolution in die französische Armee, machte die Feldzüge unter Dumouriez, Pichegru und Moreau mit, war schon 1795 General, focht mit größter Auszeichnung 1800 wegen Widerspenstigkeit gegen Menou angeklagt nach Frankreich zurück, erhielt dennoch 1805 ein Corpscommando, eroberte Neapel, wurde aber 1806 bei Maida geschlagen, machte nun die Feldzüge 1809 in Deutschland, sodann in Spanien, 1812 in Rußland (wo er das 7. meist aus Sachsen bestehende Armeecorps in Volhynien commandirte), 1813 in Deutschland mit, wurde bei Leipzig gefangen und starb nach seiner Freilassung 1814 in Paris. Aus nachgelassenen Papieren gaben seine Erben „Mémoires sur l'Egypte" (Paris 1827) heraus.

Rezonville, kleines Dorf mit 587 Einwohnern im Deutschen Reichsgebiete Lothringen (bis 1870 zum französischen Departement Mosel gehörig), 1¼ Meilen westlich von Metz, an der Straße von Metz nach Verdun zwischen Gravelotte und Mars-la Tour gelegen, war in der Nacht nach der Schlacht von Gravelotte (18. August 1870, bisweilen auch Schlacht von R. genannt) das Hauptquartier des Königs Wilhelm, welcher daselbst mit dem General v. Moltke in einem kleinen Bauernhause auf dem mitgeführten königlichen Krankenwagen übernachtete. Von hier datirt das berühmte Sieges-Telegramm Nr. 23 (Bivouac bei R.) des Königs vom Abend des 18. August und der historische Brief desselben an die Königin Augusta vom 19. August.

Rhede, der vor dem Hafen oder in der Nähe der zu ihm führenden Flußmündung gelegene Theil der See. Hat die Flußmündung die Anlage des Hafens hervorgerufen, so kommt es vor, daß die R. eine „offene" ist; d. h. die Küste ist nicht so beschaffen, daß sie den auf der R. befindlichen Schiffen gegen die Winde von der Seeseite ausreichenden Schutz gewährt. Ist keine Flußmündung vorhanden, so wird die Anlage des Hafens meistens dadurch bedingt worden sein, daß eine gute „geschlossene" R. sich vorfindet, d. h. die Küste ist so beschaffen und ausgebuchtet, daß sie den auf der Rhede anlangenden Schiffen die Möglichkeit bietet, zu Anker zu gehn und gegen die vorherrschenden und gefährlichen Seewinde geschützt vor Anker zu liegen. Schiffe, welche in der Nähe der Küste mit „auflandigem", d. h. auf die Küste zu wehendem Winde resp. Sturme gegen Wind und See kreuzen, suchen Schutz auf einer in der Nähe gelegenen R. Eine R. ist um so besser, je mehr sie gegen alle Seewinde geschützt ist, durch Vorsprünge von Land, Inseln und dergleichen, zumal wenn sie nebenbei guten Ankergrund und angemessene Tiefen hat und im Fall der Noth das directe Einlaufen in den Hafen gestattet. — Bei Seefestungen ist darauf Rücksicht zu nehmen, daß die Eingänge der R. und diese selbst durch Geschützfeuer bestrichen werden können. Bei offenen R.n veranlaßt dies oft zu schwierigen Wasserbauten, wie sie z. B. in großartiger Weise auf der R. von Cherbourg (s. d. Bd. III., S. 8) vorkommen.

Rheims (Reims), Arrondissementshauptstadt im französischen Departement Marne, eine der interessantesten, schönsten und reichsten Städte Frankreichs, an der Vesle (Nebenfluß der Aisne) und am Aisne-Marnecanal, Knotenpunkt der Eisenbahn zwischen Epernay (Paris-Straßburg), Tergnier (Paris-Brüssel) resp. Amiens, Mézières und Mourmelon (Chalons-Menehould), Sitz eines Erzbischofs, hat schöne Kirchen (darunter die berühmte gothische Kathedrale, in welcher früher die französischen Könige gekrönt wurden), Denkmäler Ludwig's XIII. und Ludwig's XV., römische Alterthümer (darunter die Reste eines stattlichen Triumphbogens [La porte de Mars], ein Mosaikwerk von 90 Quadratmetern und den Sarkophag des Consuls Flavius Jovinus), lebhafte Textil-Industrie, bedeutenden Handel (namentlich mit Champagner-Weinen) und 60,834 Einwohner. R. ist der Geburtsort von Colbert. — R. ist eine der ältesten Städte Frankreichs, hieß im Alterthum Durocortorum, dann aber Remi und war die Hauptstadt der Remi und des belgischen Galliens. Hier ließ sich der Frankenkönig Chlodwig 496 vom Bischof Remigius (St. Remy) taufen. Später fiel R. an Australien und bei der Theilung unter die Söhne Ludwig's des Frommen an Neustrien. Von König Philipp August (1079) bis Karl X. (1824) wurden alle französische Könige (mit Ausnahme Heinrich's IV., der sich in Chartres und Ludwig's XVIII., der sich gar nicht krönen ließ) in der Kathedrale von R. vor dem mit Goldblech überzogenen Hochaltar durch den Erzbischof von R. (Primas des Reichs) aus der heiligen Ampulla gesalbt und gekrönt. (Vgl. Margnet und Dauphinot, „Trésor de la cathédrale de R." Paris 1867). Im 14. Jahrhundert ließ König Johann die Stadt mit Mauern umgeben und befestigen (jetzt stehen nur noch auf der Nordseite alte Remparts, während die Werke auf der Südseite in Promenaden umgewandelt worden sind). Am 17. Juli 1429 ließ Jeanne d'Arc hier den Dauphin als Karl VII. zum König krönen. Im Februar 1814 wurde R. von den Russen besetzt, am 5. März die schwache russische Besatzung von den Bürgern übermannt und der russische General Fürst Gagarin gefangen, am 12. März R. von den Russen und Preußen unter St. Priest abermals genommen; am 13. März wurden die Verbündeten hier von den Franzosen unter Napoleon I. angegriffen und in der Richtung nach Chalons zurückgedrängt, (wobei St. Priest fiel), die Stadt von den Franzosen genommen, aber am 19. März von den Russen unter Winzingerode aufs Neue erobert. — Im Deutsch-Französischen Kriege von 1870 wurde R. am 4. Sept. nach einem unbedeutenden Gefecht von den deutschen Truppen besetzt; am 5. Sept. hielt König Wilhelm seinen Einzug in R.; am 14. Sept. wurde das Königl. Hauptquartier von R. nach Château-Thierry verlegt. — Vgl. Justinus (Baron J. Taylor), „R., la ville des sacres", Paris 1860.

Rhein (lat. Rhenus, franz. Rhin, holländ. Rhyn oder Rijn) der größte und schönste Strom Deutschlands und nächst der Wolga und der Donau der größte Strom Europa's, entspringt im Schweizer Canton Graubündten in drei Hauptquellflüssen, dem Vorder-, Mittel- und Hinterrhein, und zwar der Vorderrhein nordöstlich vom St. Gotthard 7248 Fuß hoch, der Mittelrhein aus dem Kurser westlich vom Lukmanierberge 6670 Fuß hoch, der Hinterrhein aus dem Rheinwaldgletscher am Moschelhorn 7220 Fuß hoch. Bei Dissentis vereinigen sich der Vorder- und Mittelrhein, bei Reichenau tritt auch der Hinterrhein dazu und der vereinigte Strom, hier bereits 150 Fuß breit und Flöße tragend, nimmt nun den Hauptnamen R. an. Er fließt Anfangs östlich bis Chur, wo er die Plessur aufnimmt und für Kähne fahrbar wird, wendet sich dann nördlich, verläßt den Canton Graubündten, bildet die Grenze zwischen dem Canton St. Gallen (links) und dem Fürstenthum Liechtenstein sowie Tirol, resp. Vorarlberg (rechts), fällt unterhalb Rheineck in den Bodensee, verläßt denselben bei Constanz, tritt gleich darauf in den Zeller- oder Untersee, verläßt diesen bei Stein, bildet von da an 11 Meilen lang in vorherrschend westlicher Richtung fließend die Grenze zwischen den Schweizer Cantonen Thurgau, Zürich, Aargau und Basel (links) und dem Deutschen Reiche, resp. dem Großherzogthum Baden (rechts), bildet auf dieser Strecke bei Laufen unweit Schaffhausen den berühmten Rheinfall, wendet sich von Basel an nördlich und tritt ganz nach Deutschland über (während er bis 1870 von Basel an bis in die Gegend von Lauterburg 27 Meilen lang die Grenze zwischen Frankreich resp. dem Elsaß [Departements Ober- und Niederrhein] [links] und Deutschland, [rechts] Baden [rechts] bildete), trennt hier den Elsaß und Rheinbaiern (links) von Baden (rechts), dann bis Mainz die hessische Provinz Rheinhessen (links) von der hessischen Provinz Starkenburg, wendet sich von Mainz bis Bingen 4 Meilen westwärts,

Rheinhessen (links) von dem Regierungsbezirk Wiesbaden (dem ehemaligen Herzogthum Nassau) der preuß. Provinz Hessen-Nassau (rechts) trennend, nimmt darauf eine vorherrschend nordwestliche Richtung an, tritt hier ganz nach Preußen ein, trennt Anfangs die Rheinprovinz (links) von dem Regierungsbezirk Wiesbaden und strömt von Lahnstein an gänzlich durch die Rheinprovinz, bis er unterhalb Emmerich dieselbe, und somit Preußen und das Deutsche Reich überhaupt verläßt (nachdem er Preußen 45 Meilen und das Deutsche Reich 101 Meilen lang durchströmt) und nach Holland übertritt, wo er eine westliche Richtung annimmt, sich bald in mehre Arme (Waal, Krummer R., Alter R.) theilt, sich mit der Maas verzweigt und mehrarmig in vorherrschend westlicher Richtung der Nordsee zuströmt. Der Stromlauf des R. beträgt: 157 deutsche Meilen (einschließlich aller Krümmungen und der beiden Hauptmündungsarme 190 Meilen); die Seehöhe: Quellen 7248, resp. 6670 und 7220 rheinl. Fuß, Vereinigung bei Reichenau 1845 Fuß, Bodensee 1200 Fuß, bei Basel 755 Fuß, bei Straßburg 424 Fuß, bei Mainz 239 Fuß, bei Bingen 225 Fuß, bei Coblenz 178 Fuß, bei Bonn 138 Fuß, bei Köln 110 Fuß, bei Wesel 47 Fuß, bei Emmerich 31 Fuß, bei Arnheim 27 Fuß; das Gefälle auf eine deutsche Meile: von der Quelle des Vorderrheins bis Dissentis (2,₄ Ml.) 1047 Fuß, von da bis Reichenau (6 Ml.) 272 Fuß, von da bis zum Bodensee (10,₄ Ml.) 35 Fuß, vom Bodensee bis Laufen (6 Ml.) 14 Fuß, von da bis Basel (11 Ml.) 23 Fuß, von da bis Bingen (58 Ml.) 12 Fuß, von da bis Bonn (16,₃ Ml.) 6 Fuß, von da bis Emmerich (26,₃ Ml.) 3,₃ Fuß, von da bis zur Mündung (20 Ml.) 1,₄ Fuß; die Breite ist sehr wechselnd, bei Basel 200 Meter, zwischen Basel und Mannheim 400—600 Meter, zwischen Mannheim und Mainz 200—400 M., bei Mainz 528 M., bei Geisenheim 970 M., zwischen Bingen und St. Goar 136—610 M., zwischen St. Goar und Coblenz 225—575 M., bei Coblenz 320 M., zwischen Coblenz und Köln 225—730 M., bei Köln 380 M., zwischen Köln und Wesel 151—620 M., zwischen Wesel und Nimwegen 245—700 M.; ebenso wechselnd ist seine Tiefe, sie beträgt zwischen 1 und 9 Metern, bei Düsseldorf an einigen Stellen sogar über 15 Meter; der höchste bekannte Wasserstand dieses Jahrhunderts (im J. 1845) zeigte am Pegel zu Coblenz 29 Fuß 2 Zoll, am Pegel zu Düsseldorf 27 Fuß 4½ Zoll, während in den außerordentlich trockenen Jahren 1842 und 1847 der niedrigste Wasserstand zu Coblenz und Düsseldorf auf 2 Fuß 7 Zoll herabsank. Das Stromgebiet des R. umfaßt 4080 Q.-M. mit nahe an 200 Nebenflüssen und ungefähr 1000 Bächen; die größern Nebenflüsse sind: Thur, Aar, Reuß, Limmat, Wiese, Ill, Elz, Kinzig, Murg, Lauter, Selz, Neckar, Main, Nahe, Lahn, Mosel, Ahr, Sieg, Wupper, Erft, Ruhr, Emscher, Lippe, Maas, Linge und Schelde, wovon aber nur Neckar, Main, Mosel, Ruhr, Lippe, Maas und Schelde schiffbar sind. Von den Kanälen sind die wichtigsten: der Rhein- und Illkanal bei Straßburg; der Rhein-Rhonekanal (Canal Monsieur), welcher die beiden Ströme durch Saône, Doubs und Ill verbindet; der Marne-Rheinkanal, welcher bei Vitry aus der Marne abgeht, und bei Straßburg in den R. mündet, und der Donau-Main- oder Ludwigskanal, welcher den R. vermittels des Mains mit der Donau verbindet. Die Schiffbarkeit des R. beginnt für kleinere Kähne bei Chur, für größere bei Basel, für Segel- und Dampfschiffe bei Straßburg. Die Dampfschifffahrt wird von mehren Actiengesellschaften betrieben. Freihäfen sind: Freistett, Leopoldshafen, Straßburg, Speier, Ludwigshafen, Mannheim, Bieberich, Oberlahnstein, Köln, Düsseldorf, Wesel und Emmerich. Innerhalb Deutschlands wird der R. zu beiden Ufern von Eisenbahnlinien (s. weiter unten) begleitet, welche meist dicht an den Ufern hinführen und sämmtliche größere Ortschaften unter einander verbinden. An festen (stehenden), vorherrschend dem Eisenbahnverkehr dienenden Brücken hat der R. in Deutschland folgende 8: Straßburg-Kehl, Mannheim-Ludwigshafen, Mainz-Gustavsburg, Coblenz-Thalehrenbreitstein, Köln-Deutz, bei Reuß (oberhalb Düsseldorf), bei Duisburg (Rheinhausen-Hochfeld) und Wesel (letztere beide im Bau), in Holland bei Boemel-Kuilenburg und Krimpen-Dortrecht (über Leck resp. Waal). Schiffbrücken bei Hüningen, Breisach, Straßburg-Kehl, Knielingen, Germersheim, Mannheim-Ludwigshafen, Worms, Mainz-Castel, Coblenz-Thalehrenbreitstein, Köln-Deutz, Düsseldorf-Oberrcassel, Wesel. Trajecte befinden sich bei Maxau (Eisenbahn-Schiffbrücke), Worms, Bingen, Obercassel (unweit Bonn), Ruhrort ꝛc. Griethausen; außerdem wird der Verkehr noch durch zahlreiche fliegende Fähren unterhalten. An Städten und Ortschaften liegen am R. auf seinem Laufe durch Deutschland (abgerechnet also die Südgrenze von Baden, wo der R. Deutschland von der Schweiz trennt) am rechten Ufer 24 Städte (darunter die bedeutendsten: Altbreisach, Kehl, Mannheim, Bieberich, Neuwied, Deutz, Düsseldorf, Ruhrort, Wesel und Emmerich), 105 Dörfer, 26 Weiler und Flecken, 6 Schlösser, Klöster und Ansiedelungen; auf dem linken Ufer: 32 Städte (darunter die bedeutendsten: Straßburg, Germersheim, Speier, Ludwigshafen, Worms, Mainz, Bingen, Coblenz, Andernach, Bonn, Köln, Neuß), 109 Dörfer, 11 Weiler und Flecken, 5 Schlösser, Klöster und Ansiedelungen; insgesammt auf beiden Ufern: 56 Städte, 214 Dörfer, 37 Weiler, 11 Schlösser ꝛc., im Ganzen also 318 Ortschaften. Festungen sind auf dem linken Ufer: Neubreisach, Schlettstadt, Straßburg, Landau (2½ Meilen westlich vom R., nur noch Waffenplatz), Germersheim, Mainz (mit Castel auf dem rechten Ufer), Coblenz (mit Ehrenbreitstein auf dem rechten Ufer), Köln mit Deutz auf dem rechten Ufer), auf dem rechten Ufer: Rastatt (1 Meile östlich vom R.) und Wesel. Was die Configuration der Rheinufer innerhalb Deutschlands anbelangt, so durchströmt der Fluß von Basel ab, wo der Mittelrhein beginnt und er sich in nördlicher Richtung von dem Jura entfernt, jene von 3 bis zu 5 Meilen breiten fruchtbaren Ebenen, welche dem Elsaß und Breisgau, Baden, der Pfalz und Hessen (Rheinhessen und Starkenburg) angehören, und welcher die Vogesen (resp. die Haardt) von dem Schwarzwald, Odenwald und Spessart trennen; die unmittelbaren Ufer des Stromes bleiben hier auf beiden Seiten flach. Erst in der Umgegend von Mainz geht das rechte Ufer in eine selbstständige Gebirgsformation (Taunus) über. Von Bingen an treten die Gebirge an beiden Ufern bis dicht an den Strom heran und begleiten sie bis Bonn (links der Hunsrück, dann die Eifel; rechts der Taunus, dann der Westerwald, zuletzt das Siebengebirge; dies ist jene an Naturschönheiten so reiche Gegend, um derrn willen der R. vorzugsweise so viel besucht wird. Am Fuße der hohen Berge lagern sich freundliche Städte und Dörfer, über denen sich auf den Felsabsätzen überall Rebenanlagen erheben; auf den schroffen Gipfeln thronen alte Schlösser und Ruinen von Ritterburgen. Zuweilen öffnen sich die den R. begleitenden Felsenketten und lassen die Aussicht in romantische Thäler frei, aus denen größere und kleinere Flüsse dem R. zuströmen. Von Bonn an, wo der Niederrhein beginnt, hört das Gebirge auf dem linken Ufer gänzlich auf und tritt auch auf dem rechten Ufer (Ausläufer des Sauerlands) weiter zurück, so daß der untere Lauf bis zur Nordsee durch eine vollständige Tiefebene'geht.

Strategisches. Die politische Configuration hat den R. von jeher vorherrschend als Barrière zwischen die Kriegführenden gelegt; theils bildete er, wie in älteren Zeiten, die Grenze zweier häufig im Kriege mit einander befindlichen Völkerstämme, theils wie späterhin lief er jener Grenze mehr oder weniger parallel. Der R ist ein so breiter Strom, daß es immerhin seine Schwierigkeit hat, ihn mittels der von einer Armee mitzuführenden Brückentrains an verschiedenen Stellen gleichzeitig zu überbrücken.

24*

In seinem mittleren Laufe erfordert seine Breite durchschnittlich 2½ der in der deutschen Armee üblichen Pontontrains. Um so mehr kommen seine permanenten Uebergänge in Betracht. Dies erklärt, wie wichtig es ist, dieselben zu befestigen, um so mehr, da sie bis jetzt sämmtlich Eisenbahnübergänge sind. Von den festen Brücken in Deutschland ist die Düsseldorfer nur durch ein Fort gedeckt, Aehnliches für die Rheinhausener projectirt, die Mannheimer seßhaft zum Sprengen vorbereitet, die übrigen liegen innerhalb größerer Befestigungen. Als Verbindungslinie ist gegenwärtig weniger der Strom als solcher, als die seine beiden Ufer umgürtenden Bahnlinien militärisch wichtig. Für Militärtransporte im Kriege ist die Segelschifffahrt wegen ihrer Langsamkeit und Abhängigkeit nur selten zu benutzen, und selbst Dampfschiffe sind auf Flüssen einerseits in zu geringer Zahl vorhanden, andererseits vom Wasserstand und atmosphärischen Einflüssen sehr abhängig und können auch in der Geschwindigkeit, namentlich stromauf, mit den Eisenbahnen, denen überdies ihre viel größere Zuverlässigkeit zu Statten kommt, nicht concurriren. Gegenwärtig stehen längs des Rheins oder in geringer Entfernung davon seinem Laufe folgend, innerhalb Deutschlands folgende Eisenbahnlinien zu Gebote: am Oberrhein links: Basel-Straßburg-Landau-Neustadt-Ludwigshafen, Länge 38 Meilen, mittl. Fahrzeit der Personenzüge 9 Stunden; rechts: Basel-Freiburg-Appenweier(Kehl)-Rastatt-Mannheim, 36,₄ Meilen; 8 Stunden Fahrzeit. Am Mittelrhein links: Ludwigshafen-Mainz-Bingen-Coblenz-Cöln, 33,₄ Meilen, 7½ Stunden Fahrzeit; rechts: Mannheim-Darmstadt-Frankfurt-Castel-Ehrenbreitstein-Deutz, 43 Meilen, 11 Stunden Fahrzeit. Am Niederrhein links: Cöln-Neuß-Crefeld-Cleve-Elten, 17 Meilen, 3½ Stunden Fahrzeit; rechts: Deutz-Duisburg-Oberhausen-Wesel-Emmerich, 17½ Meilen, 4 Stunden Fahrzeit. Mit der gegenwärtigen Grenze Deutschlands sieht der R. jetzt durch folgende Bahnlinien in Verbindung, resp. steht deren Bau in Aussicht: Cöln-Aachen-Verviers, wegen der belgischen Neutralität von geringer militärischer Bedeutung; Cöln-Trier, 1871 vollendet und so lange besonders wichtig, als die Verbindung: Coblenz-Trier-Diedenhofen (die sogenannte Moselbahn) noch fehlt, letztere würde die Linie Coblenz-Trier-Diedenhofen-Metz als eine der wichtigsten Verbindungslinien mit der französisch-deutschen Grenze zuwegebringen (die Inangriffnahme der Moselbahn steht nahe bevor); ferner Bingerbrück-Neunkirchen-Saarbrücken-Metz, sowie Mannheim-Kaiserslautern-Neunkirchen-Metz, endlich Straßburg-Saarburg-Nancy. Eine wichtige Querverbindung dieser Ausläufer ist die Linie: Trier-Saarbrück-Saargemünd-Bitsch-Hagenau, sowie deren bevorstehende Ergänzung Saargemünd-Bening-Busendorf-Diedenhofen; ferner bilden kurze Querverbindungen die erst theilweise ausgebauten Linien: Neustadt-Alzey-Bingen, Hochspeyer-Münster a. St., Landstuhl-Cusel-Birkenfeld, wozu früher oder später noch Birkenfeld-Trier treten wird. — Die vorhandenen starken Befestigungen geben dem R. eine Bedeutung als Operationsbasis. Von den ältern deutschen Rhein-Festungen sind Mainz, Coblenz und Cöln in großem Maßstabe angelegt und mit detachirten Forts umgeben, Mainz und Cöln harren außerdem eines Umbaus, der den vergrößerten Tragweiten der heutigen Geschütze, sowie den Rücksichten auf weitere Entwicklung dieser Städte, Rechnung tragen soll. Wesel, an sich unbedeutend, erhält einen größern Brückenkopf zur Deckung der Rheinbrücke. Germersheim, wenn auch keine große Festung, ist immerhin wichtig, zumal es nach neueren Grundsätzen angelegt ist. Im gewissen Sinne ist auch das stark befestigte Rastatt als Rhein-Festung zu betrachten. Unter den jetzt wieder deutsch gewordenen Festungen am Oberrhein geht Straßburg (mit Kehl) einer großartigen Erweiterung entgegen; Neu-Breisach und Schlettstadt sind dagegen ohne Bedeutung. Da jetzt der R. in keiner Weise mehr die Grenze Deutschlands gegen

Frankreich bildet, sondern im wahren Sinne des Worts Deutschlands Strom geworden ist, wo zu den die deutsche Grenze von dem Strome scheidenden mächtigen Gebirgszügen noch die Vogesen hinzugetreten sind, wo das Deutsche Reich seinem Erbfeinde in Metz ein starkes Bollwerk entrissen hat, und bei der nun erprobten, noch nirgends erreichten Schlagfertigkeit der deutschen Armeen, wird man indeß nicht mehr den R. als die Basis anzusehen haben, auf welcher die Deutschen ihre Streitkräfte bei einem Krieg mit Frankreich zu sammeln haben, sondern sie werden, wie es schon 1870 trotz des überraschenden Ausbruchs des Krieges geschah, ihren strategischen Aufmarsch vorwärts desselben ausführen können, um so den Krieg in des Feindes Land zu spielen. Dennoch verliert eine starke Rheinbasis ihre Wichtigkeit nicht, namentlich als erster Hauptvertheidigungs-Abschnitt bei einer ungünstigen Wendung des Geschicks. — Im J. 1870 beabsichtigten die Franzosen auf dem R. mit gepanzerten Kanonenbooten zu operiren; der Verlauf des Krieges hinderte sie jedoch, diesen zu wenig Erwartungen berechtigenden Versuch anzustellen. Daß man auch deutscherseits Aehnliches im Sinne gehabt hatte, beweist die von der preußischen Regierung vor dem Kriege schon an die Rheinische Eisenbahngesellschaft bei Gelegenheit des Baues der Brücke von Rheinhausen gestellte Forderung, zum Schutz derselben nicht bloß ein Fort zu bauen, sondern auch gepanzerte Kanonenboote zu liefern.

Geschichtliches. Bei der Theilung des Fränkischen Reiches (s. d.) unter die Enkel Karl's d. Gr. kam durch den Vertrag von Verdun (6. Aug. 843) zwar nur das rechte und ein kleiner Theil des linken Rheinufers (Mainz, Worms und Speier) an Ludwig den Deutschen und somit an Deutschland; doch zwang Ludwig im Vertrag von Marsan (9. Aug. 870) Karl den Kahlen, das östliche Lothringen mit Utrecht, Aachen, Köln, Trier, Metz, Straßburg und Basel abzutreten, so daß nun auch der noch übrige größere Theil des linken Rheinufers dem Deutschen Reiche einverleibt wurde. Beide Ufer blieben nun deutsch, bis der Elsaß (s. d.) durch den Westfälischen Frieden von 1648, resp. durch den Ryswijker Frieden von 1697 an Frankreich kam, Ludwig XIV. sich 1681 auch Straßburgs (s. d.) bemächtigte und in Folge des Wiener Frieden von 1738, welcher den Polnischen Thronfolgekrieg (s. d.) beendigte, auch Lothringen an Frankreich fiel. Durch die Friedensschlüsse von Basel (s. d.) 1795, Campo-Formio (s. d.) 1797 und von Luneville (s. d.) 1801 kam jedoch das ganze linke Rheinufer an Frankreich, bis es durch die beiden Pariser Frieden (s. d. S. 78 f.) von 1814 und 1815 mit Ausnahme des Elsaß wieder an Deutschland zurückfiel. Frankreich konnte den Verlust des schönen Rheinlandes nicht verwinden und bereits unter der Julidynastie, namentlich aber seit dem kriegerischen Ministerium Thiers (1840), wurde der Ruf nach der Wiederherstellung der Rheingrenze immer lauter. Das französische Volk bezeichnete den R. als seine „natürliche Grenze" — vollständig ungerechtfertigt, denn Flüsse verbinden und Gebirge trennen: die natürliche Grenze Frankreichs von Deutschland bilden ethnographisch und sprachlich die Vogesen. Nachdem Napoleon III. es dahin gebracht hatte, die Bestimmungen der Verträge von 1815 mehrfach aufzuheben, Preußen dagegen durch den Krieg von 1866 erstarkt war und den größten Theil Deutschlands im Norddeutschen Bunde vereinigt und um sich versammelt hatte, erwachte die alte Eifersucht in erhöhtem Grade aufs Neue, umsomehr, als die von Frankreich verlangten „Compensationen" im Saarbecken von Preußen zurückgewiesen und seine Versuche, Luxemburg (s. d.) zu erwerben, gescheitert waren. Das Geschrei nach der „natürlichen Grenze" und „Rache für Sadowa" wurde immer lauter und drängender, bis die französische Regierung dem Drängen nachgab, im Juli 1870 mitten im Frieden die spanische Throncandidatur des Erbprinzen von Hohenzollern als Vorwand ergriff und am 19. Juli an Preußen, resp. den Norddeutschen Bund, den Krieg erkl[

Indeß erhob sich nicht allein Preußen und der Norddeutsche Bund, sondern ganz Deutschland, um „die Wacht am Rhein," zu bilden. Aber der für die deutschen Waffen so glorreiche Krieg, der nun folgte, ward nicht am Rhein, sondern im Herzen Frankreichs ausgefochten — denn mit Ausnahme der Belagerungen von Straßburg, (resp. der Beschießung von Kehl), von Neubreisach und Schlettstadt sah der R. keine Kämpfe — und endigte mit der Vereinigung Deutschlands zu einem Deutschen Reiche unter der Kaiserkrone der Hohenzollern und der vom ganzen Deutschen Volke einmüthig verlangten und aus strategischen Gründen zur Sicherung der Westgrenze an maßgebender Stelle für nothwendig erkannten, aber 1814 und 15 versäumten Rückerwerbung der entrissenen Reichsgebiete Elsaß und Deutsch-Lothringen, die im Präliminar-Frieden von Versailles (26. Februar 1871) und im Definitio-Frieden von Frankfurt a. M. (10. Mai 1871) von Frankreich an das Deutsche Reich abgetreten wurden. So sind denn nun beide Ufer von Basel bis zur holländischen Grenze wieder deutsch.

Was nun endlich die historischen Rheinübergänge (welche den Heeren wegen der Breite, Tiefe und Schnelligkeit des Stromes nicht unbedeutende Schwierigkeiten darbieten) anbelangt, so ging schon Julius Cäsar bei seinem Feldzuge gegen die Gallier zwei Mal über den R. (55 v. Chr. wahrscheinlich bei Andernach, 54 wahrscheinlich bei Neuwied) und ließ hier Pfahlbrücken errichten. Im Dreißigjährigen Kriege wurde der Strom mehrmals auf Schiff- und Floßbrücken überschritten und noch jetzt bezeichnet eine steinerne Denksäule oberhalb Oppenheim die Stelle, wo Gustav Adolf am 7. Dec. 1631 nach einem lebhaften Gefecht gegen die Spanier den Uebergang bewerkstelligte. Von den Rheinübergängen im 18. Jahrhundert sind außer dem des Prinzen von Lothringen 1744 bei Schröck (jetzt Leopoldshafen, nordwestlich von Karlsruhe) namentlich diejenigen während der Französischen Revolutionskriege berühmt: der Uebergang Jourdan's 7. Sept. 1795 bei Neuwied, wo die Oesterreicher das rechte Rheinufer mit 411 Geschützen in 98 Batterien besetzt und die Franzosen ihnen 476 Kanonen und Haubitzen entgegengestellt hatten; der Moreau's bei Kehl 24. Juni 1796, welcher ohne große Schwierigkeiten gelang, da die Franzosen vier Tage zuvor die Brückenschanze bei Mannheim mit Heftigkeit angegriffen und dadurch die Aufmerksamkeit der Oesterreicher von dem beabsichtigten Uebergangspunkt abgeleitet hatten; der zweite Uebergang Jourdan's bei Neuwied am 2. Juli 1796 ward leichter erreicht, als der erste, obgleich auch diesmal die Franzosen unter dem Feuer der österreichischen Geschütze hinüberschiffen mußten; ein dritter Uebergang der Franzosen bei Neuwied fand am 18. April 1797 unter Hoche ebenfalls unter heftigen Kämpfen gegen die Oesterreicher statt; am 20. April 1797 überschritt Moreau den Strom bei Sinzheim unterhalb Kehl und am 25. April 1800 an sechs Punkten zwischen Kehl und Diesenhofen, beide Male unter heftigem Widerstande der Oesterreicher. Der Uebergang der verbündeten Heere am 1. Januar 1814 (namentlich bei Kaub und Mannheim) fand ohne große Schwierigkeiten statt, obgleich die Schiffbrücke bei Kaub einmal vom Strome fortgerissen wurde. Beim Beginne des Deutsch-Französischen Krieges von 1870 wurde die Rheinbrücke bei Kehl-Straßburg am 22. Juli von badischen Truppen gesprengt, um den Franzosen den Uebergang an dieser durch die starke Festung Straßburg begünstigten Stelle zu erschweren. Der Uebergang der deutschen Armeen über den Strom bot nirgends Schwierigkeiten, da an den betreffenden Punkten beide Ufer im Besitz der Deutschen waren. — Vgl. außer den zahlreichen Reisehandbüchern (Bädecker, Berlepsch u. A.) Lange, „Der R. und die Rheinlande", Darmstadt 1847 ff., 2. Aufl. 1857 ff. (mit zahlreichen Stahlstichen); Kohl, „Der Rhein", Leipzig 1851, 2 Bde.; Simrock, „Das malerische und romantische Rheinland", Leipzig 1857;

Schirges, „Der Rheinstrom", Mainz 1857; Biffart, „Das Kriegstheater am obern R. und der obern Donau", Berlin 1863; Cardinal v. Widdern, „Der R. und die Rheinfeldzüge", Berlin 1869.

Rheinbaiern, s. Pfalz.

Rheinberg, Stadt im Regierungsbezirk Düsseldorf der preuß. Rheinprovinz, 1½ Meile südlich von Wesel (oder auf dem linken Rheinufer) an der Euler und dem Rheinberger Kanal, hat 3000 Einwohner, lag bis Ende des 16. Jahrh. noch dicht am Rhein, während es jetzt von dessen nächsten Punkte ½ Stunde entfernt liegt, und war früher eine starke Festung, welche im 16. Jahrh. während des Niederländischen Krieges mehrmals belagert und trotz tapfern Widerstandes genommen wurde, bis sie 1672 den Franzosen in die Hände fiel. Im J. 1703 wurde sie von den Niederländern wieder genommen und dann geschleift. Die hier im Oct. 1706 geschlagene Schlacht wird gewöhnlich Schlacht bei Kloster-Kampen (s. d.) genannt, welches 1 Meile südwestlich von R. liegt.

Rheinbund hieß der Bund, welchen Napoleon I. nach der durch den Frieden von Preßburg (s. d.) vom 26. Decbr. 1805 angebahnten Auflösung des Deutschen Reiches mit sechzehn süd- und westdeutschen Fürsten am 12. Juli 1806 zu Paris abschloß; diese Fürsten waren: die neuernannten Könige von Baiern und Württemberg, der Kurfürst-Reichskanzler, der Kurfürst von Baden, der neue Herzog von Berg (Murat), der Landgraf von Hessen-Darmstadt, die Fürsten von Nassau-Usingen, Nassau-Weilburg, Hohenzollern-Hechingen, Hohenzollern-Sigmaringen, Salm-Salm und von Salm-Kyrburg, der Herzog von Arenberg, die Fürsten von Isenburg-Birstein und von Liechtenstein und der Graf von und zu der Leyen. Laut einer Allianz-Bestimmung sollten zu jedem künftigen Continentalkriege von Frankreich 200,000 M., vom R. 63,000 M. (und zwar von Baiern 30,000 M., von Württemberg 12,000 M., von Baden 8000 M., von Berg 5000 M., von Hessen-Darmstadt 4000, von den kleinen Fürsten zusammen 4000 M.) gestellt werden. Augsburg und Lindau sollten Waffenplätze werden. Am 1. August 1806 machten die beigetretenen Fürsten dem Deutschen Reichstage die Mittheilung von dem abgeschlossenen Bunde und an demselben Tage ließ Napoleon durch den französischen Gesandten Bacher dem Reichstage die Erklärung abgeben, daß er ein Deutsches Reich ferner nicht mehr anerkenne. In Folge davon legte Kaiser Franz II. am 6. August 1806 seine Würde als Oberhaupt des Deutschen Reiches nieder und das Deutsche Reich war somit aufgelöst. Napoleon nahm nun den Titel als „Protector" des R.'s an. Am 25. Sept. 1806 trat auch der Kurfürst von Würzburg als Großherzog dem R. bei, am 11. Dec. 1806 auch der Kurfürst von Sachsen, welcher sich von Preußen getrennt und im Frieden zu Posen den Königstitel angenommen hatte und sich verpflichtete, ein Bundes-Contingent von 12,000 M. (später 20,000 M.) zu stellen; ihm folgten am 15. Dec. die sächsischen Herzöge, dann im Warschauer Vertrag vom 13. April 1807 die drei Fürsten (jetzt Herzöge) von Anhalt, die beiden Fürsten von Schwarzburg, die beiden Fürsten von Lippe, die drei Fürsten von Reuß und der Fürst von Walbeck; am 15. Nov. 1807 das unter Napoleon's Bruder Jérôme neu errichtete Königreich Westfalen, am 18. Febr. 1808 der Herzog von Mecklenburg-Schwerin und am 14. Oct. 1808 der Herzog von Oldenburg. Der R. umfaßte nun 5916 □-M. mit 14,608,877 Einwohnern. Das Anfangs auf 63,000 M. festgesetzte Bundescontingent stieg nun auf 119,180 M., wozu Sachsen 20,000 M., Westfalen 25,000 M., die sächsischen Herzöge 2800 M., Würzburg 2000 M., die beiden Schwarzburg 600 M., die beiden Lippe 650 M., Walbeck 400 M., die drei Reuß 450 M., die drei Anhalt 800 M., die beiden Mecklenburg 2300 M., Oldenburg 1180 M. stellten. Napoleon selbst hatte sich von den preußischen Abtretungen die Festung Erfurt, gewissermaßen als Bundesfestung vorbehalten, die nun eine gemischte Besatzung aus französischen und Rheinbundstruppen erhielt. Die Hauptgrundsätze des Bundesvertrags vom 12. Juli 1806 waren zwar: feste Verbindung der Mitglieder untereinander und mit Frankreich, Aufstellung eines Bundesheeres, welchem in seiner Gesammtheit die Vertheidigung jedes einzelnen Mitgliedes oblag, Anerkennung der Souveränetät jedes einzelnen Mitgliedes (insbesondere Gesetzgebung, oberste Gerichtsbarkeit, hohe Polizei, Militär-Conscription und Besteuerungsrecht), Garantie aller Mitglieder für Besitze und Rechte jedes einzelnen derselben, Gleichheit aller Mitglieder im Bunde; in der That aber betrachtete und behandelte der Kaiser-Protector die Rheinbundsfürsten nur als französische Präfecten. Zunächst verwandte er die Rheinbundstruppen 1809 zum Kriege gegen Oesterreich; nach dem Frieden von Wien (Schönbrunn) am 14. Oct. 1809 aber schickte er einen Theil der westfälischen, die badischen, würzburgischen, herzoglich sächsischen, reußischen, waldeckschen, lippeschen und schwarzburgischen Truppen nach Spanien. Durch Decret vom 13. Dec. 1810 beraubte er, trotz der den Rheinbundsfürsten zugesicherten Selbständigkeit, den Herzog von Oldenburg des größten Theils seines Landes, den Herzog von Arenberg und die Fürsten von Salm-Salm und Salm-Kyrburg aber ihres ganzen Landes und vereinigte sie mit dem Französischen Kaiserreich (nur ein kleiner Theil des Herzogthums Arenberg kam an das Großherzogthum Berg); einverleibte auch bedeutende Theile von Westfalen und Berg dem Kaiserreiche ein. Durch diese Abtretungen verlor der R. 532 Q.-M. mit 1,133,057 Einw. und war nun auf 5384 Q.-M. mit 13,475,820 Einw. reducirt. Auch in die innern Angelegenheiten der Bundesstaaten mischte sich der Kaiser-Protector fortwährend ein; überall fand eine vollständige französische Ueberwachung statt. Nachdem die Rheinbundstruppen 1811 aus Spanien zurückberufen worden waren, ließ Napoleon dieselben reorganisiren und verwandte sie mit den übrigen Contingenten 1812 zum Krieg gegen Rußland, wo die Baiern das 6. Corps unter Gouvion St. Cyr, die Westfalen das 8. Corps unter Vandamme, die Sachsen den größten Theil des 7. Corps unter Reynier bildeten, die Würtemberger dem 3. Corps unter Ney, die übrigen Contingente verschiedenen andern französischen Corps, besonders dem 9. unter Victor und dem 11. unter Augereau zugetheilt wurden (vgl. Napoleon Bd. VI. S. 218). Von den Rheinbundstruppen kamen namentlich die Baiern, Westfalen, Sachsen und Würtemberger zur Verwendung, schlugen sich, wie auch die übrigen Contingente, stets mit großer Bravoure, wurden aber durch den Krieg fast gänzlich aufgerieben. Das Jahr 1813 machte dem R. ein Ende. Zunächst fielen die beiden Mecklenburg ab, sobald sich Preußen an Rußland gegen Napoleon angeschlossen hatte. Die übrigen Fürsten zögerten noch, trotz der allgemeinen durch ganz Deutschland wehenden Begeisterung, trotz des Dranges, das französische Joch abzuwerfen. Nur die herzoglich sächsischen und die anhaltischen Truppen gingen zu den Alliirten über; bald darauf aber stellten ihre Fürstenhäuser, wie alle übrigen Rheinbundfürsten, das verlangte Contingent wieder für Napoleon, so daß zu Anfang des Krieges der R. gegen die Alliirten stand; doch gingen bereits nach dem Waffenstillstand von Poischwitz einzelne Truppentheile verschiedener Rheinbundsfürsten zu diesen über. Am 6. Oct. trat Baiern durch den Vertrag von Ried (s. d.) den Alliirten bei und am 13. Oct. erhielt Napoleon auf dem Wege nach Leipzig begriffen, in Düben die Kriegserklärung Baierns. Während der Schlacht bei Leipzig verließen die Würtemberger und Badener die französische Sache, auch ein großer Theil der Sachsen ging während der Schlacht am 18. Oct. bei Paunsdorf zu den Alliirten über; demungeachtet verweigerte der König von Sachsen nach dem Einzug der Verbündeten in Leipzig (19. Oct.), sich von Napoleon loszusagen, wurde deshalb gefangen genommen, sein Land aber von russisch-preußischen Truppen besetzt und die nördliche Hälfte desselben durch den Wiener Vertrag vom 18. Mai 1815 der Preußischen Monarchie einverleibt. Das Königreich Westfalen und das Großherzogthum Berg wurde gänzlich aufgehoben, der Herzog von Arenberg und die Fürsten von Isenburg, Salm und Leyen mediatisirt, Oldenburg wieder hergestellt und die Truppen dieser, sowie der übrigen seitherigen Rheinbundsfürsten während des Krieges von 1814 gegen Frankreich verwandt, nachdem die Baiern und Würtemberger im Verein mit Oesterreichern bereits am 30. Oct. 1813 bei Hanau tapfer gegen Napoleon gekämpft hatten. Vgl. H. Chr. E. von Gagern, „Mein Antheil an der Politik", I. Band, Stuttgart 1823; Luchesini, „Historische Entwickelung der Ursachen und Wirkungen des R." (deutsch von Halem, 3 Bde., Leipzig 1821—25).

Rhein-Departements, die beiden seitherigen französischen Departements Haut-Rhin (Oberrhein mit 74,60 Q. M. und 530,285 Einw.) und Bas-Rhin (Niederrhein mit 82,69 Q. M. und 588,970 Einw.), welche den Elsaß (s. b.) bilden, durch den Versailler Präliminar-Frieden vom 26. Febr. 1871, resp. den Frankfurter Definitiv-Frieden vom 10. Mai 1871 aber nebst Deutsch-Lothringen als unmittelbares Reichsgebiet an das Deutsche Reich gekommen sind; doch ist das Departement Niederrhein durch die seither zum Departement Vosges (Vogesen) gehörigen Cantone Saales und Schirmeck vergrößert worden, wogegen die zum Departement Oberrhein gehörige Festung Belfort nebst Umgegend (nach den Versailler Präliminarien nur ein Rayon von 5 Kilometer, im Frankfurter Frieden aber noch durch den Canton Giromagny und Theile von fünf andern Cantonen erweitert) bei Frankreich verblieben ist.

Rheinfelden, Stadt im Schweizer Canton Aargau, am linken Ufer des Rheins (der hier eine gefährliche Stromschnelle, den sogenannten Höllenhaken, bildet) und an der Eisenbahn von Basel nach Waldshut, hat ein Collegiatstift und 1950 Einw. R. war früher Reichsstadt und starke Festung, wurde 1328 vom Kaiser Ludwig dem Baier an Oesterreich verpfändet und 1801 von Oesterreich an die Schweiz abgetreten. Während des Dreißigjährigen Krieges wurde R. im Febr. 1638 vom Herzog Bernhard von Weimar belagert, am 28. Febr. von den Kaiserlichen unter Johann von Werth entsetzt, Letzterer aber am 2. März bei Bruggen und Nollingen am rechten Rheinufer, R. gegenüber, vom Herzog vollständig geschlagen und nebst mehreren anderen kaiserlichen Generalen gefangen genommen, die Belagerung dann fortgesetzt und die Festung am 22. März vom Herzog genommen. Im J. 1679 wurde R. von dem französischen Marschall Crecqui vergeblich belagert, 1744 aber von den Franzosen genommen und die Fortificationen geschleift.

Rheinfels, Schloß und ehemals starke Festung am linken Rheinufer unmittelbar unterhalb des Städtchens St. Goar im preuß. Regierungsbezirk Coblenz, auf einem Felsen 335 Fuß über dem Spiegel des Rheins gelegen. Die Festung wurde 1245 vom Grafen Diether III. von Katzenellenbogen erbaut, 1255 vom Rheinischen Städtebund vierzehn Monate lang vergeblich belagert (vierzig erfolglose Stürme), kam 1479 durch Erbschaft an den Landgrafen Heinrich IV. von Hessen-Kassel, wurde durch Landgrafen Wilhelm III. bedeutend verstärkt, im Hessischen Erbfolgekriege 1626 an Hessen-Darmstadt übergeben, 1647 aber wieder an Hessen-Kassel abgetreten, im Dec. 1692 von einem starken französischen Heere unter Generallieutenant Tallart belagert, aber von dem hessischen General von Görz so tapfer vertheidigt, daß Tallart am 1. Januar 1693 abziehen mußte. Seitdem verwandte Hessen große Summen auf die Verstärkung der Festung; doch wurde dieselbe am 1. Dec. 1758 von den Franzosen unter dem Marquis de Castries durch List genommen, 1763 aber wieder von ihnen geräumt. Im Französischen Revolutionskriege wurde die Festung, sobald sich am 1. Nov. 1794 die Franzosen davor zeigten, von der hessischen Besatzung unter dem unentschlossenen General Reffus ohne Widerstand an die Franzosen übergeben, welche die Werke sofort theilweis sprengten. Im Baseler Frieden von 1796 kam dann R. gänzlich an Frankreich, und wurde dann 1797 vollends demolirt. Nachdem 1815 das linke Ufer des Niederrheins an Preußen gekommen war, kaufte 1843 der damalige Prinz Wilhelm von Preußen (jetzige Deutsche Kaiser) die Ruinen und ließ sie durch Schnitzler als Schloß wiederherstellen. Vgl. Grebel, „Das Schloß und die Festung R.", St. Goar 1844.

Rheinfestungen, s. u. Rhein, S. 371 und 372.

Rheingau, ein 4—5 Stunden langer, ungefähr 2 Stunden breiter Landstrich längs des rechten Rheinufers im preußischen Regierungsbezirk Wiesbaden (ehemaligen Herzogthum Nassau) durch das Rheingangebirge (einen Theil des Taunus) im Norden begrenzt, beginnt bei Niederwallus unterhalb Biberich, erstreckt sich bis Lorch, gehört zu den schönsten und fruchtbarsten Gegenden Deutschlands, bringt namentlich ausgezeichnete Weine (Rheingauer, oder vorzugsweise Rheinweine genannt, darunter Johannisberger, Steinberger, Rüdesheimer und rother Aßmannshäuser die berühmtesten), wird von der Linie Wiesbaden-Rüdesheim-Lorch der Nassauischen Bahn durchschnitten, zählt ungefähr 20,000 Einwohner und hat Ellfeld oder Eltville zum Hauptort. Der R. war seit dem 11. Jahrh. auf der ganzen Landseite durch einen Graben und eine ungefähr 20 Fuß breite aus umgebogenen und durcheinander geflochtenen Bäumchen gebildete Hecke (das Gebück genannt), später auch noch durch 15 starke Thürme und Bollwerke geschützt. Es war bei Todesstrafe verboten, heimlich einen Weg durch das Gebück zu bahnen und schon das Abschneiden der kleinsten Ruthe daraus wurde mit 10 Goldgulden gebüßt. Herzog Bernhard von Weimar war der Erste, der das Gebück durchbrach (1631 im Dreißigjährigen Kriege) und dann den R. eroberte. Seitdem hörte die Wichtigkeit des Gebücks auf; es wurde nach und nach vollends zerstört und ebenso wie die Bollwerke abgetragen und jetzt ist von beiden keine Spur mehr vorhanden.

Rheinheim, Dorf in der bairischen Rheinpfalz, nordöstlich Saargemünd, dicht an der französischen Grenze. Am 16. Juli 1870 fand hier eins der ersten kleinen Gefechte im Deutsch-Französischen Kriege statt, zwischen preuß. Ulanen (vom rheinischen Ulanenregiment Nr. 7), Pionieren und bairischen Jägern mit Franzosen. — Am 2. August ging ein starkes Detachement der Brigade Lapasset des französischen V. Corps bei R. über die Grenze vor, kehrte aber Abends wieder in seine Vorpostenstellung zurück, als sich die deutschen Cavaleriepatrouillen beobachtend vor ihr zurückzogen.

Rheinhessen, die kleinste, aber am dichtesten bevölkerte Provinz des Großherzogthums Hessen, auf dem linken Ufer des Rheins gelegen, grenzt im Norden an den preußischen Regierungsbezirk Wiesbaden, im Osten an die hessische Provinz Starkenburg (beide durch den Rhein davon getrennt), im Süden an die bairische Pfalz, im Westen an Rheinpreußen, (durch die Nahe davon getrennt) und umfaßt einen Flächenraum von 26,01 Q. M. mit (1867) 234,875 Einw. Hauptstadt und Festung ist Mainz. Der Rhein wird, solange er die Provinz R. begrenzt, von der Linie Worms-Mainz-Bingen der hessischen Ludwigsbahn begleitet, von der hier auch noch mehre Zweigbahnen auslaufen. R. gehörte, wie Rheinbaiern, von 1801—14 zum französischen Departement Mont-Tonnerre (Tonnersberg), weshalb noch jetzt daselbst französisches Recht (Code Napoléon) gilt. R. war eine der beiden hessischen Provinzen, welche nicht mit zum Norddeutschen Bunde gehörten; wohl aber hatte Preußen schon während der Zeit des Norddeutschen Bundes durch den Friedensvertrag vom 3. Sept. 1866 in Mainz das Besatzungsrecht und das ausschließliche Recht der Besetzung des Gouverneurs- und des Commandanten-Postens, wie frühern auch Mainz zur 6. preuß. Festungs-Inspection (Coblenz) der 3. Ingenieur-Inspection gehörte.

Rheinländischer Fuß, bisher in Preußen Einheit des Längenmaßes (= 0,₃₁₄ Meter), außerdem fast in allen deutschen Artillerieen in Gebrauch. Der dänische Fuß ist derselbe.

Rheinpfalz, s. Pfalz.

Rheinprovinz, (Rheinpreußen), die westlichste und am dichtesten bevölkerte Provinz der preuß. Monarchie, zu beiden Ufern des Rheins (zum bei weitem größerrm Theile aber auf dem linken Ufer gelegen), grenzt im Norden an die Niederlande, im Nordosten an Westfalen, im Osten an den Regierungsbezirk Wiesbaden der Provinz Hessen-Nassau (zum Theil durch den Rhein davon getrennt), Rheinhessen (durch die Nahe davon getrennt) und Rheinbaiern, im Süden und Südwesten an das Deutsche Reichsgebiet Lothringen (bis 1871 zum französischen Departement Mosel gehörig), im Westen an Luxemburg, Belgien und die Niederlande und umfaßt einen Flächenraum von 489,₇₈ □. M. mit (1867) 3,455,358 Einwohnern. Die Bevölkerung ist der Religion nach zu 74,₂ Proc. römisch-katholisch, zu 24,₈ Proc. evangelisch, zu 1 Proc. israelitisch (der Rest gehört andern christlichen Confessionen an), der Nationalität nach aber fast rein deutscher Abstammung, und zwar gehören über 2½ Millionen dem rheinisch-fränkischen Stamme an, über ½ Millionen sind sächsische Westfalen und ungefähr ¼ Million Flamänder; in einzelnen Gegenden haben sich früher eingewanderte Franzosen mit den Deutschen vollständig verschmolzen; doch giebt es im Regierungsbezirk Aachen noch über 11,000 (französisch sprechende) Wallonen, im Regierungsbezirk Köln auch noch einige Zigeunerfamilien (Waldlepper). Das Land ist im südlichen Theile (südlich von Bonn) durch das Siebengebirge, den Westerwald, den Taunus, die Eifel, Ausläufer der Ardennen und den Hundsrück, im Nordosten aber durch Ausläufer des Sauerlandes gebirgig gestaltet. Der wichtigste Strom ist der Rhein, welcher der Provinz auf einer Strecke von 43 Meilen angehört, und hier die Nahe, Lahn, Mosel, Ahr, Sieg, Wupper, Ahr, Ruhr und Lippe aufnimmt. Der Boden ist im Allgemeinen höchst fruchtbar, der Productenreichthum in allen drei Reichen ein sehr großer, der Handel bedeutend, die Industrie blühend und vielseitig. Die ganze Provinz ist von einem trefflich organisirten, vielfach verzweigten Eisenbahnsystem durchzogen, dessen wichtigste Knotenpunkte Oberhausen, Krefeld, Düsseldorf, Cöln, Aachen, Coblenz und Trier sind. In administrativer Hinsicht zerfällt die R. in die fünf Regierungsbezirke: Köln, Düsseldorf, Coblenz, Aachen und Trier. Sitz des Oberpräsidenten ist Coblenz. Im ganzen linksrheinischen Theile der R. gilt das französische Recht (Code Napoléon), im rechtsrheinischen Theile der Regierungsbezirke Coblenz und Köln das gemeine deutsche Recht, im ostrheinischen Theile des Regierungsbezirkes Düsseldorf das preußische Landrecht. Die R. ist der Ersatzbezirk und die Garnisonsprovinz des 8. Armee-Corps und eines Theils der 14. Division; das General-Commando des 8. Armee-Corps ist in Coblenz, das Commando der 15. Division in Köln, das der 16. Division in Trier, das der 14. Division in Düsseldorf. Festungen der R. sind: Wesel, Köln-Deutz, Coblenz-Ehrenbreitstein und Saarlouis. Die jetzige R. umfaßt die seit alter Zeit mit Preußen vereinigten Herzogthümer Cleve und und Geldern nebst den Fürstenthümern Mörs, den Herzogthümern Jülich und Berg und zahlreichen ehemals kurpfälzischen, kurkölnischen, kurtrierschen, kurmainzischen ꝛc. Besitzungen; noch zur Zeit des Luneviller Friedens von 1801, welcher alle linksrheinischen Gebiete an Frankreich brachte, lagen im Umfange der jetzigen R. gegen 100 reichsunmittelbare Gebiete. Durch den Wiener Congreß von 1815 kamen dieselben an Preußen, dessen Besitzungen hier durch den Zweiten Pariser Frieden noch etwas vergrößert wurden. Preußen theilte das ganze Gebiet zunächst in zwei Provinzen: Jülich-Cleve-Berg (mit den Regierungsbezirken Cleve, Düsseldorf und Köln) und Niederrhein (mit den Regierungsbezirken Coblenz, Trier und Aachen), vereinigte sie aber 1824 zu einer Provinz mit fünf Regierungsbezirken. Im Jahre 1866 wurde dieselbe durch das hessen-homburgische Amt Meisenheim um 3,48 Q. M. mit 13,752 Einwohnern vergrößert, dagegen kam der Kreis Wetzlar später zu Hessen-Nassau. Im Deutsch-französischen Kriege von 1870–71 war die südlichste Spitze der R. (die Gegend von Saarbrücken, s. d.) der einzige Punkt der Preußischen Monarchie und (abgesehen von unbedeutenden Plänkeleien an der französisch-pfälzischen Grenze) der einzige Gebietstheil von ganz Deutschland überhaupt, welcher von französischen regulären Truppen betreten und kurze Zeit zum Kampfschauplatze wurde.

Rheinschanze, s. Ludwigshafen.

Rhodus, türkische Insel von 21 Q. M. mit 30,000 Einw., im Mittelländischen Meere an der kleinasiatischen Küste, im Alterthum durch seinen befestigten Hafen und den sogenannten Koloß berühmt, 334 v. Chr. von Alexander dem Großen, später von den Römern, im Mittelalter von den Arabern, 1309 von den Kreuzfahrern erobert und von dem Johanniterorden in Besitz genommen, seit 1522 im Besitz der Türkei und gehört zum Ejalet Dschesairi. Die gleichnamige Hauptstadt ist befestigt und hat 27,000 Einw.; sie wurde am 22. April 1863 von einem furchtbaren Erdbeben fast gänzlich zerstört.

Ribeaubequins (Walkerkarren), die Streitwagen der Flamänder, welche von diesen in den Freiheitskriegen des 14. Jahrhunderts mit Geschützen besetzt wurden.

Richard, 1) R. I. genannt Löwenherz, König von England, aus dem Hause Plantagenet, Sohn des Königs Heinrich II., geb. 1157, empörte sich mit seinen ältern Brüdern, auf Anstiften seiner bösen Mutter Eleonore von Poitou, gegen seinen Vater und bestieg nach dessen Tode 1189 den englischen Thron, unternahm mit dem König Philipp August sogleich einen Kreuzzug, schiffte sich 1190 nach Palästina ein, eroberte im Mai 1191 Cypern, langte am 8. Juli 1191 vor dem seit bereits drei Jahren belagerten Ptolemais (s. Acre) an, und nahm es am 12. Juli mit dem König Philipp August, der sich mit R. entzweit hatte, nach Frankreich zurückkehrte. R. setzte nun den Kreuzzug allein fort, schlug die Saracenen unter Saladin am 7. Sept. bei Assur, besetzte Joppe und Ascalon, schiffte sich am 8. Oct. 1192 zu Ptolemais ein und gedachte, um den Weg durch Frankreich zu vermeiden, als Pilger verkleidet über Italien und Frankreich nach England zu reisen. Er wurde jedoch bei Aquileja an die Küste verschlagen und fiel in der Nähe von Wien am 20. Dec. 1192 in die Hände des von ihm vor Ptolemais schwer beleidigten Herzogs Leopold von Oesterreich, welcher ihn auf das Felsenschloß Dürrenstein gefangen setzen ließ. Kaiser Heinrich VI. verlangte jedoch die Auslieferung R.s und ließ ihn nun zunächst nach Mainz, dann nach Worms und später auf das Schloß Trifels (s. d.) in Gewahrsam bringen, gab ihn aber im Febr. 1194 gegen ein Lösegeld von 150,000 Mark frei. (Daß ihn sein treuer Diener Blondel befreit habe, ist nur Sage; ebenso ist es eine gänzlich unerwiesene Behauptung, daß R., um frei zu werden, die Krone England vom Kaiser zu Lehn genommen habe.) Am 13. März 1194 langte R. nach vierjähriger Abwesenheit wieder in England an, unterwarf seinen Bruder Johann, ließ sich am 17. April zu Winchester zum zweiten Male krönen, unternahm sogleich große Rüstungen gegen Frankreich, setzte nach der Normandie über, schlug die Franzosen bei Fretewal, führte darauf mit wechselndem Glücke den Krieg noch fünf Jahre fort und schloß am 13. Januar 1199 mit Philipp August einen fünfjährigen Waffenstillstand ab. Er belagerte nun in einer Privat-Fehde mit dem Vicomte Vidomar von Limoges dessen Schloß Chalus bei Limoges, wurde hier am 28. März 1199 von einem Pfeilschusse in die Schulter verwundet und starb in Folge ungeschickter Behandlung der Wunde am 6. April 1199. Im J. 1860 wurde ihm auf dem Old-Palace-Yard zu London eine breite Statue (von Marochetti) gesetzt. 2) R. III., genannt der Bucklige, König von England, jüngster Sohn des Herzogs R. von York aus dem Hause Plantagenet, geb. 1452, übernahm nach dem Tode seines ältesten Bruders Eduard IV. am 9. April 1483 die Regentschaft für dessen zwölfjährigen Sohn Eduard V., ließ ihn aber nebst dessen Bruder, dem neunjährigen Herzog Richard von York, (unter dem Vorgeben, diese Kinder wären unehelich) in den Tower gefangen setzen, ließ sich am 6. Juli zu London selbst zum König krönen und dann die beiden Söhne Eduard's IV. im Schlafe ermorden. Er bemühte sich nun zunächst nur die Gunst der Geistlichkeit, gerieth aber sehr bald mit der Mehrzahl des Adels in bittere Feindschaft. Es bildete sich unter dem Grafen von Richmond (nachmaligem König Heinrich VII. von England, s. Heinrich 12.) eine Verschwörung; am 6. August 1485 landete Richmond bei Milford-Haven im südlichen Wales mit 2000 Mann, rückte unter großem Zulauf gegen Shrewsbury vor, ging dann dem König R. mit 12,000 Mann entgegen und traf mit diesem am 22. August 1485 bei Bosworth (s. d.) zusammen, wo Lord Stanley noch vor dem Kampf zu Richmond überging. R. drang mit todesmuthiger Verzweiflung in die feindliche Schlachtordnung und fiel hier. Seine Leiche wurde in der Klosterkirche zu Leicester beerdigt. Mit diesem Kampf endigte der Krieg der Weißen und Rothen Rose; das Haus Plantagenet verlor den englischen Thron und das Haus Tudor bestieg denselben mit Heinrich VII.. R. ist der Held einer der berühmtesten Tragödien Shakespear's. Vgl. Horace Walpole, „Historic doubts on the life and reign of King R. III.", London 1768; Jesse, „Memoirs of R. III.", London 1861. 3) R. Graf von Cornwallis und Poitou, Neffe von Richard Löwenherz und Bruder des Königs Heinrich III. von England, geb. 1209, befehligte in dem englisch-französischen Kriege eine Zeit lang einen Theil des englischen Heeres, unternahm dann einen erfolglosen Kreuzzug, wurde 1256 gegen Alfons X. von Castilien zum Deutschen Kaiser gewählt und als solcher auch am 17. Mai 1257 zu Aachen gekrönt. R. kam mehrmals nach Deutschland und übte die Kaiserrechte mit Umsicht und edlem Streben, konnte aber nie allgemeine Anerkennung erlangen. Er starb 1272; im folgenden Jahre wurde Rudolph (s. d. von Habsburg zum Deutschen Kaiser erwählt. (Vgl. den Artikel Zwischenreich.)

Richelien, 1) Armand Jean Duplessis, Herzog von, Cardinal, Kriegsminister und Kanzler von Frankreich, geb. 1585, wurde 1607 Bischof von Lucon, 1614 Almosenier der Königin-Mutter Maria von Medici und 1622 Minister des Auswärtigen und Kriegs, als welcher er, die Geistesbeschränkung des Königs Ludwig XIII. benutzend, die ganze Staatsgewalt in seine Hand riß und diese mit großer List und Grausamkeit gegen seine sich immer wieder gegen ihn aufrichtenden Feinde bis zu seinem Tode behauptete. Oft stellte er sich selbst an die Spitze des Heeres und zeigte seinen gewaltigen Geist nicht minder in militärischem Wirken. So entriß er 1624 den Spaniern und Päpstlichen das Veltlin, unternahm 1627 den Krieg gegen die Hugenotten, eroberte 1628 Larochelle selbst, schickte dann ein Heer nach Italien gegen Oesterreich, an dessen Spitze der König selbst stand, erhielt 1629 die Würde eines Principalministers und Generallieutenants des Königs und drang nun selbst in Italien ein. 1631 wurde er zum Pair und Herzog erhoben, oder erhob sich eigentlich selbst dazu. 1632 ließ er durch den General Schomberg den Herzog von Orleans, der die Waffen gegen ihn ergriffen hatte, bei Castelnaudary schlagen und ihn in Lothringen siegreich bekämpfen. Sein Bund mit Schweden hatte auf den Dreißigjährigen Krieg großen Einfluß. Den Herzog Bernhard (s. d.)

von Weimar betrog er, indem er deſſen Eroberungen an Frankreich brachte, und der Glaube, daß er den Herzog habe vergiften laſſen, hat die größte Berechtigung. Der Graf von Soiſſons und die Herzöge von Bouillon und Guiſe rüſteten 1641 eine Armee gegen Richelieu und ſchlugen ſeine Truppen bei Sedan 1641 mit öſterreichiſcher Hilfe, konnten aber doch deſſen Stellung nicht erſchüttern, ſahen ſich vielmehr von ihm überwältigt. Gleichzeitig unterſtützte er mit franzöſiſchen Truppen eine cataloniſche Revolution. Er ſtarb am 4. Dec. 1642. R. legte den Grund zu der nachmaligen unumſchränkten Monarchie Ludwig's XIV. Bis an ſeinen Tod wurde Frankreich gänzlich durch ſeine Willkür regiert, die Parlamente waren völlig ſeine Werkzeuge. Von ſeinen Schriften ſind die wichtigſten: „Hiſtoire de la mère et du fils", Amſterdam 1730, 2 Bde.; „Mémoires" (von 1632—35 reichend und von Petitot herausgegeben als 7. u. 8. Bd. der „Mémoires relatifs à l'histoire de France", Paris 1823); „Testament politique du cardinal de R.", Amſterdam 1764, 2 Bde.; „Journal du Cardinal de R., qu'il a fait durant le grand orage de la cour", Amſterdam 1664, 2 Bde. Vgl. Auberÿ, „Histoire de R.", Paris 1660, 2 Bde.; Violart, „Histoire du ministère de R.", ebd. 1649; Le Clerc, „Vie de R.", Amſterdam 1763; J. Reichelet, „R. et la Fronde", Paris 1858. 2) Louis François Armand Dupleſſis Herzog von, Marſchall von Frankreich, geb. 1696, Urneffe des Vor. und Sohn von Armand Vignerot, wurde aus Verwandtſchaftsrückſichten in ſeinem 16. Lebensjahre Adjutant des Marſchalls Villars, 1738 Maréchal de Camp und Generallieutenant des Königs in Languedoc, focht mit ritterlichem Muthe bei Fontenot 1745, vertheidigte 1748 Genua gegen die Engländer unter Brown, wurde dafür in demſelben Jahre zum Marſchall ernannt, belagerte 1756 Port-Mahon, commandirte nach der Entfernung des Marſchalls d'Eſtrées 1767 das franzöſiſche Corps im Siebenjährigen Kriege und zwang am 8. Sept. 1757 den Herzog von Cumberland zu der ſchimpflichen Convention von Kloſter Seven, gab 1758 den Oberbefehl ab, lebte fortan nur noch für Hofränke und galante Abenteuer, verlor unter Ludwig XVI. ſein Anſehen bei Hofe und ſtarb 1788. Er hinterließ einen Sohn, den Herzog von Fronſac. Soulavie gab heraus: „Mémoires du maréchal de R." Paris 1794, 10 Bde. (deutſch von Heß, Jena 1790—1800), die nur theilweis echt ſind. Vgl. Faur, „Vie privée du maréchal de R.", Paris 1790, 3 Bde. (deutſch Hamburg 1791, 3 Bde.). 3) Armand Dupleſſis Herzog von, Enkel des Vorigen und Sohn des Herzogs von Fronſac, wanderte nach Ausbruch der franzöſiſchen Revolution nach Rußland aus, ſchwang ſich im Feldzuge gegen die Türken 1790—1792 zum Generallieutenant auf, wurde 1803 Gouverneur von Odeſſa, wo er ſich die größten Verdienſte erwarb und wo ihm in der Folge ein Denkmal errichtet worden iſt. 1814 kehrte er nach Frankreich zurück, war unter Ludwig XVIII. wiederholt Miniſter und ſtarb 1822.

Richmond, Graf von R. ſ. Heinrich 12).

Richmond, Hauptſtadt des nordamerikaniſchen Staates Oſt-Virginia (früher des ganzen Staates Virginia), am linken Ufer des für mittlere Seeſchiffe ſchiffbaren James-River, am James-River-Canal und an der Vereinigung der Richmond-Petersburg Bahn, der Richmond-Frederick-Potomac Bahn (nach Waſhington), der Virginia-Centralbahn und der Richmond-Danville Bahn, liegt in ſchöner, geſunder Gegend auf mehren Hügeln, hat ein Capitol (Staatenhaus) mit der Statue Waſhington's, ein Arſenal, einen Einfuhrhafen, lebhaften Handel und Induſtrie, iſt mit der auf dem rechten James-Ufer liegenden Fabrikſtadt Mancheſter durch mehre Brücken verbunden und zählte beim Ausbruche des Bürgerkrieges 38,000 Einwohner. R. wurde 1742 gegründet, 1780 zum Sitz der Regierung von Virginia erhoben und zählte

1800 erst 5537 Einwohner. Während des Amerikanischen Bürgerkrieges (1861—65) war R. die Hauptstadt der südstaatlichen Secessionisten-Regierung unter Jefferson Davis und als solche einerseits der wesentlichste Vertheidigungspunkt der Secessionisten, wie andererseits das wesentlichste Angriffsobject der Unionisten, deren Hauptoperationen vom Potomac und James-River her sich um R. drehten. Die ganze Stadt war mit zahlreichen Fortificationen umgeben, welche mit denen des 5 deutsche Meilen südlich davon gelegenen Petersburg (s. d.) in ein System von fast 16 deutschen Meilen Umfang gebracht wurden.

Der erste für die Waffen der Unirten höchst unglückliche Versuch, R. zu erobern, fällt in das Frühjahr 1862. In der ersten Hälfte des März genannten Jahres hatten die Conföderirten ihre Stellung bei Centreville geräumt und sich um R. concentrirt; dem General Jackson mit etwa 30,000 Mann fiel die Aufgabe zu, zwischen dem Shenandoah-Thal und dem Rappahannoed stehend die Unirten im Schach zu halten. Die zu der Operation gegen R. bestimmten Armeen der Unirten zerfielen in drei große Colonnen. Die Haupt-Colonne unter M'Clellan, 80,000 Mann in vier Corps (Heintzelmann, Sumner, Smith und Porter) und unter diesen 9 Divisionen (Richardson, Sedgwick, Hooker, Kearny, Franklin, Keyes, Couch, Porter und Carey) getheilt, wurde von Monroe nach der durch den James- und York-River gebildeten Halbinsel zu Schiffe transportirt und begann Anfang April von dort ihre Operationen gegen das 15 Meilen entfernte R. Die zweite Colonne, 40,000 Mann, unter Mc. Dowell, in die Divisionen Shields, Patrik, Gordon getheilt, langte erst Anfang Mai bei dem etwa 12 Meilen von R. entfernten Fredericksburg an, wo sie mit Erbauung von Brücken über den Rappahannock viel Zeit verlor. Die dritte Colonne hatte sich unter Banks in einer Stärke von 20,000 Mann nach dem 22 Meilen von R. entfernten Harrisonburg vorbewegt. Ihre Unterstützung sollte durch den in Westvirginien stehenden General Fremont und die 10,000 Mann starke Division Blenker in Harper's Ferry bewirkt werden.

Die Colonne M'Clellans besetzte, nachdem sie wochenlang die Conföderirten bei Yorktown belagert, am 4. Mai diese von ihren Vertheidigern heimlich verlassene Stadt und zwang wenige Tage darauf, nach einem abgeschlagenen Angriff auf die neue Position bei Williamsburg, durch eine combinirte Operation des Generals Franklin und der Kanonenboote bei Westpoint den Gegner, auch diese zu räumen und sich näher an R. hinter den Chickahomini zurückzuziehen. Ein Versuch, durch die auf dem James-Flusse heraufgeschickten Kanonen-Boote und Panzer-Fahrzeuge R. zu nehmen, scheiterte an dem Widerstande des Fort Darling und kostete den Unirten 11,000 Mann. Bis Ende Mai war sodann M'Clellan bis an den Chickahomini vorgerückt und hatte diesen mit einem Theil seiner Truppen überschritten, was ihm am 31. Mai und 1. Juni mehrere heftige Angriffe Seitens der Conföderirten (Schlacht am Chickahomini, s. d. Bd. III. S. 10) zuzog. Die bedeutenden Verluste und die noch immer nicht eintretende Cooperation Mc. Dowell's führten jetzt eine Pause in den Operationen herbei, die bis Ende Juni dauerte und von M'Clellan zur Completirung der durch Krankheiten und Gefechtsverluste geschwächten Armee, zur Anlage eines großen Depots in Westpoint, von Communicationen über den Chickahomini und Schanzen zur Sicherung der Stellung benutzt wurde.

Von Washington aus war indessen die Verstärkung des als besonders gefährdet angesehenen Mc Dowell befohlen worden. Banks mußte ihm Truppen abgeben und in Folge dessen selbst bis Straßburg zurückgehen. Jackson benutzte die ihm bekannt gewordenen Thatsachen, überfiel die Vorhut Banks' bei Front Royal und drang über Straßburg, Winchester, Martinsburg selbst über den Potomac vor. Der gefährlichen Lage, in der er sich fand, wohl bewußt, trat er den Rückzug sodann in Eilmärschen an, kam an der Vorhut

des aus Westvirginien vorgerückten General Fremont bei Harrisonburg noch
glücklich vorbei und ließ ihn bei Croß Keye's Furth dermaßen anrennen, daß
er den Rückzug unbelästigt fortsetzen konnte. Bei Port Republic am Shenandoah rannte er sodann die Vorhut des von Osten her vorgerückten Mc Dowell
über den Haufen, forcirte den Uebergang und gelangte unbehelligt nach Char-
lottenville, wo er neue Verstärkungen heranzog und den neuen Befehlshaber
der Unirten, General Pope, trotz seiner 50,000 Mann in steter Unthätigkeit
hielt. — Da eine Unterstützung durch Mc. Dowell, welche nach M'Clellan's
Plan hinter seinem rechten Flügel Stellung nehmen sollte, nicht eintrat, mußte
die Aufstellung selbst mehr zusammengezogen werden, und beschloß M'Clellan,
durch einen kühnen Stoß des conföderirten Reitergenerals Stuart in diesem
Plane noch bestärkt, seine Operationsbasis an den James-Fluß zu verlegen und,
den rechten Flügel an den White-Oak-Swamp gelehnt, R. in der Richtung
von Südost nach Nordwest zu bedrohen. Die Räumung der Depots war eine
schwierige Aufgabe, wurde aber in vier Tagen bewirkt. Der Flankenmarsch
konnte bei der Nähe des Feindes verhängnißvoll werden, aber die langausgedehnte schwach besetzte Stellung ohne gehörige Flügelanlehnung barg noch größere
Gefahren, wenn der Gegner nach dem Eintreffen von Verstärkungen — und
diese kamen übereinstimmenden Berichten nach heran — einen Angriff unternahm.
Am 20. Juni griffen die Conföderirten das von der pennsylvanischen Reserve-
Division M'Call besetzte Dorf Mechanicsville an, wurden aber mit bewundernswürdiger Kaltblütigkeit empfangen und mußten am Abend, ohne Terrain gewonnen zu haben, abziehen. In der Nacht zum 27. wurde der Befehl zum
Antritt des Marsches gegeben, und am 27. nach dem blutigen Gefecht von
Gaines Hill (s. d.) der linke Flügel und das Centrum · also der größte Theil
des Heeres) nach Verlust von 8000 Mann und 23 Geschützen über den Chicahominini geführt. Der Befehl, die sämmtlichen Brücken über den Fluß in der
Nacht abzubrechen, konnte nicht ausgeführt werden, da die Conföderirten sie
zum Theil schon besetzt hatten. Am 28. drangen die Conföderirten nach White
House vor, trafen bei Golding Farm auf das in den dort angelegten Redouten
zurückgelassene Corps des General Smith, welches sie jedoch weder an diesem,
noch dem folgendem Tage zu delogiren vermochten. Der Haupttheil der Armee
setzte seinen Marsch fort und es gelang, den größten Theil der Geschütze aus
den Verschanzungen mit wegzuführen. Am 27. mußte ein großer Theil der
Feldartillerie unter dem Schutze der Reserve-Infanterie bei der Station Peal
Orchard Stellung nehmen, um dem noch jenseit des White-Oak-Swamp befindlichen Theile des Trains Zeit zum Abzuge zu schaffen. In wechselvollen bis
zum Abend dauernden Kämpfen wurde der Gegner gezwungen, mit sinkender Nacht
unverrichteter Sache abzuziehen. Beide Theile verloren an diesem Tage etwa
10,000 Mann. Als am 30. die Armee den Sumpf passirt hatte und der
linke Flügel am James-Flusse angelangt war, man auch den Troß hinter der
neuen Linie geborgen hatte, versuchte der Feind den schon mehr erwähnten
White-Oak Swamp zu forciren; dies ward jedoch theils durch Zerstörung der
durchführenden Dämme und Brücken, theils durch die längs des südlichen
Randes aufgestellten Batterien verhindert. Der Kampf wurde an diesen Tagen
nur mit Geschütz geführt und war im ganzen resultatlos. Die ganze Armee
der Unirten rückte an diesem Tage in eine Stellung zwischen dem White-Oak-
Swamp und die nach R. nach Charles City führende Straße, nur die Division
Keyes wurde zurückgehalten und zum Schutze des Trains etwas unterhalb der
Mündung des Turkey-Creek in den James-Fluß aufgestellt. Ein mit acht
frischen Brigaden am folgenden Tage von R. aus unternommener Angriff
drängte den linken Flügel vom James-Flusse ab und würde wahrscheinlich eine
Katastrophe herbeigeführt haben, wenn nicht die drei Kanonen-Boote Galena,

Arrosftool und Jacob Bell zu dieser Zeit auf dem James-Flusse erschienen wären, zunächst die Conföderirten vom Ufer zurückgetrieben und dann mit ihren Breitseiten das Schlachtfeld derart unter Feuer genommen hatten, daß die Conföderirten zurück geben mußten. Den Moment des Weichens benutzte General Heintzelmann, um zunächst mit seinem Corps einen Angriff zu machen, der bald auf die ganze Schlachtlinie sich erstreckend, den allgemeinen Rückzug der Conföderirten zur Folge hatte.

Das Resultat dieser siebentägigen, unter dem Gesammtnamen der Schlacht von Richmond (26. Juni bis 3. Juli 1862) zusammengefaßten Kämpfe war, daß M'Clellan von weiteren Offensiv-Unternehmungen vorläufig Abstand nehmen mußte, da er nach einem Verluste von beinah 50,000 Mann unmöglich hoffen konnte, Resultate zu erlangen. Er ging, sein Hauptquartier nach Harrison Point verlegend, mit seiner ganzen Armee 2 Meilen zurück und deckte seine neue Stellung durch Verschanzungen. Das einzige, was durch diese Kämpfe erreicht wurde, war der ungehinderte Abzug aus der neuen Stellung, der dann auch, nachdem man am 5. und 6. August gegen Fair Oaks und Turlish Bead größere Recognoscirungen gemacht, in den Tagen vom 14. bis 18. Aug. 1862 durch Einschiffung der Truppen nach Monroe bewirkt wurde.

Der Winterfeldzug von 1862 hatte ebenfalls als Operationsziel R., endete aber mit der von dem unirten General Burnside verlorenen Schlacht bei Fredericksburg (s. d.), ebenso wie der Feldzug des General Hooker im Jahre 1863 mit der Schlacht von Chancellorsville (s. d.) derart unglücklich, daß R. auch nicht entfernt gefährdet wurde.

Erst nachdem General Grant (März 1864) den Oberbefehl übernommen hatte, wurde R. wieder Operations-Objekt. Die in der Gegend von Culpepper neu formirte Potomac-Armee sollte dabei den am Rapidan stehenden General Lee über den Haufen werfen, eine Armee unter Butler den James-Fluß herauf gegen R. vordringen und eine Armee unter General Sigel im Shenandoah Thale bis Lynchburg vorgehen und von da aus nach Heranziehung von Verstärkungen ebenfalls auf R. marschiren. Die Potomac-Armee, bei der Grant selbst war, bestand aus den Corps der Generale Hancock, Warren, Sedgwick und 3 Cavalerie-Divisionen Wilson, Torbert und Gregg, über die General Sheridan den Oberbefehl führte. Jedes der Corps hatte seine Divisions-Batterien; der Rest der letzteren war als Armee-Geschütz-Reserve unter General Hunt vereinigt. Ein Reserve-Corps von 30,000 Mann unter Burnside stand dem Oberbefehlshaber zur Disposition. Am 4. Mai 1864 wurde der Vormarsch angetreten. In den mehrtägigen Schlachten bei Wilderneß und Spottsylvania (s. d.) gelang es den Unirten nicht, Lee's Armee vernichtend zu treffen. Auch die Reiterkämpfe Sheridan's am Süd-Anna bewirkten die Räumung der Stellung von Spottsylvania nicht, kosteten aber den Conföderirten den besten ihrer Reitergenerale, Stuart; Sheridan selbst zog sich an Butler heran. Ebenso waren auch die im letzten Drittel des Mai zwischen Grant und Lee vorgefallenen Kämpfe am North-Anna resultatlos, und veranlaßten Grant, schließlich durch Ueberschreitung des Pammunkey sich auf den York-Fluß zu basiren, worauf Lee näher an R. heranrückend, sich hinter dem Chickahomini aufstellte. Die im Shenandoah-Thal postirten Truppen Sigel's, durch Abgaben nach Westvirginien geschwächt, rückten unvorsichtig vor und erlitten am 19. Mai bei New Market eine Niederlage, in Folge deren sie bis Straßburg replirten, die Verstärkungen, die für sie aus Westvirginien bei Lynchburg angekommen waren und die Bahn dort zerstört hatten, mußten in Folge dessen ebenfalls wieder den Rückzug antreten. Butler, der Ende April zwei Armee-Corps und eine Division Cavalerie, die ersteren von den Generalen Smith und Gillmore, die letztere vom General Kautz befehligt, bei Yorktown und Gloucester Point gesammelt hatte, fuhr mit diesen Truppen auf 98 Transportschiffen, von 5 Monitors und 20

Kanonenbooten gedeckt, den James-Fluß hinauf und es gelang ihm, noch an diesem Tage bei City Point, 5 Meilen von R. entfernt, auf der Halbinsel Bermuda Hundred seine Truppen auszuschiffen. Beauregard, der derzeit in R. commandirte, hatte erwartet, er werde auf der Halbinsel zwischen James- und York-River vorgehen und kam ihm diese Maßregel Butler's unerwartet. Butler's Operationen in den nächsten Tagen waren mehr gegen Petersburg (s. d.) gerichtet; nur die Cavalerie streifte bis an R. heran. Vom 12. Mai ab auf die Defensive beschränkt, wies er alle Angriffe seines Gegners zurück; er zwang durch seine Anwesenheit bei R. die Conföderirten, Lee zu schwächen und unterstützte so indirect die Operationen der Hauptarmee unter Grant. Letztere hatte am 26. Mai den Pamunkey überschritten und sich auf den York basirt, und an diesem Tage das bisher unter Butler's Befehl gestandene 18. Armee-Corps an sich herangezogen. Die an diesen und den folgenden Tagen unter dem Gesammtnamen der Schlacht von Cold-Harbor (s. d.) gelieferten Gefechte erreichten ihren Zweck, Lee nach R. hineinzuwerfen, nicht und so wurde denn bis zum 14. Juni die Armee über den Chickahominy und James-Fluß geführt und dieser Fluß zur Operationsbasis gewählt, die Operationen selbst aber mehr gegen Petersburg (s. d.) gerichtet, wo die weiteren Ereignisse bis zum Ende des Krieges behandelt sind. Erst im April 1865 wurde R. von den Conföderirten geräumt und, gleichzeitig mit Petersburg, von den Unirten besetzt. (Vgl. Sander, „Geschichte des vierjährigen Bürgerkriegs in Nordamerika", Frankfurt a. M. 1865.)

Druckfehler und Berichtigungen im VII. Bde. S. 4 Z. 25 v. u. anstatt „Anerkirung" lies: Anerkirung. S. 4 Z. 10 v. u. anstatt „Copagnie" lies: Compagnie. S. 12 Z. 20 v. o. anstatt „türkische Beschützer" lies türkisch: Beschützer. S. 12 Z. 26 v. o. anstatt „Oesterreich-Bayerien" lies: Oesterreichisch-Bayerien. S. 14 Z. 14 v. u. streiche „Tambourr, Sturmpfahle". S. 14 Z. 4 und 5 v. u. lies: so heißt die Anlage ein Tambour. S. 16 Z. 18 v. u. Pankratian muß in der Reihenfolge nach Panier stehen. S. 17 Z. 10 v. o. anstatt „Hampton" lies: Hampton. S. 17 Z. 7 v. u. anstatt „Devastation" lies: Devastation. S. 18 Z. 26 v. o. anstatt „den Schiffbau" lies: dem Schiffbau. S. 25 Z. 5 v. u. anstatt „bairischen thätig" lies: bairischen Armee thätig. S. 32 Z. 8 v. u. anstatt „Madeleinekirche" lies: Madeleinekirche. S. 81 Z. 5. Die Verweisung S. 238 muß heißen 338 (an der betreffenden Stelle der VI. Bandes ist die Seitenzahl falsch gesetzt). S. 84. hinter dem Artikel „Parole" füge zu: Parrot-Geschütze, s. Bd. IV. S. 180, sowie Supplement. S. 86 hinter den Artikel „Paß" füge zu: Passagere Befestigung, s. Befestigung Bd. II. S. 64. S. 93 hinter „Patrontasche" füge zu: Patrouille, s. Recognoscirungs-, Schleich-, Seiten-, Streif-, Visitir-Patrouille, sowie Sicherheitsdienst. S. 96 Z. 18 v. o., S. 97 Z. 3 v. u. lies: Pulver statt Schießpulver. S. 98 lies: Pelzomteuer, s. Salve. S. 104 hinter „Percussion" füge zu: Percussions-Gewehr, s. Handfeuerwaffen; Percussions-Schloß, s. Schloß; Percussions-Zünder, s. Zünder, Zündung. S. 105 hinter „Period" füge zu: Permanente Befestigung, s. Befestigung, Bd. II. S. 64. S. 108 Z. 11/12 v. u. anstatt „Sassanides-Jezdegerd" lies: Sassaniden, Jezdegerd. S. 113 im Artikel „Petarde" Z. 4 u. 1 v. u. statt „Sturmsäcke" lies: Pulversäcke (s. ebd. V. S. 231). S. 119 Z. 20 v. u. lies Vorschieben. S. 119 Z. 9 v. u. lies: Expansionsbohlung. S. 132 Z. 4 v. u. lies: Erdjähre statt „Zähre". S. 140 Z. 21 v. u. lies: Avertissements. S. 140 Z. 6 v. u. streiche „die". S. 141 Z. 6 v. o. anstatt „Salze, lies: Salze zu. S. 142 in der letzten Zeile von „Piktriusantes Roll" lies: Pulver statt „Schießpulver." S. 143 hinter dem Artikel „Pionier" avancire: Vergl. weiter Technische Truppen. S. 145 Z. 17 v. u. lies: Fuhren. S. 147 hinter dem Artikel „Plan" füge zu: Planzeichnen, s. Zeichnen. Lies ferner: Plänkler, Plänkler, s. Zerstreute Fechtart. S. 158 füge zu: Poini, s. Richten. S. 183 füge zu: Präcifirn, s. Treffwahrscheinlichkeit. S. 196 Z. 21 v. u. lies: der statt „die". S. 196 Z. 20 v. u. lies: Huzaren-Regiment No. 17. S. 196 Z. 1 v. u lies: 84 statt „88". S. 197 Z. 19 v. u. anstatt „12" lies: 11. S. 11 v. u. lies: mit dem statt „mit den". S. 198 Z. 10 v. u. lies: Militär-Rechts-Institut. S. 199 Z. 4 v. o. füge hinter „Reiste" zu: neuerdings eingegangen. S. 200 in der Mitte lies: Feld-Munitions-Reserve-Park mit 20 bespannten Geschützen. S. 215 Z. 22 v. o. anstatt „Erwerbung von Hannover" lies: Erwerbung von Schleswig-Holstein, Hannover. S. 225 Z. 25 v. o. anst. „Salmey" lies: Salmy. S. 313 Z. 8 v. u. anstatt „über Schwandorf nach Nürnberg" lies: über Schwandorf und über Neumarkt nach Nürnberg.

Allgemeine

Militair - Encyclopädie.

Herausgegeben und bearbeitet

von

einem Verein deutscher Offiziere

und Anderen.

Zweite völlig umgearbeitete und verbesserte Auflage.

Achter Band.

Rich-Mountain — Siebenbürgen.

Leipzig,

Verlag von J. H. Webel.

1872.

Rich-Mountain. Ortschaft im nordamerikanischen Staate West-Virginia; hier am 11. Juni 1861 Sieg der Unionisten unter Rosecrans über die Conföderirten unter Pegram.

Richtbaum, s. Lafetzeug, Bd. V., S. 262. Bei den preußischen Feldlaffeten C. 64. und der Belagerungslaffete leichten Kalibers ist der R. von Stabeisen.

Richtbock heißt ein Vorstand auf der Laffetenwand in der Gegend des hinteren Rohrtheils, an welchen man einen Hebebaum anlehnt, um damit das Bodenstück empor zu richten. Es erleichtert dies, bei schweren Geschützen namentlich, den Gang der Richtmaschine.

Richten im Sinne der formellen Taktik heißt jeden einzelnen Mann einer kleineren Abtheilung in eine gewisse Frontlinie bringen (in diesem Sinne auch ein- oder ausrichten), oder auch die Theile einer größeren Abtheilung unter einander übereinstimmend aufstellen. Das R. geschieht nach gewissen Punkten, in der Regel die Führer der Abtheilungen, (die in diesem Falle auch Points genannt werden), resp. nach einem Flügel oder der Mitte. Auch im Marsche muß die Richtung (vergl. Direction) nach gewissen Punkten genommen werden und unter den einzelnen Abtheilungen eine gewisse Uebereinstimmung sein. Das genaue R. ist ein gutes Dressurmittel für eine Truppe und nicht ohne Bedeutung für das Gefecht, indem es Offiziere und Leute an das Auffassen einer bestimmten Front-, und somit Angriffs-Richtung gewöhnt. Besonders groß war seine Bedeutung in den Zeiten der Linear-Taktik. — In artilleristischem Sinne heißt R., einer Feuerwaffe, insbesondere einem Geschütz, eine solche Lage der Seelenachse geben, daß die entstehende Flugbahn das Ziel schneidet, also der Entfernung und Lage des letzteren entspricht; bei Handfeuerwaffen spricht man im gleichen Sinne von „Zielen". Das R. in dieser Bedeutung zerfällt in zwei Manipulationen: Nehmen der Seiten- und Höhen-Richtung (letztere auch Elevation oder Erhöhung genannt). Liegt die Flugbahn in einer Vertical-Ebene, so handelt es sich zunächst darum, daß diese Ebene, gleichzeitig die Vertical-Ebene durch die Seelenachse, durch das Ziel geht, was ein entsprechendes seitliches Drehen des Geschützes erfordert; dies nennt man Seiten-Richtung geben. Bei rotirenden Langgeschossen geschieht die Bewegung statt in einer Vertical-Ebene in einer stetig gekrümmten Fläche, die Vertical-Ebene durch die Seelenachse muß daher entsprechend am Ziel vorbei gehen, was man entweder durch Wahl von Zielpunkten seitlich des beabsichtigten Treffpunktes oder durch Verschieben des Aufsatzes (s. d. Bd. I., S. 262 f.) — die sogenannte Seitenverschiebung erreicht, resp. dadurch, daß die Richtung der Aufsatzstange entsprechend von der Lothrechten abweicht. Abgesehen von der nöthigen Seitenrichtung muß nun auch bewirkt werden daß die Flugbahn das Ziel in gehöriger Höhe schneidet; dies bedingt ein entsprechendes Legen der Seelenachse, welches Höhenrichtung geben oder Eleviren heißt. Mittel zur Seitenrichtung sind entweder zwei am Rohr markirte Punkte von bestimmter Lage zur Seelenachse, welche man Visir und Korn nennt — beide bilden die Visirlinie — oder bei Rohren von ausschließlich hohen Elevationen (glatte Mörser) eine auf dem höchsten Metall derselben eingravirte Linie, ebenfalls Visir-Linie genannt. Visir und Korn richtet man entweder direct auf das Ziel ein, oder mittelst eines Lothes; bei glatten Mörsern wird die Seitenrichtung stets mit dem Loth — Richtloth, s. Labezeug, Bd. V., S. 262, genommen und mittelst der Skala (s. d.) und des Drehbolzens beibehalten. Als Instrument zur Höhen-Richtung dient entweder der Aufsatz (s. d.), welcher gleichzeitig das Visir bildet und zum Nehmen der SeitenRichtung benutzt wird, oder der Quadrant, welcher das Mittel ist, der Seelenachse einen gewissen Neigungswinkel zur Horizontal-Ebene zu geben (s. d.). Da man ein Rohr am natürlichsten über die Mitte einrichtet, so liegen Visir und Korn in der Regel auf dem höchsten Metall — mittlere Visirlinie. Das Visir liegt dabei meist auf dem hinteren, das Korn auf dem vorderen Ende des Rohres. Es ist aber nicht ausgeschlossen, daß das Visir, resp. das Korn, auf der Mitte der Länge des Rohres liege. Die Visirlinie wird dadurch im Verhältniß zur Rohrlänge verkürzt — kurze Visirlinie, im Vergleich zu jener, welche lange heißt. Bei gezogenen Geschützen hat man auch seitliche Visirlinien, meist nach rechts, wobei das Korn auf der rechten Schildzapfenscheibe steht. Die Visirlinie wird dadurch ebenfalls eine kurze. Bei der kurzen Visirlinie ergeben gleiche Aufsatzlängen größere Erhöhungswinkel als bei der langen. Der Aufsatz reicht mit denselben Längen für größere Entfernungen und somit für die größeren Schußweiten aus, wie sie eben bei gezogenen Geschützen vorkommen. Die seitliche Lage der Visirlinie erlaubt, bei Hinterladungsgeschützen den Aufsatz ins Metall einzulassen, ohne daß er das Laden hindert. In Preußen haben die leichten Feldgeschützröhre (9cm. Kanonen) eine seitliche Visirlinie, desgleichen die 9cm. Gußstahlgeschütze mit Keilverschluß. Das Korn hat hier die Form einer ogivalen Spitze, während es sonst einen langgezogenen scharfen oder oben abgestumpften Rücken bildet. Bisweilen hat dasselbe Rohr eine lange und eine kurze Visirlinie, wo dann erstere für die kleineren, letztere für die größeren Entfernungen bestimmt ist. So z. B. bei dem französischen Canon à balles, bei welchem die kurze Visirlinie rechts seitlich liegt. Der Quadrant wird bei denjenigen Entfernungen zur Höhen-Richtung benutzt, für welche die Länge des Aufsatzes nicht mehr ausreicht, z. B. bei den preuß. 9cm. Kanonen von 2520 m., bei den 8cm. Kanonen mit seitlicher Visirlinie von 3000 m. ab, oder wenn das Ziel über Visir und Korn nicht sichtbar ist, resp. bei solchen Röhren, welche keinen Aufsatz haben, wie die glatten Mörser. Zu bemerken ist, daß man jetzt bei den preußischen Feldgeschützen den Aufsatz mit den Entfernungen beschreibt, welche seinen Längen entsprechen (in Metern), und zwar mit Rücksicht auf den Granat- und Shrapnel-Schuß, deren Geschosse gleiches Gewicht haben; hierdurch ist die Schußtafel entbehrlich, da gleichzeitig die Größe der Seitenverschiebung eingravirt ist. Für den Kartätschschuß wird das K. über die quer auf das Rohr gelegten Finger benutzt — Richten über den Daumen, was für diese Schußart ausreichend genau ist und die Schnelligkeit der Bedienung befördert. Sehr üblich ist jetzt bei Feldgeschützen das rasche Verändern der Höhen Richtung lediglich mit der Kurbel. Es beruht darauf, daß einer bestimmten Drehung der Kurbel der Richtmaschine eine gewisse Veränderung des Elevationswinkels, resp. der Entfernung, entspricht; so ist z. B. beim preußischen leichten Feldgeschütz ein Drittel Umdrehung der Kurbel durchschnittlich entsprechend einer Veränderung der Schußweite um 100 Schritt. Dies erleichtert namentlich das Einschießen auf eine unbekannte Entfernung. Man richtet zuerst sämmtliche Geschütze einer Feldbatterie mittelst des Aufsatzes auf die geschätzte Distanz und corrigirt sich je nach den beobachteten Geschoßeinschlägen bei den nächststehenden Geschützen durch entsprechende Kurbeldrehungen. Man kommt hierdurch rascher zum Zweck und ist durch den Pulverdampf nicht im Richten aufgehalten. Auch beim Kartätschfeuer ist der Gebrauch der Kurbel nützlich, weil bei der großen Schußgeschwindigkeit der Pulverdampf bald die Aussicht hemmt. In Bezug auf Vorrichtungen bei Belagerungs- und Festungsgeschützen zum Beibehalten der Seiten- und Höhen-Richtung vgl. einen Aufsatz im III. Heft des 64. Bandes des „Archivs für die Offiziere der Königl. Preuß. Artillerie", S. 239 vom Prem.-Lieut. Wille. Insbesondere ist deren Anwendung beim indirecten Schuß, sowie zum Schießen während der Nacht, von Wichtigkeit. Beim Gebrauch des Quadranten ist es wesentlich, möglichst nach dem ersten Schuß denselben entbehrlich zu machen, wozu die Wahl künstlicher Zielpunkte oder Hilfsziele, nach denen man mit dem Aufsatz richten kann, ein gutes Mittel ist — R. mit künstlichem Aufsatz. — R. heißt auch einen Körper, welcher verbogen worden ist, wieder gerade machen, z. B. einen Gewehrlauf, eine Klinge ꝛc.

Richter heißen die Theilnehmer militärischer Spruchgerichte, vgl. Militärstrafverfahren, Bd. VI., S. 119.

Richter'scher Zeitzünder, eine Erfindung des zuletzt beim Feuerwerks-Laboratorium zu Spandau gestandenen, im Jahre 1867 verstorbenen k. preuß. Artillerie-Hauptmanns Richter, welcher das Problem, bei spielraumlosen Hinterladern Zeitzünder zu verwenden, in glücklicher Weise löst. Neuerdings für Feldgeschütze modificirt durch Hauptmann Lancelle der Artillerie-Prüfungs-Commission. (Vgl. den Artikel „Zünder".)

Richtgabel, s. Gabel.

Richtkeil, s. u. Laffete, Bd. V., S. 272.

Richtloth, s. Ladzeug, Bd. V., S. 262.

Richtmaschinen bilden einen Theil der Richtvorrichtungen an den Laffeten. Ihr Zweck ist namentlich, als Mittel zum Nehmen der Höhenrichtung zu dienen. Von einer vollkommenen R. verlangt man, daß mittelst ihrer innerhalb gewisser Grenzen jede beliebige Höhenrichtung mit geringem Kraftaufwand und in kürzester Zeit ertheilt werden kann und beim Schuß erhalten bleibt. Neuerdings hat man auch R. construirt, welche eine beschränkte Seltenrichtung bewirken, und neben der R. zur Höhenrichtung hergehen. Statt einer wirklichen R. verwendet man bei Mörserlaffeten auch Richtvorrichtungen, welche nur einige wenige Elevationen (z. B. 30, 45, 60, 75 Grad) zulassen. — R., welche überhaupt diesen Namen verdienen, sind ein Product der späteren Entwicklung des Geschützwesens. Ursprünglich hatte man das Rohr, ähnlich wie noch heute bei Handfeuerwaffen, in einen hölzernen Schaft eingelassen, welchem man durch Unterlagen verschiedene Neigungen ertheilte. Später hin setzte man denselben auch auf ein Gestell, welches einen gewissen Wechsel der Höhenrichtung zuließ. Die Idee, dem Rohre selbst eine Drehachse und damit eine vom Schießgerüst unabhängige Verticalbewegung zu geben, datirt aus dem 16. Jahrhundert. Das Mittel zur Veränderung der Höhenrichtung war ein Richtkeil, der sich auf der Laffete hin und her schieben ließ. Letzteres mittelst einer Schraubeneinrichtung zu bewirken, soll die Erfindung eines Jesuiten in Warschau (1650) sein (der Schraubenkeil), während etwa 100 Jahre später ein sächsischer Artillerie-Offizier auf die Anwendung der senkrechten Schraube kam, ohne daß dadurch der Schraubenkeil oder überhaupt der Keil vollständig verdrängt worden wäre.

1*

Bei Anwendung der verticalen Richtschraube legte man die Mutter ursprünglich in einen Riegel und ließ das Rohr direct auf dem oberen Ende der Schraube ruhen (vergl. Laffete, Bd. V., S. 268. 3). Bei Blocklaffeten ist eine ähnliche Einrichtung noch heute üblich, nur daß die Mutter im Block liegt. Zwischen Rohr u. Schraube wurde häufig eine um einen (im vordern Theil der Laffete liegenden) Bolzen drehbare Richtsohle eingeschoben, in welche man nunmehr die Mutter verlegte, während die Schraube auf einen Riegel, den Richtriegel, sich stützte. Diese jetzt veraltete Construction heißt die Riegel-R. (s. Laffete, Bd. V., S. 268). Gegenwärtig findet man bei Wandlaffeten meistens die Schrauben-R. mit Richtsohle und Richtwelle, Wellen-R. genannt. Die Richtwelle ruht, horizontal und um ihre Achse drehbar, mit Zapfen auf oder in den Wänden. Dieselbe enthält bei einigen Constructionen eine um ihre Achse drehbare Einsatzmutter, welche der Schraube eine lediglich fortschreitende Bewegung ertheilt, während diese wieder vermöge der Drehbarkeit der Richtwelle verschiedene Neigungen zur Richtsohle erhalten kann. Mit letzterer ist die Schraube um einen horizontal liegenden Bolzen drehbar verbunden. Die Einrichtung findet sich u. a. bei den älteren, jetzt in die Festungen übergetretenen preußischen Feld-, sowie bei den eisernen Festungs-Laffeten. Bei den neuesten preußischen Constructionen ist die Schraube sowohl einer Achsen-Drehung, als einer fortschreitenden Bewegung fähig; die Mutter ist dabei in der Welle feststehend und die Schraube kann mit der Sohle durch ein Kugelgelenk verbunden sein, so bei den Belagerungs-Laffeten C. 1864. Bei den Feldlaffeten C. 64 und der Laffete des kurzen gezogenen 15 cm. Kanons ist die Mutter direct in die Welle eingeschnitten, die in derselben bewegliche Richtschraube ist hohl und mit einem Muttergewinde versehen, in welchem eine zweite — innere Richtschraube eine lediglich und zwar in gleichem Sinne wie jene, welche äußere genannt wird, fortschreitende Bewegung erhält. Die innere Richtschraube trägt mit ihrem unteren Ende die Richtsohle. Dies ist die Einrichtung der Doppelschraube, welche, ohne daß die Steilheit der Schraubengänge vermehrt wird, ein beschleunigtes Fortschreiten der Richtsohle zur Folge hat, (die Wellen R. mit Doppelschraube wird auch beim französischen Canon à balles f. Repetirgeschütz angewendet). Mit der Schrauben-R. kann auch die Benutzung von Richtleiten combinirt sein, wodurch es möglich ist, die Länge der Schraube selbst zu reduciren.

An den Richtsohlen kommen feste oder abnehmbare Richtlisten (aus Holz) vor, welche speciell als Unterstützung des Rohrs dienen. — Zur Handhabung der Schrauben-R. dienen Kurbeln, welche entweder Arme haben, oder als Kurbelräder eingerichtet sind; letzteres ist das Zweckmäßigere. Die Kurbeln sitzen an der Einsatzmutter, oder an der Schraube, je nachdem jene oder diese die Achsendrehung ertheilt. — Bei den österreichischen Feldlaffeten, welche eine R. mit Richtsohle und einer, um ihre Achse drehbaren, in einen Riegel eingelassenen Mutter, mithin nur einer lediglich fortschreitenden Schraube haben, ist die Bewegung der R. einer außerhalb der Laffetenwände und zwar in einer Verticalebene liegenden Kurbel übertragen, welche mit der Mutter durch eine Schraube ohne Ende in Verbindung ist. Es macht dies zwar die Einrichtung complicirter, gewährt aber einen bequemeren Angriffspunkt, als bei den vorgenannten Constructionen. — Die Richtsohlen wurden früher aus Holz, werden jetzt aber, ebenso wie die übrigen Theile der R., aus Metallen gefertigt. — Andere Principien zur Construction einer R. sind: die Benutzung einer Kette, auf welcher der hintere Rohrtheil ruht und welche sich auf einer Welle auf- und abwickeln läßt, ferner die Anwendung der Schraube ohne Ende. Letztere liegt der R. der k. sächsischen Feldlaffeten (von Eisen) zu Grunde. Die

Schraube wird durch eine Außenkurbel um ihre verticale Achse gedreht, (Uebertragung durch Kammräder), während das Segment eines gezahnten Rades mit der kastenförmigen Richtsohle in Verbindung ist und auf dem Gewinde der Schraube auf- und niedergeht.

In neuerer Zeit hat man in Frankreich eine Laffete construirt, welche ganz ohne R. ist. Das Rohr (ein kurzer gezogener 24 pfünder) hat ein geringes Vordergewicht und wird durch Druckschrauben, welche gegen die Schildzapfen wirken, in hinreichend stabiler Lage erhalten, ohne daß es eines dritten Unterstützungs-Punktes bedarf. Man bezweckt dadurch eine große Elevationsfähigkeit.

Die neueren preuß. Laffeten glatter Mörser haben Vorrichtungen zum Nehmen der Höhenrichtung, welche lediglich aus verschieden hohen Keilen bestehen. Ruht das Rohr auf dem Vorderriegel, so hat es 30 Grad Elevation; je nach dem Keil, den man unterschiebt, erhält man 45, 60 resp. 75 Grad.

Die R.en zum Nehmen einer beschränkten Seitenrichtung sollen die durch Drehung des ganzen Geschützes ertheilte grobe Richtung ergänzen, also die feinere Seitenrichtung ertheilen. Die Laffete hat hierzu ein um eine verticale Achse in beschränktem Maße drehbares Schildzapfenlager, welches seine Bewegung durch eine Schraubeneinrichtung erhält. Man findet diese Construction bei den englischen und den russischen Feldlaffeten. Sie erleichtert zwar das Richten, macht aber die Einrichtung wesentlich complicirter und giebt dem Rückstoß eine zur Mittellinie der Laffete schräge Richtung, was die Haltbarkeit beeinträchtigen muß.

Richtriegel. s. Richtmaschinen, Riegel.

Richtscheit, ist eine lange Latte, welche man beim Schanzenbau zum Controlliren von Böschungen gebraucht.

Richtschraube, -sohle s. Richtmaschinen.

Richtstäbchen sind dünne eiserne Stäbchen von ungefähr 1 Met. Länge, welche man zum Abstecken der Schußrichtung benutzt, wenn das Ziel vom Geschützstand aus nicht sichtbar ist.

Richtungs-Veränderung, s. v. w. Directions-Veränderung, s. u. Direction.

Richtungswinkel, Winkel der Seelenachse zum Horizont beim gerichteten Rohr.

Richtvorrichtungen 1) An den Geschützröhren, s. Richten, Korn, Visireinrichtung. 2) An den Laffeten. a. Zum Nehmen der groben Seitenrichtung: Richtbäume, welche mit den Wänden durch Beschläge verbunden werden, (an sich zum Ladezeug, s. d. gehörig), finden sich meist nur bei den Feldlaffeten; bei den Festungs- und Belagerungslaffeten wird in der Regel mit gewöhnlichen Hebebäumen unter die Wände gegriffen, welche keine weiteren Vorrichtungen haben. b. Zum Nehmen der feineren Seiten-, resp. der Höhenrichtung. s. Richtmaschinen. c. Zum Beibehalten der genommenen Seitenrichtung, Richten bei Nacht, s. Etola. 3) An den Handfeuerwaffen, s. Visireinrichtung, Korn.

Richtwelle, s. Richtmaschinen.

Ricimer, ein Sueve von Geburt und Oberfeldherr der barbarischen Hülfsvölker im weströmischen Reiche (455—472), führte unter den letzten machtlosen Kaisern (von 465—467 selbst ohne solchen) das Regiment, ohne sich indeß selber die kaiserliche Würde beizulegen. Der unter dem 467 eingesetzten Kaiser Anthemius von den vereinten West- und Ost-Römern unternommene Rachezug gegen die Vandalen mißlang, und führte dies zu einem Zwiespalt zwischen jenem und seinem Schwiegersohn R. Letzterer stürmte Rom (472), ließ seinen Schwiegervater hinrichten, setzte einen neuen Kaiser Olybius ein, starb aber sehr bald an einer verheerenden Seuche. R. gilt in der Geschichte für ebenso tapfer und schlau, als grausam und treulos.

Ricochett bedeutet eigentlich Abprall; Ricochettiren oder Ricochett-

Schuß ist sonach gleichbedeutend mit Rollen oder Rollschuß, einer Schußart, bei welcher das Geschoß erst nach mehren Aufschlägen das Ziel trifft. Die Artillerie-Wissenschaft wendet den Namen R. indeß speciell auf eine Schußart des Belagerungskrieges an, bei welcher es gilt, bestimmte Linien der belagerten Festung der Länge nach zu bestreichen, namentlich längere Linien, wie die Facen des Hauptwalles und der Außenwerke und die langen Zweige des gedeckten Weges (s. Festungskrieg). Da das eigentliche Ziel dem Einblick entzogen, so gehört der R.-Schuß zu den indirecten Schußarten. Der Erfinder dieses der Vertheidigung so gefährlichen Schusses, welcher das Ziel in der günstigsten Richtung faßt, ist Vauban (s. d.), welcher zuerst bei der Belagerung von Ath (1697) davon Gebrauch machte (s. Ath) und damit eine neue Phase des Festungskrieges eröffnete. Ziele des R.-Schusses sind die auf den Aulen befindlichen Mannschaften, Vertheidigungs- und Deckungsmittel, wie Geschütze, Bettungen, Pallisabdrungen, Traversen, Blockhäuser, vorherrschend also verticale Ziele, was einen flach gekrümmten Schuß erheischt. Bei Verwendung von Rundgeschossen konnte man auch auf die späteren Aufschläge der Geschosse zählen. Es war also möglich, daß ein Geschoß bald hinter der deckenden Brustwehr anschlug und nun auf der Linie noch mehre flache Sprünge machte, somit dieselbe in ihrer ganzen Länge rasant bestrich. Wesentlich wurde dies aber durch die Traversen beeinträchtigt. So lange man überhaupt auf glatte Geschütze angewiesen war, wandte man vorherrschend relativ kurze Geschützarten mit Hohlgeschossen an, so Granat- und Bomben-Kanonen, Haubitzen, in seltenen Fällen auch leichte und mittlere Mörser. Gegen die höher gelegenen Linien, wie die Wallgänge der Bastione und Raveline benutzte man die schwereren Kaliber, wie die 23cm. Haubitze, welche ein 28 Kilogr. schweres, mit 1,6 Kilogr. Pulver gefülltes Hohlgeschoß wirft, und konnte somit selbst gegen die Traversen, das gewöhnliche Schutzmittel gegenüber dieser Schußart; gegen den gedeckten Weg konnte man sich mit geringeren Kalibern, wie 15cm. Haubitzen und kurze 15cm. Kanonen, begnügen. Die Schußweiten überstiegen 600 Met. nicht. Die gezogenen Kanonen, welche Granaten als Hauptgeschosse haben und zum indirecten Schuß mit verringerten Ladungen besonders befähigt sind, sind vorzugsweise und jetzt ausschließlich die Ricochett-Geschütze. Gegen die auf den Linien befindlichen Truppen können sie auch mittelst der Shrapnels mit Zeitzündern wirksam werden. In vielen Fällen wird die 9cm. Kanone ausreichen, namentlich wenn nur hölzerne Deckungsmittel zu zerstören sind; bei steinernen, wie die casmatierten Blockhäuser im gedeckten Weg, benutzt man besser das 12cm.-Kaliber und beim Schießen gegen Hohltraversen selbst das 15cm.-Kaliber. Die Schußweiten können bis 1800 Meter gesteigert werden, weiter indeß nicht wegen der Schmalheit der Ziele (ca. 12 Meter) und der schwierigen Beobachtung. Bei Anwendung von Langgeschossen, namentlich mit Percussionszündern, ist es nothwendig, mit dem ersten Aufschlage zu treffen, somit hat jetzt der R.-Schuß alle Analogie mit dem Rollschuß verloren. Je nachdem man den Treffpunkt in die Mitte der zu bestreichenden Rayons (als Raum zwischen Brustwehr und nächster Traverse, resp. zwischen zwei Traversen) oder an das Ende derselben legt, entstehen größere oder geringere Einfallwinkel, sind kleinere Ladungen nothwendig, oder größere zulässig, spricht man vom hohen oder flachen R. Ein sehr geeignetes Ricochett-Geschütz ist das im Jahre 1870 in Preußen eingeführte kurze gezogene 15cm. Kanon (vgl. „Histor.Skizze der Entwicklung der kurzen 15cm. Kanonen nebst Gebrauchs-Anweisung dieses Geschützes," Berlin 1870). Das Rohr von Gußeisen ist im gezogenen Theil 10 Kaliber lang, sein Gewicht mit Verschluß 1476 Kilogr. Letzterer ist der Kreiner'sche Doppelkeilverschluß mit Kupferliderung. Die Laffete ist nach dem Princip der Belagerungs-Laffetten C/64 construirt, hat indeß eine Richtmaschine mit Doppelschraube (ähnlich den Feldlaffeten C/64). Letztere erlaubt

Elevationen bis 30°. Das Hauptgeschoß ist die sogenannte Lang-Granate, eine verlängerte Granate mit dünnem Bleimantel von 27, ₅ Kil. Gewicht mit 1,₉ Kil. Sprengladung und bis 1,₅ Kil. Geschützladung, außerdem existirt ein Shrapnel mit Zeitzünder. Das kurze 15 cm. Kanon ist namentlich zu den indirecten Schußarten befähigt und in gewissem Sinne selbst als Mörser zu verwenden. Dem Ricochett-Schuß entgegenzuwirken sind heutzutage die Wallgänge meist so dicht traversirt, daß je zwei und zwei Geschütze durch eine Traverse gedeckt sind. Es werden daher vorherrschend größere Einfallwinkel nothwendig werden. Das der Deckung zunächst stehende Geschütz ist kaum anders als unter einem Einfallwinkel von 20° zu treffen, während das entfernter stehende schon unter 7 bis 8° zu fassen ist. Zur unmittelbaren Zerstörung jenes ist nur das kurze 15 cm. Kanone befähigt und empfiehlt es sich, um die Verschiedenheit der Kaliber in einer Batterie zu vermeiden, vorherrschend dieses Geschütz in den Ricochett-Batterien zu verwenden, und zwar mit dem hohen R. Bei den Belagerungen von 1870/71 ist von demselben bereits recht wirksamer Gebrauch gemacht worden, weniger indeß zum R., als zum indirecten Breschschuß (Straßburg 1870) und in den Bombardements-Batterien. Literatur: Vergl. die artillerist. Handbücher. Eine allerdings veraltete Specialschrift ist: „Der Ricochettschuß", von Lhautch, übersetzt von Schmölzl, München 1855.

Ricochett-Batterien heißen die zur Aufnahme der Ricochettgeschütze bestimmten Belagerungsbauten; sie liegen entweder in der Verlängerung der zu ricochettirenden Linien oder innerhalb der die letzteren durchschneidenden Diagonalen. Gewöhnlich stehen in einer Batterie 2—4 Geschütze. Die R.-B. sind, wenn möglich, gesenkt gebaut und empfiehlt es sich, mit ansteigenden, sogenannten Ricochett-Scharten, die bei hoher Laffetirung Kniehöhen bis 1,₆ Meter haben. (Vgl. „Festungs-Krieg", Bd. IV. S. 34 f.).

Rideau heißt Vorhang oder Maske; in der Taktik werden damit verdeckende, dem Einblick entziehende Gegenstände bezeichnet, wie sie entweder durch Terrainverhältnisse entstehen oder auch durch Truppenformationen gebildet werden können. So dienen Tirailleurketten und Flankcurtinen als R. für die geschlossenen Truppen, welche sich dahinter befinden. Im weiteren Sinne kann man die Operationen einer ganzen Armee durch ein R. weit vorgeschobener Truppen, wozu sich namentlich Cavalerie-Divisionen und -Corps eignen, verschleiern. Dies geschah namentlich 1870/71 von deutscher Seite.

Ried, Hauptstadt des Innkreises ob der Enns, an der Eisenbahn München-Braunau-Wels, hat 4000 Einw. Hier wurde 6. Oct. 1813 der Vertrag zwischen Oesterreich und Baiern abgeschlossen, demzufolge Baiern den Alliirten gegen Napoleon I. beitrat.

Riegel sind entweder hölzerne Querstücke, durch welche Balken oder Bohlen in einer gewissen Auseinanderstellung gehalten werden, namentlich bei Laffeten und Fahrzeugen, (s. Laffete, Bd. V. S. 266 u. 267), oder es sind eiserne Quer-Bolzen, welche die Wände gleichzeitig zusammenhalten, wie bei den schmiedeeisernen Laffeten. Die vorderen R. der Laffeten heißen Vorder-, oder auch Stirn-R., die mittleren Mittel-R., sobald sie indeß zur Unterstützung der Richtschraube dienen, wie bei den älteren Richtmaschinen, Richt-R., und wenn sie zeitweise das Rohr unterstützen sollen, auch Ruh-R. Die hinteren R. der Laffeten werden Hinter-R., Schwanz-R., (sobald die Laffete damit auf der Erde gleitet), auch Protz-R. (wegen des Protzlochs) genannt.

Riego y Nunez, Don Rafael del, spanischer General, geb. 1786, machte den Halbinselkrieg als Hauptmann mit, bis er in französische Gefangenschaft gerieth und nach Frankreich abgeführt wurde. Nach dem Frieden erhielt er die Freiheit, trat wieder in die spanische Armee und avancirte bis zum Oberst. Im Juli 1819 nahm er sich für die Cortez der Revolution an, besetzte am

6. Jan. 1820 die Insel Leon bei Cadiz, unternahm von da aus am 27. Jan. mit 500 Mann den kühnen Zug nach Algeziras und Cordova, fand aber dort nicht die erwartete Unterstützung und wurde nach Leon zurückgeworfen, erhielt jedoch, nachdem der König die Constitution angenommen, den Oberbefehl auf Leon wieder, wurde bald darnach Generalcapitain von Aragonien, half die Gegenrevolution von 1822 unterdrücken und wendete die Waffen 1823 gegen die Franzosen. In Gefangenschaft gerathen, wurde er der königlichen Behörde ausgeliefert und am 7. Nov. 1823 zu Madrid hingerichtet. Vgl. Miguel del Riego, „Memoirs of the life of R.", London 1824 (deutsch „Denkwürdigkeiten zur Lebensgeschichte R.'s", Stuttg. 1824); Nard und Pivala „Vida militar e politica de R.", Madrid 1844.

Riego-Hymne, der nationale Freiheitsgesang der Spanier, gedichtet vom General Riego im Januar 1820 auf seinem kühnen Zuge nach Algeziras.

Riembügel, an Gewehren zum Einschnallen des Gewehrriemens.

Riemen, 1) in der seemännischen Sprache die hölzernen Stangen, mit welchen die Boote fortbewegt werden, von Laien gewöhnlich Ruder genannt, worunter der Seemann indessen nur die Vorrichtung zum Drehen eines Fahrzeugs versteht. Der Theil des Riemens, welcher gegen das Wasser gedrückt wird, ist abgeflacht und heißt das „Blatt." 2) An Geschirren, am Geschützzubehör, den Gewehren, in der Armatur ꝛc. vorkommend, vergl. die Specialartikel.

Rienzi, oder Cola di Rienzo (d. h. Nicolaus des Laurentius Sohn), eigentlich Nicolaus Gabrini, geb. um 1312 zu Rom als der Sohn eines Schenkwirths und einer Wasserträgerin, eignete sich trotz seiner niedrigen Herkunft eine treffliche wissenschaftliche Bildung an und gewann durch eine hinreißende Beredsamkeit einen großen Einfluß auf das Volk. Im J. 1343 begleitete er als städtischer Notar die nach Avignon zum Papst Clemens VI. abgehende Gesandtschaft, welche diesen Papst zur Rückkehr nach Rom und um Schutz gegen den Druck des Adels bitten sollte. Er gewann dort die Gunst des Papstes, ward von ihm zum päpstlichen Notar ernannt und legte, da der Papst seine Rückkehr verzögerte, endlich selbst Hand an das Werk, versammelte zu Pfingsten (20. Mai) 1347 das Volk auf dem Capitol, legte demselben eine neue Gesetzgebung vor, ward zum Tribun ausgerufen, stellte sich als solcher an die Spitze der Verwaltung, vertrieb die Senatoren und den Adel, ließ sich aber in phantastische, die Wiederherstellung der Weltherrschaft Rom's bezweckende Projecte ein, verlor die Gunst des Papstes und allmählig auch die des Volkes und mußte zu Anfang Januar 1348 in Folge eines Aufruhrs aus Rom flüchten. Er lebte nun längere Zeit unbeachtet in Italien, ging aber später nach Prag, wurde hier auf Befehl des Kaisers Karl IV. verhaftet und 1351 nach Avignon an Clemens VI. ausgeliefert, dessen Nachfolger Innocenz VI. ihn 1352 wegen Ketzerei den Proceß machen ließ und ihn in Gewahrsam behielt. Durch die mittlerweile in Rom immermehr überhand nehmende Anarchie sah sich jedoch Innocenz VI. veranlaßt, sich R.'s zur Beruhigung des Volkes zu bedienen, setzte ihn frei und gab ihn dem Cardinal d'Albornoz bei, der mit dem Auftrage die päpstliche Herrschaft in Rom wiederherzustellen nach Rom ging. Am 1. August 1354 zog R. als Senator in Rom ein, machte sich aber sehr bald durch Eigenmächtigkeiten beim Volke so sehr verhaßt, daß sich dieses mit dem Adel zu seinem Sturze verband. Bereits am 7. Oct. brach ein Volksaufstand aus; als R. einsah, daß er denselben nicht bewältigen konnte, versuchte er als Köhler verkleidet zu entfliehen, wurde aber erkannt und ermordet. Seine Leiche wurde zwei Tage lang vom Pöbel in der Stadt umhergeschleift und dann auf dem Campo dell Austa verbrannt. Vgl. Ducerceau, „Histoire de N. Gabrini, dit Rienzi", Paris 1733; Z. Ré, „La vita di Cola di R.", Forli 1828, 2 Bde.; Papencordt, „Cola die R. und seine Zeit", Hamburg

1841; Gregorovius, „Geschichte der Stadt Rom im Mittelalter" Bd. VI. Stuttgart 1867; Reumont, „Geschichte der Stadt Rom", Bd. II. Berlin 1870. Die Geschichte R.'s ist von Bulwer als Roman, von Mosen als Tragödie, von Richard Wagner als Oper bearbeitet worden.

Riesengeschütze, auch Monstregeschütze, werden die von Anfang des Geschützwesens an bis in die heutige Zeit vielfach zu Tage getretenen Geschütze außerordentlich großen Kalibers genannt, die damit eine bedeutende Schwere verbinden, in den früheren Zeiten aber nicht immer eine entsprechend große Wirkung äußerten. Aus der älteren Periode sind in dieser Hinsicht u. a. zu erwähnen: die Tolle Grete von Gent (Kaliber 64 cm., Rohrgewicht 328 Ctr., Gewicht der Steinkugel 340 Kilogr.), Anfang des 15. Jahrhunderts; das Geschütz des Renegaten Urban, welches Muhamed II. bei der Belagerung von Constantinopel (1453) anwandte, (Kaliber etwa 63 cm., Gewicht der Eisenkugel 300 Kilogr., sprang beim 4. Schusse und todtete seinen Erzeuger); der Vogel Greif von Ehrenbreitstein, 1529 zu Trier gegossen (Kaliber 31 cm., Gewicht 260 Ctr.), von den Franzosen 1799 nach Metz geschleppt. Aus der neueren Zeit: die Billantrols'schen Mörser, 1810 vor Cadiz gebraucht, jetzt in Berlin vor dem Zeughause aufgestellt, (Kaliber 31 und 25 cm., 7000 Schritt Wurfweite), der Mortier-monstre, 1832 vor Antwerpen gebraucht, (Kaliber 60 cm., Rohrgewicht 155 Ctr., Gewicht der Bombe 10³⁄ Ctr.), der Palmerston'sche Mörser (Kaliber 90 cm., Rohrgewicht 1830 Ctr., Gewicht der Bombe 31¼ Ctr. mit 4⅔ Ctr. Sprengladung), der indeß nur 4 mal abgefeuert worden ist. — Der Kampf zwischen Geschützwirkung und Widerstandsfähigkeit der Panzerung hat in neuester Zeit Veranlassung zu diversen Geschützkonstruktionen ungewöhnlich großen Kalibers gegeben, die sich gegenüber ihren Vorläufern durch eine ihren Verhältnissen entsprechende Leistungsfähigkeit auszeichnen. Hierher gehören die nordamerikanischen 15- und 20zölligen (37 u. 50 cm.) glatten Rodman-Geschütze und die gezogenen Parrot- 300 Pfünder (25 cm.), die englischen 12- und 13zölligen Woolwich-Geschütze, der Krupp'sche 1000 Pfünder (36 cm.), welchem die Franzosen auf der Ausstellung 1867 einen 42 cm. glatten Hinterlader von Eisen entgegenstellten, 2c.

Vergl. hierüber: „Die Riesengeschütze des Mittelalters und der Neuzeit" von Wille. Berlin 1870; „Monstregeschütze der Vorzeit", übersetzt aus dem Russischen von Pfister, Kassel 1870.

Rieti, Stadt in der italienischen Provinz Umbrien oder Perugia, bis 1860 Hauptstadt der gleichnamigen päpstlichen Delegation, am Velino, mit 9000 Einw. R. ist das alte Reate. Hier 7. März 1821 Sieg der Oesterreicher über die neapolitanische Ostarmee unter Pepe, in Folge dessen sich alle neapolitanischen Streitkräfte auflösten, alle Festungen capitulirten, die Constitution aufgehoben und das ganze Königreich Neapel von den Oesterreichern besetzt wurde.

Riff, ein gebirgiger, zur maroktanischen Provinz Garet gehöriger, sich 75 deutsche Meilen lang von Ceuta bis zur Grenze von Algerien erstreckender Küstenstrich am Mittelländischen Meere; Hauptort ist Melilla (f. d.). Die Bewohner des R. werden Riffpiraten genannt (f. ebd., vgl. Riff).

Riff nennt man Erhöhungen des Bodens im Meer, welche so hoch reichen, daß sie den Schiffen gefährlich werden können. Treten diese Erhöhungen über Wasser hervor, so heißen sie Klippen, welche meist felsiger Natur sind oder von Korallen herrühren. Mitunter werden die Worte Riff und Klippe in derselben Bedeutung gebraucht, und man bezeichnet kleine felsige Erhöhungen mitten im Meer, welche nicht bis an die Oberfläche treten, als „blinde Klippen". Die langgedehnten meist im Verhältniß zur Länge schmalen Bodenerhöhungen, welche in der Nähe der Küsten vorkommen, theils die Ausläufer der vorspringenden Theile der Küste, theils Ablagerungen von Sand und Gestein werden dagegen allgemein Riffe, auch „Reffe" genannt. Treten diese Bodenerhöhungen entfernter von der Küste und in größerer Ausdehnung auf, so nennt man sie Banken oder Gründe. Der Begriff des Riffs weist im Allgemeinen auf eine mehr felsige Bodenbeschaffenheit hin, während die Banken und Gründe mehr sandiges oder morastiges (seemännisch Mudd genannt) Terrain umfassen. Die ganz in der Nähe felsiger Küsten oft vorkommenden Klippen, auch als Riffe bezeichnet, dienen namentlich an der marokkanischen Küste und im Chinesischen Meere räuberischem Gesindel als Schlupfwinkel, von wo aus dasselbe Seeräuberei treibt. Die an der erstgenannten Küste (s. Rif) in zügelloser Wildheit lebenden Bewohner einer sehr klippenreichen Gegend heißen deshalb allgemein Riff-Piraten. Im Jahre 1856 fand ein Zusammenstoß eines Theiles der Besatzung der preußischen Dampfcorvette Danzig mit diesen Piraten statt, welche auf ein Boot gefeuert hatten, das zu diesem Schiff gehörig unter der Küste dahinfuhr. In Folge dessen wurde ein Theil der Besatzung gelandet, erstieg die Felsen und vertrieb das Gesindel. Auf dem Rückwege nach den Booten hatten die Piraten indessen Gelegenheit, aus ihren Schlupfwinkeln auf die am Strande sich wieder Einschiffenden zu schießen, wobei mehrere Personen getödtet und ein größerer Theil verwundet wurde, unter diesen Letzteren auch der Oberbefehlshaber der preußischen Marine Prinz Adalbert, welcher sich der Landung angeschlossen hatte. Im Herbst 1871 machten dieselben wieder mehre Angriffe auf Melilla und beunruhigten die ganze Umgegend.

Riga, Hauptstadt des russischen Gouvernements Livland, zu beiden Ufern der mit einer Floßbrücke überbrückten Düna (größtentheils aber auf dem rechten Ufer) 1½ Meilen oberhalb deren Mündung in den Rigaischen Meerbusen der Ostsee gelegen, durch Eisenbahnen mit Memel und Dünaburg (Anschluß an die Petersburg-Warschauer Bahn) verbunden, ist Sitz des General-Commandanten des III. Militair-Bezirks (Livland, Curland und Esthland, und General-Gouverneurs der Baltischen Provinzen, des Civil-Gouverneurs von Livland und des griechisch-russischen Erzbischofs von R. und Mitau, hat ein altes Schloß (jetzt Gouvernementspalast und Kaserne), ein großes Kriegshospital, eine Navigationsschule, ein Denkmal an den Krieg von 1812, lebhaften Handel und Industrie und (1867) 102,043 Einwohner, worunter gegen 48,000 Deutsche. Der Hafen von R., Bolder-Aa genannt, befindet sich bei der die Mündung des Stromes vertheidigenden Festung Dünamünde (s. d.). Früher war R. selbst eine Festung, deren Werke noch im Orientkrieg 1854 u. 55 erweitert und verstärkt, bald darauf aber abgetragen wurden; seitdem ist R. eine offene Stadt und hat nur noch an der Nordseite eine Citadelle mit reich ausgestattetem Arsenal, die aber nunmehr auch abgetragen wird. — R., ursprünglich Urkull genannt, wurde 1158 von Bremischen Seefahrern, die hierher verschlagen worden waren, gegründet, der Bau der eigentlichen Stadt aber 1201 vom livländischen Bischof Albert von Apeldern begonnen, welcher 1202 hier den Schwertorden stiftete. Der Schwertorden wurde 1237 mit dem Deutschen Orden vereinigt und dieser letztere besaß dann, gemeinsam mit dem rigaischen Erzbischof, Stadt und Landschaft R. bis 1562, wo ganz Livland vom Deutschen Orden an Polen abgetreten wurde, R. aber freie Stadt war. Im J. 1581 kam aber auch R. unter polnische Schutzherrschaft, wurde 1621 von Gustav Adolf erobert, 1658 von den Russen vergeblich belagert, 1700 von den Polen und Sachsen unter August II. belagert, aber um 18. Juli 1700 von den Schweden unter Karl XII. entsetzt, nach der Niederlage Karl's XII. bei Pultawa (1709) von den Russen aufs Neue belagert und nach tapferer Vertheidigung am 4. Juli 1710 erobert. Während des Russischen Krieges von 1812 wurde R. von den Franzosen und Preußen unter Macdonald eingeschlossen und verlor dabei seine schönen Vorstädte; im Mai 1854 wurde es von den Engländern blosirt.

Rigny, 1) Henri Graf von, geb. 1783 in Lothringen, hatte 1827 als französischer Contreadmiral großen Theil am Siege bei Navarin (f. d.), wurde Viceadmiral und 1831 Marine-Minister und starb 1835. 2) Alexandre Graf von, Bruder des Vorigen, machte unter Napoleon I. die Feldzüge von 1807, 1809 bis 1812 in Spanien, dann von 1813 mit, wurde bei Leipzig gefangen, avancirte beim Invasionskriege von 1823 zum General, focht 1836 in Algerien, büßte aber hier sein Commando ein, indem der Marschall Clauzel ihn zum Träger seiner eigenen Fehler machte und ihm namentlich das Mißlingen der Expedition nach Constantine fälschlich anbürdete. R. wurde vor ein Kriegsgericht gestellt, von diesem aber völlig freigesprochen, erhielt jedoch erst nach einigen Jahren wieder ein Commando.

Rimnil, Stadt am gleichnamigen Fluß in der Walachei. Schlacht am R. wird bisweilen die Schlacht bei Martinestn (f. d.) genannt.

Rimpler, Georg, geb. zu Leisnig in Sachsen, erlernte das Gerberhandwerk, gerieth auf der Wanderschaft in Livland in die Hände sächsischer Soldaten, wurde zum Dienste gepreßt, zeichnete sich sehr bald aus, wurde Ingenieur-Offizier, ging später in kaiserliche Dienste, nahm an der Vertheidigung von Candia Theil (1667—69) und erfand ein neues Befestigungssystem (f. u. Befestigungskunst, Bd. II., S. 67.), das er jedoch nicht mehr vollständig entwickeln konnte. Dasselbe wurde aber von mehren Andern, besonders von Sturm (f. d.), mit mehrfach abweichender Auffassung zusammengestellt. (Sein Hauptgegner war Scheiter.) R. fiel 1683 bei der Vertheidigung von Wien gegen die Türken, wo er das Geniewesen leitete. Er schrieb: „Der gänzlich abgeschlagene furiöse Sturm Joh. Bernh. Scheiter's"; „Die befestigte Festung", Ulm 1716; „Sämmtliche Schriften von der Fortification", Dresden 1724.

Ringe aus Metall dienen vielfach als Beschläge bei Laffeten und Fahrzeugen, bei Gewehren als Garnitur zur Verbindung von Lauf und Schaft. Der Ringbefestigung des Laufs steht die weniger solide Verbindung mittelst Schieber und Schrauben entgegen, die außerdem die Gestalt des Laufs zu einer complicirteren macht und kaum noch anders als bei Jägergewehren vorkommt. — Die Verbindung des Stichbajonetts mit dem Lauf geschah früherhin vielfach mittelst Bajonettfeder (preußische Manier), ist aber gegenwärtig durch die viel solidere Ringbefestigung verdrängt (französische Befestigungsweise). In Bezug auf den Broadwell-Ring f. Rundtheil.

Ringgeschütze, (Gepanzerte Geschütze) sind solche Geschütze, welche durch Umlegen stählerner Reifen um die Kernröhre von Gußstahl oder Gußeisen, (namentlich um den hinteren Theil der letzteren, welcher die größte Gasspannung auszuhalten hat), verstärkt sind. Man erhöht auf diese Weise die Haltbarkeit der Röhre und befähigt dieselben zur Anwendung vergrößerter Ladungen. Die englischen Armstrong-Geschütze werden überhaupt durch solche über einander gestreifte Ringe von besonders präparirtem Schmiedeeisen gebildet; in Frankreich legt man um das Bodenstück der gußeisernen Röhre Stahlreifen (canons frettés), und in Preußen hat man neuerdings die schweren Gußstahlgeschütze auf dieselbe Weise verstärkt. Die gewöhnlichen 15cm. Stahl-Kanonen in Preußen wiegen 56 Centner; die Ring-Kanonen gleichen Kalibers dagegen 70—80 Centner. Bei ersteren konnte man 28 Kil. schwere Granaten mit einer Geschützladung von 3,₂ Kil. gewöhnlichen Körnerpulvers verwenden, bei letzteren ist es zulässig, Geschossen von 35 Kil. Ladungen von 7 Kil., allerdings Prismatischen Pulvers (f. d.) zu geben; so vermag man schmiedeeiserne Platten von 5 Zoll engl. zu durchschlagen, während das ältere 15cm. Kanon

gegen 4½ zöll. unwirksam geblieben war. Das Ring-72Pfdr.- oder das 21cm.-
Kanon wiegt 195 Centner (gegen 135 früher), schießt ein Geschoß von 98,₄
Kil. Gewicht mit 17 Kil. prismatischen Pulver (gegen früher 84 Kil. mit
11 Kil. gewöhnlichen Pulvers) und durchschlägt mit seiner Granate die acht-
zöllige Platte, während früherhin die fünfzöllige nicht durchschlagen wurde.
Allerdings ist das weniger offensive prismatische Pulver hier mit in Betracht zu ziehen. Das geringste Kaliber der preußischen R. ist 12 cm.

Ringkragen (franz. hausse-col) ist eine im Mittelalter und von der Cavalerie noch bis zum Ende des 17. Jahrhunderts geführte Schutzwaffe, welche
in Form eines Metallkragens um den vorderen Theil des Halses getragen wurde
und den Zweck hatte, letzteren, sowie die Schulter- und obere Brustseite gegen
Hieb- und Stichwunden zu decken. Jetzt wird der R. als kleines halbmond-
förmiges versilbertes oder vergoldetes und mit dem Landeswappen versehenes
Schild von den Offizieren einiger Armeen (u. A. der Bairischen) als Dienst-
zeichen an Stelle der Schärpe auf der oberen Brust getragen (auch von der
preußischen Feldgendarmerie).

Ringmauer heißt in der Befestigungsweise des Alterthums und Mittelalters die den Platz einschließende zur Vertheidigung eingerichtete Mauer.

Rio-de-Janeiro, Haupt- und Residenzstadt des südamerikanischen Kaiser-
reiches Brasilien, auf einer Halbinsel am südwestlichen Ufer der großen gleichnamigen Bai des Atlantischen Oceans, amphitheatralisch von hohen Bergen
umgeben, besteht aus der eigentlichen Stadt (Altstadt) und der erst seit Verlegung der Residenz von Lissabon hierher angelegten Neustadt mit den Vorstädten, unter denen sich namentlich die längs des Meeresufers sich hinziehende Vorstadt Botafogo auszeichnet. Der nur 5000 Fuß breite Eingang der Bai wird
von der auf dem steilen Berge Pico auf der nordöstlichen Landzunge gelegenen
Festung Santa Cruz und den gegenüber liegenden Batterien San Joao
und San Teodojio vertheidigt, sowie von den Kanonen der Forts Lagea,
Villegaignon und Nuestra-Sennora da bom Biagem auf der weiter im
Innern der Bai gelegenen Ilha da Laghera bestrichen. Auf der dicht am Festlande neben der Stadt liegenden Ilha das Cobras (Schlangeninsel) befindet
sich gleichfalls ein Fort, im Nordwesten der Stadt selbst das Fort da Conceição
und im Süden die Batterie von Monte; die Bucht von Botafogo wird durch
die Linien von Praga vermalho gedeckt. R. ist die Residenz des Kaisers,
der höchsten Landesbehörden, des Reichstags und eines Bischofs, hat einen kaiserlichen Palast, viele Kirchen und Klöster, ein Marine-Arsenal, eine Universität,
eine Militäracademie, eine Seeschule, eine Sternwarte, ein Militärspital, Kasernen, einen schönen großen Hafen und lebhaften Handel, ist durch Eisenbahnen
mit Belem und Petropolis verbunden und zählt (1866) 3 6,000 Einwohner
(nach dem „L'empire du Brésil, à l'exposition univ. de 1867. Rio-de-
Janeiro, Laemmert, 1867" aber offenbar zu hoch angegeben, 600,000 Einw.).

Rippach, Dorf im Regierungsbezirke Merseburg der preußischen Provinz
Sachsen, auf der Straße von Weißenfels nach Lützen. Hier am 5/15. Nov.
1632 (am Tage vor der Schlacht bei Lützen, s. d. S. 366) siegreiches Gefecht
der schwedischen Avantgarde unter Gustav Adolf gegen ein von Wallenstein
vorgeschobenes Detachement der Kaiserlichen unter Colloredo, und am 1. Mai
1813 (am Tage vor der zweiten Schlacht bei Lützen, s. d. S. 368) Gefecht
des vorgeschobenen russischen Corps Winzingerode gegen die von Souham geführte Avantgarde des 3. französischen Corps, in welchem bei der Recognoscirung der französische Marschall Bessières fiel.

Rippen, 1) (Batterierippen) s. u. Batteriebaumaterialien 3) und Bettungen; 2) die gekrümmten Innenhölzer an der Seite eines Schiffes, auf welche
die Planken genagelt werden.

Rippenkorn ist das in Baiern bei Geschützröhren übliche Korn in Gestalt einer lang gezogenen Linie.

Riquet de Caraman, 1) Paul de, geachteter französischer General im Spanischen Erbfolgekriege, starb 1730. 2) Victor Pierre, französischer General, starb 1730.

Ritter, 1) im Mittelalter ein adeliger Krieger; sinnverwandt mit Reiter, weil die Adeligen nur zu Pferde Kriegsdienste leisteten. Ursprünglich waren alle Freien zum Kriegsdienst verpflichtet. Später machten vorzugsweise die Geleite den Kriegsdienst zu ihrem Geschäft, während andere Freie, d. i. Grundbesitzer, durch Geld einen Ersatz für ihre Person leisteten. Während nun diese mehr und mehr von ihren Rechten verloren, dagegen jene davon gewannen, bildete sich ein berechtigter Kriegsadel als Stand, der durch die Staatsorganisation Karls des Großen und die Entstehung der großen Vasallen, welche größere Truppenmassen zum Kriege aufführen mußten, ein völliges Zunft- und Erbrecht erlangte, die Stütze der Gaumacht bildete, die Umgebung des Gauoberherrschers war und sich zwischen diesen und die friedlichen Grundbesitzer als denjenigen Adel stellte, der lange Zeit zwischen Bürger und Fürsten eine abgeschlossene Stufe einnahm. Als Stand bildete dieser Adel, der durch seine Gewalt und kriegerischen Verdienste in der Folge alle Grundrechte an sich zu bringen wußte, die Ritterschaft. Nach Verhältniß seines Grundbesitzes hatte nun der R. eine verhältnißmäßige Mannschaft auf den Sammelplatz zu führen, deren Leistungen aber stets ihrem Führer zu Gute kamen; doch bildeten die R. bei auswärtigen Kriegen oft abgeschlossene Rittercorps, so namentlich in denen gegen die Schweiz und in den späteren Kreuzzügen. Diese Sonderung im Kriege gab zu der Gründung von Ritterorden Anlaß, von denen einige, wenn auch in veränderter Form, bis auf dieses Jahrhundert fortbestanden haben. Die ständische Abgeschiedenheit gab natürlich dem Ritterwesen auch eine tiefere moralische Geltung, die dem gemeinen Kriegerthum nicht innewohnte, und diese mußte natürlich auch bald in der äußeren Erscheinung hervortreten, sowohl in der Art der Schutz- und Trutzwaffen, als auch in deren Gebrauche. Die Rüstung zunächst bezeichnete den R. Sie hatte einerseits den Zweck, ihren Träger unverwundbar zu machen, damit er dem Gegner desto gefährlicher sei, und wurde andererseits auch als Auszeichnung, Schmuck und Staatstracht des adeligen Kriegers betrachtet. Zur Rüstung gehörten der Helm, Harnisch, die Arm- und Beinschienen, Schuppenschuhe und Handschuhe. Eine andere und ältere Art der Rüstung war die Brünne oder das Panzerhemd, welches aus kleinen eisernen Ringen zusammengenietet fast den ganzen Körper umschloß. Die Rüstung wurde mit möglichst großer Pracht ausgestattet und oftmals nicht blos viel edles Metall und selbst Edelsteine, sondern auch die kunstvollste Arbeit an dieselbe verwendet. Da aber der R. dann seiner Kraft zum großen Theil beraubt war, wenn ihm das Pferd getödtet worden, so gab man in späterer Zeit auch diesem einen Panzer und vervollständigte denselben so, daß von dem Thiere nur Augen und Beine zu sehen waren. Der Panzer des Pferdes bestand wie der des Mannes aus zusammengenieteten Metallplatten, die in einigen Theilen, z. B. auf dem Hals des Pferdes, eingerichtet waren, sich zusammenzuschieben und die freie Bewegung des Kopfes zu gestatten. Zu den Waffen gehörte vor allem der Schild, der aus einer runden ovalen oder runden, größeren oder kleineren Metallscheibe bestand, die in eine leichte Höhlung ausgetrieben und im Inneren mit Leder stark unterfüttert, mit einem metallenen Handgriff und ledernen Armhaltern versehen war. Der Schild war nicht weniger ein Gegenstand von kunstvoller und prächtiger Ausstattung und trug namentlich das Wappen des Ritters, an welchem man diesen, wenn er todt auf dem Schlachtfelde gefunden wurde,

leicht erkennen konnte. In frühester Zeit deckte der Schild den ganzen Mann
bis zum Kopfe; die Schilde im Mittelalter waren jedoch nur so groß, daß sie
den Oberkörper deckten. Die Stoßlanze mit ihrem nach unten sehr anschwellenden
Schafte, in welchem sich der eigentliche Handgriff befand, war vornehmlich die
Angriffswaffe und zu seinem großen, kreuzförmigen Schwerte griff der R. erst,
wenn die Lanze ihm nicht mehr zu Gebote stand oder er, des Pferdes beraubt,
zu Fuß kämpfen mußte. Die Handhabung der Lanze wurde zu großer Kunst
ausgebildet, wozu sie auch bei ihrer eigenthümlichen Gestaltung, und namentlich
bei der zweckmäßigen Verlegung des Gewichtes in den Hinterschaft ganz geeignet
war. Die Lanze trotz ihrer Gesammtschwere wurde mit einer Hand regiert
und ein gut geschulter R. hatte sie mit einer Hand so in der Gewalt, daß er
mit ihr die verschiedenartigsten Stöße ausführen, Finten geben und selbst pariren
konnte, was indessen meist mit dem Schilde geschah. Die Fechtkunst mit dem
Schwert war minder ausgebildet und darum artete die Waffe selbst ganz aus.
Ihre Schwere und Größe wurde so übertrieben, daß sie nur noch mit zwei
Händen gehandhabt und vom Schilde neben ihm kein Gebrauch mehr gemacht
werden konnte. Doch erhielten sich die unförmigen Schwerter, die vom Erdboden bis fast zur Schulter des Ritters emporragten, bis in die letzte Zeit des
Ritterthums. Die Pallasche der heutigen Zeit sind nur eine sehr verjüngte
Darstellung dieser Schwerter. Speere waren nur in der ersten Zeit des Ritterthums in Gebrauch und es scheint, daß man Fernwaffen als ein Instrument
der Feigheit gehaßt habe. Dagegen kamen in der letzten Zeit des Ritterthums
die Armbrüste sehr in Aufnahme, wurden aber bald durch den Gebrauch des
Schießpulvers verdrängt und dieses war überhaupt das Grab des Ritterthums,
denn Feldschlangen und Donnerbüchsen konnten die R. nicht ebenso zur Verfügung stellen wie ihre Lanze. Die Fürsten waren daher bald zur Errichtung
einer eigenen Artillerie gezwungen und damit trat bald die Errichtung eines
stehenden, immer verfügbaren Heeres in Verbindung, das nun für den einzelnen
Mann ganz andere Verpflichtungen erheischte, als der R. sie bulden mochte.
Das Waffenwerk erlernten die R. nicht in Instituten, und von einer theoretischen
Bildung war nicht die Rede, sondern der Edelknabe begab sich in den Waffen-
dienst irgend eines angesehenen Ritters, bestand als Begleiter desselben eine
gewisse Probezeit und wurde sodann zum R. geschlagen, was nicht selten unter
großen Feierlichkeiten geschah. Der Ritterschlag verlieh die Mündigkeit und
nach ihm erst durfte der R. ein Geleit führen und Fehde erklären. Nach dem
Erlöschen des Ritterthums blieb der Ritterstand als Adel abgeschlossen und
behauptete bis in die Neuzeit, in vielen Ländern wenigstens, einen Theil seiner
politischen Vorrechte, zu denen hier und da auch noch die Steuerfreiheit des
ritterlichen Grundbesitzes gehörte. — 2) R. ist ein Prädicat für den Inhaber
eines Ordens, welches entweder schlechtweg oder mit specieller Bezeichnung der
Decoration der Adresse des Betreffenden beigefügt wird (u. a. auch R. mehrerer
Orden, R. hoher Orden).

Ritterharnische waren sehr häufig kunstvoll gearbeitet. Eine vollständige
Rüstung von Metall zu tragen, war überhaupt das Vorrecht des Ritters. Gemeinen Kriegsknechten war es nur erlaubt, einzelne Rüstungsstücke, z. B.
den Brusttheil des Harnisches zu tragen, auch durften die einzelnen Theile der
Rüstungsstücke, die sie trugen, falls mit Metallbändern aneinander befestigt,
nicht von glänzendem Metall ꝛc. sein.

Ritterorden s. Orden 2) und 3).

Ritterpferd wurde im Mittelalter die Kriegshilfe genannt, die ein Vasall
seinem fürstlichen Lehnsherrn zu leisten hatte. Wie viel R.e, d. h. geharnischte
ritterliche Krieger mit der gehörigen Gefolgschaft, der Fahne des Lehnsherrn

zugeführt werden mußten, hing natürlich von der Größe und Bevölkerung des Lehnsgebietes und der Zahl der auf ihm befindlichen Ritterfitze ab. Mit Einführung der stehenden Heere entstand aus diesem persönlichen Kriegsbeistande eine adelige Kriegssteuer, die aber den alten Namen R. behalten hat.

Ritterschaft, Ritterschlag, s. Ritter.

Ritterschwert, durch Länge und Bau des kreuzförmigen Griffes von dem Schwerte des gemeinen Kriegsknechtes unterschieden. In einigen Ländern und zu gewisser Zeit war auch das Tragen eines Schwertes ritterliches Vorrecht (vgl. Ritter).

Ritterstand, Ritterthum, Ritterwesen, s. u. Ritter.

Rittmeister ist eine militärische Charge und zwar bei der Cavalerie (und dem Train), der des Hauptmanns oder Capitains bei der Infanterie entsprechend. Der R. commandirt eine Escadron oder Schwadron und ist für deren dienstliche Ausbildung, ökonomische Verwaltung und militärische Disciplin verantwortlich, zu welchem letzteren Behufe er auch mit Disciplinarstrafgewalt bekleidet ist. Vergl. Offiziere, Bd. VI, S. 316.

Riviera (ital.) 1) im Allgemeinen s. v. w. Küstenstrich; 2) insbesondere der schmale Küstensaum, welcher im Norden des Golfs von Genua sich von Nizza bis Spezia hinzieht, und welcher westlich von Genua R. di Ponente, östlich von Genua R. di Levante genannt wird. Die ganze R. wird von einer höchst interessanten Kunststraße und den Eisenbahnlinien Genua-Spezia und Genua-Nizza begleitet. Bis 1860 gehörte die ganze R. zu Italien, resp. zum Königreich Sardinien, seitdem aber der westliche Theil der R. di Ponente (von Ventimiglia an) zu Frankreich (Departement Alpes maritimes).

Rivoli, Dorf in der italienischen Provinz Verona, 1 Meile östlich vom Gardasee, am südöstlichen Fuße des Monte-Baldo, hoch auf den schroffen westlichen Abhängen des Etschthales gelegen, unweit des Engpasses Chiusi, durch welchen am jenseitigen Ufer der Etsch die große Straße von Trient nach Verona und jetzt selbst davon die Eisenbahn Bozen-Verona führt. R. ist in der Kriegsgeschichte namhaft durch mehre Gefechte und Schlachten: 1) am 6. Aug. 1796 Gefecht, in welchem die Franzosen unter Masséna die Stellung eines österreichischen Detachements Wurmser's unter Bajalich stürmten; 2) am 17 Nov. 1796 (während der Schlacht bei Arcole) Gefecht, in welchem die Oesterreicher unter Davidovich die von der französischen Division Vaubois vertheidigten Verschanzungen nahmen, worauf die Franzosen nach Bousolengo zurückwichen; 3) am 21. Nov. 1796 allgemeiner Angriff der Franzosen unter Bonaparte selbst auf Davidovich (welcher nach der Schlacht bei Arcole zwischen Abzug aus der Stellung bei R. und Halten derselben schwankte); der Angriff erfolgte zunächst bei Canipana, von wo Davidovich unter hitzigem Gefecht über R. nach Ala zurückgetrieben wurde; 4) entscheidende zweitägige Schlacht zwischen den Franzosen unter Bonaparte und den Oesterreichern unter Alvinczy am 14. u. 15. Jan. 1797. Um einen vierten Versuch zu machen, den seit Sept. 1796 in Mantua eingeschlossenen Wurmser (s. u. Arcole) zu befreien und diese für den Besitz der Lombardei und Venetiens so wichtige Festung zu entsetzen und zu retten, sammelte Alvinczy nach der verlorenen Schlacht bei Arcole seit Anfang Jan. 1797 im südlichen Tirol bedeutende Streitkräfte (ungefähr 40,000 Mann), während er ein anderes Corps von ungefähr 20,000 Mann unter Provera durch das Vicentinische gegen Mantua dirigirte und zur Verbindung beider Operationen Verona angreifen ließ. Französischer Seits stand die Hauptmacht unter Bonaparte bei Verona und Legnago, ein nur 10,000 Mann starkes Beobachtungscorps unter Joubert dagegen auf dem Plateau von R. Am 12. Januar wurde Joubert in seiner Stellung bei La-Corona angegriffen, behauptete sich hier anfangs, sah sich aber durch Umgehung seines linken Flügels genöthigt, nach R. zurückzugehen. Bonaparte, dem er den Angriff der Oesterreicher sofort gemeldet hatte, ließ ihm befehlen, sich bei R. zu behaupten, da er Unterstützung erhalten werde. Am Abend des 13. Januar brach nun Bonaparte selbst, den General Augereau bei Verona zurücklassend, mit Masséna 22,000 Mann stark, gegen R. auf, wo er, den Truppen vorauseilend, bereits in der Nacht ankam und sofort die Dispositionen traf. Am frühen Morgen des 14. Januar griff Joubert die österreichische Hauptmacht unter Alvinczy an, nahm die Höhen und das wichtige San-Marco, drang weiter gegen Caprino vor, wurde aber hier plötzlich überflügelt. Mittlerweile war die Division Masséna bei R. angekommen, mit welcher Bonaparte das Gefecht wieder herstellte und die Oesterreicher bis zum Monte-Baldo zurückwarf. Unterdessen war eine österreichische Colonne unter Lusignan durch das Etschthal vorgedrungen und fing an, sich auf dem Plateau von R. im Rücken der Franzosen zu entwickeln und den rechten Flügel derselben zu gefährden. Während Masséna diese Colonne nach dem Garbasee zu drängte und dort großentheils gefangen nahm, warf sich Joubert gegen das aufs neue avancirende österreichische Hauptcorps, drängte das Centrum nach Corona und schlug es am 15. Januar nach Tirol zurück. Augereau warf den österreichischen linken Flügel über die Etsch zurück, eroberte hier noch 14 Kanonen und brach dann die Etschbrücke ab. Bonaparte selbst wandte sich nun mit der Division Masséna nach Mantua zu und schlug dort das Corps Provera. Die Franzosen machten in der Schlacht bei R., deren Verlust den Oesterreichern die wichtige Festung Mantua kostete, 20,000 Gefangene und eroberten 46 Kanonen. Für die Verdienste, die sich Masséna in der Schlacht erworben hatte, ernannte Napoleon nach dem Tilsiter Frieden 1807 denselben zum Herzog von R. — 5) Am 12. Mai 1848 Demonstrations-Gefecht einer österreichischen Brigade (von der Division Lichnowsky) unter Oberst Zobel gegen die linke Flanke der Piemontesen, um den Abmarsch Radetzky's von Verona auf Mantua zu maskiren; 6) am 10. Juni 1848 Gefecht des linken Flügels der Piemontesen unter Sonnaz gegen die österreichische Brigade Zobel, wobei die Piemontesen R. und das Plateau nahmen; 7) am 16. Juli 1848 ein unbedeutendes Gefecht, unglücklich für die Oesterreicher; 7) am 22. Juli 1848 glückliches Gefecht von 8000 Mann des 3. österreichischen Corps unter Feldmarschallieutenant Graf Thurn gegen den piemontesischen linken Flügel unter Sonnaz, welcher letztere nach Peschiera geworfen wurde (vgl. Custozza, Bd. III. S 104). Der Angriff Thurn's auf R. war inbß etwas früher erfolgt, als die allgemeinen Dispositionen Radetzky's für die Schlacht von Custozza bestimmt hatten.

Rivoli, Herzog von, s. Masséna.

Rjäsan, Hauptstadt des gleichnamigen russischen Gouvernements (762 Q.-M. mit 1,418,293 Einw.) am Einfluß der Lebeda in den Trubeich, unfern der Ota, und an der Moslau-Roslower Eisenbahn, ist Sitz eines Civil-Gouverneurs und eines Erzbischofs und hat 23,000 Einwohner. Ungefähr 9 Meilen unterhalb der Stadt, am rechten Ufer der Ota, liegt Alt-Rjäsan (russ. Staraja-Rjäaan), jetzt ein großes Dorf, ehemals eine bedeutende Stadt, von welcher in neuerer Zeit ein Theil durch Ausgrabungen wieder an das Licht gefördert worden ist; das interessanteste Bauwerk ist eine alte große Citadelle.

Robert, 1) R. II., genannt der Teufel, Herzog der Normandie, Vater Wilhelms des Eroberers, einer der mittelalterlichen Helden, welche die Volksdichtung verewigt hat, führte mehrjährigen Krieg gegen sein eigenes Volk und erwarb sich als grausamer Sieger jenen Beinamen. Er schlug die Grafen von Flandern, Otto von Champagne und den Herzog von Bretagne, unternahm einen Krieg gegen den König Knut von Dänemark und starb 1035 zu Nicäa, auf der Rückkehr von einer Pilgerschaft zum heiligen Grabe, muthmaßlich an Gift. 2) und 3) R. Bruce, s. Bruce 1) und 2).

Robert le Diable, festes Schloß unweit Rouen im französischen Departement Seine-inférieure, wurde am 31. Dec. 1870 von den deutschen Truppen erstürmt.

Robespierre, François Joseph Maximilian Isidore, geb. 1758 zu Arras, studirte in Paris die Rechte, practicirte dann in Arras als Advocat, wurde dort 1789 als Abgeordneter zu den Reichsständen gewählt, erlangte in der aus denselben hervorgehenden Nationalversammlung, namentlich aber außerhalb derselben als demagogischer Volksredner und Tagesschriftsteller sehr bald einen großen Einfluß und stieg namentlich dadurch in der Volksgunst, daß er nach der Flucht des Königs (20. Juni 1791) in der Nationalversammlung forderte, daß die königliche Familie den Formen des gewöhnlichen Rechts unterworfen werden sollte. Als dieser Antrag von der Versammlung abgelehnt worden war, schloß sich R. mit Marat und Danton den Jacobinern an und galt bei der Eröffnung des Convents (21. Sept. 1792) als das Haupt und der Stimmführer der großen Partei, welche aus Leidenschaft die Consequenzen der Revolution bis aufs Aeußerste verfolgte. Von jetzt an begann seine grauenvolle Thätigkeit, welcher zunächst der König Ludwig XVI. (21. Januar 1793), dann die Girondisten (s. d.) zum Opfer fielen. Nach dem Sturze der Letztern (2. Juni 1793) ordnete er den Wohlfahrtsausschuß an, wurde Ende Juni dessen Präsident, herrschte nun als Dictator mit schrankenloser Willkür über ganz Frankreich, ließ die Königin Marie Antoinette (16. Oct. 1793) und zahlreiche Mitglieder und Anhänger des Hofes durch den Wohlfahrtsausschuß verurtheilen und guillotiniren, führte dann noch viele Tausende zum Tode und ließ zuletzt selbst die Hebertisten und Dantonisten, seine frühern Genossen, ausrotten. Seine Grausamkeiten empörten endlich sogar den Convent, welcher ihn am 27. Juli 1794 (9. Thermidor d. J. II.) nebst seinem jüngern Bruder, Saint-Just und Couthon verhaften ließ. R. selbst suchte sich der über ihn verhängten Guillotine durch Selbstmord zu entziehen, verwundete sich aber nur und wurde am Morgen des 28. Juli 1794 (10. Thermidor d. J. II.) nebst 20 Gefährten, als der Letzte unter ihnen, hingerichtet. Mit seinem Tode hörte das Schreckenssystem in Frankreich auf. Die „Mémoires authentiques de M. R." (Paris 1830, 2 Bde.) sind großentheils eine Compilation von Charles Reybaud aus dem „Moniteur" jener Zeit; R.'s „Oeuvres choisies" wurden von Laponneraye (Paris 1840, 3 Bde.), seine „Oeuvres" (Paris 1866) von Vermorel herausgegeben. Die beste Schilderung der politischen Thätigkeit R.'s im Zusammenhange mit dem ganzen Gange der französischen Revolution enthalten die Werke über diese Revolution von Mignet, Thiers, Michelet und Louis Blanc, so wie Buchez und Roux „Histoire parlementaire de la révolution française", Paris 1833—38, 40 Bde. Unter den zahlreichen Biographien sind hervorzuheben: Desparts, „La vie et les crimes de R.", Paris 1793, 4 Bde.; Schulze, „R. mit Beziehung auf die neueste Zeit", Leipzig 1837; Tissot, „Histoire de R." Paris 1844, 2 Bde.; Lewes, „Life of R." London 1852; Hamel, „Histoire de R." Paris 1866 f., 2 Bde. Theodor Mundt hat das Leben R.'s als Roman (Berlin 1859), Griepenkerl als Trauerspiel (Bremen 1869) bearbeitet.

Robins, Benjamin, geb. 1707 in Bath, studirte erst Theologie, dann Naturwissenschaften, wurde 1742 bei der Artillerie-Commission in Woolwich angestellt, wohnte 1747 der Vertheidigung von Bergen op Zoom bei, ging 1749 im Dienste der Englisch-Ostindischen Compagnie als Ingenieur-General nach Ostindien und starb 1751 in Madras. Er schrieb: „New principles of gunnery", London 2742 (eine neue Theorie der Artillerie, deutsch von Euler, Berlin 1845). Auch stellte er die ersten Versuche einer wissenschaftlichen Bestimmung der Kraft des Pulvers an und erfand das ballistische Pendel, welc' in Preußen bis in die neueste Zeit benutzt wurde und in Amerika noch jetzt in Gebrauch ist, (vgl. auch Rotation).

Rochambeau, 1) Jean Baptiste Donatien de Vimeur Graf von, geb. 1725 in Vendôme, trat 1742 zur Zeit des Oesterreichischen Erbfolgekriegs in das französische Heer und machte diesen mit, focht 1756 als Oberst auf Minorca und im Siebenjährigen Kriege als Marechal-de-Camp, wurde 1780 als Generallieutenant Führer der französischen Truppen im nordamerikanischen Freiheitskriege, nach Ausbruch der Französischen Revolution Commandeur der Nordarmee, 1791 Marschall, entging dem Henker Robespierre's nur durch einen seltsamen Zufall, lebte darauf in Zurückgezogenheit, wurde aber doch von Napoleon als Marschall bestätigt und starb 1807. Seine „Mémoires" (Paris 1809, 2 Bde.) wurden von de Laneival herausgegeben. 2) Donatien Marie Joseph de Vimeur Vicomte de, Sohn des Vorigen, geb. 1750, begleitete seinen Vater auf seinen Feldzügen in Nordamerika, wurde schon hier Oberst, beim Ausbruch der Französischen Revolution Generallieutenant, 1791 nach Westindien commandirt, vertrieb die Engländer und Royalisten von Domingo, Martinique, Guadeloupe und St. Lucie, focht 1800 in Italien, 1802 wieder in den Colonien, erhielt 1803 den Oberbefehl auf Haiti, fiel aber mit seinen Truppen in englische Gefangenschaft. Nachdem er 1811 ausgewechselt worden war, machte er den Feldzug von 1813 mit und fiel an der Spitze einer Division im Corps Lauriston am 18. October in der Schlacht bei Leipzig.

Roche-Aymon, Antoine Charles Etienne Paul Graf von, geb. 1775, Franzose, wanderte nach Ausbruch der Französischen Revolution aus, diente im Condé'schen Emigrantencorps, trat aber nach dessen kurzem Bestehen in preußische Dienste, in denen er die Feldzüge von 1806 und 1807, 1812, 1813, 1814 mitmachte und sich sowohl durch Tapferkeit, als kriegswissenschaftliche Bildung zum General erhob. Nach Napoleons Sturz kehrte er in französische Dienste zurück und nahm 1823 am Invasionskrieg in Spanien mit Auszeichnung Theil. Er schrieb: „Introduction à l'étude de l'art de guerre", Weimar 1802—1804, 4 Bde. (deutsch ebd. 1803—1805); „De troupes legères", Paris 1817; „Manuel du service de la cavalerie legère en campagne", Paris 1821; „De la cavalerie", Paris 1828, 3 Bde. Auch leistete er viel für die Reorganisation des preußischen Heeres 1807—1811; das Exercier-Reglement, welches um diese Zeit in demselben eingeführt wurde, stammt von ihm.

Rochefort, R.-sur-Mer, stark befestigte Hauptstadt eines Arrondissements im französ. Departement Charente-inférieure, am rechten Ufer der Charente, 2 Meilen von deren Mündung in den Atlantischen Ocean, durch Eisenbahnen mit La Rochelle, Angers (Linie Tours-Nantes) und Poitiers (Linie Tours-Bordeaux verbunden, ist Festung erster Classe, eine der fünf großen Flotten-Stationen Frankreichs (daher Sitz eines Marine- oder See-Präfecten; das Marine Arrondissement R. umfaßt die Häfen von R., Bordeaux und Bayonne), hat zwei Häfen: einen 2200 Meter langen, durch fünf Forts und mehre Bastione gedeckten Kriegshafen, welcher tief genug ist, um Kriegsschiffe selbst während der Ebbe darin flott zu erhalten, und einen großen Handelshafen, ein großartiges Arsenal, das auch zugleich bedeutende Schiffswerfte und Trockendocks enthält, eine Navigationsschule für die Kriegsmarine, eine Hydrographische Schule für die Handelsmarine, eine Unterrichtsanstalt für Schiffsärzte mit Bibliothek, eine Marine-Bibliothek, ein Marine-Museum mit Modell-Sammlung, ein chemisches Laboratorium, eine Geschützgießerei, große Schiffsausrüstungs-Magazine, viele Kasernen, ein Militär-Hospital, ein großartiges Marine-Hospital, einen Bagno, einen Signalthurm, Fabriken von Segeltuch und andern Marine-Utensilien, lebhaften Handel und (1866) 30,151 Einwohner. — R. war bis 1666 nur ein Fort, wurde aber unter Ludwig XIV. auf Colbert's

Rath zu einer regelmäßig befestigten Seestadt umgewandelt. Hierher flüchtete Napoleon I. (s. d. Bd. VI. S. 224 f.) nach seinem zweiten Sturze, um sich nach Nordamerika einzuschiffen, kam am 3. Juli 1815 an, fand aber den Hafen von den Engländern versperrt und ergab sich denselben am 15. Juli auf der Rhede von R. an Bord des „Bellerophon". Am 21. Juli 1847 fand eine Pulverexplosion im Arsenal statt.

Rochelle, s. Larochelle.

Rochlitz, Stadt in königlich sächsischen Regierungsbezirk Leipzig, am linken Ufer der Zwickauer Mulde, über welche eine steinerne Brücke führt, hat ein altes Schloß, eine schöne Kirche und 5194 Einwohner. Hier im Schmalkaldischen Kriege am 3. März 1547 Sieg des Kurfürsten Johann Friedrich von Sachsen über den Markgrafen Albrecht Alcibiades von Brandenburg (Bayreuth), welcher Letztere gefangen wurde. Im Dreißigjährigen Kriege hatte die Stadt, namentlich von den Schweden, viel zu leiden.

Rocour, Dorf eine Stunde nördlich von Lüttich in Belgien an der Straße nach Tongern. Hier 11. Oct. 1746 Sieg der Franzosen unter dem Marschall Moritz von Sachsen über eine verbündete österreichisch-englisch-norddeutsche Armee unter dem Herzog Karl von Lothringen.

Rocroy, befestigte Hauptstadt eines Arrondissements im französ. Departement Ardennes, Kriegsplatz 2. Classe, in einer weiten, von allen Seiten vom Ardenner Walde umgebenen Ebene, unweit der belgischen Grenze und der Maas und im Dreieck der Eisenbahnlinien Mézières-Givet (Rheims-Namur), Mézières-Hirson-Givet, hat 3300 Einwohner. R. wurde von Franz I. mitten im Walde zum Schutze der Grenze der Champagne angelegt und mit fünf Bastionen befestigt, 1643 von den Spaniern unter Melo (spanischem Gouverneur der Niederlande) belagert und durch den am 19. Mai hier erfochtenen Sieg der Franzosen unter dem Prinzen Ludwig von Condé über Letzteren entsetzt, 1815 von den Prinzen August von Preußen nach kurzer Belagerung erobert und im Deutsch-Französischen Kriege von 1870—71 am 5. Januar 1871 von deutschen Truppen (6 Bataillonen Infanterie, 2 Escadrons Husaren, 6 Feldbatterien und 1 Pionier-Compagnie) unter General von Senden durch Handstreich genommen, am 6. Januar von diesen besetzt, hier 300 Gefangene gemacht und 72 Geschütze, 1 Fahne, viele Waffen und bedeutende Vorräthe von Munition und Lebensmitteln erbeutet. Vgl. Lepine, „Histoire de la ville de R.", Nancy 1860.

Rödeln ist bei Kriegsbrücken die Herstellung der Verbindung der Belagbretter mit den Streckbalken. Dieselbe geschieht hier nicht durch Schrauben und Bolzen, sondern mittelst Rödeltaue, welche die auf die Belagbretter, correspondirend den Streckbalken, gelegten Rödelbalken mit letzteren verbinden.

Rodman, nordamerikanischer Artilleriemajor beim Artillerie-Departement, ist durch mehrfache Erfindungen und Constructionen im Gebiet des Artilleriewesens bekannt, von denen nachfolgende die wichtigeren.

1) R.'s Apparat ist eine Vorrichtung zum Messen des Gasdrucks der in dem Rohre einer Feuerwaffe verbrannten Pulverladung. In die Seelenwand ist an der Stelle, an welcher man den Gasdruck ermitteln will, ein Schraubstollen einzuschrauben, in welchem sich ein mit einer nach außen gerichteten Schneide versehener Stahlbolzen in radicaler Richtung saugend bewegen kann. Diesem Bolzen gegenüber ist in dem Apparat eine kupferne oder auch bronzene Platte einzuschrauben, in welche die Schneide des Bolzens beim Schuß durch die Pulvergase gedrückt, gewissermaßen hineingeschossen wird. Aus der Tiefe dieses Eindrucks soll die Gasspannung an verschiedenen Stellen im Rohre gemessen werden. Da man festgestellt hat, wie groß die Gewichte sein müssen, um jene Schneide in solche Kupferplatten bis

2*

zu gewissen Tiefen einzudrücken, so läßt sich der gemessene Gasdruck in Gewichtseinheiten ausdrücken. Weil aber die Kürze der Zeit, in welcher das Eintreiben des Meißels in die Platte erfolgt, von großem Einfluß auf die Tiefe des Eindrucks ist, man überhaupt einen Stoß nicht wohl durch einen Druck messen kann, so liegt es in der Natur der Sache, daß diese Gewichtszahlen keinen absoluten Werth haben, man überhaupt sehr vorsichtig bei Verwerthung der gefundenen Resultate und den daraus zu ziehenden Schlüssen sein muß. Man hat aus diesen R.'schen Versuchen nachgewiesen, daß die Gasspannungen im Moment der Entzündung der Pulverladung am stärksten sind, dann rasch etwa auf die Hälfte und erst im vorderen Theile des Rohres stetig abnehmen. Auch in der neuerdings so wichtigen Frage der Offensivität verschiedener Pulversorten sucht man durch den R.'schen Apparat Aufklärung zu gewinnen.

2. R.s Geschütze, zeichnen sich weniger durch äußerliche Constructionsverhältnisse, als durch ihre Fabricationsmethode aus, welche eine vermehrte Haltbarkeit des dazu verwendeten Materials, des Gußeisens, zur Folge hat. Durch das Springen eines eisernen Geschützes kam R. 1845/46 auf die Idee, daß die Abkühlung des Eisens in der Form von außen nach innen, wie sie beim Guß im Vollen geschieht, nachtheilig auf den Zusammenhalt der einzelnen Metallschichten werden muß, während bei der gleichzeitigen Abkühlung von innen, wie sie beim Kernguß erfolgt, die äußeren Schichten an die Inneren, wie der erkaltende Reif auf das Rad, zusammenziehend wirken müssen. Er wählte deshalb den Guß über einen hohlen Kern, durch welchen ein Strom kalten Wassers geleitet wird, während man die Außenseite des Gußstückes rothglühend erhält, bis die Abkühlung von innen nach außen vorgedrungen ist. Nach amerikanischen Berichten haben die so erzeugten Röhre an Haltbarkeit Außerordentliches geleistet. Gleichzeitig gewinnt die innere Seelenfläche an Härte und Widerstandsfähigkeit gegenüber den Einwirkungen des Pulvers und der Geschosse. Man hat in Nord-Amerika 3zöllige gezogene, sowie 8-, 10-, 12-, 15-, 20zöllige glatte und gezogene R.-Geschütze, sämmtlich von Gußeisen und Vorderlader.

3) R.s Prismatisches Pulver, — vgl. Prismatisches Pulver — gab den Anstoß zu dem jetzt in Rußland und Preußen vorkommenden Pulver dieser Gattung. — In Bezug auf 2) und 3) s. „Die gezogenen Geschütze der Amerikaner ꝛc.", von Jacobi, Berlin 1866.

Rodney, George Brydges, geb. 1718 in London, trat früh in die englische Marine, wurde bereits 1742 Capitän, 1759 Contre-Admiral, bombardirte 1759 Havre de Grâce, eroberte 1762 Martinique, schlug 1780 die spanische Flotte unter Langara und entsetzte dadurch Gibraltar, eroberte 1781 St. Eustache, Martin und Saba, machte eine Beute von 200 Schiffen und schlug am 12. April 1782 in einer großen Schlacht die französische Flotte unter dem Grafen Grasse auf der Höhe von St. Domingo, wobei fünf französische Linienschiffe, darunter das Admiralschiff „Ville de Paris" mit dem Grafen selbst gefangen genommen worden. Er starb 1792. Vgl. Mundy, „Life and correspondence of Admiral R." London 1830, 2 Bde.

Roer, rechter Nebenfluß der Maas im Regierungsbezirk Aachen der preußischen Rheinprovinz, mündet bei Roermonde in der niederländischen Provinz, ohne schiffbar geworden zu sein. An der R. fanden bei Jülich und Düren am 2. Oct. 1794 zwischen den Franzosen unter Jourdan und den Oesterreichern unter Clairfait Uebergangsgefechte statt, die bisweilen auch als Schlacht bei Aldenhoven bezeichnet werden. Während des ersten französischen Kaiserreichs wurde nach der R. ein zwischen Rhein und Maas gebildetes Departement das Roer-Departement genannt, dessen Hauptstadt Aachen war.

Roermonde (franz. Ruremonde), Stadt in der niederländischen Provinz

Limburg, am Einfluß der Roer in die Maas und an der Eisenbahn von Maftricht nach Venlo, war früher Festung und zählt 8000 Einwohner. R. wurde 1572 von den Prinzen Wilhelm I. von Oranien, 1637 von den Spaniern, 1758 (damals von den Franzosen besetzt) von dem Erbprinzen Karl Wilhelm Ferdinand von Braunschweig, 1792 von den Franzosen und am 6. März 1793 von dem nachmaligen Herzog Friedrich Wilhelm von Braunschweig, nach dem siegreichen Gefecht gegen die Franzosen (4. März) bei dem ³/₄ Meilen nördlich von R. gelegenen Dorfe Schwalm, genommen.

Roeskilde (d. i. Roe's Quelle, deutsch Roschild), Stadt auf der dänischen Insel Seeland, am Roeskildefjord, dem östlichen Arme des Jessefjord, und an der Eisenbahn von Korsör nach Kopenhagen, hat einen prächtigen Dom (die schönste Kirche Dänemark's mit den Gräbern von 30 dänischen Königen und Königinnen), einen Hafen und 4700 Einwohner. R. war im Mittelalter die größte und wichtigste Stadt von ganz Dänemark und zählte nahe an 100,000 Einwohner, wurde im 12. Jahrhundert befestigt, war bis 1443 Residenz der Könige und vom 11. bis in das 16. Jahrhundert Sitz des Erzbischofs. Im J. 1534 wurde R. von dem Grafen Christoph von Oldenburg erobert und verheert. Hier 1569 Friede zwischen Dänemark und Schweden, welcher aber vom König Johann von Schweden nicht ratificirt wurde. Am 26. Februar (8. März) 1658 Friede zwischen Dänemark und Schweden (auf Grund des Tostruper Vertrags vom 18. [28.] Februar), in welchem Schonen, Halland Blekingen, Bohus, Dronthelm, Bornholm und Jemtland an Schweden abgetreten wurden. In neuerer Zeit ist R. als Sitz der Provinzial-Ständeversammlung der dänischen Inseln namhaft geworden.

Roger, 1) R. I., Sohn Tancreds von Hauteville, Normanne, führte nebst seinem Bruder Robert zahlreiche normannische Schaaren nach Unteritalien, schlug die Sarazenen 1061 bei Enna, eroberte Sicilien und Malta, unterstützte die Eroberungen seiner Brüder und Verwandten auf dem italienischen Festlande, erregte durch tapfere Thaten Bewunderung, nicht weniger aber durch seine staatlichen Einrichtungen auf Sicilien, das er als Souverain beherrschte, und starb 1101 zu Mileto. 2) R. II. Sohn des Vorigen, erst Graf, dann König von Sicilien, eroberte 1127 Apulien und Calabrien. In einem Kriege gegen den deutschen Kaiser Lothar, den byzantinischen Kaiser Emanuel und den Pabst Innocenz II. behauptete er 1140 siegreich seinen Königstitel und Apulien, Calabrien und Capua, überzog 1146 den Kaiser Emanuel mit Krieg, nahm Korfu und verheerte Dalmatien und Griechenland, schlug 1147 die Zoriden in Afrika und machte hier große Eroberungen. Er starb 1154 zu Palermo. 3) R. de Flor (Ruglerl del Fiore), Tempelherr und berühmter Feldherr, geb. 1262 zu Tarragona in Spanien, nahm 1291 an der Vertheidigung von St. Jean d'Acre gegen die Aegypter Theil, rettete bei der Uebergabe dieses Platzes den Ordenschatz, errichtete dann eine Caper-Flotille gegen die Sarazenen, wurde von Friedrich von Aragon (König von Sicilien) zum Vice-Admiral ernannt, trat 1303 in die Dienste des byzantinischen Kaisers Andronikus II., welcher ihn zum Großherzog, dann zum Cäsar erhob, bekämpfte mit seinen Genossen, den Amulgavaren (zusammengelaufenen Serabenteuren aus den Küstenländern des Mittelländischen Meeres, ursprünglich Grenzwache in Spanien gegen die Mauren), die Genuesen, ging 1304 nach Asien, entsetzte das von den Türken belagerte Rhyzikos machte dort, unterstützt von den ihm nachgesandten Catalonlern (s. d.), 1305 und 1306 große Eroberungen, kehrte aber in Folge eines Aufruhrs der Amulgavaren nach Constantinopel zurück, wo er 1307 auf Anstiften Michael's, eines Sohnes des Andronikus, ermordet wurde.

Roguiat, Joseph Vicomte de, französischer Geniegeneral, geb. 1787 zu St. Priest im Departement Isère, trat 1794 in die Schule des Geniecorps zu Metz, kurz nach Ausbruch der Revolution in die Armee, zeichnete sich 1800 unter Moreau und 1807 bei der Belagerung von Danzig aus, machte auch die Feldzüge von 1809 und 1813 in Deutschland mit, zog sich nach der Schlacht bei Leipzig aus dem Dienste zurück, nahm aber 1815 wieder Theil an Napoleons Unternehmungen. Unter Ludwig XVIII. wurde er Inspector des Geniewesens und Vicomte, unter Ludwig Philipp 1832 Pair u. starb 1840. Er schrieb: „Relation des siéges de Saragosse et de Tortose", Paris 1814; „Considérations sur l'art de guerre", Paris 1816, 2. Aufl. 1817 (deutsch „Betrachtungen über die Kriegskunst" Stuttgart 1823; von Decker, Berlin 1822), welches Werk wegen der darin enthaltenen Beurtheilung der Operationen Napoleon's I von diesem selbst in seinem „Manuscrit venu de St. Hélène" einer Kritik unterworfen und vom Obersten Marbot in seinen „Remarques critiques etc." (Paris 1820) vom Standpunkte des practischen Soldaten aus namentlich in denjenigen Punkten widerlegt wurde, welche sich auf die Bewaffnung, Ausrüstung und Elementar-Taktik der Truppen beziehen; ferner: „Des gouvernements", Paris 1819; „Réponse aux notes critiques de Napoléon", Paris 1823; „Mémoire sur l'emploi, des petites armes dans la défense des places" (redigirt von Billeneuf) Paris 1827, deutsch Berlin 1832.

Rognitz (Alt-R.), Dorf im nordöstlichen Böhmen, südöstlich von Trautenau; hier am 28. Juni 1866 Gefecht, s. Soor.

Rohan, Henri Herzog von, geb. 1579, auf dem Schlosse Blein in der Bretagne, Protestant, Freund und Vertrauter Heinrich's IV., stand an der Spitze der Hugenotten und leitete deren Hauptkämpfe, vertheidigte sich, nachdem Larochelle (s. d.) schon verloren war, mit einer geringen Schaar gegen sechs Armeen und erzwang den Frieden von 1629, in welchem den Hugenotten Glaubensfreiheit zugesichert wurde. Im Jahre 1631 trat er als Obergeneral in venetianische Dienste, übernahm aber, da der Friede von Cherasco seine Thätigkeit hinderte, in demselben Jahre wieder ein französisches Commando, führte 1635—1637 einen siegreichen Krieg gegen die Spanier und Oesterreicher im Veltlin, legte jedoch diesen Oberbefehl nieder, da ihm Richelieu's Intriguen überall Schwierigkeiten bereiteten, vereinigte sich 1638 mit Bernhard von Weimar, focht am 28. Februar mit bei Rheinfelden und starb 13. April 1638 an seinen dort erhaltenen Wunden. Er wurde in der Kirche St. Pierre zu Genf begraben und ihm dort ein Denkmal gesetzt. Er schrieb: „Mémoires sur les choses advenues en France depuis la mort de Henri IV. jusqu'à la paix de 1629", Paris 1630, 8. Aufl. Amsterdam 1756, 2 Bde.; „Le parfait capitaine", Paris 1636 u. öfter; „Traité du gouvernement des treize cantons", Paris 1644; „Les intérêts des princes", Köln 1666; „Discours politiques" Paris 1693; „Mémoires et lettres sur la guerre de la Valteline", Genf (Paris) 1758, 3 Bde. Vgl. Fauvelet du Toc, „Histoire du duc Henri de R." Paris 1667.

Roheisen oder Gußeisen ist diejenige Eisengattung, welche direct aus dem Erz unter Zufügung von Kohle und Zuschlägen im sogenannten Hochofen gewonnen wird. Es enthält 3 bis 5% Kohlenstoff, hat seinen Schmelzpunkt bei 11 bis 1200 Grad Celsius, ein specifisches Gewicht von 7,2 und eine absolute Festigkeit von 5000 bis 6500 Kilogr. auf dem Quadrat-Centimeter (nach Eisenlohr). Im kalten Zustande ist es hart und spröde. Man unterscheidet das mit letzteren Eigenschaften vorherrschend behaftete weiße, das weichere, mehr dünnflüssige graue und das zwischen beiden stehende halbirte R. — Geschätzt sind besonders das schwedische, belgische und das Siegener R. In der Militärtechnik wird das R. zur Herstellung von Geschützröhren, Geschützgeschossen, Laffettenwänden, Blockrädern ꝛc. benutzt. Zum Zweck des Geschützgusses sind seine Schmelzbarkeit, sowie seine Härte und Elasticität von Vortheil;

indeß legt die geringe Zähigkeit die Gefahr des Zerspringens nahe, sobaß von dem überdies so billigen Material verhältnißmäßig wenig Gebrauch gemacht wird. In Preußen hat man neuerdings in Rücksicht auf die großen Vorräthe des vorzüglichen Sayner Geschützeisens das kurze 15cm. Kanon in Eisen construirt. Besonders zugethan ist man dem R. in den scandinavischen Staaten und in Nordamerika; in Frankreich wählt man es als Material für die schwereren Küsten- und Marinegeschütze. Vergl. weiter die Artikel Ringgeschütz und Rodman.

Rohr, 1) eines Geschützes s. d. Bd. IV. S. 191 ff. 2) der Handfeuerwaffen s. d. Bd. IV, S. 323 ff.

Rohr, Flecken an der Laber im bairischen Regierungsbezirk Niederbaiern, 1⅔ Meilen südöstlich von Abensberg. Hier 19. April 1809 Gefecht der Oesterreicher unter Erzherzog Karl gegen die Franzosen unter Davoust, welcher von Regensburg an die Abens marschirte, um sich mit dem Gros der Armee unter Napoleon zu vereinigen, woran ihn der Erzherzog vergeblich zu verhindern suchte.

Rohr, Ferdinand von, preußischer Generallieutenant und Kriegsminister, geb. 1783 in Brandenburg, trat 1796 in die preußische Armee, wurde 1798 Lieutenant, nahm 1806 an der Schlacht von Auerstädt und 1807 an der Vertheidigung von Danzig Theil, wurde 1811 Stabscapitain und Adjutant des Generals v. York, dann des Prinzen Karl von Mecklenburg, wohnte 1812, in den Generalstab versetzt, dem Russischen Feldzuge bei, befestigte 1813 Halle durch Feldwerke, avancirte dann zum Major und wurde 1814, durch Wunden verhindert zur Feld-Armee zu gehen, im Kriegsministerium angestellt, wo er bis 1818 der Bekleidungs-Abtheilung vorstand. Nachdem er 1818 zum Oberstlieutenant und 1821 zum Oberst avancirt war, erhielt er 1823 das Commando des 6. Infanterie-Regiments, in welcher Stellung er eine neue Art Rekruten-Ausbildung einführte (s. Rohr'sche Ausbildungs-Methode), wurde 1829 Commandeur der 8. und 1830 Commandeur der 9. Landwehr-Brigade, 1837 Director des Militär-Oeconomie-Departements, 1839 Commandeur der 11. Division in Breslau und am 7. Oct. 1847 Kriegsminister. Nach den März-Ereignissen nahm er am 2. April 1848 seinen Abschied und starb am 15. März 1851 zu Glogau.

Rohrgeschütz bildet den Gegensatz zum Mörser, umfaßt also die Kanonen, Haubitzen, Bomben- und Granatkanonen. Die Bezeichnungsweise ist indeß wenig treffend.

Rohr'sche Ausbildungs-Methode, eine 1824 von dem damaligen Oberst und Commandeur des preuß. 6. Infanterieregiments v. Rohr (s. d.) aufgestellte und bei seinem Regimente zuerst in Anwendung gebrachte System der Ausbildung von Rekruten der Infanterie, dessen versuchsweise Einführung auch von dem Kriegsminister v. Boyen 1841 befohlen wurde. Nach den Napoleonischen Kriegen war das mechanische „Drillen" wieder zur vollen Blüthe gelangt, welches den Rekruten als Maschine behandelte und ihn in der ganzen langen Ausbildungszeit auch nur zu einem möglichst genau arbeitenden Gliede der Maschine des geschlossen exercirenden Bataillons auszubilden strebte. R. wies darauf hin, daß die veränderte Kriegführung, besonders die Verwendung nicht nur einzelner bestimmter Abtheilungen, sondern der gesammten Infanterie zu dem hohe geistige und körperliche Anforderungen an den einzelnen Mann stellenden Tirailliren und zum Einzelngefecht eine ganz andere, zeitgemäße Ausbildung des gemeinen Mannes sowohl als des Unteroffiziers und Offiziers bedinge, und eine außerordentliche geistige und körperliche Regsamkeit von den niedrigsten Gliedern, und gesteigert von den höhern Graden, verlange, besonders auch eine Erweckung und Entwickelung der geistigen Fähigkeiten bei Ausbildung der Rekruten nöthig mache. Durch vernunftgemäße Gymnastik und durch das Bayonnettiren soll der Körper nicht nur gestärkt und gewandt gemacht, sondern auch dem Manne Muth und Zuversicht zum Einzelkampf beigebracht werden; dadurch, daß man den Rekruten veranlaßt, vom ersten Tage an Alles mit dem Verstande aufzufassen und durch stete Verbindung von practischer Uebung und theoretischer Belehrung soll der einzelne Mann selbstständiger gemacht, durch eine humane Behandlung mit Berücksichtigung des Individuums, durch Erweckung des Ehrgefühls und des Patriotismus soll auf seinen Geist gewirkt werden. Die R.'sche Methode verlangt nur 6 Wochen für die feld- und parademäßige Ausbildung der Rekruten, dabei Vormittags 2½, Nachmittags 2 Stunden Uebungen, Abends 2 Stunden Instruction. Bei der Ausbildung soll mit Einzelinstruction begonnen, dann in möglichst kleinen Abtheilungen geübt werden; dabei sind viel Erklärungen über Zweck und Nothwendigkeit der Uebungen zu geben, und der die Ausbildung leitende Offizier sowie der Compagnie-Chef müssen den Leuten Fragen stellen (practisch-theoretischer Unterricht). Rasche Abwechselung soll vor Ermüdung einzelner Körpertheile und vor geistiger Abspannung schützen, sowie Ruhepausen unnöthig machen. Vom ersten Tage an marschiren die Rekruten mit dem Gewehr nach dem Uebungsplatze, tirailliren dabei auch schon etwas, die Begriffe des Felddienstes und Plänkelexerzirens werden ihnen so gleichsam spielend beigebracht, ihr Eifer geweckt. Durch die freien Bewegungen des Körpers und die Vorübungen zum Bayonnettiren soll der Rekrut zunächst leichter und beweglicher gemacht werden. Mit Stellung, Wendungen, Marschiren, Richtung u. s. w. wird dann so rasch fortgeschritten, daß in drei, höchstens vier Wochen das ganze Exercirreglement durchgenommen und damit dem Rekruten ein Ueberblick und Bild des zu Erlernenden gegeben ist, das in den folgenden Zeit durch öftere strenge Wiederholungen nun zu sicherer Fertigkeit und Vollkommenheit gebracht werden soll. In der zweistündigen theoretischen Instruction des Abends soll in stetem Anschlusse an die Uebungen des Tages ganz vorzüglich auf Geist und Denkvermögen des Rekruten eingewirkt, alles Auswendiglernen aber vermieden werden. Näheres, sowie ein detaillirtes Exercier-Journal als Beispiel s. in Zimmermann, „Ueber die von Rohr'sche Ausbildungs-Methode der Rekruten der Infanterie und den Geist dieses Systems." Winke für alle Waffen der deutschen Bundesstaaten." 2. Auflage. Danzig 1853. Ferner: ein Aufsatz in „Zeitschr. f. Kriegs-Wissenschaft und Geschichte des Kriegs," Jahrg. 1842 und zwei Aufsätze in der „Allgem. Milit.-Ztg.", Jahrg. 1843.

Rohrschlagröhre, s. Schlagröhre.

Rojen (seemännisch), mittelst „Riemen" (s. d.) ein Boot in Bewegung setzen; auch „rudern" genannt, namentlich in der Schriftsprache und von Nichtseeleuten.

Roleinitz. Dorf in Mähren, südlich von Olmütz; hier 15. Juli 1866 Gefecht von Truppen der preußischen Reserve-Cavalerie-Division Hartmann (1. Kürassier-Regiment) und der II. (kronprinzlichen) Armee (3. Brigade Malotki) gegen die sich von Olmütz zurückziehenden Oesterreicher; s. u. Tobitschau.

Roland, Hruoblandus, Paladin Karls des Großen, führte auf dem Rückzuge aus Spanien die Nachhut; diese aber wurde bei Roncesvalles (Roncevaux) in den Pyrenäen von den Basconern überfallen und er getödtet. R. wurde nun ein Sagenheld (Rolandslied), der eine vielfache Gestaltung erhielt, und dessen Name die Bedeutung eines großen und gewaltigen Beschützers annahm; ob aber die in vielen Städten Norddeutschlands aufgestellten Rolands- oder Rutlands-Säulen in einer Beziehung zu diesem R. stehen, ist nicht nachgewiesen.

Rolande, Beaune la, 28. November 1870 Niederlage der französischen Loire-Armee durch Theile der deutschen 2. Armee, s. Beaune (Suppl.)

Rolf Krake, der während des Schleswig-Holsteinischen Kriegs von 1864 oft genannte Name eines dänischen Panzerschiffes, das den Kern der dänischen Marine bildete und in mehre Gefechte einzugreifen versuchte, gleichwohl weniger leistete, als man erwartet hatte. Der R. K. ist von den englischen Schiffsbauern Napier gebaut und verließ den Hafen von Glasgow im Juli 1863. Er ist 183½ F. lang und hat 83 F. größte Breite. Im Wasser geht er 10 F. tief; seine Tragfähigkeit beträgt 1200 Tonnen; seine Maschinen haben 235 Pferdekraft. Seine höchste Schnelligkeit steigt auf 10,₁ Knoten in der Stunde. Sein Panzer besteht aus Eisenplatten von 4½ Zoll Dicke, seine Bewaffnung waren 4 glatte 60Pfünder, die aus zwei cylindrischen Drehthürmen feuerten. Vergl. „Bericht über die Wirksamkeit R. K.s 1864", aus dem Dänischen, Berlin 1865.

Rollbomben sind Bomben geringeren Kalibers, welche man mittelst hölzerner Rinnen — Rollbahnen, über die Brustwehren hinweg in die Gräben rollen läßt, um beim gewaltsamen Angriff die todten Winkel unter Feuer zu halten. Sie haben langsam brennende Zünder, und wählt man gewöhnlich solche Geschosse dazu aus, welche gewisser Mängel halber zum Schießen sich nicht eignen.

Rollbrücken (Schiebbrücken) nennt man diejenigen Brücken, deren beweglicher Theil (Klappe) nicht aufgezogen, sondern über metallene Rollen auf den fest stehenden Theil zurückgeschoben wird.

Rollen, 1) mit Kugeln, Granaten, s. v. w. Rollschüsse (s. d.) mit denselben thun; 2) die See rollt, wenn sie hohl geht oder die Wellen eine rollende Bewegung haben. Die See rollt besonders gegen flache Küsten auf.

Rollgewehr nennt man, im Gegensatz zu dem gezogenen Gewehr, ein Gewehr mit glattem Laufe, in welchem die Kugel bei größerem Spielraum leicht hinabrollt.

Rollkorb, oder Wälzkorb, ein namentlich früher gebräuchliches Deckungsmittel gegen Gewehrfeuer bei Ausführung der völligen Sappe (s. d., sowie Batteriebaumaterialien).

Rollkugel, die nicht forcirte Kugel für das Rollgewehr.

Rollpferde (Raperte), die den Kasematten-Laffeten ähnlichen Schiffslaffeten, s. u. Laffeten 4), Bd. V. S. 272.

Rollschuß, Rollwurf, ersterer aus glatten Kanonen, letzterer aus Haubitzen, ist eine Schußart, bei welcher es sich darum handelt, das Geschoß, bevor es in den Bereich des Ziels tritt, mehrere Aufschläge machen zu lassen. Eine Aussicht auf Treffen hat man nur, wenn die Sprünge rasant sind, was bei Anwendung größeren Ladungsverhältnisses erst auf den weiteren Entfernungen eintritt, weshalb bei den glatten Kanonen der Rollschuß erst mit 1200—1400 Schritt wirksam wird, dann aber bis 1800—2000 anwendbar ist; bei Haubitzen, welche ein geringeres und veränderliches Ladungsverhältniß haben, kann der Rollwurf schon von 600 Schritt ab wirksam werden. Diese Schußart setzt ein ebenes festes Terrain und einRundgeschoß voraus. Langgeschosse bewegen sich nach dem ersten Aufschlag zu unregelmäßig für den R., und mit Perkussions-Zündern platzen sie, so daß im letztern Falle gar kein R. denkbar ist. Während früherhin der Rollschuß resp. Rollwurf im Feldkriege, namentlich auf den größeren Entfernungen, eine gewisse, wenn auch durch das selten ganz günstige Terrain der Schlachtfelder nur eine beschränkte Rolle spielte, ist er, mit dem Ausscheiden der glatten Geschütze aus der Feldartillerie, als nur noch historisch interessant zu erachten.

Rom, die jetzige Hauptstadt des Königreichs Italien, bis 1870 die Hauptstadt des Kirchenstaates, zu beiden Seiten des hier von Nord nach Süd fließenden Tiber, welcher R. in zwei Theile (einen größern östlichen und einen kleinern westlichen) theilt, in einer öden, hügeligen Gegend, 3½ Meilen von Mittelmeere entfernt, auf ungefähr zwanzig (im Alterthum auf sieben, oder eigentlich auf zehn) Hügeln, von denen der Montorio (Janiculus) 276 Fß., der Pincio

187 Fß. und der Esquilino die bedeutendsten sind. R. ist zwar in neuster Zeit zur Hauptstadt des Königreichs Italien erklärt worden (s. weiter unten), doch befinden sich seit dem 1. Juli 1871 erst die Centralbehörden (Ministerien) daselbst; Residenz des Königs ist es dagegen jetzt (Jan. 1872) noch nicht; auch ist es zugleich Sitz des Papstes, dessen Souveränetät jedoch auf den Batican (päpstliche Residenz) beschränkt ist. Die ganze Stadt, welche einen Umfang von fast 3 Meilen hat, wovon aber nur ungefähr der dritte Theil mit Gebäuden bedeckt ist, zerfällt in vierzehn sehr ungleiche Bezirke (Quartiere oder Regionen), von denen zwölf auf dem östlichen (linken), zwei (Trastevere und Borgo mit dem Vatican, der Engelsburg und der Peterskirche) auf dem westlichen (rechten) Ufer des Tiber liegen. Was die Befestigungen R.'s anbelangt, so sind diese durch die Franzosen, welche R. von 1849—1870 besetzt hielten, ansehnlich vermehrt und verstärkt worden; als Citadelle dient die Engelsburg (s. d.); die Mauern stammen noch aus dem Alterthum; eine viereckiger Vorsprung im östlichen Theile derselben ist das alte Lager der Prätorianer. Auf dem westlichen Tiber-Ufer umschließt ein Wall mit unregelmäßigen Bastionen den Bezirk Trastevere; der 14. Bezirk (Borgo) ist durch einen besondern bastionirten Wall getrennt. Trotz der Erfahrungen, die Paris im J. 1871 gemacht hat, beabsichtigt man, die neue Hauptstadt des Königreichs Italien zu einem Waffenplatze ersten Ranges umzuschaffen. Unter den zahlreichen Thoren, welche durch die Mauern führen, sind zu nennen: die Porta-del-Popolo am gleichnamigen Platze, im Norden; die Porta-Pia, Porta-San-Lorenzo und Porta-maggiore im Osten; die Porta-San-Giovanni, Porta-Sebastiano und Porta-San-Paolo im Süden; die Porta-di-Castello, Porta-San-Pancrazio und die Porta-Cavallegieri im Westen. Von den acht Brücken, welche R. im Alterthum hatte, besitzt die jetzige Stadt nur noch drei über den ganzen Tiber führende: den Ponte-Sant-Angelo (Pons Aelius), den Ponte-Sisto (Pons Janiculensis) und den Ponte-rotto (Pons Senatorius); der Ponte-di-quatro-capi (Pons Fabricius) führt vom linken Ufer nach der kleinen Tiberinsel, von da der Ponte-di-San-Bartolomeo (Pons Cestius) nach dem rechten Ufer; in neuerer Zeit ist noch eine Kettenbrücke zwischen San Giovanni de Fiorentini und dem Palaste Salviati hinzugekommen; außerhalb der Stadt, im Norden, führt der Ponte-molle (Pons Milvius) über den Tiber. Die Stadt ist, einige wenige Plätze und Straßen ausgenommen, unregelmäßig gebaut und finster und hat ein nicht sehr alterthümliches Ansehen; die Paläste sind zwar größtentheils im edelsten Style gebaut, aber versteckt und oft neben elenden Hütten. Unter den Plätzen sind die schönsten: die Piazza-del-Popolo, die Piazza-di-San-Pietro vor der Peterskirche mit einem Obelisk und zwei prachtvollen Springbrunnen, die Piazza-Navona, die Piazza-Colonna, die Piazza-di-Spagna (Spanischer Platz), die Piazza-della-Rotunda vor dem Pantheon, die Piazza-di-Termini, die Piazza-di-Monte-Cavallo vor dem Quirinal und die Piazza-di-Campidoglio (Capitolinischer Platz). Die Hauptstraßen der Stadt sind: der Corso, die Via (oder Strada)-di-Ripetta und die Via (Strada) del-Babuino, welche von der Piazza-del-Popolo aus schnurgrade, aber divergirend, durch die halbe Stadt laufen; außerdem sind noch hervorzuheben: die Via-delle-quattro-Fontane und die Strada-Giulia. Die drei Wasserleitungen sind: die antike Aqua-Vergine, die Aqua-Felice und die Aqua-Paola. An Kirchen besitzt R. 328, nach Andern sogar 364, darunter 7 Haupt-, 75 Pfarr- und 186 Klosterkirchen. Die berühmtesten sind: die Peterskirche (San Pietro in Vaticano), die schönste und größte Kirche der Christenheit; die Laterankirche (San Giovanni in Laterano), die erste der sieben Hauptkirchen der Stadt und eigentliche Bischofs- und Pfarrkirche des Papstes (Omnium urbis et orbis ecclesiarum mater et caput, wie die Inschrift lautet); die Paulskirche (San Paolo fuori le Mura) angeblich von Constantin d. Gr. über der Stelle erbaut, wo der Apostel Paulus zuerst begraben worden sein soll, nächst der Peterskirche

die größte und eine der schönsten Kirchen R.'s; die Santa-Maria-del-Popolo am gleichnamigen Platze (in deren Kloster Luther während seines Aufenthaltes in R. wohnte), San-Onofrio mit dem Grab und Denkmal Tarquato Tasso's. Einen der eigenthümlichsten Bestandtheile des christlichen R.'s bildet die Gräberstadt, die berühmten Katakomben oder unterirdischen Cömeterien, welche sich in einem Umkreise von 2—3 italienischen Meilen nach allen Richtungen, besonders unter der die Stadt nach Norden und Süden umschließenden Hochebene hinziehen, und in welche man namentlich von der Kirche San-Sebastiano aus gelangt. Unter den zahlreichen Palästen nimmt der Vatican, sowohl als päpstliche Residenz, wie wegen seiner Großartigkeit und wegen seiner reichen Kunstschätze die erste Stelle ein. In demselben befinden sich die Sixtinische Kapelle, die Loggien und die Stanzen (Zimmer) des Rafael, eine prächtige Gemälde-Sammlung, die Bibliotheca Vaticana, das Museo-Pio-Clementino und mehre andere Kunstsammlungen. Im Gebiete des Vatican (Borgo) liegen noch das Inquisitions-Gebäude (Palazzo del Sant'-Officio) und vor der Brücke die Engelsburg. Königliche Paläste sind der Quirinal (seit 1. Juli 1871 Residenz des Königs) und der Lateran. Auf dem Capitol (Campidoglio) befinden sich der Palazzo Senatorio, der Palazzo de' Magistrati und das Capitolinische Museum. Großartige Privat-Paläste sind die Paläste Colonna, Doria Pamfili, Rospigliosi und Barberini, welche sämmtlich treffliche Gemäldesammlungen enthalten. Die berühmtesten Ruinen von Gebäuden aus dem Alterthum sind: das Pantheon, das Colosseum (Colliseo) und der Triumphbogen des Titus; Säulen aus dem Alterthum: die des Antonins (dem Kaiser Marcus Aurelius Antonius errichtet), des Trajan (das Vorbild der am 16. Mai 1871 demolirten Vendôme-Säule in Paris); Obelisken: vor der Laterankirche, hinter der Kirche Santa-Maria-Maggiore, auf dem Monte-Pincio und an mehren anderen Stellen; Bildsäulen: die von Phidias und Praxiteles gefertigten Kolosse vor dem Quirinal, die Reiterstatue des Marcus Aurelius vor dem Capitol (sonst vor dem Lateran). Unter den Unterrichtsanstalten stehen obenan: die Universität (Archiginnasio della Sapienza, 1224 von Innocenz IV. gestiftet), die Accademia ecclesiastica, das Collegio Romano, die Schule der Jesuiten und das Collegio di propaganda fide (zur Ausbildung von Missionären); ferner das Collegio Germanico (wo mehre hundert junge Deutsche, Oesterreicher und Ungarn gebildet werden), sowie das englische, schottische, irische, amerikanische, griechische und andere National-Collegien. Unter den Kunstakademien sind die bedeutendsten die Accademia di Francia (französische Malerakademie in der Villa Medici), die Malerakademie im Capitol und die Akademie von St. Lucas für Malerei, Bildhauerei und Baukunst; unter den gelehrten Gesellschaften sind hervorzuheben: die Accademia degli Arcadi (Dichter-Akademie, in welche Göthe aufgenommen wurde), die (naturhistorische) Accademia de' Lincei, die Accademia d'Archeologia, das Archäologische Institut (auf dem Capitol, von deutschen Gelehrten in Rom 1829 gestiftet, unter dem Schutze des Deutschen Kaisers stehend) und die Accademia Filarmonica (für Musik). Von Wohlthätigkeitsanstalten sind unter den 19 Hospitälern das Ospizio di Santa-Spirito in Sassia (für 3000 Kranke, mit Irren- und Findelhaus) und das Ospizio di San-Giovanni in Laterano hervorzuheben; außerdem ein großes Waisenhaus (degli Medicante) und 25 Findel- und Armenhäuser. Ein Militär-Hospital befindet sich beim Vatican. Von Theatern besitzt R. nur zwei größere: das Teatro Apollo oder Tordinone (für Oper) und das Teatro di Argentina (für Opern und Spectacelstücke); außerdem noch das Teatro delle Balle (für Operetten und Schauspiele), das T. della Pace und das T. Metastasio; die übrigen sind ohne künstlerischen Werth, meist für Gaukeleien, den Polichinell und Marionetten bestimmt; das berühmteste Marionetten-Theater (de' Buratini) befindet sich im Palazzo Capranica (früher im Palazzo Fiano). Unter den Kaffeehäusern ist das bekannte Café del Greco in der Via Condotti der besuchteste Sammelplatz der Deutschen. Für das öffentliche Leben sind die Kirchenfeste von besonderer Wichtigkeit, namentlich Ostern mit der großartigen Feier der Heiligen Woche in der Sixtinischen Kapelle und der Procession des Papstes in der Peterskirche am Ostersonntage, an dessen Abend von der Kuppel der Peterskirche prachtvoll beleuchtet und auf dem Pincio (früher auf der Engelsburg) ein großes Feuerwerk abgebrannt wird; die gleiche Kuppelbeleuchtung und Feuerwerk finden auch am Peter-Paulsfeste (30. Juni) statt. Das berühmteste Volksfest ist der Carneval, welcher namentlich von Göthe („Der Römische Carneval" im 24. Bande seiner Sämmtlichen Werke) geschildert worden ist. Was die Industrie anbelangt, so werden namentlich Seiden-, Wollen- und Lederwaaren, nächstdem Darmsaiten, Gold- und Silberarbeiten, Mosaiken, Schwefelabdrücke 2c. fabricirt. Der Handel ist ohne wesentliche Bedeutung. Der Hafenplatz, Ripa grande, am südlichen Ende von Trastevere, ist nur für kleine Seefahrzeuge geeignet; die Ripetta dient zum Anlegen von Schiffen, die aus den oberen Tibergegenden kommen. Eisenbahnverbindungen hat R. mit Civita-Vecchia, über Narni mit Florenz und Ancona und über Fronsinone mit Neapel. Die Bevölkerung R.'s belief sich 1869 auf 220,532 Seelen, worunter 7366 geistliche Personen (2228 Weltgeistliche [29 Cardinäle, 28 Bischöfe, 1372 Priester, 799 Zöglinge der Seminarien und geistlichen Collegien], 2947 Mönche, 2191 Nonnen) 10,738 Mann Militär, 637 Heterodoxe und 4682 Juden, denen bis in die neueste Zeit ein sehr enges Quartier (der Ghetto) im 10. Bezirk angewiesen war. Ein großer Theil der Bevölkerung ist eingewandert oder stammt von Eingewanderten, unter denen auch zahlreiche Nichtitaliener; das niedere Volk ist vorzugsweise römischer Abstammung. Die durch königliche Verordnung vom 15. October 1870 neu gebildete italienische Provinz Rom hat 321,109 Einwohner.

Geschichtliches. Rom wurde der Sage nach am 21. April von Olympiade VI. 3. (3. Jahr der 6. Olympiade = 753 v. Chr.) von den Zwillingsbrüdern Romulus und Remus (Enkel des Königs Numitor von Alba Longa, Söhne der Rhea Sylvia und des Mars) gegründet und in der Folge über sieben (eigentlich über 10) Hügel ausgebreitet, schon von Romulus mit einer Mauer umschlossen, von Servius Tullius durch einen Wall gedeckt und durch die folgenden Könige mehr und mehr zu einer großen und festen Stadt ausgebildet. Ancus Martius legte einen neuen Wall an und erbaute eine Brücke, und Servius Tullius erweiterte die Mauern, gab ihnen Thürme und legte Wall und Gräben vor. Die ganze Geschichte der Könige, von denen sieben angegeben werden (Romulus, Numa Pompilius, Tullus Hostilius, Ancus Marcius, Tarquinius Priscus, Servius Tullus und Tarquinius Superbus) ist jedoch mythisch. Die Republik übernahm die Stadt als eine der größten und festesten Städte der damaligen Welt. Eine Zerstörung durch die Gallier 390 v. Chr. störte die Fortbildung der Stadt nur sehr kurze Zeit; außer vielen Tempeln und öffentlichen Staatsgebäuden entstand 220 v. Chr. der Flaminische Circus; an kriegerischem Charakter gewann sie aber namentlich gegen Ende der Republik und während des Kaiserreichs. Unter Agrippa wurde das Marsfeld mit prächtigen Gebäuden und Denkmälern ausgestattet. Dieses bildete unter Augustus den 7. und 9. städtischen Bezirk. Augustus that viel für Verschönerung der Stadt, aber wenig für ihre Befestigung. Tiberius gab einem bereits trefflich organisirten Besatzung ein Standlager auf der nordöstlichen Seite; unter den folgenden Kaisern wurde wenig oder nichts für die Fortificirung der Stadt gethan, obschon die alten festen Werke durch die Ausbreitung der Stadt und die mannigfachsten Anbaue ganz an ihrer Bedeutung verloren hatten. Kaiser

Aurelianus fortificirte dagegen die Stadt von Neuem, indem er sie mit einer neuen 2½ Meilen langen Mauer, Wall, Graben, Thürmen und 14 befestigten Thoren umgab. Auch in Bauten anderer Art trat der kriegerische Charakter R.'s immer mehr hervor, so namentlich in seinem Marstempel, in welchem der Senat ausgezeichneten Siegern den Triumph feierlich gewährte, in dem Tempel des Honor und der Virtus, dem Tempel der Bellona, von dessen Kriegssäule ein Mitglied des Priestercollegiums der Fetiales bei der Kriegserklärung eine Lanze nach der Seite hin schleuderte, wo sich das Land des Feindes befand; dem Pantheon im Marsfelde, dem der Victoria und selbst dem von Vespasian erbauten Friedenstempel. Auch die Circus hatten einen kriegerischen Charakter. Unter ihnen hervorragend waren der Circus maximus und das Amphitheatrum castrense beim Lager der Prätorianer, ebenso auch die großartigen und prachtvollen Triumphbögen, deren einige mit außerordentlichen Geldsummen erbaut worden sind. Vorzugsweise berühmt war die Porta triumphalis am Ende des Marsfeldes, durch welche in der früheren Zeit sich stets die Triumphzüge bewegten, und die Triumphbögen des Titus, des Septimus Severus, Konstantin's d. Gr., des Drusus, des Dolabella und des Gallienus. Kriegerische Denkmale, theils Bilder im Forum, theils Statuen in Tempeln und auf öffentlichen Plätzen gab es in sehr großer Anzahl, wie denn überhaupt im alten Rom die Kunst mit Vorliebe dem Mars und der Bellona diente. Eins der ältesten war die Bildsäule des Horatius Cocles. Von besonderer Schönheit waren die Statuen der Kaiser Augustus, Domitian, Trajan und Marcus Aurelius (Antonius). Ferner wurden viele Siegessäulen errichtet, z. B. den Consuln Mänius und Duilius, den Kaisern Trajan, Marc Aurel und Phocas. Sehr zahlreich waren auch die Obeliske, und häufig wurden die Gräber der Helden zu prachtvollen Denkmälern gemacht. Einige Kaiser bauten sich solche noch bei ihrer Lebenszeit selbst. Am berühmtesten unter ihnen ist das Mausoleum Hadrians geworden, das von so ungeheurer Größe war, daß Belisar es als Citadelle benützte und auf seinen Grundmauern die Engelsburg (s. d.) errichtet wurde. Außer durch innere Kämpfe litt R. furchtbar durch zahlreiche Belagerungen. Die erste davon war die durch die Gallier unter Brennus (s. d. 1), durch welche R. bis auf das Capitol vernichtet wurde. Nicht weniger verderblich war der Kampf des Sulla gegen die Marianer am 1. Nov. 82 v. Chr. 410 n. Chr. wurde R. durch die Westgothen unter Alarich erstürmt, im Juli 455 von den Vandalen unter Geiserich erstürmt und schrecklich verheert, 545 von den Ostgothen belagert und 546 von Totilas, 552 wieder von den Griechen unter Belisar erobert, 1082 vom Kaiser Heinrich IV. belagert und 1084 von demselben erobert, wobei die Leopolis vernichtet wurde; am 6. Mai 1527 erstürmte der Connetable von Bourbon mit den Kaiserlichen die Stadt und verheerte sie, 1798 wurde sie von den Franzosen besetzt. Im Jahre 1849 wurde R., welches am 25. Nov. vom Papste Pius IX. verlassen worden war, und im Februar 1849 die Republik proclamirt hatte, von den Franzosen unter Oudinot belagert und nach tapferer Vertheidigung durch Garibaldi, am 3. Juli erobert (Vgl. Garibaldi Bd. IV. S. 149, und Kirchenstaat Bd. V. S. 174). Am 20. Sept. 1870 wurde es nach kurzer Beschießung von den Italienern unter Cadorna genommen.

Der erste Krieg Roms, kurz nach Gründung des Staates, war der gegen die Sabiner, veranlaßt durch den Raub der sabinischen Frauen und Mädchen, zu dem sich die ersten Römer durch den gänzlichen Mangel an weiblichen Personen gezwungen sahen. — Ueber Krieg und Frieden entschied bei der frühesten Verfassung das Volk in seinen Curiatcomitien. Unter Tullus Hostilius wurde Alba Longa zerstört, unter Ancus Martius ein Theil von Latium unterworfen und der Hafen Ostia eingerichtet. Unter Tarquinius

Priscus Besiegung der Sabiner und Lateiner. Unter Servius Tullius die Grundlage zum Militairstaate gelegt, jeder Bürger kriegspflichtig, nach dem Vermögen
besteuert und nach der Steuer im Heere rangirt und verpflichtet. Kriegerische Berathungen fanden in den Centuriatcomitien auf dem Marsfelde statt. Die Pa-
tricier stellten die Reiterei, die übrigen Stände das Fußvolk. Unter Tarquinius
Superbus waren Kriege mit den Lateinern, Hernikern und Volskern, 509 und
die folgenden Jahre innerer Krieg der Republik mit dem vertriebenen König und
den Etruskern, der schließlich durch den König Porsenna (s. d.) Nachtheile für
Rom herbeiführte. 498 Besiegung der Lateiner. Dann folgten innere Kämpfe
des Volkes gegen Coriolan (s. d.), darauf die Kriege mit den Vejentern, Aequern,
Sabinern und Volskern. In diesen Kriegen kam zuerst die Besoldung des
Heeres auf. Veji wurde 396 v. Chr. zerstört und die Kriege allseits durch Siege
beschlossen. Im J. 390 v. Chr. erhoben dagegen die Senonischen Gallier einen
furchtbaren Krieg, in welchem Rom bis auf das Capitol von Brennus (s. d.)
erobert, dieser aber auf der Heimkehr vernichtet wurde. Die wieder aufgestandenen
Nachbarvölker mußten aufs Neue bekämpft und besiegt werden. 367 wurde das
Militairtribunal aufgehoben. In dieser Zeit wurde die römische Kriegskunst in
den Kriegen mit den Tiburtinern, Hernikern, Etruskern und Galliern in hohem
Maße ausgebildet. 343 fand der erste Samnitische Krieg mit den Schlachten am
Gaurus und bei Suessula statt, dann folgte bis 340 der Lateinische Krieg. An diesen
schloß sich der zweite Samnitische Krieg von 326 bis 304, in welchem sich fast
alle Völker der Halbinsel gegen Rom erhoben; doch endete er siegreich. Der
dritte Samnitische Krieg von 298—290 mit den Schlachten bei Sentinum und
Aquilonia war eine Wiederholung des zweiten Samnitischen Krieges und endete
ebenfalls siegreich. 283—280 siegreicher Krieg mit den Senonischen und Bo-
jischen Galliern und Etruskern. Gleichzeitig begann der Samnitisch-Tarenti-
nisch-Römische Krieg, mit dem sich ein schwerer Krieg mit Pyrrhus (s. d.) von
Epirus verknüpfte, der nach mehreren großen Niederlagen durch den Sieg bei
Benevent 275 beendet wurde; Tarent selbst wurde 272 erstürmt. 266 war
nach Besiegung der Umbrer ganz Italien erobert. Es begannen nun die Kriege
mit Karthago, das einen großen Theil von Sicilien beherrschte. 264—242
erster Punischer Krieg (s. d.). Zugleich fanden siegreiche Kriege mit den Li-
guriern und Illyriern statt. Es folgte 219—202 der zweite Punische Krieg
(s. d.), nachdem kaum erst der schwere Gallische Krieg (225—222) mit Mühe
bewältigt worden war. Doch endeten beide siegreich, wie viele Niederlagen auch
Rom erlitt. In der That rettete Rom seinen Erfolg nur durch seine Zählgkeit,
die ihm Gelegenheit gab, den Wechsel der Verhältnisse zu benutzen. So nun
an trug Rom sein Schwert weit über seine bisherigen Grenzen hinaus. Zuerst
nahm es Rache an dem karthagischen Bundesgenossen, dem König Philipp III.
von Macedonien. 200 begann der Krieg; 197 wurde der Sieg bei Kynoskephalä erfochten und hiermit begann die Einmischung in die griechischen Angelegenheiten, die bis zur Unterjochung Griechenlands kaum eine Unterbrechung erlitten. Den Macedonischen Krieg schloß sich der Syrischer Krieg, da Antiochus
von Syrien in Griechenland eingedrungen war; dieser wurde 190 durch den Sieg
bei Magnesia beendet. 189 wurden die Aetoler geschlagen. In Spanien dauerte
seit dem Punischen Kriege der Krieg fort; der zweite Macedonische Krieg wurde
nach vielen Niederlagen 168 doch siegreich entschieden und Rom erlangte in Osten
eine völlige Omnipotenz. Die Siege bei Skarphea und Leutopetra und die Zerstörung Korinths (146) brachte fast ganz Griechenland in römische Botmäßigkeit,
so auch Macedonien und Illyrien. Zu derselben Zeit wurde auch der dritte
Punische Krieg geführt und Afrika erobert. Zu gleicher Zeit brachen in Spanien
bedeutende Empörungen los, gegen die ein regelmäßiger Krieg geführt werden
mußte. Doch erlitten die Römer schwere Niederlagen und nur ihre hartnäckige

Ausdauer verschaffte ihnen endlich mit Scipio's (s. d.) Siegen die Eroberung 133 v. Chr. In demselben Jahre wurde auch Pergamos genommen. 112 v. Chr. wurde dem König Jugurtha von Numidien (s. d.) der Krieg erklärt und römischer Seits lange ohne Glück geführt; erst 109 lehrte der Sieg zu Roms Fahnen zurück und endete 106. 113 drangen die Cimbern und Teutonen ein, und erst nach vielfachen schweren Niederlagen wurden sie bei Aquä Sextiae (102) und auf den Raudischen Feldern (101) geschlagen und vernichtet. Nach zehnjähriger Ruhe folgte der Marsische oder Bundesgenossen-Krieg 91—88, in welchem Acerrae und Stabiae, und gleich darauf der erste Mithridatische Krieg 89—84 (s. u. Mithridates) in welchem Chaeronea und Orchomenos die Hauptmomente bildeten. 83 folgte der zweite Mithridatische Krieg. In diese Zeit fallen die blutigen schweren Kämpfe der Parteien, an deren Spitze Sulla und Marius standen, und welche das Reich in der weitesten Ausdehnung erschütterten. Als Hauptplätze dieses wüthenden Kampfes, der der erste Bürgerkrieg genannt wird, sind zu bezeichnen Canusium, Sacriportus, Clusium, Faventia, vor allem aber Rom selbst. An diese schloß sich 76 und 75 der Sertorianische Krieg (Lauron, Italica, Segovia, Valentia und Lucro) an und 75 hatte nun auch der schwere dritte Mithridatische oder Pontische Krieg (75—66) seinen Anfang genommen. Hauptschauplätze waren Chalkedon, Kyzikos, Tenedos, Cabira, Tigranokerta und Artaxata. In die Zeit dieses Kriegs fällt 71 der Gladiatorenkrieg. Nach einer Ruhe von wenigen Jahren unternahm Julius Cäsar (s. d.) den Gallischen Krieg (s. d. 3), der von 58—51 währte, ganz Gallien bis zum Rhein zum Reiche brachte und die römische Herrschaft selbst nach Britannien hinübertrug (Gibracte und Bibractum). 53 unglücklicher Feldzug gegen die Parther in Asien (Carrhae). 49 begann der furchtbare zweite Bürgerkrieg, der durch die Eifersucht der als Staatsmänner und Helden gleich großen Consuln Pompejus und Cäsar erregt wurde. Er endete mit dem Untergange des Pompejus und seiner Partei 44. Hauptschauplätze waren Dyrrhachium, Pharsalus, Thapsus und Munda. Die Ermordung Cäsar's bezeichnet das Ende dieses Bürgerkriegs; allein der dritte römische Bürgerkrieg, in welchem Cäsar's Erbe, Octavianus, die Hauptrolle spielte, war eine ununterbrochene Fortsetzung und währte von 44—31. Haupterrigunisse bei Mutina, Philippi und Actium. Nach der Schlacht bei Actium (31. v. Chr.) feierte Octavian drei Triumphe, schloß den Janustempel und von hier beginnt die Zeit der Kaiserherrschaft, indem Octavianus unter dem Namen Augustus das Imperium übernahm. Er war der Oberbefehlshaber des Heeres, unter ihm commandirten die Legaten, das Heer wurde nicht wesentlich verändert, aber die Besatzung von Rom entsprechend organisirt. Unter Augustus wurden noch mehre Unterwerfungskriege zur Erweiterung des Reichs, nicht weniger aber zum Zwecke der Beruhigung im Innern geführt. Zu nennen sind der Cantabrische Krieg in Spanien bis 19, der Salassische Krieg in Gallien 25, der Aegyptische Krieg 22, der Rhätische Krieg bis 16, der Ostgermanische (Dalmatisch-Pannonische) bis 9, und der Westgermanische von 12 v. Chr. bis 16 n. Chr. Haupterrigunisse in letzterem waren die Schlacht im Teutoburger Walde 9 n. Chr. und die Schlacht bei Idistavisus 16 n. Chr. Unter den inneren Kämpfen dieser Zeit tritt besonders der zwischen Otho und Vitellius (Bedriacum, Placentia) 68 und 69 hervor. Mit ihm zusammenfällt der Kampf gegen die empörten Bataver unter Claudius Civilis (71). Auf der andern Seite milderte der Krieg in Judäa und Jerusalem wurde erobert. Unter Domitian wurde gegen Germanien, Dacien und Britannien Krieg geführt, aber nur gegen letzteres glücklich; unter Trajan dagegen wurde gegen die Parther und Dacier mit Glück gekämpft, und diese Kriege dauerten fort bis nach Marc Aurel; dazu kamen noch Kriege gegen die Markomannen und Quaden. Unter der Gewalt der Prätorianer und Legionen fand nach ihm ein wiederholt gewaltsamer Thronwechsel statt, bis Septimius Severus 193—194 diesem Treiben ein Ende machte und die Gegenkaiser entscheidend schlug (Issos, Kyzikos, Kilän). Er focht in Asien glücklich, verstärkte das Heer der Prätorianer auf 50,000, erhöhte die Kriegsmacht überhaupt und that viel für Herstellung von Zucht und Ordnung. Unter Alexander Severus Krieg mit Persien. Während jetzt Rom in seinen Kriegen meist der angreifende und siegende Theil gewesen, trat jetzt zunächst von Seite Deutschlands ein anderes Verhältniß ein, was für das Römische Reich um so gefährlicher war, als im Inneren fortwährend Thronrevolutionen und Verschwörungen mit einander wechselten. So brachen 251 die Gothen in Mösien ein, drangen bis Kleinasien vor und gewannen während der Reichsverwirrung unter den Dreißig Thyrannen eine furchtbare Macht (Abrutum, Naissus). Der Krieg währte bis 270 und erhielt durch Claudius ein günstiges Ende. Unter Aurelian (270—275) wurden die Marlomannen, Alemanzen, die Gothen in Mösien und die Königin Zenobia geschlagen und Rom befestigt. Unter Probus fand ein Defensionskrieg gegen die Germanen, unter Carus 283 und 284 ein Krieg mit Persien statt; Diocletian führte kurze, aber nicht glückliche Kriege gegen die Bagaren. Unter ihm war das Reich in vier Theile getheilt. Unter Constantin d. Gr. (306—337) war nach Unterwerfung der Nebenbuhler (Hauptschauplätze: die Mulvische Brücke, Adrianopel, Cibalis und Chalkedon) eine ruhige Zeit, die nur 223 durch Bekämpfung des Licinius und in der letzten Periode seiner Regierung durch Unruhen im Inneren gestört wurde. Unter Constantin wurde die Civilverwaltung von der Militairverwaltung getrennt. Constantin's drei Söhne und Neffen führten einen blutigen Krieg um die Krone, aus welchem Constantius als Sieger, aber auch mit der Schmach des Menschelmörders hervorging (351). 361 unglücklicher Kampf des Kaisers gegen Julianus. Dieser besiegte die Alemannen bei Straßburg 355. Unter Julian Krieg mit Persien und 366 schwerer Kampf auf den Catalaunischen Feldern. Unter Valentinian und seinem Bruder Valens getheilte Herrschaft und Krieg mit den Ostgothen, der dem Reiche den Untergang drohte (Marcianopel, Adrianopel, wo Valens blieb, Polentia, Verona, Fäsulae und Rom, welches 410 von den Gothen unter Alarich erstürmt und zerstört wurde). Der Krieg währte von 377—410. 409 hatten auch die Vandalen und Sueven Spanien, und Britannien mußte aufgegeben werden. Das Weströmische Reich hatte sich bereits constituirt, in Gallien wurde die Herrschaft zweifelhaft durch die Franken, die Burgundionen und Alemannen machten sich frei, die Vandalen rissen 429 Afrika an sich und Rom wurde von ihnen 455 genommen und vom 15. bis 29. Juli schrecklich verwüstet, in demselben Jahre von den Gothen hart belagert und 455 von Totilas erstürmt. 451 vermochte Rom nur noch mit germanischer Hilfe auf den Catalaunischen Feldern (s. u. Attila) zu schlagen, aber 452 nicht den Einbruch Attila in Italien zu wehren. Unter fortwährenden blutigen Thronrevolutionen ging Rom nun mit Eile seinem Untergange entgegen, den es endlich durch Odoacer (s. d.) erfuhr, da dieser nach der Einnahme von Ravenna den letzten römischen Kaiser Romulus Augustulus (s. d.) 476 zur Abdankung zwang. Italien gar nun zerrissen und von einem Römischen Reiche keine Rede mehr. Doch spielte Rom noch eine kurze Rolle als Kriegsobject, und Belisar entriß es 552 den Ostgothen; von da ab hatte es aber nur noch als Stadt und Residenz des ersten Bischofs der Christenheit, aber nicht mehr als Staat, Bedeutung.

Die Römische Kaiserwürde ging auf die Deutschen Könige über, und diese haben im Streite mit dem Papste die Stadt sehr oft belagert oder erobert, so namentlich 1082, 1084, 1527. Die Geschichte R.'s unter päpstlicher Herrschaft s. u. Kirchenstaat Bd. V. S. 173 ff. Beim Ausbruch des Deutsch-Französischen Krieges von 1870 räumte die französische Division, welche 1867 in R. und Civita-Vecchia zurückgeblieben war, beide Städte und schiffte sich am 5. und 6. August 1870 in Civita-Vecchia ein. Obgleich die italienische Regierung unter der Zusicherung strengster Neutralität eine französenfreundliche Gesinnung an den Tag legte, fand sich der König Victor Emanuel durch die entscheidenden Siege der deutschen Waffen doch ermuthigt, die günstige Gelegenheit zu benutzen, um sich R.'s und des letzten Restes der Päpstlichen Besitzungen leichten Kaufes zu bemächtigen und kündigte am 6. September (nach dem Bekanntwerden der Capitulation von Sedan) in Paris die ihn Frankreich gegenüber noch bindende September-Convention (vom 15. Sept. 1864, s. u. Italien, Bd. V. S. 74). Bereits am 6. Sept. rückte ein italienisches Armeecorps unter General Cadorna in die Päpstlichen Staaten ein, worauf sich die Päpstlichen Truppen ohne Widerstand sofort von allen Seiten auf die Hauptstadt zurückzogen. Nachdem am 16. Sept. Civita-Vecchia capitulirt hatte, erfolgte am 20. Sept. der Angriff der Italiener auf R. selbst; nach kurzem Widerstande capitulirte der päpstliche General Kanzler und noch an demselben Tage wurde die Stadt mit Ausnahme des Bezirks Borgo (in welchem der Vatican liegt) von den Italienern besetzt, unter deren Einfluß sich sogleich eine Provisorische Regierung unter dem Herzog Gaetano di Serin bildete. Der Papst Pius IX. protestirte natürlich in der energischesten Weise. Am 2. Oct. wurde im ganzen Gebiete der Päpstlichen Staaten über das Plebiscit: „Wir wollen unsere Vereinigung mit dem Königreiche Italien unter der monarchisch-constitutionellen Regierung des Königs Victor Emanuel II. und seiner Nachfolger" abgestimmt. Das Resultat war folgendes: Von den 167,548 Stimmberechtigten stimmten 135,291 Personen, und zwar 133,681 mit Ja; 1507 mit Nein; 103 Stimmen waren ungültig. In R. selbst stimmten 40,835 mit Ja; 46 mit Nein. Ueber die weltliche Herrschaft des Papstes war somit entschieden. Am 8. Novbr. bemächtigte sich die italienische Regierung des Quirinals. Am 9. Dec. wurde dem italienischen Parlament der Gesetzentwurf, betreffend die Verlegung des Sitzes der Regierung von Florenz nach Rom, vorgelegt und am 23. Dec. von diesem mit der Bestimmung, daß diese Verlegung binnen sechs Monaten stattfinden sollte, mit 192 gegen 18 Stimmen angenommen; ebenso erhielt ein Gesetzentwurf über die Garantieen der Unabhängigkeit des Papstes mit großer Majorität die Genehmigung des Parlaments. Am 31. Dec. fand ein vorläufiger Besuch des Königs in R. statt, währte aber nur bis zum 1. Jan. 1871. Am 1. Juli 1871 siedelte das Ministerium der Auswärtigen Angelegenheiten nach R. über, wohin ihm auch der größte Theil des Diplomatischen Corps folgte. Am 2. Juli hielt dann auch der König Victor Emanuel unter allgemeinem Volksjubel seinen feierlichen Einzug in der neuen Hauptstadt, bezog das Quirinal, verließ aber R. bereits in der Nacht vom 3. zum 4. Juli wieder, um erst seine Residenz gänzlich dorthin zu verlegen. Mit dem König waren auch die übrigen Minister in R. eingetroffen, mit denen derselbe am 3. Juli einen Ministerrath im Quirinal abhielt. Die Minister blieben nach der Abreise des Monarchen in R. zurück; seit dem 1. Juli 1871 erscheint demgemäß auch die „Gazette ufffiziale" in R. Die Verlegung des italienischen Regierungssitzes ist somit seit diesem Tage eine vollendete Thatsache. — Im Winter 1871/72 tagte demgemäß auch das italienische Parlament zum ersten Male in R.; dasselbe wurde am 27. November 1871 durch den König Victor Emanuel persönlich eröffnet.

Unter den zahlreichen Fremdenführern rc. ist hervorzuheben: Fournier, „Neuer Führer durch R. und die Campagna", Leipzig 1862; unter den Beschreibungen der Stadt, ihrer Sehenswürdigkeiten rc. vor allen das berühmte Werk von Bunsen, Platner und Gerhard, „Beschreibung der Stadt R.", Stuttgart 1830—43, 5 Bde.; ferner: Urlichs, „Beschreibung von R.", Stuttg. 1845; Becker, „Handbuch der römischen Alterthümer", Leipzig 1843; Braun, „Die Ruinen und Museen R.'s" Braunschweig 1854; Reber, „Die Ruinen R's.

und der Campagna", Leipzig 1862; unter den Geschichtswerken: a) des alten R.'s und des Römischen Reichs: Montesquieu, „Considérations sur les causes de la grandeur et de la décadence des Romains", Paris 1734; Gibbon, „History of the decline and fall of the Roman Empire", London 1782 ff. 6 Bde. (deutsch von Sporschil, Leipzig 1837 ff. 12 Bde.); Niebuhr, „Römische Geschichte" (bis zu den Punischen Kriegen), Berlin 1811 ff., 3 Bde., 2. Aufl. 1827 ff. (Fortsetzung bis Constantin, englisch herausgegeben von Schmitz, London 1844, 2 Bde.; deutsch von Zehß, Jena 1844 ff.); Drumann, „Geschichte R.'s in seinem Uebergange von der republikanischen zur monarchischen Verfassung", Königsberg 1834 ff., 6 Bde.; Höck, „Römische Geschichte vom Verfall der Republik bis Constantin", Braunschweig und Göttingen 1841 ff., 3 Bde.; Schwegler, „Römische Geschichte", Tübingen 1853 ff., 3 Bde.; Mommsen, „Römische Geschichte", Leipzig 1854 f., 3 Bde., 4. Aufl. 1865; Peter, „Geschichte R.'s", Halle 1865 ff., 3 Bde.; b) der Stadt R. im Mittelalter und in der neuern Zeit: Papencordt, „Geschichte der Stadt R. im Mittelalter", Paderborn 1857; Gregorovius, „Geschichte der Stadt R. im Mittelalter", Stuttgart 1859 ff., 6 Bde.; Reumont, „Geschichte der Stadt R.", Berlin 1867 ff., 3 Bde. (mit chromolithograph. Plänen).

Romagna, Landschaft im südöstlichen Oberitalien, im früheren Mittelalter den Hauptbestandtheil des byzantinischen Exarchats (s. d.) von Ravenna bildend, dann an den Päpstlichen Stuhl gekommen, in dessen Besitze sie den nordöstlichen Theil des Kirchenstaates (wie er bis 1860 bestand) umfaßte und in die vier Legationen Bologna, Ferrara, Forli und Ravenna getheilt war, welche insgesammt 183 Q.-M. mit 1,100,000 Einwohnern zählten und Bologna zur Hauptstadt hatten. In Folge der Ereignisse von 1859 wurde jedoch die R. von Sardinien annectirt, 1860 zur Emilia (s. d.) geschlagen und bildet seit 1861 einen integrirenden Theil des Königreichs Italien. Vgl. Reuchlin, „Neuere Geschichte der R." (In Brockhaus „Unsere Zeit", Bd. VIII, Leipzig 1864).

Romainville, Fort auf der Nordostfront von Paris (s. d. S. 35), wurde nach der Capitulation von Paris am 29. Januar 1871 von Truppen des 12. (königl. sächs.) Armeecorps besetzt.

Romana, Pedro Caro y Sylva, Marquis von R., geb. um 1770 auf der Insel Majorca, trat frühzeitig in die spanische Armee, zeichnete sich im Feldzuge von 1793 gegen die Franzosen, sowie 1795 bei der Vertheidigung von Catalonien aus, erhielt 1807 als Generallieutenant das Commando über das 15,000 Mann starke spanische Hilfscorps, welches Napoleon I. nach dem nördlichen Deutschland und Dänemark zog, stand 1808 mit einem Theile dieses Corps unter dem Oberbefehl Bernadotte's auf der Insel Fünen, als dort die Ereignisse von Madrid und die Pläne Napoleons auf den spanischen Thron bekannt wurden, setzte sich sogleich mit der dort gegen ihn und Dänemark stationirten englischen Flotte in Verbindung und brachte es trotz der Wachsamkeit Bernadotte's dahin, sich vom 17. bis 20. August mit 7000 Mann seines Corps in Nyborg und Swendburg auf englischen Schiffen einzuschiffen, von wo aus er nach Spanien zurückkehrte, dort in Corunna landete und sich sofort an die Insurgenten anschloß. Er sammelte zunächst die in Leon zerstreuten Corps, bildete mit diesen den linken Flügel, deckte Anfang 1809 den Rückzug des englischen Corps unter Moore, zog sich dann nach der Provinz Orense zurück, operirte hier mit Erfolg gegen die Franzosen und nahm Villafranca. Nachdem er von der Provinz Valencia zur Junta von Sevilla gewählt worden war, legte er sein Commando nieder, hatte wesentlichen Antheil an den militärischen Maßregeln, welche die Junta traf, erhielt 1810 das Commando der am Guadiana stehenden Armee, vereinigte sich in den Linien von Torres-Vedras mit den Engländern und war dazu bestimmt, mit dem englischen General Hill das linke Tajo-Ufer gegen die Franzosen unter Masséna zu vertheidigen, starb aber Anfang 1811 zu Cartaxo in Portugal.

Rumänien, s. **Rumänien.**

Romanow, altes berühmtes russisches Bojarengeschlecht, von welchem die jetzt in Rußland herrschende Dynastie in weiblicher Linie abstammt. Der älteste bekannte Ahnherr ist Andrei, genannt Kobyla (d. i. die Stute), welcher 1341 aus Preußen nach Moskau gekommen und dort in die Dienste des Großfürsten Simeon des Stolzen getreten sein soll. Die Kinder seines Enkels Roman verschwägerten sich mehrfach mit dem alten Herrscherhause Rurik, woraus das Geschlecht R. entstand. Ein Enkel Roman's wurde der Czaren Feodor I. Iwanowitsch, dem letzten Rurik, auf seinem Sterbebette zum Thronfolger bestimmt, von den geistlichen und weltlichen Herren, den Boten und Städten auch gewählt und bestieg am 21. Februar 1613 als siebzehnjähriger Jüngling den russischen Thron, welchen das Geschlecht R. bis 1762 in männlicher Linie inne hatte. Die letzte Herrscherin aus demselben war Elisabeth, eine Tochter Peter's d. Gr., welche den Sohn ihrer Schwester Anna, den Prinzen Karl Peter Ulrich von Holstein-Oldenburg (s. Oldenburger Haus), zu ihrem Nachfolger bestimmte. Dieser trat 1762 als Peter III. die Regierung an, und mit ihm bestieg die Linie Holstein-Gottorp oder Oldenburg-Romanow den russischen Thron. Vgl. Campenhausen, „Genealogisch-chronologische Geschichte des Hauses R.", Leipzig 1805; Dolgoradi, „Notice sur les principales familles de la Russie", Brüssel 1843.

Romanzow (Rumjanzow), Peter Alexandrowitsch, Graf v. R.-Sadunaiskoi, russischer Feldmarschall, geb. 1725, trat sehr jung in die Armee, war beim Ausbruch des Siebenjährigen Krieges bereits Generallieutenant, commandirte als solcher 1759 eine russische Division bei Kunnersdorf, nahm 1761 Kolberg, befehligte 1769 das 2. Armeecorps gegen die Türken, fiel in Bessarabien ein, wurde 1770 nach der Abberufung des Fürsten Gallizin mit dem Oberbefehl betraut, schlug die Tataren am Pruth, die Türken am Kagul, nahm Ismail, Kilia, Akjermau, Bender und Bralla, drang dann siegreich in die Walachei ein, nahm 1771 Giurgewo, wurde zum Feldmarschall erhoben, schloß 1772 den Waffenstillstand von Fokschany und 1773 den von Bukarest. Da dieselben jedoch nicht zum Frieden führten, ging er über die Donau, wurde aber zurückgeworfen, überschritt 1774 den Strom aufs Neue, operirte jetzt mit günstigem Erfolg, blockirte zuletzt den Großvezier im Lager bei Schumla und erzwang den Frieden von Kutschuk-Kainardschi, wofür er von der Kaiserin Katharina II. den Ehrennamen Sadunaiskoi (Transdanubiensis, Donauüberschreiter) erhielt. Im J. 1787 übernahm er das Commando über ein zu Gunsten der Oesterreicher gegen die Türken in die Ukräne zusammengezogenes russisches Hülfscorps, gab aber, von dem kaiserlichen Günstling Potemkin mehrfach beleidigt, 1789 seine Entlassung, zog sich auf seine Güter zurück und starb 1796. In Zarskoe-Selo und bei Petersburg wurden ihm Denkmäler errichtet. Lebensbeschreibungen R.'s gaben Sosonow (Moskau 1803, 4 Bde.) und Tschltschagow (Petersburg 1849), Anekdoten und Charakterzüge aber J. Arzt (Dorpat 1818) heraus.

Römermonate hießen im ehemaligen Deutschen Reiche die von den Reichsständen an den Kaiser behufs der Römerzüge (s. d.) zu zahlenden außerordentlichen Reichssteuern, die auch nach dem Aufhören dieser Züge blieben und durch Kaiser Maximilian I. in eine regelmäßige Abgabe verwandelt, zu Reichskriegen verwendet und je nach Bedürfniß aufs Neue ausgeschrieben wurden und in die Reichsoperationskasse flossen. Nach der Matrikel von 1521 wurde die Summe zu Grunde gelegt, welche jeder Reichsstand monatlich als Sold für die zum Römerzug Karl's V. bewilligten Kriegsleute zu zahlen gehabt haben würde, un'

3*

zwar 12 Gulden für jeden Mann zu Roß, 4 Gulden für jeden zu Fuß. Ursprünglich war der Ertrag eines R.s zu 128,000 Gulden veranschlagt, betrug aber in Wirklichkeit fast nie mehr als 50,000 Gulden. Die Zahl der R. wurde daher später erhöht, so daß Karl VI. im J. 1716 zum Türkenkriege auf ein Mal 6, im J. 1734 zum Kriege des Frankreich 80, Franz I. im J. 1757 gegen Preußen 30, im J. 1753 wieder 20 und 1760 aufs Neue 40 R. bewilligt erhielt.

Römerzüge nannte man die Reisen, welche ehemals die neugewählten Deutschen Könige nach Italien unternahmen, um dort vom Papste anerkannt und als Römischer Kaiser gekrönt zu werden und zugleich von den italienischen Vasallen die Huldigung zu empfangen. Sie fanden mit großem Gefolge von Reichsgrafen, Rittern, Bischöfen und Reisigen der Reichsstädte statt; für die Bestreitung des dafür nöthigen Aufwandes wurden die Römermonate (f. d.) erhoben. Den ersten R. unternahm Otto I., welcher sich 962 vom Papst Johann XII. zum Römischen Kaiser krönen ließ, welche Würde von da an mit der Deutschen Königswürde vereinigt blieb (vgl. Kaiser), aber von der Weihe des Papstes abhing. Diese Züge fanden drei Jahrhunderte lang statt, bis sie wegen der zwischen den Päpsten und den Kaisern ausgebrochenen Streitigkeiten unterblieben. Erst Heinrich VII. unternahm 1311 wieder einen solchen, welcher zugleich der glänzendste von allen war (vgl. Barthold, „Römerzug König Heinrich's von Lützelburg", Königsberg 1830, 2 Bde.). Bei seinem Nachfolger Ludwig dem Baier (f. Ludwig 4) erneuerten sich die früheren Zerwürfnisse und bessen Zug nach Italien, wo er sich 1328 vom Papste krönen ließ, war ein Kriegszug, der aber wegen seines schmählichen Endes dem Deutschen Kaiser in Italien alle Achtung raubte. Seitdem unterblieben die R.; die Deutschen Könige führten dennungeachtet aber den Titel Römischer Kaiser auch ohne päpstliche Krönung fort. Maximilian I. benutzte die früheren R. zur Erhebung einer Steuer (f. Römermonate). Der letzte Kaiser, der sich in Rom krönen ließ, war Maximilian's I. Enkel und Nachfolger Karl V., welcher jedoch von den ihm zu einem R. bewilligten 4000 M. zu Roß und 20,000 M. zu Fuß keinen Gebrauch machte.

Romulus, der Sage nach der Gründer Rom's (f. d.) und dessen erster König, ein Sohn der Rhea Silvia (Tochter des Königs Numitor von Alba-Longa), welchen sie, obgleich Priesterin der Vesta, nach einer Umarmung des Mars gezeugt. Er wurde nebst seinem Zwillingsbruder Remus, auf Befehl seines Oheims Amulius, auf dem Tiber ausgesetzt, aber beim Palatinischen Berge aus Ufer getrieben, wo die Knaben von einer Wölfin gesäugt und dann von Hirten gefunden und aufgezogen wurden. Später wurde ihre Abkunft bekannt und die Brüder erhielten von ihrem Großvater die Erlaubniß, eine Stadt am Tiber zu erbauen. Als Remus die niedrigen Stadtmauern verspottend übersprang, wurde er von R. erschlagen; Letzterer eröffnete ein Asyl auf dem Saturnischen (nachmals Capitolinischen) Berge, bevölkerte die Stadt mit heimathlosen Flüchtlingen, ließ von diesen, da es an Weibern fehlte, die Frauen und Töchter der zu ihnen als Gäste gekommenen Sabiner und Lateiner rauben, führte den Krieg mit den Sabinern, gab dem neuen Staate die erste Einrichtung, wurde nach siebenunddreißigjähriger Regierung (753—716 v. Chr.) während einer Volksmusterung von seinem Vater Mars auf einem feurigen Wagen gen Himmel gehoben (nach einer späteren Sage von den Senatoren getödtet) und nach seinem Verschwinden unter dem Namen Quirinus göttlich verehrt. Eine Lebensbeschreibung des R. liefert Plutarch. Die neuere kritische Geschichtsforschung weist nach, daß die Romulus-Sage ein unter griechischem Einflusse entstandener Mythus, der Name R. (von Roma gebildet) aber nur eine etymologische Personification des Ursprungs von Rom und seine ganze

Geſchichte nichts anderes als eine Zuſammenſtellung der ſpäteren Vorſtellungen von der frühſten Organiſation des römiſchen Staates iſt, die auf einer hiſtoriſchen Ueberlieferung durchaus nicht beruht.

Romulus Auguſtulus (von den Griechen Momylus genannt), der letzte Kaiſer des Weſtrömiſchen Reichs, ein Sohn des Patriciers Oreſtes, geb. um 460 n. Chr., wurde 475 von den italieniſchen Truppen zum Kaiſer gewählt, 476 von Odoacer (ſ. d.) in Ravenna belagert, von dieſem nach der Capitulation der Stadt zur Abdankung gezwungen und nach der Villa des Lucullus in Campanien verwieſen, wo er als Privatmann lebte und ſtarb. Der Spottname Auguſtulus (für Auguſtus) kam erſt nach ſeinem Sturze in Gebrauch.

Roncesvalles (franz. Roncevaux, lat. Roscida vallis), kleiner Ort im gleichnamigen von hohen Bergen umgebenen Pyrenäen-Thale in der ſpaniſchen Provinz Navarra (Pamplona), 5 Meilen nordöſtlich von Pamplona, auf der Straße von da nach St. Jean Pied de Port, aus dem Thal der Arga in das Thal der Nive. Aus dem Thale R. führt die Rolandspforte (oft verwechſelt mit der weit öſtlicheren nach dem Mont-Perdu an der Grenze von Aragonien führenden Rolandsbreſche) durch den Puerto (Paß) Val-Carlos nordwärts über die Pyrenäen nach dem Grenzdorfe Val-Carlos in das franzöſiſche Departement Nieder-Pyrenäen. Hier ſoll 778 die Nachhut des Heeres Karl's d. Gr. von den baskiſchen Gebirgsvölkern geſchlagen worden und dabei der tapfere Roland (ſ. d.) gefallen ſein. Die erſt im Zeitalter der Kreuzzüge ausgebildete Sage läßt die Franken dagegen von den Arabern beſiegt werden. Im April und Mai 1793 fanden hier mehre Gefechte zwiſchen den Spaniern und Franzoſen ſtatt. Am 16. und 17. Oct. 1794 wurden hier die Spanier von der franzöſiſchen Armee der Weſtpyrenäen unter Moncey geſchlagen. Am 28. Juli 1813 hier Sieg der verbündeten Engländer und Spanier unter Wellington über die Franzoſen unter Soult, welche letztere aus ihrer feſten Stellung gedrängt wurden und gegen 8000 Mann verloren.

Ronde heißt das Amt des im Garniſonwachdienſt zum Revidiren der Wachen und Poſten, namentlich während der Nacht, beſtimmten Offiziers. In größeren Plätzen werden zwei Offiziere zur R. commandirt, einer für die Zeit vor, der andere nach Mitternacht — Haupt-, reſp. Viſitir-Ronde. Für die Reviſion bei Tag und Nacht iſt ein Offizier du jour beſtimmt, der in kleinen Garniſonen (von 1 Bataillon und weniger) den Dienſt der R. mit verſieht. Zweck der R. iſt, die Aufmerkſamkeit der Wachen und Poſten zu prüfen und rege zu halten, erforderlichen Falles auch handelnd einzuſchreiten. Der Offizier der R. wird bei ſeinem Umgang von Begleitmannſchaften escortirt; die Poſten vor dem Gewehr rufen denſelben an und examiniren ihn, worauf die Wache ihre Honneurs macht. Der Dienſt der R. wird von den Subalternoffizieren, in größeren Garniſonen auch von den Hauptleuten verſehen. Vgl. „Inſtruction für den Garniſondienſt vom 9. Juni 1870", Berlin bei Decker. Im Lager, Bivouac, bei Artillerieſchießübungen pflegt ebenfalls eine R. commandirt zu werden. Ihre Obliegenheiten ſind den vorgenannten analog.

Rondel iſt der Name der Halbthürme, wie ſie nach Einführung der Pulvergeſchütze zur Flankirung der Stadtmauern benutzt wurden. Sie heißen auch Baſteien und bilden den Uebergang zu den Baſtionen. Die R.n wurden, an Stelle der mittelalterlichen Thürme, von Albrecht Dürer vorgeſchlagen, ſind geräumiger, weiter vorſpringend und niedriger als jene, ſomit zur Geſchützvertheidigung beſſer geeignet. In einzelnen Feſtungen gelangten die Dürer'ſchen R.n zur Anwendung.

Rondengang (Rondenſteg, franz. Chemin des rondes), iſt ein nach außen gedeckter, die ganze Enceinte oder einen größeren Theil derſelben umfaſſender Gang in einer Feſtung. So nennt man z. B. den Raum zwiſchen

Glacisbrustwehr und Graben, der, wenn zur Vertheidigung eingerichtet, gewöhnlich gedeckter Weg heißt, ferner den Raum hinter Escarpenpallisadirungen resp. freistehenden Escarpenmauern, sowie den Gang hinter den Zinnen einer Mauer. Dem Zwecke, der im Namen liegt, dient der R. nur beiläufig, in der Regel nimmt derselbe Vertheidigungsmannschaften auf.

Roole, George, englischer Admiral, geb. 1650 in der englischen Grafschaft Kent, trat sehr jung in die englische Marine, commandirte 1689 eine Escadre an der Küste von Irland, hatte 1692 als Vice-Admiral Antheil an dem bei La Hogue über die französische Flotte erfochtenen Seesiege, befehligte 1702 die zu einer Expedition gegen Cadix bestimmte englisch-holländische Flotte, nahm damit im Hafen von Vigo eine Anzahl französischer Kriegsschiffe und Gallionen, versuchte 1703 eine Landung an der Westküste von Frankreich, eroberte 1704 Gibraltar und starb 1708.

Roon, Dr. Albrecht Theodor Emil Graf von R., königlich preußischer General der Infanterie und Minister des Kriegs und bis Ende 1871 auch der Marine, geb. 30. April 1803 auf dem Gute seines Vaters, zu Pleushagen bei Kolberg in Pommern, erhielt seine Vorbildung seit 1816 in dem Cadettenhause zu Culm, seit 1818 im Cadettencorps zu Berlin, trat am 9. Jan. 1821 als Lieutenant in das 14. Infanterie-Regiment, besuchte behufs höherer militärischer Ausbildung 1824—27 die Allgemeine Kriegsschule zu Berlin, wirkte seit 1828 als Erzieher und Lehrer am Cadettencorps daselbst und schrieb während dieser Zeit, befähigt durch seine gründlichen geographischen Studien, nach dem System seines berühmten Lehrers, K. Ritter, ein treffliches Lehrbuch der Erdkunde (s. weiter unten), in welchem er die sich gestellte Aufgabe, den unbelebten Stoff der seitherigen Erdbeschreibung allseitig mit wissenschaftlichem Geiste zu durchdringen, glücklich löste. Von 1833—35 wurde v. R. zu den topographischen Vermessungen des Generalstabs verwendet und 1836 als Hauptmann in den Großen Generalstab versetzt; nachdem ihm bereits 1835 Vorlesungen über Geographie und Taktik an der Allgemeinen Kriegsschule übertragen worden waren, trat er seit 1836 auch als Examinator bei der Ober-Militär-Examinations-Commission in Thätigkeit. Im J. 1842 wurde er als Major zum Generalstab des 7. Armeecorps versetzt, erhielt 1844 den militärischen Unterricht (besonders in Geographie und Taktik) des Prinzen Friedrich Karl anvertraut, folgte dem Prinzen 1846 auch als militärischer Begleiter zu dessen Universitäts-Besuch nach Bonn und begleitete denselben später auf seinen Reisen durch die Schweiz, Italien, Frankreich und Belgien, in welcher Zeit sich ein Band gegenseitiger Anerkennung zwischen dem geistreichen jungen Prinzen und seinem bewährten Mentor knüpfte. Im März 1848 trat v. R. aus seiner pädagogisch-wissenschaftlichen Laufbahn wieder zur practisch-militärischen Thätigkeit zurück, wurde im Mai in den Generalstab des 8. Armeecorps berufen und im August 1848 zum Chef desselben ernannt, in welcher Stellung er dem badischen Feldzuge von 1849 (speciell den Gefechten von Ubstadt, Durlach und an der Murg) beiwohnte. Nachdem er 1850 zum Oberstlieutenant avancirt war, wurde er Commandeur des 33. Infanterie-Regiments, 1851 zum Oberst befördert, erhielt 1856 das Commando der 20. Infanterie-Brigade in Posen, stieg noch in demselben Jahre zum Generalmajor auf und wurde 1858 zum Commandeur der 14. Division in Düsseldorf ernannt. Auf Grund der reichen Erfahrungen, welche v. R. in diesen Stellungen und besonders bei der Mobilmachung der Jahre 1832, 1849 und 1850 über die Mängel des seitherigen preußischen Wehrsystems gesammelt hatte, faßte er sich zu Entwürfen für eine Reorganisation desselben (zunächst in Bezug auf die Infanterie) geführt und trug diese 1858 dem Prinz-Regenten (nachmaligem König Wilhelm) vor, von welchem er eine besondere Denkschrift darüber einzureichen aufgefordert wurde. Als die Mobilmachung von 1859 die Auffassung v. R.'s aufs Neue bestätigt hatte und in Folge davon die Reorganisationsfrage der Armee auftauchte, der damalige Kriegsminister, General von Bonin, aber mit dem Prinz-Regenten in Meinungs-Differenzen darüber gerathen war, fiel die Wahl zum Nachfolger Bonin's auf den bereits im Mai 1859 zum Generallieutenant avancirten Herrn v. R., dessen umfassende wissenschaftliche Bildung, scharfer Verstand und Charakter-Energie vorzugsweise zur Lösung der überaus schwierigen Aufgabe geeignet waren. Am 5. Dec. 1859 erfolgte seine Ernennung zum Kriegsminister, am 16. April 1861 auch zugleich zum Marineminister. Ihm lag nun die große Aufgabe vor, „dem Volk in Waffen" eine den Zeitverhältnissen entsprechende neue Wehrverfassung zu geben. Er löste dieselbe gemäß den Intentionen des Königs, welcher die Reorganisation als „sein eigenstes Werk" bezeichnete; in den verschiedenen Phasen, welche diese hochwichtige Angelegenheit seit 1859 durchlief, namentlich in dem Conflicte, welcher darüber zwischen der Krone und dem Abgeordnetenhause ausbrach, hielt der neue Kriegsminister an seiner militärischen Ueberzeugung und Anschauungsweise fest und führte, diese zur alleinigen Richtschnur seines Verhaltens nehmend, die Reorganisation mit Beharrlichkeit und Energie durch. Das in jenem Conflicte bewiesene staatsmännische Verhalten des mit dem parlamentarischen Wesen bald vertraut werdenden Generals erwarb sich selbst die Anerkennung seiner principiellen Gegner und gehört der politischen Geschichte Preußens an. Im J. 1866 wurde v. R. zum General der Infanterie befördert. Wie schon der Preußisch-Oesterreichische Krieg von 1866 den Werth der Reorganisation bewiesen hatte, so bewährte sich v. R.'s eminentes Organisations-Talent doch besonders glänzend durch die schnelle Mobilmachung der norddeutschen Armee bei dem plötzlich ausbrechenden Deutsch-Französischen Kriege von 1870 und durch die außerordentliche Schlagfertigkeit des Heeres, welche nächst der genialen Führung vorzugsweise die großen Erfolge dieses Kampfes erzielte und welche hauptsächlich das Werk des schöpferischen preußischen Kriegsministers war. Bei Gelegenheit des fünfzigjährigen Dienstjubiläums, welches v. R. am 9. Januar 1871 im Hauptquartier zu Versailles feierte, sprach ihm König Wilhelm durch Allerhöchste Cabinetsordre seinen Dank für die großen, dem Könige und Vaterland geleisteten, Dienste aus. Am Tage des feierlichen Einzugs der Truppen in Berlin, 16. Juni 1871, erhob ihn Kaiser Wilhelm, in gerechter Würdigung dieser Verdienste, in den Grafenstand. Am 31. December 1871 wurde R. auf sein Ansuchen von der Leitung des Marine-Ministeriums entbunden und General-Lieutenant von Stosch zum Chef der Admiralität mit dem Charakter eines Staatsministers ernannt. Außer seinen großen und vielfachen Verdiensten um die Reorganisation des preußischen Heeres hat sich Graf v. R. auch noch als Schriftsteller einen bedeutenden Namen erworben durch: „Grundzüge der Erd-, Völker- und Staatenkunde", Berlin 1832 (2 Abtheilungen nebst einem Bande Tabellen; 2. Aufl. 3 Abtheilungen 1837—40; 3. Aufl. 1847—55); „Anfangsgründe der Erd-, Völker- und Staatenkunde," Berlin 1834, 3 Abtheilungen, 11. Aufl. 1860: „Militärische Länder-Beschreibung von Europa (11. Band der „Handbibliothek für Offiziere"), Berlin 1837; „Das Kriegstheater zwischen dem Ebro und den Pyrenäen," Berlin 1839 (1. Abtheilung von „Die Iberische Halbinsel. Eine Monographie aus dem Gesichtspunkte des Militärs").

Rofamel, Claude Charles Marie du Campe de, französischer Vice-Admiral und Marine-Minister, geb. 1774 zu Rosamel im Departement Finistère, diente von 1792 ab in der französischen Marine, machte 1796 die erfolglose irländische Expedition mit, fiel bei einem von ihm unweit Pelagosa geleiteten Seegefecht im Adriatischen Meere 1811 in englische Gefangenschaft, wurde 1814 wieder frei, 1818 Contre-Admiral, führte 1830 bei der algerischen Expedition ein Commando, wurde 1827 Vice-Admiral, 1830 Seepräfect von Toulon, war 1836 bis 1839 Marine-Minister und starb einige Jahre später.

Rosas, Don Juan Manuel de, geb. 1793, schwang sich durch kühne Waffenthaten in inneren Kämpfen zum Gouverneur und Dictator von Buenos-Ayres auf, verwickelte sich 1850 in einen Krieg mit Brasilien und den Argentinischen Staaten, wurde 1852 von den Heeren dieser unter Urquiza bei Santos Bugares (Monte-Caseros) entscheidend geschlagen und flüchtete nach Irland.

Rose, Krieg der Weißen und der Rothen Rose, wird der furchtbare, dreiunddreißigjährige Kampf der beiden Häuser York (dessen Symbol und Feldzeichen eine weiße R.) und Lancaster (dessen Symbol und Feldzeichen eine rothe R. war) um den englischen Thron genannt, welcher den Untergang des ganzen königlichen Geschlechtes der Plantagenet (s. b.) herbeiführte. Der Krieg begann 1452 unter der Regierung Heinrich's VI. (s. Heinrich 11)) aus dem Hause Lancaster, welchen Eduard IV. aus dem Hause York entthronte und endete 1485 mit dem Sturze Richard's III (s. Richard 2)), welcher in der Schlacht bei Bosworth (s. b.) fiel. Darauf bestieg mit Heinrich VII. (s. Heinrich 12)) das Haus Tudor (s. b.) den englischen Thron. Als Held der Weißen Rose gilt der Graf von Warwick (s. b.), als Heldin der Rothen Rose aber Margarethe von Anjou, Gemahlin Heinrich's VI. (s. Margarethe 2)). Der Krieg der beiden Rosen kostete über 1 Million Menschen, darunter einen großen Theil des englischen Adels und mehr als 80 Prinzen und Verwandte der Plantagenet.

Rosecrans, William Starke, Generalmajor der nordamerikanischen Armee, und jetzt Gesandter der Vereinigten Staaten in Mexico, gehört zu den hervorragendsten Generalen der Union, stammt aus einer Ende des 18. Jahrhunderts aus der Gegend von Jülich (in Rheinpreußen) eingewanderten katholischen Familie, wurde 1819 zu Kingston-Township im Staat Delaware geboren, trat 1838 in die Militär-Academie von Westpoint ein und kam 1842 als Lieutenant in das Ingenieur-Corps. Nachdem er 1854 den Dienst quittirt und bürgerlichen Beschäftigungen nachgegangen war, erhielt er beim Ausbruch des Bürgerkrieges ein westvirginisches Freiwilligen-Regiment, avancirte wegen Auszeichnung sehr rasch zum Brigade-General der regulären Armee und übernahm nach Mc. Clellan's Ernennung zum Oberbefehlshaber der Potomac-Armee vorübergehend das Departement Westvirginien. Anfang 1862 auf den westlichen Kriegsschauplatz versetzt und unter Grant's Befehle getreten, zeichnete er sich in der zweiten Schlacht bei Korinth so aus, daß ihm nach dem Treffen bei Perryville an Buell's Stelle das Commando der Cumberland-Armee übertragen wurde. Sein erstes Debüt war die Entsetzung von Nashville, wo er an die Reorganisation der Armee ging und dieselbe durch Heranziehung zerstreuter Detachements und Neuanwerbungen auf 60,000 Mann verstärkte. In den Weihnachtstagen brach er wieder gegen Bragg auf, lieferte ihm die Schlacht von Murfreesborough und zwang ihn durch dieselbe, hinter den Duck-Fluß zurückzugehen. Die geringe Zahl der Cumberland-Armee, namentlich der Mangel an Cavalerie und reitender Artillerie, verhinderten lange Zeit jede größere Operation. Erst am 24. Juni 1863 wurde aus der Stellung von Murfreesborough aufgebrochen und Bragg, durch einen Scheinangriff auf Shelbyville getäuscht, mußte, in seiner rechten Flanke umgangen, die Ducklinie und bald darauf die Elk-Linie räumen und bis nach Chattanooga zurückgehen. Nachdem die rückwärtigen Communicationen sicher gestellt, wurde die Armee aus der Position von Winchester und Decherd erneut in Bewegung gesetzt, längs der Bahn vorgeschoben und durch geschickte Operationen Chattanooga selbst genommen. Die unglückliche Schlacht von Chicamauga (s. b.) war die Veranlassung, daß R. das Commando der Cumberland-Armee genommen wurde. Vielfach angefeindet und verläumdet, wußte er sich doch glänzend zu rechtfertigen und erhielt fobann das Departement Missouri, ohne jedoch Gelegenheit zu haben, dort neue Lorbeeren zu erwerben.

Rosen, 1) Georg Andreas Baron von, russischer General der Infanterie, geb. 1776 in Livland, machte 1794 unter Suworow die Schlacht von Praga, die Feldzüge von 1807, 1809 und 1812 als Generalmajor und die von 1813 und 1814 als Generallieutenant mit, wurde während des Persischen Feldzuges 1827 General der Infanterie, commandirte 1831 unter Diebitsch das 6. Infanteriecorps bei Grochow und Wawre, wurde aber bei Dembe und Iganie geschlagen und mit großem Verluste nach Sieblce zurückgetrieben. Nach der Einnahme von Warschau schlug er jedoch einige siegreiche Treffen in Südpolen. Glücklicher kämpfte er im folgenden Jahre im Kaukasus, konnte jedoch später Schamyl nicht widerstehen und wurde zurückberufen. Er starb als Senator und Mitglied des Kriegsrathes 1841 in Petersburg. 2) Roman Baron von, geb. 1870, focht 1812, 1813 und 1814 gegen Frankreich, 1830 und 1831 im Kaukasus, wurde 1845 General der Infanterie und starb 1848. 3) Alexis Baron von, Director der Artillerieschule in Petersburg und Generallieutenant in russischen Diensten, seit 1853 Mitglied des obersten Raths der Militär-Lehranstalten.

Rosenkranz, amerikanischer General, s. Rosecrans.

Rosny, Dorf und Fort auf der Ostfront von Paris s. d. S. 35; über die Beschießung desselben s. ebd. S. 67 ff. Nach der Capitulation von Paris wurde das Fort N. am 29. Jan. 1871 von Truppen des 12. (königl. sächs.) Armeecorps besetzt.

Roßarzt heißt der Thierarzt bei den berittenen Truppen. Derselbe hat einen militärischen Rang. Im Deutschen Reich giebt es Stabs-Roßärzte und Roßärzte, beide im Range der Unteroffiziere mit Porteperé, und Unter-Roßärzte im Rang der übrigen Unteroffiziere. Ihre Ausbildung geschieht auf der Militär-Roßarzt-Schule zu Berlin. Dieselbe steht unter Direction eines Stabsoffiziers. Die Aspiranten zur Militär-R.-Schule müssen im Heere dienen, eine höhere Schule bis Secunda besucht haben und sich einer Aufnahme-Prüfung unterwerfen. Der Cursus ist dreijährig, das Verhältniß der Eleven ein rein militärisches. Sie legen am Schlusse die thierärztliche Staatsprüfung ab. Mit dem Institut ist die Lehrschmiede verbunden, in welcher Beschlagschmiede der Truppe einen sechsmonatlichen Cursus im Hufbeschlag durchmachen können.

Roßbach, Dorf im Regierungsbezirk Merseburg der preuß. Provinz Sachsen, 3 Stunden südwestlich von Merseburg, mit 450 Einwohnern, in der Kriegsgeschichte namhaft durch den vollständigen Sieg, welchen hier die Preußen unter Friedrich d. Gr. im Siebenjährigen Kriege, am 5. Nov. 1757, über die Franzosen unter dem Prinzen von Soubise und die Reichsexecutionsarmee unter dem Prinzen von Sachsen-Hildburghausen erfochten. Die Alliirten waren 64,000 M., die Preußen nur 22,000 M. stark. Die Schlacht endete mit einer an völlige Auflösung grenzenden Flucht des verbündeten Heeres; die Preußen machten 7000 Gefangene und erbeuteten 63 Geschütze und 22 Fahnen; von ungleich größerer Wichtigkeit für Friedrich d. Gr. war aber die Behauptung Sachsens. Zum Andenken an diesen entscheidenden Sieg errichteten Privatpersonen auf dem Schlachtfelde eine pyramidische Säule; ein anderes Denkmal ließen 1792 der Prinz Louis von Preußen und die Eben'schen (später Göcking'schen) Husarenoffiziere hier setzen. Die erstere Säule ließ Napoleon I. nach der Schlacht von Jena nach Paris schaffen. Nach der Leipziger Schlacht von 1813 ließ das Bülow'sche Corps hier eine neue Säule aufrichten. Unter Friedrich Wilhelm IV. wurde bei der Säcularfeier der Schlacht, 5. Nov. 1857, hier der Grundstein zu einem größeren Monument gelegt, und dieses unter Wilhelm I. am 5. Nov.

1861 enthüllt. Außer den in den Werken über den Siebenjährigen Krieg (s. d.) enthaltenen Schilderungen der Schlacht bei R. sind noch Special-Beschreibungen derselben erschienen von A. Müller (Berlin 1857) und von Sturm (Weißenfels 1857).

Roßbrunn, Dorf im Verwaltungsbezirk Würzburg des bairischen Regierungsbezirks Unterfranken und Aschaffenburg, an der Straße von letzterem, resp. von Wertheim nach Würzburg, etwa 1⅔ deutsche Meilen westlich diesem gelegen; hier 26. Juli 1866 Gefecht zwischen der bairischen Armee unter dem Prinzen Karl von Baiern und den Divisionen Flies und Beyer der preußischen Mainarmee unter Manteuffel, — von den Baiern Gefecht bei Roßbrunn, Uettingen und Hettstadt genannt. Nach dem Gefechte bei Helmstadt (s. d.) am 25. Juli, in welchem die Division Beyer nach einander gegen die 3. und die 1. bairische Division glücklich gekämpft hatte, hatte sich die 3. bairische Division auf Waldbrunn, die 1. zunächst auf R. zurückgezogen, die Division Beyer dagegen war bei und in Helmstadt geblieben. Von der Division Flies war auf Befehl des Obergenerals der General Korth mit dem Gros bei Uettingen, die combinirte Cavalerie-Brigade Krug bei Helmstadt, der Rest bei Dertingen und Wüstenzell eingetroffen. Man war darauf gefaßt, am andern Tage mit der vereinten Bundesarmee zusammen zu treffen. General Flies erhielt daher Befehl, am andern Morgen früh mit allen Truppen nach Uettingen vorzurücken und hier weitere Dispositionen zu erwarten. Die Divisionen Beyer und Goeben (letztere hatte am 24. an der Tauber [s. d.] und am 24. bei Gerchsheim [s. d.] glücklich gekämpft) sollten bis dahin in ihren jetzigen Stellungen ruhen. Von der bairischen Armee standen am 22. Abends die 2. und 4. Div., die Reserve-Infanterie-Brigade und ein Theil der Reserve-Artillerie bei R., die 1. Div. hatte sich von R. auf Waldbrunn zurückgezogen, die Reserve-Cavalerie stand westlich Waldbüttelbrunn.

Prinz Karl beabsichtigte, am 26. Juli mit den zum ersten Male vereinten Kräften die Offensive zu ergreifen, und zwar sollte das VIII. Corps auf Gerchsheim gegen Goeben, die bei Waldbrunn stehenden bairischen Divisionen und die Reserve-Cavalerie auf Helmstadt vorgehen, die übrigen in der Flankenstellung bei R. verbleiben. Prinz Alexander von Hessen-Darmstadt, der Führer des VIII. Corps, erklärte indessen seinen Abzug hinter den Main, da seine Truppen zu einem erneuten Kampfe zu erschöpft seien. Die beabsichtigte Offensive gab Prinz Karl nunmehr auf, beschloß dagegen, nicht ohne Kampf über den Main zu gehen und wenigstens das Plateau von Waldbüttelbrunn festzuhalten. Die bei R. stehenden Truppen sollten den Angriff der Preußen aufnehmen und sich der Uebermacht gegenüber auf die 3. Division zurückziehen. —

Die Dörfer Uettingen und R. liegen am Aalbach, der hier eine im Allgemeinen westliche Richtung hat, etwa 5—6000 Schritt nördlich, resp. nordöstlich von Helmstadt, von letzterem durch ein bergiges und waldiges Terrain getrennt. Besonders hervortretende Höhen zunächst Uettingen und R. sind der Oßnert und der Vogelberg, südlich der letzteren der Brunschlag und südwestlich von diesem wieder der Schleerberg. Zwischen beiden Orten nimmt der Aalbach den von Nord nach Süd fließenden Mühlbach auf, welcher das Terrain nördlich des ersteren in zwei Abschnitte theilt. Im westlichen derselben liegen nördlich von Uettingen die theilweise bewaldeten Höhen des Kirchberg und des Heßnert, im östlichen Abschnitt die Höhen von Greußenheim. Oestlich R. und südöstlich (gegen Waldbrunn zu) setzt sich das waldige Bergterrain fort und liegt hier zunächst der Himmelreichwald, östlich der Quellbäche des Aalbachs, welche oberhalb R. sich vereinigend bis dahin eine nordwestliche Richtung haben, an denen auch das Dorf Mädelhofen liegt. Etwa 5000 Schritt östlich R.

ist Hettstadt, und zwar nördlich der Würzburger Straße gelegen. Das Terrain zwischen R., Hettstadt und Greußenheim ist als hügelig und theilweise waldig zu bezeichnen.

Von der Division Flies stand die Avantgarde (36. Inf.-Reg., 2 Esc. Dragoner, 1 gezogene Batterie) unter General-Major v. Freyhold; das Gros unter Korth zählte die Inf.-Reg. 59. und 11., 2 Esc. Dragoner, 1 gezogene Batterie, die Reserve (v. Hanstein) Inf.-Reg. 25., Jäger-Bat. 9., 1 Esc. Dragoner, 2 gezogene, 1 glatte Batterie. Die Avantgarde der Division Beyer unter v. Wohna zählte 4 Bat. Inf. (der Regimenter 70., 39., 30)., 1 Esc. Husaren, 1 gezogene Batterie, das Gros (unter v. Glümer) 5 Bat. (der Regimenter 20. und 32.), 1 Esc. Husaren, 1 gezogene Batterie, die Reserve (v. Schwerin), Reserveartillerie, sowie eine Special-Reserve zur Disposition des Obergenerals waren in Summa 4 Bat. Inf. (der Regimenter 39., 32., 30.), 1 Esc. Husaren, 4 glatte, 1 gezogene Batterie stark. Die Combinirte Cavalerie-Brigade des Obersten Krug v. Nidda zählte 6 Esc., 1 reitende Batterie. Preußische Gesammtstärke: 25³/₄ Bataillone, 13³/₄ Escadrons, 78 Geschütze. Die bairische 2. Division (Feder) zählte die Brigaden Schuhmacher und Hausen (3. und 4.), jede 6 Bataillone stark (die 3. die Reg. Nr. 3. und 12., die 4. die Reg. 7. und 10., jene das 7., diese das 3. Jäger-Bat.), 1 Chevauxlegers-Reg. (4.) und 1 glatte, 1 gezogene Batterie. Die 4. Division (v. Hartmann) hatte die Brigaden Bijot (7.) und Cella (8.), jede 6 Bataillone stark, (die 7. die Reg. 5. und 13., sowie 8. Jäger-Bat., die 8. die Reg. 4. und 9. und 6. Jäger-Bat.), Cavalerie und Artillerie wie die 2. Division (Chev.-Reg. 6.) Die Reserve-Infanteriebrigade unter Bijot zählte 6 Bataillone (der Regimenter 4., 6., 10., 12., 13., 14.), 2 Esc. Chev. (1. Reg.), 1 gezogene Batterie. Das Reserve-Cavalerie-Corps unter General v. Thurn und Taxis umfaßte 2 leichte Brigaden à 2 Regimenter (1. bis 3. Ulanen-Reg., 5. Chev.-Reg.), 1 schwere Brigade à 3 Regimenter (1. bis 3. Küraßsier-Reg.), sowie 2 reitende Batterien. Die Reserve-Artillerie unter v. Bothmer zählte 2 gezogene, 4 glatte Fuß-, 2 reitende Batterien. Gesammtstärke: 30 Bataillone, 38 Escadrons, 112 Geschütze.

Auf dem preußischen linken Flügel entstand von 4 Uhr Morgens ab ein heftiger Kampf um den Besitz des Kirchbergs. Korth hatte in einer sehr exponirten Stellung westlich Uettingen während der Nacht bivouakirt, zu seiner Unterstützung rückte die Avantgarde früh Morgens von Wüstenzell herbei. Flies befahl nun den Kirchberg zu besetzen, welcher aber bereits in Händen der Vortruppen der bairischen 7. Brigade war, die nach und nach zu seiner Behauptung bis zu 5¹/₂ Bataillonen herangezogen wurde. Durch geschickte Terrainbenutzung und mit Hülfe ihrer überlegenen Feuerwirkung gelang es indeß 3 Bataillonen vom Gros des General Flies, die Baiern nicht nur vom Kirchberg, sondern auch vom Heßneri zu vertreiben, sodaß die 7. Brigade hinter den Mühlbach zurückgehen mußte. Dieselbe setzte demnächst ihren Rückzug bis Hettstadt fort. Preußischerseits waren die Verluste erheblich, namentlich auch durch das Feuer einer bei Greußenheim aufgestellten bairischen Batterie.

Im Centrum hatte das Feuer einer bei Uettingen placirten preußischen Batterie die Baiern in ihrem Bivouak überrascht[*]. Unter dem Schutze ihrer Artillerie formirten sie sich nun folgendermaßen: 4 Bataillone der 8. Brigade am Posthaus nördlich R., 1 Bataillon in dem Wald südlich Greußenheim zum Schutz der rechten Flanke, hinter dem Gros der 8. Brigade die Hälfte der Reserve-Brigade als allgemeine Reserve. Aehnlich wie auf dem linken, so

---

[*] Anmerkung: Das preußische Generalstabswerk erwähnt hiervon Nichts.

entwickelte sich auch gleich Anfangs auf dem rechten preußischen Flügel ein Kampf, und zwar um die Höhen südlich des Aalbaches. Hier stand die bairische 4. Brigade gegenüber und hatte die Höhen des Oßnert und des Vogelbergs, zum Theil mit Artillerie, besetzt. Der Angriff dagegen fiel der Avantgarde der Division Flies (36. Inf.-Reg.) zu, welche nur mit schweren Verlusten ihre Aufgabe zu lösen vermochte. Doch waren die Höhen bereits 7 Uhr früh in preußischen Händen, und alle späteren Versuche der Baiern, sie wieder zu nehmen, vergeblich. Im Centrum hatte sich der Kampf bis jetzt auf eine beiderseitige Kanonade beschränkt, die bairischen Batterien am Posthaus hatten jedes Vorgehen hier preußischerseits unmöglich gemacht. Um 6 Uhr gingen die bairischen Geschütze aus Munitionsmangel zurück, worauf die preußischen Batterien nördlich Uettingen eine Stellung nahmen. Nun ergriff auch das preußische Centrum die Offensive und brachte der heftig engagirten Avantgarde auf ihrem linken Flügel Unterstützung.

Mittlerweile war die Division Beyer, dem Kanonendonner folgend, von Helmstadt her vorgerückt und zur Rechten der Avantgarde Flies vor Mädelhofen angelangt. — Bairischer Seits war der Disposition entsprechend bereits der Rückzug angetreten worden. Die 4. Division ging auf Hettstadt zurück. Die Reserve-Brigade stand zur Deckung dieser Bewegung zwischen R. und Greußenheim, die 2. Division concentrirte sich am Himmelreichwald, 5 Batterien standen in Position dazwischen. Beide Flügel und das Centrum der preußischen Linie gingen jetzt zum Angriff hierauf vor, welchem die Baiern nur einen schwachen Widerstand entgegensetzten. Die auf dem rechten Flügel vorgehende Avantgarde von Beyer nahm den Himmelreichwald. Einem weiteren Vorgehen setzte indeß die bei Hettstadt in großer Zahl aufgefahrene bairische Artillerie ein Ziel. Die Division Flies bezog bei R., Beyer bei Mädelhofen Biouvaks, Vorposten wurden gegen Hettstadt und Waldbrunn aufgestellt. Die bairische Armee war 1 Uhr Mittags bei Waldbüttelbrunn concentrirt und trat den Rückzug über den Main, vom Feinde unbehelligt, an. — Zwischen 11 und 12 Uhr hatte sich auf dem preußischen linken Flügel ein Cavaleriegefecht (bairischer Seits bei den Hettstadter Höfen genannt), entwickelt. Die Cavalerie-Brigade Krug, welcher sich noch 1 Escadron der 5. Dragoner angeschlossen, war über Greußenheim gegen die rechte Flanke des Feindes vorgegangen und traf mit der bairischen Reserve-Cavalerie, welche Prinz Karl zum Schutz seines rechten Flügels bei Hettstadt placirt hatte, zusammen. Dies Gefecht, — welches von beiden Seiten, wie es bei Reitergefechten häufig der Fall ist, verschieden dargestellt wird*) — wogte anfänglich hin und her, bei welcher Gelegenheit die preußische Batterie einen Nahangriff mit Kartätschen abwies; schließlich behauptete die überlegene bairische Cavalerie das Feld, mußte sich indeß der rückgängigen Bewegung des ganzen Corps anschließen. — Der preußische Gesammtverlust betrug 39 Offiziere, 837 Mann (davon 6 Offiziere, 100 Mann von Beyer's Division); die Baiern verloren bei R. 43 Offiziere, 844 Mann, bei den Hettstadter Höfen 4 Offiziere, 27 Mann, 39 Pferde. —

Das Vorgehen preußischer Seits zum Gefecht war durch die Umstände geboten. Bisher immer siegreich und der Schwächen des Feindes wohl bewußt, konnte man es auch mit den vereinten Kräften desselben aufnehmen. Daß der Erfolg nicht ausgenutzt wurde, schreibt die preußische Darstellung politischen Erwägungen, der Erschöpfung der Truppen und dem Mangel an Munition zu. Zudem war im preußischen Hauptquartier unbekannt, daß das VIII. Corps bereits über den Main zurückgegangen war. Bairischer Seits wurde die ursprüngliche Absicht durch die auf eigene Hand unternommenen Maßregeln des

---

*) Anmerkung: Vergl. Allg. Milit.-Ztg. 1869 und Oestr. Militärzeitschrift 1869.

Prinzen Alexander von Heſſen vereitelt. In der nunmehr geänderten Dispoſition documentirt ſich viel mehr die Abſicht, Angeſichts des nahe bevorſtehenden Endes der Kämpfe überhaupt die Waffenehre zu retten, als das Beſtreben, einen beſtimmten tactiſchen Erfolg zu erzielen. In der linken Flanke durch die Nähe der Diviſion Goeben bedroht, blieb nach dem Abzug des VIII. Corps nur übrig, deſſen Bewegung zu folgen, wenn dieſelbe auch in einer verkehrte Front und beim Herannahen des preußiſchen 2. Reſerve-Corps zu einer Cataſtrophe führen mußte, welcher der Waffenſtillſtand noch zur rechten Zeit vorbeugte. — Quellen: Die beiderſeitigen officiellen Werke (ſ. Bd. VII., S. 106).

Roßdorf, Dorf im Herzogthum Sachſen-Meiningen, 3 Stunden ſüdlich von Salzungen. Hier am 4. Juli 1866 Gefecht zwiſchen Theilen der preußiſchen Diviſion Goeben und der bairiſchen 4. Diviſion (v. Hartmann), welches auch Gefecht bei Wieſenthal genannt wird; ſ. Dermbach, Bd. III., S. 187 ff.

Roßſchweif (türk. tuj), früher Abzeichen der türkiſchen Großwürdenträger, welches aus einem rothbraun gefärbten, von einem vergoldeten Halbmond herabhängenden Pferdeſchweif beſtand und bei feierlichen Gelegenheiten an einer Stange befeſtigt vor denſelben hergetragen wurde, und zwar vor dem Sultan 6, vor den Paſchas 3, 2 oder 1; vgl. Paſcha.

Roſt, Eiſenoxydhydrat ($2Fe_2O_3 + 3HO$) bildet ſich an der Oberfläche des Eiſens durch den Einfluß von Waſſer oder feuchter Luft und namentlich dann ſehr raſch, wenn dieſe noch Kohlenſäure oder gar Dämpfe von Säuren, Chlor oder Schwefelwaſſerſtoff enthält, ſowie unter ſalzhaltigem Waſſer, alſo z. B. dem Meerwaſſer. Nur neutrale kohlenſaure Alkalien, die kauſtiſchen Alkalien und Kalkerde fördern die Roſtbildung nicht, ſondern bilden ſogar chemiſche Schutzmittel gegen R. Die Bildung von R. erfolgt leichter und ſchreitet raſcher fort an rauhen Flächen als an glatt polirten, weshalb man in manchen Fabriken die Gewehrläufe, nachdem ſie die Probe des Beſchießens ausgehalten haben, einige Zeit an feuchte Orte bringt, um die feinſten Sprünge durch das daſelbſt beginnende Roſten zu entdecken; das kohlenſtoffärmere Schmiedeeiſen iſt dem Roſten mehr ausgeſetzt als das Gußeiſen. Sobald der chemiſche Proceß der Roſtbildung einmal begonnen hat, entwickelt er aus ſich ſelbſt die Bedingungen zu ſchnellem Fortſchritt: das „Freſſen" des R.s.

Roſtſchutz erhält man bei Gußeiſen in gewiſſem Grade ſchon dadurch, daß man die Formen der Gußſtücke mit Graphit anſtreicht, ferner indem man die Eiſen- oder Stahlſtücke mit einem Ueberzuge verſieht, welcher ſie vor dem unmittelbaren Zutritt der Luft ſchützt. Dieſer Ueberzug kann hergeſtellt werden durch einen Anſtrich mit Lack, Firniß oder Steinkohlentheer, z. B. bei eiſernen Kanonenröhren, Beſchlägen ꝛc., durch Eintreiben mit Graphit z. B. bei Kanonenkugeln, durch Beſtreichen mit Kalkbrei z. B. bei Aufbewahrung von Schanzzeug, oder auch durch Beizen und zwar ſchwarz, wie bei den vielen Beſchlägen, auch Läufen von Gewehren, z. B. dem bairiſchen Werbergewehr, den Schweizergewehren u. a., oder braun, das ſogenannte Brüniren oder Bronziren, wie bei den Gußſtahlkanonenrohren, den preußiſchen, öſterreichiſchen Gewehren u. ſ. w. Das Brüniren geſchieht dadurch, daß man das Eiſen oder den Stahl mehrmal mit verdünnten Säuren oder ſauren Salzlöſungen beſtreicht, entweder mit einer Miſchung von 1 Theil Gallusſäure, 2 Theilen Eiſenchlorid und 3 Theilen Spießglanzbutter (Preußen) oder mit einer Löſung von 5 Theilen Eiſenchlorid in 95 Theilen Waſſer (Oeſterreich), das Schwarzbeizen durch eine Löſung von 8 Gr. Salzſäure, 8 Gr. Salpeterſäure und 4 Gr. Kupfervitriol in 40 Gr. Regenwaſſer (Bayern) oder durch ähnliche Miſchungen. Es wird hierdurch auf dem Eiſen ein dünner gleichmäßiger Ueberzug von Eiſenoxyd, alſo ein künſtlicher R. erzeugt, der dann durch Abreiben mit Fett geglättet wird und einen ſchönen Glanz erhält. Einen Schutz gegen R. gewährt ferner das Gran-

Einsetzen, das Blau- und Schwarz-Anlassen von Stahl- und Eisentheilen, d. h. das Herbeiführen von verschiedenen Oxydationsstufen des Eisens, welche bei bestimmten hohen Hitzegraden eintreten und Abreiben in der Glühhitze mit Oel. — Eisenblech oder -Draht und kleinere Gegenstände von Eisen werden durch Verzinnen und Verzinken, Verkupfern oder durch Messing, Bronze, Neusilber u. dergl. mit einem Ueberzug gegen R. versehen (Weißblech u. — galvanisirtes Eisen), indem man sie mit den Ammoniakdoppelsalzen dieser Metalle glüht.

Eisentheile, welche man nicht auf diese Weise gegen R. schützen kann, wie die Stedenwände der Feuerwaffen, die inneren Theile von Gewehrschlössern, die Verschlüsse der gezogenen Geschütze u. A., werden neben trockener Magazinirung und Schutz gegen Regen durch Ueberzüge, Mündungsklappen, Pfropfen u. dergl. stets noch durch gutes Einfetten gegen R. geschützt, wobei das Fett häufig zugleich als Rostschutz und als Schmiermittel dient. Man muß hierzu säure- und salzfreie, nicht trocknende Oele oder Fette nehmen, am besten Belmonthlöl (gereinigtes Steinöl), Klauenfett, Knochenöl, Talg und reines Schweinefett; in manchen Staaten werden besondere Waffenschmieren aus bestimmten Zusammensetzungen von Olivenöl und Wachs u. dergl. vorgeschrieben.

Entfernt wird R. durch Putzen mit Oel oder Fett, wo nöthig durch Zuhilfenahme von Holzkohle; scharf angreifende Mittel, wie Hammerschlag, Sand, Schmirgelpapier sind für alle Eisentheile, deren Abmessungen sich nicht im Mindesten ändern dürfen, zu vermeiden. Erwärmt ist jedes Fett und Oel am wirksamsten gegen R.

Rostopischin, Fedor Wassiljewitsch Graf von, aus einer altrussischen Familie stammend, geb. um 1760, trat 1781 als Lieutenant in die kaiserliche Garde, avancirte bald zum General, wurde später Minister der Auswärtigen Angelegenheiten, 1799 in den Grafenstand erhoben, fiel aber 1801 in Ungnade, weil er sich gegen die vom Kaiser Paul I. beschlossene Allianz mit Frankreich erklärte. Unter Alexander I. trat er wieder in Dienst und wurde 1812 kurz vor Ausbruch des Kriegs Generalgouverneur von Moskau. Unter seiner Verwaltung entstand der für das französische Heer so verhängnißvolle Brand von Moskau; ob R. denselben befohlen, ist eine Streitfrage (s. n. Moskau, Bd. VI., S. 171 f.). Im Jahre 1814 legte er seine Stellung nieder und begleitete als Mitglied des Reichsraths den Kaiser Alexander nach Wien zum Congreß, fiel bald darauf in Ungnade, lebte dann meist auf Reisen, besonders in Frankreich, kehrte 1825 nach Rußland zurück und starb 1826 in Moskau. Seine gesammelten Schriften wurden von Smirdin (Petersburg 1853) herausgegeben.

Rotation ist gleichbedeutend mit Drehung; gewöhnlich versteht man darunter die drehende Bewegung eines Körpers um eine in demselben liegend gedachte gerade Linie, welche Dreh-Achse genannt wird, daher man statt R. auch das Wort „Achsendrehung" gebraucht. Die R. kann ohne gleichzeitige fortschreitende Bewegung gedacht werden, wie die Drehung des Mühlenrades, oder es kann ein Körper zugleich rotiren und fortschreiten, wie unsere Erde. Im ersteren Falle liegt die Achse fest, im letzteren schreitet sie gleichzeitig fort. Die Zahl der Umdrehungen eines Körpers in gegebener Zeit, gewöhnlich 1 Secunde, nennt man seine Rotationsgeschwindigkeit. Jeder Punkt seiner Oberfläche beschreibt ebensoviel mal die Peripherie eines Kreises mit dem Radius seiner Entfernung von der Drehachse. Der von den entferntesten Punkten des Geschoßumfangs in genannter Peripherie durchlaufene Weg (per Secunde) wird auch die Winkelgeschwindigkeit des rotirenden Körpers genannt. Bei der Erde, welche sich innerhalb 24 Stunden einmal um ihre Achse dreht, ist die Winkelgeschwindigkeit eines Punktes des Aequators gleich der Peripherie des letzteren dividirt durch die Zahl der Secunden eines Tages. Aus der Masse des drehenden Körpers und seiner Winkelgeschwindigkeit ergiebt sich sein Drehungsmoment; das Bestreben, in der Achsendrehung zu verharren, welches von der Vertheilung seiner Masse um die Drehachse abhängt, wird Trägheits-moment genannt. Nur wenn die Masse des Körpers gleichmäßig um die Drehachse vertheilt ist, hat letztere eine stabile Lage und wird dann Haupt- oder freie Achse genannt. Andernfalls bestreben sich die schwingenden Massen, dieselbe aus ihrer Lage zu rücken. Dies kommt namentlich bei gleichzeitig rotirender und fortschreitender Bewegung in Betracht. Rotirt hier ein Körper um eine Haupt-Achse, so rückt die augenblickliche Drehachse parallel zu sich im Raume fort. Bei einer concentrischen Kugel sind sämmtliche Durchmesser Hauptachsen, beim Cylinder und Kegel die Längenachsen und sämmtliche auf ihr im Schwerpunkt senkrecht stehende Querdurchmesser. In jedem Körper giebt es mindestens drei solche Hauptachsen, die im Schwerpunkt auf einander senkrecht stehen. Bei Körpern, welche von vorn herein nicht um Hauptachsen rotiren, ändert die Drehachse ihre Lage im Körper und im Raume fortwährend. Be-findet sich ein Körper in R. um eine Hauptachse und eine andere Kraft bestrebt sich, denselben in Drehung um eine andere Hauptachse zu versetzen, so bleibt die ursprüngliche Drehachse nicht mehr stabil, sondern beschreibt einen Kegel um eine aus der Lage jener beiden Achsen sich ergebende neue Achse (das Nähere sagt der Satz vom Rotationsparallelogramm). Man nennt dies auch das konische Pendeln. Jeder rotirende Körper setzt erfahrungsmäßig die ihn umgebende Luftschicht mit in rotirende Bewegung. Dies giebt einen Luftstrom um den rotirenden Körper, der bei einem gleichzeitigen Fortschreiten Ursache zur Ab-weichung aus der sonstigen Bahn werden muß, sobald Drehachse und Bewegungs-richtung auseinander fallen, indem dann nämlich der Luftstrom in Folge der R. und die in Folge des Fortschreitens nach hinten abfließende Luft einseitig collidiren. Hieraus erfolgt die Nothwendigkeit regelmäßiger Geschoß-Rotationen, um die aus denselben resultirenden Abweichungen beherrschen zu können. Für die Bei-behaltung der Drehung um eine einmal angenommene Achse ist die wachsende Größe der Winkelgeschwindigkeit von günstigem Einfluß, in gleichem Sinne macht sich die Entfernung der schwingenden Masse von der Drehachse geltend.

Die R. spielt eine wichtige Rolle bei der Bewegung der Geschosse (vergl. den Artikel „Flugbahn"). Lange Zeit hindurch war man hierüber in Unwissen-heit, und erst diesem Jahrhundert blieb es vorbehalten, wenigstens ein gewisses Licht auf die Sache zu werfen. Die Praxis ist in der Frage der R. der Theorie voraus geeilt und man versteht es, die R. zu Zwecken des Schießens auszu-nutzen, ohne daß die Erklärung der Vorgänge bis jetzt zu einem völlig befriedi-genden Abschluß gelangt wäre. Am frühesten war von der R. forcirter sphärischer Geschosse und eine im Rohr mit der Seelenachse zusammenfallende Drehachse die Rede, wie sie die Anwendung gewundener Züge bei den Büchsen mit sich brachte. Letztere datirt aus dem Ende des 15. Jahrhunderts. Hieraus ist neuerdings die R. der Langgeschosse um ihre Längenachse entwickelt worden. Viel länger hat es mit der Erkenntniß der R. von nicht forcirten sphärischen Geschossen um anders liegende, namentlich Quer-Achsen, gedauert. Natürlicher Weise konnte der Einfluß der R. nicht eher zur Sprache kommen, als überhaupt die Flug-bahn der Geschosse einigermaßen erkannt wurde. Erst mit der Feststellung der Gesetze des freien Falls konnte an eine wirkliche Theorie derselben gedacht werden. So einfach erstere auch an sich sind, so gelang es doch erst Galilei (erste Hälfte des 16. Jahrhunderts) dieselben aufzustellen; hierauf basirte er die Theorie der Wurfbewegung im luftleeren Raume, die sogenannte parabolische Theorie, indem er den Luftwiderstand geringfügig genug auß außer Acht gelassen werden zu können. Bis dahin hatte man sich die Flugbahn in ihrem ersten und letzten Drittel als gerade Linie gedacht, welche im mittleren durch einen Kreisbogen verbunden sind. Huygens und Newton erkannten, daß der Einfluß des Luftwiderstandes nicht vernachlässigt werden dürfe. Newton wies (1687) nach, daß die Curve keine Parabel (s. d.) sein könne. Die endliche Auflösung des ballistischen Problems — Theorie der Flugbahn im lufterfüllten Raume, indeß ohne Berücksichtigung der R., gelang erst Euler (im 18. Jahrh.). Robins, (s. d.) Hutton, Lombard bildeten die Theorie der Flugbahn weiter aus, insbesondere durch Bestimmung der Anfangsgeschwindigkeit der Geschosse. Robins (1742) kannte die R. nicht forcirter Rundgeschosse und hatte die Ansicht, daß sie einen Einfluß auf die Gestalt der Bahn haben müsse. Daß sie existirte, wußte man um die Mitte des vorigen Jahrhunderts in allen größeren Artillerien; man wandte auch damals schon excentrische Geschosse an, doch lediglich in dem irrigen Glauben, daß, wenn man die Hohlgeschosse in dem dem Zünder entgegengesetzten Theil der Wandung stärker und somit schwerer als sonst mache, sie hiermit auch zuerst den Boden berühren müßten, wodurch man dem häufigen Ersticken jener vorbeugen wollte. Dieselben beschrieben indeß sehr unregelmäßige Bahnen, noch mehr als die Wurfgeschosse jener Zeit überhaupt, von denen Hoyer (1804) sagt, „sie machen ein ganzes Schlachtfeld, nur nicht das eigentliche Ziel unsicher." Man schrieb jene Unregelmäßigkeiten indeß dem großen Spielraum und der irregulären Gestalt der Geschosse zu. In Preußen hatten 1821 Versuche mit excentrischen Brandbomben stattgefunden, die so gute Resultate gaben, daß man 1825,26 solche mit absichtlich excentrisch gegossenen Bomben machte. Diese fielen aber wiederum unglücklich aus. Erst im Jahre 1827 angestellte Versuche mit 7- und 10pfündigen Granaten verschiedener Eisenstärke führten zur Erkenntniß, daß die Geschosse stets nach der Seite abweichen, wo die stärkste Stelle im Rohr gelegen hat. Dies führte nun 1831 zur allgemeinen Einführung excentrischer Granaten und Bomben in Preußen. (Vgl. Bd. IV., S. 60, 61, 186). Die noch in Beständen vorhandenen zahlreichen concentrischen Hohlgeschosse, die vermöge des ungleichen Gusses immer excentrisch sind, wurden ähnlich den letzteren behandelt und ergaben nunmehr bessere Resultate als vordem. Das analoge Verfahren mit Vollkugeln hatte nur wenig Effect, weil in diesen die zufällige Excentricität[*]) eine zu geringe ist. Die Vortheile der excentrischen Granaten sind: erhöhte Treffsähligkeit, indem der Abweichung des Geschosses aus der Schußebene entgegengewirkt wird, und erweiterte Wirkungssphäre bei Lage des Schwerpunktes oben. Die nöthige Sorgfalt beim Einsetzen der Geschosse verlangsamt indeß die Bedienung, was namentlich für den Feldkrieg Bedeutung hatte. Außer in Preußen fand die Excentricität auch in Rußland, Sachsen, Württemberg, Belgien, Schweden eine aufmerksame Beachtung, während Frankreich niemals zur Einführung excentrischer Hohlgeschosse geschritten ist. — Nachdem die praktische Lösung des Problems der Abweichungen gefunden war, schritt man dazu, auch die Theorie festzustellen, wobei man von der R. der Geschosse ausging. Zuerst schrieb man jene Abweichungen der Lustreibung des rotirenden Geschosses zu, die auf den entgegengesetzten Geschoßflächen verschieden austritt (Poisson, 1839). Der preußische Artillerie-Hauptmann Otto (zuletzt Director der Pulverfabrik zu Spandau), der große Verdienste um die Ballistik hat, dachte sich die Abweichungen aus dem verschiedenen Luftwiderstand der beiden Schwerhälsten des rotirenden Geschosses, die vermöge der Excentricität ungleiche Oberflächen haben, hervorgehend. Erst der berühmte Physiker Magnus brachte Klarheit in die Sache und wies (1857) durch Versuche nach, daß das Mitrotiren der adhärirenden

---

*) Als solche bezeichnet man die Entfernung des Schwerpunktes vom Mittelpunkte der Kugel, welche durch das absichtliche Auseinanderlegen der Mittelpunkte der äußeren und inneren Kugelfläche bei Hohlgeschossen (Kernverschiebung) vergrößert wird.

Luftschicht, welche dem Abfließen des vom Geschoß bei seinem Fortschreiten verdrängten Luftstroms von vorn nach hinten hemmend oder fördernd in den Weg tritt, die Ursache der Abweichungen wird. Rotirt ein Geschoß, wie es bei den excentrischen Hohlgeschossen beabsichtigt wird, so, daß seine Drehachse rechtwinklig zur Schußebene liegt, und zwar in einem Falle von oben über vorne nach unten, so wirkt der mitrotirende Luftstrom oberhalb des Geschosses der nach hinten abfließenden Luft entgegen; es entsteht oberhalb des Geschosses eine Luftverdichtung unterhalb eine Luftverdünnung, woraus eine Abweichung im Sinne der Schwerkraft erfolgt. Bei umgekehrter Rotation, wie sie im andern Falle sich gestaltet, tritt ein Heben des Geschosses ein, somit eine Vergrößerung der Schußweiten. Die erstere Drehung ist Folge der Reibung im Rohr und des excentrischen Stoßes bei Schwerpunktslage unten, die zweite Folge des excentrischen Stoßes bei Schwerpunkt oben, letzterer wirkt der Reibung entgegengesetzt. Die Annahme einer Drehachse, rechtwinklig zur Schußebene, erhält den Schwerpunkt in letzterer, wirkt somit den Seitenabweichungen entgegen. Die Geschwindigkeit dieser R. hängt von der Stärke des Stoßes der Geschützladung und der Größe der Excentricität ab. Erstere zu vermehren ist der Zweck der ellipsoidalen Höhlung, wie sie in Preußen bei der Granate des im Jahre 1861 eingeführten, nach 6 Jahren aus der Feldartillerie wieder abgeschafften Feld-12Pfünders (kurzes glattes 12cm. Kanon) angewandt wird. Die bedeutend erhöhte Winkelgeschwindigkeit ergiebt bei hebender Rotation erheblich (12fach) vermehrte Rasanz der Bahn, und gestalten sich auf gewissen Entfernungen selbst die Einfallwinkel geringer als die Abgangswinkel. Zu noch weiterer Vermehrung des Einflusses der hebenden Rotation hat man selbst die Einführung excentrischer Wurfscheiben als Geschosse vorgeschlagen. Die Zahl der Umdrehungen in 1 Sekunde ist bei Bomben aus Mörsern 1—6, bei solchen aus Bombenkanonen 6—12. Es bleibt zu bemerken, daß die excentrische R. erst außerhalb des Rohrs eintritt, indem innerhalb der Seele kein Raum für dieselbe vorhanden ist. — Die Fortbildung der excentrischen R. hat durch das Dazwischentreten der gezogenen Geschütze einen großen Stoß erlitten. Es ist nicht unberücksichtigt zu lassen, daß mit Annahme excentrischer Hohlgeschosse auf die sorgfältige Anfertigung der letzteren ein viel größeres Gewicht gelegt wurde, als es früherhin bei concentrischen der Fall gewesen war, was an der erhöhten Treffwahrscheinlichkeit der ersteren einen wesentlichen Antheil hat. — Das Bestreben, die Tragweite und Präcision des Kleingewehrs zu vergrößern, welches nach den Freiheitskriegen mehr und mehr hervortrat, hatte schließlich auf das Langgeschoß geführt, welches späterhin auch bei den Geschützen zur Anwendung gekommen ist. Das rotirende Langgeschoß (vergl. Bd. IV., S. 184 ff.) bewegt sich erfahrungsmäßig nahezu in der Tangente seiner Bahn, also annähernd wie der Pfeil, ohne indeß die Gestalt des letzteren zu besitzen, da sein Schwerpunkt höchstens ganz unbedeutend vor die Mitte der Länge, in der Regel aber dahinter fällt. Die rotirenden Langgeschosse weichen gleichzeitig nach einer Seite ab und zwar im Sinne der R., also bei der gewöhnlichen Zugrichtung nach rechts; diese Abweichung — Derivation, nimmt in stärkerem Verhältniß zu als die Entfernung, ist aber eine regelmäßige. Dieselbe hat verschiedene Erklärungen gefunden, die am meisten zutreffende rührt wohl vom Professor Magnus her. Das rotirende Langgeschoß hat das Bestreben, mit paralleler Lage der Drehachse fortzurücken. Die Resultante des Luftwiderstandes muß daher das Geschoß, dessen Längenachse nach einiger Zeit einen Winkel zur Bahntangente bildet, außerhalb des Schwerpunktes und zwar gewöhnlich davor treffen und daher dem Geschoß das Bestreben verleihen, um eine durch den Schwerpunkt gehende Querachse nach oben zu rotiren. Nach dem Gesetz vom Rotationsparallelogramm muß das Geschoß eine neue Drehachse annehmen, um welche die bisherige, d. i.

die Längenachse des Geschosses konisch pendelt. Das Geschoß geht nunmehr mit letzterer zur Seite, und zwar gewöhnlich rechts heraus, sodaß die linke Hälfte den Luftwiderstand vorherrschend herausfordert. Indem so eine dritte Drehachse hinzutritt, ist es zu erklären, daß es sich gleichzeitig zur Bahntangente neigt, resp. wie die Erfahrung zeigt, konisch um dieselbe pendelt. Diese Pendelungen erfolgen verhältnißmäßig langsam, sodaß mitunter auf der ganzen Bahn keine vollständige eintritt. Die Versuche mit den gezogenen Mörsern haben den Gesichtskreis in dieser Hinsicht erweitert, indeß noch keine genügende Klarheit in die Sache gebracht. Bei den großen Elevationen von 75° ist die Elarheit der Rotationsachse so überwiegend, daß die Geschosse schließlich mit der Spitze nach hinten zur Erde kommen und die Zündvorrichtung versagt. Die Größe der Derivation ist bei gleichen Schußweiten um so größer, je geringer die Anfangsgeschwindigkeit ist; bei gleicher Größe der letzteren wächst sie mit der Rotationsgeschwindigkeit. Die Lage des Geschoßschwerpunkts in der Längenachse des Geschosses scheint ferner nicht ohne Einfluß hierauf zu sein. Greift die Resultante des Luftwiderstandes das Geschoß hinter dem Schwerpunkt an, so erfolgt die Derivation entgegengesetzt dem Sinne des Dralls. Einer weiteren Aufklärung bedarf die ganze Frage noch. Ueber Rotations-Rakete siehe den Artikel Rakete. Literatur. Von allgemeineren Lehrbüchern geben „Waffenlehre" von S. Köchert, Wien 1866, sowie „Die Artillerieschießkunst aus preußischen gezogenen Geschützen", von M. Prehn, Berlin 1867 (S. 124 ff.) über die Sache Aufschluß. B. Sauer in seinem „Grundriß der Waffenlehre", München 1869, übersieht die Neigung der Längenachse im Sinne der Bahntangente. Specielle Schriften: „Die Rotation der runden Artillerie-Geschosse. Geschichtliche Entwicklung der Rotationsfrage seit dem Jahre 1737 und ihr gegenwärtiger Standpunkt" von Müller II. Berlin 1862. „Die Rotation frei in der Luft fortschreitender Körper ꝛc.", von J. Toll, Coblenz 1863. Sehr zu empfehlen ist: „Die Rotationen der Geschosse" von K. Pfister, Cassel 1864, sowie: „Ueber die Drehung fester Körper, insbesondere der Geschosse und der Erde", von Dr. A. Paalzow. Berlin 1867. Sonstige Schriften: „Bewegung und Abweichung der Spitzgeschosse ꝛc" von A. Rupty, Wien 1861. „Die Derivation der Spitzgeschosse als Wirkung der Schwere", von Th. Artillerie-Hauptmann, Cassel 1865. 2. Aufl. „Ueber die Derivation der Langgeschosse aus gezogenen Rohren". Vom sardinischen Artillerie-Major Mondo, deutsch von Schmölz. München 1860. „Artillerie-Lehre. Theorie und Praxis der Geschoß- und Zünder-Construction". W. Rupty, Wien 1871.

Rotationszünder, s. u. Rakete, Bd. VII., S. 288.

Rotationszünder heißen solche Zeitzünder, bei welchen durch Drehung eines Gliedes des Zünderkörpers die Tempirung erfolgt, (s. „Zünder.")

Rothensohl, Dorf südöstlich von Ettlingen im badischen Kreise Karlsruhe; hier am 10. Juli 1796 (gleichzeitig mit dem Gefecht bei Ettlingen) Gefecht zwischen den Franzosen unter Moreau und den Oesterreichern unter Erzherzog Karl.

Rotherthurm-Paß (ungar. Börös Torony), Gebirgspaß im Siebenbürgischen Kreise Hermannstadt, führt aus Siebenbürgen durch dessen südliches Randgebirge (Transsilvanische Alpen), welches hier von der Aluta durchbrochen wird, auf einer guten Straße (Karolinenstraße) nach der Walachei (von Hermannstadt nach Slatina und Krajowa), ist nach einem rothbewalten Felsencastell (Rotherthurm) benannt und hat ein Hauptzoll- und ein Contumaz-Amt. In der Nähe die Schanze Straßburg und Ueberreste der Via Julia. Zur Römerzeit lag am Südausgange des Passes Castra Trajana, weshalb der Paß im Mittelalter auch Trajansspforte genannt wurde. Hier wurden 1442 die Türken von den Ungarn unter Hunyad und 1493 der Pascha von Sermendria von den Ungarn unter Stephan von Thaleg geschlagen; 1821 wurde hier Alexander Ypsilanti verhaftet. Durch den R.-P. rückten im Januar 1849 die erſten ruſſiſchen Truppen aus der Walachei nach Siebenbürgen, um dem öſterreichiſchen Feldmarſchalllieutenant Puchner zu Hilfe zu kommen; von Ende März bis Mitte April 1849 war der Paß dann von den Ungarn unter Bem beſetzt.

Rothière (La R.) Dorf im Arrondiſſement Bar ſur Aube des franz. Departements Aube. Hier 1. Febr. 1814 Schlacht, gewöhnlich Schlacht bei Brienne (ſ. d.) genannt.

Rothrußland (Rothreußen, die Rus) hieß derjenige Theil des ehemaligen Königreichs Polen, welcher das jetzige Galizien und das Gouvernement Lublin im heutigen Königreich Polen umfaßt.

Rotte heißen die in der Fundamental-Aufſtellung der Infanterie und Cavalerie hinter einander ſtehenden Leute, reſp. Pferde. Je weniger tief im Laufe der Zeit dieſe Aufſtellungen ſich geſtalteten, um ſo ſchwächer wurden natürlich die R.n; jetzt beträgt die Stärke bei der Infanterie 2 bis 3 Mann, bei der Cavalerie 2 Pferde. Fehlen in einer Rotte Leute oder Pferde zur vollen Zahl, ſo entſtehen blinde R.n Dies wird immer eintreten, ſobald die Geſammtzahl der Leute dividirt durch die Zahl der Glieder nicht aufgeht. In den Zeiten der tiefern Aufſtellung, wo die R. oft 10—12 Mann zählte, ſetzte man derſelben einen Rottmeiſter vor, der im 1. Gliede ſtand und die R. in ähnlicher Weiſe beaufſichtigte, wie heute der Unteroffizier ſeine Section. In der griechiſchen Phalanx hießen die eine Rotte bildenden Mannſchaften (8—50) Lochos, der Führer, welcher im 1. Gliede ſtand, Lochagos, der Führer der hinteren Halbrotte Uragos. — Das Auslaufen der R.n aus der einfachen oder Doppelreihen-Colonne nach einer oder beiden Seiten heißt **Rottenaufmarſch**.

Rottenfeuer, auch Heckenfeuer (vergl. d.), iſt eine Feuergattung aus der geſchloſſenen Formation (Linie), welche den Gegenſatz zur ein- oder mehrgliedrigen Salve bildet. Während hier alle Leute eines oder mehrerer Glieder auf Commando gleichzeitig feuern, giebt dort jeder ſeinen Schuß ab, ſobald er fertig iſt, doch ſo, daß die Leute einer Rotte mit einander abwechſeln. Es beginnt und endet auf Signal. Das R. iſt ſchwer zu leiten; die Wirkung iſt nicht ſo augenblicklich, wie bei der Salve; Pulverdampf lagert ſich vor der Front. R. entſteht oft von ſelbſt durch Unruhe in der Truppe, reſp. wenn der Feind nur einen Theil derſelben ſichtbar iſt. In früheren Jahrhunderten war es beliebter, jetzt iſt es ſelten und wird höchſtens angewandt, um die Leute zu beſchäftigen. Viel zweckmäßiger iſt das Schnellfeuer (ſ. d.), welches in Preußen bisher nur in zerſtreuter Formation abgegeben wurde. Das neue preußiſche Exercier-Reglement läßt das Rottenfeuer ganz fallen und ſetzt an deſſen Stelle das Schnellfeuer auch für die geſchloſſene Formation.

Rottmeiſter, ſ. u. Rotte.

Rottofredo (Rottofreno), Dorf in der italieniſchen Provinz Piacenza, zwiſchen dem Tidone und der Trebbia (rechten Nebenflüſſen des Po); hier im Oeſterreichiſchen Erbfolgekriege am 10. Auguſt 1746 Gefecht zwiſchen der öſterreichiſch-ſardiniſchen Avantgarde des Corps Botta unter Serbelloni und der franzöſiſch-ſpaniſchen Armee unter Gages und Maillebois.

Rotz, Pferdekrankheit, ſ. u. Pferd, Bd. VII., S. 131.

Rouen, Hauptſtadt des franzöſiſchen Departements Nieder-Seine, am rechten Ufer der Seine und an der Eiſenbahn von Paris nach Havre, welche hier nach Amiens abzweigt. Sitz eines Erzbiſchofs und des Commando's der 2. Militärdiviſion, hat eine prächtige in normanniſch-romaniſchem Stile erbaute Kathedrale (Notre-Dame), mehrere andere ſchöne Kirchen, einen erzbiſchöflichen Palaſt, einen Juſtizpalaſt, eine Univerſität, Akademie, eine Navigationsſchule, zahlreiche andere Bildungsanſtalten, eine Münze, fünf große Kaſernen, einen Circus, eine Bildſäule der Jungfrau von Orleans (auf der Place

4*

de la Pucelle, sonst Place aux vaux genannt, wo dieselbe 1431 von den Engländern verbrannt wurde), einen Hafen, (der eigentliche Hafen für R. ist Quilleboeuf), Schiffswerfte, bedeutende Industrie und (1866) 100,671 Einwohner. Seit dem Frankfurter Frieden von 1871 beabsichtigt die französische Regierung, 10 Kilometer von R. entfernt im Walde von Rouvray zwischen Monville und Quincampoix eine Artillerieschule mit großartigem Artillerielager anzulegen. Dasselbe soll durch mehrere Forts vertheidigt werden. — R. hieß im Alterthum Rotomagus (Ratumagus), im Mittelalter Rothomum (Rodamum), wurde 841 von den Normannen erobert und verwüstet, 898 von deren Führer Rolf oder Rollo (seit 912 Herzog Robert) abermals genommen und dann befestigt und war seitdem Hauptstadt der Normandie, meist Residenz der Herzöge derselben und als Festung oft Kriegsobject, wurde 1204 von Philipp August belagert und eingenommen, 1242 mit der Normandie an Ludwig IX. von Frankreich abgetreten, 1408 von den Engländern erobert, 1448 an Frankreich zurückgegeben. Während der Religionskriege im 16. Jahrh. spielte R. als einer der Hauptsitze der Hugenotten eine wichtige Rolle und wurde erst unter Karl IX. 1562 nach tapferer Vertheidigung erobert, 1591—1592 von Heinrich IV. vergebens belagert und erst 1594 durch Capitulation genommen. Im Deutsch-Franz. Kriege fanden in der Nähe von R. am 4. und 5. Dec. 1870 verschiedene glückliche Gefechte des zur I. Deutschen Armee gehörigen 8. preußischen Armeecorps unter General v. Goeben gegen die Franzosen (meist Mobilgarden) statt. In Folge dessen verließ das zum Schutze von R. zusammen gezogene französische Corps am 5. Dec. die Stadt, welche noch im Laufe des Nachmittags von General v. Goeben besetzt wurde. In den verlassenen Verschanzungen wurden 8 schwere Geschütze vorgefunden. Am 31. Dec. machten 5 Bataillone der 1. preußischen Division von R. aus einen Vorstoß auf das linke Seine-Ufer gegen stärkere, aus der Gegend von Briare bis Moulineaux und Grand' Couronne vorgegangene feindliche Streitkräfte. Diese wurden theils zersprengt, theils in das feste Schloß Robert le Diable geworfen, welches von den Deutschen erstürmt wurde. Am 4. Januar 1871 überfiel General von Bentheim mit einem von der I. Deutschen Armee abgezweigten Streifcorps von R. aus die feindlichen Truppen unter General Roye auf dem linken Seine-Ufer, zersprengte sie bei Bourgachard (südwestlich von R., aber im Departement Eure gelegen), nahm ihnen 6 Geschütze, 3 Fahnen, 1 Munitionswagen und machte gegen 1000 Gefangene. Nach dem Frieden blieb R. noch bis zum 22. Juli 1871 von den deutschen Truppen besetzt.

Rouget de Lisle, der Dichter und Componist der Marseillaise (s. d.)

Roustes, (Les R.) Dorf im Arrondissement St. Claude des französischen Departements Jura; dabei ein Paß, durch ein starkes Fort geschützt und beherrscht.

Rousfin, Alboin Reine Baron von, französ. Admiral und Marineminister, geb. 1781 in Dijon, trat schon 1793 als Knabe in französischen Marinedienst, machte von 1794 ab die Kämpfe gegen England mit, zeichnete sich durch militärische Aufnahmen aus, wurde 1822 Contreadmiral und mit Einrichtung der Marineschule zu Brest betraut. 1832 französischer Gesandter in Constantinopel, war 1834, 1840 und 1843 Marineminister, wurde 1840 Admiral, nach dem Sturze des Königthums außer Activität gesetzt, lebte dann in Zurückgezogenheit, wurde aber 1851 vom Prinz-Präsidenten (nachmaligen Kaiser Napoleon III.) zum Senator ernannt und starb 1854 in Paris.

Routiers, hießen im Mittelalter die französischen Soldlinge, welche aus zusammengelaufenen Abenteurern aller Herren Länder gebildet, in sogenannte Routes (Rotten, Banden oder Compagnien) vereinigt, und mit langen Messern bewaffnet waren (daher auch Cotteraux genannt), namentlich in den französisch-englischen Kriegen des 14. Jahrh. Alles verwüstend das Land durchzogen und nach denselben auf eigne Faust einen Räuberkrieg führten. Als sich dann auch noch zahlreiche Edelleute, die der Krieg ruinirt hatte, zu diesem Gesindel gesellten und dies der Regierung gefährlich zu werden anfing, schickte Karl V. die R. 1366 unter Duguesclin als Hilfscorps für Heinrich von Trastamare gegen Peter dem Grausamen von Castilien nach Spanien, wo sie 1367 völlig aufgerieben wurden.

Rovarez, 1) Theodor Freiherr von, geb. 1728 in Luxemburg, wo sein Vater als österreichischer Artillerieoffizier in Garnison stand, trat in österreichische Dienste, darauf als Genie-Offizier in sächsische, nach mehren Jahren wieder in österreichische Dienste, machte als Commandeur der Artillerie des Laudonschen Corps den Siebenjährigen Krieg mit, in dem er vom Major zum Obersten avancirte, wurde 1763 Generalmajor, 1775 Feldmarschalllieutenant, 1787 Feldzeugmeister und erhielt das Commando über die Artillerie im Türkenkriege, wurde 1788 bei der Belagerung von Sabacz verwundet, traf indeß noch Anstalten zur Belagerung von Belgrad, starb aber am 30. Sept. 1789 in Semlin. R. hat sich große Verdienste um die österreichische Artillerie erworben und namentlich die Cavalerie-Batterien organisirt. Kaiser Joseph II. ließ ihm im Zeughause zu Wien ein Denkmal setzen. 2) Freiherr von, Sohn des Vorigen, stieg durch seinen Vater protegirt in der österreichischen Armee (Artillerie) rasch zu den höhern Würden auf, machte mit Auszeichnung die Feldzüge von 1805 und 1809 mit und fiel bei Wagram, wo er als Feldmarschalllieutenant commandirte. 3) Friedrich Gustav von, Neffe von R. 1) geb. 1771 in Dresden, zuletzt sächsischer Artillerieoberst und Director der Militärakademie, starb 1839 in Dresden. Er schrieb: „Vorlesungen über die Geschützlehre", Leipzig 1811; „Vorlesungen über die Artillerie", Dresden 1811—14, 3 Bde.; „Das Urine Feuergewehr", Dresden 1820.

Rovereds, (Rovereit), Stadt im südlichen Tirol zu beiden Seiten des Leno unweit dessen Mündung in die Etsch (links) und am Ausgang der Val Arsa in das Etschthal, Station der Eisenbahn von Bozen nach Verona, hat bedeutende Seidenindustrie, lebhaften Handel und 8000 Einwohner. R. ist in der Kriegsgeschichte namhaft durch zwei Gefechte im italienischen Feldzug Bonaparte's von 1796: das erste fand am 3. und 4. Sept. 1796 zwischen der französischen Divisionen Masséna und Vaubois gegen die Avantgarde des österreichischen Corps Davidovich von der Wurmserschen Armee statt. Masséna forcirte die Stellung von Caliano (nördlich von R.); die Oesterreicher verloren 25 Geschütze und 5000 M. und wichen auf Trient zurück. Am 6. Nov. griff Davidovich die Division Vaubois in der Stellung von Caliano an, verdrängte sie nach einer Umgehung und besetzte R. am 8. Nov.

Rovigo, Hauptstadt der gleichnamigen italienischen (früher zu Oesterreichisch-Venetien gehörigen) Provinz (30,67 Q.-M. mit 180,647 Einw.), am Adigetto und der Eisenbahn von Padua nach Ferrara, ist mit alten Mauern umgeben und mit einem verfallenen Castell versehen, hat eine schöne Kathedrale, lebhaften Handel und Industrie und zählt 9600 Einw. Nach ihr erhielt der französische General Savary (s. d.) von Napoleon I. den Titel eines Herzogs von R. Hier am 3. und 8. Dec. 1813 Gefechte zwischen den Franzosen unter Deconchy und den Oesterreichern unter Jellachich, worauf R. am 10. Dec. von den Oesterreichern unter Stahremberg besetzt wurde. Am 15. Aug. 1848 wurde in R. von dem österreichischen Feldmarschalllieutenant Welden und den päpstlichen Bevollmächtigten die Convention unterzeichnet, nach welcher die Oesterreicher den Kirchenstaat räumten und Pius IX. von der Theilnahme am italienischen Kriege gegen Oesterreich zurücktrat.

Rove, kleines Gefecht 24. November 1820, s. Amiens (Suppl.).

Rubico, (Rubicon), kleiner Fluß in Oberitalien, der auf dem Apennin entspringt, zur Römerzeit die Grenze zwischen dem Cisalpinischen Gallien und dem eigentlichen Italien bildete und in das Adriatische Meer mündet; in der Kriegsgeschichte dadurch namhaft, daß Julius Cäsar (s. d.), indem er im Jan. 49 v. Chr. mit der 13. Legion diesen die Grenze seiner Provinz bildenden Fluß bewaffnet überschritt, den Bürgerkrieg eröffnete. Es war längere Zeit eine Streitfrage, welcher Fluß der R. sei; Papst Benedict XIV. entschied 1756 durch ein Decret (!), daß es der Luso sei; neuere wissenschaftliche Forschungen haben jedoch ergeben, daß es der südlich von Cesena entspringende und 11 Miglien nördlich von Rimini mündende Pisatello ist, dessen Mündung allerdings nur 100 Schritte nördlich von der des Luso liegt. Diese Annahme wird auch durch die Peutingersche Tafel (Tabula Peutingeriana, Venedig 1591 und Leipzig 1824, 12 Bl.) bestätigt, welche auch an der Mündung des Flusses eine Ortschaft R. (jetzt Torri di bell' Aria) aufführt.

Rüchel, Friedrich Wilhelm Phillipp von, preuß. General, geb. 1754 zu Zizenow in Hinterpommern, trat 1771 in die preußische Armee, wurde 1781 Capitän und Adjutant bei Friedrich d. Gr., begleitete als solcher den König auf allen seinen militärischen Reisen, bereiste auch in des Königs Auftrag die Schlachtfelder des Siebenjährigen Krieges und erstattete darüber ein Memoire, wurde nach Friedrich's Tode (1786) Major und 1788 Inspector der Militairerziehungsanstalten, leitete 1790 die Mobilisirung der Schlesischen Armee, wurde 1791 Flügeladjutant Friedrich Wilhelm's II., machte 1792 als Militairbevollmächtigter im hessischen Hauptquartier den Feldzug gegen Frankreich mit, rettete mit dem hessischen Contingent die Festung Coblenz Ehrenbreitstein, zeichnete sich 1793 und 1794 als Generalmajor in der Pfalz bei Landau und Kaiserslautern aus, wurde 1799 Generallieutenant, 1805 Inspecteur der Provinz Preußen, gehörte 1806 zu der entschieden kriegerisch gesinnten Partei (die eine allzu hohe Meinung von der damaligen preußischen Armee hatte), erhielt beim Ausbruch des Krieges den Befehl über ein bedeutendes Corps in der Armee des Herzogs von Braunschweig, kam jedoch bei Jena (s. d.) mit demselben zu spät auf das Schlachtfeld, um die Niederlage Hohenlohe's noch abwenden zu können, und wurde in der allgemeinen Flucht selbst mit fortgerissen. Er erhielt dann interimistisch das Gouvernement der Provinz Preußen, betheiligte sich bei der Redaction der Königsberger Zeitung, organisirte einige Reserve-Regimenter, erhielt nach dem Tilsiter Frieden 1807 den Abschied als General der Infanterie und starb 1823.

Rücken, s. Terrain ꝛc.

Rückenfeuer ist feindliches Feuer, welches eine Truppe vom Rücken her bekommt. Dasselbe ist im Festungskriege häufig unvermeidlich und nöthigt zur Anlage von Rückenwehren, welche entweder bloße Erdaufwürfe sind oder mit Hülfe von Schanzkörben aufgebaut werden.

Rückhalt, soviel wie Reserve (s. d.) in taktischem oder strategischem Sinne.

Rückladung, auch Hinterladung, setzt das Einbringen der Munition von rückwärts her voraus. Bei Handfeuerwaffen ist es der gegenwärtig noch allein vorkommende Lademodus, der die Vorderladung wegen seiner größeren Einfachheit und damit zusammenhängenden Feuergeschwindigkeit verdrängt hat. Bei Geschützen liegt der Vorzug des Rückladers hauptsächlich in seiner größeren Präcision, da bei der R. die sicherste Geschoßführung — durch Preßlon, möglich ist. Die R. überhaupt gestattet einen bequemeren Gebrauch hinter Deckungen und ergiebt die größtmögliche Sicherheit bei Benutzung letzterer. Sie erleichtert Anfertigung, Revision und Reinigung der Röhre. Bei Geschützen aus Bronce und Eisen erleichtert sie den Kernguß. Die hauptsächlichste Schattenseite der R. ist die damit verbundene größere Complicirtheit der Rohreinrichtung zufolge des Verschlusses. Vgl. weiter Geschütz und Handfeuerwaffen, Bd. IV.

Rücklauf, siehe Rückstoß.

Rückmarsch, 1) jede Bewegung von Truppen, in einer der Frontlinie entgegengesetzten Richtung; 2) s. v. w. Rückzugsmarsch (s. u. Marsch, Bd. VI, S. 30; vgl. Rückzug).

Rückriemen verbindet beim Geschirr des Pferdes beide Zugtaue kurz hinter dem Sattel oder Handkissen über den Rücken des Thieres hinweg, und hält dieselben, in Verbindung mit den Schweberiemen (s. d.) in solcher Höhe, daß bei losen Tauen das Pferd nicht in letztere treten kann.

Rückschloß, s. Schloß.

Rückstand, s. Pulver Bd. VII, S. 258.

Rückstoß ist das Bestreben, welches das Rohr der Feuerwaffe vermöge der Pulverkraft empfängt, eine Bewegung entgegengesetzt derjenigen des Geschosses anzutreten. Die allseitig wirkende Kraft des Pulvers kommt in den Feuerwaffen nämlich nur einseitig zur Geltung: der Druck der Gase auf die Seelenwände hält sich wechselseitig das Gleichgewicht, in der Richtung der Seelenachse dagegen nach Mündung und Boden zu ist dies nur so lange der Fall, bis das Geschoß sich vollständig in Bewegung gesetzt hat. Während nun letzteres nach vorne ausweicht, erleidet das Rohr den R.; seine Bewegung wird bei der viel größeren Masse und somit dem viel größeren Trägheitsmoment des Rohres der Zeit nach viel später und mit viel geringerer Geschwindigkeit erfolgen, als die Bewegung des Geschosses. Damit letztere durch erstere nicht alterirt wird, ist überhaupt ein gewisses Verhältniß zwischen Rohr- und Geschoßgewicht nöthig, welches mit dem Ladungsverhältniß correspondiren muß. Dennoch hat man neuerdings mittelst des Chronographen von Leboulengé ermittelt, daß die Rohrbewegung bei gezogenen Geschützen schon beginnt, ehe das Geschoß die Mündung verlassen hat. Die Anfangsgeschwindigkeiten von Rohr und Geschoß verhalten sich umgekehrt wie die Gewichte beider. Beim preußischen 8 cm.-Kanon mit 0,5 Kilogramm Ladung wiegt das Rohr 301 Kilogramm, das Geschoß 4,25 Kilogr., die resp. Anfangsgeschwindigkeiten sind 5,11 m und 369 m. Ist das Rohr, wie bei den tragbaren Feuerwaffen, mit einem Schaft fest verbunden, so überträgt sich die Bewegung des ersteren unmittelbar auf den letzteren. Der ganze Rückstoß wird vom Körper des Schützen aufgenommen; es ist daher nothwendig, den Einfluß desselben durch ein entsprechend großes Waffengewicht genügend abzuschwächen. Für ein Ladungsverhältniß von ¹⁄₆ bis ¹⁄₅ finden wir einem Geschoßgewicht von 30 Gramm ein Totalgewicht der Waffe von 5 Kilogr. gegenüberstehen, woraus sich ein Verhältniß von ³⁄₁₇₀ ergiebt. Wo sich die Nothwendigkeit ergiebt, das Waffengewicht mit Beibehalt des Geschoßgewichts zu reduciren, wie bei den Karabinern und Pistolen, ist es unerläßlich, die Ladung herabzusetzen; so beträgt letztere beim preußischen Karabiner 3,87 Gr. im Gegensatz zu 4,88 Gr. beim Gewehr, beim österreichischen Werndl-Karabiner und desgl. Pistole 2,19 Gr. gegenüber 4 Gr. beim Gewehr. Bei den Geschützröhren, welche in der Regel durch Schildzapfen mit den Laffeten verbunden sind, tritt zunächst eine selbstständige Rückwärtsbewegung jener ein, die indeß nur so weit reichen kann, als der Spielraum der Schildzapfen im Lager zuläßt. Dieselbe überträgt sich dann auf die Laffete und zwar besonders auf deren Wände und den dritten Unterstützungspunkt, die Richtmaschine. Je nach der Richtung des Stoßes und der Einrichtung der Laffete wird letztere mehr oder weniger dem empfangenen Impuls folgen und dem Rückstoß des Rohres auszuweichen suchen. Je weniger letzteres gestattet ist, ein um so größerer Einfluß wird sich auf den Zusammenhalt der ganzen Laffete geltend machen. Die Rohrgeschütze haben vorherrschend solche Lagen der Rohrachse, welche von der Richtung des Geschützstandes nur unbedeutend abweichen; da ihre Laffeten außerdem im vorderen Theil auf Rädern ruhen, so werden sie dem R. des Rohres ausweichen und einen gewissen Rücklauf annehmen, der zwar die Bedienung erschweren kann, aber auch der Haltbarkeit der Laffeten zu Gute kommt. Da die Laffete mit ihrem dritten Unterstützungspunkt auf dem Geschützstand zu gleiten pflegt, so wird jener eine größere Reibung erleiden, als die beiden andern Punkte, die Räder, und somit das Rohr das Bestreben äußern, die Laffete um ihren Schwanz nach rückwärts zu drehen, also nach hinten zu überschlagen, welchem Uebelstand man durch einen genügend geringen Laffetenwinkel und eine schlittenartige Abrundung des Laffetenschwanzes entgegen arbeitet. Je größer der Neigungswinkel der Seelenachse zum Geschützstand ist, desto mehr wird der Rückstoß sich gegen die Laffete selbst geltend machen und die relative Festigkeit der Wände und Achse, die rückwirkende der Richtschraube und Radspeichen in Anspruch nehmen. Bei den eisernen Rädern nach Jones, sowie bei der Richtmaschine der preußischen Feldlaffeten C. 64 hat man dahin getrachtet, die absolute Festigkeit, welche beim Eisen die rückwirkende übertrifft, statt dieser in Anspruch zu nehmen. Erfolgt der Rückstoß in einer der Verticalen sich nähernden Richtung, wie bei den Mörsern, so vermag die Laffete nur soweit auszuweichen, als es die Elasticität der Bettung zuläßt; es tritt danach häufig ein Hüpfen des ganzen Geschützes ein, das bei Elevationen von 75° selbst nach vorwärts gerichtet ist. Die Laffete hat fast den ganzen R. in sich aufzunehmen, woraus die Unanwendbarkeit von Rädern beim Schießen erhellt. Die älteren Mörserlaffeten sind daher nicht als Fahrzeuge eingerichtet, während man bei der Laffete des preußischen 21 cm. gezogenen Mörsers Achse und Räder beim Schießen entlastet, die Engländer bei ihren neuesten Constructionen die Räder zum Schießen abziehen. — Die Rücksicht auf Schonung der Laffete schreibt ebenfalls gewisse Verhältnisse zwischen Rohr- und Geschoßgewicht vor, die mit dem Ladungsverhältniß correspondiren müssen. So hat das glatte 9 cm. Kanon mit $^1/_3$ Ladungsverhältniß ein Verhältniß des Geschütz- zum Rohrgewicht wie 1 : 116, das gezogene 9 cm. Kanon mit $^1/_{11,4}$ Ladung 1 : 60, der gezogene 21 cm. Mörser mit $^1/_{40}$ Ladung 1 : 21, der glatte 23 cm. Mörser mit $^1/_{32}$ Ladung 1 : 14. Das richtige Verhältniß zwischen diesen Größen ist das Mittel zur Schonung der Laffete, die um so mehr erfolgen wird, je geringer die Geschwindigkeit des Rohrs ist, je mehr Zeit also bleibt, das Trägheitsmoment der Laffete zu überwinden. Die Lage des Zündlochs ist bei den Geschützröhren gewöhnlich in der oberen Rohrwand und zwar der Art, daß es die Richtung der Seelenachse vertical schneidet. Hiedurch entsteht eine Reaction der Gase der Pulverladung gegen die entgegengesetzte Seelenwand und somit ein Druck gegen den dritten Unterstützungspunkt des Rohrs, dem in der Regel ein Hüpfen des letzteren in entgegengesetzter Richtung — das Bucken, folgt. Es erhöht sich dies noch bei versenkter Lage der Schildzapfenachse. Die bei Hinterladern jetzt mehrfach zur Anwendung kommende Zündung durch den Verschluß hindurch, und zwar in der Richtung der Seelenachse, hebt diesen Nachtheil auf. Vor Anwendung der Einheitspatronen hatten die Handfeuerwaffen ebenfalls äußerliche Zündung, das Zündloch lag seitwärts, dem Kopf des Schützen entgegengesetzt, woraus für diesen ein Backenschlag entstand, der namentlich bei den weiten Zündkanälen der Steinschloßgewehre empfindlich war. — Die Größe des Rücklaufs hängt zusammen: a) mit der Geschwindigkeit des Rohrs, b) mit dem Gewicht des ganzen Systems, c) mit den Reibungswiderständen bei der Rückwärtsbewegung, d) mit der Lage des Geschützstandes. Wenn er auch ein Palliativ gegen die nachtheiligen Folgen des Rückstoßes ist, so kommt es doch häufig darauf an, den Rücklauf mit Rücksicht auf die Raumverhältnisse und die Bequemlichkeit der Bedienung zu ermäßigen, resp. ganz zu unterdrücken, wie bei Aufstellung der Laffeten auf Bettungen, Rahmen, in Kasematten und auf Schiffen. Mittel hierzu sind zunächst ein erhöhtes Laffetengewicht und verringerte Fahrbarkeit derselben, sowie überhaupt vermehrte Reibungswiderstände, insbesondere Anwendung von Bremsvorrichtungen, nach hinten ansteigende Lage des Geschützstandes oder wenigstens Anwendung von Hemmleitern hinter den Rädern, endlich Hemmtaue. Je allmähliger die Laffete hierbei aufgehalten wird, desto weniger wird sie leiden; s. Hemmvorrichtungen im Supplement. — Auf eine sinnreiche Weise wird der R. bei den Moncrieff-Laffeten ausgebeutet, s. B. V. S. 274 f.

Rückwärtsrichten ist im preußischen Reglement das Rückwärtstreten einer Truppenabtheilung, um in ein hinter ihr liegendes Alignement zu gelangen, und wird nur auf ganz kurze Distancen (2 bis 3 Schritte) angewandt, andernfalls erfolgt die betreffende Bewegung durch Kehrtmachen und Marsch rückwärts.

Rückzug ist eine rückwärtige Bewegung in der Absicht, sich vom Feinde zu entfernen. Der R. kann ein freiwilliger sein, wenn man sich dem Zusammentreffen oder einem Gefechte zu entziehen sucht, oder dasselbe abbricht, resp. ein gezwungener, wenn der betreffende Theil bereits geschlagen ist. Im ersten Falle — strategischer R. — kann man den Zweck haben, sich seinen Hülfsquellen zu nähern, resp. den Feind von den seinigen zu entfernen, sobald ihm die Verpflegung erschwert oder ganz unmöglich wird, was um so mehr erwartet werden kann, wenn man ihn in unwirthbare, klimatisch ungünstige Landstriche lockt (R. der Russen im Jahre 1812). Der freiwillige R. ist einem überlegenen Gegner gegenüber oft geboten, namentlich wenn man selber damit eine günstige Position gewinnen kann. Als nach den ersten Schlägen des Krieges 1870 die Franzosen die materielle und taktische Ueberlegenheit ihres Gegners erkannt hatten, wäre vielleicht ein strategischer R. bis unter die Mauern von Paris geboten gewesen. Freilich ist damit immer ein moralischer Nachtheil verbunden. Jedenfalls aber hätte Mac Mahon, statt Bazaine entsetzen zu wollen, den R., welcher nach der Schlacht von Wörth ein gezwungener war, bis Paris fortsetzen müssen, um der Vertheidigung dieser Capitale eine reguläre Armee zu erhalten. — Bei einem gezwungenen R. kommt es vor Allem auf richtige Dispositionen des denselben deckenden Theils (Arrièregarde) an, der mitunter selbst aufgeopfert werden muß. Ein verstellter R. hat den Zweck, den Feind zum Verlassen seiner festen Stellung resp. selbst ihn in einen Hinterhalt zu locken. — Rückzugsgefechte sind sehr häufig mit dem R. verbunden. Vgl. Arrièregarde, Durchschlagen, Gefecht.

Rückzugs-Linie ist derjenige Theil der Operationslinie, welcher den augenblicklichen Standort einer Armee mit der hinter ihm liegenden Operations-Basis verbindet. Die R.-L. dem Gegner abschneiden, ist das sicherste Mittel, ihn zu vernichten, ist dies seltener der Deutschen zwei Mal mit großem Geschick effectuirt worden, bei Metz und bei Sedan.

Ruder, diejenige Vorrichtung am Bord von Schiffen und Fahrzeugen, mittelst deren dieselben, sobald sie in Bewegung gesetzt sind, gedreht werden. Die Wirkung dieser allbekannten am äußersten hinteren Theile des Schiffs befindlichen Vorrichtung beruht darin, daß durch Drehung des R.s nach einer oder der anderen Seite an dieser Seite eine größere Menge Wasser durch das in Bewegung befindliche Schiff zu verdrängen ist. Diese Seite wird also der andern Seite gegenüber zurückgehalten; diese letztere folgt ungehindert dem anfänglichen Impulse, wodurch die geradlinige Bewegung in eine drehende, nach der zurückgehaltenen Seite hin verwandelt wird. Das R. hängt in metallenen Zapfen, welche Fingerlinge heißen; der obere Theil heißt Ruderkopf; in

ihm befindet sich rechtwinklig zu ihm und horizontal liegend ein Hebelarm,
Ruderpinne, auch Helm, genannt, mittelst dessen auf kleineren Fahrzeugen
das Ruder direct gedreht wird. Auf größeren Schiffen wird, um den bedeutenden Widerstand resp. Druck des Wassers auf die Fläche des R.s leichter
zu überwinden, die Ruderpinne durch ein Flaschenzug-System mittelst eines
Lederlaus bewegt und dieses Tau mit einem aufrecht stehenden Rade in Verbindung gebracht. Werden die Speichen dieses Rades — Steuerrad genannt —
nach einer Seite bewegt, so dreht sich das R. ebenfalls nach dieser Seite,
die Pinne nach der entgegengesetzten Seite. — Während unter gewöhnlichen
Verhältnissen ein bis zwei Mann genügen, um Holzschiffe bis zur Größe
von Fregatten mittelst des Steuerruders zu steuern, änderten sich diese
Verhältnisse bei den langen Panzerschiffen (s. d.) sehr bedeutend, so daß
30—40 und mehr Personen erforderlich wurden, um derartige Schiffe angemessen zu steuern. Statt eines Rades werden in solchem Fall deren mehrere
neben- und übereinander aufgestellt. Dies führte zur allgemeineren Einführung
der Balancier- oder Compensations-Ruder, bei denen der Drehpunkt etwas
verschoben ist. Die Ruderfrage ist bei diesen neueren Kriegs-Schiffen, welche großes
Drehungsvermögen besitzen müssen, um den Sporn gehörig zu verwerthen oder
ihm auszuweichen, sehr in den Vordergrund getreten und noch nicht völlig zum
Austrage gebracht. Die Ingenieure sind zur Zeit eifrigst darauf bedacht, die
augenblicklichen Uebelstände durch angemessenere Constructionen zu beseitigen.

Ruderflotte, Kriegsfahrzeuge kleinerer Art, welche mit Hülfe der Ruder
(seemännisch „Riemen") fortbewegt wurden. Vor Einführung der Dampfkraft
waren selbst die größten Kriegsschiffe bei eingetretener Windstille unfähig zu
jedweder Offensive. Deshalb konnten armirte Ruderboote in solchem Fall den
bewegungslosen Gegner mit Erfolg enfiliren und eventuell entern. Namentlich
waren derartige Ruderflotillen an engen und frequenten Passagen wie z. B.
Sund, Kattegat sehr geeignet, zumal wenn die Küste geschützte Rückzugslinien
darbot. Dies ist namentlich an der schwedischen, resp. norwegischen Küste der
Fall, wo die Ruderboote sich hinter die Felsenklippen, Scheeren (s. d.) genannt,
unverfolgt zurückziehen konnten. Man nannte deshalb diese derartige Flotte
speciell „Scheerenflotte". Hauptsächlich wurden diese R.n verwendet, einen
Convoy, d. h. eine größere Anzahl Handelsschiffe, welche von Kriegsschiffen
escortirt wurden, sobald diese von Windstille befallen wurden, zu nehmen.
Auch zur Küstenvertheidigung sind sie vielfach benutzt worden. Diese Ruderboote führten ein bis zwei schwere Geschütze und hatten je ca. 60 Mann Besatzung.

Rüdiger, Fedor Wassillewitsch Graf von, russischer General, geb.
1784 in Mitau, trat frühzeitig in die russische Armee machte die Feldzüge
von 1807, 1812, 1813 und 1814 mit, wurde schon 1813 Generalmajor und
focht in den folgenden Jahren unter Wittgenstein, nahm 1828 als Generallieutenant an dem Feldzug gegen die Türkei Theil und zeichnete sich bei vielen
Gelegenheiten, namentlich beim Balkanübergange und bei Selimno aus, machte
1831 den Feldzug gegen Polen mit, in welchem er das Dwernickische Corps
in Podolien auf österreichisches Gebiet drängte, den Kaminskischen und Roz-
dischen Corps erheblichen Schaden zufügte und Kleinpolen in seine Gewalt
brachte. Nachdem er 1835 zum General der Cavalerie ernannt und 1847 in
den Grafenstand erhoben worden war, erhielt er 1849 ein Commando über den
russischen Hilfsheer in Ungarn, führte die Avantgarde von Dutla in Galizien
nach Ungarn über, nahm an den Kämpfen bei Waizen und Debreczin Theil,
drängte dann Görgey nach Arad und zwang diesen am 13. August zu der
berühmten Capitulation von Vilagos (s. d.). Im Jahre 1850 wurde er
zum Mitglied des Reichsrath ernannt, im Frühjahr 1854 an Paskewitsch's

Stelle zum interimistischen Statthalter von Polen nach Warschau beordert, im April 1855 Chef des Garde- und Grenadiercorps (welches bisher der Kaiser Alexander II. als Großfürst selbst commandirt hatte) und starb auf einer Gesundheitsreise 22. Juni 1856 in Karlsbad.

Rudolf, 1) R. von Schwaben, Gegenkönig Heinrich's IV., Sohn des Grafen Kuno von Rheinfelden, heirathete die Schwester des Kaisers Heinrich IV., Mathilde, erhielt von diesem 1058 das Herzogthum Schwaben, stand seinem Schwager Anfangs treu zur Seite, namentlich 1075 in der Schlacht an der Unstrut gegen die Sachsen, wandte sich aber, als der Kaiser vom Papste Gregor VII. in den Bann gethan worden war, von ihm ab, schloß sich 1076 den Beschlüssen der Fürstenversammlung zu Tribur an, wurde am 15. März 1077 zu Forchheim an Heinrich's Stelle zum König gewählt und am 26. März zu Mainz gekrönt. Als Heinrich, vom Banne freigesprochen, wieder aus Italien zurückkehrte, fand er unter den deutschen Fürsten noch mächtigen Anhang, ließ R. auf einem Fürstengerichte zu Ulm nach alemannischem Rechte als Majestätsverbrecher ächten und begann nun mit ihm den Kampf um die Krone. R. siegte zwar in den Schlachten bei Mellrichstadt (7. Aug. 1078), bei Flarchheim (27. Jan. 1080) und bei Mölsen unweit Weißenfels (15. Oct. 1080), wurde aber in letzterer Schlacht tödtlich verwundet (Verlust der rechten Hand und Stich durch den Unterleib), starb in Folge davon am folgenden Tage und wurde mit königlichen Ehren im Dom zu Merseburg begraben, wo sein Grabmal noch zu sehen ist und seine gedörrte Hand in einem Futterale aufbewahrt wird. 2) R. I. von Habsburg, Deutscher Kaiser, geb. 1. Mai 1218 als der älteste Sohn Albrecht's IV., Grafen von Habsburg (s. b.) und Landgrafen im Elsaß, kämpfte schon 1236 unter Kaiser Friedrich II., der sein Pathe war, in Italien, erhielt dort von ihm den Ritterschlag, wurde als Anhänger Friedrich's II. 1248 vom Papste Innocenz IV. in den Bann gethan, schloß sich 1255 dem Zuge Ottokar's von Böhmen gegen die heidnischen Preußen an, wurde 1257 von Uri, Schwyz und Unterwalden zum Schirmherrn, später von Straßburg und Zürich zum Feldhauptmann gewählt, deshalb mit dem Bischof von Straßburg in eine Fehde verwickelt, aus der er jedoch als Sieger hervorging und war im J. 1273 im Begriff Basel zu bekriegen und die Stadt Basel zu belagern, als ihm der Burggraf Friedrich von Nürnberg die Nachricht von seiner Ende Sept. 1273 zu Frankfurt a. M. erfolgten Wahl zum Deutschen König überbrachte, worauf ihm Basel sofort die Thore öffnete. Nachdem R. am 28. Oct. 1273 zu Aachen gekrönt worden war, gewann er sich durch ein die Ansprüche und Vortheile der Kirche bestätigendes Concordat die Gunst des Papstes Gregor X., vermählte die eine seiner Töchter mit dem Pfalzgrafen Ludwig, die andere mit dem Herzog Albert von Sachsen, zog gegen den König Ottokar von Böhmen und den Herzog Heinrich von Baiern, welche seine Wahl nicht anerkannt hatten, ins Feld, belagerte 1276 Wien und zwang beide Fürsten zur Unterwerfung. In dem im Nov. 1276 zu Wien abgeschlossenen Vertrage mußte Ottokar seine deutschen Provinzen Oesterreich, Steiermark, Kärnten und Krain an den Kaiser abtreten (wodurch die Habsburgische Hausmacht entstand), wurde dagegen mit Böhmen und Mähren belehnt. Ottokar brach indeß den Frieden sehr bald wieder, wurde aber am 26. Aug. 1278 in der Schlacht auf dem Marchfelde vollständig geschlagen und fiel daselbst. Seines mächtigen Feindes entledigt, lenkte nun R. seine Thätigkeit darauf, die während des Interregnums (s. Zwischenreich) zerrütteten Angelegenheiten des Deutschen Reiches zu ordnen und erwarb sich dadurch um dasselbe große Verdienste. Er stärkte das kaiserliche Ansehen durch Zurücknahme vieler Güter und Gerechtsame, steuerte der Gesetzlosigkeit durch Herstellung des Landfriedens, zerstörte zahlreiche Raubschlösser, reiste selbst im Reiche umher und schlichtete persönlich die Streitigkeiten zwischen Fürsten und

Unterthanen (weßhalb er das „lebendige Gesetz" genannt wurde), stellte das Ansehen der Kurfürsten wieder her und unternahm nichts Wichtiges ohne deren Zustimmung, welche er sich mittelst der von denselben ausgestellten Willebriefe ertheilen ließ, die denn auch von seinen Nachfolgern beibehalten wurden. Mehre außerdeutsche Fürsten (wie den Grafen von Savoyen, welcher deutsche Reichslehen in der Schweiz an sich gerissen, und den Grafen von Hochburgund, welcher mit Hilfe Frankreichs sich der Lehenspflicht gegen das Deutsche Reich entziehen wollte) bekriegte er mit Glück, zwang den widerspenstigen Grafen Eberhard von Würtemberg und andere Reichsvasallen zur Unterwerfung, und unterstützte den König Wenzel von Böhmen gegen den Markgrafen Otto von Brandenburg. Er starb 30. Sept. 1291 zu Germersheim und wurde im Dom zu Speier begraben, wo ihm in neuerer Zeit neben den andern Kaisergräbern ein prachtvolles Grabmal errichtet ward. Vgl. Lichnowski, „Geschichte Kaiser R.'s I. und seiner Ahnen", Wien 1836; Schönhuth, „Geschichte R's von Habsburg", Leipzig 1843 f., 2 Bde.

Ruf, ein Signal zum Sammeln der ausgeschwärmten Schützen, bei Manövern auch zur Versammlung der höhern Befehlshaber.

Ruffo, Fabricio, geb. 1744 zu San-Lucido in Calabrien, wurde Geistlicher, 1791 Cardinal, trat dann in neapolitanische Dienste, wurde Intendant des Schlosses Caserta, widerrieth 1796 den Krieg mit Frankreich, folgte, als seine Stimme nicht gehört wurde, dem Hofe nach Sicilien, kehrte 1799 nach Calabrien zurück und leitete dort den Aufstand, welcher der Parthenopäischen Republik ein Ende machte. Die von ihm mit den Republikanern abgeschlossene Convention wurde jedoch von Nelson (s. d., vgl. Caraccioli 4) gebrochen. R. wurde 1821 von Ferdinand I. in den neapolitanischen Staatsrath berufen und starb 1827 in Neapel.

Rügen, die größte der deutschen Inseln, liegt in der Ostsee, ist vom Festlande, mit dem sie wahrscheinlich einst zusammenhing, durch den nur ³/₄ Meile breiten Strela-Sund oder Gellen (Göllen) und den Rügenschen Bodden getrennt und bildet nebst einigen umliegenden kleinen Eilanden (wovon Hiddensee oder Hiddens'Oe und Ummanz auf der nördlichen Westküste die bedeutendsten sind) den zum Regierungsbezirk Stralsund der preußischen Provinz Pommern gehörigen Kreis R., welcher 19,66 Q.-M. mit 48,000 Einwohnern umfaßt. Die nordöstlichen Küsten der Insel bestehen aus Kreidebergen, unter den sich das Vorgebirge Arkona (mit Leuchtthurm) und Stubbenkammer (mit dem 409 Fuß hohen Königsstuhl) auszeichnen. Der höchste Punkt im Innern ist der Rugard 313 Fuß. Die Insel ist sehr fruchtbar und wird wegen ihrer Naturschönheiten vielfach besucht. Hauptstadt ist Bergen mit 3700 Einwohnern, außerdem noch die Stadt Garz und die Flecken Putbus (Residenz des Fürsten von Putbus) mit 300 Einwohnern und Sagard mit 1200 Einwohnern. — R. war in der ältesten Zeit von dem Germanen-Stamme der Rugier, seit dem 6. Jahrh. von dem Wenden-Stamme der Rugianen bewohnt und wurde 1168 vom König Waldemar von Dänemark erobert, welcher dann das Christenthum auf der Insel einführte, die nun von eingebornen Fürsten unter dänischer Lehnshoheit beherrscht wurde. Im J. 1325 kam R. an Pommern und 1648 mit Vorpommern an Schweden, wurde 1715 von Preußen und Dänen besetzt, 1720 aber wieder von ihnen geräumt, 1807 von den Franzosen besetzt, kam 1813 wieder an Schweden, wurde 1814 von diesem an Dänemark abgetreten, 1815 aber mit dem übrigen Vorpommern gegen Lauenburg an Preußen vertauscht und ist seit dem preußisch geblieben. Vgl. E. Müller, „R. in der Brusttasche" Leipzig 1850, 3. A. Berlin 1861; Rasch, „Ein Ausflug nach R." (Nr. 8 von J. J. Weber's Illustrirte Reisebibliothek) Leipzig 1856 Barthold, „Geschichte von R. und Pommern", Hamburg 1839—45, 5 Bde;

Fock, „Rügensch-pommersche Geschichte", Leipzig 1861. Im Deutsch-Französischen Kriege fand am 17. Aug. 1870 bei Hiddensee ein Seegefecht statt.

Um während dieses Krieges Stralsund gegen einen Angriff von der Seeseite aus zu decken, wurden die armirte Yacht „Grille" und die drei Kanonenboote „Drache, Blitz und Salamander" unter den Oberbefehl des Corvetten-Capitäns Graf Walderfee gestellt, mit dem Auftrage, die beiden nach Stralsund mündenden engen Fahrwasser namentlich gegen Bootsangriffe zu vertheidigen. Am 17 Aug. 1870 lagen die genannten Fahrzeuge auf der Binnenrhede von Wittow-Posthaus, dem Ausgang des westlichen Fahrwassers, als die Grille sich in aller Frühe aufmachte, um nach den dänischen Gewässern hinüber nach feindlichen Schiffen zu recognosciren. Südlich von der Insel Möa kam gegen Morgen 9 Uhr ein französischer Aviso in Sicht, in dessen Nähe größere feindliche Streitkräfte vermuthet werden durften. Um von ihnen den Aviso abzulenken und seine Schnelligkeit zu prüfen, steuerte die Grille darauf südlich und verringerte später ihre Fahrt, in Folge dessen der französische Aviso schnell der Grille näherte. Als er ihr auf Schußweite nahe gekommen, fing die mit gezogenen 12-cm Kanonen bewaffnete Grille an zu feuern, indem sie nunmehr Front gegen den feindlichen Aviso machte. Dieser machte sich eilends aus dem Staube, ohne das Feuer zu erwiedern — vermuthlich führte er keine Geschütze — und obgleich die Grille als einer der schnellsten Avisos bekannt ist, die je gebaut wurden, so vermochte sie doch nicht gegen den Verfolgten aufzukommen. Gegen 11 Uhr wurde westlich Rauch von 5 Schiffen sichtbar, welche näher kommend Signale mit dem feindlichen Aviso wechselten. Man erkannte bald 4 Panzerfregatten und eine ungepanzerte Corvette, vor denen die Grille, als sie sich zu ihrer Verfolgung anschickten, langsam den Rückweg nach Dornbusch, dem Eingange zum westlichen Stralsunder Fahrwasser, einschlug. Die feindlichen Schiffe rangirten sich zur Schlacht, als ob sie eine bedeutende feindliche Macht vor sich hätten, später trennten sich drei Fregatten, unter ihnen das Flaggschiff des commandirenden Admirals Bouet de Villaumez, indem sie nördlich steuerten, während die schwerste der gedachten Fregatten, die Corvette und der Aviso die Grille einzuholen suchten und das Feuer auf sie bei einer Entfernung von ca. 4 bis 5000 Schritt eröffneten. Anfänglich achtete man auf der Grille kaum darauf, daß, wie der aufsteigende Rauch erkennen ließ, der Feind das Feuern begann, weil man die Entfernung für zu groß hielt, als daß die Geschosse bis zur Grille reichen könnten. Nicht wenig erstaunte man daher an Bord dieses Fahrzeuges, als der Ton fliegender Geschosse laut wurde und solche vom schwersten Kaliber in der Nähe der Grille und selbst über sie hinaus niederfielen, ein Zeichen, daß die französischen Schiffe Geschütze von so schwerem Kaliber an Bord führten, wie solche bis jetzt auf Schiffen selten sind, was um so mehr unerwartet kam, als über die Geschütz-Experimente der französischen Regierung bis dahin officiell fast nichts verlautet hatte. Die vorher genannten Kanonenboote eilten mittlerweile herbei, um sich an dem Kampf zu betheiligen, und erwiederten im Verein mit der Grille das feindliche Feuer, so gut es gehen wollte, überzeugten sich indessen bald, daß dasselbe gegen Panzerschiffe wirkungslos bleiben mußte. Die französischen Schiffe verschwendeten ungemein viel Munition und feuerten selbst in ganzen Lagen, daher blieb den diesseitigen Fahrzeugen schließlich nichts anderes übrig, als sich innerhalb der Fünf-Faden-Linien zurückzuziehen. Das starke Feuer hatte indessen auch die drei erstgedachten Panzerschiffe zurückgeführt, welche wie erwähnt, sich getrennt und einen nördlichen Cours eingeschlagen hatten. Nachdem sich die Schiffe in Schlachtordnung formirt, steuerten alle in Dioarslinie auf die diesseitigen Fahrzeuge mit Volldampf zu, indem sie ein heftiges Feuer abgaben. Unter diesen Umständen waren die ersteren veranlaßt, sich durch das Seegatt auf ihren Stationsort zurück zu ziehen, bis wohin der Feind fie mit feinen Geſchoſſen verfolgte, ohne ihnen indeſſen Schaden zuzufügen. Die abnehmende Tiefe hinderte den Feind ſchließlich an einer weiteren Verfolgung.

Rugier, altgermaniſcher Volksſtamm an der Odermündung und auf der Inſel Rügen, erſcheint zu Attila's Zeit im heutigen Oeſterreich und an der Donau, bis er nun 487 von Odoacer unterdrückt wurde, das Land verließ und ſich unter andern Völkern verlor.

Ruß, ſoviel wie Raſt (ſ. b.) beim Gewehrſchloß, ſ. auch Schloß.

Ruhetag, ſ. Marſch, Bd. VI., S. 29.

Rühle von Lilienſtern, Johann Jacob Otto Auguſt, preußiſcher General, geb. 1780 in Berlin, wurde in dem Cadettencorps zu Berlin gebildet, trat 1798 in die preußiſche Armee, machte die Feldzüge von 1806 und 1807 mit, trat nach dem Tilſiter Frieden als Major in weimarſche Dienſte und wurde Gouverneur des Prinzen Bernhard. Dem Feldzuge von 1809 wohnte er in dieſer Eigenſchaft bei, dem von 1813 bis nach der Schlacht bei Leipzig aber in preußiſchen Dienſten im Generalſtabe Blücher's, nahm an den wichtigſten militairiſchen Berathungen Theil, wurde 1814 Generalcommiſſar der deutſchen Bewaffnung, war 1814 Mitglied der Militairconferenzen zu Wien, trat 1816 als Oberſt in den Großen Generalſtab, wurde 1820 Generalmajor, 1822 Chef des großen Generalſtabe, 1826 Director der Militairſtudiencommiſſion, 1835 Generallieutenant, 1837 Director der allgemeinen Kriegsſchule, 1844 General-Inſpecteur des Militairerziehungs- und Bildungsweſens und ſtarb, auf der Rückreiſe von Gaſtein begriffen, 1. Juli 1847 in Salzburg. Von ſeinen Schriften ſind hervorzuheben: „Berichte eines Augenzeugen von dem Feldzuge des Jahres 1806", Tübingen 1807, 2. A. 1809, 2 Bde.; „Reiſe mit der Armee im J. 1809", Rudolſtadt 1809 ff., 3 Bde.; „Handbuch für Offiziere", Berlin 1817, 2 Bde.; „Zur Geſchichte der Belagerer und Etrurier", Berlin 1831; „Hiſtoriogramm des preußiſchen Staates von 1820—30", Berlin 1835; „Hiſtoriographiſche Skizzen des preußiſchen Staates", Berlin 1837; „Rudimente der Hydrognoſie", Berlin 1839; „Vaterländiſche Geſchichte von der früheſten Zeit bis zum Ende des 13. Jahrhunderts", Berlin 1840; ferner gab er heraus: eine treffliche „Generalkarte von Sachſen", Dresden 1808 und einen „Univerſalhiſtoriſchen Atlas", Berlin 1827 ff., redigirte die für Staats- und Kriegskunſt beſtimmte Zeitſchrift „Pallas", Tübingen 1808—1809, und überſetzte Carnot's „De la défenſe des places fortes" als „Von der Bertheidigung feſter Plätze", Dresden 1811.

Rumänien (Romanien), türkiſch officiell Ejalet Eflack, ein unter der Suzeränetät der Pforte ſtehendes Fürſtenthum im ſüdöſtlichen Europa, 1861 gebildet aus der Vereinigung der beiden Donaufürſtenthümer Walachei und Moldau nebſt dem 1856 von Rußland abgetretenen beſſarabiſchen Gebietstheile, grenzt im Norden an Siebenbürgen, Gallizien (reſp. die Bukowina) und Rußland; im Oſten an Rußland (durch den Pruth davon getrennt), das Schwarze Meer und das türkiſche Bilajet Tuna (Donau, früher Sliſtria genannt); im Süden an das Ejalet Tuna (durch die Donau davon getrennt); im Weſten an Serbien, Ungarn und Gallizien (reſp. die Bukowina) und umfaßt einen Flächenraum von 2197 □.-M. mit 3,864,848 Einwohnern*), wovon 2,400,921 auf die Walachei und 1,463,927 auf die Moldau kommen. Der

---

*) Anmerkung: Dieſe Angabe iſt nach dem amtlichen Berichte der Central-Direction für Statiſtik über die Aufnahmen in den Jahren 1859—60. Alle ſpätern Angaben ſtimmen jedoch dahin überein, daß dieſer Cenſus die Bevölkerung zu niedrig angiebt. Neuere officielle Angaben ſchätzen dieſelbe auf 4½ bis 5 Millionen Einwohner. Ebenſo wird der Flächenraum in neuerer Zeit von 2204 bis zu 2684 □.-M. angegeben.

Nationalität nach sind die Mehrzahl Rumänen (Abkömmlinge der römischen Colonisten, welche unter Trajan im 2. Jahrh. n. Chr. nach Dacien kamen und sich dort mit den ursprünglichen Einwohnern, den Daciern, mehr oder weniger vermischten), außerdem ungefähr 200,000 Juden, 90,000 Bulgaren, 40,000 Magyaren und 20,000 Deutsche, Griechen, Armenier und Russen. Das Land ist nördlich und westlich von Karpatenzweigen durchzogen, von Donau und Pruth und deren Nebenflüssen bewässert, großentheils sehr fruchtbar, aber nur wenig angebaut und hat bedeutenden Mineralreichthum. Haupterwerbs= quelle ist die Viehzucht; der Handel und die (höchst unbedeutende) Industrie sind fast ausschließlich in den Händen der Juden, Armenier, Griechen und Russen. In neuster Zeit ist viel für das Eisenbahnwesen geschehen, doch hat dasselbe vielfach zu Finanz=Calamitäten und Differenzen mit dem Auslande Veranlassung gegeben. Hauptstadt des Landes ist Bukarest. Nach der Verfassung von 1868 ist R. eine constitutionelle, erbliche Monarchie mit Zweikammersystem (Senat von 74 Mitgliedern und Deputirtenkammer von 157 Mitgliedern, welche in Districtswahlcollegien gewählt werden). Fürst (Hospodar) ist seit dem 10. Mai 1866 Karl (geb. als Prinz von Hohenzollern=Sigmaringen am 20. April 1839). Die Staatsverwaltung zerfällt in 7 Ministerien: Inneres, Aeußeres, Finanzen, Krieg, Justiz, Cultus und öffentlicher Unterricht, Ackerbau, Handel und öffentliche Arbeiten. Die Minister sind verantwortlich. Das Fi= nanzwesen ist dem französischen nachgebildet. In kirchlicher Beziehung bekennt sich die Mehrzahl zur griechisch=orthodoxen, ungefähr 50,000 zur römisch= katholischen Kirche, ungefähr 30,000 zum Protestantismus und ungefähr 200,000 zum Mosaismus. Es bestehen noch immer viele Klöster, von unwissenden Mönchen und Nonnen bevölkert, deren Zahl jedoch fortwährend abnimmt. Die Volksbildung steht im Allgemeinen auf sehr niedriger Stufe, doch wird in neuerer Zeit viel dafür gethan; der Unterricht ist überall unentgeltlich und jetzt auch obligatorisch. Für die Criminaljustiz ist die Jury eingeführt; das Ver= fahren ist in allen Instanzen öffentlich und mündlich.

Vor der Vereinigung der beiden Fürstenthümer waren die Streitkräfte derselben von sehr geringer Zahl und lediglich zur Ausübung des Garnison= dienstes bestimmt gewesen; die Organisation hatte nach dem Orientkrieg nach französischem Muster stattgefunden. Bei der vom Fürsten Karl veranlaßten Neugestaltung des Heeres vom Jahre 1868 sind wesentlich die Einrich= tungen des preußischen Heeres als Vorbild gewählt worden. Nach dem Or= ganisationsstatut von 1868 besteht in Rumänien die allgemeine Wehr= pflicht vom 20. bis 50. Lebensjahre. Die bewaffnete Macht besteht aus: 1) dem stehenden Heere mit der Reserve; die Dienstzeit dauert hier vom 20. bis 27. Lebensjahre und zwar 3 Jahre activ, 4 Jahre in der Reserve; junge Leute, welche sich vor dem 20. Lebensjahre verpflichten, 1 Jahr im stehenden Heere auf eigene Kosten zu dienen, treten danach direct zur Miliz über; 2) dem Dorobanzen=Corps, welches im Frieden den Dienst als Landesgensdarmerie versieht, im Kriege als leichte Cavalerie bei der operirenden Armee ver= wandt wird; dasselbe wird aus denjenigen Wehrpflichtigen gebildet, welche die Mittel besitzen, sich die zum Dienst erforderlichen Pferde anzuschaffen; 3) dem Grenz=Corps, gebildet aus den Wehrpflichtigen des Grenzgebietes (d. i. eines 30 Kilometer breiten, das ganze Fürstenthum umfassenden Landstrichs) und zunächst bestimmt zum Schutz der Landesgrenzen, im Kriege als Infan= terie in Verbindung mit der operirenden Armee verwendbar; die Dienstzeit ist für 2) und 3) derjenigen der stehenden Armee gleich, indeß treten vielfache Beurlaubungen ein; 4) der Miliz, die Wehrpflichtigen aus den Kategorien 1) bis 3) vom 27. bis 36. Lebensjahre, sowie alle überschießenden Mannschaften vom 20. bis 36. Lebensjahre, also insbesondere die durch ihre Loosnummer vom Dienst in 1) und 2) befreiend, umfassend; sie zerfällt je nach Alters- und Familien-Verhältnissen in 3 Aufgebote; 5) der Nationalgarde, in welche die Städtebewohner vom 36. bis 50. Lebensjahre und 6) dem Landsturm, in welchem alle Jünglinge vom 17. bis 20. Lebensjahre und alle keiner der 5 genannten Kategorien angehörigen wehrfähigen Individuen eingereiht werden; 5) und 6) sind zur Aufrechterhaltung der inneren Ordnung bestimmt, wenn die übrige bewaffnete Macht gegen den äußeren Feind in Verwendung ist; die Organisation der Nationalgarde ist noch nicht durchgeführt, diejenige des Landsturms entbehrt jeglicher Vorbereitung im Frieden.

Kriegsherr ist der Fürst; ihm zur Seite steht das Kriegsministerium, welches „Central-Administration" genannt wird. Dem Kriegsministerium untergeordnet ist die Armee-Intendanz (ähnlich dem preußischen „Oeconomie-Departement"). Die militärische Hierarchie ist der französischen ziemlich analog. Das Land ist in 4 Militärbezirke getheilt, denen Territorial-Divisions-Commanden vorstehen, — und zwar mit den Sitzen in Bukarest, Jassy, Krajova und Galatz. Den Commanden sind die in den Bezirken befindlichen Truppen für den Frieden untergestellt. Die reguläre Armee zerfällt dementsprechend in 4 Divisionen, ohne daß indeß die Vertheilung der Regimenter auf die Bezirke eine ganz gleichmäßige wäre. Die Infanterie des stehenden Heeres umfaßt im Frieden 8 Regimenter à 3 Bataillone und ½ Depot-Bataillons-Cadre, 1 Disciplinar-Compagnie und 4 Jäger-bataillone à 4 Compagnien. Die Cavalerie zählt 3 Regimenter und zwar Lanciers, berittene Jäger und Linien-Dorobanzen à 4 Feld- und 1 Depot-Escadron. Die Artillerie, deren Neubildung durch preußische Offiziere 1869 vollendet wurde, zählt 1 Fuß- und 1 reitendes Regiment, — jedes 8 Batterien (zu 6 Geschützen), eine Pontonnier-Compagnie und eine Train-Abtheilung stark. Das Genie-Corps umfaßt den Geniestab und 2 Bataillone à 4 Compagnien, sowie 1 Handwerks-Compagnie, der Train 4 Escadrons. Außerdem gehören hierher 2 Compagnien und 5 Escadrons Gensdarmerie, 1 Sanitäts-Compagnie und 1½ Bataillon Pompiers. — Das Dorobanzen-Corps zerfällt in 8 Divisionen, welche auf die Territorialdivisionen vertheilt sind. Die Zahl der Escadrons entspricht den Landesbezirken und beträgt 30. Das Grenz-Corps ist in 16 Bataillone à 4 Compagnien formirt, welche unter 2 Inspectoraten stehen. Die Miliz besteht der Landeseintheilung gemäß aus 30 Bataillonen à 6 Compagnien, für welche im Frieden Cadres bestehen. Letztere sind auf die Militärbezirke vertheilt und stehen in Bezug auf Ausbildung unter dem Militärstab. Eine Miliz-Artillerie ist zwar projectirt, aber bis jetzt noch nicht formirt. — An Unterrichtsanstalten besteht zunächst die Militärschule in Jassy, welche die Offizier-Aspiranten der Infanterie und Cavalerie ausbildet und einen höheren Cursus zur Heranbildung von Generalstabs-, Genie- und Artillerie-Offizieren hat. Bei den Truppen bestehen Schulen zur Ausbildung von Unteroffizieren. Auch ist in den bürgerlichen Bezirksschulen für eine gewisse Vorbildung der Jugend zur Ausübung des militärischen Dienstes gesorgt. — Das Generalstabs-Corps ist ähnlich wie in Preußen organisirt.

Im Kriege zerfällt die reguläre Armee in Divisionen, welche 2 Infanterie-Brigaden à 2 Regimenter und 1 Jägerbataillon, 1 Cavalerie-Brigade, ½ bis 1 Artillerie-Regiment, 1 Genie-Bataillon und die nöthigen Reserve-Anstalten umfassen. — Die Infanterie hat im Frieden Compagnien in der Stärke von 100 bis 120 Köpfen ohne die Chargen, im Kriege von 200 bis 250 Köpfen. Werden die Depotbataillone auf Kriegsfuß gesetzt, so erreicht die gesammte Infanterie der regulären Armee incl. Jäger den Kriegsstand von 36,000 Mann. Bei der regulären Cavalerie ist der Friedensstand der Feld-Escabron 155 Köpfe. Im Kriege erreicht jene die gesammte Stärke von 3099 Reitern, welche sich durch Mobilisirung der Depot-Escadrons auf 3675 steigern läßt. Das Dorobanzen-Corps kann im Kriege auf 12,000 Reiter gebracht werden. Der Kriegsstand der gesammten Feldartillerie wird zu 3570 Mann, 2866 Pferden und 96 Geschützen angegeben, der des Genies zu 2282 Combattanten. Das Grenz-Corps zählt im Frieden 21,104, im Kriege 34,272 Mann. Die Miliz soll auf ca. 30,000 Mann gebracht werden. Es steht indessen dahin, ob die finanzielle Lage R.'s in der nächsten Zeit schon gestatten wird, eine im Verhältniß zur Einwohnerzahl (4,605,510 Seelen) so bedeutende Streitmacht aufzustellen, umsomehr, als noch Beschränkungen des Friedensstandes aus Ersparungs-Rücksichten in Aussicht stehen. Die Bewaffnung der Infanterie der regulären Armee besteht aus Hinterladern theils nach Peabody, theils nach dem Zündnadelsystem. Von beiden Gewehrgattungen sind je 25,000 Stück vorhanden; 50 bis 60,000 ältere Gewehre sollen noch in Zündnadelgewehre umgeändert werden. Die Grenzer sind mit gezogenen Minié-Gewehren ausgerüstet. Die reguläre Cavalerie hat Lanzen, Säbel und Zündnadelkarabiner; mit letzteren ist auch schon ein Theil der Dorobanzen bewaffnet. Die Artillerie führt 8- und 9-cm-Hinterlader von Gußstahl und preußischen Musters. Die Uniformirung ist der französischen ähnlich.

Das Personal der Donau-Flotille bildet die Flotten-Equipage und zerfällt in 2 Compagnien mit im Ganzen 223 Köpfen. Die Flotille selbst zählt 2 Raddampfer und 9 Kanonenschaluppen. Das Flotten-Etablissement ist in Galaß. — Im Allgemeinen kann angenommen werden, daß die rumänische Armee auf ihrem jetzigen Standpunkte mäßigen Anforderungen genügt. Die Befähigung der Nation, gute Soldaten abzugeben, ist evident. Im Unterofficier-Corps finden sich viele gute Elemente, welche einen wohlthätigen Einfluß auf die Mannschaften üben. Dem Officiercorps werden politische Spaltungen und eine nur mittelmäßige militärwissenschaftliche Bildung vorgeworfen. Quelle: „Die Wehrkraft der vereinigten Fürstenthümer der Moldau und Walachei ꝛc.", Wien 1871.

Die Flagge ist blau, gelb und roth. Ueber die ältere Geschichte s. die Special-Artikel Moldau und Walachei. Nachdem in Folge der Pariser Convention vom 19. Aug. 1858 beide Fürstenthümer am 24. Jan. 1859 unter dem Namen „Vereinigte Fürstenthümer Moldau und Walachei" verschmolzen worden waren und den Oberst Cusa zum Fürsten gewählt hatten, bestieg dieser als Fürst Johann I. den Thron. Anfangs war die Vereinigung nur eine Personal-Union, wurde aber bald eine Real-Union und beide Fürstenthümer wurden nun ein Land unter dem Namen Rumänien (Proclamation in Bukarest und Jassy am 23. Dec. 1861). Die Geschichte des jungen Fürstenthums ist eine fortwährender Gährungsprozeß. Das parlamentarische Leben artete aus, ein Ministerium nach dem andern wurde ohne constitutionellen Grund gestürzt; keine einzige Maßregel konnte in Ruhe gedeihen und Wurzel fassen. Fürst Johann, der sich der schwierigen Aufgabe, das Land zu regeneriren, keineswegs gewachsen zeigte, versuchte endlich einen Staatsstreich ($\frac{2}{14}$ Mai 1864) löste die Kammer auf, änderte das Wahlgesetz ab und ließ seine Maßregeln durch ein Plebiscit sanctioniren. Obgleich dies zu seinem Gunsten ausfiel, wurde er doch in der Nacht vom 10/22. zum 11/23. Februar 1866 durch eine Palast-Revolution zur Abdankung gezwungen. Nachdem der Herzog von Flandern (Bruder des Königs Leopold II von Belgien) die auf ihn gefallene Wahl abgelehnt hatte, wurde der Prinz Karl von Hohenzollern-Sigmaringen durch Plebiscit vom 20/30. März 1866 zum Fürsten gewählt, am $\frac{20. \text{Apr.}}{2. \text{Mai}}$ von den Kammern als solcher bestätigt und bestieg am 12/22. Mai den Thron. Trotz der red-

455

lichsten Bemühungen des jungen Fürsten, welcher zunächst das Volksschulwesen systematisch zu entwickeln, das Beamtenwesen zu reorganisiren, Administration und Justiz zu reformiren, Communicationsmittel herzustellen suchte, blieb die Lage des Landes, dem es an den Grundlagen der modernen Civilisation fehlt, auch unter seiner Regierung dieselbe ungünstige, die Stellung des Fürsten eine höchst mißliche.

• **Rumelien** (türk. (Rum-Ily) hieß früher die erste der Statthalterschaften der Europäischen Türkei, die jedoch weit umfangreicher war, als jetzt, wo das Ejalet R. seit 1836 auf das nördliche Albanien und das westliche Macedonien beschränkt ist und 712 Q.-M. mit 1 ½ Millionen Einwohnern umfaßt. Hauptstadt ist Monastir. Die abendländischen Geographen verstehen jedoch unter R. das alte Thracien, welches gegenwärtig das Gebiet von Constantinopel, das Vilajet Edirné (Adrianopel) und die Ejalets R., Janina und Selanik (Salonichi) umfaßt und im Norden vom Balkan, im Osten vom Schwarzen Meere, im Süden vom Bosporus, dem Marmara-Meere, dem Hellespont und dem Aegäischen Meere und im Westen von Macedonien und Albanien begrenzt wird.

Rumford, Benjamin Thompson Graf von, geb. 1753 zu Woburn im nordamerikanischen Staate Massachusetts, kämpfte während des nordamerikanischen Freiheitskrieges als englischer Reiteroberst gegen die Amerikaner, ging 1783 nach München und erhielt dort von dem Kurfürsten von Baiern den Grafentitel und Rang eines Generallieutenants, kehrte 1799 nach England zurück, siedelte 1802 nach Frankreich über und starb 1814 zu Auteuil. Als bairischer Artilleriegeneral machte er Versuche über die Kraft des Schießpulvers (1793). Er füllte z. B. einen schmiedeeisernen Mörser von nur 7 mm. innerem Durchmesser, dessen Wandstärken 33 mm. betrugen, mit Pulver aus (etwa im Betrage von 1,8 Gramm). Die Mündung desselben belastete er mit einem 4500 Kilogr. schweren Kanonenrohr. Der Abschluß des Gases war vollkommen dicht. Es ergab sich nun, daß das aus der winzigen Ladung entwickelte Gas nicht nur das Rohr hob, sondern auch den Mörser mit furchtbarer Explosion zerstörte. Nach anderweit angestellten Versuchen dürfte dazu eine Kraft von 4000 Centnern erforderlich gewesen sein. R. berechnete danach den Gasdruck auf 55,000 Atmosphären. Nach neueren Experimenten ist er indeß viel geringer. Vergl. Thlanders Waffenlehre, München 1858.

Rumjanzow, Alexander Iwanowitsch Graf von, Russe, geb. 1684, General Peters des Großen, erwarb sich von 1728—1743 in den Feldzügen gegen Persien, die Türkei und Schweden vielfache Verdienste, wurde in den Grafenstand erhoben und starb 1749.

Rumjanzow-Sadunaiskoi, s. Romanzow.

Rumorweister (Generalgewaltiger) hieß zur Landsknechtszeit und bis ins 17. Jahrhundert der oberste mit der Herbeipolizei im Lager und auf dem Marsche beauftragte und mit dem Recht über Leben und Tod ausgestattete Heerbeamte, welcher namentlich den Troß in Ordnung zu halten und das Marodiren zu verhindern hatte. Derselbe machte, von einem Officier und einigem Mann begleitet, täglich die Runde um das Lager.

Rumpf (eines Schiffes) das Schiff selbst ohne Masten und Takelage, auch der unter der Wasserlinie befindliche Theil desselben.

Runde, s. Ronde.

Rundhölzer seemännischer Collectiv-Ausdruck für die zur Bemastung gehörigen Hölzer, als Stangen, Raaen, Spieren, Gaffeln, Schwammmasten ꝛc.

Rundiren des Pulvers heißt den Körnern die runde Form geben, hierzu dient die Rundirmaschine.

Rundkeil, auch cylindro-prismatischer Keil genannt, ist von Krupp (s. d.) construirt. Der darauf basirte Rundkeil-Verschluß, auch Krupp'scher

Verschluß genannt, gehört zur Klasse der einfachen Keilverschlüsse und ist in Preußen für die schweren Marine- und Küstengeschütze (deren Kaliber über 15 cm.), in Sachsen für das leichte Feldgeschütz, in Rußland sowohl für die stählernen Feldgeschütze als für die schweren Hinterlader adoptirt. Nach 1866 war er in Preußen versuchsweise bei einigen leichten Feldbatterien in Gebrauch, wurde indeß hierfür später wieder fallen gelassen. Der R. besteht aus einem vorderen prismatischen Theil, dessen Horizontaldurchschnitt ein Paralleltrapez bildet, und dem hinteren Cylinder, von dem etwa ¼ abgeschnitten ist, sodaß er sich mit der Durchschnittsfläche an jenen anschließt. Die Form des Keiloches ist eine entsprechende, sodaß dasselbe nach rückwärts mit einer concav gekrümmten Fläche endet. Durch dieses Arrangement ist sowohl dem Keil, als dem hinteren Rohrtheil eine große Widerstandsfähigkeit garantirt. Das Lüften und Anpressen des R.'s geschieht durch eine Schraubenspindel mit Kurbel, für jene ist eine entsprechende, indeß nur halbe Schraubenmutter in der oberen oder hinteren Keillochwand angebracht. Die Spindel selbst ist mit dem R. verbunden, und hat ein theilweise durchschnittenes Gewinde. Bei größeren Kalibern ist eine zweite Schraubenvorrichtung angebracht, um das weitere Verschieben des R.'s zu erleichtern, was bei kleineren Kalibern direct mit der schon genannten Kurbel geschieht. Aehnlich wie bei den Doppelkeilverschlüssen beide Keile, so hat der R. ein cylindrisches Ladeloch, und ein Aufhalter, der in eine Ruthe des R. tritt, bewirkt die richtige Stellung des R.s zum Laden. Die Liderung besteht in einem Stahlring, der in einer Ausfräsung an der Stelle, wo Ladungsraum und vordere Keillochwand sich treffen, so eingelassen ist, daß seine innere Fläche sich mit jenem, sowie hinten mit dieser vergleicht. Die hintere Fläche des Ringes lehnt sich nach rückwärts an die im R. sitzende cylindrische Stahlplatte. Die äußere Fläche des Stahlrings ist convex gekrümmt; geht nach vorwärts hin mit einer Rinne zu der innern über. Die Dichtung geschieht in der Art, daß die Pulvergase den Stahlring nach rückwärts an die Stahlplatte pressen und seitlich so ausdehnen, daß er hermetisch an die Ausfräsung des Rohrs sich anschließt. Die Liderung mittelst des Stahlrings, welcher nach seinem Erfinder Broadwell-Ring genannt wird, ist bequem und zuverlässig, indeß das Herausnehmen des Ringes zur Revision sehr erschwert, da er äußerst genau in die Ausfräsung passen muß. Der Broadwell-Ring wird auch bei dem Broadwell-Verschluß, der ebenfalls auf dem einfachen, aber ebenen Keil basirt und in der Schweiz für die Feldgeschütze, in Rußland für die broncenen Feldgeschütze adoptirt ist, angewandt.

Runbschit-Singh (eigentlich Ranadschit-Sihma, d. i. der Siegerlöwe), Herrscher der Sihs im Pendschab, geb. 1782, folgte 1794 seinem Vater Maha-Singh als Sirdar über die Sihs unter der Vormundschaft seiner Mutter, die er 1799 vergiftete, um die Regierung unabhängig zu führen, unterwarf bald die umliegenden Districte, wurde vom König der Afghanen mit Lahore belehnt, organisirte ein Heer nach dem Vorbild der englisch-ostindischen Seapoys, vermied gegenüber den Briten, die ihn mißtrauisch beobachteten, mit vieler Vorsicht jede Veranlassung zu einem Conflicte, nahm 1813 Attok durch Verrath, eroberte 1818 Multan mit Sturm, bemächtigte sich 1819 Kaschmir's, nahm nun den Titel Maharadscha (d. i. Großkönig) im Pendschab an, ließ seit 1822 durch zwei französische Offiziere der ehemaligen Napoleonischen Armee, Allard und Ventura, sein Heer auf europäischem Fuße reorganisiren, überschritt 1823 den Indus, breitete westlich desselben seine Macht immer weiter aus, nahm den Afghanen die ganze Provinz Peschawer ab, kam dann mit denselben öfters in Streitigkeiten, trat 1838 mit den Briten

5*

in Unterhandlungen zum Abschlusse eines Bündnisses gegen die Afghanen, starb aber schon 1839.

Rundtartsche (**Rundschild**), ein Schild von kreisrunder Form, wie er namentlich im Mittelalter von den Rittern zu Pferde und auch später von den Spaniern, besonders bei nächtlichen Excursionen, geführt wurde; **Rundtart-schire**, die mit der R. bewaffneten Soldaten.

Ruprecht, genannt R. der Cavalier, Prinz von der Pfalz, geb. 1619 zu Prag, als der dritte Sohn des Kurfürsten Friedrich V. (s. d. 7) von der Pfalz (damals König von Böhmen) und der Prinzessin Elisabeth von England, focht im Dreißigjährigen Kriege sehr jung gegen die Kaiserlichen, wurde 1638 von diesen gefangen genommen und bis 1642 in Gefangenschaft gehalten, flüchtete dann nach England zu seinem Oheim Karl I., trat, von diesem zum Herzog von Cumberland ernannt, in englische Dienste, commandirte im Bürgerkriege die königliche Reiterei, zeichnete sich an deren Spitze namentlich bei Worcester aus, schlug bei Kington den linken Flügel des Grafen Essex, nahm Bristol ein, zwang die Parlaments-Armee zur Aufhebung der Belage-rungen von Newark und York, wurde aber von dieser unter Cromwell (s. d.) 1644 bei Marston-Moor und 1645 bei Naseby (wo R. den linken Flügel commandirte) geschlagen, schloß sich dann in Bristol ein, übergab jedoch diesen Platz nach kurzem Widerstande an den Parlaments-General Fairfax und wurde deshalb vom König seines Commando's entsetzt und des Landes verwiesen. Nach der Hinrichtung Karl's I. (1649) führte er mit einem Theile der Flotte, die sich zu Gunsten Karl's II. empört hatte, einen Caperkrieg gegen England, ging nach mehren Unfällen an der spanischen Küste nach Westindien und 1654 nach Frankreich, wo der nachmalige König Karl II. den Rest der Flotte an den französischen Hof verkaufte. Nach der Restauration (1660) wurde R. von Karl II. nach England zurückberufen, mit Gunst und Würden überhäuft, com-mandirte 1665 und 1666 mit Monk, 1673 als selbstständiger Admiral die englisch-französische Flotte gegen die Holländer, wurde dann Gouverneur von Windsor und starb 1682 zu London. Er besaß große Kenntnisse in den Natur-wissenschaften, besonders in Chemie und Physik (weshalb ihm vom Volke ein Bund mit dem Teufel zugeschrieben wurde), erfand die als Prinzmetall be-kannte Composition (Legirung von Kupfer und Zink), leistete auch Vorzügliches in der Mezzotinto-Manier und betheiligte sich lebhaft bei der Stiftung der Englischen Hudsonsbai-Compagnie (1670), weshalb auch das Hudsonsbai-Terri-torium officiell Rupertsland genannt wurde. Vgl. E. Warburton, „Me-moirs of Prince Rupert", London 1849; Spruner, „Pfalzgraf Rupert der Cavalier", München 1854; Treston, „Leben des Prinzen R. von der Pfalz, Anführer der Cavaliere Karl's I. von England", Berlin 1857.

Rurik, Fürst der russischen Waräger (s. d.), schiffte sich 862, von den Slawen von Nowgorod berufen, mit seinen Brüdern Sineus und Truwor auf der Newa ein, kam durch die Ladogasee bis zum Ilmensee, unterwarf sich das Land von Nowgorod bis zur Düna und Wolga, machte die dort ansäßigen Slawen und Finnen tribut- und dienstpflichtig und wurde so der Gründer des Russischen Reiches. Seine Residenz war Nowgorod, wo er 879 starb. Seine Nachkommen behaupteten, mit Ausnahme der Zeit der Tatarenherrschaft (1240—1481), den russischen Thron bis 1598, wo der regierende Stamm der R.'s mit dem schwachen Fedor, einem Sohne von Iwan Wassiljewitsch dem Schreck-lichen, erlosch. Doch giebt es noch jetzt in Rußland 34 fürstliche Familien (Kneesenfamilien, s. u. Knees, Bd. V., S. 179), welche ihr Geschlecht (31 in männlicher Linie direct, 3 in weiblicher Linie) von R. ableiten. Vgl. H. F. Hollmann, „Rustringen, die ursprüngliche Heimath des ersten russischen Großfürsten R.", Breslau 1816.

Russisch-Deutsch-Französischer Krieg.*) Die Stellung, welche Frankreich durch seine glücklichen Feldzüge von 1792 bis 1807 in Europa eingenommen hatte, war auch für Rußland in hohem Maße demüthigend. Die Trennung von seinen alten und natürlichen Verbündeten und der Bund mit Frankreich von 1808 war nur eine Bethätigung von um so mehr verletzender Art, je willkürlicher Napoleon seit 1810 mit jeglichem fremden Recht und Besitzthum schaltete. Die Einverleibung verschiedener Länder in Frankreich und namentlich das eigenmächtige Verfahren Napoleons gegen Oldenburg reizte Rußland zur Feindschaft, die es in seiner Lossagung von dem System der Continentalsperre kund that. So kam 1812 der Krieg zum Ausbruch. Napoleon unternahm den Feldzug mit Aufbietung von für damalige Zeit enormen Streitkräften. Es befanden sich bei seinem Heere eine italienische (45,000 Mann), polnische (50,000 Mann), preußische (20,000 Mann) und österreichische Armee (30,000 Mann) und Contingente aller deutschen Staaten des Rheinbundes (s. d.). Sein gesammtes Heer war 550,000 Mann stark. Die Anstalten zur Verpflegung waren so großartig, daß nach menschlicher Voraussicht kein Mangel zu fürchten schien. Den Kern bildete die sogenannte große Armee von 204,000 Mann, den rechten Flügel die österreichische Armee von 30,000, den linken Flügel die preußische Armee und das 10. Armeecorps zusammen von 32,500 Mann. Reserven bildeten das 9. Corps (33,500 M. Franzosen, Rheinbundstruppen und Polen) unter Victor und das 1. Corps (31,000 M. Franzosen und Rheinbundstruppen) unter Augereau, die Armee des Vicekönigs von Italien (70,000 M.) und des Königs von Westfalen (89,000 M.). Die Geschützzahl belief sich auf 1372. Das russische Heer bestand aus der 1. oder Haupt-Armee (128,000 M.) unter Barclay de Tolly und der 2. oder West-Armee (63,000 M.) unter Bagration, einer Reserve-Armee (47,000 M.) unter Tormassow, einer Donau-Armee unter Kutusow, die durch den Frieden mit der Türkei disponibel wurde, einem finnischen Corps von 12,000 M., einem Corps von 12,000 M. unter General Ertel bei Smolensk und 15,000 M. Milizen. Die Russen rechneten mit Recht darauf, daß, trotz der höchst umfassenden Verpflegungsanstalten französischer Seits, die Verpflegung des französischen Heeres bei der zunehmenden Entfernung von den Hauptmagazinsplätzen und der Größe des Bedarfs endlich äußerst schwierig, selbst unmöglich werden müsse und trafen darauf hin Anstalten, noch ehe sie völlig vom Operationsplane Napoleons unterrichtet waren. Anstatt daß Napoleon den Feldzug in Rußland im Frühjahre hätte beginnen sollen, begann er ihn bei nahendem Herbste. Erst Anfangs Juli hatten die Franzosen Wilhauen besetzt. Nach einigen erfolglosen Operationen Davoust's und des Königs von Westfalen, mußte am 27. Juli eine sächsische Brigade capituliren. Während die französische Armee auf allen Punkten vorrückte, suchte die russische Armee nur ihre Vereinigung auf rückwärtiger Basis. Ein großes Reitertreffen bei Krasnoi (14. Aug.) und harte Kämpfe bei Smolensk (17. Aug.), Gabeonowo und am Stragan (19. Aug.) öffneten den Franzosen zwar den weiteren Weg, kosteten ihnen aber sehr bedeutende Opfer. Am 7. Sept. fand die trotz der beiderseitigen großen Anstrengungen und Opfer zu keiner Entscheidung führende Schlacht bei Borodino an der Moskwa (s. d.) statt, in welcher die Franzosen, bei denen hier alles auf dem Spiele stand, die Russen aus einer stark verschanzten Stellung werfen mußten. Beide Theile schrieben sich den Sieg zu; der Rückzug der Russen

---

*) Anmerkung: Wir geben hier nur eine Skizze dieses Krieges. Eine ausführlichere Schilderung desselben, zugleich im Zusammenhange mit den allgemeinen Weltereignissen, findet sich in dem Artikel Napoleon (Bd. VI, S. 217—224). Die einzelnen größeren Schlachten sind außerdem in Special-Artikeln behandelt.

war vollständig geordnet. Verlust auf jeder Seite gegen 40,000 Mann.
Moskau (s. d.) wurde nicht weiter vertheidigt und am 14. September von
den Franzosen besetzt, aber von den Russen, die hier zurückgeblieben waren,
niedergebrannt, so daß Napoleon nicht hoffen konnte, sich in dem Trüm-
merhaufen und mitten in einer weithin verheerten Gegend den Winter
durch zu halten. Von den Russen gedrängt, wurde der Rückzug Mitte
October angetreten. Die Franzosen wurden auf die veröbete Straße von
Smolensk geworfen und öffneten sich durch siegreiche Verzweiflungskämpfe
den Rückweg. Aber eintretender Schnee und Frost und Mangel an Proviant brachten das furchtbarste Elend über das französische Heer, das seinen
Höhepunkt bei dessen Uebergange über die Beresina (s. d.) erreichte, wo die
Russen von zwei Seiten heftig andrängten und alles aufboten, nichts vom
Feinde dem Untergange entgehen zu lassen. Eine Division wurde gefangen,
viele Tausende kamen um, und die Verbindung der Sachsen und Oesterreicher mit der großen Armee war aufgehoben worden, was das Unglück sehr
steigerte. Am 5. December verließ Napoleon das Heer und übergab den Oberbefehl an den König von Neapel. Am 30. Dec. erklärte sich das preußische
Hilfscorps unter York neutral (s. Tauroggen) und die Oesterreicher wie
die Sachsen setzten den Rückzug nach ihrer Heimath fort. So war die
große Armee ihrer Auflösung nahe. Am 3. Februar 1813 sagte sich der
König von Preußen von dem Bündniß mit Frankreich los und alliirte sich
dem Kaiser von Rußland mit einer neugebildeten starken Armee. Im März
waren die Franzosen so zurückgedrängt, daß ein russisches Corps bis Hamburg vorrücken konnte. Russen und Preußen drangen gleichzeitig bis in die
Mitte Sachsens vor. Am 5. April den Franzosen nachtheiliges Treffen bei
Möckern (unweit Magdeburg). Am 2. Mai mit großen Opfern erkaufter Sieg der Franzosen bei Groß-Görschen (s. Lützen, Bd. V., S. 368 f.) Die Franzosen besetzten
Hamburg wieder. 20. und 21. Mai Schlacht bei Bautzen (s. d.), durch deren
Ausgang die Alliirten zur Fortsetzung des Rückzugs nach Schlesien gezwungen
werden; doch schlug Blücher auf diesem Rückzuge die französische Arrieregarde.
4. Juni Oudinot's detachirtes Corps bei Luckau geschlagen. Von da ab Waffenstillstand (von Poischwitz oder Pläswitz [s. d.) bis 10. August. Vor Ablauf
traten Oesterreich und Schweden der Allianz bei; aber Dänemark verbündete
sich mit Frankreich. Die Armee der Alliirten war über 500,000, die französische Armee auf 440,000 Mann gebracht worden. Am 26. August wurden
die Franzosen unter Macdonald von Blücher (s. d. Bd. II., S. 142 f.) an
der Katzbach geschlagen, nachdem die Franzosen unter Oudinot am 23. August
durch die Preußen unter Bülow bei Großbeeren (s. d.) eine Niederlage erlitten
hatten. Am 26. August erfolgloser Angriff der Alliirten auf Dresden (s. d.)
und Rückzug derselben; aber am 29. Niederlage des französischen Corps von
Vandame bei Kulm, nachdem auch die Franzosen unter Girard am 27. Aug. bei
Hagelsberg geschlagen worden. 6. September die Franzosen unter Ney bei
Dennewitz (s. d.) von Bülow geschlagen; 3. October Sieg bei Wartenberg und
Uebergang Blüchers über die Elbe; 7. October zieht sich Napoleon von Dresden
auf Leipzig zurück, wo die Franzosen sich zu concentriren suchen und die
Alliirten von allen Seiten nachrücken. Völkerschlacht bei Leipzig (s. d. Bd. V.,
S. 314 ff.) am 16., 18. und 19. October. Völlige Niederlage der Franzosen, Abfall der meisten deutschen Hilfsvölker und Auflösung des Rheinbundes;
19. October Rückzug der Franzosen; 30. October schlagen sich die Franzosen
bei Hanau durch bis über den Rhein; 10. December die Dänen bei Sehest
geschlagen und zum Frieden gezwungen. Ende December gehen die Alliirten

über den Rhein. Am 24. Januar 1814 Sieg der Alliirten bei Bar-sur-Aube
(f. d.); 29. Januar unentschiedener Kampf bei Brienne; 1. Februar Sieg
Blüchers bei Brienne (f. d.) und La Rothière; Siege Napoleons 10. Februar
bei Champeaubert, 11. bei Montmirail, am 14. bei Etoges (f. d.), 17. bei
Nangis, 18. bei Montereau und 7. März bei Craonne; aber am 9. und 10.
März von Blücher bei Laon und am 20. März bei Arcis-sur-Aube (f. d.) ge-
schlagen. Es folgt der Marsch der Alliirten auf Paris; am 25. März die
Franzosen bei La-Fère-Champenoise und am 30. März bei Paris (f. d., Bb.
VII., S. 37 ff.) geschlagen, worauf am 31. März die Einnahme von Paris
und am 13. April die Abdankung Napoleons folgte. Napoleon erhielt die
Souveränetät von Elba, was einer gelinden Verbannung glich. Am 4. Mai
bestieg Ludwig XVIII. den französischen Thron. Am 30. Mai wurde der
sogenannte Erste Pariser Frieden (f. d. Bb. VII., S. 79 f.) geschlossen.
Anfang März 1815 kehrte Napoleon aber wieder nach Frankreich zurück und
bemächtigte sich mit geringer Mühe aufs Neue der Herrschaft. Die Alliirten
verwarfen die Unterhandlungen mit ihm, und England und die Niederlande
stellten sehr bald eine Armee von 100,000, Preußen eine von 150,000 Mann
auf den Kampfplatz. Napoleon fand bei seiner Rückkehr nur 100,000 Mann
unter den Waffen, brachte aber mit Hülfe der 150,000 aus der Kriegsgefangenschaft Zurückgekehrten und der neu conscribirten die Armee bis Anfang Juni auf
450,000 Mann, siegte am 16. Juni bei Ligny über die Preußen unter Blücher
(an demselben Tage Ney bei Quatre-Bras über die Engländer), wurde aber am
18. von den vereinten Engländern, Niederländern und Preußen bei Waterloo
(f. d.) total geschlagen, sodaß hier der Krieg völlig entschieden wurde. Am
22. Juni entsagte Napoleon dem Throne und wollte nach Amerika flüchten,
wurde aber von den Engländern zum Gefangenen erklärt und nach St. Helena
ins Exil geführt. Am 2. und 3. Juli kam es zu einer zweiten Schlacht bei
Paris (f. d. Bb. VII., S. 39), am 7. Juli besetzten die Engländer und
Preußen Paris abermals, und am 9. kehrte Ludwig XVIII. zurück, womit der
Krieg factisch sein Ende erreicht hatte. Am 20. November jedoch erst wurde
der sogenannte Zweite Pariser Frieden (f. d. Bb. VII., S. 80) geschlossen.
Vgl. Ségur, „Histoire de Napoléon et de la grande armée pendant 1812",
Paris 1824 und öfter, 2 Bde. (deutsch, Stuttgart 1825 und öfter, 2 Bde.);
Buturlin, „Histoire militaire de la campagne de Russie en 1812", Paris
1824, 2 Bde.; Gourgaud, „Napoléon et la grande armée en Russie",
Paris 1826, 2 Bde.; Danilewski-Michailowski, „Geschichte des vaterländischen
Krieges von 1812" (deutsch von Goldammer, Riga 1840, 4 Bde.); Beitzke,
„Geschichte des Russischen Krieges von 1812", Berlin 1856; Meerheim, „Er-
lebnisse eines Veteranen der Großen Armee", Dresden 1860; Sir Robert
Wilson, „Narrative of events during the invasion of Russia by Napoleon
Bonaparte", herausgegeben von H. Randolph, London 1860 (deutsch von
Seybt, Leipzig 1861); Ders., „Private diary of travels, personal services
and public events during mission and employments with the European
in the campaigns of 1812, 1813, 1814", herausgegeben von H. Randolph,
London 1861, 2 Bde.; F. v. Smitt, „Zur nähern Aufklärung über den Krieg
von 1812", Leipzig 1861; Bogdanowitsch, „Geschichte des Feldzugs im J.
1812" (deutsch von Baumgarten, Leipzig 1863, 3 Bde.); Bernhardi, „Denkwürdigkeiten des kais. russischen Generals von Toll", Leipzig 1855 ff., 4 Bde.,
2. Aufl. ebd. 1865 (welche namentlich eine treffliche Darstellung der Schlacht
an der Moskwa enthalten); H. v. Brandt, „Aus dem Leben des Generals der
Infanterie Dr. H. v. Brandt, 1. Theil: die Feldzüge in Spanien und Rußland", Berlin 1868; Plotho, „Der Krieg in Deutschland und Frankreich in
den J. 1813—15", Berlin 1817 f., 4 Bde.; C. v. W. (General v. Müffling).

„Zur Kriegsgeschichte von 1813 u. 1814", Berlin 1824, 2 Bde.; Ders., „Be-
trachtung über die großen Operationen von 1813 u. 1814", Berlin 1825;
Ders., „Napoleon's Strategie im J. 1813", Berlin 1827; Norvins, „Histoire
de la campagne de 1813", Paris 1834, 2 Bde.; Beitzke, „Geschichte der
Deutschen Freiheitskriege", Berlin 1855, 3 Bde., 3. Aufl. ebb. 1863; F. Förster,
„Geschichte der Befreiungskriege von 1813—15", Berlin 1856—61, 3 Bde.;
Charras, „Histoire de la guerre de 1813 en Allemagne", Leipzig 1866
(deutsch, Leipzig 1867); „Geschichte des Feldzugs von 1814 im östlichen und
nördlichen Frankreich (vom General v. Grolmann, herausgegeben vom Major
v. Damitz), Berlin 1842 ff., 4 Bde.; Schels, „Operationen der verbündeten
Heere gegen Paris", Wien 1841; C. v. W. (General v. Müffling), „Ge-
schichte des Feldzugs der Armee unter Blücher und Wellington im J. 1815",
Stuttgart 1817; „Geschichte des Feldzugs von 1815 in den Niederlanden und
Frankreich" (vom General v. Grolmann, herausgegeben vom Major v. Damitz),
Berlin 1837, 2 Bde.; Siborne, „History of the war in France and Bel-
gium in 1815", London 1844, 2 Bde.; Charras, Histoire de la Campagne
de 1815. Waterloo", Brüssel 1858, 2 Bde., 5. Aufl. Leipzig 1867 (deutsch,
Dresden 1858); Roniger, „Der Krieg von 1815 und die Verträge von Wien
und Paris", Leipzig 1865; Charles C. Chesney, „Waterloo-Vorlesungen.
Studien zum Feldzuge von 1815" (Uebers. von der kriegsgeschichtlichen Abtheilung des Preußischen Großen Generalstabes, Berlin 1869); Droysen, „Das
Leben des Feldmarschalls Grafen York von Wartenburg", Berlin 1851, 3 Bde.,
4. Aufl. Leipzig 1863; Pertz, „Das Leben des Feldmarschalls Grafen Neit-
hardt von Gneisenau", Berlin 1864 ff., 3 Bde. Vgl. auch den Artikel „Mi-
litär-Literatur". Bd. VI, S. 102 ff.

Russisch-Türkischer Krieg von 1853—56, s. Orientkrieg.

Rußland (Russisches Reich), dem Flächenraum nach das größte Reich
der Erde, ein Kaiserreich oder Czarthum, welches sich über das ganze östliche
Europa, das ganze nördliche Asien und mehre zwischen dem nördlichen Asien
und Nordamerika liegende Inseln erstreckt, ungefähr den siebenten Theil der
gesammten zu 2,460,000 Q.-M. geschätzten Landfläche der Erde einnimmt,
sich von 38° 20' nördl. Br. (Astara an der russisch-persischen Grenze am
Kaspischen Meere) bis 78° 26' nördl. Br. (Cap Tscheljuskin, Nordspitze Asiens)
und von 35° 20' östl. L. v. Ferro (polnisch-preußische Grenze beim Austritt
der Warte) bis 207° 57' östl. L. v. Ferro oder 152° 3' westl. L. v. Ferro
(Ostcap von Sibirien) also über 40 Breitengrade und 172 Längengrade aus-
dehnt und einen Gesammtflächenraum von 369,817 Q.-M. (17,896,817 Q.-
Werste) mit einer Gesammtbevölkerung von 77,008,448 Einwohnern umfaßt.*)
In diesen Umfange grenzt das Russische Reich im Norden an einen Theil
Norwegens (Finnmarken) und das Nördliche Eismeer; im Osten an den Stillen
Ocean; im Süden an mehre große Busen des Stillen Oceans, an Korea,
das Chinesische Reich, Khokand, Buchara, Khiwa, Turkomanien, Persien, das
Kaspische Meer, Türkisch Armenien, das Schwarze Meer und Rumänien; im
Westen an Rumänien, die Bukowina, Galizien, die preußischen Provinzen Schlesien,
Posen und Preußen, die Ostsee und Schweden. Die größte Längenausdehnung
von Nord nach Süd beträgt in Europa vom Waranger Fjord an der norwegischen Grenze bis Sebastopol an der Südspitze der Krim 400 Meilen, die
größte Breite von West nach Ost von Kalisch unweit der schlesischen Grenze

---

*) Anmerkung: Hierzu kam früher noch das sogenannte „Russische Nordamerika"
an der Nordwestküste des nordamerikanischen Continents mit den umliegenden Inseln ungefähr
20,000 Q.-M., welches jedoch am 8. Oct. 1867 gegen Zahlung von 7,200,000 Dollars durch
Kauf an die Vereinigten Staaten von Nordamerika überging.

bis Okunewsk unweit der sibirischen Grenze 380 Meilen; die größten Entfernungen im ganzen Reiche betragen von Nordwest nach Südost vom Waranger
fjord bis Astara 525 Meilen, von Kalisch über Moskau bis Petropawlowsk
in Kamtschatka 2038 Meilen. Die gesammte Grenzlinie des Reiches, das bei
seiner ungeheuren Ausdehnung eine geschlossene, durch wenige Meereseinschnitte
gegliederte Masse bildet, beträgt 6370 Meilen, von denen 2020 auf das Land
und 4350 Meilen auf das Meer (abgesehen vom Kaspischen Meere) kommen,
und zwar von der Landgrenze 518 M. auf Europa (125 M. gegen Skandi-
navien, 176 M. gegen das Deutsche Reich [Preußen], 149 gegen die Öster-
reichisch-Ungarische Monarchie, 68 M. gegen Rumänien) und 1502 Meilen
auf Asien (168 M. gegen die Türkei und Persien, 834 M. gegen die turanischen
Länder, 1000 M. gegen das Chinesische Reich); von der Seegrenze dagegen auf
die Ostsee mit dem Bottnischen und Finnischen Meerbusen 336 M., auf das
Schwarze Meer 270 M. (ohne das Asowsche Binnenmeer von 175 M. Umfang);
1560 M. auf den Stillen Ocean, 1590 M. auf den asiatischen und 594 M.
auf den europäischen Theil des nördlichen Eismeeres. Die große Ausdehnung
der Seegrenze würde von enormem Vortheil für die Entwickelung des Reiches
sein, wenn nicht die Ungunst des Klimas und der geographischen Lage sowie
die örtliche Untauglichkeit den größten Theil der Küste dem Weltverkehre ver-
schlössen und diesen Verkehr auf die Ostsee, das Schwarze Meer und den
Stillen Ocean beschränkten.

Im Allgemeinen wird das Russische Reich in folgende 5 Theile eingetheilt:
1) Europäisches Rußland; 2) Großfürstenthum Finnland; 3) Czarthum Polen;
4) Statthalterschaft des Kaukasus; 5) Sibirien mit Turkestan. Das Europäische Rußland umfaßt: A) Großrußland mit 19 Gouvernements, 39,410,70
Q.-M. mit 22,854,660 Einw.; B) Kleinrußland mit 4 Gouvernements,
3767,85 Q.-M. mit 7,001,835 Einw.; C) Ostrußland mit 10 Gouvernements,
26.627,21 Q.-M. mit 14,337,000 Einw.; D) Südrußland mit 5 Gouvernements, 7132,46 Q.-M. mit 5,125,918 Einw.; E) Westrußland mit 8 Gouvernements, 7573,92 Q.-M. mit 9,020,077 Einw.; F) Ostseeprovinzen mit
dem durch kaiserlichen Ukas vom 17/29. Juli 1871 neugebildeten Stadtregierungsbezirk (Gradonatschalstwo) Petersburg und 4 Gouvernements, 2550,63
Q.-M. mit 2,986,423 Einw.; außerdem noch die unbewohnte Insel Nowaja
Semlja mit 2101,80 Q.-M. und die Binnengewässer (Asowsches Meer mit
637,54 Q.-M., Ladogasee mit 332,10 Q.-M.), so daß also auf das Europäische
Rußland im engern Sinne insgesammt 90,134 Q.-M. mit 61,325,923 Einw.
kommen. Ueber die statistischen Verhältnisse von Finnland, Polen, Kaukasus,
Sibirien und Turkestan s. deren eigne Artikel.

Was die verticale Configuration anbelangt, so ist das Europäische
Rußland größentheils flach, der sogenannten Sarmatischen Tiefebene angehörig,
nur im Süden finden sich Verzweigungen der Karpaten, das Taurische Gebirge
der Krim und der Kaukasus, im Osten der Ural, welcher das Europäische R.
von Sibirien trennt. Der östliche Theil Sibiriens ist vollständiges Gebirgsland,
das von den vielarmigen Ketten des Altai, dem Sajanischen Erzgebirge und
dem Daurischen Gebirge durchzogen wird; einen großen Theil nehmen Steppen
ein. Im Norden breitet sich das Sibirische Tiefland aus, wo sich auch große
Moräste (Tundras) und Wüsteneien befinden. Einen bedeutenden Theil des
Areals nehmen Binnenseen ein, wovon in Europa der Ladoga-, Onega-,
Peipus- u. Ilmen-See und die zahlreichen Seen Finnlands; in Asien der Baikal-
Aral- und Balchasch-See zu nennen sind. Die wichtigsten Ströme R.'s in
Europa sind: Onega, Dwina, Mesen dem Eismeere zustließend; Weichsel, Düna
und Newa zum Ostseegebiete gehörig; Don, Dnjepr und Dnjestr dem Gebiete
des Schwarzen Meeres; Wolga und Ural dem des Kaspischen Meeres zuge-

hörig; in Asien Ob mit Irtysch, Jenisei, Lena und Indigirka dem Eismeere zufließend; Amur dem Gebiete des Stillen Oceans zugehörig. Der wichtigste von allen diesen Strömen ist die Wolga. Für Kanäle und Kanalsysteme ist seit Peter d. Gr. viel gethan worden. Die wichtigsten sind: das System von Wischnei-Wolotschok, welches die Twertza mit der Msta, somit die Wolga mit der Newa und daher das Kaspische Meer mit der Ostsee verbindet, ein Gebiet von 1450 □.-M. umfaßt und auf demselben 76 Seen und 106 größere und kleinere Flüsse vereinigt; der Marien-Kanal (durch Verbindung der Schecksna, des Bjelose-Sees, der Kowscha, der Wytegra, des Onega-Sees und der Swir mit der Wolga und dem Ladoga-See), der Ladoga-Kanal (durch Verbindung des Wolchow mit der Newa) und der Tichwinsche Kanal (durch Verbindung des Ladoga-Kanals mit der Newa) verbinden ebenfalls das Kaspische Meer mit der Ostsee; der Beresina- oder Lepelsche Kanal (durch Verbindung der Düna mit dem Dnjepr), der Oginskische Kanal (durch Verbindung des Niemen mit dem Dnjepr) und der Pina- oder Königs-Kanal (durch Verbindung der Weichsel mit dem Dnjepr) verbinden die Ostsee mit dem Schwarzen Meere; der Kubenskische Kanal oder Kanal des Herzogs Alexander von Württemberg (durch Verbindung der Schecksna mit der Suchona, resp. der Wolga mit der Dwina) verbindet das Kaspische Meer mit dem Weißen Meere und der Ostsee. Von großer Wichtigkeit verspricht auch der in der Kuma-Manytsch-Niederung projectirte Wasserweg zwischen dem Kaspischen und Schwarzen Meere zu werden. Das Klima ist bei der ungeheueren Ausdehnung des Reiches natürlich sehr verschieden; doch ist der Unterschied im Europäischen R. geringer als er nach den klimatischen Unterschieden des westlichen Europa's zu erwarten wäre, da die im Allgemeinen stattfindende Gleichförmigkeit der Bodenverhältnisse sehr bedeutend auf die Gleichmäßigkeit einwirkt. Die mittlere Jahreswärme im Europäischen R. beträgt in den zwischen 70° nördl. Br. (Grenze von Lappland) und 57° nördl. Br. gelegenen Landstrichen 2,5° R.; von da südlich bis zum 50° nördl. Br. mngf. 4,5° R.; von da südlich bis 44° nördl. Br. (Südküste der Krim) 6° R. Indeß sind die Uebergänge von Nord nach Süd, obgleich in den nördlichsten Theilen der Winter acht Monate dauert und in den südlichsten Theilen Südfrüchte gedeihen, doch überall allmählich und unmerklich. Durch die ausgedehnten und ununterbrochenen Landmassen bedingt ist das Klima des Europäischen Rußlands ein entschieden continentales.

Die Bevölkerungsverhältnisse sind im Russischen Reiche sehr verschieden. Die größte Volksdichtigkeit findet sich in Polen, wo durchschnittlich 2400 Menschen und in den mittleren Gegenden von Großrußland, wo durchschnittlich 1800 Menschen auf 1 □.-M. wohnen; die bevölkertsten Gouvernements in Polen sind: Warschau (3192 auf 1 □.-M.), Piotrokow (2893 auf 1 □.-M.) und Kalisch (2875 auf 1 □.-M.); in Großrußland: Moskau (2596 auf 1 □.-M.), Kursk (2228 auf 1 □.-M.) und Tula (2069 auf 1 □.-M.); in den Ostseeprovinzen kommen durchschnittlich 1171 auf 1 □.-M. (im Gouvernement Petersburg einschließlich des Stadonaischaftow Petersburg 1446 auf 1 □.-M.), während in den drei nördlichsten Gouvernements von Großrußland Wologda 135, Olonez 125 und Archangel (den am dünnsten bevölkerten Gouvernement des Europäischen R.) nur 20 Menschen auf 1 □.-M. kommen. Im ganzen Europäischen R. kommen durchschnittlich 710 Menschen auf 1 □.-M.; in Sibirien durchschnittlich 17, im volksdichtesten sibirischen Gouvernement Tomsk 45,,, in der volksdünnsten sibirischen Provinz des Littorals nur 1,, auf 1 □.-M.; in der Kaukasischen Statthalterschaft durchschnittlich 517, im volksdichtesten kaukasischen Gebiet Mingrelien 1085, im volksdünnsten kaukasischen Gouvernement Stawropol 263 auf 1 □.-M.; im ganzen Russischen Reiche (369,317 □.-M. mit 77,008,443 Einw.) aber 210,, Menschen auf

1 □.-M. Der geringen Volksdichtigkeit entspricht auch die geringe Anzahl von größeren Städten; das ganze Russische Reich hat nur fünf Städte mit mehr als 100,000 Einwohnern: Petersburg mit 539,122 Einw.; Moskau 351,609 Einw.; Warschau 254,561 Einw.; Odessa 118,970; Riga 102,043 Einw. Was die Nationalitäten anbelangt, so hat kein Reich der Erde innerhalb seiner Grenzen eine solche Menge in Abstammung, Sprache und Sitten verschiedener Bevölkerungselemente wie das Russische Reich. Dasselbe umfaßt über hundert Völkerschaften, welche mehr als vier hundert verschiedene Sprachen reden. Die Versuche, dieselben zu verschmelzen oder zu russifiziren, haben bis jetzt nur höchst zweifelhafte Erfolge gehabt. Die Hauptstämme des Russischen Reiches sind A) Slawen, unter diesen die wichtigsten: a) Russen oder Reußen; b) Polen; c) slavische Bulgaren; d) Serben. B) Letten oder Lithauer. C) Deutsche. D) Griechen. E) Juden. F) Kaukasische Völkerschaften: a) Georgier; b) Tscherkessen; c) Armenier. G) Der Finnische oder Tschudische Stamm (Finnen, Esten, Lappen, Samojeden ꝛc.) H) Tataren. J) Mongolen. K) Rumänen. L) Schweden. Die Verhältnißzahlen sind folgende: Slawen 58,401,000 Seelen oder 75,₄ Proc.: (und zwar Russen 53,470,000 Seelen oder 69,₄ Proc., Polen 4,860,000 Seelen oder 6,₃ Proc., Bulgaren und Serben zusammen 71,000 oder 0,₁ Proc.); Tataren 4,780,000 Seelen oder 6,₂ Proc.; Finnen 4,630,000 Seelen oder 6,₀ Proc.; Lithauer 2,420,000 Seelen oder 3,₁ Proc.; Juden 2,290,000 Seelen oder 3,₀ Proc.; Deutsche 830,000 Seelen oder 1,₁ Proc.; Georgier 800,000 Seelen oder 1,₀₃ Proc.; Tscherkessen 800,000 Seelen oder 1,₀₂ Proc.; Rumänen 780,000 Seelen oder 1,₀₀ Proc.; Armenier 540,000 Seelen oder 0,₇ Proc.; Mongolen 500,000 Seelen oder 0,₆ Proc.; Schweden 150,000 Seelen oder 0,₂ Proc.; Griechen 50,000 Seelen oder 0,₀₆ Proc. Hinsichtlich des Cultus bekennt sich die Mehrzahl der Bevölkerung zur Griechisch-Orthodoxen Kirche und zwar im Europäischen Rußland 52,485,000 Seelen (88 Proc. der Bevölkerung des Europ. R.); in Polen 250,000 Seelen (5 Proc.); in Finnland 41,000 Seelen (3 Proc.); im Kaukasus 1,653,000 Seelen (40 Proc.); in Sibirien 2,732,000 Seelen (60 Proc.) insgesammt 57,161,000 Seelen oder 74,₂ Proc. der Gesammtbevölkerung des ganzen Russischen Reiches; außerdem giebt es Römische Katholiken 6,780,000 Seelen (davon allein 4,915,000 in Polen) oder 8,₈ Proc. der gesammten Reichsbevölkerung; Mohamedaner 5,662,000 Seelen oder 7,₃ Proc.; Protestanten 4,132,000 Seelen oder 5,₃ Proc.; Israeliten 2,290,000 Seelen oder 3,₀ Proc.; Armenier 535,000 Seelen oder 0,₇ Proc.; Heiden 481,000 Seelen oder 0,₆ Procent. Die gesammte Bevölkerung theilt sich in vier verschiedene Stände: Adel, Geistlichkeit, Bürger und Bauern. Der Adel zerfällt in drei Classen, von denen die erste die Fürsten, Grafen und Barone oder den eigentlichen erblichen alten Geburtsadel d. i. den schon in das sogenannte Sammetbuch (das russische genealogische Staatsarchiv) vom J. 1682 eingetragenen Adel), die zweite die durch besondere Gnade des Monarchen, durch Orden ꝛc. verliehenen Adelswürden, die dritte den Rangadel umfaßt. Der Rangadel ist nach der noch jetzt giltigen Rangordnung (Tschin) vom ²⁴ Jan.⁄₄. Febr. 1722 in 14 Classen eingetheilt: 1) Generalfeldmarschall, Generaladmiral, Reichskanzler, Oberkammerherr; 2) General en Chef, Admiral, Wirklicher Geheimrath, Minister; 3) Generallieutenant, Viceadmiral, Geheimrath; 4) Generalmajor, Contreadmiral, Kammerherr, wirklicher Staatsrath; 5) Brigadier, Capitän-Commodore, Staatsrath; 6) Obrist, Collegienrath; 7) Obristlieutenant, Schiffscapitän, Hofrath; 8) Major, Collegienassessor; 9) Capitän, Titularrath; 10) Stabscapitän, Collegiensecretär; 11) Schiffssecretär; 12) Lieutenant, Gouvernementssecretär; 13) Seconde-

lieutenant, Provinzialsecretär; 14) Fähnrich, Collegienregistrator. Die ersten acht Classen dieses Rangadels sind erblich, die übrigen sechs aber nur persönlich; die ersten vier Classen gewähren auch das Prädicat „Excellenz". Der alte Geburtsadel verleiht jetzt keinen Rang im Staate mehr; vor Peter d. Gr. hatte zwar der Geburtsadel der Bojaren und Kneesen (s. d.) eine politische Bedeutung, allein Peter d. Gr. hob die Bojarenwürde auf und nöthigte die auf ihren Besitzungen lebenden Kneese sich als ein vasallenartiger Hofadel dem Hofe anzuschließen. Dem Adelstande gehören im eigentlichen R. ungefähr 200,000 Familien an, von denen allein gegen 35,000 in Petersburg, gegen 5000 in Moskau leben. Die Edelleute eines jeden Gouvernements bilden eine besondere Adelscorporation mit einem Adelsmarschall an der Spitze. Die wichtigsten Vorrechte des russischen Adels sind, daß er seines Lebens, seiner Ehre nur durch Urtheil und Recht verloren geh.n kann (bis 1862 nur von seines Gleichen gerichtet werden konnte und das Urtheil die specielle Bestätigung des Kaisers erhalten mußte und daß ihn, so lange die körperliche Züchtigung noch gesetzlich bestand, keine solche treffen konnte), daß er frei von persönlichen Abgaben, von der Recrutenpflichtigkeit und von der Einquartierung ist und daß er auf seinen Gütern Fabriken und industrielle Etablissements aller Art anlegen kann, während er dagegen in den Städten zu diesem Zwecke in die betreffende Gilde eintreten muß. Es giebt in ganz Europa keinen Adel, welches so ausgedehnte Vermögensverhältnisse, persönliche Privilegien und materielle Macht besitzt, als der russische Adel. Vor der Bauernemancipation besaß derselbe mehr als die Hälfte alles wirklich cultivirten Grund und Bodens, bis 1861 (wo die Leibeigenschaft gesetzlich aufgehoben wurde) gehörte ihm über ein Drittheil der Bevölkerung des eigentlichen R.'s als leibeigen an. Demungeachtet bildet der russische Adel keineswegs eine mächtige Aristokratie nach westeuropäischen Begriffen. Die Geistlichkeit hat die Rechte des persönlichen Adels. Den Bürgerstand (Mieschtschanen) bilden die städtischen Grundbesitzer, Kaufleute, Fabrikanten, Künstler, Handwerker, Gelehrten und überhaupt alle Mitglieder der städtischen Gemeinden. Der Bauernstand ist der bei Weitem zahlreichste Stand, zu welchem über 32 Millionen Seelen gehören. Der Bauernstand zerfällt in die freien Bauern, Kronbauern, Postbauern, Fabrikbauern, Civil- und Militair-Colonisten (Kosaken) und die eigenthümliche Classe der Einhöfner (Odnodworzen), eine Art niederen Adels mit freiem Grundeigenthum, welche sich jedoch immer mehr vermindert.

Die Hauptbeschäftigung des Volkes ist Ackerbau und Viehzucht, deren Producte auch die wichtigsten Artikel der russischen Ausfuhr bilden: Getreide, Hanf, Flachs, Lein; Pferde, Häute, Leder und Talg. In neuerer Zeit wird auch Runkelrüben- und Tabaksbau von immer größerer Bedeutung. Wein wird besonders in der Krim, im Gouvernement Cherson und in Transkaukasien gebaut, wo sich auch der Seidenbau immer mehr hebt. An Holz besitzt R. großen Reichthum; die Kronwaldungen nehmen allein ein Areal von 22,900 Q.-M. ein. Von großer Wichtigkeit ist daher auch die Jagd und besonders der östliche Theil des Reiches liefert kostbares Pelzwerk. Der Fischfang ernährt ganze Völkerschaften; besonders ist die Fischerei der Wolga durch Caviar und Hausenblase von Bedeutung für das Ausland. Der Bergbau wird auf Gold, Silber und Kupfer namentlich im Ural, Altai und Nertschinskischen Erzgebirge (Transbaikalien, Südostsibirien), auf Platin im Ural, auf Eisen im Ural, Kaukasus, Altai, Nertschinskischen Erzgebirge und in Polen, auf Steinkohlen im Ural, Altai und Kaukasus und am Don, auf Steinsalz im Gouvernement Orenburg betrieben; Seesalz wird besonders in der Krim, in Bessarabien und in der Kirgisensteppe gewonnen. Außerdem finden sich noch zahlreiche Edel- und Nutzsteine, sowie auch Mineralquellen. Die

Industrie ist, trotz der vielseitigen Bemühungen der Regierung, namentlich
Peters d. Gr., doch bis jetzt weder von wesentlicher Bedeutung noch von gro-
ßer Ausdehnung. Die wichtigsten Industriezweige sind Leder (Juchten und
Saffian) und Leim; außerdem Baumwollen-, Wollen-, Leinen-, Hanf- und
Metallwaaren, Glas, Papier, Potasche, Lichte, Salpeter und Branntwein.
Der Hauptsitz der Fabrik-Industrie ist Moskau. Die Waldgebiete sind Sitze
einer bedeutenden Holz-Industrie. Von größerer Wichtigkeit ist dagegen der
Handel, welcher ebenfalls Peter d. Gr. seinen Aufschwung verdankt, insofern
dieser den Seeverkehr eröffnete. Einerseits der Ueberfluß an rohen Producten,
die Menge der binnenländischen Wasserverbindungen, seit neuester Zeit ein sich
von Jahr zu Jahr erweiterndes, trefflich organisirtes Eisenbahnsystem, sowie
andererseits die weite Ausdehnung des Landes, welche für den Verkehr und
für den Transport von Waare so viele Hilfsleistungen erfordert, lassen eine
sehr bedeutende Zahl von Menschen an dem Erwerb durch den Handel Antheil
nehmen. Der Verkehr concentrirt sich hauptsächlich in den großen Städten,
an den Küsten und an den großen Strömen, ist dagegen im Innern auf weiten Strecken ganz unbedeutend. Haupthandelsplätze im Innern des Landes
sind: Moskau, Nishnei-Nowgorod, Charkow, Dorpat, Warschau, Woronesh,
Poltawa, Krementschug, Jekaterinoslaw, Astrachan, Irkutsk und Kiachta. Die
wichtigsten Meßplätze sind: Nishnei-Nowgorod, Irbit, Poltawa, Kursk, Charkow, Taganrog und Werchneudinsk (Transbaikalien); die wichtigsten Seehan-
delsplätze sind: Petersburg mit Kronstadt, Helsingfors, Wiborg, Reval, Riga,
Libau, Odessa, Cherson, Feodosia und Taganrog; die wichtigsten Stapelplätze
für den Karawanenhandel mit Vorderasien sind: Orenburg und Tiflis. Für
den europäischen Handel sind die Hauptausfuhr-Artikel: Häute, Juchten, Borsten,
Wolle, Talg, Getreide, Flachs und Hanf; die wichtigsten Einfuhr-Artikel:
Baumwolle, Seide, Wolle und Wollenwaaren, Baumöl, Früchte, Wein, Colonialwaaren, Farben, Maschinen und Instrumente. Auf der asiatischen Seite
sind die Hauptausfuhr-Artikel: Baumwollen-, Wollen- und Metallwaaren; die
wichtigsten Einfuhr-Artikel: Thee, Baumwolle, Seide und Früchte. Der russische Handelsstand ist in drei Gilden eingetheilt, von denen die erste das
Recht hat, im Inlande und Auslande unbeschränkt Handel, sowie Banquier-,
Wechsel- und Assecuranzgeschäfte betreiben; die zweite unbeschränkten Handel
im Inlande, aber im Auslande nur bis zu 90,000 Rubel jährlich, die dritte
nur im Inlande jede Art von Handel betreiben darf. Die für die drei Gilden
angemeldeten Capitalien müssen mindestens betragen für die erste 15,000, für
die zweite 6000, für die dritte 2400 Silberrubel. An Kunststraßen fehlt es
im Allgemeinen noch, obgleich in neuester Zeit sehr viel dafür geschehen ist.
Die bedeutendsten Heerstraßen sind: 1) der sibirische Tract (850 Ml.) von
Petersburg über Nowgorod, Twer, Moskau, Nishnei-Nowgorod, Kasan, Perm,
Jekaterinburg, Tobolsk nach Irkutsk; 2) die Straße der Ostseeprovinzen (über
110 Ml.) von Tauroggen an der preußischen Grenze über Mitau, Riga,
Dorpat, Narwa nach Petersburg; 3) die weißrussische Straße über Pskow, Dünaburg, Kowno, Augustowo nach Warschau, von wo sie sich nach Kalisch fortsetzt,
während eine Straße nach Krakau, eine andere nach Lemberg führt; 4) die große
Weststraße von Moskau nach Warschau; 5) die große Südstraße von Moskau
über Tula, Orel, Kursk nach Charkow, von wo die Odessa-, die Krim- und
die Kaukasusstraße ausgehen. Die Straßen in Polen sind meist gute Kies-
chausseen; am meisten ist die Communication in Finnland durch die felsige
Beschaffenheit des Bodens und die zahlreichen Wasserflächen erschwert. Im
Winter werden Landstraßen und Kanäle vielfach durch die Schlittenbahn ersetzt.
Das russische Eisenbahn-System, welches sich zwischen dem Baltischen und
dem Schwarzen Meere ausspannt und von der deutschen Grenze bis nach

Nischnei-Nowgorod reicht, dient eben so sehr zu commerciellen, wie zu militärischen Zwecken; ja es sind sogar bei Feststellung der Bahnlinien die militärischen Zwecke fast ausschließlich maßgebend gewesen, um das ganze Bahnnetz zu einem politisch-strategischen Instrument, d. h. zu einem starken und imposanten Angriffs- und Vertheidigungsmittel für das Russische Reich zu machen. Die wichtigsten Eisenbahnlinien (von denen allerdings einzelne Strecken noch im Bau begriffen sind) sind folgende: Petersburg-Zarskoeselo; Petersburg-Peterhof-Rewal-Baltijchport; Petersburg-Pskow-Dünaburg-Wilna-Warschau (mit Zweigbahnen Landwarowo-Wirballen [über Kowno an die preußische Grenze bei Eydtkuhnen zum Anschluß nach Königsberg], von Dünaburg über Riga nach Mitau und von Dünaburg über Witepsk nach Smolensk); Petersburg-Moskau (Nicolaibahn); Moskau-Smolensk-Minsk-Brest (von da über Terespol nach Warschau); Moskau-Kursk-Charkow (von Charkow weiter gegen Südwesten über Pultawa, Krementschug, Jelisawetgrad nach Odessa; gegen Süden über Jekaterinoslaw nach Simferopol und Sebastopol; gegen Südosten nach Taganrog, Nachitschewo und Nowo-Tscherkask); Moskau-Rjäsan-Rostow-Woronesch-Saratow; Moskau-Wladimir-Nischnei-Nowgorod; Moskau-Jaroslaw; Warschau-Wien (über Stiernewice, Petrikau, Czenstochau und Zombkowice bis Granica an der österreichischen Grenze [Krakauer Bahn], mit Zweigbahnen über Stiernowice über Lowice und Wraclawec an die preußische Grenze, von da nach Thorn und Bromberg; von Koluszin nach Lodz; von Zombkowice nach Sosnowice, von da nach Breslau; Warschau-Terespol-Kiew; Kiew-Balta-Odessa (mit Zweigbahn Tiraspol-Kischewo); Kiew-Kursk; Zarizyn-Kalatsch (Wolga-Donbahn) zur Verbindung des Kaspischen mit dem Asowschen und Schwarzen Meere; Gruchewska-Rostow (Gruchewska-Donbahn); Helsingfors-Tawastehus-Tawastehus (in Finnland). Von den zahlreichen projectirten und im Bau begriffenen Bahnen ist die wichtigste eine großartige 100 Meilen lange transkaukasische Bahn von Baku über Tiflis und Kutais nach Poti am Rion, an deren Bau seit 1864 über 6000 Soldaten unter Leitung des englischen Ingenieurs Bailly beschäftigt sind. Zu Anfang des Jahres 1871 betrug die Länge der eröffneten Bahnstrecken 10,231 Werst[*], davon 638 Staatsbahnen und 9593 Werst Privatbahnen, die der im Bau begriffenen Bahnen 3830 Werst. Die Spurweite der russischen Eisenbahnen ist 1,524 Meter, gegen 1,435 Meter im übrigen Europa. In noch gewaltigeren Dimensionen, als die Schienenwege treten die russischen Telegraphenlinien auf und bereits sind die äußersten Punkte im Nordwesten und Westen, wie Archangel, Tornea und Kalisch mit Odessa, Sebastopol, Tiflis, Eriwan, Irkutsk und Troitzkosawsk bei Kiachta verbunden; projectirt und im Bau begriffen sind Linien nach Nikolajewsk und andern Punkten des Amurlandes und der ostsibirischen Küstenprovinz bis zur Beringsstraße, durch welche ein submarines Kabel zur Verbindung mit Nordamerika nach Newminster, der Hauptstadt von Britisch-Columbia, gelegt werden soll. Ueber die Kanäle und Kanalsysteme s. oben (S. 74).

Der Verfassung nach bildet das Russische Reich eine völlig uneingeschränkte Monarchie. Der Kaiser (seit 1855 Alexander II., geb. ¹⁷ April 1818) nennt sich Sadomerscheg (d. i. Selbstherrscher aller Reußen), Czar von Polen, Großfürst von Finnland, und ist höchster Gesetzgeber, Regent und Richter, wie auch (seit Peter d. Gr.) höchstes Oberhaupt in allen geistigen Angelegenheiten (Cäsareopapismus), ist jedoch an gewisse Staatsgrundgesetze gebunden. Nach dem Thronfolgegesetz Paul's I. vom 5. April 1797 ist die Thronfolge erblich im Hause Oldenburg-Romanow (s. u. Romanow) in

---

[*] Anmerkung: 1 Werst = 1067 Meter, 7 Werst = 1 geogr. Meile.

gerade absteigender Linie nach dem Rechte der Erstgeburt und dem Vorzuge der
männlichen vor der weiblichen Descendenz. Nur das Recht der Geburt hebt
den Thronfolger auf den Thron und es bedarf dazu keiner weiteren Ceremonie;
doch gilt die Krönung und Salbung in Moskau als ehrwürdiges Herkommen.
Jeder russische Herrscher muß nebst Gemahlin und Descendenz der russisch-
griechischen (griechisch-orthodoxen) Kirche angehören. Nach der Zusatzacte des
Kaisers Alexander I. vom 20. März 1820 sind jedoch nur die Kinder aus
einer vom Kaiser für ebenbürtig anerkannten Ehe successionsfähig. Der Kaiser
wird mit dem vollendeten 16. Lebensjahre volljährig (die Großfürsten und
Großfürstinnen erst mit dem 20.). Während seiner Minderjährigkeit übernimmt,
bei Ermangelung einer Verordnung des verstorbenen Monarchen darüber, die
Mutter oder der nächste Agnat, gewöhnlich unter Beisitz eines Regentschafts-
raths, die Vormundschaft und Regentschaft. Die Prinzen und Prinzessinnen
des Hauses heißen Großfürsten und Großfürstinnen und haben das Prädicat
„Kaiserliche Hoheit". Der Großfürst-Thronfolger hat den Titel Cesarewitsch.
Die oberste Leitung der Staatsgeschäfte ruht in den Händen des Kaisers selbst,
dessen Cabinete der Minister des Kaiserlichen Hauses vorsteht. Für die unmittelbar unter dem Kaiser gestellten Angelegenheiten besteht überdies eine Geheime Kanzlei in vier Abtheilungen (a. Privat-Correspondenz, b. Redaction der
Gesetze, Ukase ꝛc., c. hohe Polizei, d. die unter Oberleitung der Kaiserin stehenden Wohlthätigkeits- und Bildungsanstalten). Die höchsten Reichsoberbehörden sind:
A) der Reichsrath, die höchste berathende Behörde; B) der dirigirende Senat,
eine die inneren Staatsangelegenheiten überwachende Behörde, zu deren Befug-
nissen die Veröffentlichung und Registrirung der Gesetze, Ukase ꝛc., die Verleihung von Adelstiteln, die richterliche Entscheidung in letzter Instanz über
Staatsverbrechen, die Revision der durch die Provinzial-Tribunale gefällten
richterlichen Entscheidungen ꝛc. gehört und deren General-Procurator der Justiz-
Minister ist; C) der Heilige dirigirende Synod, welcher das höchste Gericht
und die oberste Behörde für alle Angelegenheiten der griechisch-russischen Kirche
bildet; D) das Staatsministerium, welches in folgende zwölf Einzelministerien
zerfällt: 1) des Kaiserlichen Hauses, 2) des Aeußern, 3) des Kriegs, 4) der
Marine, 5) des Innern, 6) des Oeffentlichen Unterrichts oder der Volksauf-
klärung, 7) der Finanzen, 8) der Justiz, 9) der Domänen, 10) der Oeffentlichen Arbeiten (Wege und Verkehrsanstalten), 11) der Posten und Telegraphen,
12) die General-Controle des Reichs. In administrativer Hinsicht zerfällt das
ganze Russische Reich in Gouvernements und Provinzen und zwar das Europäische (eigentliche R.) in 60 Gouvernements und den Stadtregierungsbezirk
(Gradonatschalstwo) Petersburg; Finnland in 8 Provinzen oder Läne; Polen
in 10 Gouvernements; Kaukasien in 5 Gouvernements und 3 Gebiete; Sibirien mit Turkestan in 5 Gouvernements und 7 Provinzen. Die Gouvernements zerfallen in Kreise. Haupt- und Residenzstadt des Kaisers ist Petersburg; eigentliche Hauptstadt des Reichs und Krönungsstadt aber ist Moskau.
Hinsichtlich der Rechtspflege hatten früher verschiedene Gesetzbücher im eigentlichen R., in Polen und in Finnland Geltung, bis Kaiser Nicolaus I. ein
allgemeines Gesetzbuch (Swod Sackonow) ausarbeiten ließ, welches 1. Januar
1835 in Wirksamkeit trat, seitdem aber eine zweite Redaction erfahren und
Nachträge erhalten hat. Unter Alexander II. traten im Gebiete der Rechtspflege durchgreifende Aenderungen ein, deren Grundzüge im Ukas vom 20. Sept.
11. Oct.
1862 enthalten sind: Unabhängigkeit der Richter von der executiven, administrativen und legislativen Gewalt; Einführung der Geschworenengerichte; Oeffentlichkeit und Mündlichkeit des Verfahrens; Gleichheit aller Russen vor dem Gerichte
und damit Aufhebung des früheren Brauchs, wonach Jeder nur von seines
Gleichen gerichtet werden konnte; Aufhebung der alten und Gründung neuer

Gerichtshöfe. In erster Instanz fungiren die Friedensrichter für Civilstreitigkeiten, für Criminal- und Civilprozesse aber Arrondissementsgerichte (mit Zu-
ziehung von Geschworenen in Criminalfällen). Zweite und letzte Instanz sind
die Appellhöfe für alle von den Arrondissementsgerichten gefällten Criminal- und
Civilurtheile. Eine dritte Instanz giebt es nicht; dagegen kann bei Anfechtung
eines Urtheils die Cassation bei dem Dirigirenden Senat nachgesucht werden.
Die sonst gebräuchliche Knute ist durch das neue Gesetzbuch für Civil- und
Criminalproceß von 1863 abgeschafft; als körperliches Strafmittel gilt dagegen
jetzt der „Plet" (eine Art neunschwänzige Katze), und Soldaten, welche durch
Urtheil des Disciplinargerichts als „unverbesserlich" in die zweite Classe versetzt werden, sind der Prügelstrafe (bis zu 50 Stockstreichen) unterworfen. Die
Todesstrafe steht außer in der Militärjustiz nur auf schwerem Hochverrath und
auf Attentat gegen die Person des Kaisers. An die Stelle der Todesstrafe bei
andern Verbrechen tritt Verbannung nach Sibirien. Was das Finanzwesen
anbelangt, so waren die Verhältnisse des russischen Staatshaushaltes früher in
Dunkel gehüllt, bis 1862 das Staatsbudget (an Einnahme und Ausgabe
347,867,860 Silberrubel) zum ersten Male veröffentlicht wurde. Im Jahre 1870
beliefen sich die Einnahmen auf 465,618,075 Silberrubel, die Ausgaben auf
476,728,318 Silberrubel; also Deficit: 11,110,243 Silberrubel, welche durch die
Reste der Credite aus dem Budget von 1868 gedeckt wurden. Die Staatsschuld
belief sich 1869 auf 2,003,484,160 Silberrubel. Pro 1872 übersteigt der
Betrag der Einnahmen (497,197,000 Silberrubel) zum ersten Male denjenigen
der Ausgaben mit 384,221 Silberrubel. Für wissenschaftliche Bildung und Hebung des öffentlichen Unterrichts ist seit neuerer Zeit viel gethan worden. Seit 1802 stehen die Lehranstalten unter dem Ministerium des Öf-
fentlichen Unterrichts und sind in folgende elf Schulbezirke eingetheilt: Petersburg,
Moskau, Dorpat, Kiew, Warschau, Kasan, Charkow, Wilna, Odessa, Kaukasus
und Sibirien. An Universitäten besitzt R. folgende 9: Petersburg, Moskau,
Charkow, Kasan, Dorpat, Kiew, Odessa, Warschau und Helsingfors. Einzelne
Special-Unterrichtsanstalten sind den betreffenden Ministerien untergeordnet.
Die Militär- und Marinebildungsanstalten s. w. unten. Eine Akademie der
Wissenschaften befindet sich zu Petersburg; die bedeutendsten Bibliotheken zu
Petersburg, Moskau und Warschau; die wichtigsten Sternwarten zu Pulkowa
(bei Petersburg) und Moskau. Nach dem vom russischen Generalstab herausgegebenen „Militärisch-statistischen Archiv" kamen 1871 im gesammten europäischen Rußland je ein Schulbesucher auf 168 Einwohner, in Polen 1 auf
31 Einw., in den Ostseeprovinzen 1 auf 19 Einw., in Sibirien 1 auf 664
Einw. Die Gesammtzahl der Schüler und Schülerinnen beläuft sich im gesammten eigentlichen R. (ohne Polen und Finnland) auf ungefähr 800,000;
wäre der Schulbesuch in R. so stark wie in Deutschland, so würde sich dieselbe
auf 10 Millionen belaufen.

　　Rußlands Wehrkraft. Historisches. Die Errichtung stehender
Truppen geht in R. in eine verhältnißmäßig frühe Zeit zurück. 1545 schuf
der Czar Iwan IV. Wassiljewitsch das Corps der Streitzen (s. d.), welches
späterhin den Schlachtkern der russischen Heere bildete. Die Schöpfung einer
Kriegsmacht auf europäischem Fuß ist das Verdienst Peters des Großen.
Er übernahm bei seinem Regierungs-Antritt (1689) die Streitzen als Fußvolk,
das Aufgebot der Bojaren (s. d.) und Bojarenkinder als Reiterei, sowie die
Kosaken (s. d.) als Grenzhüter. Aus der Compagnie seiner Jugendgenossen
schuf er zwei Garde-Regimenter (Preobaschenskoi und Semenowskoi). Nachdem
er 1698 die aufrührerischen Streitzen vernichtet hatte, ordnete er 1699 eine
allgemeine Rekrutirung an und bildete zunächst 29 Regimenter, zu welchen
1700 12 Dragoner-Regimenter traten. Im Nordischen Kriege wurde das Heer
bedeutend vermehrt (u. a. durch 2 Garderegimenter Ingermanland und Astra-

chau). Für Artillerie- und Ingenieur-Wesen wurde eine Specialschule gegründet. Peter schuf gleichfalls die russische Marine; bereits 1696 konnte er eine kleine Flottille in das Asow'sche Meer laufen lassen, welche den Türken eine Seeschlacht lieferte. Er errichtete eine Navigationsschule und befestigte den Hafen zu Kronstadt. Bei seinem Tode hinterließ er ein Heer von 108,000 Mann (ohne die Garde). Die Infanterie war seit 1711 in Divisionen zu 1 Grenadier- und 8 Musketier-Regimentern getheilt (jedes der letztern à 2 Bataillone von 4 Compagnien zu 183 Mann). 1721 war die Pike abgelegt worden. Die Cavalerie umfaßte Dragoner, welche auch zu Fuß kämpften, und reitende Grenadier. Während Peters Regierung waren 112 Linienschiffe und Fregatten gebaut, 20 gekauft und 78 erobert worden. Unter Elisabeth und Katharina II. wurden Heer und Flotte ansehnlich vermehrt. Ersteres stieg bis zur Stärke von 400,000 Mann, die Seemacht unter der letzteren bis zu 67 Linienschiffen und 4 Fregatten mit 3 Stationen im Baltischen, Kaspischen und Schwarzen Meere. Das unter Alexander I. eroberte Finnland behielt seine eigenthümliche Heeresverfassung (Indelta-Truppen, s. Schweden) bei. Alexander errichtete 1818 die Militär-Colonien für die Cavalerie, die durch Nicolaus I. wesentlich modificirt wurden. Ihre Bestimmung war es, auf einfache und billige Art eine zahlreiche Reserve für die reguläre Cavalerie zu schaffen. Sie umfaßten 224 Escadrons mit 32 reitenden Batterien. Nicolaus schuf das Dragoner-Corps, aus 8 Regimentern à 10 Escadrons, jede 180 Mann stark, bestehend. Von den Escadrons waren je 8 mit Gewehren und 2 mit Piken bewaffnet, von welchen erstere zum Gefecht zu Fuß vorzugsweise bestimmt waren und ein Bataillon zu 1000 Mann formirten. Außerdem zählte das Corps 4 Batterien à 8 Geschütze und 2 Escadrons reitender Pioniere, und konnte sonach mit 8 Bataillonen, 16 Escadrons, 32 Geschützen und 2 Pionier-Escadrons auftreten. Zur practischen Bewährung seines Zweck entsprechend ist das Corps nie gelangt. Vor dem Orientkrieg (Bd. VI, S. 336 ff.) umfaßte die russische reguläre Armee 8 Armee-Corps (darunter 1 Garde-, 1 Grenadier-Corps), außerdem die kaukasische Armee und die Truppen in Finnland, Orenburg und Sibirien. Jedes Corps zählte 3 Infanterie-Divisionen à 4 Regtr. zu 3 Bataillonen, 1 (das Garde-Corps 2) Scharfschützen-Bataillon, 1 Cavalerie-Division à 4 Regtr. (das Garde-Corps 12 Regtr.), 1 Artillerie-Division à 3 Fuß- und 1 reitenden Brigade (beim Garde-Corps jede Brigade zu 3 Batterien à 8 Geschützen, die übrigen Corps mit in Summa 14 Batterien zu 8 Geschützen), 1 Sappeur-Bataillon. Außerdem bestanden 3 Cavalerie Corps zu 8 Regtrn. Die Gesammtstärke betrug 361,000 Mann mit 856 Geschützen. Die Reserve-Armee stand in nahezu gleicher Stärke hinter der activen, war aber nur spärlich mit Cadres versehen (Garde- und Grenadier-Corps gänzlich ohne solche, die 6 übrigen pro Regiment 1 Bataillon, woraus 3 Reserve- und 2 Ersatz-Bataillone formirt werden sollten) und daher schwierig zu mobilisiren. Sie repräsentirte 290,000 Mann mit 640 Geschützen.

Die Erfahrungen des Orientkrieges gaben Anstoß zu umfassenden Reformen. Die bisherige Reserve wurde mit der Linie verschmolzen, statt des Corps die Division als höchste taktische Einheit angenommen, weil jenes sich zu wenig den territorialen Verhältnissen R.s anpassen läßt. Das Dragoner-Corps als solches und die Cavalerie-Militär-Colonien gingen ein. Die Localtruppen wurden theils zur Ausbildung der Refruten (Reservetruppen), theils zu Besatzungstruppen bestimmt. Die Bewaffnung der Infanterie erfuhr eine Umgestaltung (Einführung gezogener Perfussionsgewehre kleineren Kalibers), im folgenden Jahrzehnt auch das Artilleriewesen (gezogene Geschütze und späterhin Hinterlader). Die Bildungsanstalten wurden wesentlich vermehrt und verbessert,

471

ebenso erfuhren die Verwaltung und Gesetzgebung eine Reorganisation im zeitgemäßen Sinne. Die früher 25jährige Dienstzeit wurde seit 1859 auf 15 Jahre, davon 12 activ und 3 in der Reserve, herabgesetzt; die Befreiungen von der Wehrpflicht wurden seitdem eingeschränkt. Der frühere barbarische Modus der Rekrutirung und des Rekruten Transports machte einem humanen Verfahren Platz. Die Ereignisse von 1866 und 7071 gingen an R. nicht spurlos vorüber. Während jene den Anstoß zur Bewaffnung der Infanterie mit einem schnellfeuernden Hinterladungsgewehre und zeitgemäßer Umarbeitung der Reglements gaben, haben diese die Umgestaltung des Wehrsystems im Sinne der allgemeinen Wehrpflicht so nahe gelegt, daß die practische Ausführung und Annahme der preußischen Institutionen nur mehr als eine Frage der Zeit zu betrachten ist. Die Flotte und das Befestigungssystem, sowohl im Innern als an den Küsten, sind mit großem Aufwand zu einer hohen Stufe gebracht worden. An dem nunmehr für R. wieder frei gewordenen Schwarzen Meere stehen bedeutende Verstärkungen in dieser Beziehung in Aussicht.

Die kolossale räumliche Ausdehnung R.s mit ihrer (selbst in Europa) dünnen Bevölkerung und dem bis jetzt noch wenig ausgebildeten Bahnnetz würden einer fremden Macht die Kriegführung im russischen Gebiet sehr erschweren und geben so R. eine große innere Defensivkraft. Anderntheils hemmen diese Verhältnisse wieder die Mobilmachung und rasche Concentration bedeutender Streitkräfte seitens R.s und stellen in einem auswärtigen Kriege ein zeitgerechtes Eingreifen mit großen Massen in Frage. Die strikte Durchführung des Territorialsystems, in gleichem Sinne wie im Deutschen Reiche, verbietet sich bis jetzt theils schon aus vorgenannten Gründen, theils mit Rücksicht auf sehr ungleichmäßige Vertheilung der Bevölkerung, sowie in Anbetracht der noch herrschenden politischen Unzuverlässigkeit einiger Provinzen (Polen, Kaukasus). Dies zwingt die Armee in größern Gruppen, nach strategischer Ordnung, zusammenzufassen und vorherrschend nach der Westgrenze hinzuschieben. Die geringe Intelligenz der unteren Bevölkerungsschichten, der Mangel eines eigentlichen gebildeten Mittelstandes erschweren eine der heutigen Taktik, bei welcher namentlich die Selbständigkeit des einzelnen Mannes in Betracht kommt, angepaßte Ausbildung. Von der in R. bekanntlich stark vertretenen Corruption sollen auch die militärischen Kreise nicht freizusprechen sein. Wenn dem auch mit allen Kräften entgegen gearbeitet wird, so erschwert doch die räumliche Vertheilung bis jetzt eine recht wirksame Controle. Als Seemacht kann R. bis jetzt nur ein defensiver Charakter zuerkannt werden, wie er sich auch in der Bauart der Panzerflotte documentirt. Erschwerend ist in maritimer Beziehung die Zersplitterung der Küsten (Ostsee, Schwarzes, Kaspisches Meer, Stiller Ocean). In seinen Einrichtungen überhaupt ist R. bisher vorherrschend dem Vorgang des besser cultivirten Westens gefolgt, und ist namentlich in neuerer Zeit eine enge Anlehnung an Preußen unverkennbar.

Das Wehrsystem R.'s bildete bis jetzt ein buntes Gemisch von persönlicher Wehrpflicht, Privilegien, Stellvertretung, Loskauf, Loosung. Die nothwendige Rücksicht auf allmähliche Heranziehung einer europäisch gebildeten Bevölkerungsschicht, auf Hebung des Handels und der dürftigen Industrie auf der einen, die bis in die neuere Zeit barbarischen Institutionen der Armee auf der andern Seite, ließen es bisher nicht zu, andere als die niederen Classen der Bevölkerung zum Heeresdienst heranzuziehen. Den Ausfall an der Kopfzahl mußte eine lange Dienstzeit ausgleichen, welche auch durch die geringe Stufe der Intelligenz bei den Wehrpflichtigen veranlaßt wurde. Der Wehrpflicht zu genügen haben gesetzmäßig alle Steuerpflichtigen vom 20. bis 30. Lebensjahre. Exemirt sind bis jetzt: Adel, Beamte, Geistlichkeit, sowie Kaufleute

1. und 2. Gilde (in Summa ca. 2½ Mill.); außerdem giebt es landschaftliche und locale Privilegien. Seit 1858 wurde das Reich in eine östliche und eine westliche Hälfte getheilt, die alle 2 Jahre von der Rekrutirung betroffen werden sollten. Von 1857 bis 1863 hat indeß, um das durch den Orientkrieg erschöpfte Land zu schonen, keine Rekrutirung stattgefunden. Mit 1863 begann wieder die jährliche Aushebung mit 6 pro Mille. Jede Rekrutirung wird ¼ Jahr vorher durch kaiserliches Manifest bekannt gemacht. Die erste Auswahl der Conscriptionspflichtigen geschieht in der Heimath. Die Gestellung ist weniger eine persönliche Pflicht, als eine Communallast. Jede Gemeinde berechnet ihren Promille-Satz von Rekruten, und werden die jungen Leute entweder nach einer gewissen Reihenfolge (Zahl der arbeitenden Mitglieder) oder durchs Loos aus den Familien ausgewählt. Die erste Musterung geschieht vor der Kreis-, die zweite vor der Gouvernements-Commission. Die Communen können für eine bestimmte Anzahl von Rekruten gegen Erlegung einer Geldsumme Quittungen erwerben, welche sie statt wirklicher Rekruten präsentiren. Die Zahl der Quittungen richtet sich nach der Zahl der seit der letzten Aushebung in Dienst getretenen Ersatz-Männer (d. i. freiwilliger Rekruten, welche sich im Staate oder von Privaten gegen Geldvergütung engagiren lassen). Ist die vorgeschriebene Zahl der Quittungen vergriffen, so müssen gediente oder nicht gediente Stellvertreter gestellt werden. Die Gemeinden haben die Ausgehobenen für den Marsch auszurüsten und ins Depot zu befördern. Die Loskaufssumme betrug 1867 1000 Silberrubel, 1868 auf 200 Rubel herabgesetzt, wurde sie 1869 wieder auf 570 Rubel erhöht. Im letztgenannten Jahre wurde bestimmt, daß von den stellungspflichtigen Gemeinden nur die Hälfte der Rekruten durch Stellvertreter ersetzt werden dürfe. Für die vor dem 20. Lebensjahre freiwillig Eintretenden wurde die active Dienstzeit herabgesetzt. Aus den Freiwilligen erwächst ein wesentliches Contingent zur Besetzung der Offizier- und Unteroffizierstellen. — Die active Dienstzeit beträgt in neuester Zeit überhaupt nur noch 10 Jahre und wird durch vielfache Beurlaubungen noch verkürzt. Die allmählich mehr durchleuchtende Absicht des Ueberganges zur allgemeinen Wehrpflicht fand in einem kaiserlichen Rescript vom 4./16. November 1870 Ausdruck, welches dem Kriegsminister Befehl ertheilte, einen Entwurf zur Organisation von Reserve-Truppentheilen der Armee und zur Ausdehnung der unmittelbaren Theilnahme an der Militärpflicht auf alle Stände ohne Ausnahme zusammenzustellen. Der Kriegsminister erkennt in seinem Bericht die Nothwendigkeit an, die sämmtlichen Glieder der Reservemacht die Schule des activen Heeres durchlaufen zu lassen und zu diesem Zwecke die jährliche Aushebung durch Einführung der allgemeinen Wehrpflicht zu verstärken, die active Dienstzeit aber herabzusetzen, und zwar mit Beibehalt der 15jährigen Dienstpflichtigkeit auf 7 Jahre Präsenz, ohne dabei noch weitere Beurlaubungen auszuschließen. Für Leute von Bildung sind ähnliche Begünstigungen, wie in der deutschen Heeresverfassung, vorgesehen. Die Ausgaben für die Wehrleistung sollen künftig den Gemeinden erlassen bleiben. Die Ausdehnung des neuen Wehrgesetzes auf Finnland ist in Aussicht genommen (Ukas vom $\frac{6}{18}$ Jan. 1871). — In Bezug auf Durchführbarkeit dieser Vorschläge erheben sich in Rußland selbst viele Zweifel. Der Bildungsgrad des Offiziercorps gilt als ein zu niedriger, für den Bauer erscheint die verkürzte Ausbildungszeit nicht hinreichend, und namentlich wird der Mangel eines so vielfach gegliederten Bürgerstandes, wie ihn Deutschland besitzt, als hinderlich für die Ausführung des Systems der allgemeinen Wehrpflicht angesehen. Nach Angaben von politischen Journalen sollen in Bezug auf Länge der activen Dienstzeit beim Uebergang zur allgemeinen

Wehrpflicht 5 verschiedene Kategorien in Aussicht genommen sein. Das Wehrgesetz selbst unterliegt seitdem der Berathung einer dazu bestellten Commission, welche damit bereits zum Ziele gelangt sein soll. Die Rekrutirung von 1871, welche für R. 6 und für Polen 8 pro Mille bestimmt, hat eine umfassendere Aufhebung von Exemtionen gebracht. Pro 1872 ist eine Rekrutirung von 6 von 1000 für das ganze Reich angeordnet, die Aushebung beginnt mit zurückgelegtem 21. Lebensjahre, die Loskaufssumme ist auf 800 Rubel gesetzt, Privat-Stellvertretung ausgeschlossen. Exemirt sind nur noch Schüler höherer Lehranstalten im Kaiserthum und Elementarlehrer in Polen. Die Zahl der Rekruten-Quittungen erleidet keine Beschränkungen mehr.

Das Territorialsystem ist seit 1864 durch Errichtung von 15 Territorial-Militär-Bezirken angebahnt, deren Commandos die innerhalb derselben stehenden Truppen in militärisch administrativer Beziehung untergestellt sind. Im Europäischen R. giebt es gegenwärtig 9 (Petersburg, Finnland, Wilna, Warschau, Kiew, Odessa, Charkow, Moskau, Kasan), in Asien 5 Distriete (Kaukasus, Orenburg, West-, Ost-Sibirien, Turkestan), außerdem die Don-Kosaken-Provinz. Nach anderen Quellen bildet in Europa Riga einen 10. Militärdistriet. Jeder Militärbezirk ist aus einer Anzahl Gouvernements zusammengesetzt. Die Commandirenden Generale der Bezirke heißen, soweit sie mit der politischen Verwaltung zugleich betraut sind, Statthalter oder auch General-Gouverneure. Die Militär-Verwaltung eines Bezirks gliedert sich in folgende Abtheilungen (analog dem Kriegsministerium): Militär-Bezirks-Rath, Bezirksstab, Intendanz, Artillerie-, Genie-, Medicinal-Verwaltung und Inspeetion der Militärspitäler.

Die ganze Landmacht zerfällt gegenwärtig in die regulären, die irregulären Truppen und die Reichswehr. Die regulären Truppen theilen sich wieder in die Feld- und die Localtruppen. Bei den Feldtruppen bildet die Division für die Infanterie und Cavalerie, die Brigade für die Artillerie und Genietruppen die höchste taktische Einheit. Nur die Garde hat permanent den Corpsverband, der bei den übrigen Truppen erst im Kriege oder unter besonderen Verhältnissen in Kraft tritt. Die bisherige Organisation der Feldtruppen wird auch künftig bleiben. Die regulären Feldtruppen sind auf die europäischen und den kaukasischen Militärbezirk vertheilt, und zwar so, daß die westlichen Bezirke vorherrschend stark besetzt sind. Die Standorte der Truppen sind vielfach wechselnd. Die Localtruppen zerfallen gegenwärtig in die Reservetruppen, die Truppen zur Verrichtung des innern Dienstes und die Lehrtruppen. In jedem Militär-Bezirk besteht für die Localtruppen ein Chef der Localtruppen, in jedem Gouvernement ein Gouvernements-Militär-Chef, welchem gleichzeitig Controlle und event. Einberufung der Beurlaubten obliegt. Die Reservetruppen haben lediglich die Bestimmung, im Frieden, wie im Kriege für die Ergänzung der Feldtruppen zu sorgen (doch können unter Umständen im Frieden auch den Feldtruppen Rekruten zur Ausbildung direet überwiesen werden) und zerfallen demnach in Reserve-Infanterie-Bataillone, -Escadrons, -Batterien und -Sappeurbataillone. Jedes Gouvernement soll principiell eine seinem durchschnittlichen Rekruten-Contingent entsprechende Zahl von Reserve-Truppenkörpern haben, doch sind momentan aus politischen Rücksichten einige Militär-Bezirke (Finnland, Warschau, Kaukasus, Turkestan) gänzlich ohne Reserve, und werden ihre Rekruten an andere Gouvernements überwiesen. Im übrigen erhalten die Reserve-Truppen, welche im Allgemeinen feste Standorte haben, die Rekruten aus ihrem eigenen Gouvernement. Die Truppen zur Verrichtung des inneren Dienstes umfassen die zu Festungsbesatzungen bienende Infanterie und Festungs-Artillerie, die zur Besetzung der asiatischen Militärbezirke speciell bestimmten Infanterie-

(Corbon-) Bataillone, die zu polizeilichen Zwecken organisirten Gouvernementsbataillone und die Local-Commanden der Artillerie und des
Genies. Die Lehrtruppen bilden Instructoren für die drei Hauptwaffen
aus. Die künftige Organisation beabsichtigt eine Theilung der Localtruppen
in mobile Reservetruppen, Festungs-Garnisonen und Ersatztruppen. Da die
irregulären Truppen hinreichende Hülfsquellen zur Bildung von Reserven der
Cavalerie und reitenden Artillerie in sich schließen, so sollen nur ausreichende
Cadres für Reserven an Infanterie und Fuß-Artillerie geschaffen
werden, welche aus den localen Rayons auszufüllen sind, und wird so eine
Reserve-Macht entstehen, welche die ausschließliche Verwendung der Feldtruppen zum Felddienst und eine Verstärkung der letzteren ermöglicht. Die
irregulären Truppen umfassen die verschiedenen Kosaken-Corps (vgl. Bd.
V., S. 207 ff.). Die Reichswehr entbehrt einer festen Organisation. Nach
dem künftigen Plane soll sie alle im wehrpflichtigen Alter befindlichen Individuen umfassen, welche nicht zum activen Dienst herangezogen worden sind. Im
Jahre 1855 wurden 366,000 Mann aufgestellt, die in 337 Fuß-Druschinen
und 6 reitende Kosaken-Polke zerfielen.

Nach „Rußlands Wehrkraft 1871" betrug das Budget für 1871 für das
Landheer 161½, für die Flotte 19 Millionen Thaler, insgesammt also 180 Millionen Thaler, auf eine Totale der Staatsausgaben von 525 Mill. Thaler.
Die für Europa disponible operative Armee berechnet dieselbe Quelle
(nach Abzug der kaukasischen Truppen [6 Infanterie-, 1 Cavalerie-Division,
1 Schützen-Brigade, 2 Sappeurbataillone], sowie der in Turkestan zurückblei-
benden) zu 41 Infanterie-, 9 Cavalerie-Divisionen, 6 Schützen-Brigaden, 15
Kosaken-Polke, 5 Kosaken-Batterien, 9 Sappeur-, 6 Pontonier-Halb-Bataill-
lone, mit einer Combattantenstärke von 534,960 Mann zu Fuß, 92,474 Reitern,
1572 Feld-Geschützen (wozu noch ein Belagerungs-Train von 208 Geschützen
tritt). Aus den Reserve-Truppen der Infanterie ließe sich eine entsprechende
Reserve von 83,440 Combattanten aufstellen, wobei die betreffenden Truppen
der Cavalerie und Specialwaffen noch disponibel bleiben. Im Europäischen
Rußland verbleiben ferner: 22,000 Mann Infanterie und 40,000 Artilleristen
in den Festungen, 24,000 Mann der Gouvernementsbataillone 2c.

Die russische Armee kennt 4 verschiedene Etats: den Cadre-, gewöhnlichen Friedens-, verstärkten Friedens- und Kriegsstand, deren
Bedeutung je nach der Truppengattung verschieden ist.

Die Infanterie der Feldtruppen zerfällt in 47 Divisionen à 4
Regier., davon 3 Garde-Infanterie- (1. bis 3.), 4 Grenadier- (1. bis 3. und
kaukasische), 40. Armee-Infanterie-Divisionen (1. bis 40.) und in 8 Schützen-
brigaden à 4 Bataillone, davon 1 Brigade der Garde (darunter ein finnisches
Bataillon), 1 Kaukasische 1 Turkestan'sche und die Brigaden 1. bis 5. Die
Schützenbrigaden sind aus den früheren Schützenbataillonen der Divisionen seit
1870 formirt. Die Regimenter der Garde sind ohne Nummern, die der Gre-
nadierdivisionen rangiren von 1. bis 16., die übrigen von 1. bis 160. Jedes
Regiment trägt den Namen eines Landestheils oder einer Stadt, dessen Bedeutung mehr eine historische ist. Die Bataillone der 1. bis 5. Schützenbrigade
rangiren von 1. bis 20., die der übrigen brigadeweise. Die Regimenter haben
gewöhnlich 3 Bataillone à 4 Linien- und 1 Schützencompagnie, erstere werden
in Regimenter fortlaufend numerirt, während letztere die Nummer des Bataillons tragen und nach Umständen ein „combinirtes Schützenbataillon" bilden
können. Die im Kaukasus stehenden Divisionen (kaukasische Grenadier- und
19. bis 21. Armee-Infanterie-Division) haben 4 Bataillone. Jedes Schützen-
Bataillon (der Brigaden) hat 4 Compagnien. Die Rangirung ist durchweg in
2 Gliedern. Die Infanterie-Regimenter haben 4, die Schützen-Bataillone
3 Etats (bei letzteren fehlt der Cadrestand). Die Compagnie der Infanterie

hat auf Kriegsstand 4 Offiziere, 211 Unteroffiziere und Gemeine, auf Friedensstand 3 Offiziere, 120 Unteroffiziere und Gemeine, die Compagnien der Schützen-
bataillone haben 1 Offizier mehr. Der Regimentsstab umfaßt 1 Oberst als
Commandeur, 1 Oeconomie- und 3 (ev. 4) jüngere Stabsoffiziere, davon einer
Chef der Schützen-Compagnie ist, 4 Subalternoffiziere, darunter 1 Adjutant
und 3 Verwaltungs-Offiziere, 2 Spielleute, 4 Aerzte, 1 Geistlichen und 1 Compagnie von Nichtcombattanten (Handwerker, Schreiber c.) unter 1 Offizier.
Das Bataillon commandirt 1 Oberstlieutenant, dem bei dem Schützenbataillon
1 jüngerer Stabsoffizier beigegeben ist. Die 22. Division ist 1863/64 aus
den finnischen Bataillonen formirt worden.

Die Infanterie der Reservetruppen steht in keinem Zusammenhang
mit den Regimentern. Sie umfaßt 80 Bataillone à 4 Compagnien,
welche in jedem Gouvernement unter dem Militär-Chef derselben vereinigt sind.
Die ausgebildeten Rekruten werden mit ihrer Ausrüstung durch das Kriegsministerium den Divisionen überwiesen, — welche sie zu vertheilen haben, —
und zwar aus dem Gouvernement, wo letztere augenblicklich garnisoniren. Der
Stamm-Cadre einer Compagnie beträgt 1 Offizier, 27 Unteroffiziere und Gemeine. An Linien-Cordon-Bataillonen bestehen 48 à 4 Linien, 1 Schützen-
compagnie und haben sie einen ähnlichen Stand in den Infanterie-Bataillonen
(excl. Cadrestand). An Festungstruppen bestehen Regimenter à 3 und à 2
Bataillone und selbstständige Bataillone und Commandos. Jedes Bataillon hat
4 Compagnien. Sie haben den Kriegs- und Friedensstand. Jeder Körper
führt den Namen des betreffenden Platzes. An Gouvernementsbataillone'n bestehen 70 mit sehr verschiedener Organisation und Stärke. Sie
haben den Dienst in den Gouvernements-Hauptstädten. Für die Kreise und
einzelnen Orte bestehen Kreis- und Local-, für Küstenprovinz permanente
Commandos. An den Hauptorten der Etappen-Straßen sind Etappen-
und Convoi-Commandos aufgestellt. Die Lehrtruppen umfassen das
Lehr-Infanterie-Bataillon à 6 Compagnien und die kaukasische Lehr-
Infanterie-Compagnie. Sie haben einen Stamm und einen wechselnden
Stand von Auszubildenden.

Die Cavalerie der Feldtruppen zerfällt in 2 Garde-, 7 Armee-Cava-
lerie-Divisionen und die kaukasische Dragoner-Division. Die 1. Garde-Cavalerie-Division umfaßt das Chevalier-Garde-Regiment, das Leibgarde-Regiment
zu Pferde, 2 Kürassier- und 3 Kosaken-Regimenter, die 2. Division 1 Leib-
garde-Grenadier-Regiment zu Pferde, 1 Dragoner, 2 Ulanen, 2 Husaren-
Regimenter. Jede Armee-Cavalerie-Division hat 2 Dragoner-, 2 Ulanen-,
2 Husaren-Regimenter, die kaukasische Division 4 Dragoner-Regimenter. Die
Regimenter der 8 letztgenannten Divisionen werden durchgehends und zwar
gattungsweise numerirt, mithin Ulanen-, resp. Husaren-Regimenter Nr. 1—14.
Dragoner-Regimenter 1—18. Außerdem tragen die Armee-Regimenter ähnlich
der Infanterie einen Local-Namen. Jedes Regiment hat 4 Escadrons zu 4
Zügen, mit 16 resp. 14 berittenen Rotten per Zug (Kriegs- resp. Friedensstand). Zwei Escadrons bilden eine Division, die unter einem Stabs-Offizier
steht. Die Escadrons werden ebenfalls durch Stabsoffiziere commandirt, das
Regiment durch einen Obersten. Die Escadron zählt außer dem Commandeur
6 Offiziere (darunter 2 Rittmeister) und 203 (resp. 178) Unteroffiziere und
Gemeine, davon 150 resp. 133 beritten. Zum Regimentsstab gehören die
Divisions-Commandeure, 4 Subalternoffiziere, darunter 1 Adjutant und 3 Verwaltungs-Offiziere, 1 Trompeter, 2 Aerzte, 1 Thierarzt, 1 Geistlicher, 1 Compagnie von Nichtcombattanten unter 1 Offizier.

Für jedes Regiment besteht eine, davon ganz unabhängige Reserve-Es-
cadron, welche die Rekruten und Remonten für das Regiment auszubilden
hat. Die Reserve-Escadrons der Garde-Cavalerie und der kaukasischen Divi-

ſten ſind indeß im Frieden mit ihren Regimentern vereinigt. Die 6 Escadrons
einer Diviſion bilden eine Reſerve-Cavalerie-Brigade, welche unter der Militär-
Bezirks-Verwaltung ſteht. Sie führt die Nummer der betreffenden Diviſion.
Der Stand einer Reſerve-Escadron eines Armee-Cavalerie-Regiments iſt 7 Offiziere, 165 Unteroffiziere und Gemeine, 154 Dienſtpferde. Die Lehr-Esca-
dron formirt 2 Züge Dragoner, 1 Zug Ulanen und 1 Zug Huſaren. Sie
bildet Reitlehrer aus und unterrichtet in allen Zweigen des Cavaleriedienſtes.
Die Zutheilung des veränderlichen Standes geſchieht auf 2 Jahre.

Die Artillerie der Feldtruppen zerfiel bis vor Kurzem in 56 Brigaden, davon 47 Fuß- und 7 reitende, ſowie das der Stärke nach 2 Brigaden repräſentirende Commando der reitenden Gardeartillerie, jede
Fußbrigade 3 Batterien, jede reitende 2 Batterien ſtark, excl. der im Kaukaſus
geſtandenen 4 Brigaden, welche 1 Batterie mehr zählten. Von den Fußbrigaden
war je eine Batterie mit 9 Pfündern, alle anderen und die reitenden mit 4 Pfündern bewaffnet. Gegenwärtig ſoll jede Fußbrigade außer den vorgenannten
noch 1 Mitrailleuſen-Batterie (als 4. reſp. 5. Batterie) erhalten; es
dürfte die Ausrüſtung damit indeß noch nicht gänzlich durchgeführt ſein.
Nach „Rußlands Wehrkraft 1871" zerfällt die Fußartillerie in folgende
Brigaden: 1. und 2. Leibgarde-, 3. Garde- und Grenadier-, 1. bis 3. Gre-
nadier-, kaukaſiſche Grenadier-, 1. bis 40. Armee-Brigade, außerdem in
Aſien 1. und 2. Turkeſtan'ſche, Oſtſibiriſche Brigade und die Weſtſibiriſche
Artillerie (1 Batterie — 4 pfündig). Die 2. Turkeſtan'ſche und die Oſtſibiriſche Brigade haben ſtatt einer 9 pfündigen Fuß- eine 3 pfündige Gebirgsbatterie. Von letzteren ſollen den kaukaſiſchen Brigaden (kaukaſiſche Grenadier-
und 19. bis 21. Armee-Brigade) im Kriege noch je 2 zugefügt werden. In
Summa zählt die Fuß-Artillerie jetzt: 48 9 pfündige, 105 4 pfündige Fuß-,
2 3 pfündige Gebirgs- und 50 Mitrailleuſen-Batterien. Nach obiger Quelle
zerfällt die reitende Artillerie in die Garde- und 7 Armee-Brigaden, erſtere
à 4, letztere à 2 Batterien, mit in Summa 18 Batterien. Die Fußartillerie-
Brigaden gehören im Frieden und Kriege zu den gleichnamigen Inſanterie, die
reitenden Brigaden zu den Cavalerie-Diviſionen. Jede Batterie hat 8 Geſchütze und zerfällt in 2 Diviſionen, reſp. 4 Züge. Im Kriege zählt jede
Batterie 8 Geſchütze und die 9 pfündigen 24, die 4 pfündigen 16, die Mitrail-
leuſenbatterien 8 Munitionskarren, die Gebirgsbatterie 112 Munitionskiſten,
außerdem je zur Bedienung ein 5. Zug in Reſerve vorhanden. Reitende und
ſchwere Batterien ſind à 6, die übrigen à 4 Pferde beſpannt. Beim verſtärkten
Friedensſtand iſt nur ein Theil der Fahrzeuge, beim gewöhnlichen bei der Fuß-
artillerie 4 Geſchütze und 2 Karren, bei der reitenden 6 Geſchütze und 2 Karren
beſpannt. Beim verſtärkten und gewöhnlichen Friedensſtand ſind 4 Züge Be-
dienungsmannſchaften (beim gewöhnlichen in reducirter Stärke) vorhanden. Jede
Batterie wird durch einen Stabsoffizier (Oberſt oder Oberſtlieutenant) commandirt, außerdem zählt dieſelbe 1 (reitende 2) Capitän, 4 Subalternoffiziere,
und im Kriege die leichte Fußbatterie 261 Mann, 160 Pferde, die ſchwere
322 Mann und 214 Pferde, die reitende 337 Mann und 324 Pferde, die
Mitrailleuſen-Batterie 221 Mann und 140 Pferde. Außer den genannten
Fahrzeugen hat jede Batterie 2 Proviant-, 4 (ſchwere 5) Park-, 1 Sanitäts-
und 1 ſonſtigen Karren.

An Reſervetruppen zählt die Artillerie 4 Reſerve-Fuß-Artillerie-
Brigaden à 3 und 2 reitende à 2 Batterien, welche 4 pfündige Geſchütze
führen. Sie ſind auf 4 Gouvernements vertheilt. Der Kriegsſtand einer Fußbatterie iſt 7 Offiziere, 250 Mann, 49 Pferde (excl. der Abzurichtenden),
einer reitenden 9 Offiziere, 377 Mann, 186 Pferde, der Friedensſtand etwa
um ⅓ geringer. Beſpannt ſind 4 Geſchütze (Fußbatterie auf Friedensſtar-

nur 2) und einige Karren. An Besatzungs-Artillerie bestehen 91 Festungs-Artillerie-Compagnien, von denen im Frieden indeß nur 69 präsent bleiben. Sie stehen unter den Festungs-Artillerie-Verwaltungen. Für die Artillerie-Verwaltungen der offenen Plätze sind Local-Artillerie-Commandos errichtet. Die Fuß- und reitende Lehrbatterie hat 4 bespannte 4pfündige Geschütze. Die Zutheilung des veränderlichen Standes geschieht auf 2 Jahre. —

Die Genietruppen umfassen im Frieden 5 Sappeur-Brigaden, deren Truppentheile im Kriege direct den Corps untergestellt werden. Die combinirte Sappeurbrigade hat 3 Sappeurbataillone und 2 Telegraphen-Parks, die 1. bis 3. Sappeurbataillone zählen je 2 Sappeurbataillone und 2 Pontonnier-Halbbataillone; auf dieselben sind außerdem 2 Feld- und 2 Belagerungs-Genie-Parks, sowie 4 Telegraphen-Parks vertheilt. Die kaukasische Sappeurbrigade zählt 2 Sappeurbataillone. Außerdem besteht 1 turkestan'sche Sappeur-Compagnie. Die 4 Reserve-Sappeurbataillone sind den Brigaden direct zugetheilt. Jedes Feld-Sappeurbataillon hat 4 Compagnien und 1 nicht streitbare Abtheilung. Das Pontonnier-Halbbataillon zählt 2 Compagnien, sowie 1 nicht streitbare Abtheilung und führt 26 zweitheilige eiserne Pontons, sowie 12 Böcke mit, für eine Brückenlänge von 214 Meter. Der Stab eines Sappeurbataillons umfaßt: 1 Oberst, 1 Oberstlieutenant, 4 Subaltern, 2 Oeconomie-Offiziere, 2 Spielleute, 2 Aerzte. Der Stab eines Pontonnier-Halbbataillons zählt 1 Stabs-Offizier (als Commandeur), 2 Subalternoffiziere, 2 Spielleute, 1 Arzt, 1 Thierarzt. Es existirt ein Kriegs- und ein Friedensstand. Auf ersterem zählt eine Sappeur-Compagnie 5 Offiziere, 259 Unteroffiziere und Gemeine. Das Bataillon hat 23 Offiziere, 1134 Unteroffiziere und Gemeine, 105 Pferde, 25 Fahrzeuge. Die Pontonnier-Compagnie auf Kriegsfuß zählt 4 Offiziere, 212 Unteroffiziere und Gemeine, das Halb-Bataillon 10 Offiziere, 472 Unteroffiziere und Gemeine, 392 Pferde, 62 Fahrzeuge. Die Reserve-Sappeurbataillone haben 4 Compagnien. — In allen Festungen und in den größereren Garnisonen existiren Local-Genie-Verwaltungen, zur Unterhaltung der Bauten und Verwaltung des Genie-Materials.

Die mobilen Armee-Anstalten im Kriege zerfallen in folgende Zweige: a) Solche für die Verpflegung; hierher gehört der Intendanz-Transport, in Abtheilungen, welche nicht über 350 Wagen umfassen sollen. b) Solche für die Artillerie und zwar: α) Für die Feldartillerie — schon im Frieden bestehend, die Artillerie-Parkbrigaden Nr. 1 bis 8 (davon 1. bis 5. und 7. je drei Artillerie- und 1 reitenden Artillerie-Park, 6. und 8. nur 3 Artillerie-Parks umfassend) und die kaukasische Parkbrigade mit 3 Artillerie- und 1½ reitenden Parks, sowie die fliegenden Parks für Finnland und Ostsibirien. Die Artillerie-Parks führen die Munition für Fuß-Artillerie und Infanterie, die reitenden Parks für reitende Artillerie und Cavalerie mit, und zwar jeder Park für je 1 Infanterie- oder Cavalerie-Division mit ihrer Artillerie und für 1 Kojaken-Polk. Die Fahrzeuge sind theils 2-, theils 4rädrig. Die gewöhnlichen Artillerie-Parks zerfallen bei Versetzung auf den Kriegsstand in je 2, einen mobilen mit 55 Wagen und einen fliegenden mit 84 Karren. Der reitende Artillerie-Park zählt 84 Karren. Das Commando der Park-Brigaden wird im Kriege aufgelöst. β) Für die Belagerungs-Artillerie: 2 Belagerungs-Artillerie-Parks, jeder à 4 Abtheilungen, außerdem 1 Belagerungs-Abtheilung für die kaukasische Armee, und 2 Reserve-Belagerungs-Abtheilungen. γ) Insgesammt: 3 mobile Artillerie-Arsenale (nur im Kriege), zur Ausführung von Reparaturen an Geschützen und Fuhrwerken; die vorderen Artillerie-Depots (als Ersatz-Abtheilungen), die mobile Artillerie-Werkstätte und die temporären Waffen-Werkstätten. c) Für das Genie: s. oben. d) Für den Gesundheitsdienst: 84 Feldspitäler, für jede Division 1 mobiles Divisions-Lazareth, die mobilen Feldapotheken. e) Für den Eisenbahn-Dienst: die Eisenbahn-Militär-Commanden im Kriege.

Im Felde wird eine Armee durch Armee-Obercommandanten befehligt. Ihm zur Seite steht der Feldstab unter dem Generalstabs-Chef der Feld-Armee, der im Sous Chef des Generalstabes einen Gehilfen hat, die Feld-Intendanz-, Artillerie- und Genie-Verwaltung der Armee. Ein zum Armee-Verband gehöriges Armee-Corps hat zur Unterstützung des Commandanten den Corpsstab und den Chef der Corps-Artillerie, während bei einem selbstständig operirenden die einer Armee analoge Feldverwaltung existirt. Der Commandeur einer Armee-Division hat einen Divisionsstab zur Seite, außerdem als Stellvertreter 1 (bei der Cavalerie 2) General. Bei der Infanterie und der Cavalerie existiren lediglich als taktische Commandoverbände die Brigaden (à 2 Regimenter), welche durch den ältesten Regiments-Commandeur, event. den Stellvertreter des Divisions-Commandeurs, befehligt werden. Die Artillerie-Brigade, welche im Frieden nur in dienstlicher Beziehung dem Divisions-Commandeur untergeordnet ist, geht im Kriege auch in die Verwaltung der Division über. Der Commandeur der Artillerie-Brigade ist dagegen im Frieden in ökonomischen und artilleristischen Fragen dem Chef der Artillerie seines jeweiligen Militär-Bezirks untergeordnet. Nur hinsichtlich seines artilleristischen Materials bleibt derselbe auch im Kriege vom Artillerie-Chef abhängig. Der Stab einer Brigade zählt außer dem Commandeur 1 Adjutanten, 1 Quartiermeister, 2 Aerzte, 1 Thierarzt, sowie bei der reitenden Brigade 1 Bereiter. Die Schützenbrigaden unterstehen im Frieden direct den Bezirksverwaltungen, im Kriege werden sie voraussichtlich den Armee-Corps zugetheilt werden.

Oberster Kriegsherr ist der Kaiser; ihm zur Seite steht das Kriegsministerium, als unmittelbares Organ desselben, sowie als oberste Behörde, in welcher sich alle Zweige der Heeresleitung vereinigen. Dasselbe zerfällt in 12 Hauptverwaltungen, und zwar sind dieselben: das kaiserliche Hauptquartier (Militär-Kanzlei), der Kriegsrath (oberste Legislativ- und Administrationsbehörde), das oberste Militär-Gericht, die Kanzlei des Kriegsministeriums, der Hauptstab, sowie die Hauptverwaltungen der Intendanz, der Artillerie, des Genies, des Medicinalwesens, der Bildungs-Anstalten, der irregulären Truppen und der Justiz.

Der Hauptstab leitet die operativen Angelegenheiten, sowie die Standes- und administrativen der Infanterie und der Cavalerie. Ihm untersteht das wissenschaftliche und Militär-Comité, der Generalstab und das Militär-Topographen-Corps, sowie die bezüglichen Lehranstalten und das Feldjäger-Corps. Administrative und Standes-Angelegenheiten der Artillerie und des Genies, sowie die betreffenden Comités (Artillerie- und Genie- und Lehranstalten sind den bezüglichen Hauptverwaltungen untergeordnet. Die Hauptverwaltung der Bildungs-Anstalten mit dem Comité für die Leitung des Militär-Erziehungswesens beaufsichtigt alle übrigen Militärschulen. Zur Intendanz gehört ein technisches Comité.

Der Hauptstab des Kriegsministeriums ist gleichbedeutend mit dem großen Generalstab anderer Armeen, (z. B. der deutschen); er zerfällt in 6 verschiedene Abtheilungen (als auf Etatsangelegenheiten, Dislocation und Truppenübungen, Oeconomie, Personalien, Ergänzung, Versorgung bezüglich) und mehrere abgesonderte Kanzleien. Dem Chef des Hauptstabes untersteht das Corps der Generalstabs-Offiziere, welche im übrigen die vielseitigste Verwendung finden (außer im Kriegsministerium selbst und an den Bildungsanstalten bei den Bezirks- und Lokal-Verwaltungen und bei den Divisions-Commandos, ähnlich wie im Deutschen Reich die Generalstabs-Offiziere der Armee-Corps und Divisionen). Um in das Corps zu gelangen, ist nach mehrjährigem Frontdienst die Absolvirung der Generalstabs-Academie nothwendig. Aus den besten Zöglingen derselben wählt der Chef des Hauptstabes die Generalstabs-Offiziere aus; ihm liegt außerdem die Zutheilung derselben zu den verschiedenen Functionen, sowie die Ueberwachung ihrer wissenschaftlichen Ausbildung ob. Die Anträge zur Beförderung, sowohl im Generalstab, als mit Eintritt in anderweitige erledigte Stellen geht vom Chef des Hauptstabes aus. Beim Uebertritt zum Truppendienst bleiben die Generalstabs-Offiziere noch eine gewisse Zeit Mitglied des Corps. — Im Vergleich mit den Gliedern der übrigen Offizier-Corps stehen sie im Range um einen Grad höher als diese. Das Generalstabs-Corps zählt 114 Generäle, 242 Stabs- und 109 Ober-Offiziere. Das Topographen-Corps ist zur Landesaufnahme bestimmt und steht unter dem Hauptstabe. Es besteht aus 4 Generalen, 103 Stabs- und Ober-Offizieren, 84 Beamten und 85 Unteroffizieren und Eleven. Das zum Courier-Dienst bestimmte Feldjäger-Corps zählt auf gewöhnlichem Stande 48 Offiziere, 81 Mann, auf verstärktem 56 Offiziere 101 Mann.

Als besondere Formationen sind noch aufzuführen: die Compagnie der kaiserlichen Palastgarde, das Leibgarde-Garnison-Bataillon, beide zum Wachdienst am kaiserlichen Hofe, die Invaliden-Abtheilungen der Garde und der kaukasischen Truppen, Versorgungs-Anstalten für altgediente Leute, das Gensdarmerie-Corps (271 Offiziere, 17 Beamte und 4163 Mann stark).

Die Artillerie-Anstalten umfassen die Technischen Institute, die Verwaltungen der Artillerie-Material-Depots, sowie der Depots für Geschütz, Munition, Handwaffen ꝛc., für welche als obere Behörden Inspectorate vorhanden sind. Zu den Technischen Instituten zählen: die Gewehrfabriken zu Tula, Sestrorjed, Jzora, die Kapselfabriken zu Ochta und Schostа, die Pulverfabriken zu Ochta, Schostа und Kasan, die Raketenfabrik zu Nicolajew, sowie 10 Bezirks- und 3 Local-Artillerie-Arsenale. Von letzteren sind die von Petersburg und Brjansk, sowie die Petersburger Geschütz-Werkstätte zur Erzeugung von Geschützröhren in großartigem Maßstabe eingerichtet. Zu den Genie-Anstalten gehören das Genie-Arsenal zu Dünaburg, die technisch-galvanische Anstalt, die Verwaltung der Militär-Telegraphen zu Petersburg, Kronstadt, Sweaborg.

Die Militär-Bildungs-Anstalten haben einen viel größeren Umfang und eine reichere Dotation als in andern Staaten. Der Mangel an Volksschulen und die geringe Zahl des gebildeten Mittelstandes würden die Möglichkeit der Ergänzung des Offizier-Corps in Frage stellen, wenn auf diese Weise nicht Abhülfe geschähe. Die Anstalten schließen sich an die bürgerlichen Schulen an und stehen unter sich in zweckmäßigem Zusammenhang. Die Aufnahme der Zöglinge ist von strengen Prüfungen abhängig gemacht. Als Grundsatz gilt, daß in einer Unterrichtsabtheilung nicht mehr als 30 Schüler vereint sein dürfen. Die Anstalten selbst zerfallen in 4 Kategorien und zwar 1. Vorbereitungsschulen, 2. Schulen zur Ausbildung von Offizier-Aspiranten, 3. Fachschulen, 4. Schulen zur weiteren Ausbildung der Offiziere. Zu den Vorbereitungsschulen gehören: 10 Militär-Pro- und 12 Gymnasien, erstere Elementarschulen, welche für die Junker, letztere höhere Lehr-Anstalten, welche für Junker und- Kriegsschulen vorbereiten. Zur Aufnahme berechtigt sind nur Söhne privilegirter Stände. Zur Ausbildung von Offizier-Aspiranten der Infanterie und der Cavalerie dienen: 1. Die

4 Kriegsschulen zu Petersburg und Moskau, Aufnahme finden die Zöglinge der Gymnasien, Cursus zweijährig, Lehrgegenstände: allgemeine und Militär-Wissenschaften. Zweck: die Heranbildung von Truppen-Offizieren, denen der Weg zur höheren Carrière eröffnet werden soll. 2. Das finnländische Cadetten- und 3. das kaiserliche Pagen-Corps, welche den Lehrplan der Gymnasien und der Kriegsschulen umfassen, ersteres für geborene Finnländer, letzteres nur für Söhne alladeliger Geschlechter. 4. Die 12 Junkerschulen zur Heranbildung von tüchtigen Truppen-Offizieren, wobei der ganzen Ausbildung eine vorwiegend praktische Richtung gegeben wird. Zur Aufnahme gehört die Absolvirung eines Progymnasiums resp. Ablegung einer Prüfung. Lehrplan ähnlich den Kriegsschulen, Cursus zweijährig mit Unterbrechung durch eine dreimonatliche Dienstleistung bei der Truppe. Die Aspiranten der Artillerie werden auf der Michaels-Artillerie-Kriegs-Schule, diejenigen des Genies auf der Nicolaus-Ingenieur-Kriegs-Schule ausgebildet. Die Aufnahme in beiden ist bedingt durch Absolvirung eines Militär-Gymnasiums oder einer andern Kriegsschule mit „gutem Erfolg", oder Ablegung einer Prüfung für freiwillig Eintretende. Cursus in beiden dreijährig. Lehrplan: allgemeine, militärische und specielle Fachwissenschaften. Nur mit „vorzüglich" oder „sehr gut" bestandene Aspiranten werden der betreffenden Waffe, sonst den übrigen Truppen eingereiht. Fachschulen sind: Das Militär-Lehrer-Seminar zur Ausbildung tüchtiger Militär-Lehrer für die niederen Militär-Bildungs-Anstalten, die Technische und Pyrotechnische Schule zur Bildung von Meistern für die technische Artillerie, die Militär-Zeichner-Schule zur Bildung von Topographen, das Militär-Progymnasium zu Tiflis, hauptsächlich zur Bildung von Zeichnern, Turn- und Fechtlehrern, die Topographen-Schule zur Heranbildung von Topographen-Offizieren und -Beamten, die Militär-Gerichtsschule für Militär-Gerichtsbeamten, die 3 Feldscheerer-Schulen zur Heranbildung von ärztlichen Gehülfen, die Bereiter-Schule zur Heranbildung von Bereitern für Cavalerie und Feld-Artillerie, die Medicinisch-Chirurgische Academie, welche Militär-Aerzte, Thier-Aerzte und Apotheker ausbildet. Schulen zur weiteren Fortbildung von Offizieren sind: 1. Die Nicolaus-Generalstabs-Academie, mit geodätischer Abtheilung in St. Petersburg, zur Heranbildung von Generalstabs-Offizieren, mit zweijährigem Cursus. Zur Aufnahme ist eine Prüfung, sowie vierjähriger Frontdienst erforderlich. 2. Die Michaels-Artillerie- und 3. die Nicolaus-Genie-Academie mit zweijährigem Cursus zur weiteren fachlichen Ausbildung besonders qualificirter Offiziere beider Waffen. 4. Die Militär-Justiz-Academie (zweijähriger Cursus) zur Ausbildung von Offizieren für die höheren Stellen des Militär-Gerichts-Wesens. Außerdem giebt es die Infanterie-Schießschulen in Wolkowo-Pole und Krasnoje-Selo.

Die Marine hat folgende Bildungs-Anstalten: 1. Die Marine-Kriegsschule mit vierjährigem Cursus, für die Söhne der privilegirten Klassen zur Ausbildung als See-Offizier-Aspiranten. 2. Die Steuermanns- und Artillerie-Schule zur Heranbildung tüchtiger Conducteure für das Steuermanns- und Artillerie-Corps. Cursus vierjährig. Zur Aufnahme Ablegung einer Prüfung. 3. Marine-Ingenieur-Schule zur Heranbildung der Schiffsbau- und Schiffsmaschinen-Ingenieure.

Die Offiziergrade classificiren sich in a) Generalität: Feldmarschall, General der Infanterie, Cavalerie, Artillerie, des Genies, General-Lieutenant, General-Major; b) Stabs-Offiziere: Oberst, Oberstlieutenant, Major (letzterer Grad nur bei den Grenadieren, Schützen, Cavalerie und Armee-Infanterie); c) Ober-Offiziere: Capitän oder Rittmeister, Stabs-Capitän,

Lieutenant, Unterlieutenant, Fähnrich oder Cornet. Die Ober-Offiziere der
alten Garde stehen um zwei, die der jungen Garde, der Artillerie, des Genies,
des Generalstabes und des Gerichtswesens um eine Rangstufe über dem Grade,
nach dem sie benannt werden. Die Militär-Richter bilden eine eigene Classe
unter dem Namen: Offiziere des Militär-Gerichts-Wesens. Die Unteroffiziere zerfallen in Feldwebel oder Wachtmeister, Junker oder freiwillige Unteroffiziere, ältere und jüngere Unteroffiziere, die Mannschaften in Gefreite und
Gemeine. Die Beamten zerfallen in: Geistliche, Intendanz-Beamte, Aerzte,
Thierärzte, Beamte des Artillerie- und des Genie-Wesens, der Militär-Bildungs-Anstalten, der Truppenkörper, Kapellmeister und Apotheker.

Die Beförderung in die Unteroffizier-Chargen steht den selbstständigen
Truppen-Commandeuren zu. Freiwillige, welche durch ein Examen eine
gewisse Vorbildung nachweisen, können direct als Unteroffiziere eingestellt werden.
Von den ausgehobenen Rekruten kann keiner vor Ablauf von drei Dienstjahren
zur Unteroffizier-Charge gelangen. Die Ernennung zum Offizier und Beförderungen von einem Grad zum andern werden im Frieden vom Kaiser
verfügt, im Kriege auch vom Armee-Ober-Commandanten. Zur Erlangung des Offizier-Grades ist vorwurfsfreie Führung und die gehörige, durch
Prüfung zu erweisende Qualification nothwendig. Offizier-Aspiranten
der Infanterie und Cavalerie legen die Prüfung bei den Kriegs- resp. Junkerschulen,
diejenigen der Artillerie und des Genies bei den betreffenden Specialschulen ab.
Alle Unteroffiziere haben das Recht, in die Offizier-Charge zu
rücken, und steht ihnen zunächst nach vierjähriger Dienstzeit als solche der Eintritt in die Junkerschule zu, wenn sie genügende Vorbildung besitzen. Freiwillige
von hinreichender Vorbildung (Absolvirung höherer oder mittlerer Lehranstalten)
werden zunächst als Unteroffiziere eingestellt, können aber schon nach kurzer Frist
(2 Monate bis 1 Jahr) das Offizier-Examen ablegen und werden demnächst
befördert. Freiwillige, welche zunächst nur für die Unteroffizier-Stellung angenommen waren, können nach zwei- bis sechsjähriger Dienstzeit ebenfalls das
Offizier-Examen ablegen. Das Avancement der Offiziere geschieht bis zu einer
gewissen Charge (Capitän, bei der Artillerie und dem Genie bis zum Oberstlieutenant) nach der Tour; um vacante höhere Stellen steht dem Inhaber des
nächst niederen Grades die Bewerbung zu, sobald sie in dieser zwei (Capitäne
drei) Jahre gewesen sind. Die Qualification wird durch die directen Vorgesetzten begutachtet, und ist für die Auswahl entscheidend. Die Offiziere des
Genies avanciren bis zum Capitän alle zwei Jahre, und werden die vacanten
Stellen durch Versetzung von Capitäns zur Infanterie und Cavalerie geschaffen.
Beim Generalstab erfolgt das Avancement bis zum Oberstlieutenant in bestimmten Fristen, zu den höheren Stellen wie anderwärts.

Das Heirathen ist den Offizieren vom 28. Lebensjahre ab und ohne
Vermögensnachweis gestattet.

Die Remontirung der Cavalerie und Feld-Artillerie ist gegen eine festgesetzte Vergütung den Truppentheilen überlassen. Jedes Regiment der
Garde und je zwei der Armee-Cavalerie bestellen einen Remonte-Offizier,
dem ein kleines Commando zu Gebote steht und der an einer passenden Stelle
eine Art Remonte-Depot anlegt. Von hier aus werden die Remonten jährlich
einmal an die Reserve-Escadrons abgeliefert. Die Remonten der Garde werden
meist von den Staatsgestüten, die der Armee von Pferdezüchtern bezogen. Die
Feld-Artillerie formirt ein grosses Remonte-Commando (21 Offiziere,
470 Unteroffiziere und Mannschaften), welches in kleinere Abtheilungen detachirt
das Geschäft in ähnlicher Weise vornimmt, wie bei der Cavalerie. Für die
Offiziere bestehen bei den Regimentern Remonte-Kassen, aus welchen sie
Vorschüsse erhalten können. Offiziere der Armee-Cavalerie und reitenden Ar-

tillerie haben das Recht, sich gegen Zahlung des Remonte-Preises ein Pferd aus der Truppe zu wählen.

Die Intendanz-Anstalten umfassen: a) die Intendanz-Montur-Depots, welche den Bezirks-Verwaltungen untergeordnet sind; jedes Depot hat eine Uebernahme-Commission und enthält die Augmentationsvorräthe für die Infanterie-Truppen des Bezirks (welche nur die für den Friedensstand nöthigen Vorräthe in ihren eigenen Depots haben) und diejenigen für die Nachschubsmagazine; b) die Bekleidungs-Werkstätten, welche die Bekleidungs-Gegenstände für die Depots fabrikmäßig anfertigen; c) die Verpflegungsmagazine, in allen größeren Garnisonen, sowie d) die Hauptverwaltungen der Verpflegungsmagazine in Transbaikal und Amur.

Die Gebühren der Offiziere zerfallen in Besoldung, Quartierentschädigung, Gebühr an Dienerschaft, für wichtigere Functionen vom Compagnie- (Escadron- ꝛc.)-Chef aufwärts Functionszulagen unter dem Namen Tafelgelder (dieselben sind neuestens erhöht und auf alle Offiziere ausgedehnt worden); für Berittene, welche sich die Pferde stets aus eigenen Mitteln beschaffen, Fourage und (im Kriege) Geldmittel zur Erhaltung der Pferde, wozu noch besondere Zulagen (als Diäten, Mobilmachungsgelder, Umzugskosten für Versetzung nach den östlichen Districten), Vergütung für Reisekosten, Beihülfen zur ersten Equipirung und selbst Geschenke treten können. Im Felde erhalten sie nur unter besonderen Umständen eine Verpflegungsportion, für gewöhnlich sorgen sie selbst für ihre Mundverpflegung. Das Gehalt wird vierteljährlich postnumerando gezahlt; im Kriege ist dasselbe erhöht, ebenso für die asiatischen Districte und für besondere (namentlich Lehr-) Commandos. Gleichbenannte Grade sind je nach der Waffengattung und dem Range der Truppe verschieden hoch dotirt, so am höchsten die alte Garde, demnächst junge Garde, Specialwaffen und Generalstab, am niedrigsten Infanterie, Schützen, Cavalerie der Armee. Der jährliche Friedensgehalt eines Obersten beträgt 800 Thlr., eines Capitäns oder Rittmeisters der 1. Kategorie 622, der 2. 480, der 3. 430 Thlr., eines Lieutenants 430, 400 resp. 364 Thlr. Das Kriegsgehalt ist das 1½ fache der genannten. Jeder Offizier hat Anspruch auf Quartier oder Quartier-Entschädigung. Die Tafelgelder sind verhältnißmäßig hoch, so (nach bisherigen Sätzen) für einen Regiments-Commandeur 1290 Thlr. jährlich, für einen Batteriechef 676 Thlr., Escadronschef 148 Thlr., Compagniechef 116 Thlr. Jeder Offizier hat einen und in höheren Graden eine größere Zahl von Dienern zu beanspruchen, die aus den Truppen entnommen werden. Wo die Gestellung unterbleibt, tritt eine Geldentschädigung ein. Die Gebühren der Mannschaften zerfallen in Löhnung, Menagebeitrag und Naturalien. Die Zahlung der ersteren erfolgt wie bei den Offizieren und ist nach der Waffengattung verschieden. Im Kriege, auf Märschen und im Lager ist sie um 50%, erhöht. Die jährliche Löhnung eines älteren Unteroffiziers ist bei der Garde 18⅔, bei der Armee 6, eines Gemeinen 4½ resp. ⅔ Thlr. Der Menagebeitrag (statt der früher üblichen Naturallieferung an Fleisch und Branntwein) richtet sich nach den localen Preisverhältnissen. An Naturalien werden Korn-Mehl, Graupen und Salz geliefert und bereiten sich die Mannschaften das Brot selbst. Zur Beschaffung der nöthigen Lebensmittel ist in jeder Compagnie eine Art Menage-Commission; das Kochen geschieht compagnieweise. Liegen die Leute in kleinen Abtheilungen auf dem Lande zerstreut, so wird die Verpflegung unter Umständen den Quartiergebern übertragen. Die Fourage-gebühr für die Dienstpferde ist je nach der Waffengattung verschieden (Cavalerie-, Artillerie-, Train-Pferde). Während eines Monats werden die Remonten der letzten zwei Jahre auf die Weide geschickt. Im Kriege führen die Truppen einen sechstägigen Verpflegungsvorrath auf ihren eigenen Proviantwagen mit, ein viertägiger wird von den Leuten getragen. Ueber die Arrangements zur Verpflegung im Großen ist bis jetzt wenig in die Oeffentlichkeit gedrungen. Jede Compagnie und Escadron hat 1, jede Batterie 2 Proviantwagen, die im Frieden mit 2, im Kriege mit 4 Pferden bespannt sind. An Kasernen ist bis jetzt Mangel, namentlich für die kleineren Garnison-Oerter. Doch ist man auf dem Wege, Abhülfe zu schaffen.

Die Anfertigung der Bekleidung, soweit sie für den Friedensstand bestimmt ist, geschieht bei den Truppen selbst, denen die Intendanz-Anstalten die Rohstoffe liefern. Cavalerie, Artillerie, Genie und Localtruppen fertigen auch für den Kriegsstand die Bekleidungsstücke selbst an und bewahren sie bei sich auf. Die Bekleidung der Fußtruppen besteht aus dem Waffenrock mit 2 Reihen Knöpfen und mäßig langen Schößen (von dunkelgrünem Tuch), mäßig weiten Beinkleidern (von gleichem Stoff, für den Sommer von Leinwand), welche in die hohen, gut anschließenden Stiefel gesteckt werden, einer schwarzen Tuchkappe mit geradem Schirm, Roßschweif und Wappen aus Metall, Mantel von Tuch (röthlichgrauer Farbe), welcher bei gutem Wetter um den Tornister gerollt getragen wird, Baschlik, Tuchhandschuhen, Halsbinde, Leibbinde und Fußlappen. Zur Ausrüstung gehören Leibgurt mit 2 Patrontaschen, Tornister von Kalbfell, Feldflasche und kleine Eßschale; für jede Compagnie werden 8 große eiserne und für je 13 Mann ein kleiner kupferner Kochkessel auf den Proviantwagen mitgeführt (letztere können auch getragen werden). Außerdem hat jede Compagnie eine Quantität Schanzzeug. Die einzelnen Gattungen, als Garde, Grenadiere, gewöhnliche Infanterie, Schützen, Reservetruppen rc. unterscheiden sich durch die Farbe der Kragen, Aufschläge, der Knöpfe, des Riemzeuges rc. Die Cavalerie überhaupt hat Beinkleider aus graublauem Tuche, Mäntel, Stiefel, Hals- und Leibbinde wie die Infanterie, Sporen, die Kürassiere weiße Röcke, Brust- und Rücken-Kürasse, Stulphandschuhe, für die Parade den Helm, sonst Tuchkappe, die Ulanen blaue Röcke mit Metall-Epauletten, Czapka, die Husaren Dolman, Husarentasche, für Paraden Bärenmützen, sonst Tuchkappen, die Dragoner Röcke und Tuchkappen wie die Infanterie. Der Sattel ist der ungarische Bock mit Satteldecke und Ueberlegschabrake, sowie Gepäck. Die Fuß- und Festungs-Artillerie ist analog der Infanterie, die reitende ähnlich den Dragonern ajustirt. Cavalerie und Feldartillerie haben Schanzzeug. Die Gradabzeichen der Offiziere sind auf den Achselklappen der Röcke und Mäntel angebracht. Ober-Offiziere tragen in Parade-Uniform Epauletten. Am Griff des Offiziersäbels ist eine silberne Quaste angebracht. Im Dienst wird eine Feldbinde getragen. Die Unteroffizier-Chargen haben ihr Abzeichen in Form gelber Streifen an den Rock-Aermeln.

Die Sanitäts-Anstalten umfassen das militärärztliche Personal, die Garnisons-Spitäler, die Medicamenten-Depots und die Dotation der Armee mit Verbandzeug. Als Militärärzte werden nur graduirte Aerzte gewählt und stehen dieselben im Range der kaiserlichen Staatsbeamten. Das Gesammt-Erforderniß an Aerzten ist 3243, welches aber bis 1870 nur durch die Zahl von 2099 gedeckt wurde. Die Sanitäts-Anstalten der mobilen Truppen s. oben (S. 88). Jedes Infanterie-Regiment hat 4 (5), jedes Schützen-, Sappeur-, Pontonnier-Halbbataillon, Cavalerie-Regiment 1 Sanitätswagen unmittelbar bei sich, außer den genannten Truppenkörper außerdem 1 Apotheker-Wagen, das Pontonnier-Halbbataillon indeß nur 1 Apotheker-Karren, den die Infanterie- und Cavalerie-Regimenter noch außerdem haben. Jede Batterie hat 1 Sanitätswagen.

Das Militär-Gerichts-Wesen hat neuerdings eine Reorganisation erfahren, welche allerdings noch nicht überall durchgeführt ist. Nach dem Codex 1867 sind 3 Instanzen festgesetzt, die erste ist das Regiments-, die zweite das Bezirks-Gericht, und als Cassationshof fungirt das Ober-Militär-Gericht. Das Armee-Commando hat 1 Feld-Militär-Obergericht. Das gerichtliche Personal, sowohl die mit der Führung von Untersuchungen betrauten, wie die als Kläger fungirenden Militärprocuratoren, als die Richter gehen aus den Offizieren hervor und erhalten die zu festen Mitgliedern bestimmten eine Ausbildung auf der Militär-Justiz-Academie. In Ermangelung von Militär-Procuratoren können auch solche vom Civil herangezogen werden. Die Gerichtssitzungen werden, bis auf einzelne Ausnahmsfälle, öffentlich gehalten. Die Richter haben sowohl das Schuldig oder Nichtschuldig, als das Strafmaß (letzteres nach dem Codex) auszusprechen. Dem Verurtheilten steht die Berufung an eine höhere Instanz zu. Die Regiments-Gerichte sind das Forum für die untern Grade und zwar bezüglich schwerer Vergehen, als der Disciplinar-strafgewalt des Regimentschefs unterliegen. Das Personal besteht aus einem Stabsoffizier als Präses, 2 Oberoffizieren als Beisitzern und 1 Oberoffizier als Geschäftsführer, und wechselt in einem halb- bis einjährigen Turnus. Das Bezirks-Gericht ist nicht nur zweite Instanz für die bei den Regiments-Gerichten vorliegenden Sachen, sondern erstreckt sich auch auf alle Fälle, wo das Recht zur Anordnung der gerichtlichen Aburtheilung von einem höheren als dem Regiments-Commandeur ausgeübt wird. Präses ist ein General oder Oberst, außerdem zählt es als beständige Mitglieder 2 Stabsoffiziere und 2 Militär-Procuratoren, als wechselnde 2 Stabs- und 4 Oberoffiziere. Das Ober-Militär-Gericht besteht aus einem Präsidenten und 4 Mitgliedern, welche den Generalen oder höchsten Militär-Beamten mit juristischer Bildung entnommen sind. Für Offiziere speciell bestehen (nach Kummer, s. u.) Ehrengerichte. Ueber die Disciplinarstrafen erschien 1869 eine neue Vorschrift. Gegen Mannschaften steht allen Chargen der Compagnie, Escadron, Batterie eine Disciplinargewalt zu, sobald erstere den letzteren zur Beaufsichtigung überwiesen sind. Doch haben Unteroffiziere sofort dem nächsten Vorgesetzten hiervon Anzeige zu machen. Die Disciplinarstrafen gegen die Mannschaften umfassen die verschiedenen Arrestgrade (Kasernen-, Wachzimmer-, Einzel-Arrest), Arbeitsdienst resp. überhaupt Strafdienst, Degradirung. Leute, welche durch das Regiments-Commandeur, oder gerichtlich auf die Strafliste eingetragen werden, können mit Ruthenstreichen belegt werden. Disciplinarstrafen gegen Offiziere sind: Rügen, Dienstcommandirung außer der Tour, Arrest (Haus-, Wach-Arrest), Enthebung vom Commando und Unwürdigkeits-Erklärung zur Beförderung. An Disciplinartruppen bestehen 3 aus Sträflingen gebildete Arbeiterbrigaden, sowie 15 Straf-Compagnien von sehr verschiedener Stärke.

Die irregulären Truppen umfassen: reitende und Fuß-Kosaken, sowie Kosaken-Batterien (reitende). Die Fuß-Kosaken bilden Infanterie- und Schützenbataillone. Die reitenden Kosaken sind mit Ausnahme derjenigen der Garde (s. oben) in Polks formirt (äquivalent mit Regimentern), welche in Sotnien (analog den Escadrons) zerfallen. Die Bataillone sind ebenfalls in Sotnien eingetheilt, die Batterien zählen auf Kriegsfuß 8 Geschütze. Zum Dienst im Verein mit der regulären Feld-Armee sind die Don'schen und Kuban'schen Kosaken bestimmt, jene umfassen außer den beiden Garde-Regimentern mit der Don'schen Leibgarde-Batterie 64 Polks à 6 Sotnien und 13 Batterien (außerdem 1 Lehr-Polk), diese 30 Polks à 6 Sotnien, 6 Schützenbataillone zu 5 Sotnien, 5 Batterien und 1 Lehr-Division. Lediglich zum Innern und Grenz-Dienst bestimmt die Kosakenheere von Terek, Astrachan, Orenburg, vom Ural, von Sibirien, Semirjetscensk, Transbaikal, vom Amur und die Milizen des Kaukasus; sie umfassen exel. der letzteren (welche ca. 5000 Mann stark find) 61 Polks, 21 Bataillone, 3 Fuß-Commandos, 8 Batterien. Hierzu treten noch die das Geleite des Kaisers bildenden 4 kaukasischen Escadrons. Im Frieden ist immer nur ein verhältnißmäßig kleiner Theil der Kosaken im Dienst, die übrigen sind beurlaubt. Die Stärke im Kriege ist sehr verschieden und schwankt bei den Polks zwischen 6 und 900 Streitbaren, bei den Bataillonen 900 und 1000. Die Kriegsausrüstung hat jeder Kosak (mit Ausnahme der Amur'schen) selbst zu besorgen. Die Bekleidung besteht im Wesentlichen aus Pelzmütze, Waffenrock, Pump-Hose, Mantel, Stiefeln.

Mobilmachung. Die im Frieden bestehende Ordre de bataille erleidet nur eine geringe Veränderung. Jede Infanterie-Division erhält durch Beigabe eines Kosaken-Polks ihre Divisions-Cavalerie. Jeder Cavalerie-Division wird ebenfalls 1 Kosaken-Polk, sowie eine Kosaken-Batterie beigegeben. Die Formirung einer Corps-Artillerie kann bis jetzt nur durch Abgabe von Batterien aus dem Verbande der Divisionen erfolgen; indeß ist eine Vermehrung der Batterien zu diesem Zwecke in Aussicht genommen. Zur Beschleunigung der Augmentirung werden den Truppen die Beurlaubten des Gouvernements zugetheilt, wo jene augenblicklich stationirt sind. Der Divisions-Commandeur setzt sich zu diesem Zweck mit dem Gouvernements-Militär-Chef in Verbindung. Für die erste Vereinigung der Reserven sind passende Sammelpunkte bestimmt. Alle Anordnungen sind so getroffen, daß die Versetzung auf den Kriegs-Etat in 12 bis 15 Tagen möglich ist. Die Augmentations-Vorräthe für die Infanterie wurden bisher in den Bezirks-, resp. Central-Intendanz-Depots aufbewahrt, indeß sind neuerdings Anstalten getroffen, dieselben in der Nähe des jedesmaligen Standortes der Truppen bereit zu halten. Artillerie, Cavalerie, Genie und Localtruppen haben ihre gesammten Augmentations-Vorräthe am Standorte selbst.

Die Bewaffnung mit Handfeuerwaffen befindet sich noch im Uebergangs-Stadium. Dem allgemeinen Drange der Zeit folgend, beschloß auch R. nach 1866, ein Hinterladungs-Gewehr zu adoptiren. Das erste Auskunftsmittel bot hier die Umänderung der vorhandenen gezogenen Perkussionsgewehre vom Kaliber 15,24 mm. (mit Expansions-Geschossen) in Hinterlader. Man wählte zuerst das System Terry-Normann (schraubenartiger Verschluß mit Beibehalt der Perkussions-Zündung), erkannte aber sehr bald den gethanen Mißgriff und ging zu einem System mit Einheitspatrone über — das Karle'sche Zündnadelgewehr, ähnlich dem Dreyse'schen, mit vier Ladegriffen, Papierpatrone mit (gasdichtem) Carton-Boden und Zündung im Boden der Patronenhülse. Dieses System scheint indeß nicht in allen Punkten befriedigt zu haben, denn man hörte späterhin von einem zweiten Abänderungssystem von Krnka oder Krenk, welches einen Klappenverschluß (ähnlich dem englischen Abänderungssystem Snider) mit gasdichter Patrone besitzt. Nach dem Bericht des Kriegsministers waren im Frühjahr 1870 209,259 Gewehre nach Karle und 357,232 nach Krnka umgeändert, und sollte bis im Herbst desselben Jahres die ganze Arbeit beendet sein. Doch scheint dies nicht der Fall, da nach dem Golos für 1872 noch Umänderung von 15,000 Gewehren nach Krnka in der Tula'schen Fabrik allein in Aussicht genommen ist. Als neues Modell wurde ein System des amerikanischen Obersten Berdan adoptirt — bolzenähnlicher Verschluß mit Spiralfederschloß, auf die gasdichte Patrone basirt, Laufkaliber 10,66 mm. mit zwei Ladegriffen, also in jeder Beziehung auf der Höhe der Zeit stehend. Die Tula'sche Gewehrfabrik soll pro 1872 deren 125,000 Stück fertigen, während die Fabrikation der neuen Gewehre bisher in Amerika geschah. Eine beschränkte Anzahl der älteren Gewehre sind nach dem mit dem Krnka'schen nahe verwandten System Barancow umgeändert worden (30,000 Gewehre der Marine). Bei dem größeren Kaliber beträgt das Gewicht des Geschosses 35,80 Gramm, der Ladung 5,07 Gramm, bei dem kleineren 24 resp. 5,08 Gramm. An der Umänderung der Gewehre haben sowohl die bestehenden kaiserlichen Fabriken, als neu eingerichtete (Warschau, Petersburg), sowie die Privat-Etablissements mitgewirkt, und hat dieselbe, insofern sie jetzt als im Wesentlichen beendet angesehen werden kann, eine verhältnißmäßig geringe Zeit in Anspruch genommen (1868 bis 1871).

Alle Infanterie-Gewehre haben das gewöhnliche Bajonett. Die Garde, Grenadiere, Sappeure und die Unteroffiziere der Armee tragen ein zweischneidiges Hautmesser. Offiziere und Feldwebel haben Säbel in Stahl- oder Leder-Scheiden. Jeder mit dem Gewehr bewaffnete Mann trägt 40 Patronen auf dem Leibe (in zwei Taschen). Jede Compagnie hat einen vierspännigen Munitions-wagen, in welchem pro Mann 40 Patronen enthalten sind. Außerdem führen die betreffenden Park-Brigaden pro Gewehr 60 Patronen mit. Bei sämmtlicher Cavalerie excl. der Dragoner ist das erste Glied mit der Lanze bewaffnet. Die Küraffiere führen den Pallasch, Husaren, Ulanen den schweren, Dragoner den leichten Säbel. Letztere hatten bisher ein gezogenes Bajonett-Gewehr, die übrige Cavalerie mit Ausnahme der Eclaireurs die Pistole, die Eclaireurs eine Büchse. Künftig sollen alle Dragoner, die zweiten Glieder der Husaren und Ulanen, die Eclaireurs der Küraffiere (16 pro Escadron) einen Hinterladungs-Carabiner nach Berdan, sämmtliche übrigen Reiter (incl. der zweiten Glieder der Husaren) den Revolver führen (ebenso Unteroffiziere und Trompeter sämmtlicher Cavalerie). An Munition trägt jeder Dragoner 32 Patronen in der Tasche, jeder mit der Pistole bewaffnete 10 Stück bei sich. Jedes Dragoner-Regiment hat in 2 Munitionswagen pro Gewehr 30 Stück Patronen, jedes der andern Cavalerie-Regimenter in 1 Munitionswagen 30 Patronen für die Eclaireurs, 20 für die mit Pistolen bewaffneten Mannschaften. Die Parks enthalten pro Dragonergewehr 20, pro Pistole und Kosakengewehr 10 Schuß. — Die reitenden und Fuß-Kosaken haben gezogene Gewehre, die reitenden außerdem Tscher-kessensäbel, zum größten Theil Piken, andernfalls Dolche, oft auch Pistolen. — Die Mannschaften der Fuß- und reitenden Artillerie haben Dragonersäbel und Pistolen (mit à 10 Patronen).

Die Geschütze der russischen Feld-Artillerie sind (nachdem man vorübergehend Vorderlader französischer Construction geführt hatte) Hinterlader preußi-schen Systems. Das Material der Rohre ist theils Stahl von Krupp oder aus der Permer Fabrik, theils (und bei künftigen Beschaffungen ausschließlich) Bronze. Die bronzenen Rohre haben den einfachen prismatischen Keil nach Broadwell, die stählernen den Rundkeilverschluß (s. d.), beide mit Broadwell-Liderung. Die gewöhnlichen Feldgeschütze sind 4- und 9Pfünder oder vom Kaliber 8,7 und 10,7 cm., wozu als Gebirgsgeschütz der bronzene 3Pfünder vom Kaliber 7,65 cm. tritt. Die Rohrgewichte sind 310 bis 348, 684, resp. 101 Kilogramm. Die neuesten Laffeten sind von Eisenblech, haben eine Richt-maschine mit Doppelschraube und die 4pfündige speciell eine Einrichtung zur feineren Seitenrichtung. Die Munition umfaßt gewöhnliche, sowie Brand-Granaten, Shrapnels und Kartätschen, die ersteren 3 mit Perkussionszündern. Die Totalgewichte sind folgende (in Kilogramm):

	4pf.	9pf.
Granate	5,7	11
Brandgranate	5,7	11
Shrapnel	6,6	12,7
Kartätsche	4,7	11,2

Die größten Gebrauchsladungen sind 0,612 resp. 1,152 Kilogramm, neben welchen es noch zwei verringerte Ladungen für den hohen Bogenschuß giebt. Die Sprengladungen betragen bei der Granate je nach dem Kaliber 204 und 408 Gramm. Die Munitions-Ausrüstung pro Geschütz ist folgende:

Kaliber.	In der Geschützprotze.	In den Munitionskarren.	In den Parks.	Total.
4 Pfünder	18	112	170	300
9 „	12	108	180	300

(Granaten und Shrapnels in ungefähr gleicher Anzahl, ein geringer Procentsatz an Brandgranaten und Kartätschen.) An Bedienung hat jedes leichte Fußgeschütz 7 Mann, wozu noch 2 Karrenführer treten, an Aufsichts-Personal 1 Feuerwerker für die Bedienung und 1 für die Bespannung (ebenso das schwere Fußgeschütz); 2 Geschütz-, 2 Karrenfahrer. Ein reitendes sowie ein schweres Fußgeschütz haben 9 Mann Bedienung, sowie 3 Geschützfahrer, letzteres 3 Karrenführer und 3 Karrenfahrer, ersteres 2 Karrenfahrer, während der zweite Feuerwerker den ersten und ein Kanonier den zweiten Karren führt. Bei den Fußbatterien werden 5 Mann am Geschütz (Protze, Achssitze), 3 auf der Munitionskarre untergebracht. Die Zuglast pro Pferd ist bei den reitenden Batterien 339 Kilogramm, bei der leichten Fußbatterie (mit aufgesessenen Mannschaften) 430 Kilogramm. Die Mitrailleusen sind nach dem Gatling-System und vom Kaliber des Berdan-Gewehrs, nach „Rußlands Wehrkraft 1871" zehnläufig und mit 6290 Schuß pro Geschütz ausgerüstet (nach der Oesterr. Militär-Zeitschrift 1869 neunläufig nach dem System des Generals Gorloff und mit 6018 Schuß). Die Belagerungs-Artillerie führt ¹/₂, 2 und 5pfündige*) glatte Mörser, 9- und 24pfündige broncene, sowie 8zöllige gußstählerne gezogene Hinterladungs-Kanonen und 6zöllige broncene gezogene Hinterladungs-Mörser. In der Festungs-Artillerie sind an glatten Geschützen 12-, 24-, 36- und 60pfündige Kanonen, 3pudige Bombenkanonen, 10½zöllige Gußstahlkanonen, 1½-, 24-, 36-, 38- und 96pfündige Karronaden, ¹/₂- und 1pudige Einhörner und 2- und 5pudige Mörser, an gezogenen Vorderladungsgeschützen 12- und 24pfündige Kanonen und 6zöllige Mörser, an gezogenen Hinterladern 12-, 24- und 30pfündige Kanonen, 6- und 8zöllige Mörser. Küstengeschütze sind 6-, 8- und 8½zöllige unberingte und 8-, 9- und 11zöllige beringte gezogene Hinterladungskanonen. Nachfolgende Tabelle ergiebt die Constructionsverhältnisse der schweren Stahlgeschütze nach Krupps Construction, wie sie in der Küsten- und Marine-Artillerie vorkommen.

Kaliber		Rohrgewicht	Gewicht der Panzergranate	Bemerkungen.
in Zoll.	in cm.	in Kilo.	in Kilo.	
8	20,3	5,200 bis 9,000	78,6	Die leichteren unberingt & die schwereren beringt.
8¼	21	8,900 bis 9,200	110,5	Theils mit, theils ohne Beringung.
8½	21,6	7,300	82	Unberingt.
9	23	14,907	125	Beringt.
9¼	23,5	14,750	169	„
11	28	26,000	225	„

*) Anmerk.: 1 Pud = 40 russ. Pfund = 16,4 Kil.

Außerdem giebt es 9zöllige (23 cm.) Armstrong-Vorderlader. An glatten Geschützen hat die Marine 60pfündige, sowie 9, 13- und 15zöllige Kanonen. Im Princip ist seit 4 Jahren die Hinterladung preußischen Systems auch für Festungs-, Belagerungs-, Küstengeschütze adoptirt. Die gezogenen Mörser sind derselben Construction, das 6zöllige Kaliber gleich 15,24 cm., das 8zöllige gleich 20,31 cm., die Rohrgewichte sind 1572 resp. 3931 Kilogr., die Geschoßgewichte 37 resp. 79,5 Kilogr.

Das Befestigungssystem R.s läßt sich nach seiner Lage gruppiren in: die Festungen zunächst dem Schwarzen Meere, diejenigen der Westgrenze und die Festungen der Ostseeküste. Dem Schwarzen Meere zunächst liegen Kertisch, Nicolajew und Bender, nachdem wird auch Sebastopol wieder zu einer bedeutenden Seefestung umgestaltet werden. Die Westgrenze wird vorzüglich durch das polnische Festungs-Viereck: Warschau, Nowogeorgiewsk! (früher Modlin), Iwangorod und Brest-Litewski gedeckt, dem sich in rückwärtiger Linie am Dnieper Kiew und Bobruisk anschließen. Warschau besitzt die Alexander-Citadelle und 6 kleinere Forts. Modlin, eine reine Militärfestung, am Zusammenfluß von Weichsel und Bug, hat eine ältere von Napoleon I. angelegte Citadelle mit 3 Kronwerken und ist in neuerer Zeit zu einer großartigen Festung erweitert, welche kasemattirte Räume zur Unterbringung von 20,000 Mann besitzt. Brest wird zu einem großen verschanzten Lager eingerichtet. An der Ostsee sind Dünaburg, Sweaborg, Kronstadt, — eine der großartigsten Seefestungen heutiger Zeit, — und Wiborg (letztere beide decken die Hauptstadt). Riga wird demnächst geschleift. Unter Kaiser Nicolaus huldigten die russischen Ingenieure noch dem bastionirten System in seinen verbesserten Formen nach Chasseloup und Bousmard. Bei den neuesten Befestigungen, namentlich durch Totleben, ist das polygonale System zur Anwendung gekommen.

Taktisches. a) Die Infanterie-Compagnie ist in 2 Züge, die wieder in Halbzüge und Sectionen zerfallen, getheilt. Beim entwickelten Bataillon stehen 4 Compagnien in erster Linie und die Schützen-Compagnie 50 Schritt dahinter in Reserve. In den Colonnenformationen bildet die letztere die hinterste Abtheilung. Die treffenweise Aufstellung des Bataillons hat 2 bis 3 Compagnien mit Intervallen entwickelt in erster Linie, 2 (resp. 1) Compagnie in Colonne 150 Schritt dahinter und 50 Schritt hinter der zweiten Linie die Schützen-Compagnie. In der geschlossenen Ordnung giebt es nur ein Salvenfeuer mit Compagnien. Das Quarré wird stets von der einzelnen Compagnie formirt. Zum zerstreuten Gefecht soll vorzugsweise die Schützen Compagnie herangezogen werden. Das Tirailliren geschieht in Gruppen zu 4 Mann. Das neue Reglement (1868) begünstigt offenbar die Feuertaktik und die Selbstständigkeit der Compagnien. Auf Scheibenschießen und gymnastische Uebungen wird neuerdings hoher Werth gelegt, ebenso auf die Ausbildung im Pionierdienst. b) Die Cavalerie hat 1869 ein neues Reglement erhalten. Die Escadron zerfällt in 2 Halb-Escadrons und 4 Züge, im zweiten Glied jedes Zuges befinden sich 4 Eclaireurs. Die Formationen sind den preußischen ähnlich. Für die Dragoner ist besonders das Gefecht zu Fuß vorgesehen, doch sollen sie normal als Reiterei verwandt werden. c) Bei der Artillerie ist die Eintheilung der Batterie in Divisionen (à 4) und Züge (à 2 Geschütze). Die Munitionskarren bilden die zweite Linie. Auf das gefechtsmäßige Schießen und auf das Shrapnelfeuer wird großer Werth gelegt. Der Sicherheitsdienst wird im Allgemeinen ähnlich wie in der preußischen Armee betrieben; die Kosaken befolgen indeß beim Vorpostendienst das eigenthümliche Verfahren, daß die vordere Linie aus Trupps von 4 bis 6, die nächsthinter aus solchen von 6 bis 12 Mann besteht, hinter denen an der

7*

Hauptverbindungen der Rest als Reserve placirt ist. Eine Sotnie soll eine Strecke von 4—6000 Schritt überwachen. Die Lagerübungen werden alljährlich in großem Umfange, zum Theil mit gemischten Waffen betrieben. Fast jedes Gouvernement hat einen Lagerplatz. Die bedeutendsten Truppenmassen werden in den Lagern der Garde bei Krasnoje-Selo und bei Warschau zusammengezogen.

Die Marine. Oberster Kriegsherr der Marine ist der Kaiser; er führt den Oberbefehl über dieselbe durch den „General-Admiral" (jetzt Großfürst Constantin), welcher dem Marine-Ministerium die kaiserlichen Befehle übermittelt. Die Leitung des Letzteren hat ein Admiral. Dasselbe ist die oberste Behörde für die gesammte Kriegsmarine und besteht aus: dem Admiralitäts-Rathe, welcher über die wichtigsten organisatorischen und ökonomischen Fragen zu entscheiden hat, dem Technischen Marine-Comité, welches sich in die Abtheilungen für den Schiffsbau, das Artillerie-Wesen, die Hoch- und Wasserbauten, sowie für wissenschaftliche Gegenstände theilt, der Kanzlei des Marine-Ministeriums, der Inspectorats-Abtheilung zur Besorgung der Personalien und Ergänzung, der Hydrographischen Abtheilung, der Abtheilung des Marine-General-Stabs-Arztes, der Buchhaltungs-Abtheilung und dem Archiv. — In allen Kriegshäfen bestehen als Marinebehörden Hafen-Verwaltungen, an deren Spitze ein Commandant steht. Die Häfen zerfallen nach ihrer Wichtigkeit in 2 Klassen, erste: Kronstadt, Petersburg, Nicolajew und Wladiwostod, zweite: Sweaborg, Reval, Archangelsk und Baku. Die Flotte selbst gliedert sich in folgende Abtheilungen: die Flotte der Ostsee, die Flottille der Weichsel, die Flottille des Schwarzen Meeres, die Tschernomorische, diejenige des Kaspischen Meeres, des Aralsees und des Amur. Die Flottille des Schwarzen Meeres geht einer erheblichen Vermehrung entgegen und führt seit neuester Zeit wieder den Namen „Flotte des Schwarzen Meeres". Die Weichselflottille, während des polnischen Aufstandes von 1863 geschaffen, ist ebenso wie diejenige des Aralsees untergeordneter Art. Erstere zählt 3 Raddampfer und 7 kleinere Boote, letztere 4 Dampfer und 1 Dampfbarkasse. Diejenige des Kaspischen Meeres umfaßt 20 größere und kleinere Dampf- und 14 Segel- (Transport-) Schiffe. Die Flottille des Amur, für die ostasiatische Küste bestimmt, zählt 34 meist größere und mittlere Dampfer. Die Flottille des Schwarzen Meeres bestand bis jetzt aus 5 Schrauben-Corvetten zu 9 Kanonen, 2 Schrauben-Schoonern, 2 Schrauben-Dampfern zu 2 Kanonen, 2 kaiserlichen Dampf-Jachten, 10 Transport-Dampfern und 3 Segeltransportschiffen. Die Flotte der Ostsee umfaßte bis jetzt die gesammten Panzerfahrzeuge - 6 Batterieschiffe, 5 größere, 3 mittlere Thurmschiffe, 10 einthürmige Monitors, mit im Ganzen 180 Kanonen —, ferner 6 Schrauben-Linienschiffe von 84 bis 135 Kanonen, 6 Schrauben-, 5 Radfregatten von 8 bis 51 Kanonen, 10 Schraubencorvetten von 11 bis 17 Kanonen, 9 Schraubenklipper zu 5 bis 7 Kanonen, 65 Schrauben-Kanonenboote zu 3 Kanonen, 5 kaiserliche Dampf-Jachten, 6 Schrauben-Schooner, 2 Transport-Dampfer, 17 Fluß-Dampfer, 5 Dampf-Kutter, 9 Dampf-Barkassen, 2 kaiserliche Segel-Jachten, 1 Segel Corvette, 1 Segel-Lootsenboot, 1 Segel-Tender. Die Panzerfahrzeuge älterer Construction haben 4½- u. 5zöllige, die neueren 6½- und 7½zöllige Platten. Das zur Bemannung der Ostseeflotte bestimmte Personal ist in 10½ Equipagen getheilt: 1 Garde-, 1 finnische, 8 Flotten-Equipagen (No. 1—8), ½ Equipage von Reval, viel Flotten-Compagnien von Sweaborg und Archangelsk. Die Garde-Equipage dient zur Bemannung der kaiserlichen Jachten, die finnische ist im Frieden nur als schwacher Stamm vorhanden. Die den Flotten-Equipagen Nr. 1—6 zugetheilten Kriegsschiffe bilden drei Escadres, von welchen, mit einjährigem Turnus, 2 zur

Uebungsfahrt, 1 zum Dienst an den Küsten bestimmt sind. Die übrigen Schiffe sind dem Rest der Equipagen oder den Hafenverwaltungen zugetheilt. Den Oberbefehl über die zum Kreuzen bestimmten Escadres hat ein Admiral oder Vice-Admiral, welchem für jede Escadre ein Contre-Admiral beigegeben ist. Jede Flotten-Equipage ist durch einen älteren Capitän befehligt, dem ein Verwaltungs-Personal beigegeben ist, und zerfällt je nach Zahl und Größe der zugetheilten Fahrzeuge in mehrere Compagnien unter je einem Lieutenant. Die Bemannung eines Schiffes bildet ein Schiffs-Commando, zur See dem Schiffs-Commandanten, an der Küste dem Equipage-Commandanten untergeordnet. Die Flottencompagnien von Sweaborg und Archangelsk sind zum Dienst bei den Leuchtthürmen und im Hafen bestimmt. Die Bemannung der Weichsel-Flottille bildet eine Compagnie, diejenige der tschernomorischen eine Equipage, die in eine Flottillen- und eine Hafen-Abtheilung zerfällt, ähnlich ist es mit der kaspischen und Amur-Flotille. Die Aral-Flotille steht unter dem Befehl des commandirenden Generals vom Militär-Bezirk Turkestan, und hat als Bemannung eine Equipage. Zur Ausbildung der See-Offiziere im Artillerie-Wesen, sowie von Marine-Artillerie-Unteroffizieren besteht bei der Ostsee-Flotte eine Artillerie-Schul-Escadre, welcher 3 Panzerschiffe und 1 Kanonenboot zugetheilt sind. Die Zutheilung der Auszubildenden geschieht auf 2 Jahre. Das Offizier-Corps der Marine besteht aus: a) den See-Offizieren, welche wiederum zerfallen in Flaggen-Offiziere — General-Admiral, Admiral, Vice- und Contre-Admiral, Stabs-Offiziere — Capitän 1. und 2. Classe und Capitän-Lieutenant, Ober-Offiziere — Lieutenant und Midshipman; b) den Marine-Artillerie-, Schiffsbau-Ingenieur- und Schiffsmaschinen-Ingenieur-Offizieren, die ähnlich graduirt sind wie die Offiziere der Landarmee. Die Offizier-Aspiranten zerfallen in See-Cadetten und Conducteure des Flotten-Steuermanns-, und der sub. b) genannten Corps. Die Mannschaft theilt sich in 5 verschiedene Klassen, die im Range des Feldwebels (wie z. B. der Bootsmann), des älteren Unteroffiziers (wie der Bootmannsmaat), des Korporals (wie der Quartiermeister), des Gefreiten und des Gemeinen (wie Matrosen I. resp. II. Classe) stehen. Die Ergänzung der Kriegsmarine erfolgt aus den der Küste anliegenden Gouvernements. 1868 betrug das Contingent 4,292 Mann. Die Hauptflottenstationen der Marine sind: in der Ostsee Petersburg, Kronstadt, Sweaborg, Reval; im Weißen Meere Archangelsk; im Schwarzen Meere Nicolajew, Sebastopol, Noworossijsk, Suchum-Kale; im Kaspischen Meere Astrachan, Baku, Astrabad; im Stillen Ocean Nicolajewsk, Wladimostock. Die Bildungs-Anstalten s. oben.

Quellen: „Rußlands Wehrkraft. Im Mai 1871." Wien 1871. „Die Heeresmacht Rußlands, ihre Neugestaltung und politische Bedeutung." Von *** Berlin 1870. „Grundzüge der Heeres-Organisation in Oesterreich-Ungarn, Rußland ꝛc." Von v. Kummer. Berlin 1870. „Die Reformen der Heeresorganisation in Rußland seit 1867", in Preuß. Jahrbücher 1871. In Bezug auf Bewaffnung: „Die Feld-Artillerien Oesterreichs ꝛc. und Rußlands". Von v. Jonstorff, Wien 1871. „Ueber moderne Artillerie ꝛc." Von v. Eschenbacher, Weimar 1872. „Die deutsche Gewehrfrage." Von v. Plönnies und Weygand. Darmstadt 1872. Ferner: „Die russische Armee." Von W. Rüstow. Zürich 1867.

Das russische Wappen zeigt in goldenem Schilde (über welchem die Kaiserkrone mit zwei blauen, goldeingefaßten Bändern schwebt) einen schwarzen, doppelköpfigen auf jedem Kopfe mit einer Königskrone gekrönten Adler mit rothen Schnäbeln und Fängen, mit ausgebreiteten Flügeln und goldenem Scepter und Reichsapfel (wegen Griechenland); auf der Brust mit einem rothen Schilde

darin St. Georg (wegen Moskwa) in silbernem Harnisch auf weißem Roße
sitzend und einen schwarzen Lindwurm tödtend. Dieser Schild ist von der Kette
mit dem Kreuz des St. Andreas-Ordens umgeben. Um den Adler hängen,
durch eine goldene Kette verbunden, sechs goldeingefaßte Schilder mit den Emblemen von Kiew (silberner Engel in Blau), Nowgorod (zwei schwarze Bären
in Gold), Astrachan (goldene Krone in Blau), Wladimir (goldener Löwe in
Roth), Kasan (schwarzer, gekrönter Drache in Silber) und Sibirien (zwei silberne Wölfe in Blau). Von diesem, durch Peter d. Gr. arrangirten Wappen
weicht das neueste, wie es sich auf Münzen, Siegeln ic. findet, insofern ab,
daß die Nebenschilder auf den Flügeln des Adlers liegen, und zwar auf dem
rechten die von Kasan, Astrachan und Sibirien; auf dem linken dagegen die
Embleme von Polen (silberner Adler in Roth), Taurien (schwarzer Adler in
Gold) und Finnland (goldener Löwe in Roth). Die Landesfarben sind
schwarz, orange und weiß; die Cocarden sind schwarz und haben einen schmalen
orangenen und weißen Rand; die Schärpen sind silbern mit ein wenig orange
und schwarz melirt. Die Flagge ist weiß, durch ein blaues Kreuz diagonal
getheilt; auf dem Bugspriet der Kriegsschiffe eine rothe, durch ein blaues, weiß
eingefaßtes Kreuz diagonal, durch ein weißes rechtwinkelig getheilt; die Flagge
der Kauffarteischiffe ist weiß, blau und roth, horizontal getheilt. An Orden
und Ehrenzeichen besitzt R. folgende 8 Orden: 1) Andreas-Orden (s. d.);
2) Katharinen-Orden (Damen-Orden, 1714 von Peter d. Gr. gestiftet);
3) Alexander-Newski-Orden (s. d.); 4) Weißer Adler-Orden (s. Adlerorden 1);
5) St. Annen-Orden (s. d.); 6) Stanislaus-Orden (s. d.); 7) St. Georgs-
Orden (s. d. 2); 8) Wladimir-Orden (s. d.). Von diesen sind die ersten sechs
zugleich Hoforden- und Verdienst-Orden, die beiden letzten dagegen nur Verdienst-
Orden und zwar der St. Georgs-Orden ausschließlich Militärverdienstorden.
Außerdem werden Ehrendegen (goldene, mit und ohne Diamanten) an Offiziere verliehen, welche laut Ukas von 1807 ihrem Inhaber die Ordensritter-
schaft ertheilen. Ferner giebt es noch Kreuze und Medaillen für die Theil-
nehmer an verschiedenen Feldzügen, eine Verdienstmedaille (St. Anna-Medaille)
für Unteroffiziere und Soldaten und eine Dienstauszeichnungs-Medaille.

Geschichtliches: Als die ältesten Bewohner R.'s werden die Scythen
oder Sarmaten bezeichnet (also wahrscheinlich finnische und slawische Stämme),
die in viele Unterstämme zerfielen. Zur Zeit der Völkerwanderung ging jedoch
durch R. der Zug der von Osten nach Westen drängenden Völkerschaften und
erst im 9. Jahrhundert bildete sich ein russisches Reich. Der erste Fürst desselben war Rurik (s. d.) ein Waräger. Er eroberte die Länder am Finnischen
Meerbusen, wo die Russen, ein nordisch-gothisches Volk, wohnten. Die Russen
und Waräger verschmolzen in den folgenden Jahrhunderten mit den immer
weiterhin unterworfenen Slawen. Rurik's Stiefsohn, Dir, schlug die Chazaren
und gründete in Kiew einen zweiten russischen Staat. Swätoslaw schlug die
Petschenegen. Im Anfange des 11. Jahrhunderts wütheten furchtbare Kriege
zwischen Wladimir's Söhnen um den Thron. Jaroslaw eroberte Chazarien.
1223 brachen die Mongolen in Rußland ein, eroberten es in einem 15 Jahre
langen furchtbaren Kriege und machten es sich zinsbar. Zugleich wütheten
Kriege mit den Litthauern, Schweden, Polen und Schwertrittern. Jaroslaw
von Wladimir eroberte Finnland, Alexander Newski schlug an der Newa die
Schweden (1241), ein Sieg, den Jurje mehrmals wiederholte. 1320 führte
ein Krieg mit den Litthauern den Verlust Wolhyniens und Kiews herbei. Endlich kehrte man das Schwert wieder gegen die Mongolen. Sie wurden von
Demetrius auf dem Kulikower Felde 1380 geschlagen. 1478 eroberte Iwan I.
Nowgorod, 1487 Kasan, wurde aber 1502 von den Schwertrittern bei Pskow
geschlagen. Wasili eroberte 1509 Pskow, 1613 Smolensk, wurde aber von

den Tataren, die Moskau eroberten, geschlagen (1521). Iwan II. errichtete
ein stehendes Heer, die Strelitzen, eroberte 1552 in grausamster Weise Kason,
das letzte Besitzthum der Tataren, 1554 das Königreich Astrachan und 1570
die Freistadt Nowgorod, wo er 60,000 Menschen morden ließ. Es traten
jetzt die blutigen Kriege der falschen Demetrius (s. d.) ein, und Rußland brauchte
lange Zeit, sich von diesen verwüstenden Streichen zu erholen. Peter der Große
schlug nach schweren Niederlagen im Nordischen Kriege (s. d.) die Schweden
bei Pultawa und behauptete dergestalt das Uebergewicht, daß Schweden ihm
die Erweiterung des Reichs bis an die Ostseeküste nicht wehren konnte. Ein
gleichzeitiger Krieg mit der Türkei mußte durch Nachgiebigkeit beschwichtigt
werden. Der Nordische Krieg dauerte bis 1721 und es folgte nun 1737—1739
ein Krieg gegen die Türkei, an dem Oesterreich Theil nahm und in welchem
bei Oczalow, Banjoluka, Choczim, Grotzka und Panczowa die Hauptereignisse
stattfanden. Ein Krieg gegen Schweden wurde 1741 durch die Eroberung
Finnlands und den Sieg bei Wilmanstrand beendet. Rußland nahm am
Siebenjährigen Kriege Theil, siegte bei Großjägerndorf, unterlag bei Zorndorf,
siegte aber wieder bei Kunnersdorf. Ein Krieg gegen Polen und die Türkei
hatte einen günstigen Erfolg. Schauplätze der Hauptereignisse waren Choczim,
Slio, Tscheome, Andros, Narga, an Kagul und Bucharest (1768—1771).
Von dem berühmten Romanzow-Sabunaißi (s. d.) wurde der glänzende Friede
von Kutschuk-Kainardschi 1744 nach einem der ruhmreichsten Kriege der russischen
Geschichte geschlossen. Auf diesen Krieg folgte bald der furchtbar blutige Krimkrieg, den Potemkin 1783 mit der Eroberung Tauriens beschloß, und an diesen
schloß sich ein neuer Krieg gegen die Türkei, der in Gemeinschaft mit Oesterreich von 1788 bis 1792 geführt ward. Die Hauptschauplätze waren Sebastopol, Dubicza, Oczalow, Choczim, Fokschani, Martinistje und Ismail. R. gewann dadurch den Rest des nördlichen Gestades am schwarzen Meere. Im
folgenden Jahre kämpfte Rußland in Polen (s. d.) zum Zweck einer neuen
Theilung (Zaslow und Dubienka), und dieser Krieg wiederholte sich 1794
heftiger und endete mit dem Untergange Polens (Scelce, Maczieowice, Praga).
An dem Kampfe Englands und Oesterreichs gegen Frankreich (1798—1801)
nahm R. thätigen Antheil, und seine Armee focht unter Suworow in Italien
und der Schweiz mit Glück, wenn auch ohne Erfolg. An den Feldzügen gegen
Frankreich 1805 und 1807 nahm R. ebenfalls Theil, jedoch ohne Aufbietung
außerordentlicher Kräfte. Mit großer Kraft aber wurde 1809 der Krieg gegen
Schweden geführt und Finnland erobert, und mit gleicher Energie von 1808
bis 1811 der gegen die Türkei (Arpetschai, Tenedos, Lemnos, Silistria, Battin,
Klapulko und Rustschuk). Fast zu gleicher Zeit führte R. einen erfolgreichen
Krieg mit Persien. Einen der furchtbarsten Kriege bestand R. aber von 1812
bis 1814 (s. Russisch-Deutscher Krieg). Von hier ab hatte R., abgesehen von
den Kriegen im Kaukasus, Ruhe bis 1826, wo durch den Persischen Thronfolger Abbas Mirza ein Krieg mit Persien herbeigeführt, aber von dem russischen General Paskewitsch sehr glücklich zu Ende gebracht wurde. 1828 nahm
R. Gelegenheit zu einem neuen Kriege gegen die Türkei, und bei der Schwächung
der Türkei durch den Krieg mit Griechenland und die Zerrüttung ihres Heerwesens durch die Vernichtung der Janitscharen wurde es R. nicht schwer, Siege
zu erringen und bis Adrianopel vorzudringen, wo es den Frieden, wie bisher immer,
zu seinem großem Vortheile dictirte (1829). Hauptschauplätze waren Achalzif,
Varna, Silistria, Millibuse, Kalewtscha und Sliwno. Kaum war dieser Krieg
beendet, als die polnische Revolution ausbrach und alle Kräfte auf Polen geworfen werden mußten (1831). Schwere Zusammentreffen fanden bei Wawre,
Grochow, Dembe, Iganie und Ostrolenka statt, aber der Sieg wurde erst in
einer zweitägigen Schlacht vor Warschau mit größter Anstrengung entschieden.

Von da ab wurde der Krieg im Kaukasus energischer betrieben, doch wurde jeder kleine Gewinn mit großen Opfern erkauft; indeß führte die Ausdauer dem Ziele immer näher (vgl. Schamyl). Eine Expedition gegen Chiwa mißglückte 1839. Im J. 1849 nahm R., in Folge der Aufforderung Oesterreichs, Theil an dessen Kampfe gegen die ungarische Insurrection. 1853 nahm R. seinen Eroberungsplan gegen die Türkei wieder auf und Nikolaus sprach es unverhohlen gegen den englischen Gesandten in „vertraulichen Unterredungen" aus, daß er es an der Zeit halte, die Türkei zu vernichten und als Erbe einzutreten. Im November 1853 rückten die russischen Truppen in die Türkei ein und der Orientkrieg (s. d.) begann, welcher mit dem Pariser Frieden vom 30. März 1856 endigte. Noch vor dem Friedensschlusse starb Nicolaus I. (2. März 1855), und sein Sohn Alexander II. bestieg den Thron. Der junge Herrscher lenkte sofort seine Aufmerksamkeit darauf, die schweren Wunden, die der Orientkrieg dem Reiche geschlagen, zu heilen und die geistigen und materiellen Kräfte R.'s zu entwickeln (s. n. Alexander, Bd. I., S. 72 f.). Im J. 1859 wurden die Kämpfe im Kaukasus durch die Gefangennahme Schamyl's (s. d.) beendigt. Während des Preußisch-Italienisch-Oesterreichischen Krieges von 1866 verhielt sich R. vollständig neutral, ebenso während des Deutsch-Französischen Krieges von 1870/71. Dagegen hatte R. in Centralasien fast ununterbrochene Kämpfe und dehnt sich dort unaufhaltsam immer weiter aus. — Unter den zahlreichen Werken über die Geographie und Statistik R.'s heben wir nur hervor: Erdmann, „Beiträge zur Kenntniß des Inneren von R.", Leipzig 1822—26, 2 Bde.; Baer und Helmersen, „Beiträge zur Kenntniß des Russischen Reiches", Petersburg 1839—66, 24 Bde.; Possard, „Das Kaiserthum R.", Stuttgart 1839—41, 2 Bde.; Th. Bulgarin, „R. in historischer, statistischer, geographischer und literarischer Beziehung", deutsch von H. v. Brackel, Riga 1839—42, 3 Bde.; F. W. v. Reden, „Das Kaiserthum R.", Berlin 1843; Custine, „La Russie en 1839". Paris 1843, 4 Bde.; Haxthausen, „Studien über die inneren Zustände von R.", Hannover 1847—52, 3 Bde.; Wagner, „Das Russische Reich", Leipzig 1851; Buddeus, „R. und die Gegenwart", Leipzig 1851, 2 Bde.; Tengoborski, „Études sur les forces productives de la Russie", Paris 1853—54, 3 Bde.; Olberg, „Statistische Tabellen des Russischen Reichs", Berlin 1859; Buschen, „Bevölkerung des russischen Kaiserthums", Gotha 1862; Parochine, „Les ressources matérielles de la Russie", Paris 1865; Schnitzler, „Les Institutions de la Russie, depuis les réformes de l'Empereur Alexandre II.", Paris 1866—67, 2 Bde.; Stuckenberg, „Hydrographie des Russischen Reichs", Petersburg 1842—49, 2 Bde.; Schedo-Ferroti, „Die Eisenbahnen R.'s", Berlin 1860; ferner die verschiedenen amtlichen Publicationen des Statistischen Bureaus und der einzelnen Ministerien; über die russische Armee vgl. v. Kummer, „Grundzüge der Heeres-Organisation in Oesterreich und R.", Berlin 1870; unter den Geschichtswerken: Karamsin, „Geschichte des Russischen Reichs", Riga und Leipzig 1820—33, 11 Bde.; Ségur, „Histoire de Russie et de Pierre le Grand". Paris 1829, 2 Bde.; Galletti, „Geschichte des Russischen Reichs", Leipzig 1832; Strahl und Hermann, „Geschichte des Russischen Staats", Hamburg und Gotha 1832—60, 6 Bde. (vgl. auch die Literatur zu den Artikeln „Russisch-Deutsch-Französischer Krieg" und „Orientkrieg"); Karten und Kartenwerke außer den im Artikel „Karten" (Bd. V., S. 151 f.) angegebenen noch: Schubert, „Specialkarte des westlichen Theils des Russischen Reichs", Petersburg 1857, 59 Bl.; Woschtschinin, „Generalkarte des Europäischen R.'s", Petersburg 1855, 15 Bl.; Ders., „Geographischer Atlas des Russischen Reichs", Petersburg 1858; „Postkarte vom Europ. Rußland", Petersburg 1856, 9 Bl.; der von der Russischen Geographischen Gesellschaft herausgegebene „Topographische Vermes-

fungs-Atlas"; Stavenhagen, „Hydrographische Karte des Europ. Rußlands",
Mitau 1842; Köppen, „Ethnographische Karte des Europ. R.'s", Petersb. 1851.

. **Rusth**, Fort de, Fort im nordamerikanischen Staate Louisiana, an der
Mündung des Red River in den Mississippi gelegen, war an sich stark und
wurde am 13. März 1864 von dem mit 7000 Mann von Vicksburg nach
Alexandria gesandten General Smith nach hartnäckiger Gegenwehr der nur
drei Compagnien starken Besatzung genommen.

Rüstow, ein altes niedersächsisches Geschlecht (Ristan, Ristowe,
Rystow), welches sich bereits im 12. Jahrh. zur Zeit Heinrich's des Löwen
in dem slawischen Theile von Pommern niederließ und dort zur reichsfreiherr-
lichen und reichsgräflichen Würde gelangte. Aus demselben sind in neuerer
Zeit besonders drei Brüder als Militärschriftsteller namhaft geworden: 1) Wilhelm, eidgenössischer Oberst im Schweizerischen Generalstabe, einer der fruchtbarsten Militärschriftsteller der neusten Zeit, geb. 25. Mai 1821 in der Mark
Brandenburg, trat 1838 in die preußische Armee, wurde 1840 Lieutenant im
Ingenieurcorps, stand als solcher 1848 in Posen und schrieb dort die Brochüre
„Der deutsche Militärstaat vor und nach der Revolution" (Zürich 1850),
2. Aufl. 1851), wegen deren er verhaftet und vor ein Kriegsgericht gestellt
wurde. Da das erste gegen ihn gefällte Urtheil als zu mild caffirt ward,
flüchtete er im Juni 1850 vor Fällung des endgültigen Urtheils nach der
Schweiz und ließ sich in Zürich nieder, wo er sich Anfangs ausschließlich lite-
rarisch beschäftigte, sehr bald aber Einfluß auf die Reorganisation des eidgenössischen Wehrsystems erlangte, dann auch militär-wissenschaftliche Vorlesungen
an der Züricher Universität hielt, seit 1853 als Instructor an den größeren
Truppenzusammenziehungen Theil nahm, 1856 von der Züricher Cantons-Re-
gierung zum Major im Geniestabe ernannt und dem Bundesrathe zum eidgenössischen Oberstlieutenant vorgeschlagen wurde, und seitdem vorzugsweise in
der Gemeinde Riesbach bei Zürich lebte, bis er im August 1860 als Oberst
und Generalstabschef zu Garibaldi nach Sicilien ging. Als Letzterer im September auch auf das neapolitanische Festland überging, commandirte R. den
linken Flügel der italienischen Südarmee, dann die 15. italienische Division
(1. Division der Südarmee) und, nachdem er die Königlichen am 19. Sept.
bei Capua, dann am Volturno geschlagen hatte, zuletzt das Expeditionscorps, welches Ende October den Volturno überschritt. Nach beendigtem Feldzuge kehrte er in die Schweiz zurück, widmete sich wieder seiner literarischen
Thätigkeit und wurde im März 1870 zum eidgenössischen Oberst im Schweizerischen Generalstabe ernannt. Seine zahlreichen Schriften theilen wir, der
besseren Uebersicht wegen, in folgende Gruppen ein: A) kriegsgeschichtliche:
„Geschichte des griechischen Kriegswesens" (mit Köchly bearbeitet), Aarau 1851,
an welche sich als Supplemente und Belege dazu „Uebersetzungen und Commentar zu den griechischen Kriegsschriftstellern" (ebenfalls mit Köchly bearbeitet,
Zürich 1854 f., 2 Bde.), sowie „Heerwesen und Kriegsführung C. Julius
Cäsar's" (Gotha 1855, 2. Aufl. Nordhausen 1862) und ein Anhang dazu
„Einleitung zu C. Julius Cäsar's Commentarien über den Gallischen Krieg"
(ebenfalls mit Köchly bearbeitet, Gotha 1857) und später „Commentar zu Napoleon's III. Geschichte Julius Cäsar's" (Sttutg. 1867 mit Atlas) anschließen;
„Der Krieg von 1805 in Deutschland und Italien", Frauenfeld 1864, 2. A.
1859 (ein Meisterwerk der lichtvollen Darstellung, in welchem sich R. das Ziel
steckte, die Kriegsgeschichte zu schreiben nicht vom Standpunkte des Kritikers,
der bereits alle Fäden in der Hand hält, sondern vielmehr mit steter Hinein-
versetzung in die Lage dessen, der handeln soll ohne die volle Erkenntniß
seiner wirklichen Situation; R. scheidet daher in der Darstellung stets dasjenige,
was die Handelnden wußten, von dem was sie noch nicht wußten, und sucht

das theoretische Urtheil in den Hintergrund zu drängen); „Der Angriff auf die Krim und der Kampf um Sewastopol", Frauenfeld 1855; „Der Krieg gegen Rußland (Krimkrieg). Politisch-militärisch bearbeitet", Zürich 1855 f., 2 Bde. mit Plänen; „Der Italienische Krieg von 1859", Zürich 1859, 3. Aufl. 1861; „Geschichte des Ungarischen Insurrectionskrieges von 1848 und 1849", Zürich 1860 f., 2 Bde. mit Karten und Plänen; „Der Italienische Krieg von 1860 politisch-militärisch beschrieben", Zürich 1866 mit Karten und Plänen; „Erinnerungen aus dem Italienischen Kriege von 1860", Leipzig 1861, 2 Thle.; „Geschichte des Italienischen Krieges von 1848 u. 1849", Zürich 1862; „Der Teutsch-Dänische Krieg von 1864", Zürich 1864 mit Karten; „Der Krieg von 1866 in Deutschland und Italien", Zürich 1866, 4 Abtheilungen mit Karten; 2. Aufl. 1867; „Die ersten Feldzüge Napoleon Bonaparte's in Italien und Deutschland 1796 und 1797", Zürich 1868, mit 15 Kriegs-Karten; „Der Krieg um die Rheingrenze 1870 und 1871", Zürich 1871, 6 Abtheilungen mit Karten; B) den Uebergang von den kriegsgeschichtlichen Werken zu den kriegswissenschaftlichen bildend: „Die Feldherrnkunst des 19. Jahrhunderts", Zürich 1857, 2. Aufl. 1867; „Geschichte der Infanterie", Gotha 1857 f.; „Militärische Biographien", Zürich 1858; C) rein kriegswissenschaftliche Werke: a) taktische: „Anleitungen zu den Dienstverrichtungen im Felde für den Generalstab der Schweizerischen Bundesarmee", Basel 1855; „Taktik der verbundenen Waffen für die Schweizerische Bundesarmee", Düsseldorf 1855; „Allgemeine Taktik nach dem gegenwärtigen Standpunkte der Kriegskunst bearbeitet" (mit erläuternden Beispielen, Zeichnungen und Plänen), Zürich 1858, 2. Aufl. 1868; „Die Lehre vom kleinen Kriege", Zürich 1862; b) fortificatorische: „Die Lehre von der Anwendung der Verschanzungen nach den allgemeinen Grundsätzen der Kriegskunst," Frauenfeld 1853; „Die Lehre vom neuern Festungskrieg", Leipzig 1860, 2 Bde. mit 9 Steindrucktafeln; c) über Kriegskunst: „Die Untersuchung über die Organisation der Heere", Basel 1855; „Der Krieg und seine Mittel", Leipzig 1856; „Von den Hindernissen einer zweckmäßigen Heeresbildung und erfolgreichen Kriegführung", Coburg 1863, Anhang dazu 1866); d) kritische: „Die Wahrheit über den preußischen Militärgesetzentwurf", Nördlingen 1860; „Die preußische Armee und die Junker", Hamburg 1862; D) biographisch-kritische: „H. v. Bülow's militärische und vermischte Schriften" (im Verein mit dem bekannten Novellisten E. v. Bülow bearbeitet), Leipzig 1853; E) encyklopädische: „Militärisches Handwörterbuch", Zürich 1859, 2 Bde., Nachtrag dazu 1868; F) geschichtliche: „Annalen des Königreichs Italien", Zürich 1862 f., 4 Abtheilungen. — 2) Alexander, Bruder des Vorigen, preuß. Artillerie-Major, geb. 13. Oct. 1821 zu Brandenburg, trat 1842 in die preußische Artillerie, ging 1849 in schleswig-holsteinische Dienste, nahm als Batteriechef am Feldzuge von 1850 mit Auszeichnung Theil, trat 1852 in preußische Dienste zurück, besuchte die Kriegsakademie und erwarb sich hier auf theoretischem Gebiete eine besondere Anerkennung, als deren äußeres Zeichen ihm ein Ehrensäbel als Geschenk des Königs Friedrich Wilhelm IV. verliehen wurde. Im Mai 1859 avancirte er zum Hauptmann im 8. Artillerie-Regiment. Im Schleswig-Holsteinischen Kriege von 1864 wirkte er als Befehlshaber einer Festungs-Compagnie, welche mehrere Batterien mit in Summa 20 Geschützen besetzt hatte. Letztere hatten am 14. April bei Rackenstoppel (nördlich der Düppeler Schanzen) ein heftiges Artilleriegefecht zu bestehen und beschossen am 29. Juni während des Uebergangs nach Alsen die dänischen Fahrzeuge, worauf R. die unter seiner Leitung angelegten Schanzen am Hafen zu Flensburg befehligte. Nach dem Frieden wurde er Mitglied der Artillerie-Prüfungs-Commission zu Berlin und 1866 Major und Commandeur der 1. Fußabtheilung des Brandenb. Feld-Ar-

tillerie-Regiments Nr. 3. in Wittenberg. Beim Beginn des Preußisch-Oesterreichischen Krieges wurde er der 5. Division (von Tümpling) der I. Armee
zugetheilt, brachte am 29. Juni bei Gitschin (s. b. Bd. IV., S. 277) mit
seinen 24 Geschützen von einer trefflich ausgesuchten Position (zwischen Poduls
und Zames) aus, sechs feindliche gezogene Batterien und eine Raketen-Batterie
zum Schweigen, wodurch das allgemeine Vorgehen der Infanterie und das
Zurückweisen des feindlichen Angriffs ermöglicht wurde. Am 3. Juli wirkte er
bei Königgrätz mit einer sechspfündigen Batterie mit Ausdauer und Erfolg
gegen die feindlichen Batterien auf den Höhen von Chlum, wurde aber gegen
Ende des Kampfes von einer Granate am Unterschenkel schwer verwundet und
starb nach der Amputation am 30. Juli 1866 im Hospital zu Horsitz an der
Cholera. Er schrieb: „Der Küstenkrieg", Berlin 1849. — 3) Cäsar, Bruder
der Vorigen, preuß. Infanterie-Major, geb. 18. Juni 1826 zu Brandenburg,
trat 1843 als Seconde-Lieutenant in die preußische Armee, wurde später zum
Lehrbataillon versetzt, 1853 aber zur Gewehr-Revisions-Commission in Suhl
commandirt, in welcher Stellung er zum speciellen Studium der Handfeuerwaffen geführt wurde. Im Jahre 1856 präsidirte er der damals in Suhl fungirenden Umänderungscommission. Nachdem er 1858 zum Hauptmann avancirt war,
wirkte er als Lehrer der Taktik an der Divisions-, später Kriegsschule zu Erfurt, wurde 1863 zum Major befördert und in den Generalstab versetzt, erhielt
beim Ausbruch des Preußisch-Oesterreichischen Krieges von 1866 das Commando
über das 2. Bataillon des 2. Westfälischen Infanterie-Regiments Nr. 15.,
rückte erst mit der Division v. Goeben gegen die Hannoveraner, nach der
Capitulation von Langensalza gegen die Baiern und fiel schon im ersten Treffen
gegen dieselben am 4. Juli 1864 bei Wiesenthal-Roßdorf (Dermbach). Er
schrieb: „Leitfaden durch die Waffenlehre", Erfurt 1852, 2. Aufl. 1855; „Das
Minéegewehr und seine Bedeutung für den Kriegsgebrauch", Berlin 1855;
„Die Kriegshandfeuerwaffen", Berlin 1857—64, 2 Bde. (mit 352 Holzschnitten
und 3 Tabellen); „Die neueren gezogenen Infanteriegewehre", Darmstadt und
Berlin 1861.

    Rußschuk (Ruschtschuk, Ruszczuk), befestigte Hauptstadt des europäisch-
türkischen Vilajets Tuna (Donau), am rechten Ufer der Donau (unweit der
Mündung des Lom) und Giurgewo gegenüber gelegen, Sitz des General-Gouverneurs und eines griechischen Erzbischofs, ist von einer durch Thürme vertheidigten Mauer und Graben umgeben, hat ein Arsenal, ein kleines, als
Citadelle dienendes Schloß, mehre südlich von der Stadt auf Hügeln gelegene
detachirte Forts, lebhaften Handel und Industrie und zählt 30,000 Einwohner
(worunter zahlreiche Walachen, Griechen, Armenier und Juden). Von dem als
Donau-Uebergangspunkt strategisch wichtigen R. aus führt eine Eisenbahn nach
Varna am Schwarzen Meere, sowie von dem am linken Donau-Ufer gelegenen
Giurgewo aus eine andere Bahn nach Bukarest. Die Ebene, in welcher die
Stadt R. selbst liegt, beherrscht den Wasserspiegel der Donau, und die südlich
gelegenen Forts bilden den Schlüssel zur Position R.s. — In den Russisch-
Türkischen Kriegen von 1773, 1774 und 1790 fanden hier mehre Gefechte
statt. Im Kriege von 1809 und 1810 war R. ein Hauptpunkt der militärischen Operationen. Im J. 1810 wurde es vom 26. Juni an von den
Russen unter Saß belagert, von den Türken und Bosniak Aga tapfer vertheidigt, aber nach zwei zurückgeschlagenen Stürmen (21. Juli und 3. Aug.) am
27. Sept. durch Capitulation übergeben. Der Versuch der Türken, die Festung
wieder zu nehmen, wurde durch den am 4. Juli 1811 unter den Mauern R.'s
erfochtenen Sieg Kutusow's vereitelt; doch gab Letzterer bald darauf die Position am rechten Donau-Ufer auf, steckte die Stadt in Brand und zog sich auf
das linke Ufer nach Giurgewo zurück. Die Türken besetzten am 10. Juli R.

wieder. Am 14. Oct. wurde das türkische Lager bei R. von den Russen überfallen und gleichzeitig von beiden Ufern aus beschossen; doch behauptete sich die
Festung bis zu den am 18. Oct. begonnenden Friedens-Unterhandlungen. Im
Kriege von 1828 und 29 war R. dagegen niemals Kriegsobject; doch wurden
die Türken durch den Frieden von Adrianopel (14. Sept. 1829) genöthigt, die
zu R. gehörigen Werke von Giurgewo, gleich allen am linken Donau-Ufer
gelegenen Fortifikationen, zu schleifen. Als beim Beginn des Krieges von 1853
die Russen die Walachei besetzten, war es eine der ersten Bestrebungen der
Türken, bei Giurgewo wieder festen Fuß zu fassen, in Folge dessen hier im
October einige kleine Gefechte stattfanden. Ebenso erbauten die Türken seit
Herbst 1853 die oben genannten südlich der Stadt gelegenen Forts. Am
10. Febr. 1854 unternahmen die Russen einen Angriff auf die bei R. liegende
türkische Flottille. Als Ende Juni 1854 die Russen die Walachei räumten,
setzten die Türken von R. aus Truppen auf das linke Donau-Ufer über, in
Folge dessen es am 7. Juli bei Frateschti (zwischen Giurgewo und Bukarest)
zu einem Gefechte kam. Am 9. August 1855 fand im Arsenal zu R. eine
Pulver-Explosion statt.

Rüstübungen heißen die gymnastischen Uebungen an Geräthen, im Gegensatz zu den Freiübungen. S. Gymnastik, Bd. IV. S. 303.

Rüstung, 1) eine der Schutzwaffen, s. d., vgl. Ritter; 2) eine größere
Armbrust (s. d. Bd. I., S. 197 f.).

Rüstwagen, veraltete Bezeichnung für Bagagewagen.

Rüstzeug, veralteter Ausdruck für Maschinen und Werkzeuge.

Ruthe, 1) soviel wie der Stab der Rakete (s. d. Bd. VII., S. 287);
2) s. u. Maße und Gewichte (Bd. VI., S. 42).

Rutowski, Friedrich August Graf von R., sächsischer General-Feldmarschall, natürlicher Sohn des Königs August II. von Polen (Kurfürst August
des Starken von Sachsen) und der Türkin Fatime, geb. 1702, wurde erst in
Paris, dann am sardinischen Hofe erzogen, trat darauf in sardinische, später
in preußische, 1726 aber als Oberst in sächsische Dienste, wurde 1727 Generalmajor, nahm 1734 an der Belagerung von Danzig, dann in diesem und
dem folgenden Jahre an den Rhein-Feldzügen gegen Frankreich Theil, avancirte
1735 zum Generallieutenant, commandirte 1737 das sächsische Corps in Ungarn
gegen die Türken, wurde 1738 General der Cavalerie und Commandeur der
polnischen Garde, 1740 Gouverneur von Dresden und Chef der sächsischen
Artillerie, befehligte im ersten Schlesischen Kriege 1741 das sächsische Corps in
Böhmen, wurde im zweiten Schlesischen Kriege 1745 von den Preußen unter
Leopold von Dessau bei Kesselsdorf geschlagen, 1749 zum General-Feldmarschall
ernannt, commandirte als solcher zu Anfang des Siebenjährigen Krieges das
sächsische Contingent und mußte mit diesem im Lager von Pirna (s. d.)
14,000 Mann stark am 14. Oct. 1756 an die Preußen capituliren. Nach
der Rückkehr des Kurfürsten von Sachsen legte er alle seine Stellen nieder und
starb 1764 in Pillnitz.

Ruyter, Michiel Adriaanszoon de, geb. 1607 zu Vlissingen von
armen Eltern, ging als entlaufener Seilerlehrling zu Schiffe, wurde schon
1641 Contre-Admiral, 1653 Vice-Admiral und 1665 Lieutenant-Admiral-Ge-
neral. Er focht gegen Spanien, England, die afrikanischen Staaten, die Türkei,
Schweden, führte 1666 und 1667 den Oberbefehl gegen England und schlug
1673 die englisch-französische Flotte. Im J. 1676 kämpfte er gegen Frankreich,
wurde im Seetreffen von Mongibello (unweit Messina) schwer verwundet und
starb in Folge davon 29. April 1676 zu Syrakus. Sein Leichnam wurde
nach Amsterdam gebracht und dort in der Neuenkirche bestattet. In Vlissingen
und Rotterdam sind ihm Denkmale errichtet worden.

Rabinski, Matthias, polnischer General, der am 5. October 1831 die Polen 24,000 Mann stark bei Stompe (unweit Straßburg im Regierungsbezirk Marienwerder) auf preußisches Gebiet führte, wo sie die Waffen ablegten.

Ryssel, der vlämische Name der französischen Stadt und Festung Lille (s. d.)

Ryswyk, Dorf im Bezirk Haag der niederländischen Provinz Südholland, zwischen Haag und Delft gelegen, hat 2700 Einwohner. R. ist in der Kriegsgeschichte namhaft durch den auf dem vormaligen Lustschlosse Huis-te-Nieuwburg daselbst 1697 abgeschlossenen Frieden, welcher den sogenannten Réunionskrieg (s. u. Réunionskammern) beendigte. Am 9. Mai 1697 trat auf Vermittelung Schwedens der Congreß zu R. zusammen; nach langen Unterhandlungen unterzeichneten am 20. Sept. 1697 die niederländische Republik, Großbritanien und Spanien den Frieden mit Frankreich, welches letztere alle Eroberungen in Catalonien und den spanischen Niederlanden (mit Ausnahme einiger réunirten Ortschaften) zurückgab und den Erbstatthalter Wilhelm III. als König von Großbritanien und Irland anerkannte. Am 30. Oct. 1697 unterzeichnete dann Kaiser Leopold I. und das Deutsche Reich ebenfalls den Frieden mit Frankreich; auch in diesem gab Ludwig XIV. alle Eroberungen und Réunions an das Deutsche Reich zurück, ausgenommen jedoch die réunirten Orte im Elsaß und die Stadt Straßburg, welche nun definitiv an Frankreich abgetreten wurden. Zugleich bestimmte die (von Seiten der Protestanten vielfach angefochtene) Ryswijker Clausel, daß in denjenigen réunirten, jetzt aber zurückgegebenen Ortschaften, in welchen seit 1622 französischerseits die katholische Religion eingeführt worden sei, diese in ihrem Besitze und in ihrer Herrschaft unangetastet bleiben solle. Vgl. Moetjens, „Actes et mémoires des négociations de la paix de R.", Haag, 1707, 5 Bde. Das Lustschloß Nieuwburg wurde 1783 niedergerissen, aber 1792 vom Erbstatthalter Wilhelm V. auf der Stelle desselben eine steinerne Spitzsäule zur Erinnerung an den Friedensschluß errichtet.

S.

Saale, 1) Fränkische S., der größte rechte Nebenfluß des Main, entspringt aus dem Salzbrunnen oder Salzloche auf der bairisch-meining'schen Grenze, fließt in vorherrschend südwestlicher Richtung durch den bairischen Regierungsbezirk Unterfranken und mündet nach einem Laufe von 15 Meilen bei Gemünden. An demselben fanden am 10. Juli 1866 mehre Gefechte (bei Hammelburg, Kissingen und Waldaschach) statt; s. Fränkische Saale, Bd. IV, S. 78 ff. 2) Sächsische oder Thüringer S., linker Nebenfluß der Elbe, entspringt am Westabhange des Großen Waldsteins auf dem Fichtelgebirge im bairischen Regierungsbezirke Oberfranken, fließt anfangs westlich, dann aber in vorherrschend nördlicher Richtung, durch die Gebiete von Reuß, Meiningen, Schwarzburg-Rudolstadt, Altenburg und Weimar, die preußische Provinz Sachsen und Anhalt, zuletzt wieder durch die preußische Provinz Sachsen und mündet nach einem Laufe von 48 Meilen (wovon 21 Meilen, von der Mündung der Unstrut bei Naumburg an, schiffbar sind) in zwei Armen bei Barby.

Saalfeld, Hauptstadt des gleichnamigen, seit 1826 zum Herzogthum Sachsen-Meiningen-Hildburghausen gehörigen Fürstenthums, am linken Ufer der Thüringer Saale (mit Brücke) und an der Gera-Eichicher Bahn, hat ein Schloß (ehemals Residenz), die Ruinen der Sorbenburg (Hoher Schwarm), lebhafte Industrie und 5364 Einwohner. Hier fand am 10. Oct. 1806 ein

Gefecht (Vorgefecht der Schlacht bei Jena, f. d.) zwischen dem linken Flügel der Franzosen und der preußischen Avantgarde des Fürsten von Hohenlohe statt, in welchem letztere geschlagen wurde und der Prinz Louis Ferdinand von Preußen fiel. Ihm wurde auf dem Schlachtfelde (bei Wölsdorf, ½ Stunde nordwestwestlich von S., an der Straße nach Rudolstadt) 1823 ein eisernes Denkmal errichtet.

Saar (franz. Sarre), rechter Nebenfluß der Mosel, entspringt als Weiße S. in den Vogesen im St. Quirins-Walde am Fuße des Grand-Donon auf der Grenze des Deutschen Reichslandes Elsaß-Lothringen und des franz. Departements Vosges, nimmt bei Hermelange die Rothe S. auf, durchströmt in vorherrschend nördlicher Richtung Elsaß-Lothringen (die ehemaligen franz. Departements Meurthe, Niederrhein und Mosel), bildet dann auf eine kurze Strecke die Grenze zwischen Elsaß-Lothringen und Preußen (bisher zwischen Frankreich und Preußen), tritt bei Güdingen (oberhalb Saarbrücken) ganz nach Preußen (Regierungsbezirk Trier) über, durchfließt diesen in nordnordwestlicher Richtung und mündet nach einem Gesammtlauf von 33 Meilen (wovon 13,7 Ml. schiffbar) bei Konz (1 Meile oberhalb Trier). Der Saar-Kanal führt von Saarbrücken nach Sarrebourg und stellt die Verbindung des Saar-Kohlenbeckens mit dem Marne-Rhein-Kanal und der Paris-Straßburger Eisenbahn her. Die 11,3 Meilen lange Saarbahn von Saarbrücken nach Konz (Trier), schließt sich einerseits an die k. Saarbrücker Eisenbahn, die Bahn Forbach-Paris und die Zweigbahn Saarbrücken-Saargemünd), andererseits an die Bahn Trier-Luxemburg an. Das Steinkohlenlager des Saarbeckens ist eines der bedeutendsten Deutschlands und verbreitet sich in der südwestlichen Abdachung des Hundsrück an der Saar und Blies über ein Areal von 55 Q.-M., wovon 28 Q.-M. zu Preußen gehören.

Saar, Stadt im mährischen Kreise Iglau, an der Sazawa, hat 3100 Einwohner. Hier 10. Juli 1866 Rencontre zwischen den Avantgarden-Cavalerie der I. preuß. Armee des Prinzen Friedrich Karl und der Arrièregarden-Cavalerie der nach der Schlacht von Königgrätz sich auf Brünn zurückziehenden österreichischen Colonnen.

Saarbrücken (Saarbrück), Kreisstadt im Regierungsbezirk Trier der preußischen Rheinprovinz, 8¼ Ml. südsüdöstlich von Trier, unweit der (ehemals französischen) Grenze von Elsaß-Lothringen, am linken Ufer der hier schiffbar werdenden Saar, hat ein Schloß (ehemals Residenz des Fürsten von Nassau-Saarbrücken, in der Französischen Revolution zerstört), lebhafte Industrie und zählt mit der am rechten Ufer des Flusses gelegenen und durch eine Brücke mit S. verbundenen fast gleich großen Vorstadt St. Johann zusammen 14,400 Einwohner (wovon 6700 auf das eigentliche S. kommen). S. ist der Knotenpunkt (Centralbahnhof in St. Johann) der Eisenbahnen nach Neunkirchen (Bingerbrück und Ludwigshafen), Trier, Metz und Saargemünd. In der Umgegend befinden sich reiche Steinkohlenlager. Im Süden von S., hinter dem Exercierplatze, am Fuße des Spicherberges liegt das „Ehrenthal", die gemeinsame Grabstätte der in den Kämpfen vom 2. und 6. August 1870 gefallenen Krieger (darunter General von François). S. war die Hauptstadt der ehemaligen Grafschaft S., welche 1801 an Frankreich fiel, bis 1815 zum französischen Saar-Departement gehörte, aber im zweiten Pariser Frieden (s. d. 2) nebst der Stadt S. großentheils an Preußen kam. Die Umgegend von S. war der einzige Punkt von Deutschland, welcher im Deutsch-Französischen Kriege von 1870/71 Kampfschauplatz wurde; sie war zugleich der Ort, wo sich die deutschen und französischen Waffen zuerst begegneten.

Bei dem drohenden Ausbruche dieses Krieges Mitte Juli 1870 standen preußischerseits in der Nähe der Saarlinie nur Theile der 16. Division in ihren

Friedensgarnisonen. Da deshalb eine Vertheidigung der Saarlinie von Hause aus nicht beabsichtigt werden konnte, so sollte die etwa 12 Meilen lange, längs und unweit der Saar sich hinziehende Grenze nur beobachtet werden. Während dieses auf dem rechten Flügel und in der Mitte durch die Garnison der Festung Saarlouis und das 9. Husaren-Regiment geschah, war auf dem linken Flügel nach dem wichtigen Eisenbahnknotenpunkt S. das 2. Bataillon des Regiments Nr. 40 von Trier aus vorgeschickt, um hier mit drei Escadrons des Rheinischen Ulanen-Regiments Nr. 7 die Grenze zu bewachen. Schon am Morgen des 19. Juli, also noch v o r der formellen französischen Kriegserklärung, welche an diesem Tage Mittags in Berlin übergeben wurde, kam es zu dem ersten feindlichen Zusammenstoße in diesem Kriege, indem französische reitende Chasseurs die Grenze bei S. überschritten, aber durch die preußischen Ulanen zurückgeworfen wurden. Kleine Vorpostengefechte fanden hier auch an den folgenden Tagen statt, namentlich am 21. Juli, dann am 23. bei den nahe S. liegenden Dörfern Gersweiler und Burbach u. s. w. Bereits am 20. Juli war das aus zwei Divisionen bestehende französische II. Corps (Frossard) aus dem Lager von Chalons nach St. Avold vorgeschoben, und diesem gegenüber war allerdings eine höchst exponirte die Stellung des kleinen Detachements in S. Der ausgezeichnete Vorpostendienst dieses Detachements imponirte indeß den Franzosen und ließ dieselben 14 Tage lang in vollständiger Unkenntniß über die außerordentlich geringe Zahl der ihnen gegenüberstehenden Truppen. Der Monat Juli verging, ohne daß sie die allgemein erwartete Offensivbewegung begannen, ohne daß sie selbst eine größere Recognoscirung unternahmen. Nach beendeter Mobilmachung erhielt das Detachement von S. eine Verstärkung durch die beiden anderen Bataillone des 40. Regiments und eine Batterie. Anfangs August concentrirten sich nun von der I. Deutschen Armee das 7. und 8 Corps östlich von Trier in der Linie Saßheim-Wadern und traten, ebenso wie aus der Gegend von Mainz die II. Armee, ihren Vormarsch nach S. an. Die der letzteren vorgeschobene 5. und 6. Cavaleriedivision, soweit deren Regimenter bereits eingetroffen waren, erreichte am 2. August die Gegend von Homburg (etwa 4 Meilen östlich S.).

An diesem Tage gewann es nochmals den Anschein, als ob die Franzosen jetzt noch mit ihrer so frühzeitig an der Grenze versammelten Armee die schon lang erwartete Offensive ergreifen würden. Da die französischen Corps sich — im Gegensatze zu der deutschen Art der Mobilmachung — an der Grenze formirten und an dieser Wochen lang ruhig stehen blieben, konnte man deutscherseits genügende Aufklärung über ihre Aufstellung gewinnen und wußte, daß sie ihre Hauptkräfte gegen die preußische Saarlinie entwickelten. Denn während nur zwei französische Corps an der Grenze der baierischen Pfalz bildenden Lauter, zwischen Saargemünd und dem Rhein weit vertheilt waren, standen außer dem II. französischen Corps (Frossard) noch das III. (Bazaine) und das IV. (de l'Admirault) schon seit dem 25. Juli der Saarlinie gegenüber zwischen St. Avold und Thionville, das Gardecorps (Bourbaki) dahinter bei Metz, und hier befand sich seit dem 28. Juli auch das Hauptquartier Napoleons. Dieser hatte Ende Juli eine allgemeine Vorwärtsbewegung gegen S. beschlossen, und Marschall Bazaine sollte dieselbe mit 5 Armeecorps ausführen. Da es aber noch überall fehlte, wurde dieser ursprüngliche Plan auf einen Angriff des II. Corps auf S. reducirt.

Terrain-Verhältnisse. Die Saar wendet sich, von Saargemünd in nördlichem Laufe kommend, bei S. in einem großen Bogen in eine zunächst fast westliche Richtung, um an den Dörfern Rockershausen oder Luisenthal (rechts und fast eine Meile unterhalb S.) und Völllingen (rechts und fast 1½ M. unterhalb S.) sowie an der Festung Saarlouis (3 M. nordwestlich S.) vorüber der

Mosel zuzufließen. Ihr Thal ist tief eingeschnitten, und das Terrain steigt, namentlich auf ihrem linken Ufer bei S., sofort steil zu einem vielfach coupirten und großentheils bewaldeten Plateau an. Die einige tausend Schritte unterhalb S. die Saar überschreitende Eisenbahn und eine Chaussee führen in südwestlicher Richtung nach der etwas über 1 Meile entfernten, damals französischen Bahnstation Forbach, erstere in einer tiefen Schlucht, letztere in einem engen Hohlwege aus dem Flußthale die Höhen des Plateaus allmählich ersteigend. Dicht bei S. befindet sich zwischen Eisenbahn und Chaussee der hochgelegene Exercierplatz, östlich davon zunächst S. der Reppertsberg und Nußberg, südlich von diesen beiden der Galgenberg nahe der Forbacher Straße und der Winterberg, östlich gegen die im Saarthale nach Saargemünd führende Straße und das an dieser 3000 Schritt südöstlich S. liegende Dorf St. Arnual abfallend. Dem Galgenberge liegt südwestlich die Folsterhöhe vor, welche sich von der Forbacher Straße bis zur Eisenbahn zieht. Südlich dieser Höhen, etwa 4000 Schritte von S., steigt aus einer Thalsenkung in sehr steilen über 100 Fuß hohen, meist bewaldeten Abhängen das Terrain plötzlich zu dem Plateau von Spichern oder Speichern (Dorf etwa 6000 Schritt südlich S.) an, welches östlich in dem Stiftswalde von Arnual gegen die Saar, westlich in dem Spicherer Walde steil gegen die Straße S.-Forbach abfällt. Dem Spicherer Walde gegenüber an der Eisenbahn erheben sich die bewaldeten Höhen des Dorfes Stiering, und es schließen sich hier die großen zusammenhängenden Waldungen des Forbacher Waldes u. s. w. an. Südlich von Spichern zieht sich eine, das Plateau dominirende zweite Höhe vom Kreuzberge bei Forbach bis zur Saar bei Blittersdorf und hinter dieser Höhe weg die Straße Forbach-Blittersdorf-Saargemünd.

Gefecht am 2. August. Nachdem schon am 1. Aug. die preußischen Patrouillen größere Bewegungen bei den Franzosen beobachtet hatten, wurde am Morgen des 2. Aug. der Abmarsch starker französischer Colonnen gemeldet. Um den Feind zur Entwickelung und zum Zeigen seiner Streitkräfte zu veranlassen, besetzte das auf Vorposten stehende 2. Bataillon des 40. Regiments mit der 5. und 7. Compagnie die Höhen des Exercierplatzes und des Reppertsberges, die 6. als Reserve in S. lassend; die 8. Compagnie war nach Brebach (1 Stunde oberhalb S. am rechten Saarufer, dem Dorfe St. Arnual gegenüber) detachirt. Diesen geringen Kräften gegenüber entwickelte General Frossard auch wirklich sein gesammtes aus drei Divisionen bestehendes II. Corps (39 Bataillone, 16 Escadrons und 15 Batterien), und rückte mit demselben in zwei Treffen zu sehr umfassendem Angriffe vor. Gegen 10½ Uhr Vormittags entspann sich ein zwei Stunden dauerndes Gefecht, in welchem sich die preußischen Compagnien, nachdem sie ihren Zweck erreicht, allmählig durch die Stadt zurückzogen und 1 Meile nordwestlich derselben ein Bivouak bezogen. Zwei französische Batterien (1 12pfündige und 1 Mitrailleusenbatterie) gingen bis auf den Exercierplatz vor, eröffneten von hier aus ihr Feuer gegen die auf dem rechten Saarufer postirten 4 preußischen Geschütze und beschossen nach deren Abzuge St. Johann, den Bahnhof und die zurückgehende preußische Infanterie. — Dieses Gefecht kostete den Franzosen 6 Todte und 67 Verwundete, den Preußen 2 Offiziere und 73 Mann. Die Franzosen besetzten S., gingen aber, weder an diesem, noch an den folgenden Tagen, nicht einmal zu Recognoscirungen, weiter vor, räumten sogar die Stadt bald wieder. Der Zweck ihres mit solchen Kräften unternommenen Vorstoßes erscheint somit vollständig unklar. Kaiser Napoleon giebt als Zweck des Gefechtes an, daß man sich Klarheit über die preußischen Absichten und Stellungen habe verschaffen wollen. Da die Franzosen aber nur einige Compagnien sahen und erst sehr spät erfuhren, wie schwach das „preußische Corps" gewesen, welches ihnen 14 Tage lang gegenüber gestanden hatte, so muß ihr Zweck als nicht erreicht betrachtet werden; sie hatten vielmehr nur ihren Gegner vollkommen über ihre eigene Stärke aufgeklärt. Der detaillirte Bericht des Generals Frossard an den Kaiser über das „siegreiche" Gefecht ist als charakteristisches Schriftstück lesenswerth. Napoleon hatte dieser „Eröffnungsschlacht des Feldzugs auf preußischem Boden" persönlich beigewohnt, an seiner Seite hatte der kaiserliche Prinz die „Feuertaufe" erhalten. In Paris und ganz Frankreich entstand exaltirter Jubel über die erste Siegesnachricht, und erst nach dem später für die Franzosen so unglücklichen Verlaufe des Feldzuges wurde auch von ihnen der „Sieg von S." zum Gegenstande des Spottes gemacht.

Gefecht am 6. August.*) Während die den linken Flügel des gesammten deutschen Heeres bildende III. Armee unter dem Kronprinzen von Preußen bereits am 4. Aug. die französische Grenze überschritt, die Franzosen bei Weißenburg (s. d.) schlug und ihnen am 6. bei Wörth (s. d.) eine totale Niederlage beibrachte, erreichte an diesem Tage auch die II. Armee mit dem den rechten Flügel ihrer vorderen Linie bildenden III. Armeecorps die französische Grenze bei S. Ebenbahn sollte an diesem Tage der rechte Flügel des gesammten deutschen Heeres, die bei Tholey zurückgehaltene I. Armee unter Steinmetz mit ihren 7. und 8. Corps gelangen. Ein Ueberschreiten der Saar lag für den 6. August nicht in der Absicht der deutschen Heeresleitung, da die Concentrirung der II. Armee auf dem rechten Saarufer (in der Linie Neunkirchen-Homburg) noch nicht erfolgt war; es sollten an diesem Tage die Truppentheile des 7., 8. und 9. Corps nur in der Gegend von S. concentrirt werden. Speciell war der auf dem äußersten rechten Flügel vorgehenden 13. Division (v. Glümer) für den 6. August befohlen, nach Püttlingen zu marschiren und ihre Vortruppen bis Völklingen und Rockershausen vorzuschieben. Die links neben ihr marschirende 14. Division (v. Kamete) sollte bis Guichenbach und mit ihren Vortruppen bis Rockershausen und S. vorgehen. Von den hintereinander marschirenden Divisionen des 8. Corps (v. Goeben) sollte die an der Tête befindliche 16. (v. Barnekow) am Morgen des 6. August bis Fischbach (*/4 Meilen nördlich S.) gelangen. Dieser linke Flügel der I. Armee war bereits am 4. Aug. in unmittelbare Verbindung mit dem rechten Flügel der II. Armee, dem 3. Corps (v. Alvensleben) getreten, dessen 5. Division (v. Stülpnagel) am 6. Aug. 1 Meile nördlich S. bivouakirt werden sollte, mit ihrer Avantgarde bis S. vorgehend, wo auch mehrere Regimenter von der der III. Armee vorausgehenden 5. Cavaleriedivision (v. Rheinbaben) bereits eintrafen. Hinter der 5. Division hatte die 6. in Neunkirchen (an der Eisenbahn 2½ Meile nordöstlich S.) Cantonnements zu beziehen. Die Corps-Artillerie rückte in Gegend Ottweiler heran. Links vom 3. Armeecorps war das 4. in dieser Zeit im Marsche von Zweibrücken auf Bitsch, während die übrigen Corps der II. Armee ein bis zwei Tagemärsche zurück in zweiter Linie folgten.

Das in der Nacht vom 5. zum 6. Aug. erfolgte unerwartete Zurückweichen des französischen Corps Frossard, von welchem seit dem 2. Aug. das linke Saarufer bei S. occupirt war, wurde indeß Veranlassung zu weiteren Bewegungen diesseitiger Truppen. Die Meldung von der Räumung der dominirenden und fortifikatorisch zu einer starken Stellung geschaffenen Höhen nächst S., sowie Nachrichten, daß das Corps Frossard's im Begriffe sei, sich unter dem Schutze einer

---

*) Anmerk.: Da das vom preußischen Generalstab herausgegebene offizielle Werk noch nicht soweit erschienen ist, uns mithin zur Zeit noch vollständiges authentisches Material fehlt, so sehen wir uns im Interesse des dauernden Werthes unseres Werkes genöthigt, vorläufig nur eine Skizze zu geben, die wir wesentlich einem im „Militär-Wochenblatt" 1872 No. 19 enthaltenen Aufsatz (Vortrag des Major v. Scherff) und dem Werke von A. Borkstädt, „Der Deutsch-Französische Krieg 1870" (Berlin 1871) entnommen haben und verweisen im Uebrigen auf den Artikel „Deutsch-Französischer Krieg" in den Supplementen.

schwachen Arrièregarde in Forbach auf der Eisenbahn einzuschiffen, bestimmten den General von Kautele, selbstständig den Marsch der 14. Infanterie-Division auf S. fortzusetzen und nicht nur S. und die nächsten Höhen zu besetzen, sondern auch die vermeintliche Arrièregarde sofort anzugreifen. Die 5. Cavaleriedivision, d. h. die zu ihrer Bildung bereits eingetroffenen Husarenregimenter Nr. 11 und 17 und Dragonerregiment Nr. 19, passirte S. nach 11 Uhr Vormittags. Ihre vorgesandten zwei Escadrons erhielten von den Höhen vor Spichern Geschützfeuer und fanden diese Höhen sowie die davor liegende Thalsenkung stark vom Feinde besetzt. Die Avantgarde der 14. Infanteriedivision (Füsilier-Regiment Nr. 39, 1. leichte Batterie und eine Escadron) rückte 11½ Uhr durch S. und begann einen Artilleriekampf vom Exercierplatze aus mit den französischen Batterien auf dem Rothen Berge (der nördlich scharf vorspringenden kahlen Felsenmasse der Spicherer Höhen.) Der Commandeur ließ auch das Gros seiner Division auf den beiden Brücken die Saar überschreiten und ging dann sofort, um 12 Uhr, zum Angriff auf beiden Seiten der Straße nach Forbach vor. Die 27. Brigade (v. François — Regimenter Nr. 39 und 74) hatte den linken, die 28. (v. Woyna — Regimenter Nr. 53 und 77) den rechten Flügel, die 4 Divisionsbatterien bereiteten den Angriff vor, das Husarenregiment Nr. 15 und die Regimenter der 5. Cavaleriedivision blieben in gedeckter Stellung zurück.

I. Moment (12 bis 3 Uhr). Zunächst gingen vom 1. und 2. Bataillon des Füsilier-Regiments Nr. 39 sieben Compagnien vom Winterberge südlich gegen die scharf markirte Schlucht der Spicherer Höhen vor. Die Franzosen entwickelten jedoch anstatt einer schwachen Arrièregarde in der von Natur schon festungsartig gestalteten und noch durch Geschützemplacements und Schützengräben verstärkten Stellung von Spichern und Stiering so bedeutende Kräfte an Artillerie und Infanterie, daß der Vormarsch der 14. Division bald zum Stehen kam. Zwölf zwischen Stiering und der Chaussee placirte französische Geschütze beherrschten das Schlachtfeld. Ein mit 6 Bataillonen gegen die französische linke Flanke bei Stiering unternommener Angriff wurde durch die 1. französische Division (Vergé), zwei Angriffe gegen den rechten französischen Flügel wurden durch die 3. Division (Vavancoupet) zurückgewiesen. Die 2. Division (Bataille) bildete noch ein zweites Treffen. Nur 1 bis 1½ Meilen südlich standen ferner bei Puttelange die 2., bei Beningen die 3., bei Saargemünd die 1. Division des III. Corps, an letzterm Orte auch die Brigade Lapasset des V. Corps. Die 2. Division (Castagny) versuchte mehrmals nach Spichern auf den Kanonendonner los zu marschiren, kehrte aber immer wieder unentschlossen zurück und marschirte so nur nutzlos hin und her. Von der bei Beningen stehenden 3. Division (Metmann) wurden Truppen nach Forbach vorgeschickt, trafen aber erst in der Nacht dort ein. Ueber zwei Stunden lang befand sich so die 14. Division allein im Kampfe gegen drei französische Divisionen und hatte also einen schweren Stand; ihre Truppen waren sämmtlich mit dem Feinde engagirt, keine Reserve mehr zur Verfügung, ihre Lage mußte bedenklich werden. Aber der Kanonendonner hatte die auf verschiedenen Straßen gegen die Saar vormarschirenden preußischen Truppentheile veranlaßt, so schleunigst wie möglich dem Schlachtfelde zuzueilen. So führte der Commandeur der Avantgarde des 3. Armeecorps seine Brigade (Regimenter Nr. 8 und 48), eine Escadron und zwei Batterien links von der 14. Division zunächst auf den Winterberg vor, und Generallieutenant von Alvensleben beorderte, als er in Neunkirchen um 2 Uhr die Meldung von dem Gefechte erhielt, alle noch heranzuschaffenden Truppen des 3. Armeecorps auf das Gefechtsfeld. In Folge dessen erschien nach die 10. Brigade (Regimenter Nr. 12 und 52), sodaß also die ganze 5. Division, dabei das Jägerbataillon Nr. 3, ziemlich zeitig auf dem Gefechtsfelde eintraf, ferner 1 Bataillon der 6. Division und 2 Batterien der Corps-Artillerie. Zwei Regimenter (Nr. 12 und 20) waren mit der Eisenbahn bis St. Johann befördert worden. Selbst zwei Batterien des I. Armeecorps, welche Nachmittags mit der Bahn in Neunkirchen eintrafen, um in ihren Corpsverband zu treten, wurden durch den dort vorgefundenen Befehl des Generals von Alvensleben veranlaßt, sofort bis St. Johann weiterzufahren, wodurch sie noch Abends auf das Gefechtsfeld gelangten. Von der 16. Division traf die Avantgarde (40. Regiment, 3 Escadrons vom 9. Husarenregiment und 2 Batterien) ziemlich gleichzeitig mit den ersten Truppen des III. Corps in S. ein, und griffen die Batterien neben denen der 14. Division, das 40. Regiment am linken Flügel der letzteren, also zwischen ihr und der 5. Division, sofort ins Gefecht ein. Der Rest der 16. Division langte dagegen erst Abends in St. Johann an. Bis 3 Uhr hatten beide Flügel Terrain gewonnen; die vier Batterien waren auf den Galgenberg vorgegangen.

II. Moment (3 bis 6 Uhr). Um 3 Uhr erstieg auf dem linken Flügel das Füsilier-Bataillon des Regiments Nr. 74, etwas später auch die 9. Compagnie des Füsilier-Regiments Nr. 39 den Rothen Berg bis an den vom 10. Chasseur-Bataillon vertheidigten Schützengraben. Während demnach die 14. Division einen erneuerten Frontangriff auszuführen hatte, welcher von den 6 Batterien der 14. und 16. Division von der Folsterhöhe und dem Galgenberge aus und auf dem linken Flügel durch den Angriff des 40. Regiments auf die Felsabhänge der Position von Spichern unterstützt wurde, wollte der Commandeur der 5. Division mit dieser links vom 40. Regimente vom Winterberge her den feindlichen rechten Flügel angreifen. General von Goeben, welcher um 3 Uhr auf dem Schlachtfelde eintraf und das Commando übernahm, gab diesem Angriffe gegen den französischen rechten Flügel eine noch umfassendere Richtung und ordnete einen allgemeinen Angriff auf der ganzen Linie an. Nach sehr heftigen, blutigen Kämpfen wurde unter General von Döring der Stützpunkt des französischen rechten Flügels, der Stiftswald St. Arnual, dem Feinde abgerungen, vom Füsilierbataillon 74. Regiments (der Commandeur der 27. Brigade, General von François, fiel hier) und vom 40. Regimente die Felsenabhänge der Position von Spicheren erklommen und vom letzteren Regimente gegen 5 Uhr auch der dominirende Wald vor Spicheren genommen; ferner wurde der steile unbewaldete Rothe Berg vollends erstürmt, und auf dem rechten Flügel der Wald an der Eisenbahn vor Stiering genommen und behauptet. Die zuletzt eintreffenden Bataillone der 5. Division wurden zur Besetzung des endlich erklommenen Plateaus verwendet. Nach dem Verluste desselben hielten die Franzosen nun die zweite, nördlich von Spicheren gelegene und links in dem bewaldeten Kreuzberge sich bis Forbach ziehende Positionshöhe stark besetzt, und ihre Artillerie hielt von dort aus das Plateau derart unter Feuer, daß der preußische Angriff nicht weiter vordringen konnte (zwischen 6 und 7 Uhr). Gegen 4½ Uhr übergab General von Goeben das Commando an den eben eingetroffenen General von Zastrow, und dieser behielt die Leitung des Gefechtes nun, bis Abends 7 Uhr General von Steinmetz auf dem Schlachtfelde anlam.

III. Moment (6 Uhr bis Abends). Um 6 Uhr gingen auf dem linken Flügel die Batterien der 14. und 16. Infanterie-Division auf Folsterhöhe vor, bald darauf zwei Batterien der 5. Infanterie-Division (3. leichte und 3 schwere) auf den Rothen Berg hinauf und die beiden andern Batterien dieser Division ebenfalls nach Folsterhöhe. Da diese Batterien der 5. Division auf steilem Gebirgspfade das Plateau mit den größten Schwierigkeiten erklommen hatten und von der Lisière des Wäldchens von Spicheren aus trotz erheblichem Verluste durch ihr präcises Feuer die Infanterie sehr wirksam unterstützten, wurden zunächst drei große frontale Offensivstöße der Franzosen abgewiesen, ebenso wie ein vom Kreuzberge

8*

aus unternommenen Vorstoß gegen die den preußischen rechten Flügel bildende 14. Division. Nunmehr wurde preußischerseits eine Offensive gegen die Mitte und den linken Flügel der auf dem Plateau stehenden feindlichen Truppen vorbereitet und, nachdem noch ein letzter französischer Angriff zurückgewiesen war, durch ein Bataillon des 12. Regiments, zwei Bataillone des 8. Regiments, das 52. Regiment, das 3. Jägerbataillon und zwei Batterien der 5. Division mit solchem Erfolg ausgeführt, daß die Franzosen auf Spicheren und Etzling zurückgeworfen wurden und Abends gegen 9 Uhr unter dem Schutze ihrer Artillerie den Rückzug nach Saargemünd antraten. Die 13. Division, welcher General von Zastrow schon Vormittags auf die ersten Meldungen von dem Gefechte hin eine Recognoscirung gegen Forbach befohlen hatte, war über Völklingen auf Groß-Rosseln vorgegangen, die Avantgarde bis Emmersweiler marschirt, hatte von dem Gefechte wegen der zwischenliegenden Berge und Wälder nichts gehört und erst um 5 Uhr Nachricht davon erhalten. Ihre Avantgarde konnte noch kurz vor der Dunkelheit den westlich vor Forbach liegenden Kaninchenberg nehmen und Forbach beschießen. Mit dem Eingreifen der Avantgarde dieser Division stand dem französischen Corps nur der Rückzug auf Saargemünd offen, da seine Rückzugslinie auf St. Avold in hohem Grade gefährdet war. Dasselbe setzte daher unter dem Schutze der Nacht seinen Rückzug auf Saargemünd fort. Die Stadt Forbach räumten die Franzosen am 7. August früh nach leichtem Gefecht und überließen hier der 13. Division eine Masse Vorräthe, Magazine, eine Menge Eisenbahnmaterial, selbst einen Pontontrain als Kriegsbeute.

Die Verluste in dem Gefechte von S. oder Spicheren am 6. August (von den Franzosen auch Schlacht bei Forbach genannt) waren beiderseits sehr bedeutend. Die Preußen verloren 215 Offiziere und 5034 Mann, die sich fast ausschließlich auf 26 Bataillone und 10 Batterien vertheilten. Frossard giebt in seinem Werke den Verlust seines Corps auf 240 Offiziere und fast 4000 Mann an. Allein über 1000 unverwundete Gefangene fielen in die Hände des Siegers. Die wichtigste Folge aber war die moralische Niederlage, welche die französische Armee erlitten hatte. Aus einer festungsartigen, für unangreifbar gehaltenen Stellung war eines ihrer besten Corps, ohne jegliche Unterstützung seitens der dicht dabei stehenden anderen Armeecorps, trotz aller Tapferkeit, trotz Chassepot und Mitrailleuse derartig herausgeworfen worden, daß es nur auf weiten Umwegen, durch einen anstrengenden Nachtmarsch und einen schließlich fluchtähnlichen Rückzug seine Trümmer rettete; die Furcht vor den verfolgenden Preußen griff um sich. Das Zusammentreffen der Nachricht von dieser Niederlage des II. Corps bei S. und der des I. Corps bei Wörth wirkte im französischen Hauptquartier so niederschmetternd, daß der Kaiser seine ganze Armee in forcirten Märschen bis Metz zurücknahm, nachdem er anfangs den Rückzug sogar bis Chalons und seine Abreise nach Paris für nothwendig gehalten hatte. Und dieser Erfolg war bei S. nicht wie bei Wörth durch Umfassen mit bedeutend überlegenen Kräften erreicht, sondern nur durch die unvergleichliche Tapferkeit der preußischen Truppen und ihre nachhaltige Zähigkeit im Ueberwinden aller Hindernisse. An Zahl waren sie während des größten Theils des Gefechtes bedeutend geringer als die Franzosen und wurden ihnen hierin erst am Schlusse dadurch annähernd gewachsen, daß Bazaine mit seinem Corps dem Schlachtfelde ferne blieb, während die preußischen Truppen demselben von allen Seiten zueilten und hier sofort eine einheitliche Verwendung fanden.

Literatur s. am Schlusse des Artikels „Deutsch-Französischer Krieg" in den Supplementen. Von französischen Quellen ist noch besonders zu nennen: Frossard, „Rapport sur les opérations du 2. corps de l'armée du Rhin dans la campagne de 1870". 1. Theil, Paris 1871.

Saarburg, 1) Kreisstadt im Regierungsbezirke Trier der preuß. Rhein-
provinz, an der Saar (mit Brücke) und der Eisenbahn von Saarbrücken nach
Trier, hat 2200 Einwohner; dabei die Ruinen des einst kurtrierischen Schlosses
S., welches 1522 von Franz von Sickingen belagert wurde. 2) (franz. Sarrebourg) Stadt im deutschen Reichslande Elsaß-Lothringen (früher zum franz.
Departement Meurthe gehörig) an der Saar, dem Marne Rhein-Kanal, dem
Saar-Kanal und der Ostbahn (Linie Straßburg-Nancy), hat lebhafte Industrie
und 3200 Einwohner. Die Lage an einem der wichtigsten Vogesenpässe giebt
der Stadt auch eine militärische Bedeutung. Die frühere Festung wurde 1552
von dem Markgrafen Albrecht von Brandenburg zerstört. Im J. 1616 wurde
die Stadt vom Herzog von Lothringen an Frankreich abgetreten, fiel aber durch
den Versailler Frieden vom 26. Februar 1871 (resp. den Frankfurter Frieden
vom 10. Mai 1871) wieder an das Deutsche Reich zurück, nachdem es bereits
am 10. August 1870 von deutschen Truppen besetzt war.

Saardam (Zaardam, richtiger Zaandam), großer Marktflecken in der
niederländischen Provinz Nordholland, an der Mündung der Zaan in das Y
und an der Eisenbahn von Amsterdam nach De Helder, hat großartige Industrie und 13,000 Einwohner. Hier erlernte angeblich Peter d. Gr. als
einfacher Schiffszimmermann unter dem Namen Peter Michailow 1697 den
Schiffsbau. Die einfache Hütte, in der er gewohnt, wird noch jetzt gezeigt,
und enthält eine auf Befehl des Kaisers Alexander I. 1814 eingemauerte Inschrift: „Petro Magno Alexander". In der That aber hielt sich Peter der
Gr. in S. nur 8 Tage auf, wich dem Gedränge neugieriger Zuschauer sehr
bald aus und ging nach Amsterdam, wo er ungestört auf den Werften der
Ostindischen Compagnie arbeiten konnte. Die berühmten Schiffswerfte, welche
S. im 17. Jahrh. hatte, sind jetzt fast gänzlich verschwunden.

Saargemünd (franz. Sarreguemines), Stadt im deutschen Reichslande
Elsaß-Lothringen (früher zum franz. Depart. Mosel gehörig) an der Mündung
der Blies in die Saar und an der Eisenbahn von Hagenau nach Saarbrücken
(die sich bei St. Avold abzweigt), dicht an der preuß. Grenze, 2 M.
südsüdöstlich von Saarbrücken gelegen, hat lebhafte Industrie und (1871) 6877
Einw. S. hieß früher Gemünd (franz. Guemonde), war befestigt durch
Mauern und ein Schloß, welches jetzt zerstört ist, wurde im Deutsch-Französischen Kriege am 7. August 1870 von Truppen der I. Deutschen Armee ohne
Schwertstreich besetzt und kam durch den Versailler Frieden vom 26. Februar
1871 (resp. den Frankfurter Frieden vom 10. Mai 1871) an das Deutsche
Reich. Der hier befindliche Eisenbahn-Viaduct wurde in der Nacht vom
23. zum 24. Juli 1870 durch eine preußische Ulanenpatrouille in die
Luft gesprengt, wodurch die für die Franzosen sehr wichtige, zu Truppenbeför-
derungen vielfach benutzte Eisenbahnverbindung von S. nach Hagenau längs
der damaligen Grenze unterbrochen wurde.

Saarlouis, kleine Festung (zweiten Ranges) und Kreisstadt im Regierungsbezirk Trier der preußischen Rheinprovinz, an der schiffbaren Saar und nahe
der Eisenbahn von Saarbrücken nach Trier, 1 Meile von der früheren französischen Grenze, hat lebhaften Kleinhandel (in der Umgegend sind großartige
industrielle Etablissements) und zählt (einschließlich der über 2000 M. starken
Garnison) 10,273 Einwohner. S. ist der Geburtsort des Marschalls Ney.
Die Stadt wurde von Ludwig XIV. gegründet und 1680 von Vauban zur
Deckung Lothringens befestigt, verblieb nach dem Reunionskriege im Ryswiker
Frieden 1697 bei Frankreich, wurde im Spanischen Erbfolgekriege 1705 von Marlborough vergeblich belagert, während der französischen Revolution Sarrelibre
genannt, vom 14. Januar bis zum 23. April 1814 von den Preußen zeitweise
nur beobachtet, zeitweise blokirt und beschossen und nach Beendigung der Feind-

festigkeiten von der französischen Besatzung übergeben. Im zweiten Pariser Frieden (s. d. 2) vom 20. Nov. 1815 mußte Frankreich die Festung S. nebst drei andern Festungen (Philippeville und Marienburg an Holland, Landau an Baiern an die verbündeten Mächte abtreten, welche bereits unterm 9. Nov. diesen Platz nebst den beiden Saar-Ufern bis oberhalb Saarbrücken Preußen zugetheilt hatten. — Die Saar windet sich in ihrem Laufe der Art um S. herum, daß dieses auf einer Halbinsel liegt. Die Stadt ist von einem regulären bastlonirten Sechseck nach Vaubans erster Manier umgeben. Dem Hauptwalle zunächst liegen, zum Theil bombenfeste, Kasernen. Nahe dem Punkte, wo die Saar die Stadt verläßt, befindet sich eine steinerne Brücke, welche zugleich als Stauschleuse dient, und vorwärts derselben ein als Brückenkopf dienendes Hornwerk. Durch Anstauung der Saar werden nicht allein die Festungsgräben mit Wasser gefüllt, sondern auch das nächste Vorterrain nördlich, östlich und südöstlich der Stadt inundirt. Diejenigen Fronten, welche die Landseite der erwähnten Halbinsel verbinden, — nach Südwesten zu — werden von dieser Inundation nicht berührt, können indeß ebenfalls durch Anstauung einiger kleineren Wasserläufe angesumpft werden. Diese Fronten repräsentiren um so mehr die natürliche Angriffsseite, als dominirende Höhen bis auf 2000 Meter an dieselben herantreten, während im Uebrigen das Umterrain eben ist. Dieselben waren deshalb schon in französischer Zeit stärker befestigt worden (Cavaliere, permanente Abschnitte, Lünetten am Fuß des Glacis). Da, wo die Saar ihre großartige Krümmung beginnt, liegt ein vorgeschobenes Werk, ebenso vorwärts des erwähnten Brückenkopfes. Letzteres schützt in gewissem Grade den eine halbe Stunde von der Stadt entlegenen Bahnhof. S. ist in preußischer Zeit mit einer größeren Anzahl kasemattirter Räume versehen worden (Redulis, Kasernen, Lazareth). Vor der Erwerbung von Metz deutscherseits hatte es insofern eine Bedeutung, als es die einzige, über die Rheinlinie nach der bedrohten Grenze zu vorgeschobene preußische Festung war, Stadt und nächste Umgebung die französische Abstammung auch bis in die neueste Zeit nicht verläugneten. Dies war augenscheinlich der Beweggrund, weshalb die an sich unbedeutende, dem gezogenen Geschütz gegenüber ungünstig situirte Festung nicht nur nicht aufgegeben, sondern noch mannichfach verstärkt wurde. Ihre Bedeutung mußte durch die Schleifung von Luxemburg (1867) noch gewinnen. Bei dem Ausbruch des Krieges 1870/71 wurde S. vollständig armirt; das 70. Linien-Regiment war in der ersten Periode desselben dort als Festungsbesatzung zurückgeblieben; zu einer Beschießung der Festung französischerseits kam es indessen bei der bekannten Energielosigkeit der französischen Führung nicht. Während der Cernirung von Metz hat S. als rückwärtiger Depot-Platz, namentlich auch in Bezug auf Aufnahme von Verwundeten und Kranken, manche Dienste geleistet. Für die Zukunft dürfte seine Bedeutung wesentlich verringert sein, um so mehr, als eine Erweiterung in zeitgemäßem Sinne zu bedeutender räumlicher Ausdehnung nöthigen würde.

Saaz (böhm. Zatec), Hauptstadt des gleichnamigen Kreises im nordwestlichen Theile des Königreichs Böhmen, an der Eger (mit Kettenbrücke) und an der Eisenbahn von Kommotau nach Buschtierhrad (und Prag), hat eine sehenswerthe Wasserkunst und 7700 Einwohner. S. wurde im 8. Jahrh. gegründet und im Hussitenkriege 1419 von den Deutschen unter dem Grafen Reuß von Plauen belagert und vergeblich gestürmt.

Säbel nennt man diejenige Hiebwaffe (s. Bd. V., S. 9), deren Klinge einen gewissen Grad von Krümmung besitzt und deren etwaige gleichzeitige Befähigung zum Stich damit im Zusammenhang steht. Die stärker gekrümmten, fast nur zum Hieb geeigneten S. sind namentlich im Orient gebräuchlich; in den europäischen Heeren kommen sie jetzt nicht mehr vor, sondern es wird der Klinge ein nur geringer Grad der Krümmung verliehen. Die Spitze der Klinge ist auf beiden Seiten geschliffen, diese selbst in der Regel mit einer Hohlbahn versehen. Das Gefäß hat häufig einen Korb; die Scheide ist von Metall oder Leder. Man findet den S. meistens als Waffe der berittenen Truppen, mit einer Totallänge von ca. 1 Meter; er heißt dann Cavaleriesäbel. So führt alle Cavalerie, mit Ausnahme der Kürassiere (s. Pallasch), den Cavaleriesäbel, desgleichen die reitende, sowie Unteroffiziere und Fahrer der Fußartillerie, mitunter selbst die Bedienung letzterer; außerdem die berittenen Trainsoldaten. In geringerer Länge kommt der S. als Seitengewehr der Infanterie vor, in neuester Zeit wohl seltener, da er durch Faschinenmesser und Haubajonette verdrängt ist. Sehr häufig führen ihn auch die Offiziere, selbst der Infanterie.

Säbelbajonett oder Haubajonett wird das zum Aufstecken auf die Handfeuerwaffe bestimmte Seitengewehr genannt, welches zu dem Zweck am Griffe eine Feder und am Bügel einen Ring zu haben pflegt. Die Breite der Klinge liegt beim Anschlag gewöhnlich horizontal, mit dem Rücken dem Laufe zugekehrt. Damit die Spitze der Klinge aus der Schuß-Richtung wirkt, aber gleichzeitig jener eine Krümmung verliehen werden kann, läßt man auch die Klinge nahe dem Punkte, wo sie aus dem Gefäß tritt, nach der Seite der Schneide hin convex vorspringen, wodurch die Form des Jatagans entsteht, welche z. B. in Frankreich angewandt wird. Andernfalls ist man zur Anwendung einer geraden Klinge genöthigt. — Das S. kann sowohl als Bajonett, wie als Seitengewehr benutzt werden und als letzteres gleichzeitig zu kleinen Wirthschafts-Zwecken (z. B. Holzkleinen im Bivouac rc.) dienen. Es vereinfacht somit die Ausrüstung des Infanteristen, und hat in den meisten Armeen das Stichbajonett, welches sich viel weniger als Seitengewehr eignet, verdrängt. Frankreich, Oesterreich, England, Baiern haben bei ihren neuen Gewehren nur das S., dasselbe wird beim künftigen deutschen Gewehr der Fall sein. Das englische S. (von Lord Elcho) ist auf einem Drittel des Rückens gezahnt. Unter den jetzt noch in Preußen und den übrigen deutschen Staaten (exkl. Baiern) im Gebrauch befindlichen Zündnadelgewehren hat nur das eigentliche Infanterie-Gewehr (M/41 und M/62) das Stichbajonett. Rußland und die Schweiz halten noch durchweg an letzterem fest. — Das S. wird nur zur Attake und in den Carré-Formationen aufgepflanzt, im übrigen in der Scheide getragen. Es ist in der Regel bedeutend schwerer als das Stichbajonett, beim Schießen mit aufgepflanztem Seitengewehr daher weniger vortheilhaft als jenes. Vgl. Bajonett, Bd. I, S. 358 ff.

Sabine Croß-Road, Kreuzweg in der Nähe der Stadt Mansfield in Louisiana; Gefecht daselbst am 8. April 1864. Die unirte Louisiana-Armee, ungefähr 30,000 Mann stark, war am 6. April 1864 von Natchitoches aufgebrochen, um nach Shreveport zu marschiren. Am 7. April traf die Avantgarde, welche von dem nachfolgenden Gros durch eine große Intervalle getrennt war, auf die 2500 Mann starke conföderirte Cavalerie unter General Green, die sie mit Unterstützung der Brigaden Robinson und Lucas eine Strecke weit zurücktrieb. Am 8. April noch durch die Brigaden Emerson und Ransom verstärkt, vermochten die Unirten den Widerstand des Feindes, bei dem inzwischen Infanterie- und Artillerie-Massen eingetroffen waren, nicht mehr zu brechen. Am oben genannten Kreuzwege kam das Gefecht gegen Mittag zum Stehen, und gingen die Conföderirten um 2 Uhr Nachmittags zur Offensive über; die Avantgarde der Unirten, nach und nach auf 8000 Mann verstärkt, verlor eine bedeutende Menge an Todten und Verwundeten und büßte 14 Geschütze ein. Mit dem Eintreffen der Division Emory gelang es, sich zu halten und bei Einbruch der

Dunkelheit das Gefecht abzubrechen. Die Verluste betrugen 1500 auf Seite der Unirten und waren namentlich bei der Artillerie sehr stark. Die Conföderirten, 15,000 Mann stark und vom General Kirby Smith befehligt, hatten geringere Verluste. In der Nacht zog Banks nach Pleasant-Hill ab.

Sachalin, 1) (Sachalin-Ula), der chinesische Name des Amurstromes (s. d.). 2) (Karafto, Krafto), große, von Nord nach Süd langgestreckte Insel an dem nördlichen Theile der Ostküste von Asien (zwischen 45° 54' und 54° 21' nördl. Br.), die nördlichste Insel der japanischen Inselgruppe, im Osten vom Stillen Ocean (resp. dem Ochozkischen Meere) bespült, im Westen durch die enge und seichte Mamlastraße und die Tatarische Meerenge vom asiatischen Continent getrennt, hat einen Flächenraum von 2240 O. M. Die Insel ist größtentheils gebirgig, die Küste meist steil und felsig; nur gegenüber dem Amur-Liman und an andern Theilen der Westküste befinden sich Dünen. An der Ostküste liegt die Mordwinobai und nördlich davon, von einer hervorragenden Halbinsel geschützt, die Geduldbai; die kleinen Baien an der Westküste sind für Häfen nicht geeignet. Das Klima ist keineswegs maritim, sondern streng continental, nur im Süden etwas gemäßigter; der Boden ist im Süden ziemlich fruchtbar; im Südwesten finden sich schöne Nadelholzwaldungen. Die Bewohner sind im Norden Giljaken (Fischernomaden in kleinen Dörfern), in der Mitte Oroken oder Orotskos (ein Tungusenstamm, welcher Pelzhandel treibt), im Süden Ainos (ein eigenthümlicher ostasiatischer Stamm). Längs der Küste unterhalten die Russen und Japanesen mehre Handels-Stationen. Zu Anfang des 18. Jahrhunderts bemächtigten sich die Chinesen, von Norden kommend, des nördlichen Theils der Insel und machten ihn tributpflichtig, während die Japanesen im südlichen Theile ihre Herrschaft geltend machten. Nachdem die Russen 1854 das Amurland (s. d.) erworben hatten, nahmen sie 1857 auch den nördlichen Theil der Insel S. in Besitz; der 49. Grad n. Br. wurde zur Grenze bestimmt, südlich deren das Gebiet japanisch blieb. In neuerer Zeit beanspruchten die Russen jedoch die Herrschaft über die ganze Insel und besetzten demgemäß im Sommer 1871 auch den südlichen Theil derselben. Der Besitz von S. ist für die Russen deshalb höchst wichtig, weil die Insel die Küsten der Mandschurei und die Mündung des Amurstromes beherrscht; die Besetzung der Insel erklärt sich und findet ihre Rechtfertigung in der militärischen Unentbehrlichkeit derselben, insofern die Russen ihre Herrschaft an der Ostküste Asiens behaupten, resp. noch weiter ausdehnen wollen.

Sachsen (lat. Saxones)*), ein altgermanischer Volksstamm in Niederdeutschland, welcher zuerst von Ptolemäus im 2. Jahrh. n. Chr. als im Süden der Cimbrischen Halbinsel, zwischen Eider, Elbe (die sie von den Chausen trennte) und Trave wohnend, erwähnt wird. Im 3. Jahrh. erscheinen die S. als ein über das nordwestliche Deutschland vom Niederrhein bis zur Trave ausgebreiteter Völkerbund, in welchem die Cherusker, Angrivarier und der größte Theil der Chausen (mit Ausnahme der die Küste zwischen der Ems- und Wesermündung bewohnenden, welche sich den Friesen angeschlossen hatten) aufgegangen waren. Seit Ende des 3. Jahrh. machten sie sich mit ihren leichten Fahrzeugen in der Nordsee, an den gallischen und britannischen Küsten als Seeräuber furchtbar, namentlich 287, wo der vom Kaiser Maximianus gegen sie zu Felde gesandte Menapier Carausius sich mit ihnen verband und sich mit ihrer Hilfe der Herrschaft in Britannien bemächtigte. Im 5. Jahrh. hatten sich die S. als römische Bundesverwandte auf der Nordseite von Armorica,

---

*) **Anmerkung:** Sachsen bedeutet weder die Sassen, d. i. die Seßhaften, Ansässigen (im Gegensatz zu den Frenken und Sueven, den angeblich Umherschweifenden), noch (von dem lat. saxum abgeleitet) die Steinernen, Felsenfesten (wegen ihrer Festigkeit im Kampfe), sondern ist abzuleiten von dem altdeutschen Sahs (d. i. Messer, kurzes Schwert, eigentlich Steinwaffe), der von ihnen geführten Waffe.

der heutigen Normandie (daher Litus Saxonicum genannt), festigesetzt, fochten 451 mit auf den Catalaunischen Feldern gegen Attila (s. d., Bd. I., S. 271), ließen sich auch später an der Mündung der Loire nieder, verschwanden aber unter der Herrschaft der Franken sowohl hier, wie in der Normandie. Dagegen ging, als die Römer in der Mitte des 5. Jahrh. Britannien verließen, der nordalbingisch-sächsische Stamm der Angelsachsen (s. d.) dorthin und begründete daselbst für lange Zeit die sächsische Herrschaft. Die in Deutschland gebliebenen S., zum Unterschied von den letztern die Altsachsen genannt, erweiterten hier ihr Gebiet immer mehr, zerstörten im Bunde mit den Franken 531 das Reich der Thüringer und breiteten sich südlich bis an die Unstrut aus, kamen aber hier bald mit den Franken in Kampf. Gegen Ende des 8. Jahrh. traten sie, besonders unter Wittekind (s. d.), als erbitterte Feinde der Franken auf, von denen sie erst unter Karl d. Gr. (s. Karl 2) nach langen Kämpfen 803 unterworfen und zur Annahme des Christenthums gezwungen wurden, jedoch ihre eigenen Rechtsverhältnisse behielten. Zu jener Zeit zerfielen die S. in Westfalen, Engern, Ostfalen und Nordalbinger. Unter Kaiser Ludwig dem Deutschen erhielt Graf Ludolf (wahrscheinlich ein Abkömmling Wittekind's) um 850 die Herzogswürde, und so entstand das alte nationale Herzogthum Sachsen. Ludolf's Enkel, Heinrich (s. d. 1) wurde als Heinrich I. im J. 916 Deutscher Kaiser. Mit ihm beginnt die Reihe der Kaiser aus dem Sächsischen Stamme (Heinrich I. 919—936; Otto I., der Große, 936—966; Otto II. 966—983; Otto III. 983—1002; Heinrich II., der Heilige, 1002—1024). Auf die Sächsischen Kaiser folgten die Salier oder Fränkischen Kaiser (s. d.). Unter der Herrschaft der Sächsischen Kaiser behielt Heinrich I. das Herzogthum S. für sich; sein Sohn Otto I. übertrug es dagegen dem tapfern Hermann Billung, bei dessen Stamme es bis 1106 verblieb. Nach dem Erlöschen des sächsischen Kaiserstammes waren die sächsischen Herzöge die hartnäckigsten Feinde der Schwäbischen und Fränkischen Kaiser. Als der Billungsche Herzogstamm 1106 mit Magnus ausgestorben war, folgte Graf Lothar (s. d. 2) von Supplinburg, welcher 1125 als Lothar II. auch Deutscher Kaiser wurde und 1127 das Herzogthum S. seinem Schwiegersohne, dem welfischen Herzog in Baiern, Heinrich dem Stolzen, gab. Kaiser Konrad III. (der erste Schwäbische Kaiser) setzte 1138 Heinrich den Stolzen ab und gab das Herzogthum S. dem askanischen Grafen Albrecht dem Bären. Auf diese Weise kam der askanische Rautenkranz (s. d.) in das sächsische Wappen. Albrecht dem Bären wurde jedoch das Herzogthum 1139 wieder entzogen und dem Herzog Heinrich dem Löwen (dem Sohne Heinrich's des Stolzen) verliehen, welcher S. und Baiern vereinigte, und das erstere durch Siege über die Slawen nach Norden und Osten erweiterte. Als Heinrich der Löwe 1180 durch Kaiser Friedrich I. geächtet und gestürzt ward, wurde auch das alte Herzogthum S. aufgelöst. Aus den sächsischen Erbgütern Heinrich's entstand 1235 das Herzogthum Braunschweig; das sächsische Reichsgut in Westfalen fiel als Herzogthum Westfalen an das Erzbisthum Köln, die sächsische Pfalzgrafschaft in Thüringen an den Landgrafen Ludwig von Thüringen, die sächsische Herzogswürde an den Grafen Bernhard von Askanien (ein Sohn Albrecht's des Bären), welcher von seinem Vater Wittenberg erhalten hatte und später auch noch Lauenburg erwarb. Bernhard's Enkel (die Söhne seines Sohnes Albrecht I. Sohn S., Johann und Albrecht, theilten 1260; Ersterer nahm Sachsen-Lauenburg, Letzterer Sachsen-Wittenberg, auf welches 1356 durch die Prager Bulle die Kur Sachsen begründet wurde. Als 1422 das Haus Askanien in Sachsen-Wittenberg mit Albrecht III. ausstarb, erhielt der Markgraf Friedrich (s. d. 5) der Streitbare von Meißen aus dem Hause Wettin am 6. Januar 1423 die sächsische Kurwürde und den Kurkreis (Wittenberg), und der Name Sachsen ging allmählich auf die wettinischen Länder (Meißen, Osterland und Thüringen), also auf ganz andere Gegenden über, als diejenigen waren, welche diesen Namen ehemals geführt hatten. Mit der Kurwürde ging nun auch der ursprünglich askanische Rautenkranz auf die wettinischen Länder über.

Sachsen, Herzogthum, 1) das alte nationale Herzogthum S., s. Sachsen S. 121; 2) die durch den Wiener Tractat vom 18. Mai 1815 vom Königreich Sachsen an Preußen abgetretenen Landestheile (367,6 Q. M. mit 841,000 Einw.), wovon Preußen den größten Theil des Neustädter Kreises an Weimar abtrat, den östlichen und nordöstlichen Theil zu den Provinzen Schlesien und Brandenburg, den größten (westlichen) Theil zu der Provinz Sachsen (Regierungsbezirke Merseburg und Erfurt) schlug.

Sachsen, Königreich, ein zum Deutschen Reiche gehöriges Königreich, nach Rang und Volkszahl der dritte, dem Flächenraume nach aber der fünfte der Bundesstaaten, im mittleren Deutschland gelegen, bildet ein ziemlich gut arrondirtes Ganzes, grenzt im Norden au die preußischen Provinzen Sachsen und Schlesien, im Nordosten und Osten an die preuß. Provinz Schlesien, im Süden (resp. Südosten) an Böhmen, im Westen an Baiern, Reuß, Sachsen-Weimar, Sachsen-Altenburg und die preuß. Provinz Sachsen und umfaßt (einschließlich der Schönburgischen Receß-Herrschaften) einen Flächenraum von 271,83 Q. M. mit (1867) 2,423,586 Einwohnern. Das Land ist zu zwei Fünftheilen Gebirge, zu zwei Fünftheilen Hügelland, zu einem Fünftheil Ebene. Hauptgebirge sind das Erzgebirge (im westlichen Süden, mit dem höchsten Gipfel des Landes, dem Fichtelberg, 3720 Fuß), das Schandauer Sandgebirge oder die Sächsische Schweiz (im mittlern Süden, zu beiden Seiten der Elbe) und das Lausitzer Gebirge (im östlichen Süden); der nordwestliche Theil ist vollständig eben. Der Hauptfluß ist die schiffbare, aus Böhmen kommende Elbe, welche das Land in nordwestlicher Richtung durchströmt, mit ihren (aber nicht in S. mündenden) Nebenflüssen Mulde (Freiberger und Zwickauer Mulde, die sich oberhalb Grimma vereinigen), Spree, Schwarze und Weiße Elster und Pleiße. Das Klima ist im Allgemeinen gemäßigt und gesund, nur im höhern Erzgebirge ziemlich rauh. Der Boden ist großentheils fruchtbar und trefflich angebaut; von der gesammten Bodenfläche kommen nur 2,39 Proc. auf unbebautes Land; dagegen 50,91 Proc. auf Ackerboden, 11,28 Proc. auf Wiesen, 30,95 Proc. auf Waldungen, 2,85 Proc. auf Gärten, 2,10 Proc. auf Weiden, 0,13 auf Weinberge xc. Rege Betriebsamkeit und langjährige rationelle Cultur haben den Boden zur größtmöglichen Ergiebigkeit gebracht. Die auf einer sehr hohen Stufe stehende Landwirthschaft, welche in Verbindung mit der Viehzucht einen immer mehr industriellen Charakter annimmt, producirt alle Arten von Feldfrüchten der gemäßigten Zone; der sehr verbreitete Obstbau liefert einen ansehnlichen Ausfuhrartikel; Wein wird au der Elbe gebaut. Rindviehzucht ist besonders im Voigtlande; die Schafzucht genießt eines ausgezeichneten Rufes. Die Forstcultur und das Jagdwesen werden ebenfalls sehr rationell betrieben. Bei dem großen Mineralreichthume (Silber, Kupfer, Blei, Eisen, Zinn, Stein- und Braunkohlen) des Landes steht der Bergbau und das Hüttenwesen in hoher Blüthe; beide sind mustergiltig. Salz fehlt jedoch gänzlich. Die Industrie S.'s ist sehr bedeutend und wichtig, und fast alle Zweige derselben stehen auf einer hohen Stufe der Vervollkommnung; ziemlich 60 Proc. der Gesammtbevölkerung hat industrielle Beschäftigung, obgleich die städtische Bevölkerung nur 38 Procent, die ländliche dagegen 62 Procent beträgt. Die Erzeugnisse der Industrie zeichnen sich durch große Mannichfaltigkeit und fast durchgehends durch Solidität aus. Die wichtigsten Zweige sind: Baumwollenzeug-, Strumpf-, Leinwand-, Damast-, Seiden-, Tuch- und Wollenzeugweberei, Stickerei, Spitzenklöppelei, Baumwollen- und Wollenspinnerei, Maschinenfabriken, Eisengießerei, Bearbeitung der Producte des Bergbaues, Porzellan- und Fayence-Manufactur, Kattundruckerei, Tabaksfabriken, Strohflechterei, Papierfabrikation,

Fabrikation musikalischer Instrumente, Buchdruckerei und Nebengewerbe. Der Handel entspricht dem regen Industriebetrieb, ist ebenso bedeutend als ausgebreitet und wird durch ein trefflich organisirtes Eisenbahnnetz gefördert. Hauptsitz und Mittelpunkt desselben ist Leipzig mit seinen drei Weltmessen. Die wichtigsten Eisenbahnen sind: Leipzig-Dresden (zwei Parallellinien; die eine über Riesa, die andere über Döbeln), Leipzig-Reichenbach-Eger (resp. -Hof), Gößnitz-Chemnitz, Werdau-Zwickau-Schwarzenberg, Zwickau-Chemnitz-Riesa, Dresden-Freiberg-Chemnitz, Dresden-Bodenbach (Sächsisch-Böhmische), Dresden-Görlitz (Sächsisch-Schlesische), fast sämmtlich mit zahlreichen Zweig- und Nebenbahnen; mit Ausnahme der beiden Linien Leipzig-Dresden sind alle diese genannten Bahnen Staatseigenthum (resp. im Betrieb des Staats). Außerdem schließen sich noch in Leipzig die Magdeburg-Leipziger und die Thüringer Bahn (Zweigbahnen Leipzig-Corbetha und Leipzig-Zeitz), sowie in Leipzig, resp. Riesa, die Berlin-Anhalter Bahn an. Unter den zahlreichen in Bau begriffenen Bahnen ist die wichtigste die an die Linie Leipzig-Reichenbach sich in Kieritzsch anschließende Bahn nach Chemnitz (sogenannte directe Leipzig-Chemnitzer Bahn).

Der administrativen Eintheilung nach zerfällt S. in die vier Regierungs- oder Kreisdirectionsbezirke (die Bevölkerung nach der Volkszählung vom 3. Dec. 1867 angegeben): Dresden mit 78,78 Q.-M. und 638,916 Einw. (8110 auf 1 Q.-M.); Leipzig mit 63,14 Q.-M. und 553,583 Einw. (8768 auf 1 Q.-M.); Zwickau mit 84,23 Q.-M. und 908,525 Einw. (10,786 auf 1 Q.-M.); Bautzen (Oberlausitz) mit 45,68 Q.-M. und 322,562 Einw. (7061 auf 1 Q.-M.), insgesammt also 271,83 Q.-M. mit 2,423,686 Einw. (8916 auf 1 Q.-M., also die größte Volksdichtigkeit im Deutschen Reiche). Die Regierungsbezirke werden in Amtshauptmannschaften, diese in Gerichtsämter eingetheilt. Die größten Städte (nach der Volkszählung vom 1 Dec. 1871) sind: Dresden 177,095 Einw., Leipzig 107,675 Einw., Chemnitz 68,150 Einw. Hauptstadt des Landes, Residenz des Königs, Sitz der Centralbehörden und des Landtages ist Dresden. Die Bevölkerung besteht der Abstammung nach weit überwiegend aus Deutschen und zwar im Süden und Südwesten des Landes fast rein deutsch, in den übrigen Theilen aus einer Mischung von deutschen und slawischen Stämmen hervorgegangen, im Westen (Oberlausitz) befinden sich noch ungefähr 50,000 Slawen (Wenden), die auch noch ihre Sprache behalten haben, sowie über das Land zerstreut über 2000 Israeliten. Dem religiösen Bekenntniß nach ist S. ein protestantischer Staat. Die Bevölkerung vertheilt sich in dieser Hinsicht folgendermaßen: Lutheraner 2,361,801 Seelen (97,47 Proc.), Römische Katholiken 51,478 Seelen (2,12 Proc.), Reformirte 5666 Seelen (0,23 Proc.), andere christliche Confessionen 2578 Seelen (0,10 Proc.), Juden 2103 Seelen (0,08 Proc.).

Hinsichtlich der Verfassungsverhältnisse ist S. nach der Verfassungsurkunde vom 4. Sept. 1831 eine constitutionelle untheilbare Erbmonarchie mit zwei Kammern (deren zweite bis 1868 eine Ständevertretung war, seitdem aber eine Repräsentativversammlung ist). Die Krone ist erblich im Mannesstamme der Albertinischen (jüngeren) Linie des Hauses Sachsen (Wettin) nach dem Rechte der Erstgeburt und agnatischer Linealfolge aus ebenbürtiger Ehe. Der König ist souverän (mit Ausnahme der durch die Verfassungsurkunde des Norddeutschen Bundes (s. d.), resp. des Deutschen Reiches an die Präsidialmacht und den Kaiser abgetretenen Hoheitsrechte, insbesondere der Kriegsherrlichkeit und des Rechtes über Krieg und Frieden) und wird mit dem 18. Jahre mündig. König ist seit dem 9. August 1854: Johann, geb. 12. Dec. 1801. Die Geschwister, Kinder und Enkel des Königs führen das Prädicat „Königliche Hoheit"; die volljährigen Prinzen und Prinzessinnen sind Herzoge und Herzoginnen zu Sachsen. Alle Glieder des königlichen Hauses bekennen sich zur Römisch-Katholischen Kirche. An der Spitze der Verwaltung des Staates stehen sechs Ministerien (Justiz; Finanzen; Inneres; Krieg; Cultus und öffentlicher Unterricht; Auswärtiges), deren Vorstände das Gesammt-Ministerium als oberste collegialische Staatsbehörde bilden. Der Cultusminister muß stets evangelischer Religion sein, und, solange der König einen andern Glauben bekennt, wird die landesherrliche Kirchengewalt über die evangelischen Glaubensgenossen nach dem seit 1697 geltenden Grundsatze von dem Cultusminister und wenigstens zwei andern dem evangelischen Bekenntnisse angehörenden („in evangelicis beauf- tragten") Mitgliedern des Gesammtministeriums ausgeübt. Die vier Appella- tionsgerichte sind in Dresden, Leipzig, Zwickau und Bautzen; das Ober- Appellationsgericht in Dresden. Die Strafproceßordnung beruht auf Oeffent- lichkeit, Mündlichkeit und Anklageproceß; über Verbrechen entscheiden in Bezug auf die Thatfrage Geschworene, resp. Schöffen. Für den Unterricht im All- gemeinen, für Pflege der Wissenschaften und Künste insbesondere, ist in S. in ausgezeichneter Weise Sorge getragen. Kein Kirchspiel im Lande ist ohne Schule; kein Kind im Lande wächst auf, ohne mindestens Elementar-Unterricht zu genießen. An höheren Unterrichtsanstalten besitzt S. eine Universität zu Leipzig (Wintersemester 1871/72 2204 Studenten, nächst Berlin die höchste Frequenz im Deutschen Reiche), die Bergakademie zu Freiberg, die Forstakademie zu Tharand und die Polytechnische Schule zu Dresden: außerdem 12 Gym- nasien, zahlreiche Real- und höhere Bürgerschulen. Ueber Militärbildungs- anstalten s. weiter unten.

Als Bundesstaat des Deutschen Reiches führt S. im Bundesrathe 4 Stimmen und wählt 23 Abgeordnete in den Deutschen Reichstag. Im früheren Deutschen Bunde bildete S. die 4. Curie, besaß im Plenum 4 Stim- men und stellte sein Contingent von 22,980 Mann (17,344 M. Infanterie, 2750 M. Cavalerie, 1686 M. Artillerie, 220 M. Pioniere und Genie) als 1. Division zum IX. Bundes-Armeecorps. Die Armee ergänzte sich durch Conscription mit Stellvertretung; die Dienstzeit dauerte 8 Jahre, und zwar 6 Jahre in der activen Armee, 2 Jahr in der Kriegsreserve. Die Effectiv- stärke der Armee auf dem Kriegsfuße betrug an Commandos und Stäben 15 Offiziere; 4 Brigaden Linien-Infanterie à 4 Bataillonen, zusammen 15,748 M.; 1 Jägerbrigade à 4 Bataillonen, zusammen 4005 M.; 2 Brigaden Rei- terei à 2 Regimentern, zusammen 3208 M.; Artillerie mit Pionier- und Ponton- nier-Abtheilung 2420 M., in Summa 25,396 Mann Combattanten exclusive der Kriegsreserve und 1232 Nicht-Combattanten.

Jetzt stellt das Königreich S. zum Heere des Deutschen Reiches aus- schließlich das XII. Armeecorps. Auf dem Friedensfuße: a) Infanterie: 9 Regimenter Infanterie (2 Grenadier-Regimenter Nr. 100 und 101, 6 Linien- Infanterie-Regimenter Nr. 102—107, Schützen- (Füsilier-) Regiment Nr. 108) und 2 Jäger-Bataillone Nr. 12 und 13, insgesammt 16,142 M. Infanterie; b) Cavalerie: 1 Garde-Reiter-Regiment, 3 Reiter-Regimenter, 2 Ulanen-Re- gimenter Nr. 17 und 18, insgesammt 6 Regimenter Cavalerie, 4434 M.; c) Artillerie: 1 Feld-Artillerie-Regiment Nr. 12 (aus 1 reitenden Abtheilung à 2 reitende Batterien, 2 Fußabtheilungen à 4, 2 desgl. à 3 Fußbatterien [7 leichte, 7 schwere] bestehend), ferner 1 Festungs-Artillerie-Regiment Nr. 12, welches 1 Abtheilung von 6 Compagnien umfaßt; insgesammt 2542 M. (incl. Werk- stätten ꝛc.); d) 1 Pionier-Bataillon Nr. 12, mit 521 M.; e) 1 Train-Bataillon Nr. 12, mit 247 M.; f) Landwehrbehörden, Nichtregimentierte Offiziere, Aerzte, Auditeure, mit 353 M.; g) Höhere Stäbe, 34 Offiziere. Gesammtstärke incl. aller Offiziere 24,273 Köpfe. Die Effectivstärke des mobilen Armeecorps be- trägt 43,154 M. Die Formation desselben ist ähnlich wie in Preußen (s. d.), ebenso die der Ersatztruppen. S. stellt an Besatzungstruppen 17 Land- wehr-Infanterie-Bataillone, 2 Jäger-Compagnien, 2 Cavalerie-Regimenter, 3 Reserve-Fußbatterien, 8 Festungs-Artillerie-Compagnien. Gesammtstärke:

81,060 Mann, 16,032 Pferde, 132 Geschütze, 1498 Fuhrwerke. Das Wehrsystem S.'s beruht vollständig auf dem des Deutschen Reiches, entsprechend dem des früheren Norddeutschen Bundes (s. d. Bd. VI., S. 277 s. [Verfassung, Abschnitt XI] und S. 280 ff., Gesetz, betr. die Verpflichtung zum Kriegsdienste vom 9. Nov. 1867) und schließt sich in Bezug auf Organisation rc. vollständig den preußischen Verhältnissen an (s. Preußen, Bd. VII., S. 195 f.). Die Uniform ist bei der Linien-Infanterie der preußischen ziemlich conform: blaue Waffenröcke mit rothen Kragen und rothen Aufschlägen, aber die Schöße etwas kürzer und hinten nur 4 Knöpfe, sämmtliche Bataillone schwarzes Lederzeug, Kopfbedeckung der preußische Helm. Schützen- (Füsilier-) Regiment Nr. 108: dunkelgrüner Waffenrock mit schwarzem Kragen, Knöpfe gelb, Kopfbedeckung Czako mit schwarzem Haarbusch; Jäger wie das Schützen-Regiment, aber weiße Knöpfe. Cavalerie: die Reiter-Regimenter hellblauer Waffenrock mit farbigem Kragen (Garde-Reiter schwarz, 1. Reg. roth, 2. Reg. karmoisin, 3. Reg. schwarz), Kopfbedeckung Helm mit schwarzer Raupe. Ulanen: hellblaue Ulankas mit karmoisinem Kragen (Reg. Nr. 17 mit weißen Litzen, Reg. Nr. 18 mit gelben Litzen), Kopfbedeckung Czapka. Artillerie: dunkelgrüner Waffenrock mit rothen Kragen und Aufschlägen, gelbe Knöpfe, Kopfbedeckung Helm mit Kugel. Pioniere: dunkelgrüner Waffenrock mit rothen Kragen und Aufschlägen, weiße Knöpfe. Train: hellblaue Waffenröcke mit schwarzen Aufschlägen und Kragen. Die Bewaffnung schließt sich der preußischen an; nur führen die Reiter-Regimenter bis jetzt einen Hinterladungscarabiner mit Kapselzündung, die Feldartillerie hat Lafetten von Eisenblech. Als technisches Institut hat S. die Artillerie-Werkstätte in Dresden. An Festungen besitzt S. nur die kleine Bergfestung Königstein (s. d.); außerdem ist auch Dresden (s. d.) seit 1866 zu beiden Ufern der Elbe mit einem Gürtel von zehn Schanzen im provisorischen Charakter, deren Unterhaltung S. anheimfällt, umgeben. An Militärbildungsanstalten hat S. das Cadettencorps, sowie die (Militär-) Reit-Anstalt (s. d. Bd. VII., S. 328) zu Dresden; außerdem befindet sich noch eine Erziehungsanstalt für Soldatenkinder zu Struppen (Kleinstruppen) und eine Garnisonschule für Kinder von Unteroffizieren und Soldaten der Garnison zu Dresden. Zur Zeit hat das Königreich S. noch sein eigenes Kriegsministerium. Vgl. "Die K. Sächsische Armee", von Kiesling, Dresden 1872.

Das sächsische Wappen ist ein deutscher Schild, welcher fünf schwarze Balken in goldenem Felde mit schräg darüber gelegtem grünen Rautenkranz (s. d., vgl. oben S. 121 f.), vom Hausorden der Rautenkrone ("Providentiae memor") umhangen die Königskrone bedeckt und von zwei Löwen gehalten wird; vor 1858 war der Schild, anstatt von Löwen gehalten, von einem Fürstenmantel umgeben. Die Landesfarben sind weiß und grün. An Orden und Ehrenzeichen besitzt S. folgende 5 Orden: 1) den königlichen Hausorden der Rautenkrone (s. d.); 2) den Militär-St. Heinrichsorden (s. Heinrichsorden); 3) den Verdienstorden (s. d); 4) den Albrechtsorden (1850) vom König Friedrich August II. gestiftet; 5 Classen; goldenes, weiß emaillirtes Kreuz; Band grün mit weißen Randstreifen; seit 1866 auch mit der Kriegsdecoration verliehen); 5) den Sidonienorden (Frauenorden, 1871 vom König Johann für freiwillige Krankenpflege gestiftet; ferner ein Erinnerungskreuz für 1866 (Bronzekreuz, an blau und gelbem Bande [den Farben des Bandes des Heinrichsordens] getragen) und ein Erinnerungskreuz für 1870/71 (an Männer und Frauen für Krankenpflege rc.); außerdem giebt es eine goldene und eine silberne Militär-Verdienstmedaille, eine silberne und eine bronzene Medaille als Militär-Dienstzeichen für 25- und 15jährige Dienstzeit der Unteroffiziere und Soldaten und eine silberne Lebensrettungsmedaille.

Geschichtliches. Das Gebiet des heutigen Königreichs S. war im

Alterthume von Slawen bewohnt. Kaiser Heinrich I. verdrängte diese größtentheils, colonisirte die Landschaft mit Deutschen und gründete aus derselben, besonders zum Schutze gegen die Sorben, 928 die Mark Meißen. Dieselbe kam 1090 durch Kaiser Heinrich IV. an das Haus Wettin (s. d.), in welchem sie unter Konrad d. Gr. (1127—56) erblich wurde. Erst unter Friedrich dem Streitbaren, der sich gegen die Hussiten und den Kaiser Sigismund Verdienste erworben hatte, kam 1423 mit der Kurwürde der Name Sachsen, welchen bisher ganz andere Länderstriche geführt hatten (s. oben, S. 122), auf die Markgrafschaft Meißen und die damit verbundenen Länder, die im Wesentlichen das heutige S. ausmachen. 1446—1451 Bruderkrieg wegen der Thüringschen Theilung. Im J. 1485 theilten die beiden Söhne des Kurfürsten Friedrich des Sanftmüthigen die gesammten Familienländer. Ernst, der ältere, erhielt die Kurwürde und Thüringen; Albert, der jüngere, dagegen Meißen; das Osterland wurde getheilt. Dadurch entstand die Ernestinische und die Albertinische Linie. Die Reformation brachte S. wiederholt in Kriegsbedrängniß. Das Kurfürstenthum S. stand an der Spitze des Schmalkaldischen Bundes, erfuhr mehrmalige kriegerische Executionen und erlitt nach dem unglücklichen Ausgange des Schmalkaldischen Krieges (s. d.) zwangsweise einen Regentenwechsel. Unter Moritz spielte S. mehrmals eine hervorragende kriegerische Rolle, erzwang durch einen kühnen Heerzug vom Kaiser Karl V. 1552 den Passauer Vertrag (s. u. Religionsfriede 2) und bekämpfte den Markgrafen Albrecht von Kulmbach siegreich. In der nächsten Folge wurden die Deutschen fast in allen ihren Kriegsunternehmungen von S. unterstützt, namentlich gegen die Türken. Im Dreißigjährigen Kriege (s. d.) operirte das protestantische S. unter seinem Kurfürsten Johann Georg I. mit höchst schwankender Politik erst auf Seiten des Kaisers, dann auf Seiten der Schweden, dann wieder auf Seiten des Kaisers (s. Dreißigjähriger Krieg). An der Befreiung Wiens von den Türken nahm S. 1683 Theil, hätte aber fast Unheil gestiftet, indem der Kurfürst Johann Georg III. ehrgeizig nach dem Oberbefehle verlangend verderbliche Zwiste hervorrief. Im J. 1697 trat Kurfürst Friedrich August I., gen. der Starke, (s. August 1) zum Katholicismus über, um als König August II. den polnischen Königsthron zu besteigen, was S. in fast alle polnischen Kriege, so namentlich in den Nordischen (s. d.), hineinzog und vielfach zu seinem Nachtheil, es oft selbst zum Kriegsschauplatze machte, wie vor dem Altranstädter Frieden. Sein Nachfolger Friedrich August II. (s. August 2) mußte sich die polnische Königskrone abermals erkämpfen, was mit sächsischen Truppen geschah und S. große Opfer auferlegte, aber keinerlei Vortheile verschaffte und überdies auch noch dem Deutschen Reiche den Verlust des alten Reichslandes Lothringen kostete (s. u. Polnischer Thronfolgekrieg). Im ersten Schlesischen Kriege war S. mit Preußen verbündet, in den folgenden mit Oesterreich. Es erwarb sich als Bundesgenosse desselben weder Ruhm noch Vortheile, im Gegentheile erlitt es die schwersten Schläge und war fast stets Schauplatz des Krieges. An den Kriegen gegen die Französische Republik nahm S. von 1793—1796 mit einem bundesmäßigen Truppencontingente Theil. In dieser Zeit bestand die sächsische Armee aus 13 Infanterie- und 8 Cavalerieregimentern und hatte eine Stärke von 25,000 Mann. 1806 war S. Preußens Bundesgenosse und stellte 22,000 Mann ins Feld. Dann wurden 6000 Mann bei Jena gefangen, die übrigen Truppen kehrten in schlechtem Zustande zurück, und der Kurfürst trat mit dem Titel eines Königs in den Rheinbund (s. d.) und die Napoleonische Bundesgenossenschaft (Posener Friede), aus welcher zunächst 1807 die Verbindung S.'s mit dem Großherzogthum Warschau hervorging. Das sächsische Rheinbundscontingent betrug 20,000 Mann. Als Bundesmitglied kämpfte S. 1809 gegen Oesterreich, 1812 mit 21,500 Mann gegen Rußland, wo die Sachsen namentlich bei Smolensk und an der Moskwa (s. d.)

tapfer fochten. Nach der französischen Niederlage in Rußland schloß sich S.
bis zu einem gewissen Grade den Alliirten, gleich nach Eröffnung des Feldzugs
von 1813 aber wieder dem Kaiser Napoleon an. Doch gingen die sächsischen
Truppen gegen ihres Königs Willen am 18. October 1813 bei Leipzig zu den
Alliirten über und fochten mit denselben im weiteren Feldzuge, während der
König in Gefangenschaft derselben gehalten wurde. Für den Feldzug von 1814
mußte S. eine Armee von 28,000 Mann aufbringen und für den Feldzug von
1815 10,000 Mann stellen. Für den Deutschen Bund hatte S. fernerhin
12,000 M., nach Maßgabe seiner Volkszahl, ⅓ Reserve und ⅙ Ersatz zu stellen.
Die Niederdrückung der Revolution im Mai 1849 wurde in Dresden durch
Gewalt des Heeres, jedoch unter Beistand preußischer Regimenter vollbracht.
Auch fochten die S. im Frühjahr 1849 in Schleswig Holstein, namentlich am
13. April bei Düppel (s. d.) tapfer gegen die Dänen. Beim Beginn des
des Schleswig-Holsteinschen Conflicts von 1863 rückten Ende December Sachsen
im Verein mit Hannoveranern als "Executionstruppen" in Holstein ein, kamen
aber nicht zum Kampfe, da Preußen und Oesterreich sehr bald die "Occupation"
der Elbherzogthümer in die Hand nahmen (s. u. Dänemark Bd. I., S. 143).
Als nach dem Wiener Frieden vom 30. Oct. 1864 die Einordnung Schleswig-
Holstein's in das deutsche Staatensystem der Gegenstand mehrseitiger Verhandlungen wurde, trat unter der Leitung des Ministers v. Beust (s. d.) die föde-
ralistische und antipreußische Politik S.'s in den Vordergrund (vgl. Norddeutscher Bund, Bd. VI., S. 289 f.); demgemäß stimmte auch S. in der
verhängnißvollen Sitzung vom 14. Juni 1866 für den österreichischen Mobilisirungsantrag gegen Preußen und hielt dann, trotz der von Preußen noch am
15. Juni angebotenen Neutralität, fest zu Oesterreich. Auf die Ablehnung
des preußischen Ultimatums von Seiten S.'s folgte am 15. Juni die preußische
Kriegserklärung und am Abend dieses Tages das erste Einrücken preußischer
Truppen bei Strehla an der Elbe). Am 16. Juni verließ der König
Johann mit der gesammten Armee das Land und zog sich nach Böhmen
zurück, um sich dort mit der österreichischen Nordarmee zu vereinigen. Am
18. Juni war Dresden, am 19. Juni Leipzig und ganz S. von
preußischen Truppen besetzt. Das sächsische Armeecorps nahm unter der um-
sichtigen Führung des Kronprinzen Albert im Verein mit der Nordarmee namentlich an den Gefechten von Gitschin (s. d.) und der Schlacht von Königgrätz (s. d.) hervorragenden Antheil (vgl. den Artikel "Preußisch Oesterreichischer
Krieg" I.). Im ganzen Kriege zeichneten sich überhaupt unter allen bundes-
staatlichen Contingenten die sächsischen Truppen, sowohl durch die Trefflichkeit
ihrer Organisation und Ausrüstung und durch die Pünktlichkeit ihres Erscheinens im Felde, wie durch ihr wohlgeleitetes und wirksames, wenn auch freilich
unter der Ungunst der übrigen Verhältnisse nicht entscheidendes Eingreifen in
die Kämpfe vortheilhaft aus. Nach dem Präliminar-Frieden von Nikolsburg
blieben die sächsischen Truppen noch bis nach dem am 21. Oct. 1866 zu Berlin
zwischen Preußen und S. abgeschlossenen Frieden in Oesterreich (namentlich in
und um Wien) und kehrten dann Ende October nach S. zurück, um hier
aufgelöst, resp. auf preußisch-norddeutschem Fuße reorganisirt zu werden. In
dem Berliner Frieden vom 21. Oct. (ratificirt 24 Oct.) erhielt S. auf Grund
der Nikolsburger Präliminarien seine Selbstständigkeit und Integrität verbürgt,
mußte aber 10 Mill. Thaler Kriegs-Entschädigung an Preußen zahlen, dem Norddeutschen Bund beitreten und die Militärhoheit, das Post- und Telegraphenwesen
an die Krone Preußen, resp. den Norddeutschen Bund abtreten, wie auch S. vorläufig noch (bis zur vollständigen Reorganisation und Einverleibung der sächsischen
Truppen in die Norddeutsche Bundes-Armee) besetzt blieb. Dresden erhielt eine
gemischte Besatzung, einen preußischen Gouverneur und einen sächsischen Commandanten; die Festung Königstein ebenfalls eine gemischte Besatzung (preuß.

Infanterie, sächs. Artillerie) und einen preuß. Commandanten. Die Räumung des Landes erfolgte sehr allmählich; Dresden wurde am 3. Mai 1867, Leipzig erst am 29. Dec. 1867 von den Preußen verlassen. Im Deutsch-Französischen Kriege von 1870,71 bewährten die sächsischen Truppen, jetzt an der Seite ihrer preußischen Waffenbrüder für Deutschlands Freiheit und Recht kämpfend, ihren alten hohen Waffenruhm. Das sächsische (12. Bundes-) Armeecorps focht zuerst unter der Führung des Kronprinzen Albert (als Corps-Commandeurs), zur II. Deutschen Armee (Prinz Friedrich Carl von Preußen) gehörig, namentlich am 18. Aug. 1870 in der Schlacht bei Gravelotte, wo es im Verein mit dem preußischen Gardecorps am linken Flügel die wichtige Stellung von St. Marie-aux-Chênes und St. Privat stürmte, dann unter Führung des Prinzen Georg von Sachsen, zur IV. Deutschen Armee (Kronprinz Albert von Sachsen) gehörig, am 29. August bei Beaumont und am 31. August und 1. September bei Sedan mit hoher Bravour und nahm dann mit an der Belagerung von Paris Theil, wo es vor der Nordostfront stand und hier namentlich am 30. November und 2. December 1870 bei Brie-sur-Marne, Champigny und Villiers harte Kämpfe zu bestehen hatte (s. u. Paris, Bd. VII., S. 60 f.) und am 27. Dec. die artilleristischen Operationen gegen die französische Hauptstadt mit der Beschießung des Mont Avron begann (s. ebd., S. 67). Nach der Capitulation von Paris (28. Januar 1871) besetzten sächsische Truppen am 29. Januar die auf der Ostfront gelegenen Forts Romainville, Noisy, Rosny und Nogent. Am 7. März 1871 hatte das sächsische Armeecorps nebst dem 1. bairischen Armeecorps und der württembergischen Division eine Parade vor dem Kaiser auf dem Schlachtfelde von Villiers. Am 11. März verließ das sächsische Armeecorps die Cernirungsstellung vor Paris und marschirte nach den von demselben zu besetzenden Departement Aisne und Ardennes (Hauptquartier Laon). Nach dem Frankfurter Frieden vom 10. Mai 1871 kehrte zunächst die 23. Division nach Sachsen zurück und hielt am 11. Juli ihren feierlichen Einzug in Dresden, bei welcher Gelegenheit der Kronprinz von S. vom Deutschen Kaiser zum General-Feldmarschall ernannt wurde; die 24. Division blieb dagegen vorläufig noch in Frankreich, behielt dort erst den nördlichen Theil des Departements Aisne und das Departement Ardennes, dann bis zur Sicherstellung der vierten halben Milliarde das letztere Departement, den nördlichen Theil des Maas-Departements und den bei Frankreich verbliebenen Theil des Mosel-Departements besetzt und kehrte, in Folge der Convention vom 12. October 1871, Ende October und Anfang November ebenfalls nach S. zurück. Am 1. October 1871 verließen auch die letzten preußischen Truppen (eine Compagnie des Infanterie-Regiments Nr. 72) das Königreich S. und räumten den Königstein. Vgl. Schiffner, "Beschreibung von S.", Dresden 1838—40, 2. Aufl. 1845; Richter, "Beschreibung des Königreichs S. in geogr. statist. u. topogr. Hinsicht", Freiberg 1846—52, 3 Bde.; Henry Lange, "Atlas von S. Ein geogr. physik.-statist. Gemälde des Königreichs S." 12 Bl. mit Text, Leipzig 1860 f.; Geschichtswerke: Weiße, "Geschichte der churfächsischen Staaten", Leipzig 1802—12, 7 Bde.; Heinrich, "Handbuch der sächsischen Geschichte" (fortgesetzt von Pölitz), Leipzig 1810—12, 2 Bde.; Pölitz, "Geschichte und Statistik des Königr. S.", Leipzig 1810, 3 Bde.; Böttiger, "Geschichte des Kurstaats und Königreichs S.", Hamburg 1836, 2 Bde.; Gretschel, "Geschichte des sächs. Staats und Volks" (fortgesetzt von Bülau), Leipzig 1841—51, 3 Bde.; Tutschmann, "Atlas zur Geschichte der sächs. Länder", Grimma 1853; Brandes, "Grundriß der sächs. Geschichte", Leipzig 1860; Gersdorf, "Codex diplomaticus Saxoniae regiae", Leipzig 1846—67, 3 Bde.; K. v. Weber, "Archiv für die sächs. Geschichte", Leipzig 1862 ff.; "Antheil des sächs. Armeecorps am Feldzuge von 1866", 2. Aufl., Dresden 1870. Karten und Kartenwerke: "Topographischer Atlas des

Königr. S. Aus der großen topographischen Landesaufnahme reducirt u. bearbeitet bei der Militär-Planlammer" (Oberreit), Dresden 1836—60, 20 Bl. Imp.-Fol. (1 : 57.600); „Orts- und Terrainkarte des Königr. S." (vom kgl. sächs. Generalstab), 25 Bl. (1 : 100,000); Anbeer. „Topographisch-orographische Specialkarte des Königr. S.", Dresden 1851, 9 Bl. Imp.-Fol. (1 : 147,281); Weiland, „Das Königr. S.", Weimar 1851; v. Süßmilch-Hörnig, „Topogr. Specialkarte v. Königr. S.", Dresden 1858, 4 Bl. qu. Imp.-Fol. (1 : 250,000); Naumann u. Cotta, „Geognostische Specialkarte des Königr. S." (herausgegeben von der königl. Bergakademie in Freiberg), Dresden 1834—43, 12 Sectionen Imp.-Fol.

Sachsen, Land der, der südliche Theil des zum Transleithanischen Theile der Oesterreichisch-Ungarischen Monarchie gehörigen Großfürstenthums Siebenbürgen mit ungef. 200 Q.-M. und 500,000 Einwohnern, welche ursprünglich deutscher Abkunft und meist lutherischer Confession sind, und deutsche Sprache, Sitten und Rechte bewahrt haben. Das Land umfaßt folgende neun Stühle: Hermannstadt, Broos, Mühlenbach, Reußmarkt, Mediasch, Schäßburg, Groß-Schenk, Leschkirch und Reps.

Sachsen, Pfalzgrafschaft, entstand dadurch, daß Herzog Heinrich I. von Sachsen, nachdem er 919 Deutscher Kaiser geworden war, die Gerichtsbarkeit in seinen Pfalzen in Nieder-Sachsen und Thüringen besonderen Pfalzgrafen übertrug, deren gewöhnlicher Sitz zu Allstädt war; später kam sie an die Landgrafen von Thüringen, 1333 an Sachsen-Lauenburg, unter Friedrich dem Streitbaren aber an Kur-Sachsen.

Sachsen, Provinz der Preußischen Monarchie, besteht aus den altpreußischen Landen Magdeburg, Altmark, Preußisch-Mansfeld, Halberstadt, Quedlinburg, Erfurt, dem Eichsfelde, den früheren Reichsstädten Nordhausen und Mühlhausen, den Grafschaften Wernigerode, Hohenstein ꝛc., dem westlichen Theile des durch den Wiener Tractat vom Königreich Sachsen an Preußen abgetretenen Herzogthum Sachsen (s. d. 2) und dem 1866 damit vereinigten ehemals kurhessischen, hannoverschen und baïrischen Landestheilen (Schmalkalden; Elbingerode und Hohnstein; Kaulsdorf) und umfaßte bis 1866 einen Flächenraum von 458,10 Q.-M. mit (1864) 2,043,975 Einw., jetzt aber 468,38 Q.-M. mit (1867) 2,067,066 Einw., welche hinsichtlich ihrer Nationalität rein deutschen Stammes, hinsichtlich der Religion aber zu 93,1 Proc. evangelisch, zu 6,4 Proc. katholisch, zu 0,26 Proc. israelitisch sind und zu 0,24 Proc. andern (christlichen) Confessionen angehören. Die Provinz grenzt im Norden an Hannover und Brandenburg, im Osten an Brandenburg und eine kurze Strecke an Schlesien; im Süden an das Königreich Sachsen, an die großherzoglich und herzoglich sächsischen Länder und an schwarzburgische und reußische Gebiete; im Westen an den Regierungsbezirk Kassel (Provinz Hessen-Nassau), Hannover, Anhalt und Braunschweig. Die Provinz bildet ein sehr unregelmäßiges Landesgebiet, wird von mehren dazwischen geschobenen Nachbarstaaten unterbrochen, hat mehre Exclaven (besonders den Schmalkaldischen, Schleusinger und Ziegenrücker Kreis) und umfaßt mehre Enclaven (namentlich den östlichen Theil von Anhalt). Der nördliche und östliche Theil des Landes sind eben, der südliche und westliche dagegen durch den Thüringer Wald und den Harz gebirgig. Der größte Theil der Provinz (über 420 Q.-M.) gehört dem Elbgebiete, der kleinere (südwestliche, durch die Werra) dem Wesergebiete an. Der Hauptstrom ist die Elbe selbst, die hier die Saale und (in Anhalt) die Mulde aufnimmt. Die bedeutendsten Seen sind der Süße und der Salzige See zwischen Halle und Eisleben. Die Provinz ist reich an Salz (Steinsalzlager und Soolquellen). Haupterwerbsquellen sind Ackerbau und Viehzucht; die Provinz ist der Hauptsitz des Runkelrübenbaues und der Rübenzuckerfabrikation in Deutschland.

Handel und Industrie sind ebenfalls von wesentlicher Bedeutung. Knotenpunkte des trefflich organisirten, vielfach verzweigten Eisenbahnsystems sind Magdeburg und Halle. Eine Universität besteht in Halle. In administrativer Hinsicht zerfällt S. in die drei Regierungsbezirke Magdeburg, Merseburg und Erfurt. Sitz des Oberpräsidenten ist Magdeburg. S. bildet wesentlich den Ersatzbezirk und die Garnisonsprovinz des IV. Armeecorps; doch steht auch der größte Theil des Brandenburgischen Feld-Artillerie-Regiments Nr. 3, das Brandenburgische Pionier-Bataillon Nr. 3 in der Provinz (Wittenberg, Torgau und Ditben). Das General-Commando des IV. Armeecorps ist in Magdeburg; das Commando der 7. Division in Magdeburg, das der 8. Division in Erfurt. Festungen sind: Magdeburg, Wittenberg, Torgau und Erfurt, welche die 4. Festungs-Inspection (Magdeburg) bilden.

Sachsen-Altenburg, ein zum Deutschen Reiche gehöriges Herzogthum der Sachsen-Ernestinischen Linie, s. Altenburg (Bd. I., S. 90 f.). Nachzutragen ist noch, daß S.-A. das 1. Bataillon des zur 8. Division des IV. Armeecorps gehörigen 7. Thüring. Infant.-Reg. Nr. 96 stellt. Die Bevölkerung belief sich 1867 auf 141,426 fast ausschließlich protestantische Einwohner (gegen 1864: 141,839. Abnahme um 0,29 Procent). Das Wappen ist das allgemeine sächsische (fünf schwarze Balken in goldenem Felde mit schräg darüber gelegtem Rautenkranz); die Landesfarben sind weiß und grün. — In der Bundestags-sitzung vom 14. Juni 1866 stimmte S.-A. zu Gunsten Preußens gegen den österreichischen Mobilisirungsantrag und stellte beim Ausbruche des Kriegs seine Truppen dem König von Preußen zur Verfügung. Beide Bataillone standen darauf einige Zeit in der Nähe von Erfurt und stießen dann zu dem unter dem Oberbefehle des Großherzogs von Mecklenburg zusammen gezogenen 2. preuß. Reservecorps, mit dem sie nach Baiern zogen, aber ohne dort zur Action zu kommen. Während des Deutsch-Französischen Krieges von 1870/71 nahm das altenburgische (1.) Bataillon des Inf.-Reg. Nr. 96 an den Kämpfen des IV. Armeecorps tapfern Antheil. — In der Nacht vom 30. Sept. zum 1. Oct. 1868 brannte abermals ein Theil (das Prinzen-Palais) des herzogl. Schlosses in der Stadt Altenburg ab.

Sachsen-Coburg und Gotha, ein zum Deutschen Reiche gehöriges Herzogthum der Sachsen-Ernestinischen Linie, besteht aus den beiden getrennt liegenden Herzogthümern Gotha und Coburg mit einem Gesammt-Flächenraum von 35,72 Q.-M. und einer Gesammtbevölkerung von (1867) 168,200 größtentheils protestantischen Einwohnern. Das Herzogthum Gotha (25,53 Q.-M. mit 118,961 Einw.) liegt auf der Nordseite des Thüringer Waldes, wird von preußischen (Regierungsbez. Erfurt und Kassel), weimarischen, meiningischen und schwarzburgischen Gebieten umschlossen, von der Gera, Ilm, Leine und Nesse bewässert, von der Linie Erfurt-Eisenach der Thüringischen Eisenbahn (mit den Zweigbahnen Neudietendorf-Arnstadt, Gotha-Leinefelde und Fröttstedt-Waltershausen) durchschnitten, hat höchst fruchtbaren Boden, schöne Thäler und Wälder, treibt namentlich Landwirthschaft, auch nicht unbedeutende Industrie (Gewehr-fabriken in Zella und Mehlis) und ziemlich lebhaften Handel und hat Gotha zur Hauptstadt. Das Herzogthum Coburg (10,20 Q.-M. mit 49,324 Einw.) liegt auf der Südseite des Thüringer Waldes, wird im Norden, nördlichen Osten und nördlichen Westen von Sachsen-Meiningen-Hildburghausen, im Uebrigen von Baiern umschlossen, von der Itz, Rodach und Steinach bewässert, von der Linie Hildburghausen-Lichtenfels der Werrabahn (mit der Zweigbahn Coburg-Sonneberg) durchschnitten, hat ebenfalls fruchtbaren Boden, Landwirth-schaft, Industrie und Handel; die Hauptstadt ist Coburg. Die Regierungsform von S.-C. u. G. ist monarchisch-constitutionell; in Bezug auf innere Verfassung waltet zwischen beiden Ländern noch vielfache Trennung ob. Der gegenwärtige Herzog, Ernst II. (geb. 21. Juni 1818), regiert feit dem 29. Jan. 1844, ift jedoch kinderlos. S.-C. u. Gotha bildete im früheren Deutfchen Bunde mit den andern Sachfen-Ernestinischen Ländern die 12. Curie, befaß im Plenum eine Stimme und stellte als Bundescontingent 1674 Mann (2 Bataillone Infanterie à 4 Comp.) zur Referve-Division. S.-C. u. G. war der erste Staat, welcher (noch unter dem ehemaligen Bundestage) mit Preußen eine Militär-Convention (vom 1. Juli 1861) abschloß, nach welcher das Offizier-Corps gänzlich der preußischen Armee einverleibt wurde, Preußen die vollständige Erhaltung des Contingents nach den Bestimmungen der Bundeskriegsverfassung gegen Zahlung einer Averfionalfumme (feit 1. Juli 1862) übernahm und der Herzog dem Contingent gegenüber die Stellung eines commandirenden Generals einnahm. Jetzt stellt es das 1. Bataillon (Garnifon Gotha) und das Füfilier-Bataillon (Garnifon Coburg) zu dem zur 22. Division des XI. Armeecorps gehörigen 6. Thüring. Inf.-Reg. Nr. 95. Das Wappen ist das allgemeine sächsische (fünf schwarze Balken in goldenem Felde) mit schräg darüber gelegtem Rautenkranz; die Landesfarben find weiß und grün; Orden: der Sachfen-Ernestinische Hausorden; außerdem eine eiferne Denkmünze für 1814 u. 15., ein 1851 gestiftetes Eckernfördebetrag. S.-C. u. G. stimmte in der verhängnißvollen Bundestagsfitzung vom 14. Juni 1866 zu Gunsten Preußens gegen den österreichischen Mobilifirungsantrag; feine beiden Bataillone fochten dann unter preußischem Oberbefehl tapfer mit am 27. Juni bei Langenfalza (f. u. Preußisch-Oesterreichischer Krieg, Bd. VII., S. 236 f.) und am 23. Juli bei Hundheim (f. d.). Eben fo rühmlich betheiligten fich im Deutschfranzösischen Kriege von 1870/71 die beiden Bataillone an den Kämpfen des XI. Armeecorps (namentlich bei Wörth und bei Orleans).

Sachfen-Ernestinische Länder ist der gemeinschaftliche Name für das Großherzogthum Sachfen-Weimar-Eifenach und die drei sächsischen Herzogthümer (Altenburg, Coburg-Gotha und Meiningen-Hildburghaufen), welche unter den Fürsten der älteren (protestantischen und ursprünglich kurfürstlichen) Linie des sächsischen Regentenhaufes Wettin stehen. Der Sachfen-Ernestinische Hausorden (f. Ernestinischer Hausorden) ist jedoch nur den drei sächsischen Herzogthümern gemeinschaftlich. Die Sachfen-Ernestinische Linie entstand dadurch, daß nach dem Tode des Kurfürsten Friedrich des Sanftmüthigen (1464) deffen beiden Söhne, Ernst und Albert, die gesammten Familienländer 1485 theilten. Ernst, der ältere Sohn, und als folcher bereits nach des Vaters Tode in den Befitz der Kurwürde und des Kurkreifes gelangt, erhielt Thüringen, Albert, der jüngere, dagegen Meißen; das Ofterland wurde zwischen beiden getheilt. Im J. 1547 ging in Folge der Schlacht bei Mühlberg (f. d.) die Kurwürde von Johann Friedrich auf Moritz (f. b. 1) und fomit von der Ernestinischen auf die Albertinische Linie über. In der Folge theilten die einzelnen Glieder der Ernestinischen Linie wiederholt, und fo entstanden die verschiedenen kleinen Länder derselben.

Sachfen-Lauenburg ist der ehemalige Name des jetzt durch Perfonal-Union mit der Krone Preußen vereinigten Herzogthums Lauenburg (f. d. 1). Der Stammvater der herzoglichen Linie von S.-L. ist Johann (ein Sohn des Herzogs Albrecht I. von Sachfen) aus dem aslanischen Stamme, welcher 1260 das Land in Befitz nahm (f. u. Sachfen, S. 121). Nach dem Erlöschen des Sachfen-Lauenburgischen Haufes kam das Land 1705 an das Kurfürstenthum Hannover; das Weitere f. u. Lauenburg (Bd. V., S. 294 f.).

Sachfen-Meiningen (S.-M.-Hildburghaufen), das zum Deutschen Reiche gehörige Herzogthum der Sachfen-Ernestinischen Linie, besteht aus einer größeren, längs der Südwest- und Oftseite des Thüringer Waldes gelegenen, halbmondförmigen, durchschnittlich nur etwa 2 Meilen breiten, ungefähr 15 Meilen langen

9*

Hauptmasse und 13 einzelnen, zum Theil sehr kleinen exclavirten Parcellen, zerfällt in fünf Haupttheile (1. das Herzogthum Meiningen, 2. das Herzog- thum Hildburghausen, 3. das Fürstenthum Saalfeld. 4. die Grafschaft Kam- burg, 5. die Herrschaft Kranichfeld) und umfaßt einen Gesammtflächenraum von 44,97 Q.-M. mit (1867) 180,335 größtentheils protestantischen Einwohnern. Das Land ist von preußischen (Regierungsbezirk Erfurt und Kassel), bairischen, weimarischen, coburg-gothaischen, altenburgischen, schwarzburgischen und reußischen Gebieten umschlossen, von der Werra, Thüringer Saale und Ilm bewässert, von der Linie Eisenach-Coburg der Werrabahn (mit der Zweigbahn Coburg- Sonneberg) durchschnitten, hat großentheils fruchtbaren Boden, schöne Waldun- gen, treibt namentlich Landwirthschaft, lebhafte Industrie (besonders Spiel- waaren in Sonneberg) und nicht unansehnlichen Handel und hat Meiningen an der Werra und an der Werrabahn (8219 Einw.) zur Hauptstadt. Die Re- gierungsform von S.-M. ist monarchisch-constitutionell; der gegenwärtige Herzog, Georg (geb. 2. April 1826), regiert seit dem 20. Sept. 1866. S.-M. bildete im früheren Deutschen Bunde mit den andern Sachsen-Ernestinischen Ländern die 12. Curie, besaß im Plenum eine Stimme und stellte als Bundes-Con- tingent ein Füsilier-Regiment von 2 Bataillonen à 4 Comp. (1726 M. Haupt- und Reserve-Contingent, 383 M. Ersatz zur Reserve-Division. Jetzt stellt es das 2. Bataillon (Garnison Hildburghausen) des zur 22. Division des XI. Armeecorps gehörigen 6. Thüring. Inf.-Reg. Nr. 95; doch stehen in der Hauptstadt Meiningen das 1. und 2. Bataillon des 2. Thüring. Inf.- Reg. Nr. 32. Das Wappen ist das allgemeine sächsische (fünf schwarze Balken in goldenem Felde mit schräg darüber gelegtem Rautenkranz); die Landesfarben sind weiß und grün; Orden der Sachsen-Ernestinische Hausorden; außerdem ein Ehrenzeichen für treue Militärdienste und eine Feldzugsmedaille für 1814 u. 15. In der verhängnißvollen Bundestagssitzung vom 14. Juni 1866 war S.-M. das einzige Mitglied der 12. Curie, welches für den österreichischen Mobilisi- rungsantrag gegen Preußen stimmte. In Folge davon wurde auch das Land am 18. Sept. von preußischen Truppen besetzt; am 20. Sept. dankte der Herzog Bernhard Erich Freund zu Gunsten des Erbprinzen ab; am 27. Sept. räumten die Preußen das Land wieder. In dem am 8. Oct. zwischen Preußen und S.-M. zu Berlin abgeschlossenen Frieden trat das Herzogthum dem Nord- deutschen Bunde bei und war das einzige der gegen Preußen aufgetretenen Länder, welches keine Kriegskosten zu bezahlen hatte. Im Deutsch-Französischen Kriege von 1870/71 nahm das meiningsche (2.) Bataillon des Inf.-Reg. Nr. 95 tapfern Antheil an den Kämpfen des XI. Armeecorps (namentlich bei Wörth und bei Orleans).

Sachsen-Weimar (S.-W.-Eisenach), ein zum Deutschen Reiche gehöriges Großherzogthum der Sachsen-Ernestinischen Linie, besteht aus drei größern, von einander getrennten Haupttheilen (dem Fürstenthum Weimar, dem Neu- städter Kreis und dem Fürstenthum Eisenach) und mehren kleineren Landestheilen (wie Ilmenau, Allstedt ꝛc.), ist von der preußischen Provinz Sachsen, dem Kö- nigreich Sachsen, den sächsischen Herzogthümern, den schwarzburgischen und reußischen Fürstenthümern und dem preußischen Regierungsbezirk Kassel um- schlossen und umfaßt einen Gesammtflächenraum von 66,03 Q.-M. mit (1867) 283,044 größtentheils protestantischen Einwohnern. Das Land breitet sich über einen Theil des Thüringer Waldes, über die nördlichen Abhänge des Voigt- ländischen Gebirges (Neustädter Kreis) und über die Ausläufer des Rhönge- birges aus und streift mit dem exclavirten Amte Allstedt bis in die südliche Ab- dachung des Harzes; es wird von der Thüringer Saale, der Ilm, Unstrut, Ilster und Werra bewässert. Der Boden ist großentheils fruchtbar mit schönen Wiesen und Waldungen. Haupterwerbsquelle ist Landwirthschaft; doch ist auch die Industrie in vielfacher Weise vertreten und ziemlich bedeutend (namentlich Strumpfwirkerei in Apolda), ebenso der Handel nicht unwichtig. Der Weimarische und der Eisenachsche Kreis werden von der Thüringer Eisenbahn (Linie Halle-Gerstungen), an welche sich in Eisenach die Werrabahn anschließt, der Neustädter Kreis von der Gera-Eichichter-Bahn durchschnitten. Eine Universität besteht in Jena; die Hauptstadt ist Weimar an der Ilm mit (1867) 14,794 Einwohnern. Der Verfassung nach ist das Großherzogthum eine constitutionelle Monarchie; der regierende Großherzog Karl Alexander (geb. 24. Juni 1818) folgte seinem Vater Karl Friedrich am 8. Juli 1853. S.-W. bildete im früheren Deutschen Bunde mit den drei sächsischen Herzogthümern die 12. Curie, hatte im Plenum eine Stimme und stellte als Bundes-Contingent ein Infanterie-Regiment von 3 Bataillonen à 4 Comp. (3015 Mann Haupt- und Reserve-Contingent, 670 M. Ersatz) zur Reserve-Division. Jetzt stellt es das zur 22. Division des XI. Armeecorps gehörige 5. Thüring. Inf.-Reg. Nr. 94 (Großherzog von Sachsen). Garnisonen: 1. Bat. Weimar, 2. Bat. Eisenach, Füs.-Bat. Jena. Das Wappen ist (abgesehen von einem größeren, aber wenig gebräuchlichen, die einzelnen Landestheile enthaltenden) das allgemeine sächsische (fünf schwarze Balken in goldenem Felde mit schräg darüber liegendem Rautenkranz); die Landesfarben sind grün, schwarz und orange; Orden: Hausorden der Wachsamkeit oder vom Weißen Falken (s. Falken, Bb. III., S. 372); außerdem ein Ehrenkreuz für 10- und 20jährige tabellose Dienste und eine Feldzugsmedaille für 1809. In der verhängnißvollen Bundestagssitzung vom 14. Juni 1866 stimmte S.-W. zu Gunsten Preußens gegen den österreichischen Mobilisirungsantrag. Doch kamen die weimarischen Truppen nicht zur Action, da sie in Folge des Bundesbeschlusses vom 9. Juni, nach welchem die Bundesfestung Mainz (anstatt von preußischen Truppen) von Oesterreichern, Baiern und Truppen der Reserve-Division besetzt werden sollte, bereits vor Ausbruch des Kampfes dorthin abgegangen waren, dann aber nach Ulm und Rastadt gebracht wurden. Im Deutsch-Französischen Kriege von 1870/71 focht dagegen das weimarische (95.) Regiment tapfer im XI. Armeecorps und zeichnete sich namentlich bei Wörth und Orleans aus.

Sächsische Kaiser nennt man die Sächsischen Fürstenstamme von Heinrich I. bis Heinrich II. 919—1024 (s. u. Sachsen, S. 121).

Sacile, Stadt in der italienischen Provinz Udine, an der Livenza und der Eisenbahn von Udine nach Trevifo, ist mit Mauern umgeben, hat ein altes Castell und 4600 Einwohner. Hier 16. April 1809 Sieg der Oesterreicher unter Erzherzog Johann über die Franzofen und Italiener unter dem Vicekönig von Italien (Eugen Beauharnais) und Murat; wird auch Schlacht von Fontana-Fredda genannt.

Sacken, 1) Fabian Wilhelm, Fürst von der Osten-S., russischer Feldmarschall, entstammt einer Familie deutscher Herkunft aus den russischen Ostseeprovinzen, wurde geboren 1752, trat 1766 in das russische Heer, machte in Südrußland die Kämpfe unter Rumjanzow und Suworow gegen die Türkei und in Polen vor dessen letzter Theilung mit, wurde 1797 Generalmajor, 1799 Generallieutenant, nahm 1806 unter Suworow am Feldzug in Italien und 1807 an dem in Preußen und Polen gegen Frankreich mit großer Auszeichnung Theil, führte 1812 ein Corps, trug 1813 unter Blücher wesentlich zum Sieg an der Katzbach bei, wurde auf dem Schlachtfeld von Leipzig zum General der Infanterie ernannt, focht 1814 unter Blücher mit Auszeichnung namentlich bei Brienne, wurde 1821 zum Grafen, 1826 zum Feldmarschall, 1832 zum Fürsten erhoben, zog sich 1834 in Ruhestand zurück und starb 1837 in Kiew. 2) Dimitry (Demetrius), Graf von der Osten-S., russischer General der Cavalerie, nahm an den Feldzügen von 1812—14 gegen Frankreich Theil, wobei der Thronbesteigung des Kaisers Nicolaus bereits General, machte unter Paskewitsch den Feldzug 1826 in Persien, 1828 und 1829 gegen die Türkei und 1831 unter Paskewitsch, dem er auch im Kaukasus zur Seite gestanden hatte, gegen Polen mit, wo er namentlich den lithauischen Aufstand bekämpfte, aber auch an der Erstürmung Warschaus den erheblichsten Antheil nahm, wurde 1843 General der Cavalerie, führte 1849 in Ungarn die Reserve, nahm 1854 an der Belagerung von Silistria Theil, verstärkte darauf Mentschikow in der Krim, und erhielt 1855 nach der Thronbesteigung Alexanders II. den Oberbefehl an Mentschikows Stelle, wurde in den Grafenstand erhoben und 1856 unter Entbindung von seinem Commando zum Reichsrath ernannt.

Sádowa (nicht Sadówa, wie irrthümlich bisweilen gesprochen wird), Dorf im nordöstlichen Böhmen, an der Bistriz, 1½ Meilen nordwestlich von Königgrätz, war am 3. Juli 1866 in der Schlacht bei Königgrätz (s. d.) nebst dem davorliegenden Walde einer der wichtigsten Punkte und das Objekt eines mehrstündigen erbitterten Kampfes, der sich erst dann zum Vortheil der Preußen neigte, als der Kronprinz mit der II. Armee dem Prinzen Friedrich Karl zu Hilfe kam. Nach diesem Dorfe wird die Schlacht von Königgrätz auch häufig (besonders von den Franzosen) Schlacht von Sadowa genannt, und in diesem Sinne wurde in Frankreich der Ort sehr bald zu einem agitatorischen Stichworte („Revanche pour Sadowa").

Säge kommt bei den technischen Truppen als Seitengewehr eingerichtet vor — preußisches Pionier-Seitengewehr, zugleich Säbelbajonnet. Das englische Martini-Henry-Gewehr hat ebenfalls ein als S. eingerichtetes Haubajonett.

Sägeförmige Werke, s. Cremaillère, Bd. III., S. 93.

Sahlingen nennt man die Hölzer, welche dazu dienen, daß die Stengewanten und Bramwanten gespreizt werden können. Zu diesem Zweck werden etwa auf ¼ bis ⅓ der Mastlänge auf hierzu angebrachten Verstärkungen des Mastes — den Backen — zwei Hölzer — eins von jeder Seite — in der Längsrichtung des Schiffs angebracht. Diese heißen Langsahlingen. Auf sie kommen in die Quere zwei andere ähnliche Hölzer zu liegen, die Dwarssahlingen. Diese vier Hölzer dienen als Gerüst und Unterlage für den Mars (s. d.), von Laien gewöhnlich Mastkorb genannt, eine hölzerne Platform, auf dessen seitlichen Rändern die Wanten der ersten Mastverlängerung — die Stengen oder Marsstengen — befestigt und gespreizt werden. Von diesen Rändern aus führen eiserne runde Stäbe schräg nach unten, wo sie durch Ketten oder einen eisernen Ring um den Mast befestigt werden. Diese Stäbe heißen die Püttings und sollen den Mast stützen gegen den Zug der Stengewanten nach oben. — Die Marsstangen haben ebenfalls zur Spreizung der Bramwanten. S., zum Unterschied Bramsahlingen genannt, ohne darauf befindliche Platform, da die Bramwanten durch die Dwars-S. direct gespreizt werden.

Saillant ist gleichbedeutend mit ausspringendem Winkel einer Festungs-Enceinte resp. eines einzelnen Werkes, wird mithin durch 2 Linien gebildet, welche der Art zusammenstoßen, daß ihre Spitze nach dem Feinde zu, die Oeffnung nach dem Vertheidiger zu liegt, und Facen genannt werden. Man vermeidet bei Befestigungs-Anlagen die Anordnung spitzer S.s, weil bei denselben ein verhältnißmäßig großer unbestrichener Raum entsteht. Die Ausdehnung des unbestrichenen Raumes ist von der Größe des S.s abhängig und beträgt, die Größe des S.s zu x Grad angenommen und auf rechtwinkligen Anschlag der Gewehre gerechnet, $180-x$ Grad. Erfahrungsmäßig kann der Vertheidiger auch in geschlossener Ordnung von dem schrägen Anschlage Gebrauch machen, welcher bis 30 Grad von dem rechtwinkligen abweicht. Der unbestrichene Raum würde unter dieser Voraussetzung bei einem S. von 120 Grad gleich Null werden können. Dem Nachtheile des unbestrichenen Raumes sucht man abzuhelfen durch eine Abstumpfung des S.s und durch Aufstellung eines Geschützes hinter dieser mit der Aufgabe, den unbestrichenen Raum unter Kartätschfeuer zu halten. Ein anderer Nachtheil spitzer S.s liegt in der leichten Enfilirbarkeit der Facen. Diesem Mangel ist bei permanenten Befestigungen durch zahlreiche Traversen abzuhelfen; durch dieselben wird jedoch ein bedeutender Theil der Linien der Vertheidigung durch Geschütze entzogen. Ferner sind noch als Mängel spitzer S.s anzuführen, daß von den Facen derselben das Angriffsterrain nicht unter kräftigem Frontalfeuer gehalten wird, auch der Vertheidiger bei dem beschränkten innern Raume durch Wurffeuer zu leiden hat; außerdem gefährden die gegen die eine Face des S.s gerichteten Demontirschüsse die Vertheidiger der anderen Face durch Rückenfeuer. Unter Berücksichtigung der angeführten Nachtheile ist als fortificatorischer Grundsatz die Vermeidung spitzer S.s hinzustellen — nicht unter 60 Grad. Bei Feldwerken und detachirten Forts empfiehlt sich daher die Anwendung von Frontalwerken (Halbredouten, s. Redoute) oder von Lünetten mit sehr stumpfen S.s. Bei der Anlage von Festungseenteinien sind womöglich schärfere Ecken hinter unpassirbarem Vor-Terrain anzulegen und hinter approchirbarem Terrain längere gerade Fronten, welche unter stumpfen Winkeln zusammenstoßen, anzuwenden.

Saint (St.) . . . . , Namen welche hier nicht zu finden sind, s. unter dem Hauptnamen, z. B. Saint Arnaud unter Arnaud ꝛc.

Saint-Cloud, s. Cloud. Nachträglich ist noch zu bemerken, daß während der Belagerung von Paris (s. d., Bd. VII., S. 47) das prächtige Schloß zu St.-C. am 13. Oct. 1870 von den Franzosen vom Mont-Valerien aus ohne ersichtliche Veranlassung in Brand geschossen wurde. (Muthmaßlich hatten sie dasselbe für den Sitz des deutschen Generalstabs gehalten.) Das Schloß war, um seine Erhaltung zu ermöglichen, schon dahin von deutscher Seite nicht in den Kreis der Belagerungsarbeiten gezogen worden. Nachdem es nun aber von französischer Seite verwüstet worden war, sahen sich die Belagerer der weiteren Sorge enthoben.

Saint-Cyr, Dorf mit 1500 Einwohnern im französischen Departement Seine et Oise, im großen Part von Versailles, 2½ Meilen südwestlich von Paris gelegen, hat eine berühmte Militärschule (École spéciale militaire, s. u. Frankreich, Bd. IV., S. 96). Dieselbe wurde 1686 von Ludwig XIV. auf Fürbitte der Frau von Maintenon als Fräuleinstift (Maison de St.-Cyr) zur Erziehung von 250 adeligen jungen Mädchen gegründet, 1793 aber als solches aufgehoben und in ein Militärhospital umgewandelt; 1806 legte jedoch Napoleon I. die Militärschule von Fontainebleau hierher.

Saint-Cyr, 1) französischer Marschall; 2) französischer General, s. Cyr.

Saint-Denis, befestigte Hauptstadt eines Arrondissements im französischen Departement Seine, 1½ Stunden nördlich von Paris, an der Nordbahn und am Kanal St.-D., welcher die Verbindung mit dem Ourcq-Kanal und der Seine herstellt, hat eine alte berühmte Benedictiner-Abtei (deren Kirche die Grabmäler der Könige von Frankreich enthält, und in deren Hauptgebäude die 1801 von Napoleon I. gestiftete und 1815 von Ludwig XVIII. aus dem Schlosse zu Ecouen hierher verlegte Erziehungsanstalt für Töchter von Rittern der Ehrenlegion sich befindet) und zählt 22,000 Einwohner. Die Stadt ist mit ihren drei großen Forts in das System der Fortificationen von Paris (s. d., Bd. VII., S. 35) gezogen. Hier 1567 Schlacht zwischen den Katholischen unter Montmorency (welcher hier fiel) und den Hugenotten unter Coligny und Condé. Während der Französischen Revolution wurde die Abtei 1793 von den Jacobinern theilweis zerstört, später aber wieder restaurirt. Während der Belagerung von Paris wurden von St.-D. aus am 28. Oct.,

30. Nov. und 21. Dec. 1870 Ausfälle nach Nordost (gegen Le Bourget und Stains) und ebenfalls am 21. Dec. 1870 eine Demonstration nach Nordwest (gegen Epinai) unternommen (s. u. Paris, Bd. VII., S. 53 f., 59 f., 62 ff. und S. 66); seit dem 21. Januar 1871 wurde St.-D. von den deutschen Truppen beschossen und nach der Capitulation von Paris (28. Januar) von Truppen des 4. und Garde-Armeecorps besetzt; nach der Bezahlung der dritten halben Milliarde Kriegskosten räumten die deutschen Truppen am 20. Sept. die Stadt und die Forts.

Saint-Dizier, Stadt im französischen Departement Haute-Marne an der schiffbaren Marne und an der Eisenbahn von Bitry-le-François nach Besançon, war früher eine wichtige Festung und hat 6000 Einwohner. S.-D. hielt 1544 eine sechswöchentliche Belagerung des Deutschen Kaisers Karl V. und des Königs Heinrich VIII. von England aus und capitulirte dann in Folge eines von den Belagerern gefälschten Briefes. Am 27. Januar und 26. März 1814 fanden zwischen St.-D. und Bitry-le-François heftige Gefechte zwischen den Alliirten und Franzosen statt. Während des Deutsch-Französischen Krieges von 1870/71 wurde St.-D. am 24. August von deutschen Truppen ohne Widerstand besetzt.

Saint-Germain-en-Laye, Stadt im Französischen Departement Seine-Oise, 5 Stunden westnordwestlich von Paris, in schöner Lage auf einem Hügel längs der Seine, durch eine Zweigbahn nach Asnières mit den Eisenbahnen von Paris nach Hâvre und nach Versailles (rechte Ufer-Bahn) verbunden, hat ein großes Schloß mit einer prächtigen Terrasse, Park und Wildgarten, welches von Franz I. bis Ludwig XIV. oft Residenz der Könige von Frankreich war, während der Revolution in eine Kaserne verwandelt, von Napoleon I. aber zu einer Militär-Schule für Cavalerie-Offiziere umgewandelt, dann aber längere Zeit als Militärgefängniß benutzt wurde; Napoleon III. legte in demselben ein Museum für römische und gallische Alterthümer an. Die Stadt zählt 15,800 Einwohner. Hier wurde 1570 der Friede zwischen Karl IX. und den Hugenotten, 1735 der Vergleich zwischen Ludwig XIV. und Bernhard von Weimar, und 1697 der Friede zwischen Frankreich und Brandenburg abgeschlossen. Während der Belagerung von Paris 1870/71 lag hier das 1. preuß. Garde-Grenadier-Landwehr-Regiment in Garnison; am 7. Oct. 1870 besichtigte König Wilhelm die Truppenaufstellung um St.-G. und recognoscirte von der Schloß-Terrasse aus das umliegende Terrain.

Saint-Omer, befestigte Hauptstadt und Kriegsplatz erster Classe im französischen Departement Pas-de-Calais, in sumpfiger Gegend an der hier schiffbaren Aa (Zusammenfluß mit dem Kanal Neuf-Fossé), an der Eisenbahn von Lille nach Calais und am Knotenpunkt von sechs Hauptstraßen gelegen, hat ein sehr ausgedehntes Befestigungssystem, Wälle, nasse Gräben, sechs Forts und zahlreiche weit vorgeschobene Außenwerke, Militärwerkstätten, Arsenal mit bedeutenden Magazinen, ein Hospital, große Kasernen, lebhaften Handel und Industrie und zählt 22,000 Einwohner. Die Stadt ist sehr alt, wurde von Kaiser Karl V. befestigt, 1629 von den Franzosen vergeblich belagert, 1667 vom Herzog von Orleans eingenommen und im Nimwegener Frieden vom 17. Sept. 1678 an Frankreich abgetreten. In der Nähe von St.-O. wurden wiederholt von der französischen Armee permanente Lager bezogen. Im Jahre 1805 war hier einer der Zimmerplätze für die gegen England bestimmte Transportflotte. Im Juli 1830 waren die hier im permanenten Lager zusammengezogenen 6000 M. nach den Ordonnanzen vom 25. Juli eben im Begriff gegen Paris aufzubrechen, als die Nachricht von der dort ausgebrochenen Revolution die Truppen bewog, sich für das Volk zu erklären.

Saint-Privat, s. Privat (Bd. VII., S. 249).

Saint-Quentin, Hauptstadt eines Arrondissements im französischen Departement Aisne, auf einer Anhöhe an der Somme, der Nordbahn (Linie Paris-Brüssel) und dem gleichnamigen Kanal (s. weiter unten) gelegen, hat eine schöne Kathedrale, ein gothisches Rathhaus, lebhaften Handel und Industrie, war früher Festung (jetzt sind die ehemaligen Werke in schöne Promenaden umgewandelt) und zählt 32,700 Einwohner. — Der Kanal von St.-Q. oder Somme-Kanal verbindet die Somme oberhalb Ham mit der Scheide bei Cambray, ist ziemlich 13 Meilen lang, 8 Meter breit und von bedeutender Tiefe und wurde 1809 vollendet. — St.-Q. ist das alte Augusta Veromanduorum, kam 1215 an Frankreich und wurde mit seinen bedeutenden Fortificationen einer der wichtigsten Grenzplätze. Im Juli 1557 wurde St.-Q. von einem 47,000 M. starken kaiserlichen (resp. spanischen) Heere unter dem Herzog Philibert Emanuel von Savoyen und dem Grafen Egmont eingeschlossen und belagert und von einer schwachen französischen Besatzung unter Coligny (damals Gouverneur der Picardie) vertheidigt. Ein 25,000 M. starkes französisches Heer, welches unter dem Connetable von Montmorency den Platz zu entsetzen versuchte, wurde am 10. August von den Spaniern vollständig geschlagen; gegen 4000 Franzosen, darunter 600 Adelige, bedeckten das Schlachtfeld; das ganze Fußvolk, die Artillerie, sämmtliches Gepäck, viele Große und 300 Edelleute fielen in die Hände der Sieger. Am 27. August wurde dann der Platz von den Spaniern gestürmt und großentheils niedergebrannt. — Am 12. März 1814 capitulirte die Festung an die Russen unter Geismar. — Im Deutsch-Französischen Kriege von 1870/71 wurde St.-Q. am 21. Oct. 1870 von 4500 M. deutschen Truppen (von der IV. Armee) besetzt, aber am 22. Oct. wieder geräumt. Nachdem am 18. Januar 1871 vorgeschobene Abtheilungen der französischen Nordarmee unter General Faidherbe, welche nach Heranziehung von Verstärkungen wieder südwärts vorgerückt war, von der I. deutschen Armee unter General von Goeben von Beauvois auf St.-Q. zurückgeworfen worden waren, und dabei 1 Geschütz und 500 unverwundete Gefangene verloren hatten, kam es am 19. Januar zu der Schlacht von St.-Q.[*] An derselben nahmen außer der I. deutschen Armee noch die sächsische Cavalerie-Division des Grafen Lippe, das 1. sächsische Jäger-Bataillon Nr. 12 und die sächs. 2. reitende Batterie Theil, sodaß die Gesammtstärke der deutschen Armee 39 Bataillone, 35 Escadrons und 162 Geschütze betrug. Am Morgen des 19. Januar dirigirte General von Goeben die das Centrum bildende 15. Infanterie-Division auf Savy, die den linken Flügel bildende Cavalerie-Division des Grafen von der Gröben nebst Truppen vom 1. Armeecorps zu einer Umgehung nach Marteville, die den rechten Flügel bildende 16. Infanterie-Division über Seraucourt auf St.-Q. und endlich das sächsische Detachement auf den äußersten rechten Flügel von La Fère aus umgehend gegen St.-Q., während die aus vier Bataillonen und einem Cavalerie-Regiment bestehende Reserve mit dem Stabe des commandirenden Generals auf der Straße Douchy—St.-Q. folgte. Die 16. Division eröffnete das Gefecht mit einem Angriff auf eine von dem französischen 22. Corps zwischen und bei den Dörfern Grugis, Neuville, St. Amand und Castres eingenommene starke Stellung, welche hartnäckig vertheidigt wurde. Bald darauf begann bei Savy der Angriff der 15. Division auf Truppen vom französischen 23. Corps. Im Centrum war eine Anhöhe mit der Windmühle Tout-Vent (der Standort des Generals Faidherbe) gleichfalls von Truppen des 23. Corps besetzt. Die beiden französischen Corps waren durch den Kanal de

---

[*] Anmerk.: Da in Bezug auf diese Schlacht an authentischem Material, namentlich auch von deutscher Seite, noch fühlbarer Mangel ist, so geben wir die Darstellung derselben nur in allgemeinen Zügen und werden in den Supplementen eingehender darauf zurückkommen.

Crozat von einander getrennt, was insofern für dieselben von großem Nachtheil wurde, als sie sich nur auf dem Umwege durch die Stadt gegenseitig unterstützen konnten. Die 2. Division des französischen 22. Corps wurde sehr bald zur Räumung des Dorfes Castres gezwungen, während der Kampf bei Grugis und Neuville mehre Stunden mit großer Heftigkeit geführt wurde, bis es endlich der 16. Division nach großem Verluste mit Hilfe eines Theils der Reserve gelang, diese beiden Dörfer zu nehmen. Mittlerweile war die Umgehung auf den beiden Flügeln in Wirkung getreten und dadurch die ganze französische Linie aus ihrer ursprünglichen Stellung zurückgedrängt und zur Besetzung eines zweiten, rückwärts gelegenen Abschnittes gezwungen worden, wo sie jedoch durch wellenförmiges Terrain in hohem Grade begünstigt wurde. Während die deutschen Colonnen folgten, versuchte Faidherbe Nachmittags 2 Uhr noch einen Offensivstoß mit dem von starker Artillerie begleiteten 22. Corps. Derselbe war jedoch ohne Erfolg, da er vom 23. Corps nicht hinreichend unterstützt werden konnte. Schon um 4 Uhr war bereits das ganze französische Heer in vollem Rückzuge und es wurden hier bereits 400 Gefangene gemacht und 2 Geschütze erobert. Nach mehrfachen glücklichen Cavalerie-Attaken stürmten gegen Abend Truppen des 19. Regiments von der Division des Prinzen Albrecht Sohn den Bahnhof, worauf die Stadt besetzt wurde. 2000 verwundete und gegen 10,000 unverwundete Franzosen wurden gefangen und 6 Geschütze erobert, so daß also einschließlich der in der Umgegend befindlichen Verwundeten und Todten der Gesammtverlust der Franzosen gegen 15,000 M. betrug. Der Verlust der Deutschen belief sich auf 94 Offiziere und ungefähr 3000 Mann. Der Feind ging nach dieser entscheidenden Niederlage in völliger Auflösung nach Valenciennes und Douai zurück und besetzte Cambrai wieder. Damit war im Norden der letzte Entsatzversuch von Paris gescheitert und Faidherbe's Armee in einem solchen Zustande, daß er mit aller seiner Thatkraft an keinen neuen Denken konnte. An demselben Tage fand auch von Paris (s. b., Bd. VII., S. 72 ff.) selbst aus der letzte Massenausfall statt.

Literatur s. am Schlusse des Artikels „Deutsch-Französischer Krieg" in den Supplementen. Von französischen Quellen ist noch besonders zu nennen: „Campagne de l'armée du Nord en 1870—71 par le Général de division L. Faidherbe", Paris 1871 (deutsch Leipzig [Duchardt] 1872), welche Schrift von deutscher Seite mehrfache Berichtigungen erfahren hat, besonders auch von General von Goeben im Militär-Wochenblatt von 1871.

Saint-Vincent, John Jervis, Baron Meaford, Graf von, englischer Admiral, geb. 1734 zu Meaford, ging schon in früher Jugend (1744) zur Marine, wurde 1759 Schiffslieutenant, machte den Krieg in Nordamerika mit großer Auszeichnung mit, wurde 1793 Contreadmiral, eroberte 1794 die französische Colonie Martinique und St. Lucie, schlug 1797 die spanische Flotte am Cap St. Vincent, wurde hierfür zum Grafen von St. Vincent und Oberbefehlshaber im Mittelländischen Meere erhoben, war 1801—1805 Erster Lord der Admiralität, commandirte 1806 die Kanalflotte, wurde 1814 General en Chef der Marinetruppen, zog sich 1816 aus dem öffentlichen Leben zurück, wurde aber 1821 noch zum Admiral der Blauen Flagge ernannt und starb 15. März 1823 auf seinem Landgute Rochetts bei Brandwood.

Saladin, (Salah eddin Jussuf Ebn Agub), Kurde und Sohn eines militärischen Befehlshabers, geb. 1137, wurde durch hervorragende Waffenthaten, schon jung, Vezier von Aegypten, bemächtigte sich selbst der Herrschaft in Aegypten, die er nach Nureddin's und dessen Sohnes Tode 1174 zu einer völlig unbeschränkten machte und über Syrien erweiterte, nahm den Titel Sultan an und wendete nun sein Schwert gegen die Kreuzfahrer in Jerusalem, schlug diese 1187 bei Tiberias und brachte bald danach fast ganz Palästina und Jerusalem in seine Gewalt, vermochte indeß gegen Philipp August von Frankreich und später gegen Richard von England nicht glücklich zu kämpfen und mußte einen Theil Palästinas wieder herauszugeben. S. starb 1193 zu Damaskus.

Salamanca, Hauptstadt der gleichnamigen, zum Königreich Leon gehörigen spanischen Provinz (232,2 Q.-M. mit 273,421 Einw.), am linken Duero-Flusse Tormo, über welchen eine zum Theil noch von den Römern herstammende steinerne Brücke von 27 Bogen führt, ist von hohen Mauern mit meist gothisch gebauten Thürmen umgeben, Sitz eines Erzbischofs, hat einen prächtigen großen Marktplatz (Constitutionsplatz), eine schöne Kathedrale (mit dem sogenannten Schlachtenkreuz, das der Cid in seinen Feldzügen geführt haben soll), eine altberühmte Universität und 16,000 Einwohner. In der Nähe von S. (bei dem Dorfe Arapiles) am 21. Juli 1812 Sieg der Engländer unter Wellington über die Franzosen unter Marmont.

Salamis, griechische Insel an der Westküste von Attika; hier Seesieg der Griechen unter Themistokles über die große persische Flotte 480 v. Chr. (vgl. Athen, Bd. I, S. 261).

Salbris, Stadt im französischen Departement Loir et Cher, 7 Meilen südlich von Orleans. Nach der Schlacht von Orleans fand hier am 7. Dec. 1870 ein Zusammenstoß zwischen der durch die Sologne in südlicher Richtung verfolgenden preußischen 6. Cavaleriedivision und Theilen der geschlagenen französischen Loire-Armee statt, welche letztere nach Bourges abzogen und bei S. Stand zu halten suchten.

Saldanha-Oliveira e Daun, Joao Carlos Herzog von, portugiesischer Feldmarschall und Staatsmann, geb. 1791 zu Lissabon, spielte seit 1825 in den portugiesischen Kriegen eine hervorragende Rolle, wurde 1833 zum Feldmarschall ernannt, erhielt wiederholt den Oberbefehl und das Kriegsministerium, wirkte aber fast nur als Politiker und Staatsmann und wurde trotz seines Alters am 19. Mai 1870 in Folge eines Pronunciamento nochmals Minister-Präsident und Minister des Kriegs und des Innern.

Saldern, Friedrich Christoph von, preußischer Generallieutenant, geb. 1719, machte die Schlesischen Kriege und den Siebenjährigen Krieg mit vieler Auszeichnung mit, wurde 1759 mit Ueberspringung einer Rangstufe Generalmajor, 1766 Generallieutenant, wirkte besonders für die taktische Ausbildung der Infanterie, stand bei Friedrich d. Gr. in hohen Ehren und starb 1785 in Magdeburg. Auf dem Schmelzerling, einem Berge bei Wettin, ist ihm ein Denkmal errichtet. Er schrieb: „Taktik der Infanterie", Dresden 1784; „Taktische Grundsätze", ebd. 1786. Vgl. Küster, „Charakterzüge des Generallieut. v. S.", Berlin 1792.

Salier, 1) s. v. w. Salische Franken, s. u. Franken 1); 2) s. v. w. Fränkische Kaiser, s. d.

Saline-Fluß, ein Nebenfluß des Washita im nordamerikanischen Staate Arkansas. Gefecht daselbst am 30. April 1864 zwischen der Arrièregarde des von Camden nach Little Rock zurückgehenden unirten Generals Steele und den Conföderirten unter Kirby Smith.

Salins, Stadt im französischen Departement Jura, Kreuzungspunkt der von Dôle am Doubs über Pontarlier nach der Schweiz führenden mit einer von Bésançon über Ornans kommenden und über Champagnole südwärts ziehenden Straße, welcher durch zwei kasemattirte Felsen-Forts, St. André und Bella, gesperrt ist. Im Deutsch-Französischen Kriege drang das II. Armeecorps der gegen die französische Armee Bourbaki's operirenden deutschen Südarmee (von Manteuffel) auf der ersteren der genannten Straßen gegen Osten vor. Am 25. Januar 1871 kam es zu einem Zusammenstoß eines deutschen Recognoscirungs-Detachements (¹⁄₂ Bataillon und 1 Zug

Dragoner) mit den S. stark besetzt haltenden Franzosen. Am folgenden Tage wurde die Tête (5. Brigade) der mit der Corpsartillerie gegen S. vormarschirenden preußischen 3. Division aus beiden Forts mit lebhaftem Geschützfeuer empfangen. Während die preußische Infanterie in dem tief eingeschnittenen Felsenthale auf der großen Straße gegen die Stadt vorging und ein hinhaltendes Feuergefecht führte, wurde eine Umgehungscolonne nördlich über Thieband dirigirt. Die Besatzung von S. wartete diese Umgehung aber nicht ab, sondern zog unter dem Schutze der Forts nach Pontarlier ab. Die 5. Brigade, welche in dem Gefechte 50 Mann verloren hatte, besetzte mit 4 Batl. die Stadt und schob 2 Batl. noch weiter nach Osten vor, räumte aber schon am 27. vor Tagesanbruch S. wieder, weil das 11. Corps sich weiter südwärts schieben sollte. Da die Forts jede Aufforderung zur Uebergabe ablehnten und nicht wohl zu nehmen waren, so wurde die Straße für die weiteren deutschen Truppendurchzüge unbenutzbar gemacht.

Salisbury, Hauptstadt der englischen Grafschaft Wiltshire, am Einfluß der Bourne in den Avon, hat eine Kathedrale mit dem höchsten Thurme (410 Fuß) Englands und zählt 13,000 Einwohner. Unweit nördlich liegen die Trümmer von Sarum (Old-Sarum), dem angelsächsischen Searobyrig, wo der Sachsenfürst Cerdic 552 die Briten schlug.

Salisbury, 1) William Graf von, natürlicher Sohn Königs Heinrichs II. von England, begleitete den König Richard Löwenherz auf seinem Kreuzzuge nach Palästina, war einer der Hauptführer in den bürgerlichen Unruhen und starb 1226. 2) William de Montacute, Graf von, einer der bedeutendsten englischen Feldherren in den Kriegen gegen Philipp VI. und Johann II. von Frankreich, focht 1346 bei Crecy und 1356 bei Poitiers, schlug wiederholt die Schotten und starb 1397. 3) Thomas de Montacute, Graf von, ausgezeichneter englischer Feldherr im Kriege gegen Karl VII. von Frankreich, fiel bei der Belagerung von Orleans 1428.

Salm-Kyrburg, Friedrich, (ehedem regierender) Fürst von, geb. 1789 in Paris, besuchte seit 1806 die Militärschule von Fontainebleau, wurde 1807 Ordonnanzoffizier Napoleons, machte 1807 und 1808 die Feldzüge in Portugal und Spanien mit, war in Spanien mehre Monate hindurch Kriegsgefangener, nahm 1809 am Feldzuge gegen Oesterreich Theil, wurde hier Oberst, nahm bald darauf seinen Abschied und starb 1859.

Salm-Reifferscheidt, Nillas Graf von, geb. 1456, focht in der Schweiz gegen Burgund, dann unter österreichischer Fahne für Karl V., schwang sich zum Feldherrn auf, entschied 1525 die Schlacht bei Pavia, schlug 1529 die Ungarn unter Zapolya, vertheidigte Wien siegreich gegen Soliman II. und fiel in diesem Kampfe 1530.

Salney, Dorf im nordöstlichen Böhmen, nordwestlich von Josephstadt; hier am 30. Juni 1866 Kanonade von Eritu der Oesterreicher nach den jenseit der Elbe bei Gradlitz (s. d.) lagernden Preußen.

Salona, Stadt von 4000 Einw. in der griechischen Nomarchie Phthiotis und Phocis; hier im griechischen Freiheitskriege (namentlich 1821 und 1827) mehre Treffen zwischen Griechen und Türken.

Salpeter, der Hauptbestandtheil des Schießpulvers, s. Pulver, Bd. VII., S. 259 f.

Salpeterschwefel, ein Mengung von 3 Theilen Salpeter, 1 Theil Schwefel zu Feuerwerkszwecken, s. Satz. — Beim Kleinen des Schwefels in den Pulverfabriken wird diesem ein Procentsatz Salpeter zugefügt, um das Ballen des Schwefels zu verhindern, und so entsteht die S.-Mengung.

Salutiren ist gleichbedeutend mit dem militärischen Gruß (s. Honneurs), der durch Anlegen der Hand an die Kopfbedeckung, Präsentiren des Gewehrs,

Senken des Säbels oder Degens Seitens der Offiziere, Senken der Fahne erfolgt. Das S. wird auch durch blinde Kanonenschüsse — Salutschüsse ausgedrückt, namentlich Seitens der Festungen und Kriegsschiffe, zur Begrüßung von hohen Personen, fremden Schiffen ꝛc. Seitens der Marine wird das S. ziemlich übereinstimmend bei allen Seemächten ausgeübt. Geht ein Kriegsschiff auf einer fremden Rhede zu Anker, so ist es gehalten, falls es die zum S. erforderliche Anzahl Geschütze führt, die Flagge der fremden Nation durch einen Salut von 21 Schuß zu begrüßen. Selbstverständlich muß jeder Salut erwiedert werden, wenn die Mittel dazu vorhanden sind; es antworten demgemäß entweder die Hafenbatterien oder das im Hafen liegende Wachtschiff des Hafenadmirals. Befindet sich unter den im Hafen oder auf der Rhede befindlichen Schiffen ein solches, welches einen Flaggoffizier an Bord hat und dessen Flagge führt, so wird diese Flagge entsprechend salutirt und zwar erhalten: der Commodore 11 Schuß, Contre-Admiral 13 Schuß, Vice-Admiral 15 Schuß, Admiral 17 Schuß. — Jeder offizielle Besuch an Bord wird, falls den betreffenden Personen ein Salut zusteht, salutirt, sobald der Besuch das Schiff verlassen hat; z. B. die Consuln, der Gesandte, militärische Personen im Range der Flaggoffiziere ꝛc. Die Mitglieder eines Königlichen Hauses erhalten 21 Schuß, der König und die Königin 33 Schuß. Auch beim zufälligen Begegnen auf See wird die Flagge eines Flaggoffiziers salutirt; ebenso wird die Landesflagge begrüßt beim Passiren von fremden Forts und Festungen. Man ist in Bezug auf diese Begrüßungen sehr peinlich und sehr darauf bedacht, einentheils nichts zu verabsäumen, anderntheils aber auch nicht zu viel zu thun. Liegen Schiffe verschiedener Nationen in einem Hafen oder auf einer Rhede beisammen und eins derselben hat veranlaßt, den Geburtstag seines Souveräns zu feiern, so macht es den übrigen Schiffen hiervon Mittheilung und diese sind dann gehalten, vermöge des unter allen Seemächten herrschenden Ceremoniels, einen Salut von 21 Schuß zu feuern, sobald das feiernde Schiff den ersten Schuß gethan hat. Gewöhnlich wird ein solcher Salut präcis um 12 Uhr Mittags abgegeben. Ebenso betheiligen sich fremde Schiffe an Trauersaluten, welche bei Todesfällen regirender Häupter abgegeben werden, oder beim Begräbniß von Flaggoffizieren. Trauersalute werden mit Minutenschüssen gefeuert, d. h. zwischen jedem Schuß ist eine Pause von einer Minute. Schiffe, welche weniger als 10 Geschütze führen, feuern gewöhnlich keinen Salut. Wenn ein Flaggoffizier seine Flagge zum ersten Male an Bord hißt, oder sie streicht (bei Beendigung seines Commandos), so wird die Flagge ebenfalls entsprechend salutirt.

Salve ist das gleichzeitige Abseuern der Gewehre seitens eines oder mehrerer Glieder einer Infanterie-Abtheilung und erfolgt auf Commando. Bei der Cavalerie ist die S., falls einige richtigen taktischen Grundsätzen folgt, wohl nur als eine große Ausnahme möglich. Auch die Artillerie macht unter gewöhnlichen Umständen von dem S.-Feuer keinen Gebrauch, lediglich etwa gegen einen Nah-Angriff der Cavalerie und bisweilen gegen sich bewegende Ziele. Die häufigere Anwendung verbietet sich hier mit Rücksicht auf die entstehenden Pausen und die Nothwendigkeit der Beobachtung jedes einzelnen Schusses. Um so häufiger macht die Schiffs-Artillerie, welche, bei der großen Unsicherheit des einzelnen Schusses, im massenhaften Feuer ihr Heil zu suchen hat, vom salvenartigen Feuer der Breitseiten Gebrauch. Die S. überhaupt gewährt den Vortheil, daß sie eine große Feuerwirkung auf einen kleinen Zeitraum concentrirt und so das Mittel zu einer entscheidenden Wirkung werden kann. Bei der Infanterie bleibt die Truppe besser in der Hand, als unter Anwendung des Rotten-, oder des Schnellfeuers (s. d.). Dagegen sind auch hier die entstehenden Pausen, wenngleich sie bei Hinterladern

auf ein Minimum sich reduciren lassen, nachtheilig, außerdem wird der Einzelne
durch die Nothwendigkeit des möglichst gleichzeitigen Abdrückens an einem guten
Abkommen gehindert. Es ist daher eine wichtige Regel für die Infanterie, die
S. nur auf den näheren Entfernungen anzuwenden, wo die Geschoßbahn eine
völlig rasante ist, sodaß ein einigermaßen horizontaler Anschlag zur Erzielung
einer guten Wirkung hinreicht. Namentlich ist es wichtig, der attakirenden Cavalerie gegenüber die S.n auf nähere Distancen aufzusparen, weil bei der Eröffnung des Feuers auf weitere Distancen hin die geringe Wirkung das moralische Element des Angreifers nur hebt. Es giebt selbst Beispiele in der Kriegsgeschichte, wo das Aufsparen des Feuers auf die nächste Nähe die Cavalerie zum
Stutzen und selbst zur Umkehr vermocht hat, ehe überhaupt ein Schuß gefallen.
S.n der Infanterie werden abgegeben: a) aus der linearen Aufstellung eines Batl.
oder einer kleineren Abtheilung und zwar von den beiden (resp. zwei ersten)
Gliedern, b) aus dem Quarré mit 1 oder 2 Gliedern, — Quarré-Feuer,
c) aus der Colonne von der Têten-Abtheilung. Das preußische Compagnie-
Colonnen-System hat auch die viergliedrige S. als reglementarische Form,
indem die beiden geschlossen gebliebenen Züge auf Gliederdistanzen aufrücken
und die beiden vorderen Glieder im Knieen feuern. Die verringerte Länge des
Hinterladungs-Gewehrs erheischt ein näheres Aufschließen des zweiten Gliedes
bei der S. als bisher; letzteres tritt zugleich auf die Lücken des ersten über.
Das neue preußische Reglement (Neuabdruck von 1870) legt auf die völlige
Gleichzeitigkeit des Abdrückens keinen Werth, sondern betont mehr ein gutes
Abkommen. Das russische Reglement von 1868 kennt nur die S. in Compagnien. — Zur Zeit der Linear-Taktik bildete die S. mit wechselnden Abtheilungen — Zügen oder Pelotons, auch Divisionen — das Peloton-Feuer,
die Haupt-Feuergattung. Dasselbe sprang von der 1. zur 3., 5. &c. resp. von
der 2. zur 4., 6. Abtheilung über. Jeder Führer der letzteren gab sein Commando. Das Pelotonfeuer artete aber leicht in das unregelmäßige Rottenfeuer
aus. — Der künftige Werth der S. bildet eine Streitfrage unter den Taktikern.
Von der einen Seite wird Accent darauf gelegt, daß es der heutigen Feuerwirkung gegenüber auf Entfernungen, wo die S.n wirksam sind, kaum möglich sei,
namentlich in der Offensive, mit geschlossenen Truppen aufzutreten. Andere
behaupten wieder, daß dies mit gut geschulten Truppen dennoch gelingen
könne und lege der S. dann großen Werth als Mittel zur Erzielung einer
entscheidenden Wirkung bei. Im Kriege 1870/71, wo zum ersten Male Hinterlader gegen Hinterlader auftraten, ist die S. höchst selten zur Anwendung gelangt, doch dürfte hieraus noch kein sicherer Schluß auf die Zukunft zu ziehen
sein. (Vergl. v. Boguslawski, „Taktische Folgerungen", Berlin 1872, und
Milit.-Wochenblatt 1871.) — Im Gegensatz zu S. ist Lage das einmalige
Durchfeuern einer Geschütz-Abtheilung, wird indeß häufig mit S. verwechselt.

Salvegarde, s. v. w. Sauvegarde.

Salzburg, 1) Herzogthum und Kronland des Cisleithanischen Theils der
Oesterreichisch-Ungarischen Monarchie (bis 1849 mit dem Erzherzogthum Oesterreich vereinigt), grenzt an Oesterreich ob der Ens, Steiermark, Kärnten, Tirol
und Baiern, ist durch die Salzburger Alpen (Theil der Norischen Alpen)
gebirgig, wird von der Salzach bewässert und hat einen Flächenraum von
130,15 Q.-M. mit (1869) 151,410 Einw. (1865: 146,870 Einw.), welche
der Nationalität nach durchaus deutschen Stammes sind und der Religion nach
sich mit Ausnahme von ungef. 3000 Protestanten, zum Römisch Katholicismus bekennen. Haupterwerbsquellen sind Ackerbau und Viehzucht; Handel und
Industrie sind ohne wesentliche Bedeutung. Das Herzogthum wird von der
Linie Linz-Salzburg der Kaiserin Elisabeth-Westbahn und der Linie Salzburg-
München durchschnitten. Die Hauptstadt ist Salzburg (s. d. 2); die obere

Leitung der Administration liegt in der Hand der politischen Landesbehörde (Landes-Präsident) zu Salzburg; in Bezug auf die Militärverwaltung gehört das Herzogthum zum 3. Truppen-Division- und Militär-Commando Linz des Generalats Wien. Das jetzige Herzogthum S. war seit dem Westfälischen Frieden von 1649 ein reichsunmittelbares Erzbisthum, und zwar, außer den drei geistlichen Kurfürstenthümern Köln, Trier und Mainz, das einzige Erzbisthum in Deutschland. Es umfaßte damals 180 Q.-M. mit 190,000 Einw. Im J. 1802 wurde dasselbe säcularisirt und in ein weltliches Kurfürstenthum umgewandelt, als solches nebst Eichstädt, Berchtesgaden und einem Theil von Passau dem Erzherzog Ferdinand von Oesterreich als Entschädigung für das im Lüneviller Frieden von 1801 abgetretene Toscana zugetheilt. Im Preßburger Frieden von 1805 kam S. nebst Berchtesgaden an Oesterreich, Eichstädt und Passau aber an Baiern, wogegen der Kurfürst durch Würzburg entschädigt wurde. Im Wiener Frieden von 1809 erhielt Napoleon I. Salzburg nebst Berchtesgaden zur Verfügung gestellt, welche er 1810 an Baiern abtrat. Nach dem Ersten Pariser Frieden von 1814 wurde es von Baiern wieder an Oesterreich vertauscht, mit Ausnahme eines am linken Salzachufer gelegenen Theils, welcher nebst Berchtesgaden bei Baiern blieb. Seitdem bildet S. als ein Herzogthum einen integrirenden Theil des Oesterreichischen Kaiserstaates und zwar Anfangs den Salzachkreis des Erzherzogthums Oesterreich ob der Ens, seit 1849 aber ein eigenes Kronland. 2) Hauptstadt des Herzogthums S., in reizender Lage zu beiden Ufern der dreifach überbrückten Salzach zwischen dem Mönchsberge (am linken) und dem Kapuzinerberge am (rechten Salzach-Ufer), und an der Vereinigung der Kaiserin Elisabeth-Westbahn (Linie Linz-Salzburg, von welcher hier eine Zweigbahn nach Hallein abführt) mit der Linie Salzburg-München. Die Stadt besitzt mehrere schöne große Plätze mit prächtigen, großentheils in italienischem Stile erbauten Häusern; doch sind die Straßen meist eng und krumm. Unter den zahlreichen schönen Kirchen ist hervorzuheben der Dom (dessen Kuppel am 16. Sept. 1859 abbrannte, aber seitdem vollständig restaurirt wurde); unter den weltlichen Gebäuden: das Residenzschloß, das Schloß Mirabell (am rechten Ufer, Residenz des Erzbischofs); der Neubau (Post, Telegraphenamt und andere k. k. Behörden), dabei die Hauptwache; eine schöne Cavalerie-Kaserne (früher erzbischöflicher Marstall), dabei die Winter- und die Sommer-Reitschule mit dreifacher in den Felsen des Mönchsbergs gehauener Gallerie; an Unterrichtsanstalten ec.: eine theologische Facultät, eine medicinisch-chirurgische Lehranstalt (früher besaß S. eine Universität), ein Obergymnasium, eine Oberrealschule, ein erzbischöfliches Priesterseminar, ein Landesmuseum mit Bibliothek, ein Militärhospital und zahlreiche Stiftungen der verschiedensten Art, ein Denkmal Mozart's, mehre schöne Brunnen ec. Die Stadt ist Sitz des Landes-Präsidenten und der Landesbehörde, eines Erzbischofs, eines Domcapitels, eines erzbischöflichen Consistoriums, eines Stations-Commandos und zählt 18,000 Einwohner. Hoch über der Stadt (600 Fuß über dem Spiegel der Salzach) auf dem nach drei Seiten schroff abfallenden Nonnenberge, dem letzten Punkte des schmalen Mönchsberges, liegt die aus den Trümmern eines alten Römer-Castells (Castrum Juvavense) entstandene und zu verschiedenen Zeiten ausgebaute Festung Hohensalzburg, welche jedoch mehr als Kaserne und Gefängniß wie zur wirklichen Vertheidigung dient; in ihr befindet sich das Zeughaus. Unweit südwestlich von S. liegt das dem König von Baiern gehörige Lustschloß Leopoldskron mit Militär-Schwimmschule und Schwimmanstalt. — S. ist das alte Juvavum, welches vom Kaiser Hadrian zur Colonie erhoben wurde und dann die Residenz des römischen Statthalters von Noricum war. Im 5. Jahrh. wurde es von den Herulern zerstört, im 7. Jahrh. aber wieder hergestellt; Anfang des 8. Jahrh. wurde hier von St. Rupert eine

Kirche gegründet und die Stadt dann Sitz eines Bischofs, welcher unter Karl Karl d. Gr. 798 zum Erzbischof erhoben wurde. Hier fand vom 18.—23. August 1867 eine Zusammenkunft des Kaisers Franz Joseph I. mit dem Kaiser Napoleon III. statt. Am 6. und 7. September 1871 hier Zusammenkunft des Deutschen Kaisers Wilhelm I. (begleitet vom Reichskanzler Fürst Bismarck) mit dem Kaiser Franz Joseph I. von Oesterreich (begleitet vom Reichskanzler Graf Beust und den Ministern Graf Andrassy und Graf Hohenwart).

Salzburg (Vizakna), Marktflecken im siebenbürgischen Kreise Hermannstadt, hat ein Salzwerk und 3500 Einw. Hier 4. Februar 1849 Sieg der Oesterreicher unter Feldmarschalllieutenant von Buchner über die ungarischen und siebenbürgischen Truppen unter Bem.

Samarkand, einst die Hauptstadt, jetzt die zweite Stadt des Khanats Buchara, am Zer-Afschan (Nebenfluß des Amu-Darja), Sommer-Residenz des Khan, ist von Festungsmauern umgeben, hat eine Citadelle (Arkt), zahlreiche Moscheen (darunter eine mit Timur's Grabstätte), Industrie und Handel und zählt gegen 30,000 Einwohner. S. ist das alte Marakanda (Hauptstadt der Provinz Sogdiana), welches Alexander d. Gr. auf seinem Indischen Feldzuge zerstörte; seit 1219 wurde es von Dschingis-Khan belagert und 1220 erobert, 1368 von Timur zur Residenz erhoben und zum Sitz einer bedeutenden Seiden- und Waffenfabrikation gemacht. In den russisch-bucharischen Kriegen 1865—68 litt S. sehr; in seiner fanden mehre Gefechte statt, am 1./13. Mai 1868 eine größere Schlacht und am 2./14. Mai wurde S. von den Russen unter General Kauffman besetzt (vgl. Buchara, Bd. II., S. 253).

Sambre, linker Nebenfluß der Maas, entspringt im französischen Departement Aisne, hat einen vorherrschend nordöstlichen Stromlauf, wird bei Landrecy im Departement Nord schiffbar, tritt unterhalb Maubeuge nach Belgien über und mündet dort nach einem Laufe von 25 Meilen bei Namur. In der Kriegsgeschichte ist die S. namhaft durch eine Reihe von Gefechten, welche hier im Mai und Juni 1794 zwischen den Oesterreichern unter dem Prinzen von Coburg und den Franzosen unter Jourdan und Charbonnier stattfanden, in denen die Franzosen die Sambrelinie der Verbündeten forcirten.

Sämischgares Leder entsteht aus Fellen von Wild, Schafen, Ziegen, welche mit reinem Fett zu Waschleder bearbeitet werden. In der militärischen Ausrüstung wird dasselbe zu Handschuhen benutzt.

Sammeln heißt Truppen, welche in Quartieren zerstreut gelegen, resp. im Gefecht aus einander gekommen, oder auch in zerstreuter Ordnung gefochten haben, wieder zusammenziehen, resp. in eine gefechtsbereite Formation oder in die geschlossene Ordnung zurückführen. „Das Ganze sammeln" ist gleichbedeutend mit Generalmarsch.

Sammelplatz, s. Alarmplatz und Rendezvous.

Samniter, mittelitalienische Völkerschaft des Alterthums, kriegerisch und freiheitsliebend. Die von ihnen bewohnte Landschaft hieß Samnium. Die S. geriethen bei ihrem Bestreben, sich auszudehnen, mit den gleiche Zwecke verfolgenden Römern in Conflict, und entstanden die drei Samnitischen Kriege (s. Rom, S. 30), welche mit der Einverleibung der S. in die römische Bundesgenossenschaft endeten. Ihre Liebe zur Unabhängigkeit ließ die S. noch späterhin an den Kämpfen Hannibals gegen Rom, sowie am Bundesgenossenkrieg (91 v. Chr.) lebhaften Antheil nehmen. Von da ab bleiben nur spärliche Spuren der Nation übrig.

Sanct (St.) . . . ., Namen, welche hier nicht zu finden sind, s. unter dem Hauptnamen, z. B. Sanct Helena unter Helena, Sanct Jakob unter Jakob ꝛc.

Sanct Jean d'Acre, f. Acre.

San-Domingo, f. Domingo.

San-Ildefonso, Stadt in der spanischen Provinz Segovia, am waldigen Guadarrama-Gebirge, hat 2000 Einwohner. Dabei das berühmte Sommerresidenz- und Lustschloß La Granja mit schönen Garten- und Parkanlagen; in demselben wurde am 9. August 1796 ein Bündniß zwischen Frankreich und Spanien abgeschlossen.

San-Marino, f. Marino.

San-Salvador, 1) die kleinste, aber volksdichteste und cultivirteste der fünf Republiken von Central-Amerika (f. d.), bildet einen schmalen Landstrich, grenzt im Norden und Osten an Honduras, im Südosten an die Conchaguabai (Golf von Fonseca), im Süden an den offenen Stillen Ocean, im Westen an Guatemala, ist durch die südliche Abdachung der Cordilleren gebirgig (mit mehren Vulkanen), ziemlich gut bewässert (Hauptfluß der Rio Lempa) und umfaßt einen Flächenraum von 345 Q.-M. mit (1865) ungef. 600,000 Einwohnern, welche, mit Ausnahme von 10,000 Weißen (Creolen), zur Hälfte Indianer (Endcatloner), zur Hälfte Mischlinge sind. An der Spitze der Executivgewalt steht ein, nach dem Decret vom 24. Januar 1859 auf sechs, neuerdings aber nur auf 4 Jahre gewählter Präsident mit zwei Ministern; die Legislativ-Gewalt beruht in einem Senate von 12 und einer Deputirten-Kammer von 24 Mitgliedern. Staatsreligion ist die römisch-katholische. Die Volksbildung steht noch auf ziemlich niedriger Stufe; doch wird seit neuerer Zeit von Seiten der Regierung viel für dieselbe gethan. Haupterwerbsquelle ist der Plantagenbau; die Viehzucht ist unwichtig; Handel und Industrie verhältnißmäßig von Bedeutung. Das stehende Heer beläuft sich auf 1000 M., die Miliz auf 5000 M. — Das jetzige S.-S., früher Cuscatlan genannt, wurde 1525 und 1526 von den Spaniern unter Petro Alvarado unterworfen, wurde 1790 zu einer spanischen Intendanz erhoben, riß sich 1821 mit den andern centralamerikanischen Staaten von der spanischen Herrschaft los, trat 1842 mit Guatemala, Nicaragua und Honduras zu einer Union zusammen, kam aber Anfang 1845 mit Honduras in Krieg, trat 1847 aus der Union, kam 1851 mit Guatemala in Krieg, erlitt am 2. Februar 1851 durch Carrera (Präsident von Guatemala) eine entscheidende Niederlage bei Arada, vereinigte sich im Juli 1851 mit Nicaragua und Honduras abermals zu einer Union, constituirte sich aber 1853 als selbständige Republik und gerieth 1863 mit Guatemala aufs Neue in Krieg; General Barrios (Präsident von S.-S.) wurde am 24. Febr. 1863 bei Ocotepeque von Carrera geschlagen, seit dem 29. Sept. in der Hauptstadt belagert, am 26. Oct. zur Räumung derselben und zur Niederlegung der Präsidentur gezwungen, machte im Mai 1865 einen Versuch zur Wiedererlangung der Macht, wurde aber gefangen genommen und im August 1865 erschossen. Seitdem haben sich die Verhältnisse friedlicher gestaltet. 2) Hauptstadt der gleichnamigen centralamerikanischen Republik, Sitz des Präsidenten, des Congresses und des Bischofs, eine Legua östlich vom Vulkan San-Salvador, hat mehre Kirchen und Klöster, eine sogenannte Universität, mehre Kasernen, Hospitäler, ziemlich lebhaften Handel und Industrie und zählt gegen 20,000 Einwohner. Die Stadt litt häufig von Erdbeben.

Sand ist eine Erdart, welche vorzüglich geeignet zum Bau von Brustwehren ist, da sie dem Eindringen der Geschosse den meisten Widerstand entgegensetzt — während feuchter Lehm und Thon denselben verhältnißmäßig am wenigsten widersteht. Die Eindringungstiefen der Geschosse, in festgelagerter Erde von mittlerer Schußfestigkeit (halb S., halb Lehm) bei stärkster Gebrauchsladung betragen (bei preußischen Geschützen):

Auf eine Entfernung von Schritten.	Beim			Beim glatten		
	15 cent. Kanon. Meter.	12 cent. Kanon. Meter.	9 cent. Kanon. Meter.	15 cent. Kanon. Meter.	12 cent. Kanon. Meter.	9 cent. Kanon. Meter.
100	4,24	2,58	1,67	2,31	1,55	1,33
400	3,77	2,36	1,57	2,09	1,28	1,02
800	3,19	2,04	1,42	1,83	1,07	0,67
1200	2,55	1,78	1,27	—	—	—
1600	2,02	1,55	1,17	—	—	—
1800	1,81	1,44	1,42			

Die Eindringungstiefen der Geschosse sind

     in reinem Kies und S. 0,83,
     in Ackererde mit Kies und S. gemischt . 0,87,
     in Ackererde mit Thon und S. gemischt . 1,09,
     in feuchtem Lehm und Thon . . . . 1,44 mal so groß, wie

in Erde von mittlerer Schußfestigkeit, bestehend halb aus S. und halb aus Lehm. Die Eindringungstiefen sind ferner

     in frisch aufgeschütteter Erde 1,90,
     in halbfest abgelagerter Erde . . . . 1,50 mal so groß, wie

in festgelagerter Erde. Hieraus ergeben sich als absolute Minima die Eindringungstiefen der Geschosse in frischgelagertem Kies und S.; nämlich:

Auf eine Entfernung von Schritten	Beim		
	15 cm. Kanon. Meter.	12 cm. Kanon. Meter.	9 cm. Kanon. Meter.
100	2,67	1,65	1,05
400	2,35	1,46	0,99
800	2,01	1,26	0,89
1200	1,65	1,10	0,79.

Ferner die Maxima der Eindringungstiefen in festgelagertem Boden:

Auf eine Entfernung von Schritten	Beim		
	15 cm. Kanon. Meter.	12 cm. Kanon. Meter.	9 cm. Kanon. Meter.
100	6,09	3,76	2,41
400	5,42	3,40	2,25
800	4,60	2,98	1,91
1200	3,77	2,55	1,83

Endlich sind als absolute Maxima des Eindringens in Erde die Eindringungstiefen bei frischaufgeschüttetem, feuchtem Lehm und Thon aufzuführen:

Auf eine Entfernung von Schritten.	Beim		
	15 cm. Kanon. Meter.	12 cm. Kanon. Meter.	9 cm. Kanon. Meter.
100	11,91	7,11	4,66
400	10,31	6,44	4,26
800	8,37	5,85	3,87
1200	7,11	4,87	3,43

Der S. ist die Bodenart, welche sich am leichtesten bearbeiten läßt, daher auch aus diesem Grunde besonders vortheilhaft, wo es auf die schnelle Herstellung von Feldwerken ankommt. Ferner begünstigt die zuletzt genannte Eigenschaft des S.es das schnelle Vorschreiten der Angriffsarbeiten bei Ausführung des förmlichen Angriffs einer Festung; die Bodenbeschaffenheit des Angriffsterrains ist daher häufig bei der Wahl der Angriffsfront entscheidend. — Bei der Belagerung von Straßburg (1870) wurde der Angreifer durch sandige Bodenbeschaffenheit des Angriffsterrains begünstigt und dadurch die schnelle Annäherung der Angriffsarbeiten an die Festung wesentlich befördert. — Es ist noch zu erwähnen, daß der S. ein wichtiger Bestandtheil des Kalkmörtels ist. Zur Bereitung des Mörtels geeigneter S. muß rein von erdigen Bestandtheilen und scharfkantig sein.

Sandbank, s. u. Bank 1), Bd. I., S. 373.

Sandershausen, Dorf mit 400 Einw., nordöstlich von Kassel in der preußischen Provinz Hessen-Nassau. Hier fand im Siebenjährigen Kriege, am 23. Juli 1758, ein siegreiches Gefecht eines detachirten französischen Corps von 7000 M. unter dem Herzog von Broglio (s. d. 3) gegen ein 3000 M. starkes Corps der Alliirten statt, welches der Herzog Ferdinand von Braunschweig bei seinem Uebergange auf das linke Rheinufer zum Schutze Hessens dort unter dem Prinzen von Isenburg zurückgelassen hatte.

Sandförmerei (auch Kastenförmerei) heißt im Gegensatz zur Lehmförmerei die Herstellung der Gußform aus Sand in eisernen Kasten, mit Benutzung metallener Modelle (letztere sind bei Lehmförmerei von Lehm). Die S. datirt aus der Zeit der ersten französischen Revolution, führt am raschesten zum Ziele und hat gegenwärtig die weiteste Verbreitung.

Sandsack ist ein mit Erde gefüllter, aus grobem Drillich oder Sackleinewand genähter Sack, welcher etwa 0,4 Meter lang und 0,3 Meter dick ist und gegen 0,3 Cub.-Meter Erde enthält, was ein Gewicht von ca. 25 Kilogr. ergiebt. Der S. findet in der Pionier-Technik ꝛc. eine vielfache Verwendung. Der Sappeur bedient sich desselben zur Herstellung eines Schirmes gegen Gewehrfeuer und zur Verstärkung der vorderen Körbe der Sappen-Tête, welche — da sie keine oder eine ungenügend starke Erdbrustwehr vor sich haben — keine Deckung gewähren. Ferner werden S.e zur Herstellung von Batterie- oder Laufgraben-Brustwehren verwendet, wenn harter Felsboden die Ausführung von Erdbrustwehren ausschließt. Letztere werden jedoch durch die S.-Brustwehren nicht völlig ersetzt, da dieselben den feindlichen schweren Granaten einen bedeutend geringeren Widerstand entgegensetzen, als die Erdbrustwehren. Beim Batteriebau können S.e auch zum bloßen Herantragen von Erde, wenn solche an der Baustelle fehlt, benutzt werden. Auch zur Bekleidung von Erdböschungen finden die S.e Anwendung; sie sind dabei mit dem zugebundenen Ende nach dem Innern der Brustwehr zu und im Verbande zu legen. — Endlich sind sie noch zur Ausbesserung von Bekleidungen, Ausfüllung von Lücken in solchen ein gutes Mittel. — Während der Belagerung von Paris (1870/71) haben die Franzosen die S.e vielfach zu Blendungen, Masken, zur Bekleidung von Erdböschungen verwendet.

Sandsackscharte, s. Scharte.

Sandschak (türk. b. i. Banner), früher in der Türkei der Name der Distrikte oder Provinzen, in welche die General-Gouvernements (früher Paschaliks, jetzt Ejalets genannt) getheilt werden, jetzt Liwa genannt (s. u. Osmanisches Reich, Bd. VI., S. 347).

Sandschak-Scherif (Chyrla-Scherif, Fahne des Propheten), die heilige Hauptfahne der Türken (angeblich ein Gewand Mohammed's), besteht aus schwarzem Camelot, ist mit einer andern Fahne bedeckt, deren sich der Khalif Omar bediente, und wird im Serail zu Constantinopel aufbewahrt. Die

10*

eigentliche alte Fahne kommt nie aus dem Serail; dafür wird eine andere, von grüner Seide mit goldenen Franzen mit in den Krieg genommen, doch nur wenn der Sultan persönlich mit ins Feld zieht; anderenfalls wird dieselbe während großer Kriege auf der Sophien-Moschee aufgepflanzt. In das Treffen selbst kommt indeß auch diese Fahne nie, sondern wird während des Kampfes im Lager aufbewahrt und, wenn sich der Sieg auf die Seite des Feindes neigt, sofort in Sicherheit gebracht. Anfangs wurde der S.-S. in Damast aufbewahrt, und erst 1595 unter Murad III. nach Constantinopel gebracht.

Sandwich-Inseln (Hawai-Gruppe), Inselgruppe des nordöstlichsten Polynesiens, besteht aus acht größeren bewohnten und fünf kleineren unbewohnten Inseln. Die acht größeren Inseln (Hawai 229,₂ Q.-M.; Kauai 36,₅; Maui 35,₇; Oahu 33,₁; Molokai 8,₅; Kanai 8,₆; Nihau 5,₆; Kabulaw 1,₇) haben einen Gesammtflächenraum von 358,₈ Q.-M. und eine Gesammtbevölkerung (1866) von 62,959 Einw. (worunter über 4000 Fremde). Die Inseln sind gebirgisch und vulkanisch; ihre Berge sind die höchsten von ganz Polynesien; der Mauna-Kea auf Hawai erreicht die Höhe von 12,800 Fuß; sie sind fruchtbar, von mildem Klima und gut bewässert. Die Küsten sind meist steil und hoch, doch sind gute Häfen selten. Die Bewohner gehören zu den schönsten und kräftigsten Stämmen der hellfarbigen polynesisch-malaiischen Familie und sind durch englische und amerikanische Missionäre zum evangelischen Christenthum bekehrt. Die Verfassung (Constitution von 1844, amendirt 6. Dec. 1852) beruht auf einer Art von Lehnsystem, mit einem erblichen, ziemlich beschränkten König an der Spitze, dessen Würde seit 1844 von Nordamerika und den europäischen Staaten förmlich anerkannt ist. Staatsreligion ist die protestantische; doch sind alle anderen christlichen Confessionen geduldet, das Heidenthum dagegen verboten. Der Schulunterricht ist gut geregelt. Das Wehrsystem des Staates beruht auf der allgemeinen Wehrpflicht; jeder Unterthan ist vom 16. bis 40. Lebensjahre wehrpflichtig; nur Beamte und Geistliche sind frei. General der Streitmacht jeder Insel ist der Gouverneur derselben; Generalissimus des Gesammtheeres ist der König, welcher auch eine eigene Leibwache hat. Der Handel ist, bedingt durch die Lage der Inseln auf dem großen Seewege zwischen Amerika, Asien und Australien, sehr blühend und befindet sich vorzugsweise in den Händen der Nordamerikaner und Engländer. Hauptstadt der Gruppe, Residenz des Königs und Sitz der Centralbehörden ist Honolulu auf der Insel Oahu, erster Handelsplatz der Inseln, mit Fort, Kirchen, Kasernen und 10,000 Einw. — Die S.-J. wurden 1778 von Cook entdeckt, welcher am 17. Febr. 1779 auf Hawai ermordet wurde. Anfangs bildeten die einzelnen Inseln verschiedene selbstständige Reiche; der eingeborene Häuptling von Hawai vereinigte als König Kamehameha I. während seiner Regierung (1784—1810) die ganze Gruppe zu einem Staate und wurde der Begründer der Civilisation derselben. Sein Sohn Kamehameha II. führte das Christenthum ein und regierte bis 1824. Dessen Bruder und Nachfolger Kamehameha III. verbannte 1837 die sich eindrängenden katholischen Missionäre und kam deshalb mit Frankreich in Conflict, welcher jedoch durch Vermittelung Englands 1842 beigelegt ward; darauf proclamirte er 1844 feierlich die Unabhängigkeit des Archipels, welche auch sofort von England und Nordamerika anerkannt wurde. Ihm folgte 1854 Liholiho Kamehameha IV. (Sohn des Gouverneurs Kekuanaoa und seiner Gemahlin Kinau, einer Tochter Kamehameha's I.), welcher sich mit einer Engländerin, Miß Emma Rooke, vermählte, sich durch seine kluge Regierung günstige Beziehungen zu England vermittelte und die eingeleiteten Verhandlungen über den Anschluß der Inseln an die Vereinigten Staaten von Nordamerika abbrach. Ihm folgte 1863 sein Bruder Lot Kamehameha V. Vgl. Jarves, „History of the Hawaiian or Sandwich Islands", London

1843; Remy, „Ka Moolelo Hawaii. Histoire de l'archipel havaïen", Paris 1862; Hopkins, „Hawaii, the past, present and future of its island-kingdom", London 1866.

Sanitäts-Abtheilungen (Feld-) sind in Oesterreich-Ungarn bei jeder Truppen-Division und jedem Feldspital eine. Bei ersteren haben sie den unmittelbaren Dienst auf dem Schlachtfelde, während die S.-A. der Feldspitäler in diesen den Aufsichts- und Wärterdienst versehen. Die S.-A. werden von den Sanitäts-Truppen-Abtheilungen (s. d.) aufgestellt.

Sanitäts-Anstalten heißen alle auf den Gesundheitsdienst einer Armee bezüglichen Institutionen, als stehende oder Garnison-, mobile (fliegende) oder Feld-Lazarethe und Sanitätstruppen. Vergl. Gesundheitsdienst, Bd. IV., S. 210 ff., Lazarethe, Bd. V., S. 299 ff., sowie die übrigen Zusammensetzungen von Sanität, und die Spezial-Artikel über die Heeresmacht der einzelnen Staaten.

Sanitäts-Chef der Armee-Intendanz ist in Oesterreich-Ungarn das verantwortliche Hülfs-Organ des Armee-Intendanten für Sanitäts-Angelegenheiten in Person des Ober-Stabsarztes. Außerdem giebt es S.-C.s bei den Territorial-Commandos.

Sanitäts-Comité (Militär-S.-C.) ist in Oesterreich-Ungarn ein dem Reichs-Kriegsministerium untergestelltes berathendes Organ für alle Sanitätsfragen. Es besteht aus ordentlichen und außerordentlichen Mitgliedern, — höhere Militärärzte und sonstige medicinische Notabilitäten.

Sanitäts-Corps wird im Deutschen Reich die Gesammtheit der im Offizier- und Unteroffizierrange stehenden Militärärzte des activen Dienst- und des Beurlaubten-Standes der Armee und Flotte genannt. Ueber die Abstufungen und speciellen Rangverhältnisse der im Offizier-Rang stehenden Aerzte s. Offiziere, Bd. VI., S. 318. Im Feldwebel-Rang stehen die Unterärzte. An der Spitze des S.-C. steht der Generalstabsarzt der Armee, welchem die Medicinal-Abtheilung des Kriegsministeriums untergeordnet ist, während innerhalb der einzelnen Armeecorps und der Marine der Verband, welchen die Militärärzte derselben ohne Rücksicht auf ihre Verwendung bei den Truppen in den Garnisonen oder bei militärischen Institutionen bilden, durch den resp. Generalarzt geleitet wird. Das K. Sächsische 12. Armeecorps hat eine besondere Sanitäts-Direction. — Die Ergänzung des S.-C. geschieht zunächst durch Mediciner, welche in den militärärztlichen Bildungsanstalten (s. Unterrichts-Anstalten) ausgebildet worden sind, ferner durch solche, welche ihre ärztliche Qualification auf Universitäten erlangt haben und zum Dienste auf Beförderung eintreten, und endlich durch Mediciner, die in Erfüllung ihrer gesetzlichen Dienstpflicht begriffen sind. — Was die Vertheilung der Militärärzte auf die Truppentheile anlangt, so sind etatsmäßig einem Infanterie-Regiment 1 Oberstabsarzt, 2 Stabs- und 2 Assistenzärzte, einem Jäger- oder Pionier-Bataillon 1 Oberstabs- oder Stabsarzt und 1 Assistenzarzt, einem Cavalerie-Regiment 1 Oberstabsarzt und 1 bis 2 Assistenzärzte, einem Feld-Artillerie-Regiment 3 Stabsärzte und 1 Assistenzarzt, einem Festungs-Artillerie-Regiment und einem Train-Bataillon 1 Assistenzarzt zugetheilt. Jede größere Garnison, sowie jede Festung hat einen Garnison-Arzt (Stabs- oder Oberstabs-Arzt). Die Ernennung der im Offizierrang stehenden Militärärzte erfolgt, nach vorausgegangener Wahl, durch den Kriegsherrn. Den Militärärzten gebühren die ihrem Range entsprechenden Honneurs. Die höheren Militärärzte haben Disciplinar-Strafgewalt über die ihnen untergebenen anderen Militärärzte, Krankenwärter, Lazareth-Gehülfen rc., im Allgemeinen indeß nur bei Verstößen gegen ihre Autorität und bei der Krankenpflege. Andererseits sind die Militärärzte der Disciplinarstrafgewalt ihrer directen Militär-Vorgesetzten in gleichem Maße unterworfen, wie die mit ihnen in gleichem Range stehenden Offiziere oder Unteroffiziere. Im Dienste müssen sie stets in Uniform, außer Dienst dürfen sie auch in Civil erscheinen. — Neben der Benennung ihres Grades führen die höheren Militärärzte nach ihren Functionen entsprechende Benennungen, als Corps-, Divisions-, Garnison-, Bataillons-Aerzte. Vergl. Allerhöchste Verordnung über die Organisation des S.-C., vom 20. Febr. 1868.

Sanitäts-Detachements sind in Preußen (resp. dem Deutschen Reiche) bestimmt, bei größeren Gefechten die Verwundeten aufzusuchen und so lange zu behandeln, bis sie von den Feldlazarethen übernommen werden können. Jedes mobile Armeecorps formirt drei S.-D., von denen jeder der beiden Infanterie-Divisionen eines dauernd untergestellt ist, während das dritte der Corps-Artillerie zugetheilt wird, aber zur Disposition des commandirenden Generals steht. Jedes S.-D. zerfällt in zwei selbständige Sectionen. Der Etat ist: 3 Offiziere (davon 1 Commandeur), 1 Zahlmeister, 1 Feldwebel, 12 Unteroffiziere, 12 Gefreite, 124 Krankenträger, 2 Stabs-, 5 Assistenz-Aerzte, 1 Feld-Apotheker, 8 Lazareth-Gehülfen, 8 militärische Krankenwärter, 3 berittene Unteroffiziere, 3 Train-Gefreite, 23 Trainsoldaten, 19 Reit-, 22 Zugpferde. Die Formation geht vom Trainbataillon aus, als Krankenträger werden die hierzu schon im Frieden ausgebildeten Mannschaften der Infanterie benutzt. An Transport-Material hat jedes Detachement 2 zweispännige Sanitäts-Wagen (s. d.), 2 desgl. Gepäck-Wagen, 6 desgl. Krankentransport-Wagen mit je 2 Krankentragen (für 2 Schwerverwundete in liegender Stellung), 30 Krankentragen. Die Mannschaften sind mit Seitengewehren und Pistolen ausgerüstet. Die S.-D. folgen den Truppen unmittelbar ins Gefecht. Die Anordnungen auf dem Verbandplatze trifft der Divisionsarzt. — Die Disciplinarstrafgewalt hat der Commandeur, über das ärztliche Personal auch der älteste Stabsarzt in den für das Sanitäts-Corps vorgeschriebenen Grenzen. — Vergl. Instruction über das Sanitätswesen der Armee im Felde vom 29. April 1869.

Sanitäts-Dienst, s. Gesundheits-Dienst, Bd. IV., S. 210 ff.

Sanitäts-Truppen heißen im Gegensatz zu dem Sanitäts-Personal der Truppen selbst die zum Sanitätsdienst speciell organisirten Truppenkörper. Im Deutschen Reich sind im Frieden keine S.-T. organisirt, im Felde treten die Sanitäts-Detachements (s. d.) und Feldlazarethe (s. Lazarethe) ins Leben. In Oesterreich-Ungarn besteht dagegen schon im Frieden das S.-T. Commando und unter diesem die S.-T.-Abtheilungen der 23 Garnisonspitäler von ungleichmäßiger Stärke. Jede Abtheilung gliedert sich in eine Stamm-Abtheilung von militärisch und theoretisch ausgebildeten Leuten und eine Instructions-Abtheilung. Das Personal besteht theils aus ihrer Wehrpflicht genügenden Medicinern, Pharmaceuten x., theils aus abgegebenen Mannschaften der Truppen und erhält eine militärische Ausbildung durch die Offiziere und Unteroffiziere der S.-T., eine ärztliche durch dazu bestimmte Militär-Aerzte. Aus den S.-T.-Abtheilungen gehen die Sanitäts-Anstalten und Sanitäts-Abtheilungen (s. d.) der Feld-Armee hervor. In Rußland existiren eigentliche S.-T. nicht, sondern der Dienst wird durch commandirte Soldaten verrichtet. In Bezug auf die übrigen Staaten s. Gesundheits-dienst, Bd. IV., S. 210 ff. Die S.-T. unterliegen den Bestimmungen der Genfer Convention (s. d. in den Supplementen). Ihre Bewaffnung entspricht dem Zwecke der Selbst-Vertheidigung.

Sanitäts-Wagen heißen in Preußen die zur Unterbringung von Medicamenten, Verbandmitteln, chirurgischen Instrumenten und Lebensmitteln be-

stimmten vierrädrigen Fahrzeuge der Sanitäts-Detachemements und Feldlazarethe. Vergl. Wagen.

Sanitäts-Wesen, s. Gesundheitsdienst, Bd. IV., S. 210 ff.

Sanitäts- oder Hospital-Züge bezwecken den Eisenbahntransport von
(namentlich schwer) kranken oder verwundeten Soldaten, und zwar nicht
allein mit möglichster Bequemlichkeit und Schonung, sondern in conti-
nuirlicher Behandlung und Pflege. Sie bilden einen wichtigen Factor
im Kranken-Zerstreuungs- und Transport-Wesen und sind das geeignetste Mittel, die Kranken und Verwundeten aus den weithin zerstreuten La-
zarethen des Kriegsschauplatzes in die rückwärts gelegenen und namen-
lich in die heimischen Reserve-Lazarethe überzuführen. Ihre erste Anwendung überhaupt datirt aus dem letzten Amerikanischen Kriege; in Europa
ist es Deutschland, welches sich zuerst, und zwar im Französischen Feldzuge 1870/71 die Wohlthat dieser neuen Einrichtung zu Nutzen gemacht hat.
In Amerika waren es indeß weniger S.-Z., als passend eingerichtete Sani-
täts-Waggons, von welchen man Gebrauch machte. Die auf eine möglichst
vollkommene Einrichtung der S.-Z. zielenden Bestrebungen datiren in Preußen
bereits seit 1867, indem schon derzeit über die beste Art des Aufhängens von
Tragbahren in den Eisenbahnwagen Versuche gemacht und auch mit dem Bau
der für Sanitätszwecke am geeignetsten amerikanischen Waggons vorgegangen
worden ist. Ganz besonders kam in Württemberg die Bauart des gesammten
Eisenbahn-Transport-Materials, welche dem amerikanischen System entlehnt ist,
dem Bedürfniß transportabler Lazarethe von vornherein fördernd entgegen. Am
wenigsten der Fall war dies in Baiern und Baden. Die württembergischen
Eisenbahnwagen erreichen die außerordentliche Länge von 12 Meter bei einer
Breite von nahezu 3 Meter und laufen auf 4 Achsen. Die Personenwagen
III. Classe haben keine getrennten Coupés, sondern zwei längs der Seitenwände durch die ganze Länge des Wagens laufende Reihen Sitze, zwischen
welchen ein genügend breiter Gang frei bleibt. Außerdem haben sämmtliche
Wagen an den Kopfenden Ein- und Ausgänge vermittelst hoher Flügelthüren,
Perrons zum Aufsteigen und eine Einrichtung zum Ueberbrücken der Wag-
gons durch herabzulassende Eisenplatten, so daß also eine Hauptbedingung
für einen Sanitätszug, Möglichkeit der Communication durch alle
Wagen, erfüllt war, ohne daß man hierzu die Wagen erst besonders an einander zu fügen brauchte. Zum Herstellen von Lazareth-Räumen bedurfte es
also nur noch der Herausnahme der Sitze. — Die seit dem Jahre 1867 in
Preußen mit Rücksicht auf eine event. Benutzung zu Sanitätszwecken gebauten
Waggons (200 Personenwagen 4. Classe) sind 8 Meter lang, mit gleichmäßiger,
sanfter Federung versehen, und, was die Ein- und Ausgänge und Ueberbrückungs-
Vorrichtungen anlangt, ähnlich den württembergischen Wagen construirt. In
ihrem Innern sind keine Sitze angebracht, sie können aber, um einer Concentration
der Passagiere auf einige Punkte und dadurch bedingter ungleicher Belastung
des Wagens vorzubeugen, vermittelst lederner Schnüre oder hölzerner Barrièren,
welche von den Langseiten des Wagens her zu einzelnen Stützpfosten in der
Mitte laufen, in einzelne Abtheilungen zerlegt werden. Diese Stützpfosten
stehen beiderseits der Mittellinie des Wagens, bilden zwei parallele Reihen und
haben in diesen von einander ungefähr den Abstand der Länge einer preußischen
Krankentrage; sie reichen von der Decke bis zum Fußboden. Sollen nun
diese Wagen als Krankenwagen dienen, so werden die Barrièreneinrichtungen
herausgenommen und die zur Aufnahme der Patienten bestimmten Tragbahren
zwischen Wand und Pfosten elastisch aufgehängt. — Ein vollständiger Sanitäts-
Zug beansprucht mindestens 60 Achsen und hat außer den Krankenwagen zu je
10—16 Betten, Apotheken-, Küchen-, Arzt- und Vorrathswagen. Sein Per-

sonal besteht, abgesehen von dem Eisenbahn-Betriebs-Personal, aus Aerzten, Kranken-Wärtern und -Wärterinnen, Apothekern, Vorrathsverwaltern, Köchen ꝛc. — Im dem Deutsch-Französischen Kriege von 1870/71 hat die deutsche Armee über 21 S.-Z. verfügt (9 preußische, 1 sächsischer, 1 hannoverscher, 1 rheinischer [Cöln], 1 hessischer [Mainz], 1 hamburger, 3 bairische, 2 württembergische, 1 pfälzischer und 1 badischer), welche theils auf Veranlassung und Kosten der resp. Regierungen, theils durch Localcomités und freiwillige Sanitätsvereine eingerichtet und unterhalten worden sind. Die Anzahl der Verwundeten und Kranken, welche mittelst eines solchen Sanitäts-Zuges transportirt werden konnte, war naturgemäß je nach der Stärke der Züge verschieden; durchschnittlich kamen auf jeden Zug (pro Fahrt) 210 Kranke oder Verwundete.

Santa-Anna (Santana), Antonio Lopez de, Präsident und Dictator von Mexico, geb. 1797 zu Jalapa, trat 1821 als Offizier zu den Aufständischen über, stellte sich an die Spitze derselben, stürzte 1823 den Kaiser Iturbide, erlitt später eine bedeutende Niederlage, wurde aber unter Guerrero 1829 Kriegsminister und Obergeneral, stürzte 1832 die Regierung des Präsidenten Bustamente, und brachte Pedrazza auf den Präsidentenstuhl, bestieg ihn 1833 aber selbst, schlug mehrmals die Gegenpartei und erhielt 1835 dictatorische Gewalt. Den Krieg mit Texas führte er 1836 sehr unglücklich, vertheidigte 1837 Veracruz, verlor hier ein Bein, wurde 1841 wieder Präsident, 1845 wieder gestürzt, 1846 wieder berufen, wurde Oberbefehlshaber der Armee, 1847 gänzlich geschlagen, bald darauf unter dem Einfluß der clericalen Partei aufs Neue zum Dictator erwählt und darauf wiederholt geschlagen, in Folge dessen er Ende Sept. 1847 floh. In einer neueren Revolution 1853 wurde er wieder zurückgerufen. Er ordnete nun mit Festigkeit den Staat, hatte aber fortwährend mit den Gegenparteien gefährliche Kämpfe zu bestehen, wurde 1855 wieder gestürzt, flüchtete nach der westindischen Insel St. Thomas, wurde unter Kaiser Maximilian 1863 zurückberufen und zum kaiserlichen Reichsmarschall ernannt, 1865 aber vom commandirenden französischen Marschall Bazaine des Landes verwiesen, versuchte beim Sturze des Kaiserreichs im Mai 1867 in Veracruz eine Militärrevolution zu seinen Gunsten hervorzurufen, scheiterte aber, wurde auf der Flucht im Hafen Sisal im Staate Yucatan verhaftet und als Gefangener nach dem Fort San-Juan d'Ulloa gebracht.

Santarem, schwach-befestigte Hauptstadt des gleichnamigen Districts in der portugiesischen Provinz Estremadura, am rechten Ufer des Tejo und an der Nordbahn (Linie Lissabon-Santarem-Oporto), ist von alten Mauern und Thürmen umgeben, hat eine alte maurische Citadelle (Alcaçaba), wichtigen Handel und 8000 Einwohner. Im Mittelalter war S. die Residenz maurischer Könige; hier wurden 1081 und 1184 die Almohaden (eine muhamedanische Secte) geschlagen. In der neueren Kriegsgeschichte ist S. namhaft durch die verschanzte Stellung, welche das 22,000 Mann starke Heer Dom Miguel's zu Anfang 1834 hier eingenommen hatte; am 30. Januar erfocht dasselbe an der Brücke Asseca einige Vortheile, wurde aber am 16. Febr. bei Almoster von Saldanha geschlagen und erlitt am 16. Mai in der Entscheidungsschlacht bei S. gegen die Generale Napier und Villaflor eine gänzliche Niederlage, in Folge deren Dom Miguel am 26. Mai die Capitulation von Evoramonte (s. u. Evora) unterzeichnen mußte.

Santeau, kleiner Ort im franz. Departement Loiret, an der Straße von Pithiviers nach Orleans, etwa 4 Meilen nordöstlich letzterer Stadt. Am 8. December 1870 warf das gegen Orleans vormarschirende 3. preußische Armeecorps eine hier in befestigter Stellung stehende französische Division zurück.

Santerre, Antoine Josephe, geb. 1752 in Paris, ein reicher Bierbrauer der Pariser Vorstadt St. Antoine, wurde beim Ausbruch der Revolution erst

Bataillonsführer, dann Generalcommandant der Nationalgarde von Paris, spielte am 10. August 1792 eine Hauptrolle bei der Erstürmung der Tuilerien, rettete aber einen Theil der Schweizer, wurde im September 1792 zum Divisionsgeneral ernannt, führte 20,000 Mann gegen die Vendéer, wurde aber am 18. Sept. 1793 bei Coron unweit Chollet geschlagen, zog sich dann ins Privatleben zurück und starb 1809.

Santiago, s. Jago.

Santillana, Inigo Lopez de Mendoza, Marquis von S. und Graf von Manzanares, geb. 1398 zu Carrion de los Condes in Spanien, zeichnete sich in dem Kriege gegen die Arragonier und gegen die Mauren in Granada aus, eroberte die Marlgrafschaft Santillana, die er zur Belohnung behielt, besiegte den König von Navarra in der Schlacht von Olmedo, eroberte Torija und starb 1458.

Sapieha, 1) Lew Fürst von S., geb. 1557 in Lithauen, studirte zu Leipzig, nahm an den polnischen Kriegen unter Stephan Bathori gegen Rußland Theil, wirkte aber mehr als Unterhändler, wurde 1625 Großkron-Hetman, führte ein Heer gegen Gustav Adolf, jedoch ohne Erfolg und starb 1632. 2) Jan Piotr Fürst von S., geb. 1569, focht zuerst gegen die Schweden, dann zur Unterstützung des falschen Demetrius gegen Rußland, wo er bis Moskau unaufhaltsam vordrang. Hier starb er 1611, muthmaßlich an Gift. Die Großhetmanwürde von Lithauen hatte aus der Familie Sapieha in der Folge auch Kazimierz S. unter August II. und Kazimierz S. unter Stanislaus August.

Sapignies, kleiner Ort im französischen Departement Pas-de-Calais, 2 Meilen südlich von Arras, an der Straße von hier nach Bapaume. Am 2. Januar 1871 griffen französische Colonnen, aus der Gegend von Arras kommend, die bei S. postirte preußische 30. Infanterie-Brigade an, wurden aber nach hartnäckigem Kampfe zum Rückzuge genöthigt, wobei sie 5 Offiziere und 250 Mann Gefangene verloren.

Saporoger (Saporogische Kosaken), eine der bedeutendsten Colonien der kleinrussischen Kosaken (s. d. Bd. V., S. 208).

Sappen — auch Laufgräben oder Tranchéen genannt — sind die beim förmlichen Angriffe einer Festung im Vorterrain derselben ausgeführten Gräben mit feindwärts angeschütteter Brustwehr, welche dem Vertheidiger, der Festung gegenüber, theils als gegen Geschützfeuer gedeckte Positionen — zur Aufnahme von Batterien und Truppen bestimmt — dienen, theils zur gedeckten Annäherung an die angegriffenen Werke angelegt werden. Die S. werden auf verschiedene Weisen ausgeführt, nämlich entweder durch anfänglich ungedeckte Arbeiter der Infanterie, welche gleichzeitig in beliebig langer Reihe angestellt sind und dem entsprechend lange Stücke der S. ausführen, oder durch völlig gedeckte Arbeiter (Sappeure), welche die Arbeit schrittweise fortführen. Bei gleichzeitiger Ausführung beliebig langer Stücke der S. entsteht die gemeine S., wenn zur Bekleidung der inneren Brustwehrböschung keine Körbe zur Anwendung kommen, oder die flüchtige S., wenn die innere Brustwehrböschung mit Körben bekleidet wird. Beide S. werden ausschließlich des Nachts ausgeführt: die Arbeiter werden längs eines weißen Tracirbandes, welches die Richtung der S. bezeichnet, mit zwei Schritt Distance angestellt; dieselben haben den Sappen-Graben auf 1,3 Meter Tiefe, 1 Meter Sohlenbreite und 1,8 Meter obere Breite auszuheben. Die nach der feindlichen Seite hin anzuschüttende Brustwehr bleibt von dem Graben 0,5 Meter entfernt — der zwischen beiden liegende 0,5 Meter breite Streifen heißt Berme. Die der Berme zunächst liegende Böschung der Grabens — die Bermenböschung — hat 0,5 Meter Anlage, die entgegengesetzte Böschung — die Reversböschung — ist lothrecht a' gestochen. Bei Ausführung der flüchtigen S. werden die Sappen-Körbe längs des Traçirbandes aufgestellt und demnächst gefüllt; der ferner aus dem Graben gewonnene Boden wird als Brustwehr vor die Körbe geworfen. — Die S., welche durch völlig gedeckte Arbeiter schrittweise fortgeführt werden, heißen völlige S. und zwar nennt man die völlige S., welche unter Anwendung von Körben ausgeführt wird: völlige Korbsappe; die völlige S., bei welcher die Anwendung von Körben ausgeschlossen ist, heißt die Erdwalze. Bei der völligen Korbsappe wird die Deckung der vorderen, am meisten dem feindlichen Feuer ausgesetzten Sappeure — Teten-Sappeure — durch einen Wälzkorb erreicht, welcher dem Vorschreiten der S. entsprechend vorgerollt wird. Der Wälz- oder Rollkorb ist ein geflochtener Cylinder von 1,1 Meter Durchmesser und 3 Meter Höhe und schließt einen zweiten Korb in sich. Der Zwischenraum zwischen beiden ist mit Bohnenstangen gefüllt, die Kopf-Enden mit Brett-Deckeln geschlossen; Gewicht des gefüllten Korbes 13 Centner. Bei der Erdwalze wird die Tetendeckung allein durch eine Erdbrustwehr erreicht, welche vor der S.-Tete liegt und entsprechend dem Vorschreiten des Sappen-Grabens weiter vorwärts bewegt wird. Gegen Flankenfeuer sind beide Sappen-Arten durch eine auf der gefährdeten Seite liegende Brustwehr geschützt. Ist nur eine Brustwehr gegen Feuer von einer Flanke erforderlich, so entsteht die einfache S. und zwar „die einfache völlige Korbsappe", oder „die einfache Erdwalze" — geführet jedoch Feuer von beiden Flanken die S. und schützt man daher dieselbe auf beiden Seiten durch Brustwehren, so entsteht die doppelte S. und zwar „die doppelte völlige Korbsappe", oder „die doppelte Erdwalze". Die einfach völlige Korbsappe erhält das Profil der flüchtigen S. mit geringen Abweichungen. Vier Sappeure, welche der besseren Deckung wegen kniend oder in gebückter Stellung hintereinander gleichzeitig arbeiten, treiben die einfach völlige Korbsappe vor. Bei ihrer Arbeit halten die vier Sappeure (Nr. 1, 2, 3 und 4) gleiche Abstände von drei Korbstärken Länge — gleichzeitig immer um eine Korbstärke den Sappen-Graben vortreibend. Der einem jeden Sappeur zufallende Arbeitsraum von drei Korbstärken Länge heißt „Lager." Das Lager von Nr. 1 wird viel weniger breit und tief ausgehoben, als das normale Profil angiebt; Nr. 2 vertieft und verbreitert bei weiterem Vorrücken das von Nr. 1 ausgehobene Lager und ebenso jede folgende Nummer das Lager der vorhergehenden Nummer. Dabei erreicht Nr. 4 die normalen Abmessungen des Profils der einfach völligen Korbsappe. Die angegebene scheinbar complicirte Anordnung der Arbeit mit vier Sappeuren befördert das Vorrücken der S., obgleich an der Tete nur ein Sappeur arbeitet. — Bei Ausführung der einfachen Erdwalze wird der Sappengraben durch drei an der Tete nebeneinander arbeitende Sappeure vorgetrieben — Nr. 1 —, diesen folgen das Lager von Nr. 1 erweiternd und vertiefend Nr. 2 und Nr. 3, ebenfalls aus je drei Sappeuren bestehend. Die einfache Erdwalze erhält 1,3 Meter Tiefe, 3,2 Meter obere und 2,2 Meter Sohlenbreite. Die doppelt völlige Korbsappe besteht aus zwei einfach völligen Korbsappen, welche nebeneinander parallel fortschreitend vorgetrieben werden und zwar so, daß bei der rechten S. auf der rechten Seite, bei der linken S. auf der linken Seite die Brustwehr angeschüttet ist. Der zwischen beiden S. stehen bleibende Erdteil wird nachträglich ausgehoben. Die doppelte Erdwalze wird der einfachen ähnlich hergestellt. Um die S. gegen enfilirendes Feuer zu schützen, werden dieselben entweder horizontal defilirt, d. h. so gelegt, daß ihre Alignements nicht auf feindliche Werke fallen oder sie werden mit Traversen versehen — traversirt. Eine traversirte S., deren Traversen nur auf der einen Seite einen Umgang haben, nennt man „Traversensappe", mit zwei Umgängen „Würfelsappe" (auch Rautensappe, wenn die Traversen die Form von Rhom-

ben haben, deren spitze Winkel in der Richtung des Laufgrabens liegen).
In früherer Zeit führte man die S. zum Zweck der Traversirung auch in
Schlangenlinien — Schlangensappe. Gegen plongirendes oder Verticalfeuer
schützt man die S. durch eine hinreichend starke Decke. So entsteht die „bedeckte S." Die Decke besteht aus Deckbalken, Bohlen, Faschinen, Sappen-
bündeln und Erde. Als Unterstützung der Decke dienen entweder „Stützblenden", d. i. hölzerne Rahmen, welche in der Längenrichtung der S.
paarweise aufgestellt werden, oder „Blendrahmen", d. i. hölzerne Rahmen,
welche mit ihrer Flucht rechtwinkelig zur Längenrichtung der S. stehen. So
entsteht die „bedeckte S. mit Stützblenden" für S. mit horizontaler oder
höchstens ¹/₄ fallender Sohle, resp. die „bedeckte S. mit Blendrahmen"
für S. mit stark (bis zu ¹/₃) fallender Sohle, namentlich für den oberirdisch
zu bauenden Theil des Grabenniederganges. Bei Unterbrechung der völligen S.
durch Anwendung der flüchtigen S. entsteht die „halbe S."

Ueber die Anwendung der verschiedenen Sappen-Arten entscheidet
hauptsächlich die Wirksamkeit des feindlichen Feuers. Die gemeine S. wird außerhalb des Kartätschfeuers ausgeführt, die flüchtige S. außerhalb des wirksamen
Gewehrfeuers und im Bereich des wirksamen Kartätschfeuers. Der völligen S.
bedient man sich im Bereich des wirksamen Gewehrfeuers und zwar als Korbsappe so lange als möglich, als Erdwalze, wenn Geschützfeuer, Ausfälle,
abgeholztes Glacis die Anwendung des Wälzkorbes verbieten. Horizontal
defilirt werden die S. angelegt bis zum Fuße des Glacis, auf dem Glacis
finden die traversirten S. Anwendung. Die bedeckten S. sind ebenfalls
unter Umständen auf dem Glacis anzulegen, wenn plongirendes und Verticalfeuer dazu zwingen. Der halben S. bedient man sich als Ersatz der völligen
S. bei günstiger Gelegenheit, wenn Dunkelheit, Nebel, unwirksames oder er-
loschenes feindliches Feuer sorgfältige Deckung entbehrlich machen. — Mit
Hülfe der genannten S. werden gedeckte Positionen und gedeckte Annäherungswege oder Approchen ausgeführt. Zu den gedeckten Positionen
gehören in erster Linie die Parallelen (vgl. Bd. VII., S. 30).

Die erste Parallele sichert die erste Batterie- oder Geschützaufstellung und das weitere Vorschreiten der S. gegen Ausfälle; sie bildet
die Basis des förmlichen Angriffes, — die anderen Parallelen stellen das
gewonnene Terrain sicher und schützen ebenfalls das weitere Vorschreiten
der S. gegen Ausfälle. Die erste Parallele liegt so nahe an der Festung,
als durch nächtliche Ueberraschung des Vertheidigers zu ermöglichst ist, um
möglichst viel Terrain zu gewinnen, jedoch außer Hörweite, um nicht entdeckt
zu werden. Die Entfernung beträgt daher ca. 800 Schritt von den Saillants
des gedeckten Weges, die Parallele liegt somit an der Grenze des wirksamen
Kartätschschusses. Die Länge der Parallele ist von der Ausdehnung der Angriffsfront und der Lage der Collateralfronten abhängig; erstere muß von der
Parallele umfaßt werden; den Collateralfronten muß die Parallele wenigstens
frontal gegenüber liegen. Die Flügel der Parallele sind durch Anlehnung an
ungangbares Terrain, durch Haken oder Schanzen, auch durch Epaulements für
bespannte Geschütze und Cavalerie, welche seitwärts rückwärts der Flügel liegen,
gegen Ausfälle zu sichern. Die erste Parallele wird unter dem Schutze von
Bedeckungstruppen in einer Nacht nach dem oben angegebenen Profile der gemeinen S. eröffnet und darauf durch sich ablösende Tages- und Nacht-Schichten
erweitert und vollendet; hinter der Brustwehr, deren Höhe 1,a Meter beträgt, liegt ein Banket von 1 Meter Breite; auf dasselbe führen mit Faschinen
bekleidete Banketstufen. Die Sohlenbreite der vollkommenen Parallele vom
Fuße der Banketstufen bis zur Reversböschung beträgt 2,a Meter; des Wasser-
ablaufes wegen erhält die Sohle ein geringes Gefälle nach rückwärts. Die
Reversböschung hat doppelte Anlage, um die Parallele den im Falle eines

feindlichen Ausfalles von rückwärts anrückenden Reserven leicht zugänglich zu
machen. An einigen Stellen der Parallelen sind Ausfallstufen angelegt;
dies sind mit Faschinen bekleidete Stufen, welche bis zur Brustwehrkrone hinauf-
führen und so eine bequeme Communication mit dem Vorterrain gewähren.
Die Laufgrabenbesatzung bedient sich der Ausfallstufen, nur gegen Ausfälle der
Festung (Gegenstöße) zu führen. Die Breite der Ausfallstufen beträgt ihrem
Zwecke entsprechend 25 oder 50 Schritt, d. i. Zugbreite resp. doppelte Zugbreite. Die zweite Parallele liegt auf halber Entfernung von der ersten
Parallele bis zum gedeckten Wege, daher 4—500 Schritt von den Glacis-
Saillants an der Grenze des wirksamen Gewehrfeuers. Die Parallele überflügelt die Capitalen der Angriffsfront, umfaßt letztere jedoch nicht. Die Flügel
der Parallele sind durch Haken und hauptsächlich durch Ueberflügelung Seitens
der ersten Parallele gegen Ausfälle gesichert. Die zweite Parallele wird mittelst der flüchtigen S. eröffnet, — und demnächst erweitert und vollendet wie
die erste Parallele: das Profil der vollendeten zweiten Parallele unterscheidet
sich allein durch die Bekleidung der inneren Brustwehrböschung von dem Profil
der ersten Parallele. Diese Bekleidung besteht aus Sappenkörben, welche mit
zwei Faschinenlagen gekrönt sind; die untere Faschinenlage besteht aus zwei,
die obere aus einer Faschine. Durch die Krönung erhält die Bekleidung Zusammenhang und Festigkeit, und der Schütze ein bequemes Auflegen für seine
Waffe. Die Halbparallelen sind kleinere Positionen zwischen zwei Parallelen,
welche zum Schutze der vorschreitenden Angriffsarbeiten gegen einen activen
Vertheidiger angelegt werden, um die Laufgrabenbesatzung in der Nähe der bedrohten S.-Têten bereit halten zu können. — Die dritte Parallele liegt
etwa auf halbem Wege von der zweiten Parallele bis zur Glaciskrete. Dieselbe soll die langen Zweige des gedeckten Weges umfassen und muß dementsprechend lang gemacht werden. Diese Parallele wird in der Regel mit der
einfach völligen Sappe (Korbsappe oder Erdwalze) durch ganze einander sap-
pirende Trupps ausgeführt; sie dient als Infanterie-Position zur Sicherung
gegen Ausfälle und zum Feuergefecht mit der Festungsbesatzung. Demgemäß
erhält sie dasselbe Profil wie die zweite Parallele. Auch als Mörserposition
dient die dritte Parallele, zum nahen und massenhaften Wurffeuer aus leichten
und zum Werfen mit Streugeschossen oder Bomben aus schweren Mörsern. — Das Couronnement oder die Krönung des Glacis ist eine einfache traversirte Korbsappe, seltener Erdwalze, längs der Glaciskrete mit 4 bis
5 Meter Abstand angelegt. Außer den Brustwehrtraversen erhält das Couronnement Umgangstraversen zur Deckung gegen Rückenfeuer. Das Couronnement, welches die Zweige des gedeckten Weges der Angriffsfront umfaßt, erhält
das Profil der zweiten Parallele, mit der Abweichung, daß die Sohlenbreite
nicht 2,8, sondern nur 2,2 Meter beträgt, auch die Reversböschung steil gehalten ist. Das Couronnement dient als nahe Position für Infanterie; dasselbe
kann ferner die Bresch- und Contre-Batterien aufnehmen (s. Festungskrieg, Bd.
IV., S. 34). Im Couronnement liegt außerdem das Entrée der Descente.
Um sich in eroberten Werken festzusetzen, baut der Vertheidiger in denselben
gewöhnlich mittelst der flüchtigen Sappe Logements; dies sind kleine Positionen für Infanterie, welche durch die Brustwehr des eroberten Werkes
eingeschnittene Communicationen mit rückwärts in Verbindung stehen.
      Zum Schutz der vorschreitenden Sappen-Têten und der Parallelen
gegen überraschende Ausfälle werden vor denselben Schützenlöcher oder
Schützengräben (Embuscaden, s. d.) angelegt, zur Aufnahme von Doppelposten oder Schützengruppen, welche ein wohlgezieltes Feuer gegen die
feindliche Geschützbedienung zu unterhalten haben. Diese Embuscaden fanden
sowohl beim Angriff, als auch namentlich bei der Vertheidigung von Sebasto-

pol eine ausgedehnte Anwendung. — Zu den gedeckten Annäherungswegen oder Approchen gehört die Verbindung der ersten Parallele mit rückwärts — die Communicationen. Es sind deren drei bis vier erforderlich, welche im Zickzack geführt gleichzeitig mit der ersten Parallele mittelst der gemeinen S. eröffnet und demnächst erweitert werden. Die Verbindung nach rückwärts muß bis außerhalb des Geschützfeuers der Festung gesichert sein; durch geschickte Terrainbenutzung sind die Communicationen jedoch möglichst abzukürzen. Die erweiterten Communicationen haben 1,3 Meter Tiefe, 2,5 Meter Sohlenbreite — unter Berücksichtigung des für den Geschütztransport erforderlichen Raumes —, beide Sappenböschungen haben 0,5 Meter Anlage, die Berme 0,3 Meter Breite, die Brustwehr 1 Meter Höhe bei 3,75 Meter Stärke. Die Annäherungswege bis zur dritten Parallele bestehen in horizontal defilirten, daher im Zickzack geführten S. Diese Zickzacks werden auf wenigstens drei Capitalen angelegt und die horizontal defilirten Linien — Schläge oder Boyaux — auf fünfzig bis hundert Schritt an den Glacis-Saillants der vorspringendsten Collateralwerke vorbei alignirt. Die Ausführung der Zickzacks erfolgt unter dem Schuhe von Bedeckungstruppen mit der flüchtigen S., wie bei der zweiten Parallele. Das Profil ist das der Communicationen nach ihrer Erweiterung mit dem Unterschiede, daß die innere Brustwehrböschung der Zickzacks mit Körben bekleidet ist. Jeder Schlag wird in kurzer Krümmung nach rückwärts verlängert; der so entstandene Haken heißt Crochet und wird zur Anlage von Zwischendepots, Latrinen, Verbandplätzen ꝛc. benutzt. Sämmtliche Approchen dienen nicht als Positionen für Infanterie, sondern lediglich als Communicationen und sind daher nicht, wie die Parallelen, mit Banlets, Bankel- und Ausfall-Stufen versehen. In größerer Nähe der Festung bilden die Schläge sehr spitze Winkel, in Folge davon ist die Communication erschwert, auch wird wenig Terrain nach vorwärts gewonnen. Unter Berücksichtigung dieser Verhältnisse werden die Annäherungswege auf dem Glacis durch die doppelte und traversirte S. ausgeführt und zwar durch die Traversen- oder Würfel-S. Bei dem Bau derselben kann die völlige Korbsappe, oder die Erdwalze Anwendung finden. Diese S. werden auf den Kapitalen der aus- und einspringenden Waffenplätze auf gedecktem Wege vorgetrieben und nach Bedarf streckenweise eingedeckt, zum Schuhe gegen Einsicht und Wurffeuer. Der Abstand der Traversen ist von der Höhe der vorliegenden Festungswerke abhängig; man kann indessen allgemein annehmen, daß bei einem gewöhnlichen Wallprofil jede Traverse die S. auf etwa 20 Schritt Länge deckt. Die mittelst der doppelt völligen Korbsappe ausgeführten traversirten S. haben 1,3 Meter Tiefe, bei 3,6 Meter oberer und 2,2 Meter Sohlenbreite, beide Grabenböschungen haben 0,5 Meter Anlage, die Berme ist 0,3 Meter breit. Aus dem Couronnement gelangt der Angreifer mittelst eines bedeckten Ganges — Grabenniedergang oder Descente, in den Festungsgraben. Der Grabenniedergang wird entweder durch Sappeure als bedeckte S. mit Blendrahmen, oder durch Mineure unterirdisch ausgeführt. Beide Arten des Baues können auch in der Weise combinirt werden, daß der Sappeur den oberen Theil der Descente und der Mineur den unteren Theil derselben ausführt. Ist der Graben trocken, so mündet die Descente 1 Meter unterhalb der Grabensohle, ist der Graben naß, 0,4 Meter über derselben — unter Berücksichtigung des demnächst herzustellenden Grabenüberganges, der gedeckten Verbindung quer über den Graben von der Contrescarpe bis zum Fuße der Bresche. Der Grabenübergang über einen trockenen Graben wird gegen fertige Breschen oder zum Ansehen des Mineurs auf todte Mauern mittelst der völligen Korbsappe oder Erdwalze hergestellt, gegen noch intacte vertheidigungsfähige Mauern, welche durch den Mineur zerstört werden sollen, mittelst der gedeckten S. (mit Stützblenden). Zum Schuhe des Grabenüberganges gegen Ausfälle wird gewöhnlich ein Logement an der Contrescarpe auf der Grabensohle angelegt. Ueber einen nassen Graben ist der Uebergang nur ausführbar, wenn kein Geschützfeuer mehr zu erwarten ist. Den Graben- übergang bildet ein Faschinen- oder Erd-Damm, welcher breit genug ist, um Flankendeckungen — aus Schanzkörben, mit Sandsäcken gefüllt, bestehend — aufnehmen zu können. Gegen Senkfeuer sichert eine Eindeckung; der Schutz der Tête wird durch eine Sandsackmaske erreicht, welche dem Vorschreiten des Dammes folgend, vorzubewegen ist. Wenn ein Wasserspiel zu fürchten ist, kann die beschriebene Art des Grabenüberganges nicht angewendet werden; in diesem Falle ist die Herstellung einer Floß- oder Tonnen-Brücke zu versuchen. — Bei der Belagerung von Straßburg (1870) kamen zwei Grabenübergänge über nasse Gräben zur Ausführung; der eine wurde mit Hülfe eines Erddammes her- gestellt, der andere mit Hülfe einer Tonnenbrücke. Die Anwendung von Flanken- und Têtendeckungen, oder von Eindeckungen war hierbei nicht erforderlich, da das feindliche Feuer fast gänzlich zum Schweigen gebracht war. .

Sappenbündel sind 0,8 Meter lange, 0,15 Meter starke, mit 3 Bändern zusammengehaltene Strauchbündel. Die S. haben den Zweck, bei der Ver- ankerung von Bekleidungsarbeiten den Ankern, mit welchen sie durch einen Pfahl verbunden sind, in der Brustwehr einen festeren Halt zu geben, als mit einfachen Ankerpfählen zu erreichen ist. — Außerdem dienen S., zugleich mit Bohlen, Faschinen und Erde, zur Bildung einer gegen Wurffeuer und Einsicht schützenden Decke bei Herstellung der bedeckten Sappe (s. Sappen).

Sappengabel ist eine zweizinkige, häufig mit einer Stielstütze versehene Gabel, welche von dem Sappeur benutzt wird, um beim Vortreiben der völ- ligen Sappe die Têtenkörbe möglichst geschützt durch die bereits stehenden und gefüllten Sappenkörbe setzen zu können. — Außerdem wird die Sappengabel beim Arbeiten zum Auflegen der Faschinen gebraucht.

Sappenhaken sind zweizinkige mit einem Zughaken und langem Stiele ver- sehene Gabeln. Sie dienen dem Sappeur zum Vorrollen des Wälzkorbes, welcher die Sappen-Tête maskirt und gegen Gewehrfeuer schützt.

Sappenkorb ist ein cylindrischer oben und unten offener Korb. Der Zweck des S. ist, als Bekleidungsmaterial der Sappenbrustwehren zu dienen, wobei derselbe zugleich den Vortheil gewährt, der aus dem Graben zuerst gewonnenen und in die Körbe geworfenen Erde alsbald eine Form von genügender Stärke zu geben, um gegen Gewehrfeuer zu schützen. Die S.e werden als Beklei- dungsmaterial einer inneren Brustwehrböschung von 1,8 Meter Höhe benutzt, die Höhe der S.e beträgt jedoch (nach dem preußischen und französischen Reglement) bloß 0,8 Meter, unter Berücksichtigung, daß der obere Theil der Brustwehr- kleidung aus zwei Schichten Krönungsfaschinen von zusammen 0,8 Meter Höhe besteht. Der äußere Durchmesser eines S.es beträgt 0,5 Meter nach dem preußischen, 0,65 Meter nach dem französischen Reglement. Bei Bestimmung der Abmessungen der S.e, welche durch die Arbeiter auf große Entfernungen herangetragen werden müssen, ist der leichten Handlichkeit derselben Rechnung getragen. Das Gewicht eines S.es beträgt 30—35 Pfund. Als Korbgerippe dienen 7 oben zugespitzte Pfähle, welche mit ihren Spitzen um 0,15 Meter über die Flechtung hervorragen. Diese Spitzen sollen die auf die Körbe gelegten Krönungsfaschinen festhalten. Die Aufstellung des Korbgerippes bei Anfertigung eines S.es geschieht nach einem Lehrbrette, welches an seinem Umfange mit 7 Ausschnitten für die Rippen versehen ist. Zur Flechtung gehören 3 Mann. Dieselbe ist einfach, wenn bloß mit einer Ruthe, doppelt, wenn gleichzeitig mit zwei Ruthen herumgeflochten wird; werden bei letzterer Art von Flechtung die beiden Flechtzweige zwischen den Pfählen einmal um einander gedreht, so entsteht die doppelte Flechtung mit dem Schlage. Um die S.e möglichst

dauerhaft zu machen, werden dieselben an jedem ihrer beiden Enden mit einem
Zuschlage versehen, d. h. mit einem Kranze, der aus besonders starken Ruthen
geflochten ist. Außerdem wird der S., damit das Flechtwerk sich nicht in
der Längenrichtung trennt, der Länge nach an vier Stellen mit Bindewieden
(das sind aufgedrehte Ruthen) gebunden. Jedes Band besteht aus 6 Stichen.
Das Binden kann auch mit Draht ausgeführt werden. Beim Binden mit
Draht wird das Flechtwerk durch die Rippen festgehalten, an welche dasselbe
durch Drahtschlingen gebunden ist; letztere sind durch in die Rippen gebohrte
Löcher gezogen. Im Felde wird gewöhnlich die einfache Flechtung angewendet,
welche daher auch die feldmäßige genannt wird. Zur Anfertigung eines feldmäßig geflochtenen S.es braucht ein 3 Mann starker Flechttrupp 1 bis 1½
Stunden Zeit. Eine andere Art von S. wird von der Artillerie angefertigt und
zum Bau der Bresch- und Contre-Batterien verwandt. Diese S.e sind 0,9 Meter
hoch, 0,32 Meter im äußeren Durchmesser stark, haben ebenfalls 7 Sappen-
korbpfähle. Im Durchschnitt dürfen sie nicht mehr als 55 Pfund wiegen.

Sappenschlägel ist ein hölzerner Schlägel mit langem Stiel, welchen der
Sappeur gebraucht, um die auf die Sappenkörbe gelegten Krönungsfaschinen fest
auf die Spitzen der Korbrippen zu treiben — ohne dabei die Deckung durch die
Sappenbrustwehr aufzugeben.

Sappenkopf ist das feindwärtige Ende einer Sappe, namentlich während
der Ausführung der völligen Sappe (s. d.).

Sappeure heißen im Speciellen diejenigen Zweige der Technischen
Truppen, welche mit dem Ausheben der Sappen (s. d.) betraut werden.
Beim Ausheben der gemeinen oder der flüchtigen Sappe dienen die S. als
Aufsichts-Personal für die dazu angestellten Arbeiter der Infanterie, bei der
völligen Sappe führen sie die Haupt-Arbeiten selbst aus. — Im weiteren
Sinne sind S. diejenigen Technischen Truppen, welche für sämmtliche über der
Erde auszuführenden fortificatorischen Arbeiten vorzugsweise bestimmt sind, im
Gegensatz zu den Mineuren, welche vorzugsweise unter der Erde arbeiten,
und den Pontonnieren (s. b. Bd. VII., S. 170). Im weiteren siehe
Genietruppen, Technische Truppen und die Special-Artikel der ein-
zelnen Armeen.

Sappeur-Reglement begreift die für den Dienst der Sappeure geltenden Vorschriften. In Preußen „Sappeur-Exercier- und Dienst-Reglement,“ Berlin 1868.

Capri, Flecken in der italienischen Provinz Salerno (ehem. neapol. Provinz
Principato citeriore), am Golf von Policastro, 1500 Einwohner; hier landete
am 2. Sept. 1860 der linke Flügel der italienischen Südarmee unter Rüstow
und marschirte von hier als Avantgarde der Armee auf Neapel.

Saragossa (Zaragoza), befestigte Hauptstadt der gleichnamigen spanischen
Provinz (310,3 □.M. mit 403,015 Einw.) und des ganzen Königreichs Aragonien, in einer Ebene am rechten Ufer des Ebro (über den eine 600 Fuß lange
Steinbrücke von sieben Bogen führt), am Kaiser-Kanal und an der Ostbahn
(Madrid-Saragossa-Barcelona), ist Sitz des Generalcapitäns von Aragonien,
eines Erzbischofs, hat viele stattliche Gebäude und schöne Plätze, aber zahlreiche
krumme und enge Straßen, zwei erzbischöfliche Metropolitankirchen, eine Universität, mehre Kasernen, Industrie (nicht mehr so blühend als früher) und
zählt 67,428 Einwohner. Die Stadt ist von alten Ringmauern mit Thürmen
und acht Thoren umgeben, wird durch das an der Westseite gelegene Castillo
be Aljaferia (ehemals Residenz der Könige von Aragonien, dann Sitz und
Gefängniß der Inquisition, seit Philipp V. mit modernen Bastionen versehen
und als Citadelle dienend) vertheidigt und außerdem durch die Batterien des
ehemaligen Klosters San-Engracia beherrscht. Bis 1809 dienten außerdem
noch ein Augustiner- und ein Kapuzinerkloster, welche (ebenso wie San-Engracia)

Vorsprünge an der Ringmauer bilden, zur Befestigung, ferner ein Brückenkopf am Guerva und das Kloster San-José und ein Jesuitenkloster am linken Ufer des Ebro. — S. hieß im Alterthum Salduba, seit 27. v. Chr. als römische Colonie aber Casaraugusta (Caesarea augusta), wurde 712 von den Mauren erobert und von diesen später zur Hauptstadt eines eigenen Reiches Saragostha erhoben. Hier 752 Sieg Omars über Jussuf Zumael, den Feldherrn des Statthalters von Spanien. Im J. 882 empörte sich Abdallah, Statthalter von S., gegen den König von Cordova, dessen Sohn Almundar die Stadt 25 Tage vergeblich belagerte. Am 18. Oct. 1118 eroberte Alphons I. nach neunmonatlicher Belagerung die Stadt, gewann sie dadurch dem Christenthum wieder und ließ die Moschee zur Kathedrale umwandeln. Im Spanischen Erbfolgekriege nahm S. für König Karl III. (Erzherzog von Oesterreich) gegen Philipp V. (von Anjou) Partei, wurde aber am 24. Mai 1707 von dem Herzog von Orleans besetzt und gezwungen, Philipp V. anzuerkennen. Als Letzterer aber am 20. August 1710 von Karl III. bei S. geschlagen worden war, huldigte die Stadt diesem aufs Neue, mußte jedoch noch vor Ablauf des Jahres Philipp wieder anerkennen. In der neuern Kriegsgeschichte ist S. besonders namhaft geworden durch die tapfere Vertheidigung unter Palafox gegen die Franzosen in den Jahren 1808 und 1809. Nachdem im Mai 1808 die Franzosen in Madrid eingezogen waren, rief der spanische Oberbefehlshaber in S., General Morl, sofort den General Palafox herbei, welcher Letztere unter dem Einflusse des Volkes zum Generalcapitän von Aragonien ernannt wurde und nun mit großer Energie die umfassendsten Maßregeln zur Vertheidigung der Stadt traf, dann den Franzosen unter Lefebvre entgegenzog, von diesem aber am 16. Juni geschlagen wurde. Der französische Marschall begann nun die Belagerung von S.; am 4. August drangen die Franzosen durch eine Bresche bereits in das Kloster San-Engracia ein, waren aber vor da an nicht im Stande, weitere Fortschritte zu machen, da sich jedes Haus der Stadt in eine Festung verwandelte. Da mittlerweile der Rückzug des französischen Heeres auf Vittoria erfolgt war und Palafox, dem es gelungen war, die Stadt insgeheim zu entlassen, das Belagerungscorps im Rücken bedrohte, so sah sich General Verdier, welcher an Lefebvre's Stelle den Oberbefehl übernommen hatte, genöthigt, am 15. August die Belagerung aufzuheben. Nach den siegreichen Fortschritten der Franzosen im Spätherbste 1808 ließ jedoch Napoleon I. den Platz am 20. Dec. durch Moncey und Mortier aufs Neue einschließen. Die Stadt hatte sich mittlerweile stärker befestigt und ihr Heer auf 30,000 Mann gebracht; ebenso stark war das französische Belagerungscorps. Am 21. Dec. begann die regelmäßige Belagerung. Gegen Ende Januar 1809 waren bereits drei Breschen geöffnet, durch die der Feind eindrang, sich jedoch trotz aller Anstrengungen nur der zunächst liegenden Gebäude bemächtigen konnte. Der französische Marschall Lannes, welcher am 22. Januar das Commando über das Belagerungscorps übernommen hatte, ließ die Stadt zur Capitulation auffordern; Palafox verwarf dieselbe, so sehr die Noth auch schon in der Stadt gestiegen war. Der Kampf dauerte nun auf beiden Seiten mit großer Erbitterung Tag und Nacht fort; fast jedes Haus mußte einzeln genommen werden; besonders hartnäckig wurden die Klöster vertheidigt; an den wichtigsten Punkten befanden sich Barrikaden; die ganze Bevölkerung nahm an dem Kampfe Theil und namentlich zeichnete sich Augustine, das sogenannte Mädchen von Saragossa, welche den Kriegern Munition und Proviant zutrug, die Geschütze, deren Mannschaft gefallen war, selbst bediente, und vielfach in Liedern gefeiert wurde, aus. Am 12. Februar bemächtigten sich Franzosen des Klosters San-Francisco, versuchten dann aber zwei Mal vergebens durch Minen die spanische Vertheidigungslinien zu durchbrechen. Da die Belagerten Gegenminen machten, so stießen bei einem dritten Minenbau der Franzosen beide Theile unterirdisch zusammen und die Franzosen wurden genöthigt, ihren Bau selbst wieder zu zerstören. Erst Mitte Februar gelang es den Franzosen, einen Theil des Universitätsgebäudes durch Minen zu sprengen und am 17. und 18. Februar sich der Vorstadt auf dem linken Ufer des Ebro und der Brücke zu bemächtigen. Hierdurch war der Fall der Stadt, welche nur noch 9000 dienstfähige Leute hatte, voller Verwundeter und Kranker (darunter auch Palafox selbst), aber ohne Lazarethe und Medicamente war, entschieden und bereits am Abend des 20. Februar begannen die Unterhandlungen; am 21. Februar erfolgte die Uebergabe. Die Franzosen behaupteten, daß sich die Stadt ohne Bedingungen ergeben habe, wenigstens hielten sie keine Capitulation; Palafox wurde mit ungef. 12,000 Mann nach Frankreich gebracht. In der Stadt und deren Umgegend waren während der zweimonatlichen Belagerung über 54,000 Menschen umgekommen, darunter 14,000 Soldaten; das berühmte Archiv der Krone Aragonien war ein Raub der Flammen geworden. Die Franzosen hatten gegen 10,000 Mann verloren.

Saragossa, Herzog von, s. Palafox.

Saratoga (jetzt Saratoga-Springs), Dorf und berühmter Badeort in der Grafschaft S. des nordamerikanischen Staates New-York, 8000 Einwohner. Hier wurde am 13. Oct. 1777 ein englisches Corps unter General Bourgogne von den Amerikanern unter Gates geschlagen und am 16. Oct. zur Capitulation gezwungen.

Sarazenen (d. i. Morgenländer; vom arab. scharki, östlich), 1) bei den christlichen Schriftstellern des Mittelalters der Name der Araber (s. d.); 2) alle Muhamedaner, mit denen die Christen in Spanien, Afrika und Asien Krieg führten; 3) die Türken; endlich aber auch 4) im Allgemeinen alle nichtchristlichen Völker, gegen welche das Kreuz gepredigt wurde — daher ist im Mittelalter auch von preußischen Sarazenen die Rede.

Sardinien (ital. Sardegna, französ. Sardaigne), 1) eine zum Königreich Italien gehörige Insel, der Westküste von Mittelitalien gegenüber gelegen, nächst Sicilien die größte Insel des Mittelländischen Meeres, wird durch die Bonifaciusstraße von der nördlich gelegenen Insel Corsica getrennt, hat viele Golfe und Buchten, ist ziemlich gebirgig, aber sehr fruchtbar und hat einen Flächenraum von 440,4 Q.-M. mit (1862) 588,064 Einwohnern. Der administrativen Eintheilung nach zerfällt die Insel in die beiden Provinzen Cagliari (im Süden) und Sassari (im Norden). Hauptstadt ist Cagliari. Das Militär auf S. wurde früher durch Werbung ergänzt, da der Sarde, gleich dem Corsen Abneigung gegen den regulären Kriegsdienst hat; jetzt ist die Bevölkerung aber dem allgemeinen italienischen Wehrgesetz unterworfen, doch hat die Insel ihre Nationalmiliz. S. hieß im frühen Alterthum Ichnusa oder Sandaliotis, wurde später von den Griechen Sardo, von den Römern aber Sardinia genannt, war seit dem 5. Jahrh. v. Chr. im Besitz der Carthager und kam erst nach den Punischen Kriegen an die Römer. Im Mittelalter war die Insel nach einander im Besitz der Vandalen, der Byzantinischen Kaiser, der Sarazenen, der Deutschen Kaiser und seit 1023 der Pisaner. In der Mitte des 12. Jahrh. machte sich der pisanische Richter Barijo (Borusson) zum Oberherrn der Insel und wurde 1164 vom Deutschen Kaiser Friedrich I. als König von S. anerkannt. Im J. 1250 bemächtigten sich die Pisaner aufs Neue der Insel. Papst Bonifacius VIII., welcher sich die Oberherrlichkeit über dieselbe anmaßte, belehnte damit 1296 den König Jacob II. von Aragonien. S. wurde nun der Schauplatz verwüstender Bürgerkriege und blieb bei der Krone Spanien, bis es im Spanischen Erbfolgekriege 1708 von den Engländern für Oesterreich erobert und im Utrechter Frieden von 1713 dem Hause Habsburg förmlich zugesprochen wurde. Dieses trat jedoch 1720 die Insel im Austausch gegen Sicilien an den Herzog Amadeus II. von Savoyen ab. Seitdem bildete dieselbe, vereinigt mit Savoyen und Piemont, das „Königreich Sardinien". Vgl. Reigebauer, „Die Insel S.", Leipzig 1853. 2) Königreich S., Sardinische Monarchie, ein ehemaliges Königreich im westlichen Oberitalien, welches die alten historischen Provinzen Piemont, Montserrat, Genua, Nizza (seit 1859 auch die Lombardei) und die Insel Sardinien begriff und einen Flächenraum von 1372 Q.-M. mit 4,916,084 Einw. (seit 1859 aber einschließlich der Lombardei 1759 Q. M. mit 7,915,205 Einwohnern, seit der am 24. März 1860 erfolgten Abtretung von Savoyen und Nizza an Frankreich aber nur noch 1452 Q.-M. mit 7,106,696 Einw., nach der im weiteren Verlaufe des Jahres 1860 erfolgenden Annectirung von Parma, Modena, Toscana und des größten Theils des Kirchenstaates jedoch einen Gesammtflächenraum von 2612 Q.-M. mit einer Gesammtbevölkerung von 12,475,689 Einwohnern) umfaßte und sich dann nach der Annexion des Königreichs Beider Sicilien im J. 1861 zum jetzigen Königreich Italien (s. d.) umgestaltete. Die Hauptstadt des Königreichs S. war Turin. Die sardinische Armee bestand vor Beginn des Feldzugs von 1859 aus 20 Linien-Infanterie-Regimentern à 4 Bataillone, 10 Bataillonen Bersaglieri (Schützen, zusammen 30,000 M. Infanterie; 5 leichten und 4 Linien-Cavalerie-Regimentern à 4 Escadrons, zusammen 5200 M. Cavalerie; 3 Regimentern Artillerie, zusammen 4300 M.; 1 Genie-Regiment 1013 M.; 2 Regimentern Carabinieri (Polizeitruppen), zusammen 4000 M.; außerdem noch Leibgarde, Palastgarde, Veteranen; insgesammt auf dem Friedensfuße 48,000 M., auf dem Kriegsfuße 84,100 M. mit 160 Geschützen. Eingetheilt war diese Armee in 5 Divisionen à 2 Brigaden. Als nach dem Präliminarfrieden von Villafranca 1859 der größte Theil der Lombardei an S. fiel, wurde die Armee um 12 Linien-Infanterie-Regimenter, 6 Bataillone Bersaglieri, 3 Cavalerie-Regimenter und 1 Artillerie-Regiment vermehrt. Eine vollständige Reorganisation der Armee erfolgte nach den oben genannten Annectirungen von 1860; die Infanterie wurde auf 4 Grenadier- und 52 Linien-Regimenter (jedes zu 4 Bataillonen à 4 Comp.) und 27 Bataillone Bersaglieri, die Cavalerie auf 4 schwere, 12 leichte und 1 Guiden-Regiment (jedes zu 4 Escadrons), die Artillerie auf 8 Regimenter, wovon 4 Feld-Artillerie-Regimenter (jedes zu 12 Batterien); die Genietruppen auf 6 Bataillone erhöht; außerdem noch 20 Compagnien Train und 17 Compagnien bei der Administration. So zählte die sardinische Armee 1860 (einschließlich der Carabinieri, aber ausschließlich der Nicht-Combattanten) insgesammt 196,000 Mann. Ueber die fernere Reorganisation s. u. Italien (Bd. V., S. 76 ff.). Die sardinische Marine umfaßte das General-Commando zu Genua mit den 3 Departements Genua, Villafranca, Sardinien. Das Personal der Flotte bestand 1859 aus 2860 Mann, worunter 1 Vice-Admiral, 2 Contre-Admirale, 7 Schiffs-Capitäne, 8 Fregatten-Capitäne, 8 Corvetten-Capitäne; das Material umfaßte 4 Segel- und 4 Dampf-Fregatten, 4 Corvetten, 3 Brigantinen, 1 Brigg, 10 Dampfboote x., im Ganzen 40 Kriegsfahrzeuge mit 900 Kanonen. — Geschichtliches: Die Sardinische Monarchie entstand erst durch die Verbindung des Herzogthums Savoyen (s. d.), des Stammlandes der Dynastie, mit der Insel Sardinien, durch den Vertrag von 1720 (s. oben I.). Im Polnischen Thronfolgekriege war dieselbe mit Frankreich verbündet und erwarb dadurch einen Gebietszuwachs von Oesterreich. Im Französischen Revolutionskriege war sie seit 1792 mit Oesterreich verbündet, unterlag aber 1796 den französischen Waffen und mußte 1798 alle Besitzungen auf dem Festlande zur Verfügung Frankreichs stellen, welches dieselben 1802 gänzlich annectirte. 1814 erhielt S. sein Land zum größten Theil und 1815 vollständig wieder. 1821 wurde der Staat von Militäraufständen erschüttert, aus denen eine umfasfende Revolution und ein Thronwechsel hervorgingen, welcher Erfolg jedoch durch die einschreitende österreichische Militärmacht annullirt wurde. Das Weitere f. u. Italien, Bd. V., S. 72 ff. Vgl. Bartolomeis, „Notizie topografiche et statistiche degli stati sardii", Turin 1840—47; Casalis, „Dizionario geografico-storico-statistico degli stati dire di Sardegna", Turin 1843—51, 21 Bde.; Stefani, „Dizionario geografico-statistico degli stati sardii", Turin 1855; „Statistica amministrativa del Regno d'Italia", Turin 1861; Librario, „Storia della monarchia di Savoia", Turin 1830—47, 3 Bde.; Gallenga, „Storia del Piemonte", Turin 1856, 2 Bde.

Sargé, kleiner Ort im französischen Departement Loiret-Cher, nahe der von Vendôme nach Le Mans führenden Straße, an dem Brayebach. Auf dem Vormarsche der Armee des Prinzen Friedrich Carl gegen Le Mans hatte die preußische 9. Infanterie-Brigade hier und bei dem etwas südlicher liegenden Savigny, sowie — im Verein mit dem 9. Armeecorps — bei dem an der Straße liegenden Epuisay am 7. Januar 1871 Gefechte mit den Vortruppen der Armee Chanzy's, in welchen es den preußischen Truppen gelang, gegen Abend bis zum linken Thalrande des Braye-Abschnittes vorzudringen, der von den Franzosen dann in der Nacht geräumt wurde.

Sarissa ist die 5 Meter lange Lanze der macedonischen Phalanx.

Sarre, f. Saar; **Sarrebourg,** f. Saarburg 2); **Sarreguemines,** f. Saargemünd; **Sarrelibre,** f. Saarlouis.

Sasbach, Dorf im Amtsbezirk Achern des badischen Kreises Baden, 1400 Einwohner. Hier am 27. Juli 1675 Gefecht zwischen den Kaiserlichen unter Montecuculi und den Franzosen unter Turenne, welcher letztere hier fiel; die Franzosen traten den Rückzug nach Straßburg an. Zum Andenken Turenne's wurde hier 1781 ein Obelisk und am 27. Juli 1829 ein Denkmal errichtet.

Sassaniden, die letzte Dynastie des Altpersischen Reiches, wurde gegründet 218 n. Chr. von Ardeschir-Babekan (Artazerzes IV.), welcher ein Sohn Sassan's war und 226 die Arsaciden stürzte; die S. herrschten bis 636, wo der Khalif Omar ben König Jezdegerd III. enthronte und Persien dem Reiche der Araber einverleibte (f. u. Persien, Bd. VII., S. 107 f.).

Sattel, 1) Bekleidungsstück der Pferde, Maulthiere u. f. w. auf deren Rücken, mit dem Zwecke, dem Reiter einen festeren und bequemeren Sitz zu verschaffen (Reitsattel), oder Gepäck und andere Lasten, wie z. B. in der Gebirgsartillerie die Theile des Geschützes, auf dem Rücken jener Thiere leicht, sicher und ohne Druckschäden anzubringen (Pack-, Trage-, Saum-S.). — Die Schwierigkeit, sich auf einem nackten Pferde bei allen Bewegungen desselben zu erhalten und sogar von demselben aus zu fechten, sowie die Unbequemlichkeit eines solchen Sitzes führten schon frühzeitig zur Anwendung von Unterlagen beim Reiten, anfänglich einfacher Decken, dann aufschnallbarer Polster, welche zuerst im Orient von den Persern zu wirklichen S.n vervollkommnet wurden. Alte Wandgemälde und Skulpturen zeigen, daß man schon sehr früh richtige Packsättel mit Sattelbäumen hatte, welche das Rückgrat der Thiere freiließen. Vollständige Reitsättel für Pferde und Maulthiere mit gestepptem Sitze, Vorder- und Hinterwulst, dreifachem Gurte und mit Hinterzeugen, welche den jetzt für Stangenpferde gebräuchlichen Umläufen gleichen, zeigen die Ruinen von Chapur und Herculanum, die Triumphbogen Constantin's u. f. w. Als Unterlagen unter dem S. dienten schon damals Filzdecken, oft mehrere übereinander, und durch lang herabhängende, kostbare Decken suchte man die Flanken der Pferde gegen feindliche Geschosse zu schützen (Xenophon). Steigbügel aber kannten die Alten nicht, weder die Asiaten noch die Griechen oder Römer; die erste Erwähnung derselben findet sich beim Taktiker Leo (vgl. Rüstow und Köchly). Manche Nationen zogen indessen auch

11*

nach der Erfindung des S.s das Reiten auf nackten Pferden vor, selbst im
Kriege. Die griechischen Abbildungen am Parthenon zeigen die Pferde noch
unbekleidet, und die alten Deutschen hatten zu Cäsar's Zeit noch keine S. oder
ähnliche Unterlagen, verachteten vielmehr die römischen Reiter, welche sich solcher
bedienten. Im Mittelalter, der Blüthezeit der Schutzwaffen, tritt das Bestreben zu Tage, nicht nur das Pferd durch Ueberdecken, sondern auch den Reiter
selbst durch den S. zu schützen, denn der mittelalterliche Ritterfattel, welcher
im Allgemeinen die Gestalt eines heutigen Schulsattels hatte, sollte durch
seine starken, mit Eisen beschlagenen, vor und hinter dem Sitze hoch aufge-
bogenen, dick gepolsterten Theile den Reiter nicht nur in seinem Sitze befestigen,
sondern ihn auch namentlich gegen die Lanzenstöße des Gegners decken. Im
Orient finden wir diese Sattelform noch meistens beibehalten und zum Theil
in den kostbarsten Prachtstücken, mit getriebenem Silber und reicher Ciselirung,
mit besonderer Vorliebe dargestellt.

Im Allgemeinen lassen sich vier Hauptformen von S.n unterscheiden: der
deutsche, französische, englische und ungarische S. Beim deutschen
S. ist der hölzerne, mit Leinwand behäutete Sattelbaum breit im Sitze und
flach gebaut. Er besteht aus den beiden, geschweift geschnittenen Stegen,
deren innere auf dem Pferde aufliegenden Wölbungen zuweilen Trachten und
deren untere Enden Orte genannt werden, und dem durch die Stege miteinander
verbundenen Vorder- und Hintergestell, welche auf der unteren Seite durch
ein eisernes Vorder- resp. Hinterblech verstärkt sind. Ueber dem Hintergestell sitzt der Aefter oder der Sattelkranz, der höchste Theil des Vorder-
gestells heißt Sattelknopf oder Kopf. Zwei Winkelbügel an den Stegen
dienen zum Einschnallen der Steigbügelriemen, der Schwanzriemenbügel zum
Befestigen des Hinterzeugs. Das Sattelkissen, aus Schafleder und
Leinwand oder Flanell gefertigt und mit Reh- und Kälber- oder Pferde-
haaren so gestopft, daß es in der Mitte eine Kammer bildet, wird unter
dem Sattelbaum angenagelt und angebunden; es bildet die Auflage auf dem
Pferde und hat zu verhüten, daß dasselbe gedrückt werde. Die Grundlage des
Sitzes (der Grundsly) wird durch Gurte, welche auf den Baum aufge-
nagelt und festgespannt sind und auf welchen eine Polsterung von Leinwand und
Haaren ruht, gebildet. Zur Bekleidung (worunter man alles dauernd am
S. Befestigte versteht, während man die abzuschnallenden und abnehmbaren
Theile zur Ausrüstung des S.s rechnet) gehört beim deutschen S. ferner:
der feste Lederüberzug des Sitzes, die vorderen und hinteren gepolsterten
Pauschen (oft auch blos die hinteren), die großen oder kleinen Satteltaschen
oder Sattelblätter und die Gurtstrippen, ferner ein Aufhängeriemen
und je nach der Bestimmung und dem Modell des S.s verschiedene Kram-
men, Strippen, Binderinge u. dergl. zur Befestigung von Gepäck, Geschirr u. f. w. Der Sattelgurt kann von Leder, hänfenem Bande oder —
am besten — aus Schnurgurt sein. Die Satteltaschen werden entweder mit
einem an ihnen befindlichen Taschengurt oder einem Bauchriemen zusammen-
geschnallt, oder sie werden durch den über den S. geschnallten Deckengurt
zusammengehalten. Steigbügel mit Steigbügelriemen, Packtaschen,
Pistolenholster, Putzzeugtasche, Hufeisentasche, Manteitriemen,
Vorder- und Hinterzeug oder Schwanzriemen (bei Reitpferden, bei Zugpferden wird letzterer zu dem Geschirr gerechnet) vollenden die Ausrüstung des
S.s, welche wie das S.-Modell verschiedenartig ist. Der deutsche S. gewährt durch seinen Bau einen guten, freien Sitz; durch seine Pauschen erleichtert er dem Reiter das Festsitzen; dadurch, daß er das feste Kissen unter den
Stegen hat, drückt er das Pferd nicht leicht und kann sogar ohne Unterlage eines großen Woilachs benutzt werden. Er findet daher seine Anwendung

zu den Schulsätteln auf Reitschulen für Schüler und zum Anreiten junger
Pferde, bei der Cavalerie namentlich für die Kürassiere, in andern Modellen
zum Theil bei der Artillerie, namentlich für deren Handpferde, in Oesterreich auch für die Sattelpferde. Aus den Batterien der preußischen Artillerie,
welche den deutschen S. C. 1819/31 für die Reit- und Sattelpferde besaßen,
ist er seit 1842 in die Munitions-Kolonnen ausgeschieden, und auch die
späterhin für die Handpferde eingeführte, etwas davon abweichende Construction
des sog. Handsattels ist ihm dahin gefolgt, seit die preußische Artillerie ihre
sämmtlichen Pferde gleichmäßig mit ungarischen Bocksätteln ausrüstet. — Der
französische S. weicht vom deutschen dadurch ab, daß er nur vordere und
niedrige, aber keine hinteren Pauschen, und meistens einen weicher gepolsterten
und gesteppten Sitz hat. — Der englische S., auch Pritsche genannt, unterscheidet sich von den beiden vorigen dadurch, daß er gar keine Pauschen besitzt,
durchweg glatt mit Schweins- oder Rindsleder überzogen ist und nur auf dem
vorderen Theil der Sattelblätter häufig einen länglichen aufgepolsterten Wulst
hat, welcher dem Knie des Reiters einen besseren Halt gewährt. Er ist der
schönste, einfachste und leichteste S., bietet aber einem unsicheren Reiter am
wenigsten Unterstützung zur Befestigung des Sitzes, eignet sich schlecht zur Anbringung von Gepäck und ist, ebenso wie der deutsche und französische S., der
festen Polsterung wegen dem verderblichen Einflusse der Nässe ausgesetzt, wodurch seine Kriegsbrauchbarkeit leidet. In der englischen Artillerie sind sämmtliche Zugpferde mit dem englischen S. ausgerüstet. Bei Offizieren und Privat-
reitern ist er der beliebteste, bei Rennen wird er stets gebraucht. Die echten
englischen Rennsättel sind sehr lang und flach, für den Stuhlsitz gebaut; für
einen schulrechten Sitz müssen sie kürzer sein und nach hinten im Sitze etwas
ansteigen, sodaß sie sich etwas mehr der Construction des deutschen S.'s nähern.
Der Sattelbaum wird zuweilen auch von starkem dickem Leder anstatt von Holz,
die Stege von Leder und Fischbein gefertigt. Am Sattelknopf wird das Vorder-
gestell bei neueren, besseren Modellen nach rückwärts ausgeschnitten, wodurch
eine Berührung mit dem Widerriß des Pferdes sicherer vermieden wird. Der
ganze S. kann zur Schonung mit einem abnehmbaren Ueberzug von dünnerem
Leder versehen und auch mit diesem geritten werden. — Der ungarische oder
Bock-S., ungarischer Bock, hat eine von den genannten Sätteln wesentlich
abweichende Construction. Der Sattelbock besteht aus zwei geschweiften
starken hölzernen Trachten, welche durch die vorn und hinten an ihnen eingelassenen und fest vernieteten Vorder- und Hinterzwiesel miteinander verbunden sind. Diese fertigte man früher aus Holz (ursprünglich nur aus gewachsenen, später auch verleimten Zwieseln) und verstärkte sie und ihre Verbindung mit den Trachten durch eiserne Beschläge: das Vorder- und Hinter-
satteleisen. Neuerdings (in Preußen C/67) macht man beide Zwiesel ganz
aus Eisen, wodurch sie nicht schwerer, aber haltbarer, dauerhafter, einfacher
und billiger werden. Auch von den älteren, ganz aus Holz gefertigten Böcken
existiren in der preußischen Armee verschiedene Modelle und Aptirungen,
welche zum Theil durch die mehrfach geänderte Anbringung des Gepäcks, zum
Theil dadurch entstanden, daß man durch Wegschneiden des hohen Vorderzwiesels dem Reiter eine tiefere Zügelführung ermöglichte. Der höchste Theil des
Vorderzwiesels wird Nase, Kopf oder Sattelknopf, der höchste Theil des
Hinterzwiesels Löffel genannt; letzterer ist durchlocht zum Durchziehen des
mittleren Packriemens. Je nach der Auseinanderstellung und Richtung der
Trachten werden die Sattelböcke in verschiedenen Nummern gefertigt;
davon existiren in Preußen 5 (für schmal- und breitgerippte Pferde mit geradem,
gebogenem oder mit Senkrücken), bei der Cavalerie sogar noch mit je 2 Unterabtheilungen, also im Ganzen 10 Sorten. Zur Bekleidung des ungarischen

Bocks gehört der Sitzriemen oder Wolf aus starkem Brandsohlenleder, welcher an den Zwieseln aufgenagelt, resp. mit Bolzen und Unterlageblechen befestigt und mit den Trachten durch Schnürriemen verbunden wird. Er bildet die Grundlage des Sitzes und muß so gespannt sein, daß sein vorderes und hinteres Ende, wenn der S. auf dem Pferde liegt, in einer Horizontalebene liegen und daß er beim Reiten nicht bis auf das Rückgrat des Pferdes gedrückt wird (nicht „gründet"), daß vielmehr eine gute Kammer bleibt. Ein loses Sitzkissen wird so auf den Sitzriemen gelegt und mit dem S. verbunden, daß man es leicht ganz von demselben abnehmen kann. Die obere Seite dieses Kissens ist von Kalbleder, die untere von Leinwand. Es existirt in der preußischen Armee noch in verschiedenen Constructionen. Die ältere, welche auch in verschiedenen Größen vorhanden, war mit Haaren gepolstert und abgesteppt; diese Polsterung ist später am vorderen Theile weggelassen, um statt ihrer hier die Stalljacke unterlegen zu können. Das neue Cavalerie-Sitzkissen, welches nun auch in der preußischen Artillerie eingeführt ist, enthält gar keine Polsterung, dagegen auf der unteren Seite Taschen, in welchen ein Theil des Gepäcks (Hemd und Unterhose, event. Strümpfe und Handschuhe) transportirt wird, während sie, wenn ohne Gepäck geritten wird, mit Heu und Stroh ausgestopft werden, sobald man nicht für diesen Fall ein gepolstertes Sitzkissen auflegt. — An beiden Trachten sind zugleich mit dem Sitzriemen zwei Satteltaschen (auch Schweißleder genannt) festgeschnürt, als Unterlage für Oberschenkel und Knie; zur besseren Lage des letzteren sind sie vorn mit einer lederüberzogenen, mit Haaren gestopften Wulst versehen. Durch einen ledernen Untergurt und eine breite Untergurttrippe, welche mit Schnürriemen an den Trachten festgebunden werden, ist der S. festzugurten. Ein lederner Obergurt mit Kreuz- und Zugriemen wird über Sitzkissen, Satteltaschen und ev. die über Sattel und Gepäck aufgelegte Schabracke gelegt und hält dieses zusammen fest. Die Riemen für die Steigbügel werden durch Einschnitte der Trachten gezogen. Auch für diesen S. gehören zur Bekleidung und Ausrüstung noch Bindösen, Schlaufen, Schnallstößel, Strippenstücke, Riemen, Gepäckhaken und -ösen u. s. w., welche nach den verschiedenen Modellen und der Art der Anbringung des Gepäcks (s. unten) oder der Verbindung mit Geschirrtheilen verschieden sind. Da der eigentliche ungarische S. keine Polsterung unter den hölzernen Trachten hat, so kann er nur mit einer untergelegten, mehrfach zusammengeschlagenen großen wollenen Decke (Woilach) geritten werden. Durch das Fehlen einer jeden fest am Sattel befindlichen Polsterung ist er aber auch am wenigsten empfindlich gegen Nässe und rasche Witterungswechsel, fest und dauerhaft, und das Gepäck läßt sich in und unter den Sitzkissen und an dem sich hoch über den Pferderücken erhebenden Löffel leichter und vortheilhafter anbringen als bei anderen Sattelformen. Auch gewährt er dem Reiter einen festen, wenn auch keinen bequemen Sitz. Er ist daher fast überall für die Cavalerie (in Deutschland mit Ausnahme der Kürassiere) sowie für die Artillerie, theilweise in etwas geändertem Modelle auch für den Dienstgebrauch der Offiziere eingeführt. Die deutsche Artillerie hat ihre sämmtlichen Pferde mit dem ungarischen S. ausgerüstet. Die französische Artillerie hat für die Reit- und Sattelpferde ebenfalls den Bocksattel, aber ohne die löffelartige Verlängerung des Hinterzwiesels, welchen nur die Cavalerie hat; unter dem S. liegt ein Woilach und eine Unterlegedecke, das Vordergepäck ist mit einem Schaffelle bedeckt; die Handpferde haben ein Sattelkissen. In der holländischen Artillerie haben Hand- und Sattelpferde Bocksättel; in England haben die Reitpferde der Artillerie und Cavalerie einen Bocksattel, aber mit gepolsterten Trachten. — Als Nachtheile des ungarischen S.s treten hervor, daß sein festes, hohes Gestell mit den nicht nachgiebigen, starren Trachten auf der verschiebbaren Unterlage des

Woilachs ruhend, sich dem Pferdekörper schlecht anschmiegt und, da er meist nicht genau in der Mitte belastet wird, nicht gleichmäßig aufliegt und leicht rutscht, daher auch viel leichter drückt als ein in gutem Zustande befindlicher geschmeidiger Kissen-S., der sich Pferden von verschiedenem Bau, geändertem Futterzustande und bei verschiedener Bewegung und Belastung des Pferdekörpers leichter anschmiegt. Durch die vielen verschiedenen dem Pferde anzupassenden Nummern wird diesem Uebelstande nur ungenügend abgeholfen und das Material complicirt. Ein hoher Vorderzwiesel bedingt ferner eine zu hohe Zügelführung. Zur Dressur eignet sich der ungarische S. wenig, und ist für Reiter und Pferd nicht bequem. Man hat daher verschiedene Aenderungen des ungarischen S.'s erprobt und nicht nur Kissen unter den Trachten angebracht, sondern sogar den mittleren Theil der hölzernen Trachten herausgeschnitten, statt dessen Mittelkissen eingelegt, und den Sitzriemen, die Satteltaschen und den Untergurt durch ein zu beiden Seiten in Gurtstrippen auslaufendes Sitzleder ersetzt. Da bei diesem Kissensattel das starre Holzgestell im Sitze gänzlich wegfällt, so soll er alle anderen S. an Nachgiebigkeit und Weichheit übertreffen; auch kann er mit oder ohne Woilach geritten werden. Ferner ist vorgeschlagen, statt des hohen Löffels zum Aufhängen des Mantelsacks einen Gepäckträger an dem eisernen Hinterzwiesel anzubringen, auf welchen der Mantelsack oder Mantel zu liegen kommen soll. (Vgl. u. A. „Archiv für die Offiziere d. Kgl. Preuß. Artillerie u. Ing.-Corps", Jahrg. 1862, S. 120 u. f. und von 1866, S. 251; ferner „Neues Sattelungssystem", von dem dänischen Cavalleriemajor v. Barth, Kopenhagen 1858. Der belgische Oberst Leurs hat einen von ihm erfundenen Sattelbock mit beweglichen Trachten in einer besonderen Broschüre beschrieben.)

Das Aufpassen (die Richtung) des S.'s auf das Pferd ist von größter Wichtigkeit, da durch schlecht passende S. ebenso wie durch schlecht sitzende Reiter sehr leicht Satteldruck entsteht, welcher ein Pferd oft auf lange Zeit unbrauchbar macht. Zum Aufpassen legt man den Sattelbaum auf das nackte, gerade gestellte Pferd und untersucht, ob die Trachten überall gleichmäßig auf den gewölbten Rippen aufliegen, daß die Schweifung des Sattelbaumes also der des Pferderückens entspricht, der Baum nicht wiegt oder wippt, die Ränder nirgends klemmen oder einschneiden, an den Endtheilen etwas vom Pferderücken abgebogen sind und ob bei fest aufgedrücktem S. und aufgerichtetem Pferdehals zwischen Widerriß und Vordertheil des S.s genügend freier Raum, über dem Rückgrat eine durchgehende Kammer frei bleibt. Bei diesem Aufpassen ist hauptsächlich auf den Knochenbau des Pferdes Rücksicht zu nehmen, nicht auf den augenblicklichen Futterzustand, der sich, besonders im Kriegsgebrauche, bald sehr ändert. Alsdann bleibt zu beobachten, wie die Lage des S.'s sich gestaltet, wenn die Last des Reiters auf ihn wirkt, und wie er liegt, nachdem er einige Zeit geritten ist. Durch Abschaben der Trachtenränder und Beraspeln, durch Unterlegen von Stroh- oder Filzfutter läßt sich beim ungarischen S. nur wenig nachhelfen, bei den unten gepolsterten Sätteln kann durch Auffüllung oder Verdünnung der Polster besser abgeholfen werden. Soweit es möglich ist, z. B. für Offiziere, bleibt auch zu empfehlen, den S. nach dem Körper des Reiters auszuwählen. Schließlich bleibt noch die angemessene Länge und richtige Lage der Gurte, des Vorder- und Hinterzeugs u. s. w. zu untersuchen.

Das Satteln geschieht von der linken Seite des Pferdes, doch wird von Manchen, z. B. von Ohnhausen, auch empfohlen, den S. von der rechten Seite aufzulegen. Man beginnt mit dem Auflegen der Unterlegdecke oder des gut ausgeschwungenen und sorgfältig nach genauer Vorschrift 9. (12.) sach zusammengelegten Woilachs. Der S., über dessen Sitz der Gurt, die Steigriemen, Vorder- und Hinterzeug geschlagen sind, wird mitten auf den Woilach und eine, höchstens zwei Hand breit hinter die Schultern gelegt, so daß er genau auf die Mitte des Pferderückens zu liegen kommt. Nur bei dieser Sattellage wird der mitten im S. sitzende Reiter auf einem im Gleichgewichte befindlichen Pferde im Schritt und Mitteltrab sich senkrecht über dem Vereinigungspunkt des Vorder- und Hinterfußes befinden und im Stande sein, das Gleichgewicht des Pferdes herzustellen und zu erhalten (vgl. Reiterei). Liegt der S. weiter nach vorn, so wird das schon mehr belastete und schwächere Vordertheil zu sehr beschwert und abgenutzt, das Hintertheil kann nicht gehörig untergeschoben und zur Arbeit herangezogen, die Schultern können nicht frei gemacht werden; ein Druck auf dem Widerrist kann endlich auf Märschen die böse Folge eines zu weit vorliegenden S.'s sein. Liegt dagegen der S. zu weit nach hinten, so kann er die Lenden drücken und die Biegsamkeit der Nierenpartien beeinträchtigen; das Hintertheil würde ungleich stärker angegriffen, dem Pferd kann dadurch das Tragen der Last unbequem werden und es zu Widersetzlichkeiten reizen. Dadurch, daß die Gurten weiter zurück, auf die falschen Rippen, kommen, pressen sie die inneren, weichen Theile zu sehr zusammen, der freie Gang und gute Willen, das Athemholen und die Verdauung des Pferdes wird gehindert. Nur bei Pferden, bei welchen die Stärke des Vorder- und Hintertheils nicht in normalem Verhältnisse steht, ist ein geringes Vor- oder Zurücklegen des S.'s zur Schonung des schwachen Theils gerechtfertigt. Bei jungen Pferden, welche das Satteln noch nicht gewohnt sind, und bei solchen, welche im Rücken empfindlich und kitzlich sind und sich ungern satteln lassen, ist große Vorsicht anzuwenden, um dem unangenehmen Fehler des Sattelzwangs entgegenzuwirken. Nachdem der Woilach in die Kammer des S.'s hinaufgezogen ist, werden die Gurten allmählich fest angezogen und zugeschnallt, sobald der S. fest liegt, ohne das Pferd zusammenzuschnüren. Hierauf legt man Vorder- und Hinterzeug an. Beim deutschen S. wird der Taschen-, Bauch- oder Deckengurt zugeschnallt, beim ungarischen Bock — event. nach Auflegen des Gepäcks und der großen Schabracke — der Obergurt über den Sitz und den Untergurt gelegt und durch den Zugriemen mit dem ungarischen Knoten fest zugeschnürt, der Kreuzriemen um den S. gelegt und zugeschnallt.

Das Anbringen des Gepäcks an dem S. (das Packen, die Päckerei) kann auf verschiedene Weise geschehen und hat sich speciell in der preußischen Armee im Laufe der Jahre mehrfach geändert. Man unterscheidet Vorder-, Mittel- und Hintergepäck, je nachdem es vor, in der hinter dem Sitz des S.'s angebracht ist. Der früher allgemein gebrauchte Mantelsack ist jetzt da, wo der ungarische S. in Gebrauch ist, meistentheils weggefallen, indem man die früher in ihm verpackten Gegenstände (Reithosen, Hemde, Gesang- und Abrechnungsbuch, Handschuhe, Stiefel, Sohlen, Strümpfe, Reservepatronen, Putzzeug) besser in und unter das neue Sitzkissen und in die beiden, vorn am S. befestigten, großen Packtaschen unterbringt. Bei Anwendung des Mantelsacks unterscheidet man, ob derselbe zuvor in ein Packgestell geschnallt und mit dessen Ring in hinten am S. befindliche Haken (Gepäckhaken, Mantelsackhaken) gehängt und dann festgeschnallt wird (Hakenpäckerei), oder ob der Mantelsack durch 3 besondere Packriemen an den Löffel und die Trachten festgeschnallt wird (Riemenpäckerei). Bei der Bespannung wird der Mantelsack auf den Sitz des Handsattels oder auf das Packkissen verpackt, wenn eine Mitführung von Bedienungsmannschaften an den Handpferden nicht beabsichtigt wird. Der nach genauer Vorschrift zusammengelegte, gewickelte und durch Mantelriemen zusammengehaltene Mantel wird da, wo ein Mantelsack hinten am S. befestigt ist, vorn an demselben aufgeschnallt; bei Wegfall des Mantelsacks dagegen wird er an dessen Stelle hinten an den S. geschnallt, sofern er nicht bei Zugpferden auf den S. oder das Packkissen des Handpferdes verwiesen wird. — Die früher vorn an beiden Seiten des S.'s befestigte Pistolenholfter und Putzzeugtasche sind bei der in Preußen eingeführten neueren Packerei des ungarischen S.'s durch zwei große Packtaschen ersetzt, deren rechte event. eine Holster für die Pistole enthält. In diese Packtaschen werden das Pferdeputzzeug, die Bürsten, Blechdosen mit Wichse und Schmiere, Knopfgabel, kamm, Putz-, Näh- und Rasirzeug, Löffel, Pfeife und Tabak, Frühstück, ein Paar Stiefeln und Sohlen, bei den betreffenden Mannschaften der Cavalerie auch noch das Feldbeil in der Beiltasche der linken Packtasche oder an der auswendigen Seite des linken Holsters, eveut. auch noch Reservetheile für die Karabiner und Reserve-Munition verpackt. An der rechten Packtasche wird eveut. auch der Karabinerschuh mit Riemen festgeschnallt. Bei der Cavalerie wird das Kochgeschirre in einem Futteral an der linken Seite des S.'s befestigt, an deſſen rechter Seite dagegen die Hufeiſentaſche mit 1 Vorder- und 1 Hintereiſen, Huf- und Eisnägeln. Bei der Artillerie ſind keine Kochgeſchirre am S. befeſtigt, dagegen auf jeder Seite eine Hufeiſentaſche mit Hufeiſen, Nägeln und Halſterkette. Die Mütze kommt in eine Tasche der Ueberlegedecke, der Küraſſier trägt ſie unter dem Vorderküraß. Die in einem Kranz zuſammengewickelte Fouragierleine und der mit einer eintägigen Haferration und der Brotportion ſowie mit Freß- und Brotbeutel verpackte Futterſack vollenden das vollſtändige, kriegsmäßige Gepäck des S.'s, über welches beim ungariſchen S. die große Ueberlegedecke — Schabracke zum Schutz gegen Regen und Staub, ſowie zum beſſeren Ausſehen gelegt und durch den Kreuzriemen und am Vorderzeuge feſtgehalten wird. Der deutſche S. hat keine Ueberlegedecke, eine kleinere Unterlegedecke wird bisweilen unter den S. über den Woilach gelegt und die Piſtolenholſtern der Küraſſierſättel bei Paraden durch kleine Schabrackenſtücke, die Schabraunen, bedeckt. Bei parade- und exercirmäßigen Packen wird ein Theil des kriegsmäßigen Gepäcks zurückgelaſſen.

2) Eine flache Einſenkung, welche quer über einen Höhenrücken führt, ſodaß vom S. aus das Terrain nach zwei Seiten hin fällt, nach zwei Seiten hin anſteigt (Bergſattel, Gebirgsſattel), ſ. Terrain. 3) Eine, meiſt ausgerundete, Holzunterlage für eine aufzuladende Laſt, daher Sattelwagen, Sattelprotze, ſ. d., ſowie Protze, Wagen.

Satteln, ſ. Sattel.

Sattelpferd heißt bei paarweiſer Anſpannung das zur linken Seite, beim Fahren vom Sattel alſo unter dem Reiter gehende Zugpferd, im Gegenſatz zum Handpferd. Als S. wählt man kräftige, rittige Thiere; auch darf das S. nicht größer als das Handpferd ſein.

Sattelpiſtole iſt gleichbedeutend mit Piſtole zur Bewaffnung eines Cavaleriſten, namentlich früherhin im Gegenſatz zu Luxus-Piſtolen, die oft minutiöſen Kalibers ſind.

Sattelprotze, ſoviel als Protze ohne Kaſten, ſ. Protze, Bd. VII., S. 252.

Sattelwagen dienen zum Transport ſchwerer Geſchützröhre, ſowie von Mörſern und ihren Laffeten, ſ. Wagen.

Sattler ſind Unterbeamte bei der Cavalerie, Feldartillerie und dem Train.

Satz, 1) Im Sinne der Kriegsfeuerwerkerei, ſ. Kriegsfeuer, Bd. V., S. 227. Man unterſcheidet: a) Sätze, welche auf den Beſtandtheilen des Schießpulvers beruhen und zu ihrer Entzündung einer Flamme bedürfen. Man hat hier namentlich zwei Gegenſätze, den heftig verbrennenden Pulverſatz, auch ſchwarzer Satz genannt, und den langſamer verbrennenden, große Leucht- und andauernde Zündkraft beſitzenden grauen Satz — Salpeterſchwefel, mit einem gewiſſen Procentſatz Mehlpulver gemiſcht. Beide werden auch Fundamental-S.e genannt. Sie kommen meiſtens in verdichtetem Zuſtande vor und erhalten zu ihrem ſpeciellen Zweck häufig Beimengungen, als Antimon, Kolophonium ꝛc. b) Fulminante S.e, welche schon durch Reibung, Schlag ꝛc. entzündbar sind, auf chlorsaurem Kali- oder Knallpräparaten beruhend, zu Zündungen besonders geeignet, insofern sie von äußeren Einwirkungen unabhängig machen, s. Schlagröhren, Zündung. 2) Eine Anzahl gleichartiger, zu gleichem Zwecke dienender Gegenstände von verschiedenen Dimensionen, als S. Pulvermaße ꝛc. 3) Soviel als fixer Betrag, z. B. Gehaltssatz ꝛc.

Satröhrchen, s. Kriegsfeuer, Bd. V., S. 288, hauptsächlich noch bei Leuchtkugeln vorkommend.

Saulieu, Stadt und Straßenknoten im französischen Departement Côte d'Or, etwa 9 Meilen westlich von Dijon. Am 31. December 1870, am 3. 5. und 6. Januar 1772 fanden hier kleine Gefechte der Vortruppen des zum Ersatz von Belfort anmarschirenden Bourbaki'schen Heeres, sowie der Dijon besetzt haltenden Truppen Garibaldi's mit der preußischen 9. Division statt.

Saumthiere dienen zum Reiten, sowie zum Transport von Lasten im Hochgebirge. Man benutzt dazu besondere Pferderacen, wie die schottischen Ponies, Esel, sowie namentlich die Kreuzungen von Pferd und Esel: Maulthier (von Stute und Esel), Maulesel (von Hengst und Eselin). Zu militärischen Zwecken bedient man sich der S. im Gebirgskrieg, s. Gebirgsartillerie, Bd. IV., S. 155. Vorherrschend benutzt man hier das Maulthier; dasselbe ist im Allgemeinen kleiner als das Pferd, aber stark, leicht zu ernähren, zu Entbehrungen befähigt und sehr sicheren Tritts. In Spanien werden dieselben auch als Artillerie-Bespannung benutzt, indeß sind sie scheu vor dem Knall des Geschützes.

Saumur, Stadt im französischen Departement Maine-et-Loire, am linken Ufer der Loire, über welche eine schöne Brücke von zwölf Bogen führt, und an der Eisenbahn von Tours nach Nantes, hat ein altes Felsenschloß, eine Cavalerieschule (s. u. Frankreich, Bd. IV., S. 97), eine der schönsten Cavalerielafernen Frankreichs, Pulverfabrikation, sonstige Industrie und Handel und zählt 14,000 Einwohner. In der Nähe finden sich viele celtische und römische Alterthümer, namentlich zwei noch gut erhaltene feste Lager Julius Cäsar's. Hier im Vendéekriege am 9. Juli 1793 Sieg der Royalisten unter Laroche-Jacquelein über die Republikaner unter Menou.

Sauvegarde (früher Salvaguardia genannt), 1) eine vom Oberbefehlshaber oder von einem höhern Truppenführer im eigenen oder in Feindes Land einem Hause, einzelnen Personen, Corporationen ꝛc. bewilligte Schutzwache, um dieselben vor Beschädigung, Mißhandlung und Plünderung von Seiten der eigenen Truppen zu schützen. Die S. gilt als unverletzlich; ein Vergehen gegen dieselbe ist daher mit geschärfter Strafe bedroht. 2) (richtiger Schutzbrief genannt), ein zu gleichem Zwecke vom Commandirenden ausgestellter schriftlicher Befehl.

Savannah, 1) der auf der Grenze des Südcarolina'schen Districts Anderson und der Grafschaft Franklin in Georgia durch die Vereinigung des Tugaloo und Kiowee-Flusses entstehende Strom, welcher während seines 100 Meilen langen südöstlichen Laufes die Staaten Georgia und Süd-Carolina scheidet und 4 Meilen unterhalb der gleichnamigen Stadt sich in den Atlantischen Ocean ergießt. Mit großen Seeschiffen kann er bis zu letzterer, mit großen Flußdampfern bis Augusta, 50 Meilen oberhalb seiner Mündung, mit Booten noch 30 Meilen weiter hinauf befahren werden. Bei Augusta bildet der S. einen Wasserfall, welcher durch einen Kanal umgangen wird. 2) Bedeutendste Stadt des Staates Georgia, in der Grafschaft Chatham gelegen, mit 30,000 Einw. und bedeutendem Handel. Sie ist durch Eisenbahnen mit Charleston, Macon und Tallahassee verbunden und besitzt zahlreiche wissenschaftliche

Institute. Den Eingang zum Hafen decken mehrere Forts, von denen das Fort Pulaski (Anfang Februar 1862 durch Commodore Dupont zerstört) und Fort Mc. Allister, an dem nahe bei der Stadt mündenden Ogechee belegen, die wichtigsten sind. Das letztere wurde am 13. December 1864 vom General Sherman durch die Division Hazen mit stürmender Hand genommen, als er nach seinem meisterhaften Zuge von Atlanta nach S. durch Georgia vor letzterer Stadt eintraf. Die Stadt selbst, vom General Hardee nur mit 7000 Mann regulärer Truppen besetzt, wurde nach kurzem Widerstande, bei welchem das Fort Lee dem General Sherman in die Hände gefallen, von den Conföderirten in der Nacht vom 22. December 1864 geräumt und am 23. von Sherman besetzt. Nur 800 Mann wurden noch zu Gefangenen gemacht; den übrigen war es gelungen, längs der Bahn marschirend nach Charleston zu entkommen. Die Beute betrug 150 Geschütze, 13 Locomotiven, 190 Eisenbahn-Wagen, 3 Dampfer und 30,000 Ballen Baumwolle.

Savardine, eine Art Erdmörser (s. d., Bd. III., S. 323), mit einer Bombe großen Kalibers geladen.

Savary, Anne Jean Marie René, Herzog von Rovigo, französischer General und Polizeiminister unter Napoleon I., geb. 1774 zu Marcq im Departement Ardennes, trat 1789 beim Infanterie-Regiment Royal-Normandie ein, machte die Feldzüge am Rhein, in Italien, Aegypten und aufs Neue in Italien mit, wurde 1799 Oberst, 1802 Polizeichef, war 1804 Vorsitzender des Kriegsgerichts, welches den Herzog von Enghien verurtheilte, wurde 1805 Divisionsgeneral, nahm an dem Feldzug 1806 und 1807 Theil, wurde in Polen Commandeur eines Corps und schlug am 16. Februar 1807 bei Ostrolenka die Russen, wirkte noch bei einigen Hauptaffairen mit und wurde zum Herzog von Rovigo erhoben, hierauf jedoch vorzugsweise diplomatisch beschäftigt und 1810 zum Polizeiminister ernannt. Nach Napoleon's I. Sturz lebte er längere Zeit im Auslande und trat erst unter Ludwig Philipp wieder in einer militärischen Rolle auf, indem er 1831 Bona in Algerien eroberte und die Militärcolonisation in Algerien organisirte. Anfang 1833 wurde er abberufen und starb 2. Juni 1833 in Paris. Er schrieb: "Sur la catastrophe de Msgr. le Duc d'Enghien", Paris 1823; "Mémoires", Rom 1828, 8 Bde.

Savenay, Stadt im französischen Departement Nieder-Loire, zwischen Nantes und La Rochelle, 2400 Einwohner; hier 23. Dec. 1793 Niederlage der Vendéer durch die Republikaner.

Saverne, s. Zabern.

Savigliano, Stadt in der italienischen Provinz Cuneo (Coni), an der Maira und der Eisenbahn von Turin nach Coni, die bei S. nach Saluzzo abzweigt, ist noch durch alte Mauern und Thürme befestigt, hat einen zu Ehren des Prinzen Victor Amadeus errichteten Triumphbogen, Industrie und Handel und zählt 5400 Einw. (mit dem Gemeindebezirk 17,600 Einw). Hier und bei dem nahe gelegenen Fossano am 4. und 5. Nov. 1799 Gefechte zwischen den Oesterreichern unter Melas und den Franzosen unter Championet, nach dem unweit südöstlich gelegenen Dorfe Genola auch bisweilen Schlacht von Genola genannt.

Savigny, s. Sorge.

Savona, Stadt in der italienischen Provinz Genua, der bedeutendste Ort der Riviera di Ponente, am Einfluß des Küstenflüßchens Egabona ins Mittelmeer und an der Eisenbahn von Genua nach Nizza, die bei S. nach Turin und Alessandria abzweigt, ist durch ein auf einem Felsen im Meere stehendes Fort gedeckt, hat einen kleinen, aber sichern, von den Franzosen restaurirten Hafen (der große und schöne Hafen, welcher im Mittelalter von großer Wichtigkeit war, wurde 1525 von den Genuesen zerstört), eine Cathedrale, ein

Seehospital, eine nautische Schule, Schiffsbau, Ankerschmieden, Industrie und Handel und zählt 11,500 Einw. (mit dem Gemeindebezirk 19,700 Einw.) S. ist das alte Sava, wurde 1525 von den Genuesen verheert, 1745 von den Engländern beschossen (und dabei die spanisch-französische Flotte zerstört), 1746 von den Sardiniern nach einer dreimonatlichen Belagerung erstürmt, 1809 von den Franzosen genommen und zum Hauptort des Departements Montenotte erhoben und war 1809—1812 der unfreiwillige Aufenthalt des Papstes Pius VII.

Savoyen (ital. Savoja, franz. Savoie), ein früher zum Königreich Sardinien gehöriges, 1860 aber an Frankreich abgetretenes Herzogthum von 169,46 Q.-M. mit (1860) 542,535 Einwohnern, zwischen der Schweiz, dem Genfer See, Piemont und Frankreich gelegen. S. ist das höchst gelegene Land Europa's (hier der Mont-Blanc, der Mont-Cenis und andere Gebirgsstöcke der Grajischen, Cottischen und Penninischen Alpen, wird von der Rhône, Isère, Arve und Arc bewässert, von der Savoyischen Eisenbahn (Culoz-Chambery-Modane-Susa, mit dem berühmten, am 17. Sept. 1871 eröffneten Mont-Cenis-Tunnel bei Modane) durchschnitten, hat ein ziemlich rauhes Klima, wenig fruchtbaren Boden und hatte Chambery zur Hauptstadt. Gegenwärtig zerfällt S. in die beiden französischen Departements Savoie mit 107,10 Q.-M., (1866) 271,663 Einw. und der Hauptstadt Chambery; Haute-Savoie mit 62,06 Q.-M., (1866) 273,768 Einw. und der Hauptstadt Annecy. — S. ist das alte Stammland der jetzigen königlichen Dynastie von Italien. Im Alterthum gehörte das Land zu Gallien, kam 122 v. Chr. zum Römischen Reiche, 413 an Burgund, wurde 534 fränkische Provinz, 879 ein Theil des Arelatischen Reiches und kam 1038 an Deutschland, worauf es durch vom Kaiser eingesetzte Statthalter regiert wurde. Diese Würde wurde im 11. Jahrh. von den Markgrafen von Susa, den Grafen von Maurienne, von Turin und von Chablais bekleidet. Diese waren sämmtlich Reichs-Vasallen; die mächtigsten unter ihnen die Markgrafen von Susa, nach deren Aussterben (1036) die Grafen von Maurienne das Uebergewicht über die andern Statthalter erlangten. Graf Humbert von Maurienne (gestorben 1048) gilt als der Stammvater des Hauses Savoyen. Sein Sohn, Graf Amadeus I. (gest. 1072) brachte durch Heirath Susa, Aosta und Turin an sein Haus; unter dessen Enkel Amadeus II. wurden die Besitzungen zur Reichsgrafschaft erhoben und erhielten nun den Namen Savoyen. Amadeus V. (gest. 1323) wurde Reichsfürst. Amadeus VI. (gest. 1383) führte viele Kriege und erweiterte seine Besitzungen durch mehre benachbarte Gebiete. Amadeus VII. wurde 1416 vom Kaiser Sigismund zum Herzog erhoben; dessen Urenkel Karl I. ward 1485 von seiner Tante, der Königin Charlotte von Cypern, zum Erben von Cypern eingesetzt, seit welcher Zeit das Haus S. den königlichen Titel von Cypern und von Jerusalem annahm. Herzog Victor Amadeus II. erwarb 1720 durch Tausch gegen Sicilien die Insel Sardinien (s. d.) und nahm nun den Titel König von Sardinien. Durch den Turiner Vertrag vom 24. März 1860 trat König Victor Emanuel II. sein Stammland S. nebst dem (größern) westlichen Theil der Grafschaft Nizza an Napoleon III. ab und nach einer allgemeinen Volksabstimmung fand am 11. Juni 1860 die Einverleibung in das französische Kaiserreich statt, wo es die beiden Departements Savoie und Haute-Savoie (s. oben) bildet. Vgl. außer den bei Sardinien angeführten Werken: Cibrario, „Notizie sopra la storia dei principi di Savoja", Turin 1825; Frézet, „Histoire de la maison de Savoie", Turin 1826—28, 3 Bde.; Bertolotti, „Compendio della storia della casa di Savoja", Turin 1830.

Sca . . . . s. Sta . . . .

Scarpe, s. v. w. Escarpe.

Scarpiren, eine Böschung durch Abstechen steil machen; dies geschieht mittels des Scarpir-Spatens, eines platten, scharfen, langstieligen Spatens; daher scarpirte Böschung, s. v. w. steile Böschung.

Sceaur, 1), Hauptstadt eines Arrondissements im französischen Departement Seine, 1 Meile südlich von Paris gelegen, mit diesem durch eine Special-Eisenbahn verbunden, hat ein altes Schloß und 2500 Einwohner. Beim Beginn der Einschließung von Paris kam es hier am 19. Sept. 1870 zu einem Gefecht des 5. deutschen und 2. bairischen Armeecorps gegen die Franzosen unter Ducrol, s. u. Paris, Bd. VII., S. 41. 2) Kleiner Ort im französischen Departement Sarthe, etwa 5 Meilen nordöstlich von Le Mans. Am 9. Jan. 1871 kam es hier zum Gefechte zwischen dem im Vormarsche auf Le Mans begriffenen 13. Armeecorps und der französischen Division Rousseau, welche nach zähem Widerstande auf Le Mans zurückgetrieben wurde, worauf die 22. Infanterie-Division am folgenden Tage den Huisnebach bei S. überschreiten konnte.

Scepter (v. griech. σκέπτρον, d. i. Stütze, Stab) war im Alterthum ein langer, fast manneshoher, gewöhnlich mit Gold überzogener oder mit goldenen Stiften beschlagener Stab, welcher namentlich bei den Hebräern und Griechen als Zeichen der Würde und Gewalt von dem Fürsten getragen wurde. Bei den Römern führte nur der Imperator triumphans das S. Im Mittelalter wurde der S., als ein kurzer Stab, das Symbol der Souveränetät, kam daher nur den Kaisern und Königen als unmittelbaren Fürsten zu und wurde von diesen bei Krönungen, Huldigungen und sonstigen hohen Festlichkeiten getragen. Die Form des S. ist verschieden, in Frankreich ein ziemlich langer vergoldeter Stab mit einer Hand an der Spitze (Hand der Gerechtigkeit) als Symbol der Rechtspflege; das deutsche S. ist kürzer und verzierter und gehört gleich dem Reichsapfel (s. d.) zu den Reichs-Insignien (s. d.).

Schabatz (Sugurdien), Stadt in Serbien, an der Save, ist Hauptwaffenplatz, hat ein festes Schloß und 4000 Einwohner. S. wurde 1788 von den Oesterreichern unter Mitrowski nach kurzem Bombardement genommen, am 25. März 1804 von den Türken besetzt, kurz darauf aber wieder von ihnen verlassen, im Dec. 1806 von denselben durch Ueberrumpelung genommen, dann von den Serbiern unter Czerny belagert und am 3. Febr. 1807 durch Capitulation genommen.

Schablone, s. Instrument, Bd. V., S. 57. 58.

Schabracke, Ueberdecke des Sattels von Tuch oder Thierfell, namentlich zum Schutz der Packerei gegen Regen dienend, durch einen Gurt festgehalten.

Schachbrettförmige Aufstellung etc. s. Echiquier, Bd. III., S. 279.

Schachowskoi, Iwan Leontjewitsch, Fürst von, russischer General, geb. 1776 im Gouvernement Smolensk, trat 1793 in das russische Heer, wurde 1805 Oberst, nahm am Feldzug 1807 Theil, hatte 1812 ein Divisionscommando, machte den Feldzug von 1813 und namentlich die Hauptschlachten mit und wurde bei Leipzig Generallieutenant, 1826 Corpscommandeur, operirte 1831 während der Schlacht bei Grochow in detachirter Stellung mit wenig Glück, kämpfte aber tapfer bei Ostrolenka und mit der Reserve bei der Erstürmung Warschau's. Später wurde er Präsident des Militär-General-Auditoriats, 1848 Präsident des Militär-Departements im Reichsrath, 1855 zugleich Chef der Petersburger Miliz, trat 1858 in Ruhestand und starb 1860.

Schacht, Schachtmine, s. Mine.

Schaft nennt man bei einzelnen Waffen denjenigen in der Regel aus Holz bestehenden Theil, welcher zum Erfassen und zur Führung derselben speciell bestimmt ist, so bei der Lanze (s. d.) die Stange, beim Gewehr das hölzerne Gestell, in welchem Lauf und Schloß liegen, beim Schaftmörser (s. d.)

den hölzernen Baum, welcher als rückwärtige Verlängerung des Laffetenklotzes zur Handhabung dieses Geschützes dient. — Bei den Handfeuerwaffen besteht der Lauf bekanntlich aus Metall, bei der stattfindenden Erhitzung desselben ist ein unmittelbares Anfassen daran unthunlich; die ganze Waffe bedarf häufig, namentlich wenn sie länger und schwerer ist, einer Anlehnung an den Körper des Schützen; beides vermittelt der S., der außerdem da, wo Lauf und Schloß von einander getrennt liegen, dem letzteren die nothwendige Unterstützung gewährt und beide Theile in Verbindung bringt. Da das Material des S.es jedenfalls ein schlechter Wärmeleiter und specifisch leicht sein muß, so wird Holz dazu gewählt und zwar wiederum nicht zu schwere, dabei haltbare und leicht zu bearbeitende Holzarten, vor Allem Nußbaum, in Ermangelung davon Ahorn, oder Rothbuche, in Rußland selbst Birkenholz. In neuester Zeit hat man versucht, den S. zum Theil aus Eisen herzustellen, indeß ohne daß dies weiteren Anklang bis jetzt gefunden hätte (f. Zündnadelwallbüchse). Der S. nimmt zunächst den Lauf mit seinem halben Umfang und entweder nahezu auf seiner ganzen Länge, oder auf einem geringeren Theil derselben auf — ganze, theilweise Schäftung, rückwärts des hinteren Laufverschlusses setzt sich der S. noch fort und bedarf hier einer Biegung nach abwärts, damit die daselbst ruhende rechte Hand dem Auge nicht das Visir verdeckt. Soll die Waffe an die Schulter des Schützen gestützt werden, so endet der S. mit einem Kolben, welcher in seinem Querschnitt nach hinten zunimmt, und dessen hintere Endfläche zur Anlehnung an die Schulter passend ausgerundet ist. Der Kolben steht durch die Kolbendünnung oder den Kolbenhals mit dem vorderen, zur Aufnahme des Laufs bestimmten Stück des S.s, dem langen Theil, im Zusammenhang. S.e für längere und schwerere Handfeuerwaffen, welche einen zweihändigen Gebrauch erfordern, haben stets diese Einrichtung. Solche zum einhändigen Gebrauch enden mit einem nach abwärts gebogenen Griff, der Kolben fällt weg. Mitunter hat man den letzteren einen anschraubbaren Kolben zugefügt, um sie auf beide Arten verwenden zu können (S. zum paritätischen Gebrauch bei den Kolbenpistolen). Der lange Theil des S.es hat an seiner oberen Fläche die Lauf-, an der unteren häufig die Ladestocknuthe. Der Lauf selbst wird im S. entweder mittelst Ringen, oder durch Schieber und Schrauben festgehalten. Beim zweihändigen Gebrauch ist am langen Theil der Angriffspunkt für die linke Hand des Schützen, welche das Gewehr im Schwerpunkt unterstützt. Die beim Schießen entstehenden Vibrationen des Laufes werden durch die Lage im S. geschwächt, weshalb die ganze Schäftung der theilweisen vorzuziehen ist; außerdem wird der Lauf hierbei vor Verbiegungen mehr gesichert, sobald das Gewehr als blanke Waffe gebraucht werden soll. Der Kolbenhals darf nicht übertrieben nach unten gekrümmt sein, weil dieses die Haltbarkeit des Holzes vermindert; es muß indessen die Höhendifferenz zwischen Auge und Schulter hierbei berücksichtigt werden. Bei geringer Krümmung spricht man von gerader Schäftung, welche das Schießen bei hohen Elevationen begünstigt. Stärke und Länge des Kolbenhalses richten sich nach den Dimensionen der Hand, sowie die Länge auch nach der Lage des Abzugs. Die Krümmung des Kolbenhalses, sowie die Gesammtlänge von Kolben und Kolbenhals bilden den Anschlag. Für jedes Individuum müßte sich eigentlich je nach seinen Körperverhältnissen sowohl in Bezug auf Krümmung als Länge ein gewisser Anschlag als der zweckmäßigste ergeben. Bei Militärgewehren nimmt man indeß ein mittleres Maß an, für die Länge auch wohl zwei Größenklassen. Die hintere Kolbenfläche muß groß genug sein, um eine bequeme Anlehnung an der Schulter zu finden und dem Schützen den Rückstoß möglichst wenig empfindlich zu machen. Dasselbe gilt für die linke Seitenfläche, welche an der Wange liegt; man hat dieselbe auch wohl mit einem Vorsprung, der Backe, versehen, um diese

Anlehnung zu einer recht sicheren zu machen. Aus der Krümmung des Kolbens resultirt eine gewisse Schwächung des Rückstoßes. Für seitlich liegende Schlösser enthält der S. eine Nußstemmung, den Schloßkasten; liegt ersteres aber in der Verlängerung des Laufs, wie bei manchen Hinterladern, so braucht die Laufnuthe nur fortgesetzt zu werden. Unterhalb steal im S. eine Aussenkung für den Abzug. Die eigenthümliche Construction der Verschluß- und Schloßmechanismen einzelner Hinterlader haben eine bedeutende Schwächung des hinteren Endes des Vorderschafts und somit des Zusammenhangs desselben mit dem Kolbenhals zur Folge. Man pflegt deshalb wohl den S. ganz zu unterbrechen (getheilter S., im Gegensatz zum ganzen) und zwischen beiden Theilen den eisernen Verschlußkasten als Mittelglied zu benutzen, namentlich bei den Systemen mit abwärts sich bewegenden Verschlußklappen, z. B. bei dem System Peabody und einzelnen Repetirgewehren. Bei letzteren bringt man entweder in dem Kolben oder noch häufiger im Vorderschaft das Patronenmagazin an. — An einzelnen Stellen dienen Beschläge zum Schutz des Schaftholzes gegen Abnutzung, so namentlich an der hinteren Kolbenfläche das Kolbenblech. — Die ganze Schäftung findet man in der Regel bei allen Waffen, welche zu zweihändigem Gebrauch bestimmt sind, die theilweise Schäftung der besseren Schwerpunktslage halber bei denen zum einhändigen Gebrauch, wozu nur die Pistolen zu rechnen sind. — Einige Staaten, wie Baden (und seiner Zeit Hannover) führen die Kolbenpistole. — Bei Jägerbüchsen war früherhin im Kolben häufig ein kleiner, mittelst eines Schiebers zu verschließender Behälter zur Aufnahme von Gewehrzubehör.

Schaftmörser, ein Mörser kleinen Kalibers (5—6 Centimeter), ähnlich dem Gewehr mit langem Schaft versehen, häufig auch mit Percussionsschloß, zum Werfen von Granaten aus Gewehrscharten bestimmt. Seine Wirkungsweite ist äußerst gering (ca. 150 Meter). Gegenwärtig ist der S. nicht mehr in Gebrauch.

Schah, im Persischen die allgemeine Bezeichnung für Beherrscher, sowohl für den unabhängigen Souverän als für den lehnspflichtigen Vasallen; als Titel des Königs von Persien, des türkischen Sultans und des Großmoguls ist die zusammengesetzte Bezeichnung Padischah (s. d.), d. h. der beschützende, mächtige Beherrscher, gebräuchlich.

Schalenguß ist die Herstellung von eisernen Gußstücken in eisernen Schalen, welches Verfahren ein Gußeisen von besonders harter Oberfläche ergiebt — Hartguß, Eisenhartguß, s. Bd. IV., S. 346. Die Schalenformen werden vorher erwärmt. Das Gußstück bleibt nach dem Guß noch etwa eine Viertelstunde in der Form. Am besten soll sich das Geschütz-Gußeisen mit 2½ °/o Kohlenstoff zum S. eignen. Die Härtung erstreckt sich in der Regel nur auf Spitze und Seitenwände des Geschosses. Vgl. Kuzly, „Artillerie-Lehre", Wien 1871.

Schall, als Mittel zur Distancenbestimmung, s. Distancenmesser, Bd. III., S. 234. 236.

Schaluppe (Schluppe, franz. Canot, engl. Yawl), bei Kauffahrteischiffen das zweitgrößte Boot, welches auf See in Krähnen auf der Seite hängt, und dazu dient, die Communication von der Rhede mit dem Lande zu vermitteln. Die S. ist ein leichtes, scharf gebautes Fahrzeug, welches durch Ruder oder Segel, oder durch beide zugleich fortbewegt wird. Kanonen-Schaluppen waren stark gebaute Ruderboote, welche auf dem Vordertheile ein schweres Geschütz trugen, aber durch Einführung der Dampfer aus den Kriegs-Marinen verdrängt wurden.

Schamachi, s. Schemacha.

Schamyl (Schemyl, d. i. Samuel), Ben-Muhammed Sch.-Effendi, genannt Emir al Mumenin we Iman al Muttalin, d. i. Fürst der Gläubigen und Iman der Getreuen; Prophet und Sultan der Bergvölker bei

Kaukasus, geb. 1797 im Aul Himry im Gebiete der tatarischen Koissubiner im nördlichen Daghestan, zeichnete sich schon in frühster Jugend durch ernstes, verschlossenes Wesen, unbeugsamen Willen, lebhaften Geist und glühenden Ehrgeiz aus, erwarb sich unter dem Propheten Kasi-Mollah eine wissenschaftliche Bildung, führte dessen Lehre, eine Erneuerung des Sufismus, welche bald zu einem mächtigen Bunde unter den zersplitterten Stämmen Daghestan's wurde, als Murschid (Geistlicher) in seiner Heimath ein und schloß sich, sobald 1824 der Kampf der kaukasischen Bergvölker gegen die Russen unter Jermolow ausbrach, mit Kasis-Mollha dem Aufstande an. Als später die Russen unter Rosen siegreich gegen das Gebiet der Koissubiner vordrangen, warf sich S. mit Kasi-Mollah in die Bergveste Himry und erwartete hier den Feind. Bei der am 18. Oct. 1831 stattfindenden Erstürmung derselben fiel Kasi-Mollah nebst sämmtlichen Vertheidigern; nur S. entging, als der Einzige von Allen, trotz schwerer Verwundung in wunderbarer Weise dem Tode und kam dadurch bei den Bergvölkern in den Ruf der Heiligkeit. Nach der Ermordung Hamsad-Bey's, des Nachfolgers von Kasi-Mollah, wurde S. 1834 zum Haupt der Secte gewählt, vereinigte die Tschetschenzen, Lesghier und übrigen Stämme des Daghestan unter der Macht der religiösen Begeisterung zu einem theokratischen Staatsorganismus und stellte sich an dessen Spitze gegen den gemeinsamen Feind. Seit 1839 begannen die Russen ihren Kampf im Großen und mehr systematisch zu führen. Im Mai 1839 setzte sich ein starkes russisches Corps unter Generallieutenant Grabbe gegen die Bergveste Achulgo, die im innersten Gebirge von Daghestau gelegene Residenz und Operationsbasis S.'s, in Bewegung, belagerte dieselbe seit dem 11. Juni und nahm sie nach zwei vergeblichen Stürmen am 22. August. S. selbst entkam auch hierbei in wunderbarer Weise und zog sich nach der Bergveste Dargo zurück, von wo aus er im Mai 1842 den Russen in den Wäldern von Itschkeri eine furchtbare Niederlage beibrachte und im Frühjahr 1843 mit seiner ganzen Macht aus dem Gebirge in das von den Russen unterworfene Awarenland hervorbrach, bis an die Ufer des Kaspischen Meeres drang und die Verbindung zwischen Derbent und dem Norden unterbrach. Im J. 1844 versuchte General Neidhardt, der an Stelle des abberufenen Generals Grabbe den Oberbefehl übernommen hatte, durch zwei neue Divisionen verstärkt, vergeblich dem Strome Einhalt zu thun. Erst dem Grafen Woronzow, welcher nun zum Statthalter des Kaukasus und vom Kaiser Nicolaus als Alter ego mit unbeschränkten Vollmachten bekleidet worden war, gelang es 1845, dem Kampfe auf kurze Zeit eine für die russischen Waffen günstigere Wendung zu geben und die Bergveste Dargo zu nehmen und dann zu schleifen. Aber schon im Frühjahr 1846 unternahm S., der seine Residenz nach dem am linken Zuflusse des Chulchulau gelegenen, von Osten und Westen durch steile Bergwände geschützten Weden in das Große Tschetschna verlegt hatte, von dort aus mit 20,000 Reitern einen Zug nach der Kabarda, nahm die von den Russen erbaute Festung Gherghebil, vertheidigte dieselbe dann gegen einen im Juni 1847 von den Russen vergeblich unternommenen Sturm und zog sich hierauf nach Salty zurück. Gegen Ende 1847 fiel jedoch Salty und 1848 auch Gherghebil in die Hände der Russen; S. schlug sich jedoch glücklich in das Gebirge durch. Im August 1849 wurde dann auch die Veste Achulgo nach elfmonatlicher Belagerung und dreimaligem Sturme von den Russen genommen, wobei ein Sohn S.'s von den Siegern gefangen wurde. Während der Kämpfe der folgenden Jahre verlor S. trotz der verzweifeltsten Anstrengungen immer mehr an Terrain und Vertrauen der Bergvölker, um so mehr, als er auch die günstige Gelegenheit, die ihm der Orientkrieg bot, unbenutzt vorüber gehen ließ. Nach dem Pariser Frieden von 1856 begannen die Russen ihre Operationen gegen den Kaukasus mit erneuten Kräften, schlugen

S. am 11. August 1858 beim Aul Ismail, nahmen am 12. April 1859 nach
siebenmonatlicher Belagerung und heftigem Bombardement die Bergfeste Weden,
die seit vierzehn Jahren zum Knotenpunkt von S.'s Macht gedient hatte.
Dieser Schlag war von entscheidender Wirkung für den ganzen Krieg; ein
Stamm nach dem andern bis zum Koissu von Rasikumht unterwarf sich den
Russen; die treuesten Anhänger S.'s gingen zu den Siegern, und sein eigner
Schwiegervater, Daniel-Beg, übergab das ihm von S. anvertraute Fort Iril,
nächst Weten der bedeutendste Waffenplatz des Gebietes. So konnte Fürst
Barsatinsky, welcher jetzt den Oberbefehl im Kaukasus führte, an den Kaiser
Alexander II. berichten: „Der östliche Kaukasus liegt zu den Füßen Ew. Maje-
stät". S. selbst hatte sich nach dem Falle von Weden in die zwischen der
georgischen Militärstraße und dem Kaspischen Meere auf einem steilen, fast unzugänglichen Plateau gelegene Bergveste Ghunib, als die letzte ihm noch gebliebene
Zufluchtsstätte, zurückgezogen, aber nur noch 400 Mann und 6 Kanonen zur
Vertheidigung. Demungeachtet wies er die Aufforderung Barsatinsky's zur
Uebergabe ab. Entgegen der Erwartung S.'s, daß die Russen die Veste an
ihrem schwächsten Punkte, im Osten, angreifen würden, erklommen am Morgen
des 6. Sept. 1859, von dichtem Nebel begünstigt, die russischen Colonnen die
steilen Berge der übrigen Seiten und fielen der Besatzung in den Rücken.
Nachdem ein großer Theil derselben in verzweifeltem Kampfe gefallen war, gab
sich S. dem Fürsten Barsatinsky persönlich gefangen. Der 6. September, als
der Tag, an welchem der fünfzigjährige Tscherkessenkrieg beendigt worden
war, wurde durch kaiserlichen Ukas zum Festtag für Kaukasien erklärt. S.
erfuhr überall eine ehrenvolle Behandlung, wurde in Tschuguiew vom Kaiser
Alexander empfangen und erhielt, nachdem er einige Tage in Petersburg und
Moskau verweilt, die Stadt Kaluga zum Wohnsitz angewiesen; von da siedelte
er im December 1868 nach Kiew, im Januar 1870 aber nach Mekka über
und starb im Frühjahr 1871 in Medina. Vgl. Brockhaus, „Unsere Zeit",
IV. Bd., S. 69—76, Leipzig 1860; Bodenstedt, „Die Völker des Kaukasus
und ihre Freiheitskämpfe gegen die Russen", Frankfurt 1850, 2 Bde., 2. Aufl.
Berlin 1855; Lapinsky, „Die Bergvölker des Kaukasus und ihr Freiheitskampf
gegen die Russen", Hamburg 1863, 2 Bde.

Schanze ist ein auf einigen oder auf allen Seiten mit einer vertheidigungs-
fähigen Wand oder einem Walle umgebener Ort, welcher gegen Feuer Deckung
gewährt, zugleich ein Bewegungshinderniß für den Feind ist und dem Vertheidiger die Freiheit giebt, seine Feuerwaffe zu gebrauchen und außerdem einen
erhöhten Stand gegen den nahe gekommenen Gegner bietet, sodaß dieser zum
Vertheidiger in ein ungünstiges Verhältniß tritt. — S.n findet man auf dem
Terrain niemals vollendet vor — aber ebensowenig, wie dies der Fall sein
wird, ist es nöthig, sie immer ganz neu zu erbauen — vielmehr wird eine
Mauerlinie, welche Deckung und Hinderniß für den Feind ist, ein Damm u.
s. w. durch Anlage von genügend erhöhten Plätzen für die Feuerwaffen mit
leichter Mühe in eine S. verwandelt werden können, welche dann freilich
bald mehr, bald minder vollkommen erscheint. — (Vgl. „Die Lehre von der
Anwendung der Verschanzungen", von W. Rüstow, Frauenfeld 1853.) — Vorherrschend wird die Benennung S. für Feldwerke gebraucht, s. weiter Feldschanzen. Bd. IV., S. 8.

Schanzenbau, siehe Feldschanze.

Schanzenbauern, Guastadoren, picconieri, hießen die ersten Genietruppen
(zur Zeit Karls V.).

Schanzenkrieg oder Kampf um Schanzen umfaßt den Angriff und
die Vertheidigung von Feldschanzen. — Die Schanzenbesatzung besteht
aus Infanterie, Artillerie und nach speciellem Bedarf aus Pionieren. Die Be-

fatzung ist auf sich allein angewiesen, wenn die Schanze ein isolirter Posten ist, welcher beispielsweise die Aufgabe hat, ein Defilee festzuhalten. In der Regel gehört die Feldschanze einer Schanzenkette an, welche zur Verstärkung einer gewählten Position erbaut ist. In diesem Falle werden die Schanzen bei ihrer Vertheidigung durch äußere Reserven aus allen Waffen unterstützt. — Die äußeren Reserven haben bis zum Erscheinen des Feindes durch Aufstellung von Vorposten ꝛc. für die Sicherung der lagernden Truppe zu sorgen, im speciellen aber hat die Besatzung der Schanze durch gewissenhafte Ausübung eines wohl-organisirten Wachtdienstes die ihr anvertraute Schanze zu bewachen. — Zu diesem Zwecke wird die Besatzung für einen viertägigen Wechsel des Dienstes einge-theilt, in die Wachtmannschaft, die Bereitschaft, die Arbeitsmannschaft und die in Ruhe befindliche Mannschaft: — die Wachtmannschaft stellt eine Schan-zenwache im Schanzenhofe nahe am Eingange, welche bei Tage mit einem oder zwei Posten zur Beobachtung des Vorterrains die Brustwehr und mit einem Posten den Eingang zur Schanze besetzt; event. stellt außerdem die Artillerie einen Posten zur Bewachung des Pulvermagazins. Bei Nacht wird außer-halb der Schanze hinter der Kehle derselben eine Kehlwache etablirt. Diese hat mehrere Posten am Rande der Contrescarpe zu stellen, welche die Bestim-mung haben, die Schanzenbesatzung im Falle eines vom Feinde versuchten Ueber-falles zu allarmiren. — Die Bereitschaft — aus Infanterie und Artillerie bestehend — hält sich während der vierundzwanzigstündigen Dauer ihres Dienstes stets gefechtsbereit, um jeden Angriff des Feindes augenblicklich zurückzuweisen. Die Artillerie der Bereitschaft übt bei Tage Infanteristen am Geschütze ein und bivouakirt bei Nacht an demselben. — Die Arbeitsmannschaft — aus Infanterie, Artillerie und Pionieren bestehend — hat die Schanze zu vervoll-ständigen und zu verstärken, z. B. Hindernisse im Graben oder im unbestrichenen Raume anzubringen, den Schluß der Kehle solid herzustellen, die Intervallen der Schanzen zu sperren ꝛc. — Die in Ruhe befindliche Mannschaft darf sich bei Tage auch außerhalb der Schanzen innerhalb eines bezeichneten Rayons aufhalten; in der Nacht bivouakirt dieselbe in der Schanze, deren Barrière geschlossen bleibt.

Um die Vertheidigung der Schanze vorzubereiten, orientiren sich der Commandant, die Offiziere und Geschützführer im Vorterrain auch vom Standpunkte des Angreifers aus: die wichtigsten Entfernungen werden er-mittelt und bezeichnet, ebenso die Schußrichtungen gegen verdeckte Ziele. — Die Besatzung wird für das Gefecht in zwei Abtheilungen eingetheilt, die eine dient zur Besetzung des Umfangs, die andere als innere Reserve. Für die Besetzung des Umfangs sind ³/₄ der Infanterie zu verwenden und zwar die Wache, Bereitschaft und Arbeitsmannschaft — unter Berücksichtigung der Ein-theilung der Infanterie in Compagnien, Züge und Sectionen. Die Besatzung des Umfangs gliedert sich in die Brustwehrbesatzung zur Besetzung der Brustwehr und event. die Kehlbesatzung zur Besetzung der Kehle — beide mit Unterabtheilungen nach Linien oder Saillants — ferner wird die Besatzung auch in Schützen und Soutiens eingetheilt. — Die Schützen feuern gegen feindliche Offiziere, Tirailleurs und Artillerie-Bedienung. Die Soutiens sollen mit Salven gegen Arbeiter- und Sturm-Colonnen wirken. — Als innere Reserve wird ¼ der Infanterie abgetheilt, nämlich der ruhende Theil der Besatzung. Derselbe bleibt geschlossen in der Hand des Commandanten, um einen Gegenstoß gegen den eindringenden Feind zu führen. — In Schanzen mit Reduit, resp. Caponnièren wird deren Besatzung von der Bereitschaft entnommen. Die Stärke dieser Besatzungen richtet sich nach der Anzahl der Scharten, welche der zu vertheidigende Hohlraum besitzt — pro Verticalscharte ist 1 Mann, pro Horizontalscharte 2 Mann und außerdem eine kleine Reserve

zu berechnen. — Seitens des Commandanten ist ein besonderer Werth auf die
Instruction und Einübung der Besatzung zu legen, deren stete und schnelle
Gefechtsbereitschaft durch wiederholtes Allarmiren controllirt wird. Ferner veranlaßt der Commandant die Beschaffung von Schanzzeug und Material zu
Herstellungsarbeiten, um durch die feindliche Artillerie verursachte Schäden
schnell ausbessern zu können. Die Feuerlinie ist mit Sandsackscharten zu
garniren — auch für Lebensmittel und einen Wasservorrath zu sorgen. —
Der Angreifer muß seine Vorbereitung für den Kampf heimlich,
aber in Anbetracht des schwierigen Unternehmens doch möglichst gründlich zu
treffen suchen. Hierzu gehört eine genaue Kenntniß des Gegners und seiner
Stellung, namentlich des Terrains in Bezug auf vortheilhafte Batterieaufstel-
lung, gedeckte Placirung der Angriffstruppen und gedeckte Annäherung gegen
Front, Flanke oder Rücken. — Es ist ferner die Ausdehnung, Zahl, Lage und
Einrichtung der Schanzen zu ermitteln, ihre Größe, Grundriß, Profil und
Verstärkungen, ihre Stärke und Zusammensetzung der Schanzenbesatzungen, Ge-
schütz-Zahl und Kaliber — endlich die Stärke und Zusammensetzung der äußeren
Reserven und ihre Aufstellung. — Diese genaue Kenntniß des Gegners verschafft sich der Angreifer durch Spione, Ueberläufer, Gefangene ꝛc., hauptsächlich aber durch sorgfältige Recognoscirungen geeigneter Offiziere. — Auf Grund
der Recognoscirungen ꝛc. wird der Angriffsplan festgestellt und werden die
Mittel zur Ausführung des Angriffs beschafft. Diese sind verschieden, je nachdem der Ueberfall möglich, oder der gewaltsame Angriff der Schanzen
nöthig erscheint. — Bei Ausführung des Ueberfalls beabsichtigt der Angreifer
heimlich gegen die Verschanzung vorzuzücken und einzudringen, während das
Wesen des gewaltsamen Angriffs in der Durchführung des Kampfes unter bloßer
Benutzung des Terrains, wie es ist, ohne Umgestaltung desselben, besteht. —
Um eine Verschanzung mittelst des gewaltsamen Angriffs zu nehmen,
muß der Angreifer dem Vertheidiger zwei- bis dreifach numerisch überlegen
sein. Die Angriffstruppen bestehen aus allen drei Waffen und sind in die
Artillerie, die Sturmtruppen und Reserven gegliedert. — Die Artillerie bereitet den Kampf vor; ihre Aufgabe ist es, die feindlichen Geschütze
zum Schweigen zu bringen — sie ist den letzteren drei- bis fünffach numerisch
überlegen. — Die Einnahme der Schanzen wird durch die Sturmtruppen
ausgeführt; für jede der stürmenden Schanzen ist eine Sturmcolonne zu formiren, welche zusammengesetzt ist aus: 1) der Schützenabtheilung: ½ bis
1 Compagnie Infanterie oder Jäger; 2) der Arbeiterabtheilung: 1 Zug
Pioniere, 1 Compagnie Infanterie und einige Artilleristen mit Brennstoffen;
3) der Sturmabtheilung: Infanterie, 1 bis 1½ mal so stark wie die
Schanzenbesatzung; 4) der Special-Reserve der Colonne: ebenso stark wie die
Sturmcolonne; 5) dem Artillerie-Detachement: (etwa 1 Offizier, 25 Mann)
zum Benutzen oder Verderben eroberter Geschütze. Die großen Reserven
bestehen aus allen drei Waffen; sie nehmen das Gefecht mit den äußeren Reserven der Schanzen auf und sichern, wenn das Unternehmen mißlingt, den
Rückzug der Sturmtruppen. — Der Sturm ist durch eine sorgfältige Instruction und Einübung der Truppen vorzubereiten (Düppel 1864), nöthigenfalls
sind Uebungschanzen zu bauen (Warschau 1831), um nicht zu scheitern (Dresden
1813). — Dem gewaltsamen Angriff einer Schanzenkette geht ein mehr-
stündiges Artilleriefeuer voraus, zum Demoliren der feindlichen Geschütze
und Gefährden des Inneren der Schanzen. Zu diesem Zwecke fahren die Geschütze vorher erbauten Emplacements außerhalb des Gewehrfeuers auf und
eröffnen ihr Feuer von dominirenden Punkten aus, die nicht weiter als 1600
Schritt entfernt sind. Gleichzeitig marschiren die Truppen möglichst gedeckt
auf, und zwar die zum Sturm bestimmten Truppen ohne Gepäck, die Arbeiter

12*

tragen das Gewehr umgehängt event. mit umgekehrtem Bajonnet. Nachdem die Artillerie hinreichend gewirkt hat, schwärmen die Schützenabtheilungen der Sturmcolonnen aus und nähern sich soweit als möglich den Schanzen. Ihnen folgen die Arbeiter-Abtheilungen, welche die Hindernisse im Vorterrain, resp. im Graben auf ca. 25 Schritt Breite (Zugbreite) beseitigen und die Gräben passirbar machen: Wolfsgruben werden mit Brettern oder Hurden überdeckt oder mit Heu- und Strohbündeln ausgefüllt; bei Verhauen werden die Bindelatten mit Aexten durchhauen und die Aeste mit Haten auseinander gezogen; Pallisadirungen werden mittelst angehängter Pulversäcke gesprengt und die entstandene Lücke durch Umwuchten der Pallisaden erweitert; der Graben wird mit Hülfe von übergelegten Leitern überbrückt, oder es werden Stufen in die Grabenböschungen gestochen, resp. der Graben mit Heu- oder Strohbündeln zugefüllt. Hinter der Arbeiterabtheilung folgt auf 3–500 Schritt die Sturmabtheilung im Laufschritt in Compagnie-Colonnen auseinander gezogen, um das Schanzenfeuer zu zersplittern und das Zielobject zu verkleinern — weiter zurück auf 3–500 Schritt die Special-Reserven und das Artillerie-Detachement. — Diejenigen Batterien, welche durch das Vorgehen der Colonnen maskirt werden, avanciren successive; die übrigen bleiben, wo sie sich eingeschossen haben, und feuern so lange, als es ohne Gefährdung der eigenen Truppen möglich ist. — Die großen Reserven des Angreifers avanciren, wenn die äußeren Reserven der Schanzen durch die Intervallen vorgehen, um Arbeiter- und Sturm-Abtheilungen in der Flanke anzufallen. Event. entspinnt sich hier ein rangirtes Gefecht zwischen den Schanzen, um welches sich die Sturmtruppen nicht zu kümmern haben. — Die bis an die Contrescarpe gelangten Schützen legen sich dort nieder, in dieser Stellung schußfertig gegen die Brustwehrkrone verharrend, bis Alles entschieden. Von der Sturmabtheilung macht die hinterste Compagnie-Colonne resp. der letzte Zug den Angriff gegen die Kehle und den Eingang, während alles Uebrige sich in den Graben wirft — und dort, wenn möglich, ausbreitet, um Escarpe und Brustwehr gleichzeitig von allen Seiten zu ersteigen. Die Special-Reserve der Colonne rückt bis an die Contrescarpe nach, zur Unterstützung, oder zur Aufnahme der Stürmenden, wenn der Sturm abgeschlagen wird. — Wenn der Vertheidiger beim Erscheinen der Sturmtruppen auf der Brustwehrkrone das Werk räumt und die Vermuthung für Minen spricht, so geht Alles in den Graben zurück — während Pioniere das Innere untersuchen und nöthigenfalls die Leitungen der Minen durchschneiden — auch nach den Pulvermagazinen gestreckten. — Wenn der Feind Stand hält, werfen sich die Sturmtruppen mit dem Bajonnet darauf; bei hartnäckigem Kampfe werden die Reserven nachgezogen und dazu das Kehlthor von Innen geöffnet. — Wenn ein Reduit (Blockhaus) vorhanden und vom indirecten Geschützfeuer unversehrt geblieben ist, versuchen die Sturmtruppen, den Vertheidiger durch schnelles Daraufgehen gegen das Reduit zu drängen, um dies am Feuern zu hindern. Gelingt dies nicht, so geht der Angreifer auf die Berme zurück, während auf der Brustwehrkrone liegende Schützen das Schartenfeuer dämpfen. Pioniere versuchen gleichzeitig das Blockhaus anzuzünden, mittelst eines angehängten Pulversacks zu öffnen oder die Scharten zu blenden. — Nach Eroberung der Schanze setzt sich der Angreifer in derselben fest und bricht zu dem Zwecke bei geschlossenen Schanzen die Brücke ab und verbarrikadirt den Eingang. Auf der ursprünglichen Frontseite ist die Brustwehr zu durchgraben und eine Communication über den Graben herzustellen. — Bei halbgeschlossenen und offenen Schanzen ist die Kehle durch einen Schützengraben zu schließen, welcher allmählich verstärkt wird. — Wenn die Behauptung der Schanze unmöglich ist, wird sie geräumt und möglichst demolirt. Zu diesem Zwecke sind die Geschütze unbrauchbar zu machen, die Pulvermagazine, resp. die Reduits zu sprengen, die Kehle zu öffnen. Die Reserven des Angreifers avanciren durch die Intervallen, um den Gegner zurückzuwerfen, die Wiedereroberung zu vereiteln oder wenigstens den Rückzug zu decken. — Der gewaltsame Angriff mit Infanterie allein hat wenig Aussicht auf Erfolg; am ehesten ist derselbe gegen Schanzen ohne Geschütze anwendbar. Wenn letztere vorhanden, sucht der Angreifer deren Bedienung durch Tirailleurfeuer zu vernichten. — Der Ueberfall kann gegen isolirte Schanzen ohne äußere Reserven versucht werden, besonders wenn der Angreifer selbst nur Infanterie hat. Bei Wahl dieser Angriffsmethode ist es wichtig, die Absicht geheim zu halten, den Gegner durch Verbreitung falscher Nachrichten zu täuschen und dergl. Dem Ueberfall geht ein forcirter Nachtmarsch voraus, welcher so zu disponiren ist, daß die Sturmtruppen einige Stunden vor Tagesanbruch am Ziele sind. Dann nähert sich die Infanterie allein in aller Stille, ohne Tritt, ohne Sprechen und Rauchen, mit ungeladenem Gewehr, in mehreren Colonnen von verschiedenen Seiten den Schanzen. Die Vorposten werden umgangen oder möglichst geräuschlos aufgehoben. Die Hindernisse sind schnell zu beseitigen; ohne zu feuern bringt der Angreifer in die Schanzen ein. Im Falle des Mißlingens und der Verfolgung nehmen die Reserven die zurückgeschlagenen Colonnen auf. — Gegen den Ueberfall sichert sich der Vertheidiger durch sorgfältige Ausübung des äußeren Sicherheitsdienstes und inneren Wachtdienstes, dessen Organisation in allgemeinen Zügen bereits angedeutet ist. Bei Nacht stehen die Geschütze mit Kartätschen geladen auf den Bänken. Täglich ein bis zwei Stunden vor Sonnenaufgang ist Alles gefechtsbereit bis nach Tagesanbruch und nach Rückkehr entsendeter Patrouillen. Wird die nächtliche Annäherung des Feindes frühzeitig entdeckt, so macht sich die Besatzung geräuschlos fertig und empfängt den Angreifer, sobald er zu erkennen ist, überraschend mit Kartätsch- und Salvenfeuer. — Wenn bei Ausführung des gewaltsamen Angriffes der Feind sich im Vorterrain festsetzt und den Sturm durch Geschützfeuer vorbereitet, weichen die Vorposten allmählich auf das Gros der äußeren Reserven zurück. Der Schanzen-Commandant, der Artillerie-Offizier und die Offiziere der Brustwehrbesatzung beobachten den Gegner, einzelne der besten Schützen feuern hinter Sandsackscharten auf recognoscirende Offiziere. Die Geschütze stehen auf den Bänken und beschießen die im Auffahren begriffene feindliche Artillerie. Die Brustwehrbesatzung sitzt auf dem Banket, die innere Reserve im inneren Einschnitt möglichst gedeckt. Sobald die feindliche Artillerie sich eingeschossen, werden die Geschütze von den Bänken gezogen und ebenfalls möglichst gedeckt placirt. Die Artillerie der äußeren Reserven nimmt allein den Geschützkampf auf. — Wenn beim Ueberschreiten des Angriffsfeldes die feindlichen Tirailleurs avanciren, schwärmen die Schützen der Brustwehrbesatzung längs der Feuerlinie aus, feuern gegen dieselben, gegen zu nahe placirte Artillerie, dann gegen die Arbeiter-Abtheilungen. Wenn die Sturmcolonnen dahinter auf bekannte Entfernungen herangekommen und (ca. 1500 Schritt) nicht mehr zu fehlen sind, dann werden die Geschütze wieder auf die Bänke gezogen und die Colonnen einzeln der Reihe nach, die nächste zuerst, mit allen Geschützen ohne Rücksicht auf eigene Verluste mit Granaten und Shrapnels beschossen, bis die Umkehr erzwungen ist. Sind die Sturmcolonnen bis auf 500 Schritt herangekommen, so feuern die Geschütze nur mit Kartätschen; die Soutiens der Brustwehrbesatzung treten auf das Banket zum lebhaften Salvenfeuer ("kleine Salve"). Erreichen die Sturmcolonnen die Hindernisse im Vorterrain, so sind die Minen rechtzeitig zu zünden und die äußeren Reserven brechen vor. Wenn die Sturmcolonnen in dem Graben verschwinden, so springt die Brustwehrbesatzung auf die Krone, feuert und stößt die Angreifer hinab. Umgehungen der Kehle hindern die äußeren Reserven. Das Geschütz der Schanze darf nicht verstummen, so lange ein Schuß vorhanden. Die innere Reserve macht „fertig". Wird der Sturm abgeschlagen, so verfolgen die äußeren Reserven den weichenden Feind. — Dringt der Feind ein und ist kein Reduit vorhanden, so weicht die Brustwehrbesatzung von der Krone nach beiden Kehlpunkten zurück; dann giebt die innere Reserve eine Salve und geht mit dem Bajonnet daran! Es entspinnt sich ein Handgemenge, zu dessen Entscheidung die äußere Reserve Verstärkungen in die Schanze wirft; gleichzeitig geht dieselbe außerhalb gegen die Special-Reserve der Sturmcolonnen vor. Falls hartnäckige Behauptung nicht beabsichtigt wird (bei offenen Schanzen, von rückwärts beherrscht) räumt die Besatzung die Schanze und wird durch die äußeren Reserven aufgenommen. — Wenn ein Reduit vorhanden, also jedenfalls hartnäckigste Behauptung beabsichtigt ist, weicht die Brustwehrbesatzung beim Eindringen der Sturmcolonnen ebenfalls, wie oben angegeben, von der Krone zurück. Desgleichen giebt die innere Reserve eine Salve und geht mit Hurrah vor, aber ohne sich in ein Handgemenge zu verwickeln. Macht Salve und Vorstoß keinen Eindruck, so wird das Reduit schnell demaskirt durch Zurückweichen nach der Kehle. Niemals findet die Brustwehrbesatzung oder innere Reserve im Reduit Aufnahme — höchstens in einem dahinterliegenden Sammelhofe. Das Reduit bleibt unbedingt geschlossen. Von demselben geht ein lebhaftes Feuer aus, bis der Angreifer an die äußere Brustwehrseite zurückgewichen, dann wird ein wohlgezieltes Einzelfeuer gegen sichtbare Köpfe und gegen Annäherungsversuche unterhalten. Die von der Kehle wieder vorbrechende Schanzenbesatzung sucht den Feind auch von der äußeren Böschung zu vertreiben — gelingt dies nicht, so deckt das Reduit den Rückzug der Schanzenbesatzung — zuletzt zieht sich die Reduitbesatzung unter dem Schutze der äußeren Reserven zurück, wenn Räumung nöthig ist. — Versuche zur Wiedereroberung sind sobald als möglich zu unternehmen, um das Festsetzen des Angreifers, resp. die völlige Demolirung des Werkes zu hindern. — Wenn der feindliche Sturm abgeschlagen oder die Wiedereroberung gelungen ist, so werden die durch den Feind verursachten Schäden auf das Schnellste ausgebessert, die Munition ergänzt, die siegreiche Besatzung verstärkt, aber nicht völlig durch frische Truppen abgelöst. Die Todten und Verwundeten werden fortgeschafft. Wenn möglich, ist die Offensive mit allen Reserven aus der verschanzten Stellung heraus zu ergreifen, um dem abgeschlagenen Gegner eine völlige Niederlage zu bereiten. — (Vgl. „Grundriß der Fortification", von Wagner, Berlin 1870. „Die Lehre von der Anwendung der Verschanzungen", von Rüstow, Frauenfeld 1853.)

Schanzkorb ist ein Korb von ähnlicher Gestalt, wie der Sappenkorb (s. d. Bd. VIII., S. 158 ff.), jedoch von größeren Dimensionen. Seine Höhe beträgt (nach dem preußischen Reglement) 0,9 Meter, sein äußerer Durchmesser 0,8 Meter, sein Gewicht erreicht im Durchschnitt 75 Pfund. Der S. hat 9, im Nothfall nur 7 Pfähle oder Rippen, welche 1,2 Meter lang und 0,05 bis 0,06 Meter stark sind. Nach dem französischen Reglement ist der S. 1 Meter hoch und hat 0,58 Meter äußeren Durchmesser. — Der S. wird gebraucht beim Bau von Angriffsbatterien zur Bekleidung der Schartenwangen und inneren Böschungen, zur Bekleidung von Traversenböschungen, zum Bau von Pulverkammern und zur Herstellung von Splitterfängen. — Ein Flechttrupp von 3—4 Mann fertigt einen S., einfach geflochten, in 2 bis 2½ Stunden.

Schanzmeister hieß in früheren Jahrhunderten, wo Artillerie und Genie noch nicht streng getrennt waren, der Chef der Genietruppen, welcher die Genie-Arbeiten leitete. Er stand unter dem General-Feldzeugmeister.

Schanzpfahl, soviel wie Pallisade, s. d.

Schanzzeug, ist das Handwerkszeug, welches von den Truppen zur Ausführung militairischer Arbeiten in das Feld mitgeführt wird, als Spaten oder Schippen, Hacken (für Felsboden Picken), Aexte und Beile, resp. auch bei den Erdarbeiten des Belagerungs- und Festungskriegs zur Anwendung kommt, wobei zu jenen noch Schlägel, Stampfen ꝛc. treten (f. Batterie-Depot, Bd. II., S. 29). Das S. im Felde wird sowohl bei den Mannschaften selbst, als auch auf den Wagen, welche den Truppen unmittelbar folgen, sowie in besonderen Abtheilungen — Schanzzeug-Colonnen, deren mehrere einen Schanzzeugpark bilden können, untergebracht. Das von den Fußtruppen mitgeführte S. wird von einzelnen Leuten in einem ledernen Futteral getragen und heißt daher „portatives S." Nach preußischem Modus hängt das Futteral unterhalb des Leibriemens auf der linken Hüfte an einem ledernen Riemen, welcher en bandoulière getragen wird. Der von dem Futteral nicht eingeschlossene Stiel des S.s ist mittelst einer ledernen Schlaufe an der Seite des Tornisters befestigt. Das S. zum Zwecke der Belagerungen gehört dem Belagerungs-Train, resp. -Park an.

Bei einem Deutschen Armeecorps von normalem Kriegs-Stand wird an S. mitgeführt:

a) bei den 3 Pionier-Compagnien:

	Spaten	Hacken	Aexte	Beile
portativ	302	150	72	57
auf dem Wagen	240	60	56	40
bei dem Pontontrain	41	41	12	41
bei dem leichten Feldbrückentrain	13	13	7	6
bei der Schanzzeug-Colonne	1620	420	180	—
in Summa	2216	684	327	144

b) bei den übrigen Truppen:

	Spaten	Hacken	Aexte	Beile
bei 27 Infanterie-Bataillonen	810	378	324	3240
bei dem Jägerbataillon	20	12	12	120
also bei der Infanterie überhaupt	830	390	336	3360
bei 8 Cavalerie-Regimentern	64	—		864
bei dem Feld-Artillerie-Regiment (incl. 10 Munitions-Colonnen)	590	455	170	910
in Summa	1484	845	506	5134

Die Schanzzeug-Colonne der Pioniere ist der Sappeur-Compagnie zugetheilt und zählt 6 Schanzzeugwagen (f. Wagen). Im Felde ist für die Ausführung größerer Schanzarbeiten mit Sicherheit nur auf das S. der Pioniere sowie auf das S. der Schanzzeug-Colonne zu rechnen; ersteres reicht für die Pioniere selbst unter allen Umständen, letzteres für die Ausrüstung zweier Infanterie-Bataillone zur Erdarbeit hin. Mit dem portativen S. der Infanterie können im Nothfalle noch ein Infanterie-Bataillon zu Erdarbeiten und zwei Infanterie-Bataillone zu groben Holzarbeiten (Verhauen ꝛc.) ausgerüstet werden, ohne das für die Einrichtung der Bivals erforderliche S. den Truppen zu entziehen. Auf das S. der Artillerie ist nur zum Bau von Geschütz-Emplacements durch die Truppe selbst, auf das S. der Cavalerie gar nicht zu rechnen. — Aus Vorstehendem ergiebt sich als Resultat, daß nöthigenfalls mit dem S. eines Armeecorps das Maximum der von demselben ohne Beeinträchtigung des sonstigen Dienstes gleichzeitig zu stellenden Arbeiter (3—4 Bataillone) ausgerüstet werden können. — In der Regel wird jedoch bei Arbeiten im Felde auf die Benutzung des portativen S.s der Infanterie-Bataillone verzichtet, weil die Sammlung und Zurückstellung desselben auf Schwierigkeiten stößt und zerbrochenes oder verlorenes portatives S. im Felde schwer zu ersetzen ist.

In Oestreich-Ungarn errichten die Genietruppen für jede mobile Armee zur Ausführung größerer Arbeiten und zum Ersatz des verlornen S.s einen Armee-Schanzzeug-Park, welcher in Schanzzeug-Colonnen getheilt ist; letztere können nöthigenfalls den Armee-Corps zugetheilt werden. Jede derselben enthält Werkzeug zu Erd- und Holzarbeiten, Sprengmittel, Maurer- und Steinbrech-Werkzeuge auf 5 dreispännigen Fuhrwerken. Zum Zweck von Belagerungen enthält der Belagerungs-Genie-Park das nöthige S. Jede Infanterie-Compagnie führt in Oestreich-Ungarn wie in Italien 2 Schippen, 2 Haden, in Großbritannien 1 Schippe, 1 Hacke mit sich. In Rußland ist außer dem S. der Truppen (Fuhrtruppen per Comp. 12 Aexte, 6 Schippen, 3 Haden, 3 Hauen, Cavalerie per Cecadron 6 Aexte, 6 Schippen, Feldartillerie per Batterie zu Fuß 15 Aexte, 15 Schippen, per reitende 8 Aexte, 8 Schippen), ein größerer Vorrath in der Feld-Genie-Parls vorhanden.

Eine anderweitige Beschaffung des S.s erfolgt durch rechtzeitigen Anlauf im eigenen oder befreundeten Lande und Transport per Eisenbahn nach der Gebrauchsstelle, event durch Requisition der Behörden oder durch Selbst-Requisition. Bei Verwendung von Civilarbeitern ist auch das erforderliche S. durch dieselben zu beschaffen.

Schänzel, Höhe bei Edenkoben an der Haardt im bayerischen Regierungsbezirk Pfalz; hier 13. Juli 1794 Gefecht der französischen Rhein- und Mosel-armee gegen die Preußen unter Hohenlohe, welche Letztere sich dann nach der Rheinebene zurückzogen.

Scharfe Metze, alte Benennung für eine Kanone, welche 100 Pfd. Eisen schoß, f. Artillerie, Bd. I., S. 225.

Scharfe Munition, scharfe Patrone, Scharfschießen, nennt man Munition, Patrone, resp. Schießen mit Geschoß im Gegensatz zu blind (d. h. ohne Geschoß und lediglich zu Uebungs- u. Manöver-Zwecken).

Scharfe Wendung des einzelnen Mannes, Reiters, Geschützes entsteht, wenn der Drehpunkt innerhalb desselben liegt, (beim Geschütz gewöhnlich das innere Protzrad), im Gegensatz zur flachen oder Bogen-Wendung um einen außerhalb liegenden Punkt. S. Taktik, Wendung.

Scharfschütze, auch Schütze, Jäger, bezeichnete früherhin die mit gezogenen Handfeuerwaffen — Büchsen bewaffneten Mannschaften des Fußvolks (seltener der Reiterei). Die S.n bildeten entweder besondere Abtheilungen, oder sie waren in kleiner Anzahl der übrigen Infanterie (resp. der Cavalerie), welche das weniger treffsähige, aber auch leichter zu handhabende glatte Gewehr führte, zugetheilt, um die Feuerkraft der Truppe zu erhöhen. — Während die einzelne Handfeuerwaffe bereits aus dem 16 Jahrhundert datirt, finden wir sie erst im 17. häufiger zu Kriegszwecken verwandt, und von da ab datiren auch die S.n. So erstürmten 1631 drei Compagnien Hessischer Jäger Fritzlar; Baiern besaß 1645 drei Jäger-Regimenter. 1674 hatte der Große Churfürst auf seinem Zuge nach dem Rhein eine piemontesische Jäger-Compagnie in Sold. 1740 waren im preußischen Heere 60 berittene Feldjäger, welche 1744 auf 112 kamen, in demselben Jahre wurden 2 Compagnien Fußjäger errichtet, welche allmählig auf 4 vermehrt wurden. 1786 wurde ein Feldjäger-Regiment à 10 Compagnien (in 2 Bataillone getheilt) formirt. Jede Füsilier-Compagnie erhielt 1787 zwanzig, jede Infanterie-Compagnie zehn mit Bajonett-Büchsen bewaffnete S.en. Bei der Reorganisation von 1808 fielen letztere wieder weg, dagegen wurden 2 Jäger, 1 Schützen-Bataillon formirt. Durch allmählige Vermehrung entstanden hieraus bis 1821 außer 1 Garde-Jäger- und 1 Garde-Schützen-Bataillon 4 Abtheilungen Jäger und 4 Abtheilungen Schützen (à 2 Comp.), welche (exkl. der

Garde-Schützen) von 1845 ab sämmtlich den Namen Jäger (seit 1848 Jäger-Bataillone) annahmen (seit 1852 à 4 Comp.). Mit der weiteren Vergrößerung der Armee wuchs auch die Zahl der Jäger-Bataillone (gegenwärtig 13 preußische). In Oesterreich wurden von 1758 ab Jäger Corps, als Frei-Corps, gebildet; von 1778 ab datiren unter diesen die Tiroler S.en. 1808 wurden aus den bisherigen leichten Truppen 9 Jäger Bataillone formirt, welche von da ab allmählig an Zahl zunahmen. Aus Tirol speziell recrutirt seit 1816 das Tiroler Jäger-Regiment. In Frankreich wurden 1689 die fusiliers de montagne, später besondere Schützen-Compagnien formirt. Aus diesen gingen zur Revolutionszeit die Carabiniers hervor, welche aber bald wieder verschwanden. Erst unter Ludwig Philipp wurden wieder S.en formirt unter den Namen Chasseurs (s. d. Bd. III. S. 1). In der Schweiz datiren die S.en von 1763 (Bern mit 4 Compagnien). Ein besonderes Verdienst darum hatte in Zürich Sal. Landolt. Die Fortschritte in der Construction gezogener Handfeuerwaffen durch Delvigne, Poutcharra, Thouvenin kamen zunächst den S.en zu statten, welche allerwärts derartig verbesserte Waffen erhielten. Seitdem aber die gesammte Infanterie gezogene Waffen führt, ist der Vorzug der S.en durch die Waffe weggefallen. Vergl. weiterhin Jäger Bd. V. S. 86. — Der Name S.en, als officielle Bezeichnung ist gegenwärtig nur in der Schweiz (s. die Heeresorganisation unter „Schweiz") üblich; sonst hat man die gleichbedeutenden Ausdrücke Jäger, Schützen, Chasseurs, Bersaglieri ꝛc.

Scharmützel, (franz. escarmouche), ein unbedeutendes, nur kurze Zeit dauerndes Gefecht zwischen zwei kleinen Abtheilungen; daher scharmützeln oder scharmuziren, ein unbedeutendes Gefecht liefern.

Scharnhorst, Gerhard David von, preußischer General, geb. 10. Nov. (nach Andern am 12. Nov.) 1756 von bürgerlichen Eltern zu Bordenau bei Neustadt am Rübenberge im hannoverschen Fürstenthum Calenberg, wo sein Vater (früher Quartiermeister gewesen) damals Gutspächter war, dann aber von dort nach dem Rittergute Bodexow übersiedelte, welches ihm in Folge eines Prozesses zugefallen war. Der junge S. wurde Anfangs zum Landwirth erzogen, 1772 aber, da er viele Neigung für das Militär zeigte, vom Grafen Schaumburg-Lippe-Bückeburg in die Kriegsschule auf Fort Wilhelmstein aufgenommen, wurde 1776 Fähnrich, trat 1777 als Lieutenant in das hannoversche Regiment von Estorff-Dragoner, hielt schon damals Vorlesungen für jüngere Kameraden, wurde 1780 als Lieutenant zur Artillerie versetzt und 1782 als Lehrer an die nach seinem Plane reorganisirte Artillerieschule zu Hannover berufen, in welcher Stellung er sein „Handbuch der Kriegswissenschaften" (s. weiter unten) erscheinen ließ. Nachdem er 1792 zum Stabshauptmann avancirt war, nahm er 1793 als Chef einer reitenden Batterie am Feldzuge gegen Frankreich Theil, machte unter dem Herzog von York die Schlacht von Hondschoote mit, leistete 1794 in der belagerten Festung Menin (in Belgien) als Generalstabschef des Generals von Hammerstein so wesentliche Dienste, daß er zum Major und 1796 zum Oberstlieutenant befördert wurde. In Folge seiner schriftstellerischen Thätigkeit namhaft geworden und durch den damaligen Major (nachmaligen Feldmarschall) von Knesebeck an den Herzog von Braunschweig empfohlen, erhielt er von Letzterem das Anerbieten in preußische Dienste überzutreten, nahm daher 1801 den Abschied in Hannover und trat in die preußische Artillerie ein, wurde auch zugleich Director der Allgemeinen Kriegsschule zu Berlin. Hier wirkte er nicht nur durch seine Reformen im Unterrichte, sondern namentlich auch durch seine eigenen berühmt gewordenen Vorlesungen mit so großem Erfolge auf seine Zuhörer ein, daß der spätere Geist der preußischen Armee wesentlich als S.'s Schöpfung zu betrachten ist, wenn auch seine Hinweisungen auf eine geänderte Kriegsführungsweise vorläufig nur bei jungen, einflußlosen Offizieren Eingang fanden. Es konnte nicht fehlen, daß ihm seine Reformen unter den starren Anhängern des alten, überlebten Systems viele und einflußreiche Gegner erweckten, so daß S., vielfachen Angriffen ausgesetzt, um seine Versetzung einkam und infolge dessen 1803 Quartiermeister-Lieutenant beim Generalstabe wurde. Nachdem er 1804 zum Oberst avancirt und in den Adelstand erhoben worden war, wurde er 1806 Generalstabschef des Herzogs von Braunschweig, konnte aber als solcher den veralteten Ideen gegenüber (vgl. Jena, Bd. V., S. 100) mit seinen Ansichten nicht durchdringen, es nicht einmal zu einer richtigen Auffassung derselben bringen, erhielt bei Auerstädt eine leichte Verwundung, schloß sich dann dem Rückzuge des Blücherschen Corps an, wurde am 7. Nov. 1806 bei Ratkau unweit Lübeck von den Franzosen gefangen genommen, aber bald wieder ausgewechselt und ging dann zur See nach Ostpreußen, wo er als Generalquartiermeister Lestocq's am 8. Febr. 1807 in der Schlacht bei Eylau (s. d.) wesentliche Dienste leistete. Nach dem Frieden von Tilsit (7. Juli 1807) wurde er Generalmajor, Generaladjutant des Königs, Vorsitzender der Militär-Reorganisations-Commission und als Director des Allgemeinen Kriegs-Departements zur Leitung der Verwaltung des gesammten Kriegswesens berufen. Von da an datirt S.'s historisch denkwürdige Wirksamkeit. Zunächst organisirte er das sogenannte Krümpersystem (s. d., Bd. V., S. 257 f.), durch welches er eine große waffengeübte Reserve im Volke schuf, sorgte dann für besseres Kriegsmaterial und für eine wissenschaftlichere Ausbildung der Offiziere, gründete die neue Formation der Armee in Provinzial-Brigaden unter tüchtigen Führern und erließ Reglements im Sinne der neuern Taktik. So wurde unter S.'s Leitung die preußische Armee nicht nur in materieller, sondern namentlich auch in moralischer Hinsicht gehoben zu einer vollständig neuen Schöpfung, fähig sich aus dem Volke zu ergänzen und dessen geistige und sittliche Kräfte und Regungen mit sich zu verschmelzen, um früher oder später mit gegründeter Aussicht auf Erfolg den Kampf gegen das bisher überlegene Frankreich wieder aufzunehmen. Seine Thätigkeit und seine Pläne blieben den französischen Behörden nicht lange verborgen; um keinen Anstoß zu Reclamationen zu geben, trat S. 1810 vom Vorsitz der Reorganisations-Commission und der Leitung des Kriegs-Departements offiziell zurück, setzte aber als Chef des Generalstabs der Armee und des Ingenieurcorps seine Thätigkeit fort, unternahm 1811 Reisen nach Wien und Petersburg, kam beim Ausbruch des Russischen Krieges von 1812, als Preußen der Verbündete Frankreichs wurde, um seine Entlassung ein, wurde aber nur von seinen Functionen entbunden und zum Inspecteur der schlesischen Festungen ernannt. Unter seinem Einflusse wurde der Oberbefehl über das preußische Hülfscorps dem General York anvertraut; sobald dieser am 30. Dec. 1812 die Convention von Tauroggen (s. d.) abgeschlossen hatte, wurde S. zum König berufen, um alles zum Kampfe gegen Napoleon vorzubereiten. Im Auftrage des Königs schloß nun S. am 28. Febr. 1813 in Kalisch den Allianztractat mit Rußland ab, organisirte die Landwehr, wie schon vorher die Reserve-Regimenter und die freiwilligen Jägercorps, und wurde beim Ausbruch des Krieges Generallieutenant und Chef des Generalstabs der Schlesischen Armee Blücher's, wobei S. auf den Entwurf des Blücherschen Operationsplanes wesentlichen Einfluß hatte. Doch schon die erste Schlacht setzte seiner segensreichen Thätigkeit ein Ziel; am 2. Mai 1813 wurde er bei Lützen durch eine Kartätschenkugel, anscheinend nur leicht, am Fuße verwundet, beabsichtigte nun über Prag nach Wien zu gehen, um Oesterreich zum Anschluß an die Verbündeten zu bewegen, mußte aber infolge der Vernachlässigung seiner Wunde in Prag zurückbleiben und starb dort am 28. Juni 1813. Im J. 1822 wurde sein marmornes Standbild (von Rauch) in Berlin am Eingange der Linden vor der Hauptwache aufgestellt. Er schrieb: „Handbuch für Offiziere in den angewandten Kriegswissenschaften", Hannover 1787—90, 3 Bde. (Artillerie, Feldverschanzungen, Elementartaktik der Infanterie und Cavalerie), neue, vervollständigte Auflage von Hoyer, Hannover 1817—20, 4 Bde. „Neues militärisches Journal" Hannover 1788—1806; „Taschenbuch für Offiziere", Hannover 1793, 4. Aufl. 1816; „Militärische Denkwürdigkeiten" Hannover 1797—1805, 6 Bde.; „Ueber die Wirkungen des Feuergewehrs", Berlin und Leipzig, 1813. Auch machte er die Erfindung, Fernröhre mit Mikrometern für den Kriegsgebrauch einzurichten. Vgl. v. Boyen, „Beiträge zur Kenntniß des Generals v. S. und seiner amtlichen Thätigkeit in den Jahren 1808—13", Berlin 1833; Clausewitz, „Ueber das Leben und den Charakter von S." (aus dem Nachlasse S.'s herausgegeben), Hamburg 1832; Schmidt-Weißenfels, „Scharnhorst", Leipzig 1859; Schweder, „S.'s Leben", Berlin 1865; Klippel, „Leben des Generals v. S.", Leipzig 1869 ff., 3 Bde.

Scharnitz, Dorf an der Isar im Tiroler Kreise Innsbruck in dem drei Stunden langen Scharnitzthale, unweit der bairischen Grenze; dabei ein schon von den Römern befestigter Engpaß (Manaio Scarbia) und die Ruinen der von Claudia von Medici, der Witwe des Erzherzogs Leopold V. im Dreißigjährigen Kriege erbauten Festung Porta Claudia, welche von den Schweden und Franzosen vergeblich belagert wurde, während des Spanischen Erbfolgekrieges den Bayern in die Hände fiel, von diesen zerstört, dann von den Oesterreichern wieder hergestellt und 1796 verstärkt, 1805 aber von den Bayern und Franzosen abermals zerstört wurde, nachdem am 3. Nov. 1805 der Paß von den Franzosen forcirt worden war. Im August 1809 fand hier ein Gefecht zwischen den Tirolern und den Bayern unter Lesebre statt.

Schärpe, Feldbinde, ein um die Taille, oder schräg über Schulter und Hüfte getragenes Band, aus Gold-, Silber-, Seiden- ꝛc. Fäden, gewöhnlich in den Landesfarben, gewirkt und häufig mit Quasten versehen, diente als Feldzeichen, jetzt hauptsächlich als Dienst-Abzeichen, namentlich für Offiziere, indeß nur in einzelnen Armeen, z. B. in den nach preußischem Muster uniformirten Theilen des deutschen Heeres. Adjutanten, Generalstabsoffiziere der Truppen tragen die S. hier, um leicht kenntlich zu sein, über die Schulter, die übrigen Offiziere um die Taille. Sie wird zur Parade, zu Inspicirungen, Garnison- und Wachtdienst, von Seiten der Berittenen zum Feldbienst und Manöver angelegt. Die mehr selbstständigen Theile des deutschen Heeres (Preußen, Kgr. Sachsen ꝛc.) tragen die S. in den Landes-, die übrigen (wie die Preußen enger angeschlossenen Contingente) in den Reichs-Farben. Außerdem wird die S. von den gesammten Mannschaften der Husaren, Ulanen (diese unter dem Namen Feldbinde in den Regimentsfarben), sowie der braunschweigischen Truppen überhaupt geführt. — In ähnlicher Weise tragen die Offiziere in Oesterreich-Ungarn die S. als Dienstabzeichen unter dem Namen Feldbinde. In Rußland haben die Offiziere einen silbernen Gürtel oder Quaste zu gleichem Zweck.

Scharpie (Charpie), gezupfte Fäden aus altem, ungefärbtem Leinen- oder Baumwollenzeug, welche in ausgedehntester Weise zur Behandlung von Wunden und Geschwüren benutzt werden. Da es bei den Verbänden auf dem Schlachtfelde namentlich darauf ankommt, daß die Wunde auf dem Wege bis zum Lazareth nicht trocken werde, die S. aber sehr leicht an der Wunde festkleben und dadurch das Abnehmen des ersten Verbandes erschweren kann, so wird in neuerer Zeit bei den Verbänden auf dem Schlachtfelde häufig eine nasse Compresse angewandt, in welche man eine dünne Platte Gutta-Percha (sogenanntes Krankenleder) einlegt. In England wird die S. in großen Mengen aus Baumwolle fabrikmäßig bereitet.

Scharten nennt man die Einschnitte in Erdbrustwehren und die

Oeffnungen in Holz-, Mauer- oder Eisenwänden, welche für den Gebrauch der Feuerwaffen bestimmt sind. Das Feuer durch S. gewährt bessere
Deckung des Schützen, resp. des Geschützes und der Geschützbedienung, im Vergleich zum gewöhnlichen Ueberbankfeuer (s. Bank 2) Bd. I., S. 373). Die S.
haben jedoch den Nachtheil, das Schußfeld zu beschränken und die Deckungen
zu schwächen, sowie dem Gegner ein gutes Richt-Object zu gewähren. Je nachdem die Mittellinie der S. — die Scharten-Directrice — mit der Feuerlinie einen rechten oder einen schiefen Winkel bildet, unterscheidet man gerade
und schräge S., nach dem Material der Deckung nennt man die S. Erd-
oder Mauer-Scharten, nach der Art der Feuerwaffe, für deren Gebrauch die
S. bestimmt sind, Gewehr- oder Geschütz-Scharten.

Die innere Scharten-Oeffnung gerader Geschütz-Scharten in Erdbrustwehren muß möglichst eng sein, der besseren Deckung von Geschütz und
Bedienung wegen. Die Deckung darf jedoch nicht auf Kosten der Feuerwirkung erreicht werden; daher muß das Rohr bequem durch die innere Schartenöffnung geschoben werden und noch die erforderliche Seitenrichtung erhalten
können. Unter Berücksichtigung dieser Anforderungen ist die innere Schartenweite für Geschütz Scharten 0,8 bis 0,9 Meter, je nach dem Kaliber. Die
äußere Scharten-Oeffnung richtet sich zunächst nach der Größe des Schußfeldes d. h. nach der seitlichen Ausdehnung des Terrains, welches bestrichen
werden soll. Je größer aber die äußere Scharten-Oeffnung gemacht wird,
desto spitzer fallen die Theile der Brustwehr zu beiden Seiten der inneren
Scharten Oeffnung aus und in desto kürzerer Zeit werden sie durch das feindliche Geschützfeuer soweit zerstört sein, daß die Deckung verloren geht. Man
macht daher diese Oeffnung in erster Linie von der Größe des Schußfeldes
abhängig, um so kleiner, je geringere seitliche Ausdehnung das Zielobjekt hat.
Das Maximum der äußeren Schartenweite wird, um einer schädlichen
Schwächung der Deckung vorzubeugen, von der Brustwehrstärke abhängig und
etwa gleich der Hälfte dieser gemacht. Der Geschützwinkel, welcher unter
diesen Verhältnissen erreicht wird, beträgt ca. 20 Grad. Derselbe wird in
seiner Größe bestimmt durch die Flucht der beiden Seitenwände der S., der
Scharten-Wangen oder -Backen, während die erforderliche Inklination
des Geschützes die Lage der Fläche bedingt, welche die S. nach unten ab-
schließt und Scharten-Sohle genannt wird. — Die Tiefe der Scharten ist in erster Linie von der Größe der Lagerhöhe der Lafetten abhängig.
Durch dieses Maß wird zunächst die Kniehöhe der Scharten bestimmt,
d. i. die lothrechte Entfernung der unteren Kante der inneren Scharten-Oeffnung
vom Geschützstande. Dieselbe ist unter Berücksichtigung der kleinsten Elevation,
mit welcher das Geschütz noch muß feuern können, so zu bemessen, daß der
Geschützkopf mit einigen Centimetern Spielraum über die Scharten-Sohle zurück-
laufen kann. — Die Lagerhöhe der preußischen Feldgeschütze beträgt z. B. 1,0
bis 1,1, die Kniehöhe der S. ist demgemäß auf 0,9 Meter festgestellt. Die Lafetten der preußischen Belagerungs-Artillerie haben eine Lagerhöhe
von 1,3 Meter, die Kniehöhe ist daher auf 1,11 Meter normirt worden. Für die
Festungs-Geschütze kommen beide Kniehöhen vor. Die Tiefe der S. müßte
mithin entsprechend, bei normaler Höhe der Erdbrustwehr (2,3 Meter), entweder
0,9 Meter bei hoher Laffetirung oder 1,1 Meter bei niedriger Laffetirung betragen.
Um die Brustwehren nicht zu sehr zu schwächen, ist jedoch festzuhalten, daß im
letzten Falle die Tiefe der S. 1,11 Meter nicht übersteigt, mithin der Geschützstand nichtmehr als 2,11 Meter unter der Feuerlinie liegt. Bei Brustwehren
von mehr als 2,11 Meter Höhe der Feuerlinie sind daher niedrige Bänke hinter
den S. anzuschütten — diese haben z. B. bei 2,5 Meter Höhe der Feuerlinie eine Höhe von 0,11 Meter. Die große Verschiedenheit der Schartentiefen

(nämlich 0,7 Meter und 1,25 Meter) ist der Grund, die S. kurzweg flache resp. tiefe S. zu benennen. — Die Schartensohle würde jedesmal dann die beste Richtung inne haben, wenn sie der jedesmaligen Elevation des Geschützrohres folgte. Da dies nun nicht immer angeht, so muß man die Ansteigung der S. nach Außen der kleinsten Elevation anpassen, welche im Laufe des Gebrauchs voraussichtlich vorkommt. Bei Inclination richtet sich der Fall der Sohle nach Außen zu nach der größten Inclination des Geschützes. — Hierbei ist zu berücksichtigen, daß man um so mehr an Deckung gewinnt, je mehr die Sohle nach vorn zu ansteigt — am meisten dann, wenn die Sohle in der äußeren Krete oder in der Krone mündet, daß man dann aber verhindert ist, einen flachen Schuß anzuwenden. S., deren Sohle in der äußeren Brustwehrkrete oder in der Brustwehrkrone münden, heißen erhöhte S. — Die Scharten-Wangen oder -Backen sind für gewöhnlich mit einer Bekleidung zu versehen; ohne dieselbe würden durch die Erschütterungen, welche vom eigenen Feuer ausgehen, sowie durch Witterungseinflüsse die S. bald mehr oder weniger zugeschüttet sein; auch würde, da die Erde mindestens halbe Anlage erhalten müßte, dem Feinde ein zu großes Zielobject geboten. In Bezug auf die Wirkung feindlicher Treffer wären S. ohne Bekleidung entschieden am günstigsten, weil dann durch Granaten, welche seitwärts der S. in der Brustwehr explodiren, nur lose, leicht wieder zu entfernende Erde in die S. geworfen werden könnte. — Aus diesen Gründen ergiebt sich die Nothwendigkeit, die Schartenbacken zwar zu bekleiden, das Material indeß derartig zu wählen, daß feindliche Treffer nur kleinere Stücke losreißen können, welche die S. für das eigene Feuer höchstens kurze Zeit blenden. Der Regel nach werden flache S. mit Hurden, tiefe S. mit Schanzkörben und erhöhte S. mit Faschinen bekleidet. — Statt der flachen S. ist in Preußen vorgeschlagen, muldenförmige Ausschachtungen der Brustwehrkrone anzuwenden, die Bettungen aber zur Erzielung der Kniehöhe höher als den Boden rings um den Geschützstand zu legen. Derartige muldenförmige S. würden am wenigsten ein Zielobject bieten und der Zerstörung ausgesetzt sein. Im letzten Kriege (1870/71) hat man von denselben bereits umfassenden Gebrauch gemacht, häufig aber auch die flachen S. dadurch ganz vermieden, daß man dem Batteriehof an den Stellen, wo die Bettungen lagen, nicht die volle Tiefe, sondern das der Lagerhöhe des Geschützes entsprechende Niveau gab, sobaß ein Feuer über Bank stattfand, die Mannschaften aber doch im übrigen Raume des Batteriehofs die volle Deckung fanden. — Sind mehrere S. nebeneinander anzulegen, so darf man das zwischen zwei S. stehenbleibende Stück Brustwehr — Schartenkasten oder Merlon genannt — der erforderlichen Deckung wegen nicht zu schwach machen; man giebt daher den Directricen nicht gern eine geringere Entfernung als 6 Meter. Ist ein Infanterie-Bankt vorhanden, so muß dasselbe hinter der S. weggestochen werden und zwar in einer Breite von 4 Meter, um dem Geschütz die erforderliche Seitenrichtung geben und dasselbe bequem bedienen zu können. — Bei Anwendung schräger S. stößt das eine Laffetenrad eher an die Brustwehr an, als das andere, folglich reicht das Rohr weniger tief in die S. hinein; hierdurch wird die S. mehr vom eigenen Feuer angegriffen. Ferner bildet sich an der einen Seite der S. eine Ecke, welche spitzer, folglich weniger widerstandsfähig ist, als bei geraden S. Dieser Nachtheil nimmt zu, je mehr die Directrice von der senkrechten Lage abweicht. Bildet die Directrice einen kleineren Winkel, als 70 Grad, mit der Feuerlinie, so bringt man an dieser schwachen Stelle eine Verstärkung der Brustwehr an — einen Sporn, dessen Krete mit der Schartendirectrice einen rechten Winkl bildet. Diese complicirte Scharten-Construction verursacht bedeutende Arbeit, verengt den inneren Raum, auch erhält die äußere Schartenöffnung dadurch eine große Weite. — Liegen mehrere schräge S. mit Sporn neben einander, so entsteht eine sägeförmige oder en cremaillère geführte Feuerlinie. — Um die Bedienungsmannschaft während des Ladens des Geschützes gegen Gewehrfeuer zu schützen und die Einsicht durch die S. in den Feuerpausen zu hindern, wird ein mit Wolle oder Faschinenbündeln gefüllter Schanzkorb — Blendkorb — in die S. gestellt und über die innere Krete eine Faschine — die Blendfaschine — genagelt. Vollkommener blendet man die S. durch hölzerne Scharten-Laden. Ein Schartenladen besteht in der Regel aus einer starken Bohlen-Tafel, mit einer runden, durch eine Klappe verschließbaren Oeffnung, durch welche der Kopf des Geschützrohrs hindurchgeht. — Ein noch einfacheres Schutzmittel besteht in einer Maske aus Holz oder Eisenblech, welche auf dem Geschützrohre hinter den Schildzapfen aufgestellt ist. Ein in der Maske angebrachter Einschnitt ermöglicht das Zielen (s. Visirblendung). — Ein ähnliches Mittel wurde von den russischen Kanonieren während der Belagerung von Sebastopol angewendet. Dieselben brachten einen aus Tauwerk geformten Ring auf dem Geschützrohr an und außerdem in der S. einen aus demselben Material geflochtenen Vorhang, welcher durch zwei zu beiden Seiten der S. eingeschlagene Ständer gehalten wurde. Dieser Vorhang, welcher in seinem unteren Theile mit einer Oeffnung für den Geschützlauf versehen ist, hält Gewehrkugeln ab und giebt pendelnd dem Stoß der Geschützgeschosse nach, ohne wesentlich beschädigt zu werden.

Die Construction von Geschütz-Scharten in Mauerwerk erfolgt im Allgemeinen nach denselben Grundsätzen, welche bei Erd-Scharten maßgebend sind. Bei der Bestimmung des Grundrisses fragt es sich, ob der Durchschnittspunkt der äußersten Richtungslinien, welche das Schußfeld begrenzen, nach Analogie der Erd-Scharten, diesseits der inneren Mauer, oder in der Mauer, oder jenseits der äußeren Mauerflucht liegen soll. Im ersten Falle braucht das Geschütz weniger Raum für die Seitenrichtung, die äußere Oeffnung der S. wird sehr groß. Im letzten Falle ist für die Seitenrichtung und Bedienung ein viel größerer Raum erforderlich und die innere Oeffnung der S. wird sehr groß. Man zieht daher nach Montalembert allgemein den zweiten Fall vor, nämlich den Durchschnittspunkt der äußersten Richtungslinien gegen die Mitte der Mauer hin (etwa 0,5 bis 0,8 Meter von der inneren Mauerflucht) anzunehmen, wobei der Quadratinhalt des Grundrisses der S. am kleinsten wird. Die Schartenwangen werden dann von den äußersten Schartenrichtungen in solcher Entfernung gezogen, wie es das Kaliber und die Metallstärke der Geschützrohre erfordern. Die Kniehöhe der Geschütz-S. über der Kasemattensohle beträgt bei der preußischen Laffetirung 0,80 Meter, die Weite der Schartenenge ist auf 0,56, die Höhe derselben auf 0,70 Meter festgesetzt. Zum Zweck der Flankirung genügt es in der Regel, dem Winkel der äußeren Schartenwangen eine Oeffnung von 30° zu geben; zur Frontalbestreichung ist die Oeffnung des Winkels bis zu 40° und 42° zu vergrößern. — Alle gemauerten S. haben den Nachtheil, daß die durch einschlagende feindliche Geschosse abgerissenen Mauertrümmer sehr bald den Aufenthalt dahinter, namentlich im Innern der Kasematten, ganz unmöglich machen. Es gilt daher als Regel, daß gemauerte S. nur da anzuwenden sind, wo sie gar nicht vom feindlichen Geschützfeuer getroffen werden können oder wo sie eine entschiedene Ueberlegenheit über dasselbe zu behaupten vermögen. Man hat zwar die verschiedensten Mittel versucht, um die gemauerten S. widerstandsfähiger gegen das feindliche Geschützfeuer zu machen, allein ohne rechten Erfolg. Kanonen-S. aus großen Sandsteinen und selbst aus Granit widerstehen zwar besser als S. von Ziegeln, aber der Nutzen scheint doch zu den bedeutenden Mehrkosten in keinem Verhältniß zu stehen, so daß man in neuerer Zeit fast allgemein S. von scharf gebrannten Backsteinen anwendet, die jedoch auf etwa 0,6 Meter Entfernung von der Oeffnung ringsum in gutem hydraulischen

Mörtel ausgeführt werden müssen, damit die Explosion der Pulvergase aus den eigenen Geschützen nicht den Fugenmörtel so leicht zerstören und herauswerfen könne, was sonst fast immer geschieht. Gepanzerte S. erschienen im ersten Augenblick als das geeignetste Mittel, Mauer-Forts zu verstärken; indeß zeigte sich, daß die Eisenzangen den Geschossen nicht hinreichend widerstanden und daß namentlich die Verbindung mit dem Mauerwerk nicht solid genug herzustellen war. Die Amerikaner haben der Panzerung solcher Mauer-Scharten keine weitere Ausdehnung gegeben; die Engländer haben sie nirgends practisch ausgeführt. Schon die Anbolzung von Panzerplatten stumpf an Mauerwerk zeigte sich unhaltbar, weil bei einem Treffer das Mauerwerk dahinter (selbst Granit) zermalmt und dadurch dem Bolzen der Halt geraubt wurde. — Um die Kanoniere hinter den Mauer-S. vor Gewehrfeuer zu schützen, wendet man hier eiserne Schartenladen an. Ein Schartenladen besteht im Wesentlichen aus einer Eisenplatte, groß genug, damit bei jeder Richtung des Geschützes die S. noch vollständig bedeckt bleibt. Diese Platte wird an Haken im Gewölbe mittelst Rollen und Gegengewichten aufgehängt, so daß ihr mit Leichtigkeit jede durch das Richten des Geschützes bedingte Lage gegeben werden kann. Die mittlere für den Kopf des Rohres bestimmte Oeffnung wird durch eine runde eiserne Platte geschlossen, die am Schartenladen leicht beweglich befestigt wird. Beim Einbringen des Rohres wird die Platte seitwärts geschoben; dieselbe schließt nach dem Abfeuern von selbst die Oeffnung des Schartenladens. — Außer diesen Laden müssen die Geschütz-Scharten zu größerer Sicherheit gegen das Einsteigen mit verschließbaren eisernen Schartengittern versehen werden, die beim Feuern entweder nach Außen niederzulegen, oder wie ein gewöhnlicher Fensterflügel zu öffnen sind.

Den in neuerer Zeit allgemein eingeführten Präcisions-Geschützen gegenüber zeigen die Geschütz-Scharten im Allgemeinen den Nachtheil einer zu weiten Oeffnung, durch welche leicht Geschosse das Innere des Werkes oder der Kasemotte treffen. Diesem Uebelstande an dieser Stelle abzuhelfen, sind neuerdings in Rußland, England und Deutschland in den gepanzerten Geschützständen S. angewendet worden, bei denen die Weite der Oeffnung auf ein Minimum, d. i. der Stärke des Kopfes der Geschützröhre entsprechend, reducirt ist und welche daher „Minimal-Scharten" genannt werden. Diese Minimal-Scharten erfordern die Anwendung von Laffeten besonderer sehr complicirter Construction, vermöge deren das Geschützrohr nach allen Richtungen innerhalb gewisser Grenzen um einen imaginären Pivotpunkt bewegt werden kann, welcher in der Geschützmündung liegt. Diese lediglich in Eisenwänden vorkommenden, nach außen sich verengenden Minimal-Scharten haben den Vorzug, dem feindlichen Feuer Geschütz und Bedienung möglichst wenig zu exponiren; da das Geschütz-Rohr die Schartenöffnung schließt, ist die Anwendung besonderer Schutzmittel, um das Schützen für die Bedienung unschädlich zu machen, nicht erforderlich. Minimal-S. erschweren aber das Richten und namentlich die Beobachtung der Schüsse. In England hat man sich neuerdings überhaupt ungünstig gegen dieselben ausgesprochen.

Gewehr-Scharten werden in Erdbrustwehren nicht eingeschnitten, weil diese Anordnung die Brustwehr schwächen, auch eine mühevolle und schwierige Arbeit erfordern würde. Eine bessere Deckung des feuernden Schützen erreicht man bei Erdbrustwehren durch Anwendung ausgesetzter S. Diese bestehen aus Sandsäcken, mit Sand gefüllten Tornistern, Kochgeschirren rc., welche auf der Brustwehrkrone dicht an der inneren Krete so zusammengestellt werden, daß sie den Kopf des feuernden Schützen dem feindlichen Auge entziehen, ohne den Gebrauch der Feuerwaffen zu hindern. Die Vertheidigung von hölzernen oder gemauerten Wänden durch Schützenfeuer erfordert in der Regel die Anordnung

von Gewehr-Scharten. Die innere Höhe der Schartensohle über dem Stand
des Infanteristen oder die Brusthöhe wird im Allgemeinen zu 1,3 Meter angenommen. Die Gewehr-Scharten, deren Schlitz eine verticale Lage hat, pflegt man
Vertical-Scharten zu nennen, im Gegensatz zu den Horizontal-Scharten,
welche bedeutend breiter als hoch sind. Die Vertical-Scharten, in der Schartenenge gemessen, sind gewöhnlich 0,07 bis 0,1 Meter breit und 0,3 bis 0,4 Meter
hoch, die Horizontal-Scharten 0,1 Meter hoch und 0,8 bis 0,9 Meter breit.
Die Horizontal-Scharten haben den Vortheil, ein größeres Gesichtsfeld (ca.
20°) zu gewähren, als die Vertical-Scharten — auch ist die Wahrscheinlichkeit
des Treffens der feindlichen Gewehrkugeln bei den Horizontal-Scharten geringer
als bei den Vertical-Scharten. Um dieselbe bei ersterer noch mehr zu vermindern, werden bei gemauerten S. 0,15 Meter vor der Scharteuenge rings um
den Schlitz herum 0,07 breite Absätze oder Anschläge angebracht, welche den
Vortheil haben, viele Kugeln aufzusangen, die sonst längs den Wangen, der
Sohle und der Decke der S. hinleiten würden.

    Schalchla, der leicht gekrümmte Säbel der Kosaken.

    Schäßburg (ungar. Segesvar, walach. Sigisiora), befestigte Haupt-
stadt des zum Sachsenlande gehörigen Schäßburger Stuhles von Siebenbürgen,
am großen Kokel, hat eine mit zahlreichen Thürmen versehene feste Burg,
lebhafte Textil-Industrie und 8400 Einwohner. Unweit westlich von der
Stadt liegen die Trümmer des festen Standlagers (Stenarum), welches
eine Abtheilung der XIII. römischen Legion inne hatte. Am 31. Juli 1849
wurden bei S. die Ungarn unter Bem von den Russen unter Lüders geschlagen,
wobei der berühmte ungarische Dichter Petöfi als Adjutant Bem's fiel.

    Schätzen der Entfernungen vergl. Distanzenmesser, Bd. III, S.
234. Für das S. nach der Deutlichkeit des Erscheinens einzelner Theile
eines Gegenstandes hat Scharnhorst mit Bezug auf Truppen als Object gewisse für ein gewöhnliches Auge passende Merkmale aufgestellt, welche
natürlich wieder durch äußere Umstände (Beleuchtung ꝛc.) modificirt werden
können, daher nur relativen Werth haben. So nimmt er an, daß bis 1500
Meter noch Infanterie und Cavalerie unterschieden werden können, man
bis 900 Meter noch die Rotten und die Zahl der Geschütze erkennt, bei 450
Meter Kopf und Kopfbedeckung sich abgrenzen, auf 300 Meter schon hellere
Farben an der Bekleidung sich markiren ꝛc. ꝛc.

    Schansel, 1) Werkzeug zum Ausstechen und Werfen der Erde bei Erd-
arbeiten, auch Schippe, Spaten genannt, vergl. Schanzzeug. 2) An
Dampfschiffen, s. Raddampfer, Bd. VII, S. 277.

    Schauseldampfer, s. Raddampfer, Bd. VII, S. 277.

    Schaumburg-Lippe, ein zum Deutschen Reiche gehöriges Fürstenthum, wird
von den preußischen Provinzen Westfalen, Hannover und Hessen umschlossen
und hat einen Flächenraum von 8,05 □.-M. mit (1867) 31,386 größtentheils
evangelischen Einwohnern. Das Land liegt am nördlichsten Zweige des Weser-
gebirges, hat keinen eigentlichen Fluß, sondern nur zahlreiche zur Weser gehende
Bäche und an der Nordgrenze das sogenannte Steinhuder Meer. Haupterwerbsquellen sind Landwirthschaft, Leinweberei und Steinkohlenbau; die Eisenbahn Hannover-Minden durchschneidet das Gebiet von S.-L. Die Hauptstadt
ist Bückeburg. Der Regierungsform nach ist das Land eine constitutionelle
Monarchie. Der regierende Fürst ist: Adolf (geb. 1. August 1817), welcher
seinem Vater Georg bei dessen Tode 21. Nov. 1860 succedirte. S.-L. bildete
im frühern Deutschen Bunde mit Waldeck, den beiden Reuß, Lippe, Hessen-
Homburg und Liechtenstein die 16. Curie, besaß im Plenum eine Stimme und
stellte als Bundescontingent 2 Compagnien Jäger (315 M. Hauptcontingent,
70 M. Ersatz) zur sogenannten Reserve-Division; dieselben waren für den

Kriegsfall zur Garnison in Luxemburg bestimmt. Seit dem 1. October 1867 ist das Schaumburgsche Contingent als solches aufgelöst und das Fürstenthum stellt jetzt seine Mannschaft zum Westfälischen Jägerbataillon Nr. 7, welches die Garnison des Fürstenthums bildet und in Bückeburg und Stadthagen steht. Das Land hatte auch eine kleine Festung, das Fort Wilhelmstein im Steinhuder Meere. Das Wappen von S.-L. hat vier Felder und ein Mittelschild: im 1. und 4. Felde die Lippe'sche Rose, im 2. und 3. Felde die Schaumburgische Schwalbe, im Mittelschilde das Schaumburgische silberne Nesselblatt mit quer getheiltem Schilde (Silber und Roth) und drei eingesteckten Nägeln in Roth. Die Landesfarben sind weiß und grün. L.-S. hat eine Militär-Verdienst-Medaille an blau und rothem Bande. — In der verhängnißvollen Bundestagssitzung vom 14. Juni 1866 stimmte das Fürstenthum S.-L. mit der 16. Curie für den österreichischen Mobilisirungsantrag gegen Preußen (obgleich der fürstliche Gesandte nicht instruirt gewesen war, nur eigenmächtig seine Stimme abgegeben und als Bollmachtträger der gesammten Curie deren Abstimmung unrichtig abgegeben hatte, s. u. Norddeutscher Bund, Bd. IV., S. 291. Fußnote), sandte dann auch sein Truppencontingent auf Bundesbefehl nach Mainz, erklärte aber schon am 29. Juni seinen Austritt aus dem Deutschen Bunde und trat am 18. August dem Bündnißvertrage mit Preußen und somit dem Norddeutschen Bunde bei.

Scheere, 1) s. Grabenscheere, Bd. IV., S. 249. 2) Vorderer Theil der Deichselarme eines Vorderwagens, zur Aufnahme des Keils der Deichsel bestimmt und diesem entsprechend geformt.

Scheeren (v. schwed. skär, Klippe am Meeresufer) heißen die zahlreichen größeren und kleineren Klippen und Felseneilande in der Ostsee an der Küste von Schweden und Finnland, welche sich ungefähr 16 Meilen weit in das Meer hinein erstrecken, die Einfahrt in die Häfen beschwerlich machen, aber auch ein natürliches Vertheidigungsmittel für die Küsten bilden, da man sich denselben mit großen, tief gehenden Fahrzeugen nicht nahen kann. Der Eingang zu den S. wird durch kleine, seicht gehende Kanonenboote (Scheerenboote) vertheidigt; sowohl Schweden wie Rußland besitzen eine aus solchen Booten gebildete Scheerenflotte, s. u. Ruderflotte, VIII., S. 58.

Scheibe, 1) Cylinder, dessen Höhe im Verhältniß zum Durchmesser gering ist. Geschosse von scheibenförmiger Gestalt — Wurfscheiben wurden von einigen Seiten zum Gebrauch bei Geschützröhren vorgeschlagen. Der belgische Capitän de Puyot (1856) empfahl excentrische Wurfscheiben, mit der Achse horizontal und rechtwinklig zur Seelenachse ins Rohr eingebracht, an der Peripherie abgerundet; die Seele des Rohrs analog dem Geschoß gestaltet. Diese Geschosse erhalten ein bedeutendes Drehungsmoment. Der sardinische Oberstlieutenant San Roberto (1857) schlug concentrische linsenförmige Wurfscheiben vor, aus Röhren mit schwach nach oben gebogener, im übrigen dem Geschoß analog gestalteter Seele zu verschießen, in ähnlicher Lage wie die de Puyot'schen. Aus der Gestaltung der Seele geht ebenfalls ein großes Drehbestreben hervor. Eine practische Bedeutung haben beide Vorschläge nicht erlangt. Siehe Pfister, „Die Rotationen der Geschosse ꝛc.", Kassel 1864. 2) Zum Markiren eines verticalen Ziels bei Schießübungen dienende Vorrichtung, in Gestalt einer aufrecht stehenden Wand von geringeren oder größeren Breiten- und Höhen-Dimensionen. Die letzteren müssen sich den Zielen des Krieges anpassen, ebenso wie auch die sonstigen Einrichtungen der S. Aus der Mannigfaltigkeit der Ziele resultirt nun die Nothwendigkeit einer großen Anzahl verschiedener Gattungen von S.n. Man unterscheidet zunächst feststehende und bewegliche S.n. Letztere markiren ein in Bewegung befindliches Ziel und heißen auch Zug-Scheiben. Ziele, welche sich plötlich zeigen und wieder verschwinden (wie Schützen hinter einer Brustwehr, Infanterie, welche zeitweise sich niederlegt, plötlich erscheinende Cavalerie) werden durch S.n zum Aufrichten und Niederklappen dargestellt — Klapp-Scheiben oder verschwindende S. Je nach der darzustellenden Truppengattung unterscheidet man Infanterie-, Cavalerie- u. Artillerie-Scheiben. Die kleinsten Infanterie-Scheiben sind die Spiegel-Scheiben, welche etwa die Größe des menschlichen Kopfes markiren. Demnächst folgt die mannsbreite Scheibe, in Mannshöhe, gewöhnlich das Bild eines Infanteristen enthaltend, die Sections- oder kleine Colonnen-Scheibe, in Mannshöhe und Sections-Breite, die größere Colonnen-Scheibe, Zugbreite und mehr darstellend. Die Cavalerie-Scheiben haben Reiterhöhe und beginnen mit der einen einzelnen Reiter in der Seitenansicht markirenden Pistolen-Scheibe; demnächst in größerer Breite, geschlossene Trupps darstellend. Artillerie-Scheiben, wenn sie feuernde Batterien darstellen sollen, sind wegen der Abstände innerhalb des Ziels, und der verschiedenen Höhen (Bedienung, Bespannung, Geschütz selbst) schwieriger zu markiren und bedingen, um naturgetreu zu sein, mehrere S.n verschiedener Höhe in Abständen neben, resp. hinter einander. Die Geschütze selbst werden am besten durch aus Brettern zusammengefügte Laffeten dargestellt. Geschütze hinter Scharten werden durch ähnliche S.n wie die Spiegel-Scheiben markirt. — Eine einzelne S. bei Infanterie- und Cavalerie-Zielen repräsentirt immer nur ein Glied, höchstens die Aufstellung in Linie; tiefe Ziele erfordern mehrere Scheiben hinter einander. In gewissen Graden kann die vermehrte Tiefe auch durch vergrößerte Scheibenhöhe repräsentirt werden. — In der Mitte einer S. befindet sich in der Regel ein Kreis von schwarzer Farbe, welche das Zielen erleichtert — der Spiegel oder das Centrum. Der Wirklichkeit entspricht es mehr, denselben wegzulassen. Auf breiteren S.n werden häufig die Rotten markirt, um, namentlich bei Streuschießen und bei Massenfeuer, die Vertheilung der Wirkung auf der ganzen Zielbreite ermitteln zu können. — Zum Instructions- oder Unterrichts-Schießen ist die Größe der S.n der Art einzurichten, daß auch ein Theil der Fehlschüsse beobachtet werden kann. So wendet man z. B. statt der einfach mannsbreiten S. diejenige von dreifacher Mannsbreite an, wobei die beiden äußeren Felder von blauer Farbe sind (daher „ins Blaue Schießen"). Um die Güte der einzelnen Treffer zu bezeichnen, befinden sich auf S.n, gegen welche mit Handfeuerwaffen geschossen wird, um das Centrum herum häufig concentrische Kreise in gleichmäßigen Abständen — Ringe genannt (gewöhnlich von außen nach innen numerirt). Ueber und unter dem Centrum in gewissem Abstand liegt oft je eine viereckige Marke — oberer, unterer Anker genannt, welche das Abkommen auf andern Punkten der S. als das Centrum erleichtern. — Die S.n, gegen welche mit Handfeuerwaffen geschossen wird, bestehen meist aus einem mit Papier und Leinwand überzogenen Holzrahmen, während die S.n für Geschütze, um einige Zeit brauchbar zu bleiben, aus Brettern hergestellt werden müssen.

In Preußen hat man folgende S.n: a) Zum Schießen mit Handfeuerwaffen. 1) S. Nr. 1 (gewöhnliche S.), 1,9 Meter hoch, 1,16 Meter breit, 12 Ringe, deren Radien mit 52 mm. beginnen und um dieses Maß allmählig wachsen; 10, 11, 12 bilden den Spiegel; die mittlere Mannsbreite (42 cm.) ist weiß, die beiden äußeren Flächen blau. In der Mitte läuft der ganzen Höhe nach ein schwarzer Verticalstrich, auf welchem 21 cm. über, resp. unter dem Mittelpunkt die beiden Anker markirt sind. 2) S. Nr. 2 (mannsbreite S.), 42 cm. breit, 1,9 Meter hoch, mit Figur. 3) S. Nr. 3 (kleine Colonnen-Scheibe) 2,5 Meter breit, 1,9 Meter hoch, senkrechter Strich in der Mitte, Spiegel

Unter. 4) S. No. 4 (Spiegel-S.), Kreis mit 31 cm. Durchmesser, 3 Ringe.
h) Die Pistolen-S., 2,5 Meter im Quadrat, 12 Ringe, mit dem Bilde
eines Reiters. Die S.n No. 1—4 können auch als Zug-, sowie als verschwindende S.n eingerichtet sein. — Außerdem existirt noch eine Strich-
scheibe, zum Anschießen von Gewehren, zur Controlle des Strichschießens und
zu Vorübungen, 42 cm. breit, in der Mitte ein 10 cm. breiter schwarzer
Strich, Höhe 3,14 Meter. b) Zu Artillerie-Schießübungen. 1) Zum
Elementar-Scharfschießen (sowie auch zum Anschießen von Geschützröhren) eine weiß angestrichene quadratische S. von 4 bis 5 Meter Seiten-
länge, durch einen Vertical- und Horizontalstrich in 4 Felder getheilt. 2) Zum
kriegsmäßigen Scharfschießen der Feldartillerie, α) mit Granaten:
Infanterie- und Cavalerie-S.n, 12 Meter lang, 1,8 Meter, resp. 2,75
Meter hoch, oft zu 3 mit je 7,5 Meter Abstand hinter einander aufgestellt;
Artillerie-Scheiben aus je 2 S.n bestehend, die vordere 1,8 Meter im
Quadrat, die hintere in 7,5 Meter Abstand, 1,8 Meter breit und 2,75 Meter
hoch, die einzelnen Scheiben-Paare mit seitlichen Intervallen von 15 M.
aufgestellt; β) mit Shrapnels: außer den genannten noch Tiraillaur- und
Soutien-Scheiben, sowie in Schanzen aufgestellte S.n; γ) mit Kartätschen: Cavalerie-Scheiben, auf welchen 1,8 Meter von unten ein horizontaler schwarzer Strich die Infanteriehöhe (1,8 Meter) markirt, oft zum Auf-
und Niederklappen eingerichtet. — Zum Belehrungs-Schießen werden
auch verdeckt stehende, sowie bewegliche S.n benutzt. Die S.n zum kriegsmäßigen Schießen sind grau angestrichen und ohne Ziel-Punkte.

Die Festungs-Artillerie schießt weniger gegen S.n, als gegen der
Wirklichkeit entsprechend eingerichtete Erdwerke und im Vertikalfeuer auch
gegen bloß tracirte Figuren auf dem Erdboden. Indeß können auch hier
S.n zum Markiren von Truppen, Geschützen, verdeckt liegenden Mauern herangezogen werden.

Scheibenbild nennt man die Darstellung einer Scheibe oder überhaupt
eines Zieles auf der Bildfläche in verkleinertem Maßstabe, und zwar so, daß
mit der Wirklichkeit correspondirend die Treffer eingetragen sind. Man wählt
dazu häufig quadrirtes Papier.

Scheibenbüchse, Scheibenpistole, vorherrschend zum Schießen nach der
Scheibe bestimmt, mit besonders feiner Visirung und Abzugsvorrichtung, im Gegensatz zu Jagd- und Kriegswaffen dieser Art.

Scheibengelder heißen die zur Beschaffung und Unterhaltung der S.n den
Truppen angewiesenen Geldmittel.

Scheibenpulver, soviel wie Jagdpulver, s. d., Bd. VII., S. 258 ff.

Scheibenschießen, s. Schießen.

Scheibenstand, s. Schießplatz.

Scheide, Futteral für die Klinge von Hieb- und Stichwaffen, s.
Hiebwaffen, Bd. V., S. 9.

Scheinangriff, s. Angriff, Bd. I., S. 126 ff.

Scheingefecht, gleichbedeutend mit Manöver 1) (Bd. VI., S. 12), vergl.
auch Feldmanöver (Bd. IV., S. 5).

Scheitelpunkt, höchster Punkt der Flugbahn, auch Culminationspunkt.

Schellenberg, Berg am linken Donauufer, östlich von Donauwörth im
bairischen Regierungsbezirk Schwaben und Neuburg; hier am 2. Juli 1704
Sieg der Alliirten unter Marlborough und dem Markgrafen Ludwig von Baden
über ein bairisch-französisches Corps unter Arco.

Schema, vorgeschriebene Form schriftlicher Arbeiten, namentlich von Rap-
porten, im weiteren Sinne die bestimmt gegebene Form einer Exercier-
oder Gefechts-Uebung.

13*

Schemacha (Schamachi), befestigte Kreisstadt im russisch-transkaukasischen Gouvernement Baku, am Steppenflusse Pir-Sagat, 15 Ml. westlich von Baku an der Hauptstraße nach Tiflis, hat bedeutende Baumwollen- und Seidenindustrie und (1866) 26,000 Einw. S. war früher die Hauptstadt des 1846 aus dem östlichen Theile von Transkaukasien gebildeten Gouvernements S., litt aber am 11. und 12. Juni 1859 durch ein Erdbeben bedeutend, worauf die Hauptstadt nach Baku verlegt ward, wurde dann wieder aufgebaut, am 28. Januar 1872 jedoch durch ein abermaliges Erdbeben fast gänzlich zerstört.

Schematismus, in Oesterreich-Ungarn Bezeichnung für **Rangliste**, s. d., Bd. VII., S. 297.

Schemelmörser, soviel als **Fußmörser**, Bd. IV., S. 133.

Schemyl, s. **Schamyl**.

Scheremetjew, 1) **Boris Petrowitsch Graf von S.**, russischer Generalfeldmarschall, geb. 1652, begleitete schon 1666—75 seinen Vater, einen russischen General, auf den Feldzügen gegen die Kosaken, erhielt 1681 ein eignes Commando, schloß 1686 im Verein mit dem Fürsten Wassili Wassiljewitsch Galycin den Frieden mit Polen und Bundestractate mit dem König von Polen, sowie 1687 mit dem Deutschen Kaiser Leopold I. ab, commandirte 1688—94 die gegen Kleinrußland und die Krimschen Tataren aufgestellten Truppen, griff 1695, von Mazeppa unterstützt, die türkischen Befestigungen am Dniepr an, schlug 1701 die Schweden unter Schlippenbach bei Dorpat und an der Embach, wurde dafür von Peter d. Gr. zum Feldmarschall ernannt, eroberte im Laufe der nächsten Jahre die Städte Wolmar, Marienburg, Noteburg, Nienschanz, Dorpat, Narwa und Riga, wurde 1706 in den Grafenstand erhoben, trug in der Schlacht bei Pultawa (1709), wo er das russische Centrum commandirte, wesentlich zum Siege über Karl XII. bei, eroberte 1710 Lievland, wurde dann Generalgouverneur daselbst, begleitete 1711 Peter d. Gr. an den Pruth, war darauf bis 1715 Generalgouverneur der Ukräne, schlichtete 1716 die Streitigkeiten mit Danzig, zog sich 1718 in Ruhestand nach Moskau zurück und starb daselbst 1719. Vgl. G. F. Müller, „Lebensbeschreibung des Grafen S.", aus dem Russischen von Bacmeister, Riga 1789. 2) **Michael Borissowitsch Graf von S.**, Sohn des Vor., russischer Generalmajor, geb. 1673, unterzeichnete mit Schafirow die Tractate mit der Türkei am Pruth 12. Juli 1711 und zu Adrianopel 13. Juli 1713 und starb 1714 in Kiew.

Scherer, Barthélemy Louis Josephe, General der französischen Republik, geb. 1747 (nach andern 1750 oder 1755) zu Delle bei Belfort als der Sohn eines Fleischers, entwich aus dem elterlichen Hause, diente mehrere Jahre in der österreichischen Armee, desertirte dann aus Mantua, ging nach Paris, trat nach Ausbruch der Revolution als Offizier in die französische Armee, wurde aber, royalistischer Gesinnungen verdächtigt, zwei Mal aus derselben entfernt, avancirte dem ungeachtet sehr schnell, war 1794 Divisionsgeneral bei der Sambre- und Maasarmee, nahm die 1793 verloren gegangenen Festungen Mons, Landrecy, Quesnoy, Condé und Valenciennes wieder, commandirte im Sept. bei Aldenhoven den rechten Flügel unter Jourdan, erhielt im Mai 1795 den Oberbefehl über die Armee an den Ostpyrenäen, mußte sich zwar bei der mangelhaften Beschaffenheit seiner Truppen defensiv verhalten, errang aber im Juni einige Vortheile, übernahm dann das Commando über die Armee in Italien, schlug 21. Nov. die Oesterreicher und Piemontesen bei Loano, konnte jedoch bei dem Zustande seiner Truppen die Erfolge nicht benutzen und wurde Anfang 1796 abberufen. Er lebte dann in Zurückgezogenheit, bis das Directorium im Juli 1797 ihm das Kriegsministerium übertrug, im Februar 1799 aber, weil er nicht hinreichend für die Truppen sorgte und Unterschleife duldete, ihm dasselbe wieder entzog. Bald darauf auf's Neue an die Spitze der Armee in Italien gestellt, griff er die Oesterreicher unter Kray zwischen Verona und dem Garbaser an, mußte sich aber hinter den Mincio und Oglio zurückziehen, konnte die im April erfolgende Vereinigung der Oesterreicher mit den Russen unter Suworow nicht verhindern, trat dann das Commando an Moreau ab, entging nur durch Bonaparte's Staatsstreich vom 18. Brumaire d. J. VIII. (9. Nov. 1799) der gerichtlichen Verfolgung, lebte dann in vollständiger Zurückgezogenheit auf seinem Landgute Chauny im Departement Aisne und starb daselbst 19. August 1804. Er schrieb: „Précis des opérations militaires de l'armée d'Italie depuis le 21. Ventôse jusqu'au 7. Floréal de l'an VII", Paris 1799.

Scheveningen (Schevelingen), großes Fischerdorf und besuchtes Seebad an der Nordsee im Bezirk Haag der niederländischen Provinz Südholland, ½ Stunde nordwestlich vom Haag, hat 7000 Einwohner; von hier führt der submarine Telegraph nach England. Auf der Höhe von S. erfocht am 8. u. 9. August 1653 die englische Flotte unter Monk einen Seesieg über die niederländische unter Tromp, welcher hier fiel. Von S. aus flüchtete 1794 der Erbstatthalter Wilhelm beim Annähern der Franzosen und landete hier 1814 wieder.

Schewardino (auf französischen Karten und Schlachtplänen Chevardino geschrieben), Dorf im Kreise Moshaisk des russischen Gouvernements Moskau, südöstlich von Borodino, aber schon auf dem rechten Ufer der Kalotscha gelegen; hier hatten die Russen 1812 eine Redoute aufgeworfen, welche in der Schlacht an der Moskwa (7. Sept.) einen der wichtigsten Punkte bildete, s. u. Moskwa, Bd. VI., S. 172 f.

Schicht ist bei Ausführung von Kriegsbauten und Belagerungsarbeiten eine Abtheilung von Arbeitern, welche gleichzeitig in Thätigkeit sind. — Der Schanzenbau erfolgt entweder in einer S. mit einer Arbeitszeit von 10 Stunden oder in mehreren sich ablösenden S.en mit einer Arbeitsdauer von 5—6 Stunden. — Die Eröffnung der ersten, resp. zweiten Parallele wird in der Nacht durch eine Nacht-S. ausgeführt, die Erweiterung der genannten Parallelen durch sich am Morgen, Mittags und Abends ablösende S.en, welche nach der Ablösungszeit Morgen-S., Mittags-S. und Abend-S. genannt werden. — Das Vortreiben der Sappen und der Minen bei Belagerung einer Festung erfolgt in der Regel durch Sappeur- oder Mineur-S.en mit zwölfstündiger Arbeitszeit.

Schieber, verschiebbarer Theil an Instrumenten, z. B. an manchen Visiren, am Zaumzeug, an der Beschirrung.

Schiebervisir heißt dasjenige Visir, bei welchem sich die Visirkimme in einem Schieber befindet. Letzterer wird an einer Stange oder in einem Rahmen auf- und abgeschoben; mit Rahmen heißt das S. auch Leitervisir, s. weiter Visireinrichtung.

Schiebezüge kommen bei Vorderladungs-Geschützen vor. Jeder Zug ist combinirt aus einem tieferen und breiten Lade- und einem seichteren und schmäleren Führungs-Zug; in ersterem wird das Geschoß beim Laden, in letzterem wird es bei der Vorwärtsbewegung durch die Pulvergase geführt und in einer festen Anlehnung an Sohle und Führungskante erhalten, wodurch das Schwanken des Geschosses in Folge des Spielraumes vermieden wird, vgl. weiter Züge.

Schiedsrichter fungiren bei Manövern als Unparteiische, in Gestalt höherer Offiziere, s. Feldmanöver, Bd. IV., S. 6. Ueber die preußischen Vorschriften in dieser Beziehung, s. die „Verordnungen über die Ausbildung der Truppen für den Felddienst ıc.", Berlin 1870.

Schießerpulver, halb zerriebenes Körnerpulver, auch Quirſchpulver genannt; in der Luſtfeuerwerkerei vorkommend.

Schienen, in der Regel von Schmiedeeiſen, dienen 1. zur Verſtärkung
von Holztheilen, bei Laffeten, Fahrzeugen ꝛc.; 2. zur Herſtellung von Laffetenwänden aus Eiſen, ſ. Laffete, Bd. V., S. 273; 3. zur Eindeckung
von Hohlräumen in proviſoriſchem Stil, als Eiſenbahnſchienen, S. von
Winkel-Eiſen oder Doppel-T-Eiſen, ſ. Schmiedeeiſen.

Schießbaumwolle oder **Schießwolle** (Nitrocelluloſe, auch **Pyro-**
xylin genannt; franz. coton-poudre, coton azotique, coton fulminant,
fulmi-coton; engl. gun-cotton, exploding cotton, fulminating cotton), ein
chemiſch dargeſtelltes Product, von allen bisher bekannten Surrogaten des Pulvers eines der beſten, hat ſich jedoch als kriegsbrauchbares Erſatzmittel dafür
bisher nicht geeignet gezeigt. Zur **Darſtellung** der S. wird gewöhnliche
gereinigte Baumwolle in lauwarmer verdünnter Potaſchenlöſung gewaſchen,
um dieſelbe gleichmäßiger mit Säure befeuchten zu können, demnächſt getrocknet,
aufgelockert und zu Garnen und Geweben verſponnen. Die ſo präparirte Baumwolle, ihrer chemiſchen Zuſammenſetzung nach aus Kohlen-, Waſſer- und Sauer-
ſtoff beſtehend, wird in eine Miſchung von 3 Gewichtstheilen concentrirter
Salpeterſäure und 1 Gewichtstheil concentrirter Schwefelſäure eingelegt, und
verbindet ſich unter Abgabe eines Theils ihres Waſſerſtoffes mit der Unter-
ſalpeterſäure, in welche ſich die Salpeterſäure unter Ausſcheidung von Sauer-
ſtoff zerlegt. Der letztere verbindet ſich mit dem ausgeſchiedenen Waſſerſtoff
zu Waſſer, das von der nur zu dieſem Zwecke anweſenden Schwefelſäure energiſch
gebunden und ſo den Fortgang des Prozeſſes durch Verdünnung der Salpeterſäure zu ſtören verhindert wird. Den Umänderungsproceß, den das Zellgewebe
(Celluloſe) der Baumwolle erfährt, nennt man das Nitriren (mit Stickſtoff,
nitrogenium, verbinden). Iſt er beendet, ſo wird die Baumwolle ſorgfältig
durch Waſchen mit Waſſer von allen Säuren befreit, getrocknet und iſt als
Schießwolle fertig. Auch andere reine Pflanzencelluloſe, z. B. Hanf, Holz-
faſer, Pflanzenpapier laſſen ſich in ähnlicher Weiſe nitriren und liefern der S.
ähnliche Stoffe (ſ. u. Pulver „Gelbes Pulver", Bd. VII., S. 262).

Die S., äußerlich, ſelbſt mikroſkopiſch betrachtet, unterſcheidet ſich nicht
von der Baumwolle, dagegen iſt ſie ſpecifiſch ſchwerer (ſpecifiſches Gewicht in
Flocken 0,2, in Strähnen 0,25, durch hydrauliſchen Druck comprimirt 1), fühlt
ſich rauh an, hat die Elaſticität verloren, knirſcht beim Zuſammendrücken. Unter
fließendem Waſſer lange aufbewahrt und wieder getrocknet, verliert ſie nichts
an ihren Eigenſchaften, zeigt dagegen in feuchten Räumen aufbewahrt eine Neigung, ſich zu zerſetzen, die ſich zur Selbſtentzündung ſteigern kann. Ihre Entzündungstemperatur iſt eine ſehr niedrige, ſie nach ihrer Güte 120 bis 170° C.,
daher ſie auch leichter wie Pulver durch Schlag und Reibung, jedoch nicht durch
den electriſchen Funken, zu entzünden iſt. Als Verbrennungsproducte liefert ſie
durchſichtige Gaſe, keinen Dampf, wenig Waſſer und ſehr unbedeutende feſte
Rückſtände, die alle das Metall nicht chemiſch angreifen, auch weniger nachtheilig
auf die Bedienung wirken, als die Verbrennungsproducte des Pulvers. Bei gleichem
Gewicht liefert ſie die 3—4fache Menge expanſibler Gaſe wie Pulver. Die
Verbrennungsgeſchwindigkeit hängt vom Grade ihrer Auflockerung ab. In aufge-
lockertem Zuſtande verbrennt ſie ſchneller als Pulver und wirkt hierdurch als
Ladung in Feuerwaffen ſehr briſant. Je mehr verdichtet, um ſo langſamer
verbrennt ſie; man hat hierdurch ein Mittel, die Verbrennungsgeſchwindigkeit
zu verlangſamen, indem man Patronen und Kartuſchen aus mehr oder weniger
ſtark gedrehten Garnfäden fabricirt. Sehr ſtark verdichtet, erfolgt eine ſo
langſame Verbrennung, daß alle Treibkraft aufhört, weshalb S. als Treibſatz
für Raketen nicht geeignet iſt. — Die Schwierigkeiten, ein ſtets gleichmäßig wir-

lendes Produkt auf chemischem Wege fabrikmäßig herzustellen, die Gefahr leichter Entzündlichkeit durch Schlag und Reibung, wenn sie auch durch die Weichheit des Stoffes ermäßigt wird, vor allem aber die Neigung zur Selbstentzündung, hat der Einführung der S. als Ersatz für das Pulver bisher im Wege gestanden.

Historisches. Die S. ist 1846 durch die Professoren Schönbein zu Basel und Böttger zu Frankfurt a/M. erfunden, und dann mehrfach, namentlich in Oesterreich (durch Baron von Lenk), verbessert worden. Oesterreich ist bisher der erste und letzte Staat gewesen, der sie als Ersatzmittel für das Pulver zu Kriegszwecken einführte und 1862 Schießwollbatterien (s. d.) in die Feld-Artillerie einstellte. Die in Folge ungleichmäßiger Kraftäußerung der S. herbeigeführten ungünstigen Schießresultate und das mehrfach, vermuthlich durch Selbstentzündung vorgekommene Auffliegen von Schießbaumwolle-Magazinen veranlaßte aber auch Oesterreich zur schnellen Rückkehr zum Pulver (bereits 1863). Indessen wird dort noch jetzt an der Verbesserung der S. fortgearbeitet. Seit 1862 sind in England erneute Versuche im Gange, die S. zu vervollkommnen, namentlich seitens eines Chemikers Abel. Man hat es dort verstanden, die S. durch Imprägnirung mit Kautschuk gegen Feuchtigkeit ganz unempfindlich zu machen, sowie ihr einen großen Verdichtungsgrad (bis zum specifischen Gewicht von 1) zu verleihen. Bei alledem ist zu bezweifeln, ob ihr noch eine Zukunft erwächst, da sie als Treibmittel schwerlich je die nöthigen Eigenschaften erlangen wird, als Sprengmittel aber bereits billigere und zum mindesten wirkungsvollere Nitrate Aufnahme gefunden haben. — S. auch: Spreng-, Treibmittel. Vgl. u. a. Oesterr. Mil.-Zeitschrift 1871, sowie Ratzky, „Theorie der Schießpräparate rc.", Wien, 1870; Schmölzl, „Ergänzungswaffenlehre", München 1857.

Schießklaffe, s. Schießen.

Schießen ist das Forttreiben von Geschossen aus Fernwaffen. Bei gekrümmten Bahnen pflegt man statt des Ausdrucks „S." häufig die Bezeichnung „Werfen" zu gebrauchen. Von einigen Seiten wird hier als Kriterium der Grenze der Einfallwinkel von etwa 15 Grad (dabei in der Regel Liegenbleiben des Geschosses in der Nähe des Ziels) angegeben, was indeß willkürlich ist; besser wäre es wohl, den Ausdruck „Werfen" ganz fallen zu lassen. In der preußischen Artillerie sprach man bisher von „Werfen", wenn es sich um Haubitzen und Mörser handelte; bei gezogenen Geschützen ist ausschließlich von S. die Rede. Die Lehre vom S. und Werfen wird auch Aeußere Ballistik genannt (im Gegensatz zur Innern Ballistik, welche sich auf die Vorgänge im Rohr bezieht). Ueber das Theoretische des Schießens vergl. die Artikel: Flugbahn, Geschoßwirkung, Abweichen der Geschosse, Schußarten rc. Die Art und Weise, wie das S. practisch ausgeführt wird, ist entscheidend für den Erfolg der Schußwaffen. Von besonderer Wichtigkeit sind hierbei die das S. im Ernstfall vorbereitenden Schießübungen, beim S. gegen Scheiben (s. d.) auch Scheibenschießen genannt. Das S. im Frieden zerfällt in das S. zum Unterricht, zur Prüfung, zur Belehrung. Das Unterrichts-Schießen bezweckt die Einübung von Offizieren und Mannschaften, deren Art und Weise unter den günstigsten Verhältnissen beginnend allmählich der Wirklichkeit sich nähern muß. Man unterscheidet danach ein elementares und ein kriegsmäßiges S. dieser Art. Das Prüfungs-Schießen weist gewissermaßen den Grad der Schießausbildung nach, welchen eine Truppe erlangt hat, und wird vor einem Inspicienten ausgeführt. Häufig sind mit demselben taktische Uebungen verbunden. Das Belehrungs-Schießen endlich bezweckt Aufschlüsse über die Natur der Geschoßbahn, die Treff-fähigkeit der Waffe zu geben, sowie das S. unter ganz besonderen Verhältnissen zur Anschauung zu bringen. — Das S. zur Uebung geschieht entweder auf besonders vorbereiteten Plätzen: Schieß-, Scheibenstand, Schießplatz (s. d.), oder im gewöhnlichen Terrain. Dem S. mit scharfer Munition — Scharfschießen geht bei jungen Soldaten gewöhnlich zuerst eine Uebung mit Manöver-Munition voraus, welche zur Gewohnung an die mit dem S. verbundenen äußeren Erscheinungen (Knall, Dampf 2c.) dient.

Die Ausbildung im S. hat eine wesentlich andere Bedeutung, je nachdem sich dieselbe auf Handfeuerwaffen, oder auf Geschütze bezieht. Bei der Ausbildung mit der Handfeuerwaffe kommt es darauf an, daß jeder einzelne Mann eine möglichst große Schießfertigkeit erlangt und sich persönlich die Fähigkeiten aneignet, seine Waffe auch selbstständig gebrauchen zu können. Die Schieß-Ausbildung mit dem Geschütz muß zwar auch dem einzelnen Mann in den Verrichtungen der Bedienung beim S. hinreichende Fertigkeit ertheilen, doch ist auf das Resultat außer der richtenden Nummer hauptsächlich das Verhalten des Commando-Personals, welchem die Leitung des Feuers obliegt, — Batterie-, Zug-Commandeure, von Einfluß. Bei unzweckmäßiger Leitung kommt die Schießfertigkeit des einzelnen kaum zur Geltung, während sie im Gegenfalle die nothwendige Ergänzung zur Thätigkeit des Commando-Personals bildet. Die Hauptnutzen gewähren diese Schieß-Uebungen daher dem Offizier, demnächst dem Unteroffizier, in soweit er in die Lage kommt, das Feuer selbstständig zu leiten.

Das Scharf-Schießen hat überhaupt erst Nutzen, sobald die Mannschaften eine gewisse Kenntniß der Einrichtung und Behandlung ihrer Waffe, sowie eine gewisse Geübtheit in den practischen Handgriffen mit derselben erlangt haben, und wird durch theoretische Belehrung über die Natur der Flugbahn zweckmäßig ergänzt. Das S. mit Handfeuerwaffen muß im übrigen so früh wie möglich beginnen und während der ganzen Dienstzeit ohne Rücksicht auf die Jahreszeit fortgesetzt werden. Bei den Uebungen mit Geschützen ist dies nicht so unumgänglich nöthig, und stehen dem auch meistens locale Hindernisse im Wege, welche das S. auf einen geringeren Zeitraum des Jahres zusammendrängen (Nothwendigkeit weit ausgedehnter Schießplätze, welche oft mehrere Märsche von der Garnison entfernt liegen). — Für das S. aus Handfeuerwaffen bildet ein guter Anschlag die Grundlage. Derselbe muß daher sowohl aus freier Hand als am Pfahl (angestrichen schießen), in allen Körperlagen und gegen bewegliche Ziele eingeübt werden. Zu einem guten Anschlage gehört, daß der Schütze das Gewehr beim Schießen nicht verdreht, wodurch die Visirlinie aus der Vertical-Ebene durch die Seelenachse heraustreten würde. Ferner ist es sehr wichtig, auf ein richtiges Kornnehmen seitens des Schützen hinzuarbeiten (das Korn darf nicht zu hoch, nicht zu tief im Visir und muß in der Mitte desselben erscheinen); in Bezug hierauf hat derselbe auch die Witterungsverhältnisse (Beleuchtung), sowie seine eigene Disposition zu beachten. In Bezug auf das Abdrücken ist es wesentlich, den Druck auf den Abzug allmählig zu verstärken, ein Reißen an dem letzteren ist aber gänzlich zu vermeiden. Dem Reißen beugt man vor durch die Gewöhnung, nach dem Losgehen noch einen Moment im Anschlage zu verharren. Der Schütze muß sich bewußt sein, auf welchen Punkt der Scheibe er abgekommen ist, indem er nur dadurch seine Fehler kennen und verbessern lernt. Beim Gebrauch der Handfeuerwaffen ist es höchst wichtig, daß der einzelne Mann eine gewisse Gewandtheit im Schätzen derjenigen Distancen erlangt, auf welchen seine Waffe hauptsächlich zur Geltung kommt. Mit den Schießübungen sind daher Uebungen im Distancenschätzen zu verbinden. Bei unbekannten Distancen überhaupt muß der Schütze lernen, sich von unten an das Ziel heranzuschießen, sodaß die Fehlschüsse diesseits des Ziels fallen und beobachtet werden können. —

Bei dem Unterrichtsschießen pflegt man das Trefferresultat nach den einzelnen Schüssen, oder Lagen, dem Schützen anzuzeigen. Zu dem Ende befindet befindet sich seitwärts der Scheibe in gedeckter Stellung der Anzeiger-Trupp, welcher sich eines bestimmten Signal-Systems bedient. Gewisse Vorsichtsmaßregeln sind nothwendig, um Unglücksfälle beim Anzeigen (in Folge unzeitig abgegebener Schüsse ꝛc.) zu vermeiden. Je nach dem Grade der Ausbildung und Befähigung pflegt man die Schützen in verschiedene Schießclassen zu theilen, deren Unterricht getrennt von einander erfolgt. Die preußische Infanterie hat für die Mannschaften deren drei. Mit der dritten Classe beginnt jeder Anfänger und kann erst nach Erfüllung gewisser Bedingungen in Bezug auf Leistungen im S. in die zweite übertreten. In den beiden niederen Classen erfolgt die Ausbildung der Masse, während in der ersten Classe besonders befähigte Leute zu höheren Leistungen herangezogen werden. In jenen wird außer den elementaren Uebungen das S. im sectionsweisen Tirailliren gegen mannsbreite Scheiben, sowie das Salvenfeuer gegen Colonnen-Scheiben geübt. Die besseren Schützen schießen auch gegen überraschend erscheinende Ziele und üben das Anschleichen und S. auf einzelne Zielobjecte im coupirten Terrain, sowie das S. auf weitere Entfernungen. Mit den Classen steigern sich die zu erfüllenden Bedingungen. Offiziere und Unteroffiziere sind nicht in die Schießclassen eingetheilt, sondern in besondere Abtheilungen getheilt. Die beste derselben hat noch schwerere Bedingungen zu erfüllen, als die erste Schießclasse der Mannschaften.

Wird beim S. aus Handfeuerwaffen, abgesehen vom Treffen der Scheibe überhaupt, dem Treffen bestimmter Punkte derselben, namentlich auf den nähern Entfernungen, Aufmerksamkeit geschenkt, so spricht man vom Fleckschießen. Dasselbe wird besonders bei der preußischen Armee gepflegt, wo überhaupt auf das S. seit Einführung des Zündnadelgewehrs ein ungemeiner, in neuester Zeit noch gesteigerter Werth gelegt wird und Offiziere, wie Mannschaften in der Schieß-Ausbildung eine hohe Stufe erlangt haben. Das S. selbst unterliegt hier einer scharfen Controlle. Jede Compagnie führt ein Schießbuch, in welches die Resultate jedes einzelnen Mannes gewissenhaft eingetragen werden. Außerdem wird für jeden Schützen ein kleines Schießbuch angelegt. Compagnien, wie Bataillone reichen alljährlich Schieß-Berichte ein. — In Frankreich schenkte man bisher weder der sorgfältigen Ausbildung des Einzelnen, noch dem Fleckschießen Aufmerksamkeit, sondern begnügte sich mit der Einübung des Massenfeuers gegen große Scheiben. — Das alljährlich zum Scheibenschießen gelieferte Munitionsquantum beträgt in Preußen pro Offizier und Mann bei der Infanterie 100, bei den Jägern 125 Patronen; außerdem wird ein Theil des verschossenen und wieder aufgefundenen Bleis (bei der Infanterie das gesammte) in Munition vergütet. Für den Zündnadelkarabiner werden jährlich 40, für die Pistole 15 Patronen gut gethan.

Bei den Schießübungen der Artillerie ist ein besonderer Werth darauf zu legen, daß die Distancen durch die Offiziere jedesmal geschätzt werden und die Art der Beobachtung der Schüsse in ähnlicher Weise, wie beim Ernstgebrauch erfolgt. In Preußen findet seit 1868 nur das elementare Scharfschießen auf abgemessenen Entfernungen und mit Signalisiren der Wirkung statt, alles kriegsmäßige Schießen aber ohne diese Hülfsmittel.

Zur Belebung des Eifers werden häufig für gute Leistungen im S. Auszeichnungen in Form besonderer Abzeichen — Schießauszeichnungen, sowie Schießprämien in Gelde gewährt. Ein behufs Austheilung von Auszeichnungen oder Prämien abzuhaltendes S. wird Prämien-Schießen genannt. — Ueber Versuchsschießen s. Schießversuche. Ein Gewehr schießt Strich,

wenn die Schüsse der Seite nach zusammenhalten, also eine geringe Seitenstreuung stattfindet. — Ueber Schießschulen f. d.

Literatur. Außer dem älteren Werk v. Restorff, „Theorie des Schießens,
mit besonderer Beziehung auf die gezogenen Handfeuerwaffen", Berlin 1855,
vergl. in Bezug auf Handfeuerwaffen noch die Preußische „Instruction über das
Scheibenschießen der mit Zündnadel-Gewehren bewaffneten Infanterie-Bataillone", Berlin 1864. v. Goddenthow, „Der rationelle Betrieb der Zielübungen
und die Ausbildung des Unteroffiziers zum Schießlehrer", Cöln 1867. Meinecke,
„Die neueste franz. Schieß-Instruction rc.", Thorn 1870. Artilleristischer
Natur: v. Schleich, „Anleitung zum Schießen und Werfen", für Geschütz-
Commandanten rc., München 1869. Prehn, „Ueber das Schießen aus gezogenen
Feldgeschützen", Berlin 1867. „Anleitung zur Correctur beim Schießen aus
gezogenen Geschützen" (auf dienstliche Veranlassung), Berlin 1869. „Directiven
für die Schießübungen der Artilleriebrigaden" (kgl. pr.), Berlin 1870.

Schießgewehr, f. Handfeuerwaffen.

Schießlöcher (franz. creneaux), Oeffnungen in Holzwänden und Mauern
zur Kleingewehrvertheidigung, f. Scharte.

Schießlager, bei Laffeten das eigentliche Schildzapfenlager, in welchem das
Rohr beim Schießen ruht, im Gegensatz zu dem bisweilen vorhandenen 2. oder
Marschlager. Letzteres nimmt alsdann das Rohr bei Transporten auf und
kommt nur bei Laffeten für schwere Röhre vor. Dasselbe liegt dem Vorderwagen näher, eventuell tiefer, als das Schießlager, und bezweckt, die Last mehr
auf beide Achsen zu vertheilen und die Stabilität des ganzen Fahrzeugs zu erhöhen.

Schießpapier, ein durch Behandlung von Papier mit Salpeter und
Schwefelsäure dargestelltes Nitrat, 1846 durch Seguier in Frankreich präparirt,
aber nicht zu Bedeutung gelangt.

Schießplatz ist das zu Schießübungen bestimmte Terrain, beim Schießen aus
Handfeuerwaffen auch Scheiben- oder Schießstand genannt, gewöhnlich ein
schmaler langer Terrainstreifen, während die S.e der Artillerie mehr nach allen
Richtungen ausgedehnt sind. Die Lage eines S.es muß so gewählt sein, daß
die zu weit gehenden Geschosse auf keine belebte Communication oder bewohnten
Ort treffen, und überhaupt der gefährdete Raum leicht abgesperrt werden kann.
Am günstigsten ist es, wenn in der Verlängerung der Schußrichtungen uncul-
tivirtes, oder Wald-Terrain liegt, so daß durch die Abhaltung der Schießübungen
keine Feldarbeit gestört wird und keine zu erheblichen Flurbeschädigungen angerichtet werden. Um das Weitergehen der Geschosse zu beschränken, legt man,
wo es nöthig und angänglich, hinter den Zielen Kugelfänge an. Auf den
Scheibenständen sind die Entfernungen genau abgemessen und markirt, Sicherheits-
Stände für das Beobachtungs-Personal angelegt. — Bei den vergrößerten
Tragweiten der heutigen Feuerwaffen haben die Schwierigkeiten, passende S.e
zu erwerben, erheblich zugenommen.

Schießpräparate, f. v. w. Treibmittel, f. d., sowie Pulver, Schießbaumwolle.

Schießprobe, Anschießen, Beschießen von Geschützröhren, Laffeten,
Handfeuerwaffen, bezweckt, die gute Beschaffenheit, namentlich die Haltbarkeit
gegenüber den Einwirkungen des Schießens, bei den betreffenden Gegenständen
festzustellen. Man unterscheidet die gewöhnliche S. mit der gewöhnlichen
oder etwas vermehrten Ladung und gewöhnlichem Geschosse, und die Gewaltprobe bei welcher sowohl die Ladung, als der Widerstand der Vorlage erheblich
gesteigert sind und das Fabrikat bis nahe den Grenzen seine Leistungsfähigkeit
angegriffen wird. Die Gewaltprobe kann nicht mit allen Exemplaren einer
Lieferung vorgenommen werden, weil sie den Keim der Zerstörung hinterläßt,
sondern bezieht sich nur auf einzelne ausgewählte Stücke; ihr Ausfall ist dann
für die ganze Lieferung entscheidend. Vergl. auch Untersuchung.

Schießpulver, s. Pulver, Bd. VII., S. 256.

Schießscharte, s. Scharte.

Schießschule ist ein Central-Institut, welches den Zweck hat, die Ausbildung guter Schießlehrer, eventuell auch Schützen, für eine Armee zu befördern und einen einheitlichen methodischen Betrieb des Schießens in derselben herbeizuführen. Außerdem erfüllen die S.n die Aufgabe, zur Vervollkommnung der in einem Heere eingeführten Feuerwaffen und ihrer Munition beizutragen, und stehen den technischen Comité's behufs Erprobung von fremdländischen Waffen, von Verbesserungsvorschlägen und neuen Constructionen in dem betreffenden Gebiete zur Disposition. — Das Bedürfniß zur Errichtung von S.n entsprang aus der Annahme der verbesserten Feuerwaffen der Neuzeit, deren Vorzüge erst durch eine gründliche Ausbildung des Personals und einen rationellen Gebrauch zur vollen Geltung kommen. — Die S.n zerfallen in solche für Infanterie und für die Artillerie; erstere existiren bereits in allen größeren Armeen, so für Preußen und das deutsche Heer, excl. Baiern, die Militair-Schießschule zu Spandau (s. weiter unten), für Baiern eine Militair-Schießschule in Augsburg (seit 1872), für Oesterreich-Ungarn die Armee-Schützenschule zu Bruck (s. Oesterreich-Ungarische Monarchie Bd. IV, S. 373), für Rußland die S.n zu Woltowo-Pole und Krasnoi-Selo, für Frankreich bisher im Lager zu Chalons, für England in Hythe, für Spanien in Pardo bei Madrid, für die Niederlande in Haag, auch in Italien wurde neuerdings eine S. errichtet. Artillerie-Schießschulen existiren bis jetzt nur im Deutschen Reich und in Großbritannien (s. weiter unten).

Eine S. besteht aus einem Stamm und dem auszubildenden Personal, welches in einem bestimmten Turnus wechselt. Zum Stamm gehört zunächst ein Director mit seinem Hülfs-Personal, sodann das Lehrer-Personal, außerdem sehr häufig ein permanentes Commando von Offizieren, Unteroffizieren und Mannschaften. Das auszubildende Personal bilden entweder lediglich Offiziere, oder auch Unteroffiziere, sowie Mannschaften. Gewöhnlich durchläuft nur eine nach Qualification ausgewählte Anzahl von Individuen den Cursus der S., welche die hier gewonnenen Anschauungen und empfangenen Lehren auf die Truppen übertragen. — Es ist nicht ausgeschlossen, die S. auch mit einem andern militairischen Institut zu verbinden.

Artillerie-Schießschulen: 1) die Preußische zu Berlin (vergl. auch die kurze Andeutung in Bd. I, S. 242.) wurde 1867 errichtet, nachdem die Erfahrungen des Krieges von 1866 die Nothwendigkeit einer gründlicheren Ausbildung der Artillerie im Schießen mit den gezogenen Geschützen ersichtlich gemacht hatten. Die S. steht unter dem Präses der Artillerie-Prüfungs-Commission und hat als Stamm: 1 Stabsoffizier mit 1 Adjutanten als Director, 4 Offiziere als Lehrer, das nöthige Bureau- und Verwaltungs-Personal, die Lehrbatterie mit 4 Offizieren, 83 Unteroffizieren und Gemeinen, 48 Pferden, 4 bespannten Geschützen, die (Festungs-) Lehr-Compagnie mit 2 Offizieren, 65 Unteroffizieren und Gemeinen. Mit der S. ist eine Versuchs-Compagnie mit 4 Offizieren, 92 Unteroffizieren und Gemeinen verbunden. Das wechselnde Commando besteht aus 1 Hauptmann oder Lieutenant u. 1 Unteroffizier jedes Feld- und Festungs-Regiments. In der Zeit vom 1. October bis 14. Februar und vom 16. Februar bis Ende Juni finden alljährlich 2 Curse statt. In der übrigen Zeit nimmt der Stamm an den Schießübungen, resp. auch Feldmanövern der Garde-Artillerie-Brigade Theil. 2) Die Englische, in Shoeburyneß, steht unter 1 Oberst als Director, welchem 3 Stabsoffiziere, 2 Capitains als Instructoren, 2 Capitains für die Versuche, sowie 1 Adjutant zur Seite stehen; das permanente Commando zählt 50 Mann. Sämmtliche Artillerie-Offiziere durchlaufen die S., nach Absolvirung der Militair-Academie zu Woolwich. Man unterscheidet einen langen Cursus von 15 Monaten und einen kurzen von 3 Monaten, ersterer für 25 besonders ausgewählte Offiziere, letzterer ähnlich wie in Preußen für Offiziere und Mannschaften. Der lange Cursus schließt einen technischen von 3 Monate Dauer zu Woolwich in sich. Aus denjenigen Offizieren, welche den langen Cursus durchgemacht haben, gehen die Geschütz-Instructoren der Artillerie-Brigaden (jede Brigade hat einen) hervor; die besten Schüler haben auch Aussicht, zur höheren Artillerie-Classe in Woolwich zugelassen zu werden. — Die S. steht auch dem Artillerie-Comité zur Ausführung von Versuchen zur Verfügung.

Die Artillerie-S.n beider Armeen unterweisen auch in den übrigen Zweigen des speciellen Artillerie-Dienstes, wie Batteriebau und Handhabungs-Arbeiten. Ein theoretischer Unterricht geht mit dem practischen Hand in Hand.

Die Militair-Schießschule zu Spandau, ist aus der 1854 gebildeten Gewehr-Prüfungs-Commission hervorgegangen, welche mit dem 1. Januar 1861 zu Folge der Reorganisation der Armee eine Erweiterung erfuhr und von da ab den jetzigen Namen trägt. Nach 1866 mußte die Militair-S. abermals eine Ausdehnung erhalten, da sämmtliche Infanterie-Regimenter des Norddeutschen Bundes und Baden daran Theilnehmen sollten. Seit 1869 erstreckt sich die Theilnahme auch auf sämmtliche Jäger- und Schützen-Bataillone. Der Stamm — die Direction der S. bestand 1869 aus 1 Stabs-Offizier als Director, 4 Hauptleuten als Directions-Mitgliedern, 4 commandirten Premier-Lieutenants zur Dienstleistung, 4 dergl. als Assistenten, 1 commandirtem Lieutenant als Adjutant und Bureau-Chef, 1 Zahlmeister, 1 technischen Beamten, und als Unterpersonal: 4 Feldwebeln (zu den Feldwebelgeschäften der Compagnien während des Lehrcursus), 5 Sergeanten als Waffenmeister, Scheibenaufseher ꝛc., 1 Unteroffizier als Schreiber. Das Lehr-Commando belief sich damals auf 4 Lieutenants (dieselben haben schon einen früheren Cursus mitgemacht) als Hülfslehrer, 65 Lieutenants, 130 Unteroffiziere, 69 Offizierburschen auf 6 Monate, 266 Gemeine (incl. Handwerker) auf 5 Monate zur Absolvirung des Sommer-Lehrcursus, und 15 Unteroffizier, 152 Gemeine (incl. Handwerker und Burschen der Stamm-Offiziere) auf 1 Jahr, welche, nachdem sie den Sommer-Lehrcursus durchgemacht haben, als Winterstamm eine weitere Ausbildung erfahren, zur Unterstützung bei den Schießversuchen und als Hülfs-Personal beim nächsten Sommer-Cursus dienen. Seit 1871 ist das Lehrcommando noch um die Commandirten des 13. Armee-Corps (Württemberg) vermehrt worden. Je nach den vorliegenden Versuchen kann die Direction durch weitere commandirte Offiziere verstärkt werden. Die S. steht gegenwärtig unter der 1872 eingerichteten Inspection der Infanterieschulen, verkehrt aber in technischer Hinsicht unmittelbar mit dem Allgemeinen Kriegs-Departement (des Kriegsministeriums). Das Lehrcommando wird in 4 Compagnien getheilt, deren jede unter einem Hauptmann der Direction einem zu dem Zweck besonders einberufenen der Armee steht, außerdem 3 Lieutenants (2 von der Direction, 1 einberufenen) als Lehrer zählt. Der Compagnieführer hat besonders die ihm zugetheilten Offiziere des Commandos zu unterrichten, während die Ausbildung der Unteroffiziere dem ältesten Lieutenant der Compagnie obliegt. Die commandirten Mannschaften bilden das für die Unterweisung der commandirten Offiziere und Unteroffiziere erforderliche Material und werden selbst zu tüchtigen Schützen erzogen. Der Cursus für Offiziere und Unteroffiziere beginnt am 1. April jeden Jahres, für die Mannschaften 1 Monat später. Mit der practischen Unterweisung geht die theoretische Instruction Hand in Hand. Am 1. October erfolgt die Auflösung des Lehrcommandos und die Formirung des Winterstamms zu einer Compagnie. — Pro Kopf des Lehrcommandos sind durchschnittlich 1000, des Winterstamms 500 Patronen ausgesetzt. — Vergl. Walleiser, „Die Königliche Militär-Schieß-Schule zu Spandau." Berlin 1869.

Schießtafel, s. **Schußtafel.**

Schießübung, s. **Schießen.**

Schießversuche finden einerseits zur Erprobung neuer Constructionen von Schußwaffen oder deren Munition, andererseits zur Ermittelung der Widerstandsfähigkeit eines Deckungsmittels statt. Um über die Leistungsfähigkeit einer neuen Schußwaffe keiner Täuschung zu unterliegen, muß man dieselbe unter möglichst der Wirklichkeit angepaßten Verhältnissen prüfen, so namentlich auch in den Händen der Truppen selbst. Die Anordnungen zu den S.n gehen von technischen Comités aus, welche auch die gewonnenen Resultate zu begutachten und nutzbar zu machen haben. — In der neuesten Zeit ist die Aufmerksamkeit namentlich auf die S. gegen Schiffs-Panzerungen gerichtet.

Schießwoll-Batterieen, auf die Verwendung der verbesserten Lenk'sche Schießbaumwolle (s. d.) basirt, wurden 1862 in Oesterreich errichtet und dabei zugleich ein neues Rohrsystem (gezogene Vorderlader mit Keilbohrung) für die Feld-Artillerie angenommen. Das ganze System verdankt ebenfalls dem Baron Lenk seine Entstehung. Schon um 1854 hatte man sich zur Einführung der Schießbaumwolle bei Geschützröhren entschlossen, und hatte Lenk einen glatten 12 Pfünder zu diesem Zweck construirt. Den Verhältnissen der Schießbaumwolle entsprechend hatte dieses Rohr im hintersten Theil große, nach vorne beträchtlich verringerte Metallstärken, eine Kammer, halb so großen Spielraum wie sonst, 8 Kaliber Seelenlänge.

Die Röhre der S. (aus Bronce) waren relativ kürzer als die gewöhnlichen Geschützröhre (Seele etwa 13¾ Kaliber lang) und von geringerem Gewicht, das 4 pfdge. 210, das 8 pfdge 434 Kilogr schwer, sollten indeß im Nothfall gleichzeitig zum Gebrauch des Pulvers geeignet sein. Der Spielraum war erheblich reducirt. Die Geschützladung betrug beim 4 Pfünder 136 und 52 Gramm auf ein Gewicht der Granate von 3,8 Kilogr., die Sprengladung der letzteren war 52 Gramm; beim 8 Pfünder betrug die Geschützladung 250 und 78 Gramme, auf ein Gewicht der Granate von 6,8 Kilogramm, Sprengladung 123 Gramm; außer den Granaten gab es Brandgranaten, Shrapnels und Büchsenkartätschen. Die Patronen waren aus gedrehter Schießwolle gebildet, welche auf einer hohlen konischen hölzernen Spule aufgewunden war, und befanden sich in einem wollenen Säckchen. Der 4 Pfünder des Materials 1863, mit welchem man gänzlich zum Pulver zurückkehrte, hat, bei demselben Granatgewicht, wie das gleiche Kaliber der S., Geschütz-Ladungen von 510 und 178 Gramm, eine Sprengladung von 195 Gramm Pulver, das Rohr 1863 ist um 51 Kilogr., die Laffete um 46,8 Kilogr. schwerer als die entsprechenden der S.n waren. — Vergl. einen ausführlichen Aufsatz in Oestr. Militär-Zeitschrift, III. Bd., 1862.

Schiff, s. **Fahrzeug,** Bd. III., S. 366 und **Panzer,** Bd. VII., S. 17.

Schiff- oder **Ponton-Brücke,** s. **Brücke,** Bd. II., S. 235 und **Pontons,** Bd. VII., S. 171.

Schifffahrtskunde (Nautik) und **Schifffahrtsschulen,** s. u. **Navigation,** Bd. VI., S. 214.

Schiffsbau, findet auf den sogenannten **Werften** (arsenal de construction) statt, welche natürlich in einem Hafenplatz liegen. Kriegsschiffe werden sowohl auf **Kriegswerften** — ausschließlich zu diesem Zweck bestimmten Anlagen, oder auch auf **Privatwerften** gebaut. Der Ausbau des Schiffskörpers erfolgt auf geeigneten Ebenen — **Hellinge,** auch **Stapel** genannt; ist der Schiffskörper bis zur Ausrüstung fertig, so wird das Schiff vom Stapel gelassen und schwimmt von da ab bis zur vollen Fertigstellung bereits im Wasser. Die Ausbesserung von Schiffen unterhalb der Wasserlinie erfolgt in

den zu den Werften gehörigen Docks (s. d. Bd. III., S. 243). Ein gut do-
tirtes Werft enthält auch alle zur Herstellung der Schiffstheile nothwendigen
Werkstätten. — Schiffsbaukunst ist die Kunst, den einzelnen Theilen
eines Schiffs die gehörige Construction und Verbindung unter einander zu
verleihen. Die Leiter des Schiffsbaues heißen Schiffsbaumeister. Vergl.
Fahrzeug, Panzer, Werft.

Schiffskanonen, s. Geschütze (Marine-Geschütze), Bd. IV., S. 197 ff.
Schiffslaffeten (Raperte) s. Rollpferd, vgl. Laffete.
Schiffsschraube (Propeller-Schraube), s. Schraube.

Schild, 1) tragbare Schutzwaffe von Holz, Leder oder Metall, im Alterthum und Mittelalter zur Sicherung gegen die Angriffswaffen und zum
Pariren bestimmt. Der S. wurde mit dem linken Arm gehandhabt; seinem
Umfang nach sicherte er entweder bloß Hand- und Unterarm — und hieß dann
im Mittelalter Tartsche, — oder den ganzen Oberkörper (1—1¼ Meter
breit, 60—90 cm. hoch), oder wurde endlich vor der Front aufgepflanzt,
um dahinter gedeckt die Schußwaffe zu gebrauchen — Setz-Tartsche. Tartsche
überhaupt bedeutet immer einen viereckigen S.; im Gegensatz dazu findet man
auch den kreisrunden und den ovalen S. Der S. schmiegt sich insofern
dem Körper an, als er diesem zugekehrt concav gestaltet zu sein pflegt. Die
so dem Feinde zugewendete convex gekrümmte Fläche beförderte das Abprallen
der Geschosse ꝛc. — Bei den Griechen hatte das schwerbewaffnete Fußvolk den
großen S., ὅπλον (daher Hopliten), und das mittlere den kleineren
runden S. (von etwa 60 cm. Durchmesser), aus lederüberzogenem Holz,
πέλτη (daher Peltasten). Die Römer unterschieden den runden und kleinen
S., ganz von Metall, in der Mitte mit einem Knopf versehen, clipeus, parma,
und den größeren, viereckigen, zuweilen mit abgestumpften Ecken, von Holz, mit
Kalbsfell überzogen und mit Metall beschlagen, scutum. Die Reiterei führte
meist die erstere Gattung. — Die S.e der Ritter waren gewöhnlich in Gestalt eines gewölbten, langschenkligen Dreiecks, mit der Spitze nach unten ge-
kehrt, und überragten die halbe Mannshöhe (Gewicht 5 bis 10 Kilogr.). Der
gemeine Mann führte im Mittelalter den kleinen runden S. — Im S.e trug
man schon im Alterthum das Schildzeichen, durch welches entweder ein einzelnes Geschlecht oder ein ganzes Volk gekennzeichnet wurde. Im Mittelalter
wurde dies weiter ausgebildet — Schildbilder, woraus später die Wappen
entstanden. Oft waren die S.e kunstvoll verziert (in der homerischen Zeit S.
des Achilles); der S. gehörte überhaupt zu den Ehrenwaffen und sein Verlust
galt für eine Schande. Im Alterthum wurden die zu Feldherrn, Herrschern
erwählten Personen auf den S. erhoben. — Vgl. weiter Ritter, S. 13
und Schutzwaffen. 2) Soviel wie Schildmauer, s. b. 3) S. aus starkem Schmiedeeisen. — Panzerschild zur Deckung von Mauern gegen die
Wirkung der feindlichen Geschosse, vergl. Schumanns Panzerstand.
4) S. aus Stahlblech, auf der oberen Fläche eines Geschützrohrs auf-
rechtstehend angebracht, um die richtende Nummer gegen Gewehrfeuer zu sichern;
mit Visirschlitz. Der ganze Apparat heißt in Preußen Visirblendung.

Schilder, Karl Andrejewitsch, russischer Ingenieur-General, geb. um
1795 von deutschen Eltern in Petersburg, trat sehr jung in die russische Armee,
war bereits 1823 Oberst bei den Garde-Sappeuren, besaß die persönliche Gunst
des Kaisers Nicolaus, begleitete diesen 1828 auf den Kriegsschauplatz nach der
Türkei, leistete bei der Belagerung von Varna und bei dem Uebergange Diebitsch's über die Donau hervorragende Dienste, zeichnete sich 1831 in Polen
aus, leitete nach Unterdrückung des Revolutionskrieges theilweis den Bau der
großen Fortificationen, die in Polen errichtet wurden, übernahm 1849 als

Generallieutenant das Commando über ein Corps der Armee, welche die Oesterreicher bei der Bekämpfung des Revolutionskrieges in Ungarn unterstützte, wurde
dann zum Ingenieur-General ernannt, beim Ausbruch des Orientkrieges im
Herbst 1853 zur Donauarmee gesandt, leitete am 23. und 24. März 1854
den Uebergang der russischen Armee unter Paskiewitsch auf das rechte Donau-
ufer, darauf die Belagerungsarbeiten vor Silistria, wurde hier am 13. Juni
bei Besichtigung der Laufgräben durch eine Kanonenkugel am Bein schwer verwundet und starb in Folge der Amputation am 24. Juni 1854. S. hat sich
namentlich durch Umgestaltung des Geniewesens große Verdienste um die russische Armee erworben; auch beschäftigte er sich mit Erfindungen zur Zerstörung
von Kriegsschiffen, mit Herstellung von Taucherschiffen ꝛc.

Schilderhaus, ein kleines, transportables, von Bretern gefertigtes, meist
mit den Landesfarben angestrichenes Haus zum Aufenthalt der Schildwachen
bei üblem Wetter. Im Felde wird es häufig aus Stroh oder Zweigen hergestellt.

Schildmauer, auch Stirn- oder Frontmauer, die vordere Abschlußmauer
einer Perpendicular-Kasematte, s. Kasematte, Bd. V., S. 153.

Schildwache (Schildwacht) hieß im Mittelalter die die Schilde oder
Waffen einer ruhenden Truppenabtheilung bewachende Mannschaft; diese Be-
zeichnung ging dann auch in die neuere Zeit auf die Wacht-Posten (s. u.
Posten, Bd. VII., S. 181 und Wachtdienst) über.

Schildzapfen, kurze cylindrische Angüsse zu beiden Seiten eines Geschützrohrs, entweder in der Mitte (Rohrgeschütze), oder am hinteren Ende stehend,
bilden die Drehachse des Rohrs behufs einer von der Laffete unabhängigen
Verticalbewegung, welche das Nehmen der Höhenrichtung erleichtert. Die
Stelle, wo sie aus dem Rohrkörper heraustreten, ist durch die Schildzapfen-
scheiben verstärkt. Schildzapfenlager ist das Lager für die S. in den
Laffetenwänden; wenn letztere aus Holz, so wird es durch Schildzapfen-
pfannen (von Schmiedeeisen) verstärkt. Vgl. weiter Kanonen und Mörser.

Schildzapfen-Quadrant hat die Einrichtung eines Pendel-Quadranten
(s. Quadrant, Bd. VII., S. 267) und befindet sich an der Außenfläche
eines Schildzapfens angebracht. Es ist dies eine neuere Vorrichtung zum Nehmen der Höhenrichtung, von welcher man nur bei Geschützrohren großen Kalibers Gebrauch macht.

Schilfschlagröhre, s. Schlagröhre.

Schill, Ferdinand Baptist von, preußischer Major, bekannt als kühner
Parteigänger, geb. 1776 in Wilmsdorf bei Dresden (nicht 1773 in Saithof bei
Pleß in Oberschlesien, wie irrthümlich bisweilen angegeben), von wo sein Vater,
der das dortige Rittergut besaß, früher österreichischer und sächsischer Partei-
gänger gewesen war, 1778 aber während des Baierschen Erbfolgekrieges als
Oberstlieutenant in preußische Dienste trat, 1780 nach Saithof übersiedelte.
Der junge S. trat frühzeitig in die preußische Armee, war 1806 Lieutenant
im Dragoner-Regiment Ansbach-Baireuth, wurde bei Auerstädt verwundet und
versprengt, gelang nach Kolberg in Pommern, wo er nach seiner Genesung ein
Freicorps errichtete, um mit demselben zunächst die königlichen Kassen ꝛc. der
Provinz vor der französischen Brandschatzung nach Kolberg zu retten. Mit
vieler Mühe erhielt er von dem altersschwachen Commandanten Loucadou zwei
Dragoner aus dem Regiment Ansbach-Baireuth bewilligt, denen sich dann aber
bald noch andere Freiwillige anschlossen. Als Loucadou die nie ohne günstigen
Erfolg unternommenen Streifzüge untersagte, wandte sich S. an den König
selbst und erhielt auch von diesem die Erlaubniß zur Gründung eines größeren
Freicorps. Dasselbe wuchs nun in kurzer Zeit zu drei Escadrons Husaren,
einer Compagnie reitender Jäger und einem Bataillon Infanterie von 400 M.,
insgesammt gegen 1000 M. mit drei Geschützen an, mit denen S. auf der

Insel Wollin an der Odermündung festen Fuß zu gewinnen versuchte, um von hier aus im Rücken der Franzosen zu operiren. Er wurde indeß von dem zur Belagerung von Kolberg heranziehenden französischen Corps zurückgedrängt und genöthigt, sich unter den Schutz der Festung in das Hölzchen Maikuhle zurückzuziehen, wo er sich verschanzte. Seiner und des Bürgers Nettelbeck Mitwirkung ist es wesentlich zuzuschreiben, daß es dem Major Gneisenau, welcher am 29. April 1807 das Commando in Kolberg übernahm, gelang, die Festung bis zum Tilsiter Frieden zu halten (vgl. Kolberg, Bd. V., S. 185). Mittlerweile zum Rittmeister avancirt, wurde S. nach dem Frieden zum Major befördert und erhielt das Commando über das aus seiner Cavalerie neu errichtete 2. Brandenburgische Husaren-Regiment, mit welchem er 1808 unter dem Jubel der Bevölkerung in Berlin einzog. Unter dem Einflusse des Tugendbundes faßte er den Plan, bei nächster günstiger Gelegenheit in das von Napoleon gegründete Königreich Westfalen einzufallen, um in ganz Deutschland den Anstoß zu einer allgemeinen Erhebung gegen die Franzosen zu geben. Als nun am 15. April 1809 Oesterreich den Krieg an Napoleon erklärte, entschloß er sich sofort, seinen Plan auszuführen. Schon am 28. April zog er ohne Vorwissen des Königs (angeblich zu einer Felddienstübung) mit seinem Regimente aus Berlin und theilte erst beim ersten Halt seinen Offizieren den von ihm gefaßten Entschluß mit; alle stimmten ihm einmüthig bei. Nachdem S. mit dem Regiment bei Wittenberg über die Elbe gegangen war, überfiel er Köthen, nahm am 3. Mai Halle und am 4. Mai Bernburg, wo er jedoch die Nachricht von den Niederlagen der Oesterreicher in Baiern (bei Regensburg) und von dem Scheitern des Aufstandsversuchs Dörnberg's (s. d.) erhielt und sich daher entschloß, nach Mecklenburg und Pommern sich zurückzuziehen, um von da nach England zu gehen. Nachdem er am 5. Mai bei Dodendorf unweit Magdeburg eine gegen ihn heranziehende westfälische Abtheilung zurückgeschlagen hatte, ging er nach der Altmark und bezog hier Cantonnements, um Verstärkungen abzuwarten, während sich feindlicher Seits in Hannover ein holländisches Corps unter General Gratien und in Holstein ein dänisches Corps unter General Ewald zusammenzogen. Als am 12. Mai ein Theil seines leichten Bataillons, das ihm von Berlin aus nachmarschirt, zu ihm gestoßen war, überrumpelte er das kleine mecklenburgische Fort Dömitz an der Elbe, versuchte sich dort festzusetzen, zog sich aber vor den anrückenden Westfalen und Holländern über Wismar und Rostock nach Stralsund (damals Schwedisch-Pommern) zurück, stellte die vernachlässigten Festungswerke wieder her und bot die pommersche Landwehr auf, so daß er sein Corps auf 2000 Mann brachte. Am 31. Mai griff der Feind über 6000 M. stark die heldenmüthig vertheidigte Stadt an, drang in dieselbe ein und machte den größten Theil des Corps nieder. S. selbst fiel ebenfalls nach verzweifelter Gegenwehr und nachdem er bereits mehrfach verwundet, dem holländischen General Carteret getödtet, von einer Flintenkugel getroffen. Nur ungefähr 150 Husaren unter Lieutenant v. Brünnow gelang es, sich durchzuschlagen; sie wurden in Preußen unter dem Druck der damaligen Verhältnisse von einem Kriegsgericht zu Festungsstrafe und Cassation verurtheilt. Die in Stralsund und bei Dodendorf gefangenen Offiziere (zusammen zwölf) wurden von den Franzosen nach Wesel gebracht und dort auf Napoleon's Befehl erschossen. Im J. 1835 setzte denselben die preußische Armee daselbst ein Denkmal. S.'s Leichnam wurde, von Wunden gänzlich entstellt und nur mit Mühe erkannt, in Stralsund beerdigt; der Kopf dagegen in Weingeist gesetzt und dem berühmten Professor der Anatomie Brugmans in Leyden zugesandt, obgleich der König Jérôme von Westfalen einen Preis von 10,000 Franken auf dessen Auslieferung gesetzt hatte. Nach Brugmans' Tode kam derselbe 1819 in das anatomische Museum der Universität

zu Leyden, 1837 aber von dort nach Braunschweig, wo er mit der Asche von
vierzehn seiner 1809 dort von den Franzosen erschossenen Offiziere unter einem
großartigen Monument auf dem Exercierplatze beigesetzt wurde. In Stralsund
wurde ihm an der Stelle, wo er gefallen, am 31. Mai 1859 eine Gedenk-
tafel und im April 1862 auf seinem Grabe ein Denkmal errichtet. Vgl. Hafen,
"Leben F. von S.'s", Leipzig 1824, 2 Bde.; Heinrich Döring, "S.'s Leben",
Barmen 1838; Bärsch, "Ferd. v. S.'s Zug und Tod im J. 1809", Leipzig
1860, 2 Bde., n. Aufl. 1870. Rud. Gottschall hat seinen Zug und Tod
dramatisch bearbeitet ("Ferdinand v. S.", Hamburg 1850).

Schimpf, Bernhard von, sächsischer General der Infanterie, geb. 1809
in Neuenhofen bei Neustadt a. d. O., trat 1826 in das Cadettencorps zu
Dresden, wurde 1828 Lieutenant, 1847 Hauptmann, wohnte im Mai 1849
dem Straßenkampf in Dresden mit Auszeichnung bei, wurde 1850 zum Major
befördert, in demselben Jahre in den Generalstab und bald darauf als Abtheilungs-Chef in das Kriegsministerium versetzt, in welcher wichtigen Stellung er
1853 zum Oberstlieutenant und 1856 zum Oberst avancirte. Im J. 1859
erhielt er das Commando der Jäger-Brigade in Leipzig, wurde 1861 zum
Generalmajor und im Dec. 1863 zum Commandanten der auf Bundesbeschluß
nebst hannoverschen Truppen nach Holstein marschirenden sächsischen Armee-Brigade
ernannt. Den mannichfaltigen Schwierigkeiten, mit denen die sächsischen Truppen
in Holstein zu kämpfen hatten, wußte S. stets mit Würde und weiser Mäßigung
zu begegnen. Nach Rückkehr der Executionstruppen im December 1864 übernahm
S. wieder das Commando der Jäger-Brigade. 1865 wurde er als Commandeur
der 1. Infanterie-Division nach Dresden berufen und führte dieselbe, nachdem er
im April 1866 zum Generallieutenant aufgerückt war, während des Feldzuges
in Oesterreich mit ausgezeichneter Umsicht und Ruhe. Die Division S. stand
während des Gefechtes bei Gitschin in einer Aufnahmestellung südlich der Stadt.
Bei Beginn der Schlacht von Königgrätz befand sich dieselbe bei Nechanitz und
zwar zum Theil auf Vorposten. Später kämpfte sie bei Problus und Prim.
Nachdem infolge des Friedensschlusses die bisherige 1. Infanterie-Division als
2. Infanterie-Division Nr. 24 dem Norddeutschen Heere zugetheilt worden war,
wußte der General mit der ihm eigenen Frische des Geistes sich in die neuen
Verhältnisse zu fügen, bis er im Mai 1869 unter Ernennung zum General
der Infanterie in den Pensionsstand trat.

Schirren, das Auflegen des Geschirres auf Zugpferde, wichtiger Uebungs-
zweig für Feld-Artillerie und Train.

Schischkow, Alexander Semnowitsch, russischer Admiral und Unterrichts-
Minister, geb. 1754 in Petersburg, wurde seit 1761 im Seecadettencorps daselbst erzogen, machte als Marine-Offizier zahlreiche Seereisen, trat später zwar
aus dem activen Marinedienst, avancirte aber bis zum Admiral fort, wurde
1812 Reichssecretär, 1820 Mitglied des Reichsrathes, 1824 Minister des
Oeffentlichen Unterrichts und Generaldirector der Geistlichen Angelegenheiten aller
in Rußland geduldeten (nichtgriechischen) Confessionen, trat 1828 vom Ministerium
zurück, beschäftigte sich dann vorzugsweise schriftstellerisch und starb im April
1841. Er schrieb: "Die Marinewissenschaft", Petersb. 1795, 2 Bde.; "Marine-
wörterbuch" (englisch-französisch-russisch), Petersb. 1795, 2 Bde.; "Sammlung
von Seejournalen", Petersb. 1800, 2 Bde.; "Kratkija zapiski pochoda 1812
goda" (Memoiren), Petersb. 1831; "Vergleichendes Wörterbuch in 200 Sprachen",
Petersb. 1823—38. Auch übersetzte er Tasso's "Befreites Jerusalem" und mehre
Schriften von Campe und Geßner ins Russische. Die von ihm als Reichssecretär
entworfenen, durch ihre stylistische Form ausgezeichneten Manifeste, Aufrufe, Ukase
und Rescripte erschienen in einer Sammlung, Petersb. 1816; seine "Gesammelten

Werke" in 14 Bänden, Petersb. 1823 f.; eine Auswahl seiner Briefe wurde nach seinem Tode veröffentlicht, Petersb. 1841.

Schlacht, geht — ähnlich wie aus einer Anzahl gleichzeitig und auf demselben Raum zu gleichem Endzweck erfolgender Kämpfe das Gefecht entsteht — aus einer entsprechenden Combination von Gefechten hervor. Ganz scharf läßt sich die Grenze zwischen beiden Begriffen nicht feststellen. Man pflegt beim Gebrauch des Wortes S. größere Truppenmassen (Armeen) als handelnd, andrerseits die Folgen derselben von Wichtigkeit für den Gang der Operationen, oder gar entscheidend für den Verlauf eines ganzen Feldzuges sich zu denken. In letzterem Falle handelt es sich um Haupt- und selbst Entscheidungs-Schlacht. Sind die Resultate weniger umfangreich, so spricht man von S. schlechtweg. 1866 war Königgrätz, 1870 waren Gravelotte und Sedan Hauptschlachten, Wörth nur eine S. überhaupt; 1866 Nachod, Skalitz, Schweinschädel, 1870 Weißenburg, Saarbrücken lediglich Gefechte. Je nach der zu Grunde liegenden Idee, dem Schlachtplan, ist die S. für den einen resp. andern Theil Angriffs-, resp. Vertheidigungsschlacht. Der Schauplatz einer S. wird Schlachtfeld genannt; die Ausdehnung desselben kann nicht größer sein, als daß die die S. ausmachenden Gefechte noch in einem gewissen Zusammenhang bleiben. Räumlich getrennt, aber in innerem Zusammenhang bilden zwei gleichzeitig erfolgende Schlachten eine Doppelschlacht, wie Jena und Auerstädt. — Ueber Seeschlacht s. Seetaktik. Schlachtrolle heißt die Liste über die Vertheilung des Schiffspersonals bei einer Seeschlacht.

Schlachtordnung, 1) die Anordnung für das Eingreifen der einzelnen Glieder des gesammten Heereskörpers in die gemeinschaftliche Action, wie sie nach der dem Schlachtplan zu Grunde liegenden Idee erfordert wird. S. umfaßt somit die Art und Weise, wie die die Schlacht ausmachenden Theilgefechte je nach ihrer Bedeutung combinirt sind. Zunächst hängt die S. damit zusammen, ob das Verhältniß der Offensive oder der Defensive vorliegt. Im ersten Falle entscheidet der gewählte Angriffspunkt. Als solcher können entweder eine oder beide feindliche Flanke, event. mit Bedrohung des Rückens, oder die Mitte der feindlichen Aufstellung dienen. Der Angriff gegen eine Flanke bedingt die Vornahme eines Flügels — des Angriffsflügels, das Verhalten des andern, somit entsteht die schiefe S. Der Angriffsflügel kann sich durch einen zurückgezogenen Haken gegen das Umfaßtwerden decken, oder durch einen vorgebogenen selbst den Rücken des Feindes bedrohen. (Beispiele der schiefen S. bieten die Schlachten bei Leuctra und bei Leuthen). Der Angriff auf beide feindliche Flanken giebt die doppelt schiefe S. oder das Umfassen des Feindes. Der Angriff gegen die Mitte oder das Durchbrechen giebt die keilförmige S. mit versagten Flügeln. In der Defensive handelt es sich darum, wie der Vertheidiger dem feindlichen Angriff entgegen zu treten beabsichtigt. Er kann einmal die Absicht hegen, dem Angriff gegenüber lediglich abwehrend sich zu verhalten, dies wird aber sehr selten der Fall sein, denn es setzt eine sehr schwere zugängliche Stellung voraus, deren Angriff dann überhaupt wenig Chancen hat. In der Regel wird der Vertheidigung die Idee zu Grunde liegen, den feindlichen Angriff durch einen eigenen zu paralysiren. Soll der letztere den Feind treffen, nachdem er in die Vertheidigungsstellung eingedrungen, so entsteht die S. mit innerem Offensivraum; soll der Angreifer vor der Stellung angegriffen werden, so spricht man von der S. mit äußerem Offensivraum. Der erstere Fall bedingt, daß die zur Ausführung des Gegenangriffs bestimmten Kräfte hinter der Mitte, der letztere, daß sie hinter den Flügeln der Vertheidigungsstellung placirt sind. (Vgl. Rüstow "Allgemeine Taktik", Zürich 1867). Bei Austerlitz z. B. überließ Napoleon I. den Verbündeten die Offensive gegen seinen schwachen rechten Flügel, brach dann selbst aus der Mitte vor, durchbrach das feindliche Centrum und warf sich so auf die rechte Flanke des feindlichen linken Flügels.

2) Die Art und Weise, wie größere taktische Körper zum Gefecht gegliedert sind, also im Sinne von Ordre de bataille (s. d. Bd. VI. S. 334). Historisches. Die S. der Griechen war die phalangitische, die Schwerbewaffneten bildeten ein volles Viereck, die Phalanx, deren Tiefe zwischen 8 bis 50 Gliedern variirt hat. Die Leichtbewaffneten waren vorn und neben der Phalanx aufgestellt und sollten den Kampf eröffnen. Die Reiterei war auf den Flügeln vertheilt. Die S. der Römer war eine treffenweise, siehe Acies (Bd. I. S. 32). Im Mittelalter kämpfte man in großen Haufen, die hinter einander aufgestellt, nach und nach in den Kampf eingriffen. Man sprach von Vorhut, Mitteltreffen und Nachhut. Diese Ordnung erhielt sich bis in die neuere Zeit. Gustav Adolf stellte die Infanterie brigadeweise in mehrere Treffen — schwedische Brigadestellung. Musketiere und Pikeniere waren so vertheilt, daß sie sich gegenseitig zweckmäßig unterstützen konnten. Die Reiterei, in Geschwader getheilt, wurde auf die Flügel disponirt. Sie stand ebenfalls in Treffen und wurde durch Musketier-Abtheilungen soutenirt. Ein Theil derselben war auch der Infanterie direct zur Unterstützung beigegeben. Die leichten Geschütze waren auf die Infanterie vertheilt, die schweren an wichtigen Punkten vereinigt. Aus der treffenweisen Aufstellung der Schweden entwickelte sich nun die S. der eigentlichen Lineartaktik. Die Infanterie steht in der Mitte der ganzen Aufstellung in zwei Treffen, jedes in Linie formirt, und zerfällt in einen rechten und einen linken Flügel; die Cavalerie steht auf beiden Flügeln, die Bataillonsgeschütze in den Intervallen der Infanterie, die Positionsgeschütze in Batterien vereinigt vor der Front. Die französ. Revolutionskriege warfen die Lineartaktik über den Haufen und entwickelten die Taktik der Colonnen und des zerstreuten Gefechts, und damit die Gliederung nach der Tiefe zur successiven Verwendung (siehe Ordre de bat.), jedes Glied in sich zum selbstständigen Auftreten befähigt. Die Infanterie-, resp. Cavalerie-Brigaden in sich sind noch immer treffenweise gegliedert, die Abstände der Treffen den heutigen Schußwaffen entsprechend größer. Die Infanterie-Brigade ist meist in drei Treffen, ein Bataillon in Compagnie-Colonnen als Avantgarde, 2—3 Bataillone in Halbbataillone gegliedert oder selbst in Compagnie-Colonnen als erstes, die übrigen 3 bis 2 Bat. als zweites Treffen in zusammengezogenen Compagnie-Colonnen. Aehnlich wie letzteres werden auch die eigentlichen Schlachtreserven formirt sein, solange sie dem feindlichen Geschützfeuer entzogen sind. Die Cavalerie-Brigade, in der Regel 3 Regimenter, hat meist 1 Regiment im ersten Treffen, jedes Regiment, solange es lediglich manövrirt, escadronsweise in Zug-Colonne, sonst in Linie, das in Reserve befindliche Treffen auch in Colonne in Escadrons. Die in Activität befindlichen Batterien sind vorherrschend auf den Flügeln derjenigen Schlachtkörper, zu welcher sie gehören, placirt, ohne daß indeß ein ängstlicher Anschluß an dieselben beobachtet wird.

Die bedeutende Wirkung der heutigen Feuerwaffen überhaupt hat indeß die Anwendung der Colonnen im wirksamen Waffenbereich des Gegners eingeschränkt; dies sowohl, als das Bestreben, die Wirkung des eigenen Infanteriegewehrs im vollsten Maße auszubreiten, drängen ein erneuertes Vorwalten der linearen Aufstellung im vorderen Treffen. Damit ist indeß keine Rückkehr zur Lineartaktik ausgesprochen; denn während die S. der Lineartaktik große, der Länge nach fest zusammenhängende Linien von geringer Widerstandskraft, welche, einmal durchbrochen, sich seitlich aufrollen ließen, repräsentirte, ist heutzutage mit der linearen zugleich die Gliederung nach der Tiefe combinirt, welche namentlich an den entscheidenden Punkten ein nachhaltiges Gefecht ermöglicht.

14*

Literatur. „Anleitung zum Studium der Kriegsgeschichte" von J. von H (ardegg), Darmstadt 1868. „Geschichte der Kriegskunst". von G. v. Berneck, Berlin 1867. „Entwickelung der Taktik von 1793 bis zur Gegenwart" von A. v. Boguslawski, Berlin 1869. Derselbe „Taktische Folgerungen", Berlin 1872. „Taktische Rückblicke auf 1866", Berlin 1869. „Rückblick auf die taktischen Rückblicke rc." von Bronsart von Schellendorf, Berlin 1870. „Militärische Gedanken und Betrachtungen über den Krieg 1870/71", Mainz 1871 rc.

Schlachtrolle, s. u. Schlacht.

Schlachtschütz (Slachcic), früher in Polen die Bezeichnung des Edelmanns im Gegensatz zu Bürger und Bauer.

Schlachtschwert hieß im Mittelalter ein großes, langes Schwert, welches im Kampfe meist mit beiden Händen geführt wurde.

Schlachtverband, der auf Kriegsschiffen im untern Raume, auf der sogenannten Kuhbrücke befindliche Ort, welcher als Ambulance für die im Gefechte Verwundeten dient.

Schlag, 1) eine kleine Pulverladung, welche durch ihre Explosion einen Knall hervorbringt, zu Kriegszwecken als Kanonenschlag ein Signalmittel bildend (f. Kriegsfeuer, Bd. V., S. 231). 2) Eine einzelne Linie einer Sappe (f. d., S. 157). 3) Ein abgegrenzter Walddistrict.

Schlägel, hölzerner Klotz, mit entsprechend langem Stiel, je nachdem der Gebrauch ein ein- oder zweihändiger sein soll, — zum Verdichten von Satz in der Kriegsfeuerwerkerei als Zünderschlägel, zum Eintreiben von Pfählen als Sappenschlägel (f. d.), Batterieschlägel (letzterer speciell zum Batteriebau) vorkommend.

Schlagfeder, der Motor eines Batterie-, wie eines Perkussionsschlosses, f. Schloß.

Schlagfertig ist eine Truppe, sobald sie die Gefechtsformation angenommen hat; schlagfähig, wenn sie überhaupt im Stande ist, sich zu schlagen; die Schlagfähigkeit geht z. B. durch ein verlorenes Gefecht häufig für eine gewisse Zeit verloren, während bei jeder Truppe nach einem Gefecht die Gesammtheit die Schlagfertigkeit aufgiebt und nur ein gewisser Theil — Vorposten, Avantgarde — völlig schlagfertig bleibt. — Die Schlagfertigkeit wird auch häufig als Eigenschaft eines gesammten Heeres vermöge seiner Organisation hingestellt, und ist das Kriterium derselben die Zeit, welche zum Uebergang aus dem Friedens- in den Kriegsstand — Mobilmachung — erforderlich ist. Die Schlagfertigkeit in diesem Sinne begründet sich namentlich auf das Vorhandensein von Cadres für sämmtliche, namentlich in erster Linie, fechtende Truppen (Feld-Armee), starke Cadres für diejenigen Waffengattungen, deren Mobilmachung schwierig ist (Cavalerie, Artillerie), ein streng durchgeführtes Territorialsystem, sodaß jeder Truppenkörper sich behufs Augmentation an Mannschaften, Pferden, Waffen aus nächster Nähe versorgen kann, Vorhandensein höherer Truppen-Verbände schon im Frieden und Beibehaltung derselben im Kriege, — ein günstig verzweigtes Eisenbahn-Netz, welches den strategischen Aufmarsch erleichtert. — Von allen derartigen Organisationen hat sich bis jetzt keine von solcher Schlagfertigkeit gezeigt, wie die preußische 1866, die preußisch-deutsche 1870/71.

Schlagloth, eine Legirung von Kupfer und Zink, strengflüssig, zum Löthen von Kupferblech benutzt, im Gegensatz zu dem leichtflüssigen Schnelllorh.

Schlagröhrchen, Schlagröhren, Zündröhren, sind Zündungen zur Entzündung von Geschützladungen, in Gestalt kurzer dünner Röhrchen, aus denen ein heftiger Feuerstrahl sich entwickelt. Je nachdem sie einen auf fulminanten Sätzen beruhenden Entzündungsapparat enthalten, welcher durch Reibung oder Schlag functionirt, oder durch Mittheilung des Feuers von außen her (gewöhnlich durch Lunte, f. d., Bd. V., S.

864) entzündet werden müssen, unterscheidet man Reib- oder Frictions- und Perkussions-Schlagröhren auf der einen, Lunten-Schlagröhren auf der andern Seite. Hieran reihen sich noch die auf einem chemischen Vorgang beruhenden schwedischen Zündröhren. — Im Gegensatz zu denjenigen Geschützzündungen, welche mehr eine Feuerleitung repräsentiren (Stoppinen), haben die S. eine kräftige Wirkung und werden deshalb namentlich bei Geschützen angewandt, deren Ladungen in Beuteln sich befinden, da es hier wünschenswerth ist, wenn der Feuerstrahl das Zeug durchschlägt, auch ohne daß dasselbe mittelst der Cartouchennadel vorher durchstochen ist. Das erste Vorkommen von S. fällt etwa in das Ende des 17. Jahrhunderts; solche mit fulminanter Entzündungsweise datiren erst aus dem gegenwärtigen. (Frictionsschlagröhren zuerst vom französischen Artillerie-Capitän Burnier angegeben.) Als Material zur Hülle der S. verwandte man früher Schilf oder Weißblech, neuerdings Kupfer- oder Messingblech, auch Federposen. — Bei den Luntenschlagröhren ist das Röhrchen mit verdichtetem Korn- oder Mehlpulver so gefüllt, daß in der Achse der Pulversäule ein Kanal bleibt, welcher einen rasch und heftig wirkenden Feuerstrahl befördert. Am obern Ende des Röhrchens ist eine Vorrichtung zur leichteren Aufnahme des Feuers angebracht — kurze Enden von Zündschnur, oder ein Näpschen mit Anfeuerung. Die ältere preußische Luntenschlagröhre [. Kriegsfeuer, Bd. V., S. 228. — Die Frictionsschlagröhren haben einen Reibapparat — Reiberhülse, Reiberhülse, welche den fulminanten Satz, gewöhnlich chlorsaures Kali mit Schwefel-Antimon, und den gerauhten Theil eines außerhalb mit einer Oese endenden, lose eingelegten Reibers aufnimmt. Beim Herausziehen des letzteren mittelst der zum Ladezeug gehörigen Abzugsschnur, wodurch nur durch einen kräftigen Anzug möglich gemacht wird, entsteht eine Reibung zwischen Reiber und Reiberhülse, durch welche der Satz explodirt und sein Feuer der Pulverladung des Röhrchens mittheilt. Letztere ist entweder ähnlich eingebracht, wie bei den Luntenschlagröhren, oder liegt auch als Kornpulver lose im Röhrchen. Die Gase von Satz und Pulverladung vereinigen sich zur Erzeugung eines kräftigen Feuerstrahls. Die Reiberhülse sitzt entweder als Querstück am obern Theil des Röhrchens fest, oder bildet einen Cylinder geringeren Durchmessers, welcher in der oberen Hälfte des Röhrchens durch eine Würgung des letzteren festgehalten wird. Im ersteren Falle wirkt der Anzug rechtwinklig zur Längenrichtung des Röhrchens, im letzteren zunächst mit derselben zusammenfallend. Bei dem zweiten Modus müssen quer vorspringende Vorstände am oberen Theil des Röhrchens das Hineinfallen desselben ins Zündloch des Geschützes verhindern. Der erste Modus ist bei den preußischen, der zweite u. a. bei den französischen, österreichischen, bairischen Frictionsschlagröhren zu Grunde gelegt. Wenn bei letzterem auch die Richtung des Anzugs weniger günstig ist, so wird doch die Gefahr des Abreißens der Reiberhülse vom Röhrchen, welche beim ersteren Modus vorliegt, umgangen. — Die Perkussionsschlagröhren wurden zuerst auf Schiffen angewandt, wo man schon früher das Gewehrschloß zum Absteuern benutzt hatte. Sie enthalten am oberen Ende des Röhrchens ein Knallpräparat, gewöhnlich ein auf einem Piston sitzendes Zündhütchen, und werden entweder aus freier Hand mittels eines Hammers, oder durch Vermittlung eines Schlagschlosses entzündet. Von den zum Gebrauch bei der Landartillerie bestimmten Perkussionsschlagröhren sind besonders die vom Artillerie-Major von Habeln für die früher nassauische Artillerie construirten bekannt. — Die schwedischen Zündröhren von Callerström beruhen auf der Eigenschaft des chlorsauren Kalis, in Contact mit Schwefelsäure sich zu entzünden. Hierbei ist im oberen Theil der Zündröhre auf einer Schicht chlorsauren Kalis ein feines Glasröhrchen angebracht,

welches einen Tropfen Schwefelsäure enthält. Beim Umlegen des oberen Theils
des S.s zerbricht das Glasröhrchen und die Schwefelsäure, nunmehr in Berührung mit dem Kali, bringt letzteres zur Entzündung, und das Feuer theilt
sich der Ladung in der Zündröhre mit.

Die Luntenschlagröhren, wie alle Luntenzündungen, leiden an der
Abhängigkeit von einem äußeren Mittel, welches selbst wieder den Einflüssen
der Witterung, ebenso wie die Zündung, unterliegt. Man kann daher nicht in
allen Fällen auf eine rasche Entzündung rechnen. Die Reibschlagröhren
vermeiden diese Nachtheile, eignen sich besonders für rasches Feuer, bilden daher
gegenwärtig im Felde die einzig vorkommende Geschützzündung, während man
bei Belagerungs- und Festungsgeschützen noch Luntenzündungen daneben führt.
Wegen der damit verbundenen größeren Complication des Materials kommen die
sonst ähnliche Vorzüge bietenden Percussionsschlagröhren selbst auf der
Marine kaum noch vor; die schwedischen Zündröhren haben wegen ihrer
Gefährlichkeit (Zerbrechlichkeit der Glasröhren) keine Bedeutung gewinnen können. — In Bezug auf die auf fulminanten Sätzen beruhenden S. überhaupt
steht noch zu bemerken, daß sie gänzlich von der guten Beschaffenheit des Satzes
abhängig sind; sobald derselbe durch äußere Einflüsse gelitten hat, verlieren sie
an Zuverlässigkeit. Außer luftdichtem Abschluß des Satzes durch die Constructionsverhältnisse bedürfen sie einer sehr sorgfältigen Anfertigung,
welche zugleich wegen der dabei in Betracht kommenden Substanzen nicht un-
gefährlich ist, und in erhöhtem Maße einer trockenen Aufbewahrung. Ueber
das Historische vergl. Thlauder's Waffenlehre, München 1858.

Schlange, s. u. Artillerie, Bd. I., S. 225.

Schlangensappe, s. Sappe.

Schlappe, eine Niederlage vor dem Feinde von geringerer Bedeutung.

Schlei, ein an der Ostküste des Herzogthums Schleswig ließ eindringender
Meeresarm der Ostsee. An die S. lehnte sich die linke Flanke der Danewerke
(s. d., Bd. III., S. 153 f.). In der neueren Kriegsgeschichte ist die S. namhaft geworden durch den Schlei-Uebergang der Preußen unter Prinz Friedrich
Karl bei Kappeln und Arnis (s. d., Bd. I., S. 209) in der Nacht vom 5.
zum 6. Februar 1864.

Schleichpatrouillen haben den Zweck der heimlichen Recognoscirung
und werden im Vorpostendienst von den Feldwachen über die Postenchaine
(meist nicht über ¼ Meile) nach vorwärts hinaus entsendet, um Nachrichten
über den Feind und über die Bodengestaltung im Allgemeinen einzuholen, einen
vom Feinde beabsichtigten Angriff frühzeitig zu entdecken, oder endlich um einen
bestimmten Terrainabschnitt abzusuchen. S. haben die Stärke von zwei bis
drei Mann incl. Führer, werden am besten aus Infanterie und zwar aus
solchen Leuten zusammengesetzt, welche sich durch Gewandheit, Geistesgegenwart,
Orientirungsgabe und womöglich eine gewisse Verschlagenheit auszeichnen. Vor
ihrem Abgang erhalten sie Seitens des absendenden Vorgesetzten eine eingehende
Instruction, welcher außer dem allgemeinen Auftrag zur Erlangung einer
gewissen Controle stets einen Specialauftrag — als z. B. Recognoscirung eines
Gegenstandes im Terrain — zu enthalten pflegt. Während des Patrouillenganges
marschiren die einzelnen Patrouilleurs getrennt von einander, so daß zwar die Verbindung erhalten, andererseits aber einer Aushebung der gesammten Patrouille durch
den Feind möglichst vorgebeugt wird. Dabei ist die größte Vorsicht zu beobachten,
die Vortheile des Terrains sind nach Möglichkeit zur Deckung auszunutzen,
belebte Straßen und Ortschaften thunlichst zu vermeiden, die Merkmale des
Terrains endlich sorgfältig zu beachten, damit die Patrouilleurs späterhin event.
als Führer benutzt werden können. Ist der Zweck der Patrouille erreicht, so
tritt sie ohne Verzug den Rückmarsch an, wählt aber, sobald es irgend geht,

einen anderen Weg als den sie gekommen, um so nicht nur mehr Terrain kennen zu lernen, sondern auch etwa gelegten feindlichen Hinterhalten auszuweichen. — Bei dem ganzen Charakter der S. sind Zusammenstöße mit feindlichen Patrouillen ꝛc. unter allen Umständen zu vermeiden.

Schleife, Fahrzeug ohne Räder, zum Transport schwerer Geschützröhre steile Böschungen herab; auch Bezeichnung für die gewöhnlichen Mörserlaffeten. In Preußen hat man die Kasemattenschleife, welche indeß auch auf Räder gesetzt werden kann, zum Transport von Geschützröhren durch enge Gallerien und Passagen der Hohlbauten.

Schleifen ist das Abtragen von einzelnen Festungswerken oder auch der gesammten Befestigung eines Orts. Man schleift Festungen, wenn man ihnen keinen genügenden strategischen oder sonstigen Werth mehr zutraut, wie von Seiten Preußens seit 1860 mit Silberberg, Jülich, Schweidnitz, Rendsburg geschehen ist. Die Schleifung kann auch Folge von politischen Abmachungen sein, z. B. bei Friedensschlüssen, durch internationale Verträge (Schleifung der Festung Luxemburg bei der Neutralitäts-Erklärung 1867).

Schleifriegel, heißt bei Laffeten ein Riegel, gewöhnlich der zu hinterst gelegene, mit welchem sie auf dem Geschützstand schleifen.

Schleiz, 1) (Reuß-Schleiz), früher ein selbstständiges, zum Deutschen Bunde gehöriges Fürstenthum, welches 1844 mit Gera zu dem Fürstenthum Reuß Jüngerer Linie vereinigt wurde. 2) Hauptstadt des früheren Fürstenthums Reuß-Schleiz, jetzt die zweitgrößte Stadt und zweite Hauptstadt des Fürstenthums Reuß Jüngerer Linie, am Flüßchen Wiesenthal, hat ein Residenzschloß, lebhafte Industrie und (1867) 4953 Einwohner. S. litt im Hussittenkriege und im Dreißigjährigen Kriege bedeutend. Hier wurde am 9. Oct. 1806 eine vom linken Flügel der preußisch-sächsischen Armee nach Hof zu detachirte Abtheilung unter Tauenzien von den Franzosen unter Bernadotte geschlagen (vgl. Jena, Bd. V., S. 101).

Schleppbaum, ein langer Baum zum ersten Nothbehelf beim Verlust oder Unbrauchbarwerden eines Rades, wird in schräger Richtung so unter den Achsschenkel geschoben, daß das hintere Ende auf dem Erdboden schleift, das vordere höher gelegene mit dem Fahrzeug in fester Verbindung (durch Bunde) steht.

Schleppen, remorquiren, soviel als bugsiren, s. b., Bd. II., S. 251.

Schlepptau, s. Prolonge, Bd. VII., S. 251.

Schleppwagen (franz. triqueballe), zum Transport von schweren Geschützröhren und Mörserlaffeten bestimmt; die Last wird untergebunden, daher Räder von 2 Meter Höhe und mehr, s. Wagen.

Schlesien, 1) ein ehemals zu Böhmen gehöriges Herzogthum, welches geographisch in Ober- und Nieder-Schlesien, politisch aber jetzt in Oesterreichisch- und Preußisch-Schlesien zerfällt. S. wurde im Alterthum von germanischen Stämmen (namentlich Lygiern und Quaden) bewohnt, die sich aber bei der Völkerwanderung vor den Slawen nach Westen zurückzogen. Es kam dann an das Großmährische Reich, nach dessen Zerstörung an Böhmen und zu Anfang des 10. Jahrhunderts an Polen, wo es eigene Herzöge aus dem Stamme der Piasten erhielt. Im J. 1163 machten sich dieselben von Polen unabhängig, zogen dann deutsche Colonisten in das Land und führten deutsches Recht und deutsche Sitte ein. Diese Herzöge waren in zahlreiche Linien getheilt und erkannten, um Schutz gegen Polen zu gewinnen, seit Anfang des 14. Jahrhunderts die böhmische Lehnsherrlichkeit an. Als 1675 der letzte piastische Herzog (Georg Wilhelm von Brieg und Liegnitz) starb, fiel S. gänzlich an Oesterreich. Durch die Schlesischen Kriege (s. b.), resp. den Hubertusburger Frieden von 1763 kam der bei weitem größere (nordwestliche) Theil an Preußen, während der kleinere bei Oesterreich verblieb. Vgl. Menzel,

„Geschichte S.'s", Breslau 1833; Grünhagen, „Schlesische Geschichte", Berlin 1857, 2 Bde. 2) Oesterreichisch-Schlesien, ein zum Cisleithanischen Theile der Oesterreichisch-Ungarischen Monarchie gehöriges Herzogthum, den im Hubertusburger Frieden bei Oesterreich verbliebenen südöstlichen Theil des alten Herzogthums S. umfassend, durchgehends zu Oberschlesien gehörend, grenzt im Norden an Preußisch-Schlesien, im Osten an Preußisch-Schlesien und Galzien, im Süden an Ungarn und Mähren, im Westen an Mähren und Preußisch-Schlesien und hat einen Flächenraum von 93,30 Q.-M. mit (1869) 511,581 Einwohnern (der Nationalität nach zu 52 Procent deutsch und zu 48 Proc. slawischen Stammes; der Religion nach zu 85 Proc. römische Katholiken, zu 14 Proc. Protestanten, zu 1 Proc. Juden). Das Land wird durch einen schmalen Einschnitt des mährischen Bezirks Mistek in zwei Theile getrennt, ist durch Zweige der Sudeten und Karpaten gebirgig und vom obern Laufe der Weichsel und Oder bewässert. Das Klima ist ziemlich rauh, der Boden aber größtentheils fruchtbar; Haupterwerbsquellen sind Ackerbau und Viehzucht, sowie Bergbau auf Steinkohlen und Eisen. Die Industrie ist von ziemlicher Bedeutung, namentlich in Eisen-, Wollen- und Leinenwaaren, dementsprechend ist auch der Handel lebhaft und wird durch die Eisenbahnlinien zwischen Breslau, Krakau, Kaschau und Wien befördert. Für den höhern Unterricht, wie für die allgemeine Volksbildung ist namentlich auf deutscher Grundlage gut gesorgt. Hauptstadt des Landes ist Troppau; eine Festung besitzt Oesterreichisch-Schlesien nicht. Die oberste Leitung der innern Administration liegt in der Hand der politischen Landesbehörde (Landes-Präsident) zu Troppau; in Bezug auf die Militär-Verwaltung steht Oesterreich-Schlesien unter dem General-Commando zu Brünn. In das Abgeordnetenhaus des Cisleithanischen Reichstags entsendet Oesterreich-Schlesien 6 Mitglieder. Das Land gehörte von 1783—1849 zu dem Gubernium Mähren, wurde aber nach der Reichsverfassung vom 4. März 1849 unter dem Titel Herzogthum S. zu einem eignen Kronlande erhoben. 3) Preußisch-Schlesien, Provinz der Preußischen Monarchie, umfaßt den Territorialbestand des preußischen Herzogthums S. (wie solcher durch den Hubertusburger Frieden von 1763 an Preußen fiel) mit Ausnahme des 1815 dem brandenburgischen Regierungsbezirke Frankfurt einverleibten Kreises Schwiebus, dagegen mit Einschluß der Grafschaft Glatz und der 1815 vom Königreich Sachsen an Preußen abgetretenen Theile der Oberlausitz, grenzt im Norden an die Provinzen Brandenburg und Posen, im Osten an Posen, Russisch-Polen und Galizien, im Süden an Oesterreich-Schlesien, Mähren und Böhmen, im Westen an Böhmen, das Königreich Sachsen und die Provinz Sachsen, ist nächst der Provinz Preußen die größte und nächst der Rheinprovinz die volksdichteste Provinz des Staates, enthält einen Flächenraum von 731,92 Q.-M. und zählt (1871) 3,707,144 Einwohner (5065 auf 1 Q.-M.), welche hinsichtlich ihrer Nationalität zu 76 Proc. Deutsche, zu 24 Proc. Slawen (Polen, Czechen und Wenden), hinsichtlich der Religion aber zu 50 Proc. römisch-katholisch, zu 48,6 Proc. evangelisch, zu 1,2 Proc. israelitisch sind, mit dem Reste noch andern Confessionen angehören. Das Land ist nur im Norden eben, im übrigen Theile auf dem rechten Oder-Ufer mit niedrigen Höhenzügen bedeckt, auf dem linken dagegen längs der sächsischen und österreichischen Grenze durch Sudetenzweige (Isergebirge, Riesengebirge, Glatzer Gebirge, Heuscheuer-Gebirge, Hadelschwerter Gebirge, Schlesisch-Mährisches Gebirge) gebirgig, hat ungefähr zur Hälfte fruchtbaren Boden und ist im Ganzen gut angebaut. Der Hauptfluß ist die Oder, welche die Provinz fast in ihrer ganzen Ausdehnung von Südsüdost nach Nordnordwest 60 Meilen lang durchströmt; zum Gebiete der Oder gehören 667,78 Q.-M., zu dem der Elbe (im südlichen Westen) 38,60 Q.-M., zu dem der Weichsel (die im östlichen Süden auf eine kurze Strecke die Grenze bildet) 25,57 □.-M. Ein schiffbarer Kanal ist der Klodnitzkanal, welcher die oberschlesischen Berg- und Hüttenprodukte nach der Oder führt; die Provinz hat über hundert kleine Landseen, von denen der Schlawa-See (1¼ M. lang, ¾ M. breit) an der posenschen Grenze der bedeutendste ist. Haupterwerbsquellen sind Ackerbau und Viehzucht (namentlich Schaf-, Pferde- und Rindviehzucht), nächstdem Bergbau und Hüttenbetrieb (besonders Eisen und Zink). Die Industrie ist ebenfalls von großer Bedeutung und vorzugsweise durch Leinen-, Wollen-, Baumwollen-, Metallwaaren- und Rübenzucker-Fabrikation vertreten. Mit dem industriellen Aufschwunge und der Gründung eines vielfach verzweigten Eisenbahnsystems hat sich auch der schon früher nicht unbedeutende Handel außerordentlich gehoben. Die wichtigsten Eisenbahn-Knotenpunkte sind: Breslau, Glogau, Liegnitz, Kohlfurt, Görlitz, Königszelt, Ratibor, Oderberg und Myslowitz. Die herrschende Sprache ist die deutsche; im Regierungsbezirk Oppeln herrscht jedoch auf dem rechten Oder-Ufer die sogenannte wasserpolnische Mundart vor, die sich auf diesem Ufer auch stark in den Regierungsbezirk Breslau hineinzieht. Eine Universität besteht in Breslau, woselbst sich auch ein katholisches Priesterseminar und ein jüdisch-theologisches Seminar befindet; in Wahlstatt ist ein Cadettenhaus, in Neisse eine Kriegsschule. In administrativer Hinsicht zerfällt die Provinz in die drei Regierungsbezirke: Breslau, Oppeln und Liegnitz. Sitz des Oberpräsidenten ist Breslau. S. bildet wesentlich den Ersatzbezirk und die Garnisons-Provinz des 6. Armeecorps (General-Commando und Commando der 11. Division in Breslau, Commando der 12. Division in Neisse), doch steht auch der bei weitem größte Theil der 9. Division (Commando in Glogau) und das zum 5. Armeecorps gehörige 1. Schlesische Jäger-Bataillon Nr. 5, sowie ein Theil der 5. Artillerie-Brigade und das Pionier-Bataillon Nr. 5 in der Provinz. Festungen sind: Kosel, Neisse, Glatz und Glogau, welche mit Posen zur 3. Festungs-Inspection (Breslau) gehören. — Das Geschichtliche s. oben (unter S. 1).

Schlesische Kriege nennt man die drei (vorzugsweise aber die zwei ersten) von Friedrich d. Gr. mit Oesterreich um den Besitz von Schlesien geführten Kriege. Die Veranlassung zu dem Ersten Schlesischen Kriege (1740 bis 1742) boten die nach dem Tode des Kaisers Karl VI. (20. Oct. 1740) von Friedrich d. Gr. auf Grund der zwischen dem Kurfürsten Joachim II. von Brandenburg und dem Herzog Friedrich II. von Liegnitz in J. 1537 geschlossenen gegenseitigen Erbverbrüderung erhobenen Ansprüche auf die vier schlesischen Fürstenthümer Liegnitz, Brieg, Wohlau und Jägerndorf (vgl. Oesterreichischer Erbfolgekrieg, Bd. VI., S. 355). Da die Königin nachmalige Kaiserin) Maria Theresia dieselben zurückwies, so rückte Friedrich d. Gr. bereits im Dec. 1740 ohne Kriegserklärung in Schlesien ein, stürmte am 9. März 1741 Glogau und erwirkte durch die Siege bei Mollwitz (10. April 1831) und Chotusitz (17. Mai 1842), daß ihm im Präliminar-Frieden von Breslau vom 11. Juni 1842 (der am 28. Juli zu Berlin definitiv bestätigt und vom König Georg II. von England garantirt ward) ganz Niederschlesien und ein Theil von Oberschlesien nebst der Grafschaft Glatz (aber außer Troppau, Jägerndorf und dem jenseit der Oppa gelegenen Gebiete) von Oesterreich abgetreten wurde. Da indeß die von Oesterreich anderwärts erkämpften Vortheile (s. u. Oesterreichischer Erbfolgekrieg, Bd. VI., S. 356) und der am 23. Oct. 1743 zwischen Oesterreich, Großbritanien, den Generalstaaten und Sardinien zu Worms abgeschlossene Allianztractat der Königin Maria Theresia alle ihr vermöge der Pragmatischen Sanction (s. b.) zustehenden Länder (mithin auch Schlesien) garantiren sollte, mithin die neuen preußischen Erwerbungen bedrohte, so griff Friedrich d. Gr. in Uebereinstimmung mit dem Kaiser Karl VII. (aus dem Hause Baiern) abermals zu den Waffen und der Zweite Schlesische

Krieg (1744—1745) begann. Friedrich rückte im Aug. 1744 mit 80,000 Mann in drei Colonnen in Böhmen ein, eroberte am 16. September Prag, besetzte Tabor, Budweis und Frauenberg und bedrohte dann das Erzherzogthum Oesterreich. Das Erscheinen einer österreichischen Armee, die sich aus dem Elsaß nach Böhmen zurückgezogen hatte, die Annäherung eines sächsischen Hilfscorps und die Erhebung der Ungarn nöthigten jedoch die Preußen zur Räumung von Prag und dann von ganz Böhmen. Die Oesterreicher drangen darauf unter Karl von Lothringen in Schlesien ein, wurden aber am 4. Juni 1745 von Friedrich d. Gr. bei Hohenfriedberg vollständig geschlagen, während der Fürst Leopold von Dessau mit 12,000 M. von Magdeburg aus den Kurfürsten von Sachsen bedrohte. Nachdem der König am 30. Sept. den Prinzen Karl von Lothringen bei Sorr aufs Neue geschlagen und der Fürst von Dessau am 15. Dec. die Sachsen unter Rutowski bei Kesselsdorf unweit Dresden geworfen und am 18. Dec. Dresden ohne Widerstand genommen hatte, kam unter Vermittelung des Königs Georg II. von Großbritannien zwischen Oesterreich und Sachsen einer- und Preußen andererseits am 25. Dec. 1745 der Friede zu Dresden zu Stande, in welchem der Breslauer Friede wesentlich bestätigt wurde. Der Dritte Schlesische Krieg dauerte von 1756—1763 und wird meist Siebenjähriger Krieg (s. d.) genannt.

Schleswig (d. h. Bucht der Schlei), 1) ein bis 1864 zu Dänemark gehöriges Herzogthum mit einem Flächenraum von 167 □.M. und einer Bevölkerung (1864) von 406,486 Einwohnern, im Norden an Jütland, im Osten an den Kleinen Belt und die Ostsee, im Süden an Holstein (durch die Eider davon getrennt), im Westen an die Nordsee grenzend, durch den Wiener Frieden vom 30. Oct. 1864 in gemeinschaftlichen Besitz (Condominium) von Oesterreich und Preußen übergegangen, durch den Vertrag von Gastein (s. d.) am 14. August 1865 unter alleinige preußische Administration gekommen, durch den Frieden von Prag (s. d., Bd. VII., S. 184) vom 23/30. August 1866 von Oesterreich zugleich mit Holstein an Preußen abgetreten, durch Gesetz vom 24. Dec. 1866 und Besitzergreifungs-Patent vom 12. Januar 1867 dem Preußischen Staate einverleibt und seitdem den (nördlichen) Regierungsbezirk S. (158,3 □.M. mit (1867) 404,227 Einw.) der preußischen Provinz Schleswig-Holstein (s. d.) bildend. Das Wappen von S. sind zwei blaue, über einander laufende leopardirte Löwen mit aufgesperrtem Rachen in goldenem Felde. Das Geschichtliche s. u. Schleswig-Holstein und Dänemark. 2) Hauptstadt des gleichnamigen Regierungsbezirks am westlichen Ende der Schlei, durch eine kurze Zweigbahn nach dem sogenannten Klosterkrug mit der schleswig-holsteinschen Haupteisenbahnlinie Altona-Kolding verbunden, besteht aus den drei Theilen Altstadt, Lollfuß und Friedrichsberg, hat einen gothischen Dom, ein Schloß (Gottorf), ist Sitz der Bezirks-Regierung, und zählt (1871) 13,821 Einwohner. Unweit südlich von S., bei Bustorf, schloß sich die linke Flanke des Dannewerks (s. d. Bd. III., S. 153) an die Schlei an; in der Nähe desselben, auf dem Königsberge bei dem Dorfe Selk, befindet sich ein Denkmal für die daselbst am 3. Februar 1864 gefallenen Oesterreicher. S. ist eine sehr alte Stadt und kommt schon im 9. Jahrh. unter den Namen Hätheby oder Hedeby (d. h. Hafenstadt) als ein bedeutender Handelsplatz vor. Später erhielt es von seiner Lage an einer Bucht der Schlei den Namen S. Im Laufe der folgenden Jahrhunderte verlor es durch feindliche Ueberfälle und Versandung seines Hafens immer mehr an Bedeutung. — Die Stadt wurde nach dem Treffen bei Bau (s. b. Bd. II., S. 32) am 10. April 1849 von den Dänen besetzt, von diesen aber nach ihrer gegen die Preußen und Schleswig-Holsteiner am 23. April am Danewerk erlittenen Niederlage geräumt. Sie war dann der Sitz der sogenannten Gemeinsamen Regierung und der Statthalterschaft von Schleswig-

Holstein, bis sie nach der von Schleswig-Holsteinern verlorenen Schlacht bei Idstedt (s. d. Bd. V., S. 40. f.) am 25. Juli 1850 wieder in die Hände der Dänen fiel, unter deren Herrschaft sie dann ihrer deutschen Gesinnung wegen viel zu leiden hatte und deshalb in ihrer Bevölkerung in den Jahren 1851—1864 von 12,411 auf 10,928 Einwohner zurückging. Nachdem die Dänen in der Nacht vom 5. zum 6. Febr. 1864 das Danewerk und S. geräumt hatten, wurde die Stadt am 6. Febr. von den Oesterreichern besetzt, war dann von Ende 1864 an der Sitz der österreichischen und preußischen Civilbehörden für Schleswig-Holstein und Lauenburg und vom September 1865 bis Juni 1866 Sitz des preußischen Gouverneurs des Herzogthums S., General v. Manteuffel, wurde auch nach der definitiven Einverleibung des Herzogthums Sitz des General-Commando's des 9. Armeecorps, bis dies am 1. Nov. 1870 nach Altona verlegt wurde. In der Nacht vom 6. zum 7. Januar 1868 brannte das Gebäude des General-Commando's ab. Vgl. Schröder „Geschichte und Beschreibung der Stadt S.", Schleswig 1827.

Schleswig-Holstein, eine der neuern Provinzen der preußischen Monarchie, aus den Gebieten der beiden Herzogthümer Holstein (s. d.) und Schleswig (s. d.) gebildet, grenzt im Norden an Jütland (Dänemark), im Osten an den Kleinen Belt und die Ostsee, im Südosten an Lübeck'sches Gebiet und Lauenburg, im Süden und Südwesten an Hamburgisches Gebiet und die preußische Provinz Hannover (durch die Elbe davon getrennt), im Westen an die Nordsee, hat nach der durch Vertrag vom 27. Sept. 1866 stipulirten Abtretung des holsteinischen Amtes Ahrensböck zc. an das Großherzogthum Oldenburg (s. u. Preußen, Bd. VII., S. 213) noch einen Flächenraum von 315,046 O.-W. (nach andern Angaben nur 312,1 O.-M. und zählt (1871) 997,750 Einwohner, welche hinsichtlich ihrer Nationalität zu 85,2 Proc. Deutsche, zu 14,8 Proc. Dänen (im nördlichen Schleswig), hinsichtlich ihrer Religion aber zu 98,9 Proc. evangelisch zu 0,81 Proc. römisch-katholisch, zu 0,14 Proc. israelitisch sind, zu 0,05 andern Confessionen angehören. Das Land ist mit Ausnahme ganz unbedeutender Höhen flach, der Boden größtentheils fruchtbar mit vielen sogenannten Marschen (Alluvialland), im Gegensatz zu welchen das übrige Land als Geest (Diluvium) bezeichnet wird. Die Meerbusen sind tief eingeschnitten; die wichtigsten Häfen sind an der Ostküste: Apenrade, Flensburg, Eckernförde und Kiel; auf der Westküste fehlt es an guten Seehäfen — Glückstadt ist noch Elbhafen. Die Halbinsel zwischen dem Apenrader und dem Flensburger Hafen heißt Sundewitt (mit der Düppelstellung); dieser gegenüber liegt Alsen (die größte zu S.-H. gehörige Insel); von den übrigen Inseln sind Fehmarn (in der Ostsee) und Sylt (in der Nordsee) vorzugsweise zu nennen. Der wichtigste Fluß des Landes ist die Elbe (aber nur Grenzfluß im südlichen Westen,) von welcher auch die beiden Herzogthümer den Namen der „Elbherzogthümer" führen; die übrigen Flüsse sind unbedeutend und nur einzelne davon auf kurze Strecken schiffbar, wie die Eider und ihr Nebenfluß Treene, die Husumer Au und die Widau (sämmtlich in die Nordsee mündend), die Trave (in die Ostsee mündend). Haupterwerbsquellen sind Ackerbau und Viehzucht (namentlich Pferdezucht), nächstdem Fischerei; Industrie und Handel sind in Holstein von größerer Bedeutung als in Schleswig, doch giebt es verhältnißmäßig noch wenig Fabriken. Eine Universität befindet sich zu Kiel. Die Haupteisenbahn der Provinz ist die Linie Altona-Neumünster-Rendsburg-Schleswig-Kolding mit Zweigbahnen nach Itzehoe, Neustadt, Kiel, Tönning, Apenrade und Tondern. In administrativer Hinsicht zerfällt die Provinz in die zwei Regierungsbezirke Schleswig und Holstein (Kiel). Sitz des Oberpräsidenten ist Kiel, die bedeutendste Stadt der Provinz aber Altona. S.-H. bildet wesentlich den Ersatzbezirk und die Garnisons-Provinz des 9. Armeecorps, zu dessen Verbande aber auch die

Truppen von beiden Mecklenburg (Grenadier-Regiment No. 89., Füsilier-Regiment No. 90., Jäger-Bataillon No. 14., Dragoner-Regimenter No. 17. u. 18., 3. Fuß-Abtheilung des Feld-Artillerie-Regiments No. 9.), die Hanseatischen Linien Regimenter No. 75. und 76. und das Lauenburgische Jäger-Bataillon No. 9. gehören. Der bei weitem größte Theil der 17. Division steht jedoch nicht in den Herzogthümern, sondern in Mecklenburg und den Hansestädten. Der Sitz des General-Commando's ist in Altona (bis zum 1. Nov. 1870 war es Schleswig), des Commando's der 17. Division in Schwerin, (bis Ende 1871 in Kiel), der 18. Division in Flensburg. Fortificirt sind Kiel (Reichs-Kriegs-Hafen) mit Friedrichsort und die Düppelstellung nebst Sonderburg; früher war auch Rendsburg (s. d.) Festung. —

Der Besitz der Herzogthümer Schleswig und Holstein ist für Deutschland von um so größerer Wichtigkeit, als dieselben den einzigen Kriegshafen der deutschen Ostsee-Küste haben, und von ihnen aus der militairische Einfluß Deutschlands auf Dänemark stets überwiegend sein wird. Eben so wichtig waren dieselben aber auch für Dänemark, dessen gesetzliche Existenz und Machtstellung bis zu einem gewissen Grade auf seiner staatlichen Verbindung mit den Herzogthümern beruhte. Hierin liegt die Ursache des langjährigen Streites zwischen Deutschland und Dänemark um den Besitz der beiden Herzogthümer und insbesondere Schleswigs, für welches es sich auch wesentlich um die Entscheidung handelte, auf welcher Seite sich das Recht des Besitzes befinde. Der Kampf Dänemarks um Schleswig hat fast ein volles Jahrtausend gedauert. — Karl d. Gr. erkämpfte das von Angeln und Friesen bewohnte Holstein und schlug es zu dem Frankenreiche. Schleswig war selbstständig unter einem eignen Herzog. Waldemar von Schleswig erschlug 1157 den König Swend von Dänemark, vereinigte dann Schleswig mit Dänemark und eroberte darauf auch Holstein. Allein die Holsteiner befreiten sich 1227 durch ihren Sieg bei Bornhöved (s. d.); auch Schleswig trennte sich wieder von Dänemark und beide Herzogthümer bekriegten nun Dänemark, schlugen es bei Schleswig 1261 und zwangen es, die Selbstständigkeit Schleswigs anzuerkennen. Gleichwohl fiel Christoph von Dänemark in Schleswig ein, um es an sich zu reißen, wurde aber von den Holsteinern geschlagen und mußte 1326 durch die sogenannte Waldemarsche Constitution feierlich beurkunden, „daß das Herzogthum Schleswig nicht wieder mit dem Reiche Dänemark so verbunden werden sollte, daß Ein Herr über beide sei." Dies ist der älteste Satz des Schleswigschen Grundrechtes. Dänemark griff 1346 nochmals zum Schwerte, wurde aber wieder von Holstein geschlagen und mußte nun die Erbfolge der holsteinischen Grafen im Herzogthum Schleswig anerkennen. So kamen denn auch in der That 1375 diese beide Herzogthümer unter einen Fürsten (Grafen von Holstein). Dagegen erhob sich Dänemark seit 1409 in einem zwanzigjährigen furchtbaren Kriege, wurde aber geschlagen und mußte schließlich wieder die Vereinigung der Herzogthümer anerkennen, demgemäß nun Adolf, aus dem Hause Schauenburg, über beide herrschte. Um dennoch die Herzogthümer an sich zu bringen, wählte Dänemark den Erben derselben zum Könige (1448). Im Jahre 1460 wählten nun auch die Herzogthümer den König Christian I. von Dänemark zum Herzog von S.-H., schlossen jedoch zuvor mit ihm und dem dänischen Reichsrathe einen Vertrag, nach welchem die Herzogthümer ewig untheilbar vereinigt, („up ewig ungedeelt") und selbstständig in ihrer Verwaltung und Erbfolge bleiben sollten, (vgl. Dänemark, Bd. III, S. 144). Allein Dänemark, obschon jeder seiner Könige diesen Vertrag beschwor, hörte nie auf, die formelle oder factische Aufhebung desselben anzustreben und ließ sich deshalb sogar wiederholt auf lange Kriege ein, bis es im Roeskilder Frieden von 1685 gezwungen wurde, aufs Neue die Souveränität insbesondere Schleswigs anzuerkennen, wofür Schweden die Garantie überna'm. Deffenungeachtet erhob gleich nach dem Frieden mit Schweden (1660) Dänemark wieder das Schwert gegen Schleswig, verdrängte nach mehrmaligem Unterliegen endlich die Gottorper Herzöge und setzte sich wieder in Besitz von Schleswig und halb Holstein. Einen letzten Antheil des Gottorpschen Hauses brachte Dänemark durch Unterhandlung an sich. Beide Herzogthümer standen nun wieder unter dem Könige von Dänemark, aber ihr Grundgesetz war dergestalt unerschüttert geblieben, daß derselbe ihnen nur als Herzog galt und ihre Selbstständigkeit in der Verwaltung und ihr besonderes Erbfolgegesetz fortbestanden. Seitdem geht die Geschichte der Herzogthümer in der Dänemark's auf. Mit dem Beginn des 18. Jahrh. trat das Bestreben, dieselben vollständig mit dem Königreiche zu vereinigen, wieder deutlicher hervor; so wurde namentlich 1806 die Landesverfassung nach der Urkunde von 1448 förmlich aufgehoben und 1831 schuf die neubegründete Ständeverfassung besondere Landtage für Schleswig und Holstein. Um für den Fall, daß bei dem voraussichtlichen Aussterben der königlichen Linie in Dänemark der Gang der Erbfolge eine Trennung Dänemarks von Holstein herbeiführen sollte, wenigstens das Herzogthum Schleswig fest an Dänemark zu ketten, erließ König Christian VIII. am 8. Juli 1846 seinen „Offnen Brief", in welchem er erklärte, daß in Schleswig, wie in einem Theile von Holstein, die Erbfolge des dänischen Königsgesetzes gültig sei. Die holsteinschen Stände wandten sich zunächst an den Deutschen Bund, der wohl die Frage vor sein Forum zog, aber keine entscheidende Schritte that. Der bald auf den Tod Christian's VIII (20. Januar 1848) folgende Ausbruch der Februar-Revolution und die sich hieran auch in Deutschland anschließenden Ereignisse führten schon nach wenigen Wochen zu einem Kriege Schleswig-Holsteins, resp. Deutschlands, gegen Dänemark (s. d. Bd. LII, S. 147—149), wie der Tod Friedrich's VII (15. Nov. 1863) im Februar 1864 zur „Occupation" des Herzogthums Schleswig von Seiten Oesterreichs und Preußens und in Folge deren zu einem Kampfe dieser beiden vereinigten Mächte gegen Dänemark (s. d. 149—152). In dem diesen Krieg beendigenden Wiener Frieden vom 30. Oct. 1864 entsagte der König Christian IX von Dänemark allen seinen Rechten auf die Herzogthümer Schleswig, Holstein und Lauenburg zu Gunsten des Kaisers Franz Joseph I. von Oesterreich und des Königs Wilhelm I. von Preußen. Zunächst trat nun der Erbprinz Friedrich von Schleswig-Holstein-Sonderburg-Augustenburg als Thronprätendent auf. Die beiden Condomini verhandelten längere Zeit vergeblich über eine definitive Bestimmung des Schicksals der Herzogthümer.

Da formulirte Preußen in seiner Depesche vom 22. Februar 1865 die Bedingungen, unter denen es allein die Constituirung eines selbstständigen Staates S.-H. unter dem Erbprinzen gestatten könne. Diese unter dem Namen Februar-Bedingungen historisch gewordenen Forderungen waren folgende: A) Ewiges und unauflösliches Schutz- und Trutzbündniß der Herzogthümer mit Preußen, vermöge dessen letzteres sich zum Schutze und zur Vertheidigung der Herzogthümer gegen jeden feindlichen Angriff verpflichtet, S.-H. dagegen dem König von Preußen die gesammte Wehrkraft beider Herzogthümer zur Verfügung stellt, um sie innerhalb der preußischen Armee und Flotte zum Schutze beider Länder und ihrer Interessen zu verwenden. Die Dienstpflicht und Stärke der von S.-H. zur preuß. Armee und Flotte zu stellenden Mannschaften wird nach den in Preußen geltenden Bestimmungen festgestellt, die Aushebung der Mannschaften wird von den preuß. Militairbehörden in Gemeinschaft mit den Civilbehörden der Herzogthümer nach den in Preußen geltenden Grundsätzen vorgenommen. Die preuß. Kriegsverfassung findet Anwendung auf die Aushebung, Dienstzeit, Einquartierung, Servis- und Verpflegungswesen ꝛc. Die in die preuß. Armee und Flotte eintretenden schleswig-holsteinschen Unterthanen leisten dem König von Preußen den Fahneneid. Das Fortifications-System der Herzogthümer wird zwischen der preuß. und der Landes-Regierung nach dem von der erstern für die allgemeinen militärischen Zwecke anerkannten Bedürfniß geregelt. B) Die Verpflichtungen, welche der Souverän des neuen Staates S.-H. gegen den Deutschen Bund für Holstein zu erfüllen hat, bleiben dieselben, wie bisher. Das Bundes-Contingent für Holstein wird vom Herzog aus den nicht zum preuß. Bundes-Contingent gehörigen Truppentheilen der aus den Streitkräften beider Länder gebildeten, unter dem Befehl des Königs von Preußen stehenden Armee gestellt werden. Dem Artikel V. der Bundes-Kriegsverfassung entsprechend wird dieses Contingent nicht mit dem preuß. Bundes-Contingent in Eine Abtheilung vereinigt, sondern fortfahren, einen Theil des X. Bundes-Armeecorps zu bilden. C) Rendsburg wird, soweit es auf holsteinschem Bundesgebiet liegt, zur Deutschen Bundesfestung erhoben. D) Die Verpflichtung zum militärischen und maritimen Schutze der Herzogthümer macht für Preußen Behufs wirksamer Anlagen von Befestigungen den Besitz von Territorien nöthig, welche mit vollen Souveränitätsrecht an Preußen abzutreten sind: a) zum Schutze von Nord-Schleswig die Stadt Sonderburg mit einem entsprechenden Gebiete auf beiden Seiten des Alsen-Sundes; b) Behufs Anlegung eines preuß. Kriegshafens in der Kieler Bucht die Feste Friedrichsort nebst entsprechendem Gebiet; c) an den beiden Mündungen des Nord-Ostsee-Kanals das für die Anlage von Befestigungen und Kriegshäfen erforderliche Terrain. E) Die preuß. Regierung übt über den anzulegenden Nord-Ostsee-Kanal das Ober-Aufsichtsrecht aus; sie behält sich die Entscheidung über den Lauf des Kanals, die Leitung des Baues desselben, die Bestimmungen über seine Benutzung ꝛc. vor. F) Der Staat S.-H. tritt mit seinem ganzen Gebiete zunächst dem Zollverein, gleichzeitig aber für immer dem preuß. Zollsystem bei. G) Das Post- und Telegraphenwesen der Herzogthümer wird mit dem preuß. verschmolzen. Die Uebergabe der Herzogthümer an den künftigen Souverän erfolgt nach Sicherstellung der Ausführung aller vorstehenden Bedingungen. Kommen letztere nicht zur Ausführung, so tritt Preußen in die ihm aus dem Wiener Frieden zustehenden Rechte wieder ein und behält sich die Geltendmachung aller ihm sonst in Betreff der Herzogthümer zuständigen Ansprüche vor.

Der Erbprinz, welcher seine Hoffnungen vorzugsweise auf Oesterreich setzte, suchte diese Bedingungen möglichst herabzumindern und namentlich die Verlegung der preußischen Marinestation von Danzig nach Kiel zu verhindern. Da unter dem Einflusse des österreichischen Civil-Commissars Halbhuber die Anhänger des Erbprinzen das Uebergewicht in der Schleswig-Holsteinschen Landesregierung gewannen, so verlangte Preußen die Entfernung des Erbprinzen aus den Herzogthümern. Oesterreich verhielt sich ablehnend. Ein offener Bruch zwischen den beiden Großmächten schien bereits unvermeidlich, als die Diplomatie durch die Gasteiner Convention (s. d. Bd. IV., S. 163.) vom 14. August 1865 noch einmal ein Auskunftsmittel fand und das Condominium in der Weise verlängerte daß die Hoheitsrechte über Schleswig auf Preußen, über Holstein auf Oesterreich übergingen. Die durch diese Convention geschaffene neue Ordnung trat am 15. Sept. 1865 in's Leben: in Schleswig wurde der General v. Manteuffel zum königlich preuß. Militär- und Civil-Gouverneur, welcher seine Residenz in Schloß Gottorp bei Schleswig nahm, in Holstein der Feldmarschalllieutenant v. Gablenz zum kaiserlich österr. Statthalter ernannt, welcher seine Residenz in Kiel nahm. Die Verhältnisse, welche sich mittlerweile in Deutschland vorbereiteten, brachten endlich auch die Schleswig-Holsteinsche Frage zum Austrag. Nachdem Oesterreich in der Bundestagssitzung vom 1. Juni 1866 die Entscheidung über die Elbherzogthümer in die Hände des Bundes niedergelegt und den Feldmarschalllieutenant v. Gablenz ermächtigt hatte, die Holsteinschen Stände einzuberufen, erklärte Preußen am 3. Juni den Vertrag für hinfällig geworden (vgl. Norddeutscher Bund, Bd. VI, S. 290), und als dann am 5. Juni die Einberufung der Stände wirklich erfolgte, rückten am 7. Juni preußische Truppen aus Schleswig in Holstein (Rendsburg, Kiel, Itzehoe) ein. Darauf zog sich die österreichische Brigade unter Gablenz, zugleich mit dem Erbprinzen Friedrich, über Altona aus dem Herzogthum zurück. Der nun ausbrechende Preußisch-Oesterreichische Krieg (s. d.) entschied endlich definitiv über das Schicksal beider Herzogthümer. Uebereinstimmend mit Artikel III. der Friedenspräliminarien von Nikolsburg (26. Juli 1866) übertrug Oesterreich im Artikel V. des Definitivfriedens von Prag (s. d. Bb. VII., S. 184) am 29./30. August 1866 alle seine im Wiener Frieden vom 30. Oct. 1864 erworbenen Rechte auf die Herzogthümer Schleswig und Holstein an Preußen mit der Maßgabe, daß die Bevölkerung der nördlichen Districte von Schleswig, wenn sie durch freien Wunsch zu erkennen geben, mit Dänemark vereinigt zu werden, an Dänemark abgetreten werden sollen. In Gemäßheit des Gesetzes vom 24. Dec. 1866 und des Besitzergreifungspatentes vom 12. Januar 1867 fand am 24. Januar 1867 die förmliche Einverleibung der Herzogthümer in die Preußische Monarchie statt. In Folge eines am 27. Sept. 1866 mit Oldenburg abgeschlossenen Vertrages (s. u. Preußen Bb. VII. S. 213) trat Preußen am 19. Juni 1867 das holsteinsche Amt Ahrensböck an Oldenburg ab. Eine Abtretung nordschleswigscher Districte an Dänemark hat dagegen bis jetzt (Juni 1872) noch nicht stattgefunden. Vgl. Droysen und Samwer, „Die Herzogthümer Schleswig und Holstein und das Königreich Dänemark. Actenmäßige Geschichte der dänischen Politik seit d. J. 1806," Hamburg 1850; „Quellensammlung zur Schleswig-Holstein-Lauenburgischen Gesellschaft für vaterländische Geschichte", herausgegeben von Lappenberg, Kiel 1862 ff.; Eich, „Umriß der politischen Geschichte des Dänisch-Deutschen Streits", Berlin 1865; Brockhaus, „Die Gegenwart" (in den Bänden II., III., V. VI.); Ders. „Unsere Zeit" („der Deutsch-Dänische Streit") Bb. II., Leipzig 1858, „Unsere Zeit," Neue Folge („Die Schleswig-Holsteinsche Frage seit dem Kriege von 1864") Bb. II., 1. Hälfte, Leipzig 1866. Ueber die Kriege von 1848/49 vgl. die Literatur zu dem Artikel Dänemark, Bb. III., S. 155.

Schleswig-Holstein meerumschlungen, schleswig-holsteinsches National-Lied mit dem Refrain „Schleswig-Holstein, stammverwandt, wanke nicht mein Vaterland", welches besonders in den Jahren 1848 und 1849 eine allgemein deutsche Bedeutung erlangte. Das Gedicht wurde 1842 von Chemnitz geschrieben, (welcher in Folge der dänischen Restauration in den Herzogthümern 1851 dort ausgewiesen und dann als Secretär bei der Würzburger Maindampfschifffahrt angestellt wurde); die Composition ist von Bellmann (geb. 1770 in Mustau, Organist am Stift zu Schleswig).

Schlettstadt (franz. Schélestadt und Schlestadt), Stadt und Festung im deutschen Reichslande Elsaß-Lothringen (bis 1871 zum französischen Departement Bas-Rhin gehörig und als Kriegsplatz 2. Classe geltend), am linken Ufer der Ill und an der Elsaßbahn (Linie Straßburg-Mühlhausen-Basel, resp. Belfort), welche bei S. westlich nach Markirch (Ste. Marie-aux-Mines) abzweigt zum projectirten Anschluß über St. Dié nach Lunéville und Nancy, ist ziemlich unregelmäßig gebaut, von Vauban 1673 befestigt, hat ein Zeughaus, mehrere Kasernen, welche aber nicht bombensicher sind, drei Kriegspulvermagazine, lebhafte Industrie in Leder-, Wollen- und Baumwollenwaaren und zählt (1871) 9300 Einwohner. S. beherrscht die Eisenbahnlinie, resp. Heerstraße nach Besançon, oder zunächst nach Belfort. Die Werke umschließen die Stadt, zu welcher drei Thore führen, auf allen Seiten und bestehen aus einem einfachen, regulären Baſtionärtracé von 8 Fronten mit Ravelinen und ſtellenweiſe naſſen Graben. Vor der Nord- und Südfront iſt je eine Lünette etwas weiter vorgeſchoben, auf dem Inundationsterrain vor der Südſeite erhebt ſich ferner eine Redoute. Weitere vorgeſchobene oder Außenwerke ſind ebenſowenig wie genügende Hohlräume vorhanden. Die Kriegsbeſatzung ſollte nach dem „Atlas de géographie militaire" nur aus 1505 Mann und 332 Pferden beſtehen. — S. iſt ſehr alt, kommt unter Sclabiſtat bereits als eine Pfalz der Karolinger vor, wurde 1216 mit Mauern umgeben und zur deutſchen Reichsſtadt erhoben, 1632 den Schweden erobert, kam im Weſtfälliſchen Frieden von 1648 an Frankreich, wurde unter Ludwig XIV. nach dem Nimwegener Frieden von Vauban neu befeſtigt, im J. 1814 nach einem am 5. Januar zwiſchen den Franzoſen und den Alliirten vorgefallenen Gefecht bis zum Erſten Pariſer Frieden von den Baiern unter Graf Pappenheim blokirt, im Jahre 1815 aber von der öſterreichiſchen Diviſion Mazzuchelli belagert und blieb, als ſich die Garniſon am 22. Juli für Ludwig XVIII. erklärte, dann noch bis zum 21. Sept. von Oeſterreichern und württembergiſcher Landwehr eingeſchloſſen. — Im Deutſch-Franzöſiſchen Kriege von 1870/71 war S. der Sammelplatz der Francitreurs von Ober-Elſaß. Ein badiſches Detachement von 4 Bataillonen, 8 Escadrons, 3 Batterien unter General Keller, am 14. Sept. vom BelagerungsCorps von Straßburg abgezweigt, um dem Francitreur-Weſen zu ſteuern, recognoscirte S., fand es wohl armirt, inundirt, das Vorterrain frei, daher nicht durch Handſtreich zu nehmen. S. wurde deshalb vorläufig nur beobachtet. Am 1/2. Oct. 1870 ging die Reſerve-Diviſion von Schmeling über den Rhein, wandte ſich zunächſt gegen Neu-Breſach, das ohne Erfolg mit Feldgeſchützen beſchoſſen wurde, cernirte dann S. am 9. Oct. mit einem Theil ihrer Truppen und zog Belagerungs-Material aus Straßburg heran, dazu 11 ArtillerieFeſtungs-Compagnien. Am 19/20. Oct. wurde eine Batterie von vier 12cm. Kanonen auf der Oſtfront gebaut, welche am 20. Oct. früh das Feuer eröffnete und ein Fouragemagazin in Brand ſchoß. Als eigentliche Angriffsfront galt dagegen die nicht inundirte Südweſtfront. Am 22/23. Oct. wurde hier die erſte Parallele auf 700 Schritt, vom Vertheidiger unbemerkt, ausgehoben. Am 23. Oct. eröffneten 6 Batterien mit 44 Geſchützen (zwölf 15cm. Kanonen, zwanzig 12cm. Kanonen und zwölf ſchwere Mörſer) gleichzeitig ihr Feuer, wogegen 30 feindliche Feſtungs-Geſchütze thätig waren. Die preußiſchen Geſchütze erzielten baldigſt eine gute Wirkung. Am 24. Oct. früh wurde eine Waffenruhe nachgeſucht; die angeknüpften Verhandlungen führten bereits drei Uhr Mittags zu einer Capitulation. Noch vor definitivem Abſchluß derſelben rückten preußiſche Truppen auf Anſuchen in die Feſtung ein, weil unter der Beſatzung Unordnungen ausgebrochen waren. 100 Offiziere, 2000 Mann wurden kriegsgefangen, 122 Geſchütze genommen. Den Offizieren wurde (auf höhere Ordre) die Entlaſſung auf Ehrenwort nicht zugeſtanden. Am 25. Oct. fand der Einzug des Generals v. Schmeling ſtatt. Durch den Verſailler Präliminar-Frieden vom 26. Februar 1871, reſp. den Frankfurter Definitiv-Frieden vom 10. Mai 1871 fiel S. mit an das Deutſche Reich. Die deutſche Reichsregierung hat den Umbau der Fortificationen beſchloſſen. Demzufolge wurde bereits im Frühjahr 1872 mit der Demolirung der Umfaſſungsmauern begonnen; das vorgefundene Material wird bei andern Feſtungsbauten in neuerem Stile Verwendung finden. Vgl. Tiedemann, „Der Feſtungskrieg im Feldzug gegen Frankreich 1870/71", Berlin 1871.

Schleuder, Werkzeug zum Werfen, beſteht aus einem langen, in der Mitte etwas breiteren Streifen aus Leder, Wolle, Haaren, Sehnen oder dgl., der zu einer Schlinge zuſammen gelegt und in kreisförmige Bewegung verſetzt wird. Die S. war eine Kriegswaffe des früheren Alterthums, kommt bereits bei den Phöniziern vor und war bei den Hebräern (von diesen Kela genannt) bis zur Zeit David's, welcher den Bogen einführte, die Hauptwaffe der leichten Truppen. Bei den Griechen hieß sie Sphendone und wird schon von Homer erwähnt; namentlich waren die Thessalier, Akarnaner und Aetolier als gute Schleuderer (Sphendonetä, Sphedonistä) berühmt. Die Römer hatten zwei Arten von Schleudern: die Funda, welche aus Riemen oder geflochtenen Haaren bestand und vor dem Wurfe über dem Kopfe geschwungen wurde, und den Fastibalus, eine Stabschleuder, welche aus einem mit einem langen Stabe verbundenen Riemen bestand, und nur geschnellt wurde. Aus beiden Arten wurden runde Kieselsteine (lapides missiles) oder auch ogivale mit einem Stachel versehene Bleikugeln (glandes) mit solcher Heftigkeit geschleudert, daß sie die Sturmhauben und Schilde der in der Feldschlacht Kämpfenden durchbohrten und auch den Städtevertheidigern auf den Mauern gefährliche Wunden beibrachten. Die besten Schleuderer (Funditores) der Römer waren die balearischen. Sowohl bei den Griechen, wie bei den Römern, bildeten die Schleuderer mit den Wurfspießwerfern (Akontisten, Jaculatores) und den Bogenschützen (Toxoten, Sagittarii) die drei Arten des leichten Fußvolks.

Schleudermaschinen waren im Alterthum und Mittelalter, den heutigen Geschützen entsprechend, zum Forttreiben größerer und schwerer Geschosse bestimmt. Namentlich tragen diesen Namen diejenigen, welche, ähnlich der Schleuder, auf dem Fugalschwung beruhen, wie Fundibolen, Ballisten s. d. Bd. I., S. 366. Vergl. weiter Wurfmaschinen.

Schleuderschuß, s. v. w. Ricochetschuß. S. 5.

Schleuse (siehe Stauanlagen) im Allgemeinen eine Vorrichtung, mit der man einen Wasserlauf schließen kann. Den gewöhnlichen Verschluß bei kleineren S.n bildet eine Schütze, d. i. eine Brett-Tafel oder gußeiserne Scheibe, welche zum Aufziehen und Niederlassen zwischen 2 hölzernen Säulen (Griessäulen) oder zwischen 2 gemauerten Pfeilern eingerichtet ist. — Größere S.n, wie sie namentlich zu fortifikatorischen Zwecken ausgeführt sind, bestehen aus einzelnen, im Flußbette und in der Richtung des Wasserlaufes in gewissen Entfernungen von einander aufgeführten Pfeilern, zwischen welchen in Friedenszeiten das Wasser frei hindurchläuft. Die Zwischenräume dieser Pfeiler sind jedoch, wenn der Fluß angestaut werden soll, mit Balken und Erde oder bloß mit Balken zu schließen. Zu diesem Zweck sind in den Pfeilern 2 Reihen einander gegenüberliegender Versatzfalze angebracht, in welche die Versatzbalken eingelassen werden. — Unter Schifffahrts-Schleusen versteht man wasserdichte Bassins zur Aufnahme eines Schiffes, um darin die Ausgleichung des höhern Oberwassers eines Kanals mit dem Unterwasser vorzunehmen. Dieses Bassin hat gleichen Wasserspiegel mit dem Unterwasser, wenn ein Schiff von unternach oberstrom durchgeschleust werden soll. Wenn das Bassin das Schiff aufgenommen hat, wird der Wasserspiegel des Bassins durch Zufluss von oberstrom her in gleiches Niveau mit dem Wasserspiegel oberstrom gebracht und durch Oeffnen der Schleusenthore im Schiffe nach oberstrom die Fahrt gestattet. — Bei der Fahrt nach unterstrom hat der Wasserspiegel des Bassins die Höhe des Wasserspiegels oberstrom. Durch Ablassen des Wassers wird der Wasserspiegel gesenkt, bis er gleiche Höhe mit Wasserspiegel unterstrom hat.

Schliengen, Marktflecken im badischen Kreise Lörrach, an der badischen Staatsbahn (Linie Freiburg-Basel), hat 1300 Einwohner. Hier 24. October 1796 siegreiches Gefecht der Oesterreicher unter Erzherzog Karl gegen die Franzosen unter Moreau, die sich dann bei Hüningen über den Rhein zurückzogen.

Schließen bedeutet: 1) kurze Seitwärtsbewegung ohne Frontveränderung, seitens der Truppen zu Fuß oder Pferde; beim Reiten, s. Reiterei Bd. VII., S. 335. 2) Enges Aneinanderschieben von Abtheilungen welche vorher mit Intervallen (Abständen in der Frontlinie) aufgestellt war

z. B. auch auf die einzelnen Geschütze einer Batterie bezüglich. Bei Verringerung der Abstände in der Tiefe spricht man von Aufschließen (aufgeschlossene Colonne); v. weiter Taktik ꝛc.

Schließung an Deck, Disciplinarstrafe für Matrosen, Soldaten und in gleichem Range stehende Personen der Kriegsmarine, — mit einem oder mit beiden Füßen; in Preußen höchstens auf 2 Tage und 1 Nacht.

Schlit zu Bassano und Weißkirchen, Franz Graf von, österreichischer General geboren 23. Mai 1739 zu Prag, studirte seit 1805 Jurisprudenz, errichtete, als 1808 Oesterreich zu rüsten begann, auf seinen böhmischen Gütern drei Landwehr-Compagnien, zu deren Chef ihn der Kaiser mit dem Range eines Oberlieutenants ernannte, trat beim Ausbruch des Kriegs 1809 als Lieutenant in das Regiment Albrecht-Kürassiere, wurde Adjutant des Feldmarschalllieutenants Bubna, nahm 1812, um nicht für Frankreich zu kämpfen, den Abschied und zog sich auf seine Güter nach Böhmen zurück, trat 1813 als Rittmeister bei Klenau-Chevauxlegers wieder in die Armee ein, wurde Ordonanz-Offizier des Kaisers Franz, nahm an den Schlachten bei Dresden und Leipzig rühmlichen Antheil, verlor bei Wachau durch den Pikenstich eines Kosaken, den er von der Mißhandlung Gefangener abhalten wollte, das rechte Auge, wurde dadurch verhindert, dem Feldzug von 1814 beizuwohnen, focht aber 1815 als Major wieder mit gegen Frankreich. Während der nun folgenden Friedensjahre avancirte er 1835 zum Generalmajor und 1844 zum Feldmarschalllieutenant, wurde 1848 Gouverneur von Krakau, erhielt Ende November desselben Jahres das Commando über ein Corps gegen die Ungarn, schlug dieselben bei Budamer, Raschau, Tokaly und Tarzel, zog sich dann unter unsäglichen Beschwerden bei Schneegestöber und Glatteis über die Altelaker Gebirge zurück, vereinigte sich bei Kapolna mit Windischgrätz, trug wesentlich zu dessen dort am 26. und 27. Febr. 1849 erfochtenen Siege bei, nahm dann unter Haynau an den Schlachten von Raab, Ács und Komorn Theil, operirte dann wieder selbstständig, verhinderte den von den Russen im Rücken bedrohten General Görgey am Debouchiren aus Arad und nöthigte denselben dadurch, am 13. August 1849 bei Vilagos vor dem russischen General Rüdiger die Waffen zu strecken. Nach Unterdrückung der ungarischen Insurrection wurde S. zum General der Cavalerie, Commandeur des 2. Armeecorps und commandirenden General in Mähren ernannt, erhielt 1854 das Commando der 2. Armee (Galizien), rückte mit dieser beim Ausbruch des Italienischen Kriegs von 1859 in das Küstenland, erhielt, als nach dem Rückzuge der Oesterreicher hinter den Mincio im Juni 1859 die gesammten Streitkräfte in zwei Armeen getheilt wurden, den Oberfehl über die erste Armee, commandirte in der Schlacht von Solferino (24. Juni) den rechten Flügel, nahm nach dem Präliminarfrieden von Villafranca den Abschied und starb 17. März 1862. Vgl. Koczleza, „Die Wintercampagne des Graf Schlikschen Armeecorps 1848—49" Olmütz, 1850.

Schlingern nennt man die schwankende Bewegung eines Schiffes bei hohler See von einer Seite zur andern; dieselbe wird, wenn sie sehr stark ist, dem ganzen Fahrzeuge nachtheilig. Um beim S. das Wenden des Schiffes zu erleichtern, werden an der Luvseite noch Pardunen (Schlingpardunen) belgesetzt. Im Gegensatz zu S. wird die hebende und senkende Bewegung eines Fahrzeugs in der Längenachse Stampfen genannt.

Schlingerstag ist ein Vorgstag, welches während eines Gefechts noch außer dem festen und losen Stag angesetzt wird.

Schlitten, 1) Unterlage, auf welcher ein Schiff vom Stapel gelassen wird, (s. Stapel); 2) Laffete ohne Räder, bei Mörsern (s. Laffete Bd. V. S. 275), sowie bei Schiffs-Geschützen vorkommend (Schlitten-Rappert); 3) s. v. w. Rahmen (s. d. Bd. VII. S. 286) einer Laffete.

Schloß ist eine Vorrichtung bei Feuerwaffen, mit dem Zweck, die Entzündung des Zündmittels zu vermitteln. Dieselbe findet sich bei den Handfeuerwaffen regelmäßig, bei Geschützen seltener. Der eigenthümliche Gebrauch der ersteren und die daraus entspringende Nothwendigkeit, daß Zielen und Abfeuern in einem Moment zusammenfallen, läßt jede ausgreifende Bewegung des Schützen zum Abfeuern unzulässig erscheinen, indem sie ja eine Verrückung der Gewehrlage zur Folge hätte; die Einfügung eines Schlosses in den ganzen Mechanismus der Waffe hat nunmehr zur Folge, daß diese Bewegung auf ein Minimum reducirt wird (kurze Bewegung des Zeigefingers). Bei Geschützen der Land-Artillerie kommt dieser Gesichtspunkt nicht in Betracht, da dieselben, auf einer festen Unterlage ruhend, vor dem Abfeuern gerichtet werden und bei letzterem die ihnen ertheilte Lage behalten. Es erwächst daher kein besonderer Vortheil, sondern eine wesentliche Verringerung der Einfachheit in der Einrichtung, weßhalb man im Allgemeinen eine directe Einwirkung auf das Zündmittel vorzieht. Bei Marine-Geschützen dagegen bringt ein S. Nutzen, da hier (wegen der Schwankungen des Schiffs) Richten und Abfeuern ebenfalls zusammenfallen müssen. — Die erste Entzündungsweise der Handfeuerwaffen, mit Lunte, erhielt eine vortheilhaftere Anordnung, als man die Lunte an einem mit dem Gewehr drehbar verbundenen Hebel — Luntenhahn anbrachte. Jetzt war es möglich, daß derselbe Mann zielte und abfeuerte, indem er, an dem kurzen Arm des Hebels wirkend, den längeren, welcher die Lunte trug, zur Zündpfanne bewegte. Die Einrichtung hieß Lunten-Schloß (um 1450); dasselbe wurde vervollkommnet, indem man die Einwirkung auf den Hahn einer Feder übertrug, welche der Schütze aus der gespannten Stellung nur loszulassen brauchte. Um die Feder in letzterer zu erhalten, bedurfte man einer Arretir-Vorrichtung, gewöhnlich aus dem eigentlichen Sperrstück nebst einer Feder bestehend; die Aufhebung der Arretirung wurde durch den Abzug bewirkt. So entstanden die auch dem modernen Gewehrschloß zu Grunde liegenden Haupttheile. Die Mängel der Luntenzündung ließen bald eine andere Entzündungsweise zur Geltung kommen, nämlich mittelst Benutzung der Eigenschaft gewisser Gesteine, bei heftiger Reibung mit Metall Funken zu erzeugen. Solche Gesteine, Pyrite genannt, sind der Schwefelkies, Quarz, Feuerstein; derartige Metalle namentlich das Eisen, speciell Stahl; die Entzündungsweise heißt Steinzündung. Ein hierauf basirtes S. war zunächst das Rad-Schloß, (vgl. d. Bd. VII., S. 284). Innerhalb eines Seitenblechs liegt um seine Achse drehbar das Rad und ragt mit einem Theil seiner scharf eingeschnittenen Stirnfläche nach oben in die Zündpfanne hinein. An der Achse des Rades ist eine kurze Kette befestigt, welche andrerseits mit einer Schlagfeder in Verbindung steht. Durch Drehung des Rades, welche von außen her mittelst eines Schlüssels bewerkstelligt wird, wickelt sich die Kette auf und spannt die Feder. Ist letzteres erfolgt, so greift die Zunge der Arretirvorrichtung in eine Vertiefung des Rades und hemmt dieses. Hebt man die Arretirung mittelst des Abzuges auf, so wickelt sich die Kette in Folge der Einwirkung der Feder ab und das Rad läuft ab. Der Pyrit, im Maule eines Hahns befindlich, wird vor dem Abdrücken auf die Stirnfläche des Rades niedergelassen; die beim Ablaufen des letzteren entstehende Reibung erzeugt Funken, welche sich dem Pulver auf der Pfanne mittheilen, und so gelangt das Feuer durch den Zündkanal zur Ladung. Bei der späteren Construction ist die Bewegung des Deckels der Zündpfanne, des Pfanndeckels, so mit derjenigen des Hahns combinirt, daß beim Niederlassen des letzteren der Pfanndeckel sich gleichzeitig öffnet.

Während das Rad-Schloß auf der Erzeugung der Funken durch eine ruhige Reibung zwischen Pyrit und Metall beruht, wurden bei dem Ausgang des 16. Jahrhunderts auftretenden Schnapphahn-Schloß, welches mit ge-

15*

wiffen Modificationen als spanisches und als holländisches vorkommt, die Funken durch den Schlag des ebenfalls im Maule des Hahns befestigten Pyrits gegen einen aufrechtstehenden und gerippten Arm des Pfannbeckels hervorgebracht. Der Pfaundeckel, dessen Arm Batterie genannt wird, unterliegt der Einwirkung einer Stellfeder, welche ihn in seiner jedesmaligen Lage (geöffnet, geschlossen) erhält. Beim spanischen Schnapphahn-Schloß liegen Hahn, Schlagfeder (ebenso Batterie mit Feder) außerhalb eines Schloßblechs, und innerhalb des letzteren die Arretir-Vorrichtung mit Feder, welche mit dem Abzug in Verbindung steht. Die Arretir-Vorrichtung bildet einen Winkelhebel und tritt mit 2 über einander liegenden Zapfen durch das Schloßblech nach außen. Der Hahn drückt beim Spannen mit seinem hinteren Fuß die Schlagfeder zusammen, der vordere ruht dabei zunächst auf dem unteren, in der völlig gespannten Stellung aber auf dem oberen Zapfen der Arretir-Vorrichtung. Durch Einwirkung des Abzuges tritt der Zapfen in das Schloßblech zurück, und der Hahn kann, der Wirkung der Schlagfeder nachgebend, eine beschleunigte Bewegung annehmen, welche mit dem Zurückschlagen der Batterie endet. Wir finden hier bereits 3 Stellungen des Schloß-Mechanismus gegeben: 1. abgedrückt, 2. gespannt und 3. eine Mittelstellung, in welcher der Erreger der Entzündung, hier der Hahn, aus der 1. Stellung nur soweit entfernt ist, daß die dadurch erzeugte Spannung der Feder nicht ausreicht, einen hinreichend kräftigen Schlag hervorzubringen. Bei allen Schlag-Schlössern ist eine derartige Stellung der Sicherheit halber wichtig, man nennt sie auch die Ruhestellung. Beim holländischen Schnapphahn-Schloß ist die Schlagfeder bereits in das Innere verlegt; ihre Wirkung richtet sich zunächst auf ein Getriebe, die Nuß, welches mit dem Hahn eine gemeinsame Achse besitzt. Batterie und Pfannendeckel sind von einander unabhängige Theile. Die Ruhestellung fehlt ganz. Durch geringe Modificationen ergiebt sich aus dem Schnapphahn-Schloß das französische Batterie-Schloß, bekannt unter dem Namen Steinschloß (1640), welches nach und nach zu einer ausgedehnten Verbreitung gelangte, so daß sowohl Rad- als Lunten-, wie Schnapphahn-Schloß bei Kriegswaffen ganz verschwinden. Beim französischen S. liegt die Arretir-Vorrichtung ganz im Innern des Schloßblechs und wirkt nicht mehr auf den Hahn direct, sondern auf die Nuß. Letztere hat 2 Vertiefungen — Mittel- und Spann-Rast, — welche den Schnabel der ähnlich einer Sperrflinte wirkenden Stange aufzunehmen vermögen. Der hintere längere Arm der Stange wird durch die Stangenfeder nach unten gedrückt; dies hat zur Folge, daß der vordere Arm mit dem Schnabel in der Anlehnung an die Nuß bleibt. Ein Querstück am Ende des hinteren Arms nimmt die Wirkung des Abzugs auf. Die Mittel-Rast ist so tief eingeschnitten, daß der Stangenschnabel nicht durch den Abzug aus derselben herausgehoben werden kann, ein Losgehen aus dieser Stellung ohne Bruch des Stangenschnabels nicht möglich ist. Das mit Stein-Schloß versehene Gewehr, Flinte, fusil genannt, zugleich leichter als die Muskete und von besserer Schäftung, fand mit Ausgang des 17. Jahrhunderts und Anfang des 18. Jahrhunderts allgemeine Aufnahme, (gleichzeitig als Bajonnet-Gewehr). Einen Fortschritt, welchen man indeß bald wieder fallen ließ, bildete die Annahme eines von außen nach innen sich erweiternden, also trichterförmigen Zündloches (um 1770), durch welches die Pfanne mit separate Beschütten mit Pulver entbehrlich gemacht war, indem letzteres durch seine eigene Schwere beim Laden aus der Seele in den konischen Zündkanal und von da auf die Pfanne gelangte. Der durch den weiten Kanal erheblich vergrößerte Backenschlag bildete indeß einen großen Nachtheil dieser Einrichtung, für welchen die vermehrte Ladegeschwindigkeit kein genügendes Aequivalent bildet. Durch das

Stein-Schloß war dem Rad-Schloß gegenüber eine Vereinfachung erzielt; der
Mechanismus war gegen äußere Einflüsse mehr gesichert, als bei den älteren
Schnapphahnschlössern. Doch blieb noch immer eine große Abhängigkeit von
äußeren Einflüssen (Regen, Wind), durch welche unter Umständen der Gebrauch
des Gewehrs als Feuerwaffe ganz verhindert werden konnte. Mit der Entdeckung der fulminanten Substanzen (f. Pulver Bd. VII., S. 261 ec.)
war die Möglichkeit einer von äußeren Einflüssen unabhängigen Entzündungsweise, ohne wesentliche Aenderung des Mechanismus des bisherigen S.s, gegeben. Wenngleich die hierauf bezüglichen Bestrebungen schon mit Ausgang
des vorigen Jahrhunderts anheben, so fand man doch erst in der nach 1815
eintretenden längeren Friedensperiode Muße, die neue Entzündungsweise auf
Kriegswaffen anwendbar zu machen. Die Hauptschwierigkeit bestand darin,
die Zündmasse in eine den Anforderungen der Kriegsbrauchbarkeit entsprechende
Form zu bringen; am besten erwies sich hier die aus England stammende
Einrichtung der Zündhütchen oder Kapseln. Als Schläger konnte mit geringer Modification der Hahn des Steinschlosses, im übrigen auch die eigentliche Mechanik des letzteren, benutzt werden; indeß wurde die Anbringung eines
Ambosses, als Widerlagers der Zündung, nöthig. Als solche dient der
gleichzeitig einen Zündkanal enthaltende Zündkegel, auch Zündstift, Piston
genannt; derselbe ist in einem am Laufe angelötheten oder auch zur Schwanzschraube gehörigen Zündstollen, welcher die Fortsetzung des Zündkanals enthält, eingeschraubt. Vergl. Patentschwanzschraube Bd. VII., S. 89 ec.
Die Schlagfläche des Hahns hat einen konischen Mantel, welcher beim Nieder-
fallen Zündhütchen und Piston umgiebt und das Herumspritzen von Zündmasse
und Metall des Zündhütchens verhütet. (Vgl. auch Hahn, Bd. IV., S. 313.)
Pfanne und Batterie fielen weg. Das so modificirte S. hieß Perkussions-
Schloß, die Zündung Perkussions- oder Kapsel-Zündung, und wurden
die Steinschloß-Gewehre zu letzteren umgeändert, sowie auch neue Modelle construirt. In Oesterreich benutzte man vorübergehend das Consol'sche Zünder-
Schloß (Bd. VII., S. 90). — Modificationen des eigentlichen Bewegungs-
Mechanismus des Stein-, resp. Perkussions-Schlosses sind: das Ketten-
Schloß, wobei Nuß und Schlagfeder durch ein Kettenglied verbunden sind,
das Rück-Schloß, bei welchem beide Federn rückwärts des Hahns liegen, oft
auch durch eine Feder ersetzt sind — einfedriges S. Die Mittel-Rast wird
häufig nicht als genügende Sicherung betrachtet und kommen, namentlich bei
solchen Waffen, bei denen durch äußere Einflüsse ein unbeabsichtigtes Spannen
des Hahns vorkommen kann (Reiter-, Jäger-Gewehre), äußere Siche-
rungen vor, entweder das Piston umfassende Deckel-Sicherungen, oder
Vorreiber, welche den Hahn direct festhalten. Bei denselben kann die Mittel-
Rast, welche zudem den Gang des S.es beim Abdrücken beeinträchtigt, ganz weg-
fallen. Um das Einschnappen des Stangenschnabels in die Mittel-Rast beim
Abdrücken ganz zu verhindern, kommt der sogenannte Springkegel (s. d.) vor.
     Gleichzeitig mit dem Perkussions-Schloß, durch welches wie bei allen
vorhergehenden Stern eine äußere Zündung vermittelt wird, entstand das
Nadel-Schloß mit innerer Zündungsweise, in seiner ursprünglichen und
bekanntesten Construction von Dreyse (f. d. Bd. III. S. 264 ec.). Hier
liegt das fulminante Zündmittel in der Patrone und wird durch eine
in die Seele eintretende Zündnadel entzündet. Der Motor ist bei Dreyse's
S. eine wurmartige Feder, mißbräuchlich Spiralfeder (daher auch Spiralfeder-Schloß) genannt, welche ihre Wirkung auf einen die Nadel
führenden Schlagbolzen, hier Nadelbolzen genannt, überträgt. (Vgl.
Handfeuerwaffen Bd. IV., S. 322.). Die Spannung erfolgt hier, indem
die Feder von hinten nach vorn zusammengedrückt wird, so daß ein Ent-

spannen nach rückwärts möglich, also eine Ruhe-Stellung überflüssig wird. Neuere Constructionen der Art, wie das französische Chaffepot-Gewehr ꝛc., haben den umgekehrten Modus — Spannen durch Zurückziehen des vordern Theils der Spiralfeder, und ist man hierbei wieder genöthigt, behufs Ruhestellung den Nadelbolzen beim Ausschnellen nach vorwärts aufzufangen. Bei den neueren Hinterladern mit Einheitspatrone (f. Bd. IV., S. 326 ꝛc.) hat man vielfach das frühere Perkussions-Schloß beibehalten. Der Hahn übt seine Wirkung auf eine Nadel oder einen Stift aus, welcher mit seinem vorderen Ende durch einen Canal des Verschlusses in das Patronenlager eintritt und hier seine Wirkung auf das Zündmittel ausübt. Das S. läßt sich aber wesentlich vereinfachen, indem es bei der Hinterladung möglich ist, den Hahn tiefer und in die Mitte des Gewehrs zu legen, so daß Schlagfeder und Stange direct auf denselben wirken können, die Nuß entbehrlich wird, die Stange zugleich als Abzug zu dienen vermag. Dieses S. führt den Namen: Mittel-Schloß. Der Stift kommt bei allen gasdichten, die Nadel bei Papier-Patronen zur Anwendung; ähnlich ist es bei den Schlössern mit Schlagbolzen. Oft dient eine besondere Feder dazu, den Schlagbolzen, nachdem er functionirt hat, aus dem Patronenlager zurückzuziehen, was namentlich bei Papierpatronen Vortheile bringt, indem es die Nadel der Verbrennung entzieht. Diese Feder heißt Reactionsfeder (gewöhnlich spiralförmig), das S. heißt Reactions-Schloß. Die Schloß-Einrichtungen der namhafteren neuesten Hinterlader sind folgende: A. S. mit Hahn, (Perkussions-Schloß). a. Seiten-Schloß: Oesterreichisches Gewehr von Werndl, Belgisches von Albini-Brändlin, b. Mittel-Schloß: Bairisches Gewehr von Werder, Dänisches, Schwedisches, Norwegisches von Remington. B. S. mit Schlagbolzen, a. Spiralfeder-Schloß, α. Nadel-Schloß: Französisches Gewehr nach Chaffepot; β. mit Stift, Englisches Gewehr nach Henry-Martini (nur mit äußerer Sicherung), Schweizerisches nach Vetterli, Russisches nach Berdan, Deutsches nach Mauser; b. mit zweiarmiger Feder und Stift: Niederländisches Gewehr nach Beaumont. — Ueber die älteren Hinterlader f. Handfeuerwaffen Bd. IV., S. 326 ꝛc.

Mißbräuchlich mit dem Namen S. belegt wird das schon aus früheren Zeiten (16. Jahrh.) herrührende Stech-Schloß, welches lediglich eine feinere Abzugsvorrichtung bildet. Statt beim Abziehen direct auf die Stange ꝛc. zu wirken, ist bei diesem die Wirkung auf eine Feder, welche Triebfeder genannt wird, übertragen. Der eigentliche Abzug läßt diese nur aus ihrer Spannung los; sie wirkt dann auf den dem Abzug ähnlich construirten Stecher, und dieser setzt das eigentliche Schloß in Thätigkeit. Das Spannen des Stech-Schlosses — Stechen genannt, geschieht mittelst des Stechers, der alsdann mit einem Einschnitt einen Vorstand am Abzug umfaßt. Auf letzteren wirkt die Stellfeder. Eine im Abzugsblech angebrachte Stellschraube erlaubt, gröber oder feiner zu stechen. Stech-Schlösser kamen früher namentlich an Jägerbüchsen (so auch noch an der preußischen Zündnadelbüchse Mod. 1865), sowie bei Scheibenwaffen vor. Sie machen die Einrichtung wesentlich complicirter.

Bei Geschützen blieb bis zur Annahme der fulminanten Zündungsweise die gewöhnliche Lunten-Zündung herrschend. Nur bei Marine-Geschützen wendete man auch die Stein-Zündung mit Steinschloß an, späterhin auch die Perkussions-Zündung (f. Schlagröhre), wobei das S. lediglich den Hammer zu führen hatte, aber ohne Vermittelung der Federkraft. Der preußische Schaftmörser hatte eine Zeitlang das gewöhnliche Perkussions-Schloß. Gegenwärtig kommen Schlösser bei Land-Geschützen kaum noch vor. Literatur vergl. Handfeuerwaffen Bd. IV. S. 333.

Schloßblech dient als Lager für die Schloßtheile, sichert die inwendigen

Theile gegen äußere Einflüsse, verbindet Schloß und Schaft mittelst der Schloßschraube; s. Schloß.

Schloßkaften heißt bei Selten-Schlössern die Aushöhlung des Schafts zur Aufnahme des Schloßblechs und der innern Schloßtheile.

Schlucht, durch Zusammentreffen zweier Abhänge in eine geneigte Linie — Schluchtlinie, gebildet, s. Terrain ic.

Schluß, 1) S. des Reiters ist die Berührung des Sattels oder Pferde-körpers mit dem Knie, welche bei unregelmäßigen Bewegungen des Pferdes eine festere wird und den Reiter im Sitz erhält. 2) S. des Gewehres ist ein Fehler, welcher in einer Verengung der Seele nach vorwärts besteht (im Gegen-satz zur Vorweite) und den Gang des Geschosses in der Seele beeinflußt, so-bald überhaupt die Geschoßführung ohne Spielraum stattfindet. 3) S. der Untersuchung findet statt, sobald der Inquirent dieselbe für soweit gediehen erachtet, daß er erkannt werden kann. Dem Beschuldigten werden alsdann die Verhandlungen nochmals mitgetheilt und er zum S. vernommen.

Schlüssel, oder Schlüsselpunkt nennt man 1) einen solchen Punkt einer Stellung, dessen Wegnahme gewissermaßen den Zugang zu derselben öffnet, also von entscheidenden Folgen sein kann. Man gebraucht den gleichen Aus-druck für wichtige Punkte eines Landes und hat in früherer Zeit großen Werth darauf gelegt, solche Punkte zu entdecken. Ihre Wichtigkeit kann indeß nur eine relative sein, insofern das Hauptoperations-Objekt, das feindliche Heer, dieselben besetzt hält; ohne dies sind solche Punkte todt. Im Feldzug 1870/71 war Paris in gewissem Sinn der Schlüsselpunkt für Frankreich; dennoch hätte sein Fall den Krieg wahrscheinlich nicht beendet, wenn nicht gleichzeitig alle äußeren Heere lahm gelegt gewesen wären. — 2) In der Chiffreschrift ist S. das zu Grunde gelegte Alphabet, dessen Bedeutung nur dem Eingeweihten bekannt ist, und um dessen Auffindung es sich bei Entzifferung aufgefangener feindlicher Chiffre-Depeschen handelt.

Schlüsselburg (früher Nöteburg), Stadt und Festung im russischen Gou-vernement Petersburg, 8 Meilen oberhalb (östlich) der Hauptstadt am Aus-fluß der Newa aus dem Ladogasee und an der Mündung des Ladogakanals. Die Stadt hat 4000 Einwohner. Die Festung liegt auf der von der Newa gebildeten Katharinen-Insel, wurde 1323 vom Großfürsten Jurje III. Dani-lowitsch erbaut und Orechowetz (d. i. Nüßchen) genannt, 1344 von dem König Magnus von Schweden erobert und Nöteborg (d. i. Nußburg) genannt, am 11. Oct. 1702 von den Russen unter Scheremetow nach vierzehntägiger Be-lagerung durch Capitulation den Schweden wieder genommen. Peter d. Gr., welcher die Wichtigkeit des Platzes erkannte, ließ die Fortifikationen, die bis da-hin fast nur Erdwerke gewesen waren, in Stein ausführen und bedeutend erweitern, auch Kasernen, Magazinen, Werkstätten und ein Hospital anlegen. Die Festung dient zugleich als Staatsgefängniß; hier wurde der unglückliche Iwan VI. (III.) 1756—64 gefangen gehalten und endlich erdrosselt.

Schmalcaldischer Krieg. In Folge der feindseligen Haltung des Kaisers Karl V. und der katholischen Stände auf dem Reichstage zu Augsburg 1530 schlossen am 4. April 1531 zur gemeinschaftlichen Vertheidigung ihres Glaubens die protestantischen Länder Sachsen, Hessen, Württemberg, Lüneburg, Pommern, Dänemark, Brandenburg, Anhalt, Mansfeld und mehre schwäbische, fränkische, rheinische, niedersächsische und westfälische Städte auf Grund der Schmalcal-dischen Artikel zunächst auf sechs Jahre einen Bund (Schmalcaldischer Bund), dem die katholischen Stände wiederum die Heilige Liga entgegen-stellten. Am 24. December 1535 wurde dieser Bund auf weitere zehn Jahre erneuert. Der erste kriegerische Schritt des Schmalcaldischen Bundes war 1542 die Vertreibung des katholischen Herzogs Heinrich von Braunschweig, der sich in einer Fehde mit mehren Städten befand. Zum eigentlichen Kriege mit der Gegenpartei kam es jedoch erst 1546, als die protestantischen oberdeutschen Städte ein Heer unter Sebastian Schärtlin gegen den Kaiser schickten und ein fürstliches Heer von Norden her zu operiren begann. Die Uneinigkeit im Plane der Protestanten wurde durch die Aechtung des Kurfürsten Johann Friedrich von Sachsen und des Landgrafen Philipp von Hessen sehr vermehrt und der Kurfürst namentlich dadurch ganz neutralisirt, daß der Kaiser ein Heer zur Achtsvollstreckung in Sachsen einrücken ließ. Dieses wurde zwar geworfen; aber 1547 rückte der Kaiser mit einem größeren Heere selbst in Sachsen ein und endete den Krieg schnell durch seinen, zumeist durch Verrätherei, aber auch durch die große Fahrlässigkeit seiner Gegner am 24. April 1547 gewonnenen Sieg bei Mühlberg (f. b.), wo die Bundeshäupter (der Kurfürst von Sachsen und der Landgraf von Hessen) in Gefangenschaft fielen. Dieses Ende brachte die protestantischen Interessen in die größte Gefahr und erst der nunmehrige Kurfürst Moritz (f. b. 1) von Sachsen, der zum Unterliegen der protestantischen Partei am Meisten beigetragen hatte, rettete sie. Vergl. Maurenbrecher, „Karl V. und die deutschen Protestanten 1545—1555", Düsseldorf 1865.

Schmettau, 1) Samuel, Reichsgraf von, geb. 1684, focht in einem fürstlich ansbachischen Regiment in holländischen Diensten unter Prinz Eugen und Marlborough im Spanischen Erbfolgekriege, trat 1714 in sächsisch-polnische Dienste, wurde vom König August, dem er während der Conföderations-Unruhen wichtige" Dienste leistete, nach der Schlacht bei Kowalewo zum Obersten der Artillerie ernannt, trat 1717 in die österreichische Armee, in welcher er sich gegen die Türken und dann gegen die Spanier in Sicilien, namentlich als Generalwachtmeister bei Villafranca auszeichnete, leitete 1720 die Belagerung von Messina, unterdrückte 1731 auf kaiserlichen Befehl den Aufstand in Genua, wurde 1733 Feldmarschalllieutenant, focht dann unter dem Herzog von Braunschweig-Bevern am Rhein gegen die Franzosen, wohnte 1737 dem Türkenkriege bei, avancirte 1741 zum Feldmarschall, wurde beim Ausbruch des Schlesischen Krieges von Friedrich d. Gr. zurückberufen, folgte diesem Rufe zwar, betrat aber, um nicht gegen Oesterreich zu fechten, die diplomatische Laufbahn, ging zunächst als preuß. Gesandte nach München, dann nach Paris und starb 1751 in Berlin. S. war auch eine ausgezeichneter Aufnehmer und Kartograph und erwarb sich vielfache Verdienste um die Förderung der militärischen Geographie, die damals noch eine sehr untergeordnete Rolle spielte. 2) Karl Christoph, Reichsgraf von, Bruder des Vor., geb. 1696, diente erst im österreichischen, dann im Siebenjährigen Kriege in der preuß. Armee, stieg bis zum Generallieutenant, vertheidigte 1759 Dresden und starb 1775 in Brandenburg. 3) Graf v. S., Neffe der Vor., geb. um 1740, focht im Siebenjährigen Kriege in preußischen Diensten, zeichnete sich dann gegen die Franzosen in den Rheincampagnen aus, avancirte bis zum General der Infanterie, führte 1806 die Avantgarden-Division, fiel aber schon am 14. Oct. 1806 bei Auerstädt.

Schmidt- und Jung-Gewehr (Schweizermodell), f. u. Handfeuerwaffen. II a) 19. (Bd. IV, S. 330).

Schmiede, (Schmiedewagen, Schmiedekarre, Feldschmiede), eine transportable Schmiede-Einrichtung, häufig Fahrzeug, bei der Cavalerie, Feld-Artillerie, den Trains vorkommend; vgl. Wagen.

Schmiedeeisen, Stabeisen (fer forgé) wird aus dem Roheisen (f. b. S. 22) durch Entziehung von Kohlenstoff gewonnen und hat $O_{,1}$ bis $O_{,3}$ Prozent Kohlenstoff. Sein Schmelzpunkt ist 1500—1600 Grad Celsius, specifisches Gewicht 7, bis 7, und absolute Festigkeit etwa die dreifache des Roheisen. In kaltem Zustande ist es weich, zäh, hämmerbar, in der innern Structur sehnig; in rothglühendem läßt es sich unter dem Hammer in beliebige Formen bringen, was man schmieden nennt, in weißglühendem durch den Hammer innigst zusammenfügen — schweißen. Durch starke unregelmäßige Erschütterungen nimmt S. statt der sehnigen die körnige Structur und die Sprödigkeit des Roheisens an. Die Darstellung des S.s erfolgt, indem dem geschmolzenen Roheisen durch Luftzutritt Kohlenstoff entzogen wird, entweder auf Frisch-herden unter Holzkohlenfeuer, oder in Flammöfen mit beliebiger Feuerung (auch Puddelöfen genannt, daher Puddeln). Die so teigartig gewordene Masse wird unter dem Hammer ausgeschmiedet und endlich entweder zu Stangen ausgehämmert, oder ausgewalzt (bis zu den dünnsten Blechen, Dräthen). — Seine Zähigkeit und Festigkeit macht das S. zu vielen technischen und militär-technischen Zwecken geeignet. Vor der allgemeinen Verbreitung des Stahls (s. d., sowie Gußstahl) diente S. namentlich zur Herstellung von Gewehr-läufen, Schloßtheilen, Bajonetten ꝛc.; ferner dient es als Beschlag-mittel an Laffeten und Fahrzeugen, selbst zur Herstellung von ganzen Laf-feten, Rädern ꝛc. Die ältesten Geschützröhre waren aus S.; doch zog man bald schmelzbare Stoffe vor, bis die neuere Zeit vermöge der gewaltig gesteigerten Mittel der Technik eine vortheilhafte Methode zur Herstellung von Geschützröhren aus S. ausfindig machte (vergl. Bd. IV, S. 203 ꝛc. Arm-strongs und Frasers Verfahren). Indeß erweisen sich die allerdings auch kost-spieligeren Stahlröhre im Allgemeinen dauerhafter. Einen sehr umfassenden Gebrauch macht man von S. im Schiffsbau und in der Fortification, in ersterem theils zur Herstellung des Schiffskörpers, theils als Panzer (s. d. Bd. VII, S. 17 ff.) in Form von Platten, in letzterer namentlich auch zu Eindeckungen, in Stelle der Holzbalken, bei provisorischen Befestigungen. Man benutzte anfänglich die gewöhnlichen Eisenbahn-Schienen, gegen-wärtig zieht man die tragfähigeren Doppel-T-Balken vor, im Profil die Combination eines aufrechtstehenden und eines umgekehrten lateinischen T vorstellend. Ferner ist zu gedenken der Verwendung des S.s zum Bau von Pontons, zu Brücken-Anlagen ꝛc.

Schmiere, Fett oder Fettmischung zur Erhaltung des glatten Gangs einer Maschine ꝛc., namentlich auch des Nabes auf der Achse, in diesem Falle Achs-schmiere genannt. Die Achsschenkel haben zur besseren Erhaltung derselben Schmier-Rinnen. Zur Aufnahme der S. dient die Schmier-Büchse.

Schnabel, ein spitzer Ausbau am Bug der Galeeren, entsprechend dem jetzigen Gallion (s. d.)

Schnapphahnschloß. s. Schloß.

Schnäpper, alter Name für den Hahn der Handfeuerwaffen.

Schnarrposten s. Posten Bd. VII, S. 181.

Schneckenburger, Max, der Dichter des deutschen Nationalliedes „Die Wacht am Rhein" (s. d.), geb. 17. Februar 1819 zu Thalheim im Oberamt Tuttlingen im württembergischen Schwarzwaldkreise, war bis 1839 Gehilfe im Droguerie-Geschäft von Rauter und Blau in Bern, trat dann als Theil-nehmer in eine unter der Firma Schnell und Schneckenburger neu gegründete Eisengießerei in Burgdorf (4 Stunden nordöstlich von Bern), wo er am 3. Mai 1849 starb. Sein Grab auf dem dortigen Gottesacker schmückt ein einfaches eisernes Kreuz. Die Entstehung des Liedes fällt in die ersten Mo-nate des Jahres 1840, als der kriegslustige Thiers an der Spitze des fran-zösischen Cabinets, um den Pascha Mehmed Ali von Aegypten gegen die zum Schutze des hart bedrängten Pforte ins Mittel getretene Quadrupel-Allianz der europäischen Großmächte zu unterstützen, einen europäischen Krieg in Aussicht stellte, welcher ausgesprochener Maßen Frankreich die durch die Pariser Friedens-schlüsse von 1814 und 1815 verlorene Rheingrenze wieder verschaffen sollte. Das Lieb blieb für weitere Kreise lange unbekannt und erlangte erst 1870 mit der Composi-

von Wilhelm (f. d.) seine welthistorische Bedeutung. Nach dem Frieden von 1871 erhielten, gleich dem Componisten, auch die Hinterlassenen des Dichters (seine in Thalheim lebende Witwe nebst ihren beiden Söhnen Max und Ernst, von denen der ältere im 1. württembergischen Infanterie-Regiment am Kriege gegen Frankreich Theil genommen) von dem deutschen Reichskanzleramte eine National-Dotation von jährlich 1000 Thlr. zugesichert. Eine Sammlung von S.'s „Deutsche Lieder" erschien 1870 bei Metzler in Stuttgart. Vgl. G. Scherer und J. Lipperheide, „Die Wacht am Rhein", Berlin 1870.

Schneide, scharfe Seite der Hiebwaffen f. d. Bd. V, S. 9.

Schneider, Anton, geb. 1777 im vorarlbergischen Flecken Weiler, war Advocat in Bregenz und ist berühmt als muthiger Anführer der Vorarlberger Volkswehr gegen die Franzosen im J. 1809. In Folge seiner Capitulation und Selbstauslieferung an die Württemberger nach dem Waffenstillstande von Znaim in Gefahr auf Napoleons Befehl erschossen zu werden, rettete ihn der Kronprinz von Württemberg durch Verwahrung als Gefangenen auf dem Hohenasperg. Nach dem Wiener Frieden vom 14. Oct. 1809 amnestirt, wurde er 1811 Appellationsrath in Wien, versuchte 1813 vor dem Anschluß Baierns an die Allirten Vorarlberg und Tirol wieder zu insurgiren, wurde jedoch verhaftet und verbannt, lebte nach dem Frieden zurückgezogen in seiner Heimath und starb 1820 im Bade zu Fidris in Graubünden, wo ihm auf Veranlassung des Erzherzogs Johann ein Denkmal gesetzt wurde.

Schneller, soviel wie Stecher beim Stechschloß, f. Schloß.

Schnellfeuer, ist das Abfeuern von Feuerwaffen im zulässig schnellsten Tempo, ohne daß die einzelnen Schützen, resp. Geschütze, auf einander Rücksicht nehmen. S. der Artillerie kann nur selten angewendet werden, wegen der Nothwendigkeit der Beobachtung jedes einzelnen Schusses, auch mit Rücksicht auf den Munitions-Verbrauch. In der Regel findet S. nur beim Gebrauch der Kartätschen gegen Cavalerie-Attaken Anwendung. Häufiger ist es neuerdings bei der Infanterie geworden, sowohl aus geschlossener, als zerstreuter Formation, und namentlich hat im Preußisch-Oesterreichischen Kriege 1866 das S. des preußischen Zündnadel-Gewehres auf geringe Distancen häufig entscheidende Wirkung gehabt. S. im wahren Sinne des Worts darf indessen mit Rücksicht auf den Munitions-Verbrauch nur in wichtigen Momenten zur Anwendung kommen; oft wird auch dem Einzelfeuer in mäßigerem Tempo als Gegensatz zur Salve (f. d.) der Name S. beigelegt (früher auch Rottenfeuer f. d.). Manche Ansichten gehen dahin, daß S. in diesem Sinne bei dem künftigen Auftreten von Hinterladern gegen Hinterlader die einzige Feuergattung sein dürfte. (Vgl. Salve.)

Schnellloth, aus Blei und Zinn bestehend, leichtflüssig, zum Löthen von Weißblech gebraucht (vergl. Schlagloth).

Schnürleinen sind an einem Ende mit einer Oese versehene Leinen von ca. 2 Meter Länge und 8 Millimeter Dicke, welche dem Material des Pontontrains und leichten Feldbrückentrains angehören. Ihre hauptsächlichste Verwendung finden die S. beim Bau von Ponton-Brücken zur Befestigung der Brückenbalken (Streckbalken genannt) auf den Borden der Pontons. Letztere sind zu dem Zwecke mit Haken, Schnürhaken, versehen, an welche die Balken durch den Schnürbund befestigt werden. Auch werden die S. bei Herstellung anderer Bunde, des Stoßbundes, Kreuzbundes, Bockschnürbundes und Schleuderbundes verwendet, welche sämmtlich zur Verbindung zweier Hölzer dienen. Schließlich bleibt noch zu erwähnen, daß mit Hülfe der S. das Geländer der Pontonbrücken und der Brücken des leichten Feldbrückentrains hergestellt wird. Bei den Pontonbrücken sind die S. zu dem Zweck auf ca. 1 Meter über der

Brückenbahn an den Geländerhölzern befestigt, bei den leichten Feldbrücken ebenso hoch an den Bockbeinen.

Schomberg. 1) Graf Heinrich, Sohn des französischen Generals Caspar v. S., geb. in Frankreich, trat frühzeitig in die französische Armee, zeichnete sich unter dem Herzog von Mercoeur in Ungarn aus, schlichtete 1608 als Lieutenant des Königs die religiösen Streitigkeiten in Limousin, focht 1617 und 1618 in Piemont gegen die Spanier, wurde 1625 Marschall, vertrieb 1627 die Engländer von der Insel Rhé, belagerte und eroberte dann Rochefort, zeichnete sich 1629 bei Suza in Piemont aus und zwang den Herzog von Savoyen die Belagerung von Casal aufzuheben, bekämpfte 1632 als Höchstcommandirender die Unruhen in Languedoc, siegte bei Castelnaudarh (s. d.) und nahm den Herzog von Montmorency gefangen, wurde deshalb vom König zum Gouverneur von Languedoc ernannt, starb aber noch in demselben Jahre. Er schrieb: „Relation de la guerre d'Italie", Paris 1630. 2) Friedrich Armand (Hermann), Graf von S. und Mertola, Sohn des kurpfälzischen Generals Hans Meinhard v. Schönburg, geb. 1616 in Heidelberg, diente erst im Heere des Prinzen Friedrich Heinrich von Oranien, seit 1634 unter Bernhard von Weimar, focht mit bei Nördlingen, trat 1639 in die Dienste des Prinzen Wilhelm von Oranien, 1650 als Maréchal de Camp in französische Dienste, nannte sich von da an Schomberg und nahm den Grafentitel an, focht nun unter Turenne, wurde 1654 Generallieutenant, 1655 Gouverneur von St. Guilain, als welcher er 1657 capituliren mußte, focht 1658 unter Turenne mit Auszeichnung in der Schlacht an den Dünen (Nordseeküste), wo er den linken Flügel commandirte, ging 1661 im Auftrage Ludwig's XIV. nach Portugal, organisirte das portugiesische Heer nach französischem Vorbild, befehligte es dann gegen die Spanier unter Don Juan d'Austria mit Glück, schlug dieselben 1663 bei Estremoz, wurde dafür zum Graf von Mertola und Grand von Portugal ernannt, siegte 1665 bei Villa viciosa und zwang Spanien zum Frieden von 1668 und zur Anerkennung des Hauses Braganza. Nachdem er 1673 als Capitängeneral unter Ruprecht von der Pfalz auf einige Zeit in englischen Diensten gestanden hatte, übernahm er 1674 den Oberbefehl über eine französische Armee zwischen Sambre und Maas, später über die Armee in Roussillon gegen die Spanier, machte 1675 einen Streifzug nach Catalonien, eroberte Bellegarde und wurde dafür zum Marschall ernannt. Während des Feldzugs von 1676 commandirte er erst als Lieutenant des Königs in Flandern, operirte dann selbstständig und entsetzte Mastricht. In den Jahren 1677 und 1678 commandirte er wieder an der Nordostgrenze, deckte 1684 mit 40,000 Mann die Belagerung von Luxemburg, verließ aber nach der Aufhebung des Edicts von Nantes (1685) als Protestant Frankreich und ging dann nach dem Haag. Hier lernte ihn der Große Kurfürst kennen, welcher ihn als Feldmarschall, Generalissimus und Staatsminister in brandenburgische Dienste nahm. Als jedoch Wilhelm III. von Oranien in England landete, trat er in dessen Dienste, wurde 1689 in England naturalisirt und zum Generalissimus der Armee und Großmeister der Artillerie ernannt. Im Juli 1689 folgte er dem nunmehrigen König Wilhelm nach Irland, wo der vertriebene König Jakob II., von einem französischen Heere unterstützt, sich wieder der Herrschaft bemächtigt hatte. Beim Uebergang über den Boyne kam es am 20. Juli 1690 unweit Oldbridge zur Schlacht, in welcher die Engländer siegten. S. commandirte im Centrum, fiel aber gegen Ende der Schlacht bei einem Cavalerieangriff. Vl. Rahner, „Leben Friedrich's v. S.", Mannheim 1789, 2 Bde.

Schönbrunn, kaiserliches Lustschloß mit schönem Park, eine Stunde südwestlich von Wien gelegen. Hier war 1805 und 1809 das Hauptquartier Napoleon's I.; von ihm wurde hier am 26. Dec. 1805 der in Presburg (s. d.)

abgeschlossene Frieden unterzeichnet und am 27. Dec. die Proclamation erlassen, welche die Dynastie Bourbon des Thrones von Neapel für verlustig erklärte und denselben seinem Bruder Joseph bestimmte. Am 13. Octbr. 1809 fand hier das Attentat von Friedrich Staps (s. b.) auf Napoleon I. statt; am 14. Oct. 1809 unterzeichnete Napoleon hier den zu Wien abgeschlossenen Frieden. Am 22. Juli 1832 starb hier der Herzog von Reichstadt (s. Napoleon 2).

Schöngrabern. Flecken im österreichischen Kreise unter dem Manhartsberge, nordwestlich von Wien, hat 1000 Einwohner. Hier 16. Nov. 1805 Gefecht zwischen den Russen unter Bagration und den Franzosen unter Murat.

Schönhals, Karl, Freiherr von, österreichischer Feldzeugmeister, geb. 15. Nov. 1788 zu Braunfels bei Wetzlar, trat 1806 als Cadet in ein österreichisches Jägerregiment, wurde 1809 Unterlieutenant, bei Aspern schwer verwundet, avancirte 1813 zum Oberlieutenant, focht im August mit bei Dresden, wohnte 1821 als Hauptmann unter Frimont der Expedition nach Neapel bei, wurde 1829 Major und Adjutant beim General-Commando in Verona, 1830 Oberstlieutenant und Generaladjutant Frimont's, 1832 Oberst und Generaladjutant Radetzky's (damals commandirender General im Lombardisch-Venetianischen Königreiche), 1838 Generalmajor, 1846 Feldmarschalllieutenant, hatte an den Siegen Radetzky's gegen die Sardinier 1848 und 1849 wesentlichen Antheil, vertrat von Ende 1849 nebst Lübeck den österreichischen Kaiserstaat bei der deutschen Bundes-Central-Commission, kehrte nach Auflösung dieser provisorischen Behörde und Rehabilitirung des Bundestags 1850 wieder nach Oesterreich zurück, nahm wegen Differenzen mit dem Ministerpräsidenten Fürsten von Schwarzenberg 1851 seinen Abschied, erhielt den Charakter als Feldzeugmeister, zog sich nach Gratz zurück und starb daselbst 16. Febr. 1857. Er schrieb: „Erinnerungen eines österreichischen Veteranen aus den Italienischen Kriegen von 1848 und 1849", Stuttgart 1852 und öfter, 2 Bde., (welche höchst interessante Aufschlüsse über die Geschichte jener Kämpfe geben); „Biographie des Feldzeugmeisters Haynau", Gratz 1853.

Schöning, 1) Hans Adam von, brandenburgischer und kursächsischer Feldmarschall, geb. 1641 zu Tamsel (im preuß. Regierungsbez. Frankfurt a. d. O.), wurde 1665 brandenburgischer Legationsrath, trat 1666 als Rittmeister in die brandenburgische Armee, focht 1674 am Rhein gegen die Franzosen, 1675 in der Mark und 1679 als Generalmajor in Ostpreußen gegen die Schweden, wurde 1684 Generallieutenant und Gouverneur von Berlin, nahm 1686 an der Spitze eines brandenburgischen Hilfscorps von 8000 M. am Türkenkriege in Ungarn, besonders an der Eroberung von Ofen Theil, wurde 1868 Feldmarschall, befehligte als solcher das brandenburgische Heer am Niederrhein gegen die Franzosen, trat 1689 wegen Differenzen mit dem General Barfuß aus den brandenburgischen Diensten und 1691 als Feldmarschall in kursächsische, wurde 1692, weil er dem Kurfürsten zu einer Beschränkung des sächsischen Reichs-Contingents gerathen, auf Befehl des Kaisers Leopold in Töplitz verhaftet, erst nach Brünn auf den Spielberg, 1694 nach Wien gebracht, dort freigelassen und starb 1696 in Dresden. Sein Leben wurde von dem Folgenden beschrieben. 2) Kurt Wolfgang von, preußischer Generalmajor und Historiograph der Armee, Urenkel des Vor., geb. 1789 zu Morrn in der Neumark, trat 1806 als Fähnrich in die preußische Armee, wohnte der Schlacht von Auerstädt bei, wurde 1807 Lieutenant, focht 1813 mit bei Lützen, Bautzen, an der Katzbach und bei Leipzig, 1814 bei Laon und Paris, 1815 bei Waterloo, wurde 1816 Hauptmann, 1821 Major, begleitete 1822 den Prinzen Karl als Adjutant nach Italien, trat 1827 als Oberstlieutenant aus dem activen Militärdienst, wurde Hofmarschall der Prinzen Karl, erhielt später den Titel eines Historiographen der Armee und den Charakter als Generalmajor a. D. und starb in der Nacht vom 1. zum 2 April 1859. Unter seinen zahlreichen Schriften sind hervorzuheben: „Geschichte des preuß. 3. Dragonerregiments", Berlin 1835; „Leben des Generalfeldmarschalls v. S.", Berlin 1837; „Leben des Generalfeldmarschalls v. Nahmer", Berlin 1838; „Die Generale der kurbrandenburgischen und königl. preuß. Armee von 1640—1840", Berlin 1840; „Geschichte des Blücherschen (5.) Husarenregiments", Berlin 1843; „Geschichte der brandenburgisch-preußischen Artillerie", Berlin 1844, 3 Bde.; „Der Siebenjährige Krieg" (nach Originalcorrespondenzen Friedrich's d. Gr. bearbeitet), Berlin 1851—53, 3 Bde.; „Der Baierische Erbfolgekrieg" (als 4. Band des vorigen Werkes), Berlin 1854; „Zur europäischen Politik im Januar 1855", Berlin 1855; „Die fünf ersten Jahre der Regierung Friedrich's des Großen", Berlin 1857.

Schooner, (Schoner, Schuner), ein Fahrzeug mit zwei Masten, von denen der hintere indessen keine Raaen führt. Der vordere Mast hat gewöhnlich eine Stenge und Bramstenge und dem entsprechend Raaen, der hintere — Schooner-Mast — dient hauptsächlich nur dazu, das große auf einem „Baum" ausgeholte Schooner-Segel zu tragen. Die S. führen hauptsächlich Gaffelsegel, können besser am Winde segeln und kreuzen als Raa-Schiffe. Kleinere S. lassen die Raaen am Vormast oft fortfallen; daher unterscheidet man Raa-Schooner und Gaffel-Schooner. In Amerika, wo man vorzügliche Masthölzer von großen Längen hat, werden auch größere Schiffe, welche etwa als Bark zu takeln wären, mit drei Schoonermasten versehen und heißen Dreimast-Schooner. Das Setzen und Einnehmen der Segel kann bei diesen ganz von Deck aus geschehen, ohne daß die Mannschaft nöthig hätte, „nach oben" zu gehen. Kriegs-Schooner führen 10 und mehr Geschütze.

Schoßkelle, gitterartiger Behälter an Fuhrwerken, zur Aufnahme von Futter ꝛc. bestimmt, s. Wagen.

Schottland (engl. Scotland), früher ein selbstständiges Königreich, seit 1707 die nördliche (kleinere) Hälfte des vereinigten Königreichs Großbritannien bildend, grenzt im Südosten an England, wird im Süden von der Irischen See, im Südwesten vom Nordkanal, im Westen und Norden vom Atlantischen Meer, im Osten von der Nordsee bespült, umfaßt nebst den dazu gehörigen Shetland- und Orkney-Inseln (im Nordosten) und Hebriden (im Westen) einen Gesammtflächenraum von 1407,88 Q.M. (nach Anderen 1473,33 Q.M.) und zählte (1871) 3,358,613 Einwohner. Die Küsten sind auf allen Seiten von fjordartigen Seearmen und Buchten (Firths oder Friths und Lochs) eingeschnitten; doch bildet auf der Ostküste nur der Firth of Cromarty (ein Zweig des Firth of Murray) einen guten natürlichen Hafen, während die Westküste reich an solchen ist. Der Bodenbeschaffenheit nach zerfällt S. in Südschottland, Mittelschottland und Nordschottland. Südschottland ist Hügelland; im Süden bilden die Cheviot-Hills die Grenze gegen England. Mittelschottland ist zu drei Viertel Gebirgsland und enthält die höchsten Gipfel Großbritanniens; die Hauptmasse des Gebirgs bilden die Grampians, deren höchster Gipfel der 4100 Fuß hohe Ben-Nevis ist. Nordschottland ist ein wildes Gebirgsland und der am dünnsten bevölkerte Theil von Großbritannien. Außerdem unterscheidet man nach Verschiedenheit der Abstammung, Sprache und Gesittung der Bevölkerung das Land in die Niederlande (Lowlands), welche den südlichen (kleineren), und in die Hochlande (Highlands), welche den nördlichen (größeren) Theil einnehmen; die Grenze zwischen beiden bildet das Thal des Forth und Clyde. Die bedeutendsten Flüsse sind der Tweed mit dem Teviot, der Tay, Forth und Clyde; von größerer Wichtigkeit sind als Wasserstraßen indeß die zahlreichen Kanäle, unter denen der Caledonische und der Glasgow-Kanal hervorzuheben sind. Außerdem besitzt S. viele Seen (theils tief

einbringende Seearme, theils Süßwasserseen). Das Klima ist im Allgemeinen
rauher, als auf dem europäischen Continent unter gleichen Breitengraden, aber
gesund; im Hochlande sind Nebel häufig. Der Boden ist vorzugsweise im
Niederlande fruchtbar. Haupterwerbsquellen sind Ackerbau und Viehzucht (besonders Schafzucht); nächstdem Fischerei (namentlich Heringsfang an den Küsten)
und Bergbau (besonders auf Blei und Steinkohlen). Die Industrie steht nicht
auf der hohen Stufe wie in England; am wichtigsten sind Kattundruckerei, Leinen-
und Baumwollenfabrikation. Binnen- und Küstenhandel sind von großer Bedeutung. Eisenbahnen finden sich fast nur in Süd- und Mittelschottland; die
wichtigsten Knotenpunkte sind Edinburg, Glasgow und Perth. Für den Volksunterricht ist in S. besser gesorgt als in England; auch besitzt S. vier Universitäten: Edinburg, Glasgow, Aberdeen und St. Andrews. Staatskirche ist
die Presbyterianische Kirche (Church of Scotland), welcher ungefähr 47 Procent der Bevölkerung angehören; 44 Procent bekennen sich zu verschiedenen
anderen protestantischen Culten; römische Katholiken sind nur 9 Procent. Der
politischen Eintheilung nach zerfällt S. in 30 Grafschaften (Shires, Counties)
und 2 Vogteien (Stewartries). Hauptstadt ist Edinburg. Das Wappen von
S. ist ein aufgerichteter rother Löwe auf goldenem Felde in einer doppelten
Einfassung mit untergelegten Lilien; es nimmt die zweite Stelle im Wappen
von Großbritannien (f. d. Bd. IV., S. 287) ein. In der großbritannischen
Flagge ist S. durch das Kreuz des St. Andreas vertreten; der Orden S.'s
ist der Andreas- oder Distel-Orden (f. ebd.). Ueber die allgemein staatlichen
Verhältnisse f. ebenfalls unter Großbritannien.

Schon die ältesten uns bekannten Bewohner S.'s sind Celten, welche von
den Römern Caledones (Caledonier) genannt wurden; das Land selbst
nannten sie Caledonia. Im J. 80 n. Chr. zogen die Römer unter Agricola
von dem eroberten Britannien (England) aus in Caledonien ein, unterwarfen
das Land bis zu den Grampians und errichteten dann (unter Hadrian) zwischen
den Flüssen Forth und Clyde einen befestigten Wall (Pictenwall), welcher
die Grenze des Römischen Reiches blieb. Seit dem 4. Jahrhundert erscheinen
statt der Caledonier die Picten und Scoten, wilde Celtenstämme, welche
wahrscheinlich aus Irland nach dem nördlichen S. gekommen. Als dieselben
zu Anfang des 5. Jahrh. verwüstend in Britannien einfielen, wurden von den
Briten die germanischen Stämme der Sachsen und Angeln zu Hilfe gerufen,
welche 449 die Picten und Scoten aus Britannien bis hinter den Pictenwall
zurücktrieben, sich nun aber selbst in Britannien festsetzten. Von da an beginnen die Kämpfe zwischen den germanischen Stämmen Englands und den
celtischen Stämmen S.'s. Um die Mitte des 6. Jahrh. verbreitete Columba
das Christenthum unter den Picten und Scoten. Seit Anfang des 9. Jahrh.
verschwinden die Picten allmälich aus der Geschichte; 843 vereinigte der Scoten-
könig Kenneth das von den Scoten bewohnte westliche S. mit dem östlichen
und nördlichen, bisher von den Picten innegehabten Theile zu einem Reiche,
das seitdem Scotland genannt wurde. Die folgenden Jahrhunderte sind von
fortwährenden, mit wechselndem Erfolge zwischen S. und England geführten
Kriegen ausgefüllt. Die hervorragendsten Könige S.'s sind die aus dem normannischen Geschlechte Bruce (f. d. Bd. II., S. 233 f.). Als 1371 der
Mannesstamm desselben mit David Bruce (f. d. 4) erlosch, ging der schottische
Thron auf Robert Stuart, einen Sohn der Tochter von König Robert I.
Bruce über. Während der Regierungszeit der Stuarts war S. der Schauplatz von vielfachen inneren Wirren (namentlich der Religion wegen) und
Kämpfen. König Jakob VI. von S. (ein Sohn der unglücklichen Maria Stuart)
erhielt 1603 als Jakob I. zugleich die englische Krone und behandelte S. nun
als englische Provinz. Dieser Druck, sowie abermals religiöse Wirren gaben

die Veranlassung zu erneuerten Kämpfen, von denen die in der Mitte der 17. Jahr. unter Cromwell (s. d. Bd. III., S. 95 f.) die bedeutendsten waren. Als Jakob II. von seinem Schwiegersohn Wilhelm von Oranien vertrieben worden war und Letzterer 1689 als Wilhelm III. den englischen Thron bestiegen hatte, faßte dieser den Plan, England und S. vollständig zu Einem Reiche zu vereinigen, starb aber schon 1702. Seine Schwägerin und Nachfolgerin Anna (eine Tochter Jakob's II.) führte diesen Plan durch und berief 1706 eine Commission ein, für welche das englische und schottische Parlament je 16 Mitglieder ernannte. Dieselbe trat am 29. April zusammen und entwarf bis zum 2. August eine Unionsacte, welche am 27. Januar 1707 vom schottischen, am 16. März vom englischen Parlament angenommen wurde und am 1/12 Mai 1707 gesetzlich ins Leben trat. Kraft derselben wurden S. und England unter dem Namen Großbritannien zu Einem Reiche vereinigt. Von da an datirt der materielle und geistige Aufschwung S.'s. Die Geschichte S.'s geht seitdem in der Großbritanniens (s. d.) auf. Vgl. Tytler, „History of Scotland from the accession of Alexander II. (1214) to the union of the crowns", Edinburg 1826—34, 8 Bde. 3. Aufl. 1845; Lindau, „Geschichte S.'s", Dresden 1827, 4 Bde.; Scott, „History of Scotland", London 1830, 2 Bde. (deutsch von Bärmann, Zwickau 1837, 7 Bde.); Mackenzie, „History of Scotland", Edinburg 1867.

Schout-bei-Nacht, früher die bei den Holländern, Dänen und Schweden gebräuchliche Bezeichnung für **Contre-Admiral.**

Schrägfeuer, v. **Echarpiren** Bd. III., S. 278.

Schrägmarsch, s. v. w. **Diagonalmarsch,** s. u. **Diagonale.**

Schralen (Schrallen) sagt man vom Winde, wenn derselbe anfängt, der Fahrt des Schiffes ungünstig zu sein; schraler Wind heißt daher ein Wind, welcher fast von vorn in die Segel fällt, wenn das Schiff seinen Cours behalten will.

Schränkwände oder **Schrotwände** bestehen aus horizontal auf einander gelegten Balken, die auf den Ecken überschnitten werden. Zu dem Zwecke erhält jeder Balken ca. 0,1 Meter vom Hirnende entfernt einen Einschnitt, dessen Tiefe gleich der halben und dessen Breite gleich der ganzen Holzstärke ist. Vier Balken — welche, um ein festes Auflager zu geben, wenigstens auf der oberen und unteren Seite beschlagen sein müssen — bilden, mit ihren Einschnitten zusammengefügt, einen Rahmen. Diese Rahmen, welche man über einander legt, werden bei Feldbefestigungen häufig zur Herstellung von Blockhäusern — Schränkblockhäuser nach ihrer Construction genannt — und Caponièren benutzt. In diesem Falle sind horizontale Gewehrscharten angemessen hoch und breit in zwei übereinander liegenden Balken einzuschneiden.

Schraube, 1) In der Mechanik eine einfache Maschine, auf dem Princip der schiefen Ebene beruhend; gewöhnlich ist die Schraube um einen Cylinder gelegt; man unterscheidet den vollen Theil — Spindel, und den hohlen — Mutter. Die einzelnen Windungen der S. heißen Gänge. Zweck der S. ist, mit Ersparniß an Kraft fortschreitende Bewegung hervorzubringen, sei es um Lasten zu heben, oder Körper zusammen zu pressen, resp. an einander zu drücken, so daß eine feste Verbindung entsteht. S.'n ohne Ende beruhen auf dem Ineinandergreifen zweier einander kreuzenden Schraubenspindeln und bezwecken lediglich drehende Bewegung. Auf einem Konus beschriebene S.n heißen Holzschrauben; sie bewirken die Verbindung von Metalltheilen mit Holz, wobei letzteres gewissermaßen als Mutter fungirt. In der Militärtechnik finden S.n hauptsächlich Anwendung als bewegendes Mittel bei Richtmaschinen (s. d.), Bremsvorrichtungen ꝛc., sowie als Mittel zur

Verbindung der einzelnen Theile von Laffeten, Fahrzeugen, Gewehren, wie
Schraubenbolzen, Schloßschrauben ꝛc.

2) S. (Propeller), diejenige Vorrichtung am Schiff, durch deren Drehung im Wasser das Schrauben-Dampfschiff fortbewegt wird (vergl.
Maschine Bd. VI., S. 35). Die S. sitzt am Hintersteven, zwischen diesem
und dem Ruderpfosten an der Welle fest, welche letztere —, aus Schmiedeeisen
bestehend — auf entsprechend eingerichteten Lagern ruht und durch die Maschine
gedreht wird. Die S. besteht aus zwei, drei oder vier „Flügeln“,
welche ihrer äußeren Form nach Ausschnitte eines Schraubengangs von dem
Drehpunkt nach dem Rand desselben sind. Die Construction derselben ist sehr
verschieden; für größere Schiffe wird die zweiflügelige S. am meisten angewandt. Die S.n neuerer Construction sind derartig, daß ein Flügel
zum Ausnehmen und Einsetzen eingerichtet ist, damit bei einer Beschädigung
eines Flügels nicht die ganze S. unbrauchbar wird, auch mithin statt einer
Reserve-Schraube den Schiffen nur ein Schraubenflügel mitgegeben zu werden
braucht. Außerdem sind die Flügel so eingerichtet, daß dem Schraubengang
eine größere oder geringere Steigung gegeben werden kann. Die S. selbst
wird meist aus Metall gefertigt. Unter den Constructionen von S.n, welche
sich am meisten bewährt haben, steht die Griffith-Schraube oben an.
Ganz in neuester Zeit werden in England Versuche mit einer neuen Construction
von Bansittart ausgeführt, welche bisher zu Gunsten der letzteren ausgefallen
sind. Ueber die Priorität der Erfindung der S., durch die allein für Kriegsschiffe die Dampfkraft den nöthigen Werth gewonnen hat, sind die Meinungen
getheilt gewesen: durch die neusten Forschungen ist festgestellt, daß dies Verdienst
einem Deutschen, dem österreichischen Marine-Ingenieur J. Ressel aus Wien gebührt, welcher im Jahre 1827 die Erfindung der Schiffsschraube sich paten-
tiren ließ, während die Engländer dies Verdienst einem Landsmann von ihnen,
dem Farmer Smith, zuschreiben (vergl. Dampfschiff Bd. III., S. 134 ꝛc.).

Schraubenteil, ältere Art von Richtmaschinen (s. d. S. 3).

Schraubenschiff, s. Schraube, Dampfschiff.

Schraubenschlüssel, Schraubenzieher, Werkzeug zur Bewegung von Schrauben-
muttern oder von Schraubenspindeln dienend.

Schreiber, Unteroffiziere oder Soldaten, welche den Behörden zur Ausführung schriftlicher Arbeiten überwiesen werden, als Regiments-, Bataillons-
schreiber ꝛc. Sie haben entweder die Entwürfe der leitenden Personen (Commandeur, Adjutant ꝛc.) zu copiren oder niederzuschreiben, oder auch Schrift-
stücke selbstständig zu concipiren, welche dann von jenen revidirt werden.

Schritt, 1) beim gewöhnlichen Gange des Menschen das Vorsetzen eines
Fußes vor den anderen, auch die Entfernung beider Fußspitzen von
einander (während sich beide Füße auf der Erde befinden). Der S. dient
zur Bezeichnung des Marschtempos — Anzahl der S.e in einer Minute —,
sowie zum flüchtigen Messen von Entfernungen. Die Bestimmung der
letzteren mittelst der S.e wird Abschreiten genannt und ist um so mehr zutreffend, je gleichmäßiger die S.e gemacht werden, was durch Uebung erhöht
werden kann. Der natürliche S. jedes einzelnen Individuums hängt in
Bezug auf seine Länge von der Körper-Constitution ab. Bei einer Fußtruppe
ist es wichtig, die Leute auf gleich große S.e zu dressiren, indem ohne dies
keine geordnete Bewegung in geschlossenen Formationen möglich ist. Zur Er-
möglichung geregelter Bewegungen dicht hinter einander marschirender Mannschaften dient der Gleichschritt, d. i. das gleichzeitige Vorsetzen der gleichnamigen Füße in einer Truppen-Abtheilung. Wenn auch der natürliche S.
bei jedem einzelnen Individuum ein anderer ist, so sind die Gesammtverschieden-
heiten bei erwachsenen Menschen keine erheblichen, und kann daher von dem Ab-

schreiten zur Bestimmung von Entfernungen, beim Schießen, Exerciren, bei Anlage passagerer Fortificationen, sowie bei flüchtigen Terrain-Aufnahmen Gebrauch gemacht werden. Man legt hier indeß einen gewissen Normal-Schritt zu Grunde, der in Beziehung zum Landesmaße steht und zugleich eine mittlere Schrittlänge repräsentirt, meist die Größe von 75 cm. hat, so daß auf 300 Meter 400 Schritt kommen. Es kommt auch vor, daß der in einer Armee festgesetzte Normal-Schritt zum Exerciren — Exercir-Schritt, ein anderer ist, als der S. zum Bestimmen von Entfernungen — geometrischer S. genannt. So betrug in Preußen bisher der Exercir-Schritt 73,3 cm., der geometrische S. 75,3 cm. (= 2,4 rhnl. Fuß); für künftig ist ersterer auf 80 cm. festgesetzt und letzterer ganz fallen gelassen. In Baiern unterschied man den Infanterie-Schritt zu 73 cm. und den Artillerie-Schritt gleich dem preußischen geometrischen S. In Oesterreich ist der Normal-Schritt 75,4 cm., in der Schweiz 75 cm. Behufs Croquirens pflegt man auch das Verhältniß des individuellen S.'s zum Normal-Längenmaß vorher zu firiren und zwar in Gestalt eines Schritt-Maßstabs, welcher die entsprechenden Größen beider neben einander stellt. 2) S. als Gangart des Menschen; man unterscheidet hier in militärischer Hinsicht verschiedene Tempos: als langsamer S. — 75 per Minute, gewöhnlicher (pas ordinaire) — 100 bis 112, beschleunigter (pas accéléré), auch Sturm-Schritt, — etwa 120, und Lauf-Schritt — 150 bis 160 per Minute, ein Laufen in mäßigem Tempo. Der langsame S. diente im vorigen Jahrhundert als Evolutions-Schritt, jetzt nur noch zur Einübung von Rekruten im militärischen Marschiren, während der gewöhnliche jetzt zum Exerciren dient (in Preußen 112 per Minute). Der beschleunigte S. leitet die Bajonett-Attake ein; das Tempo wird mit der Trommel angegeben. Zuletzt geht derselbe in den Lauf-Schritt über, welcher auch überhaupt zum raschen Zurücklegen kurzer Wegstrecken dienen kann. 3) Als Gangart des Pferdes, s. Reiterei Bd. VII., S. 333.

Schrittwechsel, s. v. w. Wechsel der Gangart.

Schröd, der frühere Name des Dorfes Leopoldshafen am Rhein, im badischen Kreise Karlsruhe. Hier fand 1744 der berühmte Rheinübergang des Prinzen von Lothringen statt.

Schrot, kleine Bleikugeln, von denen eine gewisse Anzahl gleichzeitig geladen wird, zum Schießen aus Jagdgewehren, daher Schrotschuß. In Oesterreich nennt man auch die Kartätschkugeln S.e, die Kartätschbüchse Schrot-Büchse.

Schrotwagen, Blockwagen, Lastwagen mit niedrigen Rädern, daher leicht zu beladen; in der Artillerie zum Transport von Geschützröhren vorkommend, s. Wagen.

Schrotwand, s. v. w. Schrankwand, s. d.

Schuh, 1) Fußbekleidung. 2) Eine am Steigbügel des Ulanen zur Unterstützung der Lanze angebrachte Hülse. 3) Unteres Ende m. Beschlag b. einer Lanze.

Schuhmacher, dänischer Hauptmann zu Anfang des 19. Jahrh., von welchem die Idee, Raketen als Geschoßträger zu benutzen, herrühren soll, vergl. Rakete Bd. VII., S. 288.

Schule, 1) Unterrichts-Anstalt, s. d., sowie die Special-Artikel: Artillerie-, Kriegs-, Reit-, Schieß-Schule. 2) Soviel wie Stufe einer systematisch betriebenen Exercir-Ausbildung, als Soldaten-, Zug-, Compagnie-, Bataillons- ꝛc. Schule. 3) Schule reiten, Schul-Reiterei, s. Reiterei.

Schulenburg, von der, ein altes, berühmtes, besonders in den preußischen Provinzen Brandenburg, Sachsen und Hannover und im Herzogthum Braunschweig begütertes Adelsgeschlecht, welches bereits zur Zeit Karl's d. Gr. aus Geldern nach der Mark Brandenburg gekommen sein soll. Als Stammvater

gilt Werner von S., welcher im ersten Kreuzzuge 1119 bei der Eroberung
von Ptolemais (Acca, Acre) fiel. Das Geschlecht zerfällt in die Weiße und die
Schwarze Linie, welche sich wieder in zahlreiche Nebenlinien theilen. In
der Kriegsgeschichte sind besonders namhaft: 1) Johann Matthias, Reichsgraf von der S., geb. 1661 zu Emden im Magdeburgischen, trat erst in
kurbraunschweigsche Dienste, wohnte 1689—97 den Feldzügen gegen die Franzosen am Niederrhein bei, nahm nach dem Ryswijker Frieden als General
französische Dienste, focht unter Prinz Eugen, wurde 1701 bei Chiari verwundet, trat 1702 als Generallieutenant in sächsische Dienste, erhielt 1704
das Commando über die sächsischen Truppen in Polen gegen Karl XII. von
Schweden, wurde von diesem am 12. Oct. 1704 bei Puniz geschlagen, zog
sich dann nach tapferer Gegenwehr und unter den schwierigsten Umständen nach
Schlesien zurück, erhielt 1708 den Oberbefehl über ein 9000 M. starkes Corps,
welches der Kurfürst von Sachsen in niederländische Dienste gab, focht dann
unter Eugen und Marlborough, zeichnete sich namentlich 1709 bei Malplaquet
aus, wurde vom Kaiser Karl VI. in den Reichsgrafenstand erhoben, verließ
1711, als Graf Flemming das Commando über die sächsische Armee erhielt,
die sächsischen Dienste, ging dann nach England, wurde 1715 Feldmarschall
der Republik Venedig, vertheidigte als solcher 1716 Korfu tapfer gegen die
Türken, hielt während der Kriege der Oesterreicher in Italien 1733—35 und
1742—47 die Neutralität Venedigs aufrecht und starb 1747 in Verona. In
Korfu wurde ihm ein Denkmal gesetzt. Vgl. Friedr. Albr. v. d. Schulenburg,
„Leben und Denkwürdigkeiten des Joh. Matth. v. d. S.", Leipzig 1834, 2 Bde.
2) Achaz von der S., geb. 1669 zu Apenburg in der Altmark, trat 1690
in die brandenburgische Armee, zeichnete sich namentlich im Spanischen Erbfolgekriege aus und starb 1731 als preußischer Generallieutenant der Cavalerie.
3) Adolf Friedrich, Graf v. d. S., geb. 1685 in Wolfenbüttel, trat 1705
in hannoversche Dienste, focht als Major 1708 bei Oudenarde und 1709 bei
Malplaquet, trat 1715 in die preuß. Armee, wohnte 1734 dem Feldzuge am
Rhein bei, und fiel als Generallieutenant der Cavalerie beim Beginne des
ersten Schlesischen Krieges am 10. April 1741 in der Schlacht bei Mollwitz.
4) Levin Rudolf, Graf v. d. S. geb. 1727, befand sich während des
Siebenjährigen Krieges stets im Gefolge Friedrichs d. Gr. und starb 1788 als
Generallieutenant und Kriegsminister. — Im Ganzen sind aus dem Geschlecht
v. d. S. 4 Feldmarschälle, 25 Generale, 3 Herrmeister des Johanniterordens,
6 Staatsminister und 4 Bischöfe hervorgegangen. Vgl. Danneil, „Das Geschlecht der von der S.", Salzwedel 1847.

Schulen laufen sagt man vom Winde, wenn derselbe sich nicht mehr bemerken läßt, anfangt todtstill zu werden.

Schulpferd, für Schul-Reiterei besonders geeignetes und ausgebildetes Pferd
(im Gegensatz zum Campagne-Pferd).

Schulter, s. v. w. Flügel einer Abtheilung, daher S. vornehmen, eine
Art Schwenkung (s. d.).

Schulter herein, Seitengang beim Reiten, s. Reiterei, Bd. VII., S. 335.

Schultern, das Gewehr nach dem Präsentiren wieder an die Schulter nehmen.

Schulterpunkt, s. Bastion, Bd. II., S. 13.

Schulterwehr, Deckungsmittel gegen Seitenfeuer, s. Deckungen, Bd. III.,
S. 166.

Schulterwinkel, Winkel zwischen Face und Flanke eines Bastions.

Schultheiß hieß auch der Auditeur der Landsknechte (vgl. Militärgerichte,
Bd. VI., S. 87).

Schultze'sches Pulver, auch „Neues chemisches Schießpulver", s. Pulver,
Bd. VII., S. 262.

Schumann'scher gepanzerter Geschützstand, nach Angabe des Preußischen Ingenieur-Hauptmann Schumann gebaut, besteht dem Princip nach aus einer unter 70 Grad nach rückwärts geneigten Panzerplatte, 3,71 M. lang, 1,51 M. hoch und 15,2 cm. stark, — dahinter eine doppelte Reihe horizontal liegender Bignolschienen, welche durch eine innere Eisenhaut von 2 cm. Stärke gehalten werden. Die Minimalscharte (siehe Scharte) von annähernd kreisförmiger Gestalt, in der Scharteneenge 41 cm. hoch und 31 cm. breit, gestattet in Verbindung mit der äußeren Erdscharte ein horizontales Gesichtsfeld von 60 Grad. Die Panzerung steht auf einer verdeckten Stirnmauer, greift seitwärts über die gemauerten Widerlager und nach oben über die Eisenconstruction der Decke über, welche so durch die Panzerung gegen Frontalfeuer geschützt wird. Die nach rückwärts etwas ansteigende eiserne Bombendecke besteht aus eisernen T-Schienen, welche in der Längenrichtung des Geschützstandes liegen und 0,3 M. von Mitte zu Mitte entfernt sind, (Profil der Burbacher Hütte Nr. 9 d, von 24,7 cm. Höhe, 14,6 cm. Breite und 1,2 cm. Eisenstärke). Die vordere Hälfte der Decke ist mit einer 2,5 cm. starken Platte belegt; eine schwächere Platte, durch Bolzen mit der oberen verbunden, schließt die Decke nach unten ab. Der Zwischenraum zwischen den eisernen Balken ist mit Beton ausgefüllt. — Von rückwärts her schließt sich an den eigentlichen Geschützstand eine bombensichere Mauercasematte an, deren vorderes Gewölbehaupt, 0,50 M. breit, horizontal abgeglichen ist und mit diesem Theile der Eisendecke als Auflager dient, während dieselbe vorn auf einem eisernen Träger vernietet ist, der sein Auflager hinter der Panzerplatte an den gemauerten Widerlagern findet. — Auf der Eisendecke ist noch eine 0,50 M. dicke Lage Beton aufgebracht, darüber die Erddecke, welche nur 0,50 bis 0,70 M. Dicke hat. Bis auf die Scharte ist der ganze Stand mit Boden verschüttet, so daß die Erddecke sich an die Brustwehr anschließt. Die Erdscharte bleibt mit Recht unbekleidet und hat dicht an der Platte 1 M. Tiefe, 21 cm. Sohlenbreite und 2,30 M. obere Breite.

Bei einem in Mainz (Mai 1866) mit dieser Construction stattgehabten Schießversuche befand sich in dem Geschützstande ein 15 cm.-Kanon von 2776 Kilgr. Gewicht. Das Rohr lag in einer besonders construirten Laffete, welche ein derartiges Heben und Senken der Schildzapfen gestattete, daß ohne Veränderung der Höhenlage der Geschützmündung eine größte Elevation von 15 Grad und eine größte Depression von 3 Grad genommen werden konnte. Zur Bedienung waren 1 Unterofficier und 5 M. erforderlich; nöthigenfalls hätten 3 M. genügt. Bei einer Ladung von 3 Klgr. betrug der Rücklauf 0,8 M.; bei einer Ladung von 2 Klgr. war er fast Null. Zum Laden und zum sorgfältigen Zielen bedurfte man durchschnittlich 1 Minute 50 Secunden. Der Schall incommodirte die Bedienungsmannschaft nicht, aber bei einem beschleunigten Feuern blieb der Pulverdampf vor der Scharte hangen und verdunkelte das Innere des Geschützstandes. — Zum Beschießen des Standes wurden Grüson's Hartguß-, Krupp'sche und Doos'sche Stahlgeschosse, im Gewicht von 27 bis 36 Kilgr. verwendet. Sie wurden mit Ladungen von 2 bis 3 Klgr. auf Entfernungen von 1320 und 377 M. verfeuert. Von 219 Schüssen trafen 79 den Schild, darunter 51 Geschosse, welche den Schild trafen, ohne Schartenwangen oder Sohle zu berühren. Hiervon trafen 4 Geschosse die Geschützmündung und drangen in das Innere des Standes, die einzigen Treffer, welche Beschädigungen im Innern hervorbrachten. — Die Panzerplatte (15,2 cm. stark) erwies sich dem 15 cm. Geschütz gegenüber als zu schwach und bestätigte mithin das von den englischen Constructeuren aufgestellte empirische Gesetz, daß die Stärke der Panzer (etwa ¼—½) größer sein muß, als der Durchmesser der gegen sie verwendeten Geschosse. Die Eindrin-

16*

gungstiefen steigerten sich von 4 cm. bis 14 cm.; zuletzt wurden Stücke der Platte herausgeschleudert, ohne daß die Platte vollständig durchschlagen wurde. — Die Decke des Geschützstandes wurde zwei Proben unterzogen. Zunächst bewarf man sie mit oblongen Geschossen von 27,25 Kilgr. Gewicht auf 2600 M. Entfernung aus einem unter dem Winkel von 25 Grad abgefeuerten 15 cm. Geschütz. Eine ungeladene Granate traf die Mitte der Decke, ohne irgend eine Wirkung hervorzubringen. Am folgenden Tage schlug eine mit einer Sprengladung von 0,5 Kilgr. versehene Granate auf derselben Stelle ein und crepirte daselbst; sie erzeugte einen Trichter, dessen unterer Theil 15—18 cm. tief in der Betonschicht lag; der Geschützstand war unversehrt geblieben. — Beim zweiten Versuche legte man auf dieselbe Stelle eine 32 cm. im Durchmesser haltende, mit 6,5 Kilgr. Pulver geladene Granate, bedeckte sie mit 0,5 M. Erde und entzündete sie dann. — Durch die Explosion wurde eine kaum nennenswerthe Beschädigung in der Construction der Decke bewirkt.

In Folge der sich bei diesen Versuchen herausstellenden Erfahrungen hat Schumann sein erstes Project in folgenden Punkten geändert: 1) Die Stärke der Platte wurde von 15,2 auf 21. cm. gebracht; die Bignollschieuen fielen fort; dafür unterstützen die Platte 6 aufrecht stehende T-Träger, deren Zwischenräume mit Holz ausgefüttert sind. 2) In den Widerlagern des Geschützstandes wurden zur Abführung des Rauches Kamine angelegt. 3) Die Deckbalken wurden stärker gemacht und weiter auseinander gestellt; dieselben wiegen 61 Kilgr. pro laufenden M.

Ein diesen Abänderungen entsprechender Geschützstand ist im Bastion Drusus zu Mainz aufgestellt; er hat ungef. 10,000 Thlr. (preuß.) gekostet. Der so modificirte Stand vereinigt fast alle wünschenswerthe Vorzüge: ein Schußfeld von 60 Grad; eine Minimalscharte; einen Panzerschild, der den zur Zeit in dem Belagerungsparks befindlichen schwersten Geschützen Widerstand leistet; eine der Percussions- und der Sprengwirkung der schwersten Bomben widerstehende Decke; leichte Bedienung; einen hinreichend schnellen Rauchabzug im Innern des Standes und einen mäßigen Preis. Es hat sich aber dabei herausgestellt, daß der Pulverdampf außerhalb des Geschützstandes sich nicht ebenso schnell verzieht, wodurch in einzelnen Fällen entweder eine Einstellung oder wenigstens eine Verlangsamung des Feuers herbeigeführt wird. Dieser Uebelstand fällt bei Küstenbatterien sehr ins Gewicht, welche gegen bewegliche Ziele von großer Geschwindigkeit feuern müssen, die durch den Rauch leicht dem Gesicht des Zielenden entzogen werden. In geringerem Maaße ist dies bei Festungs-Batterien der Fall, die im Allgemeinen langsam und gegen feststehende Ziele feuern, welche man, selbst ohne sie zu sehen, treffen kann. Dieser Uebelstand wird aber so lange bestehen bleiben, als man aus Scharten feuert. Um ihn abzuschwächen, muß man die Merlons, soweit es angeht, niedriger machen und die Geschützmündung etwa 0,3 Meter nach Außen vorrücken. Der Uebelstand des Rauches ist in der That so groß, daß man, um ihn wenigstens zum Theil wegzuschaffen, nicht Anstand nehmen darf, das lange Feld und das Innere des Geschützrohrs etwas mehr zu exponiren. — Wenn der Geschützkopf über den Panzerschild hinausragt, so gewinnt man einen nicht zu verachtenden Vortheil. Je näher nämlich das Auge des Zielers sich der Schartenöffnung befindet, desto besser vermag er die äußeren Objecte zu erblicken, desto genauer kann er zielen. Ganz besonders wichtig wird dies, wenn es sich darum handelt, bewegliche Ziele zu beschießen. — Für Küstenbatterien ist es durchaus unerläßlich, die Schiffe schon in der Ferne sehen und ihre Fahrt mit Leichtigkeit verfolgen zu können, so daß man Alles vermeiden muß, was in dieser Beziehung hinderlich sein könnte. Mit Rücksicht hierauf sind daher die S.'schen Geschützstände weniger empfehlenswerth, als Panzerthürme und Panzer-batterien ohne Merlons, wie sie in den Forts von Portsmouth und Plymouth zur Ausführung gekommen sind. Ja in einzelnen Fällen werden erstere sogar den offenen mit Geschützen auf Moncrieff-Laffeten armirten Batterien nachstehen. S. hat ferner einen Geschützstand in Vorschlag gebracht, der dadurch, daß er sich gleichzeitig mit der Laffete bewegt, einige Aehnlichkeit mit einem Thurm besitzt; derselbe besitzt den Vorzug transportabel zu sein und nur relativ schwacher Platten zu bedürfen. Er vermag einer directen Beschießung recht gut zu widerstehen (wegen seiner gekrümmten Oberfläche), bietet aber gegen echarpirendes und Enfilir-Feuer nur geringe Sicherheit. Man darf ihn mithin nur in Ausnahmefällen anwenden, etwa zwischen hohen Traversen, welche sein Gesichtsfeld auf ungef. 100 bis 120 Grad beschränken. Seine Mängel sind: die Bettung ist dem Verticalfeuer nicht entzogen, der Bewegungsmechanismus wird daher öfters zerbrechen oder unbrauchbar werden. Endlich ist der transportable Geschützstand zu schwer (32,500 Klgr.), um ihn, wie S. vorschlägt, auf einem Wagen fortzuschaffen zu können — er fordert vielmehr für seine Bewegung Eisenbahngeleise, Drehscheiben ꝛc., deren Erhaltung auf einem mit Feuer überschütteten Wallgange bedenklich bleibt. — Vgl. Brialmont, „Fortification polygonale", pag. 281. Bruxelles, 1869. — Sander, „Bericht über die Schießversuche gegen den S.'schen Geschützstand", Berlin 1867.

Schumla (Schumna), befestigte Stadt im türkischen Vilajet Tuna oder Donau (früher Ejalet Silistria) in Bulgarien, 12 Meilen westlich von Varna und 12 Meilen nördlich von dem über den Hauptkamm des Balkan nach Adrianopel führenden Paß von Karnabad, durch eine Zweigbahn mit der Eisenbahn Rustschuk-Varna verbunden, ist im Süden und Westen von Bergen umgeben, zerfällt in die Ober- und Unterstadt, hat eine mit hohen und dicken Steinmauern umgebene Citadelle, bedeutende Magazine, ein Arsenal, große Infanterie-, Cavalerie- und Artillerie-Kasernen, Industrie in Leder, Seide, Blech und Kupfer, lebhaften Handel und zählt gegen 40,000 Einwohner. Die strategische Wichtigkeit S.s, das als eines der wichtigsten Bollwerke der Türkei gegen Rußland gilt, beruht darauf, daß sich hier die Hauptstraßen vereinigen, welche von den Donaufestungen über die östlichen Pässe des Balkan nach Rumelien führen und daß von hier aus die Donaupassagen bei Rustschuk und Silistria, sowie die Hafenplätze Varna und Baltschik beherrscht werden. Die Werke der Stadt selbst sind, obgleich sie 1853 noch verstärkt worden sind, nicht von Bedeutung; doch befindet sich auf dem Plateau ein von beiachteten Forts umgebenes befestigtes Lager für 40—60,000 Mann, welches durch Natur und Terrainlage sehr fest und ein strategischer Punkt von großer Wichtigkeit ist. — S. wurde 1387 von den Türken unter dem Großvezier Ali-Pascha durch Capitulation genommen, 1649 und 1768 erweitert und verstärkt und war in den späteren russisch-türkischen Kriegen meist das Hauptquartier des Großveziers. Hier wurden drei Mal große russische Heere aufgehalten: 1774 unter Rumjanzow, 1810 unter Kamenskoi, 1828 unter Wittgenstein; dagegen wurde S. 1829 von Diebitsch umgangen, welcher am 11. Juni 1829 den Großvezier Reschid bei dem 2 Meilen östlich von S. gelegenen Dorfe Kulewtscha, jenseit der Defilien von Madara und Koparewa, zurückschlug. Im J. 1854 war S. das Hauptquartier Omer Pascha's und der Concentrationspunkt des türkischen Heeres.

Schuppenkettes, mit Blechschuppen bekleidete Kinnriemen einer militärischen Kopfbedeckung, z. B. des Helmes, Käppis.

Schurzholz, s. v. w. Holländischer Rahmen, s. u. Mine Bd. VI., S. 125.

Schuß, ein einzelner Act des Schießens, oft auch Wurf genannt (siehe Schießen S. 199). Schuß- (resp. Wurf-)Arten entstehen: 1) durch die

Verschiedenheiten der Geschoß-Einrichtung, als Kugel-, Granat-, Shrapnel-, Kartätsch-Schuß rc.; 2) durch die Art der Lage des Ziels, directer S. gegen freistehende, indirecter gegen verdeckte Ziele; 3) durch die verschiedenen Formen der Flugbahn, als Bogen-Schuß (Bd. II., S. 149), Roll-Schuß (Bd. VIII., S. 25).; 4) durch die Art der Aufstellung im Verhältniß zum Ziele, als frontaler, flankirender S. rc., im Festungskriege (s. b. Bd. IV., S. 34) Demontir-, Ricochet-, Enfilir-Schuß, vergl. auch die Special-Artikel; 5) durch die Beschaffenheit des Ziels, als Bresche-Schuß (gegen Mauerwerk). Bestreichender S. s. Rasant Bd. VII., S. 300. Senkschuß heißt ein von der Höhe nach der Tiefe abgegebener S., und wird bohrend, sobald er vermöge des Einfallwinkels gegen das unter Feuer zu haltende Terrain die Eigenschaft der Rasanz verliert. Hoch-, Tief-Schuß wird bedingt durch die zu hohe, resp. zu tiefe Lage des erhaltenen Treffpunkts im Verhältniß zum beabsichtigten. — Schuß-Ebene heißt die durch die Abgangs-Richtung des Geschosses gelegte Vertical-Ebene, in welcher dasselbe normalmäßig während seiner Bewegung verharren sollte. — Schußfeld heißt der von einer Feuerwaffe zu bestreichende Raum, in der Breite betrachtet; seine Größe hängt einestheils von der Beschaffenheit des vorliegenden Terrains, anderntheils von dem Maß der möglichen Seitenrichtung ab. Letzteres ist beschränkt durch die Rücksicht auf etwa nebenstehende Schützen, resp. Geschütze, bei Aufstellung hinter Scharten durch die Dimensionen der letzteren, bei Positions-Geschützen speciell auch durch die Rücksicht auf den Aufstellungs-Raum (Bettung, Rahmen). Haben Festungen ein beholztes Glacis, so pflegt man für die Vertheidigungs-Geschütze bei der ersten Armirung häufig nur Schußfelder in das Gehölz einzuschneiden und beseitigt letzteres erst dann ganz, wenn die Situation kritischer wird. — Schußlinie heißt die auf die Horizontal-Ebene projicirte Flugbahn, oft auch die Verbindungslinie zwischen Waffe und Ziel. Schußraketen s. Rakete, Bd. VII., S. 290. — Schußtafeln sind Tabellen, welche für Feuerwaffen, namentlich Geschütze, die den verschiedenen Entfernungen entsprechenden Elevationen oder Ladungen, bei gezogenen Geschützen auch die Seitenverschiebungen, übersichtlich angeben (nach Kaliber, Geschoß-Art getrennt), wie auch andere Daten, wie Einfallwinkel, bei Hohlgeschossen mit Zeitzündern die Flugzeiten rc., enthalten. Man unterscheidet: allgemeine Schußtafeln, nur bei Geschützen vorkommend, welche alle anwendbaren Ladungen, in zweckmäßigen Abstufungen, umfassen, und Gebrauchs-Schußtafeln, welche sich auf die gewöhnliche Gebrauchs-Ladung beziehen. Erstere geben oft auch Daten über Treffähigkeit, Geschoß-Geschwindigkeiten rc. (vgl. die Preußischen „Allgemeinen Schußtafeln für die gezogenen Geschütze", Berlin 1865, mit Nachträgen). Schußwaffen, vgl. Geschütz, Handfeuerwaffen. — Schußweite wird die Entfernung eines Geschoß-Aufschlags von der Feuerwaffe, oft auch die Entfernung des Ziels von letzterer, genannt. Total-Schußweite heißt diejenige Entfernung von der Waffe, auf welcher ein Geschoß zu Ruhe kommt.

Schußwunden, s. Verwundung.

Schütt, zwei durch die Donau in der Tiefebene von Oberungarn gebildete Inseln zwischen Preßburg, Komorn und Raab: 1) die Große S. (ungar. Csallo-Köz) wird von dem Hauptstrome der Donau (südlich) und der Neuhäusler Donau (nördlich), die sich dann mit der Waag verbindet, gebildet; sie ist 12 Meilen lang, 2—4 Meilen breit, hat 27 Q.-M. Flächenraum und gehört zum größeren Theil zum Comitat Preßburg, zum kleineren Theil zu den Comitaten Komorn, Raab und Wieselburg. Der südöstliche Theil ist stark fortificirt und enthält namentlich die wichtige Festung Komorn (s. d. Bd. V., S. 187); 2) die Kleine S. (ungar. Szigel-Köz) wird vom Hauptstrome der Donau (nördlich) und der Wieselburger oder Kleinen Donau (südlich), welche sich mit der Leitha und Raab verbindet, gebildet; sie ist nur 6 Meilen lang, hat einen Flächenraum von ungefähr 4¼ Q.-M. und gehört zu den Comitaten Wieselburg und Raab.

Schnitterei, die Bezeichnung der niederländischen Landwehr, s. u. Niederlande, Bd. VI., S. 260.

Schutzbrief, s. u. Sauvegarde. **Schutzbündniß**, s. v. w. Defensivallianz, s. u. Allianz, Bd. I., S. 81.

Schütze, 1) s. v. w. Schießender, namentlich mit der Handfeuerwaffe. 2) Specialgattung der Infanterie, seltener der Cavalerie, s. Scharfschütze, Bd. VIII., S. 184. In Preußen giebt es ein Garde-Schützen-Bataillon. Im Königr. Sachsen führt das Füsilier-Regt. Nr. 108 den Namen Schützen-Regiment. Vgl. auch Rußland, Bd. VIII., S. 85. 3) In der zerstreuten Fechtweise Bezeichnung für den in geöffneter Ordnung befindlichen Mann, öfter Tirailleur genannt. Die einzelnen S.n bilden die Schützenlinie oder Tirailleurlette, — d. h. eine Formation, bei welcher die Rotten mit, den Umständen angemessenen Intervallen (vgl. Zerstreute Fechtart) nebeneinander stehen, während die Leute jeder Rotte einander nahe bleiben, ohne an eine Stellung neben- oder hintereinander gebunden zu sein. Jede Section einer solchen Schützenlinie bildet eine geschlossene Feuergruppe für sich und steht unter Aufsicht eines Unterofficieres, Gefreiten, resp. älteren Mannes. Zur genaueren Unterscheidung der verschiedenen Feuergruppen bleibt zwischen ihnen je ein Abstand von einigen Schritten. — Zur Bildung solcher Schützenlinien wurden in einigen Armeen, z. B. der englischen, französischen, vorzugsweise besondere Compagnien oder Bataillone (leichte, Jäger- oder auch Voltigeur-Compagnien genannt), in anderen Heeren, z. B. nach dem preußischen Reglement die aus dem 3. Gliede zu dem Zweck besonders formirten Schützenzüge verwendet, ohne daß gegenwärtig die Verwendung anderer Theile der Bataillone zum Zweck der zerstreuten Fechtart ausgeschlossen wäre. Früherhin traten die Schützenzüge eines Bataillons unter den besonderen Befehl eines Hauptmanns — Schützenhauptmann —, welcher dann die Evolutionen der S.n zu leiten und zu beaufsichtigen hatte; jetzt bleiben dieselben im Zusammenhang mit ihrer Compagnie. Soll eine geschlossene Abtheilung in die geöffnete Ordnung übergehen, so geschieht dies auf ein bezügliches Signal oder Commando vermittelst des Schwärmens (vgl. Zerstreute Fechtart). Als Grundsatz hierbei gilt, daß eine Truppe sich niemals ganz auflösen darf, sondern stets geschlossen bleiben muß. Dieser geschlossene Theil heißt Unterstützungstrupp oder Soutien (s. d.). Kommt eine Schützenlinie in die Lage, eine von feindlichen S.n besetzte Position stürmen zu müssen, so geschieht dies mittelst des sog. Schützen-Anlaufs. Auf die bezüglichen Commandos nehmen die ausgeschwärmten Schützen das Gewehr zur Attake rechts, gehen in aufgelöster Ordnung und schnellster Gangart vor, fällen kurz vor dem Gegner das Gewehr, um ihn nun mit dem Bajonett aus seiner Stellung zu werfen, und verfolgen ihn, sofern dies gelingt, mit Schnellfeuer. Bei diesen Manövern hat es sich als zweckmäßig erwiesen, wenn die stürmende Schützenlinie während des Avancirens um etwas nach der Mitte zusammenschließt. Vgl. weiter Zerstreute Fechtart. 4) Aufzug an einer Schleuse, s. d.

Schützengesellschaften (Schützengilden) sind der letzte Rest der einst namentlich dem deutschen Bürger zustehenden allgemeinen Wehrfähigkeit, welche mit der hohen Machtentfaltung der Städte im engsten Zusammenhange stand und in Folge der Ein- und Uebergriffe des Adels und der Fürsten zu einem organisirten städtischen Kriegswesen führte. Mit der Einführung der stehenden Heere verloren die S. und das Schützen-Wesen allmählich ihre Bedeutung für die Wehrkraft des Landes, mit Ausnahme von Tirol und der Schweiz. In neuerer

Zeit (seit etwa 1830) wurde dem Schützen-Wesen in Deutschland ein erneutes Interesse geschenkt, das indeß mehr eine politische als kriegerische Seite hatte. Die bisher mehr vereinzelten Gesellschaften traten in einen gewissen Zusammenhang, der in dem allgemeinen Deutschen Schützenbund (auch Deutsch-Oesterreich umfassend) gipfelt. Der Mangel einheitlicher Bewaffnung, sowie jeglicher Unterordnung unter einen höheren Willen, schließen eine militairische Brauchbarkeit der heutigen Schützengilden aus. Was der deutsche Schützenbund erstrebte, ist auf anderem Wege erreicht worden. — Als in Frankreich mit 1866 der Gedanke eines Krieges gegen Deutschland und damit die Möglichkeit einer Invasion näher gelegt wurde, suchte man die in den ursprünglich deutschen Landestheilen noch bestehenden Freischützen-Gesellschaften in eine gewisse Beziehung zur Landes-Vertheidigung zu bringen und begünstigte deren Neu-Bildung im übrigen Lande. Hierauf basirte das im Kriege 1870/71 zu Tage getretene Franktireur-Wesen. — In Schweden besteht seit 1861 ein freiwilliges Scharfschützen-Corps, s. Schweden.

Schützengräben sind zur Vertheidigung durch Infanterie eingerichtete und gegen Gewehrfeuer schützende Deckungen, welche aus einem Graben mit feindwärts angeschütteter Brustwehr bestehen. — Sind diese Deckungen nur für einzelne Schützen bestimmt und dementsprechend nur von geringer Länge, so nennt man sie Schützenlöcher oder Embusladen. Von diesen schnell herzustellenden Deckungen wird sowohl im Festungs-, als auch im Feld-Kriege ausgedehnte Anwendung gemacht. Im Festungs-Kriege benutzt sie der Angriff zum Schutze seiner vor die Parallelen und Approchen vorgeschobenen Posten und Schützen; eine offensive Vertheidigung bedient sich weit vorgeschobener Embusladen und S., um die feindlichen Annäherungsarbeiten durch wohlgezieltes Feuer zu belästigen und aufzuhalten. Im Feldkriege sind S. ein wirksames Mittel, Positionen, in denen der Kampf angenommen werden soll, zu verstärken. — Bei Ausführung der S. kommen je nach der gegebenen Zeit und den zur Disposition stehenden Arbeitskräften zwei verschiedene Profile — große und kleine — zur Anwendung. Das kleine Profil deckt den Schützen bis zur Brusthöhe. Der Einschnitt ist demgemäß etwa 0,85 Meter tief, die Anschüttung etwa ebenso hoch. Für die Sohlenbreite genügen 0,75 Meter. Die innere Brustwehrböschung wird so steil gehalten, als es die Standfestigkeit des Bodens gestattet. — Das große Profil deckt den Schützen, welcher im Einschnitt steht, auf volle Mannshöhe (2,8 Meter); der feuernde Schütze steht auf dem gewachsenen Boden, welcher zwischen der 1,3 Meter hohen Brustwehr und dem 1 Meter tiefen Einschnitte ein Banket von 1 Meter Breite bildet. An beiden Grabenböschungen sind Stufen eingeschnitten, um sowohl leicht auf das Banket, als auch in den Graben hinein gelangen zu können. Die Stufe der Reversböschung dient auch zum Niedersetzen und zum Ablegen des Gepäcks. — Die Länge der S. richtet sich nach der Anzahl der Schützen, welche in derselben Aufnahme finden sollen: pro Schützen rechnet man 2 Schritt Länge des Grabens.

Schutz-Gefechte, dem kleinen Krieg angehörig, heißen die Gefechte von Detachments zum Schutz militärischer Arbeiten, oder wichtiger Punkte im Felde. Im Allgemeinen wird das zu schützende Object selbst nur schwach besetzt, das Gros des Detachments aber nimmt eine vorgeschobene Aufstellung auf der bedrohten Seite, eventuell hinter einem Terrain-Abschnitt. Je nach seiner Stärke handelt es sich um eine einfache Feldwacht-Aufstellung oder um eine wirkliche Gefechts-Stellung. Der Hauptzweck der S. ist Zeitgewinn, um das zu schützende Object, soweit es angeht, in Sicherheit zu bringen (Arbeiter, Material). Am meisten kommen S. vor zur Deckung von Requisitionen, Fouragirungen, sowie von militärischen Transporten (s. Transport).

Schutzhohlräume, Schuträume, heißen in oder vor belagerten Festungen diejenigen gegen Verticalfeuer sicher eingedeckten Räume, in denen Mannschaften,

Geschütze, Munition lediglich Schutz finden, also mit Ausschluß entsprechender defensibler Anlagen.[S. bei Angriffsbatterien s. Bd. II., S. 25. In Festungen dienen als solche: Hohltraversen, Kasematten im Revers der Wallgänge (Hangar's), ꝛc.

Schutz- und Trutzbündniß, s. u. Allianz, Bd. I., S. 81.

Schutzwaffen der heutigen Zeit bezwecken nur noch, edlere Körpertheile gegen die Wirkung der feindlichen, sowohl blanken Waffen, als Hand-Feuerwaffen und der Streugeschosse der Geschütze zu schützen. Man sichert Kopf und Schultern namentlich gegen den Hieb, die Brust zugleich auch gegen den Schuß. Das Material zu den S. ist Metall, starkes Leder und Combinationen beider. Sie bilden zum Theil Bekleidungsstücke; wegen ihrer Schwere und Undurchdringlichkeit haben sie manches Lästige für den Körper im Gefolge, und verringern speciell die Beweglichkeit der Truppen. Als Schutz und zugleich Bedeckung des Kopfes dient der Helm, welcher bei den Kürassieren aus Stahl, sonst aus Leder mit Metallbeschlägen gefertigt wird. Der Kopftheil des Helmes schließt sich der Form des Oberkopfes an; nach vorn ist ein Gesichts-, nach hinten in der Regel ein Nackenschirm angesetzt. Zum festeren Sitz, resp. gleichzeitig zur Deckung der Schläfen und Wangen, dienen Sturmbänder, resp. Schuppenketten. Auf der oberen Fläche ist der Helm häufig mit einem Kamme versehen, welcher die auf den Scheitel fallenden Hiebe abgleiten machen soll. Oft hat der Helm eine Spitze und heißt dann Pickelhaube. Er dient entweder als Kopfbedeckung einer ganzen Armee (wie im Deutschen Reich), oder lediglich für einzelne Gattungen der Cavalerie (namentlich Kürassiere). In zweiter Linie können auch Käppis und ähnliche Kopfbedeckungen hierher gerechnet werden, wenn auch ihr Schutz schon etwas problematischer ist. Zum Schutz der Brust dient der Küraß von Gußstahlblech und gegen Gewehrkugeln schußfest; er hat entweder Brust- und Rückenstück, oder nur ersteres. Man findet ihn bei der schweren Reiterei — den Kürassieren, Carabiniers, mit Ausnahme von Oesterreich, wo ihn jene schon vor einiger Zeit abgelegt haben. Auch für die im Gewehrfeuer arbeitenden Sappeure hat man in manchen Armeen Küraß und Stahlhelm im Gebrauch. Als Schutz der Schultern, factisch aber mehr als Abzeichen und Schmuck, dienten in manchen Heeren die Epauletten; ein ähnliches gilt vom Ringkragen als Schutz des Halses, beide namentlich bei Officieren (Epauletten bei den Ulanen). Als Rest der alten Pferderüstung ist die hie und da noch vorkommende Panzerkette des Stangenzaumes zu betrachten. — S. haben den heutigen Angriffswaffen gegenüber nur noch geringe Bedeutung; ihre Vortheile werden zu sehr durch die Schattenseiten, namentlich Belästigung des Mannes und Kostspieligkeit, überwogen, als daß man noch Werth darauf legen sollte. Neuerdings hat man zwar der Benutzung von Kettenpanzern, welche, aus Stahldraht geflochten, verhältnißmäßig leicht und doch widerstandsfähig sind, das Wort geredet, doch wohl ohne Aussicht auf Verbreitung.

Im Alterthume und Mittelalter haben die S. eine viel wichtigere Rolle gespielt, da es einerseits leicht war, sich gegen die Feuerwaffen jener Zeiten zu sichern, andererseits bei der Wichtigkeit und Häufigkeit des Nahkampfes ein Schutz gegen die Waffenwirkung desselben unerläßlich erscheinen mußte. Im Alterthum hatte man den Helm aus Metall oder Thierfellen, den Harnisch und die Beinschienen von Metall oder Leder, sowie den Schild, welcher aus Erz, oder Holz mit Metallbeschlag bestand. Das Mittelalter bildete die S. in höherem Grade aus; aus der theilweisen Körperbedeckung entstand bei den Rittern die vollständige Rüstung für den Mann und häufig selbst das Roß. Ursprünglich deckten den Körper das ersteren das Ringhemd und erst mit dem 14. Jahrhundert trat der Plattenharnisch auf. Zur größten Ausbildung kamen die Rüstungen unter Kaiser Maximilian I. Der Helm sicherte den Kopf und war zum Schutz des Gesichts mit dem Visir versehe den Hals deckte der Halsberg oder Ringkragen, Brust und Rücken der Küraß, den Unterleib der Blechschurz; für die Arme waren Schulterdecken und Armschienen, für die Hände Blechhandschuhe, für die unteren Gliedmaßen Beinschienen und Schnabelschuhe vorhanden. Den Körper überhaupt deckte der die halbe Mannshöhe überragende Schild. Der gemeine Mann, weniger vollständig gedeckt, trug hauptsächlich Schild, Sturmhaube und Küraß. Wo eine gewisse Schmiegsamkeit erforderlich war, war die Panzerung statt aus starken Blechplatten aus Schuppenstücken zusammengesetzt. Um den Körper auch hinter den Fugen der Rüstung zu sichern, trug man unter derselben häufig noch Panzerhemden. Das Gewicht des Helmes betrug 3,5 bis 5, des Schildes 5 bis 10, der übrigen Rüstungstheile 16 bis 28 Klogr. Gegenüber den Geschossen der Feuerwaffen erwies sich der Schutz der Rüstung als unzureichend. Man verstärkte sie zwar anfänglich noch, kam aber dadurch zu übertriebenen Gewichten (2. Hälfte des 16. Jahrhunderts), und wurde nun immer mehr darauf hingewiesen, auf den Gebrauch der S. zu verzichten. Am ersten verschwindet der Schild (noch im 16. Jahrhundert), dann der Harnisch und selbst der Helm, dessen Stelle der Filzhut einnahm, während statt des Harnisches ein Lederkoller getragen wurde. Beim Fußvolk traten diese Aenderungen zuerst ein und wurden am radicalsten durchgeführt. Zunächst legten die mit Feuergewehren Bewaffneten die Rüstung ab (Arkebusiere und Musketiere); bei den Pikenieren hat sich das Bruststück des Harnisches und der Helm zum Theil bis zu ihrem Verschwinden (Ausgang des 17., Beginn des 18. Jahrhunderts) erhalten. Bei der Reiterei waren die S. im Dreißigjährigen Kriege bereits auf Helm und Harnisch reducirt; bei der leichten verschwinden auch diese; selbst die Küraffiere trugen eine Zeit lang statt des Helmes den Filzhut. — Vgl. „Grundriß der Waffenlehre" von Sauer, München 1869; „Populäre Waffenkunde" von C. v. H. und H. W., Leipzig 1870; „Anleitung zum Studium der Kriegsgeschichte" von J. v. Hardegg), Darmstadt 1868.

Schuwalows, die von dem russischen Generalfeldzeugmeister und Kriegsminister Peter Iwanowitsch Graf v. Schuwálow (gest. 1762) erfundenen und nach ihm benannten langen Haubitzen, welche bis nach dem Siebenjährigen Kriege in der russischen Armee gebräuchlich waren. Die Seele derselben hatte vorwärts des cylindrischen Ladungsraums eine allmähliche seitliche Verbreiterung, so daß sie an der Mündung ein liegendes Oval bildete. Die S. sollten den Kartätschen eine weitere Streuung in die Breite geben, welcher Zweck indeß nicht erreicht wurde.

Schwaben, ein altes deutsches Volksherzogthum im südwestlichen Deutschland, ursprünglich Alemannien genannt nach seinen Bewohnern, den Alemannen, erhielt später nach den im 5. Jahrh. hier eingewanderten Sueven den Namen Suevia, Schwabenland oder S. Als im 8. Jahrh. die alemannische Herzogswürde abgeschafft wurde, und sich Elsaß und Rhätien von Alemannien trennten, wurde der übrige Theil des Herzogthums, nun vorzugsweise S. genannt, nicht mehr durch Herzöge, sondern im Auftrage der deutschen Könige durch Kammerboten (Nuncii camerae) verwaltet. Der fränkische (oder salische) Kaiser Heinrich IV. verlieh 1080 das Herzogthum S. seinem Schwiegersohne, dem Grafen Friedrich von Hohenstaufen (s. d.), dem Stammvater der Deutschen Könige und Kaiser aus dem Schwäbischen Hause. Als nach dem Sturze der Hohenstaufen viele Prälaten, Grafen, Ritter und Städte die Reichsunmittelbarkeit erlangten, wurde das Herzogthum S. nicht wieder besetzt und an seine Stelle trat gewissermaßen Württemberg, das mächtigste der schwäbischen Grafengeschlechter. Fortwährende Zerwürfnisse zwischen den einzelnen Ständen veranlaßten zunächst die Städte, 1376 den Schwäbischen Bund zu schließen, dem sich später auch zahlreiche Fürsten und Ritter anschlossen. Aus demselben ging 1488 der Große Schwäbische Bund hervor, welchen die Städte zu

Eßlingen abschlossen und welcher den „Ewigen Landfrieden" vorbereitete, den 1495 der Kaiser Maximilian I. zu Stande brachte. Bei der Kreiseintheilung Deutschlands durch eben diesen Kaiser 1512 wurde S. als Schwäbischer Kreis eingereiht. Bei der Errichtung des Rheinbundes 1806 löste sich der Schwäbische Kreis auf, die meisten kleineren Besitzungen wurden mediatisirt und nur Württemberg, Baiern, Baden, Hohenzollern, Liechtenstein und Leyen blieben souverain. Noch jetzt versteht man im gewöhnlichen Leben unter S. den größten Theil von Württemberg, das südliche Baden, Hohenzollern und dem südwestlichen Theil von Baiern, welcher den Regierungsbezirk Schwaben und Neuburg (171,44 Q.-M. mit 581,255 Einwohnern und der Hauptstadt Augsburg) bildet. Vgl. Pfister „Pragmatische Geschichte von S.", Heilbronn 1803—27, 5 Bde.; Mann, „Zur Geschichte des Schwäbischen Bundes", Gießen 1861; Vischer, „Geschichte des Schwäb. Städtebundes", Göttingen 1861.

Schwadron, ursprünglich Name für eine Unter-Abtheilung des Regiments (s. b. Bb. VII., S. 317), jetzt nur noch auf Cavalerie bräuglich, häufiger Escadron genannt, s. Bb. III., S. 331. Schwadronshiebe heißen die einfachen Hiebe, wie sie bei der Cavalerie geübt werden, im Gegensatz zum feineren Fechten (s. Fechtkunst, Bb. III., S. 382 ff.).

Schwanz, hinterer Theil, Schwanzriegel, hinterster Riegel einer Laffete.

Schwanzschraube, hinterer Verschluß eines Vorderladungs-Gewehr, siehe Patentschwanzschraube, Bb. VII., S. 89.

Schwarm, ein Trupp in aufgelöster Ordnung bei gewisser Tiefe (bei vorherrschend linearer Ausdehnung Schützenlinie). Bei der Infanterie ist die Formation nicht reglementarisch, bildet sich aber im feindlichen Feuerbereich häufig unbeabsichtigt, namentlich beim Angriff auf eine feindliche Position. Bei der Cavalerie ist die Schwärm-Attaque, auch Attaque mit auseinandergehender Linie genannt, gebräuchlich; während ein Zug der Escadron als Unterstützungstrupp geschlossen bleibt, gehen die übrigen schwarmartig in der Carrière zur Attaque vor. Die Schwärm-Attaque kommt namentlich bei der Verfolgung, sowie beim Angriff auf Tirailleur-Linien und Batterien zur Anwendung. Schwärmen, Ausschwärmen, heißt der Uebergang eines Trupps aus der geschlossenen in die geöffnete Ordnung.

Schwarzburg-Rudolstadt, ein zum Deutschen Reiche gehöriges Fürstenthum im mittleren Deutschland, zu Thüringen gerechnet, umfaßt den größeren Theil der schwarzburgischen Oberherrschaft (Rudolstadt, 13,83 Q.-M. mit 58,593 Einwohnern), und den kleineren Theil der Unterherrschaft (Frankenhausen, 3,75 Q.-M. mit 16,481 Einw.). Der Gesammtflächenraum beträgt mithin 17,58 Q.-M., die Gesammtbevölkerung 75,074 Seelen (fast ausschließlich protestantisch). Die Oberherrschaft wird von der preußischen Provinz Sachsen, den sächsischen Herzogthümern, Schwarzburg-Sondershausen und Reuß umschlossen, besteht aus zwei getrennt liegenden Landestheilen, ist durch den Thüringer Wald gebirgig und wird von Ilm, Saale und Schwarze bewässert; die Unterherrschaft wird von der preußischen Provinz Sachsen, Sachsen-Weimar und Schwarzburg-Sondershausen umschlossen, zerfällt in drei getrennt liegende Stücke Landes und enthält den Kyffhäuser. Haupterwerbsquellen sind Ackerbau, Viehzucht und Forstcultur; die Industrie beschäftigt sich vorzugsweise mit Baumwolle, Wolle, Leder, Holz und Glas. Die projectirte Saalbahn (Sulze-Saalfeld) wird die Oberherrschaft durchschneiden. Hauptstadt des Landes und Residenz der Fürsten ist Rudolstadt. Der Regierungsform nach ist S.-R. eine constitutionelle Monarchie. Der regierende Fürst ist Georg (geb. 23. Nov. 1838); derselbe succedirte seinem Vater, dem Fürsten Albert, bei dessen Tode am 26. Nov. 1869. Das Wappen ist ein großes und ein kleines; das große besteht aus vier Feldern mit den Emblemen der einzelnen Landestheile und einem Mittelschilde; das kleine enthält den schwarzen kaiserlichen Reichsadler im goldnen

Felbe, darunter in goldenem Schildesfuße eine Heugabel und einen rothen Roßkamm. Die Landesfarben sind weiß und blau. S.-R. besitzt gemeinschaftlich mit Schwarzburg-Sondershausen das Schwarzburgische Ehrenkreuz (gestiftet 1853 vom Fürsten Friedrich Günther von S.-R. für das Fürstenthum S.-R., 1857 zu einem dem fürstlichen Gesammthause gemeinschaftlichen Ehrenzeichen erweitert); außerdem ein silbernes Kreuz an hellblauem Bande mit weißer Einfassung für die Feldzüge von 1814 und 15, sowie eine silberne und eiserne Schnalle an blau und schwarzem Bande mit gelber Einfassung. S.-R. bildete im frühern Deutschen Bunde mit Oldenburg, Anhalt und Schwarzburg-Son-dershausen die 15. Curie und besaß im Plenum eine Stimme. An Militär stellte S.-R. bis 1866 ein Füsilier-Bataillon von 809 Mann zu 4 Compagnien (Haupt- und Reserve-Contingent, dazu 180 Mann Ersatzmannschaft) zur soge-nannten Reserve-Division; gegenwärtig stellt es das 3. (Füsilier-) Bataillon des 7. Thüringischen Infanterie-Regiments Nr. 96 (Garnison Rudolstadt) zur 8. Division (das 1. Bat. wird von Sachsen-Altenburg, das 2. Bat. von den beiden Reuß gestellt). — In der verhängnißvollen Bundestagssitzung vom 14. Juni 1866 stimmte S.-R. mit der 15. Curie zu Gunsten Preußens gegen den österreichischen Mobilisirungsantrag, trat in Folge davon am 29. Juni aus dem Deutschen Bunde und schloß sich am 18. August dem Bündnißvertrage mit Preußen an, aus welchem der Norddeutsche Bund hervorging.

Schwarzburg-Sondershausen, ein zum Deutschen Reiche gehöriges Fürsten-thum im mittlern Deutschland, zu Thüringen gerechnet, besteht aus dem größern Theil der schwarzburgischen Unterherrschaft (Sondershausen, 9,40 Q.-M. mit 37,652 Einw.) und dem kleinern Theil der Oberherrschaft (Arnstadt, 6,23 Q.-M. mit 29,800 Einw.) Der Gesammtflächenraum beträgt mithin 15,63 Q.-M., die Gesammtbevölkerung 67,452 Seelen (fast ausschließlich protestantisch). Die Unterherrschaft bildet ein zusammenhängendes Ganzes, wird von der preuß. Provinz Sachsen, Sachsen-Gotha und Schwarzburg-Rudolstadt umschlossen, ist durch die Hainleite gebirgig und wird durch die Wipper und Helbe bewässert; die Unterherrschaft wird von der preußischen Provinz Sachsen, den sächsischen Herzogthümern und Schwarzburg-Rudolstadt umschlossen, besteht aus zwei ge-trennt liegenden Theilen, ist durch den Thüringer Wald gebirgig und wird von der Gera bewässert. Haupterwerbsquellen sind Ackerbau, Viehzucht und Forst-cultur; die Industrie (namentlich in der Oberherrschaft von Bedeutung) be-schäftigt sich vorzugsweise mit Baumwolle, Wolle, Leinwand, Leder, Glas, Papier, Holz, Zündwaaren und Maschinenbau. Die Unterherrschaft wird von der Eisen-bahn Erfurt-Sondershausen-Nordhausen durchschnitten; die Oberherrschaft hat die Zweigbahn Dietendorf-Arnstadt der Thüringischen Eisenbahn. Hauptstadt des Landes und Residenz des Fürsten ist Sondershausen. Der Regierungsform nach ist S.-S. eine constitutionelle Monarchie. Der regierende Fürst ist Günther (geb. 24. Sept. 1801); derselbe übernahm die Regierung in Folge der Cession seines Vaters, des Fürsten Günther, am 19. August und nach-folgender schriftlicher Bestätigung am 3. Sept. 1835. Das Wappen und die Landesfarben sind wie in Schwarzburg-Rudolstadt (s. d.). S.-S. besitzt ge-meinschaftlich mit Schwarzburg-Rudolstadt (s. d.) das schwarzburgische Ehren-kreuz; außerdem noch eine bronzene Kriegsmedaille für die Feldzüge von 1814 und 15 und eine goldene, silberne und eiserne Schnalle. S.-S. bildete im frühern Deutschen Bunde mit Oldenburg, Anhalt und Schwarzburg-Rudolstadt die 15. Curie und besaß im Plenum eine Stimme. An Militär stellte S.-S. bis 1866 ein Füsilier-Bataillon von 676 M. zu 4 Compagnien (Haupt- und Re-serve Contingent, dazu 150 M. Ersatzmannschaft) zur sogenannten Reserve-Division; gegenwärtig stellt das Fürstenthum seine Mannschaften zum 3. Thü-ringischen Infanterie-Regiment Nr. 71, dessen 1. Bataillon in Sondershausen garnisonirt. — In der verhängnißvollen Bundestagssitzung vom 14. Juni 1866 stimmte S.-S. mit der 15. Curie zu Gunsten Preußens gegen den österreichischen Mobilisirungsantrag, trat demgemäß am 25. Juni aus dem Deutschen Bunde und erklärte sich am 18. August für das preußische Bündniß, welches den Norddeutschen Bund zur Folge hatte.

Schwarzes Meer (im Alterthum Pontus Euxinus, russisch Czerno More (Tschernomore), türkisch Kara Deniz, neugriechisch Mavri Thalassa, englisch Black Sea, französisch Mer Noire), das östlichste der großen Meeresbecken, welche den Süden von Europa begrenzen; es wird im Norden von Südrußland, im Osten von den russischen Kaukasusländern, im Süden von der Asiatischen Türkei (Kleinasien), im Westen von der Europäischen Türkei umschlossen und steht im Südwesten durch den Bosporus, das Marmarameer (Propontis) und die Straße der Dardanellen (Hellesponti) mit dem Ägäischen, resp. dem Mittelländischen Meer, sowie im östlichen Norden durch die Straße von Feodosia oder Kaffa (jetzt gewöhnlich Meerenge von Jenisale oder Kertsch, im Alterthum Bosporos Kimmerios genannt) mit dem Asowschen Meer in Verbindung, welches letztere jedoch nur ein großer Busen (Seitenbecken) des Schwarzen Meeres ist. Der Flächenraum desselben wird (ohne das Asowsche Meer) schwankend von 7500 Q.-M. (nach Smyth) bis zu 7860 Q.-M. (nach Engelhardt) angegeben; die größte Länge von Westen nach Osten (zwischen Barna und Redut-Kale) beträgt 158 Meilen, die größte Breite von Norden nach Süden (zwischen Odessa und Eregli) 82½ Meile, die geringste Breite von Norden nach Süden (zwischen der Südspitze der Krim und dem Cap Kerembe) 37 Meilen; die gemessene Tiefe variirt von 40 bis zu 1070 englische Faden — an vielen Stellen erreicht das Senkblei den Grund nicht. Wegen der diesem Meere zuströmenden zahlreichen Flüsse, worunter sich im Verhältniß zu seinem geringen Umfange sehr viele große Ströme (Donau, Dniester, Dniepr, Don ꝛc.) befinden, ist der Salzgehalt desselben weit geringer als der des Mittelländischen Meeres. Ebbe und Fluth sind unbemerkbar. Obgleich das S. M. durchgehends tief fast gänzlich frei von Klippen und Riffen ist, hat dasselbe doch, gleich den übrigen Binnenmeeren, große Gefahren für die Schifffahrt, namentlich heftige Nordstürme, dicke Nebel in den Wintermonaten und, durch den geringen Umfang des Beckens bedingte, kurze Wogen. Die Küsten sind im Süden und Osten meist steil, im Norden und Westen meist flach; nur die von der Halbinsel Krim gebildete Nordküste ist ebenfalls meist steil. Die Gliederung ist verhältnißmäßig gering, so daß sich auch nur wenige Busen und Baien finden. Das bedeutendste Glied ist das Asowsche Meer (s. d. Bd. I., S. 252 flg.) im östlichen Norden; an der westlichen Südspitze der Krim bieten die Baien von Balaklawa und Sebastopol treffliche Häfen; an der westlichen Nordküste dieser Halbinsel greift das Todte Meer tief in das Land ein; außerdem finden sich noch die Baien von Odessa im Norden, von Barna und Burgas im Westen, von Sinope im Süden. Die einzige Insel des S. M. ist die 5¼ M. östlich von der Sullina-Mündung der Donau gelegene Schlangeninsel (türkisch Ilan Adasi), welche im Pariser Frieden von 1856 von Rußland an die Türkei (resp. die Moldau) abgetreten wurde. In neuester Zeit sind einige Plätze der türkischen Küste des S. M. (besonders Kustendsche und Barna) mit dem Hinterlande, sowie die wichtigsten Punkte der russischen Küste (besonders Odessa und Sebastopol) mit dem gesammten russischen Eisenbahnsystem durch Bahnlinien in Verbindung gesetzt worden; eine im Bau begriffene Bahn von Batu über Tiflis nach Poti wird die Verbindung mit dem Kaspischen Meere herstellen. Eine Kanalverbindung des S. M. mit dem Kaspischen Meere ist ebenfalls projectirt. Während des Orientkrieges (s. d.) waren die S. M. und seine Küstenländer der Hauptkriegsschauplatz; (vgl. Asowsches Meer, Kars, Sebastopol und Sinope). Durch die §§. 11, 13 und 14 des den Orientkrieg beendigenden Friedens von 1856 wurde das S. M. neutralisirt, aber allen Kriegsschiffen verschlossen, so wie dem Russischen Reiche und der Türkei die Verpflichtung auferlegt, am S. M. Seearsenale weder zu erhalten noch zu errichten und die beiderseitigen Flottenkräfte auf dem S. M. sehr zu reduciren. (Vgl. Orientkrig, Bd. IV., S. 338 flg.). Durch die sogenannten Pontusconferenzen von 1871 (s. u. Pariser Frieden 3, Bd. VII., S. 81) wurden jedoch diese Bestimmungen aufgehoben. Vgl. Taibout de Marigny, „Hydrographie de la Mer Noire", Triest 1856; Handtke, „Karte des S. M.", Glogau 1854.

Schwarzer Prinz, s. Eduardt 1), Bd. III., S. 282.

Schwarzenberg, ein altes fränkisches, jetzt fürstliches Geschlecht, welches mit den nachmaligen Grafen von Seinsheim einerlei Ursprungs und ein Zweig derselben ist. Als Stammvater gilt Erkinger von Seinsheim, welcher 1417 vom Kaiser Sigismund in den Freiherrnstand erhoben wurde, 1420 die Herrschaft Schwarzenberg in Franken kaufte und von derselben den Namen annahm. In der Kriegsgeschichte sind besonders namhaft: 1) Adolf, Graf (ursprünglich Freiherr) von S., war kaiserlicher General, zeichnete sich im Türkenkriege, namentlich durch die Eroberung von Raab 1598 aus, wurde 1599 deshalb vom Kaiser Rudolf II zum Reichsgrafen erhoben und fiel 1600 vor Papa. 2) Adam, Graf von S., Sohn des Vor., geb. 1587, stand erst in kaiserlichen Kriegsdiensten, wurde 1619 kurbrandenburgischer Geheimrath, gewann großen Einfluß auf den Kurfürsten Georg Wilhelm, wurde 1634 Statthalter von Brandenburg, vermittelte das Bündniß mit Oesterreich, was die Verwüstung Brandenburgs durch die Schweden zur Folge hatte und ihn in den Verdacht brachte, das Vertrauen des Kurfürsten zum Nachtheile Brandenburgs für die Absichten des Kaisers gemißbraucht zu haben, weshalb ihn Friedrich Wilhelm (der Große Kurfürst) nach seinem Regierungsantritt (1640) seiner Würde enthob und ihn am 13. März 1641 verhaften ließ. Er starb jedoch vor Einleitung der Untersuchung am 17. März 1641 in Spandau. Nach seinem Tode verbreitete sich das Gerücht, er sei auf Befehl des Kurfürsten enthauptet worden; eine von Friedrich d. Gr. 1777 befohlene Untersuchung an der in der Garnisonkirche zu Spandau beerdigten Leiche erwies jedoch, daß die Halswirbel des Skeletts unverletzt waren. Den auf S. selbst lastenden Verdacht suchte Cosmar in seiner Schrift „Beiträge zur Untersuchung der gegen den kurbrandenburg. Geheimrath Grafen Adam v. S. erhobenen Beschuldigungen, aus archivalischen Quellen" (Berlin 1828) zu widerlegen. 3) Karl Philipp, Fürst von S., Herzog von Krumau, österreichischer Feldmarschall, geb. 15. April 1771 zu Wien, trat 1787 als Lieutenant in ein Infanterieregiment, focht 1789 unter Lacy gegen die Türken, trat dann als Rittmeister zur Cavalerie über, zeichnete sich 1790 am Niederrhein und in den Niederlanden als Major gegen die Franzosen aus, commandirte 1793 als Oberstlieutenant einen Theil der Avantgarde des Prinzen von Coburg, wurde 1794 Oberst eines Kürassierregiments, führte mit demselben, gefolgt von zwölf britischen Schwadronen, am 26. April 1794 in der Schlacht bei Château Cambrésis den berühmten Cavalerie-Angriff aus, durch welchen er die feindliche Infanterie vollständig aufrollte, zeichnete sich dann noch bei Fleurus aus, focht 1795 und 96 unter Erzherzog Karl am Rhein und in Franken, wurde nach dem Siege bei Würzburg (3. Sept. 1796) Generalmajor, folgte dann dem Erzherzog nach Italien, hierauf wieder an den Rhein, commandirte 1799 die Avantgarde, zeichnete sich namentlich bei Heidelberg gegen Ney aus, wurde Feldmarschalllieutenant und rettete bei Hohenlinden durch einen kühnen Angriff seine Division vor der Gefangennahme. Im Feldzug von 1805 commandirte er erst eine Division unter Mack, siegte am 11. Oct. in dem einzigen glücklichen Gefecht dieses Feldzuges zwischen Albeck und Jungingen unweit Ulm, befehligte am 14. und 15. Oct. bei Ulm den rechten Flügel, suchte dann Mack vergebens dahin zu bestimmen, Ulm zu verlassen, schlug sich selbst aber, als er Alles verloren sah, mit einigen Cavalerie-Regimentern unter Erzherzog Ferdinand nach Eger durch. Im Hauptquartier der beiden Kaiser zu Olmütz widerrieth er Anfang December nebst Kutusow, hier eine Entscheidungsschlacht herbeizuführen (s. u. Austerlitz, Bd. I., S. 309). Im J. 1808 erhielt er auf den Wunsch des Kaiser Alexander I. den Botschafterposten in Petersburg, verließ denselben beim Ausbruch des Krieges 1809, commandirte bei Wagram einen Theil der Cavalerie, dann auf dem Rückzuge bis Znaym die Arrieregarde und wurde nachher zum General der Cavalerie ernannt. Nach dem Wiener (Schönbrunner) Frieden ging er als österreichischer Gesandter nach Paris und leitete dort die Unterhandlungen über die Vermählung Napoleons I. mit der Erzherzogin Maria Louise. Beim Beginn des Feldzuges von 1812 erhielt er auf den ausdrücklichen Wunsch Napoleons das Commando über das österreichische Hilfscorps von 30,000 Mann, mit welchem er dann auf dem rechten Flügel der gegen Moskau vordringenden Hauptarmee operirte, bis er sich im October vor den verstärkten russischen Armee unter Tschitschakow und Tormassow nach Polen zurückzog, wo er sich jedoch, mittlerweile auf den Wunsch Napoleons vom Kaiser Franz zum Feldmarschall ernannt, bis zum Februar 1813 in der Position von Pultusk jeder fernern Thätigkeit enthielt. Nachdem er im Frühjahr 1813 in Paris vergeblich den Frieden zwischen Frankreich und Rußland zu vermitteln gestrebt hatte, erhielt er das Commando über das sich in Böhmen concentrirende Observationscorps, dem sich nach dem Ablaufen des Waffenstillstands von Poischwitz, resp. nach dem Beitritte Oesterreichs zur Coalition, noch preußische und russische Truppen anschlossen. S. wurde nun zum Oberbefehlshaber der gesammten Streitkräfte der Alliirten ernannt, verlor zwar die erste Schlacht (26. und 27. Aug. bei Dresden), erfocht aber vom 16.—19. Oct. einen vollständigen Sieg bei Leipzig, und führte dann auch im Frühjahr 1814 den Oberbefehl in Frankreich, wo er — obgleich persönlich für die Politik des Zauderns und dem Vorgehen auf Paris entschieden entgegen — doch endlich dem Drängen Blücher's nachgab und bis Paris vorging, dort aber die Russen und Preußen bereits als Sieger fand. Nach der Rückkehr Napoleons von Elba im Frühjahr 1815 entwarf er gemeinschaftlich mit Wellington, unter Beirath preußischer und russischer Generale, den Plan zu dem neuen Feldzuge, übernahm selbst den Oberbefehl über die Armee der Alliirten am Oberrhein, mit welcher er aber in Folge des preußisch-englischen Sieges bei Waterloo (18. Juni) nicht mehr zu größeren Operationen kam. Nach dem Zweiten Pariser Frieden wurde er Präsident des Hofkriegsraths und erhielt mehre große Güter in Ungarn als kaiserliche Dotation. Nachdem er am 13. Januar 1817 von einem Schlagflusse auf der rechten Seite gelähmt worden war, starb er auf einer Reise zur Cur am 15. Oct. 1820 zu Leipzig; seine Leiche wurde nach Böhmen gebracht. Im Oct. 1838 ließen ihm seine Gemahlin und seine drei Söhne Friedrich, Karl und Edmund bei dem Vorwerk Meusdorf (1½ Stunden südöstlich von Leipzig, an der Chaussee von Leipzig nach Grimma), unweit der Stelle, von wo aus er am entscheidenden Nachmittage des 18. October 1813 die Schlacht geleitet, ein Denkmal setzen. Vgl. Prokesch-Osten, „Denkwürdigkeiten aus dem Leben des Feldmarschalls Fürsten S." Wien 1823. 4) Friedrich, Fürst von S., österreichischer General-Feldwachtmeister, Sohn des Vor., geb. 30. September 1800, gest. 6. März 1870, ließ als Manuscript drucken: „Aus dem Wanderbuche eines verabschiedeten Landknechts", Wien 1844, 4 Bde., 2. Aufl. 1846. 5) Karl Fürst von S., österreichischer Feldzeugmeister, Bruder des Vor., geb. 21. Januar 1802, wurde im Oct. 1849 Civil- und Militärgouverneur der Lombardei, im Nov. 1860 Gouverneur von Siebenbürgen und Commandeur des 13. Armeecorps und starb 25. Juni 1858 in Wien.

6) **Edmund**, Fürst von S., österreichischer Feldmarschall, Bruder der Vor., geb. 18. Nov. 1803, trat 1822 als Lieutenant bei der österreichischen Infanterie ein, wurde noch in demselben Jahre als Rittmeister zu den Kürassieren versetzt, wurde 1832 Major, 1834 Oberstlieutenant, 1836 Oberst, 1844 Generalmajor, 1847 dem Hofkriegsrathe zugetheilt, beim Ausbruch der Mailander Revolution im März 1848 nach Italien versetzt, wo er einer Brigade in dem am Isonzo aufgestellten Nugent'schen Armeecorps, dann eine Brigade bei dem Reservecorps erhielt, welches den Offensivoperationen Radetzky's gegen den Mincio folgte. Nach dem Gefecht bei Goito (April 1848) wurde er an die Spitze eines Streifcorps gestellt, mit welchem er sich bei Sona, St. Giustina, Custozza, Volta und Vigentino auszeichnete. Im Nov. 1848 avancirte er zum Feldmarschallleutenant und erhielt das Commando über eine Division der gegen die insurgirten Ungarn bestimmten Armee, mit welcher er Raab erstürmte. Nachdem er bei der Armee-Reorganisation im Nov. 1850 das Commando des 4. Armeecorps-erhalten hatte, übernahm er im Nov. 1851 zugleich das Commando über die IV. Armee in Lemberg, später über das 3. Armeecorps in Wien, wurde dann zum General der Cavalerie ernannt und Capitän-Lieutenant (1867 Hauptmann) der Arcieren-Leibgarde und 1868 Feldmarschall.

Schwechat, Marktflecken in Oesterreich unter der Ens, unweit südöstlich von Wien, an der Schwechat (linker Nebenfluß der Donau) und der Eisenbahn von Wien nach Raab, hat großartige Bierbrauereien und 4000 Einwohner. In der Nähe ein Obelisk zur Erinnerung an die Zusammenkunft des Kaisers Leopold I. mit dem König Sobieski von Polen nach der Befreiung von Wien 1683. Hier wurden am 30. Oct. 1848 die Ungarn unter Moga, welche die Revolution in Wien zu unterstützen beabsichtigten, von den Oesterreichern unter Windischgrätz geschlagen.

Schweden (schwedisch Sverige), ein die südöstliche (größere, mildere, fruchtbarere und dichter bevölkerte) Hälfte der skandinavischen Halbinsel einnehmendes, seit 1814 mit Norwegen durch Personalunion vereinigtes Königreich, grenzt im Norden, Nordwesten und Westen an Norwegen, im Nordosten an Finnland (durch die Flüsse Tornea, Muonio und Köngärnä davon getrennt), wird im Osten von dem Bottnischen Meerbusen und der Ostsee, im Süden von der Ostsee, und im südlichen Westen von dem Sund (Oeresund), Kattegat und Skagerrak bespült, umfaßt einen Flächenraum von 8020 geogr. Q.-M. (wovon 774 Q.-M. Seen und Sümpfe) und hat eine Bevölkerung (1869) von 4,158,757 Einwohnern. Das Land bildet einen sich parallel mit Norwegen von Nordnordost nach Südsüdwest erstreckenden Streifen, dessen größte Länge nahe an 220 Meilen, dessen Breite von 40 bis gegen 60 Meilen beträgt. Der nördliche und westliche Theil ist größtentheils gebirgig mit einer vorherrschend südöstlichen Abdachung; der südlichste Theil (die Landschaft Schonen) ist Flachland. Das Hauptgebirge ist das Skandinavische Gebirge, welches den ganzen Westen der Halbinsel, also besonders Norwegen (s. d.) erfüllt; der höchste Punkt auf schwedischer Seite ist der 5796 pariser (6341 schwedische) Fuß hohe Sulitelma in der Lulea Lappmark. Von dem ganzen Lande liegen nur 2700 Q.-M. unter 300 Fuß absolute Höhe; dagegen gehören 33 Q.-M. der Region des ewigen Schnees an, 2000 Q.-M. werden von Schnee- und Felswüsten, 774 Q.-M. von Seen und Sümpfen eingenommen, so daß also ein großer Theil des Landes gar keiner Cultur fähig ist. Die Küsten sind im Allgemeinen felsig und werden meist von einer Menge kleiner Felseninseln und Riffe (sogenannte Scheeren s. d.) umgeben. Von der fast 900 Meilen langen Küstenentwickelung der Skandinavischen Halbinsel kommt nur die kleinere Hälfte auf S., da die schwedische Küste weit weniger zerrissen ist als die norwegische, namentlich auch keine tief einschneidenden Fjorde hat. Von den zahlreichen zu S. gehörigen Inseln sind Gotland und

Oeland (an der südlichen Ostküste) die größten. Von den Flüssen (deren größere Elf, deren kleinere Å genannt werden) sind die bedeutendsten: Tornea-, Kalix-, Lulea-, Juleås-, Dal- und Motala-Elf (Abfluß des Wettersees). Alle diese Flüsse sind, trotz ihres theilweisen Wasserreichthums, doch wegen ihrer vielen Wasserfälle und Stromschnellen großentheils nur stellenweis schiffbar. Dagegen ist durch großartige Kanalbauten, welche die Wasserfälle und Stromschnellen umgehen und die zahlreichen Binnenseen unter einander verbinden, viel für die Communication geschehen. Von großer Wichtigkeit ist namentlich das Kanalsystem des Göthakanals, welcher vermittels des Trollhättakanals die Ostsee mit der Nordsee verbindet. Die bedeutendsten Seen sind die Wenersee (der größte des Landes, 95 □.-M.), der Wetter- und der Mälarsee. Das Klima S.s ist bedingt durch die Verschiedenheit der Erhebung über den Meeresspiegel, daher sehr verschieden, im Allgemeinen zwar kalt, aber gesund und weniger rauh, als es die nördliche Lage erwarten ließ. Die mittlere Jahrestemperatur beträgt in der südlichsten Zone + 4½° bis + 6½° R., in der subarktischen + 2° bis + 4½° R., in der arktischen — 2° bis + 2° R.; die mittlere Sommertemperatur beträgt in Lund (55° 42' nördl. Br.) + 13,4° R., in Stockholm (59° 20' nördl. Br.) + 12,8° R., in Umea (63° 50' nördl. Br.) + 11,4° R.; die mittlere Wintertemperatur in Lund + 1° R., in Stockholm — 2° R., in Umea — 7,8° R.; in den nördlichsten Gegenden (jenseit 62° nördl. Br.) gefriert oft das Quecksilber (was bei — 32° R. geschieht); in Stockholm sinkt das Thermometer jedoch nur selten unter — 20° R. — Die Bevölkerung gehört mit Ausnahme von ungefähr 7200 Lappen (im hohen Norden) und ungefähr 15,000 Finnen (Kwänen, im Nordosten) der schwedischen Nationalität an, welche sich aus zwei nordgermanischen Volkszweigen (den eigentlichen Schweden im mittleren und den Gothen im südlichen Theile des Landes) gebildet hat. Die weit überwiegende Mehrzahl (ausgenommen über 1100 Juden, ungefähr 400 Katholiken, 150 Reformirte) bekennt sich zur evangelisch-lutherischen Kirche nach der unveränderten Augsburgischen Confession, welche auch Staatsreligion und zur Erlangung eines öffentlichen Amtes unerläßliche Bedingung ist; doch ist seit neuerer Zeit jedem Andersgläubigen die freie Ausübung gestattet. Die herrschende Sprache der Schweden, mit Ausnahme der Lappen, ist die schwedische, welche wie die dänische (die auch in Norwegen gesprochen wird) zu den nordgermanischen oder scandinavischen gehört; doch versteht der größte Theil der Gebildeten auch französisch und englisch, viele auch deutsch. Im Aeußeren der Schweden ist der nordgermanische Typus unverkennbar; meist sind sie von schlanker, oder kräftiger Gestalt, haben blaue Augen, blonde oder braune Haare (schwarze sind höchst selten) und edle Gesichtsbildung. Die Grundzüge des schwedischen Nationalcharakters sind: Gottesfurcht (ohne Frömmelei), Vaterlandsliebe, Muth, verständiger Ernst mit harmloser Heiterkeit gemischt, Fleiß und Gastfreundschaft. Die Staatsbürger S.s theilen sich in vier Stände: a) Adel, welcher in Herren (Grafen und Barone) und Ritter zerfällt; b) Geistlichkeit; c) Bürgerstand in den Städten, in denen sich seit alten Zeiten eine eigenthümliche Gemeindefreiheit mit großer cooperativer Selbständigkeit entwickelt hat; d) Bauernstand. Diese vier Stände waren auch bis 1866 als solche in den Reichsständen vertreten. Die geistige Cultur, und zwar die höhere wissenschaftliche, wie die allgemeine Volksbildung, steht in S. auf einer hohen Stufe. Selbst in den entlegensten, am dünnsten bevölkerten Gegenden des Landes findet sich selten Jemand, der nicht wenigstens lesen könnte und mit Katechismus und biblischer Geschichte vertraut wäre; die Meisten können auch dort schreiben, da die Eltern während der langen Winterzeit selbst unterrichten. Außerdem ist in der neuesten Zeit für die Hebung

Pierer's Conversations-Lexikon. VIII. 17

des Volksunterrichtes, theils durch Vermehrung der Volksschulen, theils durch verbesserte Stellung der Schullehrer sehr viel geschehen. Die Bürgerschulen und die höheren Schulen (combinirte Gymnasien und Realschulen) stehen den deutschen ziemlich gleich. Universitäten besitzt S. zwei: Lund und Upsala; außerdem das medicinische Karolinische Institut, das Technologische Institut und das Forst-Institut (sämmtlich zu Stockholm) und die höhere Bergschule zu Falun. Ueber die Militärbildungsanstalten s. w. u. Was die Erwerbs-quellen anbelangt, so bildet der Ackerbau trotz der wenig günstigen Boden-verhältnisse die Hauptbeschäftigung für mehr als 60 Procent der Bevölkerung; gebaut werden namentlich Gerste, Roggen, Weizen, Hafer, Kartoffeln und Erbsen. Die Viehzucht, welche, trotz der Begünstigung durch große Wiesen und Weiden, bis in die neuere Zeit ziemlich vernachlässigt wurde, umfaßt be-sonders Pferde, Rindvieh, Schafe, Ziegen und Schweine und im hohen Norden Rennthiere. Bei den ungefähr 2300 □.-M. Areal bedeckenden Waldungen bildet auch die Forstcultur eine Hauptquelle des Nationaleinkommens; ebenso ist der Bergbau (besonders auf Eisen, weniger auf Silber, Kupfer, Blei, Zink und andere Mineralien — Steinkohlen sind nur in geringer Menge und Güte vorhanden) und Hüttenbetrieb, sowie der Fischfang von Wichtigkeit. Die In-dustrie ist nur von untergeordneter Bedeutung, nimmt aber seit neuerer Zeit einen kräftigern Aufschwung; sie beschäftigt sich besonders mit Eisen, Baum-wolle, Wolle, Leinwand, Leder, Tabak, Papier und Maschinenbau. Von größerer Wichtigkeit sind Handel und Schifffahrt. Die Hauptausfuhrartikel sind: Eisen, Bauholz, Theer, Pech, Kupfer, Messing, Alaun ꝛc. Im Jahr 1868 belief sich der Werth der Einfuhr auf 138 Millionen, der Ausfuhr auf 120 Millionen Rixdaler Rixmynt (à 11 Sgr. 5., Pf.). Die Handelsmarine S.s umfaßte 1868: 3268 Fahrzeuge mit 94,746 Neulasten, worunter 344 Dampfer mit 9810 Pfdkr. Die Haupthandelsplätze sind: Stockholm, Nyköping, Karlskrona, Ystadt, Helsingborg und Göteborg. Die Eisenbahnen S.s, die sich fast nur im südlichen Theile des Landes finden, und deren erste 1856 eröffnet wurde, zerfallen in Stamm- oder Staatsbahnen (die betweitem größte Anzahl), Zweigbahnen und selbständige Privatbahnen. Die Stammbahnen sind: 1) die westliche Stamm-bahn von Stockholm über Södertelge, Eslöf, Falköping und Alingsås nach Göteborg (44., Meilen) nebst der Bahn von Hallsberg nach Oerebro, an welche sich die Privatbahn Oerebro-Arboga mit der Zweigbahn Ervalla-Nora anschließt; Zweigbahnen der Stammbahn sind: Herrljunga-Beräs und Herr-junga-Wenersborg-Uddevalla; 2) die nordwestliche Stammbahn, welche bei Laxa (21., Meilen von Stockholm) von der westlichen Stammbahn abgeht und über Christinehom, Karlstad und Arvika an die norwegische Grenze (26., Meilen) und von dort über Kongsvinger nach Christiania führt; 3) die süd-liche Stammbahn, welche bei Falköping (31., Meilen von Stockholm) von der westlichen Stammbahn abgeht und über Jönköping nach Lund und Malmö (35., Meilen) führt, hat vier Zweigbahnen: Alfvestadt-Weriö, Hßleholm-Christiania, Eslöf-Landskrona und Eslöf-Helsingborg; 4) die östliche Stamm-bahn, welche bei Katrineholm (12., Meilen von Stockholm) von der westlichen Stammbahn abgeht und über Norrköping und Linköping führt und sich bei Nässjö unweit Jönköping an die südliche Stammbahn anschließt; 5) die nördliche Stammbahn von Stockholm nach Upsala (6., Meilen), doch weiter projectirt, resp. im Bau begriffen. Selbständige Privatbahnen (aber mit 66⅔ Procent des Anlagecapitals vom Staate unterstützt) sind die Bahnen von Gefle nach Falun (8., Meilen), von Köping nach Uttersberg nebst Seiten-bahn an den See Lillsvan (3,10 Meilen) und von Söderhamn an die Landsern Marman und Bergvik (1., Meilen). Das gesammte Eisenbahnnetz S.s hatte Anfang 1871 eine Länge von 246 geogr. Meilen.

Die Staatsverfassung S.s beruht auf folgenden Grundgesetzen: 1) der Constitution (Regierungs-Formen) vom 6. Juni 1809; 2) dem Gesetz für den Reichstag vom 22. Juni 1866 (welches die auf dem Gesetz vom 10. Februar 1810 gegründete Repräsentation durch vier Reichsstände [s. o. S. 257] aufhob); 3) dem Erbfolgegesetz vom 26. Sept. 1810; 4) den Bestimmungen über die Freiheit der Presse vom 16. Juli 1812. Hierzu kommt noch die Bundesacte (Riksakten) vom 6. August 1815, welche die Bedingungen der Union mit Norwegen (s. d.) festsetzt, in Norwegen in Verbindung mit der Eidsvolder Verfassung vom Storthing am 31. Juli 1815 als Grundgesetz, in S. vom Reichstage am 6. August 1815 angenommen wurde, aber in S. nicht als eigentliches Grundgesetz gilt. Demzufolge ist S. eine beschränkte Erbmonarchie, durch Personalunion unter einem Scepter vereinigt mit Norwegen (s. d.), welches übrigens, von S. ganz unabhängig, nach eigener Verfassung, eigenem Rechte und eigenen Gesetzen regiert wird und eigene Volksvertretung, eigenes Heer und eigene Flotte hat. Der Titel des Königs (seit 8. Juli 1859 Karl XV., geb. 3. Mai 1826) ist: Schwedens und Norwegens, der Gothen, Wenden ꝛc. König. Die Krone ist nach der Linealfolge und dem Erstgeburtsrechte in dem Mannesstamme des Hauses Bernadotte erblich, nach dessen Erlöschen das Wahlrecht der Repräsentativversammlungen (gemeinschaftlich mit Norwegen) wieder eintritt.*) Der König, dessen Person heilig und unverletzlich ist, wird mit dem 18. Lebensjahre mündig, muß sich zur lutherischen Kirche bekennen, ist höchster Befehlshaber der Land- und Seemacht und Theilhaber und Vollstrecker aller Staatsgewalten, aber — obgleich allein regierend — doch gehalten, das Gutachten des Staatsraths über alle Angelegenheiten einzuholen, mit Ausnahme der auswärtigen und der Kriegs-Angelegenheiten, in welchen er auf Vortrag der beiden betreffenden Ressort-Minister, die dafür verantwortlich sind, entscheidet. Der König muß beim Antritt der Regierung den Eid auf die Verfassung leisten und wird dann vom Erzbischof von Upsala in der Nicolaikirche zu Stockholm gekrönt. Der Staatsrath, welcher eine ausschließlich berathende Behörde ist, besteht aus zehn Mitgliedern: den Ministern der Justiz und des Aeußeren, fünf Staatsräthen (für das Innere, die Finanzen, den Krieg, die Marine und den Cultus) und drei consultativen Staatsräthen ohne Portefeuille. In Bezug auf die Gesetzgebende Gewalt ist der König durch den Reichstag beschränkt, welcher letztere über die Besteuerung, das Schulden- und Münzwesen allein, über alle übrigen Zweige der Gesetzgebung mit dem König zu entscheiden hat. Nach dem Reichstagsgesetz vom 22. Juni 1866 besteht der Reichstag aus zwei Kammern, welche gleiche Competenz und gleiche Autorität haben und jährlich am 15. Januar zu einer ordentlichen Session ohne specielle Einberufung zusammentreten, aber zu einer außerordentlichen Session vom König einberufen werden können. Die Mitglieder der Ersten Kammer werden auf 9 Jahre durch die Provinzial-Versammlungen (landsthing) und für die Städte durch die Municipalräthe gewählt (je 30,000 Einw. kommt ein Abgeordneter. Diese müssen mindestens 35 Jahr alt sein, einen Grundbesitz von mindestens 80,000 Riksdaler oder ein Jahreseinkommen von mindestens 4000 Riksdaler haben. Die Mitglieder der Zweiten Kammer werden auf 3 Jahre gewählt und zwar wählt die Landbevölkerung für jeden Gerichtsbezirk (domsaga oder lagsaga) je einen Abgeordneten (auf 4000 Einwohner), die Städte auf je 10,000 (resp. 6000 und 12,000) Einwohner je einen Abgeordneten. Die Wahl ist indirect (1 Wahlmann auf 500 Einwohner).

*) Anmerkung: Gegen diese Thronfolgebestimmung hat beim Regierungsantritt der beiden letzten Könige (Oscar I. und Karl XV.) der Prinz Wasa, aus der im Jahre 1809 des Thrones entsetzten Dynastie Holstein-Gottorp, protestirt.

17*.

Wähler ist Jeder, der in Communalangelegenheiten stimmberechtigt ist und ein festes Einkommen von mindestens 1000 Rthalern (auf dem Lande von 800 Rthalern) hat. Das active Wahlrecht ist an keine Religion, das passive dagegen an den Protestantismus geknüpft. Was beide Kammern mit Stimmenmehrheit beschließen, gilt als Reichstagsbeschluß, welcher jedoch nur durch die Sanction des Königs Gesetzeskraft erhält. (Der König hat also in S. ein absolutes Veto, in Norwegen [s. d. Bd. VI., S. 300] dagegen ein Suspensiv-Veto). In kirchlichen Angelegenheiten hat die Kirchenversammlung ein Veto. Die Rechtspflege wird von unabhängigen Richtern ausgeübt. Höchste (dritte) Instanz ist das Oberste Tribunal des Königs (Konungens högsta Domstol) zu Stockholm. Appellations- oder Ober-Gerichte (zweite Instanzen) sind die Hofgerichte zu Stockholm, Jönköping und Christianstad, sowie der Militär-Gerichtshof (zweite Instanz). Unterste Instanzen sind in den Städten die Rathhaus- (oder Lagmans-) Gerichte und auf dem Lande die Bezirks- (oder Härads-) Gerichte; außerdem bestehen für Geistlichkeit, Militär und Bergwesen eigene Gerichte. Die Finanzen S.s sind in gutem Zustande. Bis 1867 hatte S. keine ausländischen und nur höchst unbedeutende inländische Schulden; seitdem haben die Eisenbahnbauten jedoch Anleihen nöthig gemacht. Nach dem Budget für 1872 beliefen sich die Einnahmen auf 46,225,000 Rthaler Rikomynt (à 11 Sgr. 5,₄ Pf.), die Ausgaben auf 51,469,840 Rd. Rm., (5,244,840 Rd. Rm. Deficit, welches das Reichsschuldencontor deckte), die inländische Schuld auf 19,565,000 Rd. Rm., die ausländische Schuld auf 97,110,826 Rd. Rm., die Gesammtschuld also auf 116,675,826 Rd. Rm. Was die Eintheilung S.s anbelangt, so zerfällt das Land historisch in drei Haupttheile; 1) Götaland oder Göta-Rike (das Gothische Reich); 2) Svealand oder Svea-Rike (das eigentliche S.) und 3) Norrland; in administrativer Hinsicht wird es in die Oberstatthalterschaft Stockholm und 24 Läne oder Landshöftingdömen (d. i. Landshauptmannschaften) getheilt, welche wieder in 117 Fögderien (Vogteien) zerfallen; außerdem besteht noch eine kirchliche Eintheilung in Stifter oder Bisthümer, die wiederum in Propsteien und Kirchspiele zerfallen. Götaland umfaßt den südlichsten, ergiebigsten und bevölkertsten Theil mit 12 Länen, 1783 O.-M. (wovon 241 O.-M. Gewässer, also 1542 O.-M. Land) und 2,125,392 Einwohner. Svealand umfaßt den mittleren und kleinsten, aber ältesten Theil des Staates mit der Statthalterschaft Stockholm, 7 Länen, 1535 O.-M. (wovon 147 O.-M. Gewässer, also 1388 O.-M. Land) und 1,217,967 Einwohner. Norrland umfaßt die größere nördliche, aber am wenigsten bevölkerte Hälfte des Staates mit 5 Länen, 4701 O.-M. (wovon 385 O.-M. Gewässer, also 4316 O.-M. Land) und 515,398 Einwohnern. Hauptstadt des Landes, Residenz des Königs, Sitz der Centralbehörden und des Reichstags ist Stockholm. An Colonien besitzt S. die kleine Insel St. Bartelemy (0,₃₉₄ O.-M. mit 2898 Einwohnern) in Westindien, deren Verwaltung dem schwedischen Staate jährlich 25,000 Rthaler kostet.

S.s Wehrkraft. Die erste geregelte Kriegsverfassung rührt von Karl VIII. (1448) her. Er ordnete die Heeresstellung nach dem 8. Mann, schrieb die Rüstung vor und gab eine Marsch-Ordnung. Gustav Wasa (1526) machte das Einkommen zur Grundlage des Wehrsystems (von 400 Mark mußten 6 Knechte gestellt werden); er war der Begründer eines Stehenden Heeres, dessen Fußvolk durch Aushebung beschafft wurde. Unter den folgenden Königen wurde diese Aushebung mit dem Grundbesitz in einen gewissen Zusammenhang gebracht, sodaß auf diesem nicht allein die persönliche Gestellung, sondern auch die Erhaltung der Infanterie lastete. Die auswärtigen Kriege, namentlich unter Gustav Adolf, stellten Anforderungen in Bezug auf Kopfstärke des

Heeres, daß mehr und mehr die Anwerbung fremder Söldner als Aushülfe dienen mußte. Dieser König führte nur 4 Regimenter zu Fuß (4600
Mann) und 2 Reiter-Regimenter (1200 Pferde), aus National-Schweden
bestehend, nach Deutschland, deren Zahl mehr und mehr zusammenschmolz (1636
unter 36,000 Mann kaum 3000, 1639 überhaupt nur noch 500 Schweden
beim Heere). Das schwedische Heer stand in Bezug auf Taktik, Material,
Disciplin unter dem Könige auf höchster Stufe (s. Gustav Adolf, Bd. IV.,
S. 298 ꝛc.) und war tonangebend. — Unter Karl XI. (1660—97) wurde
das Institut der Indelta fest organisirt, in ähnlicher Weise, wie es noch
heute besteht. Jeder Complex von Besitzthum, welcher gewisse Einkünfte ab-
wirft (gewöhnlich 2 Höfe, deren Umfang nach der Kataster-Eintheilung des
Landes verschieden), hat nämlich einen Soldaten oder einen Reiter (an der
Küste einen Matrosen) zu unterhalten und mit Ausrüstung zu versehen. Der
Soldat wurde früherhin von dem betreffenden Güter-Complex selbst erwählt
und bei dem Regiment in Vorschlag gebracht, wird gegenwärtig aber durch
Werbung seitens der Grundbesitzer aufgebracht. Nach seiner Ausbildung, die
bei der Infanterie 4, bei der Cavalerie 6 Monate erfordert, kehrt der Indelta-
Soldat in seine Heimath zurück und wird in Friedenszeiten nur noch zu jährlichen Uebungen von kurzer Dauer (etwa 1 Monat) eingezogen. Die Dienstverpflichtung währt bis zur Erschöpfung der Körperkräfte. Zu seinem Unterhalt erhält der Indelta-Soldat ein kleines Gütchen, Torp genannt, angewiesen.
Der Gutsherr muß im Falle der Abwesenheit des Soldaten dessen Torp und
die Familie erhalten, letztere auch nach dessen Tod versorgen. Früherhin wurde
wurde vielfach unbebautes Land angewiesen und so ein Mittel gewonnen, un-
cultivirte Strecken urbar zu machen. Der Staat kann den Indelta-Soldaten
auch zu öffentlichen Arbeiten (Bau von Canälen, Straßen, Festungen) benutzen.
Die Kriegsverwaltung giebt den Soldaten die Waffen und die großen, die Guts-
herren geben die kleinen Montirungsstücke, erstere im Felde auch die Löhnung,
während letztere den Soldaten bei den Uebungen erhalten müssen. Die Cavalerie
sammt ihren Pferden wird von den größeren Gütern gestellt und erhalten. Die
Unteroffiziere werden je nach ihrem Grade gleich 4—8 Gemeinen gerechnet und
erhalten Torps von größerem Werthe. Den Offizieren vom Hauptmann aufwärts theilte Karl XI. aus den Krongütern Grundbesitz, sogenannte Boställen,
zu, mit der Verpflichtung, sich auf denselben niederzulassen. Die Lieutenants
erhielten einen bestimmten Gehalt, und es wurde ihnen Gelegenheit gegeben,
noch anderweit für ihren Unterhalt zu sorgen. Die Lieutenants der Indelta
beziehen gegenwärtig jährlich 130 bis 180 Thlr. (preuß.) Der Staat unterstützt sie aber durch Verleihung von Stellen an Lehr-Instituten, Verwendung
als Beamte bei der Eisenbahn, Post ꝛc. Seit 1830 können die höheren
Offiziere ihre Boställen verpachten; für die niederen übernimmt der Staat die
Verpachtung. Der Werth der Boställen stieg ursprünglich mit dem Range,
hat sich aber im Laufe der Zeit ungemein geändert; es giebt Boställen, welche
jetzt 4—8000 Thlr. (preuß.) jährliche Einkünfte liefern. Dieselben haften aber
nicht etwa an der Person. Torps und Boställen sind zu Regiments-Bezirken
zusammengefaßt; der Stab liegt in der Mitte des Bezirks.

Mit dem Nordischen Kriege (s. d. Bd. VI., S. 294, sowie Karl XII.,
Bd. V., S. 137) schwand die militärische Präponderanz S.s (vgl. w. u.) — Nach
dem Verluste Finnlands (1809) wurde, um die eingebüßte militärische Kraft in
etwas wieder zu gewinnen, neben dem bisherigen Institutionen eine Art Miliz-
System eingeführt (1812). Die hierauf beruhende Bewaring umfaßt die
waffenfähigen Leute vom 21. bis 25. Lebensjahre, insoweit sie nicht anderweit
schon dienen, sowie alle gedienten Mannschaften bis zum 40. Lebensjahre. Sie
bildet keine besonderen Truppentheile, sondern wird nach Bedarf zur Complettrun-

des Stehenden Heeres, sowie der Indelta-Armee benutzt. Die beiden jüngsten Jahrgänge üben je 15 Tage bei den Stamm-Truppen. Die Offiziere der Beväring sind der Indelta zugetheilt. Von der Theilnahme an den Uebungen ist Loskauf für eine sehr geringe Summe (40 Thlr. preuß.) gestattet. Außerdem giebt es noch gewisse Befreiungen vom Kriegsdienste (z. B. für öffentliche Beamte, Gutsbesitzer rc.). Die im Princip allgemeine Wehrpflicht ist somit praktisch eingeschränkt und ohne eigentlichen militärischen Werth.

Außer der Indelta und Beväring gehört zur schwedischen Landmacht auch ein Stehendes Heer von geringem Umfang, die sogenannte Wärfvade. Dieselbe besteht aus Freiwilligen, welche innerhalb des Landes geworben sind, und zwar zu einer mindestens 6jährigen Dienstzeit, und lediglich vom Staate unterhalten werden. Artillerie und Technische Truppen sind lediglich innerhalb der Wärfvade vertreten. Dieselbe umfaßt: a) an Infanterie: 2 Garde-Regimenter, à 2 Bat. zu 4 Comp. (per Comp. 4 Offiz., 100 Mann), von denen indeß ein Theil zeitweise beurlaubt ist), 1 Feldjäger-Regiment (Wermland) mit 6 Comp. (à 4 Offiz., 100 Mann), in Sa. 2200 Mann Infanterie; b) an Cavalerie: 1 Leibgarde-Regiment zu 4 Esc. (à 4 Offiz., 100 Mann), 1 Linien-Husaren-Regiment zu 6 Esc. (à 4 Offiz., 100 Mann), in Sa. 1000 Mann Cavalerie; c) an Artillerie: 3 Regimenter und zwar 1. Regiment (Swea-Art.) zu 6 fahrenden Batt. und 2 Depot- (Festungs-)Comp., 2. Regiment (Göta-Art.) zu 6 fahrenden Batt. und 3 Depot-Comp., 3. Regiment (Wendes-Art.) zu 4 reitenden Batt. und 2 Fuß-Batt.; zum 1. Regmt. gehört außerdem 1 Fuß-Batt. zu 6 Gesch. (in Hörnefand); die übrigen Batt. haben 8 Geschütze, die reitenden 150, die anderen 125 Mann Bedienung; in Sa. 19 Batt. mit 150 Gesch. und 2260 Mann; d) an Technischen Truppen 1 Bataillon Pontonniere, à 3 Comp. gleich 360 Mann, alle Zweige des Genie-Dienstes umfassend; e) an Train 2 Compagnien. Gesammtstärke der Wärfvade ca. 6000 Mann.

Die Indelta zählt: a) an Infanterie 19 Regimenter (2 Grenadier-, 17 Linien-) à 2 Bataillone (zu 4 Compagnien), die Soll-Stärke des Regiments zwischen 904 und 1241 Mann schwankend, 2 Grenadier-Bataillone à 4 Compagnien (je 500 Mann), 3 Feldjäger-Bataillone à 4 Comp. (460 bis 525 Mann stark); b) an Cavalerie 2 Dragoner-Regimenter (1 à 5 Esc. mit 460 Mann, 1 à 10 Esc. mit 910 Mann), 3 Husaren-Regimenter (2 mit je 5 Esc. und 450 Mann, 1 à 10 Esc. mit 900 Mann), 1 berittenes Feldjäger-Corps à 2 Esc. (jede 200 Mann stark). Mit Abrechnung einer gewissen Quote vacant gehaltener Mannschaften beläuft sich die Gesammtstärke der Indelta auf 20,000 Mann Infanterie und 3600 Mann Cavalerie.

Im Kriegsfalle sollen alle Bataillone der Wärfvade und Indelta auf 1000 Mann, die Escadrons auf 150 Pferde gebracht werden. Die Kriegsstärke beider Theile, welche die Feld-Armee bilden, würde sonach umfassen: 48 Bat. Infanterie gleich 48,000 Mann, 47 Esc. Cavalerie gleich 7150 Mann, 150 Geschütze, 1 Bat. Technische Truppen, Sa. 58,600 Mann mit 150 Geschützen. Die überschießenden Mannschaften der Beväring würden ausreichen, um die Gesammtstärke des schwedischen Heeres auf 150,000 Mann zu bringen. — Ganz isolirt steht die Beväring der Insel Gottland, welche alle waffenfähigen Männer vom 20. bis 50 Lebensjahre umfaßt, ca. 1720 Mann in 21 Comp. zählt und nie außerhalb der Insel dient. — Im weiteren Sinne kann zur Wehrkraft des Landes auch das seit 1861 bestehende „Freiwillige Scharfschützen-Corps" gerechnet werden. Dasselbe ist militärisch organisirt und gehalten, für die einzelnen Bataillone die Commandeure aus der Wärfvade oder Indelta zu wählen, während den Chef des Ganzen der König aus ben Generalen der Armee ernennt. Der Staat darf das Corps indeß nur zu Kriegszeiten verwenden. Die Gesammtstärke ist etwa 50,000 Mann.

Während des Friedens ist die Armee in 5 Armee-Bezirke getheilt, ohne daß indeß Stärke und Verhältniß der Waffengattungen in den Bezirken gleichmäßig wären. Jeder Bezirk wird durch einen General-Major oder General-Lieutenant commandirt und zerfällt in Brigaden à 2 Regimenter. — Im Kriege werden den taktischen Anforderungen entsprechende Armee-Corps formirt. — Oberster Kriegsherr ist der König; für Krieg und Marine steht ihm je ein Staatsrath zur Seite. Der Chef des Kriegs-Departements ist zugleich Ober-Commandant der Armee und Chef des Generalstabs. Der Generalstab besteht aus Offizieren, welche von ihren Truppentheilen abcommandirt sind, aber in sich avanciren (1871 9 Stabsoffiziere, 19 Capitäns und Lieutenants, 3 Aspiranten). — Die Flotte steht unter einem Vice-Admiral. — Die Rang-Ordnung der Offiziere ist ähnlich wie in der preußischen Armee; indeß sind nur die Capitäne 1. Classe Chefs von Truppentheilen, (diejenigen 2. Classe thun Lieutenants-Dienst). Bis zum Capitän 2. Classe geht das Avancement streng in der Tour, von da ab nach Diensttüchtigkeit. Außerdem finden viele Charakter-Erhöhungen statt. Die Militär-Aerzte müssen Universitäts-Studien absolvirt haben und stehen bestimmten Offizier-Graden im Range gleich. Im Frieden sind sie nicht verpflichtet, ihre Garnisen zu wechseln, und sind auch nur mäßig besoldet. Die Offiziere der Vårsvade beziehen bestimmte Gehälter und Quartiergeld. Die Gehaltssätze sind für die Lieutenants den preußischen ungefähr gleich, in höheren Graden geringer. — Uniformirung: Die Offiziere haben einen gewöhnlichen Dienst- und einen Parade-Anzug. Ersterer besteht aus einem langen bis unter die Kniee reichenden Ueberrock von dickem Tuch mit 2 Reihen Knöpfe (Farbe nach Waffengattung verschieden), Grad-Unterschied am Kragen erkennbar, Beinkleidern nach französischem Schnitte, einer Mütze französischen Modells (mit Grad-Abzeichen), dazu geldenes Säbelkoppel (bei Cavalerie und Artillerie noch Bandolier). Der Parade-Anzug begreift einen Waffenrock mit Epauletten, Käppi oder Helm (resp. Pelzmütze, Czapka), Schärpe, Ringkragen. Alle Offiziere tragen Schleppsäbel. Die Bekleidung der Mannschaften ist ähnlich, nur haben sie neben dem Ueberrock noch eine kurze Tuchjacke. Alle Waffengattungen haben langschäftige Stiefeln. Die Infanterie hat kreuzweises Lederzeug (Patrontasche zu 60 Patronen), sowie Tornister; die Cavalerie Bocksättel, das Gepäck in einem Packsack am Hinterzwiesel. Die unberittenen Artilleristen führen ihr Gepäck an den Protzen mit. — Jeder Mann hat ein kleines Kochgeschirr, außerdem jeder Truppentheil größere Kochkessel. — Die Verpflegung wird dem Soldaten reichlich geliefert, die Besoldung ist dagegen gering. Die Kasernen sind gut eingerichtet; bei Lagerübungen werden Zelte benutzt. Die Bewirthschaftung in Bezug auf Bekleidung wie Verpflegung ist Sache der Compagnie-, Escadron- und Batterie-Chefs. — Die Ausbildung der Vårsvade geschieht von vornherein nicht in den Compagnien selbst, sondern in getrennten Abtheilungen; ähnlich ist es bei der Indelta. Bei der Infanterie wird großer Werth auf das Turnen gelegt. Die fahrende Artillerie bildet sämmtliche Leute im Reiten aus. — Alljährlich wird von einem Theil der Truppen ein Uebungslager (mit wechselndem Standort) bezogen. Nach der Exerzierzeit finden auch bei der Vårsvade große Beurlaubungen statt; die Pferde werden dann zum Theil ausgeliehen. Von der Infanterie und Artillerie werden eine Anzahl Mannschaften bei den Technischen Truppen im Sappeur-Dienst ausgebildet.

Die Fußtruppen führten bisher das Wrede'sche Gewehr Mod. 1857. Nach 1866 entschloß man sich zur Umformung desselben in einen Hinterlader, sowie zur Beschaffung eines anderen Systems. Als letzteres ist das System Reming-ton (f. Remington-Gewehr, Bd. VII., S. 344) gewählt worden, eine ganz ähnliche Construction auch zur Umformung. Das neue schwedische Gewehr hat ein Kaliber von $12_{,12}$ ^{mm}, eine Länge von $1_{,344}$ ^{m}, ein Gewicht von $4_{,24}$ ^{k} (ohne Bajonett.) Die Patronenhülse ist von Kupferblech, Geschoß-gewicht 24 ^{gr}, Ladung $4_{,25}$ ^{gr}. Am 1. Febr. 1870 hatte S. 37,500 Reming-ton-Gewehre, theils aus Nord-Amerika bezogen, theils in den Gewehrfabriken zu Eskiltuna und Husqvarna hergestellt. Im Laufe des Jahres 1870 wurde die Gesammtzahl der umgeänderten und neuen Gewehre auf 70,000 gebracht, wozu im Laufe des Jahres 1871 weitere 30,000 treten sollten. — Die Ca-valerie ist mit Säbel und Pistole, zum Theil auch mit der Lanze (nach Hilter f. w. u.) bewaffnet, (eine Ausrüstung mit besseren Feuerwaffen ist beabsichtigt). — Die bespannte Artillerie hat gezogene Vorderlader aus Gußeisen und 3 verschiedene Kaliber (6-, 4- und 3-Pfünder) mit den Geschoßgewichten von $6_{,9}$, $3_{,7}$ und 3^k. Vom kleinsten Kaliber existirt nur eine Batterie von 6 Geschützen (f. o.); die übrigen führen zur Hälfte das mittlere, zur Hälfte das größere Kaliber. Die Röhre haben 6 Züge, in welchen die Geschosse mittelst Bleiotten geführt werden. Die Verbindung zwischen Lafette und Protze repräsentirt eine Combination des Balancier- und des lenkschwi-systems. Geschosse sind Granaten und Shrapnels, mit Breithaupt'schen Zündern, sowie Kartätschen. Die Mannschaften sind mit Säbel und Pistole bewaffnet. Bei der fahrenden Artillerie sind pro Geschütz 3 Mann auf den Hand-pferden untergebracht, 3 auf der Protze und 1 ist beritten. Die reitende Artillerie hat pro Geschütz 7 Mann beritten und 2 Mann auf der Protze. Bei allen Frontbewegungen reiten die ersteren zwischen den Vorderpferden in den Intervallen. (Ueber die von König Karl entworfene Kartenbüchse, f. B. V. S. 253.) Die Küsten- und Marine-Artillerie hat ein gleiches System, zum Theil auch Hinterlader.

An Unterrichts-Anstalten existiren: Die Militär-Akademie im Schlosse Marienburg bei Stockholm, zur Vorbereitung von Officieren für den Generalstab und militär-wissenschaftliche Stellungen, sowie zur Special-Ausbildung der Artillerie- und Ingenieur-Officiere; die Cadetten-Anstalt für Officier-Aspiranten zu Karlberg mit zweijährigem Cursus — Unterricht in Militärwissenschaften, neueren Sprachen und Vorschule für den praktischen Dienst; die Aspiranten müssen zum Eintritt das Maturitäts-Examen ab-gelegt haben; nach Bestehen der Schluß-Prüfung erhalten sie den Officier-grad, müssen aber bei ihrem Truppentheil den Dienst der unteren Grade eine gewisse Zeit hindurch (je nach der Waffengattung 6 bis 21 Monate) praktisch durchmachen; Regiments-Schulen für die einzelnen Theile des Stehenden Heeres zur Heranbildung von Unterofficieren. Bei Drottning-holm (in der Nähe von Stockholm) ist eine Infanterie-Schießschule, in Stockholm eine Turnschule für Officiere und Unterofficiere. — Unterm 11. Juni 1868 wurde ein neues Strafgesetzbuch für die Armee eingeführt, welches in humanem Sinne abgefaßt ist und die Prügelstrafe abschafft. Das Justiz-Personal ist kein ausschließlich militärisches. — Der Central-Waffenplatz für S. ist das noch nicht vollendete Carlsborg am Wetter-See (für 20,000 Mann). Wichtige Küstenfestungen und Kriegshäfen sind am Kattegat Marstrand und Gothenburg, an der Südspitze das noch nicht ausgebaute Carlskrona. Ferner sind als befestigte Punkte der Küste zu erwähnen: Christianstad, Calmar, Waxholm und Frederiksborg (alte Befesti-gungen, welche den Zugang nach Stockholm decken), Enhölm im Hafen von

Slitö auf Gottland. Landskrena am Sund ist seit 1870 als Festung aufgegeben. Die Flotte umfaßt (nach Milit. Wl. 1872) 48 größere. und kleinere Fahrzeuge, darunter: 4 Monitors, 2 Panzer-Kanonenboote, 1 ungepanzertes Dampf-Linien-schiff, 1 Fregatte, 4 Dampf-Corvetten, 4 Segel-Briggs, 1 Schooner, 3 Chefs-Schaluppen, 4 Mörserschiffe x. Sie zerfällt in die Große Flotte und die Scheerenflotte, letztere zur Vertheidigung der Binnengewässer, (welche eine Menge in obiger Zahl nicht inbegriffener kleinster Fahrzeuge zählt). Für die Scheerenflotte werden auch Monitors mit Bewegung durch Handschraube versucht. Das Flotten-Personal zerfällt in: die eigentliche Bemannung, 236 Offiziere, 7851 Mann (halb geworben, halb Inrolla); das Construc-tions-Corps, 12 Offiziere, 615 Mann; das Mechanische Corps 7 Offi-ziere, 77 Mann; das Marine-Regiment 36 Offiz., 834 Mann — zusammen ca. 9500 Mann, außerdem die Bevölrlng mit 25,000 Mann. Das Offi-zier-Corps der großen Flotte umfaßt 1 Contreadmiral, 3 Commandeurs, 5 Commandeur-Capitains 1. und 10 2. Classe, 25 Capitains, 26 Lieutenants und 18 Unter-Lieutenants. Das Offizier-Corps der Scheeren-Artillerie, welche sowohl zur Küstenvertheidigung, als zur Besetzung der Scheerenflotte bestimmt ist, zählt 55 Offiziere insgesammt (die personellen Angaben der Flotte nach dem Goth. Taschenbuch, 1872). — Das Budget pro 1872 betrug 12 Mill. Rilsdaler Rilsmynt (s. S. 260) für das Landheer, 4 Mill. 850,000 Rilsdaler für die Marine, außerdem wurde der größte Theil einer extraordinär zu Zwecken der Befestigung und Verstärkung des Kriegs-Materials verlangten Summe von 17 Mill. bewilligt. Pro 1873 sind 14³/₄ Mill. für das Landheer, 7 Mill. für die Flotte veranschlagt.

Die geographische Lage S.s macht es wenig wahrscheinlich, daß dasselbe bei etwaigen politischen Verwicklungen innerhalb des europäischen Staaten-Complexes in Mitleidenschaft gezogen und zu thätigem Eingreifen veranlaßt werden wird. Eine Initiative in dieser Hinsicht zu ergreifen, wird es durch seine eigene Machtstellung verhindert. Ein Angriff zu Lande gegen S. verbietet sich durch die Unwirthsamkeit seiner Landgrenze; nicht verlockender ist die Gestaltung seiner Küsten zu einem Angriff zur See, der auch nur von einem der die Ostsee umwohnenden Staaten ausgehen könnte. Es ist daher begreiflich, daß die Wehrverfassung S.s, wie aus der obigen Schilderung hervorgeht, vollständig hinter der Zeit zurückgeblieben ist. Sieht man von dem kleinen Kern von Berufssoldaten ab, so leidet die ganze Armee an einem Minimum effectiver Dienstzeit, die bei der Bevöring fast auf Null herunter sinkt. Die Wehrkraft des Landes, welches an sich bekannter Maßen gute Soldaten liefert, wird (namentlich auch mit Rücksicht auf die vielen Exemtionen von der kaum fühlbaren Dienstverpflichtung) in ganz ungenügender Weise ausgebeutet; es fehlt an hinreichenden Cadres, um die vorhandene Zahl der Mannschaften aufzunehmen. Die Last der Unterhaltung des Heeres ruht vorherrschend auf dem ländlichen Grundbesitz und zwar in ganz ungleichmäßiger Vertheilung, und ist nicht unbedeutend, wenn man erwägt, daß sich die jährlichen Kosten pro Inrolla-Soldaten durchschnittlich (excl. Be-waffnung) auf 47 Thaler (preuß.) belaufen. Allerdings ist das auf dem Besitz ruhende Servitut ein von Alters her überkommenes, tritt daher bei Besitzwechsel vom eigen¬ t Werthe in Abzug. — Ungeachtet der gesicherten Lage S.s ist doch nach ..... Ergebnissen von 1866 und namentlich nach denjenigen von 1870—71 in der Mehrzahl der Bevölkerung und bei dem Oberhaupt des Staates die Ueberzeugung von der Nothwendigkeit zeitgemäßer Reformen im Heerwesen zum Durchbruch gekommen. Der Gedanke kam zuerst in der Thronrede, mit welcher der Reichstag am 17. Januar 1869 eröffnet wurde, zum Ausdruck. Es wurde ein Landes-Vertheilgungs-Plan in Aussicht gestellt, dessen Grundlage die allgemeine Wehrpflicht, unter Beibehaltung der durch die Indelta nothwendigen Permanenz der Cadres, sei. Indeß ward weder 1869 noch 1870 eine Einigung zwischen Regierung und Reichstag erzielt. Am 28. Januar 1871 ward ein neuer Gesetz-Entwurf, betreffend die Ordnung des Vertheidigungs-Wesens vorgelegt. Danach wurde ein Friedensstand von 40,000 Mann zu Grunde gelegt, Wärwade wie Indelta beibehalten, indessen sollten die Cadres, namentlich auch die Artillerie, angemessen vermehrt werden. Der Staat sollte die Recrutirung für die Indelta übernehmen, der Unterhaltung der Soldaten eine gleichmäßige Norm zu Grunde gelegt werden. Im Uebrigen sollte die Wehrpflicht eine allgemeine sein, die Dienstverpflichtung 10 Jahre in der Landwehr (vom 20. bis 30.), 10 im Landsturm (vom 30. bis 40.) umfassen. Im 1. Dienstjahr sollte die Landwehr je nach der Waffengattung 42 bis 60 Tage, in den beiden folgenden eine kürzere Zeit zur Uebung einberufen werden, bis zum 7. Dienstjahre incl. aber überhaupt zur Verstärkung der activen Armee bestimmt sein, während die 3 folgenden Jahrgänge als Kriegs-Reserve, sowie der Landsturm besondere Truppenkörper zur localen Vertheidigung bilden. Die active Armee sollte im Kriegsfalle auf 100,000 Mann, die Ersatztruppen auf 50,000 Mann, Kriegsreserve und Landsturm auf 160,000 Mann gebracht werden. Nachdem die 1. Kammer einen Aufschub der Vorlage beantragt, wurde diese in der Sitzung vom 19—20. April von der 2. Kammer, welche eine gänzliche Aufhebung des Indelta-Werkes verlangte, verworfen. Die ländliche Bevölkerung ist nämlich mit der ihr durch die neue Ordnung erwachsenden doppelten Verpflichtung, zur persönlichen Dienstleistung und zur Unterhaltung der Indelta-Armee, nicht einverstanden. Auch in der zum Herbst 1871 einberufen gewesenen außerordentlichen Sitzung des Reichstag hat die Vorlage ein gleiches Schicksal erfahren und ist dann vom König zurückgezogen worden. Vergl. „Ueber militärische Verhältnisse in Schweden" von Hilder, Berlin 1869; Oestr. Mil. Z. II., III. Bd. 1871; „Vergleichende Darstellung der Wehrverhältnisse in Europa", Wien 1871; „Die Europäischen Heere", Hildburghausen 1870.

Das vereinigte Wappen (Unionswappen) von Schweden und Norwegen ist ein vertical in zwei Hälften getheilter Schild, von denen die linke, horizontal in zwei Theile getheilte Hälfte auf blauem Grunde oben das alte Wappen von Svea-Rike (drei Kronen) und unten das Wappen von Göta-Rike (einen gekrönten, goldenen über drei Ströme springenden Löwen), die rechte Hälfte auf rothem Grunde das norwegische Wappen (einen aufgerichteten, gekrönten, goldenen Löwen, welcher in den Vordertatzen die Hellebarde des St. Olaf trägt) enthält. Im H̶e̶r̶z̶e̶n̶ befinden sich die Wappen der Familien Wasa und Bernadotte. Der Schild ist bedeckt mit der königlichen Krone, umgeben mit der Kette der königlichen Orden und wird gehalten von zwei aufrecht stehenden gekrönten Löwen mit rückwärts gewendeten Köpfen, offenem Rachen, ausgestreckten Zungen und aufwärts geschwungenen Schwänzen. Als Umschrift wird bisweilen noch der Wahlspruch des jedesmaligen regierenden Königs hinzugefügt. (Der des jetzigen ist: Land skall med lag byggas, d. i. Land soll mit Gesetz gebaut werden). Das eigentliche schwedische Wappen ist ein blauer Schild, quadrirt durch ein schmales, ausgerundetes, goldenes Kreuz; in dem ersten und vierten Felde ist das Wappen von Svea-Rike (drei Kronen), im zweiten und dritten das von Göta-Rike (ein gekrönter, über drei Ströme springender Löwe); Herzschild und Verzierungen wie bei dem Unionswappen. Die Nationalfarben sind blau und gelb, die Feldzeichen gelb. Die Staatsflagge ist blau mit einem gelben, rechtwinkeligen Kreuze; sie läuft in drei Zungen aus, deren obere und untere blau sind, deren mittlere gelb ist. Die obere innere Abtheilung an der Stange enthält die Unionflagge (die schwedifchen (blau und gelb) und die norwegifchen (blau, weiß und roth) Farben), beftehend aus einem ftehenden blauen Kreuze, deffen Verticalbalken weiße Ränder, deffen Horizontalbalken aber gelbe Ränder hat; die dadurch gebildeten vier Felder werden durch Diagonalen in acht abwechfelnd blau und rothe Dreiecke getheilt. Die Handelsflagge ift ebenfo, nur daß fie nicht in Zungen ausläuft. An Orden befitzt S. folgende fünf: den Seraphinen-Orden (das Blaue Band, geftiftet gegen Ende des 13. Jahrh. vom König Magnus I. von Swealand), den Schwert-Orden (das Gelbe Band, geftiftet 1522 vom König Guftav I. Wafa), den Nordftern-Orden (das Schwarze Band, geftiftet 1748 vom König Friedrich I.), den Wafa-Orden (das Grüne Band, geftiftet 1772 vom König Guftav III.) und den Orden Karl's XIII. (geftiftet 1811 vom König Karl XIII.); der Olafs-Orden gehört Norwegen (f. d.) an; außerdem noch als Militär-Ehrenzeichen: Medaillen für Tapferkeit von Gold für Offiziere, von Silber für Unteroffiziere und Soldaten; für Civil goldene und filberne Medaillen.

Die ältefte Gefchichte S.s ift durchaus dunkel und fagenhaft. Das Land war, wie die übrigen flandinavifchen Reiche, unter viele, trotz ihrer nahen Stammesverwandtfchaft, politifch getrennte nordgermanifche Volksftämme getheilt, von denen die bedeutendften die Gethen (Götar, Gautes oder Gothliod genannt, im Süden) und die Schweden (Swiar, Suethans oder Swithiod genannt, im Norden, dem jetzigen mittleren Theile des Landes) waren. Den gemeinfamen Vereinpunkt für alle bildete als Nationalheiligthum der Tempel zu Upfala, weshalb die dortigen Häuptlinge allmählich ein Uebergewicht erlangten. Erft nach vielen blutigen Kämpfen vereinigten fich in der Mitte des 13. Jahrh. diefe Stämme, nachdem 1250 die Dynaftie der Folkunger den Thron beftiegen hatte, deren erfter König, Waldemar (geft. 1290), um 1255 Stockholm anlegen ließ. Gegen Ende des 13. Jahrh. eroberte Torkel Knutfon (der Vormund des unmündigen Königs Birger II.) die Gebiete Savolax und Karelien in Finnland und Anfang des 14. Jahrh. Mats Kettilmundfon (der Vormund des unmündigen Königs Magnus II.) für kurze Zeit die den Dänen gehörigen Gebiete Schonen, Halland und Blekinge. Die innere Gefchichte S.s war zu jener Zeit mit Unruhen und Bürgerkriegen erfüllt. Im Juli 1397 vereinigte die Königin Margarethe von Dänemark und Norwegen durch die Kalmarifche Union (f. d., vgl. Dänemark, Br. III., S. 144) auch S. mit ihren Reichen. Gegen diefe Vereinigung erhob fich S. 1434 unter dem Bergmann Engelbrecht, welcher 1426 ermordet wurde; es erfolgten nun wieder lange Verwirrungen und Bürgerkriege, bis 1520 Chriftian II. von Dänemark als König von S. anerkannt und fo S. auf's Neue mit den beiden anderen flandinavifchen Reichen vereinigt wurde. Diefer hatte den fchwedifchen Thron kaum beftiegen, als er am 8. Nov. 1520 ohne Urtheil und Recht 94 höhere Geiftliche, Reichsräthe, Rathsherren und angefehene Bürger zu Stockholm (das fogenannte Stockholmer Blutbad) und in den Provinzen gegen 600 einflußreiche Perfonen hinrichten ließ, um auf den Trümmern der eingeborenen Ariftokratie eine fchrankenlofe Macht aufzurichten. Gegen diefe Greuel erhob fich 1521 Guftav I. Wafa (f. Guftav 1), welcher 1523 zum König von S. gewählt wurde, die Macht des katholifchen Clerus brach und 1544 die Reformation in S. einführte. Damit hörte die Kalmarifche Union für immer auf, und die Dynaftie Wafa beftieg den fchwedifchen Thron (den fie bis 1809 inne hatte). Die inneren Kämpfe fchwiegen nun, die äußeren, befonders mit Dänemark, dauerten mit wechfelndem Glücke fort. Erft unter Guftav II. Adolf (f. Guftav 2) begann S. eine große kriegerifche Rolle zu fpielen. Derfelbe kämpfte zugleich gegen Dänemark, Rußland und Polen fiegreich, hob dadurch S. zur erften nordifchen Macht und betheiligte fich dann in proteftantifchem

Interesse, welches mit der Existenz des schwedischen Königthums in engstem Zusammenhange stand, an dem Kampfe gegen die habsburgische Macht (s. Dreißigjähriger Krieg) bis sein unaufhaltsamer Siegeslauf, der ihm auch in Deutschland die politische Gewalt in die Hand zu legen versprach, durch seinen Tod in der Schlacht bei Lützen (s. d. Bd. V., S. 365 f.) am 6/16. Nov. 1632 endete. Unter seiner Tochter und Nachfolgerin Christine (1632—54), für welche Anfangs der Kanzler Oxenstierna (s. d.) die Regentschaft inne hatte und den Krieg weiter führte, erwarb S. im Westfälischen Frieden 1648 die Herzogthümer Bremen und Verden und den größten Theil von Pommern, sowie unter der Regierung Karl's X. (1654—60) und Karl's XI. (1660—97) Schonen, Halland und Livland bis zur Düna (s. Oliva, Bd. VI., S. 323). Karl XI. ließ sich jedoch durch Frankreich zum Kriege gegen Brandenburg und Dänemark verleiten und verlor durch die Friedensschlüsse von St. Germain und Lund 1679 einen Theil von Pommern wieder an Brandenburg. Sein Sohn und Nachfolger, Karl XII. (s. Karl 9), welcher 1697 den Thron bestieg, begann 1700 den Nordischen Krieg (s. d.), welcher Anfangs den Ruhm der schwedischen Waffen auf die höchste Stufe hob, aber zuletzt die äußere Macht S.s derart brach und die Nation so ermattete, daß sie sich kaum nach einem Verlaufe von hundert Jahren erholen konnte. Karl XII. fiel 1618 bei der Belagerung von Frederikshall. Ihm folgte seine Schwester Ulrike Eleonore, welche 1720 zu Gunsten ihres Gemahls Friedrich von HessenKassel auf die Regierung verzichtete; dieser wurde gezwungen, im Stockholmer Frieden von 1719 und 1720 Bremen und Verden an Hannover und Stettin mit Vorpommern bis zur Peene an Preußen, im Nystädter Frieden von 1721 Lievland, Estland, Ingermanland und einen Theil von Wiborgslän an Rußland, sowie nach einem abermaligen Kriege mit Rußland (1741—43) im Frieden von Abo 1743 das östliche Finnland (bis zum Kymenefluß) an Rußland abzutreten. Als Friedrich I. 1751 kinderlos starb, folgte ihm Adolf Friedrich aus dem Hause HolsteinEutin (ein Großneffe des Königs Karl X. und ein naher Verwandter der Kaiserin Elisabeth von Rußland) auf dem Throne, welcher auf den Antrieb Frankreichs im Jahre 1757 einen schwachen und erfolglosen Antheil am Siebenjährigen Kriege gegen Preußen nahm und 1771 starb. Ihm folgte sein Sohn Gustav III., welcher die Macht der Aristokratie zu brechen suchte, 1790 einen zwar rühmlichen, aber erfolglosen Krieg gegen Rußland führte und 1792 infolge einer Adelsverschwörung durch die Mörderhand Ankarström's fiel. Sein Sohn Gustav IV. Adolf, ein heftiger Gegner Napoleon's I., stürzte, mit England im Bunde, das Reich in Krieg mit Frankreich, Dänemark und Rußland, welches letztere (1807) Finnland besetzte. In Folge der im Lande gegen ihn herrschenden allgemeinen Unzufriedenheit, verlor er 1809 durch eine unblutige Revolution den Thron, welchen sein Oheim, der Herzog Karl von Südermanland, als Karl XIII. bestieg und den Frieden mit Rußland durch Abtretung Finnlands erkaufte. Da Karl XIII. bejahrt und kinderlos war, so wurde der Prinz Christian August von SchleswigHolsteinSonderburgAugustenburg von ihm adoptirt und zum Nachfolger ernannt, welcher nun unter dem Namen Karl August als Kronprinz galt, jedoch schon im März 1810 starb, worauf der Reichstag zu Oerebro am 21. August 1810 den französischen Marschall Bernadotte (s. Karl 11) zum Thronfolger erwählte; derselbe wurde vom König ebenfalls adoptirt und nahm als Kronprinz den Namen Karl Johann an. Dieser regierte nun factisch, nahm 1813 in Teutschland Antheil am Kampfe gegen Napoleon, erwarb 1814 für Karl XIII. die Krone von Norwegen (s. d. Bd. VI., S. 302), trat dagegen 1815 den Rest von Pommern und die Insel Rügen ab und bestieg nach des Letzteren Tode 1818 als Karl XIV. Johann den schwedischen Thron. Ihm folgte sein Sohn Oscar I.

(1844—59), welcher im Jahre 1848 durch die Besetzung der Insel Fünen mit schwedischen Truppen eine active Theilnahme S.s am Kampfe Dänemarks gegen Schleswig-Holstein und Deutschland in Aussicht stellte, dann aber den Malmöer Waffenstillstand vom 26. August 1848 vermittelte, während des Orientkrieges zwar am 21. Nov. 1855 ein Schutz- und Trutzbündniß mit den Westmächten abschloß, infolge davon eifrig rüstete, aber nicht zum bewaffneten Einschreiten gelangte. Unter seinem Sohne und Nachfolger, Karl XV. (seit 8. Juli 1859), bemühte sich das schwedische Cabinet während des deutsch-dänischen Conflictes, die Existenz der dänischen Monarchie für den Fall eines Ausscheidens von Holstein und Lauenburg zu sichern, ließ aber, als nach dem Tode des Königs Friedrich VII. von Dänemark (15. Nov. 1863) der Bruch mit Deutschland unvermeidlich wurde, von dem bereits verhandelten Bündnisse mit Dänemark ab. Während des Deutsch-Französischen Krieges von 1870/71 verhielt sich S., trotz vielfach an den Tag gelegter Sympathien des Volkes für Frankreich, doch vollständig neutral. Vgl. Forsell, „Statistik öfver Sverige", Stockholm 1830, 4. Aufl. 1844 (deutsch von Freese); Agardh und Ljungberg, „Försök till en statsekonomisk statistik öfver Sverige", Karlstadt 1852—61, 3 Bde.; Berghaus, „Schweden, Norwegen und Dänemark", Berlin 1858; Frisch, „Schweden, Handbuch für Reisende", Berlin 1860; Derselbe, „Geographie und Geschichte S.s" (in Stein's und Hörschelmann's „Handbuch der Geographie und Statistik", 7. Aufl. Bd. 3, Leipzig 1862). Geschichtswerke: Geijer, „Svenska folkets historia", Örebro 1832—36, 3 Bde. (deutsch von Leffler, Hamburg 1832—36), fortgesetzt von Carlson, 4. Bd. (deutsch von Peterjen, Gotha 1855); Fryxell, „Berättelser ur Svenska historien," Stockholm 1832—59, 29 Theile. Karten und Kartenwerke: Forsell, „Karta öfver södra delen af Sverige och Norrige" (bis zum 64° nördl. Br.), Stockholm 1815—26, 9 Bl. 1:500,000; „Topografiska Corpsen's Karta öfver Sverigens södra delen", 102 Bl. (auf 233 Bl. berechnet) 1:100,000, damit in Verbindung stehen: Länskarten 1:200,000.

Schwedisch-Pommern hieß der westliche Theil des Herzogthums Pommern, welcher im Westfälischen Frieden von 1648 vom Deutschen Reiche als Reichslehn, mit Sitz und Stimme im Fürstencollegium auf dem Reichstage, als Entschädigung an die Krone Schwedens abgetreten werden mußte. Es umfaßte ursprünglich ganz Vorpommern nebst der Insel Rügen und einen Theil von Hinterpommern bis jenseit Stettin nebst den Inseln Usedom und Wollin, so daß Schweden in den vollen Besitz der drei Odermündungsarme kam. Im Stockholmer Frieden von 1720 mußte Schweden jedoch den östlichen Theil bis an die Peene (den westlichen Mündungsarm der Oder) nebst Usedom und Wollin an Preußen abtreten, so daß S.-P. nun nur noch aus Vorpommern, Rügen und Wismar bestand. Im Jahre 1803 wurde Wismar von Schweden an Mecklenburg verkauft. Von 1806 bis Anfang 1813 war S.-P. von den Franzosen occupirt, wurde dann von den Schweden besetzt, im Frieden zu Kiel 1814 von Schweden gegen Norwegen an Dänemark abgetreten, von diesem aber auf dem Wiener Congreß 1815 gegen Lauenburg an Preußen eingetauscht (vgl. Dänemark, Bd. III., S. 147). Jetzt bildet es den Regierungsbezirk Stralsund der preußischen Provinz Pommern.

Schwedische Zündröhren, s. Schlagröhre, S. 213.

Schwedt, Stadt im Regierungsbezirk Potsdam der preußischen Provinz Brandenburg, an der Oder, hat ein schönes königliches (ehemals markgräfliches) Schloß, war früher der Sitz der (1867 nach Hannover verlegten) königlichen Militär-Reitschule (s. u. Reitschule, Bd. VII., S. 338) und zählt 9039 Einw.

Schwefel, Bestandtheil des Schießpulvers, s. Pulver, Bd. VII., S. 259.

Schwefel-Antimon, als Beimengung zu chlorsaurem Kali, in fulminanten Züntungen vorkommend, auch zu Leuchtkugelsatz gebraucht.

Schweidnitz, 1) ein ehemals reichsunmittelbares Fürstenthum in Niederschlesien (44 O.-M.), welches im 14. Jahrh. an Böhmen kam und 1741 von Oesterreich an Preußen abgetreten wurde, wo es jetzt die Kreise Schweidnitz, Reichenbach, Striegau und Waldenburg im Breslauer und die Kreise Bolkenhain und Landshut im Liegnitzer Regierungsbezirk der Provinz Schlesien bildet. 2) Kreisstadt im preußischen Regierungsbezirk Breslau, ehemalige Hauptstadt des gleichnamigen Fürstenthums, am Fuße des Eulengebirges, an der Weistritz und an der Niederschlesisch-Märkischen Eisenbahn (Linie Königszelt-Frankenberg), hat lebhafte Industrie in Wolle, Leder und landwirthschaftlichen Geräthen und zählt 15,849 Einwohner. S. war bis in die neuere Zeit Festung; Friedrich der Große ließ 1747 vor den alten Befestigungen mit Wall und Graben, etwa 300 bis 500 Schritt entfernt, vier detachirte Fort von sechseckigen, hinten offenen Sternschanzen mit einem Mantel, sowie zwei Forts von unregelmäßiger Gestalt anlegen und diese Werke durch Courtinen verbinden, deren jede eine viereckige Redoute in der Mitte hatte. Vor der Fronte lagen drei detachirte Redouten oder Fleschen, andere waren durch Inundationen gedeckt, vor den nicht inundirten Fronten befanden sich Gegenminen. Diese Werke wurden 1816 mit einigen Veränderungen wiederhergestellt; doch ward S. in neuerer Zeit als Festung aufgegeben. S. wurde im Dreißigjährigen Kriege 1631 von den Protestanten besetzt, 1633 von Wallenstein vergeblich belagert, aber später eingenommen, 1642 von den Schweden unter Torstenson belagert (wobei während eines mißlungenen Entsatzversuches der kaiserliche General Herzog Franz Albert von Lauenburg fiel), blieb dann bei der Krone Böhmen, bis es durch den Breslauer Frieden von 1741 an Preußen abgetreten und dann von Friedrich dem Großen in eine starke Festung umgeschaffen wurde (s. o.). Im Siebenjährigen Kriege wurde S. 1757 von den Oesterreichern unter Nadasdy, 1759 von den Preußen unter Treskow, 1761 von den Oesterreichern unter Lauden und 1762 von den Preußen unter Friedrich dem Großen genommen. Die letztere Belagerung, bei welcher der österreichische General Gribeauval die Artillerie und das Mineurcorps in der belagerten Festung commandirte, ist namentlich wegen des Minenkrieges merkwürdig (vgl. Gribeauval, Bd. IV., S. 263). Im Februar 1807 wurde S. von den Franzosen und Württembergern unter Vandamme nach kurzer Beschießung genommen. Die Franzosen sprengten dann die Außenwerke, welche 1813 flüchtig, 1816 besser wieder hergestellt wurden. Vgl. J. Schmidt, „Geschichte der Stadt S.," Schweidnitz 1846—48, 2 Bde.

Schweif, hinterer Theil z. B. einer Laffete.

Schweinschädel, Dorf im Kreise Gitschin (im nordöstlichen Böhmen, unweit westlich von Skalitz. Hier am 29. Juni 1866 Gefecht zwischen dem zur II. preußischen Armee (Kronprinz) gehörigen V. Armeecorps (General der Infanterie von Steinmetz) und dem IV. österreichischen Armeecorps (Feldmarschalllieutenant Graf Festetics). — Das Gefechtsfeld ist ein flachwelliges von Nord nach Süd sanft geneigtes Plateau. Es wird im Süden durch den nördlichen Thalrand des Aupa-Thales, im Westen und Osten durch tiefe steilrandige Einschnitte mit Wasserlinien, im Schwarzbach resp. Walowskibach, begrenzt. Die Nordgrenze bildet die Linie Miskoles-Chwallowitz, zwei Dörfer, welche an der Landstraße Trzebeschow-Gradlitz liegen. Bei ersterem Dorfe zweigt sich diese von der Chaussee Skalitz-Josephstadt ab. Diese Chaussee läuft nahe dem Südrande des Gefechtsfeldes durch das Dorf S., welches etwa 3000 Schritt südsüdöstlich von Chwallowitz, 2500 Schritt südlich von Miskoles liegt. Das Terrain zwischen diesen Ortschaften gewährt durch Terrainfalten, einige Hohlwege und Obstbaumpflanzungen für kleine Abtheilungen gute Deckung, ist aber im Uebrigen offen und frei; zur Zeit des Gefechts war es mit hohem Korn bestanden. S. wird von den umliegenden Höhen eingesehen. Die einzige vertheidigungsfähige Baulichkeit des Dorfes ist eine Meierei, welche, an der Nordillhöhe gelegen, aus einem massiven Gehöst besteht, an das sich ein mit steinerner Mauer umgebener Garten anschließt. Beides war durch die Oesterreicher zur Vertheidigung eingerichtet. Etwa 1000 Schritt nordwestlich S.s liegt das kleine, zur Vertheidigung nicht geeignete Dorf Sebuc, zwischen beiden Ortschaften eine Schäferei, welche von Obstplantagen umgeben ist. Hier waren Geschütz-Emplacements und Schützengräben angelegt.

Nach dem Treffen von Skaliß (s. b.) am Abend des 28. Juni stand das österr. IV. Armeecorps etwa 1500 Schritt westlich S. mit Vorposten in der Linie Daubrowitz-S.-Sebuc. Rechts rückwärts des Corps bei Dolan lagerte die 1. Res. Cav.-Div. — Das österr. Obercommando hatte am Abend des 28. den Entschluß gefaßt, die Nordarmee in der Stellung Josephstadt-Miletin zu versammeln und gab am 29. früh an das IV. Corps den Befehl: „sich nicht in nutzlose Kämpfe einzulassen, sondern sich im Fall eines überlegenen Angriffs gegen Josephstadt zurückzuziehen und bei Salnei Stellung zu nehmen." Das Obercommando der preuß. II. Armee befahl für den 29., daß das V. Corps bis Gradlitz vorrücken solle. Mit Rücksicht auf die Ermüdung der Truppen ordnete Gen. v. Steinmetz den Vormarsch erst für 2 Uhr Nachmittags an. Die Avantgarde sollte die Aupa bei Zlitsch überschreiten und, um die feindlichen Vorposten zu tourniren, über Ratiboritz, Westetz, Wetonik die Straße Chwalkowitz-Gradlitz erreichen. In der rechten Flanke sollte bis gegen Horida das Terrain aufgeklärt, die linke Flanke gegen Josephstadt durch ein Seitendetachement gesichert werden, welches über Trzebeschow nach Chwalkowitz sich zu dirigiren hatte. — Die ordre de bat. des österr. IV. Corps war wie folgt. 1) Brig. Peeck: 8. Jäg.-Bat., Inf.-Regimt. Nr. 37 und 51, 4-pfünd. Fußbatt. Nr. 3/IV. 2) Brig. Erzherzog Joseph: 30. Jäg.-Bat., Inf.-Regimt. Nr. 67 und 68, 4-pfünd. Batt. Nr. 4/IV. 3) Brig. v. Brandenstein: 27. Jäg.-Bat., Inf.-Regimt. Nr. 12 und 26, 4-pfünd. Fußbatterie Nr. 1/IV. 4) Husar.-Regimt. Nr. 7 (4 Esc.). 5) Corps-Geschütz-Reserve: 5 Rohr- und 1 Raketenbatt. 6) 1 Pion.-Comp. Zusammen 21 Batt., 4 Esc., 72 Gesch., 1 Pion.-Comp., 1 Kriegsbrückenequip. (Die 4. Brig. des Corps war zum 10. Corps commandirt.) Die ordre de bat. der Truppen des Gen. v. Steinmetz war folgende. 1) Avantgarde, G.-L. v. Kirchbach; 19. Inf.-Brig.: Inf.-Regimt. Nr. 6 und 46; 2 Comp. Jäg.-Bat. Nr. 5; 3/V und 4./V 4-pfünd. Batt.; Ulanen-Regimt. Nr. 1. 2) Gros, G.-M. v. Löwenfeld; 17. Inf.-Brig.: Inf.-Regimt. Nr. 37 und 58; 18. Inf.-Brig.: Inf.-Regimt. Nr. 7; 1. Fuß-Abthlg. des Feld-Art.-Regimts. Nr. 5; schwere Garde-Cav.-Brig., Pr. Albrecht K.: Garde-Kür.-Regimt. und Regimt. Gardedu-Corps, 3. reit. Garde-Batt. 3) Linkes Seitendetachement; 20. Inf.-Brig., G.-M. Wittich: Inf.-Regimt. Nr. 52 und 47; 3/V 6-pfünd. und 3/V 12-pfünd. Batt.; comb. Cav.-Brig., G.-M. v. Lyncud: Drag. Regimt. Nr. 8 und 4, 1/V reit. Batt. 4) Reserven; 22. Inf.-Brig., G.-M. v. Hoffmann: Inf.-Regimt. Nr. 38 und 51; 2./VI. 6-pfünd. und 2./VI 4-pfünd. Batt.; Res.-Art.: 2. Fuß-Abthlg. Feld-Art.-Regimt. Nr. 5, 2./V und 4/V reit. Batt.

F.-M.-L. Graf Festetics ließ gegen Mittag schon auf Grund wahrgenommener Bewegungen beim Feinde die Corpsgeschützreserve vorgehen und im Verein mit Brigade-Batterien in Emplacements nördlich, östlich und südlich von S. (letztere Front gegen Skaliß) auffahren. Dieses Dorf wurde von 5 Bat. (Inf.-Regimt. Nr. 37, 2. Bat. Inf.-Regimt. Nr. 67, 30. Jäg.-Bat.)

besetzt, das 8. Jäg.-Bat. gegen Trzebeschow vorgeschoben, das Inf.-Regmt.
Nr. 51 vorwärts Sebuc als zurückgezogener linker Flügel aufgestellt. In
zweiter Linie stand das 1. und 3. Bat. Inf.-Regmt. Nr. 67 und Regmt.
Nr. 68, dahinter das Huf.-Regmt., sämmtlich südlich S., die Brig. Brandenstein als Reserve bei Sebuc. — Die preuß. Truppen brachen um 2 resp.
1/23 Uhr Nachmittags aus den Bivouacs auf. Generalmajor Wittich ließ noch
diesseits Trzebeschow Geschützfeuer gegen S. eröffnen, welches auch erwidert
wurde, und das Inf.-Regmt. Nr. 47 bis an das Westende von Trzebeschow
vorgehen, woselbst es auch Gewehrfeuer erhielt. 1 Halbbataillon blieb mit
Schützen zur Beobachtung von S. vorwärts Trzebeschow, der Rest des Regiments folgte den anderen Truppen des Detachements, welches an dem Einschnitt des Walowski-Baches bei Trzebeschow nördlich, also rechts gegen Misloles von der Chaussee abgegangen war. Während des weiteren Marsches
dahin nahmen die beiden Fuß-Batt., die reit. Batt. der Brig. v. Wnuck und
Füs.-Bat. Nr. 52 Stellung nördlich von Trzebeschow auf dem Wege nach
Misloles. Die Avantgarde des V. Corps war inzwischen bis Wetonil in den
tiefen Grund des Walowski-Baches gelangt, hörte hier das Geschützfeuer
von S. und Trzebeschow her, und G.-L. v. Kirchbach beschloß nach persönlicher Recognoscirung, die Stellung von S. von Misloles her anzugreifen
und zu diesem Zwecke die Avantgarde zu entwickeln. Diese Entwickelung aus
dem engen Defilee nahm geraume Zeit in Anspruch. 1/2 Füs.-Bat. des Inf.-
Regmt. Nr. 6 blieb zur Besetzung von Misloles zurück, die anderen Halbbataillone formirten sich zum Angriff in zwei Treffen. Die beiden Batt. der
Avantgarde fuhren bei Misloles auf; die Batterien des Detach. Wittich und die
reit. Batt. der Brig. v. Wnuck gingen nach kurzem Geschützkampf zurück und
folgten ihrer Inf. resp. der Cav.-Brig. nach Misloles hin. Mit Ausnahme
des Füs.-Bat. Regmts. Nr. 52, welches sich dem linken Flügel des Inf.-Regmts.
Nr. 6 anschloß, griffen die Truppen des Detach. Wittich nicht mehr in's Gefecht ein. Die österr. Batterien westlich von Trzebeschow waren, belästigt durch
Schützen des auf der Chaussee verbliebenen Halbbat., zurückgezogen und hatten
auf dem linken Flügel der Artillerie-Position bei der Schäferei Aufstellung genommen. Auch die vorgeschobenen Abtheilungen des 30. Jäg.-Bat. hatten sich
südlich von S. an 8. Jäg.-Bat. nach dem linken Flügel der Straße
Sebuc-Schwollewitz zurückgezogen, die Brig.-Batt. der Reserve war in die
Artillerie-Position eingerückt. Preußischerseits wurde das Inf.-Regmt. Nr. 6
vorläufig allein zum Angriff auf S. beordert. Gegen 5 Uhr Nachmittag eröffneten die Schützen, gedeckt durch hohes Korn, das Feuer auf das Dorf.
Bald darauf gingen die Halbbat. und Comp. umfassend zum Sturme vor.
Auf dem rechten Flügel folgte das Inf.-Regmt. Nr. 46, das inzwischen
debouchirt war, nachdem es zwei Treffen formirt hatte. Das Füs.-Bat. des Inf.-
Regmt. Nr. 52 blieb auf Befehl nordöstlich S. halten. — J.-M.-v. Festetics
hatte den Entschluß gefaßt, nicht sofort auszuweichen, sondern erst den Feind
abzuweisen und dann den Rückmarsch anzutreten. Aber trotz eines Offensivstoßes des 1. Bat. des Inf.-Regmt. Nr. 37 und trotzdem das 2. Bat. dieses
Regimentes die Meierei tapfer behauptete, überstiegen die preuß. Schützen und
kleine Abtheilungen die Mauern und zwangen das genannte Bat. unter großen
Verlusten die Meierei zu räumen. Die anderweitig in das Dorf eingedrungenen
preuß. Abtheilungen besetzten die jenseitige Lisière und verfolgten den Feind
nur durch Schnellfeuer. Das Inf.-Regmt. Nr. 46 war gegen die Schäferei
vorgerückt und unter namhaften Verlusten an die österr. Position herangekommen, welche die Artillerie wie Infanterie ohne wesentlichen Widerstand geräumt hatten. Auch hier wurde der abziehende Gegner mit Feuer verfolgt. Ein
weiterer Vorstoß von Sebuc aus hatte kein Resultat. Die preuß. Avant-Garde

Batterien waren bis etwa 1000 Schritt von der Schäferei vorgegangen und bewarfen das Terrain nach Josephstadt zu mit Granaten. Die Cav.-Brig. v. Bruck hatte nordöstlich von S. Stellung genommen; neben ihr war später die Garde-Cav.-Brig. aufmarschirt, ohne aber am Gefecht Theil zu nehmen. Das Ulanen-Regmt. Nr. 1 war im Laufe des Gefechts zur Deckung der Infanterie auf den rechten Flügel gezogen worden.

Mit der Vertreibung der österreichischen Batterien war der Zweck des Vorgehens der preußischen Avantgarde erreicht, Raum zur Deckung des Weitermarsches des Corps auf Gradlitz gewonnen. Der commandirende General gab daher Befehl zum Abbrechen des Gefechts. Die Truppen wurden zurückgezogen; die 2 Jäger-Compagnien der Avantgarde nahmen bei Sebuc eine beobachtende Stellung, bis die Garde-Cavalerie-Brigade den Abmarsch des Corps nach Gradlitz decken konnte. Der österreichische Corps-Commandant ließ sein Corps gegen Jaromir; abmarschiren, nachdem schon während des Kampfes bei S. die Reserven bei Dolan eine rückwärtige Stellung genommen hatten. Die dem Corps zugetheilte 1. Res.-Cav.-Div. war nicht herangekommen. Verluste der Preußen: 8 Offiz. 78 M. todt, 7 Offiz. 299 M. verw.; der Oesterreicher: 9 Offiz. 130 M. todt, 2 Offiz. 427 M. vermißt, 19 Offiz. 414 M. verw., 9 Offiz. 440 M. gefangen. — Die österr. Stellung bei S. war gut gewählt, da der Gegner nicht unbeachtet ihr vorbeigehen konnte, da sie eine gute Verwendung der Artillerie erlaubte, nicht leicht umfaßt werden konnte, die Rückzugslinie senkrecht auf ihre Mitte führte. Die Führung des Gefechts auf österreichischer Seite entsprach der allgemeinen Situation. Ebenso muß sich die Kritik auch mit der preußischerseits getroffenen Anordnung einverstanden erklären. Es war gewagt, mit nur einem Regiment, während das nächste noch im Debouchiren aus einem engen Defilée begriffen war, die Stellung von S. anzugreifen; die Umstände aber rechtfertigten dies. Quellen: s. u. Preuß.-Oesterr. Krieg (Bd III., S. 242), sowie „Theilnahme des 5. Armee-Corps an den kriegerischen Ereign. 2c.", Beiheft zum Militär-Wochen-Blatt 1868; „Kritische und unkritische Wanderungen über die Gefechtsfelder 2c. 1866." 2. Heft. Berlin 1871.

Schweinsfedern, eine Art leichter Palisaden, welche in früheren Jahrhunderten die Infanterie mitführte, um sie gegen Cavalerie-Angriffe in die Erde zu pflanzen.

Schweiz (Schweizerische Eidgenossenschaft; franz. Suisse, Confédération suisse; engl. Switzerland, Helvetian confederacy), Föderativ-Republik in Mittel-Europa, grenzt im Norden an das Deutsche Reich (resp. Elsaß und Baden) und den Bodensee, im Osten an Tirol und Liechtenstein, im Süden an Italien, den Genfer See und Frankreich, im Westen an Frankreich, umfaßt einen Gesammtflächenraum von 752,192 geogr. O.-M. und hat eine Gesammtbevölkerung (Zählung vom 1. Dec. 1870) von 2,669,095 Einwohnern. Die S. ist durch die Alpen, welche sich hier bis zu 11,000 Fuß erheben und an welche sich im Westen der Jura mit über 5000 Fuß Höhe anschließt, vollständiges Gebirgsland. Der Jura nimmt den westlichen Theil des Landes ein; zwischen diesem und den Alpen liegt das Mittelgebirge, welches im Pilatus eine Höhe von 5300 Fuß erreicht. Die Alpen erfüllen den übrigen Theil des Landes und durchziehen dasselbe in drei Hauptketten mit vorwiegend östlicher Richtung. Die erste derselben, die Gotthardkette (aus den Penninischen, Lepontischen und Rhätischen Alpen bestehend), erstreckt sich vom Montblanc über den Großen St. Bernhard und St. Gotthard zum Splügen und hat eine mittlere Erhebung von 10—11,000 Fuß; über diese Kette gehen sechs Hauptpässe (Großer St. Bernhard, Simplon, St. Gotthard, Lukmanier, Berhardin und Splügen) und ungefähr vierzig Uebergänge.

Die zweite derselben, die Finsteraarhornkette (die Berner Alpen bildend), erstreckt sich von de Dent de Morcles über die Diablerets, die Gemmi, die Jungfrau, das Finsteraarhorn, die Wetterhörner und den Tödi nach den Ausläufern des Calanda und hat eine mittlere Erhebung von 8—9000 Fuß; Hauptpässe führen über diese Kette nicht, sondern nur Uebergänge zwischen den einzelnen Cantonen. Die dritte Kette wird von einem großen Bogen der Rhätischen Alpen gebildet, welcher vom Septimer über den Julier, Albula, Selvretta und Rhätikon bis zum Rhein führt und eine mittlere Erhebung von 9000 bis 10,500 Fuß hat; über den Julier führt ein Paß. Außerdem erheben sich im Südosten des Landes noch die Bernina-Alpen, eine selbstständige Gruppe von 10,500 Fuß mittlere Erhebung bildend, über welche der Bernina-Paß aus dem Engadin nach dem Veltlin führt. Die Grenze des ewigen Schnees liegt in der Schweiz zwischen 8000 und 8200 Fuß; weit tiefer herab steigen jedoch die in fortwährender Ab- und Zunahme begriffenen Gletscher, welche fast 14 Procent des Gesammtflächenraumes des Landes einnehmen. Den Gebirgen entströmen zahllose Quellen und Bäche, welche eine Menge größerer Gewässer speisen; diese gehören den Stromgebieten des Rheins, der Rhône, der Donau, der Etsch und des Po an; die bedeutendsten Flüsse sind der Rhein, die Aar, die Rhône und der Inn, welche jedoch sämmtlich erst jenseit der Grenze für den Verkehr von Bedeutung werden. Gegen 9 Procent des Gesammtflächenraums der S. werden von Landseen eingenommen, welche meist auf einer Höhe von 1100 bis 1600 Fuß liegen, und deren größere mit Dampfschiffen befahren werden; die wichtigsten derselben sind: der Genfer See, der Bodensee, der Neuenburger oder Neufchateler, der Vierwaldstätter, Zürcher, Zuger, Brienzer, Bieler, Wallenstädter, Hallwyler und Luganer See. Unter den Kanälen sind der Linth-, Glatt- und Reuß-Kanal die wichtigsten. Das Klima ist je nach der Höhe über dem Meeresspiegel, je nach der Lage am Nord- oder Südabhange der Alpen und je nach der Richtung der Thäler sehr verschieden. Die Temperatur steigt von der Kälte Sibiriens (in den höchsten Regionen der Alpen) bis zur Wärme Italiens (im Süden der Cantone Wallis und Tessin). Die meisten bewohnten Gegenden haben eine mittlere Jahrestemperatur von + 6½° bis 9½° R., wie im südlichen und westlichen Teutschland, und zwar Basel + 9,₃° R., Genf + 9,₃° R., Zürich + 9° R., Bern + 7,₈° R., Chur + 9,₅° R., Bevers im Engadin + 1,₈° R., auf dem St. Bernhard + 1,₂° R., auf dem St. Gotthard + 0,₈° R. Im Allgemeinen ist das Klima sehr gesund; nur einzelne Gegenden, besonders in Wallis, haben Sümpfe; rasche Temperaturwechsel kommen im Jura und in den Hochalpen am meisten vor; Nebel sind in den Mittelalpen seltener als in den Hochalpen; Schneestürme und Lawinen kommen am häufigsten in den Hochalpen von Graubünden, Wallis, Uri und Bern vor. Die Fruchtbarkeit des Bodens ist ebenfalls sehr verschieden, dem Klima je nach der Lage entsprechend; außerdem bestehen gegen 37 Procent des Gesammtflächenraumes aus Seen und anderen Gewässern, Gletschern, nackten Felsen und unwirthbaren Höhen. Im Allgemeinen können sieben Höhenabstufungen des Bodens angenommen werden: die erste Stufe von 700 bis zu 1700 Fuß über dem Meeresspiegel liefert Weizen, Maulbeerbäume und Kastanien; die zweite (bis 2600 Fuß) Nußbäume, Eichen und Spelz und hat die besten Wiesen; die dritte (bis 4100 Fuß) Buchen, Roggen und Gerste und hat noch vortreffliche Wiesen; die vierte (bis 5500 Fuß) Tannen, Ahorn und hat noch gute Wiesen; die fünfte oder untere Alpenregion (bis 6500 Fuß) die besten Weidekräuter, niederes Gesträuch, aber keinen Anbau und keine Bäume mehr; die sechste oder Alpenregion (bis zur Schneelinie, 8000 Fuß) hat nur noch Alpengewächse aber keine Gesträuche mehr, die Thäler sind theilweis mit Gletschern gefüllt; in der siebenten Stufe (über 8000 Fuß) ist der Boden fast durchgehends mit ewigem Schnee bedeckt und nur an einzelnen seltenen sonnenreichen, steilen Stellen kommt noch einige Vegetation vor. Das Mineralreich liefert namentlich treffliche Steinarten (besonders schönen Marmor und Alabaster), Eisen, Kupfer, Steinkohlen, Braunkohlen und Salz.

Die Haupterwerbsquellen sind Ackerbau und Viehzucht. Der Ackerbau wird zwar in den meisten Cantonen musterhaft betrieben, liefert aber im Durchschnitt nur ungefähr 70 Procent des Bedarfs an Getreide. Große Sorgfalt wird auf die Cultur des Obstes und der Wiesen verwandt. Die Viehzucht, namentlich die Rindviehzucht, steht auf einer hohen Stufe; das beste Rindvieh liefern das Saanen- und Simmenthal, Greyerz, Schwyz, Zug und Glarus. Die Bereitung des Milchwerks wird in vielen Cantonen fabrikmäßig in gemeinschaftlichen Käsereien betrieben. Die Pferde sind nicht schön, aber kräftig und ausdauernd. Schaf- und Schweinezucht genügen in der Menge der Production keineswegs der starken Consumtion. Die Industrie ist namentlich in der östlichen, nächstdem auch in der westlichen und nördlichen S. von großer Bedeutung. Die eigentlichen Fabrik-Cantone sind: Appenzell-Außerrhoden, St. Gallen, Thurgau, Zürich, Aargau, Basel, Genf und Neuenburg. Die wichtigsten Zweige sind: Baumwollen-, Wollen-, Seiden-Spinnerei und -Weberei, Strohflechterei und Strohhutfabrikation, Leinweberei, Spitzenfabrikation, Gerberei, Holzschnitzerei, Maschinen-, Glas-, Papier-, Gewehr- und Uhrenfabrikation. Der lebhaften und vielseitigen Industrie entspricht der bedeutende Handel. Haupt-Einfuhrartikel sind: Getreide, Colonialwaaren, Getränke, Wollen- und Leinenfabrikate. Die Ausfuhrartikel (die oben genannten Fabrikate und die Erzeugnisse der Viehzucht) der S. haben meist überseeischen Absatz; Nordamerika, Brasilien und die Levante sind die wichtigsten Märkte für den schweizerischen Handel. Officielle Uebersichten über den Werth der ein- und ausgeführten Waaren, sowie über den Transit, werden von Seiten der schweizerischen Zollbehörden nicht veröffentlicht, doch beläuft sich nach früheren Privat-Berechnungen die jährliche individuelle Rate der Handelsbewegung in der S. auf 406 Francs (gegen 296 in Belgien, 268 in England, 101 in Frankreich, 83 im deutschen Zollverein). Die S. hat mithin den relativ stärksten Handel in Europa. In Bezug auf die Verkehrswege steht die S. trotz der Ungunst der Gebirgsverhältnisse keinem anderen europäischen Lande nach. Die Landstraßen sind überall in trefflichem Zustande. Die seit 1860 erfolgte Anlage strategischer Gebirgsstraßen (Furka-, Oberalp- und Axenstraße), wofür der Bundesrath 2,750,000 Francs verwilligte, dient nicht nur der Landesvertheidigung, sondern auch dem Verkehr. Auf allen größeren Seen besteht eine lebhafte Dampfschiffahrt; schiffbare Ströme fehlen jedoch fast gänzlich, da der Rhein erst an der Grenze der S. schiffbar wird. Dagegen ist die S. nach allen Richtungen von einem trefflich organisirten Eisenbahnnetz durchzogen; die große Frage der Alpenüberschreitung (St. Gotthard, Luckmanier, Simplon) ist in neuester Zeit für den Gotthard definitiv entschieden worden. Die gesammten zu Anfang 1872 in Betrieb stehenden Bahnen der S. hatten eine Länge von 1396 Kilometer (186 Meilen). Die Hauptlinien des schweizerischen Eisenbahnnetzes sind: 1) Das System der

---

*) Anmerkung. Das gesammte Bahnnetz der Gotthardbahn wird folgende Linien umfassen: a) Luzern-Küßnacht-Immensee-Goldau; b) Zug-St. Adrian-Goldau; c) Goldau-Flüelen-Biasca-Bellinzona; d) Bellinzona-Lugano-Chiasso; e) Bellinzona-Magadino-Italienische Grenze bei Luino mit Zweigbahn nach Locarno, in einer Gesammtlänge von 263 Kilometer. Der große, Anfang 1872 in Angriff genommene Gotthard-Tunnel zwischen Göschenen und Airolo auf der Linie Goldau-Bellinzona soll nach dem 1871 entworfenen Plane bis 1881 vollendet sein.

18*

Vereinigten Schweizerbahnen geht von Chur nach Sargans, sendet dort einen Zweig nach den Bodenseestationen Rorschach und Romanshorn (wo es sich an die Nordostbahn anschließt), und einen anderen Zweig über Wallenstadt, Weesen (hier Zweigbahn nach Glarus), Rapperschwyl und Uster nach Wallisellen, wo es sich mit der Linie Winterthur-Wyl-St.-Gallen-Rorschach mit dem ersten Zweig in Verbindung setzt. 2) Die Nordostbahn geht von Romanshorn (am Bodensee) über Winterthur (wo die Rheinfallbahn nach Schaffhausen abzweigt), Zürich, Baden (wo die Bahn nach Waldshut zum Anschluß an die badische Oberlandbahn abzweigt), Brugg und Aarau nach Wöschnau. 3) Die Central-bahn (mit dem 8320 Fuß langen Hauensteintunnel) zerfällt in fünf Zweige: a) von Basel über Liestal nach Olten; b) von Olten nach Wöschnau; c) von Olten über Aarburg und Herzogenbuchsee nach Bern; d) von Aarburg über Zofingen und Sursee nach Luzern; e) von Herzogenbuchsee über Solothurn nach Biel. Hierher gehört auch noch die Berner Staatsbahn (die einzige Staatsbahn der S.; alle anderen sind Privatbahnen) von Bern nach Thun mit der Verbindung durch's Emmenthal und Entlebuch nach Luzern. 4) Die Jurabahnen gehen von Biel längs des Bieler Sees nach Neuenburg und verzweigen sich dort über Chaux-de-Fonds nach Locle, durch das Traversthal nach Pontarlier in Frankreich und längs des Neuenburger Sees nach Yverden. 5) Die Westbahn geht von Yverden nach Morges und zweigt dort östlich nach Lausanne, westlich nach Genf ab. 6) Die Oronbahn geht von Bern über Freiburg nach Lausanne. 7) Die Bahn von Lausanne über Villeneuve und St. Maurice (Zweigbahn nach Bouveret) nach Sitten (Sion) und Siders (Sierre), von wo sie nach dem Simplon verlängert werden soll.

Die Bevölkerung der S. belief sich nach der Zählung vom 1. Dec. 1870 auf 2,669,095 Einwohner. Der Religion nach vertheilten sich dieselben auf 1,566,001 (58,67 Proc.) Evangelische, 1,084,665 (40,44 Proc.) Katholiken, 11,420 andern christlichen Bekenntnissen Angehörige und 7009 Juden (früher besonders im Canton Aargau, jetzt über die ganze S. verbreitet). Im Allgemeinen ist die evangelische Bevölkerung in Bezug auf intellectuelle Entwickelung, Industrie, rationelle Landwirthschaft ꝛc. vielfach der katholischen vorangeschritten und namentlich gilt dies von der französischen, weniger von der deutschen S. Der Sprache und Abstammung nach zerfällt die Bevölkerung in vier verschiedene Stämme: Deutsche (besonders im Norden und Osten) 69,0 Proc.; Franzosen (besonders im Westen und Südwesten) 24,0 Proc.; Italiener (besonders im Canton Tessin) 5,4 Proc.; Romanen (besonders im Canton Graubünten) 1,4 Proc. Die Dichtigkeit der Bevölkerung ist eine sehr verschiedene; der am stärksten bevölkerte Canton ist Genf (18,134 Einwohner auf 1 □.-M., wobei freilich der geringe Flächenraum des Cantons [5,14 □.-M.] und die große Stadt Genf [46,774 Einwohner] zu berücksichtigen sind); der am schwächsten bevölkerte ist Graubünten (703 Einwohner auf 1 □.-M.). Trotz der Verschiedenheit der Religion, Sprache und Abstammung haben doch eine mehrhundertjährige Geschichte, gemeinsame Erinnerungen und die Gewohnheiten der bürgerlichen und politischen Freiheit das Gefühl einer nationalen Zusammengehörigkeit geschaffen. Was die intellectuelle Bildung anbelangt, so wurde bis zur sogenannten Regeneration nach der Julirevolution von 1830 vom Staate nur wenig dafür gethan, namentlich sehr wenig für die eigentliche Volksschule. Umsomehr nahmen sich einzelne Privatpersonen (insbesondere Salis von Marschlins, Nesemann von Reichenau, Niederer von Yverden, Feller und Pestalozzi) des Unterrichtswesens an und erwarben sich große Verdienste um dasselbe. Seit 1830 nahm dagegen das Unterrichtswesen namentlich in den protestantischen und gemischten Cantonen einen großen Aufschwung und verbreitete sich durch alle Schichten der Bevölkerung. Ueberall wurden neue Mittelschulen gegründet und auch für den Volksunterricht viel gethan. In keinem europäischen Staate ist das Budget für das Unterrichts= wesen so bedeutend, als in den regenerirten Schweizer Cantonen. Die S. besitzt drei Universitäten: Basel, Bern und Zürich; außerdem haben Genf und Lausanne Akademien mit theologischen, juristischen und philosophischen Facul= täten; ferner das Eidgenössische Polytechnicum zu Zürich, 26 Gymnasien und Lyceen, 150 Secundärschulen (welche theilweis mit Realschulen verbunden sind), 10 Seminare für Schullehrer, 4 Seminare für Lehrerinnen, während sich die Zahl der Mittel= und Volksschulen auf nahe an 6000 beläuft. Diese letzteren werden von den Cantonen erhalten; das jährliche Schulgeld in denselben beträgt in der Regel nur 3 bis 6 Francs. Außerdem giebt es noch eine große Anzahl von Privat=Unterrichtsanstalten, die theilweis sehr viel leisten. Auf gleich hoher Stufe wie das Erziehungs= und Unterrichtswesen steht die Cultur überhaupt.

Der politischen Eintheilung nach besteht die S. aus 22 Can= tonen. Dieselben sind ihrem Alter nach folgende: A) Die alten Vororte: 1. Zürich (seit 1351), 2. Bern (seit 1353), 3. Luzern (seit 1332); B) die Urcantone (sämmtlich seit 1308): 4. Uri, 5. Schwyz, 6. Unterwalden (in die beiden Halbcantone Unterwalden ob dem Walde und Unterwalden in dem Walde zerfallend); C) die späteren ältesten Cantone: 7. Glarus (seit 1352), 8. Zug (seit 1352); D) die alten Cantone: 9. Freiburg (seit 1481), 10. Solothurn (seit 1481), 11. Basel (seit 1501; seit 1833 in die beiden Halbcantone Basel=Stadt und Basel=Landschaft getheilt), 12. Schaffhausen (seit 1501), 13. Appenzell (seit 1513; seit 1597 in die beiden Halbcantone Appenzell=Außerrhoden und Appenzell=Innerrhoden getheilt); E) die neuen Cantone (1798 und 1803): 14. St. Gallen, 15. Graubünten, 16. Aargau, 17. Thurgau, 18. Tessin, 19. Waadt; F) die neuesten Cantone (sämmtlich seit 1815): 20. Wallis, 21. Neuenburg (Neuchâtel), 22. Genf. Die Bundes= hauptstadt ist seit 1848 Bern mit (1870) 36,001 Einwohnern, die größte Stärke aber Genf mit 46,771 Einwohner und Basel mit 44,834 Einwohner.

Was die staatlichen Verhältnisse anbelangt, so wurde die S. auf dem Wiener Congreß von 1815 als ein republikanischer Staatenbund anerkannt und ihr Territorialbestand und Neutralität völkerrechtlich gewährleistet, nach= dem die Aufnahme der drei neuen Cantone Wallis, Neuenburg und Genf festgestellt worden war. Eine Veränderung hierin trat seitdem nur insofern ein, als Basel 1832 in zwei souveräne Halbcantone getrennt und das Fürsten= thum Neuenburg 1848 in eine Republik verwandelt wurde. Dagegen wurde durch die neue Bundesverfassung vom 12. September 1848, welche den Bundesvertrag vom 7. August 1815 aufhob, der frühere eidgenössische Staaten= bund zu einem Bundesstaate umgeschaffen. Die wichtigsten Bestimmungen dieser Verfassung sind folgende: Bundeszweck ist die Unabhängigkeit gegen außen, Rechtsschutz und Förderung der allgemeinen Wohlfahrt im Innern; es giebt keine Unterthanenverhältnisse, keine Vorrechte des Orts und der Personen, alle Schweizer sind gleich vor dem Gesetz; Gewährleistung des Gebiets der Cantone durch den Bund; ausschließliches Recht des Bundes zu Kriegs= erklärungen, Friedenschlüssen, Staatsverträgen und Vermittelung des diplo= matischen Verkehrs; Verbot der Selbsthilfe bei Streitigkeiten der Cantone unter sich; Berechtigung des Bundes zur Errichtung öffentlicher Werke, wissenschaft= licher höherer Lehr= und Kunstanstalten im Interesse der Eidgenossenschaft; Niederlassungs= und Stimmrecht für alle Schweizer christlicher Confession in allen Cantonen; Gewährleistung der freien Religionsübung, der Preßfreiheit, des Petitionsrechtes und des Versammlungsrechtes. Die oberste Bundesgewalt übt die Bundesversammlung (Legislative Körperschaft), welche aus dem Nationalrathe und dem Ständerathe gebildet wird. Der Nationalrath besteht aus den Abgeordneten des schweizerischen Volkes, je einer auf 20,000 Seelen von allen stimmberechtigten Schweizern direct und auf 3 Jahre gewählt. Der Ständerath besteht aus 44 Mitgliedern, wozu jeder ganze Canton zwei, jeder Halbcanton ein Mitglied wählt. Die gemeinsame Executivbehörde ist der Bundesrath, welcher aus sieben Mitgliedern besteht, die von der Bundesversammlung auf 3 Jahre aus den zum Nationalrathe wählbaren Bürgern ernannt werden. Außerdem besteht ein Bundesgericht für Civilstreitigkeiten zwischen den Cantonen und dem Bunde, sowie ein Assisengericht über völkerrechtliche und politische gegen den Bund gerichtete Verbrechen und Vergehen. Sitz der Bundesbehörden ist Bern. Nationalsprachen des Bundes sind die deutsche, französische und italienische. Alle eidgenössischen Beamten sind für ihre Geschäftsführung verantwortlich. Die Verfassung der einzelnen Cantone beruht auf dem Princip der Volkssouveränetät. In Hinsicht auf die Ausübung der Gesetzgebenden Gewalt zerfallen die Cantone in zwei Hauptclassen: 1. Absolut-demokratische Cantone, in welchen die oberste Gewalt der Landesgemeinde zusteht, die aus allen activen Bürgern besteht; diese Cantone sind: Uri, die beiden Unterwalden, Appenzell, Glarus, Graubündten und Wallis. 2. Cantone mit repräsentativ-demokratischer Verfassung, in denen sämmtliche Staatsbürger, meist direct nach Maßgabe der Bevölkerung ihre Stellvertreter wählen, deren Versammlung der „Große Rath" heißt. Der Zustand der Finanzen ist in den meisten Cantonen ein günstiger; nur wenige Cantone haben Staatsschulden; viele dagegen (wie namentlich Bern und Zürich) besitzen ein bedeutendes Staatsvermögen. Nach dem Budget-Entwurf für 1871 beliefen sich die Bundes-Einnahmen auf 22,269,300 Francs, die Bundes-Ausgaben auf 22,404,000 Francs. Der Vermögenszustand der Cantone und des Bundes war 1869 folgender:

	Passiva.	Activa.	Ueberschuß.
Cantone	153,010,685 Francs.	304,030,767 Francs.	154,990,082 Francs.
Bund	15,299,480 „	24,819,417 „	9,549,937 „
Summa	168,340,165 „	332,880,184 „	164,540,019 „

Wehrkraft der S. In den Urcantonen der S. hatte sich im Mittelalter die allgemeine Landesbewaffnung erhalten. Jeder waffenfähige Mitbürger war zu persönlicher Kriegsleistung verpflichtet. Reiterei war nur wenig vorhanden. Das Fußvolk führte lange Schwerter, Spieße, Hellebarten, Morgenstern und Streitaxt. Schutzwaffen waren kaum bekannt. — In der Vertheidigung kämpfte man nichtgeschlossen, beim Angriff suchte man den Feind zu durchbrechen, verband damit auch häufig eine Ueberraschung, durch Hinterhalt oder Umgehung. So traten die Urcantone den Augriffen der österreichischen Herzöge siegreich entgegen (Morgarten 1315, Sempach 1386). — Mit dem Wachsen des Bundes wurde die Wehrverfassung mehr und mehr ausgebildet. Zur unmittelbaren Vertheidigung des eignen Bodens stand das ganze Volk auf — Landsturm, während zu auswärtigen Unternehmungen nur ein gewisses Contingent aufgeboten wurde — Auszug. Für die Organisation waren die Canton-Eintheilung und besondere Canton-Gesetze maßgebend. Die Taktik wurde vervollkommnet. Man bezeichnete eine Vorhut, einen Gewalthaufen oder Haupttrupp und eine Nachhut. Diese kämpften in der Schlacht nebeneinander. Hauptwaffe des Fußvolkes waren der Spieß und die Hellebarde, auch trug man Panzerhemd oder Harnisch; ein Bruchtheil nur war mit Armbrüsten, später Handfeuerwaffen ausgerüstet. Diese Schützen standen auf den Flügeln der Schlachthaufen. Geschütze waren noch wenig vorhanden und wurden fast nur bei Belagerungen gebraucht. Als

Feldzeichen diente ein auf der Kleidung angebrachtes weißes Kreuz. — Um den Gebrauch der Handfeuerwaffen zu fördern, wurden cantonale Schieß-übungen eingeführt. — Durch gute Führung und Tapferkeit gelang es der so organisirten Streitmacht der Eidgenossen, der an Zahl und Bewaffnung bedeutend überlegenen Söldnerschaaren des Herzogs von Burgund Meister zu werden (Granbsen, Murten 1476). — Der Ruf kriegerischer Tüchtigkeit, welchen der Schweizer dadurch erlangte, wurde Veranlassung zu dem jetzt mehr und mehr in Aufnahme kommenden Söldnerdienst desselben in fremden Heeren. Die Anwerbungen geschahen theils mit, theils gegen Willen der Regierungen, in der Regel in geschlossenen Truppenkörpern. Dies bildete außer vielen inneren Kämpfen von nun an durch Jahrhunderte die hervorragendste Kriegsthätigkeit der Schweizer.*) — Durch die Erfahrungen, welche man im Dreißigjährigen Kriege gemacht, wurde die Nothwendigkeit einer zeitgemäßen Reform im Heerwesen dargelegt, und 1668 eine neue Organisation unter dem Titel „Defensionale" beschlossen. Hiernach wurden die Leistungen der Cantone in bestimmte Formen gebracht (3 Auszüge), Stärke der Truppentheile, Bewaffnung, Procentsatz der Reiterei festgesetzt. — Während des 17. Jahrhunderts wurden auch viele Schweizer-Hauptstädte in modernem Charakter befestigt. Mit dem 18. Jahrhundert wurde eine gleichmäßige Bekleidung, sowie eine bestimmte taktische Eintheilung (Regimenter, Bataillone) eingeführt, verbesserte Gewehre und beweglichere Geschütze angenommen. Mit der Begründung der Helvetischen Republik (1798) wurde eine neue einheitliche Organisation der Milizen beschlossen, welche zwar nicht von langer Dauer war, aber doch eine gründliche Reorganisation (von 1804 ab) im Gefolge hatte. Hierauf basirte das 1814 angenommene „Allgemeine Militär-Reglement" für die schweizerische Eidgenossenschaft, welches mit einigen Modifikationen bis 1848 in Kraft war. Hiernach war jeder waffenfähige Schweizer Soldat. Die Mannschaft theilte sich in das Bundesheer und die Landwehr, ersteres immer ganz bereit, gleichmäßig bewaffnet, ausgerüstet, ausgebildet. An der Spitze stand ein eidgenössischer Kriegsrath, als obere Vollziehungs- und Verwaltungsbehörde. Die Ausbildung der taktischen Einheiten lag den Cantonen, der höhere Unterricht in gemeinschaftlichen Lehranstalten dem Bunde ob. Den Oberbefehlshaber wählte die Tagsatzung, der Generalstab war eidgenössisch. Das Bundesheer zählte 76 Bat. Infanterie, 42 Comp. Scharfschützen, 23½ Comp. reitende Jäger, 29 Batt., 10 Positionen-, 5 Park-Comp. Artillerie, 7 Comp. (5 Sapp., 2 Ponton.) Genietruppen, Train, Sanitäts-Personal und Büchsenschmiede, in Sa. 64,249 Mann (ohne den eidgen. Stab, dessen Stärke wechselte), 116 Feld-, 188 Reserve- 2c. Geschütze. Der eidgen. Stab bestand aus dem Quartiermeister-Stab (mit 1 Oberst-Quartiermeister an der Spitze), dem Stab des Oberst-Inspectors der Artillerie, dem Generalstab (60 Stabs- und eine unbestimmte Zahl Subaltern-Offiziere und Secretäre), dem Justiz-Stab, dem Kriegs-Commissariat, dem Sanitäts-Stab.

Mit der Staatsverfassung von 1814 fiel 1848 auch die Armee-Organisation und trat 1850 die noch heute bestehende Wehrverfassung in Kraft, welche auf eine größere Einheit hinarbeitet. Jeder Schweizer ist hiernach vom 20. bis vollendeten 44. Lebensjahre wehrpflichtig. Befreiungen beziehen sich nur auf Untaugliche, sowie gewisse Beamten-Classen für die Dauer ihres Amtes. Von den Befreiten können die Cantone eine Militärpflicht-Ersatzsteuer erheben. Das Minimum der Mannschaften, welches die Can-

---

*) Die letzten erlaubten Werbungen fanden während des Krimkrieges 1854/55 statt; 1859 wurde ein Bundesgesetz erlassen, welches dieselben ganz verbot.

tene zu stellen haben, ist für den Bundes-Auszug, d. i. die Mannschaften vom 20. bis 35 Lebensjahre, 3% und für die Bundes-Reserve, d. i. die Mannschaften vom 35. bis 40. Lebensjahre, 1½% der Bevölkerung (vom Jahre 1850). Auch kann der Bund über die Landwehr, d. i. die überschießende Mannschaft vom 20. bis 40., sowie die Wehrpflichtigen vom 40. bis 45. Lebensjahre in Zeiten der Gefahr verfügen (ca. 3% der Bevölkerung). Die Recrutirung ist Sache der Cantone; für den Eintritt in die Specialwaffen sind gewisse Anforderungen zu erfüllen; der Cavalerist hat zugleich sein Pferd zu stellen, welches er im Frieden nur mit höherer Bewilligung verkaufen darf. Die Pferde der Bespannung werden von den Gemeinden gestellt. — Ueber Krieg und Frieden, Aufstellung und Entlassung von Truppen vom activen Dienste entscheidet die Bundesversammlung, sie ernennt auch den Oberbefehlshaber und den Chef des Generalstabes. Im Frieden übt der Bundesrath die Functionen des Oberbefehlshabers aus und steht ihm als Organ das eidgen. Militär-Departement (Kriegsministerium) zur Seite. — Die Heeresorganisation beruht auf dem reinen Milizsystem. Wirkliche Berufssoldaten sind nur einige höhere Offiziere des eidgen. Stabes, ein gewisses Instructions- und Verwaltungspersonal. Cadres sind überhaupt nicht vorhanden. Die Berufung zur Fahne erfolgt entweder zu kurzen Ausbildungs- und Uebungs-Perioden, oder im Fall einer Mobilmachung. Die Sorge für das Heerwesen ist noch immer zwischen dem Bunde und den Cantonen getheilt, daher die Ausbildung eine ungleichmäßige. — Das Budget des Bundes betrug pro 1871 2,536,600 francs. Die Ausgaben der Cantone entziehen sich der Bezifferung.

Das gesammte schweizerische Heer (incl. Landwehr) wird im Frieden eingetheilt in 1) den großen Generalstab mit dem großen Hauptquartier; 2) 9 Armee-Divisionen, jede 3 Inf.-Brig., 1 Scharfschützen-Brig., 1½ Esc. Dragoner, 2 Brig. Artillerie, 1 Sappeur-Comp., 1 Munit.-Park umfassend; 3) die Artillerie-Reserve mit allen nicht eingetheilten Feld-Batterien (in Brigaden zu 2 bis 4 Batterien) und dem Munitions-Reserve-Park; 4) die Cavalerie-Reserve, 14 Esc. zu Brigaden von 2 bis 4 Esc. (analog den sonstigen Regimentern) zusammengefaßt; 5) 2 disponible Einzel-Brigaden und 1 Artillerie-Bedeckungs-Brigade (Infanterie und Scharfschützen); 6) die Genie-Reserve mit 2 Brücken-Trains; 7) 34 Artillerie-Comp. zum Positions-Geschütz und 8) eine Anzahl disponibler Infanterie- und Schützen Bataillone zum Besatzungsdienst. Der Oberbefehlshaber kann im Kriege diese Eintheilung ändern. Der Generalstab besteht aus dem Obergeneral, dem Chef des Generalstabes, dem General-Adjutanten, dem Chef der Befehl-Expedition, dem Kriegs-Commissar, dem Arzt und Pferde-Arzt des Hauptquartiers, dem Genie-, dem Artillerie-, dem Cavalerie-Obercommandanten, dem Ober-Auditor, Ober-Kriegscommissar, Ober-Feld- und Pferde-Arzt, sämmtlich mit Adjutanten, resp. Verwaltungspersonal, sowie den Stabswachen, endlich einer unbestimmten Zahl Ordonnanz-Offiziere. Die Infanterie-Brigade wird gebildet aus 4 Batl. des Bundesheeres und 2 Batl. der Landwehr, die Scharfschützen-Brigade aus 6—7 Comp. Die Artillerie einer Division zerfällt in 1 schwere und 3 leichte Batterien, welche 2 Brig. bilden, nebst Divisions-Park.

Das eigentliche Bundesheer umfaßte 1871: 1) an Infanterie 106 Bat., 19 Halbbat., 21 Einzel-Comp., in Sa. 105,468 Mann; 2) an Scharfschützen 21 Bat. gleich 9227 Mann; 3) an Cavalerie 35 Comp. Dragoner, 16 Comp. Guiden, in Sa. 3006 Mann; 4) an Feld-Artillerie 11 schwere, 30 leichte Batt., 4 Gebirgs-Batt., 16 Gebirgs-Geschütze mit 9304 Mann; 5) an Positions-Artillerie 13½ Comp. mit 1316 Mann; an Park-Artillerie Comp. mit 835 Mann; an Linien-Park-Train (bei Infanterie ꝛc. ein

getheilt) 386 Mann; 6) an Genie 12 Comp. Sappeure mit 1569 Mann,
6 Comp. Pontonniere mit 763 Mann. Hiervon kommen etwa 63% auf den
Auszug und 37% auf die Reserve. Der eidgen. Stab bestand 1871 aus
233 Offizieren des Generalstabs, 69 des Geniestabs, 100 des Artilleriestabs,
45 des Justiz-, 117 des Commissariats-, 194 des Sanitäts-Stabes und 89
Stabs-Secretären, und zwar 79 Obersten, 93 Oberstlieutenants, 146 Majors,
225 Hauptleuten, 205 Lieutenants, 89 Unterofstzieren, in Sa. 847 Mann.
Die Landwehr bestand 1871 aus 68½ Bat. Infanterie mit 53,131 Mann,
43 Comp. Scharfschützen mit 4850 Mann, 42 Comp. Cavalerie mit 1613 Mann,
25 Comp. und Batterien Artillerie mit 4649 Mann und 8 Comp. Genie mit
682 Mann. — Gesammtstärke der Bundes-Armee 134,773 Mann, der
Landwehr 67,009 Mann; zusammen 201,782 Mann. Die Stärke der taktischen Einheiten ist, mit Ausnahme der Specialwaffen, eine ungleichmäßige.
So variirten die Stärken der Compagnien bei der Infanterie zwischen 80 bis 134
Mann, bei den Scharfschützen zwischen 70 bis 100 Mann; bei der Cavalerie,
welche administrativ in Compagnien, taktisch in Escadrons getheilt ist (1 Esc. =
2 Comp.), wechselt die Escadron der Dragoner zwischen 120 u. 154 Mann;
die Compagnie der Guiden zwischen 19 und 32 Mann. Das Bataillon der
Infanterie ist in 6, der Scharfschützen in 3—4 Comp. gegliedert; bei der Infanterie ½ Jäger- und ⅔ Centrum-Comp. Die Feldbatterien sind ausschließlich
fahrende und haben 6 Geschütze, 9 (leichte 12) Munitionswagen, 2 Vorraths-
lasseten, 1 Rüstwagen, 1 Feldschmiede, 1 Packwagen (haben 1 Vorrathslaffete,
3 Munitionswagen im Divisions-Park); die Gebirgsbatterien 4 Geschütze,
2 Vorrathslaffeten, 40 Munitions-, 8 Werkzeug-Kisten, 1 Munitionswagen
(letzterer im Divisions-Park). Die Compagnien der Positions-Artillerie sind 80,
der Park-Artillerie 40—60, des Park-Trains 95—100 Mann stark. Die
Genie-Compagnien zählen 100 Mann.

Der Generalität in anderen Armeen entspricht die Stellung der eid-
genössischen Obersten; Stabsoffiziere sind der eidgen. Oberstlieutenant, der
Bataillons-Commandant der Infanterie, der Major im eidgen. Stabe und bei
den Infanterie- und Schützen-Bataillonen; fernere Grade sind: Hauptmann,
Oberlieutenant, erster und zweiter Unterlieutenant; sodann Offiziers-Aspirant,
Adjutant-Unteroffizier, Stabsfourier, Tambourmajor, Feldwebel, Fourier,
Wachtmeister (soviel wie sonst Sergeant), Corporal, Gefreiter. Das ärztliche
Personal hat einen bestimmten Offizier-Rang. Die Offiziere des eidgen.
Stabes werden vom Bundesrath, die Truppen-Offiziere von den oberen
Militär- und Landesbehörden der Cantone erwählt und befördert. Bis zum
Hauptmann geschieht die Beförderung gewöhnlich nach der Anciennität,
später nach freier Wahl. Die Unteroffiziere werden von den Compagnie-
Commandanten ernannt. Die Offiziers-Aspiranten haben entweder den Dienst
eines Recruten ihrer Waffe sowie einen speciellen Cursus durchzumachen, oder
sie müssen in ihrer Truppe bis zum Wachtmeister avanciren, um zum Offizier-
Examen zugelassen zu werden.

Die Ausbildung der Mannschaften geschieht zunächst in den Rekruten-
schulen, für die Infanterie auf Kosten der Cantone, für die anderen Waffen auf
Kosten des Bundes (excl. der Pferdegestellung). Dauer für die Infanterie 4—5,
Scharfschützen und Parktrain 6, Artillerie und Genie 7, Cavalerie 10 Wochen.
Außerdem alle 2, Cavalerie alle Jahre Wiederholungs-Curse der tak-
tischen Einheiten von kurzer Dauer. Jährlich übt eine vereinigte Division
während 12 bis 14 Tagen. Besondere Curse, welche einmal jährlich auf
Kosten des Bundes abgehalten werden, sind: die Offiziers-Aspiranten-
Schulen (5 bis 9 Wochen Dauer); Curse für die Offiziere des eidgenössischen
Stabes; Central-Militär-Schule (auch für neuernannte Stabsoffiziere

der Infanterie); Recognoscirungen; Besuch auswärtiger Militär-
Anstalten; Telegraphen-Curs für Genie; Curse für Offiziere und Unter-
offiziere der Artillerie, des Trains, der Cavalerie; Schießschule für
Offiziere der Infanterie; Sanitäts-Curse. Den ersten Unterricht der Rekruten ertheilen ständige Instructions-Unteroffiziere und Offiziere.
Die Einübung der Infanterie findet in den Cantonen, diejenige der
Rekruten meist in den Hauptstädten, der taktischen Einheiten entweder ebenda
oder in den Rekrutirungsbezirken statt; die Unterbringung dabei in Kasernen,
Lagern oder engen Cantonnements. Für die anderen Waffen findet nur
der Vorunterricht in den Cantonen statt; der eigentliche Unterricht dagegen
wird auf eidgen. Waffenplätzen vorgenommen (hier Kasernen), ebenso die
speciellen Curse. Die Divisions-Uebungen finden in den betreffenden
Rayons statt. — In gleichem Sinne wirken freiwillig die Offiziers-Gesellschaften,
Vereine der verschiedenen Waffen, Schützen-Vereine, sowie in vorbereitender
Weise die in Städten bestehenden Cadetten-Corps. — Die Unterrichts-Curse
und Uebungen beginnen im März und dauern bis Ende October; in dieser
Zeit werden alljährlich durchschnittlich 13,000 Rekruten eingeübt und die Hälfte
der Bundes-Armee zu Uebungen auf etwa 7 Tage vereinigt. — Die Formirung
und Inspection der taktischen Einheiten geht zunächst von den cantonalen
Chefs der betreffenden Waffen aus. Das Materielle, die Ausrüstung und
Bewaffnung der Armee, sowie den Unterricht der Truppen läßt der Bund
durch Inspectoren überwachen. Permanent im Dienste des Bundes sind:
der Chef des Militär-Departements, die Inspectoren und Chefs der Special-
waffen, die Mitglieder der Artillerie-Commission, die Ober- und Unter-In-
structoren der Specialwaffen, eine Anzahl technischer und Verwaltungs-Beamten.
Ebenso haben auch die Cantone ein gewisses ständiges Militär-Personal. —
Als verwaltende Militärbehörde besteht in jedem Cantone ein Canton-Kriegs-
Commissariat. Im Kriege wird die gesammte Verwaltung von dem Ober-
Kriegscommissar geleitet. — Der Ober-Feldarzt ist Chef des gesammten
Sanitätswesens. Jeder Truppentheil hat ein ausreichendes ärztliches Personal,
sedann beständen bei den Waffenplätzen Ambulancen, an deren Stelle im
Kriege bewegliche treten. Außerdem werden Feldspitäler errichtet. — Die
Rechtspflege untersteht dem Oberauditor. Jeder im Militärdienste befindliche
Schweizer ist dem Militär-Gesetz unterworfen. Die Strafen sind ähnlicher
Art, wie in den andern Armeen. Im Frieden hat jeder 10 Gerichts-
kreise, im Kriege jede Division ein Kriegsgericht, welches aus Justiz-Personal
und Geschworenen (letztere zur Hälfte Offiziere, zur Hälfte Unteroffiziere und
Gemeine) besteht. Das Verfahren ist öffentlich; die Geschworenen entscheiden nur
über „Schuldig" oder „Nichtschuldig".

Die Bewaffnung, Bekleidung und Ausrüstung des Bundesheeres
wird durch den Bund geregelt, fällt aber in der Hauptsache den Cantonen,
resp. den Einzelnen zur Last. Nur an den Kosten der Bewaffnung parti-
cipirt der Bund. Die Ausrüstung der taktischen Einheiten ist Sache der
Cantone; Ausrüstung des Einzelnen und Bekleidung werden je nach den Canton-
Gesetzen verschieden aufgebracht. Für die Bekleidung und Ausrüstung der
Landwehr treffen die Cantone ihre Bestimmungen, die Bewaffnung bestimmt
ebenfalls der Bund. — Als die S. die Annahme eines Hinterladungs-Gewehrs
beschloß, waren in der Armee zwei verschiedene Kaliber von Handfeuerwaffen vertreten, das ältere von 18 ^{mm}, das neuere von 10,$_4$ ^{mm} (zuerst
beim Feldstutzer von 1851, dann beim Jäger-Gewehr von 1856, seit 1863
beim Infanterie-Gewehr.) Man beschloß die brauchbaren Waffen zur Hinterladung umzuändern, und wählte (1867) das Umänderungs-System Milbank-
Amsler (Bd. IV., S. 329). Außerdem wurde eine beschränkte Zahl von

Peabody-Gewehren (s. d. Pd. VII., S. 94) beschafft, kann aber als Neu-Construction für Bundesheer, wie Landwehr, ein Repetirgewehr gewählt und zwar nach Vetterli (1869). Dasselbe hat das Kaliber 10,₄ ᵐᵐ und gleiche Munition mit den übrigen kleinkalibrigen Gewehren, Kupfer-Patrone mit Randzündung, Cylinder-Verschluß, Spiralfederschloß, Magazin (11schüssig) im Vorderschaft, 2 Ladegriffe (vgl. weiterhin Vetterli). Jetzt (1872) befindet sich die Bewaffnung noch im Uebergangsstadium. Die Landwehr hat noch das umgeänderte großkalibrige Gewehr. Die Infanterie des Bundesheeres führt zum Theil noch das umgeänderte kleinkalibrige Gewehr, die Schützen theils umgeänderte Stutzer, theils Peabody-Gewehre; Artillerie (per Feldbatterie nur 16 Gewehre) und Genie theils umgeänderte, theils Peabody-Gewehre; die Cavalerie und Berittenen der Artillerie eine glatte Pistole. Sämmtliche Gewehre haben das Stichbajonnet. Die umgeänderten Gewehre großen Kalibers haben 40 ᵍʳ Geschoß, 4,₀ ᵍʳ Ladungs-Gewicht, diejenigen des kleinen 20 ᵍʳ resp. 3,₇₅ ᵍʳ, sämmtlich Kupfer-Patronen mit Randzündung. Die Mannschaften der Dragoner-Compagnien sollen einen Repetir-Carabiner (gleichen Systems wie das Gewehr) mit 7 Schüssen im Magazin erhalten, die übrige Cavalerie einen 6schüssigen Revolver nach dem System Chamelot-Delvigne. — Die Artillerie hatte bisher als leichtes Feld-, sowie Gebirgsgeschütz einen bronzenen gezogenen Vorderlader mit Expansions-Geschoß (s. Pr. IV., S. 186), vom Kaliber 8,₄ ᵐᵐ, als schweres einen stählernen gezogenen Hinterlader mit einfachem Keil-Verschluß und preußischem Systems vom Kaliber 10,₀ ᵐᵐ, als Positionsgeschütz einen bronzenen gezogenen Hinterlader preuß. Systems mit Kreiner'schen Verschluß (s. Pr. IV., S. 193) vom Kaliber 12 ᵐᵐ, außerdem glatte 16 ᵐᵐ Haubitzen und 22 ᵐᵐ Mörser (die Feldgeschütze kommen auch als Positionsgeschütze vor). 1871 wurde die Umwandlung der bisherigen leichten Feld- resp. Gebirgsgeschütze in Hinterlader gleichen Systems wie die schweren, mit Beibehalt der Bronze, beschlossen, sodaß die S. künftig ausschließlich das preußische Geschütz-System haben wird. Die Geschoß-Einrichtung ist letzterem analog; Granaten mit Percussions-Zündern, Shrapnels mit Zeitzündern, Kartätschen. Gewicht der Granaten beim leichten Feldgeschütze 5,₄ ᵏ, beim schweren 7,₄ ᵏ. Das Gebirgsgeschütz unterscheidet sich vom leichten Feldgeschütz durch geringere Rohrlänge, Metallstärke, Rohrgewicht, Ladung. Alle Feldgeschütze sind gspänig und haben Eisenblech-Laffeten. Die leichte Batterie ist pro Geschütz mit 204, die schwere mit 133 Schuß (excl. der Munition der Parks ꝛc.) ausgerüstet (leichte 67% Granaten, 24% Shrapnels, 9% Kartätschen, schwere 60, 30, 10%). — Bei der Infanterie haben nur die Unteroffiziere ein Seitengewehr, die Scharfschützen tragen ein Waldmesser, Fußmannschaften der Artillerie und des Genies ein Faschinenmesser, Cavalerie und berittene der Artillerie den Reitersäbel, Offiziere überhaupt den Schleppsäbel mit Stahl-Griff und -Scheide. Die Infanterie trägt die Patrontasche am Leibgurt, hat Tornister, Blechschüssel, Brodbeutel, Feldflasche. Die Berittenen haben zum Theil den dänischen Sattel nach Barth*), zum Theil den ungarischen Bock, die Fahrer der Artillerie den deutschen, berittene Offiziere den englischen Sattel (Mantelsack). Die Zugpferde haben Kumet-Geschirr. An Fahrzeugen hat jedes Infanterie-Bataillon 2 Munitionswagen (à 24,000 Patronen kleinen Kalibers), 1 Gepäckwagen, 3 Proviantwagen, das Scharfschützen-Bataillon desgl., indeß nur 2 Proviantwagen, die Escadron 1 Feldschmiede, 1 Feld-Apotheke (2 Pferde Arznei-Kisten), die Sappeur-Compagnie 2 Werkzeugwagen, 1 Feld-Apotheke, die Pontonnier-Compagnie 1 Feld-Apotheke; ein Kriegsbrückentrain besteht aus 10 Bock-,

---

*) Modification des ungarischen Sattels, vgl. Sattel.

20 Balken-, 1 Rüstwagen, 1 Feldschmiede und enthält 132 ᵐ· Brückenlänge (theils Pontons, theils Böcke). — Die Bekleidung ist wie folgt. Die ganze Armee hat den Hut nach Ionischer Form, aus schwarzem Filz, mit Vorder und Hinterschirm, die Lagermütze nach französischem Schnitt, die Offiziere außerdem eine Interims- (Schirm-) Mütze. Die Kopfbedeckung enthält die Gradauszeichnung der Offiziere und Unteroffiziere. Sämmtliche Truppen der Bundes-Armee haben den Waffenrock und Mantel, ersterer bei Cavalerie und Artillerie etwas kürzer als bei der Infanterie (Landwehr nur den Mantel von bestimmter Form), Halsbinde, halbweite Beinkleider (für Berittene mit Lederbesatz bis zum Knie), Fußtruppen Tuch-Gamaschen, Schuhe oder Stiefel. Der Mantel ist durchweg blaugrau, Waffenrock, Beinkleider nach der Waffengattung in verschiedenen Farben (Waffenrock bei Infanterie, Artillerie, Genie dunkelblau, eigen. Stab, Schützen, Cavalerie dunkelgrün, außerdem Variationen in Farbe der Kragen, Knöpfe ꝛc., Beinkleider beim eigen. Stab, Artillerie Cavalerie dunkelgrau, sonst hellblau). Grad-Abzeichen: Offiziere Achselpatten aus verschiedenem Stoff, Stabsoffiziere mit breiter, Subalternoffiziere mit schmaler Umbordung, ein bis drei Sterne, Abzeichen an der Mütze; Unteroffiziere Gold- oder Silberborten, resp. wollene Litzen auf dem Oberarm, desgleichen an der Kopfbedeckung.

Die Verpflegung erhält der im Dienst berufene Wehrpflichtige theils als gesetzlichen Tagessold, theils als Natural-Verpflegung (event. hierfür Geldentschädigung); die Berittenen erhalten Rationen. In vielen Cantonen werden auch Pferde-Tagegelder, sowie Unterstützungen an Unbemittelte gezahlt. Der eigen. Oberst hat 17 Francs 40 Cent. Tagessold, 3 Mund-Portionen, 4 Rationen. Der Infanterist bezieht 45 Cent. Tagessold und 1 Mund-Portion. — Im Dienste beschädigte Militärs, sowie die Hinterbliebenen der Gefallenen werden vom Bunde, wie von den Cantonen unterstützt. — Das Fuhrwesen wird, außer den etatsmäßigen Fahrzeugen der Truppen resp. Parks, durch gemiethetes Civil-Fuhrwerk oder im Wege der Requisition besorgt; ein eigentlicher Armee-Train existirt nicht.

An Technischen Instituten besitzt der Bund die Eidgenössischen Zeughäuser, die Constructions-Werkstätten, das Feuerwerks-Laboratorium mit Patronen-Fabrik in Thun; das Kriegspulver wird von den dem Finanz-Departement unterstellten Pulvermühlen (5) erzeugt. Militärischen Zwecken dienen auch die im Privatbesitz befindlichen, aber der Staats-Controle unterworfenen Gewehr-Fabriken in Neuhausen, Thun, Basel, Aarau ꝛc., die Geschütz-Gießerei in Aarau, die Constructions-Werkstätten in Winterthur, Bern ꝛc. Die Zeughäuser der größeren Cantone haben ebenfalls Militär-Werkstätten. — Permanent befestigte Punkte sind die Paßsperren Luziensteig, Bellinzona, St. Moritz, der Brückenkopf bei Aarberg.

Die Mobilmachung einer einzelnen taktischen Einheit kann, wenn unvorbereitet, in 2 bis 3 Tagen erfolgen, andernfalls auch rascher. Bevor man auf die Reserve greift, werden erst alle Mannschaften des Auszugs einberufen, in letzter Instanz die Landwehr. Die Mobilmachung der ganzen Bundes-Armee kostet 8 bis 14 Tage. Die Hauptschwierigkeit bleibt der Pferdemangel, welcher stets zu Ankäufen im Auslande zwingt.

Wenn auch vermöge der politischen Lage an das Heer der S. keine größere militärische Aufgabe herantreten kann, als der Aufrechterhaltung der garantirten Neutralität des Landes den gehörigen Nachdruck zu verleihen, so hegen doch die einsichtigeren Militärs die Ueberzeugung, daß selbst dazu die Wehrverfassung nicht mehr geeignet ist, und vor Allem eine Centralisation des Heerwesens in der Hand des Bundes Noth thut. Wenn damit auch die Gebrechen des reinen Miliz-Systems: als geringe Geübtheit und Tüchtigkeit der

Offiziere, namentlich der höheren Führer und des Generalstabs, ungenügende
Ausbildung der Subalternen und Mannschaften infolge unzureichender Dauer
der Ausbildungs-Perioden und geringer Befähigung des Instructions-Personals,
bei den Vorgesetzten Mangel an Autorität gegenüber ihren Untergebenen, (Folge
der mangelhaften militärischen Bildung ersterer), daher Mangel an Subordination,
welche sich heutzutage zumeist auf die Achtung vor der überlegenen Intelligenz
des Vorgesetzten gründen muß und bei einem Miliz-Heer kaum eine andere
Grundlage haben kann, (auch häufig Folge des Contrastes zwischen bürgerlicher
und militärischer Stellung), — nicht gehoben werden. an eine Annäherung an
das Cadre-System vorläufig nicht zu denken ist, so würde doch mit jener Centralisation der Ungleichmäßigkeit, welche bei dem jetzigen System sowohl in Bezug
auf Stärke der taktischen Einheiten, als den Grad der Ausbildung, die Güte
der Organisation und Ausrüstung innerhalb des Bundes-Heeres unvermeidlich
ist, einigermaßen abgeholfen werden. Es ist notorisch, daß in der Sorge,
welche die einzelnen Cantone dem Heerwesen widmen, ein großer Unterschied
obwaltet und der Bund bis jetzt der Macht entbehrt, die Cantone zu einer
gewissenhaften Erfüllung ihrer Verpflichtungen anzuhalten. Infolge dessen
ergab sich bei der im Juli 1870 in der sehr kurzen Zeit von 5 Tagen vollzogenen Mobilmachung von 5 Divisionen eine „ungeahnte Friction, welche
beim Aufgebot aller Truppen höchst lähmend auf die Schlagfertigkeit der
Armee hätte einwirken müssen" (Oesterr. Mil. Zeitschrift 1871). Nach dem
Gutachten des Bundesraths haben die cantonalen Behörden weit mehr Werth
auf die Raschheit der Truppensendung, als auf gute Organisation und Ausrüstung der Truppen gelegt. Die höheren Führer zeigten eine bedenkliche
Rathlosigkeit in Bezug auf die Wahl der Mittel, um den geregelten Dienst-
gang herzustellen. Bezüglich Haltung und taktischer Ausbildung der Truppen,
namentlich der Infanterie, documentirte sich eine große Ungleichmäßigkeit, die
auf „große Mängel der militärischen Erziehung in einigen Cantonen" schließen
ließ. Beim Generalstab zeigte sich eine oft nur oberflächliche Dienstkenntniß.
Der Obergeneral sucht die Abhülfe in der „Eindämmung der cantonalen Macht-
befugnisse und in gradueller Ueberwachung der Cantone", bedauert die Armuth
an Cavalerie und die geringe Dotirung mit Feldgeschütz, wünscht die Centralisation der Infanterie-Instruction, häufigere Uebungen der Divisionen mit vereinigten Waffen. — Ein schweizerischer Stabsoffizier charakterisirt die
Armee in einer jüngst erschienen Broschüre (s. unten) wie folgt: Ungleichheit
der Stärke der taktischen Einheiten, Schwierigkeit, die nöthige Zahl von Offizieren zu erhalten, Mangel an dienstuntauglichen Pferden, Nothwendigkeit, an
Stelle des requirirten Fuhrwerks einen Armee-Train zu bilden, nicht hinreichende Strenge der cantonalen Verwaltungen in Bezug auf Bewaffnung und
Ausrüstung der Truppen, Vorzüglichkeit der Artillerie, des Genies, der Scharfschützen, Mangelhaftigkeit der Cavalerie, Ungleichmäßigkeit in den Leistungen
der Infanterie, was theils der Ausbildung, theils dem Volkscharakter zuzuschreiben ist, größere Sicherheit, Ruhe, mehr innerer Halt, dagegen weniger
vortheilhafte äußere Erscheinung in der Reserve gegenüber dem Auszug, geringe
Tüchtigkeit der Unteroffiziere, Mangel an echtem Reitergeist im Offizier-Corps
der Cavalerie; beim Generalstab fehlt es am richtigen und gründlichen Wissen
und besonders am Können, als Folge mangelhafter Organisation und ungenügender Uebung 2c. — Die 12. Mai 1872 verworfene Revision der Bundes-
Verfassung (s. u.) suchte vielen der Mängel abzuhelfen und eine Reorganisation
des Heerwesens im Sinne der Centralisation herbeizuführen, die Sorge für
dasselbe vorherrschend auf den Bund zu übertragen, im Bundes-Heere den
Unterschied zwischen Auszug und Reserve fallen zu lassen. Es steht zu erwarten,
daß im Wege der Gesetzgebung die Reformen des Heerwesens, soweit es mit

der bisherigen Verfassung vereinbar, dennoch in's Leben gerufen werden. —
Literatur. „Die Wehrkraft der S. Eine historische Skizze von einem
schweizerischen Stabsoffizier." Gotha 1872; zwei Aufsätze in der Oesterr. Mil.
Zeitschrift 1871: „Das schweizerische Militärwesen. Erläutert durch die
Truppen-Aufstellung der S. im Juli und August 1870" von O. Gerstuer und
„Das strategische Verhältniß der S. zu den Nachbarstaaten" von A. Ritter
von Hahmerle; „Die schweizerische Armee im Felde" von Rothpletz, Basel
1869; „Studien über die Reorganisation der schweizerischen Armee", Bern
1871; „Handbuch für schweizerische Artillerie-Offiziere", Aarau 1869.

Das Wappen der S. ist ein rother Schild mit aufrechtstehendem weißem
Kreuz, oder auch ein alter Schweizer, welcher in der einen Hand eine Helle-
barte hält und sich mit der andern auf einen Schild lehnt, der die Umschrift
hat: „XXII Cantone Schweizerischer Eidgenossenschaft." Jeder Canton führt
außerdem sein eignes Wappen, welche auch bisweilen insgesammt in Kreisform
um den rothen Schild mit dem weißen Kreuze als großes Eidgenössisches Wappen
angebracht werden. Die Landesfarben sind weiß und roth. Ritterorden besitzt die S. nicht, dagegen folgende zwei Militärdenkmünzen: 1. Die Medaille
vom 10. August 1792, für alle bei der Vertheidigung der Tuilerien in Paris
an diesem Tage thätig gewesenen Schweizer; dieselbe ist von Eisen mit einem
doppelten Silberrand; auf der einen Seite ein Herzschild mit aufrecht stehendem Kreuz und der Umschrift „Treue und Ehre"; auf der andern Seite ein
Lorbeerkranz mit der Inschrift: „X. August MDCCXCII." Das Band ist auf
der einen Seite ganz weiß mit einem rothen Kreuz, auf der andern roth mit
einem schwarzen weißen Rande und einem weißen Kreuze. 2. Die Medaille der
Wiedervereinigung, für die treuen Schweizertruppen, welche 1815 sich weigerten,
Napoleon zu dienen; dieselbe ist von Silber, auf der einen Seite „Treue und
Ehre", auf der andern Seite „Schweizerische Eidgenossenschaft 1815" als Um-
schrift um ein Herzschild mit aufrecht stehendem Kreuz; das Band ist roth und weiß.

Geschichtliches: Die älteste Geschichte der S. bis zu ihrer Berührung mit
den Römern ist gänzlich in Dunkel gehüllt, und nur die in neuerer Zeit entdeckten
Pfahlbauten in den Seen des Landes sind geeignet, einiges Licht über die Cultur-
zustände der ältesten Bewohner zu verbreiten. Die ersten historisch nachweisbaren
Bewohner sind die Helvetier, ein celtischer Volksstamm, welcher von Nordost
eingewandert sein soll und sich zwischen dem Rhein, dem Jura und den Alpen
niedergelassen hatte und dort, in vier Gaue getheilt, in freier Gemeinde-
verfassung lebte. Nach demselben wurde das Land Helvetien genannt.
Zwischen 58 v. Chr. und 10 n. Chr. kamen die Helvetier unter die Herrschaft
der Römer, nahmen von diesen Sitten und theilweise auch die Sprache an,
wurden aber gegen Ende des 4. und Anfang des 5. Jahrhunderts von deutschen
Volksstämmen überwältigt: die Alemannen bemächtigten sich des größern Theils
der jetzigen S. und bürgerten dort ihre Sitten und Sprache ein, ein kleinerer
Theil im Südwesten fiel den Burgundern und Longobarden und der bis
dahin unbewohnte nördliche Abhang der Alpen für einige Zeit den Gothen zu.
Im 6. Jahrhundert kam ganz Helvetien an das Fränkische Reich und gelangte
zu einigem Wohlstande, der jedoch unter den schwachen Nachfolgern Karls des
Großen wieder verschwand. Im 9. Jahrhundert kam das südliche und west-
liche Helvetien an das Königreich Burgund, der nordöstliche Theil, mit
Alemannien verbunden, theilte das Schicksal Schwabens (s. d.) unter den
Kammerboten. Als 1032 der König Rudolf III. von Burgund starb, kam
sein Reich, und mit demselben auch das burgundische Helvetien, an das
Deutsche Reich, bei dem es verblieb, bis die Krone dieses Wahlreiches im
Hause Habsburg gewissermaßen erblich zu werden anfing. Bis 1218 wurde
das Land durch die Herzöge von Zähringen verwaltet. Nach dem Aussterben

derselben (mit Berthold V.) fiel es an eine Menge größerer und kleinerer Herren (von denen Habsburg, Kyburg und Savoyen die mächtigsten), geistliche Stiftungen, mächtig aufblühende Städte und einzelne in den Gebirgsthälern erwachsende Hirtengemeinden. Nachdem Rudolf (s. d. 2) von Habsburg 1273 Deutscher Kaiser und 1276 auch Herr von Oesterreich geworden war, gewann das Haus Habsburg auch in der S. einen überwiegenden Einfluß. Zunächst suchten Rudolf und sein Sohn Albrecht die Schirmvogtei, die ihr Haus über Theile des Landes im Namen des Reiches geübt hatte, in Landeshoheit zu verwandeln. Die von Albrecht eingesetzten Vögte, welche sich durch ihre Grausamkeit und Willkür sehr verhaßt gemacht hatten, wurden jedoch in Folge eines von den drei Waldstätten Uri, Schwyz und Unterwalden am 7. November 1307 auf dem Rütli (einer Bergwiese am Vierwaldstättersee) abgeschlossenen Bündnisses am Neujahrstage 1308 vertrieben *). Obgleich die Waldstätte ihre obliegenden Pflichten dem Reiche ununterbrochen fortleisteten und die Nachfolger Albrechts (welcher am 1. Mai 1308 von seinem Neffen Johann von Schwaben auf Schweizerboden, aber ohne Mitwirkung der Schweiz, nur aus Privatrache ermordet worden war) den Waldstätten alle ihre Freiheiten bewilligten, wollte doch das Haus Habsburg die einmal gefaßten Pläne nicht aufgeben. Hieran knüpfte sich ein zweihundertjähriger Kampf, welcher die gänzliche Losreißung der S. vom Deutschen Reiche und für das Haus Habsburg den Verlust seiner Erbbesitzungen zwischen den Alpen und dem Rheine und seiner Stammschlösser Habsburg und Kyburg herbeiführte. Gegen die nun vereinigten drei Waldstätte sandte Oesterreich 1315 ein Heer, welches jedoch am 15. November bei Morgarten (s. b.) entscheidend geschlagen wurde. In Folge davon schlossen die Waldstätte am 8. December 1315 zu Brunnen einen „Ewigen Bund", dem im Laufe des 14. Jahrhunderts noch fünf Cantone beitraten und zwar Luzern 1332, Zürich 1351, Glarus und Zug 1352, Bern 1353. Dieser Bund, der sich die „Junge Eidgenossenschaft" nannte, behauptete sich siegreich gegen das Haus Habsburg in den Schlachten bei Sempach (1386) und Näfels (1388), worauf Oesterreich ihre Unabhängigkeit anerkannte, und, nach der Niederlage bei St. Jakob (1433), gegen Burgund bei Granson (1476), Murten (1476), Nancy (1477). Seit der Mitte des 15. Jahrhunderts nannten sich die Eidgenossen „Schweizer", weil Schwyz die Seele des Bundes war; auch nahmen sie die Landesfarben dieses Cantons (weiß und roth) an. Nun schlossen sich auch Freiburg und Solothurn (1481) und, nachdem nach einem harten Kampfe gegen Kaiser Maximilian I. die Schweiz abermals Sieger geblieben war und durch den Baseler Frieden von 1499 von der Jurisdiction des Reichskammergerichts und von den Reichssteuern entbunden worden, somit factisch aus ihrem Verbande mit dem Deutschen Reiche ausgeschieden war (und sich nur noch als Verwandte des Reichs betrachtete), Basel und Schaffhausen (1501) und Appenzell (1513) dem Bunde an, so daß die Eidgenossenschaft jetzt aus 13 Orten bestand. Die Reformation, welche sich seit dem Auftreten Luthers in Deutschland auch in der S. besonders durch Zwingli und Calvin verbreitete, rief sehr bald innere Kämpfe hervor. Bei Kappel (1631), wo Zwingli fiel, siegten zwar die Katholiken, sahen sich aber doch genöthigt, im zweiten Kappeler Frieden die Reformirten zu dulden. Im Westfälischen Frieden von 1648 trennte sich dann die S. vollständig vom Deutschen Reiche und behauptete seitdem eine strenge Neutralität. Im Innern blieb das Verhältniß ein internationales; jedes Gemeinwesen ordnete seine eigenen An-

*) Anmerkung. Zu bemerken ist jedoch auch bei dieser Gelegenheit ausdrücklich, daß weder Geßler (s. d.) noch Tell (s. d.) historische Personen sind.

gelegenheiten selbstständig, wogegen gemeinsame Angelegenheiten von den Cantonen auf der Tagsatzung erledigt wurden. Der leitende Vorort war Zürich, welcher die wenigen äußeren Angelegenheiten zu besorgen und die Tagsatzung auszuschreiben hatte; die beiden anderen der drei Vororte waren Bern und Luzern. Die Uneinigkeit, welche gegen Ende des 18. Jahrhunderts zwischen einzelnen Cantonen herrschte, benutzte die französische Republik, um sich der wichtigen Alpenpässe zu bemächtigen und den großen in Bern aufgesammelten Schatz in ihre Gewalt zu bringen. Unter dem Vorwande einer Intervention ließ das französische Directorium im Januar 1798 Truppen in das Waadtland einrücken, die sich denn auch am 5. März 1798 nach tapferem Widerstande Bern's bemächtigten, den Schatz und das Zeughaus plünderten, und die Stadt brandschatzten, worauf das Directorium eine Helvetische Republik von 18 Cantonen unter einer Centralregierung in Aarau gründete, zugleich aber auch mehrere Theile (besonders Genf und die bei S. verbündete Reichsstadt Mülhausen) von der S. abriß und mit Frankreich vereinigte. Die neue Verfassung wurde zwar Ende 1798 beim Einrücken der Oesterreicher und Russen unter Suworow aufgehoben, aber nach den neuen Siegen der Franzosen unter Massena schon Anfang 1799 wieder hergestellt, befriedigte jedoch die Bevölkerung keineswegs, und als Bonaparte 1802 (damals Erster Consul) die französischen Truppen aus der S. zurückzog, brach fast überall der Aufstand aus. Aloys Reding, Landammann von Schwyz und Anführer der Schwyzer, berief zum 27. September 1802 eine Tagsatzung nach Schwyz, um die Eidgenossenschaft wieder herzustellen. Da erklärte Bonaparte im October sich durch General Rapp zum Vermittler, gebot die Niederlegung der Waffen und decretirte am 19. Februar 1803 die sogenannte Mediationsacte, welche die Mitte zwischen dem alten Föderalsystem und der Helvetischen Constitution hielt; zu den alten dreizehn Cantonen traten nun noch sechs neue: St. Gallen, Graubündten, Aargau, Thurgau, Tessin und Waadt; dagegen blieb Wallis eine eigene Republik (wurde aber 1807 dem Französischen Kaiserreiche einverleibt), während Neuenburg von der S. getrennt und 1807 dem Marschall Berthier als französisches Lehnsfürstenthum zugetheilt wurde. Im Jahre 1812 mußte die S. beim Ausbruch des Krieges mit Rußland dem Kaiser Napoleon I. 12,000 Mann zur Verfügung stellen, von denen die Mehrzahl umkam. Nach der Schlacht bei Leipzig versuchte die S. sich für neutral zu erklären und den Alliirten das Betreten ihres Gebietes zu verbieten. Letztere erkannten jedoch die Neutralität nicht an und seit Mitte December 1813 zogen österreichische Truppen durch Schweizer Gebiet nach Frankreich. Die Tagsatzung am 29. December 1813 erklärte die Mediationsacte für aufgehoben, entwarf darauf eine neue Verfassung und nahm dieselbe am 27. Mai 1815 an; am 7. August wurde diese neue Verfassung in Zürich beschworen und am 20. December von den fünf europäischen Großmächten unter Zusicherung immerwährender Neutralität gewährleistet. Wallis, Genf und Neuenburg (letzteres als preußisches Besitzthum) wurden nun wieder mit der S. vereinigt und traten als neueste Cantone der Eidgenossenschaft bei. Im Laufe der nächsten Jahrzehnte wurde die S. vielfach bewegt, theils durch auswärtige Verlegenheiten, welche das den politischen Flüchtlingen gewährte Asylrecht hervorrief, theils durch religiöse Wirren, welche namentlich in den alten Cantonen durch die Jesuiten veranlaßt wurden, während andererseits eine ein engeres bundesstaatliches Verfassungsrecht anstrebende Partei in einzelnen Cantonen zur Herrschaft zu gelangen suchte, was bald auf friedlichem Wege, bald durch bewaffnete Freischaaren-Unternehmungen (sogenannte Putsche) gelang.

Im Herbst 1843 waren die sechs ultramontanen Cantone Schwyz, Uri, Unterwalden, Luzern, Zug und Freiburg auf einer Conferenz; im Jahre Rothen bei Luzern zu einem Sonderbunde zusammengetreten, welcher den Zweck hatte, sich von der Eidgenossenschaft zu trennen, im Sommer 1845 eine festere Gestalt annahm und im Herbst 1845 durch den Beitritt des Cantons Wallis an Ausdehnung gewann. Da die Bestimmungen dieses Vertrages mit mehren Artikeln der Bundesacte, sowie namentlich mit dem Geiste der schweizerischen Conföderation in Widerspruch standen, beschloß am 20. Juli 1847 die Tagsatzung zu Bern mit 12½ Stimmen die Auflösung des Sonderbundes und genehmigte am 29. October die Aufstellung eines Bundesheeres von 50,000 M. (die mit den Reserven sehr bald bis auf 94,000 M. mit 180 Geschützen vermehrt wurden) unter dem Oberbefehl des Obersten Dufour. Nur Neuenburg weigerte sich, sein Contingent zu stellen. Unmittelbar darauf erschien ein sonderbündnerisches Kriegsmanifest, welches die Tagsatzung am 4. November mit der Erklärung beantwortete, daß sie den Beschluß vom 20. Juli durch Waffengewalt erzwingen werde. Die Sonderbunds-Cantone stellten eine Armee von 36,000 Mann (unter Salis-Soglio) auf, welche durch einen Landsturm von 47,000 Mann unterstützt werden sollte. Die Sonderbunds-Cantone eröffneten die Feindseligkeiten Anfang November durch Ueberschreiten der Grenze des Cantons Tessin von Seiten der Urner, Walliser und Schwyzer, schlugen die Tessiner am 17. November bei Airolo und trieben sie bis Bellinzona, sowie von Seiten der Luzerner am 10. November durch einige erfolglose Einfälle in den Canton Aargau. Dagegen rückten am 10. November die Eidgenossen unter Oberst Rilliet im Canton Freiburg ein und vereinigten sich dort am 12. November mit der von Murten kommenden Division des Obersten Burkhardt. Oberst Dufour übernahm nun den Oberbefehl über das eidgenössische Heer. Bereits am 14. November unterwarf sich Freiburg der Tagsatzung und deren Beschlüssen, entsagte dem Sonderbunde, willigte in die Ausweisung der (bereits geflüchteten) Jesuiten und setzte (nachdem Rilliet nach einem kurzen Gefecht die Stadt Freiburg mit 5000 Mann besetzt hatte) eine neue Regierung ein. Zug wurde am 20. November ohne Kampf besetzt und unterwarf sich am 21. November. Die an der Reuß zusammengezogenen eidgenössischen Truppen wandten sich nun gegen Luzern, den Heerd der Jesuiten, und überschritten am 23. November die Reuß bei Sins. Die Division Ziegler, welcher die Aufgabe zugetheilt war, den Brückenkopf an der Reuß oberhalb Luzern zu stürmen, sich längs des Flusses auszudehnen und die Verbindung mit dem linken Flügel wieder zu gewinnen, schlug die Sonderbunds-Truppen am 23. November in den Gefechten beim Rothen Kreuz, an der Brücke von Gisikon, bei Meierskappel, bei Honau und am Rothenberg, während die Brigade Isler gegen die Schwyzer nach Immensee, Küßnacht und Uetlingenschwell vordrang und die Division Ochsenbein gleichzeitig Schüpfheim nahm. Die Sonderbunds-Truppen ergriffen nach ziemlich energischer Gegenwehr die Flucht und in Folge davon auch der im Luzern tagende Kriegsrath des Sonderbundes, sowie die Regierung von Luzern und die Jesuiten. Am 24. November ergab sich Luzern unter denselben Bedingungen wie Freiburg, am 25. November Unterwalden, am 27. Schwyz, am 28. Uri, am 30. Wallis. Bereits am 27. November hatte Dufour die Reserven und die Landwehr, sowie die Hälfte der Divisions-Batterien entlassen und am 28. November dem Canton Neuenburg als Buße seiner Weigerung die Zahlung des doppelten Geldcontingentes auferlegt. Hiermit war der Sonderbunds-Krieg beendigt und die bei der Tagsatzung eingereichten Vermittelungsvorschläge der Großmächte überflüssig geworden. Ein ferneres Vorgehen der Cabinette von Paris, Wien und Berlin (welche in einer der Tagsatzung am 18. Januar übergebenen Note die Anerkennung jeder ohne Genehmigung aller einzelnen Cantone getroffenen Ab-

änderungen der Bundesacte von 1815 verweigerten) wurde durch die französische
Februar-Revolution von 1848 unterbrochen und die Verfassungs-Commission
der Tagsatzung konnte nun ungestört ihr Werk vollenden. Am 15. April
wurde der Entwurf der neuen Verfassung der Tagsatzung vorgelegt, am
27. Juni von derselben angenommen und am 12. September 1848 als
Grundgesetz des Bundes feierlich verkündigt (vergl. oben, S. 277). Im Canton
Neuenburg, welcher sich unter dem Einfluß der allgemeinen Bewegung im
Frühjahr 1848 der Schutzherrlichkeit Preußens entzogen und zur Republik
umgestaltet hatte, versuchte im September 1856 die Royalisten-Partei, die
Souverainetät des Königs von Preußen mit bewaffneter Hand wieder herzustellen. Der in Folge davon zwischen Preußen und der Eidgenossenschaft
drohende Conflict wurde indeß durch die diplomatische Vermittelung der Großmächte (namentlich Frankreichs) auf friedlichem Wege beigelegt und König
Friedrich Wilhelm IV. verzichtete am 26. Mai 1857 definitiv auf alle seine
Souverainitätsrechte auf Neuenburg und Valengin (vgl. Neuenburg, Bd. VI.,
S. 248). Während des Italienischen Krieges von 1859, wo die Eidgenossenschaft zur Wahrung der Neutralität ihrer Südgrenzen eine Truppenaufstellung
vorzunehmen sich genöthigt sah, bewahrte die S. die strengste Neutralität,
protestirte jedoch, als Savoyen 1860 von Piemont an Frankreich abgetreten
wurde, da hierdurch die nach den Bestimmungen des Wiener Congresses und
des Zweiten Pariser Friedens garantirte Neutralität Nordsavoyens verletzt
ward; die deshalb gepflogenen Verhandlungen blieben indeß erfolglos. Ein
Conflict mit Frankreich wegen des Dappenthals (s. d. Bd. III., S. 166 f.)
wurde 1862 auf diplomatischem Wege geschlichtet. Der Preußisch-Italienisch-
Oesterreichische Krieg von 1866 machte abermals eine Truppenaufstellung an
der Südgrenze nothwendig, sowie der Deutsch-Französische von 1870—71 eine
solche an der Ostgrenze. Im letzteren Kriege bewahrte die S. (trotz der bei
einem großen Theile der Bevölkerung und der Presse ziemlich deutlich hervor-
tretenden französischen Sympathien) eine strenge Neutralität, wurde aber doch
von den Kriegsereignissen insofern direct berührt, als die französische Ostarmee
(bis zum 27. Januar 1871 unter General Bourbaki) durch die deutsche Südarmee unter General von Manteuffel von allen Seiten umstellt und nach der
Schweizer Grenze gedrängt, am 1. Februar 1871 in einer Stärke von
1778 Officieren und 79,789 Mann unter General Clinchant bei Pontarlier
nach einer mit dem eidgenössischen General Herzog abgeschlossenen Convention
in die neutrale S. übertreten gezwungen war, worauf sie in der S. entwaffnet wurde und dort bis nach dem Frieden internirt blieb. Am 9. März
wurde die in der Tonhalle zu Zürich von den Deutschen veranstaltete Sieges-
feier durch bewaffnete und mit Pöbelhaufen eindringende französische Officiere
gestört. Am 10. März stürmte der Pöbel das Local und demolirte die im
Saale befindlichen Decorationen und Fahnen. Ein Versuch des Pöbels, in
der Nacht zum 11. März die Gefangenen zu befreien, wurde durch Waffengewalt zurückgewiesen. Ernstere Folgen knüpften sich hieran nicht. Im
Winter 1871—72 fand durch die Bundesversammlung eine Verfassungs-
Revision statt, deren wesentliche Punkte folgende waren: Militärcentralisation
in nationalem Sinne auf Kosten des Bundes; freie Errichtung und freie Aus-
übung der Industrie mit den sich daraus ergebenden Rechten; Glaubens- und
Gewissensfreiheit; Schutz auf das Recht der Ehe; Mitwirkung des Bundes im
höheren Schulwesen, sowie obligatorischer und unentgeltlicher Unterricht in den
Elementarschulen; Aufhebung der Todesstrafe, der körperlichen Strafe und der
Schulkast; Freiheit des Handels und der Gewerbe; Freizügigkeit; Aufhebung der
Spielbanken; Verbot des Jesuitenordens und der ihm affiliirten Gesellschaften;
Erweiterung der Competenz des Bundesgerichts. Am 5. März 1872 wurde diese

Revision vom Ständerathe mit 78 gegen 36, vom Ständerathe mit 23 gegen 18 Stimmen angenommen. Dessenungeachtet machten clericale Einflüsse dieselbe scheitern. Am 12. Mai 1872 fand die Volksabstimmung statt und in dieser wurde die Revision vom Volke mit 261,096 Nein gegen 255,582 Ja, und von den Ständen mit 13 Nein gegen 9 Ja verworfen. — Vgl. Franscini, „Neue Statistik der S." (deutsch, Bern 1849, 2 Bde., Nachtrag dazu, Bern 1851); J. Meyer, „Land, Volk und Staat der Schweizerischen Eidgenossenschaft", Zürich 1861, 2 Bde.; Berlepsch, „Schweizerkunde", Braunschweig 1864; Snell, „Handbuch des Schweizerischen Staatsrechts", Zürich 1839—44, 2 Bde. Unter den zahlreichen Reisehandbüchern und Schweizerführern sind die besten die von Bädeker, Berlepsch (Meyer's Reisebücher) und Tschudi. Geschichtswerke: Johannes v. Müller, „Geschichte der Schweizerischen Eidgenossenschaft", Leipzig 1806—1808, Lf. 1—5, Abth. 1 (fortgesetzt von Glutz-Blotzheim, 5. Bd. 2. Abth., Zürich 1816; von Hottinger: 6. und 7. Bd., Zürich 1825—29; von Vulliemin: 8.—10. Bd., Zürich 1842—45; von Monnard: 11.—15. Bd., Zürich 1846—43); Meyer von Knonau, „Handbuch der Geschichte der Schweizerischen Eidgenossenschaft", Zürich 1826—29, 2 Bde.; Heinrich Zschokke, „Des Schweizerlandes Geschichte", Zürich 1822 u. öfter; Tillier, „Geschichte der Eidgenossenschaft während der Vermittelungsacte", Zürich 1845 f., 2 Bde.; Kopp, „Geschichte der Eidgenössischen Bünde", Leipzig 1854—57, 4 Bde.; Vögelin, „Geschichte der Schweizerischen Eidgenossenschaft", Zürich 1861, 4 Bde.; Daguet, „Histoire de la Confédération Suisse", Neuchâtel 1867 (deutsch, Aarau 1867); Fedderssen, „Geschichte der Schweizerischen Regeneration von 1830—48", Zürich 1867; Baumgarten, „Die S. in ihren Kämpfen und Umgestaltungen von 1830 bis 1850", Zürich 1864—67, 4 Bde.; vgl. ferner die reichhaltigen „Mittheilungen" der Antiquarischen Gesellschaft zu Zürich (Zürich 1841 ff.); Brockhaus, „Unsere Zeit" (Jahrg. 1857, Bd. I., „Das Heerwesen der S. und ihre Rüstungen im Winter 1856—57). Die Karten s. Bd. V., S. 151.

Schweizer nannte man vorzugsweise die nach den siegreichen Kämpfen der Schweiz gegen das Haus Habsburg von verschiedenen Fürsten (besonders in Italien und Frankreich) aus geborenen Schweizern angeworbenen und in Sold genommenen Miethsoldaten, die sich meist das Vorrecht vorbehielten, von Offizieren ihrer eigenen Nationalität commandirt zu werden und unter eigener Gerichtsbarkeit zu stehen. Sie wurden häufig als Leibwachen verwandt und zeichneten sich fast ausnahmslos durch große Tapferkeit und Treue gegen die betreffenden Fürsten aus. Das Miethsverhältniß beruhte auf besondern mit den einzelnen Cantonen abgeschlossenen Militär-Conventionen, welche von der ersten Französischen Revolution für einige Zeit unterbrochen wurden, bis der Art. VIII. des Schweizerischen Bundesacte von 1814 den Cantonen den Abschluß derartiger Conventionen unter gewissen Bedingungen wieder gestattete. Nach 1830 nahmen indeß die meisten regenerirten Cantone das Verbot von Militär-Conventionen in ihre Verfassungen auf, und 1848 ging ein solches Verbot auch in den Art. XI. der neuen Bundesverfassung über. Demungeachtet blieben noch die Verträge mit dem König von Neapel und dem Papste in Kraft. Die Annectirung Neapels an das Königreich Italien machte dem ersteren Vertrage ein Ende, nachdem schon im Juli 1859 ein großer Theil der neapolitanischen S. wegen Insubordination hatte entlassen werden müssen. Auch erließ im Juli 1859 die Bundesregierung ein verschärftes Gesetz, welches die Anwerbung mit Gefängniß bedrohte. Gegenwärtig (Juni 1872) unterhält nur noch der auf den Vatikan beschränkte Papst Pius IX. eine Schweizer-Leibgarde zur Bewachung dieses Palastes. Vgl. Zurlauben, „Histoire militaire des Suisses", Paris 1753; May de Romainmotier, „Histoire militaire des Suisses dans les différents services de l'Europe", Lausanne 1788; Rudolf, „Geschichte der Feld-

19*

züge und der Kriegsdienste der S. im Auslande", Baden 1844, 2 Bde;
R. v. Steiger, „Die Schweizerregimenter in neapolitanischen Diensten",
Bern 1848, 2. Aufl. 1851.

Schweizerkaliber nennt man häufig das bei Handfeuerwaffen jetzt übliche
kleine Kaliber (10—11 ᵐᵐ·), womit zuerst die Schweiz (1863) vorging.

Schweizervisir, eine Art Quadrantenvisir (s. d. Bd. VII., S. 268), sowie
Visireinrichtung.

Schwenkung, Schwenken. 1) In taktischem Sinne ist S. einer
kleineren Abtheilung (Section ꝛc.) die gleichzeitige Drehung derselben um einen
gemeinschaftlichen Drehpunkt, Pivot genannt, behufs Directions-Veränderung. Größere Abtheilungen, welche in sich wieder gegliedert sind (Halbzüge, Züge der Infanterie ꝛc.) schwenken entweder mit Beibehalt ihrer Formation, oder es findet ein gleichzeitiges Schwenken jeder Unterabtheilung um
ihr eigenes Pivot statt, was zu einer Formations-Veränderung führen
kann. Geöffnete Colonnen schwenken behufs Directions-Veränderung succeſsive,
während aufgeschlossene theils durch Drehung, theils durch Diagonalmarsch die
S. um einen gemeinschaftlichen Drehpunkt ausführen. — Je nach dem der zu
beschreibende Weg ein Achtel, Viertel oder die Hälfte eines Kreises ist, spricht
man von Achtel-, Viertel- und halber Schwenkung; (größere S.en haben
keinen Sinn). Geschieht das S. in einzelnen Abtheilungen aus der Frontlinie
um ein Achtel oder Viertel, sodaß eine Colonnen-Formation eintritt, so spricht
man von Abschwenken: wird in ähnlicher Weise aus einer geöffneten Colonne
die Linie hergestellt, so heißt dies Einschwenken. Ganze S.en, Kehrt-
Schwenkungen genannt, der einzelnen Unter-Abtheilungen einer Frontlinie
führen zur Inversion. — Das Pivot kann ein festes oder bewegliches sein;
letzteres ist bei allen S.en im Marsch der Fall, welche Directions-Veränderung
zum Zweck haben. Pivot einer S. ist entweder einer der beiden Flügel einer Abtheilung, und die S. heißt, je nachdem der rechte oder linke Flügel Pivot ist,
Rechts- bez. Links-Schwenkung, oder bei größerer Front-Ausdehnung (Bataillon in Linie) auch die Mitte — Achs-Schwenkung (s. d. Bd. I., S. 32).
S.en einer einzelnen Abtheilung werden im Allgemeinen der Art ausgeführt,
daß der dem Pivot oder stehenden Flügel entgegengesetzte, sogenannte herum-
schwenkende oder äußere Flügel im gewöhnlichen oder bisherigen Marsch-
tempo auf der Kreislinie sich bewegt und die übrigen Leute, Reiter, Geschütze
je näher sie dem Pivot stehen, um so mehr ihre Schritte resp. ihr Tempo verkürzen, während das Pivot entweder auf der Stelle tritt (Geschütze die scharfe
Wendung ausführen) oder als bewegliches im kleinen Bogen herumgeht. Im
Wesen der S. liegt es, daß die schwenkende Abtheilung in jedem Moment in
sich gerichtet ist. Um dies zu ermöglichen, wird die Richtung im Allgemeinen
nach dem schwenkenden Flügel genommen, während die Fühlung, resp. der Abstand in der Front auf den stehenden Flügel gehalten wird. — Bei der Infanterie kommen S.en des Bataillons in Linie nicht mehr vor; früher
wurden sie als Achs-Schwenkungen ausgeführt. Alle Directions-Veränderungen
des Bataillons geschehen in Colonnen. Reglementarisch ist die S. um den
festen Drehpunkt bei allem Ab- und Einschwenken, sowohl von der Stelle, als
in der Bewegung. Achtel-Schwenkungen kommen nur als Directions-Veränderungen vor, ganze S.en gar nicht. Die Cavalerie benutzt die Achtel-
Schwenkung mit Zügen zur Bildung der Halbcolonne; die Kehrt-Schwen-
kung mit Zügen behufs Rückwärts-Bewegungen. Die S. des Regiments
geschieht nur selten der das Pivot einschließenden Escadron in gewöhnlicher
Weise; die übrigen rücken (durch Abschwenken um ein Achtel, Vorgehen und
nochmalige Achtel-Schwenkung) succeſsive in die neue Frontlinie ein. Alles
Schwenken in der Bewegung geschieht um den beweglichen Drehpunkt. Die

Artillerie hat, ähnlich der Cavalerie, Achtel-, Viertel- und halbe Schwenkungen (letztere selten vorkommend). Bei der S. kann gleichzeitig die Intervalle verändert (geöffnet oder geschlossen) werden. Das Abschwenken mit geschlossenen Zügen aus der geöffneten Batteriefront und umgekehrt, wird hier Wendung genannt. — Der Begriff S. wird auch auf die Directions-Veränderungen der taktischen Einheiten höherer Ordnung, selbst auf diejenigen von Armee-Corps und Armeen bezogen, wenn es sich hier auch nur um ein successives, in der verschiedenartigsten Weise auszuführendes Einrücken in eine neue Frontlinie handeln kann (S. der I. und II. deutschen Armee um Metz herum im August 1870, zu den Kämpfen des 16.—18. führend). Vgl. weiter Taktik x. 2) Ueberhaupt mit Drehen gleichbedeutend, als Abschwenken einer Brücke (s. Abbrechen, Bd. I., S. 6); Drehung einer Lafette oder ihres Rahmens, daher bei letzterem Schwenkbahn, Schwenkteil, Schwenkrad. Auf den Schwenkrädern ruht der Rahmen (s. d. Bd. VII., S. 286) mit seinem hinteren Theile; sie selbst laufen auf einer kreisförmigen Bahn aus Stein oder Eisen, der Schwenkbahn. Das Herumbringen ein Schwenklafette von ihrem Rahmen nach der Seite wird Abschwenken genannt; hierbei dienen Schwenkteile als Unterlagen für die Räder bei ihrer Drehung.

Schweppermann, Siegfried, ein durch seine Kriegserfahrung und den bei Mühldorf erfochtenen Sieg berühmter Ritter, stammte aus einer Nürnberger Patricierfamilie, zog 1315 an der Spitze der fränkischen Hülfstruppen mit dem Burggrafen Friedrich von Nürnberg im Kriege des am 20. Oct. 1314 zum Deutschen Kaiser gewählten Herzogs Ludwig IV. von Baiern gegen den am 19. Oct. 1314 gleichfalls zum Kaiser ernannten Herzog Friedrich III. von Oesterreich dem Ersteren zu Hülfe und zeichnete sich in diesem siebenjährigen Kampfe um die Kaiserkrone mehrfach aus, namentlich auch (nach einer bisher vielfach verbreiteten Angabe) am 28. Sept. 1322 in der Schlacht bei Mühldorf am Inn (im jetzigen bairischen Regierungsbezirk Oberbaiern), wo er, als der Sieg bereits geschwankt, den Oberbefehl über die gesammten Truppen Ludwig's übernommen, die flüchtigen Baiern wieder zum Stehen gebracht und den Sieg für Ludwig entschieden haben soll, durch welchen von diesem in den Alleinbesitz der Kaiserkrone gelangte. Als am Abende nach dem Siege wegen Mangels an Vorräthen nur eine Schüssel mit Eiern auf die kaiserliche Tafel kam, soll der Kaiser dieselbe mit den Worten vertheilt haben: „Jedem Manne ein Ei, dem frommen S. zwei!" Dieser Ausspruch fand sich in der That auch als Grabschrift S.'s, welche im Kloster Kastell (im jetzigen bairischen Regierungsbezirk Oberpfalz zwischen Neumarkt und Amberg) zu Anfang des 18. Jahrhunderts noch zu sehen war. Nichtsdestoweniger haben neuere historische Forschungen ergeben, daß der Sieg bei Mühldorf nicht durch S. entschieden wurde, und daß der kaiserliche Ausspruch entweder apokryph ist oder doch nicht von jenem Abende datirt; es war vielmehr der kaiserliche Feldhauptmann Graf Konrad von Schlüsselburg, welcher den Sieg entschied; die Urkunden erwähnen nicht einmal die Theilnahme S.'s an der Schlacht bei Mühldorf; auch die Grabschrift enthielt nichts von seiner Theilnahme an dieser Schlacht. Dagegen erwähnen die Urkunden, daß S. 1318 den Sieg in der Schlacht bei Gunterstorf oder Gammelstorf (im jetzigen bairischen Regierungs-Oberbaiern) entschied und für den in diesem Gefecht erlittenen Schaden vom Kaiser Ludwig die Burg zu Grunsberg für 300 Pfund Denare verliehen erhielt.

Schwerin, Mecklenburg-Schwerin, Großherzogthum, s. Bd. VI., S. 153.

Schwerin, Haupt- und Residenzstadt des Großherzogthums Mecklenburg-Schwerin, an der Westseite des Schweriner Sees und der Mecklenburger Eisenbahn (Linie Hagenow-Kleinen-Rostock), Sitz der höchsten Landesbehörden und des Commandos der 17. Division, hat ein prächtiges Residenzschloß (auf einer

Insel des Sees), ein 1841 erbautes Arsenal, ein ehernes Standbild des Großherzogs Paul Friedrich (von Rauch) und (1867) 25,053 Einwohner.

Schwerin, Kurt Christoph, Graf von, preußischer Generalfeldmarschall, geb. 16. Oct. 1684 in Schwedisch-Pommern, studirte in Leyden, Greifswald und Rostock, trat 1700 als Fähnrich in holländische Dienste, nahm an dem Feldzug von 1704 unter Marlborough und Prinz Eugen Theil, focht mit bei Ramillies und Malplaquet, wurde 1705 Hauptmann, nahm 1706 mecklenburgische Dienste, wurde 1708 Oberst, ging 1711 in geheimem Auftrage des Herzogs von Mecklenburg zu dem König Karl XII. von Schweden nach Bender, blieb bei demselben ein volles Jahr, wurde nach seiner Rückkehr vom Herzog zum Brigadier und 1718 zum Generalmajor ernannt und schlug 1719 bei Walsmühlen das Reichsexecutionsheer (Hannoveraner und Braunschweiger). Als im Stockholmer Frieden von 1720 der Theil von Schwedisch-Pommern, in welchem S.'s Güter lagen, an Preußen gekommen war, trat er in preußische Dienste, ging als Gesandter des Königs Friedrich Wilhelm I. nach Warschau, wo er die Unruhen in Thorn zu Gunsten der Protestanten beilegte, wurde 1730 zum Gouverneur von Peitz, 1731 zum Generallieutenant ernannt, vertrieb 1733 die hannoverschen Truppen abermals aus Mecklenburg und avancirte 1739 zum General der Infanterie. Von Friedrich II. bei seiner Thronbesteigung 1740 zum Generalfeldmarschall und in den Grafenstand erhoben, commandirte S. im Ersten Schlesischen Kriege den rechten Flügel des preußischen Heeres, drängte die Oesterreicher unter General Browne bis nach Mähren zurück, übernahm am 10. April 1741 in der fast verlorenen Schlacht von Mollwitz, als der König bereits das Schlachtfeld verlassen hatte, den Oberbefehl und entschied durch einen energischen Angriff den Sieg. Nach dem Breslauer Frieden von 1742 wurde er Gouverneur der Festungen Brieg und Neisse, rückte beim Ausbruch des Zweiten Schlesischen Krieges im Mai 1744 durch die Grafschaft Glatz in Böhmen ein, vereinigte sich bei Prag mit Friedrich dem Großen, begann die Belagerung dieser Stadt und zwang sie am 16. Sept. 1744 zur Capitulation. Als später die Preußen durch das Erscheinen einer sächsischen Hülfsarmee sich genöthigt sahen, Prag und Böhmen wieder zu räumen, führte S. diesen schwierigen Rückzug mit großem Ruhme aus, zog sich aber dann zur Wiederherstellung seiner angegriffenen Gesundheit auf seine Güter nach Pommern zurück und trat erst 1756 beim Ausbruch des Siebenjährigen Krieges wieder in activen Dienst. Er erhielt den Oberbefehl über das dritte preußische Heer, welches von Schlesien aus die Oesterreicher beobachten sollte, drang nach der Schlacht von Lobositz (1. Oct. 1756) in Böhmen ein und verhinderte hier Piccolomini, sich mit Browne zu vereinigen. Den Feldzug von 1757 eröffnete S. an der Spitze eines Corps, mit welchem er in Böhmen einrückte, drängte hier die Oesterreicher überall zurück und vereinigte sich kaum mit dem König, welcher von Sachsen aus gegen Prag vordrang, auf dessen Verhöhen die Oesterreicher unter dem Herzog Karl von Lothringen ein stark verschanztes Lager bezogen hatten. Am 6. Mai 1757 schritten die Preußen zum Angriff, welcher nur auf dem österreichischen rechten Flügel unternommen werden konnte. Als nach mehren mißlungenen Stürmen der preußische linke Flügel bereits zu wanken begann, ergriff der zweiundsiebzigjährige Feldmarschall selbst die Fahne, um seine Colonnen zu einem neuen Angriffe zu führen, wurde aber bereits nach wenigen Schritten von vier Kartätschenkugeln niedergestreckt und erlebte somit den Sieg des Königs nicht mehr. Unter allen preußischen Helden des Siebenjährigen Krieges ist S. am meisten gefeiert und betrauert worden; zahlreiche Volksgesänge brachten seinen Namen auf die Nachwelt. Friedrich der Große ließ ihm auf dem Wilhelmsplatze zu Berlin eine Marmorstatue errichten; ebenso ist ihm bei Prag auf der Stelle, wo er fiel,

eine Denkfäule gefetzt worden. S. fchrieb eine „Kriegskunft" und mehre
religiöfe Lieder. Vgl. „Leben des Grafen von S.", Berlin 1790.

Schwerkraft ift ein Ausfluß der allgemeinen Maffen-Anziehung oder
Gravitation, und man verfteht fpeciell unter S. die Anziehungskraft,
welche die Erde, vermöge ihrer überwiegenden Maffe, auf alle in der Nähe
ihrer Oberfläche befindlichen Körper ausübt. Alle nicht unterftützten Körper
nähern fich infolge deffen vom Mittelpunkt der Erde, in dem man fich ihre
Maffe concentrirt denken kann, und zwar infolge der continuirlich wirkenden
Anziehung mit gleichförmig befchleunigter Gefchwindigkeit. Die Linie, in
welcher die Bewegung erfolgt, heißt die Lothrechte. Körper, welche auf einer
Unterlage ruhen, üben auf letztere vermöge der S. einen Druck aus, welchen man
als ihre Schwere oder ihr Gewicht bezeichnet. — Die Gefetze der S.
find durch Galilei gefunden und heißen: 1) Ein im luftleeren Raum frei
fallender Körper erlangt am Ende der 1. Secunde eine Gefchwindigkeit von
$9,_9$ ^{m} am Ende der 2. das doppelte, am Ende der n. Sec. das nfache.
2) Die Fallräume in den einzelnen Secunden verhalten fich wie die ungeraden
Zahlen (in der 1. Sec. $^9,^1 = 4,_9$ ^{m} in der 2. Sec. $3.4,9$ ^{m} in der 3. Sec.
$5.4,9$ ^{m} in der n. Sec. $[2n — 1]$ $4,_9$ ^{m}) 3) Die Fallräume überhaupt verhalten fich wie die Quadrate der Zeiten (Fallraum in der 1. Sec. $4,_9$ ^{m} in
2 Sec. $4.4,9$ ^{m} in 3 Sec. $9.4,9$ ^{m} in n Sec. n^2 $4,_9$ ^{m}) — In innigem
Zufammenhang mit der S. ftehen auch die Gefetze der Pendel-Bewegung.

Schwerpunkt heißt derjenige Punkt eines Körpers, in welchem man fich
das Gewicht fämmtlicher Molekule deffelben vereinigt denken kann. Eine Kraft,
gleich dem Gewicht eines Körpers, deren Richtung die Lothrechte und deren
Angriffspunkt der S. des Körpers ift, hält der Schwere des letzteren das
Gleichgewicht. Ein fefter Körper ift daher im Gleichgewicht, fobald fein S.
unterftützt ift. — Der S. ift nur bei einfachen Körpern auf mathematifchem
Wege leicht zu beftimmen. — Die Lage des S. es zur Unterftützungsfläche und die
Ausdehnung der letzteren find entfcheidend für die Stabilität eines Körpers. —
Man fpricht auch in figürlichem Sinne vom S. einer Macht, Organifation,
Stellung ꝛc. und meint dann den entfcheidenden Punkt.

Schwert, übliche Bezeichnung für die Hieb- und Stichwaffen der
Ritterzeit, auch in poetifchem Sinne für Säbel, Degen überhaupt.

Schwertorden. 1) (Schwertbrüder, Brüder des Ritterdienftes
Chrifti, Gladiferi, Enfiferi, Fratres militiae Christi), ein geiftlicher Ritterorden
in Livland, welcher um 1200 von Albrecht von Apeldern, Bifchof von Riga
und Belehrer der Liven, zur weiteren Verbreitung des Chriftenthums unter
den nordifchen Völkern geftiftet wurde, die Verfaffung der Tempelherren annahm, und deffen Befitzung dem Deutfchen Reiche angehörte. Der Hauptfitz
des Ordens war zuerft die Ordensburg zu Wenden, wo auch die Ordensmeifter
begraben liegen. Der Orden eroberte im Jahre 1520 Kurland und Eftland
mit Reval, hielt fich aber dennochacht für zu fchwach, um felbftftändig be-
ftehen zu können und verband fich daher unter Vermittelung des Papftes
Gregor IX. 1237 mit dem Deutfchen Orden. Der deutfche Hochmeifter ftellte
nun einen Landmeifter (Magister provincialis) an die Spitze des S. es, der zu
Riga feinen Sitz nahm. Der Landmeifter Walther von Plettenberg (1493
bis 1535) erlangte vom Deutfchen Hochmeifter Albrecht von Brandenburg,
welcher Beiftand gegen die Polen beburfte, 1521 wieder eine gewiffe Selbft-
ftändigkeit des S. es und das Recht, fich felbft einen Heermeifter zu wählen.
Zugleich ernannte ihn der Kaifer zum Reichsfürften mit Sitz und Stimme
auf dem Reichstage, und derfelbe führte nun den Titel Fürftenmeifter. Nach
Einführung der Reformation in Livland legte Gotthard Kettler, der letzte
Fürftenmeifter des S. es, 1562 freiwillig feine Würde nieder, trat Livland an

Polen ab, und ließ sich von diesem als Herzog von Kurland und Semgallen belehnen. Vgl. Pott, „De Gladiseris in Livonia". Erlangen 1806.

2) (Das Gelbe Band), schwedischer Militär-Orden, angeblich 1522 vom König Gustav I. Wasa *) gestiftet, 1728 von Friedrich I. zur Belehnung tapferer Handlungen des Landheeres und der Marine erneuert, 1761 von Adolf Friedrich mit einer Ersten Classe versehen, 1798 von Gustav IV. in den Statuten revidirt, 1850 von Oscar I. durch eine Fünfte Classe erweitert. Die fünf Classen sind: Commandeure mit dem Großen Kreuze, Commandeure, Ritter mit dem Großen Kreuze, Ritter, Schwertmänner. Die Zahl der Mitglieder ist unbeschränkt; mit den höheren Classen sind Pensionen verbunden; schwedische Offiziere, welche zwanzig Jahre untadelhaft gedient haben, erhalten geschlich den S. ohne Weiteres. Die Decoration ist ein goldenes, weiß emaillirtes, achtspitziges mit einer goldenen Königskrone bedecktes Kreuz; mit goldener Einfassung und vier Kronen in den vier Winkeln; über jeder derselben liegen zwei gekreuzte Schwerter. Der Avers enthält auf azurblauem Grunde ein goldenes, aufrechtstehendes, entblößtes Schwert von den drei schwedischen Kronen umgeben; der Revers dasselbe Schwert mit einem Lorbeerkranze auf der Spitze und von der Devise: „Pro patria" umgeben. Das Band ist gelb. Das Bewerben um den S. ist untersagt. Das Großkreuz kann selbst der König nur durch den Ausspruch der Armee erhalten. Für die Mannschaft besteht eine dem S. affiliirte Schwertmedaille; dieselbe ist von Silber, enthält auf dem Avers die drei schwedischen Kronen mit einem aufrecht stehenden Schwerte und der Umschrift: „Konung och Fäderneslad" (König und Vaterland), auf dem Revers: „För krigsmanna förtjenster" (Für Kriegsmannen-Verdienste) und hat oben die königliche Krone. Soldaten und Matrosen müssen, um die Schwertmedaille erhalten zu können, entweder sechzehn Jahre untadelhaft gedient oder im Kriege sich ausgezeichnet haben.

Schwimmen nennt man die Fertigkeit, ohne den Boden zu berühren, im Wasser sich freiwillig fortbewegen resp. auf der Oberfläche erhalten zu können. Die Kunst des S.s ist sehr alt, und schon von den Römern wurde großer Werth darauf gelegt; sie bezeichneten einen Untüchtigen und Ungeschickten mit: „neque natare neque literas didicit." Auch in den europäischen Heeren ist das S. seit langer Zeit geübt worden. So durchschwamm 1790 bei Bilten in der Schweiz unter Anführung des Arjutant-Majors Debors eine franzöf. Compagnie die 40 ° breite Linth. Sie hob den am rechten Ufer stehenden österreichischen Posten auf und bereitete so den Uebergang der Division Soult vor. Dagegen ertrank in der Schlacht bei Schleswig, am 23. April 1848, eine dänische Jäger-Compagnie in der Otterluhe, weil sie des S.s unkundig war. In Preußen hat der verstorbene General von Pfuel (s. d. Ob. VII., S. 133) das S. in der Armee eingeführt. Nach dem Muster seiner 1817 in Berlin gegründeten Anstalt wurden nach und nach in fast allen Garnisonen derartige Einrichtungen getroffen, in denen nach der Pfuel'schen Methode unterrichtet wurde. In Frankreich hat zuerst der Bataillons-Chef d'Argy dem Schwimm-Unterricht weitere Verbreitung verschafft. Der wesentlichste Unterschied beider Lehrmethoden besteht darin, daß bei der ersteren der Schüler von vorn Anfang an im Wasser unterrichtet wird, während er bei der letzteren die ganze Vorschule, d. h. die Schwimm-Bewegungen auf dem Lande durchmacht. Der Schüler kommt hierbei erst ins Wasser, wenn er jene sich zu eigen gemacht hat, ohne darum schon schwimmen zu können. Es kann dies überhaupt nur als eine Vorübung be-

---

*) Anmerkung. Gustav Wasa wurde jedoch erst 1523 zum König erwählt; vgl. Schweden, S. 267.

trachtet werden. Der Unterricht im Wasser findet in sogenannten Schwimm-
bassins statt, welche mit einer Schwimmbrücke versehen sind. Von letzterer
springt der Schüler in's Wasser (hierzu auch Gerüste mit mehren Etagen),
während sie dem Lehrer als Standpunkt dient. Ein starker breiter Gurt wird
dem Schüler um den Leib und über eine Schulter befestigt; am Ende desselben
befinden sich zwei Ringe, durch welche eine lange Leine gezogen wird. Der Schüler
muß nun in das Wasser springen, der Lehrer zieht ihn wieder empor und
befestigt die Leine an einer langen Stange und zwar so kurz, daß der Körper
des Schülers flach auf dem Wasser liegt. Der Lehrer legt nun die Stange
auf das Geländer der Schwimmbrücke auf und hält sie mit einem Fuße fest.
So werden erst die Bewegungen der Arme, dann die der Beine geübt
und erst, wenn Beides correct geht, vollständige Schwimmstöße gemacht.
Der Lehrer führt dabei die Stange allmählich etwas vorwärts und läßt außerdem mit dem Gegendruck immer mehr nach. Kann sich der Schüler auf dem
Wasser halten, so wird die Stange entfernt und derselbe nun an der losen
Leine geführt. Ist er im Stande, mindestens eine Viertel-Stunde ohne Unterbrechung zu schwimmen, so wird die Leine abgenommen, d. h. er schwimmt
sich frei, darf aber das Bassin noch nicht verlassen. Zur weiteren Ausbildung wird noch eine sogenannte Fahrt gemacht, d. h. eine halbe Stunde ab-
geschwommen und dann erschwerte Uebungen, erst mit theilweiser, dann mit
ganzer Bekleidung und endlich mit vollständiger Ausrüstung vorgenommen.
Die normale Haltung des Körpers beim S. muß so sein, daß die Athem-
werkzeuge vollständig aus dem Wasser bleiben und beim Vorwärtsstoßen
des Körpers stets die obere Brust aus dem Wasser herauskommt. Die Bewegungen der Arme und Beine sind dabei denen des Frosches nachgeahmt.
Auch in England und Oesterreich bestehen derartige Schwimm-Anstalten, die
in neuerer Zeit fast bei allen Armeen Eingang gefunden haben. Das S.
hat für die Soldaten den doppelten Nutzen, daß es einerseits den Körper
kräftigt und den persönlichen Muth hebt, dann aber auch denselben geschickt macht,
in der Gefahr sich selbst und Andere retten zu können, und zu besonderen
Kriegsunternehmungen verwendet zu werden. Es muß möglichst von allen
Leuten gründlich erlernt werden; namentlich bei den Pontonnieren ist es ein
Haupterforderniß. Innerhalb vier Wochen kann man die meisten Leute zu
Fahrtenschwimmern ausbilden. Durchschnittlich erlernen in Preußen etwa zwei
Drittheile der Armee während ihrer activen Dienstzeit das S. — Literatur:
von Pfuel, „Instruction für den Schwimmunterricht", Berlin 1817; von
Corvin-Wiersbitzky, „Die Schwimmkunst", Berlin 1855; d'Argy, „In-
struction für den Schwimmunterricht in der französischen Armee", übersetzt
von A. v. Wins, Berlin 1857; Witzleben, „Heerwesen und Infanterie-
Dienst", Berlin 1870.

Schwimmende Batterien, flachgehende, nur wenig die Wasserlinie überragende, stark mit Geschütz armirte Fahrzeuge, mit der Bestimmung, beim
Angriff auf Landbefestigungen von der See aus gebraucht zu werden. Wegen
ihres geringen Tiefganges können sich S. B. der Küste viel mehr nähern, als
Hochbordschiffe und bieten zudem ein viel geringeres Zielobject. Dagegen sind
sie für die hohe See untüchtig. Ursprünglich benutzte man aneinander ge-
koppelte Schiffe oder auch Flöße, auf denen man starke Brustwehren aus
Wollsäcken, Faschinen, Holz errichtete, so in den Niederländischen Freiheits-
kämpfen. Vor Gibraltar (s. d. Bd. IV., S. 224) wurde ebenfalls von
S. B. Gebrauch gemacht, indeß ohne Erfolg. Im 19. Jahrhundert wurden
sie durch die Kanonenboote (s. d. Bd. V., S. 133), welche ebenfalls flach
gehen, schwächer armirt, aber seetüchtiger sind, verdrängt. Im Orientkriege
tauchten sie auf französischer und englischer Seite als gepanzerte Batterien

wieder auf (vgl. Batterie, Bd. II., S. 23), wurden aber späterhin durch die
Thurmschiffe oder Monitors ersetzt (s. Panzerung, Bd. VII., S. 17). —
Schwimmende Brückenunterlage, s. Brücke, Bd. II., S. 235; Schwim-
mende Sperrungen, s. Sperrungen.

Schwungmanier, eine ältere Art der Terraindarstellung, folgte auf
die ursprüngliche Methode, die Erhebungen durch perspectivisch gezeichnete
Berge wiederzugeben. Die S. bedient sich der Schwungstriche, d. i. kurzer
gekrümmter Striche, welche Fuß und Obertheil von Bergen und Gebirgen,
Richtung der Thäler, Gebirge und Abhänge bezeichnen; Böschungs- und Höhenverhältnisse bleiben unberücksichtigt. Major v. Müller (zur Zeit Friedr. d. Gr.)
wandte bereits die Stärke und Schwäche der Striche zur Bezeichnung des
Böschungsgrades an und schuf so den Uebergang zur Lehmann'schen Strichmanier (vgl. Terrain, Zeichnen). Literatur. Wichura: „Das militärische
Planzeichnen ꝛc.", Berlin 1872 ꝛc.

Schwurgerichte (Geschworengerichte; Jury, im mittelalterlichen Latein
jurata patriae) ist der deutsche Name für ein Rechts-Institut, das sich zunächst
in England aus altgermanischen Verhältnissen entwickelt hat und dessen Wesen
vorzugsweise darin besteht, daß nicht vom Staate angestellte richterliche Beamte,
sondern aus der Mitte des Volkes selbst gewählte, eidlich in Pflicht genommene,
nicht nothwendig rechtsgelehrte Vertrauensmänner (Geschworene, englisch
jurymen, französisch jurés) in den einer gerichtlichen Behandlung unterbreiteten
Fällen über die factischen Fragen, ohne an Beweisregeln gebunden zu sein,
nur nach ihrer moralischen Ueberzeugung, ihren Wahrspruch (Verdict, ver-
dictum) abgeben, auf Grund dessen dann rechtsgelehrte Richter unter Anwendung des betreffenden Gesetzes das Urtheil fällen. Aus England ging das
Institut zunächst nach Nordamerika und 1791 nach Frankreich über. In
Deutschland bestand es bis 1848 nur in den linksrheinischen (bis 1814 zu
Frankreich gehörigen) Provinzen Preußens, Baierns und Hessens, wurde aber
bei der deutschen Bewegung des Jahres 1848 eine der Hauptforderungen des
Volkes und demgemäß auch seitdem nach und nach in den meisten deutschen
Ländern eingeführt. Bis zu einem gewissen Grade beruht das Militär-
strafverfahren (s. d. Bd. VI., S. 118 f., vgl. Militärgerichte Bd. VI.,
S. 89 und 90) auf dem Wesen des S., insofern militärische Geschworene
in verschiedenen Fällen über die Thatfrage (in anderen Fällen auch über die
Rechtsfrage) entscheiden, worauf dann in den ersteren Fällen der rechtsgelehrte
Richter (Auditeur) über die Rechtsfrage entscheidet. Vgl. Gneist, „Die Bildung
der Geschworengerichte in Deutschland", Berlin 1849; Köstlin, „Das Ge-
schworenengericht, für Nichtjuristen dargestellt", Tübingen 1849.

Scludia, Staat der S., s. Gwalior.

Sclo, s. Skio.

Scipio, eine zur Gens Cornelia gehörende römische Patricierfamilie, deren
Name sich von Cornelius herschrieb, welcher, seinen blinden Vater führend,
diesem als Stab (scipio) und Stütze gedient hatte. In der Kriegsgeschichte
sind besonders namhaft: 1) **Publius Cornelius S.,** zeichnete sich 396 v. Chr.
bei der Eroberung von Veji aus, kämpfte 395 als Kriegstribun (Tribunus
militum cum consulari potestate) glücklich gegen die Falisker. 2) **Lucius
Cornelius S. Barbatus,** war 298 v. Chr. Consul, zeichnete sich im Samnitischen Kriege aus, eroberte Taurasia, Cisauna und Samnium und unterwarf Lucanien. 3) **Lucius Cornelius S.,** Sohn des Vor., war 259 v. Chr.
Consul, nahm im ersten Punischen Kriege den Carthagern die Inseln Corsica
und Sardinien und feierte dem bei der Eroberung von Olbia gefallenen carthagischen Feldherrn Hanno ein prächtiges Leichenbegängniß. 4) **Cnejus Cornelius
S. Asina,** war 260 v. Chr. Consul, leitete den Bau der ersten römischen

Kriegsflotte im ersten Punischen Kriege, ging dann mit 17 Schiffen nach Messina, um die übrige Flotte zu verproviantiren, wurde von den Carthagern gefangen, 256 von Regulus befreit, 254 wieder Consul und nahm den Carthagern mehrere Plätze in Sicilien. 5) Cnejus Cornelius S. Calvus, Sohn des S. 3., war 222 v. Chr. Consul, unterstützte seinen Collegen Cl. Marcellus im Kriege gegen die Cisalpinischen Gallier und eroberte Acerrä, entriß 218 (im ersten Jahre des zweiten Punischen Krieges) mit seinem Bruder Publius (s. den folg.) den Carthagern in Spanien alle Plätze zwischen der Mündung des Iberus (Ebro) und den Pyrenäen, schlug den carthagischen Feldherrn Hanno bei Scissum und nahm ihn gefangen, eroberte dann Tarracon, besiegte 217 an der Mündung des Iberus den carthagischen Feldherrn Hasdrubal (den Bruder Hannibal's) und hielt ihn dadurch ab, nach Italien zu gehen, um seinen Bruder zu unterstützen, schlug die Carthager im Laufe der nächsten Jahre noch mehrmals und fiel 212 bei Urse. 6) Publius Cornelius, Bruder des Vor., war 218 v. Chr. Consul, kämpfte mit seinem Bruder in Spanien gegen die Carthager, konnte dann aber den Uebergang Hannibal's über die Rhône nicht hintern, ging deshalb wieder nach Italien zurück, landete bei Genua, wurde von Hannibal in einem Reitergefecht am Ticinus geschlagen, zog sich darauf nach der Trebia zurück, wo er zugleich mit seinem Collegen Tiberius Sempronius (welcher den Oberbefehl führte) abermals geschlagen ward, bezog hinter dem Padus (Po) Winterquartiere, ging 217 mit einer Armee und einer Flotte nach Spanien, wo die Carthager gleichfalls siegreich gewesen waren, landete bei Tarracon, vereinigte sich mit seinem Bruder Cnejus, schlug während der nächsten Jahre die Carthager bei Ibera, Illiturgis und Intibili und fiel 212 in der Schlacht bei Amitergis. 7) Publius Cornelius S. Nasica, Sohn des S. 5., war 194 v. Chr. Prätor und 193 Proprätor in Spanien, wo er die Lusitaner besiegte und schlug 191 als Consul im Cisalpinischen Gallien. 8) Publius Cornelius S. Africanus major, Sohn des S. 6., einer der größten Feldherren der Römer, geb. 235 v. Chr., focht bereits 218 unter seinem Vater am Ticinus und rettete ihm dort das Leben, nahm als Tribun 216 an der Schlacht bei Cannä Theil und rettete sich mit dem Reste der Armee nach Canusium, wo er ein Commando übernahm, wurde 212 (obgleich er das gesetzliche Alter noch nicht hatte) zum Aedil gewählt, ging 210 als Proconsul mit einer Flotte unter Cajus Lälius nach Spanien, landete an der Mündung des Iberus, eroberte Neu-Carthago, den wichtigsten Handels- und Waffenplatz der Carthager in Spanien, gewann durch Großmuth und Milde die Bevölkerung der spanischen Küstenlandschaften, schlug 209 die Carthager unter Hasdrubal bei Bäcula, ohne diesen jedoch hintern zu können, nach Italien abzuziehen, besiegte 208 die Carthager unter Hanno und Mago, zwang Hasdrubal, sich in die festen Plätze zurückzuziehen, schlug 207 Hasdrubal und Mago abermals bei Bäcula, vollendete durch die Einnahme von Gades die Unterwerfung des carthagischen Spaniens, kehrte 206 nach Rom zurück, wurde 205 zum Consul gewählt, beabsichtigte nun den Krieg nach Afrika überzutragen, wurde jedoch vom Senat (namentlich von Fabius Cunctator) daran verhindert, erhielt dann Sicilien als Provinz und, trotz vielfacher in Rom gegen ihn gespielter Intriguen, zugleich die Erlaubniß, von da nach Afrika zu gehen. Im Jahre 204 erschien er als Proconsul mit einem Heere von 20,000 Mann in der Nähe von Utica am Carthagischen Meerbusen, wo er den König Masinissa von Numidien seiner harrend, aber den Numidier Syphax von den Römern abgefallen und mit Hasdrubal verbündet fand. S. belagerte nun Utica, verbrannte das Lager des Syphax, zog die numidischen Reiter Masinissa's an sich, überwinterte dann in einem verschanzten Lager vor Utica, schlug Hasdrubal

und Syphax 203 zwei Mal, nahm Letzteren gefangen, eroberte die carthagischen Küstenstädte, worauf die Carthager im Herbst 203 Hannibal aus Italien
nach Afrika zurückriefen. Nach vergeblichen Friedensunterhandlungen zwischen
beiden Feldherren kam es am 19. Oct. 202 bei Zama (s. d.) zur Schlacht,
in welcher Hannibal entscheidend geschlagen wurde. Nachdem S. einen Frieden
vermittelt, welcher die Macht Carthago's brach, kehrte er als Triumphator nach
Rom zurück und erhielt den Beinamen Africanus. Im Jahre 199 wurde
er Censor, 194 zum zweiten Male Consul, 193 als Schiedsrichter nach Afrika
gesandt, um die Streitigkeiten zwischen Masinissa und Carthago beizulegen
(was ihm jedoch nicht gelang); 190 ging er, von seinem Bruder Lucius (s. b.
folgenden) als Legat begleitet, zur Bekämpfung des Königs Antiochus III. von
Syrien nach Griechenland, erhielt den König Prusias von Bithynien, welchen
Antiochus zum Abfall von Rom zu bewegen versucht hatte, den Römern treu,
schlug Antiochus bei Magnesia und zwang ihn zu einem nachtheiligen Frieden.
Demungeachtet wurde S. nach seiner Rückkehr nach Rom auf Veranlassung
einer den Scipionen feindlichen Partei, an deren Spitze Cato stand, von den
Tribunen vor dem Volke angeklagt, von Antiochus bestochen worden zu sein
und ihm zu milde Friedensbedingungen gestellt zu haben. S. verschmähte es,
sich zu vertheidigen und beschränkte sich darauf, zu antworten, daß heute der
Tag sei, an welchem er den Hannibal geschlagen; man solle ihm auf das
Capitel folgen und dort den Göttern danken. Tiberius Gracchus übernahm
seine Vertheidigung; das Volk erkannte das dem Helden widerfahrene Unrecht,
und der Prozeß wurde niedergeschlagen. S. zog sich dann auf sein Landgut
bei Liternum in Campanien, starb dort 183 v. Chr. (nach Polybius; nach
Anderen schon 185 oder 184) und wurde auch daselbst begraben. Sein Denkmal in Liternum war schon zu Livius' Zeit zerstört; eine Bildsäule von ihm
stand in dem Tempel des Capitolinischen Jupiter zu Rom, eine andere in dem
Grabmal der Scipionen vor dem Capenischen Thor in Rom. Seine Tochter
Cornelia war die Mutter der Gracchen. 9) Lucius Cornelius S. Asiaticus, Bruder des Vor., focht unter seinem Bruder in Spanien, wurde 190
Consul, begleitete seinen Bruder in den Krieg gegen Antiochus, hatte wesentlichen Antheil am Siege von Magnesia, feierte bei seiner Rückkehr einen
Triumph und erhielt den Beinamen Asiaticus, wurde aber dann zugleich
mit seinem Bruder angeklagt, den Staat um einen Theil der von Antiochus
bezahlten Kriegscontribution betrogen zu haben, trotz seiner sich bei der Untersuchung herausstellenden Unschuld zu einer hohen Geldbuße verurtheilt und
mußte deshalb seinen Grundbesitz verkaufen. 10) Publius Cornelius S.
Aemilianus Africanus minor Numantinus, ein Sohn des Lucius
Aemilius Paulus, wurde von Publius Cornelius S. (einem Sohn des S. 9.)
adoptirt 151 v. Chr. das Heer des Lucullus als Kriegstribun und
Legat nach Spanien, zeichnete sich bei der Eroberung der Stadt Intercatia aus,
deren Mauer er zuerst erstieg, ging 150 als Gesandter zu Masinissa, diente
149 (im ersten Jahre des dritten Punischen Krieges) als Kriegstribun, wurde
147 zum Consul erwählt und mit der Beendigung des Krieges gegen Carthago
beauftragt, ging, von Polybius und Lälius begleitet, nach Afrika, stellte die
Mannszucht unter den Truppen her, beschränkte die Carthager auf die Stadt
Carthago, belagerte diese dann und eroberte sie 146 nach einer verzweifelten
Vertheidigung. Die Flammen der erstürmten Stadt sollen siebzehn Tage ge-
wüthet, und S. bei dem Anblick der rauchenden Ruinen, von einer Ahnung
über den einstigen Fall Roms ergriffen, unter Thränen die Homerischen Worte
ausgerufen haben: „Einst wird kommen der Tag, wo die heilige Ilios hinsinkt!"
S. kehrte als Triumphator nach Rom zurück und erhielt den Beinamen
Africanus minor. Im Jahre 142 wurde er zum Censor, 134 zum zweiten

Mai zum Consul erwählt und mit der Beendigung des Krieges gegen Numantia (s. d.) beauftragt, konnte aber erst nach fünfzehnmonatlicher Belagerung 133 die Stadt erobern und erhielt dafür den Beinamen Numantinus. Doch auch er erfuhr den Undank seines Volkes; nachdem er bei dem Ausbruch der Gracchischen Unruhen die Unternehmungen der beiden Gracchen (obgleich Schwager derselben) aus Staatsrücksichten mißbilligt hatte, verlor er einen Theil seiner Popularität und büßte diese vollständig ein, als er 129 den Ackergesetzentwurf (welcher die gleiche Vertheilung der Ländereien verlangte) bekämpfte. Am Tage nach einer Volksversammlung, in welcher er mit großer Entschiedenheit gegen die Volksführer gesprochen, wurde er in seinem Schlafgemache, anscheinend mit den Spuren der Erdrosselung, todt gefunden. Nach Einigen war er eines natürlichen Todes gestorben, nach Anderen ermordet worden, besonders gab man dem Papirius, einem seiner erbittertsten Gegner, indirect auch seiner eigenen Gattin Sempronia, eine Schwester der Gracchen, die Schuld.

Scorpion, eine kleinere Art Katapulten (s. d.); die kleinste Art derselben, unserer Armbrust ähnlich, aber auf einem Gestell ruhend, diente zum Schießen langer Pfeile und wurde Scorpiden genannt; vergl. Wurfmaschinen.

Scott, Winfield, Lieutenant-General der Vereinigten Staaten von Nordamerika, geb. 13. Juni 1786 zu Petersburg im Staate Virginien, wohin sein Vater, ein schottischer Jacobit, nach der Niederlage bei Culloden (1746) ausgewandert war, studirte Jurisprudenz, wurde 1806 Advocat, trat 1808 in die Armee, stand 1809 mit im Lager von New-Orleans, avancirte sehr rasch, war 1812 beim Ausbruch des Krieges mit England bereits Oberstlieutenant, als welcher er nach der canadischen Grenze beordert wurde, gerieth in der Schlacht bei Queenstown in Gefangenschaft, wurde bald ausgewechselt, eroberte am 27. Januar 1813 Fort George, vertheidigte dann dasselbe gegen die Engländer, avancirte dafür (mit 27 Jahren) zum Brigade-General, übernahm dann provisorisch das Commando, schlug am 5. Juni 1814 die Engländer unter General Riall bei Chippewa, zeichnete sich dann in der Schlacht bei Lundhs-Lane am Niagara aus, wo er schwer verwundet wurde, ging zur Wiederherstellung seiner Gesundheit nach Europa und studirte namentlich in Frankreich das Militairsystem, hielt nach seiner Rückkehr Vorlesungen über Kriegswissenschaften, übernahm dann das Commando des 10. Militairistrictes (in Washington), später das des östlichen Militairdepartements, kämpfte 1832, 1834, 1835 und 1838 die Indianeraufstände in Florida und anderen Theilen der Union, wurde am 25. Juni 1841 zum Major-General und an Stelle des verstorbenen Generals Macomb zum General-in-Chief ernannt, übernahm 1847 den Oberbefehl über die Armee gegen Mexico, eroberte nach vierwöchentlicher Belagerung am 8. April 1847 die Stadt Veracruz, schlug die Mexicaner am 18. April unter Santa-Anna bei Cerro-Gordo, nahm am 19. April Jalapa, am 22. April Perote, am 15. Mai Puebla ein, schlug am 19. und 20. August Santa-Anna und den General Valencia bei Churubusco und Contreras, erstürmte am 13. September die bewaldeten Höhen von Chapultepec, am 15. September die Hauptstadt Mexico und zwang die Mexicaner zum Frieden von Guadalupe-Hidalgo (2. Februar 1848), in welchem ein Ländercomplex von fast 30,000 geogr. Q.-M. an die Vereinigten Staaten abgetreten werden mußte (vergl. Mexico, Bd. VI., S. 77). Im Herbst 1848 trat er auf der Whig-Convention als Candidat für die Präsidentenwahl auf; doch wurde ihm Zachary Taylor vorgezogen. Bei der Präsidentenwahl von 1852 stellte ihn die Whigpartei zwar als Candidaten auf; er unterlag jedoch gegen den demokratischen Candidaten Franklin Pierce, welcher ihn, dann als Präsident, zum Lieutenant-General ernannte. Bei dem Ausbruche der Rebellion der Südstaaten im Herbste 1860 rieth er dem Präsidenten Buchanan dringend zur Besetzung der Häfen von Charleston, Pensacola und Mobile mit Unions-truppen, hielt fest zur Sache des Bundes, that überhaupt Alles, um die Pläne der Secessionisten im Keime zu ersticken, und kam darüber mit Buchanan mehrfach in scharfen Conflict. Den Einzug des neuen Präsidenten Lincoln in Washington, am 4. März 1861, schützte S. durch gut getroffene Vorsichts-maßregeln. Der Leitung des nun ausbrechenden Krieges war indeß S. bei seinem hohen Alter nicht mehr gewachsen. Nachdem Francis P. Blair, der Vertreter von Missouri, am 11. August 1861 die Mißgriffe S.'s einer scharfen Kritik unterworfen hatte, ließ man ihm zwar nominell noch den Oberbefehl, bildete aber aus Washington und dem nordöstlichen Virginien ein neues Militairdepartement, mit dessen Commando der General Mc Clellan betraut wurde. Am 31. October 1861 nahm S. definitiv seinen Abschied, behielt jedoch auf Lebenszeit sein volles Gehalt, reiste im November nach Frankreich, kehrte aber bald wieder nach Amerika zurück und starb am 29. Mai 1866 in Westpoint. Er schrieb: „General Regulations for the Army", 1825; „Memoirs" (seine Autobiographie), New-York 1864, 2 Bde.

Scutari, s. Skutari.

Sepoys (Sipoys, Sepoys, identisch mit dem Worte Sipahi oder Spahi, s. d.), die aus geworbenen Eingeborenen gebildeten Truppen der Briten in Ostindien. Vor dem Ausbruche der Revolution von 1857 (s. u. Ostindien Bd. VII., S. 4) unterhielt die Englisch-Ostindische Compagnie im Ganzen ein reguläres Heer von 202,849 Mann solcher Truppen aller Waffen und zwar 97,511 M. in der Präsidentschaft Calcutta (Bengalen), 68,178 M. in der Präsidentschaft Madras, 37,160 M. in der Präsidentschaft Bombay. Dieselben waren theils Mohammedaner, theils Brahmanen; das Officiercorps bestand jedoch theilweise aus Europäern. Außerdem bestanden ungefähr 48,500 M. irreguläre S. und ungefähr 12,500 M. starke aus S. gebildete Polizei-Bataillone in Bengalen und Bombay. Als nach der Niederwerfung des Aufstandes das Ostbritische Reich direct unter die Krone England kam (1. November 1858), wurden die S. in bedeutend verminderter Zahl als reguläre und irreguläre Native-Truppen neu organisirt; im Jahre 1870 belief sich die Zahl derselben auf 115,000 M. (über deren Organisation s. Großbritannien, Bd. IV., S. 280); außerdem giebt es jedoch auch noch jetzt mehrere aus Eingeborenen gebildete Polizei-Contingente indischer Fürsten. (Die Literatur über den S.-Aufstand s. unter Ostindien, Bd. VII., S. 4 f.)

Sebastian, Dom, König von Portugal, nachgeborener Sohn des Infanten Johann von Portugal und Johanna's, einer Tochter des Kaisers Karl V., geb. 1554, bestieg schon als Kind von drei Jahren 1557, als der Nachfolger seines Großvaters Johann III., unter der Regentschaft seines Großoheims, des Cardinals Heinrich, den Thron, wurde in religiösem Fanatismus erzogen, schwärmte für die Idee eines Kreuzzuges, um Afrika und Indien dem Christen-thum und den portugiesischen Krone zu unterwerfen, und unternahm deshalb, sobald er die Regierung persönlich angetreten, 1574 eine Expedition nach Tanger, von wo aus er die Mauren einige Zeit mit wechselndem Erfolge bekämpfte. Als 1578 Thronstreitigkeiten in Marokko ausbrachen, benutzte er gegen den Rath seiner Minister und Verwandten (insbesondere des Königs Philipp II. von Spanien) diese Gelegenheit, um hier zu interveniren und unterstützte den flüchtig gewordenen Prätendenten Mulei-Mehemmed gegen dessen Oheim, den regierenden Scherif Mulei-Hamet. Am 24. Juni 1578 segelte S. mit einem Heere von 10,000 Portugiesen, 2000 Spaniern, 3000 Deutschen, 600 geworbenen Italienern und zahlreichen Freiwilligen nach Tanger ab, drang von da weiter südlich vor, bis er auf der Ebene von

Alkaſſarquibir (Kaſſr-el-Kebir) auf das weit ſtärkere Heer des Scherifs ſtieß, wo es am 4. Auguſt 1578 zur Entſcheidungsſchlacht kam. Das portugieſiſche Heer wurde vollſtändig aufgerieben; S. fiel (ſeine Leiche aber wurde nicht gefunden); Mulei-Miehemmed ertrank auf der Flucht; doch auch der Scherif Mulei-Hamet, ſchon vor der Schlacht ſchwer erkrankt, ſtarb während des Kampfes in ſeiner Sänfte. Durch dieſe Unternehmung war die Blüthe der portugieſiſchen Ariſtokratie vernichtet, der finanzielle Wohlſtand des Landes erſchüttert, das Land thränenreich geworden. (Später traten mehrere Pſeudo-Sebaſtiane auf.) Zunächſt führte nun Cardinal Heinrich als Reichsverweſer die Regierung fort, wurde auch 1579 zum König ausgerufen, ſtarb aber ſchon am 31. Januar 1580. Mit ihm erloſch die alte legitime Dynaſtie (der burgundiſche Regentenſtamm) in Portugal und das Land fiel an Spanien. Vgl. Machado, „Memorias para a historia de Portugal que comprehendem o governo del rey Don S.", Liſſabon, 1736—51, 4 Bde.; d'Antas, „Les faux Don Sébaſtien", Paris 1865.

Sebaſtian, San, Hauptſtadt und Feſtung der ſpaniſch-baskiſchen Provinz Guipuzcoa, an der Nordküſte Spaniens, unweit der franzöſiſchen Grenze, auf einer Halbinſel am Biscayiſchen Meerbuſen (in welchen hier der kleine Fluß Urumea mündet) und an der Nordbahn (Linie Madrid-Toloſa-San Sebaſtian-Irun), welche von S. nach Bayonne zum Anſchluß an das franzöſiſche Eiſenbahnſyſtem abzweigt. Die Stadt iſt terraſſenförmig am Fuße eines Berges angebaut, hat ſtarke Umwallung, eine Citadelle (Caſtello de la Mota), ein Militair- und ein Civil-Hoſpital, einen Hafendamm, einen Leuchtthurm, eine Navigationsſchule, eine große Ankerfabrik, lebhafte Induſtrie und Handel, beſuchte Seebäder und 15,000 Einwohner. S. iſt ſehr alt und wurde am 31. Auguſt 1813 von den Engländern und Portugieſen erſtürmt, geplündert und größtentheils niedergebrannt, ſeitdem aber regelmäßig und in modernem Style wieder aufgebaut; am 26. September 1823 von dem franzöſiſchen Interventionscorps nach kurzer Belagerung durch Capitulation genommen; 1839 wurde es wieder von den Engländern beſetzt und am 16. Auguſt 1840 wieder von ihnen geräumt.

Sebaſtiani, François Horace Baſtien de la Porta, Graf von, franzöſiſcher Marſchall, geb. 1775 (nach Andern 1772) zu Porta unweit Baſtia auf der Inſel Corſica, trat 1792 in die franzöſiſche Armee, avancirte ſehr raſch, wurde bereits 1796 nach der Schlacht bei Arcole Escadronchef, 1799 Oberſt eines Dragoner-Regiments, trug weſentlich zum Gelingen des Staatsſtreiches vom 18. Brumaire des J. VIII. (9. November 1799) bei, erwarb ſich dadurch die beſondere Gunſt Bonaparte's, zeichnete ſich 1800 bei Marengo aus, leiſtete in den nächſten Jahren dem Erſten Conſul im Orient (namentlich in Conſtantinopel, Aegypten und Syrien) wichtige diplomatiſche Dienſte, wurde 1804 Brigade-General, beobachtete dann, während Napoleon im nördlichen Frankreich mit den Vorbereitungen zu einer Expedition nach England beſchäftigt war, auf Reiſen in Süddeutſchland incognito die Bewegungen der Oeſterreicher und trug durch ſeine Berichte dazu bei, den Kaiſer zum Kriege gegen Oeſterreich zu beſtimmen. In dieſem Kriege (1805) commandirte er dann eine Cavalerie-Brigade in der Avantgarde unter Murat und rückte am 13. November mit den erſten franzöſiſchen Truppen in Wien ein, zeichnete ſich am 2. December bei Auſterlitz aus, wurde dort ſchwer verwundet und zum Diviſions-General ernannt. Im Mai 1806 ging er als franzöſiſcher Geſandter nach Conſtantinopel, brach hier den engliſchen Einfluß und wußte unter den ſchwierigſten Verhältniſſen den Sultan Selim III. zur Kriegserklärung gegen Rußland zu bewegen. Als der britiſche Admiral Duckworth im Februar 1807 durch die Dardanellen vordringend vor Conſtantinopel erschien, forderte er sogleich die Entfernung S.'s; doch erfolgte diese erst 1808 nach dem Sturze Selim's. S. übernahm nun in Spanien zunächst das Commando über die erste Division des vierten französischen Corps (später über das ganze Corps) und kämpfte dort ruhmvoll bis 1811 (namentlich in den Schlachten bei Talavera, Almonacit und Occagna), kehrte dann nach Frankreich zurück, erhielt beim Ausbruch des Russischen Krieges von 1812 eine leichte Cavalerie-Division im zweiten Cavalerie-Corps unter Montbrun, übernahm nach Montbrun's Tode in der Schlacht an der Moskwa (7. September) das Commando über dieses Corps, befehligte auf dem Rückzuge eine Escadron der aus Officieren gebildeten sogenannten Heiligen Schaar (Légion sacrée), im Frühjahr 1813 eine Cavalerie-Division an der unteren Elbe, nach dem Waffenstillstande in dieser Eigenschaft wieder das neu organisirte zweite Cavalerie-Corps, focht mit diesem in den Schlachten an der Katzbach, bei Leipzig und bei Hanau, commandirte 1814 die Garde-Cavalerie, zeichnete sich bei Arcis-sur-Aube und St. Dizier aus, organisirte während der Hundert Tage 1815 die Nationalgarde von Amiens, wurde vom Departement Aisne als Mitglied in die Deputirtenkammer gewählt, ging nach der Niederlage Napoleons bei Waterloo in dieser Eigenschaft mit Lafayette, Benjamin Constant und anderen Deputirten in das Hauptquartier der Alliirten, um den Frieden zu vermitteln, zog sich, als diese Sendung scheiterte, nach England zurück, kehrte aber, da sein Name nicht auf der Proscriptionsliste stand, 1816 nach Frankreich zurück, wurde in den folgenden Jahren wiederholt in die Kammer gewählt, übernahm nach der Julirevolution von 1830 unter Louis Philipp am 11. August 1830 das Ministerium der Marine, am 17. November 1830 das der auswärtigen Angelegenheiten, nahm am 1. April 1834 seine Entlassung, ging dann kurze Zeit als Gesandter nach Neapel, 1835—40 in dieser Eigenschaft nach London, wurde bei seiner Rückkehr zum Marschall ernannt, 1842 Präsident der Commission über das Regentschaftsgesetz und starb am 21. Juli 1851 in Paris, nachdem er noch das tragische Schicksal seiner einzigen Tochter, der Herzogin von Praslin, erlebt hatte, welche am 17./18. August 1847 von ihrem Gatten ermordet wurde. Er wurde am 12. August 1851 im Dome der Invaliden beigesetzt.

Sebastopol (Sewastopol), Hafenstadt und Festung des südrussischen Gouvernements Taurien, an der südlichen Westküste der Halbinsel Krim, und zwar am südlichen Ufer einer von Westen nach Osten in einer Breite von 660—1300 Meter, ungefähr 6 Kilometer tief bis zur Mündung der Tschernaja in das Land einschneidenden, einen der größten und sichersten Häfen der Welt bildenden Bai (Bai oder Rhede von Sebastopol) des Schwarzen Meeres gelegen, durch eine (jetzt noch im Bau begriffene) über Perekop nach Jekaterinoslaw führende Eisenbahn mit dem Eisenbahnsystem Südrußlands verbunden.*) Bereits vom Cap Cherrones (der äußersten Südwestspitze der Krim) an, hat die sich hier nach Osten wendende Küste mehrere nach Süden in das Land eindringende Buchten: zunächst die dreifache Bucht oder Bucht von Fanary mit der Kosaken- und der Kamiesch- (Schilf- oder Rohr-) Bucht, die Pestnaja- (oder Sand-) Bucht, die Schützen- (oder Strelitzen-) Bucht und die Quarantäne-Bucht; diese nach Süden eindringenden Meeresarme setzen sich dann auch noch in der Bai von S. selbst fort und zwar sind dies hier: die Artillerie-Bucht (den Handelshafen bildend), die Süd- (oder Linienschiff-) Bucht (welche den eigentlichen Kriegshafen bildete), die Arsenal- (oder Docks-) Bucht und die Kiel-Bucht. Nordöstlich von der Quarantäne-Bucht springt das Cap

---

*) Anmerkung. Die nun folgende Schilderung der Stadt und ihrer Umgebungen bezieht sich wesentlich auf die Zustände vor, resp. während der Belagerung von 1854—55.

Alexander (mit dem früheren Fort Alexander) hervor und diesem gegenüber, auf dem nördlichen Ufer der Bai von S. gelegen, das Cap Constantin (mit dem Fort Constantin), welche beide den einen Kilometer breiten Eingang zur Bai oder Rhede von S. bilden. Die Süd-Bucht dringt in einer Breite von ungefähr 350 Meter gegen 4 Kilometer weit in das Land ein, ist 9—20 Meter tief und hat ihren schmalen Eingang zwischen den früher mit den gleichnamigen Forts gekrönten Caps Nicolaus (im Westen) und Paul (im Osten). Zwischen der Quarantäne-Bucht, resp. der Artillerie-Bucht, und der Süd-Bucht liegt an und auf einem durch Schluchten und Hohlwege vielfach zerrissenen Hügel die eigentliche Stadt S.; die untere Stadt war von Tagelöhnern und Handwerkern, die theilweis schön gebaute Oberstadt von den Wohlhabenderen bewohnt, enthielt eine schöne Kathedrale, große Magazine und andere Krongebäude. Der eigentlichen Stadt gegenüber, auf der Ostseite der Süd-Bucht, lagen die neue Admiralität, die Marine-Kasernen, das großartige Marine-Hospital, das Arsenal und der Artillerie-Park; an einem östlichen Seitenbecken, genannt die Arsenal-Bucht, am Nordende der Süd-Bucht, hinter der in das Cap Paul auslaufenden Landzunge befanden sich die Docks; östlich von der Arsenal-Bucht und den Docks, jenseit der Stadtmauer, lag die Schiffervorstadt Karabelnaja mit den Wohnungen der Docksarbeiter und Matrosen. Die letzte der südlichen Buchten, die Kiel-Bucht, wurde zur Ausrüstung leichter Kriegsschiffe benutzt. Auf der Nordseite der Bai von S. befand sich nur eine unbedeutende Maltesenvorstadt mit einigen Kasernen. Die Gesammtbevölkerung der Stadt und ihrer Vorstädte belief sich bei der Ausbruch des Krieges, einschließlich der zahlreichen Marine- und Festungsmannschaften, auf 17,474 Individuen, worunter nur 4505 weiblichen Geschlechts[*]. Die Buchten der Nordseite der Bai von S. waren ebenfalls mit Forts, Batterien und Redouten besetzt. Zunächst am Eingange im Westen das schon genannte Fort Constantin, östlich diesem, an der als Hafen für Küstenfahrzeuge dienenden und mit großen Magazinen besetzten Swernaja- oder Nördlichen Bucht, das Fort Katharina, zwischen beiden die Michael-Batterie und nördlich das große, als Citadelle dienende Nord-Fort (vgl. weiter unten). Außerdem ist noch die an der Südküste der Krim gelegene Bucht und Hafen von Balaklawa (s. r. Br. l., S. 361 f) zu erwähnen. Die ganze Hochebene hat von West nach Ost (vom Cap Chersones bis zur Tschernaja) eine Ausdehnung von 19 Kilometer, von Nord nach Süd (von der Bai von S. bis zum Cap Fiolente oder dem Kloster St. Georg) von 13 Kilometer; der Boden ist Felsgrund, namentlich aber auf der östlichen Seite, und daher für die Belagerungsarbeiten sehr schwierig. Von allen den genannten Buchten ziehen sich Schluchten, zwar mit trockener Sohle, aber sehr steilen Abhängen, nach der Hochebene. Diese Schluchten sind: die Quarantäne-Schlucht, die Central-Schlucht, die aus der Süd-Bucht aufsteigende lange Hafen-Schlucht mit einer Nebenschlucht, dem Worenzow-Grunde, durch welchen die Worenzowstraße führt, der aus der Arsenal-Bucht durch die Karabelnaja aufsteigende

---

[*] Anmerkung. Unmittelbar nach dem Pariser Frieden von 1856 begann man den Wiederaufbau der zerstörten Stadt nach einem neuen, in Petersburg entworfenen Plane. Die Verbindung der Stadt mit der Nordseite wurde durch eine großartige Kettenbrücke zwischen dem Cap Nicolaus und der Michaelsbatterie hergestellt; in der Karabelnaja wurden anstatt der früheren kleinen Hütten große symmetrisch gebaute Häuser aufgeführt. Im Jahre 1866 belief sich die Bevölkerung bereits wieder auf 14,000 Seelen. Nach neuesten Nachrichten soll S. soweit ausgerüstet werden, daß es eine Kriegsflotte aufnehmen kann. Die Hauptwerke für den Schiffsbau sollen aber in Nicolaew errichtet werden. Die Befestigungen werden umfassen: 1) Uferbatterien an beiden Landspitzen der Rhede, 2) Forts im Süden und Südosten der Stadt zur Sicherung von der Landseite her, 3) Forts an der Mündung des Belbek gegen eine Landung nördlich. Es ist sonach mehr auf eine Deckung der ganzen Chersonesischen Halbinsel, als der Stadt selbst abgesehen.

Docks- (oder Karabelnaja-) Grund und der aus der Kiel-Bucht aufſteigende Kiel-Grund. Unter den weiter öſtlich gelegenen Schluchten iſt noch der aus dem Tſchernaja-Thal herauf führende Steinbruch- (oder Kamenolomni-) Grund zu erwähnen; zwiſchen dieſem und dem Kiel-Grunde liegt der Sapunberg. Die Hochebene ſetzt ſich in den Fedinchin-Höhen fort, welche den ſteilen, zerklüfteten linken Thalrand der Tſchernaja bilden. Von der Südküſte der Krim herauf ſteigt aus der Bucht von Balaklawa das Kadikoi-Thal, in welchem die Engländer während der Belagerung eine Eiſenbahn nach ihrem Lager anlegten. Die Terrain-Verhältniſſe bildeten alſo für die Bewegung größerer Truppenmaſſen Seitens der Belagerer bedeutende Hinderniſſe, andererſeits war aber auch das Tſchernajathal für die Ruſſen, wenn ſie zum Angriff auf die Stellung der Belagerer ſchreiten wollten, ſehr ſchwierig zu paſſiren. Nur zwei große Straßen führen aus S. nach Süden. Die eine läuft in ſüdlicher Richtung durch die Hafenſchlucht und ſteigt demnächſt auf das Plateau, über den Col de Balaklawa nach Balaklawa führend. Die andere geht in der Richtung nach Südweſt durch die Woronzow-Schlucht nach der Brücke von Traclir, über die Tſchernaja und weiter nach Fores. Dieſe heißt die Woronzow-Straße. — Eine dritte, die ſogenannte Sappeur-Straße, führt aus der Vorſtadt Karabelnaja vor der Front Malakow entlang über den Sapun-Berg nach der Brücke von Inkerman und über dieſelbe weiter nach der Nordſeite. Von der Weſtküſte herauf führte keine practicable Straße; nur erſt während der Belagerung legten die Franzoſen von ihrem Lager zwiſchen der Quarantäne-Schlucht und Schützen-Bucht eine ſolche nach der Kamieſch-Bucht zur Verbindung mit ihrer Flotte an.

Was die Fortificationen betrifft, ſo war S. vor dem Orientkriege nur auf der Seeſeite, aber hier allerdings ſehr ſtark befeſtigt, da man die Unternehmung eines Angriffes von der Landſeite im Hinblick auf das Terrain bezweifelt und deshalb gar nicht berückſichtigt hatte. Den Eingang zur Bai von S. deckten auf der Südſeite das Quarantäne-Fort mit 60 und das Fort Alexander mit 90 Geſchützen, dieſem gegenüber auf der Nordſeite das Fort Conſtantin mit 110 Geſchützen; weiter öſtlich an der Weſtſeite des Eingangs zur Süd-Bucht lag das Fort Nicolaus mit 110 und an der Oſtſeite das Fort Paul mit 80 Geſchützen, dieſen beiden Forts gegenüber, an der Nordſeite der Bai von S., die Michael-Batterie mit 80 und das Fort Katharina mit 80 Geſchützen. Alle dieſe Forts waren kaſemattirt und zu Etagenfeuer gebaut. Sie wurden unterſtützt durch den auf der Südſeite der Bai von S. auf der Höhe zwiſchen der Süd-Bucht und der Kiel-Bucht errichteten Malakow-Thurm, ſowie durch das auf der Nordſeite der Bai von S., ungefähr 1 Kilometer von der Rhede entfernt, hinter dem Zwiſchenraume zwiſchen der Michael-Batterie und dem Fort Katharina gelegene große Nord-Fort (Citadelle) mit 38 Geſchützen. Erſt ſeit der Landung der Alliirten in der Kalamita-Bai (14. Sept. 1854) wurde auch auf der Landſeite ſüdlich der Stadt eine Reihe von Fortificationen zu errichten begonnen, von welcher beim Angriff der Alliirten erſt folgende (vom linken Flügel anfangend) vollendet waren. A. vor der Schiffervorſtadt Karabelnaja: 1) an der Kiel-Bucht Baſtion Nr. 1, ein gemauertes Reduit in Kreuzform (maison en croix); 2) Baſtion Nr. 2 (Kleiner Redan), ein Erdwerk; 3) Baſtion Kornilow mit einem halbrunden Thurm auf dem Malakow-Hügel, mit dem vorliegenden, noch unbefeſtigten Grünen Hügel (Mamelow vert); 4) Baſtion Nr. 3 (Großer Redan), das Terrain zwiſchen dem Docks-Grund und Laboratorien-Grund mit der Woronzewſtraße beherrſchend; B. vor der eigentlichen Stadt und zwar im Süden: 5) Baſtion Nr. 4 (Maſt- oder Flaggenſtock Baſtion), ein iſolirtes Redan zwiſchen der Hafen-Schlucht und der Central-Grund; desgl. gegen Weſten: 6) Baſtion Nr. 5 (Central-Baſtion), mit einem kreuzförmigen, gemauerten Reduit; 7) Baſtion Nr. 6 (Quarantäne-Baſtien), mit einem ähnlichen

Retuit; 8) Baftion Nr. 7 (Alexander-Baftion) und das nahe daran liegende Baftion Nr. 8, welches an das Meer ftößt und in Verbindung mit Baftion 7 das Artillerie-Fort bildet. Von der Artillerie-Bucht bis zum Baftion 5 ging eine creuelirte Mauer ohne vorliegenden Graben. Nach dem Angriff der Alliirten wurde an der Vollendung der begonnenen und dem Bau neuer Werke unter der Leitung des Ingenieur-Oberftlieutenants Todleben mit unermüdlicher Thätigkeit weiter fortgearbeitet. Den zwischen den Baftionen gelegenen Raum deckten Batterien, welche unter fich durch Tranchéen verbunden waren.

Die Befeftigung der Nordfeite beftand in einem auf das Nord-Fort — ein baftionirtes Viereck — fich ftützenden verfchanzten Lager. Zahlreiche Batterien am Fuße, wie auf dem Abhange und Scheitel der dortigen Höhen fchlugen nach dem großen Hafen und auf das Plateau des Sapunberges. Einen directen Einfluß auf den Gang der Belagerung haben diefelben nicht gehabt.

Gefchichtliches: Die Bai von S. hieß im Alterthum Ktenus (d. i. Kammhafen) und die zwifchen ihr und der Bucht von Balaklawa gelegene halbinfelartige Hochebene der Herakleotifche Cherfonefos oder Cheronnefos. Das Vorgebirge Parthenium, wohin die Griechen die taurifche Artemis (Diana) verfetzten, ift nicht, wie bisher allgemein geglaubt wurde, das jetzige Cap Fanary, fondern wie neuere, gründliche Forfchungen (von Neumann, vgl. deffen „Die Hellenen im Skythenlande", Berlin 1855) ergeben haben, das jetzige Cap Fiolente weftlich von Balaklawa. Im Weften der Südfeite der Bai wurde im 5. Jahrhundert v. Chr. von Herakleia am Pontus aus die Stadt Cherfonefos-Herakleia gegründet, und zwar zuerft auf einer ungünftigen Stelle füdlich vom Cap Fanary, fpäter auf der fchmalen Landzunge zwifchen dem offenen Meere und der Kofaken-Bucht, dann aber weftlich von der Quarantäne-Bucht. Diefe Stadt blühte bald zu einem großen Handelsplatze auf, war von einer Ringmauer umgeben, hatte eine Citadelle, eine Wafferleitung, beherrfchte das füdliche Taurien, war fpäter Hauptftadt einer byzantinifchen Provinz und eines Erzbifchofs, wurde 988 von den Ruffen unter Wladimir dem Großen (der fich hier taufen ließ) erobert, aber bald wieder aufgegeben, 1363 von Olgerd von Litauen erobert und verwüftet, im 14. oder 15. Jahrhundert aber von den Tataren gänzlich zerftört. Bei der Einverleibung der Krim in das Ruffifche Reich (1783) waren noch bedeutende Ruinen vorhanden, die aber jetzt völlig verfchwunden find. Das heutige S. wurde 1785 durch Potemkin an der Stelle des Tataren-Dorfes Akhtiar gegründet und größtentheils aus den Trümmern der alten Stadt Cherfonefos aufgebaut und dann von den Ruffen als Hauptftation der Flotte des Schwarzen Meeres zu einer großartigen Seefeftung umgefchaffen. Als folche erhielt fie in der Kriegsgefchichte eine Berühmtheit durch:

Die Belagerung von 1854—55.

Nach dem von der alliirten Armee (Franzofen, Engländer und Türken) an der Alma (f. d. Bd. I., S. 82) erfochtenen Siege (20. Sept. 1854) trat an diefelbe beim weiteren Vormarfche die Frage heran, welche Angriffsfront im Falle der förmlichen Belagerung von S. zu wählen fei. Das Nord-Fort war der Schlüffel von S., nach deffen Eroberung die Stadt fallen mußte, da das Fort die beiden Häfen, einen Theil der Stadt und die Vorftadt Karabelnaja beherrfcht. Bei dem Angriffe des Nord-Forts wäre es ferner den Alliirten leicht gewefen, die Garnifon von S. von jeder Verbindung mit der Feld-Armee abzufchneiden, alfo die vollftändige Cernirung — eine der erften Bedingungen der förmlichen Belagerung — zu bewirken. — Für den Angriff der füdlichen Seite fprach die fehr mangelhafte, nicht fturmfreie Befeftigung derfelben und befonders der Umftand, daß die Küfte füdlich von S. gute Häfen bietet, welche

20*

der Küste nördlich von S. fehlen. Die Basis der Alliirten lag allein in der Flotte, und die Lage der gesicherten Häfen von Balaklawa und von Kamiesch war daher bei der Wahl der Angriffsfront hauptsächlich entscheidend. — Auf Grund der vorgenommenen Recognoscirungen wurde als Haupt-Angriffspunkt die Front 3.—4. (großer Redan — Mast-Bastion) gewählt und den Franzosen der Angriff auf die Stadtbefestigung vom Quarantäne- bis Mast-Bastion, den Engländern der Angriff gegen den großen Redan speciell zugetheilt. — Die französische Armee unter dem Oberbefehl des Generals Canrobert bildete zwei Corps: das Belagerungscorps unter General Forey und das Observationscorps unter General Bosquet. Die englische Armee war in vier Divisionen formirt unter dem Oberbefehl des Lord Raglan. — Das Lager der Franzosen dehnte sich von der Strelitzen-Bai bis zur Hafenschlucht aus, das englische Lager vom Col de Balaklava bis nach Balaklawa. Das Observationscorps lagerte längs dem gegen die Tschernaja gewandten Plateau-Rande. — Die französischen Parks wurden südlich vom Mast-Bastion — über 6000 Schritt von demselben entfernt — etablirt, die englischen Parks nahe der Woronzow-Straße, circa 5300 Schritt vom Malakow entfernt.

Wegen der außerordentlich starken Geschütz-Armirung von S. wurde die erste Parallele auf ungewöhnlich großer Entfernung eröffnet, auf der französischen Seite ca. 1250 Schritt, auf der englischen ca. 1650 Schritt von der Enceinte. Diese wichtige Arbeit wurde, von den Russen unentdeckt, in der Nacht vom 9. zum 10. October 1854 ausgeführt. — Der Bau von 16 Batterien mit zusammen 144 Geschützen begann in der Nacht vom 10. zum 11. October. Wegen des steinigen Erdreichs verzögerte sich der Batteriebau, so daß erst am 17. October Morgens das Feuer eröffnet werden konnte. Die französischen Batterien wurden bald zum Schweigen gebracht, während die englischen Batterien das Feuer fortsetzten; ein gleichzeitig unternommener Angriff der Seeforts durch die Flotte der Alliirten zeigte die bedeutende Ueberlegenheit der Küstenbefestigungen hölzernen Schiffen gegenüber. Das Resultat dieses Kampfes veranlaßte später die ersten Versuche der Panzerung von Kriegsschiffen. — Am 19. October wurde das Feuer von sämmtlichen Batterien wieder eröffnet und langsam unterhalten. — Die Tranchéen vor dem Mast-Bastion schritten schnell vor — am 20. October wurde die zweite, am 1. November die dritte Parallele von den Franzosen eröffnet, letztere auf ca. 210 Schritt Entfernung von den genannten Werke. — Mit den französischen Batterien wurde die Beschießung am 1. und 2. November lebhaft aufgenommen, während das Feuer der englischen Batterien aus Mangel an Munition immer schwächer wurde. Der Erfolg war wiederum ein ungünstiger. — Auf dem englischen Angriffe war die zweite Parallele auf ca. 1300 Schritt, die dritte Parallele auf ca. 1000 Schritt Entfernung vom großen Redan eröffnet und bis Ende November erweitert und ausgebaut worden. — Zwei Angriffe der russischen Feld-Armee, welche sich gegen die Positionen des Observationscorps richteten, wurden in den Schlachten bei Balaklawa (am 25. October, s. Bd. I., S. 361) und bei Inkerman (am 5. November, s. Bd. V., S. 55) von den Alliirten blutig, aber mit eigenen großen Verlusten, abgewiesen.

Während des Winters verstärkte das Observationscorps seine Stellung durch Verschanzungen (Circumvallations-Linien); die Tranchéen schritten auf französischer Seite bis auf 600 Schritt Entfernung vom Central-Bastion vor und wurden nach links hin bis zur Quarantäne-Bucht ausgedehnt, um durch Anlehnung an das Meer den linken Flügel der Attaque zu schützen, welcher den häufigen Ausfällen der Russen besonders ausgesetzt war. — Gleichzeitig wurden neue Batterien erbaut. — Auf englischer Seite schritten die Tranchéen-

Arbeiten im Winter wegen Mangel an Arbeitskräften und Transportmitteln nicht weiter vor. — Die französischen Batterien reducirten das Feuer möglichst, um an Munition zu sparen; die englischen Batterien stellten ihr Feuer fast ganz ein. — Die Russen verstärkten während des Winters ihre Werke, schoben vor dieselben auf große Entfernungen Schützengräben und Schützenlöcher vor, deren Feuer die Geschütz-Bedienung des Angreifers außerordentlich belästigte und das Vorschreiten der Tranchéen verzögerte. — Die Alliirten wurden während der rauhen Jahreszeit infolge der ungünstigen Witterung und des angestrengten Dienstes in den Tranchéen durch Krankheiten decimirt; auch waren die Verluste durch das feindliche Feuer, durch die sich immer wiederholenden Kämpfe mit den feindlichen Ausfalltruppen sehr bedeutend — dabei trafen die Verstärkungen infolge der großen Entfernung vom Heimathslande nur langsam ein — während die Vertheidigung von S., in freier Verbindung mit der Feld-Armee, von derselben unbehindert frische Kräfte heranzog und über ein enormes todtes Material zu gebieten hatte. Von beiden Seiten wurden sowohl Geschütze als Mannschaften der Marine in umfassendster Weise zur Verwendung auf dem Lande herangezogen. Russischer Seits war der größte Theil der Flotte desarmirt und zur Sperrung des Hafens und der Rhede versenkt worden. — Die allmählich eingetroffenen Verstärkungen hatten die französische Armee auf 9 Divisionen gebracht: dieselben wurden in 3 Corps formirt: das Belagerungscorps (Pélissier), das Observationscorps (Bosquet) und das Reservecorps zur speciellen Disposition des General en chef Canrobert.

Im Monat Februar wählte man als Haupt-Angriffsobject die Front Malakow der Karabelnaja-Befestigung, verlegte somit den Schwerpunkt des Angriffs auf den rechten Flügel, und dehnte die Angriffs-Arbeiten bis zum äußersten rechten Flügel der ganzen Stellung, bis zum Ufer des großen Hafens nahe seinem östlichen Ende, aus. — Diese wichtige Abänderung des Angriffsplans wurde hauptsächlich durch Niel, General-Adjutanten des Kaisers Napoleon, veranlaßt, nach dessen Ansicht selbst im Falle des glücklichen Erfolges eines Sturmes auf das Central- und Mast-Bastion wenig gewonnen war, weil man dann von Neuem die hinterliegende zweite Vertheidigungslinie zu bekämpfen hatte, von den Batterien des Redan ꝛc. In die Flanke genommen war und weder die Stadt noch den Hafen beherrschte — während vom Malakow aus die ganze Karabelnaja beherrscht und die Enceinte zu beiden Seiten desselben in den Rücken gefaßt wurde; vom Malakow beherrschte man ferner den Hafen und die Flotte, sowie die Verbindungen der Stadt mit der Nordseite. — Den neu zu eröffnenden Angriff gegen den Malakow, welcher sich vom rechten Flügel des englischen Angriffs bis zum Südufer des großen Hafens ausdehnte, übernahmen die Franzosen. Diese Attaque wurde durch die Kielschlucht in einen rechten (auf dem Sapun-Plateau) und linken Flügel getrennt; der letztere bildete den Hauptangriff gegen den Malakow und wurde von den Alliirten „Victoria-Angriff" genannt. — Die erste Parallele des rechten Flügels dieses neuen Angriffs wurde im Anfang des Februar in einer Entfernung von ca. 2400 Schritt vom Bastion 2 eröffnet. Zum Schutz der Parallele gegen enfilirendes Feuer von Dampfschiffen, welche sich im östlichen Theile des großen Hafens vor Anker legten, erbauten die Franzosen gleichzeitig mehrere Batterien. — Um den neuen Haupt-Angriff zu enfiliren, legten die Russen mit Geschick und Kühnheit auf der Höhe des Sapunberges am 22. Februar die Redoute Selenginsi an, ca. 1500 Schritt vor Bastion 2 vorgeschoben. Ein Angriff der Franzosen gegen dieses Contreapprochen-Werk wurde abgeschlagen. — Am 27. Februar erbauten die Russen ein neues Werk, die Redoute Volhynien, auf dem Sapun-

Plateau, noch ca. 400 Schritt vorwärts der Redoute Selenginsk, und am 9. März die Redoute Kamtschatka auf dem Mamelon vert, einer wichtigen dominirenden Kuppe, ca. 800 Schritt vor dem Malakow. — Diese Werke dienten als Stützpunkte einer vorgeschobenen Contreapprochen-Linie, welche sich östlich bis an den großen Hafen, westlich bis an die Woronzow-Schlucht hin erstreckte. So waren die Russen den Franzosen auch vor dem Malakow zuvorgekommen. Die erste Parallele des Victoria-Angriffs wurde in der Nacht vom 12. zum 13. März eröffnet, ca. 800 Schritt von der Redoute Kamtschatka oder 1600 Schritt vom Malakow entfernt. Zur Bekämpfung der vorgeschobenen Werke erbauten die Franzosen 6 Batterien, welche ihr Feuer bis zum 20. März eröffneten. —

Am 9. April fand die allgemeine Wiedereröffnung des Feuers sämmtlicher Batterien, welche im Laufe des Winters bedeutend verstärkt worden waren, statt, in Summa mit 541 Geschützen. Die Angriffs-Artillerie errang sich in dem Geschützkampfe die lang angestrebte Ueberlegenheit über die Artillerie der Festung. Unter dem Schutze des mit Heftigkeit bis zum 23. April fortgesetzten Feuers wurde die zweite Parallele begonnen, ca. 1300 Schritt von der Kamtschatka-Redoute und 900 Schritt von der Redoute Wolhynien entfernt. Unterdessen legten die Russen auf der Kuppe des Sapunberges ein neues Werk, die Redoute Minsk, als Soutien für die Redouten Wolhynien und Selenginsk, an. — Der linke französische Angriff gegen die Stadtbefestigung war bis auf ca. 400 Schritt Entfernung vom Central-Bastion vorgerückt; vor dem Mast-Bastion hatte das Vorhandensein eines ausgedehnten Contreminensystems das Vorgehen mit Angriffs-Gallerien nothwendig gemacht. Hier waren am 15. April mehrere Angriffsminen gesprengt worden, deren couronnirte und verbundene Trichter eine vierte Parallele in ca. 100 Schritt Entfernung von der Contrescarpe bildeten. — Eine vorgeschobene Embuscaden-Linie (später Ouvrage du 2. mai genannt) wurde von den Franzosen erobert und in die Parallele des 2. Mai, ca. 250 Schritt von der Spitze des Central-Bastions entfernt, umgewandelt.

An Stelle des General Canrobert, welcher den Oberbefehl der Orient-Armee niederlegte — hauptsächlich weil er eine Einigung mit dem englischen Oberbefehlshaber, Lord Raglan, über die Fortsetzung der Operationen nicht erzielen konnte — wurde der General Pelissier am 19. Mai zum General en chef ernannt. — Der Versuch der Franzosen, eine am westlichen Rande der Quarantäne-Schlucht in der Nähe eines dort liegenden Kirchhofes von den Russen besetzte Embuscaden-Position zu nehmen, wurde am 22. Mai blutig abgewiesen; erst in den folgenden Nächten gelang es den Franzosen, sich in dieser Position festzusetzen und dieselbe in die Parallele des 23. Mai umzuwandeln, 500 Schritt von der Curtine zwischen Quarantäne- und Central-Bastion entfernt. — Der beabsichtigten Eroberung der russischen Contreapprochen-Werke, welche ein weiteres Vorrücken der Tranchéen des Hauptangriffs hinderten, ging am 6. und 7. Juni eine heftige Beschießung voraus. — Die Verbündeten hatten hierzu ca. 600 Geschütze in Batterien. Der Erfolg der Kanonade war für die Alliirten ein vollkommen günstiger, namentlich hatte die Redoute Kamtschatka durch das Feuer arg zu leiden.

Am 7. Juni Abends stürmten drei französische Divisionen die vorgeschobenen Werke; die Redouten auf dem Sapun-Plateau wurden im ersten Anlaufe genommen, die Redoute Minsk ging jedoch den Franzosen alsbald wieder verloren. Die Redoute Kamtschatka wurde erobert, wieder aufgegeben und schließlich erst nach blutigem Kampfe von den Franzosen behauptet. Um 7½ Uhr Abends waren die Russen auf dem rechten Flügel des Angriffs auf die Enceinte der Festung beschränkt, mit Ausnahme der Redoute Minsk.

— Der glückliche Erfolg führte zu dem Entschluß, den Sturm auf den Malakow zu unternehmen, sobald die Ingenieur-Arbeiten sich dem Angriffsobjecte noch mehr genähert hätten. Die russischen Contreapprochen und Contreparallelen wurden in eine dritte, vierte und fünfte Parallele des Victoria-Angriffs umgewandelt; letztere lag 5—600 Schritt vom Malakow entfernt. Auf dem Sapun-Plateau wurde eine Parallele vorwärts der Redoute Selenginsk, ca. 1100 Schritt vom Bastion 2 angelegt. Die von den Russen aufgegebene Redoute Wolynsk besetzte ein detachirter Posten der Franzosen. Die Zahl der Batterien wurde bedeutend vermehrt und die Armirung derselben verstärkt. Die Tranchéen des linken französischen Angriffs waren am 17. Juni bis auf 80 Schritt dem Mast-Bastion und bis auf 120 Schritt dem Central-Bastion nahe gerückt; der englische Angriff war mit seinen vorderen Tranchéen ca. 330 Schritt vom großen Redan entfernt. Am 17. Juni Morgens 4 Uhr eröffneten sämmtliche Batterien mit zusammen 609 Geschützen ihr Feuer. — Zum Angriff der Werke der Karabelnaja von Bastion 2 bis zur Dock-Schlucht waren vier französische Divisionen bestimmt, ebensoviel zum Angriff der Stadtbefestigung, zum Angriff des großen Redan eine englische Division. Am 18. Juni früh gegen 3 Uhr erfolgte der Sturm, — auf dem rechten Flügel vor der bestimmten Zeit — wurde aber auf allen Punkten von den Russen blutig abgewiesen. Nur eine Sturmcolonne des rechten Angriffs hatte einen vorübergehenden Erfolg. Die Verluste auf beiden Seiten waren sehr beträchtlich. — Als Gründe des Mißlingens des Sturmes sind besonders hervorzuheben: 1) der Mangel an Gleichzeitigkeit der einzelnen Angriffe; 2) der Umstand, daß es den Russen gelungen war, trotz des feindlichen Feuers, Geschütze gefechtsbereit zu erhalten; 3) die zu große Entfernung der vorderen Tranchéen von der Enceinte, welche die Truppen im Kartätschfeuer durcheilen mußten; 4) für die rechte Flügel-Colonne das Einlaufen russischer Dampfer in die Kielbucht und Belästigung durch das Flankenfeuer derselben. —

Vor dem Hauptangriffspunkte eröffneten die Franzosen nunmehr eine sechste Parallele, 230 Schritt vom Malakow, 430 Schritt vom Bastion 2 entfernt. Im Schutze dieser Parallele wurden zahlreiche neue Batterien angelegt, um die feindlichen Vertheidigungsmittel gründlich zu zerstören; auf dem Sapun-Plateau wurden zur Fernhaltung der russischen Dampfer aus der Kielbucht ebenfalls neue Batterien erbaut. — Die Russen entwickelten, wie gewöhnlich, eine rastlose Thätigkeit. Um den Malakow gegen Angriffe von rückwärts her zu sichern, wurde die bisher offene Kehle desselben geschlossen. Im Anschluß an diese Kehle wurde eine zweite Vertheidigungslinie gebaut, welche sich, parallel der vorderen Linie, bis zum Hafen ausdehnte; außerdem verstärkten die Russen alle schwächeren Punkte. — Als Ersatz einer durch das Feuer der Alliirten zerstörten Brücke zwischen Nord- und Süd-Ufer des großen Hafens wurde eine Schiffbrücke zwischen Fort Nikolaus und Michael erbaut. Der Minenkrieg nahm vor dem Mast-Bastion seinen regelmäßigen Fortgang, ohne daß der Angreifer einen Schritt Terrain gewinnen konnte. — Am 16. August griff die russische Feld-Armee, welche bedeutende Verstärkungen erhalten hatte, die Tschernaja-Position des Observationscorps an, wurde aber in dem Gefechte bei Traktir (s. d.) mit bedeutenden Verlusten zurückgewiesen. — Am 20. Juni war der russische Ingenieur Todleben, welcher bisher die Vertheidigung glänzend geleistet hatte, schwer verwundet worden. Der Oberbefehlshaber der Engländer, Lord Raglan, starb am 28. Juni, sein Nachfolger im Commando war General Simpson. —

Unter dem Schutze eines energischen und andauernden Feuers (vom 17. August bis 5. September) schritten die Tranchéen des Hauptangriffs rasch

ver. Im Anfang des September wurde eine siebente Parallele vor dem
Malakow, 40 Schritt von der Contrescarpe desselben entfernt, angelegt und
eine gleiche vor Bastion 2, allerdings unter bedeutenden Verlusten, welche sich
jetzt täglich auf ca. 200 Mann beliefen. — Anfang September war das
Geschützfeuer des Malakow und des Bastion 2 zum Schweigen gebracht; die
Russen bekämpften nunmehr die Angriffsarbeiten und Batterien hauptsächlich
mit Mörserfeuer. Vom 5. bis 8. September fand die letzte allgemeine
Beschießung statt, mit in Sa. 807 Geschützen. Die Wirkung des Feuers
war überwältigend; die Festung erwiderte dasselbe überall nur aus Wurf-
geschützen; Malakow und Bastion 2 schwiegen gänzlich. — Am 8. September
Mittags 12 Uhr erfolgte gleichzeitig der Sturm des Malakow, des Bastion 2
und der Curtine, welche beide Werke verbindet, mit je einer Division. Der
Malakow wurde durch die Division Mac Mahon im ersten Anlaufe erobert
und trotz der gewaltigsten Anstrengungen der russischen Reserven behauptet.
Die geschlossene Kehle erleichterte den Franzosen wesentlich die Vertheidigung
des eroberten Werkes. — Die Division Mettereuge drang gleichzeitig in die
Curtine, die Division Dulac in Bastion 2 ein; durch die russischen Reserven
wurden sie hier in die Tranchéen zurückgeworfen, ein zweiter Angriff wurde blutig
abgewiesen — schließlich gelang es den beiden Divisionen, sich im Graben und
an der äußeren Böschung der Curtine zu behaupten. — Erst nachdem der
Malakow erobert, sollten nach der allgemeinen Angriffs-Disposition die Engländer
den Redan angreifen; sie drangen in denselben ein, mußten aber schließlich
weichen und in die Tranchéen zurückkehren. Der gleichzeitig gegen das Central-
und Mast-Bastion von vier Divisionen versuchte Sturm wurde ebenfalls abgeschlagen. So war der Angriff der Alliirten auf drei Punkten blutig abgewiesen
und nur auf einem geglückt! Dieser Punkt war aber der Hauptpunkt, der
Schlüssel der ganzen Vertheidigungslinie, von welchem her die benachbarten
Werke, sowie die zweite Vertheidigungslinie im Rücken genommen, der ganze
Hafen und die Communication mit der Nordseite beherrscht werden konnten. —
Der Sturm war von den Alliirten mit bedeutenden Kräften — 63,000 Mann
— unternommen worden; russischerseits waren zur Vertheidigung 75,000
Mann aufgestellt. — In der Nacht vom 8. zum 9. September zerstörten
die Russen S. durch Steuer und Pulver. Die ganze Besatzung ging auf die
Nordseite über, die Schiffbrücke wurde abgetragen und die Flotte versenkt. —
Die Verluste dieses Tages waren sehr beträchtlich: die Alliirten verloren an
Todten und Verwundeten 12 Generale, 307 Offiziere, 10,051 Mann; die
Verluste der Russen beliefen sich auf 11,687 Mann, incl. Offiziere, darunter
3 Generale verwundet, 3 Generale todt. —

Während des Winters 1855—56 machten die russischen Batterien der
Nordseite die Unterbringung der Truppen in den Trümmern der Stadt unmöglich. Am 29. Februar 1856 endigten die Feindseligkeiten infolge eines
abgeschlossenen Waffenstillstandes; am 30. März wurde der Friede unterzeichnet.
Im Juni erfolgte die Einschiffung der allirten Truppen.

Die Belagerung von S. ist in mehr als einer Beziehung epochemachend
in der Geschichte des Belagerungskrieges; sie verdient mit Unrecht den Namen
einer regelmäßigen Belagerung, da die der letzteren eigenthümlichen Bedingungen
und Verhältnisse bei S. entweder gar nicht vorhanden oder in abnormer Weise
vertreten waren. So ist die erste Bedingung einer regelmäßigen Belagerung
die Cernirung der Festung und bedeutende numerische und materielle Ueberlegenheit des Angriffs gegenüber der Vertheidigung, welche letztere das ungünstige Stärkeverhältniß mit Hilfe eines sturmfreien Gürtels von Festungswerken auszugleichen sucht. Bei der Belagerung von S. war keine der angeführten Bedingungen erfüllt: die Befestigungen hatten wesentlich den Charakter

der Feldbefestigungen, wurden aber durch eine überstarke Artillerie und eine zahlreiche sich fortwährend ergänzende und erneuernde Besatzung vertheidigt — daher zeigte sich die Erscheinung einer hervorragend offensiven Vertheidigung, welche eine Zeit lang (während des Winters 1854—55) Angriff und Vertheidigung die Rollen vollständig wechseln ließ. In gewissen Perioden trug die Belagerung den Charakter des Kampfes um vorgeschobene Positionen, welche sich beide Streitmächte auf dem zwischen den Hauptstellungen liegenden beschränkten Terrain schufen. — Den schließlichen Erfolg verdankten die Alliirten vorzugsweise ihrer taktischen Ueberlegenheit; mit Hilfe derselben wiesen sie die Angriffe der russischen Feldarmee, welche die Alliirten am meisten in ihrer Existenz bedrohten, bei Balaklava, Inkerman und Traktir ab, ebenso die wenig zahlreichen bedeutenderen Ausfälle der Besatzung. Die taktische Ueberlegenheit ermöglichte die Eroberung der vom Vertheidiger mit Geschick angelegten Contreapprochen-Werke und schließlich die Eroberung des Malakow. Alle erfahrene französische Ingenieure versichern, wäre der Hauptsturm nicht geglückt, wenn S. die Sturmfreiheit und eine gesicherte Grabenflankirung gehabt hätte. — Einzig steht die Belagerung von S. in der Kriegsgeschichte da hinsichtlich der enormen Mittel, mit welchen der Artilleriekampf geführt wurde; dieser ist zugleich der letzte Kampf, bei dem ausschließlich glatte Geschütze zur Verwendung kamen. — Die Belagerung von S. ist denkwürdig wegen des Aufwandes von Intelligenz, Geschick, Muth und Zähigkeit, durch welche Eigenschaften sowohl der Angriff als auch die Vertheidigung in hervorragender Weise glänzten. Es läßt sich vielleicht dem russischen Oberbefehl der Vorwurf machen, daß er sich überhaupt die Rolle der Vertheidigung zutheilen ließ und nicht, bevor die Stadt von einem dichten Netz von Tranchéen umschlossen war, durch immer wiederholte große Ausfälle die an und für sich precäre Situation der Alliirten unhaltbar machte. —

Officielle französische Werke sind von Niel (Geniedienst) und Auger (Artillerie), englische „Siege of Sebastopol", 1859) von Elphinstone (Geniedienst) und Reilly (Artillerie), aus diesen: „Die Belagerung von S." von Weigelt, Berlin 1861. Das russische officielle Werk ist von Todleben herausgegeben (ins Deutsche übersetzt Petersburg 1864). Vgl. die Literatur zu Orientkrieg, Bd. VI., S. 239.

Sebenico, befestigte Stadt im dalmatinischen Kreise Zara, an der Mündung der Kerka in den Meerbusen von S. des Adriatischen Meeres, an einer steil aus dem Meere aufsteigenden Anhöhe erbaut, Sitz eines Platzcommandos, einer Geniedirection, einer Hafen- und Sanitätsdeputation, ist auf der Landseite von einer Mauer umgeben, hat drei starke Forts (San Anna, San Giovanni und Il Barone), einen Hafen, einen schönen Dom und 6400 Einwohner. S. wurde 1809 von den Franzosen besetzt und 1813 von den Oesterreichern wieder erobert.

Secessionisten, die Bewohner der 1861 aus der nordamerikanischen Union geschiedenen Consöderirten Staaten (südliche Sclavenstaaten); der Secessionisten-Krieg, auch Secessions-Krieg, der Nordamerikanische Bürgerkrieg von 1861—65, s. u. Vereinigte Staaten.

Seckendorf, Friedrich Heinrich, Reichsgraf von, kaiserlicher Feldmarschall und Diplomat, geb. 6. Juli 1673 zu Königsberg in Franken, studirte 1688—93 in Jena, Leipzig und Leyden Jurisprudenz, trat 1693 in das englischholländische Heer, 1697 als Hauptmann in kaiserliche Dienste, focht als solcher 1698 unter Eugen gegen die Türken, commandirte während des Spanischen Erbfolgekrieges in Teutschland das Ansbach'sche Dragoner-Regiment, nahm an vielen Belagerungen Theil, eroberte 1704 bei Hochstädt sechzehn Fahnen, vertheidigte 1705 die Moselbrücke bei Conz, wohnte 1705 der Schlacht von Ramillies

und 1706 der Belagerung von Ryssel (Lille) bei, trat aber dann, da er die
Commandantur dieses Platzes nicht erhielt, als Generalmajor in sächsisch-
polnische Dienste, focht als solcher 1709 bei Malplaquet, befehligte 1710 und
1711 die sächsischen Hilfstruppen in Flandern, wurde 1712 sächsisch-polnischer
Gesandter im Haag und nahm als solcher an den Verhandlungen des Utrechter
Friedens Theil, unterdrückte 1713 die Unruhen in Warschau, wurde dann
Generallieutenant, commandirte 1715 die sächsischen Truppen vor Stralsund,
trug wesentlich zum Falle dieser Festung bei, trat 1717 auf Veranlassung des
Prinzen Eugen als Feldmarschalllieutenant wieder in kaiserliche Dienste, focht
unter Eugen an der Spitze von zwei Ansbach'schen Regimentern bei Belgrad,
kämpfte 1718 in Sicilien gegen die Spanier, eroberte dort mehrere Städte,
wurde 1719 von Karl VI. zum Reichsgrafen ernannt, 1721 Feldzeugmeister
und übernahm mit kaiserlicher Bewilligung die ihm vom König August II. angetragene Stelle eines Gouverneurs von Leipzig, ging 1726 als kaiserlicher
Gesandter nach Berlin, zog hier Preußen von der hannöver'schen Allianz ab,
bewog es zur Genehmigung der Pragmatischen Sanction, hintertrieb die Verlobung des Kronprinzen (nachmaligen Königs Friedrich II.) mit einer englischen
Prinzessin, bewirkte dagegen im österreichischen Interesse dessen Verlobung mit
der Prinzessin Elisabeth Christine von Braunschweig-Wolfenbüttel (wodurch er
freilich — da die Verlobung der Neigung des Kronprinzen nicht entsprach —
die Gunst des nachmaligen Königs für immer verscherzte), trug dagegen auch
nach der Flucht des Kronprinzen durch die Ueberreichung eines Schreibens des
Kaisers Karl VI. wesentlich dazu bei, daß das Todesurtheil an demselben nicht
vollstreckt wurde und vermittelte dann die Aussöhnung mit dem König. Beim
Ausbruch des Polnischen Thronfolgekrieges vermochte er den König, dem Kaiser
ein Hilfscorps von 10,000 Mann zu stellen, so daß sich endlich 1734 ein
Reichsheer am Rhein sammeln konnte. S. selbst wurde nun zum Reichsgeneral
der Cavalerie ernannt, ging mit 30,000 Mann über den Hunsrück, schlug 1735
die Franzosen bei Klausen und war im Frühjahr 1736 eben im Begriff sich
in das Privatleben zurückzuziehen, als er, von dem sterbenden Eugen empfohlen,
den Feldmarschallstab und den Oberbefehl über das vor Belgrad stehende österreichische Heer erhielt. Der Feldzug war Anfangs glücklich, nahm aber bald
eine ungünstige Wendung und S. wurde gezwungen, sich hinter die Save
zurückzuziehen. Dies benutzten seine Feinde (wozu namentlich die Jesuiten
zählten, die ihn als Protestanten haßten), um ihn zu stürzen. S. wurde
zurückberufen, in Wien verhaftet, angeklagt und dann als Gefangener nach der
Festung Graz gebracht, wo er bis zum Tode Karl's VI. blieb. Maria Theresia
ließ ihn sogleich frei, gab ihm alle seine Würden, strich aber seinen Gehalt. S.
trat nun als Reichsfeldmarschall in die Dienste Karl's II. von Baiern (Kaisers
Karl VII.), drängte 1742 die Oesterreicher aus Baiern zurück, focht jedoch 1743
unglücklich, drang aber 1744 nach dem Abschlusse eines zwischen Baiern und
Preußen zu Stande gekommenen Vertrages wieder vor, verdrängte die Oesterreicher zum zweiten Male aus Baiern, führte Karl VII. am 16. Oct. 1744 nach
München zurück und legte dann sein Commando nieder. Als nach dem von
den Franzosen verlorenen Treffen bei Pfaffenhofen (15. April 1745) die
bairischen Angelegenheiten wieder eine schlimme Wendung nahmen und mittlerweile auch Karl VII. gestorben war (20. Januar 1745), rieth S. zur Versöhnung mit Oesterreich und schloß am 22. April 1745 den Frieden zu Füssen
ab. Nachdem S. dem Kaiser Franz I. in allen seinen Würden bestätigt worden
war, zog er sich auf sein Gut Meuselwitz bei Altenburg zurück, wurde hier
aber während des Siebenjährigen Krieges wegen seines für Preußen nachtheiligen Briefwechsels mit Oesterreich (im December 1758) auf Befehl
Friedrich d. Gr. verhaftet und nach Magdeburg gebracht, nach einiger Zeit

auf Zahlung von 10,000 Thalern gegen den kriegsgefangenen Prinzen Moritz von Dessau ausgewechselt, ging nun erst nach Rentweinsdorf in Franken, lehrte 1760 nach Meuselwitz zurück und starb dort am 23. Nov. 1763. Vgl. Th. von Seckendorf, „Versuch einer Lebensbeschreibung des Feldmarschalls von S. Leipzig 1792—94, 4 Bde.

Second, 1. Lage beim Stoß- und Hiebfechten, in welcher der Daumen nach unten liegt und die Klinge eine entsprechende Neigung hat, sowie der daran sich knüpfende Stich oder Hieb (letzterer von unten nach oben gerichtet), und die Parade; 2. In der französischen Militär-Hierarchie die 2. Classe eines Grades bezeichnend, z. B. Capitaine, Lieutenant en second. — Die in Deutschland gebräuchliche Bezeichnung „Seconde-Lieutenant" s. Lieutenant, Bd. V., S. 331. — **Second-Flanke** oder **Nebenflanke** entsteht im Bastionärsystem (s. d. Bd. II., S. 13) dadurch, daß die Curtine von der Defensiline innerhalb der Curtinenpunkte geschnitten wird, und wird so dasjenige Stück der Curtine genannt, welches zwischen diesem Schultpunkt und dem nächsten Curtinenpunkt liegt und durch Schrägfeuer zur Flankirung der Nebenbastions beitragen kann. Second-Flanken kommen nur in den älteren Systemen (italienisches, niederländisches) vor.

Section, 1. Bezeichnung für die Unterabtheilungen eines Zuges oder Pelotons, resp. Halbzugs der Infanterie, in der Stärke von 4—6 Rotten; in der französischen Artillerie 2 Geschütze, was in Preußen Zug heißt; vergl. Taktik 2c. 2. Bezeichnung für die einzelnen Abschnitte der Specialkarte eines Landes, welche dann nach der bedeutendsten in diesem Bereiche liegenden Stadt benannt werden, — wie z. B. Section Berlin, Paris 2c.

Secundant, 1. beim Zweikampf (s. d.); 2. in einer Tirailleur-kette wird jeder Mann einer Rotte der S. des Anderen derselben Rotte genannt, und zwar deshalb, weil ein gegenseitiges Secundiren dieser Leute allerdings insofern stattfindet, als der eine Mann zum event. Schutze des Anderen geladen haben muß, während dieser seinen Schuß abgiebt. — **Secundiren,** soviel als unterstützen, sowohl in der Fechtkunst, als im allgemeinen Sinne gebraucht.

Secundär, in 2. Linie in Betracht kommend, oder im Gefolge eines Haupt-Moments, so secundäre Operationen, welche nicht unmittelbar die Haupt-Entscheidung zum Zweck haben.

Secunde, 60. Theil einer Grad-Minute, welche wiederum 1/60 des Grades ist. Der Grad entsteht durch Eintheilung des rechten Winkels in 90 Theile.

Sedan (Sedan), Hauptstadt eines Arrondissements im franz. Departement Ardennes, Festung zweiter Classe, liegt an der von Bouillon aus Belgien kommenden Straße, 10 Kilometer von der belgischen Grenze entfernt, an der Maas und an der Eisenbahn von Thionville (Diedenhofen) nach Mézières (22 Kilometer südöstlich von letzterem), hat ein hochgelegenes festes Schloß, ein Arsenal, eine 1823 errichtete bronzene Statue des Marschalls Turenne (welcher 1611 daselbst geboren wurde), lebhafte Industrie, namentlich in Wolle (berühmte Sedantücher) und Eisenwaaren, zahlreiche Färbereien und zählt 15,100 Einwohner. In der Umgegend befinden sich ergiebige Kohlen- und Eisengruben. — Was die Befestigungen von S. anbelangt, so befindet sich auf dem linken Ufer der Maas die Vorstadt Torcy mit vier bastionirten Fronten als Brückenkopf, welcher mit der auf dem rechten Ufer liegenden Stadtbefestigung durch Anschlußlinien in Verbindung steht. Diese hat als Kern die stark profilirte Citadelle und das Schloß. Gegen Osten liegt derselben ein geräumiges Retranchement vor. Die Gräben sind zum Theil naß, sturmfrei, indeß ist das Mauerwerk nicht hinreichend gedeckt. In der Festung ist Mangel an bombensicheren Räumen. S. ist sehr alt und kommt urkundlich zuerst 1259 als ein dem Abten von Meuzen gehöriges Dorf vor, fiel 1379 als Afterlehn an die französische Krone, wurde 1400 vom König Karl VI. zum Fürstenthume erhoben und an seinen Bruder, den Herzog Louis von Orleans, verliehen, wechselte dann öfters die Besitzer, wurde seit 1424 von Eberhard de la Mard befestigt, kam 1588 an Heinrich von La Tour d'Auvergne (den Vater Turenne's) und fiel 1642 definitiv an die Krone zurück. Der Marschall Turenne wurde 1611 in dem hochgelegenen festen Schlosse geboren und ihm 1823 daselbst eine bronzene Statue errichtet. So lange als S. in den Händen der Protestanten war, hatte es eine berühmte Hochschule. Am 25. Juni 1815 wurde S. von den Hessen bombardirt, am 26. Juni capitulirte die Stadt und die Besatzung zog sich in die Citadelle zurück, deren Uebergabe erst am 15. Sept. erfolgte. Vom Oct. 1815 bis Nov. 1818 hatte der Platz preußische Besatzung.

In der neueren Kriegsgeschichte ist S. berühmt geworden durch die Schlacht[*]) vom 1. September und die Capitulation vom 2. September 1870.

Nach dem Verluste der drei großen Schlachten bei Metz (bei Courcelles 14., bei Vionville 16., bei Gravelotte 18. August 1870) hatte sich Bazaine nach der starken Festung Metz zurückgezogen und war dort von der I. und Theilen der II. Deutschen Armee unter dem Prinzen Friedrich Karl von Preußen eingeschlossen worden. Die Hälfte der französischen Feldarmee war somit von Paris abgeschnitten. Die III. Deutsche Armee unter dem Kronprinzen von Preußen hatte die Aufgabe, den Marschall Mac Mahon, welcher seine am 6. August bei Wörth geschlagene Armee im Lager von Chalons reorganisirte, zu bekämpfen; zu gleichem Zwecke wurde noch eine IV. Deutsche Armee aus dem preuß. Garde-Corps, dem 4. preuß. und 12. (sächs.) Corps und drei Cavalerie-Divisionen (welche sämmtliche Truppen bisher zur II. Armee gehört hatten) unter dem Kronprinzen von Sachsen gebildet. Der König Wilhelm selbst übernahm den Oberbefehl über diese beiden Armeen, welche die Operationen zum Marsch auf Paris ungesäumt begonnen. Die IV. Armee, den rechten Flügel bildend, schlug nördlich der III. Armee ihren Weg nach Chalons ein, trat mit ihrem Gros am 20. August den Marsch nach der Maas an, während die III. Armee diesen Fluß schon am 19. und 20. August ohne Widerstand zu finden überschritt und am 22. August Bar-le-Duc erreichte. Am 23. August war das Hauptquartier des Kronprinzen von Preußen in Ligny, das des Königs in Commercy. Da traf hier die wichtige Meldung ein, daß Mac Mahon das Lager von Chalons geräumt habe. Bald darauf kam der General v. Moltke, welcher mit dem Großen Hauptquartier dem König voraus gegangen war, ebenfalls in Ligny an und der Kronprinz hatte noch vor dem Eintreffen des Königs eine längere Besprechung mit den beiden Generalstabschefs v. Moltke und v. Blumenthal, da es noch zweifelhaft war, ob Mac Mahon sich gegen Paris zurückgezogen oder gegen die Marschlinie der breiten vorrückenden Deutschen Armeen eine Flankenstellung eingenommen habe. Während nun zunächst diese letzteren ihren Marsch auf Paris fortsetzten lief die Nachricht ein, daß Mac Mahon sich nördlich nach Rheims gewandt, und von da nordöstlich auf Rethel gegangen sei, also die Richtung auf Paris gänzlich aufgegeben habe. Diese Bewegung konnte entweder den Zweck haben, den Kaiser Napoleon III., der sich noch bei der Armee befand, nach Belgien zu bringen, wahrscheinlicher aber noch, Metz zu entsetzen und sich mit der dort ein-

---

*) Anmerkung: Da in Bezug auf die Schlacht von S. und die derselben vorhergehende Schlacht von Beaumont besonders hinsichtlich des Taktischen zur Zeit noch fühlbarer Mangel an authentischem Material, namentlich von deutscher Seite, ist, so geben wir, außer dem historischen Briefe des Königs Wilhelm, hier vorläufig nur eine allgemeine Darstellung der Vorgänge und werden später in den Supplementen unter den betreffenden Artikeln eingehender darauf zurückkommen.

geschlossenen Armee des Marschalls Bazaine zu vereinigen, in welchem Falle
der Rücken der beiden vordringenden Deutschen Armeen von einer feindlichen
Streitmacht von 350,000 Mann bedroht worden wäre. Um dieser großen
Gefahr zu begegnen, entwarf Moltke einen genialen Operationsplan, welcher
von den beiden Kronprinzen meisterhaft durchgeführt ward: es wurde beschlossen,
dem Marschall Mac Mahon zu folgen und den Marsch auf Paris aufzugeben.
Die Flankenbewegung geschah indeß nicht durch eine Rechtsschwenkung im
Ganzen, sondern von jedem Corps einzeln auf dem kürzesten Wege, sodaß also
eine staffelförmige Operation entstand, aus welcher sich, sobald der Feind durch
die vordersten Echelons erreicht und durch einen Angriff festgehalten würde,
alle übrigen zu einem entscheidenden großen Schlage vereinigen konnten. Demgemäß wurde am 26. August der Vormarsch angetreten; die IV. Armee, auf
der nördlichen Straße stehend, war dem Feinde zunächst; das Große Hauptquartier wurde von Bar-le-Duc nach Clermont-en-Argonne verlegt; um einen
Durchbruch Mac Mahon's zu begegnen, erhielt das 3. und 9. Armeecorps der
Cernirungsarmee vor Metz den Befehl, in Front nach Nordwest gegen Stain
vorzugehen. Am 27. August stieß ein Detachement der sächsischen Cavalerie-
Division unter dem Grafen von Lippe bei Buzancy auf französische Chasseurs
und zersprengte dieselben. Dadurch hatte die IV. Armee Fühlung mit dem
Feinde gewonnen. Am 29. August lieferte die sächsische Avantgarde ein zweites
glückliches Gefecht bei Nouart, westlich von Buzancy. Bei einem gefangenen
französischen Generalstabsoffizier wurde das französische Marschtableau gefunden
und infolge dessen die Disposition für die beiden Deutschen Armeen zum
30. August ausgegeben. Am 30. August rückte die ganze IV. Armee mit dem
rechten Flügel gegen die Maas und die Ardennen vor, unterstützt von dem
den rechten Flügel der III. Armee bildenden 1. bairischen Armeecorps. Bei
Beaumont (s. d. in den Supplementen) kam es zu einem heftigen Gefecht,
welches bis zum sinkenden Abend dauerte. Der Feind verlor 3000 Gefangene,
19 Kanonen, 8 Mitrailleusen und bedeutendes Kriegsmaterial und wurde über
die Maas zurückgeworfen und nach S. gedrängt, wo ihm der Weg nach Metz
leicht verlegt werden konnte. Während der Nacht schlugen die Deutschen bei
Mouzon Brücken über die Maas und am Morgen des 31. August ging die
IV. Armee über den Fluß. Mac Mahon concentrirte unter steten Kämpfen
mit den verfolgenden Truppen seine Armee um S. Der deutsche Operationsplan
wurde nun dahin erweitert, die französische Armee von allen Seiten zu umfassen, somit von Mezières wie von der belgischen Grenze abzuschneiden, und
zur Capitulation zu zwingen. Am 1. September kam es bei S. zur Entscheidungsschlacht.

Eine vortreffliche Schilderung dieser Schlacht und der sich daran knüpfen-
den Ereignisse enthält das historische, für die ganze Auffassungsweise des edeln
Heldengreises so höchst charakteristische Schreiben des Königs Wilhelm an die
Königin Augusta, welches wir hier seinem ganzen Wortlaute nach folgen lassen:

„Vendresse, südl. Sedan, 3. September 1870.
„Du kennst nun durch meine Telegramme den ganzen Anfang des großen geschichtlichen
Ereignisses, das sich zugetragen hat! Es ist wie ein Traum, selbst wenn man es Stunde
für Stunde hat abrollen sehen!
„Wenn ich mir denke, daß nach einem großen Kriege ich während meiner Regierung
nichts Ruhmreicheres mehr erwarten konnte und daß nun diesen weltgeschichtlichen Act erfolgt
sehe, so beuge ich mich vor Gott, der allein mich, mein Heer und meine Mitverbündeten
ausersehen hat zu Geschehen zu vollbringen, und uns zu Werkzeugen seines Willens
bestellt hat. Nur in diesem Sinne vermag ich das Werk aufzufassen, um in Demuth Gottes
Führung und seine Gnade zu preisen.
„Nun folge ein Bild der Schlacht und deren Folgen in gedrängter Kürze. Die Armee
war am Abend des 31. und am 1. früh in den vorgeschriebenen Stellungen angelangt,
rund um Sedan. Die Baiern hatten den linken Flügel bei Bazeilles an der Maas, da

neben die Sachsen gegen Moncelle und Daigny, die Garde gegen Givonne noch im Anmarsch, das 5. und 11. Corps gegen St. Menges und Fleigneur; da hier die Maas einen scharfen Bogen macht, so war von St. Menges bis Donchery sein Corps aufgestellt, in diesem Orte aber Württemberger, die zugleich den Rücken gegen Ausfälle von Mezières deckten. Cavalerie-Division Graf Stolberg in der Ebene von Donchery als rechter Flügel. In der Front gegen Sedan der Rest der Baiern.

„Der Kampf begann trotz dichten Nebels bei Bazeilles schon früh am Morgen, und es entspann sich nach und nach ein sehr heftiges Gefecht, wobei Haus für Haus genommen werden mußte, was fast den ganzen Tag dauerte, und in welches die Erfurter Division Schöler (aus der Reserve, 4. Corps) eingreifen mußte. Als ich um 8 Uhr auf der Front vor Sedan eintraf, begann die große Batterie gerade ihr Feuer gegen die Festungswerke. Auf allen Punkten entspann sich nun ein gewaltiger Geschützkampf, der stundenlang währte, und während dessen von unserer Seite nach und nach Terrain gewonnen wurde. Die genannten Dörfer wurden genommen.

„Sehr tief eingeschnittene Schluchten mit Wäldern erschweren das Vordringen der Infanterie und begünstigen die Vertheidigung. Die Dörfer Illy und Floing werden genommen, und zog sich allmählich unter Feuerkreis immer enger um Sedan zusammen. Es war ein grandioser Anblick von unserer Stellung auf einer dominirenden Höhe hinter jener genannten Batterie, rechts vom Dorfe Frénois vorwärts, oberhalb Pl. Torcy. Der heftige Widerstand des Feindes fing allmählich an, nachzulassen, was wir an den aufgelösten Bataillonen erkennen konnten, die eiligst aus den Wäldern und Dörfern zurückliefen. Die Cavalerie suchte einzelne Bataillone unseres 5. Corps anzugreifen, die vortreffliche Haltung bewahrten; die Cavalerie jagte durch die Bataillons-Intervallen durch, kehrte dann um und auf demselben Wege zurück, was sich dreimal von verschiedenen Regimentern wiederholte, so daß das Feld mit Leichen und Pferden besät war, was wir Alles von unserem Standpunkte genau mit ansehen konnten. Ich habe die Nummer dieses braven Regiments noch nicht erfahren können.

„Da sich der Rückzug des Feindes auf vielen Stellen in Flucht auflöste und Alles, Infanterie, Cavalerie und Artillerie in die Stadt und nächste Umgebung sich zusammendrängte, aber noch immer keine Andeutung sich zeigte, daß der Feind sich durch Capitulation aus dieser verzweifelten Lage zu ziehen beabsichtige, so blieb nichts übrig, als durch die genannte Batterie die Stadt bombardiren zu lassen; da es noch 20 Minuten ungefähr an mehreren Stellen bereits brannte, was mit den unten brennenden Dörfern in dem Schlachtkreise einen erschütternden Eindruck machte — so ließ ich das Feuer schweigen und sendete den Obrst-Lieutenant v. Bronsart vom Generalstabe als Parlamentär mit weißer Fahne ab, der Armee und Festung die Capitulation antragend. Ihm begegnete bereits ein bairischer Offizier, der mir meldete, daß ein französischer Parlamentär mit weißer Fahne sich gemeldet habe. Der Obrst-Lieutenant v. Bronsart wurde eingelassen, auf seine Frage nach dem General en chef wurde er unerwartet vor den Kaiser geführt, der ihm sofort einen Brief an mich übergeben wollte. Da der Kaiser fragte, was er für Aufträge habe, und zur Antwort erhielt: „Armee und Festung zur Uebergabe aufzufordern, erwiderte er, daß er sich dieserhalb an den General v. Wimpffen zu wenden habe, der für den blessirten Mac Mahon soeben das Commando übernommen habe, und daß er nunmehr seinen General-Adjutanten Reille mit dem Briefe an mich absenden werde. Es war 7 Uhr, als Reille und Bronsart zu mir kamen; letzterer kam etwas voraus, und durch ihn erfuhren wir erst mit Bestimmtheit, daß der Kaiser anwesend sei. Du kannst Dir den Eindruck denken, den es auf mich vor Allem und auf Alle machte! Reille sprang vom Pferde und übergab mir den Brief seines Kaisers, hinzufügend, daß er sonst keine Aufträge habe. Noch ehe ich den Brief öffnete, sagte ich ihm: „Aber ich verlange als erste Bedingung, daß die Armee ihre Waffen niederlege". Der Brief fängt so an: „N'ayant pas pu mourir à la tête de mes troupes je dépose mon épée à Votre Majesté", alles Weitere mir anheimstellend.

„Meine Antwort[*]) war, daß ich die Art unserer Begegnung beklage und um Sendung eines Bevollmächtigten ersuche, mit dem die Capitulation abzuschließen sei. Nachdem ich dem General Reille den Brief übergeben hatte, sprach ich einige Worte mit ihm als altem Bekannten, und so endigte dieser Act. — Ich bevollmächtigte Moltke zum Unterhändler und gab Bismarck auf, zurück zu bleiben, falls politische Sachen zur Sprache kämen; ritt dann zu meinem Wagen, und fuhr hierher, auf der Straße überall von stürmischen Hurrahs der heranziehenden Truppen begrüßt, die überall die Volkshymne anstimmten. Es war ergreifend! Alles hatte Lichter angezündet, so daß man zeitweise in einer improvisirten

---

[*]) Anmerkung: Die Antwort des Königs Wilhelm lautete: „En regrettant les circonstances dans lesquelles nous nous rencontrons, j'accepte l'épée de Votre Majesté et je la prie de bien vouloir nommer un de vos officiers muni de vos pleins pouvoirs pour traiter de la capitulation de l'armée qui s'est si bravement battue sous vos ordres. De mon côté j'ai désigné le général de Moltke à cet effet."

Illumination fuhr. Um 11 Uhr war ich hier und trank mit meiner Umgebung auf das Wohl der Armee, die solches Ereigniß erkämpft.

„Da ich am Morgen des 2. noch keine Meldung von Moltke über die Capitulations-Verhandlungen erhalten hatte, die in Doncherz stattfunden sollten, so fuhr ich verabredeter-maßen nach dem Schlachtfelde um 8 Uhr früh mit Friz in Bewegung, der mir entgegen kam, um meine Einwilligung zur vorgeschlagenen Capitulation zu erhalten, und mir zugleich anzeigte, daß der Kaiser früh 5 Uhr Sedan verlassen habe und auch nach Doncherz ge-kommen sei. Da derselbe mich zu sprechen wünschte und sich in der Nähe ein Schloß mit Part befand, so wählte ich dies zur Begegnung. Um 10 Uhr kam ich auf der Höhe von Sedan an; um 12 Uhr erschienen Moltke und Bismarck mit der vollzogenen Capitulations-Urkunde; um 1 Uhr setzte ich mich mit Friz in Bewegung, von der Cavalerie-Stabswache begleitet. Ich stieg vor dem Schlößchen ab, wo der Kaiser mir entgegen kam. Der Besuch währte eine Viertelstunde; wir waren Beide sehr bewegt über dieses Wiedersehen. — Was ich Alles empfand, nachdem ich noch vor 3 Jahren Napoleon auf dem Gipfel seiner Macht gesehen hatte, kann ich nicht beschreiben.

„Nach dieser Begegnung ritt ich von ⅓ bis ⅜ Uhr die ganze Armee von Sedan. Der Empfang der Truppen, das Wiedersehen des berührten Garde-Corps, das Alles kann ich Dir heute nicht beschreiben; ich war tief ergriffen von so vielen Beweisen der Liebe und Hingebung.

„Nun lebe wohl mit bewegtem Herzen am Schlusse eines solchen Briefes.

Wilhelm.“

Die wesentlichsten Bedingungen der Capitulation von S. waren: die gesammte Armee ergiebt sich kriegsgefangen; die Offiziere, welche schriftlich ihr Ehrenwort abgeben, in diesem Kriege nicht mehr gegen Deutschland zu kämpfen und in keiner Weise den Interessen Deutschlands zuwider zu handeln, erhalten die Freiheit; Feldzeichen, Waffen und Kriegsmaterial werden in S. an eine deutsche Commission abgeliefert; die Festung wird in ihrem gegen-wärtigen Zustande übergeben. Die Details wurden mit allen denjenigen Rücksichten geordnet, welche der Sieger einer braven und unglücklichen Armee nur irgend bewilligen konnte. Außer den am Schlachttage selbst gemachten Gefangenen (ungefähr 25—26,000 Mann) fielen durch die Capitulation 50 Generale, 5000 andere Offiziere, 84,000 Mann in Kriegsgefangenschaft. Ferner gelangten über 400 Feldgeschütze (darunter 70 Mitrailleusen), 180 Festungsgeschütze, 100,000 Chassepotgewehre, gegen 10,000 Pferde und ein äußerst zahlreiches Kriegsmaterial in die Hände der Sieger. Ungefähr 14,000 französische Verwundete wurden in und um S. gefunden. Nur etwa 3000 Mann war es gelungen, nach Belgien zu entkommen, wo sie entwaffnet wurden. Rechnet man hierzu noch die Verluste in der Schlacht von Beaumont (ungefähr 28,000 Mann), so ergiebt sich für die Franzosen ein Gesammtverlust von un-gefähr 150,000 Mann innerhalb dreier Tage. Am 8. September wurde S. von den Deutschen besetzt. Der gefangene Kaiser Napoleon III. erhielt Wilhelms-höhe bei Kassel zum Aufenthaltsorte angewiesen. Nach der Capitulation von S. schien der Krieg beendigt: die eine große kaiserliche Armee war gefangen, die andere in Metz eingeschlossen; Frankreich hatte über keine Feldarmee mehr zu verfügen, während den Deutschen die III. und IV. Armee zu fer-neren Operationen disponibel war und der Weg nach Paris offen stand. In Paris vollzog jedoch inzwischen auf die Nachricht von der Capitulation der Armee und der Gefangennahme des Kaisers ein mächtiger Umschwung. Am 4. September wurde die Republik proclamirt und ein „Gouvernement pro-visoire de la défense nationale“ eingesetzt, welches den Krieg fortzusetzen beschloß. Vgl. außer den allgemeinen Werken am Schlusse des Artikels „Deutsch-Französischer Krieg“ (in den Supplementen) noch: „Campagne de 1870. Les causes qui ont amené la Capitulation de Sédan. Par un Officier attaché à l'Etat Major-Général“, Brüssel 1870 (angeblich von Napoleon III. dictirt); „Sédan“ par le Général de Wimpffen, Paris 1871; „La Journée de Sédan“ par le Général Ducrot, Paris 1871; „Réponse au Général Ducrot par un officier supérieur“ (Général de Wimpffen), Paris 1871.

Sedgwick, Brevet-Generalmajor der Unirten, war vor dem Ausbruch des Secessions-Krieges Oberst des 4. Cavalerie-Regiments, befehligte im Winter von 1861 zu 1862 eine Division am obern Potomac, war bei dem Zuge M'Clellan's nach Richmond Divisions-Commandeur im Corps des General Sumner, commandirte bei Sharpsburg ein Corps, und wurde, von seiner dort erhaltenen Wunde geheilt, Commandeur des 9., später des 6. Corps. In den Schlachten bei Fredericksburg, Chancellorsville und Gettysburg zeichnete er sich durch militärischen Ueberblick aus, und fiel, nachdem er noch in der Schlacht von Wilderneß erfolgreich thätig gewesen, am 9. Mai 1864 bei Spottsylvania.

Sediman, Dorf in Ober-Egypten, südwestlich von Benisuef; hier 1798 sieg-reiches Gefecht der franz. Division Desaix gegen die Mamluden unter Murad-Bei.

See, 1) die See, vollständig gleichbedeutend mit Meer, und dafür auch in den meisten Zusammensetzungen gebräuchlich. 2) der See, ein größeres, in einem natürlichen Becken eingeschlossenes Binnengewässer, welches entweder ohne Verbindung mit dem Meere ist oder eine solche durch einen Fluß (Abfluß) hat; in ersterem Falle ist der S. ein Stillwasser, in letzterem hat er eine schwache Strömung. Uebrigens kennt der Sprachgebrauch mehrfache Schwan-kungen, da mehre S.n als „Meer" bezeichnet werden, ohne durch eine außer-gewöhnliche Größe darauf Anspruch zu haben, wie z. B. das Kaspische Meer, das Todte Meer (in Palästina), das Baltische Meer (der Chiem-See), das Steinhuder Meer u. a. Je nach ihren Verhältnissen, ihren Bestandtheilen, ihrer Lage ꝛc. theilt man die Binnen- oder Land-Seen ein in: Quell-Seen (ohne Zufluß, aber mit Abfluß), Fluß-Seen (mit Zufluß und mit Abfluß), Steppen-Seen (theils mit Zufluß, aber ohne Abfluß, in letzterem Falle auch Mündungs-Seen genannt); Süßwasser-Seen (ohne Salz-Gehalt), Salz-Seen (mit Salz-Gehalt); Gebirgs-Seen und Thal-Seen (welche letztere meist Fluß-Seen sind), Plateau-Seen (auf Hochebenen, meist Steppen- und Salz-Seen), Krater- oder Trichter-Seen (Krater erloschener Vulcane, mit Wasser gefüllt), Niederungs-Seen (in den tiefsten Gründen der Tiefebenen); die Gebirgseen zerfallen wiederum in Stufen-Seen (auf den Verstufen der am Ausgange eines Gebirges), Berg-Seen (in niedern oder Mittelgebirgen), Alpen-Seen (in Gebirgen von alpinem Charakter). Die größten Plateau-Seen sind: der Great Salte-Vale in Utah, der Titicaca-See in Bolivia und der Nyanza-See in Südafrika; der größte Alpen-See der Baikal-See in Sibirien; die größten Niederung-Seen in Europa: der Ladoga- und Onega-See, in Asien: das Kaspische Meer und der Aral-See, in Afrika: der Tsad-See (in Sudan), in Nordamerika: die fünf großen Canadischen Seen des St. Lorenz-Gebietes (Oberer-, Huronen-, Michigan-, Erie- und Ontario-See), der große Sclaven-See und der Winipeg-See.

See-Artillerie, (Marine-Artillerie,) wird nicht etwa zur Bedienung der Schiffsgeschütze, welche durch Matrosen besorgt wird, verwandt, sondern dient als Küsten-Artillerie zur Besetzung der Küstenbefestigungen und zur Ausführung artilleristischer Arbeiten in den Marine-Etablissements. Wenn der Dienst der S.-A. auch im Allgemeinen durch jegliche Festungs-Artillerie versehen werden kann, so machen doch die Besonderheiten des Kampfes gegen Schiffe, die eigenthümlichen Einrichtungen der Küstengeschütze großen Kalibers ꝛc. das Bestehen einer besonderen S.-A. wenigstens wünschenswerth. — Die deutsche Marine hat eine See-Artillerie-Abtheilung von 3 Comp. (eine in Wilhelmshaven, zwei in Friedrichsort); ihre Ausbildung erfolgt ganz analog der Festungs-Artillerie; Friedensstärke 14 Offiz., 46 Unteroffiz., 119 Gemeine ꝛc.

Seebataillon ist gebildet durch die Marine-Truppen des Deutschen Reichs, 6 Comp. stark, in Kiel stationirt; Friedensstärke 32 Offiz., 107 Unteroffiz. 925 Gemeine ꝛc. Das S. giebt die Wachen an Bord, dient als Aushülfe

Personal bei Segel-Manövers und der Bedienung der Schiffsgeschütze und ist als Landungs-Infanterie bestimmt.

Seecadett. Benennung der Offiziersaspiranten in den Kriegsmarinen. Die Erziehung derselben ist bei den einzelnen Seemächten verschieden. In England kommen dieselben in sehr jungen Jahren an Bord und erhalten daselbst in den Fachwissenschaften, sowie zur weiteren allgemein wissenschaftlichen Ausbildung, Unterricht, soviel sich die Gelegenheit dazu bietet. Da diese aber häufiger mangelt, so bleibt die wissenschaftliche Ausbildung oft zurück; die praktische Ausbildung hingegen läßt nichts zu wünschen übrig. In Frankreich werden höhere Anforderungen gestellt; die wissenschaftliche Fortbildung geschieht auf besonderen im Hafen stationirten Schulschiffen; erst nach Absolvirung der vorgeschriebenen Examina wird der Cadett einem einzelnen Schiffe zur Dienstleistung zugetheilt. In der Deutschen Marine werden zur Eintrittsprüfung solche Anforderungen gestellt, wie die der Ober-Secunda eines Gymnasiums entsprechen; darauf werden die Aspiranten als Cadetten zur See an Bord besonderer Schulschiffe eingeschifft, wo ihre weitere wissenschaftliche Ausbildung durch besondere Lehrer geleitet wird. Nach Ablauf eines Jahres legen sie das Examen zum S.en ab, welches nur fachwissenschaftlich ist; demnächst erfolgt die Ernennung als S., mit dem Range eines Porteepee-Fähnrichs der Land-Armee, und eine weitere praktische Ausbildung an Bord in Dienst gestellter Schiffe, oder auch auf Schulschiffen. Nach gesammter dreijähriger Fahrzeit auf See werden die S.en dann behufs Ablegung des eigentlichen Offizier-Examens zum Besuch der Marine-Schule in Kiel (bis 1866 als Seecadetten-Institut in Berlin) zugelassen. Aehnliche Einrichtungen bestehen in anderen Ländern. Im Hafen und auf der Rhede haben die S.en namentlich den Dienst in den Böten zu verrichten; ihr übriger Dienst an Bord ist mehr instructiver als selbstthätiger Art.

Seecompaß, s. u. Compaß, Bd. III., S. 62.

Seefest heißt 1) ein Seemann, welcher der Seekrankheit nicht mehr unterworfen ist; 2) ein Schiff, welches die See gut halten kann, also weder schlingert noch stampft, auch beim Fahren an Masten, Takelage und Segeln nicht leidet und in den Verbindungen des Gebäudes nicht lose wird.

Seefestungen (vgl. Festung) bilden ein Glied in der Küstenbefestigung (s. d.) und werden in der speciellen Absicht angelegt, um den Besitz von Orten zu sichern, welche für die Organisation und Pflege der Marine und für die Erhaltung ihres kriegstüchtigen Zustandes unentbehrlich sind. Die S. dienen theils als Kriegshäfen zur gesicherten Unterbringung und Formirung der Streitkräfte, theils als Kriegswerfte zur gesicherten Anfertigung des Kriegsmaterials der Marine, theils als Marine-Depots zur gesicherten Aufbewahrung des Kriegsmaterials. Die S. sichern ferner den Besitz von Orten, welche für die Bewegungen der Flotte unentbehrlich sind, wie Meerengen (Gibraltar) und günstige Ankerplätze; letztere können in offensivem Sinne befestigt werden, wenn sie in der Nähe einer zu bedrohenden Küste liegen und als Basis der Operationen dienen sollen, speciell zu gesichertem Aufenthalte für die Flotte bei Unwetter — in defensivem Sinne werden durch Befestigungen dagegen Strommündungen und Häfen gesichert, welche dem Feinde eine erwünschte Operations-Basis bieten würden, um seine Kriegs- und Transport-Schiffe zu sammeln und seine Armee, speciell seine Artillerie, Cavalerie und Parks zu landen. Wenn die Strommündungen und Häfen eines Landes durch Befestigungen gesichert sind, so wird eine feindliche Landung schon bedeutend schwieriger, weil sie auf den offenen Strand angewiesen ist. — Fast in allen Fällen wird eine und dieselbe S. mehreren der genannten Zwecken gleichzeitig dienen und mit der Vielseitigkeit ihres Nutzens wächst der Werth ihres Besitzes, so z. B. dienen für Frankreich Cherbourg und Brest, für Englan'

Portsmouth und Plymouth, für Rußland Kronstadt und Sebastopol als Marine-Depots, Kriegswerfte und Kriegshäfen. —

S. sind sowohl gegen einen Angriff zu Lande als auch zur See zu schützen. Letzterem stehen die kräftigsten Mittel zur Disposition, die schwersten Geschütz-Kaliber, welche in gepanzerten Schiffen gesichert placirt sind; dabei gestattet die Schnelligkeit der Bewegungen dieser gewaltigen Kriegsmaschinen vermöge der Dampfkraft (bis zu 14 und 16 Knoten in der Stunde) einerseits überraschendes Auftreten, sowohl beim Ausbruch, wie im Laufe des Krieges, andererseits das Feuer der Befestigungen schnell zu durchlaufen und gegen materielle Hindernisse einen furchtbaren Stoß zu führen. — Einem Land-Angriffe gegenüber müssen die Befestigungen die erforderliche fortificatorische Stärke erhalten, um gegen die große Schußweite, Treffsicherheit und Geschoß-wirkung des gezogenen Geschützes zu sichern; aber die Kaliber des Angreifers sind verhältnißmäßig klein, da man die schweren Kaliber der See-Artillerie und die schwere Munition dieser Kolosse auf dem Lande nur schwer transportiren und placiren kann. — Gegen einen Ueberfall, gewaltsamen oder förmlichen Angriff, wird eine S. auf der Landseite durch eine geschlossene sturmfreie Enceinte gesichert, vor derselben liegt, wenn die Befestigungen Marine-Etablissements oder reiche Handelsstädte einschließen, eine Reihe detachirter Forts zur Sicherung gegen Bombardement. Die Forts sind bis 5000 Schritt von der Haupt-Enceinte entfernt, wo völlig freies Vorterrain den Angreifer durch das eigene Feuer entfernt zu halten gestattet, bis 1 Meile, wo dies nicht der Fall ist und wo absolute Sicherheit gegen Bombardement erstrebt wird. Die Entfernung von einander und die Einrichtung der detachirten Forts wird nach denselben Grundsätzen angeordnet, welche bei Landfestungen maßgebend sind (vgl. Festungen). — Gegen See-Angriffe sind die schwersten Geschütze und alle die zahlreichen Erfordernisse zu deren Bedienung unumgänglich nothwendig. Diese Geschütze müssen so aufgestellt werden, daß ihnen ein entscheidendes Uebergewicht über die Artillerie der angreifenden Flotte gesichert bleibt. Die Artillerie wirkt zur Beherrschung der Einfahrten, Ankerplätze oder der zu vertheidigenden Küstenstriche am Ufer und auf Sandbänken in offenen, resp. casemattirten Batterien aufgestellt, oder in schwimmenden Batterien placirt, in den Fällen, wo Landbatterien einander nicht so nahe gerückt werden können, daß sie ihre Zwischenräume wirksam genug unter Feuer halten oder wo es nothwendig ist, vorgeschobene, von der Küste entfernte Batterien auf Punkten zu haben, auf denen die Schwierigkeit und die Kosten der Fundamentirung fester Bauwerke außer Verhältniß zu dem zu erreichenden Zweck stehen würden. — Die Frage, welche Art von Schiffen für die Verwendung als schwimmende Batterien zu Hafen-Vertheidigung am geeignetsten sei, ist vielfach discutirt worden. Gegenwärtig wird allgemein anerkannt, daß der „Monitor" (s. d. Bd. VI., S. 153) die günstigste Gestalt der schwimmenden Panzer-Batterien ist. Um ungepanzerte Kreuzer oder Kaperschiffe zu bekämpfen, werden schon kleine Kanonenboote genügen. — Ein zweites und nicht weniger wichtiges Element der Vertheidigung neben den schwimmenden und festen Batterien sind die Sperrungen (s. d.), welche in den meisten Fällen unerläßlich sind, um die feindlichen Schiffe im Geschützfeuer festzuhalten.

Die einfachste Gestalt einer Batterie, welche dem Angriffe einer Flotte gegenübertreten soll, hat die offene Erdbatterie. Sie kann auf einem geräumigen wasserfreien Bauplatze angelegt werden, erfordert aber ein Commandement von mindestens 30 m über dem Meeresspiegel, um die Geschütze und die Bedienung der Einsicht der See aus einigermaßen zu entziehen. Die Geschütze feuern in der Regel über Bank und haben dann den Vorzug eines weiten Gesichts- und Schußfeldes — dahingegen den Nachtheil, wenig geschützt zu sein gegen die feindlichen Geschosse. Diesem Uebelstande wird einigermaßen abgeholfen durch Scharten-Batterien, besonders wenn die Scharten mittelst eiserner Schilde verstärkt sind, welche in den Schartenengen aufgestellt sind. Zahlreiche Traversen mit Schutzhohlräumen sichern gegen die Wirkung der feindlichen Geschosse. Unter den Wallgange sind Hohlräume für die Munition der schweren Geschütze angelegt. Mit Hilfe von Flaschenzügen werden die Geschosse aus den Geschoßladestellen auf den Wallgang gehoben. — Gegen Landangriffe sind leichtere Geschütze disponibel. — Die gesammte Besatzung ist bombensicher untergebracht in zahlreichen Kasematten, welche unter dem Walle liegen. Ein revetirter oder nasser Graben mit gesicherter Flantirung ist nach den Anforderungen der Sturmfreiheit angelegt. Die Kehle ist nach Maßgabe der Gefährdung von rückwärts angeordnet. Einzelne Geschütze können in kasemattirten Geschützständen mit Stirnpanzern oder in drehbaren Panzer-Kuppeln in den Saillants der Erdwerke aufgestellt sein. An Stelle der offenen Erd-Batterien werden kasemattirte Batterien oder Thürme angewendet, wenn die Aufstellung großer Geschützmassen auf beschränktem Raume erforderlich ist und dieselben daher in mehreren Stockwerken übereinander statt nebeneinander zu placiren sind — namentlich beim Bau im Wasser zu möglichster Reduction der erforderlichen Fundamente. Ferner ist die Anlage kasemattirter Batterien wünschenswerth bei tiefer Lage des Bauplatzes zum Schutze gegen Ansicht und plongirendes Feuer. — Vor Einführung der gezogenen Geschütze und der Panzerschiffe wurden die kasemattirten Batterien lediglich in Mauerwerk aufgeführt. Ihre Ueberlegenheit über die Schiffe und Geschütze der damaligen Zeit war unzweifelhaft. Häufig wurden den kasemattirten Batterien die Gestalt von Thürmen nach Art der thurmartigen kasemattirten Reduits von Landbefestigungen gegeben. Nach Einführung der gezogenen Geschütze ersetzte man die Schildmauer der Thürme durch Panzer-Schilde, ein oder zwei Stockwerke hoch. Die Mauerpfeiler zwischen erhielten die größere Stärke wie früher (4 m. stark). Die Schilde wurden ca. 1,5 m hinter die Stirn der Pfeiler und des freitragenden Gewölbes zurückgezogen, so daß erst bedeutende Mauermassen heruntergeschossen werden müssen, ehe neben den Schildern die Deckung des Innern verloren geht. Die erwähnte Construction hat z. B. Fort Garrison Point in Sheerneß erhalten. — Bei neueren Bauten erhielten auch die Pfeiler- und Gewölbe-Stirnen Panzerungen zwischen und über den Kasematten-Schildern; so entstanden die feststehenden Panzer-Thürme (Forts von Spithead), welche häufig noch durch drehbare Panzerkuppeln verstärkt wurden, so z. B. befinden sich auf dem Plateauformen des Forts von Spithead je 5 Kuppeln. — Die drehbaren Panzer-Thürme werden nicht nur, wie erwähnt, als Verstärkung in Erd-Batterien oder kasemattirten, resp. gepanzerten, feststehenden Thürmen aufgestellt, sondern auch als selbstständige Batterien auf einem nicht zum Kampfe mit den feindlichen Schiffen bestimmten kasemattirten Unterbau, der durch vorliegenden Graben mit revetirter Contrescarpe und Glacis gesichert ist. Solche Batterien sind z. B. erbaut zum Schutz der Schelbemündung. — Von den S. Europas haben die Englands den höchsten Grad fortificatorischer Stärke erhalten. Neben den großen Marine-Arsenalen in Plymouth und Portsmouth sind auch die kleineren Häfen Englands durch Befestigungen gesichert.

Seegebrauch, s. Seerecht im Artikel Völkerrecht.

Seegefecht, der Kampf einzelner Schiffe oder kleinerer Abtheilungen einer Flotte mit einander, s. Seetaktik.

Seegeschrei, bei der Marine s. v. w. Feldgeschrei.

Seegeschütze (Marinegeschütze), s. u. Geschütze, Bd. IV, S. 197 ff.; vgl. Artillerie, Bd. I, S. 232 ff.

21*

Seegesetze, s. u. Seerecht im Artikel Völkerrecht.

Seehöhe, 1) die See in einiger Entfernung vom Lande, weil sie kann gegen das Land erhöht erscheinen; 2) die Höhe irgend eines Punktes auf dem Festlande, insofern man sich den Meeresspiegel als eine Grundfläche denkt; 3) der Längen- und Breitengrad, welchen man zu Schiff auf offener See nimmt, um den Punkt zu erfahren, an welchem sich das Schiff befindet.

Seeintendant, s. Seepräfect.

Seekarten sind Darstellungen von Theilen der Meeresoberfläche in verjüngtem Maaßstab. Am gebräuchlichsten sind Plattkarten (cylindrische Projection mit Quadratnetzen), oder solche nach Mercator's System (s. „Karte", Br. V., S. 146), letztere dadurch von dem System der Landkarten abweichend, daß in ihnen die Meridiane als unter sich parallel und von den Breitenparallelen rechtwinklig durchschnitten angenommen sind und für jedes Rechteck ein besonderes Verjüngungsverhältniß obwaltet. Mercator-Karten gewähren den Vortheil, daß eine schräg durch sie hindurchführende gerade Linie die Meridiane überall unter demselben Winkel durchschneidet. Die loxodromische, d. h. rechtläufige Linie des Schiffscurses ist eine solche, und wird daher ihre Einzeichnung und Berechnung ganz besonders erleichtert. Außer der Wasseroberfläche des Meeres enthalten S. auch die Küsten, Inseln, Klippen, Banken und Riffe, die Strömungen, die Variationen des Compasses und die Wassertiefen bei gewöhnlichem Stande, ausgedrückt in Faden oder Klaftern. An mehreren Stellen der S. sind Windrosen angebracht, um mittelst ihrer den Schiffscurs bezeichnen zu können. — Zu genauerer Darstellung besonders wichtiger Stellen der Meeresfläche, wie Canäle, Passagen, Häfen u. s. w. dienen Specialkarten oder Seepläne. Hierbei bedient man sich zur Darstellung der Wassertiefen des Systems der isobathen, d. h. gleichtiefen Schichten. Die Gestaltung des Meeresbodens wird, ganz analog der Darstellung der Verticalgestaltung der Erdoberfläche der Horizontalen, durch eine Reihe von Curven ausgedrückt, welche gleiche Wassertiefen bezeichnen. Diese Schichten, meist durch verschiedene Farbentöne von einander unterschieden, geben ein fast plastisches Bild der Gestaltung des Meeresbodens.

Das großartigste Seekartenwerk sind die von dem nordamerikanischen Commodore Maury (s. d.) entworfenen „Wind and Current Charts" 1845 ff., eine von der National-Sternwarte zu Washington herausgegebene Sammlung von mehr als hundert Wind- und Stromkarten, welche alle fünf Oceane umfaßt und außer den gewöhnlichen Angaben noch die Wind- und Stromrichtungen in den verschiedenen Meeren und Meerestheilen, die Verbreitung des Walfisches 2c. enthält.

Seekennung, die Kenntniß von der Beschaffenheit und Tiefe des Meeresgrundes, sowie der übrigen Merkzeichen in der See und an den Küsten, aus welchen der Seefahrer erkennen kann, auf welchem Punkte er sich befindet, resp. welchen Weg er weiter einzuschlagen hat.

Seekrankheit (Morbus, sive vomitus marinus, nauticus), eine hauptsächlich durch heftigen Schwindel und anhaltendes Erbrechen und Würgen charakterisirte Affection, welche die Mehrzahl derjenigen Individuen befällt, die zum ersten Male auf einem in stärkerer oder ganz stürmischer Bewegung befindlichen Schiffe fahren. Es sind im wesentlichen die schaukelnden Bewegungen des Schiffes, welche diese eigenthümliche Erkrankung verursachen; letztere tritt deshalb bei stärker schaukelnden Schiffen, kleinen Segelbooten, selbst größeren Segelschiffen leichter ein, als auf großen tiefgehenden Dampfschiffen. — Der Zusammenhang zwischen diesen schaukelnden Bewegungen und der Erkrankung ist im Nervensystem zu suchen. Es wird durch solche anhaltende ganz ungewohnte Bewegungen das Perceptionsvermögen des Gehirns in einer anhaltend abnormen Erregung erhalten. Das Muskelgefühl, der Gesichts- und der Tastsinn stehen in einer gegenseitigen immerwährenden unbewußten Relation, welche unter anderem die fortwährende vom Willen unabhängige Bewahrung des Gleichgewichts ermöglicht. — Durch jene erwähnten Bewegungen wird nun diese Relation immer von Neuem und in abwechselnd entgegengesetzter Richtung gestört, in einer Weise, daß ein Widerspruch zwischen diesen Gefühlen entsteht, der sich im Bewußtsein als Schwindel äußert. — Außer dieser Einwirkung auf das Gehirn kommt zweitens die constante Erschütterung und Bewegung der Eingeweide und ihres Inhaltes in Betracht, welche die dem Gehirn aus eingeleitete Verstimmung des Magens und der Därme zu unterhalten nur geeignet ist. Nicht alle Menschen sind der Erkrankung in gleicher Weise exponirt. Einzelne werden überhaupt nie seekrank, bei Einigen tritt die Gewöhnung an die Bewegungen des Schiffes nach wenigen Tagen, bei anderen erst nach Wochen und Monaten ein; ja es giebt Leute, die selbst, wenn sie sich dem Seedienst gewidmet haben, manchmal Jahre lang, wenigstens bei stürmischem Wetter, von Anfällen der S. zu leiden haben. — Manche Individuen, namentlich Frauen und sehr sensible Personen, bekommen die S., die während des Fahrens aufgehört hatte, von Neuem, wenn sie ans Land kommen, durch den Contrast zwischen den anhaltenden passiven Bewegungen auf der See und dem Aufhören derselben am Lande.

Die Krankheit beginnt meist mit Eingenommensein des Kopfes, Schwindel, Flimmern vor den Augen, und gleichzeitig oder bald nachher Brechneigung und Uebelkeit. Dabei bleibt es bei vielen Individuen, namentlich bei verhältnißmäßig ruhigem Gang des Schiffes. — Meist jedoch erfolgt nunmehr Erbrechen; zuerst werden nur die genossenen Speisen, sodann aber der vom Magen abgesonderte Schleim, nicht selten mit Galle vermischt, erbrochen; schließlich hört das Erbrechen auf, ist aber von fortdauerndem Würgen gefolgt. Jede neue Nahrungsaufnahme, auch nur das spärliche Trinken, führt jedoch alsbald von Neuem zum Wiederherausgeben des Genossenen. — Der Stuhl ist verstopft, in seltenen Fällen sind aber auch Diarrhöen vorhanden. — Die Magengegend ist in geringerem oder höherem Grade empfindlich. Als Folge der anhaltenden Brech- und Würgbewegungen tritt große Mattigkeit, Hinfälligkeit, Blässe des Gesichts, Muskelzittern ein, und erhält sich auch noch eine Zeitlang nach dem Erbrechen. In leichteren Fällen stellt sich nach einigen Tagen, besonders wenn eine nicht zu stürmische Bewegung des Schiffes stattfindet, das normale Befinden wieder her, der Kranke geht ohne Schwindel auf dem Schiffe hin und her, Brechneigung stellt sich immer seltener ein, und der Appetit kehrt zurück. In schwereren Fällen hält das Erbrechen an, Diarrhöen kommen hinzu, sehr hochgradige Schwäche und Abmagerung stellt sich ein, die Schwäche steigert sich öfters zu Ohnmachten, und die Kranken bleiben, zu jeder Bewegung unfähig, in völliger Apathie während der ganzen Fahrt liegen. — Auch die schwersten Erkrankungen dieser Art verschwinden jedoch alsbald, nachdem die Betroffenen wieder auf's feste Land gekommen sind; nur selten bleiben noch eine Zeitlang Verdauungsbeschwerden zurück; ein tödtlicher Ausgang durch Erschöpfung dürfte wohl zu den seltensten Ausnahmen gehören. Kleine Kinder, die am meisten gefährdet wären, bleiben von der Krankheit in der Regel verschont. Zu thun ist nicht viel gegen die S.; die Ursache ist eben nicht zu beseitigen. Man soll, ehe man an Bord geht, eine mäßig reichliche Mahlzeit von leicht verdaulicher Beschaffenheit mit etwas starkem Wein nehmen; denn leerer Magen, ebenso wie überfüllter vermehren die Beschwerden. — Man halte sich möglichst auf dem Verdeck, in der frischen Luft, am Besten in der Mitte des Schiffes; man wähle die sitzende Stellung, man vermeide es vor allen Dingen, den Bewegungen des Schiffes oder den auf demselben befindli-

Gegenständen oder den Wellen mit den Augen zu folgen, sondern beschäftige sich mit Lectüre oder ruhiger Conversation. Bei ausgebrochener Krankheit halte man ruhig die liegende Stellung ein, nehme hin und wieder ein Brausepulver oder löffelweise kaltes Sodawasser, oder etwas Citronensaft. — Ist das Erbrechen sehr stark, so kann man den Magen mit einer kleinen Dosis Merkurium, oder ein paar Tropfen Chloroform zu beruhigen suchen. Bei großer Schwäche nimmt man ganz geringe Mengen sehr starken Weines, oder öfter einige Hoffmannsche Tropfen (Spiritus sulfurico-aethereus).

Seekrieg, s. Seetaktik.

Seeland (dänisch Själland), die wichtigste Insel des Königreichs Dänemark (s. d. Bd. III., S. 139), zwischen dem Kattegat und der Ostsee gelegen, durch den Großen Belt von der Insel Fünen, durch den Sund von Schweden, sowie durch eine schmale Meerenge von Möen und Falster getrennt, hat eine Länge (von Nord nach Süd) von 17½ Meilen, eine Breite (von Ost nach West) von 14 Meilen und einen Flächenraum von 128 O.-M., das Stift S. aber (d. h. die Insel S. nebst Möen und Samsöe und andern dazu gehörigen kleineren Inseln) einen Gesammtflächenraum von 133,₃₄ O.-M. mit (1868) 619,198 Einwohnern, wovon auf Kopenhagen allein 180,472 Einwohner kommen. Die Insel S. ist durch zahlreiche, mehr oder weniger tiefeindringende Buchten und Fiorde stark gegliedert, hat meist flache Ufer, fast ganz ebenes Land (der höchste Punkt ist der Oxerodsballen bei Pesteregete, 386 Fuß), größtentheils fruchtbaren Boden, schöne Waldungen, aber wenig Obst. Unter den Flüssen ist die 11 Meilen lange, theilweis canalisirte Suus-Aa im Südwesten der bedeutendste; auch giebt es zahlreiche kleinere und größere Seen. Von der im Osten der Insel liegenden Hauptstadt Kopenhagen führen Eisenbahnen nördlich nach Helsingör und südwestlich über Roeskilde nach Korsör und Vordingsborg. Festungen sind: Kopenhagen (mit Frederikshavn und Christianshavn), Kronborg bei Helsingör (am Sund) und Korsör (am Großen Belt).

Seele, 1) die Bohrung des Feuerrohres, s. u. Geschütze, Bd. IV., S. 191 (vgl. Geschützgießereien, S. 202 f.), Handfeuerwaffen, Bd. IV., S. 323. 2) die konische oder cylindrische Aushöhlung der Rakete, s. b. Bd. VII., S. 287.

Seelenachse, s. Achse der Seele, Bd. I., S. 30.

Seelenverkäufer (Zettelverkäufer), Spottname für die berüchtigten Mäkler, welche sich ehedem damit beschäftigten, Matrosen und Soldaten für die überseeischen holländischen Colonien anzuwerben und für jeden Mann eine gewisse Summe Geldes erhielten.

Seemacht, 1) die Gesammtheit der Kriegsfahrzeuge, welche ein Staat oder Reich besitzt, also gleichbedeutend mit Kriegsflotte oder Kriegsmarine, s. unter Marine. 2) Seemächte oder Seestaaten heißen vorzugsweise solche Staaten, welche stark befestigte Häfen und Küstenanlagen, sowie zum Schutze ihres Handels oder ihrer überseeischen Colonien eine starke Kriegsmarine unterhalten, kann aber auch (namentlich früher) solche Staaten, deren maritime und coloniale Macht von größerer Bedeutung ist, als ihre continentale. In diesem Sinne waren ehemals namentlich Genua, Venedig und Holland als S. zu bezeichnen; doch gilt diese Bedeutung in neuerer Zeit verdrängt und der Name S. gilt jetzt nur noch in jenem Sinne. Je nach der Stärke ihrer Kriegsflotte unterscheidet man bisweilen Seemächte ersten, zweiten, dritten ꝛc. Ranges. Als S. ersten Ranges gelten vor Allem Großbritannien, sodann Frankreich und die Vereinigten Staaten von Nordamerika; und kurz nach dem Orientkriege wurden bisweilen Großbritannien und Frankreich vorzugsweise die S. (les puissances maritimes) genannt. Als S. zweiten Ranges sind Rußland, Italien, Oesterreich, das Deutsche Reich, die Türkei, Holland, Spanien, Portugal

Schweden, Dänemark zu bezeichnen. Eine wirklich feststehende Classification, wie dies in gewisser Hinsicht bei der Bezeichnung „Großmächte" (s. d.) der Fall ist, findet indeß nicht statt.

Seemannschaft ist die Kenntniß von der Einrichtung der Schiffe und aller behufs des Gebrauchs vorkommender Manipulationen mit denselben. Hierher gehört zunächst das Bauliche des Schiffs, Bemastung, Takelage, Gebrauch des Steuerruders, der Segel, Anker, die richtige Beladung eines Schiffes, die Schiffsmanöver, der Lootsendienst, das Signalsystem, die Nationalflaggen, das Uebernehmen schwerer Lasten (bei Kriegsschiffen speciell der Geschütze), das Verhalten bei besonderen Vorkommnissen (Sturm, Havarie ꝛc.). S. und Navigation (s. d.) bilden die Grundlage der seemännischen Bildung (s. Seewissenschaften); in dem Umfange, wie der niedere Seemann deren bedarf, werden dieselben auf den Seemannsschulen gelehrt.

Seemeile, die gewöhnliche (sogenannte Italienische), jetzt fast allgemein gebräuchliche S. ist der 60. Theil eines Aequatorialgrades, also ¼ geographische Meile*) = 1,₈₅₂ Kilometer = 6076,₃ engl. Fuß. Von der früheren S. der Engländer (1 Sea League = 3 Sea Miles), der Franzosen (1 Lieu marine = 3 Milles marins) und der Spanier (1 Legua maritima = 3 Millas maritimas) gingen 20 auf einen Aequatorialgrad, also = 5,₅₆₃ Kilometer.

Seemine, Wassermine, s. Mine, Bd. VI., S. 128, vgl. Torpedo.

Seeoffiziere (Marine-Offiziere) s. u. Marine, Bd. VI., S. 20.

Seepräfect (Seeintendant, Marinepräsect), in den großen französischen Kriegshäfen der oberste Beamte, welcher die Aufsicht über das Seewesen, die Marine-Etablissements ꝛc. führt. Die französische Seemacht zerfällt in fünf Divisionen, welche den fünf großen Kriegshäfen Cherbourg, Brest, Lorient, Rochefort und Toulon zugetheilt sind, welchen die fünf Seebezirke (Arrondissements maritimes)) entsprechen; die fünf Flottenstationen sind zugleich Sitze der See- oder Marine-Präfecturen, vgl. Frankreich, Bd. IV., S. 100.

Seeraub (Seeräuberei, Piraterie) unterscheidet sich von Caperei (s. Caper, Bd. II., S. 302 ff.) dadurch, daß sie von Freibeutern, Corsaren, Piraten (Seeräubern) auf eigene Hand und unter willkürlicher Flagge gegen Jedermann ausgeübt, letztere aber während eines Krieges dem Kriegführenden Macht bestimmten Privatpersonen und Rhedern durch ein Patent (Caperbrief), gestattet wird. Im Alterthum waren die cilicischen und karischen Seeräuber berüchtigt; im Mittelalter unternahmen namentlich die Normannen größere Seeraubzüge. Nach den Kreuzzügen, und besonders seit dem 16. Jahrhundert entwickelten die muhammedanischen Staaten an der Südküste des Mittelländischen Meeres eine starke Seemacht, brachten den S. besonders auch behufs der Anbringung von Christensclaven in ein förmliches System und wurden vorzugsweise Raubstaaten genannt. Sie erhielten sich bis in die neuere Zeit, bis endlich Frankreich 1830 durch die Eroberung von Algerien dem Unwesen ein Ende machte. Außerdem sind in neuerer Zeit noch namhaft geworden: die Flibustier in Westindien, die westindischen und südamerikanischen Seeräuber während der Unabhängigkeitskämpfe des Spanischen Amerikas gegen das Mutterland, die griechischen Seeräuber, die ihren Hauptsitz auf Creta hatten, die Rifspiraten (s. d.) an der marokkanischen Küste (vgl. Melilla, Br. VI., S. 61), die persischen und indischen Seeräuber im Persischen Meerbusen, die chinesischen, die namentlich in der neuesten Zeit seit dem Bürgerkriege in China in den dortigen Gewässern den Handelsschiffen aller Nationen sehr gefährlich geworden sind und deren Unterdrückung selbst den Kriegsschiffen

---

*) Anmerkung. Eine geographische (oder frühere deutsche) Meile (der 15. Theil eines Aequatorialgrades) = 7,₄₂ Kilometer; die neuere deutsche Meile dagegen 7,₅ Kilometer.

der Seemächte trotz aller Anstrengung noch nicht gänzlich gelungen ist, endlich die malaiischen Freibeuter im Indischen Archipelagus, welche noch jetzt in einzelnen Raubstaaten organisirt sind und ihr Gewerbe in einer höchst gefährlichen Weise systematisch betreiben. Nach dem Seerecht der neuern Zeit wird jeder Seeräuber als rechtlos betrachtet und es ist jedem Schiffe gestattet, einen solchen vermitelst sofortiger Selbsthilfe bis zur Vernichtung zu verfolgen, so wie den über der That betroffenen Seeräuber zu tödten. (Gewöhnlich wird die Mannschaft eines Seeräuberschiffes an den Raaen aufgeknüpft.) Von Seeräubern genommene Prisen (s. d.), welche diesen wieder abgenommen werden, müssen dem früheren Eigenthümer zurückerstattet werden.

Seeräuberkriege werden vorzugsweise zwei Kriege der Römer gegen die Seeräuber genannt: 1) (Illyrischer Krieg) 229—228 v. Chr. gegen die Illyrier, welche die italienischen Küsten und die römischen Bundesgenossen durch ihre Seeräuberei beunruhigt hatten. Die Römer eroberten unter den Consuln L. Postumius Albinus und Cn. Fulvius Centumalus einen Theil des illyrischen Küstenlandes und verleibten diesen dem Römischen Reiche ein. 2) (Cilicischer S. oder Isaurischer Krieg (75—67 v. Chr. gegen die Cilicischen Seeräuber an den Küsten des südlichen Kleinasien. Nach vergeblichen Kämpfen des M. Antonius rüstete Cn. Pompejus (s. d. 1) eine größere Flotte und Landmacht aus, erhielt unbeschränkte Machtvollkommenheit, schlug die Seeräuber erst zur See vollständig, verfolgte sie dann in die Schluchten der Isaurischen Gebirge, rieb sie dort gänzlich auf und gab dadurch dem Mittelmeere seine Sicherheit zurück.

Seerecht, s. u. Völkerrecht.

See-Regiment, ein Regiment von Marinesoldaten.

Seeschlacht, Kampf größerer Flotten-Abtheilungen, s. Seetaktik und Dampfschiff (Br. III., S. 134).

Seeschulen, s. v. w. Navigationsschulen, s. u. Navigation.

Seesoldat, s. v. w. Marinesoldat, s. u. Marine, Bd. VI., S. 23.

Seetaktik ist die Kunst, im Kriege sowohl den Angriff auf den Feind, wie die Abwehr desselben durch angemessene Evolutionen, Formationen und Manöver aller zu einem Ganzen vereinigten Schiffe vorzubereiten und durchzuführen. (Vgl. Taktik.) — Die althergebrachte S., wie sie vor Erfindung der Dampfschiffe und vor dem Auftreten der Panzer- und Rammschiffe sich herausgebildet hatte, ist in der Neuzeit gänzlich über den Haufen geworfen worden: die neue S. dagegen ist erst im Werden begriffen, und was die einzelnen Nationen in dieser Beziehung für sich geschaffen oder von anderer Seite her adoptirt haben, bedarf erst noch der Prüfung und Approbation durch den Kampf selbst. — Vor der Erfindung der Dampfschiffe war das Manöver der Schiffe abhängig von dem Winde, der Stärke desselben und der Richtung, aus welcher er wehte. Da kein Segelschiff direct gegen den Wind segeln kann, sondern nur in einem Winkel von 6 Strichen, d. i. ⅔ eines Quadranten gegen die Richtungslinie desselben sich bewegen kann, und dieses „Aufkreuzen" gegen den Wind die Zurücklegung eines sehr weiten Weges im Verhältniß zur directen Entfernung erfordert, so kam es darauf an, dem Gegner „die Luv abzugewinnen", d. h. windwärts von ihm sich zu befinden, mit der steten Möglichkeit durch „Abhalten" auf den Feind zu stoßen oder sich seinem Angriffe zu entziehen. Als die in den meisten Fällen vortheilhafteste Formation zum Angriff hatte sich für die damaligen Verhältnisse die „Beiwindlinie" herausgebildet, d. h. die gegnerischen Flotten lagen beim Winde, segelten also in dem vorher gedachten Winkel von 6 Strichen zur Richtungslinie des Windes die eine über Backbord, die andere Steuerbord gegen einander los, ein Schiff hinter dem andern, so daß jede Flotte für sich eine Linie bildete, woraus der Name Linienschiff für die in Linien segelnden Schlachtschiffe entstanden ist. In dieser Formation, beim Winde segelnd, näherten sich die Flotten langsam, erforderten geringe Segelführung, schlingerten nur mäßig, um die unterste Batterie gut gebrauchen zu können; waren zu den bezüglichen Wendungen des „Stagens" und zum „Abhalten", sowie zum „Backbrassen", um still zu liegen und sich an den Gegner zu heften, gut geeignet, und das Hauptaugenmerk war nun darauf gerichtet, die Schlachtlinie des Gegners zu durchbrechen, die getrennten Theile mit der Gesammtmacht anzugreifen und sich zu diesem Zweck mit überlegenen Kräften an einen bestimmten Gegner zu heften, ihn festzuhalten, zu entern (s. Entern, Bd. III., S. 315) und dadurch in den Besitz des gegnerischen Schiffes zu gelangen.

Ganz anders gestalteten sich diese Verhältnisse nach Einführung der Dampfkraft. Die Segel wurden fest gemacht, die oberen Rundhölzer soviel als möglich an Deck genommen; ungehindert konnte man jede Richtung unabhängig von Wind und Seegang einschlagen. In dieser ganzen Zeit bis zum Auftreten der Panzerschiffe ist es indessen nur in einzelnen Fällen zu einem wirklichen Seegefecht gekommen, aber zu einer größeren Seeschlacht, aus der sich angemessene Schlüsse auf die damals in Bezug auf S. herrschenden Grundsätze hätten ziehen lassen, gar nicht. Im Allgemeinen trat die Ansicht als maßgebend auf, das Gefecht in größerer Entfernung aufzunehmen, den Feind durch überlegene Tragweite der Geschütze, verbunden mit der hierzu erforderlichen Treffsicherheit, mürbe zu machen, sich dabei durch überlegene Schnelligkeit den Gegner fern zu halten und alsdann erst zu dem entscheidenden Nahekampf überzugehen. Bei gleichen Waffen und gleicher Schnelligkeit kommen natürlich die alten Grundsätze immer wieder zur Anwendung, durch angemessenes Manöveriren einen Theil der gegnerischen Streitkräfte mit überlegener Kraft anzugreifen und zu vernichten. Die Enterungsversuche, um den Kampf Mann gegen Mann auszufechten, waren natürlich unmöglich geworden, da die Dampfmaschine jedes Festhalten eines Schiffes durch ein anderes zur Unmöglichkeit machte. Eins der wenigen in diese Periode fallenden Seegefechte war das bei Helgoland (s. d. Bd. IV., S. 370) im Jahre 1864, bei dem sich zeigte, daß ein noch so entschlossenes Vordringen an den Feind, wie dies der tapfere heldenmüthige Führer der österreichischen Escadre mit seinem einzelnen Schiffe versuchte, einer taktisch gut geführten Mehrzahl selbst untergeordneter Schiffe gegenüber nichts auszurichten vermag.

Die Einführung der Panzerschiffe warf die alte Linienformation schnell über den Haufen. Der frühere schwache Theil der Schiffe, der Bug im Vergleich zur Breitseite, ist der starke Theil geworden, die Breitseite ist jetzt der gefährlichsten Verwundung durch den Stoß mit dem gepanzerten Bug ausgesetzt, der zu diesem Zwecke noch mit einer besonderen Stoßvorrichtung versehen ist. Während früher der Commandant desjenigen Schiffes, bei welchem die Linie durchbrochen wurde, vor ein Kriegsgericht gestellt wurde, würde jetzt durch ein Festhalten in derselben die Wirkung des senkrechten Stoßes von feindlicher Seite zur vollsten Entfaltung gebracht werden. Es kommt vielmehr heut zu Tage hauptsächlich darauf an, solche Formationen zu bilden, durch welche jedem einzelnen Schiff die möglichst beste Deckung gegen den Stoß von feindlicher Seite zu Theil wird. Dies geschieht dadurch, daß eine Anzahl von Schiffen, drei, wie von Einigen vorgeschlagen ist, oder vier, wie von anderer Seite als noch besser erklärt wird, zu einem Ganzen, zu einer taktischen Einheit verbunden werden. Diese Schiffe werden sich an Stärke der Bewaffnung, Größe, Schnelligkeit und Manöverirfähigkeit möglichst gleich sein müssen und werden im Dreieck oder Viereck sich bewegend stets eins das andere decken gegen die Rammversuche der Gegners. Man ist augenblicklich noch bei

allen Seemächten damit beschäftigt, auf diesem allgemeinen Princip beruhende
angemessene taktische Formationen zu bilden oder die theoretisch gedachten
durch praktische Versuche zu erproben. Frankreich und Rußland namentlich
sind in dieser Beziehung mit gutem Beispiel vorangegangen. Die Seeschlacht
bei Lissa (Bd. V., S. 337 ꝛc.) bot zum ersten Mal ein Bild der veränderten
Verhältnisse, welche durch die Einführung der Dampfkraft und der gepanzerten
Rammschiffe hervorgerufen sind. Es zeigte sich hierbei, daß taktische Formationen
während der Schlacht selbst nur schwierig durchzuführen oder neu zu bilden
sind, weil der Pulverdampf Freund und Feind den Blicken entzieht; die
Schnelligkeit, mit der sich die Schiffe bewegen, die Schwierigkeit, sie in kurzem
Bogen zu wenden oder durch Signale zu bestimmten Bewegungen zu veranlassen, brachte bei beiden Flotten ein Pêle-mêle hervor, während dessen
jedes der Schiffe meist auf eigene Hand manövrirte. Inwiefern es möglich
sein wird, diese Schwierigkeiten gänzlich zu besiegen, darüber läßt sich vorläufig
kein Urtheil abgeben; doch läßt sich voraussetzen, daß eine Drei- oder Vierzahl
von Schiffen, wenn sie durch entsprechende Uebungen, wie z. B. Scheingefechte
im Pulverdampf, sich als ein zusammengehöriges Ganze zu fühlen und zu bewegen gelernt haben, auch in der Schlacht selbst als taktische Einheit werden
auftreten können. Jedenfalls wird der volle Werth einer guten taktischen
Formation sowohl bei Einleitung des Kampfes, als auch in dem Falle, wo
es sich darum handelt, die Flotte bei momentanem oder definitivem Abbruch
des Kampfes neu zu rangiren, zur Geltung kommen.

Seetreffen, gleichbedeutend mit Seegefecht, s. d., vgl. Seetaktik.

Seewehr, die Landwehr der Marine. Ueber die S. der norddeutschen
(seit 1871 deutschen) Marine f. u. Norddeutscher Bund, Bd. VI., S. 280—282.

Seewen, Dorf im Schweizer Canton Schwyz, am Ausfluß des Lowerzer
Sees. Hier am 3. Juli 1799 siegreiches Gefecht der Franzosen gegen die
Oesterreicher.

Seewissenschaften (Nautische Wissenschaften) heißen diejenigen Zweige
des Wissens, welche beim ausübenden Dienst des höheren Seemanns, insbesondere
des Marine-Offiziers, von Bedeutung sind. Allgemein sind erforderlich: Navigation, s. d. Bd. VI., S. 211; Seemannschaft, s. d. S. 327; Schiffs-
dampfmaschinenkunde, Schiffsbau, Seerecht, für den Offizier der
Kriegsmarine speciell noch: Seetaktik (s. d.), Artillerie und Waffenlehre
überhaupt (soweit sie auf die Marine Bezug hat). Von den Marine-Offizieren
verlangt man außer den S. noch Kenntniß der Fortification, Landtaktik, allgemeine Dienstkenntniß, Geläufigkeit der verbreiteteren fremden Sprachen,
Fertigkeit im Zeichnen, während eine allgemein wissenschaftliche Bildung mit
besonderen Anforderungen in Mathematik, Geographie, Physik (Optik) zu
Grunde liegen muß. Vgl. Capitän zur See Reinhold Werner, „Atlas des
Seewesens“, 25 Tafeln Quer-Folio in Stahlstich nebst erläuterndem Text,
Leipzig 1871.

Seewurf, das Ueberbordwerfen eines Theils der Schiffsladung, um das
Schiff bei dringender Gefahr zu erleichtern und dadurch zu retten. Der hier-
durch entstandene Schade, welcher zur Großen Havarie gerechnet wird, muß dem
Eigenthümer des geworfenen Gutes nach gewissen Verhältnissen ersetzt werden.

Segel, ein aus Flachs bereitetes festes Gewebe, welches bestimmt ist,
durch Einwirkung des Windes auf die ausgespannte Fläche desselben Schiffe
im Wasser zu bewegen. Man unterscheidet Raasegel, welche an Raaen
(s. d. Bd. VII., S. 274) befestigt, Gaffelsegel, welche an Gaffeln (halben
Raaen, mit einem Ende um den Mast drehbar), befestigt oder ausgeholt, und
Schrotsegel, welche an bestimmten Touen (Leitern) ausgespannt resp. geleitet werden; ferner Leesegel, welche als Hilfssegel bei günstigem und

leichtem Winde besonders angebracht werden, um die Segelfläche zu vermehren. Sie sind stets Raasegel. Die an den untersten Raaen befindlichen S. heißen Untersegel, und zwar speciell das an der Fockraa (s. Fock, Bd. IV., S. 67) befindliche Segel die Fock, das an der Großraa befindliche das Großsegel; an der Baginenraa (Bd. 1., S. 337) wird für gewöhnlich kein S. geführt, weil dieses den Wind aus dem Großsegel nehmen und die leichte Manövrirfähigkeit des Schiffes behindern würde. Die an den Marsraaen befestigten S. heißen Marssegel, und zwar entsprechend Vormars-, Großmars- und Kreuzmars- oder Kreuzsegel. Ueber ihnen kommen die Bramsegel an den Bramraaen zu stehen, dann die Oberbramsegel, welche nur bei ganz leichtem Winde geführt werden, dem Klüverbaum ab und zu noch Ober-Oberbramsegel, auch Skeisels genannt, abgeleitet aus dem englischen skysail (Himmelssegel). Je nachdem sie an dem einen oder andern Mast geführt werden, erhalten sie den entsprechenden Zusatz: Vor-, Groß-, Kreuz-, Bramsegel resp. Oberbramsegel. Die Raasegel sind stets viereckig, während Schrotsegel dreieckig sind. Die auf dem schrägliegenden Mast vorn befindlichen S. heißen, je nachdem sie von dem Bugspriet, dem Klüverbaum oder dem Außenklüverbaum getragen werden, das Vorstengestagsegel, der Klüver und der Außenklüver oder Jager. Bei Sturm wird das Fockstagsegel, auch Sturmsegel oder Sturmfock genannt, vorn geführt, ebenso zum „Beiliegen" bei schwerem Wetter die an den Gaffeln des Vor- und Großmastes befindlichen Treilsegel, oder das Sturmstagsegel zwischen Vor- und Großmast. Die Bezeichnung Stagsegel zeigt an, daß das betreffende S. längs einem Stag (vgl. Takelage) in die Höhe geleitet wird, in einem mit diesem gleichlaufenden Leiter. Das hinterste Segel heißt der Besahn (bei Briggs und Schoonern: Briggsegel und Schoonersegel). Segel, welche von der Gaffel nach oben in einer spitzen dreieckigen oder rhomboiden Form gespreizt werden, heißen Gaffeltopsegel. Flieger nennt man solche dreieckige Segel, welche zur Vermehrung der Segelfläche bei Handelsschiffen ab und zu längs den obern Stagen geführt werden. — Beisetzen, Beilegen (oder Beidrehen), Aufgeien, Hissen, Reffen, Streichen s. die Specialartikel.

Segelordnung ist die Reihenfolge, in welcher die Schiffe einer Flotte sich bewegen (die schweren Schiffe gewöhnlich in zwei bis drei Linien). **Segelschiff**, im Gegensatz zu Ruder- resp. Dampfschiff, ist ein lediglich auf den Gebrauch der S. angewiesenes Schiff, auch „Segel" schlechtweg genannt, daher S. auch im Sinne von Schiff gebraucht („Segel in Sicht").

Segestes (von den Römern Flavius genannt), Fürst der Cherusker, trat aus Haß gegen Arminius (s. d.), der ihm seine Tochter Thusnelda entführt hatte, im Jahre 9 n. Chr. auf die Seite der Römer und verrieth diesen die Pläne des Arminius, setzte auch nach der Niederlage der Römer im Teutoburger Walde den Kampf gegen die Germanen fort, wurde 14 n. Chr. in seinen Befestigungen von Arminius belagert, erbat sich Hilfstruppen von den Römern, erhielt auch solche von Germanicus zugesendet, entriß den Germanen seine Tochter Thusnelda, lieferte sie den Römern aus, wurde aber gezwungen, sich hinter den Rhein zurückzuziehen.

Segment, Abschnitt eines Kreises, einer Kugel x., sowie auch Abschnitt überhaupt. Segment-Bomben sind dadurch excentrisch gemacht, daß ihrer an sich concentrischen Höhlung ein Kugelsegment fehlt. Segment-Granate, s. Geschoß, Bd. IV., S. 187, sowie Shrapnel.

Segovia (Segobia), Hauptstadt der gleichnamigen Provinz (127₂ □.-M. mit 146,292 Einw.) im spanischen Königreich Altcastilien, am linken Ufer der Eresma, hat ein stark befestigtes königliches Schloß (Alcazar) auf einem Felsenhügel, eine schöne Kathedrale, eine Artillerieschule, eine Kaserne, eine große

artige römische Wasserleitung, wohlerhaltene Ruinen eines römischen Amphi-
theaters, Wollenindustrie und 10,200 Einw. S. war unter seinem jetzigen
Namen schon zur Römerzeit eine bedeutende Stadt der Arevaker im Tarra-
conensischen Spanien. Hier schlug 75 v. Chr. der römische Consul Metellus
den Sertorianischen Legaten Hirtulejus. Im Mittelalter war S. die Residenz
maurischer Könige und zählte gegen 70,000 Einw.

Ségur, eine altfranzösische protestantische Adelsfamilie, welche früher in
zehn, jetzt meist erloschenen Linien blühte und während der Hugenottenkriege viel
zu leiden hatte. In der Kriegsgeschichte sind besonders namhaft: 1) Henri
François, genannt le beau S., geb. 1689, trat frühzeitig in die französische
Armee, zeichnete sich im Spanischen Erbfolgekriege in Spanien, an der Maas
und der Mosel aus, ging 1734 als Generalquartiermeister nach Italien, wurde
1735 Generalmajor und focht unter Belle-Isle in Lothringen, avancirte 1738
zum Generallieutenant, commandirte 1742 ein 10,000 Mann starkes französisches Hilfscorps für den Kaiser Karl VII. gegen Oesterreich, wurde aber
mit demselben in Linz eingeschlossen und zur Capitulation gezwungen, focht
1744 in Flandern, führte zu Anfang 1745 dem Kaiser Karl VII. abermals
ein französisches Hilfscorps zu, wurde aber 15. April 1745 von den Oesterreichern bei Pfaffenhofen geschlagen, focht 1745 an der Sambre, belagerte
Charleroi, commandirte am 2. Juli 1747 unter dem Marschall von Sachsen
die Reiterei bei Lawfeld (unweit Maastricht) und starb 1751 als Commandant
von Metz. 2) Philippe Henri, Marquis von S.-Ponchat, Sohn des
Vor., geb. 1724, focht unter seinem Vater im Oesterreichischen Erbfolgekriege,
verlor 1747 bei Lawfeld einen Arm, wurde darauf Generallieutenant,
im Siebenjährigen Kriege 1760 bei Kloster-Kampen verwundet und gefangen,
1764 Gouverneur in der Franche Comté, 1781 Marschall und Kriegsminister,
stellte als solcher viele Mißbräuche in der Armee ab, schloß 1783 den Frieden
zu Versailles ab, nahm 1787, weil er die Politik des Hofes mißbilligte, seine
Entlassung als Minister, protestirte gegen die Convocation der Notabeln, verlor
während der Revolution seine Güter, wurde verhaftet und gefangen gesetzt
und entging der Guillotine nur durch eine Gunst des Zufalls, wurde 1800
von Bonaparte in seine Würden mit Pension wieder eingesetzt und starb
3. Oct. 1801 in Paris. 3) Louis Philippe, Graf von S.-d'Aguesseau,
Sohn des Vor., geb. 1753, trat 1769 als Lieutenant in ein Cavalerie-Regiment, wurde 1776 Oberst und wohnte als solcher dem Nordamerikanischen
Unabhängigkeitskriege bei, wurde dort der Freund Lafayette's und Washington's,
ging nach der Rückkehr 1783 als französischer Gesandter nach Petersburg,
erwarb sich die Gunst der Kaiserin Katharine, arbeitete dem englischen Einfluß
entgegen und schloß 1787 einen vortheilhaften Handelsvertrag mit Rußland
ab, wurde beim Ausbruch der Revolution 1789 zurückberufen, erhielt den
Grad eines Maréchal-de-Camp, trat in die Nationalversammlung, ging 1792
als Gesandter nach Berlin und suchte dort vergeblich die Kriegserklärung
Preußens zu verhindern, wurde nach seiner Rückkehr verhaftet, verlor seine
Güter, wurde unter Napoleon I. Groß-Ceremonienmeister und Senator, zog sich
nach der Restauration zurück und starb 1830 in Bagnères. Er war vermählt
mit der Tochter des Kanzlers d'Aguesseau, deren Namen er dem seinigen beifügte.
Unter seinen zahlreichen Schriften sind hervorzuheben: „Tableau historique et
politique de l'Europe de 1786—96, contenant l'histoire de Frédéric-Guil-
laume II.", Paris 1800, 3 Bde.; „Histoire universelle ancienne et moderne",
Paris 1817, 44 Bde.; u. a. 1821, 10 Bde. u. öfter. 4) Paul Philippe,
Graf von S.-d'Aguesseau, Sohn des Vor., geb. 1780 in Paris, wurde
in England erzogen, trat nach dem Staatsstreich vom 18. Brumaire des Jahres
VIII. (9. Nov. 1799) in die französische Armee, focht dann unter Moreau in

Süddeutschland und Holland, sowie unter Macdonald in Graubündten, wurde 1805 Generalstabs-Adjutant des Ersten Consuls, unterhandelte 1805 mit Mack die Capitulation von Ulm, zeichnete sich 1806 bei Jena aus, wurde 1807 von den Russen gefangen genommen, nach dem Tilsiter Frieden wieder freigegeben, focht dann in Spanien, zeichnete sich namentlich am 30. Nov. 1808 an der Spitze eines Husaren-Regiments bei der Erstürmung der Höhen von Somo-Sierra aus, wurde dafür von Napoleon zum Oberst ernannt, avancirte 1812 zum Brigade-General, begleitete den Kaiser im Russischen Feldzuge als Maréchal-de-Palais, in welcher Stellung er vorzügliche Gelegenheit hatte, den Gang der Ereignisse zu beobachten, organisirte beim Beginn des Feldzugs von 1814 das 5. Regiment der Ehren-Garden, mit welchem er sich namentlich bei Rheims auszeichnete, erhielt nach dem ersten Pariser Frieden von Ludwig XVIII. das Commando über die aus der Alten Garde gebildete Cavalerie, wandte sich während der Hundert Tage dem Kaiser wieder zu, wurde Generalstabschef des 5. Corps (Rapp), welches den Rhein decken sollte, zog sich nach dem zweiten Pariser Frieden zurück, wurde aber 1818 von Ludwig XVIII. zum Maréchal-de-Camp ernannt, trat nach der Julirevolution von 1830 wieder in activen Dienst, wurde 1831 Generallieutenant und Pair. Er schrieb: „Campagne du Général Macdonald dans les Grisons“, Paris 1802; „Histoire de Napoléon et de la grande armée pendant l'année 1812“, Paris 1824, 2 Bde.[*]) und öfter (deutsch von Kottenkamp, Mannheim 1835, 4. Aufl. Stuttgart 1850); „Histoire de Russie et de Pierre-le-Grand“, Paris 1829, 2 Bde.; „Histoire de Charles VIII.“, Paris 1835, 2 Bde.

Sehne, 1) S. des Kreises (grade Linie, welche zwei Punkte der Peripherie verbindet), wird auf Operationen bezogen und zwar operirt man auf der S., wenn man sich z. B. nicht direct auf seine Basis (als Mittelpunkt eines Kreises, dessen Peripherie durch die Landesgrenze gebildet wird), sondern zunächst unter einem Winkel zur Operationslinie (also z. B. längs der Grenze) zurückzieht. Operiren auf der S. steht also im Gegensatz zum Operiren auf dem Halbmesser (z. B. eine bei Coblenz geschlagene preußische Armee zieht sich nicht in der Richtung auf Berlin, sondern zunächst unter den Schutz von Cöln). 2) S. des Bogens, der Armbrust, der Wurfmaschinen (s. d.)

Seide kommt neuerdings als Zeug für Geschütz-Patronen vor, s. Patrone, Bd. VIII.

Seidlitz, preußischer General, s. Seydlitz.

Seifenwasser wird bei der Bedienung der gezogenen Hinterladungsgeschütze zum Schutz gegen Verbleibung und zur Beseitigung des Pulverrückstandes angewandt. Man wählt dazu die grüne (Schmier-) Seife.

Seine (im Alterthum Sequana), einer der größten und in Bezug auf den Verkehr der wichtigste Strom Frankreichs, entspringt am Fuße des Mont-Tasselet auf dem Plateau von Langres im Departement Côte-d'Or, durchströmt in stark gewundenem Laufe mit vorherrschend nordwestlicher Richtung die Departements Côte-d'Or, Aube, Seine-Marne, Seine-Oise, Seine, Eure, und Seine-Inférieure, bildet von Quillebœuf an ein 30 Kilometer langes, zwischen Harfleur und Honfleur 10 Kilometer breites Aesthuarium und mündet am Cap de la Hève (unweit unterhalb Havre-de-Grace) in den Kanal (le Manche). Der gesammte Stromlauf beträgt 780 Kilometer, wovon 565 Kilometer (von der Aubemündung unterhalb Troyes an) schiffbar sind; die directe Entfernung von der Quelle bis zur Mündung 412 Kilom.; bis Rouen, 127 Kilom. vom Meere,

---

*) Anmerkung. Dieses berühmte, durch epische Darstellung und philosophische Anschauungsweise ausgezeichnete, aber in kriegsgeschichtlicher Hinsicht unzuverlässige Werk rief eine Gegenschrift von General Gourgaud hervor, welcher von militärischen Gesichtspunkte aus ein „Examen critique“ (Paris 1825) darüber publicirte.

steigen mit der Fluth Segelschiffe von 400—500 Tonnen und Dampfschiffe von 600—800 Tonnen hinauf. Das Stromgebiet der S. umfaßt 68,275 Quadrat-Kilometer (1240 Q.-M.); unter ihren 25 Nebenflüssen (darunter acht schiffbar) sind die wichtigsten von rechts: Aube, Marne (mit Ornaine), Oise (mit Aisne), Eple und Andelle; von links: Yonne (mit Armançon), Loing, Essone, Eure und Rille. Durch Kanäle steht die S. in Verbindung mit der Somme, Schelde, Maas, Saône und Rhône, sowie durch den Marne-Rhein-kanal auch mit dem Rhein. Die bedeutendsten an der Seine gelegenen Städte sind: Chatillon, Troyes, Méry, Marcigny, Nogent, Montereau, Melun, Corbeil, Paris, St. Denis, Argenteuil, St. Germain, Poissy, Meulan, Mantes, Vernon, les Andelys, Pont de l'Arche, Elbeuf, Rouen, Caudebec, Honfleur und Havre. Die S. ist, weil im Kern der Schutzkraft des Landes liegend, an sich selbst ohne große strategische Wichtigkeit, erhält jedoch solche einerseits durch ihre Verbindung mit dem Atlantischen Ocean und dem Mittelländischen Meere, sowie andererseits namentlich dadurch, daß sie die stark befestigte Hauptstadt Paris durch-, resp. umströmt. Von der S. haben folgende vier Departements den Namen: 1) S., 8,44 Q.-M. mit 2,150,916 Einw. und der Hauptstadt Paris; 2) S.-Inférieure (Nieder-S.), 109,47 Q.-M. mit 792,768 Einw. und der Hauptstadt Rouen; 3) S.-Marne, 104,12 Q.-M. mit 354,400 Einw. und der Hauptstadt Melun; 4) S.-Oise, 101,77 Q.-M. mit 533,727 Einw. und der Hauptstadt Versailles.

Seitenabweichung (der Geschosse), s. Abweichen, Bd. I., S. 25 und Treffwahrscheinlichkeit im Artikel Geschoßwirkung, Bd. IV., S. 189.

Seitendeckung, s. Sicherheitsdienst.

Seiten-Detachements — von verschiedenen Militärschriftstellern, u. A. General v. Decker, auch Seitenpatrouillen (s. d.) genannt — werden auf Märschen in der Nähe des Feindes, wenn möglich aus gemischten Waffen, in einer solchen Stärke formirt, daß sie dadurch eine gewisse Selbstständigkeit erlangen. Sie haben die Bestimmung, die Flanken der marschirenden Colonne auf weitere Entfernung hin gegen feindliche Beunruhigungen und Angriffe sicher zu stellen. Vgl. Sicherheitsdienst.

Seitengang, s. Reiterei, Bd. VII., S. 335.

Seitengewehr, s. Hiebwaffen, Bd. V., S. 9.

Seitenläufer sind Patrouillen in der Stärke von zwei Mann, welche im Marschsicherungsdienst, da wo es das Gelände nothwendig macht, vom Vortrupp (resp. Seitentrupp oder Seitenpatrouille — vgl. Sicherheitsdienst) zur Unterstützung der Spitze bei Aufklärung des Terrains entsendet werden. Sie bewegen sich möglichst in gleicher Höhe mit der Spitze und bleiben mit dieser in steter Fühlung.

Seitenpatrouillen nennt man diejenigen Abtheilungen, welche im Marsch-sicherungsdienst zur unmittelbaren Deckung der Flanke einer marschirenden Colonne rechts oder links entsendet werden, und diese in einer gewissen Entfernung, 2—300 Schritt, begleiten (copiren). Im Uebrigen vgl. Sicherheitsdienst.

Seitenrichtung, s. Richten, Bd. VII., S. 19.

Seitenstreuung, s. v. w. Breitenstreuung, s. Bd. IV., S. 189.

Seitentrupp, s. Sicherheitsdienst.

Seitenverschiebung, s. Aufsatz, Bd. I., S. 282, Richten, Bd. VIII., S. 1.

Selbstbewirthschaftung ist derjenige Modus der Unterhaltung von Truppen und Kriegs-Material, bei welchem der betreffende Vorgesetzte gegen ein Pauschquantum die Sorge für das zu unterhaltende Object auf sich nimmt, entweder ohne zu specieller Rechenschaft verpflichtet zu sein (und wohl gar mit dem Recht, etwaige Ueberschüsse für sich zu verwenden), oder unter

Controlle höherer Behörden. Hierüber sowie über Selbst-Verwaltung s. Verwaltung.

Seldschuken, ein von Seldschul, einem mächtigen Häuptling der Bucharischen Turkomanen, abstammendes türkisches Geschlecht, welches im 11. oder 12. Jahrhunderte mehrere Dynastien in Mesopotamien, Persien, Syrien und Kleinasien gründete. Dieselben waren: 1) die iranische Dynastie in Bagdad und Ispahan, gestiftet 1038 von den kriegerischen Fürsten Togril-Beg, dem Enkel des Seldschul; aus ihr gingen die berühmtesten seldschukischen Fürsten hervor (von denen Sindschar 1118—1157 der bedeutendste). Sie war die mächtigste von allen und endigte 1194 mit Togril-Schah, welcher von den charismischen Sultan Tekesch gestürzt wurde; 2) die kermanische Dynastie, welche von 1039—1091 in Kerman herrschte; 3) die aleppoinische Dynastie von 1079—1114 in Syrien; 4) die damascische Dynastie von 1096—1155 in Syrien; 5) die Ikonische oder kleinasiatische Dynastie in Ikonium, gegründet 1075 von Seliman ben Kutulmisch, einem Urenkel Seldschul's, erhielt sich am längsten. Unter Keikobad, einem der letzten Fürsten dieser Dynastie, zeichnete sich der Türke Ertogrul, der Vater Osman's als Feldherr aus und letzterer gründete um 1300 die Osmanische Dynastie (welche später die jetzige europäische Türkei eroberte) in demselben Gebiete, das bisher von den S. beherrscht worden war. Vgl. Märchend, „Geschichte der S." (aus dem Persischen von Vullers), Gießen 1838.

Selenginsk, Stadt und Festung in der russisch-sibirischen Provinz Transbaikalien, am rechten Ufer der Selenga, hat 1500 Einw.

Seleucia, der Name mehrerer von den Seleuciden gegründeten Städte in Asien. Die bedeutendsten waren: 1) S. am Tigris, Stadt in Babylonien, von Seleucus Nikator gegründet, eine der größten Städte des Alterthums, lag am Tigris, von welchem hier ein Kanal nach dem Euphrat abging, hatte zur Zeit ihrer Blüthe 600,000 Einw., kam 140 v. Chr. in den Besitz der Parther, wurde unter Trajan 116 n. Chr. von den Römern geplündert und größtentheils zerstört und 162 von Lucius Verus vollends vernichtet. S. gegenüber lag Ktesiphon. Ihre Trümmer werden jetzt mit unter dem Namen El-Madain (die Ruinen von Ktesiphon, 6 Meilen südlich von Bagdad) begriffen. 2) S. Pieria, S. ad Mare, stark befestigte Stadt in der Provinz Seleukis in Syrien, von Seleucus Nikator gegründet, die Hauptbefestigung und wichtigster Stapelplatz Syriens, lag 1 Meile nördlich von der Mündung des Orontes in das Mittelländische Meer auf einem steilen Felsen, ging mit dem Syrischen Reiche zu Grunde. Einige wenige Trümmer, namentlich die Hafenbauten, finden sich noch bei dem jetzigen Kepse. 3) S. Trachea, Stadt im Rauhen Cilicien, lag 1 Meile nördlich von der Mündung des Kalykadnos in das Mittelländische Meer, war unter römischer Herrschaft der Stationsplatz von drei Legionen, kam im 4. Jahrhundert n. Chr. in den Besitz der Isaurer und wurde nun die Hauptstadt Isauriens. Bei S. wurden 485 die Empörer Leontios und Illos von den kaiserlich byzantinischen Truppen geschlagen. Zur Zeit der Kreuzzüge war S. zu einem bloßen Castell (Seleph) herabgesunken. Hier ertrank Kaiser Friedrich I. (Barbarossa) 1190 im Kalykadnos. An der Stelle des alten S. steht die jetzige Stadt Seleflieh im türkischen Wilajet Syrien (früher zum Ejalet Adana) gehörig.

Seleuciden, die von Seleucus I. Nikator gegründete Dynastien, welche das Syrische Reich von 312—64 v. Chr. beherrschte. Die bedeutendsten derselben führten den Namen Antiochus (s. d. 1—13, Bd. I., S. 158—160). Seit Antiochus IV. Epiphanes ging das Reich seiner Auflösung entgegen, bis es 64 v. Chr. von Pompejus erobert und zur römischen Provinz gemacht wurde. Von den S. datirt die Seleucidische Aera (Aera Seleucidarum), die mit dem 1. Oct. 312 v. Chr. beginnende Zeitrechnung der Syrier, welche dann auch von den Juden angenommen wurde, bis diese dieselbe durch die Welt-Aera (von Erschaffung der Welt 3761 v. Chr.) vertauschten.

Seleucus, der Name von sechs Königen des nach dem Tode Alexanders des Großen gebildeten Syrischen Reichs. Der einzige bedeutende derselben ist der Gründer dieses Reiches: S. I. Nikator, ein Sohn des Antiochus (eines Feldherrn des Königs Philipp von Macedonien), geb. 355 v. Chr., diente von früher Jugend an im Heere Alexanders d. Gr., begleitete ihn auf seinen Feldzügen nach Asien und entwickelte sich zu einem seiner besten Feldherrn. Bei Alexanders Tode (323 v. Chr.) war S. Befehlshaber der Reiterei, wurde bei der zweiten Vertheilung des Macedonischen Reiches (321) Statthalter von Medien und Babylonien, unterstützte den Statthalter Antigonus (s. d.) Kyklops von Großphrygien gegen den Reichsverweser Perdikkas (s. d.), verfeindete sich aber bald mit Antigonus, floh 315 vor ihm zu Ptolemäus I. Lagi nach Aegypten, verbündete sich mit diesem, schlug mit ägyptischen Hilfstruppen den Perdikkas bei Gaza, eroberte 312 das von Demetrius (s. d. 1) Poliorketes (einem Sohn des Perdikkas) vertheidigte Babylon, nahm nun den Königstitel an, eroberte dann ganz Medien, dehnte sein Reich bis an den Indus aus, verbündete sich mit Lysimachus von Macedonien und Ptolemäus I. von Aegypten, schlug 301 den einundachtzigjährigen Perdikkas bei Ipsos, ließ ihn tödten, vereinigte dessen kleinasiatischen Provinzen mit einem Reiche, verbündete sich nun mit seinem bisherigen Gegner Demetrius Poliorketes (dessen Tochter er heirathete) gegen Lysimachus und Ptolemäus, ließ ihn aber 286, weil er Cilicien nicht an das Syrische Reich abtreten wollte, gefangen setzen und hielt ihn bis zu seinem Tode (283) gefangen, schlug 282 Lysimachus bei Kyropedion, und hatte somit fast die ganze Monarchie Alexanders d. Gr. unter seinem Scepter vereinigt, als er 281 auf einem Eroberungskriege gegen Aegypten von Ptolemäus Keraunus (einem Sohn des Ptolemäus I.) ermordet wurde. Ihm folgte sein Sohn Antiochus I. Soter.

Selim, der Name von drei osmanischen Sultanen: 1) S. I., genannt der Wilde, geb. 1467, stieß 1512 mit Hilfe der Janitscharen seinen alterskränklichen Vater Bajazet II. vom Throne, den er dann ebenso wie zwei Brüder und fünf Neffen nebst vielen anderen einflußreichen Persönlichkeiten ermorden ließ, um sich auf dem Throne zu erhalten. Im Jahre 1514 begann er einen Krieg mit dem Schah Ismail von Persien, schlug ihn in der Ebene von Tschaldiran und besetzte Tabris, eroberte 1515 Kurdistan, Diarbekr und einen großen Theil von Mesopotamien, schlug 1516 den Mamelukensultan Kanßuweh von Aegypten bei Haleb, bemächtigte sich darauf ganz Syriens, bekämpfte 1517 den Sultan Tuman von Aegypten (den Nachfolger Kanßuweh's), schlug ihn im Januar 1517 in der Nähe von Kairo entscheidend, besetzte dann die Hauptstadt und vereinigte Aegypten als Paschalik mit dem Osmanischen Reiche. Da S. in Kairo auch den daselbst residirenden Khalifen Motawakkel Billah gefangen nahm und diesen zwang, auf seine Rechte als Nachfolger Mohamet's zu Gunsten S.'s zu verzichten, so galten seitdem die osmanischen Sultane von Constantinopel auch als legitime Herrscher. Im Jahre 1520 rüstete sich S. zu einem neuen Kriegszuge gegen Persien und starb aber schon am 22. Sept. 1520 zu Tscharlou, auf dem Wege von Constantinopel nach Adrianopel. S. erwarb sich um Heer- und Seerwesen der Türkei große Verdienste, zügelte den Uebermuth der Janitscharen mit schonungsloser Strenge, baute das Arsenal in Pera, legte den Grund zu einer geordneten Seemacht, gab den eroberten Ländern bessere Institutionen und begünstigte auch Wissenschaften und Künste. Ihm folgte sein Sohn Soliman II. auf dem Throne. 2) S. II., Enkel des Vorigen und Sohn Soliman's II., geb. 1524, folgte

1566 seinem im Heerlager vor Szigeth gestorbenen Vater auf dem Throne, der erste Sultan, der sich persönlich von jeher kriegerischen Thätigkeit fernhielt und dem Großvezir die ganze Leitung des Heerwesens und der Regierung überließ; während seiner Regierungszeit wurde 1568 mit Ungarn und 1569 mit Persien ein mehrjähriger Waffenstillstand geschlossen, 1571 die Seeschlacht bei Lepanto gegen die Spanier und Venetianer verloren und 1573 Tunis von den Spaniern auf einige Zeit besetzt. S. starb 1574. 3) S. III. geb. 1761, ein Sohn Mustapha's III., welchem bei dessen Tode 1774 sein Bruder Abd-ul-Hamid auf dem Throne folgte. Dieser ließ seinen jungen Neffen im Serail unter Frauen und Eunuchen erziehen; trotzdem eignete sich derselbe eine vortreffliche wissenschaftliche Bildung an, trat später in nähere Verbindung mit den Gesandten der europäischen Mächte in Constantinopel (namentlich seit 1786 mit dem französischen Gesandten Graf Choiseul) und bestieg nach Abd-ul-Hamid's 1789 Tod den Thron mit der Idee, der Reformator des Osmanischen Reiches zu werden, dessen allmäligen Verfall er voraussah. Unglückliche Kriege gegen Oesterreich (1791) und Rußland (1792), welche ihn zu nachtheiligen Friedenschlüssen nöthigten, sowie Empörungen in Syrien und Aegypten und die Besetzung des letzteren Landes durch Bonaparte (1798 und 1799) nöthigten ihn, seine Reformversuche bis nach dem zwischen der Französischen Republik einerseits und Rußland und England andererseits abgeschlossenen Frieden (1802) aufzuschieben. S. ging nun zunächst an eine Reorganisation eines Theiles der Armee nach europäischem Vorbild, verbesserte die Kriegs- und Navigationsschulen und führte eine strengere Mannszucht ein, wodurch er namentlich die Janitscharen reizte. In Folge davon brach im Mai 1808 ein Aufstand aus, S. wurde entthront und Mustapha IV. (ein Sohn Abd-ul-Hamid's) zum Sultan ausgerufen. Im Juli 1808 ergriff jedoch Mustapha (s. d.) Bairaltar, Pascha von Rustschuk, ein eifriger Anhänger S.'s und seiner Reformen, für S.'s Wiedereinsetzung die Waffen und drang am 28. Juli mit einem starken Heer in Constantinopel ein, worauf der Sultan Mustapha sofort den entthronten S. ermorden ließ. Bairaltar stieß nun den Sultan Mustapha IV. vom Throne und erhob dessen Bruder Mahmud II. (s. d.) auf denselben.

Selmnitz, Eduard von, sächsischer Hauptmann, geb. 1791 in Leipzig, trat 1803 in die kursächsische Infanterie, nahm an allen Feldzügen von 1806—14 Theil, wurde 1815 Hauptmann, blieb bis 1818 mit seinem Regiment bei dem Occupationscorps in Frankreich, bildete sich dort im Stoßfechten aus, kam durch den Flaton (seinen mit Blei ausgeschlagenen, 6 Fuß langen Fechtstock) und den Fleau (ein gegliedertes, hölzernes Fechtinstrument) auf den Gedanken, eigne Stoßdegen und Deckungen auch für das Bajonnetfechten einzuführen, übte nach seiner Rückkehr in Dresden die besten Fechter der sächsischen Infanterie nach seiner Methode ein, wurde 1821 zur leichten Infanterie versetzt, führte seit 1833 das Bajonnetfechten in der sächsischen Armee ein, nahm 1835 seinen Abschied und starb 1838 in Dresden. Er schrieb: „Anleitung zum Stockfechten". Dresden 1821 (von einem seiner Schüler herausgegeben); „Die Bajonettfechtkunst", Dresden 1825, neue Aufl. Berlin 1832.

Semendria, (Smederewo), befestigte Hauptstadt des gleichnamigen Kreises im Fürstenthum Serbien an der Mündung des Morawa-Armes Jesava in die Donau (rechtes Ufer), 6 Meilen südöstlich von Belgrad, 3 Meilen westlich von Passarowitz, hat eine Citadelle, lebhaften Handel und 4000 Einwohner. S. war ehemals Residenz der serbischen Könige, wurde 1435 von dem Despoten Georg Brankowitsch von Serbien besiegt, 1439, 1459 und 1690 von den Türken, 1717 von den Oesterreichern, 1738 von den Türken,

1789 von den Oesterreichern und 1805 von den Serben erobert. Im Jahre 1411 erfochten bei S. die Türken einen Sieg über die Ungarn.

Semipalatinsk (Semipolatinsk), befestigte Hauptstadt des gleichnamigen Districtes in Westsibirien, am östlichen Ufer des Irtysch, ist der in militairischer und commercieller Hinsicht höchst wichtige Ausgangspunkt nach den turanischen Gebieten und zählt 8000 Einwohner. Zum District S. gehören noch die Festungen Shelesinsk und Ust' Kamenogorsk.

Semiramis, Königin von Assyrien, eine der berühmtesten Frauen des Alterthums, deren historische Persönlichkeit jedoch bis jetzt noch nicht mit Sicherheit festgestellt ist. Nach der von den Persern an die Griechen und Römer überlieferten Mythe soll sie die Gemahlin des Menones, eines Feldherrn des assyrischen Königs Ninus (s. d.) gewesen sein, bei der Belagerung von Baktra dem König den Weg in die Stadt gezeigt, nach dem Selbstmord ihres Gatten sich mit Ninus verheirathet, nach dessen Tode für ihren Sohn Ninyas die Regentschaft geführt, Indien und einen Theil von Afrika erobert, Babylon und viele andere Städte gebaut, sowie die berühmten, zu den Sieben Weltwundern gerechneten Schwebenden Gärten in Babylon erbaut haben und endlich von ihrem Sohne ermordet worden sein. Hiernach müßte S. um 2000 v. Chr. gelebt haben, während eine nach dem glaubwürdigeren Herodot historisch verbürgte S. erst um 800 v. Chr. als Königin von Babylon regiert hat; hiermit stimmen auch Keilinschriften aus jener Zeit überein, welche eine Königin Sammuramat, als Gemahlin des Königs Belochus IV. bezeichnen.

Semlin, (ungar. Zimony, serbisch Semun), Stadt im Serbisch-Banatischen Gebiete der Militairgrenze, an der Mündung der Save (linkes Ufer) in die Donau (rechtes Ufer), dem auf dem rechten Ufer der Save gelegenen Belgrad gegenüber, ist Sitz eines Platz-Commandos und eines Contumaz-Amtes, sowie ein wichtiger Stapelplatz für den österreichisch-türkischen Handel, hat viele Alterthümer aus der Römerzeit und zählt 8800 Einwohner. Dabei der Zigeunerberg (Ziganle) mit den Ruinen der Burg Johann Hunyad's. S. war früher befestigt, hieß im Mittelalter Zeugmina und wurde 1166 von den Ungarn erobert; 1168 wurden hier die Ungarn von den Byzantinern geschlagen.

Semnonen, ein altgermanischer Volksstamm zu beiden Seiten der Spree, durch die Oder von den Burgundionen, durch die Elbe von den Hermunduren getrennt. Die S. bildeten das mächtigste Mitglied im Bunde der Sueven, standen in den ersten Jahren n. Chr. unter Marbod, fochten aber in dessen Kampfe mit Arminius 19 n. Chr. auf Seiten des Letzteren und verschwanden bald danach aus der Geschichte, in dem allgemeinen Namen der Sueven aufgehend.

Sempach, Stadt im Schweizer Canton Luzern, am östlichen Ufer des Sempacher Sees und an der Eisenbahn von Aarburg nach Luzern, von verfallenen Mauern umgeben und zählt 1100 Einwohner. S. ist in der Kriegsgeschichte namhaft durch einen am 9. Juli 1386 von 1300 Schweizern (Eidgenossen von Luzern, den Waldstätten, Glarus und Luzern) über 6000 Mann des Herzogs Leopold von Oesterreich erfochtenen vollständigen Sieg, welcher namentlich dadurch entschieden wurde, daß Arnold von Winkelried (s. d.) mit den Worten: „Eidgenossen, ich will Euch eine Gasse machen" mit beiden Armen soviel Speere der Feinde, als er umfassen konnte, gegen seine Brust drückte und sie festhielt, bis er, von ihnen durchbohrt, fiel. Die Eidgenossen drangen in die hierdurch entstandene Lücke ein und brachen die feindlichen Reihen. Herzog Leopold selbst fiel im Kampfe, mit ihm ein großer Theil seiner Truppen (allein 1400 Ritter vom Schwäbischen, Elsasser und

Aargauer Adel, worunter 800 gekrönte Helme). Ungefähr ¼ Stunde nordöstlich davon liegt die Sempacher Schlacht=Kapelle, welche wahrscheinlich
im 15. Jahrhundert und angeblich an der Stelle erbaut wurde, wo der
Leichnam des Herzogs gefunden worden sein soll. Der Sempacher Brief
von 1393 war die erste Kriegsordnung der alten Eidgenossen.

Senette, Marktflecken in der belgischen Provinz Hennegau, an der Haine
und der Eisenbahn von Braine=le=Comte nach Charleroi, hat lebhafte Industrie und 6000 Einwohner. Hier im August 1674 Gefecht zwischen den
Franzosen unter Condé und den Holländern unter dem Prinzen von Oranien;
im Juli 1794 Sieg der Franzosen unter Marceau über die Oesterreicher.

Senkblei, seemännisch Loth genannt, heißt dasjenige Instrument, welches
dazu dient, die Tiefe und Beschaffenheit des Meeresbodens zu erfor-
schen. Man unterscheidet Tieflothe und Handlothe. Letzterer bedient
man sich beim Passiren enger oder seichter Gewässer oder bei Annäherung
an Land oder Untiefen. Sie werden von der Luvseite des Schiffes von einem
geübten Matrosen nach vorn geschleudert, so daß das Loth — bestehend aus
einer Bleistange, an welcher eine gute Leine befestigt ist, welche nach der
Fadenzahl durch farbige Lappen abgemerkt ist — den Grund erreicht hat,
wenn die Leine senkrecht zu stehen kommt, worauf die erreichte Fadentiefe
laut ausgerufen wird. Segelt hingegen ein Schiff in solchen begrenzten Gewässern, daß die Annäherung an das Land ihm gefährlich werden kann, wobei
indeß die augenblickliche Tiefe eine so bedeutende ist, daß das kleine Handloth
den Grund nicht während der Fahrt des Schiffes erreichen würde, so bedient
man sich des Tiefloths, da die Tiefe und die Beschaffenheit des Bodens,
welche in den Seekarten verzeichnet sind, dem Seemann in sehr vielen Fällen
sichere Auskunft über seinen Standort geben, wenn er durch Mangel an
cölestischen Beobachtungen oder durch falsch gehende Chronometer nicht in der
Lage ist, seine Position anderweitig mit Sicherheit zu bestimmen. In gut
ausgelotheten Gewässern, z. B. der Ostsee und Nordsee, den englischen Canälen 2c. kann man bei fleißiger Anwendung des Tiefloths sich bei Nacht
oder am Tage bei Nebel dennoch zurecht finden. Dieses zu derartigen Zwecken
in Gebrauch befindliche Tiefloth ist von ähnlicher Einrichtung wie das Haut-
loth, nur schwerer, ca. 20 bis 25 Pfund schwer, unten ausgehöhlt und wird
diese Aushöhlung mit Talg ausgefüllt, damit der Meeresboden sich darin ab-
drückt, z. B. Muscheln, Steine, Schlamm 2c. Weil dieses Loth geraume Zeit
braucht, um den Grund zu erreichen, wenn dieser von größerer Tiefe ist, so
muß die Fahrt des Schiffes durch „Backbrassen" oder sonst wie angemessen
vermindert werden, damit die Leine senkrecht zu stehen kommt, um die Tiefe
genau zu erhalten. Hierdurch wird indeß meist ein großer Zeitverlust herbeigeführt, weshalb man verschiedene Patent=Lothe hat, welche es ermöglichen
sollen, ohne die Fahrt zu mindern, eine richtige Lothtiefe zu erhalten. Das
gebräuchlichste ist das Sackloth. An der Leine befindet sich ein Sack von
so dichtem Gewebe, daß wenn derselbe genäßt und Luft eingeblasen wird,
diese nicht daraus entweichen kann. An dem Sack ist eine Klemme angebracht, durch welche die Leine läuft, so lange das Loth den Grund sucht. Ist
dieser erreicht, so wird vermöge des Aufhörens des durch das Loth bewirkten
Zuges die Klemme festgesetzt und läßt die Leine nicht weiter durchlaufen. —
Um indessen zu wissenschaftlichen Zwecken und zur Explorirung von Gewässern
behufs Aufnahme von Seekarten den Ocean selbst in seiner gewaltigen Tiefe
zu messen, bedarf es noch anderer Vorrichtungen. Jahrtausende hat es gedauert, bevor man dahin kam, bedeutende Tiefen zu messen; die verschiedensten Versuche wurden gemacht im Lauf der Jahrhunderte, um zum Ziele
zu gelangen und als fruchtlos immer wieder aufgegeben, bis es einem Cadetten

22*

der amerikanischen Marine vor ca. 20 Jahren gelang, das wichtige Problem zu lösen, das neuerdings von anderer Seite noch mehrfache Verbesserungen erhalten hat. Das Princip derartiger Theslothe beruht im Allgemeinen darin, daß ein starkes Gewicht die Leine auf den Boden herabzieht. Das Losewerden der Leine beim Grundfassen des Lothes, weil der Zug aufhört, läßt das Gewicht sich von dem Apparat trennen und geht dieses allerdings verloren. Ein gehöhlter Körper, welcher schwimmt, z. B. aus Holz, Rohr 2c. wird von dem Gewicht herabgezogen, berührt den Boden und bringt mit der Höhlung in den Boden ein; das losfallende Gewicht schließt zugleich die mit den Grundstoffen gefüllte Höhlung mittelst einer Klappe, und der Apparat kann, nachdem das Gewicht fortgefallen, mit Leichtigkeit wieder aufgewonnen werden.

Senkel, s. v. w. Richtloth, s. Ladezeug, Bd. V, S. 262.

Senkschuß, s. Schuß.

Senlis, Stadt im französischen Departement Oise, an den Flüßchen Nonette und Annette und an der Nordbahn (Zweigbahn von Creil), 6 Meil. nordnordöstlich von Paris, hat eine schöne Kathedrale, lebhafte Industrie, Reste römischer Befestigungen und 5800 Einwohner. Hier 27. Juli 1815 Gefecht zwischen den Preußen (Avantgarde Bülow's) und den Franzosen unter Kellermann.

Sens, Stadt im französischen Departement Yonne, an der Mündung der Vanne in die Yonne und an der Eisenbahn von Paris nach Dijon, Sitz eines Erzbischofs, hat eine schöne Kathedrale, lebhafte Industrie und Handel und 11,100 Einwohner. S. war schon zur Römerzeit befestigt und ward im Mittelalter mehrmals belagert. Am 11. Februar 1814 wurde die Stadt von den Württembergern unter deren Kronprinzen eingenommen.

Sensenmäuer, der Landsturm während der Polnischen Insurrectionskriege von 1791 und 1831; derselbe bestand größtentheils aus Bauern, welche mit Sensen bewaffnet waren, die, an eine Stange befestigt, deren Verlängerung bildeten. Vgl. Kralusen, Bd. V, S. 213.

Seo d'Urgel, Stadt und Festung in der spanischen Provinz Lerida (Catalonien), rechts am Segre, ist Bischofsitz, hat eine große, bombenfeste Kathedrale und 3100 Einwohner.

Seraphinen-Orden (das Blaue Band), der älteste und höchste schwedische Orden, angeblich schon 1260 oder 1285 vom König Magnus von Swealand gestiftet (urkundlich wenigstens schon 1336 vom König Magnus Erichson bei seiner Krönung verliehen), von Karl IX. aufgehoben, 1748 von Friedrich I. erneuert, 1814 von Karl XIII. mit neuen Statuten versehen. Nach diesen neueren Statuten sollte der S.-O. nur an Fürsten und hohe Staatsbeamte und zwar an Schwerten nur dann verliehen werden, wenn sie bereits Ritter eines anderen schwedischen Ordens sind. Die Zahl der inländischen Ritter ist (ausschließlich der königlichen Prinzen, welche geborene Seraphinen-Ritter sind) auf 24 beschränkt, die Zahl der auswärtigen dagegen unbeschränkt. Der Orden hat nur eine Classe. Die Decoration ist ein weißes, viertheiliges achtspitiges Kreuz mit goldener Einfassung und goldenen Kugeln; auf jedem Arme ein Patriarchenkreuz, zwischen den Armen goldene Seraphsköpfe. Der Mittelschild ist hellblau und enthält auf dem Avers die drei Kronen des schwedischen Wappens, ein Christuskreuz und darunter die drei weißen Buchstaben I. H. S. (Jesus Hominum Salvator), auf dem Revers F. R. S. (Fridericus Rex Sueciae). Das Kreuz wird an einem himmelblauen Bande von der rechten Schulter zur linken Hüfte getragen, dazu auf der linken Brust ein in Silber gestickter Stern, welcher die Vorderseite des Kreuzes darstellt.

Seraskier (von dem persischen Seri-asker, d. i. Haupt des Heeres) ist der Titel der höchsten militärischen Würdenträger im Osmanischen Reiche,

welchen jeder Zeit der Kriegsminister (daher Seraskierat s. v. w. Kriegsministerium), bisweilen auch der Oberbefehlshaber eines größeren Truppencorps führt, so z. B. S. von Rumelien, S. von Anatolien; ziemlich gleichbedeutend ist der Titel Serdar (s. d.), welcher jedoch nur wirklichen Feldherren
verliehen wird.

Serbien (officiell türkisch Vilajet Syrp oder Sirp), ein unter der
Oberherrlichkeit der Pforte stehender tributärer Vasallenstaat (zugleich Fürsten-
thum), grenzt im Norden an die Oesterreichische Militärgrenze (durch die
Save und Donau davon getrennt), im Osten an die Walachei (Rumänien)
und das Vilajet Tuna oder Donau (Bulgarien, theilweis durch den Timok
davon getrennt), im Süden an das Ejalet Rumili, im Westen an das Vilajet
Bosna (Bosnien) und hat einen Flächenraum von 791 Quadrat-Meilen mit
(1868) 1,220,000 Einwohnern. Das Land ist durch Verzweigungen der
Dinarischen Alpen gebirgig, hat nur in den Thälern der größeren Flüsse
Ebenen, wird außer den Grenzflüssen Donau, Save und Timok noch von der
Morawa, der Drina und dem Ipek bewässert, hat im Allgemeinen gemäßigtes
Klima und fruchtbaren Boden und ist reich an Mineralschätzen. Hauptbeschäftigung ist Viehzucht, (besonders Rindvieh, Schafe und Schweine) und
nächstdem Ackerbau; der Bergbau ist noch wenig entwickelt, der Gewerbfleiß
vorzugsweise auf Hausindustrie beschränkt; dagegen gewinnt der Handel seit
neuerer Zeit von Jahr zu Jahr an Bedeutung. Die Bevölkerung gehört in
ihrer überwiegenden Majorität dem serbisch-slavischen Volksstamme an,
außerdem ungefähr 100,000 Walachen, 30,000 Zigeuner (theilweis nicht seßhaft), 16,000 Türken, gegen 2000 Türken, gegen 2000 Bulgaren und einige
hundert Deutsche. Der Religion nach bekennt sich die Mehrzahl zur griechisch-
orthodoxen Kirche, die sich im Lande zu einer eigenen Nationalkirche herausgebildet hat und unter einem eigenen Erzbischof (Metropolit) in Belgrad
steht; außerdem ungefähr 1000 Römische Katholiken, 3000 Evangelische,
16,000 Muhamedaner und 2000 Israeliten. Die griechisch-orthodoxe Kirche
ist vor andern Confessionen mit verschiedenen Vorrechten ausgestattet; Katholiken, Evangelische und Israeliten genießen zwar unbedingte Cultusfreiheit,
doch ist der Uebertritt von der Nationalkirche zu jeder andern Religion streng
verboten. Ständeunterschiede werden nur durch die Beschäftigung gebildet;
einen Adel giebt es nicht; die Landleute sind durchaus freie Grundbesitzer.
Das Unterrichtswesen hat hinsichtlich der höheren Lehranstalten in neuerer
Zeit wesentliche Verbesserungen erfahren; der Volksunterricht steht dagegen
noch auf ziemlich niedriger Stufe. In Belgrad besteht eine Akademie mit
drei Facultäten (philosophische, technische und juristische).

Der Verfassung nach ist S. eine eingeschränkte Monarchie unter der
Oberherrlichkeit des osmanischen Sultans. Das Staatsgrundgesetz ist der
Hatti-Scherif oder Ustaw vom December 1838 (Revision der Constitution
durch Beschluß der Skuptschina vom 8./20. Juni 1869), bestätigt von der
Regentschaft 17./29. Juni 1869). Hiernach bildet S. zwar einen integrirenden Theil des Osmanischen Reiches, steht aber zu demselben nur in einem
Suzeränetäts-Verhältnisse, gemäß welchem das serbische Volk und sein Fürst
(von türkischem Standpunkte aus Wojwode mit dem Range eines Vezirs) dem
Sultan zur Treue und Gehorsam und zur Zahlung eines Jahrestributs von
1,176,255 Steuer-Piaster (2½ Steuer-Piaster = 1 Franc) verpflichtet sind,
wogegen der Sultan dem Fürstenthum vollständige innere Souveränetät gewährt. Das Besatzungsrecht, welches früher die Pforte in einigen festen
Plätzen S.'s, besonders der Citadelle von Belgrad, besaß, ist durch den Ferman vom 21. März / 19. April 1867 aufgehoben. Die jetzt regierende fürstliche Familie

Obrenowitsch (s. u. Milosch) gelangte zur Herrschaft mit Milosch I. Todorowitsch, welcher durch den Ferman vom 3./15. August 1830 vom Sultan Mahmud II. anerkannt, und in dessen Familie die Erblichkeit durch Beschlüsse der Skuptschina vom 11./23. Dec. 1858 und 8./20. Juni 1869 bestätigt wurde. Nach diesen Beschlüssen ist die Fürstenwürde erblich im Mannesstamme nach dem Rechte der Erstgeburt. Der jetzige Fürst Milan IV. (s. Milosch 4) ist geboren 1858, wurde 1868 zum Fürsten proclamirt und regiert während seiner zur Zeit noch dauernden Minderjährigkeit unter der Regentschaft von P. Blajnowatsch, J. Ristitsch und K. Gavrianowitsch. Die Gesetzgebende Gewalt wird vom Fürsten und der Skuptschina (Nationalversammlung) ausgeübt, welche letztere sich jährlich versammelt; der frühere Senat ist durch die revidirte Verfassung von 1869 in einen Staatsrath umgebildet, welcher sich mit der Vorbereitung der Gesetze beschäftigt. Die oberste Staatsverwaltung zerfällt in sechs Ministerien: Inneres, Aeußeres, Justiz, Finanz, Krieg und Cultus. Landeshauptstadt, Residenz des Fürsten, Sitz der Centralbehörden und der Skuptschina ist Belgrad. Oberste Gerichtshöfe sind: der Cassationshof und das Appellationsgericht in Belgrad; außerdem bestehen noch ein Handelsgericht und achtzehn erstinstanzliche Gerichte. Der administrativen Eintheilung nach zerfällt das Land in die Stadt Belgrad und siebzehn Kreise. Die Finanzen sind gut geordnet, nach dem Budget von 1869 betrugen die Einnahmen 29,596,000 Steuer-Piaster (2½ Steuer-Piaster = 1 Franc), die Ausgaben nur 29,576,284 Steuer-Piaster; eine Staatsschuld besteht zur Zeit nicht.

Die Wehrverfassung S.'s gründet sich auf das Organisations-Statut vom Jahre 1862; Aenderungen desselben sind wiederholt durch Beschlüsse der Skuptschina (National-Versammlung) vorgenommen worden, besonders durch den Beschluß vom 23. October 1870. Die Wehrpflicht ist eine allgemeine; die Wehrpflichtigkeit dauert vom 20. bis 50. Jahre. Die bewaffnete Macht besteht aus der Stehenden Armee und der National-Armee. Die Dienstzeit in ersterer beträgt 3 Jahre (im 3. Jahre vielfach Beurlaubung); über die Einreihung in dieselbe entscheidet das Loos. Alle nicht zur Stehenden Armee herangezogenen Wehrpflichtigen, sowie die aus derselben ausgetretenen gehören (erstere vom 20. Jahre ab) bis zum 50. Lebensjahre der National-Armee an. Die Individuen der letzteren zerfallen in 2 Classen; die 1. Classe (aus den jüngeren Mannschaften bestehend) steht zur Einberufung zunächst bereit. Ueber die Stärke beider Classen bestimmt der Fürst alljährlich. Das Stehende Heer bildet den Cadre und die Schule für die National-Armee und dient im Frieden zur Aufrechthaltung der Ruhe und Sicherheit im Lande. Die National-Armee ist zur Vertheidigung des Landes bestimmt. Befreiungen von der Wehrpflicht kommen nur in Ausnahmefällen vor.

Kriegsherr ist der Fürst; er führt auch den Oberbefehl und besetzt alle Stellen in beiden Armeen. Ihm zur Seite steht als ausübendes Organ der Kriegsminister. Den Dienst des Generalstabes versieht die Stabs-Abtheilung, welcher auch die Leitung der militär-öconomischen Administration und des Auditoriats-Dienstes bei den Militär-Gerichten obliegt. — Budget des Heeres pro 1870: 1 Mill. 20000 Thlr. preuß. Die Stehende Armee hatte Ende 1870 folgenden Friedensstand: Infanterie 4 Bat. à 4 Comp. zu 200 M.; Cavalerie 1 Escadron à 150 M.; Artillerie (unter einem Inspectorat) 4 leichte, 4 schwere Fußbatt., 6 Gebirgsbatt. à 6 Gesch., 1 Comp. Zeugs-Artillerie im Arsenal zu Kragujevatsch (300 M.), 40 Mann Festungs-Artillerie, 60 Zeugschmiede; Technische Truppen (unter einem Inspectorat) 2 Comp. Pioniere à 175 M., 2 Comp. Pontoniere à 225 M. (Material für 80 ᵐ Brückenlänge); Extra-Truppen Gensdarmerie, Krankenwärter.

Train (528 M.); Summe des Stehenden Heeres 6550 M., 150 Pferde, 48 Feld-, 36 Gebirgs-Geschütze. Im Kriege tritt keine erhebliche Vermehrung des Standes ein. Die Dislocation ist im Frieden der Art, daß die Heranbildung der National-Armee zum Kriegsdienste ermöglicht ist.

Die National-Armee war bis Ende 1870 in 6 Militär-Commanden (der Districts-Eintheilung entsprechend) eingetheilt, deren jedem 3 Infanterie-Regimenter (zusammen 10 bis 13 Bataillone), 3 Escadrons, 1 Batt. (der 1. Classe) angehörten. Außerdem umfaßte dieselbe noch Pioniere und Train. Die Formation der Truppenkörper schließt sich den Gemeinde-Bezirken ꝛc. an. Nach Stuptschina-Beschluß vom October 1870 wird beabsichtigt, die National-Armee folgendermaßen zu formiren: National-Armee I. Classe 10 Inf.-Brig. à 8 Bat. zu 4 Comp. à 200 M., (64,000 M.), 20 Escad. Cavalerie à 100—140 M.; National-Armee II. Classe 8 Inf.-Brig. à 8 Bat. zu 4 Comp. à 140 M. (40,000 M.), 13 Escad. Cavalerie (mit denjenigen der I. Cl. zusammen 4000 M.); für beide Classen 18 leichte Feld-Batterien à 6 Geschütze, 18 Pionier-Abtheilungen à 50 M., 14,000 Trainsoldaten (hauptsächlich als Tragthier-Führer). Summa der National-Armee 123,761 Mann. Brigade-Commanden werden erst im Kriege errichtet; auch tritt dann die Formation von Armee-Divisionen ein.

Die Ausbildung der National-Armee erfolgt in den Gemeinden; alljährlich finden bezirksweise Uebungen von ungefähr 25 Tagen Dauer statt. Als Instructoren dienen meist Offiziere der Stehenden Armee.

Die Bewaffnung der Infanterie wird künftig aus Peabody-Gewehren bestehen, deren im Jahre 1871 70,000 fertig geworden sein sollen. Das Gewehr hat ein Säbel-Bajonett. Die II. Classe der National-Armee wird zunächst das bisherige Gewehr — Hinterlader mit Kapselzündung nach Grüne behalten. Die Offiziere führen Säbel und Revolver. Die Cavalerie hat Korbsäbel, Carabiner und Pistolen. Die Artillerie hat gezogene Vorderladungs-Geschütze vom Kaliber 8 und 9 ᶜᵐ. Jede Batterie hat 6 Geschütze und 6 Munitionswagen. Die Mannschaften führen eine Bajonett-Büchse. Die Pontonniere haben 2 Brücken-Equipagen nach österreichischem Muster. Die Trainsoldaten führen Pistolen und Yatagans. — Die Uniformirung der Stehenden Armee besteht aus Waffenrock, Brinkelvern, Tuchmantel, Tellerkappe ꝛc. Die National-Armee hat statt des Waffenrockes Blousen aus Tuch. — An Unterrichts-Anstalten hat die Serbische Armee: die Artillerie-Schule zu Belgrad mit dem Zweck, Artillerie-Offiziere heranzubilden, (die fähigsten derselben besuchen noch auf Staatskosten auswärtige Anstalten, namentlich in Berlin); den Central-Curs zu Belgrad für die weitere militärische Ausbildung der Offiziere der National-Armee, (jährlich werden 300 Stabs- und Ober-Offiziere durch Offiziere des Stehenden Heeres in einem Wintercursus unterrichtet und thun dann bei der Belgrader Garnison Dienst); die Compagnie-Schulen der Stehenden Armee; die Unteroffizier-Schulen der National-Armee (für jeden Bezirk eine). Ein großes Arsenal mit Geschützgießerei und Gewehrfabrik befindet sich zu Kragujevatsch; außerdem das Zeughaus zu Belgrad, welches ebenfalls mit Umänderung von Gewehren beschäftigt ist. Die wichtigste Pulverfabrik ist in Stragar. Die Militär-Hierarchie ist derjenigen andrer Armeen analog. Das militär-ärztliche Personal umfaßt Feld-Aerzte im Stabs-Offiziere-, Aerzte 1. u. 2. Classe im Hauptmanns-, Gehilfen 1. u. 2. Classe im Unter-Lieutenants-Range. Das Offizier-Corps des Stehenden Heeres umfaßte Ende 1870: 1 General, 40 Obersten, 7 Oberstlieutenants, 7 Majors, 60 Hauptleute, 125 Lieutenants und Unterlieutenants, 25 Personen der Heil-Anstalten. Zur Beförderung zum Offizier ist die Ablegung einer Prüfung, sowie 2jährige Dienstzeit in der Unteroffizier-Charge erforderlich. Das weitere Avancement erfolgt zum Theil nach der Tour, mit gewissen Minimal-Dienstzeiten für jeden Grad, zum Theil nach Wahl des Fürsten auf Grund besonderer Befähigung oder Waffenthaten. — Die Besoldung umfaßt das fixe Gehalt, welches den Pensions-Sätzen zu Grunde liegt, und für einzelne Waffen resp. Stellungen Zulagen. Die Gehaltssätze (jährlich) betragen für den General 3,200 Thlr. (preuß.); für den Major 1,280 Thlr. Gehalt und beim Generalstabe, Artillerie, Technischen Truppen 160 Thlr. (Cavalerie 80 Thlr.) Zulage; für den Lieutenant 608 Thlr. Gehalt und 112 resp. 28 Thlr. Zulage; für den Soldaten I. Classe 16 Thlr. Gehalt und 12 resp. 3 Thlr. Zulage c. — Die National-Armee wird durch einen besonderen Steuerzuschlag von den betreffenden Kreisen verpflegt. Kleine Monturungsstücke müssen sich die Mannschaften selbst stellen, Cavalerie auch Pferd und Sattelzeug. Die Bekleidung, Ausrüstung und Bewaffnung fällt im Uebrigen dem Lande anheim. — An Festungen besitzt S.: Belgrad, Sabac, Semendria und Klabova. Bis 1867 hatte die Pforte hier und in einigen kleinen Forts Besatzungs-Recht. Seitdem wurden die Truppen zurückgezogen.

Die Gesammtstärke des serbischen Heeres im Kriege (Stehende und National-Armee) kann zu 130,000 Mann angenommen werden. Der Werth desselben kann bei dem geringen Umfang der eigentlichen Berufs-Armee, den kurzen Ausbildungs-Perioden der übrigen Mannschaften, dem geringen Bildungsgrad der Offiziere der National-Armee nicht viel höher angeschlagen werden, als derjenige eines reinen Miliz-Heeres. — Literatur. „Die Wehrkraft der vereinigten Fürstenthümer der Moldau und Walachei, Serbien c." Wien 1871. „Vergleichende Darstellung der Wehrverhältnisse in Europa." Wien 1871.

Das Wappen S.'s ist ein rother Schild mit einem silbernen Kreuze und vier Feuerstählen (Halbmonden) in den Ecken. Die Flagge ist roth, blau und weiß horizontal gestreift; im obersten (rothen) Streifen vier gelbe Sterne, im mittleren (blauen) Streifen das Wappen.

Geschichtliches. Das heutige S. gehörte im Alterthume zu Thrazien, wurde kurz vor Chr. Geb. von den Römern unterworfen und bildete dann als Moesia superior einen Theil der Provinz Illyrien. Während der Völkerwanderung wurde es von Hunnen, Ostgothen und Longobarden überfluthet, kam um 550 unter byzantinische Herrschaft und Anfang des 7. Jahrh. in den Besitz der Avaren, welche 638 durch die vom byzantinischen Kaiser Heraklius aus dem östlichen Galizien zu Hilfe gerufenen Serben vertrieben wurden. Die Letzteren breiteten sich dann auch über das heutige Bosnien und Montenegro aus und bildeten ein großes Serbenreich, über welches ein Stammeshäuptling (Groß-Zupan) als Vasall des byzantinischen Kaisers herrschte. Nach Vernichtung des Bulgarischen Reiches (s. d.) wurde 1019 auch S. eine byzantinische Provinz, machte sich aber 1043 unter Stephan Bogislaw unabhängig. Der Sohn und Nachfolger des Letzteren, Michael (1050—1080), nahm den Titel König (Kral) von S. an und wurde als solcher auch vom Papste Gregor VII. anerkannt. Unter seinen Nachfolgern verwüsteten innere Unruhen das Land, welches 1156 auch wieder dem Byzantinischen Reiche lehnspflichtig wurde, bis 1165 Stephan Neeman (Nemanja) sich zum Fürsten aufschwang und das Land abermals unabhängig machte. Er wurde der Stifter der nach ihm benannten Dynastie und der Gründer eines Reiches, welches nach seiner Residenz, der Stadt Rassa (jetzt Nowy-Bazar) die Groß-Zupanie von Rassa, später Serbisches oder Raszisches Reich genannt wurde, wovon sich noch bis in die neueste Zeit der Name Ratzen oder Ratzen für verschiedene serbische Volksstämme erhalten hat. Unter der

Nemanischen Dynastie dehnte sich das Reich allmählich über Macedonien, Albanien, Thessalien, Bulgarien und das nördliche Griechenland aus. Mit Urosch V., welcher den größten Theil der eroberten Nachbarländer durch Kämpfe mit den Türken und Griechen wieder verlor und 1371 in der Schlacht am Tänarus fiel, erlosch die Dynastie. Lazar I., ein serbischer ,Großer, welcher 1373 den Thron bestieg und der Gründer einer neuen Dynastie wurde, hatte ebenfalls heftige Kämpfe mit den Türken zu bestehen, mußte sich denselben lehnspflichtig erklären und fiel 1389 in der Schlacht auf der Kossower Haide (f. Amselfeld) gegen die Türken unter Murad I. Sultan Bajazet I., der Sohn des Letzteren (welcher in derselben Schlacht gefallen war), theilte nun das Serbische Reich zwischen Stephan, dem Sohn Lazar's, und Wuk Brankewitsch, dem Schwiegersohn Lazar's; beide mußten sich jedoch unter dem Titel Despoten von S. den Türken tribut- und heerespflichtig erklären. Seitdem hat sich S. der türkischen Oberhoheit nicht wieder entziehen können. Während der im Laufe der nächsten Zeit folgenden Kriege zwischen den Ungarn und den Türken war S. fast stets Kriegsschauplatz, bis Sultan Mohammed II. im J. 1459 das Land völlig unterwarf und es dem Türkischen Reiche als Provinz einverleibte. Im Passarowitzer Frieden von 1718 wurde der größere (nördliche) Theil mit der Hauptstadt Belgrad an Oesterreich abgetreten, fiel aber im Belgrader Frieden von 1739 wieder an die Türkei zurück. Die Bedrückungen der Letzteren und namentlich die Grausamkeiten der Janitscharen riefen 1801 einen Aufstand unter Georg Czerny (f. d., Bd. III., S. 121) hervor, welcher 1808 von der Pforte als Fürst von S. anerkannt wurde. Beim Ausbruche des Russisch-Türkischen Krieges von 1809 erneuerte sich der Aufstand, doch beobachtete S. nach einem mit den Türken im Decbr. 1810 abgeschlossenen Waffenstillstande strenge Neutralität, wurde aber 1813 von den Türken überfallen und gänzlich unterworfen, bis es 1816 dem Oberhaupt Milosch (f. d.) Obrenowitsch gelang, das Land zu befreien und 1817 die Pforte zu seiner Anerkennung als Fürst von S. zu nöthigen. Milosch wurde 1827 von der Skuptschina als erblicher Fürst bestätigt, verhielt sich während des Russisch-Türkischen Krieges von 1829 neutral, wurde aber 1839 gezwungen, die Regierung niederzulegen, indeß nach der Zwischenregierung des Fürsten Karageorgiewitsch (f. u. Czerny) 1858 aufs Neue zum Fürsten von S. erwählt und regierte nun bis zu seinem Tode, 26. Septbr. 1860, worauf sein Sohn Michael III. (f. Milosch III.) in der Fürstenwürde folgte. Unter dessen Regierung verzichtete die Pforte 1867 auf das Besatzungsrecht in Belgrad und den andern festen Plätzen. Nachdem Michael III. in Folge einer von Karageorgiewitsch angestifteten Verschwörung am 10. Juni 1868 im Külipark Topschider bei Belgrad ermordet worden war, wurde dessen minderjähriger Neffe und Adoptivsohn Milan am 2. Juli 1868 von der Skuptschina zum erblichen Fürsten gewählt und proclamirt. Vgl. Ranke, „Die serbische Revolution", Hamburg 1829, 2. Aufl. 1844; Reigebauer, „Die Südslawen und deren Länder", Leipzig 1851; Cunibert, „Essai historique sur les révolutions et l'indépendance de la Serbie depuis 1804 jusqu'a 1850", Leipzig 1855, 2 Bde.; Hilferding, „Geschichte der Serben u. Bulgaren", Bautzen 1856. Kiepert, „Karte von S." Weimar 1849.

Serbisch-Banatisches Gebiet, f. u. Militärgrenze, Bd. VI., S. 94.

Serbische Wojwodschaft und Temeser Banat, ein Kronland der Oesterreichischen Monarchie, welches im Jahre 1849 aus den zu Ungarn gehörigen Comitaten Bacs-Bodrog, Temesvar, Torontal und Krasso und den zu Slavonien gehörigen Bezirken Ruma und Illok gebildet wurde, einen Flächenraum von 544 Quadrat-Meilen mit 1,540,049 Einwohnern umfaßte und Temesvar ihr Hauptstadt hatte, im J. 1860 aber wieder aufgehoben und mit Ungarn, resp. Slavonien, vereinigt wurde.

Serdar (von dem persischen Ser, d. i. Herr) oder **Serdari-Ekrem** (d. i. gnädigster Herr), die höchste Würde in der türkischen Armee, ziemlich gleichbedeutend mit **Seraskier** (s. d.), ungefähr dem Feldmarschall in der deutschen Armee entsprechend. Der Titel S. wird nur äußerst selten verliehen; Omer-Pascha erhielt denselben 1864 zugleich mit dem Titel Muschir als Minister ohne Portefeuille.

Seressaner (Rothmäntel), die den österreichischen Grenzregimentern zugetheilten Mannschaften, denen besonders schwierige Dienstleistungen, Recognoscirungen, Avantgarden- und Patrouillendienst ꝛc. aufgetragen werden. Ihre Bewaffnung ist eine lange Flinte, Pistole und ein langes Messer (Handschar), ihre Bekleidung ein blauer Dolman mit rothen Aufschlägen, bes. blaue Beinkleider, scharlachrother Mantel. Ihre Errichtung ist sehr alt; sie zeichneten sich in früheren Kriegen eben so sehr durch ihre Tapferkeit wie durch ihre Grausamkeit aus. Seit der neuen Formation der Grenztruppen von 1866 bestehen bei sieben Grenzregimentern berittene Seressaner-Abtheilungen von je 33 Mann; früher waren dieselben weit stärker.

Serge, geköpertes Wollengewebe, als Zeug zu Patrouenbeuteln im Gebrauch.

Sergeant ist in mehreren europäischen Armeen die officielle Benennung für eine höhere Classe der Unteroffiziere, in der Mitte stehend zwischen dem Feldwebel und dem gewöhnlichen Unteroffizier. — Sergeant-major der französischen Armee entspricht der Charge des Feldwebels des deutschen Heeres. — In Frankreich wurden während des 16. Jahrhunderts auch diejenigen Offiziere, welche die Haufen zu schließen und deshalb hinter diesen ihren festen Platz hatten, den sie nur im Gefecht verlassen durften, um dafür zu sorgen, daß der Haufe geschlossen blieb, S. (serre-gens) genannt. — Sergeant d'armee war die Bezeichnung für die ehemaligen Leibgarden der französischen Könige. — Sergeant de-bataille wurde früher in der französischen Armee derjenige Offizier eines Regiments betitelt, der die Bestimmung hatte, die Marsch- und vorzüglich die Schlachtordnung des Regiments zu regeln, welche Function in Deutschland dem Oberstwachtmeister zufiel.

Seringapatam (Sri Ranga Patam), ehemalige Haupt- und Residenzstadt von Mysore, jetzt zum District Mysore der indo-britischen Präsidentschaft Madras gehörig, liegt auf einer vom Caverty gebildeten Insel, ist schwach befestigt, hat ein Fort, zählt 13,000 Einwohner und soll in seiner Glanzperiode als Residenz Tippo-Saib's gegen 150,000 Einwohner gehabt haben. Nachdem S. 1791 von den Engländern unter Cornwallis vergeblich belagert worden war, wurde hier am 24. Februar 1792 der Friede zwischen Mysore und der Englisch-Ostindischen Compagnie geschlossen. Am 4. Mai 1799 wurde S. nach tapferer Vertheidigung Tippo-Saib's (welcher fiel) von den Engländern unter Harris erstürmt, welche die Stadt dann eine Zeit lang als Besatzungsplatz benutzten, aber ihrer ungesunden Lage wegen als solchen wieder aufgaben.

Serpentin, 1) alte Bezeichnung für den Hahn des Gewehrschlosses; 2) (Serpentine), eine alte Art Kanonen, s. u. Artillerie, Bd. I, S. 227.

Serpuchow, Kreisstadt im russischen Gouvernement Moskau, an der Mündung der Nara und Serpeika in die Oka und an der Eisenbahn von Tula nach Orel, hat eine Schiffbrücke, lebhafte Industrie und Handel und zählt 11,000 Einwohner. S. war früher eine starke Festung; jetzt sind die Werke verfallen.

Serrano y Domínguez, Francisco, Herzog de la Torre, spanischer Marschall und Regent, geb. 1810 auf San-Fernando bei Cadiz, als der Sohn des im Halbinselkriege oft genannten Feldmarschalls Serrano y Cuenca, erhielt bereits 1815 das Lieutenants-Patent, wurde aber erst 1830 activ, ergriff nach dem Tode Ferdinand's VII. für die unmündige Königin Isabella Partei, zeichnete sich in den Kämpfen gegen Don Carlos, namentlich in den Gefechten bei Morella, Segura und Hos de Villavieja, vielfach aus, wurde bereits 1839 Brigadegeneral und 1840 Oberbefehlshaber in Barcelona, schloß sich hier an Espartero an, avancirte, als Espartero Regent geworden war, zum Divisionsgeneral, wurde 1842 Generalstabschef Espartero's, verließ aber Anfang 1843 die Partei des Regenten, stellte sich in Barcelona an die Spitze einer revolutionären Junta (provisorischen Regierung) und erklärte den Regenten seiner Würden für verlustig. Nach dem Sturze Espartero's wurde S. im Juli 1843 unter Narvaez eine Zeit lang Kriegsminister, nach Einführung der Constitution 1845 Senator, gehörte dann wiederholt verschiedenen Cabineten an, erwarb sich die persönliche Gunst der Königin Isabella, gerieth jedoch später mit den Conservativen in Conflict, schloß sich 1854 der Revolution an, wurde unter dem Cabinet Espartero-O'Donell zum Generaldirector der Artillerie ernannt, Anfang 1856 Militärgouverneur von Neucastilien, wirkte dann zum Sturze Espartero's mit, wurde darauf in demselben Jahre noch zum Generalcapitain der Armee (Marschall) erhoben, ging im August 1856 als Gesandter nach Paris, wurde 1859 Generalcapitain (Statthalter) von Cuba, erwirkte als solcher 1861 die Wiedervereinigung von Domingo (s. d. 2) mit Spanien, wurde dafür 1862 zum Herzog de la Torre und Granden erster Classe erhoben, übernahm nach seiner Rückkehr bis zum März 1863 das Ministerium des Aeußern, wurde unter O'Donell 1865 Präsident des Senats, erhielt nach dem Aufstandsversuche Prim's (im Januar 1866) „Urlaub ins Ausland" und kehrte Ende 1866 nach Madrid zurück, um bei Eröffnung der Cortes den Präsidentenstuhl im Senat einzunehmen. Als die Regierung aber die Eröffnung der Cortes über die gesetzliche Frist hinaus verzögerte, unterzeichneten zahlreiche Mitglieder der Oppositionspartei einen Protest, welchen der Königin zu überreichen, S. und Rios Rosas (Präsident der Deputirtenkammer) beauftragt wurden. Die Regierung kam jedoch zuvor, verhaftete beide Präsidenten und sämmtliche Unterzeichner des Protestes. S. wurde in ein Militärgefängniß nach Alicante gebracht, nach einiger Zeit zwar wieder in Freiheit gesetzt, aber nach dem Tode des Marschalls Narvaez (23. April 1868) nebst andern hervorragenden Mitgliedern der liberalen Partei nach den Canarischen Inseln verbannt. Von dort kehrte er bei dem Ausbruch der Revolution in Cadiz im September zurück, stellte sich an die Spitze der Bewegung, schlug die königlichen Truppen unter General Novalliches am 28. Sept. bei der Brücke von Alcolea, (oberhalb Cordova s. d. Bd. III. S. 81), zog dann als Sieger in Madrid ein, trat, nachdem die Cortes im Juni 1869 eine monarchische Verfassung angenommen hatten, als Regent an die Spitze der Regierung, legte am 2. Januar 1871 die Gewalt in die Hände des neu erwählten Königs Amadeus nieder und wurde von diesem zum Ministerpräsidenten ernannt.

Im Frühjahre 1872 warf S. den in Navarra und den Baskischen Provinzen ausgebrochenen Aufstand der Carlisten, pacificirte die Partei durch den, eine Amnestie enthaltenden, Vertrag von Amorevieta (24. Mai), trat am 4. Juni als Kriegsminister an die Spitze eines neugebildeten Cabinets, legte jedoch, weil der König Amadeus sich weigerte, die verfassungsmäßigen Gewalten zeitweilig zu suspendiren, die Ministerpräsidentur und das Kriegsministerium sehr bald wieder nieder; in ersterer ersetzte ihn 11. Juni Zorilla, in letzterem aber Corroba.

Serrurier, Jérôme Matth. Philibert, Graf von S., französischer Marschall, geb. 1742 in Laon, trat sehr jung in die Armee, war beim Ausbruch der Revolution Bataillonschef, schloß sich der Bewegung an, avancirte dann sehr schnell, commandirte 1795 als Divisionsgeneral den rechten Flügel des französischen Heeres in Italien, nahm am 5. Juli den Paß von Ferme, trug am 21. April 1796 wesentlich zum Siege von Mondovi bei, commandirte dann das Belagerungscorps vor Mantua, unterzeichnete am 2. Februar 1797 die mit dieser Festung abgeschlossene Capitulation, überbrachte im Auftrage Bonaparte's dem Directorium die dort eroberten Fahnen, wurde 1797 Gouverneur von Venedig, 1798 Generalinspector und Gouverneur von Lucca, commandirte 1799 eine Division unter Scherer in Italien, mußte sich aber nach der am 27. April von Scherer verlorenen Schlacht von Cassano am 28. April an die Russen unter Suworow ergeben. Letzterer entließ ihn im October 1799 auf Ehrenwort nach Paris; S. traf dort kurz vor der Rückkehr Bonaparte's (aus Aegypten) ein, unterstützte denselben dann beim Staatsstreiche vom 18. Brumaire d. J. VIII. (9. Nov. 1799) sehr wirksam, wurde nach Promulgation der Constitution des J. VIII. vom Ersten Consul zum Mitglied des Erhaltungssenats und 1802 zum Vicepräsidenten desselben, 1804 vom Kaiser zum Gouverneur der Invaliden und Marschall, 1809 zum Befehlshaber der Pariser Nationalgarde und 1814 von Ludwig XVIII. zum Pair ernannt, von diesem auch als Gouverneur der Invaliden bestätigt. Da er sich jedoch während der Hundert Tage an Napoleon angeschlossen und dem Maifelde beigewohnt hatte, wurde er nach der zweiten Restauration von Ludwig XVIII. seiner Stellung enthoben, zog sich dann gänzlich zurück und starb 1819.

Sertorius, römischer Feldherr, geboren zu Nursia im Sabinerlande, zeichnete sich zuerst unter Marius 102 v. Chr. bei Aquä Sextiä gegen die Teutonen durch große Kühnheit aus, ergriff im Bürgerkriege zwischen Marius und Sulla die Partei der Marianer, bemühte sich nach der Einnahme von Rom 87 v. Chr. den Greueln der Sklaven Einhalt zu thun, ging 82 als Proprätor in das jenseitige Spanien, bildete dort ein Heer und eine Flotte, womit er mit den Sullanern den Krieg begann (Sertorianische Krieg), vertheidigte sich mit Erfolg, kämpfte 76 auch glücklich gegen Cnejus Pompejus und wurde 72 in Folge einer von Perperna angestifteten Verschwörung ermordet.

Servilius, 1) Quintus S. Cäpio, war 106 v. Chr. römischer Consul, ging 105 als Proconsul nach Gallien und verlor dort mit dem Consul Cnejus Manlius die mörderische Schlacht an der Rhône gegen die Teutonen, in welcher gegen 80,000 Römer fielen, wurde deshalb in Anklagezustand versetzt, nach Smyrna verbannt und starb dort im Exil. 2) Publius S. Vatia, war 79 v. Chr. römischer Consul, 78—75 Proconsul in Kleinasien, besiegte dort die Isaurischen Seeräuber, überschritt zuerst mit einem römischen Heere den Taurus und erhielt dafür bei seiner Rückkehr nach Rom einen Triumph und den Beinamen Isauricus.

Servis (indemnité de logement et d'ameublement) ist die Geldvergütigung, welche den Personen des Soldatenstandes und Militär-Beamten behufs Selbstbeschaffung ihres Unterkommens für sich (Personalservis) und ihre Dienstpferde (Stallservis), oder den Quartiergebern für die Gewährung dieses Unterkommens gezahlt wird. — Die Höhe desselben wird durch die Charge des Empfängers, die Größe resp. durchschnittlichen Miethspreise der verschiedenen Garnisonen, häufig auch durch die Jahreszeit bedingt. Nun

Berücksichtigung der Jahreszeit wird bisweilen für die Wintermonate ein höherer Satz an S. bezahlt als für die Sommermonate, insofern in jenen die Heizungskosten in Rechnung kommen. Je nach den Miethpreisen theilt man die Garnison-Orte in mehre S.-Classen. Im Deutschen Reiche ist nach dem Tarif vom 21. Decbr. 1867 mit Anhang vom 25. Juni 1868 die Eintheilung in 6 Classen maßgebend, deren höchste bloß Berlin und einige andere große Städte umfaßt, die andern als Classe 1. bis 5. rangiren (die 5. Cl. umfaßt gleichzeitig mit den kleinsten Städten alle Ortschaften des platten Landes). Der Winter-S. beträgt 7/4 der Sommer-S. 1/4 des monatlichen Durchschnitts-Satzes. Casernirte Offiziere und Beamte erhalten zur Bestreitung kleiner Quartier-Bedürfnisse ein monatliches Pauschquantum. Die mit Dienstwohnungen versehenen Militär-Personen erhalten nur 1/3 des Personal-S. Vgl. "Reglement über die Servis-Competenz der Truppen im Frieden für den Nordd. Bund", vom 20. Febr. 1868. Siehe auch Quartier Bd. VII., S. 270.

Servius Tullius, sechster (mythischer) König von Rom, wurde nach der Sage am Hofe des Tarquinius Priscus erzogen, folgte diesem 578 v. Chr. In der Regierung, führte glückliche Kriege gegen die Vejenter, umgab die bisher einzeln befestigte Stadtseite von Rom mit einer gemeinsamen Mauer, erhob Rom zur ersten Stadt im latinischen Bunde, führte geprägte Münzen ein und wurde auf Anstiften seiner herrschsüchtigen Tochter Tullia von deren Gatten Tarquinius Superbus 534 v. Chr. ermordet.

Sesostris, ein durch Herodot in Aufnahme gebrachter Name eines ägyptischen Königs, welchem jedoch historisch zwei Könige der 19. Manethonischen Dynastie (die beiden größten Pharaonen) zu Grunde liegen: 1) Seti I. (von Manethos, aber Sethos oder Sethosis, von Diodor dagegen Sesoosis genannt), regierte ungefähr von 1439—1388 und erfocht Siege über Cypern, Phönicien, die Assyrer und Meder. Unter diesem kam (nach Lepsius) Joseph, der Sohn Jakob's, nach Aegypten und führte die großen administrativen Reformen durch, welche Herodot und Diodor dem S. zuschreiben. 2) Ramses II., Sohn und Nachfolger des Vor., regierte von 1388—1322, besiegte die Assyrer, Meder, Perser, Baktrer, Scythen, Aber und Aethiopier und brachte Aegypten durch Eroberungen auf den höchsten Gipfel seiner Macht. Unter diesem wurde Moses geboren und erzogen und die Israeliten mußten Frohndienste bei dem Bau der Städte Pithom und Ramses thun.

Setuval (Setubal, von den Ausländern auch St. Ubes oder St. Yves genannt), Stadt und Festung in der portugiesischen Provinz Estremadura, liegt 4 Meilen südsüdöstlich von Lissabon, am nördlichen Ufer der durch die Mündung des Sado gebildeten Bai von S. des Atlantischen Oceans und an der Südbahn, hat einen durch fünf Forts vertheidigten, aber wegen der Sandbänke schwer zugänglichen Hafen (den dritten Haupthafen Portugals) mit Leuchtthurm, ein Arsenal, lebhaften Handel und 13,500 Einwohner. S. litt 1755 durch ein Erdbeben bedeutend.

Setzen, sich, 1) seitens einer geschlagenen Truppe Stellung nehmen, um von Neuem Widerstand zu leisten; 2) das Zusammensinken des angeschütteten Erdbodens.

Setzer, auch Ansetzer, bei Feuerwaffen ein Instrument, um Ladung und Geschoß an ihre Stelle im Rohr zu bringen, gewöhnlich kürzere oder längere Stange mit Kolben (Ansetzkolben). Bei Geschützen hat die Stange des S. am andern Ende gewöhnlich den Wischkolben und wird der Setzer dann Wischer genannt (s. d. unter Ladezeug Bd. V, S. 261).

Sehlatte, Setzwage, s. Nivelliren Bd. VI. S. 271.

Setzartische, f. Schild, S. 206.

Seubottenreuth, Dorf im Verwaltungsdistrict Baireuth des bairischen Regierungsbezirks Ober-Franken. Hier am 22. Juli 1866 Gefecht zwischen der Avantgarde des preußischen II. Reserve-Corps (Major von Voß: Füsil.-Bat. des 4. Garde-Regt., 2 mecklenb. Jäger-Comp., 2 Escad. mecklenb. Dragoner, 2 mecklenb. Geschütze) und dem bairischen 4. Bataill. Leib-Regiments (unter Major von Toner, 6 Comp. stark, zu dem aus 4. und Reserve-Bat. neuformirten, die Deckung des östlichen und nordöstlichen Baierns bezweckenden Ost-Corps des Generalmajors Fuchs gehörig). Die preußische Avantgarde war dem bairischen Bataillon am 21. mit der Besetzung von Baireuth zuvorgekommen. Am 22. früh gingen Theile der ersteren gegen Creußen zur Recognoscirung vor. Durch glückliche Cavalerie-Charge wurde ein Theil einer bairischen Compagnie in der Nähe von S. gesprengt und gefangen. Die übrigen Theile des bairischen Bataillons, welches sich in S. einschließen wollte, wurde auf dem Marsche dahin durch inzwischen eintreffende preußische Verstärkungen mit Artillerie umfaßt und entkamen nur mit schweren Verlusten. — Bairischer Verlust 8 Offiziere, 250 Mann (davon 3 Offiz. 222 M. unverwundet gefangen); preußischer 1 Offiz. 14 M. (verwundet). Vergl. Preuß.-Österr. Krieg Bd. VII, S. 216.

Seven, (Zeven, Kloster-S.), Marktflecken in der rauhkrostei Stadt der preußischen Provinz Hannover, 3 Meilen südöstlich von Bremervörde gelegen, hat 1300 Einwohner. Hier capitulirte im Siebenjährigen Kriege am 8. Septbr. 1757 die hannoversche Armee unter dem Herzog von Cumberland (f. b.) an die Franzosen unter dem Herzog von Richelieu (f. b. 2).

Sevennen und Sevennenkriege, f. u. Cevennen, Bd. II, S. 360.

Severus, Lucius Septimius, römischer Kaiser, geb. 146 nach Chr., war 185 unter Commodus römischer Consul, wurde dann Befehlshaber in Pannonien und hier 193 nach der Ermordung des Pertinax von seinen Legionen zum Kaiser ausgerufen, worauf er sich sogleich gegen seine Nebenbuhler, die Gegenkaiser Pescennius Niger und Clodius Albinus wendete. Den ersteren, der Statthalter in Syrien und von den Prätorianern ebenfalls zum Kaiser ausgerufen worden war, schlug er in Kleinasien wiederholt. Obschon Pescennius nach der Schlacht bei Issus (194) ermordet worden, setzte doch seine Partei den Kampf fort, und da der Heerd derselben Byzanz war, so wendete sich S. sogleich gegen diese Stadt, überwältigte sie und vernichtete die gesammte Einwohnerschaft, theils durch das Blutgericht, theils durch Vertreibung, theils durch Verkauf in die Sclaverei. Als er auf diese Weise den Krieg im Osten beendet, führte S. sein Heer nach Gallien, wo Clodius Albinus von seinen Legionen zum Kaiser ausgerufen worden war, schlug denselben 197 bei Lugdunum (Lyon) und hielt über die ganze Partei des gefallenen Gegners ein furchtbares Blutgericht. Nun alleiniger Kaiser, zog er gegen die bis dahin fast nie besiegten Parther, schlug dieselben 198 und 199, ging 208 nach Britannien, um die Caledonier zu unterwerfen, starb aber, bevor ihm dies gelungen, 211 zu Eboracum (York).

Sevilla, Hauptstadt und Waffenplatz der gleichnamigen Provinz (249 □M. mit 473,920 Einw.) im spanischen Königreich Andalusien (früher Hauptstadt von Andalusien), in einer Ebene an beiden Ufern des hier für Seefahrzeuge schiffbaren Guadalquivir, und an der Eisenbahn von Cadix nach Cordova. Sitz eines Erzbischofs, des Generalcapitains von Andalusien und einer Universität, ist von einer alten, mit 66 Thürmen und 14 Thoren versehenen Mauer umgeben (außerhalb welcher jedoch noch zahlreiche Vorstädte liegen); hat eine prächtige Kathedrale (die größte gotische Kirche Spaniens mit dem höchsten Thurme Spaniens und dem Grabmal des Christoph Columbus),

einem großartigen königlichen Palaft (Alcazar, ehemals Refidenz der maurischen Könige), einen erzbischöflichen Palaft, einen Hafen, eine königl. Geschütz-
gießerei, Gewehrfabriken, acht Casernen, bedeutende Militärmagazine, einen
großen Circus für Stierkämpfe, lebhafte Industrie und Handel und zählt
81,546 Einwohner, einschließlich ihrer Vorstädte (mit welchen sie einen Umfang von 3½ Meilen einnimmt) aber 118,298 Einwohner. S. hieß im
Alterthum Hispalis, war schon zur Römerzeit eine bedeutende Stadt, wurde
unter Julius Cäsar römische Colonie unter dem Namen Colonia Romulensis
(Julia Romula), galt zur Zeit der gothischen und vandalischen Herrschaft, als
die Hauptstadt des südlichen Spaniens, fiel im 8. Jahrhundert in die Hände
der Araber, in deren Besitz sie unter dem Namen Ischbiliah zu einer bedeutenden Handelsstadt mit 400,000 Einwohnern emporblühte. Im J. 845
hier Schlacht zwischen den Sarazenen und Normannen; Letztere, welche die
Stadt belagern wollten, zogen wieder ab. Im J. 1026 wurde sie Haupt-
und Refidenzstadt des maurischen Königreichs der Abadiden; im Novbr. 1248
wurde sie von Ferdinand III. von Castilien nach achtzehnmonatlicher Belagerung erobert und blieb seitdem im Besitze der Christen. Während des Halb-
inselkrieges befand sich seit 27. Mai 1808 die spanische Central-Junta in S.,
flüchtete sich aber, als die Franzosen unter Victor anrückten nach Cadiz und
ließ große Artillerie- und andere Vorräthe in S. zurück. Im J. 1823 flüchteten die Cortes von Madrid nach S. und entführten den König von da
nach Cadiz.

Sewaftopol, s. Sebastopol.

Sextant, (eigentlich Sechstel-Kreis), Spiegel-Sextant, s. Instrument
Bd. V, S. 60 und Spiegel-Instrument.

Seydlitz, Friedrich Wilhelm von, preußischer General der Cavalerie,
geb. 3. Febr. 1721 zu Kalkar bei Cleve, wurde 1733 Page bei dem Markgrafen von Brandenburg-Schwedt und legte als solcher schon vielfache Proben
eines kühnen Reiters ab, trat 1738 als Cornet in das preußische Kürassier-
Regiment des Markgrafen, wurde 1742 im ersten Schlesischen Kriege gefangen
genommen, aber bald wieder ausgewechselt und avancirte dann zum Rittmeister eines neugebildeten Husaren-Regiments, zeichnete sich im zweiten
Schlesischen Kriege 1745 bei Hohenfriedberg (wo er den sächsischen General
Schlichting gefangen nahm), bei Soor (wo er verwundet wurde) und bei
Zittau durch einen Angriff seiner Schwadren aus, avancirte dann zum Major,
1752 zum Oberstlieutenant und Commandeur des Dragoner-Regiments
Württemberg, wurde 1753 Commandeur des Kürassier-Regiments Rochow und
1755 Oberst. Im Siebenjährigen Kriege führte er am 18. Juni 1757 bei
Kollin an der Spitze von 25 Schwadronen einen glänzenden Angriff aus,
deckte nach Verluste der Schlacht den Rückzug, wurde dafür am 20. Juni
von Friedrich d. Gr. zum Generalmajor ernannt, drang dann nach Sachsen
vor, schlug am 16. Septbr. die feindliche Cavalerie bei Pegau, vertrieb 19.
Sept. den Prinzen Soubise aus Gotha, rückte, als der Croaten-General
Hadik am 16. Octbr. Berlin überfallen und gebrandschatzt hatte, der Hauptstadt zu Hilfe, erhielt dann den Oberbefehl über die gesammte Cavalerie und
trug am 7. Novbr. vorzugsweise zu dem entscheidenden Siege von Roßbach
bei, wofür ihn der König zum Generallieutenant und Chef des Kürassier-Regiments Rochow ernannte und ihm den Schwarzen Adlerorden verlieh. Bei
Zorndorf stellte S. am 25. August 1758 die Ordnung wieder her, befreite
die preußische Infanterie von den sie umzingelnden Russen, eroberte die preußischen Geschütze zurück und noch 120 feindliche, sowie 20 Fahnen und trug
wesentlich dazu bei, daß sich der schon schwankende Sieg schließlich zu Gunsten
der preußischen Waffen neigte. Bei Hochkirch wies er am Morgen des

14. Oct. den letzten Angriff der österreichischen Cavalerie zurück und machte dadurch einen theilweis geordneten Rückzug möglich. Bei Kunnersdorf wurde er am 12. August 1759 schwer verwundet und mußte dann nach Berlin gebracht werden. In Folge einer allgemein verbreiteten Ansicht, daß der Verlust dieser Schlacht einem vom König an S. erlassenen Befehle, eine vortheilhafte Position zu verlassen, beizumessen sei, trat längere Zeit eine Spannung zwischen dem König und S. ein, welche Letzteren (der überdies noch nicht vollständig wieder hergestellt war), hinderte, dem Feldzuge von 1760 beizuwohnen; doch nahm er im October an der Vertheidigung Berlins gegen Tettenborn und Laudy großen Antheil. Bald darauf trat eine Versöhnung ein und in den Feldzügen von 1761 und 1762 focht S. unter dem Prinzen Heinrich in Sachsen, wo er namentlich am 29. Oct. 1762 bei Freiberg an der Spitze der Cavalerie einen entscheidenden Sieg über die Reichstruppen und Oesterreicher unter Hadik erfocht und auch große Umsicht in Verwendung der Infanterie bewies. Nach dem Hubertusburger Frieden von 1763 ward er Inspector aller in Schlesien stehenden Cavalerie-Regimenter, und sein Regiment in Ohlau wurde der Mittelpunkt des Unterrichts für die Cavalerie von ganz Europa. Nachdem er 1767 zum General der Cavalerie ernannt worden war, starb er 7. Nov. 1773 und wurde im Garten seines Gutes zu Minkowski bei Ramslau in Schlesien beerdigt, wo ein einfaches Denkmal sein Grab bezeichnet. In Berlin (auf dem Wilhelmsplatz) und in Kalkar wurden ihm Statuen errichtet. Vgl. Varnhagen von Ense, „Leben des Generals von S." Berlin 1834; Wittich, „Der Reitergeneral F. W. von S.", Düsseldorf 1861.

Sforza, ein italienisches Fürstengeschlecht, welches namentlich im 15. und 16. Jahrh. eine hervorragende Rolle spielte und dem Herzogthum Mailand sechs Regenten gab; in der Kriegsgeschichte sind besonders namhaft: 1) Giacomuzlo Attendolo, der Stammvater des Geschlechts, Sohn eines Bauern aus Cotignola (zwischen Imola und Faenza in der Romagna), geb. 1639, ging in früher Jugend unter eine Condottierischaar, zeichnete sich in derselben durch Gewandtheit und Kühnheit aus, erhielt vom Grafen Alberigo von Barbiano (dem Stifter des Condottieriwesens) den Beinamen Sforza (der Erzwinger), befehligte seit 1401 eine Compagnie von 150 Kriegern im Dienste der Stadt Florenz, seit 1405 ein Regiment von 600—1000 Mann, mit welchem er öfters die Herren wechselte, trat dann in die Dienste des Königs Ladislaus von Neapel, wurde unter der Regierung der Königin Johanna II. 1423 Großconnetable des Königreichs, schlug den König Alfons von Castilien aus Neapel zurück und ertrank im Januar 1424 im Pescaraflusse. Die Krieger, welche unter seiner Fahne fochten, nannten sich nach ihm Sforzeschi. 2) Francesco I. Alessandro S., natürlicher Sohn des Vor., geb. 1401, diente schon von früher Jugend an in der Schaar seines Vaters, übernahm nach dessen Tode die Führung derselben und wurde einer der größten Condottieri Italiens, focht für Mailand, Venedig und Florenz, vermählte sich mit der natürlichen Tochter des Herzogs Filippo Maria Visconti von Mailand, bemächtigte sich nach des Letzteren Tode 1447 der Stadt und des Herzogthums Mailand, wurde 1450 Herzog von Mailand, organisirte die Streitkräfte des Staates, hatte vielfache Kämpfe mit Frankreich zu bestehen, welche jedoch nur mit Hülfe Oesterreich's glücklich waren und starb 1465. Seine Dynastie erlosch 1535 mit Francesco II.

Sharpeburg, Städtchen in der Grafschaft Washington des Staates Maryland, liegt am Antietam, einem unbedeutenden linken Zufluß des Potomac. Schlacht daselbst am 17. Sept. 1862. General Lee war bei seinem Einfall nach Maryland bis Frederick City vorgedrungen, hatte, als McClellan von

Alexandria heranrückte, sich zurückgezogen und erwartete, nachdem er sich mit dem von Harper's Ferry herbeigeeilten Jackson bei S. vereinigt, in einer günstigen Stellung auf dem rechten Ufer des Antietam den Angriff. McClellan hatte bereits seit dem 12. Sept. Fühlung mit ihm und griff ihn, als er sich durch die herankommenden Verstärkungen ihm gewachsen glaubte, an. Der Kampf dauerte bis in die Nacht und endigte damit, daß die Unirten sich auf dem rechten Ufer des Antietam festsetzten. Nachdem Lee, als der Kampf angeblich wegen mangelnder Munition am folgenden Tage nicht erneuert wurde, diesen Tag und die folgende Nacht benutzt hatte, um über den Potomac zurückzugehen, wagte sein Gegner nicht, ihn zu verfolgen, sondern begnügte sich damit, Harper's Ferry zu besetzen und dort zur späteren Aufnahme der Offensive eine Brücke über den Potomac zu schlagen. Der Verlust in dieser unentschiedenen Schlacht betrug bei den Unirten 11,000, bei ihren Gegnern 12,000 Mann.

Sheerneß, befestigte Seestadt in der englischen Grafschaft Kent, auf der Nordwestspitze der Insel Sheppey, am Einfluß des Medway in die Themsemündung, durch Eisenbahn mit Chatham verbunden, besteht aus den stark befestigten Dockyards mit dem Seearsenal und den Vorstädten Bluetown und Miletown und hat 14,000 Einwohner. Die Werke sind in neuster Zeit bedeutend verstärkt und mit 150 Geschützen schweren Kalibers armirt worden. Auf der gegenüberliegenden Insel Grain sind in neuerer Zeit ebenfalls Batterien errichtet worden. Bei S. liegt gewöhnlich ein Theil der englischen Flotte vor Anker.

Sheffield, Stadt im West-Riding der englischen Grafschaft York, an der Mündung des Sheaf in den schiffbaren Dow, Knotenpunkt des Eisenbahnnetzes zwischen Manchester, Leeds, Hull und London, eine der größten englischen Fabrikstädte, (besonders Metall-, namentlich Eisen- und Stahl-Industrie), hat auch große Geschützgießereien und Gewehrfabriken und zählt 225,000 Einw. Die in militärischer Hinsicht wichtigsten Werke sind: 1. Atlas Steel und Iron Works von Sir John Brown, 2. Cyclop Steel und Iron Works von Cammel, beide stellen hauptsächlich schmiedeeiserne Platten zu Panzern her, (Stärken jetzt bis 47 cm), ersterer auch Bessemer Stahl zu Geschützröhren; 3. Gußstahlfabrik von Firth stellt Tiegelstahl (s. Gußstahl, Bd. IV., S. 297) zu Geschützröhren und Gewehrläufen her.

Shelesinsk (Shelesinskaja), Festung im russischen District Semipolatinsk (Westsibirien), am Irtysch.

Shenandoah, Fluß im nordamerikanischen Staate Ostvirginien, der größte rechte Nebenfluß des Potomac, bildet sich aus den North und South Forks, welche sich bei Front Royal in der Grafschaft Warren vereinigen, fließt dann in nordöstlicher Richtung, nur wenige Meilen östlich von der Kette der Blauen Berge (Blue Ridge) und mit dieser fast parallel, zeichnet sich durch große Fruchtbarkeit seiner Ufer aus und fällt nach einer Stromlänge von ungefähr 40 Meilen bei Harper's Ferry (11 Meilen oberhalb Washington) in den Potomac, unmittelbar vor dessen Durchbruch der Blue Ridge. Das Shenandoahthal war im amerikanischen Bürgerkriege der Schauplatz zahlreicher heftiger Gefechte, namentlich am 7. Juni 1862 bei Croß Key's Furth (s. d. Bd. III., S. 97 f.), am 12. Sept. 1862 bei Harper's Ferry (s. d. Bd. IV., S. 345), am 20. Sept. 1864 am Opequan (s. d. Bd. VI., S. 327 f.) und am 22. Sept. 1864 bei Fisher's Hill (s. d. Bd. IV., S. 491). Im März 1865 drangen dann Sigel und Sheridan nach dem Shenandoahthale gegen Charlottesville und Lynchburg vor, und es concentrirte sich nun der Kampf vorzugsweise um Petersburg (s. d. Bd. VII., S. 118 f.) und Richmond. (Vgl. auch den Artikel Sheridan.)

Militär-Encyclopädie. VIII.   23

Shepard-Gewehr, s. u. Handfeuerwaffen II. a, 18., Bd. IV., S. 330.

Sheridan, Philipp Henri, Generallieutenant der Armee der Vereinigten Staaten und als solcher nach Sherman der höchste Offizier der Union, entstammt einer aus Irland eingewanderten katholischen Familie und ist im Jahre 1831 im Staate Ohio geboren. Nachdem er in der Militär-Academie zu Westpoint seine militärwissenschaftliche Vorbildung genossen, trat er 1853 in das 1. reguläre Infanterie-Regiment als Lieutenant ein, wurde 1855 mit Vermessungen in Texas und Californien beschäftigt, zu den Tragonern versetzt und betheiligte sich an den Streifzügen gegen die Indianer, wobei er vielfach als Unterhändler gebraucht wurde. Im Jahre 1861 war er Capitain und wurde im Mai 1862 zum Commandeur der Freiwilligen des 2. Michigan-Cavalerie-Regiments ernannt. Eine glückliche Affaire gegen den Conföderirten-General Chalmer bei Corinth brachte ihm den Rang eines Brigade-Generals. Als Commandeur der 3. Division der Ohio-Armee befestigte er am 20. Sept. 1862 in einer Nacht Louisville. Als Commandeur der 11. Division der Cumberland-Armee nahm er an dem Gefecht von Perrysville, den Schlachten von Murfreesborough, am Chicamauga, bei Chattanooga, sowie an der Entsetzung von Knoxville mit Auszeichnung Theil und erwarb sich das Vertrauen Grant's in so hohem Grade, daß dieser ihm den Oberbefehl über die Cavalerie gab, als er die Leitung der Operationen auf dem Kriegsschauplatze in Nordost-Virginien übernahm. Während der mehrtägigen Schlacht bei Spottsylvania streifte er mit der Cavalerie im Rücken Lee's bis an die Außenwerke von Richmond, schlug sich mit Stuart in mehren Gefechten und traf, nachdem sein großer Gegner in einem derselben geblieben war, unbelästigt bei Buttler ein. Am 7. Aug. 1864 übernahm S. — nachdem er inzwischen Generalmajor der regulären Armee geworden — auf Grant's besondere Empfehlung mit Genehmigung Lincoln's den Oberbefehl über die 30,000 Mann starke neugebildete Shenandoah-Armee, schlug den General Early am 20. September am Opequan und am 22. Sept. bei Fisher's Hill, verwüstete, als die Conföderirten Anfang October wieder vordrangen, bei seinem Rückzuge nach Straßburg das Land so gründlich, daß diese fast nichts zu leben fanden, und gab am 19. Oct. von einer in Washington abgehaltenen Kriegsrath zurückkehrend, dem am Morgen für die Unirten höchst unglücklichen Gefechte am Cedar Creek eine solche Wendung, daß es sich zu einem glänzenden Siege gestaltete. Nach einer nicht weit ausgedehnten Verfolgung kehrte er hinter den Cedar Creek zurück und brach am 27. Feb. 1865, (bis dahin war eine Unterbrechung der Operationen eingetreten), mit seiner 15,000 Mann starken Cavalerie aus der Gegend der Winchester auf, zersprengte bei Waynesborough die schwachen Streitkräfte Early's vollständig, begab sich dann nach Charlottesville, das er am 4. März besetzte, und ließ von hier aus die Virginia-Central-Bahn an verschiedenen Stellen [...] Grunde aus zerstören, ebenso wurden bei Gordonsville von der Division Custer [...] und der General[...] die Schleusen des James-Canals von der Division Devis zerstört. Nachdem nun alle Truppen bei Scottsville versammelt worden, zog er über Columbia und Ashland nach White House und dort verweilend, wohin der Feind hatte Anstalten ziehen können. Nachdem die Truppen sich bis zum 25. März ausgeruht, traten sie am 26. März bei City Point an und hier erhielt S. den Auftrag gegen die Bahn von Petersburg nach Burkesville vom 28. März zu operieren. Bei diesem Unternehmen erhielt er bei Five Forks durch die Schuld der nicht thätig mit eingreifenden Generals am 31. März Abends eine harte Schlappe, und wurde, nachdem er die Sache dem General Grant zur Sprache gebracht, zum Commandeur des linken Flügels ernannt. Am 1. April rückte er bei Five Forks

mit der Cavalerie und den ihm nun unterstellten 2. und 5. Corps dem
Feinde 6000 Gefangene, 8000 Gewehre und 28 Fahnen bei einem eignen
Verluste von nur 1500 Mann ab. Auch an den Kämpfen des folgenden
Tages betheiligte sich S. längs der Bahn vordringend, und übernahm am
3. April die Verfolgung, bei der es hauptsächlich seiner Thätigkeit zu danken
war, daß der aus Petersburg ausgezogene Lee nicht mit einem Theile der
Armee zu Johnston entkam. Das glänzende Gefecht bei Harper's Farm
am 6. April Nachmittags brachte S. neue Lorbeeren, und schloß mit dem
folgenden Tage der Kampf auf diesem Kriegsschauplatze, auch für ihn ab.
Nach dem Frieden zum Commandirenden im Missouri-Departement ernannt,
wurde ihm bald nach Grant's Erwählung zum Präsidenten durch Senats-
beschluß sein jetziger Rang zu Theil, und er erhielt 1870 die Erlaubniß, dem
Deutsch-Französischen Kriege im großen Hauptquartier des Königs von
Preußen beizuwohnen. Nach dem furchtbaren Brande in Chicago (8. bis 10.
Oct. 1871) übernahm S. auf Einladung des dortigen Mayor's den Com-
mandanten-Posten daselbst.

Sherman, William Tecumseh, gegenwärtig Effectiv-General der
Armee der Vereinigten Staaten von Nordamerika, Inhaber einer Stellung
die nach Beendigung des Secessionskrieges für den nachmaligen Präsidenten Grant
geschaffen wurde, einer der hervorragendste Generale der Unirten im Secessionskriege, ein Mann von großem Talent für Organisation und Verwaltung, ein
genialer Stratege und tüchtiger Taktiker, durch Bescheidenheit und Geradheit
des Charakters ebenso wie durch Milde und Herzensgüte ausgezeichnet, wurde
im Jahre 1820 zu Lancaster im Staate Ohio geboren. Nach dem frühen
Tode seines Vaters trat er in die Militär-Academie zu Westpoint ein und
kam 1840 in das 3. reguläre Artillerie-Regiment, mit welchem er an den
Kämpfen gegen die Indianer in Florida theilnahm. Später als Generaladjutant des 10. Militär-Departements nach Californien versetzt, nahm er
1851 seine Entlassung aus dem Militärdienst und trat in das Bankgeschäft
von Lucas Turner in San Francisco ein, übernahm aber einige Jahre
später, noch immer von Liebe zum Militärdienst beseelt, die Direction der Militär-Academie von Louisiana in New-Orleans, die er am 18.
Jan. 1861, als die Lossagung der Südstaaten in Aussicht stand, niederlegte.
Nach Washington eilend, rieth er bringend zur Ergreifung energischer Maßregeln, wurde zum Commandeur des 13. regulären Infanterie-Regts. ernannt
und rückte bald zum Brigade-Commandeur auf. Im Herbst 1861 Commandeur der Landungstruppen bei dem Geschwader des Commodore Dupont
gegen Beaufort in Süd-Carolina, nahm er am 7. Nov. das Fort Walker
auf der Insel Hilton Head, und, nachdem am folgenden Tage das Fort
Beauregard auf der Philipps-Insel freiwillig geräumt war, am 5. December
Beaufort, wo er sich, um eine Operationsbasis gegen die Savannah-Char-
leston-Bahn zu gewinnen, verschanzte. Diese Operationen wurden jedoch
theils der ungenügenden Truppenmacht, theils der ungünstigen Bodenbeschaffenheit wegen, eingestellt. Kurz darauf zur Uebernahme des Militär-Districts
Cairo bestimmt, nahm er an der Eroberung des Forts Donelson und der
ersten Schlacht von Korinth mit solcher Auszeichnung theil, daß er zum
Generalmajor und im Herbst 1863 zum Commandirenden des 15. Armee-
Corps ernannt wurde. Bei dem vom 26. bis 30. Dezember 1862 gegen
Vicksburg unternommenen Sturm war er unglücklich, doch traf ihn keine
Schuld; der Feind war um 10,000 Mann überlegen, und befand sich in
befestigter Stellung. Die Beschwerden der Belagerung von Vicksburg theilte
er bis zur Einnahme der Festung und deckte am 30. April 1863, bei Milli-
kens Bend stehen bleibend, im Verein mit den oberhalb der Stadt verblie-

23 *

benen Kanonenbooten durch Demonstrationen gegen die Verschanzungen auf den Haines Bluff den Uebergang Grant's bei Bruinsburg mit vielem Geschick, nahm auch, als der Feind die Stellungen verlassen, selbst über den Mississippi gehend, an den Kämpfen bei Rahmond und Big-Black noch mit Theil. Nach dem Falle von Vicksburg gegen Joseph Johnston nach Jackson mit 35,000 Mann abgesandt, lieferte er diesem einige kleinere Gefechte und wurde, als sein Gegner am 17. Mai Jackson geräumt, zurückbeordert, um mit seinen Truppen zwischen Vicksburg und dem Big-Black Erholungsquartiere zu beziehen. Mitte September mußte S. die bei Vicksburg und Memphis disponiblen Truppen des 15., 16. und 17. Armee-Corps bei der zuletzt genannten Stadt sammeln, um nach Chattanooga zu rücken. Anfangs längs der Memphis-Charleston-Bahn marschirend, wurde er von den kleinen fliegenden Corps der Conföderirten vielfach im Marsche aufgehalten und ging deshalb, nachdem er sie bei Tuscumbia scharf zurückgewiesen, bei Decatur auf das rechte Ufer des Tennessee über. In der 2. Hälfte des November langte er bei Chattanooga an, trat dort wieder unter den Oberbefehl Grant's und nahm am 24. Nov., der Mündung des Chicamauga gegenüber auf einer in der vorhergehenden Nacht errichteten Brücke auf das linke Ufer des Tennessee übergehend, mit seinem Corps und einer Division des 14. Corps derart Stellung, daß sein rechter Flügel am Tennessee, der linke am Chicamauga Anlehnung hatte. Nachdem er sich verschanzt, nahm er noch in den Abendstunden das nordöstliche Ende des Missionary-Gebirges, und verfolgte am nächsten Tage, anfangs zurückgedrängt, nachdem General Thomas die Verschanzungen auf dem Kamme des Missionary-Gebirges erobert, den Feind bis an die Taylor-Berge. Nach Chattanooga zurückbeordert, entsetzte er Knoxville, und machte vom 1. bis 22. Feb. 1864 eine mit mehren andern Expeditionen combinirte Operation, deren Ziel Mobile sein sollte, die aber an dem Ungeschick der Cavalerie-Generale Grierson und Forster scheiterte und nur bis Meridian gelangte. — Als Grant, zum Generallieutenant ernannt, den Befehl auf dem Kriegsschauplatze in Nord-Ost-Virginien übernahm, empfahl er S. zu seinem Nachfolger im Mississippi Departement und setzte es bei Feststellung des Kriegsplanes durch, daß S. der Oberbefehl über die Truppen gegeben wurde, die von Chattanooga aus gegen den bei Dalton stehenden General Johnston auf Atlanta operiren sollten. Es waren dies folgende drei Armeen: I. Die Cumberland-Armee, Befehlshaber Generalmajor Thomas 4., 14., 20. Corps von den Generalen Howard, Palmer und Hooker befehligt und im Ganzen 60,773 Mann mit 130 Geschützen stark. II. Die Tennessee-Armee, Befehlshaber Generalmajor Mc. Pherson, 15. Corps General Logan, 16. General Dodge, seit Juni noch 17. Blair, im Ganzen 24,465 Mann 96 Geschützen. III. Die Ohio-Armee, 13. Corps Generalmajor Shoffield 13,559 Mann mit 28 Geschützen; in Summa 88,188 Mann Infanterie, 6149 Mann Cavalerie, 254 Geschütze.

Anfang April 1864 waren alle drei Armeen bei Chattanooga concentrirt; ihnen stand Johnston mit ungefähr 50,000 Mann Infanterie und Artillerie und 10,000 Mann Cavalerie, erstere in 3 Corps unter den Generalen Polk, Hood und Hardee, letztere unter General Wheeler, bei Dalton und Tunnel-Hill gegenüber; die Zahl der Geschütze ist nicht bekannt. Am 6. Mai begann die Vorrückung; in den Gefechten bei Buzzard-Roost und Tunnel-Hill und in der Schlacht bei Resaca wurde der Gegner durch geschickte Umgehungsmanöver relogirt und am 20. Mai zum Rückzuge über den Etowah gezwungen, die Chattanooga-Bahn bei Dalton und Resaca hergestellt, Rome, wegen seiner militärischen Etablissements wichtig, ebenso wie die beiden vorhergenannten Orte und Kingston mit Besatzungen versehen, Lebens- sowie

Transport-Mittel herangezogen um durch einen Marsch mit Entfernung von der Bahn den Feind bei Allatoona wieder umgehen zu können. Am 23. Mai standen alle drei Armeen bei Dallas; Johnston hatte die Stellung dort noch rechtzeitig erreicht, wurde aber wieder durch Umgehung zum Rückzuge in die Stellung auf dem Kenesaw-Gebirge gezwungen. Am 9. Juni wurde von Dallas nach Big Shanty marschirt, am 14. von den Conföderirten das Pine Mountain ohne Gefecht geräumt, am 19. Juni das Lost Mountain besetzt, am 27. Juni die Schlacht am Kenesaw-Gebirge geliefert und, als der Sturm nicht geglückt, Johnston wieder durch Umgehung seines linken Flügels zum Rückzuge genöthigt und durch geschickte Manöver's gegen den Chattahoo-chee zum Rückzuge nach Atlanta gezwungen. In den Schlachten bei Atlanta am 20., 22. und 28. Juli bewies S. eben so viel Geschick wie Kaltblütigkeit, und als Hood, der in Atlanta an Johnston's Stelle den Oberbefehl über-nommen, den Fehler beging, seine Cavalerie nach Tennessee zu entsenden, wurde Atlanta umgangen, Hood bei Jonesborough am 31. Aug. und 1. Sept. geschlagen und das vom Feinde geräumte Atlanta an demselben Tage besetzt. Bis zum 22. Sept. trat ein Waffenstillstand ein, während dessen die ganze bürgerliche Bevölkerung Atlanta verlassen mußte; nach Ablauf der-selben versuchte Hood, wie schon vorher während der Belagerung Wheeler, die Bahn nach Chattanooga zu zerstören. Nur das 20. Corps zurücklassend, ging S. um erhebliche Zerstörungen zu hindern, wieder rückwärts, war überall rechtzeitig zur Stelle und faßte, als Hood von Gadsden am Coosa nach Tennessee abmarschirte, den kühnen Entschluß, Atlanta und die Bahn von dort bis Dalton von Grund aus zu zerstören und dann nach Savannah zu marschiren. Durch Rücksendung von Thomas und Shoffield mit einer ge-nügendern Truppenmasse, wurde Tennessee gedeckt und am 11. Nov. waren alle Vorbereitungen zu dem kühnen Zuge vollendet. Die Armee, 55,000 Mann stark, aus zwei Flügeln — von denen Howard den rechten (15. Corps Osterhaus, 17. Corps Blair), Slocum den linken (14. Corps Jefferson Davis, 20. Corps Williams) commandirte, — und 2 Cavalerie-Divisionen mit 2 reit. Batt. unter Kilpatrick bestehend, trat am 11. Nov., nachdem Atlanta und die Bahn wie angegeben zerstört worden, den Marsch an, und langte am 10. Dec. bei Savannah an. Der Zug war mit solcher Gewandtheit aus-geführt, daß die Conföderirten völlig im Unklaren über das Ziel des Zuges waren. Savannah selbst wurde nach Erstürmung des Forts Mc. Allister am 24. Dec., nachdem es von den Conföderirten geräumt worden, besetzt und erhebliche Beute dort vorgefunden. Bei Organisation der neu errichteten Neger-Colonien bewährte S. viel Scharfblick; doch wurden die wohl-thätigen Einrichtungen, die er angeordnet, nicht vollkommen ausgeführt, weil er bald zu neuen Kriegsthaten abrücken mußte. Schon am 20. Jan. 1865 brach er mit seiner jetzt auf. 70,000 Mann verstärkten Armee von Savannah und Beaufort in 2 Colonnen auf, überwand den schwachen ihm entgegen-stehenden Feind; denselben vor sich hertreibend, vereinigte er am 21. Feb. die ganze Armee in Winnsboro und ging von da wieder in zwei Colonnen unter mehren glücklichen Gefechten nach Camden. Von dort drang er am 4. März nach Fayetteville vor, wo er ein glückliches Gefecht hatte, nach welchem er die Stadt besetzte. Durch die Zerstörung der nach Charleston führenden Bahnen fiel auch dieses, nachdem es von der Besatzung geräumt, in die Hände der Unirten. Am 4. März brach S. von Fayetteville, wo er die wichtigen Armee-Etablissements zerstört hatte, wieder auf, schlug bei Averysboro das Hardee'sche Corps am 16. März und bei Bentonville am 19. März Johnston, vereinigte sich mit dem von Wilmington vorgedrungenen Shoffield am 28. in Goldsboro, rückte von da am 9. April in drei Colonnen auf

Raleigh ab und schloß am 18. April mit Johnston die Convention von Durrhams Station ab. Nachdem diese verworfen war und Johnston nur die Lee'schen Bedingungen gewährt, endete der Krieg bald. S. übernahm dann die Militär-Division des Missouri, welche mit dem Hauptquartier St. Louis die Staaten Missouri, Ohio, und Arkansas umfaßt, avancirte bald darauf zum Generallieutenant und im Jahre 1869 zum Effectif-General, der höchsten Stellung der Armee.

Shoeburyneß, Dorf in der englischen Grafschaft Essex, 8¾ Meilen östlich von London, am nördlichen Ufer der Themsemündung an der Meeresküste gelegen, zugleich Militair-Colonie, Sitz der englischen Artillerie-Schießschule (s. d. S. 203 2c.). S. hat Kasernen für Offiziere und Mannschaften der zeitweise dahin commandirten Batterien, außerdem getrennt davon für die Offiziere der Schießschule, ferner Exerzierschuppen, Artillerie-Museum, Werkstätten, Munitions-Depots und andere Anlagen. Der Schießplatz ist das Meer, dessen Sandboden bei der Ebbe 1½ deutsche Meilen lang zu Tage tritt; die Batterien liegen auf einem Damm längs des Strandes; (auf dem Lande giebt es nur 2 Schußlinien für Panzerversuche). Die permanenten Zielscheiben sind im Meere gelegen. Die Batterien gehören theils der Schießschule an, theils sind sie Versuchsbatterien des Ordnance Select Committee (Artillerie-Comité). Zu Panzerversuchen sind die verschiedenartigsten Panzerziele aufgebaut. Batterien und Ziele sind durch Telegraphenleitung verbunden; zu ersteren führen Schienenstränge. Der Schießplatz ist historisch durch die ausgedehnten, kostspieligen, aber resultatvollen englischen Schießversuche gegen Panzer, sowie durch den Wettkampf zwischen Armstrong und Whitworth.

Shoffield, James Mc. Allister, General-Major in der Armee der Vereinigten Staaten von Nord-Amerika, Chef des in Richmond stehenden Militär-Distrikt's, ist 1831 im Staate New-York geboren, und trat nach Besuch der Militär-Academie von Westpoint 1851 in die reguläre Armee ein. Beim Ausbruch des Bürgerkrieges der Freiwilligen-Armee in Westvirginien zugetheilt, rückte er bald zum Brigade-General auf und zeichnete sich in dem Gefecht am Wilson Creek aus, übernahm nach Freemont's Abberufung eine Zeit lang das Missouri-Departement, später, zum General-Major ernannt, das Departement Ost-Tennessee und führte die Ohio-Armee bei Sherman's Zuge nach Atlanta. Von dort wieder zum Schutze von Tennessee zurückgeschickt und später zum Commandeur der Landungstruppen gegen Wilmington bestimmt eroberte er diese Stadt, ging von da mit seiner Armee nach Goldsboro vor, wo er sich mit Sherman vereinigte und zur Capitulation bei Durrham's Station mitwirkte. Nach Unterdrückung der Südstaaten erhielt er seine gegenwärtige Stellung.

Shrapnel, (auch Schrapnel, Granatkartätsche, Kartätschgranate, Shrapnelgranate; franz. obus à balles, engl. shrapnel), kurz charakterisirt in „Geschoß" (Bd. IV. S. 184 ff.), eine Geschoßart, zu deren Anwendung neuerdings der englische Oberst Sir Henry Shrapnel Veranlassung gegeben hat. Der preuß. Hauptm. Toll weist nach, daß sich die deutsche Artillerie bereits 1573 mit ähnlichen Geschossen befaßt und dieselben 1641 bei der Belagerung von Genep angewandt hat (preuß. Archiv für Art. u. Inf. Off. Bd. 32). Diese Geschoßart konnte aber nach damaliger Weise nur wenig Effect haben, da man Hohlgeschosse überhaupt nur in stark gekrümmten Bogen anwandte und vermöge der Zünder-Einrichtung ein Crepiren erst nach dem Aufschlag erwartet werden konnte. Oberst Shrapnel's Verdienst ist es, die Anwendung der mit Bleikugeln gefüllten Granaten mit flacher Flugbahn und einem diesseits des Ziels, in einer gewissen Entfernung von dem-

selben, welche Intervall, und einer gewissen Höhe über den Erdboden, welche Sprenghöhe genannt wird, — gelegenen Sprengpunkt angeregt zu haben, so daß die Wirkung der S. eine dem gewöhnlichen Kartätschschusse ähnliche wurde, aber die Möglichkeit einer diesem gegenüber wesentlich erweiterten Wirkungssphäre erwuchs. Oberst Shrapnel stellte 1803 seine ersten Versuche an, welche so günstige Resultate ergaben, daß die S. alsbald von den Engländern angenommen wurden und bereits 1808 in der Schlacht bei Vimiera zur Anwendung kamen. Bis 1816 mußten die Engländer das S. als ihr ausschließliches Geheimniß zu behaupten; seitdem ging es allmählich unter den mannigfaltigsten Constructions-Verschiedenheiten in die anderen Artillerien über. Die ersten englischen S. waren von 24pfündigem (15 cm) Kaliber, für Haubitzen bestimmt, Wandung dünner als bei gewöhnlichen Granaten, mit ca. 125 Bleikugeln gefüllt, in deren Zwischenräume die bis zum Gebrauch separat mitgeführte Pulverladung geschüttet wurde. Der Zünder war eine Röhre aus Bronze, in welche entsprechend lange und mit Zündersatz gefüllte Papierröhrchen eingesetzt wurden, und wurde im Moment des Gebrauchs in das Mundloch eingeschraubt. Dieselbe Construction von S. wurde für alle Kanonen- und Haubitzenkaliber eingeführt, nur daß man später in der Feldartillerie statt der bronzenen Zünderkörper solche von Holz anwandte, für welche 4 verschiedene Satzlängen vorhanden waren, während für Belagerungs- und Festungs-Artillerie die gewöhnlichen Holzzünder benutzt wurden. Weitere Vervollkommnungen in der Construction des S. fanden in England erst mit Einführung der gezogenen Geschütze statt; dagegen wurde das S. in andere Artillerien in folgenden Punkten wesentlich verbessert. Der Zünder, von dessen Verhalten die Wirksamkeit des Geschosses wesentlich abhängt, wurde bis zur unbeschränkten Tempirbarkeit — und zwar nachdem er bereits in S. befestigt ist — gebracht, zugleich in einer Weise, wie sie auch den Verhältnissen des Feldkrieges entspricht. Mittel hierzu waren die Annahme der ringförmigen Satzlage (durch den Belgier Bormann, 1835) und die Einführung eines beweglichen Gliedes im Zünderkörper, sodaß ein Einstellen behufs Tempirens möglich ist (durch den Kurhessen Breithaupt 1854) siehe Ausführlicheres unter „Zünder". Mit den Verbesserungen in der Construction des Zünders an sich wurde auch eine solidere Befestigung desselben im Mundloch des S. erstrebt, sodaß ein Herausdrängen desselben durch die anschlagenden Bleikugeln, ebenso wie ein Hineindrängen ins Geschoß-Innere, durch die Gase der Geschützladung, vermieden wird, der Zünder auch der explodirenden Sprengladung nicht sofort nachgiebt, (was bei dem geringen Betrag der letzteren das Springen des Geschoßmantels ganz verhindern kann). Man erreicht dies am vollkommensten durch Einschrauben des Zünders in das entsprechend gestaltete Mundloch. Der Geschoßmantel erhielt eine solche Eisenstärke, daß er dem Stoß der Geschützladung zu widerstehen vermochte und dabei der größtmögliche innere Raum erzielt wurde. Wichtig war ferner die Absonderung der Sprengladung von der Füllung, sodaß eine Zerstörung der Pulverkörner, resp. eine Explosion derselben, als Folge der Reibung der Bleikugeln vermieden wurde, auch das Feuer des Zünders sicher zur Sprengladung gelangen konnte, man überhaupt das S. schon vor dem Gebrauch mit letzterer zu versehen im Stande war. Außerdem war es von Vortheil, die Kugeln festzulegen, sodaß eine Deformation derselben als Folge des Stoßes im Rohr ausgeschlossen wurde. Der Hannoveraner Siemens erreichte beides zugleich durch Ausgießen der Zwischenräume mit einer flüssigen Materie, die zu einer spröden Masse erhärtet, — sodaß die Kugeln bei der Explosion des S. wieder frei werden (wie Schwefel, Pech, Gyps), unter

gleichzeitiger Aussparung eines Hohlraumes für die Sprengladung. Zu gleichem Zweck dienen auch leichtflüssige, beim Erkalten spröde werdende Metall-legirungen. Zur Aufnahme der Sprengladung brachten Andere in der Achse des Mundloches eine Kammer von Gußeisen oder Eisenblech an. Während letztere Einrichtung — Kammershrapnel, eine Vermehrung der Spreng-ladung erheischt, kann beim Ausgießen der Zwischenräume die eingebrachte Materie der Ausbreitung der Kugeln nachtheilig werden. Mit den Kammer-shrapnels nahe verwandt sind die S.s mit Diaphragma oder Spreng-boden, welcher dem Mundloch zunächst einen Raum für die Sprengladung quer durch das Geschoß herstellt (Diaphragma shell). Ein bloßes Festlegen der Füllung wurde auch durch Einschütten von Kohlenstaub, Sägemehl ꝛc. erzielt. — Die Sprengladung richtete sich in ihrer Größe nach den Constructions-Verhältnissen des Geschosses; im Allgemeinen erschien räthlich, dieselbe auf ein Minimum zu reduciren.

Die schwierigen Gebrauchs-Verhältnisse des S.s veranlaßten, daß das-selbe zur Zeit der glatten Geschütze in der Regel eine nur geringe Quote der Munitions-Ausrüstung ausmachte. Beim Uebergang zum ge-zogenen Geschütz mußte dasselbe vermöge der gesteigerten Präcision und Tragweite der Geschosse eine erhöhte Bedeutung gewinnen, und das S. wurde daher fast allerwärts in das neue System herübergenommen. Die Gestalt des Langgeschosses erwies sich, unter Voraussetzung gleichen Kalibers, in Bezug auf die Zahl der aufzunehmenden Kugeln ergiebiger als diejenige des sphärischen. Zugleich war eine Zertrümmerung des Geschoßmantels, als Folge der Anschläge an den Seelenwänden, wenig mehr zu fürchten. Alle bei glatten S.s erreichten Vervollkommnungen in der Geschoß- und Zünder-Construction wurden benutzt. Als eine neue Variation ergab sich die Anwendung segmentartiger Füllstücke, statt sphärischer, und damit eine bessere Ausnutzung des im Geschoß gegebenen Hohlraums. Die Segmentstücke entstehen durch Theilung flacher, in der Mitte cylindrisch ausgehöhlter Scheiben (dem Hohlraum in den Quer-Dimensionen entsprechend), durch Theilung in der Richtung der Radien; damit ergiebt sich zugleich in der Längenachse des Geschosses ein geeigneter Raum zur Aufnahme der Spreng-ladung. Solche S.s werden Segment-Granaten oder -S.s genannt. — Bei Spielraum-Geschützen konnte man die bisherige Zünder-Einrichtung ohne weiteres anwenden. Schwierigkeiten erwuchsen aber für die spielraum-losen Hinterlader, und man suchte jenen zunächst durch Anwendung des Percussionszünders aus dem Wege zu gehen, bis es gelungen war, kriegsbrauchbare Zeitzünder zu construiren, welche der Gase der Geschütz-ladung zum Feuerfangen nicht bedürfen (f. weiter unter Zünder). Da die ge-zogenen Geschütze als Hauptgeschoßgattung bereits durchweg Spreng-ge-schosse führen, so ist das S. nicht unumgänglich nothwendig, und wurde in einigen Artillerien vorübergehend oder gänzlich aufgegeben. Auf der andern Seite räumte man dem S. wieder eine ganz hervorragende Stelle ein, ventilirte vielfach den gänzlichen Ersatz der Kartätsche durch das S. und glaubte in letzterem selbst das Universalgeschoß gefunden zu haben, (letzteres indeß wohl nur mit Verkennung der Vorzüge der Granaten als Sprenggeschosse). — Gegenwärtig sind die Verhältnisse in den wichtigeren Artillerien wie folgt. Preußen hatte (1860) für die gezogenen Feldgeschütze ein S. mit Percussionszünder angenommen, dasselbe indeß später wieder fallen gelassen und war von 1864—66 ab bis 1871 ohne Feld-S.s, wohingegen die gezogenen Belagerungs- ꝛc. Geschütze seit 1864 ein S. mit Zeitzünder hatten. Seit 1871 ist letzteres mit einigen Modificationen auf die Feld-artillerie übertragen worden. Die Füllung besteht aus Bleikugeln (je nach dem Kaliber von 17 resp. 33 ☊.' (Gewicht), welche durch Schwefeleinguß so festgelegt sind, daß sich in der Längenrichtung ein Kanal zur Aufnahme der Sprengladung bildet. (Feldgeschütze führen 25%, ihrer Gesammt-Ausrüstung als S.s mit). Ganz ähnliche Einrichtung ist im gesammten Deutschen Reich, sowie in der Schweiz. Rußland hat ein dem preußischen ähnliches S., indeß mit Percussionszünder, (Feldgeschütze 40%, S.s). Italien hat gar keine S.s in der Feldartillerie. Oesterreich's Feldgeschütze haben S.s mit Breithaupt'schen Zündern, Sprengladung dem Boden zunächst und durch einen schmiedeeisernen Stoßspiegel von den nach der Spitze zu gelegenen, durch Schwefel festgehaltenen Bleikugeln getrennt. Die französischen S.s sind sowohl in Bezug auf Geschosse, als Einrichtung des Zünders sehr unvollkommen. Letzterer läßt nur 4 Tempirungen zu; im Geschoß liegt die Sprengladung dem Zünder zunächst und wirkt daher verzögernd auf die rückwärts derselben (getrennt durch Schwefeleinguß) mit Sand festgelegten Bleikugeln. England hat für die Hinterlader der Feldartillerie Segment-S.s als alleinige Geschosse; die Vorderlader haben dagegen S. mit Bleikugeln. Letztere haben lediglich Zeit-, erstere aber Zeit- und Percussionszünder neben einander.

Ueber die Bahn der S.s mit Zeitzünder, vergl. Explodiren Bd. III., S. 360. und Flugbahn, Bd. IV. S. 63. — S.s mit Percussionszündern müssen vor dem Ziele einen Aufschlag machen und treffen dasselbe dann im ersten Sprunge. Die dadurch bedingte Abhängigkeit vom Terrain, sowie die geringe Rasanz des Streuungskegels gelten als Hauptnachtheile dieser Schußart. — Der Gebrauch der S.s ist im Allgemeinen schwieriger als derjenige anderer Geschoßarten, speciell auch der Granaten, da ein neues Element, die richtige Lage des Sprengpunkts zum Ziele, somit eine große Abhängigkeit vom Zünder hinzutritt, dessen mangelhaftes Verhalten den ganzen S.-Schuß als solchen zu nichte machen kann. Im Vergleich zur Granate ist bei dem geringen Betrag der Sprengladung des S.s die Beobachtung der Schüsse bei letzterem erschwert. Man ist im Allgemeinen der Ansicht, daß der S.-Schuß namentlich für ein stehendes Gefecht sich eignet, daß er ferner gegenüber Truppen in dünnen Linien, Schwärmen und Tirailleurs dem Granatschuß bei weitem vorzuziehen ist, das S. mit Zeitzünder eine größere Unabhängigkeit von Terrain besitzt, als die Granate mit Percussionszünder und sich vorzüglich zum Schießen gegen gedeckt stehende Truppen eignet. Im Weiteren ist es rathsam, den Gebrauch der S.s wegen der damit verbundenen Schwierigkeiten nicht auf zu große Entfernung auszudehnen (nicht über 1600 bis 2000 ☊). Den vollen Erfolg des Kartätschschusses glaubt man im S. nicht suchen zu dürfen, da letzterem die Einfachheit fehlt, welche gerade in der betreffenden Gefechtslage dringend nothwendig ist. Gegenüber den Repetir-Geschützen zeigt das S. auf größere Entfernungen eine Ueberlegenheit. — Literatur: Schmoelzl, „Ergänzungs-Waffenlehre", München 1857; Rustow, „Artillerielehre ic.", Wien 1871; Breithaupt, „Der Entwickelungsgang der Zünderwesens ic.", Kassel 1868; R. von Sichart, „Ueber die Verwendung der Feldshrapnels", Berlin 1872.

Shreveport, Hauptort des Kirchspiels (Parish) Caddo im nordamerikanischen Staate Louisiana, am Red River und der Vicksburg-Shreveport-Eisenbahn, hat 5000 Einwohner. Hier im nordamerikanischen Bürgerkriege am 8. April 1864 Treffen, gewöhnlich Treffen von Sabine-Croß (s. b. Bd. VIII., S. 119 f.) genannt.

Shrewsbury, Hauptstadt der englischen Grafschaft Shrop oder Salop, auf einer von der Severn gebildeten Halbinsel, Knotenpunkt der Eisenbahnen nach Chester (Liverpool), London und Hereford, hat eine kolossale eherne

Statue des Lord Hill, lebhafte Industrie und 24,000 Einwohner. Hier 21. Juli 1403 Sieg Heinrich's IV. über Heinrich Percy (Heißsporn).

Shunt Graves, im engl. s. v. w. Schiebezüge, s. d. S. 197.

Siam (Schan, Thai), Königreich in Hinterindien, grenzt im Norden an die chinesische Provinz Jün-nan und das Birmanenreich (durch den Salwenfluß davon getrennt), im Westen an Britisch-Birmanien, im Süden an die souveränen Malaienstaaten der Halbinsel Malakka und den Golf von Siam, im Osten an das Reich Annam und das Gebiet der freien Bergvölker Ynom, besteht aus den Landschaften Siam und Camodscha und aus den Ländern der tributpflichtigen Malaienfürsten und der Laos. Den Haupttheil des Landes bildet das Strombecken des mittlern und untern Menam (Me-Khong), welcher eine durch Kanäle vielfach verbesserte Wasserstraße bietet. Im Norden finden sich Gebirge, der Süden ist Tiefebene. Der Boden zeichnet sich durch große Fruchtbarkeit aus und bringt alle Erzeugnisse der Tropenländer. Der Flächenraum wird bei der Unsicherheit der Begrenzung verschieden angegeben; er beträgt nach Engelhardt 14,535 geogr. Q.-M., wovon 7,110 auf das eigentliche S. kommen. Die Bevölkerung beläuft sich nach Bastian (dem besten Kenner Hinterindiens) auf 6,300,000 Seelen, wovon 2,600,000 auf das eigentliche S., 2,600,000 auf die im Innern gelegenen Laos-Gebiete, 500,000 auf Camodsche, 600,000 auf die tributpflichtigen Malaien kommen. Das herrschende Volk sind die Siamesen, welche der mongolischen Race angehören, sich zum Buddhismus bekennen und mit den im Norden des Landes bewohnenden Laos eine nur durch dialectische Verschiedenheiten gesonderte Nation bilden. Außerdem giebt es noch ungefähr 1½ Millionen Chinesen, gegen 300,000 Malaien, einige Tausend Abkömmlinge von portugiesischen christlichen Colonisten und ungef. 3000 christliche (römisch-katholische) Eingeborene. Die große Masse des Volks ist verwahrlost. Dem Regierungssystem nach ist S. eine absolute feudale Monarchie. Es existiren zwei Könige, von denen jedoch der Erste König regiert, während der andere nur dem Titel nach König ist und mit der Regierung nichts zu thun hat, obwohl er einen Hofstaat, Verwaltungsbeamte und eine kleine Armee hält. Der Erste König übt die Executiv- und Legislativgewalt aus. Das Königthum ist in beschränkter Weise erblich, indem allerdings fast stets der älteste Sohn des verstorbenen Königs zum Nachfolger gewählt wird, die Wahl aber der Zustimmung des Senaboti (höchsten Staatsraths) bedarf. Der Senaboti besteht aus den ersten Prinzen und vornehmsten Edeln. Die 41 Provinzen des Landes werden je von einem Statthalter (Phya) regiert. Hauptstadt des Landes ist Bangkok mit ungef. 400,000 Einwohnern. Die Einnahmen des Königs werden auf jährlich 22 Millionen Thaler angeschlagen, wovon ⅘ durch directe Kopfsteuer, das Uebrige in natura, sowie durch Tribute des Vasallenfürsten und Grundsteuer aufgebracht wird, wogegen der König sämmtliche Staatsausgaben einschließlich des Heeres und der Flotte zu bestreiten hat. Der Handel ist fast ausschließlich in den Händen der Chinesen; im J. 1870 betrug der Werth der Einfuhr: 7,100,000 Thaler, der der Ausfuhr: 9,800,000 Thaler. Das stehende Heer ist ungefähr 10,000 Mann stark und von europäischen (meist englischen) Offizieren eingeübt, aber schlecht bewaffnet. Es besteht aus einem mit Sold besoldeten Stamme und der zu seiner Ergänzung ausgehobenen Mannschaft. Die Aushebung findet nicht jährlich, sondern nach Bedarf Statt, und zwar in der Weise, daß jedem Provinz-Befehlshaber sein bestimmtes Contingent zugetheilt wird; ihm bleibt es überlassen, wen er aushebt; es herrscht dabei die größte Willkür, auch Verheirathete werden eingeliefert. Das Gesetz gestattet, die Blutsverwandten des Soldaten an Leib und Leben zu strafen, wenn dieser desertirt; unter der Regierung von Maha Mongkut wurde zwar kein Gebrauch davon gemacht, aber in Kriegszeiten hat dieses Gesetz stets strenge Anwendung gefunden. Der Soldat erhält Essen (Reis) und Kleidung, keinen Sold; der besoldete Stamm empfängt neben Nahrung an acht Thaler per Monat, die Leibgarde noch mehr. Die besoldeten Stämme sind nach der Art der englisch-indischen Seapoys nach europäischem Muster gekleidet, tragen aber keine Schuhe; die Infanterie ist bewaffnet mit Musketen und Säbeln, die Cavalerie mit Lanzen, Bogen und Pfeilen; die Lanze ist in ihren Händen eine gefährliche Waffe. Im Kriege sind alle erwachsenen männlichen Einwohner zum Kriegs-dienste verpflichtet, müssen sich aber selbst ausrüsten. Die früher zahlreichen Festungen des Landes sind im Verfall. Die Flotte zählt eine Glattdeck-Corvette mit 8 Kanonen, drei Kanonenboote erster und drei Kanonenboote zweiter Classe, zusammen 7 Kriegsschiffe mit 40 Kanonen und ungefähr 500 Dschonken. Das Wappen (Reichssiegel) hat einen fliegenden Drachen, die Flagge ist roth mit einer goldenen Sonne. Die Geschichte des Landes ist die eines schrankenlosen Despotismus und daher ohne eigentliche Culturentwickelung. In der Mitte des 16. Jahrh. (nach der Eroberung von Malakka) versuchten die Portugiesen das Christenthum einzuführen; seit 1629 wurde der Einfluß der Portugiesen durch den der Holländer verdrängt; seit 1663 machte sich der der Franzosen geltend, wurde aber seit 1689 wieder durch den der Holländer verdrängt. In der Mitte des 18. Jahrh. wurde das Land von den Bir-manen erobert, diese aber 1769 durch einen geborenen Chinesen Phaya-Tak vertrieben, welcher den Staat wieder herstellte, zum König ausgerufen wurde und die Hauptstadt nach Bangkok verlegte. Seitdem haben die Herrscher mehr-fach gewechselt. Der jetzige Erste König, Chow Fa Chula Longkorn, welcher 1868, als siebzehnjähriger Jüngling, den Thron bestieg, gilt, gleich seinem Vater und Vorgänger Maha Mongkut, für einen aufgeklärten Herrscher, be-günstigt die europäische Cultur in größtmöglicher Weise und hat, wie jener, Handelsverträge mit den meisten seefahrenden Nationen abgeschlossen. Bangkok ist seitdem einer der bedeutendsten Handelsplätze geworden. Unter den fremden Flaggen ist die englische mit 55 Proc., die deutsche mit 30 Proc. vertreten. Vgl. Bowring, „The kingdom and people of S.", London 1857, 2 Bde.; Werner, „Die preußische Expedition nach China, Japan, und Siam", Leipzig 1863, 2 Bde.; Bastian, „Die Völker des östlichen Asien", Bd. 1 u. 2, Leipzig 1866, Bd. 3, Jena 1867.

Sibirien, der Gesammtname für das zum Russischen Reiche gehörige nördliche Asien nebst einem Theile von Centralasien, im Norden vom Nörd-lichen Eismeere, im Osten vom Großen Ocean bespült, im Süden an das Chinesische Reich und die Turanischen Khanate (Buchara) grenzend, im Westen durch das Uralgebirge von Europa getrennt mit einem Gesammt-flächenraum von 274,000 Q. M. und einer Gesammtbevölkerung von 5,500,000 Seelen. Die Küsten längs des Eismeeres sind meist niedrig, am Großen Ocean dagegen meist steil und hoch, an beiden Meeren vielfach gegliedert; die größten Busen des Eismeeres sind der Obische und der Jenisseische, des Großen Oceans der von der Halbinsel Kamtschatka im Osten umschlossene Ochotskische Meerbusen. Der südwestliche Theil des Landes ist vollkommene Tiefebene, der südliche und östliche Theil dagegen meist gebirgig mit einer vorzugsweise nordwärts gerichteten Abdachung. Der Ural ist nur westliches Grenzgebirge; die wichtigsten Gebirge von Westen nach Osten gerechnet sind: das System des Altai, das Kolywanische Erzgebirge, das Sajanische Gebirge, das Daurische Alpenland und das Kamtschatkische Gebirge. Das Land ist reich an großen Strömen, die bedeutendsten sind: der Ob, der Jenisei und die Lena (dem Nördlichen Eismeere zufließend), und der Amur (in den Großen

Ocean fallend); unter den zahlreichen Seen sind der Baikal- und der Balkasch-
See die größten. Das Klima ist bei der großen Ausdehnung des Landes
sehr verschieden; während die nördlichen Gebiete in stetem Eise starren, sind
die südlichsten Theile reich an den üppigsten Laubwaldungen und fruchtbarem
Ackerboden; Ackerbau und Viehzucht werden bis zum 60° nördl. Breite her-
auf betrieben. Ergiebige Erwerbsquellen sind ferner: Bergbau, Hüttenbetrieb,
Waldcultur, Jagd (welche namentlich auch kostbares Pelzwerk liefert) und
Fischfang. Die Industrie ist auch im Süden ohne wesentliche Bedeutung.
Außer der Ausfuhr der Rohproducte des Landes und der Einfuhr der Indu-
strieerzeugnisse Europa's ist der Transithandel nach China und Ostasien von
Wichtigkeit. Die Bevölkerung gehört verschiedenen Stämmen an; den
Hauptstamm bilden die Tataren, (Kirgisen, Barabingen, Teleuten, Kalmücken,
Baschkiren, Jakuten und Tungusen), dem Mongolischen Stamme gehören an:
die Buräten und Thoringen; andere Stämme, deren Ursprung unsicher ist,
sind: die Samojeden, Ostjaken, Korjaken, Kamtschadalen und Ainos. Die
Tataren sind großentheils Muhamedaner, die Mongolen und andere Stämme
dagegen großentheils noch Heiden. Russen haben sich namentlich in den
Flußthälern Westsibiriens angesiedelt, während die Kosaken längs der Südgrenze des Landes eine Postenkette vom Ural bis zum Großen Ocean bilden;
die Verwiesenen, ungefähr 135,000, unterliegen keinem andern Zwange, als
daß sie unter fortwährender Aufsicht stehen, treiben meist Jagd und Bergbau
und werden nicht selten reich. Seit neuerer Zeit findet auch freie Ueber-
siedelung aus dem Europäischen Rußland in größerem Maßstabe statt; die
Colonisten erhalten gewöhnlich Land angewiesen, welches sie als freie Bauern
bearbeiten. Der administrativen Eintheilung nach zerfällt das ganze Land in
West-Sibirien (mit Turkestan und der Kirgisensteppe) und Ost-Sibirien unter
je einem General- (Militär-) Gouverneur. West-Sibirien umfaßt die
Gouvernements Tobolsk und Tomsk und die Provinzen Semipalatinsk und
Turkestan; die Hauptstadt (Sitz des Generalgouverneurs) von West-Sibirien
ist Tobolsk (früher die Hauptstadt von ganz S.); Ost-Sibirien umfaßt die
Gouvernements Jenisseisk und Irkutsk und die Provinzen Jakutsk, Trans-
baikalkalien, Amurland, Küstenland und die Inseln; die Hauptstadt von Ost-
Sibirien ist Irkutsk, der Hauptstapelplatz des russisch-chinesischen Handels.
Die Hauptstraße für den Landverkehr, der sogenannte Sibirische Trakt,
führt von Jekaterinenburg (im europäisch-russischen Gouvernement Perm) über
Tobolsk, Tomsk, Krasnojarsk, Irkutsk und Werchne-Udinsk nach Tschita und
Nertschinsk und schließt sich hier der Amurschifffahrt unmittelbar an. Eisenbahnen besitzt S. noch nicht; über die Telegraphenlinien s. u. Russisches
Reich (Bd VIII., S. 78). Das Wappen S.s ist ein blauer Schild mit
aufgerichteten und gegeneinander gekehrten Wölfen, welche mit der einen Tatze
einen goldenen, von einer goldenen Krone überschwebten Bogen halten, in der
andern Tatze zwei silberne, niederwärts gekehrte Pfeile haben. Geschichtliches: Sibirien war bis zur Eroberung durch die Russen fast gänzlich unbekannt. In der Mitte des 13. Jahrhunderts soll ein Enkel Tschingis-
Khan's mit einer Schaar Mongolen bis an das Nördliche Eismeer vorgedrungen sein, ein Reich gegründet und von Tobolsk aus beherrscht haben.
Die Russen erhielten die ersten Nachrichten über einige Theile des Landes
unter der Regierung des Czar Iwan III. Wassiljewitsch gegen Ende des 15. Jahrhunderts durch den Kaufmann Anika Stroganow. Den Grund zur Eroberung legte der Kosakenhäuptling Jermak Timojejew in der zweiten Hälfte
des 16. Jahrhunderts; da er zu schwach war, unterstützten ihn die Russen
mit Hilfstruppen, und nach einigen unbedeutenden Kämpfen mit den dortigen
Tataren-Khanen kam das Land gegen Ende des 16. Jahrh. unter russische

Herrschaft. Peter d. Große, dessen Scharfblick die Wichtigkeit des neu erworbenen Gebietes nicht entging, legte in demselben Fabriken und Hütten-
werke an; seitdem stieg die Bevölkerung durch russische Colonisten und Ver-
wiesene. In neuerer Zeit breiten sich die Russen nach Süden und Südosten
immer weiter aus (s. d. Artikel Amur, Asien [Bd. I., S. 151], China,
Murawlew und Sachalin). Vgl. Atkinson, „Oriental and Western Siberia",
London 1857; Karten sind entworfen von Middendorff, Petersburg 1856
und von Lieutenant Somachwalow, Petersburg 1859.

Sichelwagen, (Streitwagen,) waren ein schon in der älteren griechischen
Zeit (Homer) bekanntes Kampfmittel, welches späterhin namentlich von den
Persern und überhaupt Orientalen cultivirt wurde. Die homerischen
Helden stritten vor Troja von Streitwagen (ἅρμα) herab, die zweirädrig, mit
Brüstung versehen und mit zwei geharnischten Pferden bespannt waren.
Deichsel, Achse, Räder, Bracken wurden späterhin mit spitzen Instrumenten
(Sensen, Lanzen) versehen, daher die Fahrzeuge S. genannt wurden. Die
S. wurden in späterer Zeit vergrößert, auf 4 Räder gestellt und die Zahl
der Kämpfer auf 8 bis 10 Mann vermehrt. Man bespannte sie mit 4
Pferden nebeneinander, welche an mehreren Deichseln zogen, und suchte mittelst
ihrer zuerst die feindlichen Reihen zu durchbrechen; dann sprangen die Kämpfer
herab und faßten den Feind im Rücken. Die Macedonier sowohl als die
Römer fanden geeignete Mittel, um die S. unschädlich zu machen; letztere
haben sich ihrer nicht bedient, und im späteren Alterthum kamen sie überhaupt
gänzlich in Abnahme. Mittel um sich gegen die S. zu schützen waren namentlich Annäherungshindernisse; auch suchte man die Pferde scheu zu machen.
Vom Boden waren sie naturgemäß sehr abhängig. — Vgl. Schleber, „Die
Pferde des Alterthums", Neuwied 1867. Islanders Waffenlehre München 1828.

Sicherheit, (Sicherung) bei einem Gewehr-Schlosse macht den Gebrauch
der Waffe insofern sicherer, als durch sie das Abgehen aus der gespannten
Stellung unmöglich, oder unschädlich wird, hat also eine andere Bedeutung
als die Ruhe, welche ein theilweises Entspannen des Schlosses repräsentirt.
Vergl. den Artikel Schloß, Bd. VII., S. 239.

Sicherheits-Armirung, s. v. w. Armirung gegen den gewaltsamen
Angriff, s. Festungskrieg, Bd. IV. S. 40.

Sicherheitsdienst bezweckt, Truppen, welche sich augenblicklich in nicht
gefechtsfähigem Zustande befinden, sei es nun behufs Erleichterung des
Marschirens, sei es weil sie im Zustande der Ruhe sind, — gegen feindliche
Angriffe so lange zu sichern, bis die Gefechtsformation wiederhergestellt sein
kann. Man unterscheidet nach obigen Gesichtspunkten den Sicherheitsdienst auf dem Marsch und denjenigen während der Ruhe, ersterer
auch Marschsicherungs-, letzterer Vorpostendienst genannt. In weiterem
Sinne müßte hierher auch der gewöhnliche Wachtdienst im Standquartier
oder Lager gerechnet werden, siehe jedoch hierüber Wachtdienst. Mit dem
S. Hand in Hand geht der Aufklärungsdienst, s. Recognoscirung Bd. VII. S. 307.

Man unterscheidet in neuester Zeit den S. im Großen, bei dem es
sich darum handelt, durch weitvorgeschobene große Cavalerie-Abtheilungen (Brigaden, Divisionen) die Vorgänge bei der eigentlichen Armee
vorübergehend zu verschleiern, den Feind über deren Stärke und Absichten
zu täuschen, und ihr so bis zum beabsichtigten Zusammentreffen jene Sicherheit zu erwirken, welche andernfalls lediglich durch den S. im Kleinen,
d. i. von jeder zu sichernden größeren Abtheilung (Corps, event. Divisionen,
Detachements) durch besonders mit dieser Aufgabe zu betrauende kleinere
Abtheilungen erstrebt werden muß und doch nur unvollkommen erreicht wer-

ten kann. Wird durch den S. im Großen auch der s. im Kleinen nicht ganz entbehrlich, so wird letzterer doch durch erstern wesentlich eingeschränkt und den Truppen dieser Dienstzweig höchst ermüdende erleichtert. Die einer Armee vorgeschobenen Cavalerie-Abtheilungen, welche durch Zugabe von reitender Artillerie, in stark durchschnittenem Terrain auch einer Quote leichter Infanterie, selbstständiger gemacht werden, haben zu ihrer eigenen Sicherung wieder alle jene Maßregeln zu treffen, welche der S. im Kleinen erheischt, zu deren Ausführung sie aber durch die Natur der Cavalerie als Waffengattung besonders befähigt werden.

Man unterscheidet beim eigentlichen S. zwei einander entgegengesetzte Principien: 1. das Cordon-System, d. h. der zu sichernde Körper wird nach den gefährdeten Seiten hin mit einer dünnen, an einzelnen Stellen durch Rückhalt systematisch verstärkten Kette umgeben, die beim S. auf dem Marsche entsprechend vorrückt, während der Ruhe stabil ist; 2. das System der Patrouillen, d. h. die Sicherung fällt kleineren, das in Frage kommende Terrain nach allen Richtungen durchwandelnden Abtheilungen zu, in deren steter Bewegung eine gewisse Garantie für die Erreichung des Zweckes liegt. Normalmäßig muß der S. auf einer heilsamen Verknüpfung beider Principien beruhen; welches derselben dabei vorzuwalten hat, richtet sich nach der eigenen Stärke und den Umständen. In manchen Fällen wird selbst ein Patrouillengang (namentlich wenn derselbe weit vorgeschoben werden kann) ganz ausreichen, während eine bloße Kette nie die gehörige Sicherheit bietet. — Die geeignetsten Truppen zum S. sind leichte Cavalerie und Infanterie, namentlich Jäger; Cavalerie ist dazu überhaupt unentbehrlich. — Der systematische S. hat sich erst in neuerer Zeit (seit dem 17. Jahrh.) ausgebildet, und wird gegenwärtig wohl in der preußischen resp. der deutschen Armee am nachdrücklichsten betrieben, während die französische Armee, wie der Krieg 1870/71 bewiesen hat, im Betrieb des S. erheblich zurückgeblieben ist. Ein Hauptfehler war hier, daß nur bei einzelnen Truppengattungen (namentlich der afrikanischen Cavalerie) auf die Ausübung des S. Werth gelegt worden war, die nachher für die ganze Armee nie hinreichten (zudem sich die Afrikaner in cultivirten Gegenden schlecht zurecht finden konnten). — In der folgenden detaillirten Darstellung des eigentlichen S. sind die preuß. Normen zu Grunde gelegt, (über den S. der Kosaken s. Rußland, Bd. VIII., S. 99 f.).

1. Marschsicherungsdienst (vgl. die Artikel: Avant-, Arriéregarde, Seitenpatrouille, Seitendetachement, Seitenläufer und Streifpatrouille). Truppen, welche sich auf dem Marsche befinden, haben die Marschformation und können in dieser dem Feinde nicht entgegentreten, sondern müssen zuvor in die Gefechtsformation übergehen, was um so mehr Zeit in Anspruch nehmen wird, je stärker die marschirende Truppe, je tiefer also die von ihr gebildete Marschcolonne ist. Um diese Zeit, in welcher die Truppe einem gefechtsbereiten Gegner gegenüber fast wehrlos dasteht, zu gewinnen, umgiebt sie sich mit einer Kette von Sicherheits-Truppen, deren Zweck es ist, sie vor überraschenden Angriffen zu schützen, also den Feind rechtzeitig zu entdecken und ihm dann so lange Widerstand zu leisten, bis das nachfolgende Corps Gefechtsformation angenommen hat; außerdem sollen sie den Marsch der Einsicht feindlicher Recognoscirungspatrouillen entziehen. — Die Zusammensetzung der Marschsicherungs-Truppen wird durch diejenige der Marschcolonne, durch die Bodengestaltung und die Zusammensetzung des Feindes — wenn diese bekannt ist, sowie durch dessen Fechtweise bedingt. Cavalerie muß immer einen wesentlichen Bestandtheil bilden und darf nie ganz fehlen. Nur in schwierigem Terrain ist Infanterie als Hauptbestandtheil am

Plätze. Cavalerie kann die Aufklärung des Terrains vermöge ihrer Schnelligkeit am Besten bewirken, und aus demselben Grunde event. das nachfolgende Gros am schnellsten von dem Anrücken des Feindes avertiren. In vielen Fällen wird sich deshalb das weite Vortreiben von Cavalerie-Abtheilungen, denen man unter Umständen kleine Infanterie-Abtheilungen als Soutiens auf Wagen folgen läßt, als das sicherste und die Kräfte der Truppen am meisten schonende Mittel empfehlen, welches auch selbst in wenig er offenem Terrain bei Tag und Nacht angewandt werden kann. Vortheilhaft ist es hierbei, der Cavalerie erheblichen Vorsprung zu lassen, weil sie so ein Mal selbst weniger ermüdet und dem Ganzen mehr Ruhe und Gleichmäßigkeit im Fortschreiten gewährt. Bei größerer Entfernung vom Feinde und bei kleineren Abtheilungen im offenen Terrain kann eine Avantgarde auch ausschließlich aus Cavalerie formirt werden. Artillerie wird den Sicherungs-Truppen größerer Corps dann beigegeben, wenn es geboten erscheint, ihnen eine ganz besondere Angriffs- und Widerstandsfähigkeit zu verleihen. — Alle zu dem Zwecke der Marschsicherung erforderlichen Maßregeln müssen so getroffen und ausgeführt werden, daß dadurch der Marsch des Ganzen nicht verzögert wird, und es ist dabei immer zu bedenken, daß es ja nur darauf ankommt, die nachfolgenden Truppen vor überraschenden ernsten Angriffen sicher zu stellen; kleinere feindliche Abtheilungen sind durch ihre Schwäche selbst zu sehr gefährdet, als daß sie wirklichen Schaden thun könnten, und dürfen in keinem Falle auf die Bewegung des Ganzen Einfluß ausüben. — Die für die Marschsicherung verwendeten Abtheilungen werden, je nachdem sie die Front, die Flanken oder den Rücken des Heeres sichern sollen, Vorhut oder Avantgarde, Seitendeckungen und Nachhut oder Arrièregarde genannt. Avantgarden im weiteren Sinne sind selbstständige, aus allen Waffengattungen zusammengesetzte Heereskörper, welche einer Armee meilenweit vorausgehen, ihre Stellungen und Operationen decken, wichtige Positionen einnehmen und halten, endlich die Entwickelung der Armee zum Kampfe führen und das Gefecht einleiten. Avantgarden im engeren Sinne sind von den großen Avantgarden oder anderen, selbstständig marschirenden Truppen vorgeschobene Abtheilungen von geringerer Stärke, welche das Terrain aufklären, gangbar machen, den Feind rechtzeitig entdecken und so lange aufhalten sollen, bis das nachfolgende Heer die Gefechtsformation angenommen hat. — Die Stärke der Avantgarde beträgt gewöhnlich $\frac{1}{5}$—$\frac{1}{4}$ des Ganzen. Dieses Stärkeverhältniß braucht jedoch nicht strenge eingehalten zu werden, namentlich nicht bei kleinen Abtheilungen; vielmehr ist besondere Rücksicht darauf zu nehmen, daß die normalen Truppenverbände möglichst wenig zu stören. Die Avantgarde gliedert sich im Vormarsch nach vor- resp. seitwärts in immer kleiner werdende Abtheilungen bis zu der ganz vorn marschirenden Spitze, welcher dann der Vortrupp, in dessen Flanken event. die Seitentrupps, und endlich der Haupttrupp folgen. Jede dieser Abtheilungen hat den allgemeinen Zweck, der nachfolgenden stärkeren eine größere Sicherheit und Zeit zu verschaffen, sich in Gefechtsbereitschaft setzen zu können. Hierauf ist bei stärkeren Abtheilungen der Abstand derselben von einander zu bemessen; bei kleineren ist er so groß zu nehmen, daß die hintere nicht überraschend in wirksames Gewehrfeuer kommen kann. Die Entfernung des Haupttrupps vom Gros der Marschcolonne ist so einzurichten, daß letzteres sich zum Gefecht zu formiren vermag, ehe ein rechtzeitig entdeckter Feind heran kommen, und daß andererseits das Gros im Nothfalle der Avantgarde rechtzeitig Unterstützung senden kann. — In Bezug auf die Fortbewegung sind stets die kleineren Glieder von den größeren abhängig. Diese haben die Verbindung nach vorwärts zu erhalten, während jenen obliegt, die rückwärtige

lungen durch Meldungen von allen Vorkommnissen in Kenntniß zu setzen. —
Die Spitze besteht in der Regel incl. Führer aus drei Mann, von welchen
zwei Mann, darunter der Führer, voran, der dritte ca. funfzig Schritt weiter
rückwärts marschirt oder reitet, um die Verbindung mit dem Vortrupp zu
unterhalten. Die Spitze soll das Terrain absuchen, den Feind rechtzeitig
entdecken, möglichst ohne von ihm bemerkt zu werden, und melden. Ist das
Terrain so schwierig, daß sie dieser Aufgabe allein nicht mehr gewachsen erscheint, so entsendet der Vortrupp zu ihrer Unterstützung Seitenläufer (s. d.).
Der Vortrupp besteht meist aus nur einer Waffengattung und hat die
Stärke von circa 1/4 der gesammten Avantgarde, bei kleinen Avantgarden in
der Regel von einem Zug Infanterie oder Cavalerie. Er hat die Bestimmung,
die Spitze im Absuchen des Terrains, sobald es nothwendig wird, durch Absendung von Seitenläufern, Patrouillen oder Auflösung ganzer Sectionen zu
unterstützen, leicht zu bewältigende Hindernisse der Vorwärtsbewegung aus
dem Wege zu schaffen, und endlich event. dem Feinde entgegenzutreten, um
ihn zurückzuwerfen oder doch so lange aufzuhalten, bis der Haupttrupp zur
Unterstützung heran ist. Zur Sicherung der Flanken der Avantgarde und
zur Aufklärung des Terrains, außer nach vorne, auch in entsprechender Breite
rechts und links formirt der Haupttrupp, da wo es das Terrain erheischt,
Seitentrupps, welche zu beiden oder einer Seite des Vortrupps in gleicher
Höhe mit diesem marschiren. Sie bestehen meist aus Cavalerie und nur in
sehr schwierigem Terrain aus Infanterie und haben die Stärke von 1/2 bis
zu 2 Zügen. Sie sichern sich ihrer Seits nach vorne durch Spitzen und
event. Seitenläufer und nach den Flanken je nach Bedarf durch Seitenpatrouillen (s. d.) von 2—3 Mann und Seitenplänkler. Ihr Verhalten ist
im Allgemeinen analog dem des Vortrupps. — Bei schwächeren Avantgarden
und übersichtlichem Terrain genügt es meist, die Flankenbedeckung durch Seitenpatrouillen von 3, höchstens 12 Mann zu bewirken, welche unter Umständen
Seitenplänkler (oder -läufer) neben sich haben können. — Der Haupttrupp
endlich bildet das Soutien aller vorgenannten detachirten Trupps, folgt dem
Vortrupp in offenem und ebenem Terrain (in einer ungefähren Entfernung
von 500 Schritt, verstärkt oder vermindert die vorgeschobenen Abtheilungen,
entsendet nach wichtigen Punkten und solchen, welche weite Aussicht gestatten, jedoch außerhalb des Aufklärungsbereichs der Spitze 2c. liegen, größere
Patrouillen und sorgt endlich für die Wegsamkeit der Marschstraße. Mit dem
marschirenden Gros hält der Haupttrupp stets Verbindung und befördert
alle Meldungen von Belang an den Führer desselben. Stößt die Avantgarde
auf den Feind so wird ein schneller und entschlossener Angriff in den meisten
Fällen am Platze sein, und die Vorhut wird hiervon nur dann abstehen und
sich begnügen, dem Feind gegenüber eine Stellung zu nehmen, wenn der Feind
in zu großer Uebermacht oder in einer zu günstigen Stellung gefunden wurde.
Bei einiger Wahrscheinlichkeit des Erfolges und wenn nicht besondere Befehle ein Anderes vorschreiben, darf der Angriff nie unterbleiben. Muß die
Vorhut vor Feinde weichen, so wird ihm das Gelände von Abschnitt zu Abschnitt streitig gemacht, um so für die Colonne die Zeit zu gewinnen, welche
sie zu ihrem An- und Aufmarsch nöthig hat. Die Seitenbedeckungen sollen
verhüten, daß eine marschirende Colonne an einem seitwärts stehenden Feinde
vorübergehe, ohne ihn zu bemerken, den Angriffen eines solchen event. entgegentreten und endlich verhindern, daß kleine feindliche Abtheilungen die
Colonne von der Flanke aus beobachten. — Das Verlangen der Theorie,
zum Schutze der Flanken eine Kette kleinerer Truppenkörper zu bilden, welche
sich zu beiden Seiten der Avantgarde anreihen (s. Seitenpatrouillen),
ist practisch nicht durchzuführen, denn ein Mal ist eine solche Kette nutzlos,

da ihre Glieder, mit Ueberwindung der Bodenschwierigkeiten beschäftigt, ihre Kräfte consumiren und sie nicht ihre Bestimmung erfüllen werden; zum Anderen ist sie deshalb sogar schädlich, da sie eine scheinbare Sicherheit gewährt, die in der That nicht vorhanden ist. — Es ist daher richtiger, die Flankendeckung in der Absonderung von Detachements zu suchen. — Seitendetachements (s. d.) genannt — welche wichtige in der Flanke gelegene Punkte besetzen und so lange festhalten, bis die Colonne vorüber ist, wo sie sich derselben dann wieder anschließen. Die Stärke dieser Abtheilungen, welche oft aus allen Truppengattungen zusammengestellt werden, wird durch die Stärke der Marschcolonne und das Terrain bedingt. Besonders wichtig werden sie bei Parallelmärschen mit dem Feinde oder längs einer Reihe von Defileen. In solchen Fällen werden sie stärker gestellt. Ihre Eintheilung ist ähnlich der der Avantgarde. — Hält es ein marschirendes Corps für nothwendig, zur unmittelbaren Deckung seiner Flanken Seitenpatrouillen zu formiren, so bewegen sich dieselben in der Regel 2—300 Schritt seitwärts der Colonne und detachiren ihrerseits Spitzen und Seitenläufer. Dabei ist zu beachten, daß zwischen Seitendeckungen und Marschcolonne niemals ungangbare Terraingegenstände liegen dürfen, (als Seen, Sümpfe ꝛc.,) da erstere dann Gefahr laufen, abgeschnitten zu werden und anderseits diese Terraingegenstände schon an und für sich einen genügenden Flankenschutz gewähren. — Die Arrièregarde oder Nachhut hat eine doppelte Bedeutung, je nachdem eine Marschcolonne dem Feinde entgegen marschirt oder sich von ihm entfernt. Im ersteren Falle hat sie besonders polizeiliche Maßregeln zur Aufrechterhaltung der Ordnung innerhalb des Trosses, der einem Corps folgt, zu treffen und Flankenbeunruhigungen Seitens des Feindes zu verhüten. Eine viel größere Bedeutung hat sie auf dem Rückmarsche. Hier erhält sie die Bestimmung, eine heftige Verfolgung durch den Feind aufzuhalten und zurückzuwerfen und Umgehungsversuche desselben zu vereiteln. Diese Aufgabe, sowie der Umstand, daß die Arrièregarde, wenn sie Halt macht, um dem Feinde entgegenzutreten, immer weiter von dem unterdeß rückwärts marschirenden Gros ablommt und daher die Aussicht auf Unterstützung immer mehr verliert, daß ferner jeder Rückmarsch entmuthigend und demoralisirend wirkt, bringen es mit sich, daß die Führung der Arrièregarde sehr schwierig ist und bedingen auf Rückmärschen eine bedeutende Stärke derselben. Ihre Zusammensetzung richtet sich nach derjenigen des Gros, nach derjenigen der Avantgarde des nachfolgenden Feindes, nach dem Terrain und nach ihrer durch die Gefechtsverhältnisse bedingten Wichtigkeit. Die Eintheilung ist analog der Avantgarde in Haupttrupp, Nachtrupp, Seitentrupps, Spitze und Seitenläufer oder Seitenplänkler. — Während des Marsches muß die Arrièregarde vermeiden, zu nahe an das marschirende Gros heranzukommen, damit dieses nicht mit in event. Gefechte verwickelt werden kann; anderseits darf sie aber auch nicht zu weit abbleiben, weil dann ein Abschneiden resp. Aufreiben der Arrièregarde eintreten könnte, ohne daß das Gros im Stande wäre, rechtzeitig Unterstützung zu senden. Außerdem haben auch Stärke, Zusammensetzung und Bodengestaltung sowie Witterung und Tageszeit Einfluß auf diese Entfernung. Auch vom Feinde muß die Arrièregarde sich stets in geziemender Entfernung halten; nicht als ob sie ein Gefecht vermeiden sollte, — nein, nur soll sie es zur rechten Zeit abbrechen, weil zu bedenken ist, daß des Feindes Kräfte stetig zunehmen, während eine eigene Ergänzung durch das Weitermarschiren des Gros immer schwieriger wird. — Ganz besondere Aufmerksamkeit ist dem Seitenterrain zuzuwenden, denn der Feind wird es nicht unversucht lassen, sich zwischen Arrièregarde und Gros einzudrängen. Den Seitentrupps ist deshalb eine bedeutende Stärke zu geben. Sind Defile paffiren, so nimmt der Haupttrupp auf deren feindlicher Seite Stellung und läßt unter seinem Schutze die anderen Theile das Defilee paffiren, welche dann jenseits eine Aufnahmestellung für den Haupttrupp nehmen. Bei Brücken ist gleichzeitig die Zerstörung vorzubereiten und nach dem Uebergange auszuführen. — Betreibt der Feind die Verfolgung nur mit mäßigen Kräften, so wird er zurückgeworfen. Geschieht es aber mit sehr überlegenen Kräften, so muß die Arrièregarde sich Schritt für Schritt vertheidigen und sich möglichst langsam zurückziehen. Dabei müssen die Vortheile des Terrains möglichst ausgenutzt, einem unvorsichtig folgenden Feinde Hinterhalte gelegt und durch Flankenattacken Verluste beigebracht werden. — Aus abzubrechenden Gefechten (vgl. Abbrechen, Bd. I. S. 5 f.) wird der Rückzug derart bewerkstelligt, daß eine Abtheilung unter dem Schutze der anderen zurückgeht, wieder Posto faßt, um nun wieder die anderen Abtheilungen aufnehmen zu können. Darum muß die Arrièregarde besonders ihr Heil suchen, plötzlich aus dem Auge des Feindes zu verschwinden, um bald wieder in einer vortheilhaften, gut gewählten Stellung aufzutauchen. — Läßt der Feind von der Verfolgung ab, so wird eine größere, wenn möglich Cavalerie-Patrouille zu seiner Beobachtung und event. bezüglicher Mittheilung an die Arrièregarde zurückgelassen. — Macht die marschirende Colonne Halt, so nimmt die Arrièregarde eine dem Terrain angepaßte Stellung, Front nach dem Feinde, ein und sichert sich, wenn das Halten von längerer Dauer ist, durch Vorposten.

II. **Vorpostendienst.** Gleich den im Marsche befindlichen Colonnen haben sich die Truppen in der Nähe des Feindes auch im Zustande der Ruhe, mögen sie lagern oder cantonniren, durch vorgeschobene Abtheilungen, welche man Vorposten nennt, zu sichern. Der Zweck dieser Vorposten ist: 1) die hinter ihnen lagernden Truppen gegen feindliche Angriffe sicher zu stellen und 2) Aufklärung des vorliegenden Terrains und der Verhältnisse beim Feinde. Den ersten Zweck sucht man durch im Terrain fixirte Abtheilungen zu erreichen, welche gegen den Feind hin gelegene Terraintheile besetzen, event. festhalten. Die Aufklärung erfordert ein Element der Bewegung und fällt daher den Patrouillen, und zwar vorzugsweise der Cavalerie zu, während die Sicherung einen gewissen Grad selbstständiger Widerstandsfähigkeit bedingt und deshalb mehr Aufgabe der Infanterie ist. — Die Verbindung beider Waffen und ihr Zusammenhandeln ist demnach für den Vorpostendienst eine Nothwendigkeit. Das Verhältniß beider Waffen zu einander wird durch die Zusammensetzung der lagernden Truppe, durch das Terrain und durch die Witterungsverhältnisse bedingt. Zutheilung von Artillerie zu den Vorposten findet in der Regel nur statt, wenn es sich um Festhaltung bestimmter wichtiger Terrainpunkte, besonders Defileen, handelt. Die Entfernung der Vorposten vom lagernden Gros ist so bemessen, daß ein Mal ungestörte Ruhe und Sicherheit desselben erreicht wird, und daß andererseits nicht durch eine zu große Entfernung das zu besetzende Terrain eine zu bedeutende Ausdehnung erhält, mithin mehr Kräfte zu seiner Bewachung erfordert. Ein weiterer aus zu bedeutender Entfernung erwachsender Uebelstand ist die größere Zeiterforderniß der Meldungen und die Schwierigkeit, im Nothfalle rechtzeitig Unterstützungen vom Gros zu requiriren. Die allgemeine Anordnung der Vorposten ist nach den jedesmaligen Verhältnissen und nach dem Terrain verschieden. Besonders für den Zweck der Sicherung kommt, außer der allgemeinen Kriegslage, die Entfernung des Gegners und die der eigenen Truppen wesentlich in Betracht. Im Bewegungskriege oder überhaupt wenn man gegen Abend Halt macht, um am anderen Morgen den Marsch fortzusetzen, kommt es vor Allem darauf an, die nach dem Feinde zu führenden Straßen zu besetzen. Bei einem Stillstand der Operationen dagegen, besonders

in großer Nähe des Feindes, z. B. im Festungskriege, müssen die Sicherheitsmaßregeln weit umfassender, mitunter so vollständig wie nur möglich getroffen
werden. Die Rücksicht auf Schonung tritt dann in den Hintergrund, der
Stillstand an sich gewährt Zeit und Kräfte. Die Aufstellung der Vorposten
richtet sich im Allgemeinen nach der Aufstellung der zu deckenden Truppen, zunächst also nach der Avant- oder Arrière-Garde, welche seiner Zeit schon mit
Rücksicht auf das Gros des Ganzen placirt ist. Außerdem aber bleiben das
Verhältniß zum Feinde und das Terrain zu berücksichtigen; schon um die gestellte Aufgabe mit möglichst geringem Kraftaufwande erfüllen zu können. Die
Stärke der für den Vorpostendienst bestimmten Truppen wird nie höher bemessen, als für den vorliegenden Fall dringend nothwendig. In regulären Verhältnissen, namentlich wenn kein Gefecht vorausgegangen ist, bestehen sie aus
einem Theil (etwa ¼ bis ½) der Avant- oder Arrièregarde, vor deren Gros das
Vorposten-Gros Aufstellung nimmt. Bei kleinen Truppencorps bildet die Avantgarde (Arrièregarde) meist zugleich das Gros der Vorposten. Beim Rückzug aus
einem Gefecht wird man durch die Vorposten irgend einen rückwärtigen Terrainabschnitt besetzen und zwar möglichst durch solche Truppen, die im Gefechte
nicht gelitten haben. Die mit dem Feinde noch engagirten Abtheilungen ziehen
sich dann durch diesen Abschnitt hindurch. Beim Einziehen von Vorposten zum
Beginn neuer Bewegungen ist stets zu beachten, daß die Sicherung der zu
deckenden Abtheilung beim Uebergange in die Marschformation nicht unterbrochen werde. Die Vorposten ziehen sich im geeigneten Moment zusammen,
um entweder den äußersten Theil der Avant- oder Arrièregarde zu bilden, oder
sich an entsprechender Stelle in die Marschcolonne einzufügen. — Aus dem
doppelten Zwecke der Vorposten, Aufklärung und Sicherung, sowie aus der
Besonderheit von Infanterie und Cavalerie ergibt sich dementsprechend die
gleichzeitige Anwendung sehr verschiedenartiger Maßregeln. In vielen Fällen
wird man z. B. der Cavalerie die Beobachtung übertragen, und sie mit möglichster Freiheit des Handelns vorschicken. Sie geht, soweit sie kann, und folgt
dem Feinde, falls er abmarschirt. Die Cavalerie sichert so die eigentlichen
Sicherheitsvorposten, welche hauptsächlich der Infanterie zufallen, am besten
gegen Ueberraschung und gewährt ihnen Ruhe. Diese Cavalerie macht den
stehenden Vorposten Mittheilung von ihren Bewegungen, und findet, falls
sie verdrängt wird, Aufnahme bei denselben. Wenn ferner im Allgemeinen
der Cavalerie der ganze Aufklärungsdienst und der Sicherheitsdienst bei Tage,
der Infanterie letzterer Dienst bei Nacht zufällt, so empfiehlt es sich doch, die
Detachements der Infanterie schon bei Tage, durch Beobachtungsposten gesichert,
an denjenigen Punkt zu placiren, auf denen sie während der Nacht stehen
sollen. Sie erhalten hierdurch Gelegenheit, sich ohne weitere Umstände im
Terrain zu orientiren und sind erforderlichen Falls zur Aufnahme der Cavalerie
bereit. Die Sicherheitsvorposten gliedern sich in folgender Weise: 1) Gros
der Vorposten; 2) Pikets, d. h. Trupps zu Unterstützung oder zur Aufnahme der weiter vorgeschobenen Kräfte; 3) Feldwachen mit ihren Posten
oder Vedetten, Patrouillen und detachirten Posten c. und stehen diese
sämmtlichen Unterabtheilungen, jede direct, unter dem Commando des Vorposten-
Commandeurs. Dieser empfängt von den höheren Vorgesetzten, gewöhnlich
dem Avantgarden-Commandeur, seine Instruction, welche u. A. die Orien-
tirung über die Gesammtlage und ferner die Zeit enthält, deren das lagernde
Gros nothwendig bedarf, um gefechtsbereit zu werden. Nachdem der Vorposten-
Commandeur sich genügend im Terrain orientirt hat, wählt er diesem entsprechend dann, soweit ihm nichts Bestimmtes vorgezeichnet ist, selbstständig
den Ort für Aufstellung seines Gros und der Feldwachen, sowie die Linien,
in welchen bei Tage und Nacht die Posten stehen sollen. Die Flankensicherung

24*

seiner Vorposten-Aufstellung bewirkt er entweder durch Anlehnung an Terrain-
deckungen, oder Rückwärtsbiegen der Flügel mit besonderer Sicherung durch
dahinter postirte Abtheilungen, oder auch durch Detachirungen. Hiernach wird
er beurtheilen, wo zur Unterstützung der Feldwachen Pikets aufzustellen sind.
Das Gros verbleibt, während dies geschieht und bis Alles geordnet ist, in
Gefechtsbereitschaft. Alle Anordnungen des Vorposten-Commandeurs müssen
schnell und unter Festhaltung der Hauptgesichtspunkte getroffen werden; kleine
Verbesserungen der Aufstellung bleiben späterer Inspizirung vorbehalten.
Sämmtliche Commandeure der Pikets und Feldwachen erhalten wiederum vom
Vorposten-Commandeur ihre Instruction, welche einen Aufschluß über die
Gesammtstellung, das etwa über den Feind Bekannte, den Dienst des Tages,
den Ort, wo Meldungen hinzubefördern sind, die von der bez. Feldwache oder
vom resp. Piket ungefähr einzunehmende Stellung oder zu beobachtende Linie
und endlich Angaben über das Verhalten im Falle eines Angriffs enthält. —
Alsdann rücken die Unterabtheilungen unter einem Vorhang von Recognoscirungspatrouillen und anderen Sicherheitsmaßregeln auf die ihnen nach der
Disposition des Vorposten-Commandeurs angewiesenen Posten. — Das Gros
der Vorposten bildet den Kern für die Widerstandsfähigkeit der gesammten
Vorposten und gleichzeitig die Reserve, aus welcher etwaige Verstärkungen
der anderen Abtheilungen entnommen werden. Es steht unter dem speciellen
Befehle des Vorposten-Commandeurs und muß in der Nähe des Punktes, an
welchem event. stärkerer Widerstand zu leisten ist, so ein Bivouac beziehen, daß
es sich nach allen Richtungen hin entwickeln kann. Zu seiner Sicherheit umgiebt es sich mit Lagerwachen. Der Vorposten-Commandeur bestimmt, in wie
weit unter Berücksichtigung der jedesmaligen Verhältnisse auch hier ein erhöhter
Grad von Gefechtsbereitschaft beibehalten werden soll. Indeß wird unter allen
Umständen die Infanterie das Gewehrzeug umbehalten, die Cavalerie und Artillerie
gesattelt, bez. aufgeschirrt bleiben. Nur abtheilungsweise wird bei Tage ge-
kocht, gefüttert, getränkt und umgesattelt. — Entsteht bei den Vorposten Allarm,
so setzt sich das Gros in Gefechtsbereitschaft, stellt sich erforderlichen Falls dem
Feinde entgegen oder greift ihn selbst an. — Endlich ist es noch Sache des
Gros, unter Umständen, hauptsächlich gegen Tagesanbruch, stärkere Abtheilungen
zur Recognoscirung des Gegners abzusenden, wenn nicht ohnehin schon die
Aufklärungs-Cavalerie näher an denselben herangeschoben ist. — Besondere
Terrain-Verhältnisse oder größere Entfernung der Feldwachen vom Vorposten-
gros machen es zuweilen nöthig, noch Pikets zwischen beiden aufzustellen.
(S. Piket, Bd. VII., S. 140). — Die Feldwachen sind die (größeren) Unterabtheilungen von Sicherheitsvorposten, welche am weitesten gegen den Feind,
resp. dorthin, wo man denselben vermuthet, vorgeschoben sind. Ihre Stärke
ist abhängig von der Größe des zu besetzenden, bez. zu bewachenden Rayons,
und beträgt gewöhnlich 30—40 Mann oder 20—30 Pferde. Ob man die
Feldwache aus Cavalerie oder Infanterie bestehen läßt, hängt von den weiter
oben angeführten Umständen ab. Zuweilen ist es zweckmäßig, sie aus beiden
Waffen zu formiren, immer aber müssen den Infanterie-Feldwachen 2—3 Cavaleristen zur schnellen Ueberbringung von Meldungen zc. zugetheilt werden.
Nachdem der Offizier der Feldwache die nöthigen Instructionen erhalten, rückt
er hinter einem Schleier von Sicherheitsmaßregeln, als da sind Spitze, Seitenläufer und Patrouillen, auf den ihm in der allgemeinen Linie angegebenen
Punkt. Dort angelangt, nimmt er zunächst eine gedeckte Aufstellung, läßt die
eine Hälfte seiner Wache unter dem Gewehr zurück und geht mit der anderen
Hälfte zum Aussetzen der Doppelposten oder Vedetten (bei der Cavalerie so-
genannt) in das Vorterrain. Die Entfernung dieser Posten von dem Stande
der Feldwache kann im Allgemeinen, wenn das Terrain nicht Modificationen

bedingt, bei der Infanterie ungefähr 400, bei der Cavalerie 1000—1200 Schritt betragen. Unter gewöhnlichen Umständen werden etwa ⅔ der Feldwache zum Posten-, das letzte Drittheil zum Patrouillendienst verwendet. Bei Aufstellung der einzelnen Posten, welche mit möglichster Geschwindigkeit unter dem Schutze von Patrouillen von einem Flügel aus geschieht, ist Folgendes zu beachten: Freie Umsicht, besonders gegen den Feind zu, dessen Blicke aber möglichst entzogen; Anschluß an die Posten der Nebenfeldwache, bez. Sicherung der äußersten Posten der Flügelfeldwachen durch Anlehnung an Seen, Sümpfe, Flüsse oder andere Terrainhindernisse, oder auch durch Aufstellung von Unteroffizierposten (vgl. unten); gute Verbindung mit der Feldwache, wenn möglich Einsicht der Postenkette vom Stand der Feldwache aus, auch erreichbar durch Zwischen- oder Avertissementsposten (s. d., Bd. I., S. 312); besonders genaue Beobachtung der vom Feinde herkommenden Straßen, der Brücken und anderer Defiléen, vorzugsweise bei Nacht; Aufstellung so vieler Posten, daß ein unbemerktes Passiren der Postenkette unmöglich wird; möglichste Kräfteersparung, erreichbar durch geschickte Benutzung des Terrains. — Die Postenkette darf nur auf bestimmten Punkten, meist nur an einer Stelle, passirt werden. Hinter dem daselbst stehenden Posten oder Vedette wird ein sog. Examinirtrupp postirt, welcher aus einem geeigneten Unteroffizier und etwa 4 Mann besteht. Dieser examinirt und recognoscirt Alles, was durch die Postenkette ein- oder ausgehen will und weist ab, läßt durch oder meldet nach Maßgabe der ihm jedesmal von dem Feldwach-Commandeur ertheilten speciellen Instruction. — Besondere Umstände oder Terraingestaltungen können den Befehlshaber der Feldwache veranlassen, einen vor oder seitwärts des Flügels der ganzen Vorpostenlinie gelegenen Punkt oder Weg zu beobachten. Dies geschieht denn durch einen detachirten Unteroffizierposten (auch Kosaken-Posten genannt), der sich als kleine Feldwache logirt, oder als sogenannte stehende Patrouille aufstellt, d. h. mit Festhaltung des Punktes sich durch bewegliche Posten (Patrouillen) sichert. — Um einen entfernteren Doppelposten gegen Angriffe und Neckereien feindlicher Patrouillen sicher zu stellen und stabil zu machen, formirt man event. aus der Ablösung dieses Postens unter event. Verstärkung durch 2—3 Patrouilleurs einen Unteroffizierposten, welcher an geeigneter Stelle hinter jenem aufgestellt wird. — Erst nach dieser vorläufigen Aufstellung der Posten rc. ermittelt der Feldwach-Commandeur einen günstigen Punkt für die Aufstellung der Feldwache selbst. Dieser muß thunlichst hinter der Mitte der Posten- (Vedetten-) Kette und in der Nähe eines Weges oder doch so gewählt werden, daß er leicht zu finden ist, vom Feinde aber nicht gesehen werden kann; ferner so, daß er für die Infanterie einige Vertheidigungsfähigkeit besitzt oder für die Cavalerie gute Waffenwirkung zuläßt und nach allen Seiten freie Bewegung gestattet. Zur unmittelbaren Sicherheit der Feldwache wird vor derselben ein Posten vor dem Gewehr (bei der Cavalerie Schnarr-Posten genannt) aufgestellt, welcher die Posten, resp. Vedetten stets im Auge zu halten und von allem Auffälligen dem Wachthabenden sofort Meldung zu erstatten hat. — Nachdem alle genannten Maßregeln getroffen sind, sendet der Wachthabende eine schriftliche Meldung, wenn möglich unter Beifügung einer Terrainskizze in Blei, an den Vorposten-Commandeur und gleichzeitig Patrouillen zu den Nebenfeldwachen, um ihnen die Aufstellung der eigenen Feldwache anzuzeigen und um Angabe der dortigen zu bitten. Durch dieselben Patrouillen werden die Vedetten, resp. Posten über die Aufstellung der Feldwachen instruirt. — Was das Verhalten der Feldwache anlangt, so sei hier gesagt, daß dieselbe möglichste Stille zu beobachten und Alles zu vermeiden hat, was dem Feinde ihre Stellung verrathen könnte, als z. B. Feuer anmachen rc.; daß bei Nacht Alles alert bleibt und bei

Tage nur Abtheilungsweise geruht, gefüttert oder getränkt werden darf;
daß die Cavalerie niemals absatteln und Niemand von der Feldwache beurlaubt
werden darf (über das Verhalten bei einem Angriffe siehe weiter unten). Das
Ablösen der Posten geschieht normal alle zwei Stunden, möglichst still und unbemerkt vom Feinde. Die Posten oder Vedetten bestehen je aus zwei Mann,
resp. Reitern und werden dem rechten Flügel aus commandirt. Sie legen bei
der Infanterie das Gepäck nicht ab, stehen in der Regel mit Gewehr über
und dürfen sich weder setzen noch legen; die Vedetten halten mit aufgesetzter
Schußwaffe und dürfen nicht absitzen. Kein Posten macht Honneur, noch läßt
er sich in seiner Wachsamkeit durch die Anwesenheit von Vorgesetzten stören.
Gespannte Aufmerksamkeit auf Alles, was vor der Postenkette passirt, ist
Haupterforderniß. Alles, was in Bezug auf den Feind wahrgenommen wird,
meldet ein Mann des Postens an die Feldwache; ist Gefahr im Verzuge oder
mit Sicherheit ein feindlicher Angriff erkannt, so schießt der Posten. Um ein
Durchschleichen feindlicher Patrouillen durch die Postenkette unmöglich zu machen,
patrouilliren die Posten nach rechts und links, sofern es das Terrain, Nebel
oder Dunkelheit nothwendig erscheinen lassen. — Die Postenkette darf nur
dort passirt werden, wo der Examinirtrupp steht. Versucht es Jemand an
einer anderen Stelle, so wird er von den nächsten Posten mit „Halt!" gestellt
und dorthin verwiesen. In der Nachtzeit muß Jeder, welcher die Postenkette,
sei es von innen oder außen, passiren will, Feldgeschrei und Losung abgeben.
(Vgl. Feldgeschrei Bd. IV., S. 4.) Wer unrichtige Losung und Feldgeschrei
abgiebt, auf „Halt!" nicht steht und überhaupt der Anweisung des Postens
nicht gehorcht, auf den wird geschossen. Ist der Examinirtrupp im Zweifel,
ob seine Instruction das Passiren oder Abweisen der Angerufenen erheischt,
so sendet er diese unter Bedeckung zu dem Feldwach-Commandeur. — Dieser
hält sich in der Nacht stets bei der Wache auf, um deren Wachsamkeit rege
zu erhalten. Bei Tage dagegen hat er die Verpflichtung, sich durch eigene
Anschauung im Terrain und über dessen Wegsamkeit nach allen Richtungen
zu orientiren, um seine localen Instructionen an Posten und Patrouillen und
seine Dispositionen für die möglichen Eventualitäten, besonders in der Nacht,
darnach bemessen zu können. So wird bei Nacht oft eine Veränderung der
Stellung der Feldwache, sowie der Posten vorgenommen werden müssen. Bei
Nacht stehen die Posten meist besser in der Tiefe oder vorwärts von Wald-
und Dorf-Lisieren. — Da es eine Hauptaufgabe der Vorposten, resp. Feldwachen ist, stete Fühlung mit einem nahen Feinde zu halten, und dies einzig
durch ein richtiges Patrouillen-System zu erreichen ist, so hat der Feldwach-
Commandeur hierauf ein ganz besonderes Gewicht zu legen. Die Patrouillen,
welche von einer Feldwache entsendet werden, sind ihrem Zwecke nach Visitir-
und Schleichpatrouillen. — Visitirpatrouillen, 2 Mann stark, gehen von
Zeit zu Zeit längs der Postenkette, um zu erfahren, was dort vorgeht, und
um die Wachsamkeit der Posten zu controliren. Sie überzeugen sich, ob die
Nebenwachen noch stehen und werden am Besten zwischen den Stunden der
Ablösung entsendet, weil letztere bereits selbst eine Controle der Posten abgiebt. Auch mit den nebenstehenden Abtheilungen wird durch solche Patrouillen
die Verbindung erhalten. Ueber Schleichpatrouillen s. d. S. 214. Ihre
Instruction erhalten sämmtliche Patrouillen vom Feldwach-Commandeur; dieselbe muß neben dem allgemeinen Auftrag, Nachrichten über den Feind und
das Terrain einzuziehen, stets auch einen Specialauftrag enthalten, um durch
dessen Erledigung die Gewißheit zu erhalten, daß die Patrouille bis zu dem
bestimmten Punkt vorgegangen ist. Bei der Rückkehr rapportiren diese Patrouillen dem Feldwach-Commandeur, welcher dann wichtige Nachrichten weiter
an den Vorposten-Commandeur befördert. Unter Umständen werden außer

den genannten Patrouillen auch noch sogenannte größere Patrouillen formirt, welche neben dem Zweck der Terrainrecognoscirung auch dazu bestimmt sind, feindliche Schleichpatrouillen abzuhalten oder feindliche Posten zu belegiren, um gewissermaßen mit Gewalt hinter den Vorhang zu sehen. Sie dürfen also, im Gegensatz zu Schleichpatrouillen, wenn List allein nicht ausreicht, offensiv werden und müssen dann schnell und entschlossen handeln. Dies schließt jedoch nicht aus, daß sie mit derselben Vorsicht vorgehen, wie die Schleichpatrouillen, um möglichst zu überraschen und nicht selbst überrascht oder die Beute eines Hinterhaltes zu werden. Ist die Feldwache zu derartigen Unternehmungen nicht stark genug, so entnimmt man die nöthigen Mannschaften von rückwärtigen Abtheilungen. Ihre specielle Information erhalten auch diese Patrouillen von dem Officier der betreffenden Feldwache, weil dieser die einschlagenden Verhältnisse am Besten kennt. (Vgl. Recognoscirungs-Patrouillen. Bd. VII., S. 308.) — Wird eine Feldwache angegriffen, so tritt sie dem Feinde in geeigneter Weise entgegen. Wird sie zum Rückzug gezwungen, so führt sie diesen — nicht in der Richtung auf die hinterstehenden Abtheilungen — möglichst langsam aus, damit die rückwärtsstehenden Truppen Zeit gewinnen, sich kampfbereit zu machen. Weicht der Feind zurück, so wird er unter keinen Umständen über die Postenkette hinaus verfolgt, sondern nur durch nachgesandte Patrouillen beobachtet. Greift der Feind bei Nacht an, so ist es vortheilhaft, ihn ungehindert — nur durch die Posten gehemmt — manövriren zu lassen, und dann im geeigneten Momente mit dem Bajonett in die Flanke zu fallen. Das Feuergefecht wird in diesem Falle nicht zweckmäßig sein, und hauptsächlich nur zur Alarmirung dienen. Erfahrungsmäßig werden Angriffe auf Vorposten meist gegen Ende der Nacht executirt, die Wachsamkeit muß deshalb gerade in dieser Zeit auf das Aeußerste gespannt werden. — Nach jedem Angriff wird die Stellung der Feldwache verändert. — Bei allen Angriffen auf die Vorposten müssen deren Führer im Auge halten, daß sie nicht Waffenerfolge, sondern Zeit gewinnen sollen. Sie dürfen deshalb den Kampf nicht suchen, müssen aber auf der anderen Seite auch kein Opfer scheuen, um den Feind so lange aufzuhalten, bis die lagernden Truppen Zeit gewonnen haben, aus dem Zustand der Ruhe in die Gefechtsbereitschaft überzugehen. — Ueber den Vorpostendienst in besetzten Schanzen, Festungen vgl. Schanzenkrieg, Festungskrieg.

Literatur: Die Lehrbücher der Taktik. — Marschall Bugeaud, "Aperçu sur quelques détails de la guerre" 1832, sowie "Théorie particulière sur le service des avant-postes" (in der 38. livraison des spectateur militaire); "Studien über den Sicherheitsdienst in verbundenen Waffen", Wien 1867; "Preußische Verordnungen über die Ausbildung der Truppen für den Felddienst" ꝛc., Berlin 1870.

Sicherheitslampen, mit Drahtgeflecht um die Scheiben, dienen zum Gebrauch in Pulvermagazinen.

Sicherheits-Schlagröhre, Sicherheits-Zünder, bezwecken die Entzündung einer Pulverladung nach Ablauf eines Zeitraums vom Anstecken der Zündung ab, welcher gestattet, vor der Explosion eine gedeckte Stellung zu gewinnen, müssen also eine geeignete Brenndauer haben. Man gebraucht sie z. B. bei Versuchen mit Geschützröhren, Gewehrläufen in Bezug auf Widerstandsfähigkeit, bei Raketen ꝛc.

Sicherheitsstände sollen dem Beobachtungs-Personal beim Schießen Sicherheit gegen das eigene Feuer gewähren; so werden auch häufig die kleinen Hohlräume genannt, in welchen die Bedienungsmannschaften der Belagerungs- und Festungs-Geschütze Schutz gegen das feindliche Feuer suchen.

Sichrow, Schloß im nordöstlichen Böhmen (Kreis Bunzlau) halbwegs zwischen Liebenau und Turnau. Nach demselben wird von den Oesterreichern das am 26. Juni 1866 stattgefundene Gefecht bei Liebenau (s. d. Bd. V., S. 325 f.) „Gefecht bei Sichrow" genannt, s. auch Preuß.-Oesterr. Krieg Br. VII., S. 221 f.

Sicilianische Vesper, der Volksaufstand der Palermitaner, welcher am Ostermontage, 30. März 1282, um die Vesperzeit gegen die mit Karl I. von Anjou (aus dem Hause Bourbon) nach Sicilien gekommenen Franzosen ausbrach, mit der Vertreibung oder Ermordung aller dortigen Franzosen endigte, in den anderen größeren Städten der Insel nachgeahmt wurde und die Ausschließung des Hauses Anjou vom sicilianischen Throne zur Folge hatte. Karl I. belagerte zwar mit französischer Hilfe Messina; die Sicilianer wurden jedoch von Peter III. von Aragonien (dem Schwiegersohne Manfred's, s. d.) unterstützt, schlugen die Franzosen am 30. August 1282 bei Trapani und trieben sie über die Meerenge nach dem neapolitanischen Festlande zurück. Ganz Sicilien huldigte nun dem Könige Peter III., als dem rechtmäßigen Erben Manfred's, doch erst nach einem zwanzigjährigen Kriege zwischen Peter und dessen Söhnen und Nachfolgern Jakob II. und Friedrich einerseits und den Königen Karl I. und II. von Neapel andererseits erkannte das Haus Anjou die aragonische Dynastie auf Sicilien an. Vgl. Amari, „La Guerra del Vespro Siciliano", Palermo 1842, 2 Bde., 6. Aufl. Florenz 1859, deutsch von Schröter, Hildesheim 1851, 2 Bde.

Sicilien (lat. und ital. Sicilia, französ. Sicile, engl. Sicily), 1) die zum Königreich Italien gehörige größte, bevölkertste und fruchtbarste Insel des Mittelländischen Meeres, hat die Form eines unregelmäßigen Dreiecks, dessen Nordostspitze Capo di Faro oder Peloro nur durch die ½ Meile breite Meerenge von Messina (Faro di Messina) von dem italienischen Festlande (Calabrien) getrennt ist, während die Westspitze Capo di Boeo nur 19 Meilen von der afrikanischen Küste entfernt liegt, umfaßt einen Flächenraum (einschließlich der administrativ dazu gehörigen liparischen und ägadischen Inseln) von 531,92 Qu.-M. und hat eine Gesammtbevölkerung von 2,392,114 Einwohnern. Die Nordküste ist 43 Meilen lang und hat die Golfe von Palermo und Castellamare, die Ostküste 29 Meilen lang mit den Golfen von Catania, Agosta und Syrakus, die Südwestküste, 38 Meilen lang, hat keine tiefeingeschnittenen Busen. Die Insel ist durch Fortsetzungen der calabrischen Kette der Apenninen sehr gebirgig; große Tiefebenen sind nicht vorhanden. Im Osten der Insel bildet der Vulcan Aetna (höchster Gipfel 10,170 Fuß) ein selbstständiges Gebirgssystem; südlich davon breitet sich zwischen den Flüssen Simeto und Gurnalunga die fruchtbare Ebene von Catania aus. Die Flüsse sind sämmtlich unbedeutend; kein einziger ist schiffbar. Größere Seen fehlen. Das Klima ist heiß, aber im Allgemeinen gesund, der Boden höchst fruchtbar. Haupterwerbsquellen sind Ackerbau, Seidenzucht, Viehzucht, Fischfang und Bergbau. Die Industrie ist ohne wesentliche Bedeutung, hat sich aber seit neuester Zeit etwas gehoben. Der Binnenhandel ist wegen des Mangels an guten Verkehrsstraßen sehr gering, der Seehandel größtentheils auf Küstenhandel beschränkt. An Eisenbahnen besitzt die Insel folgende Linien: Palermo-Termini-Castrogiovanni-Catania-Messina mit dem Zweigbahnen Catania-Syrakus und Campofranco-Girgenti; ferner Palermo-Trapani-Marsala. Unter der Bevölkerung, einem Gemisch der zahlreichen Völkerstämme, welche im Laufe von Jahrtausenden über die Insel geherrscht haben (Griechen, Carthager, Römer, Ostgothen, Byzantiner, Sarazenen, Deutsche, Provenzalen, Franzosen und Spanier), ist der Adel und die Geistlichkeit sehr stark vertreten. Wissenschaft und Volksunterricht standen bis in die neuere Zeit auf ziemlich niedriger Stufe, doch hat seit 1860

die italienische Regierung viel dafür gethan. Universitäten bestehen zu Palermo, Messina und Catania. Die große Masse des Volkes lebt jedoch in
Unwissenheit und troß der Fruchtbarkeit des Bodens in Armuth; fast ein Drittel
der Sicilianer sind Bettler. In administrativer Hinsicht ist die Insel jeßt in
folgende sieben Provinzen eingetheilt: Palermo, Trapani, Girgenti, Calta-
nissetta, Catania, Syrakus (früher Noto) und Messina. Die größten Städte
sind: Palermo mit 167,625 Einw., Catania mit 64,921 Einw., Messina mit
62,024 Einw. Vgl. Gregorovius, „Siciliana. Wanderungen in Neapel und
S.", Leipzig 1861, 2. Aufl. 1862. 2) (Königreich beider S., häufig auch
Königreich Neapel genannt,) ein bis 1860 bestandenes europäisches Königreich, welches die südliche Hälfte der italienischen Halbinsel (S. diesseit der
Meerenge [Domini al di quà del Faro] oder das Königreich Neapel [s. d. 2]
im engern Sinne) und die Insel S. (S. jenseit der Meerenge, Domini
al di là del Faro) nebst den umliegenden kleinern Inseln umfaßte und einen
Gesammtflächenraum von 2080 geogr. Qu.-M. mit (1860) 8,630,130 Einw.
hatte. Die Hauptstadt des Königreichs war Neapel; die zuleßt herrschende
Dynastie gehörte der jüngern oder spanischen Linie des Hauses Bourbon an;
der leßte König war Franz II. (geb. 16. Januar 1836), welcher am 22. Mai
1859 seinem Vater Ferdinand II. auf dem Throne folgte und nach der Be-
seßung seiner Länder durch die Sardinier, resp. nach der Capitulation von
Gaëta (13. Febr. 1861) nach Rom ging. Die Armee des Königreichs beider
S. wurde diesseit der Meerenge durch Conscription, jenseit der Meerenge durch
Werbung ergänzt. Die Dienstzeit betrug 10 Jahre (die ersten 5 Jahre bei
den Fahnen, die leßten 5 Jahre in der Reserve). Dieselbe war im Jahre
1859 folgendermaßen organisirt: I. Infanterie: A) Königliche Garde: 2 Reg.
Grenadiere, 1 Reg. Jäger, 1 Reg. Marine-Infanterie, 1 Comp. Garde-du-
Corps, zusammen 9508 Mann. B) Linie: 13 National-Reg., 1 Reg. Carabinieri, 4 Reg. Schweizer (geworbene Miethtruppen, im August 1859 jedoch
aufgelöst), 12 Bat. National-Jäger, 1 Bat. Schweizer-Jäger (1859 aufgelöst),
16 Provinzial-Comp., 1 Veteranen-Reg., 1 Invaliden-Depôt, 2 Schweizer
Veteranen-Comp. (1859 aufgelöst), 2 Reg. Gendarmen, 1 Pompiers-Corps,
zusammen 65,306 Mann. II. Cavalerie: A) Königliche Garde: 2 Reg.
Husaren, 1 Schwadron Garde-du-Corps, zusammen 1834 Mann. B) Linie:
1 Reg. Carabinieri, 3 Reg. Dragoner, 2 Reg. Ulanen, 1 Reg. Jäger, 1 Reg.
Gendarmerie, zusammen 6736 Mann. III. Artillerie: 2 Feld- und Plaß-
Reg., 1 berittene Batterie, 1 Schweizer Fuß-Batterie (1859 aufgelöst), 1 Train-
Bataillon, 1 Ponton-, Waffen-, Arbeits- und Handwerker-Brigade, zusammen
6322 Mann. IV. Genie-Corps: 1 Bataillon Sappeurs-Mineurs, 1 Bat.
Pioniere, zusammen 2880 Mann. Active Armee insgesammt: 92,586 Mann.
V. Reserve: Infanterie 48,000 Mann, Küsten-Artillerie 3000 Mann, zu-
sammen 51,000 Mann. Total-Summe 143,586 Mann. Festungen: Gaëta
(Hauptfestung); außerdem waren noch armirt diesseit der Meerenge: Civita
dell' Tronte, Pescara und die sechs Forts von Neapel; jenseit der Meerenge:
Messina und die zwei Forts von Palermo. Die Marine zählte 98 Fahrzeuge mit insgesammt 832 Geschüßen, darunter 5 Segel-Fregatten, 5 Segel-
Fregatten, 2 Segel-Corvetten, 14 Dampf-Fregatten, 14 Dampf-Corvetten,
50 Kanonenboote; außerdem noch eine Anzahl Kanonenboote zum Küstenschuße.
Das Wappen war ein zweifaches; das kleinere ein blauer mit goldenen Lilien
bestreuter Schild, darüber ein rother Turnierkragen mit drei Läßen (wegen
Neapels). Das größere enthielt in einem blauen, roth eingefaßten Mittelschilde drei goldene Lilien (Haus Anjou), ein in Form eines Andreaskreuzes
schräg getheilter Schild, oben und unten in goldenem Felde vier rothe Pfähle,
zu beiden Seiten schwarze Adler in silbernem Felde (Sicilien), außerdem die

Schilde von Castilien, Leon, Granada, Portugal, Oesterreich, Parma, Aragon, Burgund, Flandern, Tyrol und Jerusalem; das Wappen war von einem Purpurmantel (oder, wenn dieser fehlte, von den Ketten der sechs Orden) umgeben und mit einer Königskrone bedeckt. Die Flagge war roth mit dem Wappen, die Landesfarben roth und gelb. An Orden besaß das Königreich folgende sechs: Januarius-, Ferdinands-, Constantin- und Georgs-Orden, Orden Franz' I., Orden Beider Sicilien; außerdem noch eine Ehrenmedaille für Militär und drei Ehrenzeichen.

Geschichtliches: Die ersten Bewohner der Insel S. waren die Sicaner (ein iberischer Volksstamm), welche um 1100 v. Chr. durch die aus Unteritalien eingewanderten Siculer nach dem Westen der Insel verdrängt wurden. Im 8. Jahrh. v. Chr. legten die Griechen Colonien an und die Insel S. zerfiel in mehere Freistaaten. Seit 480 erlangten die Carthager herrschenden Einfluß auf der Insel, wurden aber von den Römern verdrängt, welche 241 v. Chr. (nach dem ersten Punischen Kriege) S. zur Provinz machten. Ebenso empfing der continentale Theil im 8. Jahrh. seine Cultur durch griechische Colonien, wurde deshalb Großgriechenland genannt, ward aber 272 v. Chr. (nach der Eroberung von Tarent) gleichfalls römische Provinz. Von da an theilten beide Hälften die Geschichte Roms, bis sie nach dem Sturze des Weströmischen Reiches (476 n. Chr.) erst in den Besitz der Ostgothen kamen, in der Mitte des 6. Jahrh. aber von Belisar erobert und mit dem Oströmischen (Byzantinischen) Reiche vereinigt wurden. Im Jahre 827 wurde die Insel S. von den Saracenen erobert, die dann auch bald auf dem continentalen Theile von Unteritalien festen Fuß faßten, wo sie aber fortwährend mit den Byzantinern zu kämpfen hatten. Letztere erlangten dort allmählich immer größeren Einfluß, fochten daselbst mit normannischen Söldnern im Dienste longobardischer und byzantinischer Großer und verliehen 1029 dem normannischen Häuptling Rainulf oder Radulf einen Landstrich zwischen Neapel und Capua, während dann die Söhne des normannischen Ritters Tancred andere Theile nahmen, und zwar Wilhelm 1042 die Stadt Melfi mit Umgebung, worauf sein Bruder Robert Guiscard, welcher Calabrien genommen hatte, sich 1057 vom Papste Nicolaus II. mit allem dem belehnen ließ, was er künftig noch auf Unkosten der Byzantiner und Sarazenen in Unteritalien und auf S. erobern würde. Es gelang ihm nun, bis zu seinem Tode (1085) die Byzantiner vollends aus Unteritalien zu verdrängen und dies seiner Herrschaft zu unterwerfen, während sein Bruder Roger I. gleichzeitig die Sarazenen aus S. vertrieb und nach Robert's Tode beide Theile diesseit und jenseit des Faro unter einem Scepter vereinigte. Sein Sohn Roger II. nahm 1127 den Titel König Beider S. an. Die normannische Dynastie, welche das Reich von Palermo aus regierte, erlosch 1189 mit Wilhelm II. Nach vielfachen Wirren machte der Deutsche Kaiser Heinrich VI., welcher mit der Tochter des Königs Roger II. vermählt war, seine Rechte durch Waffengewalt geltend und eroberte das Königreich, welches somit an das Haus Hohenstaufen kam. Dessen Sohn Friedrich II. verlegte die Residenz von Palermo nach Neapel. Nach dem Tode Konrad's IV. (1254) übernahm dessen Halbbruder Manfred, Fürst von Tarent, als Reichsverweser die Regierung für seinen minderjährigen Neffen Konradin (den letzten Hohenstaufen), aber Papst Urban IV. mischte sich als Oberlehnsherr ein und belehnte 1263 Karl von Anjou mit der Krone. Auf diese Weise kamen die Franzosen in das Land, wurden aber 1282 durch die Sicilianische Vesper (s. d.) vertrieben. Mit Peter III. von Aragon kam nun die Aragonische Dynastie auf den Thron der Insel S., während das Haus Anjou auf den Besitz des festländischen Gebietes Neapel beschränkt wurde. Beide Theile blieben seitdem getrennt, bis Ferdinand V. von Aragonien und S. 1505 auch in den Besitz

Neapels gelangte. S. und Neapel waren nun vereinigt zwei Jahrhunderte lang eine Dependenz der spanischen Monarchie, bis sie infolge des spanischen Erbfolgekrieges durch den Utrechter Frieden von 1713 getrennt wurden, durch welchen Neapel an Oesterreich (Karl VI.), S. aber an das Haus Savoyen (Victor Amadeus II.) fiel; doch wurden schon 1720, nachdem Spanien 1717 zur Wiedereroberung S.s vergeblich die Waffen ergriffen hatte, durch Abtretung der Insel an Oesterreich beide Theile wieder vereinigt. Mit entscheidendem Erfolge ergriff dagegen Spanien 1733 abermals zu den Waffen, eroberte im Laufe der nächsten Jahre die Insel und den festländischen Theil und im Wiener Frieden von 1738 trat nun Karl VI. Neapel und S. nebst dem sogenannten Stato degli presidii (Elba, das Fürstenthum Plombino und einen Küstenstrich von Toscana) förmlich an den von Spanien als Karl III. zum König eingesetzten Infanten Don Carlos ab; doch wurde in den Frieden die Bestimmung aufgenommen, daß diese Secundogenitur der spanischen Linie des Hauses Bourbon niemals wieder mit der Krone Spaniens vereinigt werden dürfe. Demgemäß überließ Karl III., als er 1759 nach dem Tode seines Bruders Ferdinand VI. den spanischen Thron bestieg, die Krone beider S. an seinen dritten Sohn Ferdinand IV. Dieser betrat Anfangs unter dem Einflusse seines Ministers Tanucci den Weg zeitgemäßer Reformen, verließ denselben aber, nachdem er sich 1777 mit der Erzherzogin Marie Karoline vermählt hatte und lenkte später, namentlich unter dem Eindrucke der französischen Revolution, vollständig in eine absolutistisch-clericale Reaction ein. In Beziehung auf auswärtige Politik gänzlich dem Wiener Hofe folgend, trat er 1793 der zweiten Coalition gegen Frankreich bei, begann im Nov. 1798 den Krieg gegen die Römische Republik, wurde von den Franzosen geschlagen und flüchtete im December nach S., das festländische Gebiet den Franzosen preisgebend, die am 23. Januar 1799 in Neapel die Parthenopeïsche Republik ausriefen. Ein royalistischer Aufstand unter Cardinal Ruffo (s. d.), unterstützt von einer englischen Flotte unter Nelson stürzte jedoch bereits im Juni 1799 die Republik und führte den König nach Neapel zurück. Da derselbe 1805 auch der dritten Coalition gegen Frankreich beigetreten war, so erklärte Napoleon I. nach dem Preßburger Frieden (26. Dec. 1805) am 27. Dec. von Schönbrunn aus die Dynastie Bourbon des Thrones von Neapel für verlustig. Beim Anmarsch der Franzosen flüchtete Ferdinand IV. im Januar 1806 abermals nach der Insel S., in deren Besitz er sich durch englische Hilfe behauptete, 1812 hier eine der englischen Verfassung nachgebildete Constitution gab, dieselbe aber 1814 wieder aufhob. Für den festländischen Theil ernannte Napoleon am 30. März 1806 seinen Bruder Joseph und als dieser 1808 die spanische Krone annahm, seinen Schwager Murat (s. d.) zum König, welcher nun mit den neapolitanischen Truppen an den folgenden Kämpfen Napoleon's theilnahm, bis der Sturz Napoleon's 1815 auch seinen Sturz zur Folge hatte. Nachdem Ferdinand im Juni 1815 wieder nach Neapel zurückgekehrt war, vereinigte er durch Statut vom 12. Dec. 1816 beide Theile abermals zu einem untrennbaren Reiche und nahm als Ferdinand I. den Namen König beider S. an. Ein 1820 ausgebrochener Aufstand, welcher die spanische Constitution ausrief, wurde mit Hilfe österreichischer Waffen unterdrückt; doch blieb das Land auch noch unter seinem Sohn und Nachfolger Franz I. (1825—1830) bis 1827 von Oesterreichern besetzt. Auf Franz I. folgte sein Sohn Ferdinand II. (1830—1859). Unter dessen Regierung führte die allgemeine italienische Bewegung von 1848 auch in Neapel und S. Aufstände herbei und nöthigte den König sogar, am Kriege Sardiniens gegen Oesterreich auf kurze Zeit Theil zu nehmen. Die inneren Zugeständnisse genügten jedoch nicht, selbst als der König eine Constitution verlieh; die Insel S. trennte sich, berief ein eignes Parlament und dieses erklärte am 13. April 1848 den König Ferdinand und seine Dynastie des Thrones für verlustig. Im Mai rief der König seine Truppen von der Theilnahme am Kampfe gegen Oesterreich zurück, hob in Neapel die Constitution auf und unterwarf bis zum Mai 1849 auch die Insel S. wieder vollständig. Von da an trat im ganzen Reiche die schonungsloseste Reaction ein, die sich auch unter seinem Sohn und Nachfolger Franz II., welcher 22. Mai 1859 den Thron bestieg, nicht milderte. Die allgemeine Erbitterung hierüber, wie die Ereignisse, welche sich mittlerweile in Ober- und Mittelitalien vollzogen hatten, begünstigten die im Frühjahr 1860 in Palermo (s. d.) ausbrechende und dann von Garibaldi (s. d. Bd. IV., S. 150) geleitete Revolution. Die königlichen Truppen wurden überall, sowohl auf der Insel, wie später auf dem Festlande, geschlagen; am 7. Sept. zog Garibaldi als Dictator beider S. in die Hauptstadt Neapel ein und rief den König Victor Emanuel II. von Sardinien zum König von Italien aus, nachdem am 6. Sept. König Franz diese verlassen und sich nach der Festung Gaëta zurückgezogen hatte. Infolge davon intervenirten Anfang October sardinische Truppen, drangen unter Cialdini von Norden her in das Land ein und vereinigten sich mit den Garibaldianern, während Victor Emanuel mit der Hauptmacht folgte. Am 15. Oct. erließ Garibaldi ein Decret, daß das Königreich beider S. künftig einen Bestandtheil des „einen und untheilbaren" Italien bilden sollte unter der Herrschaft des Königs Victor Emanuel und seiner Nachkommen. Eine am 21. Oct. statt findende allgemeine Volksabstimmung über die Annexion ergab im festländischen Theile 1,310,266 Ja um 10,102 Nein, auf der Insel S. 432,054 Ja und 667 Nein. Am 3. Nov. forcirten die Sardinier den Uebergang über den Garigliano, schnitten die königlichen Truppen von der Festung Gaëta ab, zwangen sie, 30,000 Mann stark mit 32 Geschützen, bei Terracina auf päpstliches Gebiet überzutreten (wo sie entwaffnet wurden) und schlossen nun die Festung Gaëta mit dem König Franz II. ein, dessen Fahne außerdem nur noch auf der kleinen Felsenfestung Civita dell' Tronte und auf der Citadelle von Messina wehte. Am 7. Nov. hielt König Victor Emanuel II. seinen Einzug in Neapel an der Seite Garibaldi's, welcher am 8. Nov. die Gewalt in seine Hände niederlegte und am 9. Nov. nach Caprera zurückkehrte. Anfang December besuchte Victor Emanuel dann auch noch die Insel S., wo er namentlich in Palermo mit Enthusiasmus empfangen wurde. Am 13. Februar 1861 capitulirte Gaëta nach tapferer Vertheidigung (wozu die Besatzung namentlich durch die mit eingeschlossene Königin Maria, eine Tochter des Herzogs Maximilian in Baiern, begeistert wurde), am 10. März die Citadelle von Messina, am 20. März Civita dell' Tronte. Am 17. März 1861 nahm Victor Emanuel II. den Titel König von Italien an; seitdem bildet das frühere Königreich einen integrirenden Theil des Königreichs Italien. Vgl. Reuchlin, „Geschichte Neapels während der letzten siebzig Jahre", Nördlingen 1862; Rüstow, „Erinnerungen aus dem Italienischen Kriege von 1860", Leipzig 1861, 2 Bde.; „Der Feldzug Garibaldi's und der Italienischen Südarmee" in Brockhaus „Unsere Zeit", Bd. V., Leipzig 1861. Karten: „Uffizio topogr. di Napoli", 1:80,000; Rizzi Zannoni, „Napoli", 32 Bl. 1:115,650; Smyth, „Sicilien", 1:266,000.

Sicilische Vesper, s. Sicilianische Vesper.

Sickingen, Franz von, geb. 1 März 1481 auf dem Stammschlosse seiner reichsritterschaftlichen Familie zu Sickingen im jetzigen badischen Kreise Karlsruhe, war der reichste und mächtigste reichsunmittelbare Ritter in den Rheinlanden, kam jung an den Hof des Kaisers Maximilian I., zeichnete sich in dessen Kämpfen gegen Frankreich aus, erhielt das Commando über eine Truppenabtheilung und wurde kaiserlicher Rath und Kämmerer, führte trotz wiederholter Mahnungen des Reichskammergerichts zahlreiche Privatfehden zum Schutz der Schwächeren gegen ihre Unterdrücker, belagerte 1513 Worms, wurde dafür vom Kaiser Maximilian I. im J. 1517 als Landfriedensbrecher in die Reichsacht erklärt, bekämpfte dann mit einem geworbenen Heere von Reisigen und Landsknechten den Herzog von Lothringen, belagerte die Reichs- stadt Metz, dann Mainz und Darmstadt, befehdete den Herzog Ulrich von Württemberg, brandschatzte überall und erpreßte Kriegskosten. Nach dem Tode Maximilian's (1519) wirkte er für die Wahl Karl's V., welcher dann die Streitigkeiten beilegte, S. von der Reichsacht entband und ihn zum Feld- hauptmann ernannte. Als solcher zog er 1521 mit dem Grafen von Nassau gegen Frankreich zu Felde, verheerte die Picardie, belagerte Mezières, mußte aber, da Krankheit unter seinen Truppen ausbrach, die Belagerung aufheben; 1522 wurde er von einem gegen die Willkür der Fürsten und des Clerus gebildeten Bunde der schwäbischen und rheinischen Reichsritterschaft zum Ober- haupte gewählt, schloß sich den Bewegungen der Reformation an, ergriff Partei für Reuchlin in dessen Streite gegen die Kölner, nahm Ulrich von Hutten und andere Gesinnungsgenossen auf seinem Schlosse Ebernburg bei Kreuznach auf, bot dort auch Luther eine Zuflucht an, zog 1523 gegen den Erzbischof (Kurfürsten) Richard von Trier, nahm St. Wendel, zerstörte die trier'schen Schlösser und belagerte dann die Hauptstadt Trier, wurde aber von dem Landgrafen Philipp von Hessen und dem Pfalzgrafen Ludwig bei Rhein zur Aufhebung der Belagerung gezwungen und vom Reichsregiment abermals in die Acht erklärt. Im Frühjahr 1523 belagerten dann die ver- bündeten Fürsten von Trier, Hessen und Kurpfalz sein Schloß Neustuhl bei Landstuhl in der Pfalz, wohin sich S. zurückgezogen und wo er am 23. April schwer verwundet wurde; kurz darauf übergab er das Schloß, starb am 7. Mai 1523 und wurde in der Kirche zu Landstuhl beerdigt. Vgl. Münch, „Franz von S.'s Thaten, Plane, Freunde und Ausgang", Stuttgart 1827 f. 2 Bde. (dazu Bd. 3, „Codex diplomaticus", Aachen 1829); Schneegans, „Franz von S. und seine Nachkommen", Kreuznach 1867.

Sidney, s. Sydney.

Sidon, die älteste und wichtigste Stadt Phöniziens am Mittelländischen Meere gelegen, die Mutterstadt der meisten phönizischen Colonien, war durch eine dreifache Mauer befestigt, hatte einen guten Doppelhafen, wurde 720 v. Chr. von dem König Salmanassar von Assyrien eingenommen, kam nach Auflösung des Assyrischen Reiches an Babylonien, wurde von 587—674 v. Chr. von Nebukadnezar belagert, blühte dann unter persischer Herrschaft wieder auf, betheiligte sich aber an der Empörung gegen Artaxerxes III., wurde 351 v. Chr. von diesem eingenommen und darauf von den Einwohnern selbst in Brand gesteckt, bald aber wieder aufgebaut, unterwarf sich nach dem Siege bei Issus 333 Alexander dem Großen, kam nach Alexanders Tode unter ägyptische Herrschaft, wurde dann mit Syrien vereinigt, fiel später den Römern zu, wurde während der Kreuzzüge nach sechswöchentlicher Belagerung von Balduin eingenommen, 1187 aber von Saladin zurückerobert, erlitt im Laufe des folgenden Jahrhunderts noch mehrfache Belagerungen und wurde 1253 von den Sarazenen fast gänzlich zerstört, blühte aber namentlich seit dem 17. Jahrh. als Handelsplatz wieder auf und ist jetzt die Stadt Saida im asiatisch-türkischen Vilajet Syrien.

Siebenbürgen (lateinisch Transsylvania, ungarisch Erdély, rumänisch Ardealu), ein zum Transleitanischen Theile der Oesterreichisch-Ungarischen Monarchie gehöriges Kronland mit dem Titel eines Großfürstenthums, welches einen Theil der ungarischen Erbstaaten des Hauses Habsburg-Lothringen bildet und seinen Namen durch die 1143 aus den Gegenden des Niederrheins dort angesiedelten deutschen Colonisten nach den von ihnen gegründeten sieben Hauptstädten oder Burgen (Hermannstadt, Klausenburg, Kronstadt, Bistritz, Mediasch, Mühlenbach und Schäßburg) erhielt. Das Land grenzt im Norden an Ungarn, im Nordosten an die Bukowina, im Osten an die Moldau, im Süden an die Walachei, im Westen an das Serbisch-Banatische Gebiet der Militärgrenze und an Ungarn, hat einen Flächenraum 998 geogr. Q.-M., ist im Osten und Süden von Verzweigungen der Karpaten umgeben, im Innern von hohen Gebirgen durchzogen, von der Aluta oder Alt, der Maros, Szamos und Bistritz bewässert, hat höchst fruchtbaren, aber nicht hinreichend angebauten Boden und üppige Vegetation und zählt (1869) 2,122,458 Einwohner. Die Bevölkerung ist ein Gemisch verschiedener Nationalitäten; Ende 1869 zählte man annähernd 1,200,000 Ost-Romanen (Walachen), 573,000 Magyaren oder Ungarn (zu denen auch die Szekler gehören), 235,000 Deutsche (meistens sogenannte Sachsen, welche 1143 vom König Geysa II. zur Cultur und Vertheidigung des Landes vom Niederrhein eingeführt wurden, besondere Privilegien erhielten und jetzt die fleißigsten und gebildetsten Bewohner des Landes bilden), 81,000 Zigeuner, 13,000 Israeliten, 9500 Armenier, 1600 Czechen, 1000 Bulgaren, 500 Ruthenen und 400 Griechen. Ungarn, Szekler und Sachsen waren bis 1858 die herrschenden, sogenannten recipirten, Nationen mit verschiedenen Vorrechten; jetzt sind alle Volksstämme gleichberechtigt. Der Religion nach bekennt sich die magyarische Bevölkerung zur römisch-katholischen, reformirten und unitarischen, die deutsche vorzugsweise zur lutherischen, die romanische zur griechisch-orientalischen und griechisch-katholischen Kirche; im Allgemeinen bekennen sich zur griechisch-orientalischen Kirche 32 Proc., zur griechisch-katholischen 29 Proc., zur evangelischen 23,₈ Proc., zur römisch-katholischen 11,₅ Proc., zur unitarischen 2,₄ Proc., zum Mosaismus 0,₆ Proc., zur armenischen Kirche 0,₁ Proc.; der kleine Rest zu andern christlichen Secten. Haupterwerbsquellen sind Ackerbau, Viehzucht, Forstcultur und Bergbau; die Industrie ist erst in der Entwicklung begriffen, bis jetzt am meisten noch unter den Sachsen ausgebildet; von Bedeutung ist dagegen der Handel, welcher sich noch mehr heben wird, wenn die im Bau begriffenen und projectirten Eisenbahnen, welche sich einerseits an das ungarische, anderseits an das rumänische Bahnsystem anschließen sollen, vollendet sein werden. Haupthandelsplätze sind Hermannstadt, Kronstadt, Bistritz und Szamos-Ujvar. Der Volksunterricht lag bisher ziemlich darnieder, hat sich aber seit neuster Zeit gehoben; besser gesorgt ist für den höheren wissenschaftlichen Unterricht. Die Landesverfassung S.'s beruht auf dem Diplom des Kaisers Leopold I. vom 4. Dec. 1691, hat aber in neuerer Zeit insofern eine wesentliche Modification verfahren, als mit der durch das königliche Rescript vom 17. Febr 1867 völlig wiederhergestellten ungarischen Verfassung das Land seine bisherige Selbständigkeit verlor und jetzt als integrirende Provinz Ungarns gilt. Im Ungarischen Reichstage ist S. bei der Magnatentafel durch drei Regalisten, bei der Deputirtentafel durch 75 Abgeordnete vertreten, welche aus directen Wahlen hervorgehen. Hauptstadt des Landes war früher Hermannstadt, jetzt kaum Klausenburg, als der Sitz des königlichen Guberniums (der unter dem ungarischen Ministerium stehenden Landesbehörde für innere und politische Verwaltung) dafür gelten. Ein besonderes Verwaltungsterritorium bildet das Sachsenland (s. d. Bd. VIII., S. 129). Für die Rechtspflege war früher die höchste Instanz der (am 1. Januar 1868 aufgehobene) oberste Gerichtshof zu Klausenburg, jetzt die königliche ungarische Septemviraltafel, resp. Cassationshof zu Pest; als zweite Instanzen fungiren die königliche Tafel (Gerichtstafel) zu Maros-Vasarhely und das königliche Obergericht in Hermannstadt (für das Sachsenland). An der Spitze der

Militärverwaltung steht das Truppen-Divisions- und Militär-Commando zu Hermannstadt (16. Division); befestigte Plätze sind: Hermannstadt, Karlsburg und Kronstadt. Das Wappen von S. ist ein durch einen schmalen rothen Horizontalstreifen getheilter Schild, im obern blauen Felde ein wachsender schwarzer Adler nebst einer goldenen Sonne und einem silbernen Halbmonde, im untern goldenen Felde sieben rothe Thürme.

Geschichtliches: S. gehörte im Alterthum zu Dacien und wurde unter Trajan 105 n. Chr. den Römern unterworfen, kam seit dem 5. Jahrhundert abwechselnd unter die Herrschaft der Hunnen, Ostgothen, Gepiden, Longobarden, Bulgarn, Avaren und Petschenegen, und wurde 1004 vom König Stephan von Ungarn erobert, welcher es zur ungarischen Provinz machte und es durch Wojwoden oder Statthalter regieren ließ. Nachdem 1535 der Wojwode Joh. Zapolya durch einen Vergleich mit Ferdinand I. das Land als souveränes Fürstenthum erhalten hatte und unter dessen Nachfolgern besonders Bethlen Gabor und Georg Raloczy gefährliche Feinde für das Haus Habsburg gewesen waren, unterwarf sich Leopold I. im J. 1687 S. vollständig, ließ ihm aber noch eigne Fürsten. Als dieselben 1713 mit Michael II. Apafi ausstarben, wurde S. vom Kaiser Karl VI. gänzlich mit Ungarn vereinigt und 1765 von Maria Theresia zum Großfürstenthum erhoben. Im J. 1849 war S. der Schauplatz erbitteter Kämpfe zwischen den Ungarn unter Bem und dem hier zuerst einrückenden russischen Hilfscorps. Durch die österreichische Reichsverfassung vom 4. März 1849 wurde S. gänzlich von Ungarn getrennt, verlor aber seine nationalen Institutionen und trat, dem österreichischen Ministerium in Wien unterstellt, in die Reihe der österreichischen Kronländer; durch Diplom vom 20. Oct. 1860 wurden die früheren Verfassungen von Ungarn und S. wieder hergestellt, durch Patent vom 26. Febr. 1861 die Landesordnung und Landtagswahlordnung sanctionirt, durch königliches Rescript vom 17. Febr. 1867 aber die Union S.'s mit Ungarn definitiv festgestellt, demgemäß im Juni 1867 die siebenbürgische Hofkanzlei und der siebenbürgische Landtag aufgelöst und das Land dem königlich ungarischen Ministerium untergeordnet. Die siebenbürgische Militärgrenze war bereits 1851 aufgehoben und ihr Gebiet zur Civilverwaltung gezogen worden. Vgl. Söllner, „Statistik des Großfürstenthums S.“, Hermannstadt 1856; Bielz, „Handbuch der Landeskunde S.'s.“, Hermannstadt 1857; Gebhardi, „Geschichte des Großfürstenthums S.“, Wien 1803; „Der Revolutionskrieg in S. 1848 und 1849“, Leipzig 1863. Karte: vom K. K. Militärisch-Geographischen Institut, „Siebenbürgen“ 1: 288,000, 4 Bl.

Druckfehler und Berichtigungen im VIII. Bde. S. 83 Z. 5 v. u. lies: Bauern. S. 85 Z. 4 v. u. lies: 4 Bataillone per Regmt. S. 86 Z. 10 v. o. lies: einen den Infanterie-Bataillonen ähnlichen Stand. S. 86 Z. 26 v. o. lies: die Küstenprovinzen. S. 89 Z. 5 v. o. lies: durch den. S. 101 Z. 6 v. u. lies: Wien 1867. S. 153 Z. 30 v. u. lies: welche, dem Vertheidiger der Festung gegenüber, theils .. S. 155 Z. 21 v. o. füge hinter „verbieten" zu: (In Preußen ist seit 1872 die völlige Korbklappe ganz abgeschafft und bedient man sich nur noch der Erbwalze). S. 208 füge zu: Schiffsjunge, unterste Stufe der seemännischen Laufbahn, aus welcher die Matrosen (s. d.) hervorgehen; ihre Ausbildung erfolgt auf dem Schiff und in Schiffsjungen-Instituten. S. 212 füge zu: Schlachtschiff, s. Flotte. S. 213 Z. 13 v. o. füge hinter „Schiff" zu: (Rohr-Schlagröhre). S. 293 Z. 7 v. o. lies: „Armeen". S. 295 Z. 26 v. o. lies: „im Gleichgewicht." S. 329 Z. 25 v. o. lies: „Grundsätze".